༄། །ཤེས་རབ་ཀྱི་ཕ་རོལ་ཏུ་ཕྱིན་པ་སྟོང་ཕྲག་ཉི་ཤུ་ལྔ་པ་བཞུགས་སོ། །

ཀྲུང་གོའི་བོད་རིག་པ་ཞིབ་འཇུག་ལྟེ་གནས་ཀྱི་བཀའ་བསྟན་དཔེ་སྡུར་ཁང་གིས་དཔེ་སྒྲིག་ཞུས།

ཀྲུང་གོའི་བོད་རིག་པ་དཔེ་སྐྲུན་ཁང་།

༄། །ཚོགས་བསགས་གྲངས་མེད་གཉིས་པའི་ཚེ། །ཚོགས་ཀྱི་ཡོན་གནས་མར་མེ་མཛད། །

ཨོཾ

ཨཱཿ

ཧཱུྃ།

༄ །བསམ་ཡས་ཚོགས་བསགས་གསུམ་པའི་ཡུལ། །མཐའ་ཡས་འདྲེན་པ་རྣམ་པར་གཟིགས། །

ཨོཾ

ཨཱཿ

ཧཱུྃ།

དེབ་བཅུ་བཞི་པའི་དཀར་ཆག

ཉི་ཁྲི། ཁ (༡༦)

༄། །ཚོགས་བསགས་གྲངས་མེད་གཉིས་པའི་ཚེ། །
ཚོགས་ཀྱི་ཡོན་གནས་མར་མེ་མཛད། །

༄། །བསམ་ཡས་ཚོགས་བསགས་གསུམ་པའི་ཡུལ། །
མཐའ་ཡས་འདྲེན་པ་རྣམ་པར་གཟིགས། །

ཉེ་ཁྲི།

ཁ

༄༅། །ཤེས་རབ་ཀྱི་ཕ་རོལ་ཏུ་ཕྱིན་པ་སྟོང་ཕྲག་ཉི་ཤུ་ལྔ་པ།[༡]

༄༅། །ཤེས་རབ་ཀྱི་ཕ་རོལ་ཏུ་ཕྱིན་པ་སྟོང་ཕྲག་ཉི་ཤུ་ལྔ་པ། ༔དུམ་བུ་གཉིས་པ།[༢] བམ་པོ་ཉི་ཤུ་བདུན་པ། ཀྱཻ་[༣]ཤཱ་ར་དྭ་ཏིའི་བུ་དེའི་ཕྱིར་ཤིན་ཏུ་ལེགས་པར་ཉོན་ལ་ཡིད་ལ་ཟུང་[༤]ཤིག་དང་། སངས་རྒྱས་ཀྱི་མཐུ་དང་སངས་རྒྱས་ཀྱི་བྱིན༔ཀྱི་རླབས་[༥]ཀྱིས། བྱང་ཆུབ་སེམས་དཔའ་སེམས་དཔའ་ཆེན་པོ་རྣམས་ཀྱི་ཤེས་རབ་ཀྱི་ཕ་རོལ་ཏུ་ཕྱིན་པ་དང་། བྱང་ཆུབ་སེམས་དཔའ་སེམས་དཔའ་ཆེན་པོ་ཤེས་རབ་ཀྱི་ཕ་རོལ་ཏུ་ཕྱིན་པ་ལ་ཇི་ལྟར་གནས་པར་བྱ་བ་དང་། ཇི་ལྟར་བསླབ་པར་བྱ་བ་དང་ལྷའི་བུ་གང་གིས་བླ་ན་མེད་པ་ཡང་དག་པར་རྫོགས་པའི་བྱང་ཆུབ་ཏུ་སེམས་མ་སྐྱེས་[༦]པ་དེ་དག་གིས་ཀྱང་། བླ་ན་མེད་པ་ཡང་དག་པར་རྫོགས་པའི་བྱང་ཆུབ་ཏུ་སེམས་བསྐྱེད་པར་བྱ་བ་བསྟན་པར་བྱའོ། །གང་ཡང་དག་པར་[༧]སྐྱོན་མེད་པར་ཞུགས་པར་གྱུར་པ་དེ་དག་ནི་བླ་ན་མེད་པ་ཡང་དག་པར་རྫོགས་པའི་བྱང་ཆུབ་ཏུ་སེམས་བསྐྱེད་པའི་མཐུ་མེད་དེ[༨]། དེ་ཅིའི་ཕྱིར་ཞེ་ན། དེ་

དག་གིས་འཁོར་བའི་རྒྱུན༌ཀྱི་མཚམས་གཅད་[1]པའི་ཕྱིར་ཏེ། འོན་ཀྱང་གལ་ཏེ་དེ་དག་བླ་ན་མེད་པ་ཡང་དག་པར་རྫོགས་པའི་བྱང་ཆུབ་ཏུ་སེམས་བསྐྱེད་ན་དེ་དག༌ལ་ཡང་[2]རྗེས་སུ་ཡི་རང་ངོ་། །ཁྱད་པར་དུ་འཕགས་པའི་ཆོས་རྣམས་ལས་ཁྱད་པར་དུ་འཕགས་པའི་ཆོས་རྣམས་འཐོབ་པར་འགྱུར་བས། དེ་དག་གིས་དགེ་བའི་ཕྱོགས་ལ་བདག་ནི་བར་ཆད་མི་བྱེད་དོ། །ཀཽ་[3]ཤི་ཀ་དེ་ལ་བྱང་ཆུབ་སེམས་དཔའ་སེམས་དཔའ་ཆེན་པོའི་ཤེས་རབ་ཀྱི་ཕ་རོལ་ཏུ་ཕྱིན་པ་གང་ཞེ་ན། ཀཽ་ཤི་ཀ་འདི་ལ་བྱང་ཆུབ་སེམས་དཔའ་སེམས་དཔའ་ཆེན་པོས་རྣམ་པ་ཐམས་ཅད་མཁྱེན་པ་ཉིད་དང་ལྡན་པའི་སེམས་བསྐྱེད་པས། དེ་མི་དམིགས་པའི་ཚུལ་གྱིས་གཟུགས་ནི་མི་རྟག་པར་ཡིད་ལ་བྱའོ། །གཟུགས་ནི་སྡུག་བསྔལ་བ་དང་བདག་མེད་པ་དང་ཞི་བ་དང་དབེན་པ་དང་ནད་དང་ཤུ་བ་དང་ཟུག་རྔུ་དང་སྡིག་པ་དང་ན་བ་དང་དགྲ་དང་འཇིག་པའི་ཆོས་ཅན་དང་། མི་བརྟན་པ་དང་འཇིག་པ་དང་འཇིགས་པ་དང་འགོ་བའི་ནད་དང་། སྟོང་པ་ཉིད་དང་བདག་གི་མེད་པ་དང་ཡིད་བརྟན་དུ་མི་རུང་བ་དང་། གནོད་པར་ཡིད་ལ་བྱའོ། །རྣམ་པ་ཐམས་ཅད་མཁྱེན་པ་ཉིད་དང་ལྡན་པའི་སེམས་བསྐྱེད་པས[4]། དེ་མི་དམིགས་པའི་ཚུལ་གྱིས་ཚོར་བ་དང་། འདུ་ཤེས་དང་འདུ་བྱེད་དང་རྣམ་པར་ཤེས་པ་ནི་མི་རྟག་པར་ཡིད་ལ་བྱའོ། །རྣམ་པར་ཤེས་པ་ནི་སྡུག་བསྔལ་བ་དང་། བདག་མེད་པ་དང་ཞི་བ་དང་དབེན་པ་དང་ནད་དང་ཤུ་བ་དང་ཟུག་རྔུ་དང་སྡིག་པ་དང་ན་བ་དང་དགྲ་དང་འཇིག་པའི་ཆོས་ཅན་དང་། མི་བརྟན་པ་དང་འཇིག་པ་དང་འཇིགས་པ་དང་འགོ་བའི་ནད་དང་། སྟོང་པ་ཉིད་དང་བདག་གི་མེད་པ་དང་ཡིད་བརྟན་དུ་མི་རུང་བ་དང་། གནོད་པར་ཡིད་ལ་བྱའོ། །རྣམ་པ་ཐམས་ཅད་མཁྱེན་པ་ཉིད་དང་ལྡན་པའི་སེམས་བསྐྱེད་པས། དེ་མི་དམིགས་པའི་ཚུལ་

ཀྱིས་མིག་ནི་མི་རྟག་པར་ཡིད་ལ་བྱའོ། །མིག་ནི་སྡུག་བསྔལ་བ་དང་བདག་མེད་པ་དང་། ཞི་བ་དང་དབེན་པ་དང་ནད་དང་ཤུ་བ་དང་ཟུག་རྔུ་དང་སྡིག་པ་དང་ན་བ་དང་དགྲ་དང་འཇིག་པའི་ཆོས་ཅན་དང་། མི་བརྟན་པ་དང་འཇིག་པ་དང་འཇིགས་པ་དང་འགོ་བའི་ནད་དང་སྟོང་པ་ཉིད་དང་བདག་གི་མེད་པ་དང་། ཡིད་བརྟན་དུ་མི་རུང་བ་དང་གནོད་པར་ཡིད་ལ་བྱའོ། །རྣམ་པ་ཐམས་ཅད་མཁྱེན་པ་ཉིད་དང་ལྡན་པའི་སེམས་བསྐྱེད་[༧]པས་དེ་མི་དམིགས་པའི་ཚུལ་གྱིས་[༣]རྣ་བ་དང་སྣ་དང་ལྕེ་དང་ལུས་དང་ཡིད་ནི་མི་རྟག་པར་ཡིད་ལ་བྱའོ། །ཡིད་ནི་སྡུག་བསྔལ་བ་དང་བདག་མེད་པ་དང་ཞི་བ་དང་དབེན་པ་དང་ནད་དང་ཤུ་བ་དང་ཟུག་རྔུ་དང་སྡིག་པ་དང་ན་བ་དང་དགྲ་དང་འཇིག་པའི་ཆོས་ཅན་དང་མི་བརྟན་པ་དང་འཇིག་པ་དང་འཇིགས་པ་དང་འགོ་བའི་ནད་དང་སྟོང་པ་ཉིད་དང་བདག་གི་མེད་པ་དང་། ཡིད་བརྟན་དུ་མི་རུང་བ་དང་གནོད་པར་ཡིད་ལ་བྱའོ། །རྣམ་པ་ཐམས་ཅད་མཁྱེན་པ་ཉིད་དང་ལྡན་པའི་སེམས་བསྐྱེད་པས། དེ་མི་དམིགས་པའི་ཚུལ་གྱིས་[༣]གཟུགས་ནི་མི་རྟག་པར་ཡིད་ལ་བྱའོ། །གཟུགས་ནི་སྡུག་བསྔལ་བ་དང་བདག་མེད་པ་དང་ཞི་བ་དང་དབེན་པ་དང་། ནད་དང་ཤུ་བ་དང་ཟུག་རྔུ་དང་སྡིག་པ་དང་ན་བ་དང་དགྲ་དང་འཇིག་པའི་ཆོས་ཅན་དང་མི་བརྟན་པ་དང་འཇིག་པ་དང་འཇིགས་པ་དང་འགོ་བའི་ནད་དང་སྟོང་པ་ཉིད་དང་བདག་གི་མེད་པ་དང་ཡིད་བརྟན་དུ་མི་རུང་བ་དང་། གནོད་པར་ཡིད་ལ་བྱའོ། །རྣམ་པ་ཐམས་ཅད་མཁྱེན་པ་ཉིད་དང་ལྡན་པའི་སེམས༔བསྐྱེད་པས་དེ་[༨]མི་དམིགས་པའི་ཚུལ་གྱིས་སྒྲ་དང་དྲི་དང་རོ་དང་རེག་དང་ཆོས་ནི་མི་རྟག་པར་ཡིད་ལ་བྱའོ། །ཆོས་ནི་སྡུག་བསྔལ་བ་དང་བདག་མེད་པ་དང་ཞི་བ་དང་དབེན་པ་དང་ནད་དང་ཤུ་བ་དང་ཟུག་རྔུ་དང་སྡིག་པ་དང་ན་བ་དང་། དགྲ་དང་འཇིག་

པའི་ཆོས་ཅན་དང་མི་བརྟན་པ་དང་འཇིག་པ་དང་འཇིགས་པ་དང་འགོ་བའི་ནད་དང་སྟོང་པ་ཉིད་དང་བདག་གི་མེད་པ་དང་ཡིད་བརྟན་དུ་མི་ཏུང་བ་དང་། གནོད་པར་ཡིད་ལ་བྱའོ། །རྣམ་པ་ཐམས་ཅད་མཁྱེན་པ་ཉིད་དང་ལྡན་པའི་སེམས་བསྐྱེད་པས། དེ་མི་དམིགས་པའི་ཚུལ་གྱིས་མིག་གི་རྣམ་པར་ཤེས་པ་ནི་མི་རྟག་པར་ཡིད་ལ་བྱའོ། །མིག་གི་རྣམ་པར་ཤེས་པ་ནི་སྡུག་བསྔལ་བ་དང་བདག་མེད་པ་དང་ཞི་བ་དང་དབེན་པ་དང་། ནད་དང་ཤུ་བ་དང་ཟུག་རྔུ་དང་སྡིག་པ་དང་ན་བ་དང་དགྲ་དང་འཇིག་པའི་ཆོས་ཅན་དང་མི་བརྟན་པ་དང་འཇིག་པ་དང་འཇིགས་པ་དང་འགོ་བའི་ནད་དང་སྟོང་པ་ཉིད་དང་བདག་གི་མེད་པ་དང་ཡིད་བརྟན་དུ་མི་[༧]ཏུང་བ་དང་གནོད་པར་ཡིད་ལ་བྱའོ། །རྣམ་པ་ཐམས་ཅད་མཁྱེན་པ་ཉིད་དང་ལྡན་པའི་སེམས་བསྐྱེད་པས། དེ་མི་དམིགས་པའི་ཚུལ་གྱིས་[༡]རྣ་བའི་རྣམ་པར་ཤེས་པ་དང་སྣའི་རྣམ་པར་ཤེས་པ་དང་། ལྗེའི་རྣམ་པར་ཤེས་པ་དང་ལུས་ཀྱི་རྣམ་པར་ཤེས་པ་དང་། ཡིད་ཀྱི་རྣམ་པར་ཤེས་པ་ནི་མི་རྟག་པར་ཡིད་ལ་བྱའོ། །ཡིད་ཀྱི་རྣམ་པར་ཤེས་པ་ནི་སྡུག་བསྔལ་བ་དང་བདག་མེད་པ་དང་ཞི་བ་དང་དབེན་པ་དང་ནད་དང་ཤུ་བ་དང་། ཟུག་རྔུ་དང་སྡིག་པ་དང་ན་བ་དང་དགྲ་དང་འཇིག་པའི་ཆོས་ཅན་དང་མི་བརྟན་པ་དང་འཇིག་པ་དང་འཇིགས་པ་དང་འགོ་བའི་ནད་དང་སྟོང་པ་ཉིད་དང་བདག་གི་མེད་པ་དང་ཡིད་བརྟན་དུ་མི་ཏུང་བ་དང་གནོད་པར་ཡིད་ལ་བྱའོ། །རྣམ་པ་ཐམས་ཅད་མཁྱེན་པ་ཉིད་དང་ལྡན་པའི་སེམས་བསྐྱེད་པས་[༡]དེ་མི་དམིགས་པའི་ཚུལ་གྱིས་མིག་གི་འདུས་ཏེ་རེག་པ་ནི་མི་རྟག་པར་ཡིད་ལ་བྱའོ། །མིག་གི་འདུས་ཏེ་རེག་པ་ནི་སྡུག་བསྔལ་བ་དང་བདག་མེད་པ་དང་ཞི་བ་དང་དབེན་པ་དང་ནད་དང་ཤུ་བ་དང་ཟུག་རྔུ་དང་སྡིག་པ་དང་ན་བ་དང་དགྲ་དང་འཇིག་པའི་ཆོས་ཅན་དང་མི་བརྟན་[༨]པ་དང་

འཇིག་པ་དང་འཇིགས་པ་དང་འགོ་བའི་ནད་དང་སྟོང་པ་ཉིད་དང་བདག་གི་མེད་པ་དང་ཡིད་བརྟན་དུ་མི་རུང་བ་དང་། གནོད་པར་ཡིད་ལ་བྱའོ། །རྣམ་པ་ཐམས་ཅད་མཁྱེན་པ་ཉིད་དང་ལྡན་པའི་སེམས༔བསྐྱེད་པས[༡]། དེ་མི་དམིགས་པའི་ཚུལ་གྱིས་རྣ་བའི་འདུས[༢]ཏེ་རེག་པ་དང་སྣའི་འདུས་ཏེ་རེག་པ་དང་། ལྗེའི་འདུས་ཏེ་རེག་པ་དང་ལུས་ཀྱི་འདུས་ཏེ་རེག་པ་དང་ཡིད་ཀྱི་འདུས་ཏེ་རེག་པ་ནི་མི་རྟག་པར་ཡིད་ལ་བྱའོ། །ཡིད་ཀྱི་འདུས་ཏེ་རེག་པ་ནི་སྡུག་བསྔལ་བ་དང་བདག་མེད་པ་དང་ཞི་བ་དང་དབེན་པ་དང་ནད་དང་ཤུ་བ་དང་ཟུག་རྔུ་དང་སྡིག་པ་དང་། ན་བ་དང་དགྲ་དང་འཇིག་པའི་ཆོས་ཅན་དང་། མི་བརྟན་པ་དང་འཇིག་པ་དང་འཇིགས་པ་དང་འགོ་བའི་ནད་དང་སྟོང་པ་ཉིད་དང་བདག་གི་མེད་པ་དང་ཡིད་བརྟན་དུ་མི་རུང་བ་དང་གནོད་པར་ཡིད་ལ་བྱའོ། །རྣམ་པ་ཐམས་ཅད་མཁྱེན་པ་ཉིད་དང་ལྡན་པའི་སེམས་བསྐྱེད[༣]པས་དེ་མི་དམིགས་པའི་ཚུལ་གྱིས། མིག་གི་འདུས་ཏེ་རེག་པའི་རྐྱེན་གྱིས[༤]ཚོར་བ་ནི་མི་རྟག་པར་ཡིད་ལ་བྱའོ། །མིག་གི་འདུས་ཏེ་རེག་པའི་རྐྱེན་གྱིས་ཚོར་བ་ནི་སྡུག་བསྔལ་བ་དང་བདག་མེད་པ་དང་ཞི་བ་དང་དབེན་པ་དང་ནད་དང་ཤུ་བ་དང་ཟུག་རྔུ་དང་སྡིག་པ་དང་ན་བ་དང་དགྲ་དང་འཇིག་པའི་ཆོས་ཅན་དང་། མི་བརྟན་པ་དང་འཇིག་པ་དང་འཇིགས་པ་དང་འགོ་བའི་ནད་དང་སྟོང་པ་ཉིད་དང་བདག་གི་མེད་པ་དང་ཡིད་བརྟན་དུ་མི་རུང་བ་དང་། གནོད་པར་ཡིད་ལ་བྱའོ། །རྣམ་པ་ཐམས་ཅད་མཁྱེན་པ་ཉིད་དང་ལྡན་པའི་སེམས༔བསྐྱེད་པས[༥]དེ་མི་དམིགས་པའི་ཚུལ་གྱིས་རྣ་བའི་འདུས་ཏེ་རེག་པའི་རྐྱེན་གྱིས་ཚོར་བ་དང་། སྣའི་འདུས་ཏེ་རེག་པའི་རྐྱེན་གྱིས་ཚོར་བ་དང་། ལྗེའི་འདུས་ཏེ་རེག་པའི་རྐྱེན་གྱིས་ཚོར་བ་དང་། ལུས་ཀྱི་འདུས་ཏེ་རེག་པའི་རྐྱེན་གྱིས་ཚོར་བ་དང་། ཡིད་ཀྱི་འདུས་ཏེ་རེག་པའི་རྐྱེན་གྱིས་ཚོར་བ་ནི་མི་རྟག་པར་

ཡོད་ལ་བྱོ། །ཡོད་ཀྱི་འདུས་ཏེ་རེག་པའི་རྐྱེན་གྱིས་ཚོར་བ་ནི་སྡུག་བསྔལ་བ་་་་དང་བདག་མེད་པ་དང་ཞི་བ་དང་། དབེན་པ་དང་ནད་དང་ཤུ་བ་དང་ཟུག་རྡུ་དང་སྡིག་པ་དང་ན་བ་དང་དགྲ་དང་འཇིག་པའི་ཆོས་ཅན་དང་། མི་བརྟན་པ་་དང་འཇིག་པ་དང་འཇིགས་པ་དང་འགོ་བའི་ནད་དང་སྟོང་པ་ཉིད་དང་བདག་གི་མེད་པ་དང་ཡིད་བརྟན་དུ་མི་རུང་བ་དང་གནོད་པར་ཡོད་ལ་བྱོ། །རྣམ་པ་ཐམས་ཅད་མཁྱེན་པ་ཉིད་དང་ལྡན་པའི་སེམས་བསྐྱེད་[༧]པས། དེ་མི་དམིགས་པའི་ཚུལ་གྱིས་སའི་ཁམས་ནི་མི་རྟག་པར་ཡོད་ལ་བྱོ། །སའི་ཁམས་ནི་སྡུག་བསྔལ་བ་དང་བདག་མེད་པ་དང་ཞི་བ་དང་དབེན་པ་དང་ནད་དང་ཤུ་བ་དང་ཟུག་རྡུ་དང་སྡིག་པ་དང་ན་བ་དང་དགྲ་དང་འཇིག་པའི་ཆོས་ཅན་དང་། མི་བརྟན་པ་དང་འཇིག་པ་དང་འཇིགས་པ་དང་འགོ་བའི་ནད་དང་སྟོང་པ་ཉིད་དང་བདག་གི་མེད་པ་དང་ཡིད་བརྟན་དུ་མི་རུང་བ་དང་གནོད་པར་ཡོད་ལ་བྱོ། །རྣམ་པ་ཐམས་ཅད་མཁྱེན་པ་ཉིད་དང་ལྡན་པའི་སེམས༔བསྐྱེད་པས[༨]། དེ་མི་དམིགས་པའི་ཚུལ་གྱིས་ཆུའི་ཁམས་དང་མེའི་[༩]ཁམས་དང་རླུང་གི་ཁམས་དང་ནམ་མཁའི་ཁམས་དང་། རྣམ་པར་ཤེས་པའི་ཁམས་ནི་མི་རྟག་པར་ཡོད་ལ་བྱོ། །རྣམ་པར་ཤེས་པའི་ཁམས་ནི་སྡུག་བསྔལ་བ་དང་། བདག་མེད་པ་དང་ཞི་བ་དང་དབེན་པ་དང་ནད་དང་ཤུ་བ་དང་ཟུག་རྡུ་དང་སྡིག་པ་དང་། ན་བ་དང་དགྲ་དང་འཇིག་པའི་ཆོས་ཅན་དང་། མི་བརྟན་པ་དང་འཇིག་པ་དང་འཇིགས་པ་དང་འགོ་བའི་ནད་དང་སྟོང་པ་ཉིད་དང་བདག་གི་མེད་པ་དང་ཡིད་བརྟན་དུ་མི་་རུང་བ་དང་། གནོད་པར་ཡོད་ལ་བྱོ། །རྣམ་པ་ཐམས་ཅད་མཁྱེན་པ་ཉིད་་དང་ལྡན་པའི་སེམས་བསྐྱེད་པས། དེ་མི་དམིགས་པའི་ཚུལ་གྱིས། མ་རིག་པ་ནི་མི་རྟག་པར་ཡོད་ལ་བྱོ། །མ་རིག་པ་ནི་སྡུག་བསྔལ་བ་དང་། བདག་མེད་པ་

དང་ཞི་བ་དང་དབེན་པ་དང་ནད་དང་ཤུ་བ་དང་ཟུག་རྔུ་དང་སྡིག་པ་[༡]དང་ན་བ་དང་དགྲ་དང་འཇིག་པའི་ཆོས་ཅན་དང་། མི་བརྟན་པ་དང་འཇིག་པ་དང་འཇིགས་པ་དང་འགོ་བའི་ནད་དང་སྟོང་པ་ཉིད་དང་བདག་གི་མེད་པ་དང་ཡིད་བརྟན་དུ་མི་རུང་བ་དང་གནོད་པར་ཡིད་ལ་བྱའོ། །རྣམ་པ་ཐམས་ཅད་མཁྱེན་པ་ཉིད་དང་ལྡན་པའི་སེམས་བསྐྱེད་པས། དེ་མི་དམིགས་པའི་ཚུལ་གྱིས། འདུ་བྱེད་དང་རྣམ་པར་ཤེས་པ་དང་། མིང་དང་གཟུགས་དང་སྐྱེ་མཆེད་དྲུག་དང་རེག་པ་དང་ཚོར་བ་དང་སྲེད་པ་དང་ལེན་པ་དང་སྲིད་པ་དང་སྐྱེ་བ་དང་རྒ་ཤི་ནི་མི་རྟག་པར་ཡིད་ལ་བྱའོ། །རྒ་ཤི་ནི་སྡུག་བསྔལ་བ་དང་བདག་མེད་པ་དང་ཞི་བ་དང་དབེན་པ་དང་ནད་དང་ཤུ་བ་དང་ཟུག་རྔུ་དང་སྡིག་པ་དང་ན་བ་དང་དགྲ་དང་འཇིག་པའི་ཆོས་ཅན་དང་། མི་བརྟན་པ་དང་འཇིག་པ་དང་འཇིགས་པ་དང་འགོ་བའི་ནད་དང་སྟོང་པ་ཉིད་དང་བདག་གི་མེད་པ་དང་ཡིད་བརྟན་དུ་མི་རུང་བ་དང་གནོད་པར་ཡིད་ལ་བྱའོ། །དེ་བཞིན་དུ་རྣམ་པ་ཐམས་ཅད་མཁྱེན་པ་ཉིད་དང་ལྡན་པའི་སེམས་བསྐྱེད་པས། དེ་མི་དམིགས་པའི་ཚུལ་གྱིས། མ་རིག་པ་འགག་པ་དང་འདུ་བྱེད་དང་རྣམ་པར་ཤེས་པ་དང་མིང་དང་གཟུགས་དང་སྐྱེ་མཆེད་དྲུག་དང་། རེག་པ་དང་ཚོར་བ་དང་སྲེད་པ་དང་ལེན་པ་དང་སྲིད་པ་དང་སྐྱེ་བ་དང་རྒ་ཤི་དང་མྱ་ངན་དང་སྨྲེ་སྔགས་འདོན་པ་དང་སྡུག་བསྔལ་བ་དང་ཡིད་མི་བདེ་བ་དང་། འཁྲུག་པ་འགག་པ་ནི་[༢]བདག་མེད་པར་ཡིད་ལ་བྱའོ། །དེ་བཞིན་དུ་ཞི་བ་དང་དབེན་པ་དང་སྟོང་པ་ཉིད་དང་མཚན་མ་མེད་པ་དང་སྨོན་པ་མེད་པ་དང་མངོན་པར་འདུ་བྱ་བ་མེད་པར་ཡིད་ལ་བྱའོ། །ཀཽ་ཤི་ཀ་གཞན་ཡང་བྱང་ཆུབ་སེམས་དཔའ་སེམས་དཔའ་ཆེན་པོ་ནི་རྣམ་པ་ཐམས་ཅད་མཁྱེན་པ་ཉིད་དང་ལྡན་པའི་སེམས་བསྐྱེད་པས་དེ་མི་དམིགས་པའི་ཚུལ་གྱིས། སྦྱིན་པའི་

ཕ་རོལ་ཏུ་ཕྱིན་པ་ལ་[༡]སྦྱོད་དོ། །རྣམ་པ་ཐམས་ཅད་མཁྱེན་པ་ཉིད་དང་ལྡན་པའི་སེམས་བསྐྱེད་པས་དེ་མི་དམིགས་པའི་ཚུལ་གྱིས། ཚུལ་ཁྲིམས་ཀྱི་ཕ་རོལ་ཏུ་ཕྱིན་པ་དང་། བཟོད་པའི་ཕ་རོལ་ཏུ་ཕྱིན་པ་དང་། བརྩོན་འགྲུས་ཀྱི་ཕ་རོལ་ཏུ་ཕྱིན་པ་དང་། བསམ་གཏན་གྱི་ཕ་རོལ་ཏུ་ཕྱིན་པ་དང་། ཤེས་རབ་ཀྱི་ཕ་རོལ་ཏུ་ཕྱིན་པ་ལ་སྦྱོད་དོ། །ཀཽ་ཤི་ཀ་གཞན་ཡང་བྱང་ཆུབ་སེམས་དཔའ་སེམས་དཔའ་ཆེན་པོ་ནི་རྣམ་པ་ཐམས་ཅད་མཁྱེན་པ་ཉིད་དང་ལྡན་པའི་སེམས་བསྐྱེད་པས་དེ་མི་དམིགས་པའི་ཚུལ་གྱིས། དྲན་པ་ཉེ་བར་གཞག་[༣]པ་བཞི་སྒོམ་[༣]མོ། །རྣམ་པ་ཐམས་ཅད་མཁྱེན་པ་ཉིད་དང་ལྡན་པའི་སེམས་བསྐྱེད་པས། དེ་མི་དམིགས་པའི་ཚུལ་གྱིས་ཡང་དག་པར་སྤོང་བ་བཞི་དང་། རྫུ་འཕྲུལ་གྱི་རྐང་པ་བཞི་དང་། དབང་པོ་ལྔ་དང་སྟོབས་ལྔ་དང་བྱང་ཆུབ་ཀྱི་ཡན་ལག་བདུན་དང་། འཕགས་པའི་ལམ་ཡན་ལག་བརྒྱད་པ་སྒོམ་མོ། །རྣམ་པ་ཐམས་ཅད་མཁྱེན་པ་ཉིད་དང་ལྡན་པའི་སེམས་བསྐྱེད་པས། དེ་མི་དམིགས་པའི་ཚུལ་གྱིས་འཕགས་པའི་བདེན་པ་བཞི་དང་། བསམ་གཏན་བཞི་དང་། ཚད་མེད་པ་བཞི་དང་། གཟུགས་མེད་པའི་སྙོམས་པར་འཇུག་པ་བཞི་དང་། རྣམ་པར་ཐར་པ་བརྒྱད་དང་། མཐར་གྱིས་གནས་པའི་སྙོམས་པར་འཇུག་པ་དགུ་དང་། རྣམ་པར་ཐར་པའི་སྒོ་སྟོང་པ་ཉིད་དང་། མཚན་མ་མེད་པ་དང་སྨོན་པ་མེད་པ་དང་མངོན་པར་ཤེས་པ་རྣམས་དང་། ཏིང་ངེ་འཛིན་རྣམས་དང་། གཟུངས་ཀྱི་སྒོ་རྣམས་དང་། དེ་བཞིན་གཤེགས་པའི་སྟོབས་བཅུ་དང་། མི་འཇིགས་པ་བཞི་དང་། སོ་སོ་ཡང་དག་པར་རིག་པ་བཞི་དང་། བྱམས་པ་ཆེན་པོ་དང་སྙིང་རྗེ་ཆེན་པོ་དང་། སངས་རྒྱས་ཀྱི་ཆོས་མ་འདྲེས་པ་བཅོ་[༨]བརྒྱད་སྒོམ་མོ། །ཀཽ་ཤི་ཀ་གཞན་ཡང་བྱང་ཆུབ་སེམས་དཔའ་སེམས་དཔའ་ཆེན་པོ་ཤེས་རབ་ཀྱི་ཕ་རོལ་ཏུ་

ཕྱིན་པ་ལ་སྤྱོད་པའི་ཚེ། འདི་ལྟར་ཡང་དག་པར་སློབ་སྟེ། ཆོས་རྣམས་མངོན་པར་རྣན་པར་བྱེད་པ་དང་། ཡོངས་སུ་རྣན་པར་བྱེད་པ་དང་ཡོངས་སུ་རྫོགས་པར་བྱེད་པ་དང་ཡོངས་སུ་རྒྱས་པར་བྱེད་པ་དང་ཡོངས་སུ་དཔྱོད་པར་བྱེད་པ་དེ་དག་ནི་ཆོས་ཁོ་ནར་ཟད་དེ། དེ་ལ་བདག་གམ་བདག་གི་མེད་དོ། །དེ་ཅིའི་ཕྱིར་ཞེ་ན། དེ་ནི་འདི་ལྟར་བྱང་ཆུབ་སེམས་དཔའ་སེམས་དཔའ་ཆེན་པོའི་ཡོངས་སུ་བསྔོ་བའི་སེམས་གང་ཡིན་པ་དེ་ཡང་བྱང་ཆུབ་ཀྱི་སེམས་དང་འགྲོགས་པ་མ་ཡིན། བྱང་ཆུབ་ཀྱི་སེམས་གང་ཡིན་པ་དེ་ཡང་ཡོངས་སུ་བསྔོ་བའི་སེམས་དང་འགྲོགས་པ་མ་ཡིན་ཏེ། ཀཽ་ཤི་ཀ་ཡོངས་སུ་བསྔོ་བའི་སེམས་གང་ཡིན་པ་དེ་ནི་བྱང་ཆུབ་ཀྱི་སེམས་ལ་མེད་ཅིང་མི་དམིགས། བྱང་ཆུབ་ཀྱི་སེམས་གང་ཡིན་པ་དེ་ནི་ཡོངས་སུ་བསྔོ་བའི་སེམས་ལ་མེད་ཅིང་མི་དམིགས་ཏེ། ཀཽ་ཤི་ཀ་གང་དེ་ལྟར་ཆོས་ཐམས་ཅད་ལ་ཡང་རབ་ཏུ་རྟོག་ལ། ཆོས་གང་ལ་ཡང་རྣམ་པར་རྒྱུ་བ་མེད་པ་འདི་ནི[༡]བྱང་ཆུབ་སེམས་དཔའ་སེམས་དཔའ་ཆེན་པོའི་ཤེས་རབ་ཀྱི་ཕ་རོལ་ཏུ་ཕྱིན་པའོ། །དེ་སྐད་ཅེས་སྨྲས་པ་དང་། ལྷའི་དབང་པོ་བརྒྱ་བྱིན་གྱིས་ཚེ་དང་ལྡན་པ་རབ་འབྱོར་ལ་འདི་སྐད་ཅེས་སྨྲས་སོ། །བཙུན་པ་རབ་འབྱོར་ཇི་ལྟར་ན་ཡོངས་སུ་བསྔོ་བའི་སེམས་བྱང་ཆུབ་ཀྱི་སེམས་དང་འགྲོགས་པ་མ་ཡིན། ཇི་ལྟར་ན་བྱང་ཆུབ་ཀྱི་སེམས་ཡོངས་སུ་བསྔོ་བའི་སེམས་དང་འགྲོགས་པ་མ་ཡིན། ཇི་ལྟར་ན་ཡོངས་སུ་བསྔོ་བའི་སེམས་བྱང་ཆུབ་ཀྱི་སེམས་ལ་མེད་ཅིང་མི་དམིགས། ཇི་ལྟར་ན་བྱང་ཆུབ་ཀྱི་སེམས་ཡོངས་སུ་བསྔོ་བའི་སེམས་ལ་མེད་ཅིང་མི་དམིགས་རབ་འབྱོར་གྱིས་སྨྲས་པ། ཀཽ་ཤི་ཀ་ཡོངས་སུ་བསྔོ་བའི་སེམས་གང་ཡིན་པ་དེ་ནི་སེམས་མ་ཡིན། བྱང་ཆུབ་ཀྱི་སེམས་གང་ཡིན་པ་དེ་ཡང་སེམས་མ་ཡིན་ཏེ། དེ་ལྟར་ན[༣]སེམས་མ་ཡིན་པ་གང་ཡིན་པ་དེ་ནི་བསམ་གྱིས་མི་ཁྱབ་པའོ། །བསམ་

གྱིས་མི་ཁྱབ་པ་གང་ཡིན་པ་དེ་ནི་སེམས་མ་ཡིན་པ་སྟེ། སེམས་མ་ཡིན་པ་དེ་ནི་སེམས་མ་ཡིན་པར་ཡང་ཡོངས་སུ་བསྡོ་བ་མེད། བསམ་གྱིས་མི་ཁྱབ་པ་[1]ཡང་བསམ་གྱིས་མི་ཁྱབ་པར་ཡོངས་སུ་བསྡོ་བ་མེད་དེ། དེ་ལྟར་ན་སེམས་མ་ཡིན་པ་གང་ཡིན་པ་དེ་ནི་བསམ་གྱིས་མི་ཁྱབ་པའོ། །བསམ་གྱིས་མི་ཁྱབ་པ་གང་ཡིན་པ་དེ་ནི་སེམས་མ་ཡིན་པ་སྟེ། གང་དེ་ལྟར་ཆོས་ཐམས་ཅད་ལ་ཡང་སོ་སོར་རྟོག་ལ། ཆོས་གང་ལ་ཡང་མངོན་པར་ཞེན་པ་མེད་ཅིང་མི་དམིགས་པ་འདི་ནི། ཀཽ་ཤི་ཀ་བྱང་ཆུབ་སེམས་དཔའ་སེམས་དཔའ་ཆེན་པོའི་ཤེས་རབ་ཀྱི་ཕ་རོལ་ཏུ་ཕྱིན་པའོ། །དེ་ནས་བཅོམ་ལྡན་འདས་ཀྱིས། ཚེ་དང་ལྡན་པ་རབ་འབྱོར་ལ་བཀའ་སྩལ་པ། རབ་འབྱོར་ཁྱོད་དེ་ལྟར་བྱང་ཆུབ་སེམས་དཔའ་སེམས་དཔའ་ཆེན་པོ་རྣམས་ལ། ཤེས་རབ་ཀྱི་ཕ་རོལ་ཏུ་ཕྱིན་པ་སྟོན་ཅིང་མོས་པ་སྐྱེད་[2]པ་ལེགས་སོ་ལེགས་སོ། །རབ་འབྱོར་ལེགས་སོ་ལེགས་སོ། །རབ་འབྱོར་གྱིས་གསོལ་པ། བཅོམ་ལྡན་འདས་བདག་གིས་ནི་བཀའ་དྲིན་དྲན་པར་བགྱིས་ཏེ། བཀའ་དྲིན་མི་དྲན་པར་མི་བགྱིའོ། །དེ་ཅིའི་སླད་དུ་ཞེ་ན། དེ་ནི་འདི་ལྟར་སྔོན་གྱི་དེ་བཞིན་གཤེགས་པ་དགྲ་བཅོམ་པ་ཡང་དག་པར་རྫོགས་པའི་སངས་རྒྱས་རྣམས་བཞུགས་པའི་ཚེ། དེ་དག་གི་ཉན་ཐོས་དེ་དག་གིས་དེ་བཞིན་གཤེགས་པ་དགྲ་བཅོམ་པ་ཡང་དག་པར་རྫོགས་པའི་སངས་རྒྱས་སྔོན་བྱང་ཆུབ་སེམས་དཔར་[3]གྱུར་པའི་ཚེ། ཕ་རོལ་ཏུ་ཕྱིན་པ་དྲུག་ལ་གདམས་པ་དང་། རྗེས་སུ་བསྟན་[4]པར་བགྱིས་ཏེ། དགྱེས་པ་དང་ཡང་དག་པར་བསྐུལ་བ་དང་ལེགས་པར་གཟེང་[5]བསྟོད་པ་དང་། རབ་ཏུ་དགྱེས་[6]པ་དང་གཞག་པ་དང་། ཤིན་ཏུ་བརྟན་པར་བགྱིས་པས། སྔོན་བྱང་ཆུབ་སེམས་དཔར་གྱུར་པའི་ཚེ། ཕ་རོལ་ཏུ་ཕྱིན་པ་དྲུག་ལ་བསླབ་པ་མཛད་དེ། བཅོམ་ལྡན་འདས་ཀྱིས་བླ་ན་མེད་པ་ཡང་དག་པར་རྫོགས་པའི་བྱང་ཆུབ་ཏུ་མངོན་

པར་རྫོགས་པར་སངས་རྒྱས་སོ། །བཅོམ་ལྡན་འདས་དེ་བཞིན་དུ་བདག་གིས་ཀྱང་བྱང་ཆུབ་སེམས་དཔའ་སེམས་དཔའ་ཆེན་པོ་རྣམས་ཕ་རོལ་ཏུ་ཕྱིན་པ་དྲུག་ལ་གདམས་པར་བགྱིའོ། །རྗེས་སུ་བསྟན་པར་བགྱིའོ། །དགའ་བར་བགྱིའོ། །ཡང་དག་པར་བསྐུལ་བར་བགྱིའོ། །ལེགས་པར་གཟེང་བསྟོད[༡]པར་བགྱིའོ། །རབ་ཏུ་དགའ་བར་བགྱིའོ། །དགོད་པར་བགྱིའོ། །ཤིན་དུ་བརྟན་པར་བགྱིའོ། །བདག་གིས་བྱང་ཆུབ་སེམས་དཔའ་སེམས་དཔའ་ཆེན་པོ་ཕ་རོལ་ཏུ་ཕྱིན་པ་དྲུག་ལ་དེ་ལྟར་གདམས་པ་དང་། རྗེས་སུ་བསྟན[༢]པ་དང་དགའ་བར་བགྱིས་པ་དང་། ཡང་དག་པར་བསྐུལ་བ་དང་ལེགས་པར་གཟེང[༣]བསྟོད་པ་དང་རབ་ཏུ་དགའ་བར་བགྱིས༔པ་དང་བགོད[༤]པ་དང་ཤིན་དུ་བརྟན་པ་དག་ཀྱང་བླ་ན་མེད་པ་ཡང་དག་པར་རྫོགས་པའི་བྱང་ཆུབ་ཏུ་མངོན་པར་འཚང་རྒྱ་བར་འགྱུར་རོ། །དེ་ནས་ཚེ་དང་ལྡན་པ་རབ་འབྱོར་གྱིས། ལྷའི་དབང་པོ་བརྒྱ་བྱིན་ལ་འདི་སྐད་ཅེས་སྨྲས་སོ།། ཀཽ་ཤི་ཀ་དེའི་ཕྱིར་ཤིན་དུ་ལེགས་པར་ཉོན་ལ་ཡིད་ལ༔ཟུང་ཤིག[༥]དང་། ཇི་ལྟར་བྱང་ཆུབ་སེམས་དཔའ་སེམས་དཔའ་ཆེན་པོས་ཤེས་རབ་ཀྱི་ཕ་རོལ་དུ་ཕྱིན་པ་ལ་གནས་པར་བྱ་བ་དང་། ཇི་ལྟར་མི་གནས་པར་བྱ་བ་བདག་གིས་བཤད་དོ། །ཀཽ་ཤི་ཀ་གཟུགས་ནི་གཟུགས་ཀྱིས་སྟོང་ངོ་། །ཚོར་བ་དང་འདུ་ཤེས་དང་འདུ་བྱེད་དང་རྣམ་པར་ཤེས་པ་ནི་རྣམ་པར་ཤེས་པས་སྟོང་ངོ་། །བྱང་ཆུབ་སེམས་དཔའ་ནི་བྱང་ཆུབ་སེམས་དཔས་སྟོང་ངོ་། །ཀཽ་ཤི་ཀ་དེ[༦]ལྟར་ན་གཟུགས་སྟོང་པ་ཉིད་དང་། ཚོར་བ་དང་འདུ་ཤེས་དང་འདུ་བྱེད་དང་རྣམ་པར་ཤེས་པ་སྟོང་པ་ཉིད་དང་བྱང་ཆུབ་སེམས་དཔའ་སྟོང་པ་ཉིད་དེ་ལ་གཉིས་སུ་མེད་ཅིང་གཉིས་སུ་བྱར་མེད་དོ[༧]། །ཀཽ་ཤི་ཀ་བྱང་ཆུབ་སེམས་དཔའ་སེམས་དཔའ་ཆེན་པོས་ཤེས་རབ་ཀྱི་ཕ་རོལ་དུ་ཕྱིན་པ་ལ་དེ་ལྟར་གནས་པར་བྱའོ། །ཀཽ་ཤི་ཀ་གཞན་ཡང་མིག

ནི་མིག་གིས་སྟོང་ངོ་། །རྣ་བ་དང་སྣ་དང་ལྕེ་དང་ལུས་དང་ཡིད་ནི་ཡིད་ཀྱིས་སྟོང་ངོ་། །བྱང་ཆུབ་སེམས་དཔའ་ནི་བྱང་ཆུབ་སེམས་དཔས་སྟོང་ངོ་། །ཀཽ་ཤི་ཀ་དེ་ལྟར་ན་མིག་སྟོང་པ་ཉིད་དང་། རྣ་བ་དང་སྣ་དང་ལྕེ་དང་ལུས་དང་ཡིད་སྟོང་པ་ཉིད་དང་། བྱང་ཆུབ་སེམས་དཔའ་སྟོང་པ་ཉིད་དེ་ལ་གཉིས་སུ་མེད་ཅིང་གཉིས་སུ་བྱར་མེད་དོ། །ཀཽ་ཤི་ཀ་གཞན་ཡང་གཟུགས་ནི་གཟུགས་ཀྱིས་སྟོང་ངོ་། །སྒྲ་དང་དྲི་དང་རོ་དང་རེག་དང་ཆོས་ནི་ཆོས་ཀྱིས་སྟོང་ངོ་། །བྱང་ཆུབ་སེམས་དཔའ་ནི་བྱང་ཆུབ་སེམས་དཔས་སྟོང་ངོ་། །ཀཽ་ཤི་ཀ་དེ་ལྟར་ན་གཟུགས་སྟོང་པ་ཉིད་དང་སྒྲ་དང་དྲི་དང་རོ་དང་རེག་དང་ཆོས་སྟོང་པ་ཉིད་དང་བྱང་ཆུབ་སེམས་དཔའ་སྟོང་པ་ཉིད་དེ་ལ་གཉིས་སུ་མེད་ཅིང་གཉིས་སུ་བྱར་མེད་དོ། །ཀཽ་ཤི་ཀ་གཞན་ཡང་མིག་གི་རྣམ་པར་ཤེས་པ་ནི་མིག་གི་རྣམ་པར་ཤེས་པས་སྟོང་ངོ་། །རྣ་བའི་རྣམ་པར་ཤེས་པ་དང་སྣའི་རྣམ་པར་ཤེས་པ་དང་ལྕེའི་རྣམ་པར་ཤེས་པ་དང་ལུས་ཀྱི་རྣམ་པར་ཤེས་པ་དང་ཡིད་ཀྱི་རྣམ་པར་ཤེས་པ་ནི་ཡིད་ཀྱི་རྣམ་པར་ཤེས་པས་སྟོང་ངོ་། །བྱང་ཆུབ་སེམས་དཔའ་ནི་བྱང་ཆུབ་སེམས་དཔས་སྟོང་ངོ་། །ཀཽ་ཤི་ཀ་དེ་ལྟར་ན་མིག་གི་རྣམ་པར་ཤེས་པ་སྟོང་པ་ཉིད་དང་རྣ་བའི་རྣམ་པར་ཤེས་པ་དང་སྣའི་རྣམ་པར་ཤེས་པ་དང་ལྕེའི་རྣམ་པར་ཤེས་པ་དང་ལུས་ཀྱི་རྣམ་པར་ཤེས་པ་དང་ཡིད་ཀྱི་རྣམ་པར་ཤེས་པ་སྟོང་པ་ཉིད་དང་། བྱང་ཆུབ་སེམས་དཔའ་སྟོང་པ་ཉིད་དེ་ལ་གཉིས་སུ་མེད་ཅིང་གཉིས་སུ་བྱར་མེད་དོ། །ཀཽ་ཤི་ཀ་གཞན་ཡང་མིག་གི་འདུས་ཏེ་རེག་པ་ནི་མིག་གི་འདུས་ཏེ་རེག་པས་སྟོང་ངོ་། །རྣ་བའི་འདུས་ཏེ་རེག་པ་དང་སྣའི་འདུས་ཏེ་རེག་པ་དང་ལྕེའི་འདུས་ཏེ་རེག་པ་དང་ལུས་ཀྱི་འདུས་ཏེ་རེག་པ་དང་ཡིད་ཀྱི་འདུས་ཏེ་རེག་པ་ནི་ཡིད་ཀྱི་འདུས་ཏེ་རེག་པས་སྟོང་ངོ་། །བྱང་ཆུབ་སེམས་དཔའ་ནི་བྱང་ཆུབ་སེམས་དཔས་སྟོང་ངོ་། །ཀཽ་ཤི་

ཀ་དེ་ལྟར་ན་མིག་གི་འདུས་ཏེ་རེག་པ་སྟོང་པ་ཉིད་དང་། རྣ་བའི་འདུས་ཏེ་རེག་པ་དང་། སྣའི་འདུས་ཏེ་རེག་པ་དང་། ལྗེའི་འདུས་ཏེ་རེག་པ་དང་། ལུས་ཀྱི་འདུས་ཏེ་རེག་པ་དང་། ཡིད་ཀྱི་འདུས་ཏེ་རེག་པ་སྟོང་པ་ཉིད་དང་། བྱང་ཆུབ་སེམས་དཔའ་སྟོང་པ་ཉིད་དེ་ལ་གཉིས་སུ་མེད་ཅིང་གཉིས་སུ་བྱར་མེད་དོ། །ཀཽ་ཤི་ཀ་གཞན་ཡང་མིག་གི་འདུས་ཏེ་རེག་པ་ལས་བྱུང་བའི་ཚོར་བ་ནི་མིག་གི་འདུས་ཏེ་རེག་པ་ལས་བྱུང་བའི་ཚོར་བས་སྟོང་ངོ་། །རྣ་བའི་འདུས་ཏེ་རེག་པ་་་ལས་བྱུང་བའི་ཚོར་བ་དང་། སྣའི་འདུས་ཏེ་རེག་པ་ལས་བྱུང་བའི་ཚོར་བ་དང་། ལྗེའི་འདུས་ཏེ་རེག་པ་ལས་བྱུང་བའི་ཚོར་བ་དང་ལུས་ཀྱི་འདུས་ཏེ་རེག་པ་ལས་བྱུང་བའི་ཚོར་བ་དང་། ཡིད་ཀྱི་འདུས་ཏེ་རེག་པ་ལས་བྱུང་བའི་ཚོར་བ་ནི་ཡིད་ཀྱི་འདུས་ཏེ་རེག་པ་ལས་བྱུང་བའི་ཚོར་བས་སྟོང་ངོ་། །བྱང་ཆུབ་སེམས་དཔའ་་ནི་བྱང་ཆུབ་སེམས་དཔས་སྟོང་ངོ་། །ཀཽ་ཤི་ཀ་དེ་ལྟར་ན་མིག་གི་འདུས་ཏེ་རེག་པ་ལས་བྱུང་བའི་ཚོར་བ་སྟོང་པ་ཉིད་དང་། རྣ་བའི་འདུས་ཏེ་རེག་པ་ལས་བྱུང་བའི་ཚོར་བ་དང་། སྣའི་འདུས་ཏེ་རེག་པ་ལས་བྱུང་བའི་ཚོར་བ་དང་། ལྗེའི་འདུས་ཏེ་རེག་པ་ལས་བྱུང་བའི་ཚོར་བ་དང་། ལུས་ཀྱི་འདུས་ཏེ་རེག་པ་ལས་བྱུང་བའི་[7]ཚོར་བ་དང་། ཡིད་ཀྱི་འདུས་ཏེ་རེག་པ་ལས་བྱུང་བའི་ཚོར་བ་སྟོང་་པ་ཉིད་དང་། བྱང་ཆུབ་སེམས་དཔའ་སྟོང་པ་ཉིད་དེ་ལ་གཉིས་སུ་མེད་ཅིང་གཉིས་སུ་བྱར་མེད་དོ། །ཀཽ་ཤི་ཀ་བྱང་ཆུབ་སེམས་དཔའ་སེམས་དཔའ་ཆེན་པོས། ཤེས་རབ་ཀྱི་ཕ་རོལ་ཏུ་ཕྱིན་པ་ལ་དེ་ལྟར་གནས་པར་བྱའོ། །ཀཽ་ཤི་ཀ་གཞན་ཡང་སའི་ཁམས་ནི་སའི་ཁམས་ཀྱིས་སྟོང་ངོ་། །ཆུའི་ཁམས་དང་མེའི་ཁམས་དང་རླུང་གི་ཁམས་དང་ནམ་མཁའི་ཁམས་དང་རྣམ་པར་ཤེས་པའི་ཁམས་ནི་རྣམ་པར་ཤེས་པའི་ཁམས་ཀྱིས་སྟོང་ངོ་། །བྱང་ཆུབ་སེམས་དཔའ་ནི་བྱང་ཆུབ་སེམས་དཔས་་་་

སྟོང་ངོ་། །ཀཽ་ཤི་ཀ་དེ་ལྟར་ན་སའི་ཁམས་སྟོང་པ་ཉིད་དང་ཆུའི་ཁམས་དང་མེའི་ཁམས་དང་རླུང་གི་ཁམས་དང་ནམ་མཁའི་ཁམས་དང་རྣམ་པར་ཤེས་པའི་ཁམས་སྟོང་པ་ཉིད་དང་། བྱང་ཆུབ་སེམས་དཔའ་སྟོང་པ་ཉིད་དེ་ལ་གཉིས་སུ་མེད་ཅིང་གཉིས་སུ་བྱར་མེད་དོ། །ཀཽ་ཤི་ཀ་བྱང་ཆུབ་སེམས་དཔའ་སེམས་དཔའ་ཆེན་པོས་ཤེས་རབ་ཀྱི་ཕ་རོལ་ཏུ་ཕྱིན་པ་ལ་དེ་ལྟར་གནས་པར་བྱའོ། །ཀཽ་ཤི་ཀ་གཞན་ཡང་མ་རིག་པ་ནི་མ་རིག་པས་སྟོང་ངོ་། །འདུ་བྱེད་དང་རྣམ་པར་ཤེས་པ་དང་མིང་དང་གཟུགས་དང་སྐྱེ་མཆེད་དྲུག་དང་རེག་པ་དང་ཚོར་བ་དང་སྲེད་པ་དང་ལེན་པ་དང་སྲིད་པ་དང་སྐྱེ་བ་དང་རྒ་ཤི་ནི་རྒ་ཤིས་སྟོང་ངོ་། །བྱང་ཆུབ་སེམས་དཔའ་ནི་བྱང་ཆུབ་སེམས་དཔས་སྟོང་ངོ་། །ཀཽ་ཤི་ཀ་དེ་ལྟར་ན་མ་རིག་པ་སྟོང་པ་ཉིད་དང་། འདུ་བྱེད་དང་རྣམ་པར་ཤེས་པ་དང་མིང་དང་གཟུགས་དང་སྐྱེ་མཆེད་དྲུག་དང་རེག་པ་དང་ཚོར་བ་དང་སྲེད་པ་དང་ལེན་པ་དང་སྲིད་པ་དང་སྐྱེ་བ་དང་རྒ་ཤི་སྟོང་པ་ཉིད་དང་བྱང་ཆུབ་སེམས་དཔའ་སྟོང་པ་ཉིད་དེ་ལ་གཉིས་སུ་མེད་ཅིང་གཉིས་སུ་བྱར་མེད་དོ། །ཀཽ་ཤི་ཀ་བྱང་ཆུབ་སེམས་དཔའ་སེམས་དཔའ་ཆེན་པོས་ཤེས་རབ་ཀྱི་ཕ་རོལ་ཏུ་ཕྱིན་པ་ལ་དེ་ལྟར་གནས་པར་བྱའོ། །ཀཽ་ཤི་ཀ་གཞན་ཡང་མ་རིག་པ་འགགས་པ་ནི་མ་རིག་པ་འགགས་པས་སྟོང་ངོ་། །དེ་བཞིན་དུ་འདུ་བྱེད་དང་རྣམ་པར་ཤེས་པ་དང་མིང་དང་གཟུགས་དང་སྐྱེ་མཆེད་དྲུག་དང་རེག་པ་དང་ཚོར་བ་དང་སྲེད་པ་དང་ལེན་པ་དང་སྲིད་པ་དང་སྐྱེ་བ་དང་རྒ་ཤི་འགགས་པ་ནི་རྒ་ཤི་འགགས་པས་སྟོང་ངོ་། །བྱང་ཆུབ་སེམས་དཔའ་ནི་བྱང་ཆུབ་སེམས་དཔས་སྟོང་སྟེ། དེ་ལྟར་ན་མ་རིག་པ་འགགས་པ་སྟོང་པ་ཉིད་དང་། རྒ་ཤི་འགགས་པ་སྟོང་པ་ཉིད་དང་བྱང་ཆུབ་སེམས་དཔའ་སྟོང་པ་ཉིད་དེ་ལ་གཉིས་སུ་མེད་ཅིང་གཉིས་སུ་བྱར་མེད་དེ[1]། ཀཽ་ཤི་ཀ་བྱང་ཆུབ་སེམས་དཔའ་སེམས་

དཔའ་ཆེན་པོས་ཤེས་རབ་ཀྱི་ཕ་རོལ་ཏུ་ཕྱིན་པ་ལ་དེ་ལྟར་གནས་པར་བྱའོ། །ཀཽ་ཤི་ཀ་གཞན་ཡང་སྦྱིན་པའི་ཕ་རོལ་ཏུ་ཕྱིན་པ་ནི་སྦྱིན་པའི་ཕ་རོལ་ཏུ་ཕྱིན་པས་སྟོང་ངོ་། །ཚུལ་ཁྲིམས་ཀྱི་ཕ་རོལ་ཏུ་ཕྱིན་པ་དང་། བཟོད་པའི་ཕ་རོལ་ཏུ་ཕྱིན་པ་དང་། བརྩོན་འགྲུས་ཀྱི་ཕ་རོལ་ཏུ་ཕྱིན་པ་དང་། བསམ་གཏན་གྱི་ཕ་རོལ་ཏུ་ཕྱིན་པ་དང་། ཤེས་རབ་ཀྱི་ཕ་རོལ་ཏུ་ཕྱིན་པ་ནི་ཤེས་རབ་ཀྱི་ཕ་རོལ་ཏུ་ཕྱིན་པས་སྟོང་ངོ་། །བྱང་ཆུབ་སེམས་དཔའ་ནི་བྱང་ཆུབ་སེམས་དཔས་སྟོང་ངོ་། །ཀཽ་ཤི་ཀ་དེ་ལྟར་ན་སྦྱིན་པའི་ཕ་རོལ་ཏུ་ཕྱིན་པ་སྟོང་པ་ཉིད་དང་། ཚུལ་ཁྲིམས་ཀྱི་ཕ་རོལ་ཏུ་ཕྱིན་པ་དང་། བཟོད་པའི་ཕ་རོལ་ཏུ་ཕྱིན་པ་དང་། བརྩོན་འགྲུས་ཀྱི་ཕ་རོལ་ཏུ་ཕྱིན་པ་དང་། བསམ་གཏན་གྱི་ཕ་རོལ་ཏུ་ཕྱིན་པ་དང་། ཤེས་རབ་ཀྱི་ཕ་རོལ་ཏུ་ཕྱིན་པ་སྟོང་པ་ཉིད་དང་། བྱང་ཆུབ་སེམས་དཔའ་སྟོང་པ་ཉིད་དེ་ལ་གཉིས་སུ་མེད་ཅིང་གཉིས་སུ་བྱར་མེད་དོ[1]། །ཀཽ་ཤི་ཀ་བྱང་ཆུབ་སེམས་དཔའ་སེམས་དཔའ་ཆེན་པོས་ཤེས་རབ་ཀྱི་ཕ་རོལ་ཏུ་ཕྱིན་པ་ལ་དེ་ལྟར་གནས་པར་བྱའོ། །ཀཽ་ཤི་ཀ་གཞན་ཡང་ནང་སྟོང་པ་ཉིད་ནི་ནང་སྟོང་པ་ཉིད་ཀྱིས་སྟོང་ངོ་། །དངོས་པོ་མེད་པའི་ངོ་བོ་ཉིད་སྟོང་པ་ཉིད་ཀྱི་བར་ནི་དངོས་པོ་མེད་པའི་ངོ་བོ་ཉིད་སྟོང་པ་ཉིད་ཀྱི་བར་གྱིས་སྟོང་ངོ་། །བྱང་ཆུབ་སེམས་དཔའ་ནི་བྱང་ཆུབ་སེམས་དཔས་སྟོང་ངོ་། །ཀཽ་ཤི་ཀ་དེ་ལྟར་ན་ནང་སྟོང་པ་ཉིད་སྟོང་པ་ཉིད་དང་། དངོས་པོ་མེད་པའི་ངོ་བོ་ཉིད་སྟོང་པ་ཉིད་ཀྱི་བར་སྟོང་པ་ཉིད་དང་། བྱང་ཆུབ་སེམས་དཔའ་སྟོང་པ་ཉིད་དེ་ལ་གཉིས་སུ་མེད་ཅིང་གཉིས་སུ་བྱར་མེད་དེ[2]། ཀཽ་ཤི་ཀ་བྱང་ཆུབ་སེམས་དཔའ་སེམས་དཔའ་ཆེན་པོས་ཤེས་རབ་ཀྱི་ཕ་རོལ་ཏུ་ཕྱིན་པ་ལ་དེ་ལྟར་གནས་པར་བྱའོ། །ཀཽ་ཤི་ཀ་གཞན་ཡང་དྲན་པ་ཉེ་བར་གཞག་པ་རྣམས་ནི་དྲན་པ་ཉེ་བར་གཞག་པ་རྣམས་ཀྱིས་སྟོང་ངོ་། །ཡང་དག་པར་སྤོང་བ་དང་རྫུ་

འཕྲུལ་གྱི་རྐང་པ་དང་། དབང་པོ་དང་སྟོབས་དང་བྱང་ཆུབ་ཀྱི་ཡན་ལག་དང་འཕགས་པའི་ལམ་ཡན་ལག་བརྒྱད་པ་ནི་འཕགས་པའི་ལམ་ཡན་ལག་བརྒྱད་པས་སྟོང་ངོ་། །བྱང་ཆུབ་སེམས་དཔའ་ནི་བྱང་ཆུབ་སེམས་དཔས་སྟོང་ངོ་། །ཀཽ་ཤི་ཀ་དེ་ལྟར་ན་དྲན་པ་ཉེ་བར་གཞག་པ་སྟོང་པ་ཉིད་དང་། ཡང་དག་པར་སྤོང་བ་དང་རྫུ་འཕྲུལ་གྱི་རྐང་པ་དང་དབང་པོ་དང་སྟོབས་དང་བྱང་ཆུབ་ཀྱི་ཡན་ལག་དང་། འཕགས་པའི་ལམ་ཡན་ལག་བརྒྱད་པ་སྟོང་པ་ཉིད་དང་། བྱང་ཆུབ་སེམས་དཔའ་སྟོང་པ་ཉིད་དེ་ལ་གཉིས་སུ་མེད་ཅིང་གཉིས་སུ་བྱར་མེད་དོ། །ཀཽ་ཤི་ཀ་བྱང་ཆུབ་སེམས་དཔའ་སེམས་དཔའ་ཆེན་པོས་ཤེས་རབ་ཀྱི་ཕ་རོལ་ཏུ་ཕྱིན་པ་ལ་དེ་ལྟར་གནས་པར་བྱའོ། །ཀཽ་ཤི་ཀ་འཕགས་པའི་བདེན་པ་རྣམས་དང་། བསམ་གཏན་རྣམས་དང་ཚད་མེད་པ་རྣམས་དང་། གཟུགས་མེད་པའི་སྙོམས་པར་འཇུག་པ་རྣམས་དང་། རྣམ་པར་ཐར་པ་རྣམས་དང་མཐར་གྱིས་གནས་པའི་སྙོམས་པར་འཇུག་པ་དགུ་དང་སྟོང་པ་ཉིད་དང་མཚན་མ་མེད་པ་དང་སྨོན་པ་མེད་པ་དང་མངོན་པར་ཤེས་པ་རྣམས་དང་། ཏིང་ངེ་འཛིན་རྣམས་དང་གཟུངས་ཀྱི་སྒོ་རྣམས་དང་། དེ་བཞིན་གཤེགས་པའི་སྟོབས་བཅུ་དང་མི་འཇིགས་པ་བཞི་དང་སོ་སོ་ཡང་དག་པར་རིག་པ་བཞི་དང་། སངས་རྒྱས་ཀྱི་ཆོས་མ་འདྲེས་པ་རྣམས་ནི་སངས་རྒྱས་ཀྱི་ཆོས་མ་འདྲེས་པ་[༡]རྣམས་ཀྱིས་སྟོང་ངོ་། །བྱང་ཆུབ་སེམས་དཔའ་ནི་བྱང་ཆུབ་སེམས་དཔས་སྟོང་ངོ་། །ཀཽ་ཤི་ཀ་དེ་ལྟར་ན་འཕགས་པའི་བདེན་པ་སྟོང་པ་ཉིད་དང་། སངས་རྒྱས་ཀྱི་ཆོས་མ་འདྲེས་པའི་བར་སྟོང་པ་ཉིད་དང་། བྱང་ཆུབ་སེམས་དཔའ་སྟོང་པ་ཉིད་དེ་ལ་གཉིས་སུ་མེད་ཅིང་གཉིས་སུ་བྱར་མེད་དོ[༢]། །ཀཽ་ཤི་ཀ་བྱང་ཆུབ་སེམས་དཔའ་སེམས་དཔའ་ཆེན་པོས་ཤེས་རབ་ཀྱི་ཕ་རོལ་ཏུ་ཕྱིན་པ་ལ་དེ་ལྟར་གནས་པར་བྱའོ། །ཀཽ་ཤི་ཀ་

གཞན་ཡང་ཉན་ཐོས་ཀྱི་ཐེག་པ་ནི་ཉན་ཐོས་ཀྱི་ཐེག་པས་སྟོང་ངོ་། །རང་སངས་རྒྱས་ཀྱི་ཐེག་པ་ནི་རང་སངས་རྒྱས་ཀྱི་ཐེག་པས་སྟོང་ངོ་། །སངས་རྒྱས་ཀྱི་ཐེག་པ་ནི་སངས་རྒྱས་ཀྱི་ཐེག་པས་སྟོང་ངོ་། །བྱང་ཆུབ་སེམས་དཔའ་ནི་བྱང་ཆུབ་སེམས་དཔས་སྟོང་ངོ་། །ཀཽ་ཤི་ཀ་དེ་ལྟར་ན་ཉན་ཐོས་ཀྱི་ཐེག་པ་སྟོང་པ་ཉིད་དང་། རང་སངས་རྒྱས་ཀྱི་ཐེག་པ་སྟོང་པ་ཉིད་དང་། སངས་རྒྱས་ཀྱི་ཐེག་པ་སྟོང་པ་ཉིད་དང་། བྱང་ཆུབ་སེམས་དཔའ་སྟོང་པ་ཉིད་དེ་ལ་གཉིས་སུ་མེད་ཅིང་གཉིས་སུ་བྱར་མེད་དེ[༡]། ཀཽ་ཤི་ཀ་བྱང་ཆུབ་སེམས་དཔའ་སེམས་དཔའ་ཆེན་པོས་ཤེས་རབ་ཀྱི་ཕ་རོལ་ཏུ་ཕྱིན་པ་ལ་དེ་ལྟར་གནས་པར་བྱའོ། །ཀཽ་ཤི་ཀ་གཞན་ཡང་ཉན་ཐོས་ནི་ཉན་ཐོས་ཀྱིས་སྟོང་ངོ་། །རང་སངས་རྒྱས་ནི་རང་སངས་རྒྱས་ཀྱིས་སྟོང་ངོ་། །སངས་རྒྱས་ནི་སངས་རྒྱས་ཀྱིས་སྟོང་ངོ་། །བྱང་ཆུབ་སེམས་དཔའ་ནི་བྱང་ཆུབ་སེམས་དཔས་སྟོང་ངོ་། །ཀཽ་ཤི་ཀ་དེ་ལྟར་ན་ཉན་ཐོས་སྟོང་པ་ཉིད་དང་། རང་སངས་རྒྱས་སྟོང་པ་ཉིད་དང་། སངས་རྒྱས་སྟོང་པ་ཉིད་དང་། བྱང་ཆུབ་སེམས་དཔའ་སྟོང་པ་ཉིད་དེ་ལ་གཉིས་སུ་མེད་ཅིང་གཉིས་སུ་བྱར་མེད་དེ[༢]། ཀཽ་ཤི་ཀ་བྱང་ཆུབ་སེམས་དཔའ་སེམས་དཔའ་ཆེན་པོས་ཤེས་རབ་ཀྱི་ཕ་རོལ་ཏུ་ཕྱིན་པ་ལ་དེ་ལྟར་གནས་པར་བྱའོ། །ཀཽ་ཤི་ཀ་གཞན་ཡང་རྒྱུན་དུ་ཞུགས་པའི་འབྲས་བུ་ནི་རྒྱུན་དུ་ཞུགས་པའི་འབྲས་བུས་སྟོང་ངོ་། །ལན་ཅིག[༡]ཕྱིར་འོང་བའི་འབྲས་བུ་དང་། ཕྱིར་མི་འོང་བའི་འབྲས་བུ་དང་། དགྲ་བཅོམ་པ་ཉིད་དང་། རང་བྱང་ཆུབ་དང་། ལམ་གྱི་རྣམ་པ་ཤེས་པ་ཉིད་དང་། རྣམ་པ་ཐམས་ཅད་མཁྱེན་པ་ཉིད་ནི་རྣམ་པ་ཐམས་ཅད་མཁྱེན་པ་ཉིད་ཀྱིས་སྟོང་ངོ་། །བྱང་ཆུབ་སེམས་དཔའ་ནི་བྱང་ཆུབ་སེམས་དཔས་སྟོང་ངོ་། །ཀཽ་ཤི་ཀ་དེ་ལྟར་ན་རྒྱུན་དུ་ཞུགས་པའི་འབྲས་བུ་སྟོང་པ་ཉིད་དང་། ལན་ཅིག་ཕྱིར་འོང་བའི་འབྲས་བུ་

དང་། ཕྱིར་མི་འོང་བའི་འབྲས་བུ་དང་། དགྲ་བཅོམ་པ་ཉིད་དང་། རང་བྱང་ཆུབ་དང་། ལམ་གྱི་རྣམ་པ་ཤེས་པ་ཉིད་དང་། རྣམ་པ་ཐམས་ཅད་མཁྱེན་པ་ཉིད་སྟོང་པ་ཉིད་དང་། བྱང་ཆུབ་སེམས་དཔའ་སྟོང་པ་ཉིད་དེ་ལ་གཉིས་སུ་མེད་ཅིང་གཉིས་སུ་བྱར་མེད་དོ། །ཀཽ་ཤི་ཀ་བྱང་ཆུབ་སེམས་དཔའ་སེམས་དཔའ་ཆེན་པོས་ཤེས་རབ་ཀྱི་ཕ་རོལ་ཏུ་ཕྱིན་པ་ལ་དེ་ལྟར་གནས་པར་བྱའོ། །དེ་ནས་ལྷའི་དབང་པོ་བརྒྱ་བྱིན་གྱིས་གནས་བརྟན་རབ་འབྱོར་ལ་འདི་སྐད་ཅེས་སྨྲས་སོ། །བཙུན་པ་རབ་འབྱོར་ཇི་ལྟར་ན་བྱང་ཆུབ་སེམས་དཔའ་སེམས་དཔའ་ཆེན་པོ་ཤེས་རབ་ཀྱི་ཕ་རོལ་ཏུ་ཕྱིན་པ་ལ་སྤྱོད་པས་གནས་པར་མི་བྱ[7]། རབ་འབྱོར་གྱིས་སྨྲས་པ། ཀཽ་ཤི་ཀ་འདི་ལ་བྱང་ཆུབ་སེམས་དཔའ་སེམས་དཔའ་ཆེན་པོས་ཤེས་རབ་ཀྱི་ཕ་རོལ་ཏུ་ཕྱིན་པ་ལ་སྤྱོད་པའི་ཚེ། དམིགས་པའི་ཚུལ་གྱིས་གཟུགས་ལ་གནས་པར་མི་བྱའོ། །ཚོར་བ་དང་འདུ་ཤེས་དང་འདུ་བྱེད་དང་། རྣམ་པར་ཤེས་པ་ལ་གནས་པར་མི་བྱའོ། །དམིགས་པའི་ཚུལ་གྱིས་མིག་ལ་གནས་པར་མི་བྱའོ། །རྣ་བ་དང་སྣ་དང་ལྕེ་དང་ལུས་དང་ཡིད་ལ་གནས་པར་མི་བྱའོ། །དམིགས་པའི་ཚུལ་གྱིས་གཟུགས་ལ་གནས་པར་མི་བྱའོ། །སྒྲ་དང་དྲི་དང་རོ་དང་རེག་དང་ཆོས་ལ་གནས་པར་མི་བྱའོ། །དམིགས་པའི་ཚུལ་གྱིས་མིག་གི་རྣམ་པར་ཤེས་པ་ལ་གནས་པར་མི་བྱའོ། །རྣ་བའི་རྣམ་པར་ཤེས་པ་དང་སྣའི་རྣམ་པར་ཤེས་པ་དང་། ལྕེའི་རྣམ་པར་ཤེས་པ་དང་། ལུས་ཀྱི་རྣམ་པར་ཤེས་པ་དང་། ཡིད་ཀྱི་རྣམ་པར་ཤེས་པ་ལ་གནས་པར་མི་བྱའོ། །དམིགས་པའི་ཚུལ་གྱིས་མིག་གི་འདུས་ཏེ་རེག་པ་ལ་གནས་པར་མི་བྱའོ། །རྣ་བའི་འདུས་ཏེ་རེག་པ་དང་། སྣའི་འདུས་ཏེ་རེག་པ་དང་། ལྕེའི་འདུས་ཏེ་རེག་པ་དང་། ལུས་ཀྱི་འདུས་ཏེ་རེག་པ་དང་། ཡིད་ཀྱི་འདུས་ཏེ་རེག་པ་ལ་གནས་པར་མི་བྱའོ། །དམིགས་

པའི་ཚུལ་གྱིས་མིག་གི་འདུས་ཏེ་རེག་པ་ལས་བྱུང་བའི་ཚོར་བ་ལ་གནས་པར་མི་བྱའོ། །རྣ་བའི་འདུས་ཏེ་རེག་པ་ལས་བྱུང་བའི་ཚོར་བ་དང་། སྣའི་འདུས་ཏེ་རེག་པ་ལས་བྱུང་བའི་ཚོར་བ་དང་། ལྕེའི་འདུས་ཏེ་རེག་པ་ལས་བྱུང་བའི་ཚོར་བ་དང་། ལུས་ཀྱི་འདུས་ཏེ་རེག་པ་ལས་བྱུང་བའི་ཚོར་བ་དང་། ཡིད་ཀྱི་འདུས་ཏེ་རེག་པ་ལས་བྱུང་བའི་ཚོར་བ་ལ་གནས་པར་མི་བྱའོ། །དམིགས་པའི་ཚུལ་གྱིས་སའི་ཁམས་ལ་གནས་པར་མི་བྱའོ། །ཆུའི་ཁམས་དང་། མེའི་ཁམས་དང་། རླུང་གི་ཁམས་དང་། ནམ་མཁའི་[༡]ཁམས་དང་། རྣམ་པར་ཤེས་པའི་ཁམས་ལ་གནས་པར་མི་བྱའོ། །དམིགས་པའི་ཚུལ་གྱིས་མ་རིག་པ་ལ་གནས་པར་མི་བྱའོ། །འདུ་བྱེད་དང་རྣམ་པར་ཤེས་པ་དང་མིང་དང་གཟུགས་དང་སྐྱེ་མཆེད་དྲུག་དང་། རེག་པ་དང་ཚོར་བ་དང་སྲེད་པ་དང་ལེན་པ་དང་སྲིད་པ་དང་སྐྱེ་བ་དང་། རྒ་ཤི་ལ་གནས་པར་མི་བྱའོ། །དམིགས་པའི་ཚུལ་གྱིས་སྦྱིན་པའི་ཕ་རོལ་ཏུ་ཕྱིན་པ་ལ་གནས་པར་མི་བྱའོ། །ཚུལ་ཁྲིམས་ཀྱི་ཕ་རོལ་ཏུ་ཕྱིན་པ་དང་། བཟོད་པའི་ཕ་རོལ་ཏུ་ཕྱིན་པ་དང་། བརྩོན་འགྲུས་ཀྱི་ཕ་རོལ་ཏུ་ཕྱིན་པ་དང་། བསམ་གཏན་གྱི་ཕ་རོལ་ཏུ་ཕྱིན་པ་དང་། ཤེས་རབ་ཀྱི་ཕ་རོལ་ཏུ་ཕྱིན་པ་ལ་གནས་པར་མི་བྱའོ། །དམིགས་པའི་ཚུལ་གྱིས་ནང་སྟོང་པ་ཉིད་ལ་གནས་པར་མི་བྱའོ། །དངོས་པོ་མེད་པའི་ངོ་བོ་ཉིད་སྟོང་པ་ཉིད་ཀྱི་བར་ལ་གནས་པར་མི་བྱའོ། །དམིགས་པའི་ཚུལ་གྱིས་དྲན་པ་ཉེ་བར་བཞག་པ་རྣམས་ལ་གནས་པར་མི་བྱའོ། །ཡང་དག་པར་སྤོང་བ་དང་རྫུ་འཕྲུལ་གྱི་རྐང་པ་དང་དབང་པོ་དང་སྟོབས་དང་བྱང་ཆུབ་ཀྱི་ཡན་ལག་དང་འཕགས་པའི་ལམ་ཡན་ལག་བརྒྱད་པ་ལ་[༢]གནས་པར་མི་བྱའོ། །དམིགས་པའི་ཚུལ་གྱིས་འཕགས་པའི་བདེན་པ་རྣམས་དང་བསམ་གཏན་རྣམས་དང་། ཚད་མེད་པ་རྣམས་དང་གཟུགས་མེད་པའི་སྙོམས་པར་འཇུག་པ་རྣམས་

དང་། རྣམ་པར་ཐར་པ་རྣམས་དང་མཐར་གྱིས་གནས་པའི་སྙོམས་པར་འཇུག་པ་དགུ་དང་། སྟོང་པ་ཉིད་དང་མཚན་མ་མེད་པ་དང་སྨོན་པ་མེད་པ་དང་། མངོན་པར་ཤེས་པ་རྣམས་དང་ཏིང་ངེ་འཛིན་རྣམས་དང་། གཟུངས་ཀྱི་སྒོ་རྣམས་དང་དེ་བཞིན་གཤེགས་པའི་སྟོབས་བཅུ་དང་མི་འཇིགས་པ་བཞི་དང་། སོ་སོ་ཡང་དག་པར་རིག་པ་བཞི་དང་བྱམས་པ་ཆེན་པོ་དང་སྙིང་རྗེ་ཆེན་པོ་དང་། སངས་རྒྱས་ཀྱི་ཆོས་མ་འདྲེས་པ་བཅོ་བརྒྱད་ལ་གནས་པར་མི་བྱའོ། །དམིགས་པའི་ཚུལ་གྱིས་ཉན་ཐོས་ཀྱི་ཐེག་པ་ལ་གནས་པར་མི་བྱའོ། །དམིགས་པའི་ཚུལ་གྱིས་རང་སངས་རྒྱས་ཀྱི་ཐེག་པ་ལ་གནས་པར་མི་བྱའོ། །དམིགས་པའི་ཚུལ་གྱིས་སངས་རྒྱས་ཀྱི་ཐེག་པ་ལ་གནས་པར་མི་བྱའོ། །དམིགས་པའི་ཚུལ་གྱིས་རྒྱུན་དུ་ཞུགས་པའི་འབྲས་བུ་ལ་གནས་པར་མི་བྱའོ། །དམིགས་པའི་ཚུལ་གྱིས་ལན་ཅིག་ཕྱིར་འོང་བའི་འབྲས་བུ་དང་། ཕྱིར་མི་འོང་བའི་འབྲས་བུ་དང་། དགྲ་བཅོམ་པ་ཉིད་དང་རང་བྱང་ཆུབ་དང་། སངས་རྒྱས་ཉིད་ལ་གནས་པར་མི་བྱའོ། །དམིགས་པའི་ཚུལ་གྱིས་ཐམས་ཅད་ཤེས་པ་ཉིད་ལ་གནས་པར་མི་བྱའོ། །དམིགས་པའི་ཚུལ་གྱིས་ལམ་གྱི་རྣམ་པ་ཤེས་པ་ཉིད་དང་། རྣམ་པ་ཐམས་ཅད་མཁྱེན་པ་ཉིད་ལ་གནས་པར་མི་བྱའོ། །དམིགས་པའི་ཚུལ་གྱིས་གཟུགས་ཞེས་⑦བྱ་བར་གནས་པར་མི་བྱའོ། །དམིགས་པའི་ཚུལ་གྱིས་ཚོར་བ་དང་། འདུ་ཤེས་དང་འདུ་བྱེད་དང་རྣམ་པར་ཤེས་པ་ཞེས་བྱ་བར་གནས་པར་མི་བྱའོ། །དམིགས་པའི་ཚུལ་གྱིས་སྐྱེ་མཆེད་དང་ཁམས་དང་རྟེན་ཅིང་འབྲེལ་བར་འབྱུང་བ་ཞེས་བྱ་བར་གནས་པར་མི་བྱའོ། །དམིགས་པའི་ཚུལ་གྱིས་སྦྱིན་པའི་ཕ་རོལ་ཏུ་ཕྱིན་པ་ཞེས་བྱ་བར་གནས་པར་མི་བྱའོ། །དམིགས་པའི་ཚུལ་གྱིས་ཚུལ་ཁྲིམས་ཀྱི་ཕ་རོལ་ཏུ་ཕྱིན་པ་དང་། བཟོད་པའི་ཕ་རོལ་ཏུ་ཕྱིན་པ་དང་། བརྩོན་འགྲུས་ཀྱི་ཕ་

རོལ་དུ་ཕྱིན་པ་དང་། བསམ་གཏན་གྱི་ཕ་རོལ་དུ་ཕྱིན་པ་དང་། ཤེས་རབ་ཀྱི་
ཕ་རོལ་དུ་ཕྱིན་པ་ཞེས་བྱ་བར་གནས་པར་མི་བྱའོ། །དམིགས་པའི་ཚུལ་གྱིས་ནང་
སྟོང་པ་ཉིད་ཅེས་བྱ་བར་གནས་པར་མི་བྱའོ། །དམིགས་པའི་ཚུལ་གྱིས་དངོས་པོ་
མེད་པའི་ངོ་བོ་ཉིད་སྟོང་པ་ཉིད་ཀྱི་བར་ཞེས་བྱ་བར་གནས་པར་མི་བྱའོ། །
དམིགས་པའི་ཚུལ་གྱིས་དྲན་པ་ཉེ་བར་གཞག་པ་རྣམས་ཤེས་བྱ་བར་གནས་པར་མི་
བྱའོ༏ །དམིགས་པའི་ཚུལ་གྱིས་ཡང་དག་པར་སྤོང་བ་རྣམས་དང་རྫུ་འཕྲུལ་གྱི་་
རྐང་པ་རྣམས་དང་། དབང་པོ་རྣམས་དང་སྟོབས་རྣམས་དང་བྱང་ཆུབ་ཀྱི་ཡན་
ལག་རྣམས་དང་འཕགས་པའི་ལམ་ཡན་ལག་བརྒྱད་པ་ཞེས་བྱ་བར་གནས་པར་མི་
བྱའོ༏ །དམིགས་པའི་ཚུལ་གྱིས་འཕགས་པའི་བདེན་པ་རྣམས་དང་བསམ་
གཏན་རྣམས་དང་། ཚད་མེད་པ་རྣམས་དང་གཟུགས་མེད་པའི་སྙོམས་པར་
འཇུག་པ་རྣམས་དང་། རྣམ་པར་ཐར་པ་རྣམས་དང་མཐར་གྱིས་གནས་པའི་
སྙོམས་པར་འཇུག་པ་རྣམས་དང་། སྟོང་པ་ཉིད་དང་མཚན་མ་མེད་པ་དང་སྨོན་
པ་མེད་པ་དང་མངོན་པར་ཤེས་པ་[7]དང་། ཏིང་ངེ་འཛིན་དང་གཟུངས་ཀྱི་སྒོ་་
རྣམས་དང་། དེ་བཞིན་གཤེགས་པའི་སྟོབས་བཅུ་དང་། མི་འཇིགས་པ་བཞི་
དང་སོ་སོ་ཡང་དག་པར་རིག་པ་བཞི་དང་། བྱམས་པ་ཆེན་པོ་དང་སྙིང་རྗེ་ཆེན་
པོ་དང་། སངས་རྒྱས་ཀྱི་ཆོས་མ་འདྲེས་པ་རྣམས་ཤེས་བྱ་བར་གནས་པར་མི་བྱའོ།།
དམིགས་པའི་ཚུལ་གྱིས་རྒྱུན་དུ་ཞུགས་པའི་འབྲས་བུ་ཞེས་བྱ་བར་གནས་པར་མི་
བྱའོ༏ །དམིགས་པའི་ཚུལ་གྱིས་ལན་ཅིག་ཕྱིར་འོང་བའི་འབྲས་བུ་དང་།
ཕྱིར་མི་འོང་བའི་འབྲས་བུ་དང་དགྲ་བཅོམ་པ་ཉིད་དང་། རང་བྱང་ཆུབ་དང་
ལམ་གྱི་རྣམ་པ་ཤེས་པ་ཉིད་དང་། རྣམ་པ་ཐམས་ཅད་མཁྱེན་པ་ཉིད་ཅེས་བྱ་
བར་གནས་པར་མི་བྱའོ། །དམིགས་པའི་ཚུལ་གྱིས་གཟུགས་རྟག་ཅེས་བྱ་བ་དང་

མི་རྟག་ཅེས་བྱ་བར་གནས་པར་མི་བྱའོ། །གཟུགས་བདེ་ཞེས་བྱ་བ་དང་སྡུག་བསྔལ་ཞེས་བྱ་བ་དང་། བདག་ཅེས་བྱ་བ་དང་བདག་མེད་ཅེས་བྱ་བ་དང་། སྡུག་ཅེས་བྱ་བ་དང་མི་སྡུག་ཅེས་བྱ་བ་དང་། ཞི་ཞེས་བྱ་བ་དང་མ་ཞི་ཞེས་བྱ་བ་དང་། དབེན་ཞེས་བྱ་བ་དང་མི་དབེན་ཞེས་བྱ་བ་དང་། སྟོང་ཞེས་བྱ་བ་དང་མི་སྟོང་ཞེས་བྱ་བ་དང་། མཚན་མ་ཡོད་ཅེས་བྱ་བ་དང་མཚན་མ་མེད་ཅེས་བྱ་བ་དང་། སྨོན་པ་ཡོད་ཅེས་བྱ་བ་དང་སྨོན་པ་མེད་ཅེས་བྱ་བར་གནས་པར་མི་བྱའོ། །དམིགས་པའི་ཚུལ་གྱིས་ཚོར་བ་དང་འདུ་ཤེས་དང་འདུ་བྱེད་དང་རྣམ་པར་ཤེས་པ་རྟག་ཅེས་བྱ་བ་དང་མི་རྟག་ཅེས་བྱ་བར་གནས་པར་མི་བྱའོ། །དམིགས་པའི་ཚུལ་གྱིས་རྣམ་པར་ཤེས་པ་བདེ་ཞེས་བྱ་བ་དང་སྡུག་བསྔལ་ཞེས་བྱ་བ་དང་། བདག་ཅེས་བྱ་བ་དང་བདག་མེད་ཅེས་བྱ་བ་དང་། སྡུག་ཅེས་བྱ་བ་དང་མི་སྡུག་ཅེས་བྱ་བ་དང་ཞི་ཞེས་བྱ་བ་དང་མ་ཞི་ཞེས་བྱ་བ་དང་དབེན་ཞེས་བྱ་བ་དང་མི་དབེན་ཞེས་བྱ་བ་དང་། སྟོང་ཞེས་བྱ་བ་དང་མི་སྟོང་ཞེས་བྱ་བ་དང་། མཚན་མ་ཡོད་ཅེས་བྱ་བ་དང་མཚན་མ་མེད་ཅེས་བྱ་བ་དང་། སྨོན་པ་ཡོད་ཅེས་བྱ་བ་དང་སྨོན་པ་མེད་ཅེས་བྱ་བར་གནས་པར་མི་བྱའོ། །དམིགས་པའི་ཚུལ་གྱིས་སྐྱེ་མཆེད་དང་ཁམས་དང་རྟེན་ཅིང་འབྲེལ་[7]པར་འབྱུང་བ་རྟག་ཅེས་བྱ་བ་དང་མི་རྟག་ཅེས་བྱ་བར་གནས་པར་མི་བྱའོ། །དམིགས་པའི་ཚུལ་གྱིས་རྟེན་ཅིང་འབྲེལ་པར་འབྱུང་བ་བདེ་ཞེས་བྱ་བ་དང་སྡུག་བསྔལ་ཞེས་བྱ་བ་དང་། བདག་ཅེས་བྱ་བ་དང་བདག་མེད་ཅེས་བྱ་བ་དང་། སྡུག་ཅེས་བྱ་བ་དང་མི་སྡུག་ཅེས་བྱ་བ་དང་། ཞི་ཞེས་བྱ་བ་དང་མ་ཞི་ཞེས་བྱ་བ་དང་། དབེན་ཞེས་བྱ་བ་དང་མི་དབེན་ཞེས་བྱ་བ་དང་། སྟོང་ཞེས་བྱ་བ་དང་མི་སྟོང་ཞེས་བྱ་བ་དང་། མཚན་མ་ཡོད་ཅེས་བྱ་བ་དང་མཚན་མ་མེད་ཅེས་བྱ་བ་དང་། སྨོན་པ་ཡོད་ཅེས་བྱ་བ་དང་སྨོན་པ་མེད་

ཅེས་བྱ་བར་གནས་པར་མི་བྱའོ། །དམིགས་པའི་ཚུལ་གྱིས་སྦྱིན་པའི་ཕ་རོལ་ཏུ་ཕྱིན་པ་རྟག་ཅེས་བྱ་བ་དང་མི་རྟག་ཅེས་བྱ་བར་གནས་པར་མི་བྱའོ། །དམིགས་པའི་ཚུལ་གྱིས་སྦྱིན་པའི་ཕ་རོལ་ཏུ་ཕྱིན་པ་བདེ་ཞེས་བྱ་བ་དང་སྡུག་བསྔལ་ཞེས་བྱ་བ་དང་། བདག་ཅེས་བྱ་བ་དང་བདག་མེད་ཅེས་བྱ་བ་དང་། སྡུག་ཅེས་བྱ་བ་དང་མི་སྡུག་ཅེས་བྱ་བ་དང་། ཞི་ཞེས་བྱ་བ་དང་མ་ཞི་ཞེས་བྱ་བ་དང་། དབེན་ཞེས་བྱ་བ་དང་མི་དབེན་ཞེས་བྱ་བ་དང་། སྟོང་ཞེས་བྱ་བ་དང་མི་སྟོང་ཞེས་བྱ་བ་དང་། མཚན་མ་ཡོད་ཅེས་བྱ་བ་དང་མཚན་མ་མེད་ཅེས་བྱ་བ་དང་། སྨོན་པ་ཡོད་ཅེས་བྱ་བ་དང་སྨོན་པ་མེད་ཅེས་བྱ་བར་གནས་པར་མི་བྱའོ། །དམིགས་པའི་ཚུལ་གྱིས་ཚུལ་ཁྲིམས་ཀྱི་ཕ་རོལ་ཏུ་ཕྱིན་པ་དང་། བཟོད་པའི་ཕ་རོལ་ཏུ་ཕྱིན་པ་དང་། བརྩོན་འགྲུས་ཀྱི་ཕ་རོལ་ཏུ་ཕྱིན་པ་དང་། བསམ་གཏན་གྱི་ཕ་རོལ་ཏུ་ཕྱིན་པ་དང་། ཤེས་རབ་ཀྱི་ཕ་རོལ་ཏུ་ཕྱིན་པ་རྟག་ཅེས་བྱ་བ་དང་མི་རྟག་ཅེས་བྱ་བར་གནས་པར་མི་བྱའོ། །དམིགས་པའི་ཚུལ་གྱིས་ཤེས་རབ་ཀྱི་ཕ་རོལ་ཏུ་ཕྱིན་པ་བདེ་ཞེས་བྱ་བ་དང་སྡུག་བསྔལ་ཞེས༔བྱ་བ་དང་[7]། བདག་ཅེས་བྱ་བ་དང་བདག་མེད་ཅེས་བྱ་བ་དང་། སྡུག་ཅེས་བྱ་བ་དང་མི་སྡུག་ཅེས་བྱ་བ་དང་། ཞི་ཞེས་བྱ་བ་དང་མ་ཞི་ཞེས་བྱ་བ་དང་། དབེན་ཞེས་བྱ་བ་དང་མི་དབེན་ཞེས་བྱ་བ་དང་། སྟོང་ཞེས་བྱ་བ་དང་མི་སྟོང་ཞེས་བྱ་བ་དང་། མཚན་མ་ཡོད་ཅེས་བྱ་བ་དང་མཚན་མ་མེད་ཅེས་བྱ་བ་དང་། སྨོན་པ་ཡོད་ཅེས་བྱ་བ་དང་སྨོན་པ་མེད་ཅེས་བྱ་བར་གནས་པར་མི་བྱའོ། །དམིགས་པའི་ཚུལ་གྱིས་ནང་སྟོང་པ་ཉིད་རྟག་ཅེས་བྱ་བ་དང་། མི་རྟག་ཅེས་བྱ་བར་གནས་པར་མི་བྱའོ། །དམིགས་པའི་ཚུལ་གྱིས་ནང་སྟོང་པ་ཉིད་བདེ་ཞེས་བྱ་བ་དང་། སྡུག་བསྔལ་ཞེས་བྱ་བ་དང་། བདག་ཅེས་བྱ་བ་དང་བདག་མེད་ཅེས་བྱ་བ་དང་སྡུག་ཅེས་བྱ་བ་

དང་མི་སྡུག་ཅེས་བྱ་བ་དང་། ཞི་ཞེས་བྱ་བ་དང་མ་ཞི་ཞེས་བྱ་བ་དང་། དབེན་ཞེས་བྱ་བ་དང་མི་དབེན་ཞེས་བྱ་བ་དང་། སྟོང་ཞེས་བྱ་བ་དང་མི་སྟོང་ཞེས་བྱ་བ་དང་། མཚན་མ་ཡོད་ཅེས་བྱ་བ་དང་མཚན་མ་མེད་ཅེས་བྱ་བ་དང་། སྨོན་པ་ཡོད་ཅེས་བྱ་བ་དང་སྨོན་[1]པ་མེད་ཅེས་བྱ་བར་གནས་པར་མི་བྱའོ། །དམིགས་པའི་ཚུལ་གྱིས་དངོས་པོ་མེད་པའི་ངོ་བོ་ཉིད་སྟོང་པ་ཉིད་ཀྱི་བར་རྟག་ཅེས་བྱ་བ་དང་མི་རྟག་ཅེས་བྱ་[2]བར་གནས་པར་མི་བྱའོ། །དམིགས་པའི་ཚུལ་གྱིས་དངོས་པོ་མེད་པའི་ངོ་བོ་ཉིད་སྟོང་པ་ཉིད་ཀྱི་བར་བདེ་ཞེས་བྱ་བ་དང་། སྡུག་བསྔལ་ཞེས་བྱ་བ་དང་། བདག་ཅེས་བྱ་བ་དང་བདག་མེད་ཅེས་བྱ་བ་དང་། སྡུག་ཅེས་བྱ་བ་དང་མི་སྡུག་ཅེས་བྱ་བ་དང་། ཞི་ཞེས་བྱ་བ་དང་མ་ཞི་ཞེས་བྱ་བ་དང་། དབེན་ཞེས་བྱ་བ་དང་མི་དབེན་ཞེས་བྱ་བ་དང་། སྟོང་ཞེས་བྱ་བ་དང་མི་སྟོང་ཞེས་བྱ་བ་[3]དང་། མཚན་མ་ཡོད་ཅེས་བྱ་བ་དང་མཚན་མ་[4]མེད་ཅེས་བྱ་བ་དང་། སྨོན་པ་ཡོད་ཅེས་བྱ་བ་དང་སྨོན་པ་མེད་ཅེས་བྱ་བར་གནས་པར་མི་བྱའོ། །དམིགས་པའི་ཚུལ་གྱིས་དྲན་པ་ཉེ་བར་གཞག་པ་རྟག་ཅེས་བྱ་བ་དང་མི་རྟག་ཅེས་བྱ་བར་གནས་པར་མི་བྱའོ། །དམིགས་པའི་ཚུལ་གྱིས་དྲན་པ་ཉེ་བར་གཞག་པ་བདེ་ཞེས་བྱ་བ་དང་སྡུག་བསྔལ་ཞེས་བྱ་བ་དང་། བདག་ཅེས་བྱ་བ་དང་བདག་མེད་ཅེས་བྱ་བ་དང་། སྡུག་ཅེས་བྱ་བ་དང་མི་སྡུག་ཅེས་བྱ་བ་དང་། ཞི་ཞེས་བྱ་བ་དང་མ་ཞི་ཞེས་བྱ་བ་དང་། དབེན་ཞེས་བྱ་བ་དང་མི་དབེན་ཞེས་བྱ་བ་དང་། སྟོང་ཞེས་བྱ་བ་དང་མི་སྟོང་ཞེས་བྱ་བ་དང་། མཚན་མ་ཡོད་ཅེས་བྱ་བ་དང་མཚན་མ་མེད་ཅེས་བྱ་བ་དང་། སྨོན་པ་ཡོད་ཅེས་བྱ་བ་དང་སྨོན་པ་མེད་ཅེས་བྱ་བར་གནས་པར་མི་བྱའོ། །དམིགས་པའི་ཚུལ་གྱིས་ཡང་དག་པར་སྤོང་བ་དང་། རྫུ་འཕྲུལ་གྱི་རྐང་པ་དང་། དབང་པོ་དང་སྟོབས་དང་བྱང་ཆུབ་ཀྱི་

ཡན་ལག་དང་འཕགས་པའི་ལམ་ཡན་ལག་བརྒྱད་པ་དང་། འཕགས་པའི་བདེན་པ་རྣམས་དང་། བསམ་གཏན་རྣམས་དང་། ཚད་མེད་པ་རྣམས་དང་། གཟུགས་མེད་པའི་སྙོམས་པར་འཇུག་པ་རྣམས་དང་། རྣམ་པར་ཐར་པ་རྣམས་དང་། མཐར་གྱིས་གནས་པའི་སྙོམས་པར་འཇུག་པ་དགུ་དང་། སྟོང་པ་ཉིད་དང་མཚན་མ་མེད་པ་དང་། སྨོན་པ་མེད་པ་དང་མངོན་པར་ཤེས་པ་རྣམས་དང་། ཏིང་ངེ་འཛིན་རྣམས་དང་། གཟུངས་ཀྱི་སྒོ་རྣམས་དང་། དེ་བཞིན་གཤེགས་པའི་སྟོབས་བཅུ་དང་། མི་འཇིགས་པ་བཞི་དང་། སོ་སོ་ཡང་དག་པར་རིག་པ་བཞི་དང་། བྱམས་པ་ཆེན་པོ་དང་སྙིང་རྗེ་ཆེན་པོ་དང་སངས་རྒྱས་ཀྱི་ཆོས་མ་འདྲེས་པ་བཅོ་བརྒྱད་རྟག་ཅེས་བྱ་བ་དང་མི་རྟག་ཅེས་བྱ་བར་གནས་པར་མི་བྱའོ། །དམིགས་པའི་ཚུལ་གྱིས་སངས་རྒྱས་ཀྱི་ཆོས་མ་འདྲེས་པ་བཅོ་བརྒྱད་བདེ་ཞེས་བྱ་བ་དང་། སྡུག་བསྔལ་ཞེས་བྱ་བ་དང་། བདག་ཅེས་བྱ་བ་དང་བདག་མེད་ཅེས་བྱ་བ་དང་། སྡུག་ཅེས་བྱ་བ་དང་མི་སྡུག་ཅེས་བྱ་བ་དང་། ཞི་ཞེས་བྱ་བ་དང་མ་ཞི་ཞེས་བྱ་བ་དང་། དབེན་ཞེས་བྱ་བ་དང་མི་དབེན་ཞེས་བྱ་བ་དང་། སྟོང་ཞེས་བྱ་བ་དང་མི་སྟོང་ཞེས་བྱ་བ་དང་། མཚན་མ་ཡོད་ཅེས་བྱ་བ་དང་མཚན་མ་མེད་ཅེས་བྱ་བ་དང་། སྨོན་པ་ཡོད་ཅེས་བྱ་བ་དང་སྨོན་པ་མེད་ཅེས་བྱ་བར་གནས་པར་མི་བྱའོ། །དམིགས་པའི་ཚུལ་གྱིས་རྣམ་པ་ཐམས་ཅད་མཁྱེན་པ་ཉིད་ཀྱི་བར་རྟག་ཅེས་བྱ་བ་དང་། མི་རྟག་ཅེས་བྱ་བར་གནས་པར་མི་བྱའོ། །དམིགས་པའི་ཚུལ་གྱིས་རྣམ་པ་ཐམས་ཅད་མཁྱེན་པ་ཉིད་ཀྱི་བར་བདེ་ཞེས་བྱ་བ་དང་། སྡུག་བསྔལ་ཞེས་བྱ་བ་དང་། བདག་ཅེས་བྱ་བ་དང་བདག་མེད་ཅེས་བྱ་བ་དང་། སྡུག་ཅེས་བྱ་བ་དང་མི་སྡུག་ཅེས་བྱ་བ་དང་། ཞི་ཞེས་བྱ་བ་དང་མ་ཞི་ཞེས་བྱ་བ་དང་། དབེན་ཞེས་བྱ་བ་དང་མི་དབེན་ཞེས་བྱ་བ་དང་། སྟོང་

ཞེས་བྱ་བ་དང་མི་སྟོང་ཞེས་བྱ་བ་དང་། མཚན་མ་ཡོད་ཅེས་བྱ་བ་དང་མཚན་མ་མེད་ཅེས་བྱ་བ་དང་། སྨོན་པ་ཡོད་ཅེས་བྱ་བ་དང་སྨོན་པ་མེད་ཅེས་བྱ་བར་གནས་པར་མི་བྱའོ། །ཀཽ་ཤི་ཀ་གཞན་ཡང་རྒྱུན་དུ་ཞུགས་པའི་འབྲས་བུ་འདུས་མ་བྱས་ལས་གདགས་ཤེས་བྱ་བར་དམིགས་པའི་ཚུལ་གྱིས་གནས་པར་མི་བྱའོ། །ལན་ཅིག་ཕྱིར་འོང་བའི་འབྲས་བུ་དང་། ཕྱིར་མི་འོང་བའི་འབྲས་བུ་དང་། དགྲ་བཅོམ་པ་ཉིད་དང་རང་བྱང་ཆུབ་དང་། བླ་ན་མེད་པ་ཡང་དག་པར་རྫོགས་པའི་བྱང་ཆུབ་འདུས་མ་བྱས་ལས་གདགས་ཤེས་བྱ་བར་དམིགས་པའི་ཚུལ་གྱིས་གནས་པར་མི་བྱའོ། །རྒྱུན་དུ་ཞུགས་པ་སྦྱིན་པའི་གནས་ཅེས་བྱ་བར་[1]དམིགས་པའི་ཚུལ་གྱིས་གནས་པར་མི་བྱའོ། །ལན་ཅིག་ཕྱིར་འོང་བ་དང་ཕྱིར་མི་འོང་བ་དང་། དགྲ་བཅོམ་པ་དང་རང་བྱང་ཆུབ་དང་དེ་བཞིན་གཤེགས་པ་དགྲ་བཅོམ་པ་ཡང་དག་པར་རྫོགས་པའི་སངས་རྒྱས་སྦྱིན་པའི་གནས་ཤེས་བྱ་བར་དམིགས་པའི་ཚུལ་གྱིས་གནས་པར་མི་བྱའོ། །ཀཽ་ཤི་ཀ་གཞན་ཡང་བྱང་ཆུབ་སེམས་དཔའ་སེམས་དཔའ་ཆེན་པོས་ས་དང་པོ་ལ་དམིགས་པའི་ཚུལ་གྱིས་གནས་པར་མི་བྱའོ། །ས་གཉིས་པ་དང་ས་གསུམ་པ་དང་ས་བཞི་པ་དང་ས་[2]ལྔ་པ་དང་ས་དྲུག་པ་དང་ས་བདུན་པ་དང་ས་བརྒྱད་པ་དང་ས་དགུ་པ་དང་ས་བཅུ་པ་ལ་དམིགས་པའི་ཚུལ་གྱིས་གནས་པར་མི་བྱའོ། །དེ་ཅིའི་ཕྱིར་ཞེ་ན། གནས་པ་ནི་མི་བརྟན་པར་འགྱུར་བའི་ཕྱིར་རོ། །ཀཽ་ཤི་ཀ་གཞན་ཡང་བྱང་ཆུབ་སེམས་དཔའ་སེམས་དཔའ་ཆེན་པོས་སེམས་དང་པོ་བསྐྱེད་པ་ལ་གནས་ཏེ། སྦྱིན་པའི་ཕ་རོལ་ཏུ་ཕྱིན་པ་ཡོངས་སུ་རྫོགས་པར་བྱའོ། །ཞེས༔བྱ་བར་[3]དམིགས་པའི་ཚུལ་གྱིས་གནས་པར་མི་བྱའོ། །ཚུལ་ཁྲིམས་ཀྱི་ཕ་རོལ་ཏུ་ཕྱིན་པ་དང་། བཟོད་པའི་ཕ་རོལ་ཏུ་ཕྱིན་པ་དང་། བརྩོན་འགྲུས་ཀྱི་ཕ་རོལ་ཏུ་ཕྱིན་པ་དང་། བསམ་གཏན་གྱི་ཕ་རོལ་

ཏུ་ཕྱིན་པ་དང་། ཤེས་རབ་ཀྱི་ཕ་རོལ་ཏུ་ཕྱིན་པ་ཡོངས་སུ་རྫོགས་པར་བྱའོ། །
ཞེས་བྱ་བར་དམིགས་པའི་ཚུལ་གྱིས་གནས་པར་མི་བྱའོ། །དྲན་པ་ཉེ་བར་གཞག་
པ་རྣམས་ཡོངས་[༡]སུ་རྫོགས་པར་བྱའོ། །ཞེས་བྱ་བར་དམིགས་པའི་ཚུལ་གྱིས་
གནས་པར་མི་བྱའོ། །ཡང་དག་པར་སྤོང་བ་རྣམས་དང་རྫུ་འཕྲུལ་གྱི་རྐང་པ་
རྣམས་དང་དབང་པོ་རྣམས་དང་། སྟོབས་རྣམས་དང་བྱང་ཆུབ་ཀྱི་ཡན་ལག་
རྣམས་དང་འཕགས་པའི་ལམ་ཡན་ལག་བརྒྱད་པ་ཡོངས་སུ་རྫོགས་པར་བྱའོ། །
ཞེས་བྱ་བར་དམིགས་པའི་ཚུལ་གྱིས་གནས་པར་མི་བྱའོ། །བྱང་ཆུབ་སེམས་
དཔའ་སེམས་དཔའ་ཆེན་པོས་བྱང་ཆུབ་སེམས་དཔའི་སྐྱོན་མེད་པར་འཇུག་པར་
བྱའོ། །ཞེས་བྱ་བར་དམིགས་པའི་ཚུལ་གྱིས་གནས་པར་མི་བྱའོ། །བྱང་ཆུབ་
སེམས་དཔའི་སྐྱོན་མེད་པར་ཞུགས་ནས། ཕྱིར་མི་ལྡོག་པའི་ས་ལ་གནས་པར་བྱའོ། །
བྱང་ཆུབ་སེམས་དཔའི་མངོན་པར་ཤེས་པ་ལྔ་ཡོངས་སུ་རྫོགས་པར་བྱའོ། །བྱང་
ཆུབ་སེམས་དཔའི་མངོན་པར་ཤེས་པ་ལྔ་ལ་གནས་ཏེ། སངས་རྒྱས་བཅོམ་ལྡན་
འདས་རྣམས་ལ་བལྟ་བ་དང་། ཕྱག་བྱ་བ་དང་མཆོད་པ་དང་བསྙེན་བཀུར་བ་
དང་ཆོས་མཉན་པ་དང་། ཐོས་ནས་ཀྱང་དེ་བཞིན་ཉིད་དུ་གཞན་ལ་བསྟན་པར་
བྱ་བའི་ཕྱིར། སངས་རྒྱས་ཀྱི་ཞིང་ཚད་མེད་གྲངས་མེད་པར་འགྲོའོ། །སངས་
རྒྱས་བཅོམ་ལྡན་འདས་དེ་དག་གི་ཞིང་ཅི་འདྲ་བ་དེ་འདྲ་བ་ཉིད་དུ་ཡོངས་སུ་
བསྒྲུབ་པར་བྱའོ། །སེམས་ཅན་རྣམས་བྱང་ཆུབ་ཏུ་ཡོངས་སུ་སྨིན་པར་བྱའོ། །
འཇིག་རྟེན་གྱི་ཁམས་ཚད་མེད་གྲངས་མེད་པར་སོང་[༢]སྟེ། དེ་བཞིན་གཤེགས་པ་
དགྲ་བཅོམ་པ་ཡང་དག་པར་རྫོགས་པའི་སངས་རྒྱས་རྣམས་ལ་མེ་ཏོག་དང་།
ཕྲེང་བ་དང་དྲི་དང་བྱུག་པ་དང་ཕྱེ་མ་དང་ཆོས་གོས་དང་གདུགས་དང་། རྒྱལ་
མཚན་དང་བ་དན་མང་པོས་རིམ་གྲོར་བྱའོ། །བཀུར་བསྟི་[༣]བྱའོ། །བསྟི་[༤]

སྟང་དུ་བྱའོ། །མཆོད་པར་བྱའོ། །དེ་བཞིན་གཤེགས་པ་དེ་དག་ལ་ན་བཟའ་བྱེ་བ་ཁྲག་ཁྲིག་བརྒྱ་སྟོང་མང་པོ་དག་གིས་ཀྱང་མཆོད་པར་བྱའོ། །ཞེས་བྱ་བ་དེ་ལྟར་ཡང་དམིགས་པའི་ཚུལ་གྱིས་གནས་པར་མི་བྱའོ། །སེམས་ཅན་ཚད་མེད[1]གྲངས་མེད་པ་བླ་ན་མེད་པ་ཡང་དག་པར་རྫོགས་པའི་བྱང་ཆུབ་ཏུ་རབ་ཏུ་དགོད་པར་བྱའོ། །ཞེས་བྱ་བར་དམིགས་པའི་ཚུལ་གྱིས་གནས་པར་མི་བྱའོ། །མིག་ལྔ་བསྐྱུབ་པར་བྱ་སྟེ། ལྔ་གང་ཞེ་ན་ཤའི་མིག་དང་ལྷའི་མིག་དང་ཤེས་རབ་ཀྱི་མིག་དང་། ཆོས་ཀྱི་མིག་དང་སངས་རྒྱས་ཀྱི་མིག་བསྐྱུབ་པར་བྱའོ། །ཏིང་ངེ་འཛིན་ཐམས་ཅད་ཡོངས་སུ་བསྐྱུབ་པར་བྱའོ། །ཏིང་ངེ་འཛིན་གང་དང་གང་གིས་རྣམ་པར་རྩེ་བར་འདོད་པའི་ཏིང་ངེ་འཛིན་དེ་དང་དེས་རྣམ་པར་རྩེ[2]བར་བྱའོ། །གཟུངས་ཀྱི་སྒོ་ཐམས་ཅད་ཡོངས་སུ་བསྐྱུབ་པར་བྱའོ། །དེ་བཞིན་གཤེགས་པའི་སྟོབས་བཅུ་ཡོངས་སུ་བསྐྱུབ་པར་བྱའོ། །མི་འཇིགས་པ་བཞི་དང་། སོ་སོ་ཡང་དག་པར་རིག་པ་བཞི་དང་། བྱམས་པ་ཆེན་པོ་དང་། སྙིང་རྗེ་ཆེན་པོ་དང་། སངས་རྒྱས་ཀྱི་ཆོས་མ་འདྲེས་པ་བཅོ་བརྒྱད་ཡོངས་སུ་བསྐྱུབ་པར་བྱའོ། །ཞེས་བྱ་བར་དམིགས་པའི་ཚུལ་གྱིས་གནས་པར་མི་བྱའོ། །ལུས་ལ་སྐྱེས་བུ་ཆེན་པོའི་མཚན་སུམ་ཅུ[3]རྩ་གཉིས་ཡོངས་སུ་བསྐྱུབ་པར་བྱའོ། །དཔེ་བྱད་བཟང་པོ་བརྒྱད་ཅུ་ཡོངས་སུ་བསྐྱུབ་པར་བྱའོ། །ཞེས་བྱ་བར་དམིགས་པའི་ཚུལ་གྱིས་གནས་པར་མི་བྱའོ། །དད་པའི་རྗེས་སུ་འབྲང་བའོ་ཞེས་བྱ་བར་དམིགས་པའི་ཚུལ་གྱིས་གནས་པར་མི་བྱའོ། །ཆོས་ཀྱི་རྗེས་སུ་འབྲང་བའོ་བརྒྱད་པའོ་རྒྱུན་ཏུ་ཞུགས་པའོ[4]པོ་རྫས་ན་ལན་བདུན་པའོ་རིགས་ནས་རིགས་སུ་འགྲོ་བའོ། །གཅིག་གིས་ཆོད་པའོ་གང་ཟག་མགོ་མཉམ་པའོ་ཚེ་ཟད་པའོ་ཉོན་མོངས་པ་ཟད་པའོ། །ཞེས་བྱ་བར་དམིགས་པའི་ཚུལ་གྱིས་གནས་པར་མི་བྱའོ། །རྒྱུན་དུ་ཞུགས་པའོ[5]ཞེས་བྱ་བར་

དམིགས་པའི་ཚུལ་གྱིས་གནས་པར་མི་བྱའོ། །ལན་ཅིག་ཕྱིར་འོང་བ་སྟེ་འཇིག་རྟེན་འདིར་ལན་ཅིག་ཕྱིར་འོངས་ནས་སྡུག་བསྔལ་མཐར་འབྱིན་ཏོ། །ཕྱིར་མི་འོང་བའི་འབྲས་བུ་མངོན་དུ་བྱ་བའི་ཕྱིར་ཞུགས་པའོ། །ཕྱིར་མི་འོང་བ་སྟེ་དེ་ཉིད་དུ་ཡོངས་སུ་མྱ་ངན་ལས་འདའ་བའོ། །དགྲ་བཅོམ་པའི་འབྲས་བུ་མངོན་དུ་བྱ་བའི་ཕྱིར་ཞུགས་པའོ་དགྲ་བཅོམ་པ་སྟེ། ཚེ་འདི་ཉིད་ལ་ཕུང་པོ་མ་ལུས་པའི་མྱ་ངན་ལས་འདས་པའི་དབྱིངས་སུ་མྱ་ངན་ལས་འདའ་བའོ། །རང་སངས་རྒྱས་སོ་ཞེས་བྱ་བར་དམིགས་པའི་ཚུལ་གྱིས་གནས་པར་མི་བྱའོ། །ཉན་ཐོས་ཀྱི་ས་དང་རང་སངས་རྒྱས་ཀྱི་ས་ལས་བཟླས་[༧]ཏེ་བྱང་ཆུབ་སེམས་དཔའི་ས་ལ་གནས་པར་བྱའོ།། ལམ་གྱི་རྣམ་པ་ཤེས་པ་ཉིད་ཀྱི་ཡེ་ཤེས་དང་། རྣམ་པ་ཐམས་ཅད་མཁྱེན་པ་ཉིད་ཀྱི་ཡེ་ཤེས་ལ་གནས་པར་བྱའོ་ཞེས་བྱ་བར་དམིགས་པའི་ཚུལ་གྱིས་གནས་པར་མི་བྱའོ། །རྣམ་པ་ཐམས་ཅད་དུ་ཆོས་ཐམས་ཅད་མངོན་པར་རྫོགས་པར་སངས་རྒྱས་ནས། བག་ཆགས་ཀྱི་མཚམས་སྦྱོར་བའི་ཉོན་མོངས་པ་ཐམས་ཅད་ཟད་པར་བྱའོ། །བླ་ན་མེད་པ་ཡང་དག་པར་རྫོགས་པར་སངས་རྒྱས་ནས་ཆོས་ཀྱི་འཁོར་ལོ་བསྐོར་བར་བྱའོ། །སངས་རྒྱས་ཀྱི་བྱ་བ་བྱས་ཏེ། འཇིག་རྟེན་གྱི་ཁམས་ཚད་མེད་གྲངས་མེད་པར་སོང་སྟེ། སེམས་ཅན་རྣམས་ཡོངས་སུ་མྱ་ངན་ལས་བཟླའོ་[༣] ཞེས་བྱ་བར་དམིགས་པའི་ཚུལ་གྱིས་གནས་པར་མི་བྱའོ། །རྫུ་འཕྲུལ་གྱི་རྐང་པ་བཞི་ལ་གནས་ཏེ་ཏིང་ངེ་འཛིན་གང་ལ་སྙོམས་པར་ཞུགས་པས་བསྐལ་པ་གང་གཱའི་ཀླུང་གི་བྱེ་མ་སྙེད་དུ་གནས་པར་འགྱུར་བ་དེ་ལྟ་བུའི་ཏིང་ངེ་འཛིན་ལ་མཉམ་པར་གཞག་གོ་ཞེས་བྱ་བར་དམིགས་པའི་ཚུལ་གྱིས་གནས་པར་མི་བྱའོ། །བདག་གི་ཚེ་ནི་ཚད་མེད་པར་གྱུར་ཅིག་ཅེས་བྱ་བར་[༣]དམིགས་པའི་ཚུལ་གྱིས་གནས་པར་མི་བྱའོ།། བདག་གིས་སྐྱེས་བུ་ཆེན་པོའི་[༤]སུམ་ཅུ་རྩ་གཉིས་ལས་མཚན་རེ་རེ་ཞིང་ཡང་བསོད་

ནམས་བརྒྱུས་ཡོངས་སུ་གྲུབ་པར་གྱུར་ཅིག་ཅེས་བྱ་བར་དམིགས་པའི་ཚུལ་གྱིས་གནས་པར་མི་བྱའོ། །ཤར་ཕྱོགས་ཀྱི་འཇིག་རྟེན་གྱི་ཁམས་གང་གཱའི་ཀླུང་གི་བྱེ་མ་སྙེད་ལ་རྒྱ་ཛེ་ཙམ་ཡོད་པ་དང་། ལྷོ་དང་ནུབ་དང༔བྱང་དང་①བྱང་ཤར་དང་ཤར་ལྷོ་དང་ལྷོ་ནུབ་དང་། ནུབ་བྱང་གི་འཇིག་རྟེན་གྱི་ཁམས་གང་གཱའི་ཀླུང་གི་བྱེ་མ་སྙེད་ལ་རྒྱ་ཛེ་ཙམ་ཡོད་པ་དེ་ཙམ་གྱི་ཐ་གྲུར་བདག་གིས་སངས་རྒྱས་ཀྱི་ཞིང་གཅིག་བསྒྲུབ་པོ་ཞེས་བྱ་བར་དམིགས་པའི་ཚུལ་གྱིས་གནས་པར་མི་བྱའོ། །བདག་གིས་སྟོང་གསུམ་གྱི་སྟོང་ཆེན་པོའི་འཇིག་རྟེན་གྱི་ཁམས་རྡོ་རྗེའི་རྒྱུ་ལས་གྲུབ་པར་གྱུར་ཅིག་ཅེས་བྱ་བར་དམིགས་པའི་ཚུལ་གྱིས་གནས་པར་མི་བྱའོ། །བདག་གིས་བྱང་ཆུབ་ཀྱི་ཤིང་གི་དྲི་སེམས་ཙན་གང་གིས་ཚོར་ཡང་རུང་སྟེ། དེ་དག་ལ་འདོད་ཆགས་དང་ཞེ་སྡང་དང་གཏི་མུག་གི༔གནོད་པ་②མེད་པར་གྱུར་ཅིག །ཉན་ཐོས་ཀྱི་སེམས་དང་རང་སངས་རྒྱས་ཀྱི་སེམས་བསྐྱེད་③པར་མ་གྱུར་ཅིག་ཅེས་བྱ་བར་དམིགས་པའི་ཚུལ་གྱིས་གནས་པར་མི་བྱའོ། །དེ་དག་ཐམས་ཅད་ཀྱང་བླ་ན་མེད་པ་ཡང་དག་པར་རྫོགས་པའི་བྱང་ཆུབ་ཏུ་ངེས་པར་གྱུར་ཅིག་ཅེས་བྱ་བ་དང་། སེམས་ཙན་གང་གིས་བྱང་ཆུབ་ཀྱི་ཤིང་གི་དྲི་དེ་ཚོར་བར་གྱུར་པ་དེ་དག་གིས་④ལུས་སམ་སེམས་ལ་ནད་གང་ཡང་མེད་པར་གྱུར་ཅིག་ཅེས་བྱ་བར་དམིགས་པའི་ཚུལ་གྱིས་གནས་པར་མི་བྱའོ། །བདག་གིས་སངས་རྒྱས་ཀྱི་ཞིང་དེར་གཟུགས་ཀྱི་སྒྲ་ཡོད་པར་མ་གྱུར་ཅིག་ཅེས་བྱ་བར། དམིགས་པའི་ཚུལ་གྱིས་གནས་པར་མི་བྱའོ། །ཚོར་བ་དང་འདུ་ཤེས་དང་འདུ་བྱེད་དང་རྣམ་པར་ཤེས་པའི་སྒྲ་ཡོད་པར་མ་གྱུར་ཅིག་ཅེས། བྱ་བར་དམིགས་པའི་ཚུལ་གྱིས་གནས་པར་མི་བྱའོ། །ཁམས་དང་སྐྱེ་མཆེད་དང་རྟེན་ཅིང་འབྲེལ་པར་འབྱུང་བའི་སྒྲ་ཡོད་པར་མ་གྱུར་ཅིག་ཅེས། བྱ་བར་དམིགས་པའི་ཚུལ་གྱིས་གནས་པར་མི་བྱའོ། །

སྦྱིན་པའི་ཕ་རོལ་ཏུ་ཕྱིན་པའི་སྒྲ་ཡོད་པར་མ་གྱུར་ཅིག །ཚུལ་ཁྲིམས་ཀྱི་ཕ་རོལ་ཏུ་ཕྱིན་པ་དང་། བཟོད་པའི་ཕ་རོལ་ཏུ་ཕྱིན་པ་དང་། བརྩོན་འགྲུས་ཀྱི་ཕ་རོལ་ཏུ་ཕྱིན་པ་དང་། བསམ་གཏན་གྱི་ཕ་རོལ་ཏུ་ཕྱིན་པ་དང་། ཤེས་རབ་ཀྱི་ཕ་རོལ་ཏུ་ཕྱིན་པའི་སྒྲ་ཡོད་པར་མ་གྱུར་ཅིག །ནང་སྟོང་པ་ཉིད་ཀྱི་སྒྲ་ཡོད་པར་མ་གྱུར་ཅིག །ཕྱི་སྟོང་པ་ཉིད་ཀྱི་སྒྲ་ཡོད་པར་མ་གྱུར་ཅིག །ཕྱི་ནང་སྟོང་པ་ཉིད་ཀྱི་སྒྲ་ཡོད་པར་མ་གྱུར་ཅིག །དངོས་པོ་མེད་པའི་ངོ་བོ་ཉིད་སྟོང་པ་ཉིད་ཀྱི་བར་གྱི་སྒྲ་ཡོད་པར་མ་གྱུར་ཅིག་ཅེས། བྱ་བར་དམིགས་པའི་ཚུལ་གྱིས་གནས་པར་མི་བྱའོ། །དྲན་པ་ཉེ་བར་གཞག་པ་རྣམས་ཀྱི་སྒྲ་ཡོད་པར་མ་གྱུར་ཅིག །ཡང་དག་པར་སྤོང་བ་དང་། རྫུ་འཕྲུལ་གྱི་རྐང་པ་དང་། དབང་པོ་དང་སྟོབས་དང་། བྱང་ཆུབ་ཀྱི་ཡན་ལག་དང་། འཕགས་པའི་ལམ་ཡན་ལག་བརྒྱད་པའི་སྒྲ་ཡོད་པར་མ་གྱུར་ཅིག །འཕགས་པའི་བདེན་པ་རྣམས་དང་། བསམ་གཏན་རྣམས་དང་། ཚད་མེད་པ་རྣམས་དང་། གཟུགས་མེད་པའི་སྙོམས་པར་འཇུག་པ་རྣམས་དང་། རྣམ་པར་ཐར་པ་རྣམས་དང་། མཐར་གྱིས་གནས་པའི་སྙོམས་པར་འཇུག་པ་རྣམས་དང་། རྣམ་པར་ཐར་པའི་སྒོ་སྟོང་པ་ཉིད་དང་། མཚན་མ་མེད་པ་དང་། སྨོན་པ་མེད་པ་དང་། མངོན་པར་ཤེས་པ་དང་། ཏིང་ངེ་འཛིན་དང་། གཟུངས་ཀྱི་སྒོ་དང་དེ་བཞིན་གཤེགས་པའི་སྟོབས་དང་། མི་འཇིགས་པ་དང་། སོ་སོ་ཡང་དག་པར་རིག་པ་དང་། བྱམས་པ་ཆེན་པོ་དང་། སྙིང་རྗེ་ཆེན་པོ་དང་། སངས་རྒྱས་ཀྱི་ཆོས་མ་འདྲེས་པ་རྣམས་[༡]ཀྱི་སྒྲ་ཡོད་པར་མ་གྱུར་ཅིག་ཅེས། བྱ་བར་དམིགས་པའི་ཚུལ་གྱིས་གནས་པར་མི་བྱའོ། །རྒྱུན་ཏུ་ཞུགས་པའི་སྒྲ་ཡོད་པར་མ་གྱུར་ཅིག །ལན་ཅིག་ཕྱིར་[༢]འོང་བའི་སྒྲ་དང་། ཕྱིར་མི་འོང་བའི་སྒྲ་དང་། དགྲ་བཅོམ་པའི་སྒྲ་ཡོད་

པར་མ་གྱུར་ཅིག་ཅེས་བྱ་བར་དམིགས་པའི་ཚུལ་གྱིས་གནས་པར་མི་བྱའོ། །རང་སངས་རྒྱས་ཀྱི་སྒྲ་ཡོད་པར་མ་གྱུར་ཅིག །བྱང་ཆུབ་སེམས་དཔའི་སྒྲ་ཡོད་པར་མ་གྱུར་ཅིག །སངས་རྒྱས་ཀྱི་སྒྲ་ཡོད་པར་མ་གྱུར་ཅིག་ཅེས་བྱ་བར་དམིགས་པའི་ཚུལ་གྱིས་གནས་པར་མི་བྱའོ། །དེ་ཅིའི་ཕྱིར་ཞེ་ན། འདི་ལྟར་དེ་བཞིན་གཤེགས་པ་དགྲ་བཅོམ་པ་ཡང་དག་པར་རྫོགས་པའི་སངས་རྒྱས་ཀྱིས། བླ་ན་མེད་པ་ཡང་དག་པར་རྫོགས་པའི་བྱང་ཆུབ་ཏུ་མངོན་པར་རྫོགས་པར་སངས་རྒྱས་ཀྱང་ཆོས་ཐམས་ཅད་མི་དམིགས་པའི་ཕྱིར་ཏེ། ཀཽ་ཤི་ཀ་དེ་ལྟར་བྱང་ཆུབ་སེམས་དཔའ་སེམས་དཔའ་ཆེན་པོས་ཤེས་རབ་ཀྱི་ཕ་རོལ་ཏུ་ཕྱིན་པ་ལ་དམིགས་པའི་ཚུལ་གྱིས་གནས་པར་མི་བྱའོ། །དེ་ནས་ཚེ་དང་ལྡན་པ་ཤ[༧]ར་དྭ་ཏིའི་བུ་འདི་སྙམ་སྟེ། ཇི་ལྟར་བྱང་ཆུབ་སེམས་དཔའ་སེམས་དཔའ་ཆེན་པོ་[༣]ཤེས་རབ་ཀྱི་ཕ་རོལ་ཏུ་ཕྱིན་པ་ལ་གནས་པར་བྱ་སྙམ་པ་དང་། དེ་ནས་ཚེ་དང་ལྡན་པ་རབ་འབྱོར་གྱིས། ཚེ་དང་ལྡན་པ་ཤ་ར་དྭ་ཏིའི་བུའི་སེམས་ཀྱི་རྣམ་པར་རྟོག་པ་སེམས་ཀྱིས་ཡོངས་སུ་ཤེས་ནས། ཚེ་དང་ལྡན་པ་ཤ་ར་དྭ་ཏིའི་བུ་ལ་སྨྲས་པ། ཚེ་དང་ལྡན་པ་ཤ་ར་དྭ་ཏིའི་བུ་དེ་ཇི་སྙམ་དུ་སེམས། དེ་བཞིན་གཤེགས་པ་དགྲ་བཅོམ་པ་ཡང་དག་པར་རྫོགས་པའི་སངས་རྒྱས་ཅི་ཞིག་ལ་གནས། སྨྲས་པ་ཚེ་དང་ལྡན་པ་རབ་འབྱོར་དེ་བཞིན་གཤེགས་པ་ནི་ཅི་ལ་ཡང་གནས་པ་མ་ཡིན་ནོ། །ཚེ་དང་ལྡན་པ་རབ་འབྱོར་དེ་བཞིན་གཤེགས་པ་དགྲ་བཅོམ་པ་ཡང་དག་པར་རྫོགས་པའི་སངས་རྒྱས་ཀྱི་ཐུགས་ནི། སྦྱིན་པའི་ཕ་རོལ་ཏུ་ཕྱིན་པ་ལ་མི་གནས། ཚུལ་ཁྲིམས་ཀྱི་ཕ་རོལ་ཏུ་ཕྱིན་པ་དང་། བཟོད་པའི་ཕ་རོལ་ཏུ་ཕྱིན་པ་དང་། བརྩོན་འགྲུས་ཀྱི་ཕ་རོལ་ཏུ་ཕྱིན་པ་དང་། བསམ་གཏན་གྱི་ཕ་རོལ་ཏུ་ཕྱིན་པ་དང་། ཤེས་རབ་ཀྱི་ཕ་རོལ་ཏུ་[༡]ཕྱིན་པ་ལ་མི་གནས་སོ། །དེ་གཟུགས་ལ་མི་གནས་སོ། །

ཚོར་བ་དང་འདུ་ཤེས་དང་འདུ་བྱེད་དང་། རྣམ་པར་ཤེས་པ་ལ་མི་གནས་སོ། །སྐྱེ་མཆེད་དང་ཁམས་དང་། རྟེན་ཅིང་འབྲེལ་པར་འབྱུང་བ་ལ་མི་གནས། ནང་སྟོང་པ་[༧]ཉིད་ལ་མི་གནས། ཕྱི་སྟོང་པ་ཉིད་ལ་མི་གནས། ཕྱི་ནང་སྟོང་པ་ཉིད་ལ་མི་གནས། དངོས་པོ་མེད་པའི་ངོ་བོ་ཉིད༔སྟོང་པ་ཉིད་[༣]ཀྱི་བར་ལ་མི་གནས་སོ།།

ཤེས་རབ་ཀྱི་ཕ་རོལ་ཏུ་ཕྱིན་པ་སྟོང་ཕྲག་ཉི་ཤུ་ལྔ་པ། [༡]བམ་པོ་ཉེར་བརྒྱད་པ། བྱང་ཆུབ་ཀྱི་ཕྱོགས་ཀྱི་ཆོས་སུམ་བཅུ་རྩ་བདུན་ལ་མི་གནས་སོ། །འཕགས་པའི་བདེན་པ་དང་། བསམ་གཏན་དང་ཚད་མེད་པ་དང་། གཟུགས་མེད་པའི་སྙོམས་པར་འཇུག་པ་དང་། རྣམ་པར་ཐར་པ་བརྒྱད་དང་མཐར་གྱིས་གནས་པའི་སྙོམས་པར་འཇུག་པ་དགུ་དང་། སྟོང་པ་ཉིད་དང་མཚན་མ་མེད་པ་དང་། སྨོན་པ་མེད་པ་དང་མངོན་པར་ཤེས་པ་དང་། ཏིང་ངེ་འཛིན་དང་གཟུངས་ཀྱི་སྒོ་རྣམས་ལ་མི་གནས། དེ་བཞིན་གཤེགས་པའི་སྟོབས་བཅུ་དང་། མི་འཇིགས་པ་བཞི་དང་། སོ་སོ་ཡང་དག་པར་རིག་པ་བཞི་དང་། སངས་རྒྱས་ཀྱི་ཆོས་མ་འདྲེས་པ་བཅོ་བརྒྱད་ལ་མི་གནས་སོ། །རྣམ་པ་ཐམས་ཅད་མཁྱེན་པ་ཉིད་ལ་མི་གནས་སོ། །རབ་འབྱོར་གྱིས་སྨྲས་པ་ཚེ་དང་ལྡན་པ་ཤ་ར་དྭ་ཏིའི་བུ་བྱང་ཆུབ་སེམས་དཔའ་སེམས་དཔའ་ཆེན་པོས་ནི། ཇི་ལྟར་དེ་བཞིན་གཤེགས་པ་དགྲ་བཅོམ་པ་ཡང་དག་པར་རྫོགས་པའི་སངས་རྒྱས་གཟུགས་ལ་གནས་པ་ཡང་མ་ཡིན། མི་གནས་པ་ཡང་མ་ཡིན། ཚོར་བ་དང་འདུ་ཤེས་དང་འདུ་བྱེད་དང་། རྣམ་པར་ཤེས་པ་ལ་གནས་པ་ཡང་མ་ཡིན་མི་གནས་པ་ཡང་མ་ཡིན། མིག་ལ་གནས་པ་ཡང་མ་ཡིན་མི་གནས་པ་ཡང་མ་ཡིན། རྣ་བ་དང་སྣ་དང་ལྕེ་དང་ལུས་དང་ཡིད་ལ་གནས་པ་ཡང་མ་ཡིན་མི་གནས་པ་ཡང་མ་ཡིན། གཟུགས་

ལ་གནས་པ་ཡང་མ་ཡིན་མི་གནས་པ་ཡང་མ་ཡིན། གཟུགས་དང་སྒྲ་དང་དྲི་དང་རོ་དང་རེག་དང་ཆོས་ལ་གནས་པ་ཡང་མ་ཡིན་མི་གནས་པ་ཡང་མ་ཡིན། མིག་གི་རྣམ་པར་ཤེས་པ་ལ་གནས་པ་ཡང་མ་ཡིན་མི་གནས་པ་(༡)ཡང་མ་ཡིན། རྣ་བའི་རྣམ་པར་ཤེས་པ་དང་། སྣའི་རྣམ་པར་ཤེས་པ་དང་། ལྗེའི་རྣམ་པར་ཤེས་པ་དང་། ལུས་ཀྱི་རྣམ་པར་ཤེས་པ་དང་། ཡིད་ཀྱི་རྣམ་པར་ཤེས་པ་ལ་གནས་པ་ཡང་མ་ཡིན་མི་གནས་པ་ཡང་མ་ཡིན། མིག་གི་འདུས་ཏེ་རེག་པ་ལ་གནས་པ་ཡང་མ་ཡིན་མི་གནས་པ་ཡང་མ་ཡིན། རྣ་བའི་འདུས་ཏེ་རེག་པ་དང་། སྣའི་འདུས་ཏེ་རེག་པ་དང་། ལྗེའི་འདུས་ཏེ་རེག་པ་དང་། ལུས་ཀྱི་འདུས་ཏེ་རེག་པ་དང་། ཡིད་ཀྱི་འདུས་ཏེ་རེག་པ་ལ་གནས་པ་ཡང་མ་ཡིན་མི་གནས་པ་ཡང་མ་ཡིན། མིག་གི་འདུས་ཏེ་རེག་པའི་རྐྱེན་གྱིས་ཚོར་བ་ལ་གནས་པ་ཡང་མ་ཡིན། མི་གནས་པ་ཡང་མ་ཡིན། རྣ་བའི་འདུས་ཏེ་རེག་པའི་རྐྱེན་གྱིས་ཚོར་བ་དང་། སྣའི་འདུས་ཏེ་རེག་པའི་རྐྱེན་གྱིས་ཚོར་བ་དང་། ལྗེའི་འདུས་ཏེ་རེག་པའི་རྐྱེན་གྱིས་ཚོར་བ་དང་། ལུས་ཀྱི་འདུས་ཏེ་རེག་པའི་རྐྱེན་གྱིས་ཚོར་བ་དང་། (༢)ཡིད་ཀྱི་འདུས་ཏེ་རེག་པའི་རྐྱེན་གྱིས་ཚོར་བ་ལ་གནས་པ་ཡང་མ་ཡིན་མི་གནས་པ་ཡང་མ་ཡིན༑ སའི་ཁམས་ལ་(༣)གནས་པ་ཡང་མ་ཡིན་མི་གནས་པ་ཡང་མ་ཡིན། ཆུའི་ཁམས་དང་མེའི་ཁམས་དང་། རླུང་གི་ཁམས་དང་། ནམ་མཁའི་ཁམས་དང་། རྣམ་པར་ཤེས་པའི་ཁམས་ལ་གནས་པ་ཡང་མ་ཡིན་མི་གནས་པ་ཡང་མ་ཡིན། མ་རིག་པ་ལ་གནས་པ་ཡང་མ་ཡིན། མི་གནས་པ་ཡང་མ་ཡིན། འདུ་བྱེད་དང་རྣམ་པར་ཤེས་པ་དང་། མིང་དང་གཟུགས་དང་སྐྱེ་མཆེད་དྲུག་དང་། རེག་པ་དང་ཚོར་བ་དང་སྲེད་པ་དང་། ལེན་པ་དང་སྲིད་པ་དང་སྐྱེ་བ་དང་། རྒ་ཤི་ལ་གནས་པ་ཡང་མ་ཡིན་མི་གནས་པ་ཡང་མ་ཡིན། སྦྱིན་པའི་ཕ་རོལ་ཏུ་ཕྱིན་པ་

ལ་གནས་པ་ཡང་མ་ཡིན། མི་①གནས་པ་ཡང་མ་ཡིན། ཚུལ་ཁྲིམས་ཀྱི་ཕ་རོལ་ཏུ་ཕྱིན་པ་དང་། བཟོད་པའི་ཕ་རོལ་ཏུ་ཕྱིན་པ་དང་། བརྩོན་འགྲུས་ཀྱི་ཕ་རོལ་ཏུ་ཕྱིན་པ་དང་། བསམ་གཏན་གྱི་ཕ་རོལ་ཏུ་ཕྱིན་པ་དང་། ཤེས་རབ་ཀྱི་ཕ་རོལ་ཏུ་ཕྱིན་པ་ལ་གནས་པ་ཡང་མ་ཡིན། མི་གནས་པ་ཡང་མ་ཡིན། ནང་སྟོང་པ་ཉིད་ལ་གནས་པ་ཡང་མ་ཡིན་མི་གནས་པ་ཡང་མ་ཡིན། དངོས་པོ་མེད་པའི་ངོ་བོ་ཉིད་སྟོང་པ་ཉིད་ཀྱི་བར་ལ་གནས་པ་ཡང་མ་ཡིན། མི་གནས་པ་ཡང་མ་ཡིན། དྲན་པ་ཉེ་བར་གཞག་པ་རྣམས་ལ་གནས་པ་ཡང་མ་ཡིན་མི་གནས་པ་ཡང་མ་ཡིན། ཡང་དག་པར་སྤོང་བ་དང་། རྫུ་འཕྲུལ་གྱི་རྐང་པ་དང་། དབང་པོ་དང་སྟོབས་དང་། བྱང་ཆུབ་ཀྱི་ཡན་ལག་དང་། འཕགས་པའི་ལམ་ཡན་ལག་བརྒྱད་པ་ལ་གནས་པ་ཡང་མ་ཡིན་མི་གནས་པ་ཡང་མ་ཡིན། འཕགས་པའི་བདེན་པ་དང་། བསམ་གཏན་དང་ཚད་མེད་པ་དང་། གཟུགས་②མེད་པའི་སྙོམས་པར་འཇུག་པ་དང་། རྣམ་པར་ཐར་པ་དང་། མཐར་གྱིས་གནས་པའི་སྙོམས་པར་འཇུག་པ་དང་། སྟོང་པ་ཉིད་དང་མཚན་མ་མེད་པ་དང་། སྨོན་པ་མེད་པ་དང་མངོན་པར་ཤེས་པ་དང་། ཏིང་ངེ་འཛིན་དང་གཟུངས་ཀྱི་སྒོ་རྣམས་③དང་། དེ་བཞིན་གཤེགས་པའི་སྟོབས་བཅུ་དང་། མི་འཇིགས་པ་བཞི་དང་། སོ་སོ་ཡང་དག་པར་རིག་པ་བཞི་དང་། སངས་རྒྱས་ཀྱི་ཆོས་མ་འདྲེས་པ་བཅོ་བརྒྱད་ལ་གནས་པ་ཡང་མ་ཡིན་མི་གནས་པ་ཡང་མ་ཡིན། རྣམ་པ་ཐམས་ཅད་མཁྱེན་པ་ཉིད་ཀྱི་བར་ལ་གནས་པ་ཡང་མ་ཡིན་མི་གནས་པ་ཡང་མ་ཡིན་པ་དེ་ལྟར་ཤེས་རབ་ཀྱི་ཕ་རོལ་ཏུ་ཕྱིན་པ་ལ་གནས་པར་བྱ་སྟེ། ཚེ་དང་ལྡན་པ་ཤཱ་ར་དྭ་ཏིའི་བུ་བྱང་ཆུབ་སེམས་དཔའ་སེམས་དཔའ་ཆེན་པོས་ཤེས་རབ་ཀྱི་ཕ་རོལ་ཏུ་ཕྱིན་པ་ལ་དེ་ལྟར་མི་དམིགས་པའི་ཚུལ་གྱིས་བསླབ་པར་བྱའོ། །གནས་པར་བྱའོ། །

དེ་ནས་འཁོར་དེའི་ནང་ནས་ལྷའི་བུ་ཁ་ཅིག་འདི་སྙམ་དུ་སེམས་པར་གྱུར་ཏེ། གང་གནོད་སྦྱིན་རྣམས་ཀྱི[༡]གནོད་སྦྱིན་གྱི་ཚིག་དང་། གནོད་སྦྱིན་གྱི་སྐད་དང་གནོད་སྦྱིན་གྱི་སྒྲ་དང་། གནོད་སྦྱིན་གྱི་བརྗོད་པ་དེ་དག་ནི་སྨྲས་པར་གྱུར་ན། ཤེས་པར་ནུང་གི། གང་འཕགས་པ་རབ་འབྱོར་ཤེས་རབ་ཀྱི་ཕ་རོལ་ཏུ་ཕྱིན་པ་འཆད་པ་དང་བརྗོད་པ་དང་སྟོན་པ་དང་། རྣམ་པར་འབྱེད་པ་དང་གསལ་བར་བྱེད་པ་དང་། གཏན་ལ་འབབ་པར་སྟོན་པ་དེ་ནི་ཤེས་པར་མི་ནུང་ངོ་། །དེ་ནས་ཚེ་དང་ལྡན་པ་རབ་འབྱོར་གྱིས། ལྷའི་བུ་དེ་དག་གི་སེམས་ཀྱི་རྣམ་པར་རྟོག་པ་དེ་སེམས་ཀྱིས་ཡོངས་སུ་ཤེས་ནས། ལྷའི་བུ་དེ་དག་ལ་སྨྲས་པ། ལྷའི་བུ་དག་གང་སྨྲས་པ། དེ་ཤེས་པར་མི་ནུང་ངམ། ལྷའི་བུ་རྣམས་ཀྱིས་སྨྲས་པ། འཕགས་པ་རབ་འབྱོར་ཤེས་པར་མི་ནུང་ངོ་། །རབ་འབྱོར་གྱིས་སྨྲས་པ། ལྷའི་བུ་དག་འདི་ལྟར་ཡི་གེ་གཅིག་ཀྱང་མ་བརྗོད་ཀྱིས[༢]། གང་མ་བརྗོད་པ་དེ་ནི་ཐོས་པར་མི་ནུང་ངོ་། །གང་ཐོས་པར་མི་ནུང་བ་དེ་ནི་ཤེས་པར་མི་ནུང་ངོ་། །དེ་ཅིའི་ཕྱིར་ཞེ་ན། ཤེས་རབ་ཀྱི་ཕ་རོལ་ཏུ་ཕྱིན་པ་ནི་ཡི་གེ་མ་ཡིན་ཏེ། དེ་ལ་སུ་ཡང་སྟོན་པ་དང་ཉན་པ་དང་། ཤེས་པར་བྱེད་པ་མེད་དེ[༣]། དེ་ཅིའི་ཕྱིར་ཞེ་ན། ལྷའི་བུ་དག་དེ་བཞིན་གཤེགས་པ་དགྲ་བཅོམ་པ་ཡང་དག་པར་རྫོགས་པའི་སངས་རྒྱས་རྣམས་ཀྱི་བྱང་ཆུབ་ནི་ཡི་གེ་མེད་པའོ། །ལྷའི་བུ་དག་འདི་ལྟ་སྟེ་དཔེར་ན། དེ་བཞིན་གཤེགས་པ་དགྲ་བཅོམ་པ་ཡང་དག་པར་རྫོགས་པའི་སངས་རྒྱས་རྣམས[༤]ཀྱི[༥]སྤྲུལ་པ་ཞིག་སྤྲུལ་ཏེ། སྤྲུལ་པ་དེས་ཀྱང་དགེ་སློང་དང་། དགེ་སློང་མ་དང་དགེ་བསྙེན[༦]དང་། དགེ་བསྙེན་མའི་འཁོར་བཞི་མངོན་པར་སྤྲུལ་ལ་དེ་ནས་སྤྲུལ་པ་དེས་སྤྲུལ་པའི་འཁོར་བཞི་པོ་དེ་དག་ལ་ཆོས་བསྟན་པར་གྱུར་ན། ལྷའི་བུ་དག་དེ་ལ་ཇི་སྙམ་དུ་སེམས། འཁོར་དེར་སུས་ཀྱང་བསྟན་པར་གྱུར་པའམ།

སུས་ཀྱང་ཐོས་པར་གྱུར་པའམ། སུས་ཀྱང་ཤེས་པར་གྱུར་པ་ཡོད་དམ། སྨྲས་པ༔ ཚེ་དང་ལྡན་པ་[1]བཙུན་པ་རབ་འབྱོར་དེ་ནི་མེད་དོ[2]། །རབ་འབྱོར་གྱིས་སྨྲས་པ༑ ལྷའི་བུ་དག་དེ་བཞིན་དུ་ཆོས་ཐམས་ཅད་ཀྱང་སྤྲུལ་པ་ལྟ་བུ་སྟེ། དེ་ལ་སུས་ཀྱང་བསྟན་པ་མེད་དོ། །སུས་ཀྱང་ཐོས་པ་མེད་དོ། །སུས་ཀྱང་ཤེས་པ་མེད་དོ་ལྷའི་བུ་དག་འདི་ལྟ་སྟེ་དཔེར་ན་སྐྱེས་བུ་གཉིད་ཀྱིས་ལོག་པའི་རྨི་[3]ལམ་ན། དེ་བཞིན་གཤེགས་པ་དགྲ་བཅོམ་པ་ཡང་དག་པར་རྫོགས་པའི་སངས་རྒྱས་ཞིག་ཆོས་སྟོན་པ་མཐོང་ན་ལྷའི་བུ་དག་དེ་ལ་ཇི་སྙམ་དུ་སེམས། དེ་ལ་བསྟན་པའམ། ཐོས་པའམ། ཤེས་པར་གྱུར་པ་ཡོད་དམ། སྨྲས་པ། བཙུན་པ་རབ་འབྱོར་དེ་ནི་མེད་དོ། །རབ་འབྱོར་གྱིས་སྨྲས་པ། ལྷའི་བུ་དག་དེ་བཞིན་དུ་ཆོས་ཐམས་ཅད་ཀྱང་རྨི་ལམ་ལྟ་བུ་སྟེ། དེ་ལ་སུས་ཀྱང་བསྟན་པ་མེད་དོ། །སུས་ཀྱང་ཐོས་པ་མེད་དོ། །སུས་ཀྱང་ཤེས་པ་མེད་དོ། །ལྷའི་བུ་དག་འདི་ལྟ་སྟེ་དཔེར་ན། སྐྱེས་བུ་གཉིས་ཞིག་རིའི་སུལ་དུ་འཁོད་དེ། སངས་རྒྱས་ཀྱི་ལེགས་པ་ཡང་བརྗོད་ཆོས་དང་དགེ་འདུན་གྱི་ལེགས་པ་ཡང་བརྗོད་ལ་དེ་གཉིས་ལས་སྒྲ་བརྙན་གྱི་དབྱངས་བྱུང་ན། ལྷའི་བུ་དག་དེ་ལ་ཇི་སྙམ་དུ་སེམས། སྒྲ་བརྙན་གཅིག་པོ་[4]དེས་སྒྲ་བརྙན་གཉིས་པའི་སྒྲ་ཤེས་པར་གྱུར་པ་ཡོད་དམ། སྨྲས་པ་བཙུན་པ་རབ་འབྱོར་དེ་ནི་མེད་དོ། །རབ་འབྱོར་གྱིས་སྨྲས་པ། ལྷའི་བུ་དག་དེ་བཞིན་དུ་ཆོས་ཐམས་ཅད་ཀྱང་སྒྲ་བརྙན་ལྟ་བུ་སྟེ། དེ་ལ་སུས་ཀྱང་བསྟན་པ་མེད་དོ། །སུས་ཀྱང་ཐོས་པ་མེད་དོ། །སུས་ཀྱང་ཤེས་པ་མེད་དོ། །ལྷའི་བུ་དག་འདི་ལྟ་སྟེ་དཔེར་ན། སྒྱུ་མའི་མཁན་པོའམ། སྒྱུ་མའི་མཁན་པོའི་མཆན་[5]བུ་མཁས་པ་ཞིག་གིས་ལམ་པོ་ཆེའི་བཞི་མདོར། དེ་བཞིན་གཤེགས་པ་དགྲ་བཅོམ་པ་ཡང་དག་པར་རྫོགས་པའི་སངས་རྒྱས་ཞིག་མངོན་པར་སྤྲུལ་ཏེ། དགེ་[6]

སློང་དང་། དགེ་སློང་མ་དང་དགེ་བསྙེན་དང་། དགེ་(༡)བསྙེན་མའི་འཁོར་བཞི་ཡང་མངོན་པར་སྤྲུལ་ནས། དེས་སྤྲུལ་པའི་འཁོར་བཞི་ལ་ཆོས་བསྟན་ན་ལྷའི་བུ་དག་དེ་ལ་ཇི་སྐམ་དུ་སེམས། དེ་ལ་སུས་ཀྱང་བསྟན་པའམ་ཐོས་པའམ། ཤེས་པར་གྱུར་པ་ཡོད་དམ་སྨྲས་པ། བཙུན་པ་རབ་འབྱོར་དེ་ནི་མེད་དོ། །རབ་འབྱོར་གྱིས་སྨྲས་པ་ལྷའི་བུ་དག་དེ་བཞིན་དུ་ཆོས་ཐམས་ཅད་ཀྱང་སྒྱུ་མ་ལྟ་བུ་སྟེ། དེ་ལ་སུས་ཀྱང་བསྟན་པ་མེད་དོ། །སུས་ཀྱང་ཐོས་པ་མེད་དོ་སུས་ཀྱང་ཤེས་པ་མེད་དོ། །དེ་ནས་ལྷའི་བུ་དེ་དག་འདི་སྐམ་དུ་སེམས་པར་གྱུར་ཏེ། ཀྱེ་མ་གནས་བརྟན་རབ་འབྱོར་འདི་ནི་གསལ་བར་བྱེད་པ་སྟེ། ཀྱེ་མ་འཕགས་པ་རབ་འབྱོར་འདི་ནི་ཤེས་རབ་ཀྱི་ཕ་རོལ་དུ་ཕྱིན་པ་གསལ་བར་བྱེད་ཀྱང་། ཟབ་པ་བས་ཀྱང་ཤིན་དུ་ཟབ་པ་སྟོན། ཕྲ་བ་བས་ཀྱང་ཤིན་དུ་ཕྲ་བ་ལ་འཇུག་གོ། །དེ་ནས་ཚེ་དང་ལྡན་པ་རབ་འབྱོར་གྱིས། ལྷའི་བུ་དེ་དག་གི་(༢)སེམས་ཀྱི་རྣམ་པར་རྟོག་པ་སེམས་ཀྱིས་(༣)ཡོངས་སུ་ཤེས་ཏེ། ལྷའི་བུ་དེ་དག་ལ་འདི་སྐད་ཅེས་སྨྲས་སོ། །ལྷའི་བུ་དག་གཟུགས་ནི་ཟབ་པ་མ་ཡིན། ཕྲ་བ་མ་ཡིན(༤)། ཚོར་བ་དང་། འདུ་ཤེས་དང་། འདུ་བྱེད་དང་། རྣམ་པར་ཤེས་པ་ནི་ཟབ་པ་མ་ཡིན། ཕྲ་བ་མ་ཡིན་ནོ། །དེ་ཅིའི་ཕྱིར་ཞེ་ན། གཟུགས་ཀྱི་རང་བཞིན་ནི་ཟབ་པ་མ་ཡིན་ཕྲ་བ་མ་ཡིན་ནོ། །ཚོར་བ་དང་། འདུ་ཤེས་དང་། འདུ་བྱེད་དང་། རྣམ་པར་ཤེས་པའི་རང་བཞིན་ནི་ཟབ་པ་མ་ཡིན་ཕྲ་བ་མ་ཡིན་ནོ(༥)། །མིག་ནི་ཟབ་པ་མ་ཡིན་ཕྲ་བ་མ་ཡིན་ནོ། །རྣ་བ་དང་སྣ་དང་ལྕེ་དང་ལུས་དང་། ཡིད་ནི་ཟབ་པ་མ་ཡིན་ཕྲ་བ་མ་ཡིན་ནོ། །དེ་ཅིའི་ཕྱིར་ཞེ་ན། མིག་གི་རང་བཞིན་ནི་ཟབ་པ་མ་ཡིན་ཕྲ་བ་མ་ཡིན་ནོ། །རྣ་བ་དང་སྣ་དང་ལྕེ་དང་ལུས་དང་། ཡིད་ཀྱི་རང་བཞིན་ནི་ཟབ་པ་མ་ཡིན་ཕྲ་བ་(༦)མ་ཡིན་ནོ། །གཟུགས་ནི་ཟབ་པ་མ་ཡིན་ཕྲ་

བ་མ་ཡིན་ནོ། །སྒྲ་དང་དྲི་དང་རོ་དང་རེག་དང་། ཆོས་ནི་ཟབ་པ་མ་ཡིན་ཕྲ་བ་མ་ཡིན་ནོ། །དེ་ཅིའི་ཕྱིར་ཞེ་ན། གཟུགས་ཀྱི་རང་བཞིན་ནི་ཟབ་པ་མ་ཡིན་ཕྲ་བ་མ་ཡིན་ནོ། །སྒྲ་དང་དྲི་དང་རོ་དང་རེག་དང་། ཆོས་ཀྱི་རང་བཞིན་ནི་ཟབ་པ་མ་ཡིན་ཕྲ་བ་མ་ཡིན་ནོ། །མིག་གི་རྣམ་པར་ཤེས་པ་ནི་ཟབ་པ་མ་ཡིན་ཕྲ་བ་མ་ཡིན་ནོ། །རྣ་བའི་རྣམ་པར་ཤེས་པ་དང་། སྣའི་རྣམ་པར་ཤེས་པ་དང་། ལྕེའི་རྣམ་པར་ཤེས་པ་དང་། ལུས་ཀྱི་རྣམ་པར་ཤེས་པ་དང་། ཡིད་ཀྱི་རྣམ་པར་ཤེས་པ་ནི་ཟབ་པ་མ་ཡིན་ཕྲ་བ་མ་ཡིན་ནོ། །དེ་ཅིའི་ཕྱིར་ཞེ་ན། མིག་གི་རྣམ་པར་ཤེས་པའི་རང་[7]བཞིན་ནི་ཟབ་པ་མ་ཡིན་ཕྲ་བ་མ་ཡིན་ནོ། །རྣ་བའི་རྣམ་པར་ཤེས་པའི་རང་བཞིན་དང་། སྣའི་རྣམ་པར་ཤེས་པའི་རང་བཞིན་དང་། ལྕེའི་རྣམ་པར་ཤེས་པའི་རང་བཞིན་དང་། ལུས་ཀྱི་རྣམ་པར་ཤེས་པའི་རང་བཞིན་དང་། ཡིད་ཀྱི་རྣམ་པར་ཤེས་པའི་རང་བཞིན་ནི་ཟབ་པ་མ་ཡིན་ཕྲ་བ་མ་ཡིན་ནོ། །མིག་གི་འདུས་ཏེ་རེག་པ་ནི་ཟབ་པ་མ་ཡིན་ཕྲ་བ་མ་ཡིན་ནོ། །རྣ་བའི་འདུས་ཏེ་རེག་པ་དང་། སྣའི་འདུས་ཏེ་རེག་པ་དང་། ལྕེའི་འདུས་ཏེ་རེག་པ་དང་། ལུས་ཀྱི་འདུས་ཏེ་རེག་པ་དང་། ཡིད་ཀྱི་འདུས་ཏེ་རེག་པ་ནི་ཟབ་པ་མ་ཡིན་ཕྲ་བ་མ་ཡིན་ནོ། །དེ་ཅིའི་ཕྱིར་ཞེ་ན། མིག་གི་འདུས་ཏེ་རེག་པའི་རང་བཞིན་ནི་ཟབ་པ་མ་ཡིན་ཕྲ་བ་མ་ཡིན་ནོ། །རྣ་བའི་འདུས་ཏེ་རེག་པའི་རང་བཞིན་དང་། སྣའི་འདུས་ཏེ་རེག་པའི་རང་བཞིན་དང་། ལྕེའི་འདུས་ཏེ་རེག་པའི་རང་བཞིན་དང་། ལུས་ཀྱི་འདུས་ཏེ་རེག་པའི་རང་བཞིན་དང་། ཡིད་ཀྱི་འདུས་ཏེ་རེག་པའི་རང་བཞིན་ནི་ཟབ་པ་མ་ཡིན་ཕྲ་བ་མ་ཡིན་ནོ། །མིག་གི་འདུས་ཏེ་རེག་པའི་རྐྱེན་གྱིས་ཚོར་བ་ནི་ཟབ་པ་མ་ཡིན་ཕྲ་བ་མ་ཡིན་ནོ། །རྣ་བའི་འདུས་ཏེ་རེག་པའི་རྐྱེན་གྱིས་ཚོར་བ་དང་། སྣའི་འདུས་ཏེ་རེག་པའི་རྐྱེན་གྱིས

ཚོར་བ་དང་། ལྗེའི་འདུས་ཏེ་རེག་པའི་རྐྱེན་གྱིས་ཚོར་བ་དང་། ལུས་ཀྱི་[༡]འདུས་ཏེ་རེག་པའི་རྐྱེན་གྱིས་ཚོར་བ་དང་། ཡིད་ཀྱི་འདུས་ཏེ་རེག་པའི་རྐྱེན་གྱིས་ཚོར་བ་ནི་ཟབ་པ་མ་ཡིན་ཟྲ་བ་མ་ཡིན་ནོ། །དེ་ཅིའི་ཕྱིར་ཞེ་ན། མིག་གི་འདུས་ཏེ་རེག་པའི་རྐྱེན་གྱིས་ཚོར་བའི་རང་བཞིན་ནི་ཟབ་པ་མ་ཡིན་ཟྲ་བ་མ་ཡིན་ནོ། །རྣ་བའི་འདུས་ཏེ་རེག་པའི་རྐྱེན་གྱིས་ཚོར་བའི་རང་བཞིན་དང་། སྣའི་འདུས་ཏེ་རེག་པའི་རྐྱེན་གྱིས་ཚོར་བའི་རང་བཞིན་དང་། ལྗེའི་འདུས་ཏེ་རེག་པའི་རྐྱེན་གྱིས་ཚོར་བའི་རང་བཞིན་དང་། ལུས་ཀྱི་[༢]འདུས་ཏེ་རེག་པའི་རྐྱེན་གྱིས་ཚོར་བའི་རང་བཞིན་[༣]དང་། ཡིད་ཀྱི་འདུས་ཏེ་རེག་པའི་རྐྱེན་གྱིས་ཚོར་བའི་རང་བཞིན་ནི་ཟབ་པ་མ་ཡིན་ཟྲ་བ་མ་ཡིན་ནོ། །སའི་ཁམས་ནི་ཟབ་པ་མ་ཡིན་ཟྲ་བ་མ་ཡིན་ནོ། །ཆུའི་ཁམས་དང་། མེའི་ཁམས་དང་། རླུང་གི་ཁམས་དང་། ནམ་མཁའི་ཁམས་དང་། རྣམ་པར་ཤེས་པའི་ཁམས་ནི་ཟབ་པ་མ་ཡིན་ཟྲ་བ་མ་ཡིན་ནོ། །དེ་ཅིའི་ཕྱིར་ཞེ་ན། སའི་ཁམས་ཀྱི་རང་བཞིན་ནི་ཟབ་པ་མ་ཡིན་ཟྲ་བ་མ་ཡིན་ནོ། །ཆུའི་ཁམས་ཀྱི་རང་བཞིན་དང་། མེའི་ཁམས་ཀྱི་རང་བཞིན་དང་། རླུང་གི་ཁམས་ཀྱི་རང་བཞིན་དང་། ནམ་མཁའི་ཁམས་ཀྱི་རང་བཞིན་དང་། རྣམ་པར་ཤེས་པའི་ཁམས་ཀྱི་རང་བཞིན་ནི་ཟབ་པ་མ་ཡིན་ཟྲ་བ་མ་ཡིན་ནོ། །མ་རིག་པ་ནི་ཟབ་པ་མ་ཡིན་ཟྲ་བ་མ་ཡིན་ནོ། །འདུ་བྱེད་དང་རྣམ་པར་ཤེས་པ་དང་། མིང་དང་གཟུགས་དང་། སྐྱེ་མཆེད་དྲུག་དང་། རེག་པ་དང་ཚོར་བ་དང་། སྲེད་པ་དང་ལེན་པ་དང་། སྲིད་པ་དང་། སྐྱེ་བ་དང་རྒ་ཤི་ནི་ཟབ་པ་མ་ཡིན་[༨]ཟྲ་བ་མ་ཡིན་ནོ། །དེ་ཅིའི་ཕྱིར་ཞེ་ན། མ་རིག་པའི་རང་བཞིན་ནི་ཟབ་པ་མ་ཡིན་ཟྲ་བ་མ་ཡིན་ནོ། །འདུ་བྱེད་ཀྱི་རང་བཞིན་དང་། རྣམ་པར་ཤེས་པའི་རང་བཞིན་དང་། མིང་དང་གཟུགས་ཀྱི་རང་བཞིན་དང་།

སྐྱེ་མཆེད་དྲུག་གི་རང་བཞིན་དང་། རེག་པའི་རང་བཞིན་དང་། ཚོར་བའི་རང་བཞིན་དང་། སྲེད་པའི་རང་བཞིན་དང་། ལེན་པའི་རང་བཞིན་དང་། སྲིད་པའི་རང་བཞིན་དང་། སྐྱེ་བའི་རང་བཞིན་དང་། ཆ་ཤེའི་རང་བཞིན་ནི་ཟབ་པ་མ་ཡིན་ཕྲ་བ་མ་ཡིན་ནོ། །སྦྱིན་པའི་ཕ་རོལ་ཏུ་ཕྱིན་པ་ནི་ཟབ་པ་མ་ཡིན་ཕྲ་བ་མ་ཡིན་ནོ། །ཚུལ་ཁྲིམས་ཀྱི་ཕ་རོལ་ཏུ་ཕྱིན་པ་དང་། བཟོད་པའི་ཕ་རོལ་ཏུ་ཕྱིན་པ་དང་། བརྩོན་འགྲུས་ཀྱི་ཕ་རོལ་ཏུ་ཕྱིན་པ་དང་། བསམ་གཏན་གྱི་ཕ་རོལ་ཏུ་ཕྱིན་པ་དང་། ཤེས་རབ་ཀྱི་ཕ་རོལ་ཏུ་ཕྱིན་པ་ནི་ཟབ་པ་མ་ཡིན་ཕྲ་བ་མ་ཡིན་ནོ། །དེ་ཅིའི་ཕྱིར་ཞེ་ན། སྦྱིན་པའི་ཕ་རོལ་ཏུ་ཕྱིན་པའི་རང་བཞིན་ནི་ཟབ་པ་མ་ཡིན་ཕྲ་བ་མ་ཡིན་ནོ། །ཚུལ་ཁྲིམས་ཀྱི་ཕ་རོལ་ཏུ་ཕྱིན་པའི་རང་བཞིན་དང་། བཟོད་པའི་ཕ་རོལ་ཏུ་ཕྱིན་པའི་རང་བཞིན་དང་། བརྩོན་འགྲུས་ཀྱི་ཕ་རོལ་ཏུ་ཕྱིན་པའི་རང་བཞིན་དང་། བསམ་གཏན་གྱི་ཕ་རོལ་ཏུ་ཕྱིན་པའི་རང་བཞིན་དང་། ཤེས་རབ་ཀྱི་ཕ་རོལ་ཏུ་ཕྱིན་པའི་རང་བཞིན་ནི་ཟབ་པ་མ་ཡིན་ཕྲ་བ་མ་ཡིན་ནོ། །ནང་སྟོང་པ་ཉིད་ནི་ཟབ་པ་མ་ཡིན་ཕྲ་བ་མ་ཡིན་ནོ། །དངོས་པོ་མེད་པའི་ངོ་བོ་ཉིད་སྟོང་པ་ཉིད་ཀྱི་བར་ནི་ཟབ་པ་མ་ཡིན་ཕྲ་བ་མ་ཡིན་ནོ། །དེ་ཅིའི་ཕྱིར་ཞེ་ན། ནང་སྟོང་ཿཔ་ཉིད་[2]ཀྱི་རང་བཞིན་ནི་ཟབ་པ་མ་ཡིན་ཕྲ་བ་མ་ཡིན་ནོ། །དངོས་པོ་མེད་པའི་ངོ་བོ་ཉིད་སྟོང་པ་ཉིད་ཀྱི་བར་གྱི་རང་བཞིན་ནི་ཟབ་པ་མ་ཡིན་ཕྲ་བ་མ་ཡིན་ནོ། །དྲན་པ་ཉེ་བར་གཞག་པ་རྣམས་ནི་ཟབ་པ་མ་ཡིན་ཕྲ་བ་མ་ཡིན་ནོ། །ཡང་དག་པར་སྤོང་[3]བ་རྣམས་དང་། རྫུ་འཕྲུལ་གྱི་རྐང་པ་རྣམས་དང་། དབང་པོ་རྣམས་དང་། སྟོབས་རྣམས་དང་། བྱང་ཆུབ་ཀྱི་ཡན་ལག་རྣམས་དང་། འཕགས་པའི་ལམ་ཡན་ལག་བརྒྱད་པ་ནི་ཟབ་པ་མ་ཡིན་ཕྲ་བ་མ་ཡིན་ནོ། །དེ་ཅིའི་ཕྱིར་ཞེ་ན། དྲན་པ་ཉེ་བར་གཞག་པའི་རང་

བཞིན་ནི་ཟབ་པ་མ་ཡིན་ཟླ་བ་མ་ཡིན་ནོ། །ཡང་དག་པར་སྤོང་བ་དང་། རྫུ་འཕྲུལ་གྱི་རྐང་པ་དང་། དབང་པོ་དང་། སྟོབས་དང་། བྱང་ཆུབ་ཀྱི་ཡན་ལག་དང་། འཕགས་པའི་ལམ་ཡན་ལག་བརྒྱད་པའི་རང་བཞིན་ནི་ཟབ་པ་མ་ཡིན་ཟླ་བ་མ་ཡིན་ནོ། །འཕགས་པའི་བདེན་པ་རྣམས་ནི་ཟབ་པ་མ་ཡིན། ཟླ་བ་མ་ཡིན་ནོ། །བསམ་གཏན་རྣམས་དང་། ཚད་མེད་པ་རྣམས་དང་། གཟུགས་མེད་པའི་སྙོམས་པར་འཇུག་པ་རྣམས་དང་། རྣམ་པར་ཐར་པ་རྣམས་དང་། མཐར་གྱིས་གནས་པའི་སྙོམས་པར་འཇུག་པ[༧]རྣམས་དང་། རྣམ་པར་ཐར[༣]པའི་སྒོ་སྟོང་པ་ཉིད་དང་། མཚན་མ་མེད་པ་དང་། སྨོན་པ་མེད་པ་དང་། མངོན་པར་ཤེས་པ་རྣམས་དང་། ཏིང་ངེ་འཛིན་རྣམས་དང་། གཟུངས་ཀྱི་སྒོ་རྣམས་ནི་ཟབ་པ་མ་ཡིན། ཟླ་བ་མ་ཡིན་ནོ། །དེ་ཅིའི་ཕྱིར་ཞེ་ན། འཕགས་པའི་བདེན་པའི་རང་བཞིན་ནི་ཟབ་པ་མ་ཡིན་ཟླ་བ་མ་ཡིན་ནོ། །བསམ་གཏན་དང་། ཚད་མེད་པ་དང་། གཟུགས་མེད་པའི་སྙོམས་པར་འཇུག་པ་དང་། རྣམ་པར་ཐར་པ་དང་། མཐར་གྱིས་གནས་པའི་སྙོམས་པར་འཇུག་པ་དང་། རྣམ་པར་ཐར་པའི་སྒོ་སྟོང་པ་ཉིད་དང་། མཚན་མ་མེད་པ་དང་། སྨོན་པ་མེད་པ་དང་། མངོན་པར་ཤེས་པ་དང་། ཏིང་ངེ་འཛིན་དང་། གཟུངས་ཀྱི་སྒོའི་རང་བཞིན་ནི་ཟབ་པ་མ་ཡིན་ཟླ་བ་མ་ཡིན་ནོ། །དེ་བཞིན་གཤེགས་པའི་སྟོབས་བཅུ་ནི་ཟབ་པ་མ་ཡིན་ཟླ་བ་མ་ཡིན་ནོ། །མི་འཇིགས་པ་བཞི་དང་། སོ་སོ་ཡང་དག་པར་རིག་པ་བཞི་དང་། སངས་རྒྱས་ཀྱི་ཆོས་མ་འདྲེས་པ་བཅོ་བརྒྱད་དང་། རྣམ་པ་ཐམས་ཅད་མཁྱེན་པ་ཉིད་ཀྱི་བར་ནི་ཟབ་པ་མ་ཡིན་ཟླ་བ་མ་ཡིན་ནོ། །དེ་ཅིའི་ཕྱིར་ཞེ་ན། དེ་བཞིན་གཤེགས་པའི་སྟོབས་ཀྱི་རང་བཞིན་ནི་ཟབ་པ་མ་ཡིན་ཟླ་བ་མ་ཡིན་ནོ། །མི་འཇིགས་པ་དང་། སོ་

སོ་ཡང་དག་པར་རིག་པ་དང་། སངས་རྒྱས་ཀྱི་ཆོས་མ་འདྲེས་པ་དང་། རྣམ་པ་ཐམས་ཅད་མཁྱེན་པ་ཉིད་ཀྱིཿ བར་གྱི[2] རང་བཞིན་ནི་ཟབ་པ་མ་ཡིན། ཕྲ་བ་མ་ཡིན་ནོ། །དེ་ནས་ལྷའི་བུ་དེ་དག་འདི་སྙམ་དུ་སེམས་པར་གྱུར་ཏེ། ཆོས་བསྟན་པ་འདི་ལ་ནི་གཟུགས་སུ་བཏགས་པ་མེད་དོ། །ཚོར་བ་དང་འདུ་ཤེས་དང་འདུ་བྱེད་དང་། རྣམ་པར་ཤེས་པར་བཏགས་པ་མེད་དོ། །ཆོས་བསྟན་པ་འདི་ལ་ནི་སྐྱེ་མཆེད་དང་། ཁམས་དང་། རྟེན་ཅིང་འབྲེལ་པར་འབྱུང་བར་བཏགས་པ་མེད་དོ། །ཆོས་བསྟན་པ་འདི་ལ་ནི་སྦྱིན་པའི་ཕ་རོལ་ཏུ་ཕྱིན་པར་བཏགས་པ་མེད་དོ། །ཚུལ་ཁྲིམས་ཀྱི་ཕ་རོལ་ཏུ་ཕྱིན་པ་དང་། བཟོད་པའི་ཕ་རོལ་ཏུ་ཕྱིན་པ་དང་། བརྩོན་འགྲུས་ཀྱི་ཕ་རོལ་ཏུ་ཕྱིན་པ་དང་། བསམ་གཏན་གྱི་ཕ་རོལ་ཏུ་ཕྱིན་པ་དང་། ཤེས་རབ་ཀྱི་ཕ་རོལ་ཏུ་ཕྱིན་པར་བཏགས་པ་མེད་དོ[3]། །ཆོས་བསྟན་པ་འདི་ལ་ནི་ནང་སྟོང་པ་ཉིད་དུ་བཏགས་པ་མེད་དོ། །དངོས་པོ་མེད་པའི་ངོ་བོ་ཉིད་སྟོང་པ་ཉིད་ཀྱི་བར་དུ་བཏགས་པ་མེད་དོ། །ཆོས་བསྟན་པ་འདི་ལ་ནི་བྱང་ཆུབ་ཀྱི་ཕྱོགས་ཀྱི་ཆོས་སུམ་ཅུ་རྩ་བདུན་དུ་བཏགས་པ་མེད་དོ། །འཕགས་པའི་བདེན་པ་རྣམས་དང་། བསམ་གཏན་རྣམས་དང་། ཚད་མེད་པ་རྣམས་དང་། གཟུགས་མེད་པའི་སྙོམས་པར་འཇུག་པ་རྣམས་དང་། རྣམ་པར་ཐར་པ་རྣམས་དང་། མཐར་གྱིས་གནས་པའི་སྙོམས་པར་འཇུག་པ་རྣམས་དང་། རྣམ་པར་ཐར་པའི་སྒོ་སྟོང་པ་ཉིད་དང་། མཚན་མ་མེད་པ་དང་། སྨོན་པ་མེད་པ་དང་། མངོན་པར་ཤེས་པ་རྣམས་དང་། ཏིང་ངེ་འཛིན་རྣམས་དང་། གཟུངས་ཀྱི་སྒོ་རྣམས་དང་། དེ་བཞིན་གཤེགས་པའི་སྟོབས་རྣམས་དང་། མི་འཇིགས་པ་རྣམས་དང་། སོ་སོ་ཡང་དག་པར་རིག་པ་རྣམས་དང་། སངས་རྒྱས་ཀྱི་ཆོས་མ་འདྲེས་པ་བཅོ་བརྒྱད་དུ་བཏགས་པ་མེད་དོ།།

ཆོས་བསྟན་པ་འདི་ལ་ནི་རྒྱུན་དུ་ཞུགས་པར་བཏགས་[7]པ་མེད་དོ། །རྒྱུན་དུ་ཞུགས་པའི་འབྲས་བུར་བཏགས་པ་མེད་དོ། །ལན་ཅིག་ཕྱིར་འོང་བ་དང་ལན་ཅིག་ཕྱིར་འོང་བའི་འབྲས་བུ་དང་། ཕྱིར་མི་འོང་བ་དང་། ཕྱིར་མི་འོང་བའི་འབྲས་བུ་དང་། དགྲ་བཅོམ་པ་ཉིད་དང་། རང་སངས་རྒྱས་རྣམས་དང་། རང་བྱང་ཆུབ་དང་། བྱང་ཆུབ་སེམས་དཔའི་ས་རྣམས་དང་། སངས་རྒྱས་དང་བྱང་ཆུབ་ཏུ་བཏགས་པ་མེད་དོ། །ཡི་གེར་བཏགས་པ་མེད་དོ། །སྐྱམ་པ་དང་དེ་ནས་ཚེ་དང་ལྡན་པ་རབ་འབྱོར་གྱིས་ལྷའི་བུ་དེ་དག་ལ་འདི་སྐད་ཅེས་སྨྲས་སོ། །ལྷའི་བུ་དག་དེ་དེ་བཞིན་ནོ། །དེ་དེ་བཞིན་ཏེ། དེ་བཞིན་གཤེགས་པའི་བྱང་ཆུབ་ནི་བརྗོད་དུ་མེད་དོ། །སྨྲར་མེད་དོ། །དེ་ནི་སུས་ཀྱང་བསྟན་པ་མེད་དོ། །སུས་ཀྱང་ཐོས་པ་མེད་དོ། །སུས་ཀྱང་ཤེས་པ་མེད་དོ། །ལྷའི་བུ་དག་དེ་ལྟ་བས་ན་ལ་ལ་ཞིག་རྒྱུན་དུ་ཞུགས་པའི་འབྲས་བུ་ལ་གནས་པར་འདོད་ཅིང་། རྒྱུན་དུ་ཞུགས་པའི་འབྲས་བུ་མངོན་དུ་བྱ་བར་འདོད་ན་ཡང་བཟོད་པ་འདི་ལ་མི་རྟེན་[3]དུ་མི་རུང་ངོ་། །ལ་ལ་ཞིག་ལན་ཅིག་ཕྱིར་འོང་བའི་འབྲས་བུ་དང་ཕྱིར་མི་འོང་བའི་འབྲས་བུ་དང་། དགྲ་བཅོམ་པ་ཉིད་དང་། རང་བྱང་ཆུབ་དང་། ལ་ལ་ཞིག་བླ་ན་མེད་པ་ཡང་དག་པར་རྫོགས་པའི་བྱང་ཆུབ་ལ་གནས་པར་འདོད་ཅིང་། བླ་ན་མེད་པ་ཡང་དག་པར་རྫོགས་པའི་བྱང་ཆུབ་མངོན་དུ་བྱ་བར་འདོད་ན་ཡང་། བཟོད་པ་འདི་ལ་མི་རྟེན་[3]དུ་མི་རུང་ངོ་། །ལྷའི་བུ་དག་དེ་[8]ལྟར་བྱང་ཆུབ་སེམས་དཔའ་སེམས་དཔའ་ཆེན་པོས་སེམས་དང་པོ་བསྐྱེད་ནས་བརྗོད་པ་དང་། མཐའ་དུ་མེད་པའི་ཕྱིར་ཤེས་རབ་ཀྱི་ཕ་རོལ་ཏུ་ཕྱིན་པ་ལ་གནས་པར་བྱའོ། །ཤེས་རབ་ཀྱི་ཕ་རོལ་ཏུ་ཕྱིན་པ་སྟོང་ཕྲག་ཉི་ཤུ་ལྔ་པ་ལས། ལེའུ་བཅུ་བཞི་པའོ།། ||

དེ་ནས་ལྷའི་བུ་དེ་དག་འདི་སྙམ་དུ་སེམས་པར་གྱུར་ཏེ། གནས་བརྟན་རབ་འབྱོར་ལ་ཆོས་མཉན་[༡]པ་རྣམས་[༢]པ་ཇི་ལྟ་བུ་དག་བཙལ་བར་བྱ་སྙམ་པ་དང་། དེ་ནས་ཚེ་དང་ལྡན་པ་རབ་འབྱོར་གྱིས། ལྷའི་བུ་དེ་དག་གི་སེམས་ཀྱི་རྣམ་པར་རྟོག་པ་སེམས་ཀྱིས་ཡོངས་སུ་ཤེས་ནས། ལྷའི་བུ་དེ་དག་ལ་འདི་སྐད་ཅེས་སྨྲས་སོ།། ལྷའི་བུ་དག་བདག་གིས་ཆོས་བསྟན་པ་ནི་སྒྱུ[༣]མ་ལྟ་བུ་སྟེ། ལྷའི་བུ་དག་བདག་ལ་ཆོས་ཉན་པ་ཡང་སྒྱུ་མ་ལྟ་བུར་བཙལ་བར་བྱའོ། །ལྷའི་བུ་[༤]བདག་གི་[༥]ཆོས་བསྟན་པ་འདི་སྤྲུལ་པ་ལྟ་བུ་སྟེ། བདག་ལ་ཆོས་ཉན་པ་ཡང་སྤྲུལ་པ་ལྟ་བུར་བཙལ་བར་བྱ་སྟེ། དེ་དག་ནི་ཅི་ཡང་ཉན་པ་མེད་ཅིང་ཅི་ཡང་མངོན་དུ་བྱེད་པ་མེད་དོ། །དེ་ནས་ལྷའི་བུ་དེ་དག་གིས་ཚེ་དང་ལྡན་པ་རབ་འབྱོར་ལ་འདི་སྐད་ཅེས་སྨྲས་སོ། །བཙུན་པ་རབ་འབྱོར་ཅི་སེམས་ཅན་དེ་དག་སྒྱུ་མ་ལྟ་བུ་སྟེ། ཆོས་ཉན་པ་དེ་དག་སྒྱུ་མ་ལྟ་བུ་ཡིན་ནམ། སེམས་ཅན་དེ་དག་སྤྲུལ་པ་ལྟ་བུ་སྟེ། ཆོས་ཉན་པ་དེ་དག་སྤྲུལ་པ་ལྟ་བུ་ཡིན་ནམ། རབ་འབྱོར་གྱིས་སྨྲས་པ། ལྷའི་བུ་དག་དེ་དེ་བཞིན་ནོ། །དེ་དེ་བཞིན་ཏེ། སེམས་ཅན་དེ་དག་ནི་སྒྱུ་མ་ལྟ་བུ་སྟེ། ཆོས་ཉན་པ་དེ་དག་ཀྱང་སྒྱུ་མ་ལྟ་བུའོ། །སེམས་ཅན་དེ་དག་ནི་སྤྲུལ་པ་ལྟ་བུ་སྟེ། ཆོས་ཉན་པ་དེ་དག་ཀྱང་སྤྲུལ་པ་ལྟ་བུའོ། །ལྷའི་བུ་དག་[༦]སེམས་ཅན་དེ་དག་རྨི་ལམ་ལྟ་བུ་སྒྱུ་མ་ལྟ་བུའོ། །ལྷའི་བུ་དག་གཟུགས་ཀྱང་རྨི་ལམ་ལྟ་བུ་སྒྱུ་མ་ལྟ་བུའོ། །ལྷའི་བུ་དག་ཚོར་བ་དང་འདུ་ཤེས་དང་འདུ་བྱེད་དང་། རྣམ་པར་ཤེས་པ་ཡང་རྨི་ལམ་ལྟ་བུ་སྒྱུ་མ་ལྟ་བུའོ། །ལྷའི་བུ་དག་མིག་ཀྱང་རྨི་ལམ་ལྟ་བུ་སྒྱུ་མ་ལྟ་བུའོ། །རྣ་བ་དང་སྣ་དང་ལྕེ་དང་ལུས་དང་། ཡིད་ཀྱང་རྨི་ལམ་ལྟ་བུ་སྒྱུ་མ་ལྟ་བུའོ། །གཟུགས་ཀྱང་རྨི་ལམ་ལྟ་བུ་སྒྱུ་མ་ལྟ་བུའོ། །སྒྲ་དང་། དྲི་དང་། རོ་དང་།

རིག་དང་། ཆོས་ཀུན་རྨི་ལམ་ལྟ་བུ་སྒྱུ་མ་ལྟ་བུའོ། །མིག་གི་རྣམ་པར་ཤེས་པ་ཡང་རྨི་ལམ་ལྟ་བུ་སྒྱུ་མ་ལྟ་བུའོ། །རྣ་བའི་རྣམ་པར་ཤེས་པ་དང་། སྣའི་རྣམ་པར་ཤེས་པ་དང་། ལྕེའི་རྣམ་པར་ཤེས་པ་དང་། ལུས་ཀྱི་རྣམ་པར་ཤེས་པ་དང་། ཡིད་ཀྱི་རྣམ་པར་ཤེས་པ་ཡང་རྨི་ལམ་ལྟ་བུ་སྒྱུ་མ་ལྟ་བུའོ། །མིག་གི་འདུས་ཏེ་རེག་པ་ཡང་རྨི་ལམ་ལྟ་བུ་སྒྱུ་མ་ལྟ་བུའོ། །རྣ་བའི་འདུས་ཏེ་རེག་པ་དང་། སྣའི་འདུས་ཏེ་རེག་པ་དང་། ལྕེའི་འདུས་ཏེ་རེག་པ་དང་། ལུས་ཀྱི་འདུས་ཏེ་རེག་པ་དང་། ཡིད་ཀྱི་འདུས་ཏེ་རེག་པ་ཡང་རྨི་ལམ་ལྟ་བུ་སྒྱུ་མ་ལྟ་བུའོ། །མིག་གི་འདུས་ཏེ་རེག་པ་ལས་བྱུང་བའི་ཚོར་བ་ཡང་རྨི་ལམ་ལྟ་བུ་སྒྱུ་མ་ལྟ་བུའོ། །རྣ་བའི་འདུས་ཏེ་རེག་པ་ལས་བྱུང་བའི་ཚོར་བ་དང་། སྣའི་འདུས་ཏེ་རེག་པ་ལས་བྱུང་བའི་ཚོར་བ་དང་། ལྕེའི་འདུས་ཏེ་རེག་པ་ལས་བྱུང་བའི་ཚོར་བ་དང་། ལུས་ཀྱི་འདུས་ཏེ་རེག་པ་ལས་བྱུང་བའི་ཚོར་བ་དང་། ཡིད་ཀྱི་འདུས་ཏེ་རེག་པ་ལས་བྱུང་བའི་ཚོར་བ་ཡང་རྨི་ལམ་ལྟ་བུ་སྒྱུ་མ་ལྟ་བུའོ། །སའི་ཁམས་ཀུན་རྨི་ལམ་ལྟ་བུ་སྒྱུ་མ་ལྟ་བུའོ། །ཆུའི་ཁམས་དང་། མེའི་ཁམས་དང་། རླུང་གི་ཁམས་དང་། ནམ་མཁའི་ཁམས་དང་། རྣམ་པར་ཤེས་པའི་ཁམས་ཀུན་རྨི་ལམ་ལྟ་བུ་སྒྱུ་མ་ལྟ་བུའོ། །མ་རིག་པ་ཡང་རྨི་ལམ་ལྟ་བུ་སྒྱུ་མ་ལྟ་བུའོ། །འདུ་བྱེད་དང་རྣམ་པར་ཤེས་པ་དང་། མིང་དང་གཟུགས་དང་། སྐྱེ་མཆེད་དྲུག་དང་། རེག་པ་དང་ཚོར་བ་དང་། སྲེད་པ་དང་ལེན་པ་དང་། སྲིད་པ་དང་སྐྱེ་བ་དང་། རྒ་ཤི་ཡང་རྨི་ལམ་ལྟ་བུ་སྒྱུ་མ་ལྟ་བུའོ། །སྦྱིན་པའི་ཕ་རོལ་ཏུ་ཕྱིན་པ་ཡང་རྨི་ལམ་ལྟ་བུ་སྒྱུ་མ་ལྟ་བུའོ། །ཚུལ་ཁྲིམས་ཀྱི་ཕ་རོལ་ཏུ་ཕྱིན་པ་དང་། བཟོད་པའི་ཕ་རོལ་ཏུ་ཕྱིན་པ་དང་། བརྩོན་འགྲུས་ཀྱི་ཕ་རོལ་ཏུ་ཕྱིན་པ་དང་། བསམ་གཏན་གྱི་ཕ་རོལ་ཏུ་ཕྱིན་པ་དང་། ཤེས་རབ་ཀྱི་ཕ་རོལ་ཏུ་ཕྱིན་པ་ཡང་རྨི་ལམ་ལྟ་

བུ་སྒྱུ་མ་ལྟ་བུའོ། །ནང་སྟོང་པ་ཉིད་ཀྱང་རྨི་ལམ་ལྟ་བུ་སྒྱུ་མ་ལྟ་བུའོ། །དངོས་པོ་མེད་པའི་ངོ་བོ་ཉིད་སྟོང་པ་ཉིད་ཀྱི་བར་དུ་ཡང་རྨི་ལམ་ལྟ་བུ་སྒྱུ་མ་ལྟ་བུའོ། །དྲན་པ་ཉེ་བར་གཞག་པ་རྣམས་ཀྱང་རྨི་ལམ་ལྟ་བུ་སྒྱུ་མ་ལྟ་བུའོ། །ཡང་དག་པར་སྤོང་བ་རྣམས་དང་། རྫུ་འཕྲུལ་གྱི་རྐང་པ་རྣམས་དང་། དབང་པོ་རྣམས་དང་། སྟོབས་རྣམས་དང་། བྱང་ཆུབ་ཀྱི་ཡན་ལག་རྣམས་དང་། འཕགས་པའི་ལམ་ཡན་ལག་བརྒྱད་པ་ཡང་རྨི་ལམ་ལྟ་བུ་སྒྱུ་མ་ལྟ་བུའོ། །འཕགས་པའི་བདེན་པ་རྣམས་དང་། བསམ་གཏན་རྣམས་དང་། ཚད་མེད་པ་རྣམས་དང་། གཟུགས་མེད་པའི་སྙོམས་པར་འཇུག་པ་རྣམས་དང་། རྣམ་པར་ཐར་པ་རྣམས་དང་། མཐར་གྱིས་གནས་པའི་སྙོམས་པར་[༧]འཇུག་པ་རྣམས་དང་། རྣམ་པར་ཐར་པའི་སྒོ་སྟོང་པ་ཉིད་དང་། མཚན་མ་མེད་པ་དང་། སྨོན་པ་མེད་པ་དང་། མངོན་པར་ཤེས་པ་རྣམས་དང་། ཏིང་ངེ་འཛིན་རྣམས་དང་། གཟུངས་ཀྱི་སྒོ་རྣམས་དང་། དེ་བཞིན་གཤེགས་པའི་སྟོབས་བཅུ་དང་། མི་འཇིགས་པ་བཞི་དང་། སོ་སོ་ཡང་དག་པར་རིག་པ་བཞི་དང་། སངས་རྒྱས་ཀྱི་ཆོས་མ་འདྲེས་པ་རྣམས་ཀྱང་རྨི་ལམ་ལྟ་བུ་སྒྱུ་མ་ལྟ་བུའོ། །རྒྱུན་དུ་ཞུགས་པའི་འབྲས་བུ་ཡང་རྨི་ལམ་ལྟ་བུ་སྒྱུ་མ་ལྟ་བུའོ། །ལན་ཅིག་ཕྱིར་འོང་བའི་འབྲས་བུ་དང་། ཕྱིར་མི་འོང་བའི་འབྲས་བུ་དང་། དགྲ་བཅོམ་པ་ཉིད་དང་། རང་བྱང་ཆུབ་ཀྱང་[༢]རྨི་ལམ་ལྟ་བུ་སྒྱུ་མ་ལྟ་བུའོ། །ལྷའི་བུ་[༣]ཡང་དག་པར་རྫོགས་པའི་བྱང་ཆུབ་ཀྱང་རྨི་ལམ་ལྟ་བུ་སྒྱུ་མ་ལྟ་བུའོ། །དེ་ནས་ལྷའི་བུ་དེ་དག་གིས་ཚེ་དང་ལྡན་པ་རབ་འབྱོར་ལ་འདི་སྐད་ཅེས་སྨྲས་སོ། །བཙུན་པ་རབ་འབྱོར་བྱང་ཆུབ་ཀྱང་རྨི་ལམ་ལྟ་བུ་སྒྱུ་མ་ལྟ་བུར་བཤད་ན། མྱ་ངན་ལས་འདས་པ་ཡང་ཅི་རྨི་ལམ་ལྟ་བུ་སྒྱུ་མ་ལྟ་བུར་བཤད་དམ། རབ་འབྱོར་གྱིས་སྨྲས་པ། ལྷའི་བུ་དག་བདག་ནི་མྱ་ངན་ལས་

འདས་པ་ཡང་རྨི་ལམ་ལྟ་བུ་སྒྱུ་མ་ལྟ་བུར་སྨྲ་སྟེ། དེ་བས་གལ་ཏེ་མྱ་ངན་ལས་འདས་པ་ལས་ཁྱད་པར་དུ་འཕགས་པའི་ཆོས་གཞན་ཞིག་ཡོད་ན་ཡང་། དེ་ལ་བདག་ནི་རྨི་ལམ་ལྟ་བུ་སྒྱུ་མ་ལྟ་བུར་སྨྲའོ། །དེ་ཅིའི་ཕྱིར་ཞེ་ན། ལྷའི་བུ་དག་དེ་ནི་འདི་ལྟར་རྨི་ལམ་ལྟ་བུ་དང་། སྒྱུ་མ་ལྟ་བུ་དང་། མྱ་ངན་ལས་འདས་པ་དེ་ལ་གཉིས་སུ་མེད་ཅིང་གཉིས་སུ་བྱར་མེད་དོ། །དེ་ནས་ཚེ་དང་ལྡན་པ་ཤཱ་རདྭ་ཏིའི་བུ་དང་། ཚེ་དང་ལྡན་པཿམོད་གལ་[1]གྱི་བུ་ཆེན་པོ་དང་། ཚེ་དང་ལྡན་པ་མཛོད་ལྡན་ཆེན་པོ་དང་། ཚེ་དང་ལྡན་པ་ཀ་ཏྱའི་[2]བུ་ཆེན་པོ་དང་། ཚེ་དང་ལྡན་པ་བྱམས་མང་གི་བུ་དང་། ཚེ་དང་ལྡན་པ་འོད་སྲུངས་[3]ཆེན་པོ་དང་། བྱང་ཆུབ་སེམས་དཔའ་སྟོང་ཕྲག་དུ་མས། ཚེ་དང་ལྡན་པ་རབ་འབྱོར་ལ་འདི་སྐད་ཅེས་སྨྲས་སོ། །བཙུན་པ་རབ་འབྱོར་ཤེས་རབ་ཀྱི་ཕ་རོལ་ཏུ་ཕྱིན་པ་འདི་ལྟར་ཟབ་པ། འདི་ལྟར་བལྟ་དཀའ་བ་འདི་ལྟར་རྟོགས་པར་དཀའ་བ་འདི་ལྟར་ཞི་བ་འདི་ལྟར་གསལ་བ་འདི་ལྟར་ཕྲ་བ་འདི་ལྟར་བཟང་བ་འདི་ལ་སུ་དག་ཡིད་ཆེས་པར་འགྱུར། དེ་ནས་ཚེ་དང་ལྡན་པ་རབ་འབྱོར་གྱིས་ཉན་ཐོས་ཆེན་པོ་དེ་དག་དང་། བྱང་ཆུབ་སེམས་དཔའ་སེམས་དཔའ་ཆེན་པོ་དེ་དག་ལ་འདི་སྐད་ཅེས་སྨྲས་སོ། །ཚེ་དང་ལྡན་པ་དག་ཕྱིར་མི་ལྡོག་པའི་བྱང་ཆུབ་སེམས་དཔའ་སེམས་དཔའ་ཆེན་པོ་རྣམས། ཤེས་རབ་ཀྱི་ཕ་རོལ་ཏུ་ཕྱིན་པ་འདི་ལྟར་ཟབ་པ་འདི་ལྟར་ཤིན་ཏུ་བརྟག་དཀའ་བ་འདི་ལྟར་ཕྲ་བ། འདི་ལྟར། གསལ་བ། འདི་ལྟར་རྟོགས་པར་དཀའ་བ། འདི་ལྟར་ཞི་བ་འདི་ལྟར་བཟང་བ། འདི་ལྟར་ཤིན་ཏུ་འཕགས་པ། འདི་ལྟར་མཁས་ཤིང་ཤེས་པས་རིག་པར་བྱ་བ་འདི་ལ་ཡིད་ཆེས་པར་འགྱུར་རོ། །བདེན་པ་མཐོང་བའི་གང་ཟག་གམ། དགྲ་བཅོམ་པ་ཟག་པ་ཟད་པ་བསམ་པ་ཡོངས་སུ་རྫོགས་པའམ། སྔོན་གྱི་རྒྱལ་བ་ལ་བྱ་བ་

བྱས་པའི་སེམས་ཅན་སངས་རྒྱས་བྱེ་བ་མང་པོ་ལ་དགེ་བའི་རྩ་བཿ བསྐྱེད་བསྐྱེད་[༡]པ་དག་དང་། རིགས་ཀྱི་བུ་དང་རིགས་ཀྱི་བུ་མོ་དགེ་བའི་བཤེས་གཉེན་གྱིས་ཡོངས་སུ་ཟིན་པ་གང་ཤེས་རབ་ཀྱི་ཕ་རོལ་ཏུ་ཕྱིན་པ་འདི་ལྟར་ཟབ་པ། འདི་ལྟར་བརྟག་[༢]དཀའ་བ། འདི་ལྟར་བརྟག་པའི་སྤྱོད་ཡུལ་མ་ཡིན་པ། འདི་ལྟར་བལྟ་དཀའ་བ་འདི་ལྟར་རྟོགས་པར་དཀའ་བ། འདི་ལྟར་ཞི་བ། འདི་ལྟར་ཤིན་ཏུ་འཕགས་པ་མཁས་ཤིང་ཤེས་པས་རིག་པར་བྱ་བ་འདི་ལ་ཡིད་ཆེས་པར་འགྱུར་བ་དེ་དག་ནི། གཟུགས་སྟོང་ཞེས་བྱ་བར་རྣམ་པར་རྟོག་པར་མི་འགྱུར། སྟོང་པ་ཉིད་གཟུགས་ཤེས་བྱ་བར་རྣམ་པར་རྟོག་པར་མི་འགྱུར་རོ། །ཚོར་བ་དང་། འདུ་ཤེས་དང་འདུ་བྱེད་དང་། རྣམ་པར་ཤེས་པ་སྟོང་ཞེས་བྱ་བར་རྣམ་པར་རྟོག་པར་མི་འགྱུར། སྟོང་པ་ཉིད་རྣམ་པར་ཤེས་པ་ཞེས་བྱ་བར་རྣམ་པར་རྟོག་པར་མི་འགྱུར་རོ། །གཟུགས་མཚན་མ་མེད་ཅེས་བྱ་བརཿ རྣམ་པར་[༣]རྟོག་པར་མི་འགྱུར། མཚན་མ་མེད་པ་གཟུགས་ཤེས་བྱ་བར་རྣམ་པར་རྟོག་པར་མི་འགྱུར་རོ། །ཚོར་བ་དང་འདུ་ཤེས་དང་འདུ་བྱེད་དང་། རྣམ་པར་ཤེས་པ་མཚན་མ་མེད་ཅེས་བྱ་བར་རྣམ་པར་རྟོག་པར་མི་འགྱུར། མཚན་མ་མེད་པ་རྣམ་པར་ཤེས་པ་ཞེས་བྱ་བར་རྣམ་པར་རྟོག་པར་མི་འགྱུར་རོ། །གཟུགས་སྨོན་པ་མེད་ཅེས་བྱ་བར་རྣམ་པར་རྟོག་པར་མི་འགྱུར། སྨོན་པ་མེད་པ་གཟུགས་ཤེས་བྱ་བར་རྣམ་པར་རྟོག་པར་མི་འགྱུར་རོ། །ཚོར་བ་དང་འདུ་ཤེས་དང་འདུ་བྱེད་དང་། རྣམ་པར་ཤེས་པ་སྨོན་པ་མེད་ཅེས་བྱ་བར་རྣམ་པར་རྟོག་པར་མི་འགྱུར། སྨོན་པ་མེད་པ་རྣམ་པར་ཤེས་པ་ཞེས་བྱ་བར་རྣམ་པར་རྟོག་པར་མི་འགྱུར་རོ། །གཟུགས་སྐྱེ་བ་མེད་ཅེས་བྱ་བར་རྣམ་པར་རྟོག་པར་མི་འགྱུར། སྐྱེ་བ་མེད་པ་གཟུགས་ཤེས་བྱ་བར་རྣམ་པར་རྟོག་པར་མི་འགྱུར་རོ། །ཚོར་བ་དང་འདུ་ཤེས་དང་འདུ་བྱེད་དང་།

རྣམ་པར་ཤེས་པ་སྐྱེ་བ་མེད་ཅེས་བྱ་བར་རྣམ་པར་རྟོག་པར་མི་འགྱུར། སྐྱེ་བ་མེད་པ་རྣམ་པར་ཤེས་པ་ཞེས་བྱ་བར་རྣམ་པར་རྟོག་[1]པར་མི་འགྱུར་རོ། །གཟུགས་འགག་པ་མེད་ཅེས་བྱ་བར་རྣམ་པར་རྟོག་པར་མི་འགྱུར། འགག་པ་མེད་པ་གཟུགས་ཤེས་བྱ་བར་རྣམ་པར་རྟོག་པར་མི་འགྱུར་རོ། །ཚོར་བ་དང་འདུ་ཤེས་དང་འདུ་བྱེད་དང་། རྣམ་པར་ཤེས་པ་འགག་པ་མེད་ཅེས་བྱ་བར་རྣམ་པར་རྟོག་པར་མི་འགྱུར། འགག་པ་མེད་པ་རྣམ་པར་ཤེས་པ་ཞེས་བྱ་བར་རྣམ་པར་རྟོག་པར་མི་འགྱུར་རོ། །གཟུགས་ཞི་ཞེས་བྱ་བར་རྣམ་པར་རྟོག་པར་མི་འགྱུར། ཞི་བ་གཟུགས་ཤེས་བྱ་བར་རྣམ་པར་རྟོག་པར་མི་འགྱུར་རོ། །ཚོར་བ་དང་། འདུ་ཤེས་དང་། འདུ་བྱེད་དང་། རྣམ་པར་ཤེས་པ་ཞི་ཞེས་བྱ་བར་རྣམ་པར་རྟོག་པར་མི་འགྱུར། ཞི་བ་རྣམ་པར་ཤེས་པ་ཞེས་བྱ་བར་རྣམ་པར་རྟོག་པར་མི་འགྱུར་རོ། །གཟུགས་དབེན་ཞེས་བྱ་བར་རྣམ་པར་རྟོག་པར་མི་འགྱུར། དབེན་པ་གཟུགས་ཤེས་བྱ་བར་རྣམ་པར་རྟོག་པར་མི་འགྱུར་རོ། །ཚོར་བ་དང་། འདུ་ཤེས་དང་། འདུ་བྱེད་དང་། རྣམ་པར་ཤེས་པ་དབེན་ཞེས་བྱ་བར་རྣམ་པར་རྟོག་པར་མི་འགྱུར། དབེན་པ་རྣམ་པར་ཤེས་པ་ཞེས་བྱ་བར་རྣམ་པར་རྟོག་པར་མི་འགྱུར་རོ། །མིག་སྟོང་ཞེས་བྱ་བར་རྣམ་པར་རྟོག་པར་མི་འགྱུར། སྟོང་པ་ཉིད་མིག་ཅེས་བྱ་བར་རྣམ་པར་རྟོག་པར་མི་འགྱུར་རོ། །རྣ་བ་དང་སྣ་དང་། ལྕེ་དང་ལུས་དང་། ཡིད་སྟོང་ཞེས་བྱ་བར་རྣམ་པར་རྟོག་པར་མི་འགྱུར། སྟོང་པ་ཉིད་ཡིད་ཅེས་བྱ་བར་རྣམ་པར་རྟོག་པར་མི་འགྱུར་རོ། །མིག་མཚན་མ་མེད་ཅེས་བྱ་བར་རྣམ་པར་རྟོག་པར་མི་འགྱུར། མཚན་མ་མེད་པ་མིག་ཅེས་བྱ་བར་རྣམ་པར་རྟོག་པར་མི་འགྱུར་རོ། །རྣ་བ་དང་། སྣ་དང་། ལྕེ་དང་། ལུས་དང་། ཡིད་མཚན་མ་མེད་ཅེས་བྱ་བར་རྣམ་པར་རྟོག་པར་མི་འགྱུར། མཚན་

མ་མེད་པ་ཡིད་ཅེས་བྱ་བར་རྣམ་པར་རྟོག་པར་མི་འགྱུར་རོ། །མིག་སྨོན་པ་མེད་ཅེས་བྱ་བར་རྣམ་པར་རྟོག་པར་མི་འགྱུར། སྨོན་པ་མེད་པ་མིག་ཅེས་བྱ་བར་རྣམ་པར་རྟོག་པར་མི་འགྱུར་རོ། །རྣ་བ་དང་། སྣ་དང་། ལྕེ་དང་། ལུས་དང་། ཡིད་སྨོན་པ་མེད་ཅེས་བྱ་བར་རྣམ་པར་རྟོག་པར་མི་འགྱུར་སྨོན་པ་མེད་པ་ཡིད་ཅེས་བྱ་བར་རྣམ་པར་རྟོག་པར་མི་འགྱུར་རོ། །མིག་སྐྱེ་བ་མེད་ཅེས་བྱ་བར་རྣམ་པར་རྟོག་པར་མི་འགྱུར། སྐྱེ་བ་མེད་པ་མིག་ཅེས་བྱ་བར་རྣམ་པར་རྟོག་པར་མི་འགྱུར་རོ། །རྣ་བ་དང་། སྣ་དང་། ལྕེ་དང་། ལུས་དང་། ཡིད་སྐྱེ་བ་མེད་ཅེས་བྱ་བར་རྣམ་པར་རྟོག་པར་མི་འགྱུར། སྐྱེ་བ་མེད་པ་ཡིད་ཅེས་བྱ་བར་རྣམ་པར་རྟོག་པར་མི་འགྱུར་རོ། །མིག་འགག་པ་མེད་ཅེས་བྱ་བར་རྣམ་པར་རྟོག་པར་མི་འགྱུར། འགག་པ་མེད་པ་མིག་ཅེས་བྱ་བར་རྣམ་པར་རྟོག་པར་མི་འགྱུར་རོ། །རྣ་བ་དང་སྣ་དང་། ལྕེ་དང་ལུས་དང་། ཡིད་འགག་པ་མེད་ཅེས་བྱ་བར་རྣམ་པར་རྟོག་པར་མི་འགྱུར། འགག་པ་མེད་པ་ཡིད་ཅེས་བྱ་བར་རྣམ་པར་རྟོག་པར་མི་འགྱུར་རོ། །མིག་ཞི་ཞེས་བྱ་བར་རྣམ་པར་རྟོག་པར་མི་འགྱུར། ཞི་བ་མིག་ཅེས་བྱ་བར་རྣམ་པར་རྟོག་པར་མི་འགྱུར་རོ། །རྣ་བ་དང་སྣ་དང་། ལྕེ་དང་ལུས་དང་། [༧]ཡིད་ཞི་ཞེས་བྱ་བར་རྣམ་པར་རྟོག་པར་མི་འགྱུར། ཞི་བ་ཡིད་ཅེས་བྱ་བར་རྣམ་པར་རྟོག་[༣]པར་མི་འགྱུར་རོ། །མིག་དབེན་ཞེས་བྱ་བར་རྣམ་པར་རྟོག་པར་མི་འགྱུར། དབེན་པ་མིག་ཅེས་བྱ་བར་རྣམ་པར་རྟོག་པར་མི་འགྱུར་རོ། །རྣ་བ་དང་སྣ་དང་། ལྕེ་དང་ལུས་དང་། ཡིད་དབེན་ཞེས་བྱ་བར་རྣམ་པར་རྟོག་པར་མི་འགྱུར། དབེན་པ་ཡིད་ཅེས་བྱ་བར་རྣམ་པར་རྟོག་པར་མི་འགྱུར་རོ། །གཟུགས་སྟོང་ཞེས་བྱ་བར་རྣམ་པར་རྟོག་པར་མི་འགྱུར། སྟོང་པ་ཉིད་གཟུགས་ཤེས་བྱ་བར་རྣམ་པར་རྟོག་པར་མི་འགྱུར་རོ། །སྒྲ་དང་།

དྲི་དང་། རོ་དང་། རེག་དང་། ཆོས་སྟོང་ཞེས་བྱ་བར་རྣམ་པར་རྟོག་པར་མི་འགྱུར། སྟོང་པ་ཉིད་ཆོས་ཞེས་[༡]བྱ་བར་རྣམ་པར་རྟོག་པར་མི་འགྱུར་རོ། །གཟུགས་མཚན་མ་མེད་ཅེས་བྱ་བར་རྣམ་པར་རྟོག་པར་མི་འགྱུར། མཚན་མ་མེད་པ་གཟུགས་ཤེས་བྱ་བར་རྣམ་པར་རྟོག་པར་མི་འགྱུར་རོ། །སྒྲ་དང་། དྲི་དང་། རོ་དང་། རེག་དང་། ཆོས་མཚན་མ་མེད་ཅེས་བྱ་བར་རྣམ་པར་རྟོག་པར་མི་འགྱུར། མཚན་མ་མེད་པ་ཆོས་ཤེས་བྱ་བར་རྣམ་པར་རྟོག་པར་མི་འགྱུར་རོ། །གཟུགས་སྨོན་པ་མེད་ཅེས་བྱ་བར་རྣམ་པར་རྟོག་པར་མི་འགྱུར། སྨོན་པ་མེད་པ་གཟུགས་ཤེས་བྱ་བར་རྣམ་པར་རྟོག་པར་མི་འགྱུར་རོ། །སྒྲ་དང་། དྲི་དང་། རོ་དང་། རེག་དང་། ཆོས་སྨོན་པ་མེད་ཅེས་བྱ་བར་རྣམ་པར་རྟོག་པར་མི་འགྱུར། སྨོན་པ་མེད་པ་ཆོས་ཤེས་བྱ་བར་རྣམ་པར་རྟོག་པར་མི་འགྱུར་རོ། །གཟུགས་སྐྱེ་བ་མེད་ཅེས་བྱ་བར་རྣམ་པར་རྟོག་པར་མི་འགྱུར། སྐྱེ་བ་མེད་པ་གཟུགས་ཤེས་བྱ་བར་རྣམ་པར་རྟོག་པར་མི་[༢]འགྱུར་རོ[༣]། །སྒྲ་དང་། དྲི་དང་། རོ་དང་། རེག་དང་། ཆོས་སྐྱེ་བ་མེད་ཅེས་བྱ་བར་རྣམ་པར་རྟོག་པར་མི་འགྱུར། སྐྱེ་བ་མེད་པ་ཆོས་ཤེས་བྱ་བར་རྣམ་པར་རྟོག་པར་མི་འགྱུར་རོ། །གཟུགས་འགག་པ་མེད་ཅེས་བྱ་བར་རྣམ་པར་རྟོག་པར་མི་འགྱུར། འགག་པ་མེད་པ་གཟུགས་ཤེས་བྱ་བར་རྣམ་པར་རྟོག་པར་མི་འགྱུར་རོ། །སྒྲ་དང་། དྲི་དང་། རོ་དང་། རེག་དང་། ཆོས་འགག་པ་མེད་ཅེས་བྱ་བར་རྣམ་པར་རྟོག་པར་མི་འགྱུར། འགག་པ་མེད་པ་ཆོས་ཤེས་བྱ་བར་རྣམ་པར་རྟོག་པར་མི་འགྱུར་རོ། །གཟུགས་ཞི་ཞེས་བྱ་བར་རྣམ་པར་རྟོག་པར་མི་འགྱུར། ཞི་བ་གཟུགས་ཤེས་བྱ་བར་རྣམ་པར་རྟོག་པར་མི་འགྱུར་རོ། །སྒྲ་དང་། དྲི་དང་། རོ་དང་། རེག་དང་། ཆོས་ཞི་ཞེས་བྱ་བར་རྣམ་པར་རྟོག་པར་མི་འགྱུར[༤]།

ཞི་བ་ཆོས་ཞེས་བྱ་བར་རྣམ་པར་རྟོག་པར་མི་འགྱུར་རོ། །གཟུགས་དབེན་ཞེས་བྱ་བར་རྣམ་པར་རྟོག་པར་མི་འགྱུར། དབེན་པ་གཟུགས་ཤེས་བྱ་བར་རྣམ་པར་རྟོག་པར་མི་འགྱུར་རོ། །སྒྲ་དང་། དྲི་དང་། རོ་དང་། རེག་དང་། ཆོས་དབེན་ཞེས་བྱ་བར་རྣམ་པར་རྟོག་པར་མི་འགྱུར། དབེན་པ་ཆོས་ཤེས་བྱ་བར་རྣམ་པར་རྟོག་པར་མི་འགྱུར་རོ། །མིག་གི་རྣམ་པར་ཤེས་པ་སྟོང་ཤེས་བྱ་བར་རྣམ་པར་རྟོག་པར་མི་འགྱུར། སྟོང་པ་ཉིད་མིག་གི་རྣམ་པར་ཤེས་པ་ཞེས་བྱ་བར་རྣམ་པར་རྟོག་པར་མི་འགྱུར་རོ། །རྣ་བའི་རྣམ་པར་ཤེས་པ་དང་། སྣའི་རྣམ་པར་ཤེས་པ་དང་། ལྡེའི་[༧]རྣམ་པར་ཤེས་པ་དང་། ལུས་ཀྱི་རྣམ་པར་ཤེས་པ་དང་། ཡིད་ཀྱི་རྣམ་པར་ཤེས་པ་སྟོང་ཞེས་བྱ་བར་རྣམ་པར་རྟོག་པར་མི་འགྱུར། སྟོང་པ་ཉིད་ཡིད་ཀྱི་རྣམ་པར་ཤེས་པ་ཞེས་བྱ་བར་རྣམ་པར་རྟོག་པར་མི་འགྱུར་རོ། །མིག་གི་རྣམ་པར་ཤེས་པ་[༢]མཚན་མ་མེད་ཅེས་བྱ་བར་རྣམ་པར་རྟོག་པར་མི་འགྱུར། མཚན་མ་མེད་པ་མིག་གི་རྣམ་པར་ཤེས་པ་ཞེས་བྱ་བར་རྣམ་པར་རྟོག་པར་མི་འགྱུར་རོ། །རྣ་བའི་རྣམ་པར་ཤེས་པ་དང་། སྣའི་རྣམ་པར་ཤེས་པ་དང་། ལྗེའི་རྣམ་པར་ཤེས་པ་དང་། ལུས་ཀྱི་རྣམ་པར་ཤེས་པ་དང་། ཡིད་ཀྱི་རྣམ་པར་ཤེས་པ་མཚན་མ་[༣]མེད་ཅེས་བྱ་བར་རྣམ་པར་རྟོག་པར་མི་འགྱུར[༨]། མཚན་མ་མེད་པ་ཡིད་ཀྱི་རྣམ་པར་ཤེས་པ་ཞེས་བྱ་བར་རྣམ་པར་རྟོག་པར་མི་འགྱུར་རོ། །མིག་གི་རྣམ་པར་ཤེས་པ་སྨོན་པ་མེད་ཅེས་བྱ་བར་རྣམ་པར་རྟོག་པར་མི་འགྱུར། སྨོན་པ་མེད་པ་མིག་གི་རྣམ་པར་ཤེས་པ་ཞེས་བྱ་བར་རྣམ་པར་རྟོག་པར་མི་འགྱུར་རོ། །རྣ་བའི་རྣམ་པར་ཤེས་པ་དང་། སྣའི་རྣམ་པར་ཤེས་པ་དང་། ལྗེའི་རྣམ་པར་ཤེས་པ་དང་། ལུས་ཀྱི་རྣམ་པར་ཤེས་པ་དང་། ཡིད་ཀྱི་རྣམ་པར་ཤེས་པ་སྨོན་པ་མེད་ཅེས་བྱ་བར་རྣམ་པར་རྟོག་པར་མི་འགྱུར། སྨོན་པ་མེད་པ་

ཡིད་ཀྱི་རྣམ་པར་ཤེས་པ་ཞེས་བྱ་བར་རྣམ་པར་རྟོག་པར་མི་འགྱུར་རོ། །མིག་གི་རྣམ་པར་ཤེས་པ་སྐྱེ་བ་མེད་ཅེས་བྱ་བར་རྣམ་པར་རྟོག་པར་མི་འགྱུར། སྐྱེ་བ་མེད་པ་མིག་གི་རྣམ་པར་ཤེས་པ་ཞེས་བྱ་བར་རྣམ་པར་རྟོག་པར་མི་འགྱུར་རོ། །རྣ་བའི་རྣམ་པར་ཤེས་པ་དང་། སྣའི་རྣམ་པར་ཤེས་པ་དང་། ལྕེའི་རྣམ་པར་ཤེས་པ་དང་། ལུས་ཀྱི་རྣམ་པར་ཤེས་པ་དང་། ཡིད་ཀྱི་རྣམ་པར་ཤེས་པ་སྐྱེ་བ་མེད་ཅེས་བྱ་བར་རྣམ་པར་རྟོག་པར་མི་འགྱུར། སྐྱེ་བ་མེད་པ་ཡིད་ཀྱི་རྣམ་པར་ཤེས་པ་ཞེས་བྱ་བར་རྣམ་པར་རྟོག་པར་མི་འགྱུར་རོ། །མིག་གི་རྣམ་པར་ཤེས་པ་འགག་པ་མེད་ཅེས་བྱ་བར་རྣམ་པར་རྟོག་པར་མི་འགྱུར། འགག་པ་མེད་པ་མིག་གི་རྣམ་པར་ཤེས་པ་ཞེས་བྱ་བར་རྣམ་པར་རྟོག་པར་མི་འགྱུར་རོ། །རྣ་བའི་རྣམ་པར་ཤེས་པ་དང་། སྣའི་རྣམ་པར་ཤེས་པ་དང་། ལྕེའི་རྣམ་པར་ཤེས་པ་དང་། ལུས་ཀྱི་རྣམ་པར་ཤེས་པ་དང་། ཡིད་ཀྱི་རྣམ་པར་ཤེས་པ་འགག་པ་མེད་ཅེས་བྱ་བར་རྣམ་པར་རྟོག་པར་མི་འགྱུར། འགག་པ་མེད་པ་ཡིད་ཀྱི་རྣམ་པར་ཤེས་པ་ཞེས་བྱ་བར་རྣམ་པར་རྟོག་པར་མི་འགྱུར་རོ། །མིག་གི་རྣམ་པར་ཤེས་པ་ཞི་ཞེས་བྱ་བར་རྣམ་པར་རྟོག་པར་མི་འགྱུར། ཞི་བ་མིག་གི་རྣམ་པར་ཤེས་པ་ཞེས་བྱ་བར་རྣམ་པར་རྟོག་པར་མི་འགྱུར་རོ། །རྣ་བའི་རྣམ་པར་ཤེས་པ་དང་། སྣའི་རྣམ་པར་ཤེས་པ་དང་། ལྕེའི་རྣམ་པར་ཤེས་པ་དང་། ལུས་ཀྱི་རྣམ་པར་ཤེས་པ་དང་། ཡིད་ཀྱི་རྣམ་པར་ཤེས་པ་ཞི་ཞེས་བྱ་བར་རྣམ་པར་རྟོག་པར་མི་འགྱུར། ཞི་བ་ཡིད་ཀྱི་རྣམ་པར་ཤེས་པ་ཞེས་བྱ་བར་རྣམ་པར་རྟོག་པར་མི་འགྱུར་རོ། །མིག་གི་རྣམ་པར་ཤེས་པ་དབེན་ཞེས་བྱ་བར་རྣམ་པར་རྟོག་པར་མི་འགྱུར། དབེན་པ་མིག་གི་རྣམ་པར་ཤེས་པ་ཞེས་བྱ་བར་རྣམ་པར་རྟོག་པར་མི་འགྱུར་རོ། །རྣ་བའི་རྣམ་པར་ཤེས་པ་དང་། སྣའི་རྣམ་པར་ཤེས་པ་དང་། ལྕེའི་རྣམ་པར་

ཤེས་པ་དང་། ལུས་ཀྱི་རྣམ་པར་ཤེས་པ་དང་། ཡིད་ཀྱི་རྣམ་པར་ཤེས་པ་དབེན་ཞེས་བྱ་བར་རྣམ་པར་རྟོག་པར་མི་འགྱུར། དབེན་པ་ཡིད་ཀྱི་རྣམ་པར་ཤེས་པ་ཞེས་བྱ་བར་རྣམ་པར་རྟོག་པར་མི་འགྱུར་རོ། །མིག་གི་འདུས་ཏེ་རེག་པ་སྟོང་ཞེས་བྱ་བར་རྣམ་པར་རྟོག་པར་མི་འགྱུར། སྟོང་པ་ཉིད་མིག་གི་འདུས་ཏེ་རེག་པ་ཞེས་བྱ་བར་རྣམ་པར་རྟོག་པར་མི་འགྱུར་རོ། །རྣ་བའི་འདུས་ཏེ་རེག་པ་དང་། སྣའི་འདུས་ཏེ་རེག་པ་དང་། ལྕེའི་འདུས་ཏེ་རེག་པ་དང་། ལུས་ཀྱི་འདུས་ཏེ་རེག་པ་དང་། ཡིད་ཀྱི་འདུས་ཏེ་རེག་པ་སྟོང་ཞེས་བྱ་བར་རྣམ་པར་རྟོག་པར་མི་འགྱུར་སྟོང་པ་ཉིད་ཡིད་ཀྱི་འདུས་ཏེ་རེག་པ་ཞེས་བྱ་བར་རྣམ་པར་རྟོག་པར་མི་འགྱུར་རོ། །མིག་གི་འདུས་ཏེ་རེག་པ་མཚན་མ་མེད་ཅེས་བྱ་བར་རྣམ་པར་རྟོག་པར་མི་འགྱུར། མཚན་མ་མེད་པ་མིག་གི་འདུས་ཏེ་རེག་པ་ཞེས་བྱ་བར་རྣམ་པར་རྟོག་པར་མི་འགྱུར་རོ། །རྣ་བའི་འདུས་ཏེ་རེག་པ་དང་། སྣའི་འདུས་ཏེ་རེག་པ་དང་། ལྕེའི་འདུས་ཏེ་རེག་པ་དང་། ལུས་ཀྱི་འདུས་ཏེ་རེག་པ་དང་། ཡིད་ཀྱི་འདུས་ཏེ་རེག་པ་མཚན་མ་མེད་ཅེས་བྱ་བར་རྣམ་པར་རྟོག་པར་མི་འགྱུར། མཚན་མ་མེད་པ་ཡིད་ཀྱི་འདུས་ཏེ་རེག་པ་ཞེས་བྱ་བར་རྣམ་པར་རྟོག་པར་མི་འགྱུར་རོ། །མིག་གི་འདུས་ཏེ་རེག་པ་སྨོན་པ་མེད་ཅེས་བྱ་བར་རྣམ་པར་རྟོག་པར་མི་འགྱུར། སྨོན་པ་མེད་པ་མིག་གི་འདུས་ཏེ་རེག་པ་ཞེས་བྱ་བར་རྣམ་པར་རྟོག་པར་མི་འགྱུར་རོ། །རྣ་བའི་འདུས་ཏེ་རེག་པ་དང་། སྣའི་འདུས་ཏེ་རེག་པ་དང་། ལྕེའི་འདུས་ཏེ་རེག་པ་དང་། ལུས་ཀྱི་འདུས་ཏེ་རེག་པ་དང་། ཡིད་ཀྱི་འདུས་ཏེ་རེག་པ་སྨོན་པ་མེད་ཅེས་བྱ་བར་རྣམ་པར་རྟོག་པར་མི་འགྱུར། སྨོན་པ་མེད་པ་ཡིད་ཀྱི་འདུས་ཏེ་རེག་པ་ཞེས་བྱ་བར་རྣམ་པར་རྟོག་པར་མི་འགྱུར་རོ། །མིག་གི་འདུས་ཏེ་རེག་པ་སྐྱེ་བ་མེད་ཅེས་བྱ་བར་རྣམ་པར་

རྟོག་པར་མི་འགྱུར། སྐྱེ་བ་མེད་པ་མིག་གི་འདུས་ཏེ་རེག་པ་ཞེས་བྱ་བར་རྣམ་པར་རྟོག་པར་མི་འགྱུར་རོ། །རྣ་བའི་འདུས་ཏེ་རེག་པ་དང་། སྣའི་འདུས་ཏེ་རེག་པ་དང་། ལྕེའི་འདུས་ཏེ་རེག་པ་དང་། ལུས་ཀྱི་འདུས་ཏེ་རེག་པ་དང་། ཡིད་ཀྱི་འདུས་ཏེ་རེག་པ་སྐྱེ་བ་མེད་ཅེས་བྱ་བར་རྣམ་པར་རྟོག་པར་མི་འགྱུར། སྐྱེ་བ་མེད་པ་ཡིད་ཀྱི་འདུས་ཏེ་རེག་པ་ཞེས་བྱ་བར་རྣམ་པར་རྟོག་པར་མི་འགྱུར་རོ།། མིག་གི་འདུས་ཏེ་རེག་པ་འགག་པ་མེད་ཅེས་བྱ་བར་རྣམ་པར་རྟོག་པར་མི་འགྱུར[2]། འགག་པ་མེད་པ་མིག་གི་འདུས་ཏེ་རེག་པ་ཞེས་བྱ་བར་རྣམ་པར་རྟོག་པར་མི་འགྱུར་རོ། །རྣ་བའི་འདུས་ཏེ་རེག་པ་དང་། སྣའི་འདུས་ཏེ་རེག་པ་དང་། ལྕེའི་འདུས་ཏེ་རེག་པ་དང་། ལུས་ཀྱི་འདུས་ཏེ་རེག་པ་དང་། ཡིད་ཀྱི་འདུས་ཏེ་རེག་པ་འགག་པ་མེད་ཅེས་བྱ་བར་རྣམ་པར་རྟོག་པར་མི་འགྱུར། འགག་པ་མེད་པ་ཡིད་ཀྱི་འདུས་ཏེ་རེག་པ་ཞེས་བྱ་བར་རྣམ་པར་རྟོག་པར་མི་འགྱུར་རོ། ། མིག་གི་འདུས་ཏེ་རེག་པ་ཞི་ཞེས་བྱ་བར་རྣམ་པར་རྟོག་པར་མི་འགྱུར། ཞི་བ་མིག་གི་འདུས་ཏེ་རེག་པ་ཞེས་བྱ་བར་རྣམ་པར་རྟོག་པར་མི་འགྱུར་རོ། །རྣ་བའི་འདུས་ཏེ་རེག་པ་དང་། སྣའི་འདུས་ཏེ་རེག་པ་དང་། ལྕེའི་འདུས་ཏེ་རེག་པ་དང་། ལུས་ཀྱི་འདུས་ཏེ་རེག་པ་དང་། ཡིད་ཀྱི་འདུས་ཏེ་རེག་པ་ཞི་ཞེས་བྱ་བར་རྣམ་པར་རྟོག་པར་མི་འགྱུར། ཞི་བ་ཡིད་ཀྱི་འདུས་ཏེ་རེག་པ་ཞེས་བྱ་བར་རྣམ་པར་རྟོག་པར་མི་འགྱུར་རོ། །མིག་གི་འདུས་ཏེ་རེག་པ་དབེན་ཞེས་བྱ་བར་རྣམ་པར་རྟོག་པར་མི་འགྱུར། དབེན་པ་མིག་གི་འདུས་ཏེ་རེག་པ་ཞེས་བྱ་བར་རྣམ་པར་རྟོག་པར་མི་འགྱུར་རོ། །རྣ་བའི་འདུས་ཏེ་རེག་པ་དང་། སྣའི་འདུས་ཏེ་རེག་པ་དང་། ལྕེའི་འདུས་ཏེ་རེག་པ་དང་། ལུས་ཀྱི་འདུས་ཏེ་རེག་པ་དང་། ཡིད་ཀྱི་འདུས་ཏེ་རེག་པ་དབེན[3]ཞེས་བྱ་བར་རྣམ་པར་རྟོག་པར་མི་

འགྱུར། དབེན་པ་ཡིད་ཀྱི་འདུས་ཏེ་རེག་པ་ཞེས་བྱ་བར་རྣམ་པར་རྟོག་པར་མི་འགྱུར་རོ། །མིག་གི་འདུས་ཏེ་རེག་པ་ལས་བྱུང་བའི་ཚོར་བ་སྟོང་ཞེས་བྱ་བར་རྣམ་པར་རྟོག་པར་མི་འགྱུར། སྟོང་པ་ཉིད་མིག་གི་འདུས་ཏེ་རེག་པ་ལས་བྱུང་བའི་ཚོར་བ་ཞེས་བྱ་བར་རྣམ་པར་རྟོག་པར་མི་འགྱུར་རོ། །རྣ་བའི་འདུས་ཏེ་རེག་པ་ལས་བྱུང་བའི་ཚོར་བ་དང་། སྣའི་འདུས་ཏེ་རེག་པ་ལས་བྱུང་བའི་ཚོར་བ་དང་། ལྗེའི་འདུས་ཏེ་རེག་པ་ལས་བྱུང་བའི་ཚོར་བ་དང་། ལུས་ཀྱི་འདུས་ཏེ་རེག་པ་ལས་བྱུང་བའི་ཚོར་བ་དང་། ཡིད་ཀྱི་འདུས་ཏེ་རེག་པ་ལས་བྱུང་བའི་ཚོར་བ་སྟོང་ཞེས་བྱ་བར་རྣམ་པར་རྟོག་པར་མི་འགྱུར། སྟོང་པ་ཉིད་ཡིད་ཀྱི་འདུས་ཏེ་རེག་པ་ལས་བྱུང་བའི་ཚོར་བ་ཞེས་བྱ་བར་རྣམ་པར་རྟོག་པར་མི་འགྱུར་རོ། །མིག་གི་འདུས་ཏེ་རེག་པ་ལས་བྱུང་བའི་ཚོར་བ་མཚན་མ་མེད་ཅེས་བྱ་བར་རྣམ་པར་རྟོག་པར་མི་འགྱུར། མཚན་མ་མེད་པ་མིག་གི་འདུས་ཏེ་རེག་པ་ལས་བྱུང་བའི་ཚོར་བ་ཞེས་བྱ་བར་རྣམ་པར་རྟོག་པར་མི་འགྱུར་རོ། །རྣ་བའི་འདུས་ཏེ་རེག་པ་ལས་བྱུང་བའི་ཚོར་བ་དང་། སྣའི་འདུས་ཏེ་རེག་པ་ལས་བྱུང་བའི་ཚོར་བ་དང་། ལྗེའི་འདུས་ཏེ་རེག་པ་ལས་བྱུང་བའི་ཚོར་བ་དང་། ལུས་ཀྱི་འདུས་ཏེ་རེག་པ་ལས་བྱུང་བའི་ཚོར་བ་དང་། ཡིད་ཀྱི་འདུས་ཏེ་རེག་པ་ལས་བྱུང་བའི་ཚོར་བ་མཚན་མ་[7]མེད་ཅེས་བྱ་བར་རྣམ་པར་རྟོག་པར་མི་འགྱུར། མཚན་མ་མེད་པ་ཡིད་ཀྱི་འདུས་ཏེ་རེག་པ་ལས་བྱུང་བའི་ཚོར་བ་ཞེས་བྱ་བར་རྣམ་པར་རྟོག་པར་མི་འགྱུར་རོ། །མིག་གི་འདུས་ཏེ་རེག་པ་ལས་བྱུང་བའི་ཚོར་བ་སྨོན་པ་མེད་ཅེས་བྱ་བར་རྣམ་པར་རྟོག་པར་མི་འགྱུར། སྨོན་པ་མེད་པ་མིག་གི་འདུས་ཏེ་རེག་པ་ལས་བྱུང་བའི་ཚོར་བ་ཞེས་བྱ་བར་རྣམ་པར་རྟོག་པར་མི་འགྱུར་རོ། །རྣ་བའི་འདུས་ཏེ་རེག་པ་ལས་བྱུང་བའི་ཚོར་བ་དང་། སྣའི་འདུས་ཏེ་རེག་པ་ལས་བྱུང་

བའི་ཚོར་བ་དང་། ལྕེའི་འདུས་ཏེ་རེག་པ་ལས་བྱུང་བའི་ཚོར་བ་དང་། ལུས་ཀྱི་འདུས་ཏེ་རེག་པ་ལས་བྱུང་བའི་ཚོར་བ་དང་། ཡིད་ཀྱི་འདུས་ཏེ་རེག་པ་ལས་བྱུང་བའི་ཚོར་བ་སྟོན་པ་མེད་ཅེས་བྱ་བར་རྣམ་པར་རྟོག་པར་མི་འགྱུར། སྟོན་པ་མེད་པ་ཡིད་ཀྱི་འདུས་ཏེ་རེག་པ་ལས་བྱུང་བའི་ཚོར་བ་ཞེས་བྱ་བར་རྣམ་པར་རྟོག་པར་མི་འགྱུར་རོ། །མིག་གི་འདུས་ཏེ་རེག་པ་ལས་བྱུང་བའི་ཚོར་བ་སྐྱེ་བ་མེད་ཅེས་བྱ་བར་རྣམ་པར་རྟོག་པར་མི་འགྱུར། སྐྱེ་བ་མེད་པ་མིག་གི་འདུས་ཏེ་རེག་པ་ལས་བྱུང་བའི་ཚོར་བ་ཞེས་བྱ་བར་རྣམ་པར་རྟོག་པར་མི་འགྱུར་རོ། །རྣ་བའི་འདུས་ཏེ་རེག་པ་ལས་བྱུང་བའི་ཚོར་བ་དང་། སྣའི་འདུས་ཏེ་རེག་པ་ལས་བྱུང་བའི་ཚོར་བ་དང་། ལྕེའི་འདུས་ཏེ་རེག་པ་ལས་བྱུང་བའི་ཚོར་བ་དང་། ལུས་ཀྱི་འདུས་ཏེ་རེག་པ་ལས་བྱུང་བའི་ཚོར་བ་དང་། ཡིད་ཀྱི་འདུས་ཏེ་རེག་པ་ལས་བྱུང་བའི་ཚོར་བ་སྐྱེ་བ་མེད་ཅེས་བྱ་བར་རྣམ་པར་རྟོག་པར་མི་འགྱུར། སྐྱེ་བ་མེད་པ་ཡིད་ཀྱི་འདུས་ཏེ་རེག་པ་ལས་བྱུང་བའི་ཚོར་བ་ཞེས་བྱ་བར་རྣམ་པར་རྟོག་པར་མི་འགྱུར་རོ། །མིག་གི་འདུས་ཏེ་རེག་པ་ལས་བྱུང་བའི་ཚོར་བ་འགག་པ་མེད་ཅེས་བྱ་བར་རྣམ་པར་རྟོག་པར་མི་འགྱུར། འགག་པ་མེད་པ་མིག་གི་འདུས་ཏེ་རེག་པ་ལས་བྱུང་བའི་ཚོར་བ་ཞེས་བྱ་བར་རྣམ་པར་རྟོག་པར་མི་འགྱུར་རོ། །རྣ་བའི་འདུས་ཏེ་རེག་པ་ལས་བྱུང་བའི་ཚོར་བ་དང་། སྣའི་འདུས་ཏེ་རེག་པ་ལས་བྱུང་བའི་ཚོར་བ་དང་། ལྕེའི་འདུས་ཏེ་རེག་པ་ལས་བྱུང་བའི་ཚོར་བ་དང་། ལུས་ཀྱི་འདུས་ཏེ་རེག་པ་ལས་བྱུང་བའི་ཚོར་བ་དང་། ཡིད་ཀྱི་འདུས་ཏེ་རེག་པ་ལས་བྱུང་བའི་ཚོར་བ་འགག་པ་མེད་ཅེས་བྱ་བར་རྣམ་པར་རྟོག་པར་མི་འགྱུར། འགག་པ་མེད་པ་ཡིད་ཀྱི་འདུས་ཏེ་རེག་པ་ལས་བྱུང་བའི་ཚོར་བ་ཞེས་བྱ་བར་རྣམ་པར་རྟོག་པར་མི་འགྱུར་རོ། །མིག་གི་འདུས་ཏེ་རེག་པ་ལས་བྱུང་བའི་ཚོར་བ་ཞི་

ཞེས་བྱ་བར་རྣམ་པར་རྟོག་པར་མི་འགྱུར། ཞི་བ་མིག་གི་འདུས་ཏེ་རེག་པ་ལས་བྱུང་བའི་ཚོར་བ་ཞེས་བྱ་བར་རྣམ་པར་རྟོག་པར་མི་འགྱུར་རོ། །རྣ་བའི་འདུས་ཏེ་རེག་པ་ལས་བྱུང་བའི་ཚོར་བ་དང་། སྣའི་འདུས་ཏེ་རེག་པ་ལས་བྱུང་བའི་ཚོར་བ་དང་། ལྕེའི་འདུས་ཏེ་རེག་པ་ལས་བྱུང་བའི་ཚོར་བ་དང་། ལུས་ཀྱི་འདུས་ཏེ་རེག་པ་ལས་བྱུང་བའི་ཚོར་བ་དང་། ཡིད་ཀྱི་འདུས་ཏེ་རེག་པ་ལས་བྱུང་བའི་ཚོར་བ་ཞི་ཞེས་བྱ་བར་རྣམ་པར་རྟོག་པར་མི་འགྱུར། ཞི་བ་ཡིད་ཀྱི་འདུས་ཏེ་རེག་པ་ལས་བྱུང་བའི་ཚོར་བ་ཞེས་བྱ་བར་རྣམ་པར་རྟོག་པར་མི་འགྱུར་རོ། །མིག་གི་འདུས་ཏེ་རེག་པ་ལས་བྱུང་བའི་ཚོར་བ་དབེན་ཞེས་བྱ་བར་རྣམ་པར་རྟོག་པར་མི་འགྱུར། དབེན་པ་མིག་གི་འདུས་ཏེ་རེག་པ་ལས་བྱུང་བའི་ཚོར་བ་ཞེས་བྱ་བར་རྣམ་པར་རྟོག་པར་མི་འགྱུར་རོ། །རྣ་བའི་འདུས་ཏེ་རེག་པ་ལས་བྱུང་བའི་ཚོར་བ་དང་། སྣའི་འདུས་ཏེ་རེག་པ་ལས་བྱུང་བའི་ཚོར་བ་དང་། ལྕེའི་འདུས་ཏེ་རེག་པ་ལས་བྱུང་བའི་ཚོར་བ་དང་། ལུས་ཀྱི་[1] འདུས་ཏེ་རེག་པ་ལས་བྱུང་བའི་ཚོར་བ་དང་། ཡིད་ཀྱི་འདུས་ཏེ་རེག་པ་ལས་བྱུང་བའི་ཚོར་བ་དབེན་ཞེས་བྱ་བར་རྣམ་པར་རྟོག་པར་མི་འགྱུར། དབེན་པ་ཡིད་ཀྱི་འདུས་ཏེ་རེག་པ་ལས་བྱུང་བའི་ཚོར་བ་ཞེས་བྱ་བར་རྣམ་པར་རྟོག་པར་མི་འགྱུར་རོ། །སའི་ཁམས་སྟོང་ཞེས་བྱ་བར་རྣམ་པར་རྟོག་པར་མི་འགྱུར། སྟོང་པ་ཉིད་སའི་ཁམས་ཤེས་བྱ་བར་རྣམ་པར་རྟོག་པར་མི་འགྱུར་རོ། །ཆུའི་ཁམས་དང་། མེའི་ཁམས་དང་། རླུང་གི་ཁམས་དང་། ནམ་མཁའི་ཁམས་དང་། རྣམ་པར་ཤེས་པའི་ཁམས་སྟོང་ཞེས་བྱ་བར་རྣམ་པར་རྟོག་པར་མི་འགྱུར། སྟོང་པ་ཉིད་རྣམ་པར་ཤེས་པའི་ཁམས་ཤེས་བྱ་བར་རྣམ་པར་རྟོག་པར་མི་འགྱུར་རོ། །སའི་ཁམས་མཚན་མ་མེད་ཅེས་བྱ་བར་རྣམ་པར་རྟོག་པར་མི་འགྱུར། མཚན་མ་མེད་པ་སའི་ཁམས་ཤེས་བྱ་

བར་རྣམ་པར་རྟོག་པར་མི་འགྱུར་རོ། །ཆུའི་ཁམས་དང་། མེའི་ཁམས་དང་། རླུང་གི་ཁམས་དང་། ནམ་མཁའི་ཁམས་དང་། རྣམ་པར་ཤེས་པའི་ཁམས་མཚན་མ་མེད་ཅེས་བྱ་བར་རྣམ་པར་རྟོག་པར་མི་འགྱུར། མཚན་མ་མེད་པ་རྣམ་པར་ཤེས་པའི་ཁམས་ཞེས་བྱ་བར་རྣམ་པར་རྟོག་པར་མི་འགྱུར་རོ། །སའི་ཁམས་སྨོན་པ་མེད་ཅེས་བྱ་བར་རྣམ་པར་རྟོག་པར་མི་འགྱུར། སྨོན་པ་མེད་པ་སའི་ཁམས་ཞེས་བྱ་བར་རྣམ་པར་རྟོག་པར་མི་འགྱུར་རོ། །ཆུའི་ཁམས་དང་། མེའི་ཁམས་དང་། རླུང་གི་ཁམས་དང་། ནམ་མཁའི་ཁམས་དང་། རྣམ་པར་ཤེས་པའི་ཁམས་སྨོན་པ་མེད་ཅེས་བྱ་བར་རྣམ་པར་རྟོག་པར་མི་འགྱུར། སྨོན་པ་མེད་པ་རྣམ་པར་ཤེས་པའི་ཁམས་ཞེས་བྱ་བར་རྣམ་པར་རྟོག་པར་མི་འགྱུར་རོ། །སའི་ཁམས་སྐྱེ་བ་མེད་ཅེས་བྱ་བར་རྣམ་པར་རྟོག་པར་མི་འགྱུར། སྐྱེ་བ་མེད་པ་སའི་ཁམས་ཞེས་བྱ་བར་རྣམ་པར་རྟོག་པར་མི་འགྱུར་རོ། །ཆུའི་ཁམས་དང་། མེའི་ཁམས་དང་། རླུང་གི་ཁམས་དང་། ནམ་མཁའི་ཁམས་དང་། རྣམ་པར་ཤེས་པའི་ཁམས་སྐྱེ་བ་མེད་ཅེས་བྱ་བར་རྣམ་པར་རྟོག་པར་མི་འགྱུར། སྐྱེ་བ་མེད་པ་རྣམ་པར་ཤེས་པའི་ཁམས་ཞེས་བྱ་བར་རྣམ་པར་རྟོག་པར་མི་འགྱུར་རོ། །སའི་ཁམས་འགག་པ་མེད་ཅེས་བྱ་བར་རྣམ་པར་རྟོག་པར་མི་འགྱུར། འགག་པ་མེད་པ་སའི་ཁམས་ཞེས་བྱ་བར་རྣམ་པར་རྟོག་པར་མི་འགྱུར་རོ། །ཆུའི་ཁམས་དང་། མེའི་ཁམས་དང་། རླུང་གི་ཁམས་དང་། ནམ་མཁའི་ཁམས་དང་། རྣམ་པར་ཤེས་པའི་ཁམས་འགག་པ་མེད་ཅེས་བྱ་བར་རྣམ་པར་རྟོག་པར་མི་འགྱུར། འགག་པ་མེད་པ་རྣམ་པར་ཤེས་པའི་ཁམས་ཞེས་བྱ་བར་རྣམ་པར་རྟོག་པར་མི་འགྱུར་རོ། །སའི་ཁམས་ཞི་ཞེས་བྱ་བར་རྣམ་པར་རྟོག་པར་མི་འགྱུར། ཞི་བ་སའི་ཁམས་ཞེས་བྱ་བར་རྣམ་པར་རྟོག་པར་མི་འགྱུར་རོ། །ཆུའི་ཁམས་དང་།

མེའི་ཁམས་དང་། རླུང་གི་ཁམས་དང་། ནམ་མཁའི་ཁམས་དང་། རྣམ་པར་ཤེས་པའི་ཁམས་ཞི་ཞེས་བྱ་བར་རྣམ་པར་རྟོག་པར་མི་འགྱུར། ཞི་བ་རྣམ་པར་ཤེས་པའི་ཁམས་ཤེས་བྱ་བར་རྣམ་པར་རྟོག་པར་མི་འགྱུར་རོ①། །སའི་ཁམས་དབེན་ཞེས་བྱ་བར་རྣམ་པར་རྟོག་པར་མི་འགྱུར། དབེན་པ་སའི་ཁམས་ཤེས་བྱ་བར་རྣམ་པར་རྟོག་པར་མི་འགྱུར་རོ། །ཆུའི་ཁམས་དང་། མེའི་ཁམས་དང་། རླུང་གི་ཁམས་དང་། ནམ་མཁའི་ཁམས་དང་། ②རྣམ་པར་ཤེས་པའི་ཁམས་དབེན་ཞེས་བྱ་བར་རྣམ་པར་རྟོག་པར་མི་འགྱུར། དབེན་པ་རྣམ་པར་ཤེས་པའི་ཁམས་ཤེས་བྱ་བར་རྣམ་པར་རྟོག་པར་མི་འགྱུར་རོ། །③མ་རིག་པ་སྟོང་ཞེས་བྱ་བར་རྣམ་པར་རྟོག་པར་མི་འགྱུར། སྟོང་པ་ཉིད་མ་རིག་པ་ཞེས་བྱ་བར་རྣམ་པར་རྟོག་པར་མི་འགྱུར་རོ། །འདུ་བྱེད་དང་། རྣམ་པར་ཤེས་པ་དང་། མིང་དང་གཟུགས་དང་། སྐྱེ་མཆེད་དྲུག་དང་། རེག་པ་དང་། ཚོར་བ་དང་། སྲེད་པ་དང་། ལེན་པ་དང་། སྲིད་པ་དང་། སྐྱེ་བ་དང་། རྒ་ཤི་སྟོང་ཞེས་བྱ་བར་རྣམ་པར་རྟོག་པར་མི་འགྱུར། སྟོང་པ་ཉིད་རྒ་ཤི་ཞེས་བྱ་བར་རྣམ་པར་རྟོག་པར་མི་འགྱུར་རོ། །མ་རིག་པ་མཚན་མ་མེད་ཅེས་བྱ་བར་རྣམ་པར་རྟོག་པར་མི་འགྱུར། མཚན་མ་མེད་པ་མ་རིག་པ་ཞེས་བྱ་བར་རྣམ་པར་རྟོག་པར་མི་འགྱུར་རོ། །འདུ་བྱེད་དང་། རྣམ་པར་ཤེས་པ་དང་། མིང་དང་གཟུགས་དང་། སྐྱེ་མཆེད་དྲུག་དང་། རེག་པ་དང་། ཚོར་བ་དང་། སྲེད་པ་དང་། ལེན་པ་དང་། སྲིད་པ་དང་སྐྱེ་བ་དང་། རྒ་ཤི་མཚན་མ་མེད་ཅེས་བྱ་བར་རྣམ་པར་རྟོག་པར་མི་འགྱུར། མཚན་མ་མེད་པ་རྒ་ཤི་ཞེས་བྱ་བར་རྣམ་པར་རྟོག་པར་མི་འགྱུར་རོ། །མ་རིག་པ་སྨོན་པ་མེད་ཅེས་བྱ་བར་རྣམ་པར་རྟོག་པར་མི་འགྱུར། སྨོན་པ་མེད་པ་མ་རིག་པ་ཞེས་བྱ་བར་རྣམ་པར་རྟོག་པར་མི་འགྱུར་རོ། །འདུ་

བྱེད་དང་། རྣམ་པར་ཤེས་པ་དང་། མིང་དང་གཟུགས་དང་། སྐྱེ་མཆེད་དྲུག་དང་། རེག་པ་དང་། ཚོར་བ་དང་། སྲེད་པ་དང་། ལེན་པ་དང་། སྲིད་པ་དང་། སྐྱེ་བ་དང་། ཀ་ཤི་སྨོན་པ་མེད་ཅེས་བྱ་བར་རྣམ་པར་རྟོག་པར་མི་འགྱུར། སྨོན་པ་མེད་པ་ཀ་ཤི་ཞེས་བྱ་བར་རྣམ་པར་རྟོག་པར་མི་འགྱུར་རོ། །མ་རིག་པ་སྐྱེ་བ་མེད་ཅེས་བྱ་བར་རྣམ་པར་རྟོག་པར་མི་འགྱུར[༡]། སྐྱེ་བ་མེད་པ་མ་རིག་པ་ཞེས་བྱ་བར་རྣམ་པར་རྟོག་པར་མི་འགྱུར་རོ། །འདུ་བྱེད་དང་། རྣམ་པར་ཤེས་པ་དང་། མིང་དང་གཟུགས་དང་། སྐྱེ་མཆེད་དྲུག་དང་། རེག་པ་དང་། ཚོར་བ་དང་། སྲེད་པ་དང་། ལེན་པ་དང་། སྲིད་པ་དང་། སྐྱེ་བ་དང་། ཀ་ཤི་སྐྱེ་བ་མེད་ཅེས་བྱ་བར་རྣམ་པར་རྟོག་པར་མི་འགྱུར། སྐྱེ་བ་མེད་པ་ཀ་ཤི་ཞེས་བྱ་བར་རྣམ་པར་རྟོག་པར་མི་འགྱུར་རོ། །མ་རིག་པ་འགག་པ་མེད་ཅེས་བྱ་བར་རྣམ་པར་རྟོག་པར་མི་འགྱུར། འགག་པ་མེད་པ་མ་རིག་པ་ཞེས་བྱ་བར་རྣམ་པར་རྟོག་པར་མི་འགྱུར་རོ། །འདུ་བྱེད་དང་། རྣམ་པར་ཤེས་པ་དང་། མིང་དང་གཟུགས་དང་། སྐྱེ་མཆེད་དྲུག་དང་། རེག་པ་དང་། ཚོར་བ་དང་། སྲེད་པ་དང་། ལེན་པ་དང་། སྲིད་པ་དང་། སྐྱེ་བ་དང་། ཀ་ཤི་འགག་པ་མེད་ཅེས་བྱ་བར་རྣམ་པར་རྟོག་པར་མི་འགྱུར། འགག་པ་མེད་པ་ཀཿ ཤི་ཞེས་[༢]བྱ་བར་རྣམ་པར་རྟོག་པར་མི་འགྱུར་རོ[༣]། །མ་རིག་པ་ཞི་ཞེས་བྱ་བར་རྣམ་པར་རྟོག་པར་མི་འགྱུར། ཞི་བ་མ་རིག་པ་ཞེས་བྱ་བར་རྣམ་པར་རྟོག་པར་མི་འགྱུར་རོ། །འདུ་བྱེད་དང་། རྣམ་[༤]པར་ཤེས་པ་དང་། མིང་དང་གཟུགས་དང་། སྐྱེ་མཆེད་དྲུག་དང་། རེག་པ་དང་། ཚོར་བ་དང་། སྲེད་པ་དང་། ལེན་པ་དང་། སྲིད་པ་དང་། སྐྱེ་བ་དང་། ཀ་ཤི་ཞི་ཞེས་བྱ་བར་རྣམ་པར་རྟོག་པར་མི་འགྱུར། ཞི་བ་ཀ་ཤི་ཞེས་བྱ་བར་རྣམ

པར་རྟོག་པར་མི་འགྱུར་རོ། །མ་རིག་པ་དབེན་ཞེས་བྱ་བར་རྣམ་པར་རྟོག་པར་མི་འགྱུར། དབེན་པ་མ་རིག་པ་ཞེས་བྱ་བར་རྣམ་པར་རྟོག་པར་མི་འགྱུར་རོ། །འདུ་བྱེད་དང་། རྣམ་པར་ཤེས་པ་དང་། མིང་དང་གཟུགས་དང་། སྐྱེ་མཆེད་དྲུག་དང་། རེག་པ་དང་། ཚོར་བ་དང་། སྲེད་པ་དང་། ལེན་པ་དང་། སྲིད་པ་དང་། སྐྱེ་བ་དང་། རྒ་ཤི་དབེན་ཞེས་བྱ་བར་རྣམ་པར་རྟོག་པར་མི་འགྱུར། དབེན་པ་རྒ་ཤི་ཞེས་བྱ་བར་རྣམ་པར་རྟོག་པར་མི་འགྱུར་རོ།། །།

ཤེས་རབ་ཀྱི་ཕ་རོལ་ཏུ་ཕྱིན་པ་སྟོང་ཕྲག་ཉི་ཤུ་ལྔ་པ། བམ་པོ་ཉེར་དགུ་པ། སྦྱིན་པའི་ཕ་རོལ་ཏུ་ཕྱིན་པ་སྟོང་ཞེས་བྱ་བར་རྣམ་པར་རྟོག་པར་མི་འགྱུར། སྟོང་པ་ཉིད་སྦྱིན་པའི་ཕ་རོལ་ཏུ་ཕྱིན་པ་ཞེས་བྱ་བར་རྣམ་པར་རྟོག་པར་མི་འགྱུར་རོ། །ཚུལ་ཁྲིམས་ཀྱི་ཕ་རོལ་ཏུ་ཕྱིན་པ་དང་། བཟོད་པའི་ཕ་རོལ་ཏུ་ཕྱིན་པ་དང་། བརྩོན་འགྲུས་ཀྱི་ཕ་རོལ་ཏུ་ཕྱིན་པ་དང་། བསམ་གཏན་གྱི་ཕ་རོལ་ཏུ་ཕྱིན་པ་དང་། ཤེས་རབ་ཀྱི་ཕ་རོལ་ཏུ་ཕྱིན་པ་སྟོང་ཞེས་བྱ་བར་རྣམ་པར་རྟོག་པར་མི་འགྱུར། སྟོང་པ་ཉིད་ཤེས་རབ་ཀྱི་ཕ་རོལ་ཏུ་ཕྱིན་པ་ཞེས་བྱ་བར་རྣམ་པར་རྟོག་པར་མི་འགྱུར་རོ། །སྦྱིན་པའི་ཕ་རོལ་ཏུ་ཕྱིན་པ་མཚན་མ་མེད་ཅེས་བྱ་བར་རྣམ་པར་རྟོག་པར་མི་འགྱུར། མཚན་མ་མེད་པ་སྦྱིན་པའི་ཕ་རོལ་ཏུ་ཕྱིན་པ་ཞེས་བྱ་བར་རྣམ་པར་རྟོག་པར་མི་འགྱུར་རོ། །ཚུལ་ཁྲིམས་ཀྱི་ཕ་རོལ་ཏུ་ཕྱིན་པ་དང་། བཟོད་པའི་ཕ་རོལ་ཏུ་ཕྱིན་པ་དང་། བརྩོན་འགྲུས་ཀྱི་ཕ་རོལ་ཏུ་ཕྱིན་པ་དང་། བསམ་གཏན་གྱི་ཕ་རོལ་ཏུ་ཕྱིན་པ་དང་། ཤེས་རབ་ཀྱི་ཕ་རོལ་ཏུ་ཕྱིན་པ་མཚན་མ་མེད་ཅེས་བྱ་བར་རྣམ་པར་རྟོག་པར་མི་འགྱུར། མཚན་མ་མེད་པ་ཤེས་རབ་ཀྱི་ཕ་རོལ་ཏུ་ཕྱིན་པ་ཞེས་བྱ་བར་རྣམ་པར་རྟོག་པར་མི་འགྱུར་རོ། །སྦྱིན་པའི་ཕ···

རོལ་ཏུ་ཕྱིན་པ་སྨོན་པ་མེད་ཅེས་བྱ་བར་རྣམ་པར་རྟོག་པར་མི་འགྱུར། སྨོན་པ་མེད་པ་སྦྱིན་པའི་ཕ་རོལ་ཏུ་ཕྱིན་པ་ཞེས་བྱ་བར་རྣམ་པར་རྟོག་པར་མི་འགྱུར་རོ། །ཚུལ་ཁྲིམས་ཀྱི་ཕ་རོལ་ཏུ་ཕྱིན་པ་དང་། བཟོད་པའི་ཕ་རོལ་ཏུ་ཕྱིན་པ་དང་། བརྩོན་འགྲུས་ཀྱི་ཕ་རོལ་ཏུ་ཕྱིན་པ་དང་། བསམ་གཏན་གྱི་ཕ་རོལ་ཏུ་ཕྱིན་པ་དང་། ཤེས་རབ་ཀྱི་ཕ་རོལ་ཏུ་ཕྱིན་པ་སྨོན་པ་མེད་ཅེས་བྱ་བར་རྣམ་པར་རྟོག་པར་མི་འགྱུར། སྨོན་པ་མེད་པ་ཤེས་རབ་ཀྱི་ཕ་རོལ་ཏུ་ཕྱིན་པ་ཞེས་བྱ་བར་རྣམ་པར་རྟོག་པར་མི་འགྱུར་རོ། །སྦྱིན་པའི་ཕ་རོལ་ཏུ་ཕྱིན་པ་སྐྱེ་བ་མེད་ཅེས་བྱ་བར་རྣམ་པར་རྟོག་པར་མི་འགྱུར། སྐྱེ་བ་མེད་པ་སྦྱིན་པའི་ཕ་རོལ་ཏུ་ཕྱིན་པ་ཞེས་བྱ་བར་རྣམ་པར་རྟོག་པར་མི་འགྱུར་རོ། །ཚུལ་ཁྲིམས་ཀྱི་ཕ་རོལ་ཏུ་ཕྱིན་པ་དང་། བཟོད་པའི་ཕ་རོལ་ཏུ་ཕྱིན་པ་དང་། བརྩོན་འགྲུས་ཀྱི་ཕ་རོལ་ཏུ་ཕྱིན་པ་དང་། བསམ་གཏན་གྱི་ཕ་རོལ་ཏུ་ཕྱིན་པ་དང་། ཤེས་རབ་ཀྱི་ཕ་རོལ་ཏུ་ཕྱིན་པ་སྐྱེ་བ་མེད་ཅེས་བྱ་བར་རྣམ་པར་རྟོག་པར་མི་འགྱུར། སྐྱེ་བ་མེད་པ་ཤེས་རབ་ཀྱི་ཕ་རོལ་ཏུ་ཕྱིན་པ་ཞེས་བྱ་བར་རྣམ་པར་རྟོག་པར་མི་འགྱུར་རོ། །སྦྱིན་པའི་ཕ་རོལ་ཏུ་ཕྱིན་པ་འགག་པ་མེད་ཅེས་བྱ་བར་རྣམ་པར་རྟོག་པར་མི་འགྱུར། འགག་པ་མེད་པ་སྦྱིན་པའི་ཕ་རོལ་ཏུ་ཕྱིན་པ་ཞེས་བྱ་བར་རྣམ་པར་རྟོག་པར་མི་འགྱུར་རོ། །ཚུལ་ཁྲིམས་ཀྱི་ཕ་རོལ་ཏུ་ཕྱིན་པ་དང་། བཟོད་པའི་ཕ་རོལ་ཏུ་ཕྱིན་པ་དང་། བརྩོན་འགྲུས་ཀྱི་ཕ་རོལ་ཏུ་ཕྱིན་པ་དང་། བསམ་གཏན་གྱི་ཕ་རོལ་ཏུ་ཕྱིན་པ་དང་། ཤེས་རབ་ཀྱི་ཕ་རོལ་ཏུ་ཕྱིན་པ་འགག་པ་མེད་ཅེས་བྱ་བར་རྣམ་པར་རྟོག་པར་མི་འགྱུར། འགག་པ་མེད་པ་ཤེས་རབ་ཀྱི་[1]ཕ་རོལ་ཏུ་ཕྱིན་པ་ཞེས་བྱ་བར་རྣམ་པར་རྟོག་པར་མི་འགྱུར་རོ། །སྦྱིན་པའི་ཕ་རོལ་ཏུ་ཕྱིན་པ་ཞི་ཞེས་བྱ་བར་རྣམ་པར་རྟོག་པར་མི་འགྱུར། ཞི་བ་སྦྱིན་པའི་ཕ་རོལ་ཏུ་ཕྱིན་པ་ཞེས་བྱ་བར་

རྣམ་པར་རྟོག་པར་མི་འགྱུར་རོ། །ཚུལ་ཁྲིམས་ཀྱི་ཕ་རོལ་ཏུ་ཕྱིན་པ་དང་། བཟོད་པའི་ཕ་རོལ་ཏུ་ཕྱིན་པ་དང་། བརྩོན་འགྲུས་ཀྱི་ཕ་རོལ་ཏུ་ཕྱིན་པ་དང་། བསམ་གཏན་གྱི་ཕ་རོལ་ཏུ་ཕྱིན་པ་དང་། ཤེས་རབ་ཀྱི་ཕ་རོལ་ཏུ་ཕྱིན་པ་ཞི་ཞེས་བྱ་བར་རྣམ་པར་རྟོག་པར་མི་འགྱུར། ཞི་བ་ཤེས་རབ་ཀྱི་ཕ་རོལ་ཏུ་ཕྱིན་པ་ཞེས་བྱ་བར་རྣམ་པར་རྟོག་པར་མི་འགྱུར་རོ། །སྦྱིན་པའི་ཕ་རོལ་ཏུ་ཕྱིན་པ་དབེན་ཞེས་བྱ་བར་རྣམ་པར་རྟོག་པར་མི་འགྱུར། དབེན་པ་སྦྱིན་པའི་ཕ་རོལ་ཏུ་ཕྱིན་པ་ཞེས་བྱ་བར་རྣམ་པར་རྟོག་པར་མི་འགྱུར་རོ། །ཚུལ་ཁྲིམས་ཀྱི་ཕ་རོལ་ཏུ་ཕྱིན་པ་དང་། བཟོད་པའི་ཕ་རོལ་ཏུ་ཕྱིན་པ་དང་། བརྩོན་འགྲུས་ཀྱི་ཕ་རོལ་ཏུ་ཕྱིན་པ་དང་། བསམ་གཏན་གྱི་ཕ་རོལ་ཏུ་ཕྱིན་པ་དང་། ཤེས་རབ་ཀྱི་ཕ་རོལ་ཏུ་ཕྱིན་པ་དབེན་ཞེས་བྱ་བར་རྣམ་པར་རྟོག་པར་མི་འགྱུར། དབེན་པ་ཤེས་རབ་ཀྱི་ཕ་རོལ་ཏུ་ཕྱིན་པ་ཞེས་བྱ་བར་རྣམ་པར་རྟོག་པར་མི་འགྱུར་རོ། །ནང་སྟོང་པ་ཉིད་སྟོང་ཞེས་བྱ་བར་རྣམ་པར་རྟོག་པར་མི་འགྱུར། སྟོང་པ་ཉིད་ནང་སྟོང་པ་ཉིད་ཅེས་བྱ་བར་རྣམ་པར་རྟོག་པར་མི་འགྱུར་རོ། །དངོས་པོ་མེད་པའི་ངོ་བོ་ཉིད་སྟོང་པ་ཉིད་ཀྱི་བར་སྟོང་ཞེས་བྱ་བར་རྣམ་པར་རྟོག་པར་མི་འགྱུར། སྟོང་པ་ཉིད་དངོས་པོ་མེད་པའི་ངོ་བོ་ཉིད༔ སྟོང་པ་ཉིད་[7]ཅེས་བྱ་བར་རྣམ་པར་རྟོག་པར་མི་འགྱུར་རོ། །ནང་སྟོང་པ་ཉིད་མཚན་མ་མེད་ཅེས་བྱ་བར་རྣམ་པར་རྟོག་པར་མི་འགྱུར། མཚན་མ་མེད་པ་ནང་སྟོང་པ་ཉིད་ཅེས་བྱ་བར་རྣམ་པར་རྟོག་པར་མི་འགྱུར་རོ། །དངོས་པོ་མེད་པའི་ངོ་བོ་ཉིད་སྟོང་པ་ཉིད་ཀྱི་བར་མཚན་མ་མེད་ཅེས་བྱ་བར་རྣམ་པར་རྟོག་པར་མི་འགྱུར། མཚན་མ་མེད་པ་དངོས་པོ་མེད་པའི་ངོ་བོ་ཉིད་སྟོང་པ་ཉིད་ཅེས་བྱ་བར་རྣམ་པར་རྟོག་པར་མི་འགྱུར་རོ། །ནང་སྟོང་པ་ཉིད་སྨོན་པ་མེད་ཅེས་བྱ་བར་རྣམ་པར་རྟོག་པར་མི་འགྱུར། སྨོན་པ་མེད་པ་

ནང་སྟོང་པ་ཉིད་ཅེས་བྱ་བར་རྣམ་པར་རྟོག་པར་མི་འགྱུར་རོ། །དངོས་པོ་མེད་པའི་ངོ་བོ་ཉིད་སྟོང་པ་ཉིད་ཀྱི་བར་སྨོན་པ་མེད་ཅེས་བྱ་བར་རྣམ་པར་རྟོག་པར་མི་འགྱུར། སྨོན་པ་མེད་པ་དངོས་པོ་མེད་པའི་ངོ་བོ་ཉིད་སྟོང་པ་ཉིད་ཅེས་བྱ་བར་རྣམ་པར་རྟོག་པར་མི་འགྱུར་རོ། །ནང་སྟོང་པ་ཉིད་སྐྱེ་བ་མེད་ཅེས་བྱ་བར་རྣམ་པར་རྟོག་པར་མི་འགྱུར། སྐྱེ་བ་མེད་པ་ནང་སྟོང་པ་ཉིད་ཅེས་བྱ་བར་རྣམ་པར་རྟོག་པར་མི་འགྱུར་རོ། །དངོས་པོ་མེད་པའི་ངོ་བོ་ཉིད་སྟོང་པ་ཉིད་ཀྱི་བར་སྐྱེ་བ་མེད་ཅེས་བྱ་བར་རྣམ་པར་རྟོག་པར་མི་འགྱུར། སྐྱེ་བ་མེད་པ་དངོས་པོ་མེད་པའི་ངོ་བོ་ཉིད་སྟོང་པ་ཉིད་[༡]ཅེས་བྱ་བར་རྣམ་པར་རྟོག་པར་མི་འགྱུར་རོ། །ནང་སྟོང་པ་ཉིད་འགག་པ་མེད་ཅེས་བྱ་བར་རྣམ་པར་རྟོག་པར་མི་འགྱུར། འགག་པ་མེད་པ་ནང་སྟོང་པ་ཉིད་ཅེས་བྱ་བར་རྣམ་པར་རྟོག་པར་མི་འགྱུར་རོ། །དངོས་པོ་མེད་པའི་ངོ་བོ་ཉིད་སྟོང་པ་ཉིད་ཀྱི་བར་འགག་པ་མེད་ཅེས་བྱ་བར་རྣམ་པར་རྟོག་པར་མི་འགྱུར། འགག་པ་མེད་པ་དངོས་པོ་མེད་པའི་ངོ་བོ་ཉིད་སྟོང་པ་ཉིད་ཅེས་བྱ་བར་རྣམ་པར་རྟོག་པར་མི་[༣]འགྱུར་རོ། །ནང་སྟོང་པ་ཉིད་ཞི་ཞེས་བྱ་བར་རྣམ་པར་རྟོག་པར་མི་འགྱུར། ཞི་བ་ནང་སྟོང་པ་ཉིད་ཅེས་བྱ་བར་རྣམ་པར་རྟོག་པར་མི་འགྱུར་རོ། །དངོས་པོ་མེད་པའི་ངོ་བོ་ཉིད་སྟོང་པ་ཉིད་ཀྱི་བར་ཞི་ཞེས་བྱ་བར་རྣམ་པར་རྟོག་པར་མི་འགྱུར། ཞི་བ་དངོས་པོ་མེད་པའི་ངོ་བོ་ཉིད་སྟོང་པ་ཉིད་ཅེས་བྱ་བར་རྣམ་པར་རྟོག་པར་མི་འགྱུར་རོ། །ནང་སྟོང་པ་ཉིད་དབེན་ཞེས་བྱ་བར་རྣམ་པར་རྟོག་པར་མི་འགྱུར། དབེན་པ་ནང་སྟོང་པ་ཉིད་ཅེས་བྱ་བར་རྣམ་པར་རྟོག་པར་མི་འགྱུར་རོ། །དངོས་པོ་མེད་པའི་ངོ་བོ་ཉིད་སྟོང་པ་ཉིད་ཀྱི་བར་དབེན་ཞེས་བྱ་བར་རྣམ་པར་རྟོག་པར་མི་འགྱུར། དབེན་པ་དངོས་པོ་མེད་པའི་ངོ་བོ་ཉིད་སྟོང་པ་ཉིད་ཅེས་བྱ་བར་རྣམ་པར་རྟོག་པར་མི་

འགྱུར་རོ། །དྲན་པ་ཉེ་བར་གཞག་པ་རྣམས་སྟོང་ཞེས་བྱ་བར་རྣམ་པར་རྟོག་པར་མི་འགྱུར། སྟོང་པ་ཉིད་དྲན་པ་ཉེ་བར་གཞག་པ་རྣམས་ཤེས་བྱ་བར་རྣམ་པར་རྟོག་པར་མི་འགྱུར་རོ། །ཡང་དག་པར་སྤོང་བ་རྣམས་དང་། རྫུ་འཕྲུལ་གྱི་རྐང་པ་རྣམས་དང་། དབང་པོ་རྣམས་དང་། སྟོབས་རྣམས་དང་། བྱང་ཆུབ་ཀྱི་ཡན་ལག་རྣམས་དང་། འཕགས་པའི་ལམ་ཡན་ལག་བརྒྱད་པ་སྟོང་ཞེས་བྱ་བར་རྣམ་པར་རྟོག་པར་མི་འགྱུར། སྟོང་པ་ཉིད་འཕགས་པའི་ལམ་ཡན་ལག་བརྒྱད་པ་ཞེས་བྱ་བར་རྣམ་པར་རྟོག་པར་མི་འགྱུར་རོ། །དྲན་པ་ཉེ་བར་གཞག་པ་རྣམས་མཚན་མ་མེད་ཅེས་བྱ་བར་རྣམ་པར་རྟོག་པར་མི་འགྱུར། མཚན་མ་མེད་པ་དྲན་པ་ཉེ་བར་གཞག་པ་རྣམས་ཤེས་བྱ་བར་རྣམ་པར་རྟོག་པར་མི་འགྱུར་རོ། །ཡང་དག་པར་སྤོང་བ་རྣམས་དང་། རྫུ་འཕྲུལ་གྱི་རྐང་པ་རྣམས་དང་། དབང་པོ་རྣམས་དང་། སྟོབས་རྣམས་དང་། བྱང་ཆུབ་ཀྱི་ཡན་ལག་རྣམས་དང་། འཕགས་པའི་ལམ་ཡན་ལག་བརྒྱད་པ་མཚན་མ་མེད་ཅེས་བྱ་བར་རྣམ་པར་རྟོག་པར་མི་འགྱུར། མཚན་མ་མེད་པ་འཕགས་པའི་ལམ་ཡན་ལག་བརྒྱད་པ་ཞེས་བྱ་བར་རྣམ་པར་རྟོག་པར་མི་འགྱུར་རོ། །དྲན་པ་ཉེ་བར་གཞག་པ་རྣམས་སྨོན་པ་མེད་ཅེས་བྱ་བར་རྣམ་པར་རྟོག་པར་མི་འགྱུར། སྨོན་པ་མེད་པ་དྲན་པ་ཉེ་བར་གཞག་པ་རྣམས་ཤེས་བྱ་བར་རྣམ་པར་རྟོག་པར་མི་འགྱུར་རོ། །ཡང་དག་པར་སྤོང་བ་རྣམས་དང་། རྫུ་འཕྲུལ་གྱི་རྐང་པ་རྣམས་དང་། དབང་པོ་རྣམས་དང་། སྟོབས་རྣམས་དང་། བྱང་ཆུབ་ཀྱི་ཡན་ལག་རྣམས་དང་། འཕགས་པའི་ལམ་ཡན་ལག་བརྒྱད་པ་སྨོན་པ་མེད་ཅེས་བྱ་བར་རྣམ་པར་རྟོག་པར་མི་འགྱུར། སྨོན་པ་མེད་པ་འཕགས་པའི་ལམ་ཡན་ལག་བརྒྱད་པ་ཞེས་བྱ་བར་རྣམ་པར་རྟོག་པར་མི་འགྱུར་རོ། །དྲན་པ་ཉེ་བར་གཞག་པ་རྣམས་སྐྱེ་བ་མེད་ཅེས་བྱ་བར་རྣམ་

པར་རྟོག་པར་མི་འགྱུར། སྐྱེ་བ་མེད་པ་དྲན་པ་ཉེ་བར་གཞག་པ་རྣམས་ཤེས་བྱ་བར་རྣམ་པར་རྟོག་པར་མི་འགྱུར་རོ། །ཡང་དག་པར་སྤོང་བ་རྣམས་དང་། རྫུ་འཕྲུལ་གྱི་རྐང་པ་རྣམས་དང་། དབང་པོ་རྣམས་དང་། སྟོབས་རྣམས་དང་། བྱང་ཆུབ་ཀྱི་ཡན་ལག་རྣམས་དང་། འཕགས་པའི་ལམ་ཡན་ལག་བརྒྱད་པ་སྐྱེ་བ་མེད་[༧]ཅེས་བྱ་བར་རྣམ་པར་རྟོག་པར་མི་འགྱུར། སྐྱེ་བ་མེད་པ་འཕགས་པའི་ལམ་ཡན་ལག་བརྒྱད་པ་ཞེས་བྱ་བར་རྣམ་པར་རྟོག་པར་མི་འགྱུར་རོ། །དྲན་པ་ཉེ་བར་གཞག་པ་རྣམས་འགག་པ་མེད་ཅེས་བྱ་བར་རྣམ་པར་རྟོག་པར་མི་འགྱུར། འགག་པ་མེད་པ་དྲན་པ་ཉེ་བར་གཞག་པ་རྣམས་ཤེས་བྱ་བར་རྣམ་པར་རྟོག་པར་མི་འགྱུར་རོ། །ཡང་དག་པར་སྤོང་བ་རྣམས་དང་། རྫུ་འཕྲུལ་གྱི་རྐང་པ་རྣམས་དང་། དབང་པོ་རྣམས་དང་། སྟོབས་རྣམས་དང་། བྱང་ཆུབ་ཀྱི་ཡན་ལག་རྣམས་དང་། འཕགས་པའི་ལམ་ཡན་ལག་བརྒྱད་པ་འགག་པ་མེད་ཅེས་བྱ་བར་རྣམ་པར་རྟོག་པར་མི་འགྱུར། འགག་པ་མེད་པ་འཕགས་པའི་ལམ་ཡན་ལག་བརྒྱད་པ་ཞེས་བྱ་བར་རྣམ་པར་རྟོག་པར་མི་འགྱུར་རོ། །དྲན་པ་ཉེ་བར་གཞག་པ་རྣམས་ཞི་ཞེས་བྱ་བར་རྣམ་པར་རྟོག་པར་མི་འགྱུར། ཞི་བ་དྲན་པ་ཉེ་བར་གཞག་པ་རྣམས་ཤེས་བྱ་བར་རྣམ་པར་རྟོག་པར་མི་འགྱུར་རོ། །ཡང་དག་པར་སྤོང་བ་རྣམས་དང་། རྫུ་འཕྲུལ་གྱི་རྐང་པ་རྣམས་དང་། དབང་པོ་རྣམས་དང་། སྟོབས་རྣམས་དང་། བྱང་ཆུབ་ཀྱི་ཡན་ལག་རྣམས་དང་། འཕགས་པའི་ལམ་ཡན་ལག་བརྒྱད་པ་ཞི་[༩]ཞེས་བྱ་བར་རྣམ་པར་རྟོག་པར་མི་འགྱུར། ཞི་བ་འཕགས་པའི་ལམ་ཡན་ལག་བརྒྱད་པ་ཞེས་བྱ་བར་རྣམ་པར་རྟོག་པར་མི་འགྱུར་རོ། །དྲན་པ་ཉེ་བར་གཞག་པ་རྣམས་དབེན་ཞེས་བྱ་བར་རྣམ་པར་རྟོག་པར་མི་འགྱུར། དབེན་པ་དྲན་པ་ཉེ་བར་གཞག་པ་རྣམས་ཤེས་བྱ་བར་རྣམ་པར་

རྟོག་པར་མི་འགྱུར་རོ། །ཡང་དག་པར་སྤོང་བ་རྣམས་དང་། རྫུ་འཕྲུལ་གྱི་རྐང་པ་རྣམས་དང་། དབང་པོ་རྣམས་དང་། སྟོབས་རྣམས་དང་། བྱང་ཆུབ་ཀྱི་ཡན་ལག་རྣམས་དང་། འཕགས་པའི་ལམ་[7]ཡན་ལག་བརྒྱད་པ་དབེན་ཞེས་བྱ་བར་རྣམ་པར་རྟོག་པར་མི་འགྱུར། དབེན་པ་འཕགས་པའི་ལམ་ཡན་ལག་བརྒྱད་པ་ཞེས་བྱ་བར་རྣམ་པར་རྟོག་པར་མི་འགྱུར་རོ། །འཕགས་པའི་བདེན་པ་རྣམས་སྟོང་ཞེས་བྱ་བར་རྣམ་པར་རྟོག་པར་མི་འགྱུར། སྟོང་པ་ཉིད་འཕགས་པའི་བདེན་པ་རྣམས་ཤེས་བྱ་བར་རྣམ་པར་རྟོག་པར་མི་འགྱུར་རོ། །སངས་རྒྱས་ཀྱི་ཆོས་མ་འདྲེས་པ་བཅོ་བརྒྱད་ཀྱི་བར་སྟོང་ཞེས་བྱ་བར་རྣམ་པར་རྟོག་པར་མི་འགྱུར། སྟོང་པ་ཉིད་སངས་རྒྱས་ཀྱི་ཆོས་མ་འདྲེས་པ་བཅོ་བརྒྱད་ཅེས་བྱ་བར་རྣམ་པར་རྟོག་པར་མི་འགྱུར་རོ། །འཕགས་པའི་བདེན་པ་རྣམས་མཚན་མ་མེད་ཅེས་བྱ་བར་རྣམ་པར་རྟོག་པར་མི་འགྱུར། མཚན་མ་མེད་པ་འཕགས་པའི་བདེན་པ་རྣམས་ཤེས་བྱ་བར་རྣམ་པར་རྟོག་པར་མི་འགྱུར་རོ། །སངས་རྒྱས་ཀྱི་ཆོས་མ་འདྲེས་པ་བཅོ་བརྒྱད་ཀྱི་བར་མཚན་མ་མེད་ཅེས་བྱ་བར་རྣམ་པར་རྟོག་པར་མི་འགྱུར། མཚན་མ་མེད་པ་སངས་རྒྱས་ཀྱི་ཆོས་མ་འདྲེས་པ་བཅོ་བརྒྱད་ཅེས་བྱ་བར་རྣམ་པར་རྟོག་པར་མི་འགྱུར་རོ། །འཕགས་པའི་བདེན་པ་རྣམས་སྨོན་པ་མེད་ཅེས་བྱ་བར་རྣམ་པར་རྟོག་པར་མི་འགྱུར། སྨོན་པ་མེད་པ་འཕགས་པའི་བདེན་པ་རྣམས་ཤེས་བྱ་བར་རྣམ་པར་རྟོག་པར་མི་འགྱུར་རོ། །སངས་རྒྱས་ཀྱི་ཆོས་མ་འདྲེས་པ་བཅོ་བརྒྱད་ཀྱི་བར་སྨོན་པ་མེད་ཅེས་བྱ་བར་རྣམ་པར་རྟོག་པར་མི་འགྱུར། སྨོན་པ་མེད་པ་སངས་རྒྱས་ཀྱི་ཆོས་མ་འདྲེས་པ་བཅོ་བརྒྱད་ཅེས་བྱ་བར་རྣམ་པར་རྟོག་པར་མི་འགྱུར་རོ། །འཕགས་པའི་བདེན་པ་རྣམས་སྐྱེ་བ་མེད་ཅེས་བྱ་བར་རྣམ་པར་རྟོག་པར་མི་འགྱུར། སྐྱེ་བ་མེད་པ་འཕགས་པའི་བདེན་པ་

རྣམས་ཞེས་བྱ་བར་རྣམ་པར་རྟོག་པར་མི་འགྱུར་རོ། །སངས་རྒྱས་ཀྱི་ཆོས་མ་འདྲེས་པ་བཅོ་བརྒྱད་ཀྱི་བར་སྐྱེ་བ་མེད་ཅེས་བྱ་བར་རྣམ་པར་རྟོག་པར་མི་འགྱུར། སྐྱེ་བ་མེད་པ་སངས་རྒྱས་ཀྱི་ཆོས་མ་འདྲེས་པ་བཅོ་བརྒྱད་ཅེས་བྱ་བར་རྣམ་པར་རྟོག་པར་མི་འགྱུར་རོ། །འཕགས་པའི་བདེན་པ་རྣམས་འགག་པ་མེད་ཅེས་བྱ་བར་རྣམ་པར་རྟོག་པར་མི་འགྱུར། འགག་པ་མེད་པ་འཕགས་པའི་བདེན་པ་རྣམས་ཞེས་བྱ་བར་རྣམ་པར་རྟོག་པར་མི་འགྱུར་རོ། །སངས་རྒྱས་ཀྱི་ཆོས་མ་འདྲེས་པ་བཅོ་བརྒྱད་ཀྱི་བར་འགག་པ་མེད་ཅེས་བྱ་བར་རྣམ་པར་རྟོག་པར་མི་འགྱུར། འགག་པ་མེད་པ་སངས་རྒྱས་ཀྱི་ཆོས་མ་འདྲེས་པ་བཅོ་བརྒྱད་ཅེས་བྱ་བར་རྣམ་པར་རྟོག་པར་མི་འགྱུར་རོ། །འཕགས་པའི་བདེན་པ་རྣམས་ཞི་ཞེས་བྱ་བར་རྣམ་པར་རྟོག་པར་མི་འགྱུར། ཞི་བ་འཕགས་པའི་བདེན་པ་རྣམས་ཞེས་བྱ་བར་རྣམ་པར་རྟོག་པར་མི་འགྱུར་རོ། །སངས་རྒྱས་ཀྱི་ཆོས་མ་འདྲེས་པ་བཅོ་བརྒྱད་ཀྱི་བར་ཞི་ཞེས་བྱ་བར་རྣམ་པར་རྟོག་པར་མི་འགྱུར། ཞི་བ་སངས་རྒྱས་ཀྱི་ཆོས་མ་འདྲེས་པ་བཅོ་བརྒྱད་ཅེས་བྱ་བར་རྣམ་པར་རྟོག་པར་མི་འགྱུར་རོ། །འཕགས་པའི་བདེན་པ་རྣམས་དབེན་ཞེས་བྱ་བར་རྣམ་པར་རྟོག་པར་མི་འགྱུར། དབེན་པ་འཕགས་པའི་བདེན་པ་རྣམས་ཞེས་བྱ་བར་རྣམ་པར་རྟོག་པར་མི་འགྱུར་རོ། །སངས་རྒྱས་ཀྱི་ཆོས་མ་འདྲེས་པ་བཅོ་བརྒྱད་ཀྱི་བར་དབེན་ཞེས་བྱ་བར་རྣམ་པར་རྟོག་པར་མི་འགྱུར། དབེན་པ་སངས་རྒྱས་ཀྱི་ཆོས་མ་འདྲེས་པ་བཅོ་བརྒྱད་ཅེས་བྱ་བར་རྣམ་པར་རྟོག་པར་མི་འགྱུར་རོ། །རྒྱུན་དུ་ཞུགས་པའི་འབྲས་བུ་སྟོང་ཞེས་བྱ་བར་རྣམ་པར་རྟོག་པར་མི་འགྱུར། སྟོང་པ་ཉིད་རྒྱུན་དུ་ཞུགས་པའི་འབྲས་བུ་ཞེས་བྱ་བར་རྣམ་པར་རྟོག་པར་མི་འགྱུར་རོ། །ལན་ཅིག་ཕྱིར་འོང་བའི་འབྲས་བུ་དང་། ཕྱིར་མི་འོང་བའི་འབྲས་བུ་དང་། དགྲ་བཅོམ་པ་ཉིད་

དང༌། རང་བྱང་ཆུབ་དང༌། རྣམ་པ་ཐམས་ཅད་མཁྱེན་པ་ཉིད་སྟོང་ཞེས་བྱ་བར་རྣམ་པར་རྟོག་པར་མི་འགྱུར། སྟོང་པ་ཉིད་རྣམ་པ་ཐམས་ཅད་མཁྱེན་པ་ཉིད་ཅེས་བྱ་བར་རྣམ་པར་རྟོག་པར་མི་འགྱུར་རོ། །རྒྱུན་དུ་ཞུགས་པའི་འབྲས་བུ་མཚན་མ་མེད་ཅེས་བྱ་བར་རྣམ་པར་རྟོག་པར་མི་འགྱུར། མཚན་མ་མེད་པ་རྒྱུན་དུ་ཞུགས་པའི་འབྲས་བུ་ཞེས་བྱ་བར་རྣམ་པར་རྟོག་པར་མི་འགྱུར་རོ། །ལན་ཅིག་ཕྱིར་འོང་བའི་འབྲས་བུ་དང༌། ཕྱིར་མི་འོང་བའི་འབྲས་བུ་དང༌། དགྲ་བཅོམ་པ་ཉིད་དང༌། རང་བྱང་ཆུབ་དང༌། རྣམ་པ་ཐམས་ཅད་མཁྱེན་པ་ཉིད། མཚན་མ་མེད་ཅེས་བྱ་བར་རྣམ་པར་རྟོག་པར་མི་འགྱུར། མཚན་མ་མེད་པ་རྣམ་པ་ཐམས་ཅད་མཁྱེན་པ་ཉིད་ཅེས་བྱ་བར་རྣམ་པར་རྟོག་པར་མི་འགྱུར་རོ། །རྒྱུན་དུ་ཞུགས་པའི་འབྲས་བུ་སྨོན་པ་མེད་ཅེས་བྱ་བར་རྣམ་པར་རྟོག་པར་མི་འགྱུར། སྨོན་པ་མེད་པ་རྒྱུན་དུ་ཞུགས་པའི་འབྲས་བུ་ཞེས་བྱ་བར་རྣམ་པར་རྟོག་པར་མི་འགྱུར་རོ། །ལན་ཅིག་ཕྱིར་འོང་བའི་འབྲས་བུ་དང༌། ཕྱིར་མི་འོང་བའི་འབྲས་བུ་དང༌། དགྲ་བཅོམ་པ་ཉིད་དང༌། རང་བྱང་ཆུབ་དང༌། རྣམ་པ་ཐམས་ཅད་མཁྱེན་པ་ཉིད་སྨོན་པ་མེད་ཅེས་བྱ་བར་རྣམ་པར་རྟོག་པར་མི་འགྱུར། སྨོན་པ་མེད་པ་རྣམ་པ་ཐམས་ཅད་མཁྱེན་པ་ཉིད་ཅེས་བྱ་བར་རྣམ་པར་རྟོག་པར་མི་འགྱུར་རོ། །རྒྱུན་དུ་ཞུགས་པའི་འབྲས་བུ་སྐྱེ་བ་མེད་ཅེས༔ བྱ་བར་(༡)རྣམ་པར་རྟོག་པར་མི་འགྱུར། སྐྱེ་བ་མེད་པ་རྒྱུན་དུ་ཞུགས་པའི་འབྲས་བུ་ཞེས་བྱ་བར་རྣམ་པར་རྟོག་པར་མི་འགྱུར་རོ། །ལན་ཅིག་ཕྱིར་འོང་བའི་འབྲས་བུ་དང༌། ཕྱིར་མི་འོང་བའི་འབྲས་བུ་དང༌། དགྲ་བཅོམ་པ་(༣)ཉིད་དང༌། རང་བྱང་ཆུབ་དང༌། རྣམ་པ་ཐམས་ཅད་མཁྱེན་པ་ཉིད་སྐྱེ་བ་མེད་ཅེས་བྱ་བར་རྣམ་པར་རྟོག་པར་མི་འགྱུར། སྐྱེ་བ་མེད་པ་རྣམ་པ་ཐམས་ཅད་མཁྱེན་པ་ཉིད་ཅེས་བྱ་བར་རྣམ་པར་

རྟོག་པར་མི་འགྱུར་རོ། །རྒྱུན་དུ་ཞུགས་པའི་འབྲས་བུ་འགག་པ་མེད་ཅེས་བྱ་བར་རྣམ་པར་རྟོག་པར་མི་འགྱུར། འགག་པ་མེད་པ་རྒྱུན་དུ་ཞུགས་པའི་འབྲས་བུ་ཞེས་བྱ་བར་རྣམ་པར་རྟོག་པར་མི་འགྱུར་རོ། །ལན་ཅིག་ཕྱིར་འོང་བའི་འབྲས་བུ་དང་། ཕྱིར་མི་འོང་བའི་འབྲས་བུ་དང་། དགྲ་བཅོམ་པ་ཉིད་དང་། རང་བྱང་ཆུབ་དང་། རྣམ་པ་ཐམས་ཅད་མཁྱེན་པ་ཉིད་འགག་པ་མེད་ཅེས་བྱ་བར་རྣམ་པར་རྟོག་པར་མི་འགྱུར། འགག་པ་མེད་པ་རྣམ་པ་ཐམས་ཅད་མཁྱེན་པ་ཉིད་ཅེས་བྱ་བར་རྣམ་པར་རྟོག་པར་མི་འགྱུར་རོ། །རྒྱུན་དུ་ཞུགས་པའི་འབྲས་བུ་ཞི་ཞེས་བྱ་བར་རྣམ་པར་རྟོག་པར་མི་འགྱུར། ཞི་བ་རྒྱུན་དུ་ཞུགས་པའི་འབྲས་བུ་ཞེས་བྱ་བར་རྣམ་པར་རྟོག་པར་མི་འགྱུར་རོ། །ལན་ཅིག་ཕྱིར་འོང་བའི་འབྲས་བུ་དང་། ཕྱིར་མི་འོང་བའི་འབྲས་བུ་དང་། དགྲ་བཅོམ་པ་ཉིད་དང་། རང་བྱང་ཆུབ་དང་། རྣམ་པ་ཐམས་ཅད་མཁྱེན་པ་ཉིད་ཞི་ཞེས་བྱ་བར་རྣམ་པར་རྟོག་པར་མི་འགྱུར། ཞི་བ་རྣམ་པ་ཐམས་ཅད་མཁྱེན་པ་ཉིད་ཅེས་བྱ་བར་རྣམ་པར་རྟོག་པར་མི་འགྱུར་རོ། །རྒྱུན་དུ་ཞུགས་པའི་འབྲས་བུ་དབེན་ཞེས་བྱ་བར་རྣམ་པར་རྟོག་པར་མི་འགྱུར། དབེན་པ་རྒྱུན་དུ་ཞུགས་པའི་འབྲས་བུ་ཞེས་བྱ་བར་རྣམ་པར་རྟོག་པར་མི་འགྱུར་རོ། །ལན་ཅིག་ཕྱིར་འོང་བའི་འབྲས་བུ་དང་། ཕྱིར་མི་འོང་བའི་འབྲས་བུ་དང་། དགྲ་བཅོམ་པ་ཉིད་དང་། རང་བྱང་ཆུབ་དང་། རྣམ་པ་ཐམས་ཅད་མཁྱེན་པ་ཉིད་དབེན་ཞེས་བྱ་བར་རྣམ་པར་རྟོག་པར་མི་འགྱུར། དབེན་པ་རྣམ་པ་ཐམས་ཅད་མཁྱེན་པ་ཉིད་ཅེས་བྱ་བར་རྣམ་[1]པར་རྟོག་པར་མི་འགྱུར་རོ། །འདུས་བྱས་ཀྱི་ཁམས་སྟོང་ཞེས་བྱ་བར་རྣམ་པར་རྟོག་པར་མི་འགྱུར། སྟོང་པ་ཉིད་འདུས་བྱས་ཀྱི་ཁམས་ཞེས་བྱ་བར་རྣམ་པར་རྟོག་པར་མི་འགྱུར་རོ། །འདུས་བྱས་ཀྱི་ཁམས་མཚན་མ་མེད་ཅེས་བྱ་བར་རྣམ་པར་

རྟོག་པར་མི་འགྱུར། མཚན་མ་མེད་པ་འདུས་བྱས་ཀྱི་ཁམས་ཤེས་བྱ་བར་རྣམ་པར་རྟོག་པར་མི་འགྱུར་རོ། །འདུས་བྱས་ཀྱི་ཁམས་སྨོན་པ་མེད་ཅེས་བྱ་བར་རྣམ་པར་རྟོག་པར་མི་འགྱུར། སྨོན་པ་མེད་པ་འདུས་བྱས་ཀྱི་ཁམས་ཤེས་བྱ་བར་རྣམ་པར་རྟོག་པར་མི་འགྱུར་རོ། །འདུས་བྱས་ཀྱི་ཁམས་སྐྱེ་བ་མེད་ཅེས་བྱ་བར་རྣམ་པར་རྟོག་པར་མི་འགྱུར། སྐྱེ་བ་མེད་པ་འདུས་བྱས་ཀྱི་ཁམས་ཤེས་བྱ་བར་རྣམ་པར་རྟོག་པར་མི་འགྱུར་རོ། །འདུས་བྱས་ཀྱི་ཁམས་འགག་པ་མེད་ཅེས་བྱ་བར་རྣམ་པར་རྟོག་པར་མི་འགྱུར། འགག་པ་མེད་པ་འདུས་བྱས་ཀྱི་ཁམས་ཤེས་བྱ་བར་རྣམ་པར་རྟོག་པར་མི་འགྱུར་རོ། །འདུས་བྱས་ཀྱི་ཁམས་ཞི་ཞེས་བྱ་བར་རྣམ་པར་རྟོག་པར་མི་འགྱུར། ཞི་བ་འདུས་བྱས་ཀྱི་ཁམས་ཤེས་བྱ་བར་རྣམ་པར་རྟོག་པར་མི་འགྱུར་རོ། །འདུས་བྱས་ཀྱི་ཁམས་དབེན་ཞེས་བྱ་བར་རྣམ་པར་རྟོག་པར་མི་འགྱུར། དབེན་པ་འདུས་བྱས་ཀྱི་ཁམས་ཤེས་བྱ་བར་རྣམ་པར་རྟོག་པར་མི་འགྱུར་རོ། །འདུས་མ་[7]བྱས་ཀྱི་ཁམས་སྟོང་ཞེས་བྱ་བར་རྣམ་པར་རྟོག་པར་མི་འགྱུར། སྟོང་པ་ཉིད་འདུས་མ་བྱས་ཀྱི་ཁམས་ཤེས་བྱ་བར་རྣམ་པར་རྟོག་པར་མི་འགྱུར་རོ། །འདུས་མ་བྱས་ཀྱི་ཁམས་མཚན་མ་མེད་ཅེས་བྱ་བར་རྣམ་པར་རྟོག་པར་མི་འགྱུར། མཚན་མ་མེད་པ་འདུས་མ་བྱས་ཀྱི་ཁམས་ཤེས་བྱ་བར་རྣམ་པར་རྟོག་པར་མི་འགྱུར་རོ། །འདུས་མ་བྱས་ཀྱི་ཁམས་སྨོན་པ་མེད་ཅེས་བྱ་བར་རྣམ་པར་རྟོག་པར་མི་འགྱུར། སྨོན་པ་མེད་པ་འདུས་མ་བྱས་ཀྱི་ཁམས་ཤེས་བྱ་བར་རྣམ་པར་རྟོག་པར་མི་འགྱུར་རོ། །འདུས་མ་བྱས་ཀྱི་ཁམས་སྐྱེ་བ་མེད་ཅེས་བྱ་བར་རྣམ་པར་རྟོག་པར་མི་འགྱུར། སྐྱེ་བ་མེད་པ་འདུས་མ་བྱས་ཀྱི་ཁམས་ཤེས་བྱ་བར་རྣམ་པར་རྟོག་པར་མི་འགྱུར་རོ། །འདུས་མ་བྱས་ཀྱི་ཁམས་འགག་པ་མེད་ཅེས་བྱ་བར་རྣམ་པར་རྟོག་པར་མི་འགྱུར། འགག་པ་མེད་པ་འདུས་མ་བྱས་ཀྱི་

ཁམས་ཞེས་བྱ་བར་རྣམ་པར་རྟོག་པར་མི་འགྱུར་རོ། །འདུས་མ་བྱས་ཀྱི་ཁམས་ཞི་ཞེས་བྱ་བར་རྣམ་པར་རྟོག་པར་མི་འགྱུར། །ཞི་བ་འདུས་མ་བྱས་ཀྱི་ཁམས་ཞེས་བྱ་བར་རྣམ་པར་རྟོག་པར་མི་འགྱུར་རོ། །འདུས་མ་བྱས་ཀྱི་ཁམས་དབེན་ཞེས་བྱ་བར་རྣམ་པར་རྟོག་པར་མི་འགྱུར། དབེན་པ་འདུས་མ་བྱས་ཀྱི་ཁམས་ཞེས་བྱ་བར་རྣམ་པར་རྟོག་པར་མི་འགྱུར་རོ། །ལྷའི་བུ་དག་རྣམ་གྲངས་དེས་ན་ཤེས་རབ་ཀྱི་ཕ་རོལ་ཏུ་ཕྱིན་པ་དེ་ལྟར་ཟབ་པ་ནས། དེ་ལྟར་ཤིན་ཏུ་འཕགས་པ[2]། དེ་ལྟར་མཁས་ཤིང་ཤེས་པས་རིག་པར་བྱ་བའི་བར་དེ་ལ། ཡིད་ཆེས་པར་བྱེད་པ་སུ་ཡང་མེད་དོ། །དེ་ཅིའི་ཕྱིར་ཞེ་ན། དེ་ནི་འདི་ལྟར་འདི་ལ་ཆོས་གང་ཡང་མ་བརྗོད་མ་བཤད་དེ། ཇི་ལྟར་འདི་ལ་ཆོས་གང་ཡང་མ་བརྗོད་མ་བཤད་པ་དེ་བཞིན་དུ། འདི་ལ་སེམས་ཅན་གང་ཡང་ཡིད་ཆེས་པར་མི་བྱེད་དོ། །དེ་ནས་ཚེ་དང་ལྡན་པ་ཤཱ་ར་དྭ་ཏིའི་བུས། ཚེ་དང་ལྡན་པ་རབ་འབྱོར་ལ་འདི་སྐད་ཅེས་སྨྲས་སོ། །ཚེ་དང་ལྡན་པ་རབ་འབྱོར་འོ་ན་ཤེས་རབ་ཀྱི་ཕ་རོལ་ཏུ་ཕྱིན་པ་འདི་ལས་ཐེག་པ་གསུམ་པོ་ཉན་ཐོས་ཀྱི་ཐེག་པ་དང་། རང་སངས་རྒྱས་ཀྱི་ཐེག་པ་དང་། ཡང་དག་པར་རྫོགས་པའི་སངས་རྒྱས་ཀྱི་ཐེག་པ་རྣམས་ཀྱང་རྒྱ་ཆེར་རྣམ་པར་མ་བཀོད་དམ། བྱང་ཆུབ་སེམས་དཔའ་སེམས་དཔའ་ཆེན་པོ་རྣམས་ཡོངས་སུ་གཟུང་བ་ཡང་མ་བསྟན་ཏམ། སེམས་དང་པོ་བསྐྱེད་པ་ནས། སེམས་བཅུ་པ་བསྐྱེད་པའི་བར་གྱི་བྱང་ཆུབ་སེམས་དཔའི་ལམ་འདི་ལྟ་སྟེ། སྦྱིན་པའི་ཕ་རོལ་ཏུ་ཕྱིན་པ་དང་། ཚུལ་ཁྲིམས་ཀྱི་ཕ་རོལ་ཏུ་ཕྱིན་པ་དང་། བཟོད་པའི་ཕ་རོལ་ཏུ་ཕྱིན་པ་དང་། བརྩོན་འགྲུས་ཀྱི་ཕ་རོལ་ཏུ་ཕྱིན་པ་དང་། བསམ་གཏན་གྱི་ཕ་རོལ་ཏུ་ཕྱིན་པ་དང་། ཤེས་རབ་ཀྱི་ཕ་རོལ་ཏུ་ཕྱིན་པ[3]དང་། སྟོང་པ་ཉིད་ཐམས་ཅད་དང་། དྲན་པ་ཉེ་བར་གཞག་པ་བཞི་དང་། ཡང་དག་པར་སྤོང་

པ་བཞི་དང་། རྫུ་འཕྲུལ་གྱི་རྐང་པ་བཞི་དང་། དབང་པོ་ལྔ་དང་སྟོབས་ལྔ་དང་། བྱང་ཆུབ་ཀྱི་ཡན་ལག་བདུན་དང་། འཕགས་པའི་ལམ་ཡན་ལག་བརྒྱད་པ་དང་། འཕགས་པའི་བདེན་པ་བཞི་དང་། བསམ་གཏན་བཞི་དང་། ཚད་མེད་པ་བཞི་དང་། གཟུགས་མེད་པའི་སྙོམས་པར་འཇུག་པ་བཞི་དང་། རྣམ་པར་ཐར་པ་བརྒྱད་དང་། མཐར་གྱིས་གནས་པའི་སྙོམས་པར་འཇུག་པ་དགུ་དང་། རྣམ་པར་ཐར་པའི་སྒོ་སྟོང་པ་ཉིད་དང་། མཚན་མ་མེད་པ་དང་། སྨོན་པ་མེད་པ་དང་། མངོན་པར་ཤེས་པ་ལྔ་དང་། ཏིང་ངེ་འཛིན་ཐམས་ཅད་དང་། གཟུངས་[༡]ཀྱི་སྒོ་ཐམས་ཅད་དང་། དེ་བཞིན་གཤེགས་པའི་སྟོབས་བཅུ་དང་། མི་འཇིགས་པ་བཞི་དང་། སོ་སོ་ཡང་དག་པར་རིག་པ་བཞི་དང་། སངས་རྒྱས་ཀྱི་ཆོས་མ་འདྲེས་པ་བཅོ་བརྒྱད་ཀྱང་མ་བསྟན་ཏམ། བྱང་ཆུབ་སེམས་དཔའ་སེམས་དཔའ་ཆེན་པོ་རྣམས་ཀྱི་མངོན་པར་ཤེས་པ་དང་། རྫུ་འཕྲུལ་གྱིས་རྣམ་པར་རྩེ་བ་རྣམས་ཀྱང་མ་བསྟན་ཏམ། དེ་ནས་བྱང་ཆུབ་སེམས་དཔའ་སེམས་དཔའ་ཆེན་པོ་རྣམས་ཀྱང་ཤེས་རབ་ཀྱི་ཕ་རོལ་ཏུ་ཕྱིན་པ་ལ་སྤྱོད་ཅིང་རྫས་ཏེ་སྐྱེ་བར་འགྱུར་ཞེས་མི་བྱའམ། དེས་ན་མངོན་པར་ཤེས་པ་རྣམས་ལ་ཡོངས་སུ་ཉམས་[༣]པ་མེད་པའི་ཆོས་ཅན་དུ་འགྱུར་ཞེས་མི་བྱའམ། སངས་རྒྱས་ཀྱི་ཞིང་ནས་སངས་རྒྱས་ཀྱི་ཞིང་དུ་འདོང་ཞིང་། དགེ་བའི་རྩ་བ་གང་གིས་སངས་རྒྱས་བཅོམ་ལྡན་འདས་དེ་དག་ལ་རིམ་གྲོར་བྱ་བ་དང་། བཀུར་སྟིར་བྱ་བ་དང་། བསྟི་སྟང་དུ་བྱ་བ་དང་། མཆོད་པར་བྱ་བར་འདོད་པ་དེ་ལྟ་བུའི་དགེ་བའི་རྩ་བ་དེ་དག་ཀྱང་ཕུན་སུམ་ཚོགས་པར་འགྱུར་ཞེས་མི་བྱའམ། སངས་རྒྱས་བཅོམ་ལྡན་འདས་དེ་དག་ལས་ཆོས་གང་ཐོས་པ་དེ་ཡང་རྣམ་པ་ཐམས་ཅད་མཁྱེན་པ་ཉིད་ཐོབ་པར་མ་གྱུར་གྱི་བར་དུ་ནམ་ཡང་རྒྱུན་ཆད་པར་མི་འགྱུར་རོ་ཞེས་མི་བྱའམ།

འཁྲུག་པ་མེད་པ་དང་། མཉམ་པར་གཞག་པ་མེད་པའི་ཚུལ་གྱིས་རྟག་ཏུ་མཉམ་པར་གཞག་པར་འགྱུར་རོ་ཞེས་མི་བྱའམ། ཐོགས་པ་མེད་པའི་སྟོབས་པ་དང་། རྒྱུན་འཆད[༡]པ་མེད་པའི་སྟོབས་པ་དང་། མཉམ་པར་གཞག་པའི་སྟོབས་པ་དང་། རིགས[༢]པའི་སྟོབས་པ་དང་། འབྲེལ་པའི་སྟོབས་པ་དང་། དོན་དང་ལྡན་པའི་སྟོབས་པ་དང་། འཇིག་རྟེན་ཐམས་ཅད་ལས་མངོན་པར་འཕགས་ཤིང་ཁྱད་ཞུགས་པའི་སྟོབས་པ་དང་ཡང་ལྡན་པར་འགྱུར་ཞེས་མི་བྱའམ། རབ་འབྱོར་གྱིས་སྨྲས་པ། ཚེ་དང་ལྡན་པ་ཤཱ་རདྭ་ཏིའི་བུ། དེ་དེ་བཞིན་ནོ། །ཇི་སྐད་དུ་སྨྲས་པ[༣]དེ་དེ་བཞིན་ཏེ། ཤེས་རབ་ཀྱི་ཕ་རོལ་ཏུ་ཕྱིན་པ་འདི་ལས་ཐེག་པ་གསུམ་པོ[༤]ཉན་ཐོས་ཀྱི་ཐེག་པ་དང་། རང་སངས་རྒྱས་ཀྱི་ཐེག་པ་དང་། ཡང་དག་པར་རྫོགས་པའི་སངས་རྒྱས་ཀྱི་ཐེག་པ་རྣམས་ཀུང་རྒྱ་ཆེར་བསྟན་ཏོ། །བྱང་ཆུབ་སེམས་དཔའ་སེམས་དཔའ་ཆེན་པོ་ཡོངས་སུ་གཟུང་བ་ཡང་བསྟན། འཇིག་རྟེན་ཐམས་ཅད་ལས་མངོན་པར་འཕགས་ཤིང་ཁྱད་ཞུགས་པའི་སྟོབས་པ་དང་ལྡན་པའི་བར་དུ་ཡང་འགྱུར་ཞེས་བྱའོ། །དེ་ཡང་མི་དམིགས་པའི་ཚུལ་གྱིས་ཏེ། གང་མི་དམིགས་པའི་ཚུལ་གྱིས་ཤེ[༥]ན་བདག་མི་དམིགས་པའི་ཚུལ་དང་། སེམས་ཅན་དང་། སྲོག་དང་། འགྲོ་བ་དང་། གསོ་བ་དང་། སྐྱེས་བུ་དང་། གང་ཟག་དང་། ཤེད་ཅན་དང་། ཤེད་བདག་དང་། བྱེད་པ་པོ་དང་། ཚོར་བ་པོ་དང་། ཤེས་པ་པོ་དང་། མཐོང་བ་པོ་མི་དམིགས་པའི་ཚུལ་དང་། གཟུགས་མི་དམིགས་པའི་ཚུལ་དང་། ཚོར་བ་དང་། འདུ་ཤེས་དང་། འདུ་བྱེད་དང་། རྣམ་པར་ཤེས་པ་མི་དམིགས་པའི་ཚུལ་དང་། མིག་མི་དམིགས་པའི་ཚུལ་དང་། རྣ་བ་དང་སྣ་དང་། ལྕེ་དང་། ལུས་དང་། ཡིད་མི་དམིགས་པའི་ཚུལ་དང་། གཟུགས་མི་དམིགས་པའི་ཚུལ་དང་། སྒྲ་

དང་། དྲི་དང་། རོ་དང་། རེག་དང་། ཆོས་མི་དམིགས་པའི་ཚུལ་དང་། མིག་གི་རྣམ་པར་ཤེས་པ་མི་དམིགས་པའི་ཚུལ་དང་། རྣ་བའི་རྣམ་པར་ཤེས་པ་དང་། སྣའི་རྣམ་པར་ཤེས་པ་དང་། ལྗེའི་རྣམ་པར་ཤེས་པ་དང་། ལུས་ཀྱི་རྣམ་པར་ཤེས་པ་དང་། ཡིད་ཀྱི་རྣམ་པར་ཤེས་པ་མི་དམིགས་པའི་ཚུལ་དང་། མིག་གི་འདུས་ཏེ་རེག་པ་མི་དམིགས་པའི་ཚུལ་དང་། རྣ་བའི་འདུས་ཏེ་རེག་པ་དང་། སྣའི་འདུས་ཏེ་རེག་པ་དང་། ལྗེའི་འདུས་ཏེ་རེག་པ་དང་། ལུས་ཀྱི་འདུས་ཏེ་རེག་པ་དང་། ཡིད་ཀྱི་འདུས་ཏེ་རེག་པ་མི་དམིགས་པའི་ཚུལ་དང་། མིག་གི་འདུས་ཏེ་རེག་པ་ལས་བྱུང་བའི་ཚོར་བ་མི་དམིགས་པའི་ཚུལ་དང་། རྣ་བའི་འདུས་ཏེ་རེག་པ་ལས་བྱུང་བའི་ཚོར་བ་དང་། སྣའི་འདུས་ཏེ་རེག་པ་ལས་བྱུང་བའི་ཚོར་བ་དང་། ལྗེའི་འདུས་ཏེ་རེག་པ་ལས་བྱུང་བའི་ཚོར་བ་དང་། ལུས་ཀྱི་འདུས་ཏེ་རེག་པ་ལས་བྱུང་བའི་ཚོར་བ་དང་། ཡིད་ཀྱི་འདུས་ཏེ་རེག་པ་ལས་བྱུང་བའི་ཚོར་བ་མི་དམིགས་པའི་ཚུལ་དང་། སའི་ཁམས་མི་དམིགས་པའི་ཚུལ་དང་། ཆུའི་ཁམས་དང་། མེའི་ཁམས་དང་། རླུང་གི་ཁམས་དང་། ནམ་མཁའི་ཁམས་དང་། རྣམ་པར་ཤེས་པའི་ཁམས་མི་དམིགས་པའི་ཚུལ་དང་། མ་རིག་པ་མི་དམིགས་པའི་ཚུལ་དང་། འདུ་བྱེད་དང་། རྣམ་པར་ཤེས་པ་དང་། མིང་དང་གཟུགས་དང་། སྐྱེ་མཆེད་དྲུག་དང་། རེག་པ་དང་། ཚོར་བ་དང་། སྲེད་པ་དང་། ལེན་པ་དང་། སྲིད་པ་དང་། སྐྱེ་བ་དང་། རྒ་ཤི་མི་དམིགས་པའི་ཚུལ་དང་། སྦྱིན་པའི་ཕ་རོལ་ཏུ་ཕྱིན་པ་མི་དམིགས་པའི་ཚུལ་དང་། ཚུལ་ཁྲིམས་ཀྱི་ཕ་རོལ་ཏུ་ཕྱིན་པ་དང་། བཟོད་པའི་ཕ་རོལ་ཏུ་ཕྱིན་པ་དང་། བརྩོན་འགྲུས་ཀྱི་ཕ་རོལ་ཏུ་ཕྱིན་པ་དང་། བསམ་གཏན་གྱི་ཕ་རོལ་ཏུ་ཕྱིན་པ་དང་། ཤེས་རབ་ཀྱི་ཕ་རོལ་ཏུ་ཕྱིན་པ་མི་དམིགས་པའི་ཚུལ་དང་།

ནང་སྟོང་པ་ཉིད་མི་དམིགས་པའི་ཚུལ་དང་། དངོས་པོ་མེད་པའི་ངོ་བོ་ཉིད་སྟོང་པ་ཉིད་ཀྱི་བར་དུ་མི་དམིགས་པའི་ཚུལ་དང་། དྲན་པ་ཉེ་བར་གཞག་པ་རྣམས་མི་དམིགས་པའི་ཚུལ་དང་། ཡང་དག་པར་སྤོང་བ་རྣམས་དང་། རྫུ་འཕྲུལ་གྱི་རྐང་པ་རྣམས་དང་། དབང་པོ་རྣམས་དང་། སྟོབས་རྣམས་དང་། བྱང་ཆུབ་ཀྱི་ཡན་ལག་རྣམས་དང་། འཕགས་པའི་ལམ་ཡན་ལག་བརྒྱད་པ་མི་དམིགས་པའི་ཚུལ་དང་། འཕགས་པའི་བདེན་པ་རྣམས་དང་། བསམ་གཏན་རྣམས་དང་། ཚད་མེད་པ་རྣམས་དང་། གཟུགས་མེད་པའི་སྙོམས་པར་འཇུག་པ་རྣམས་དང་། རྣམ་པར་ཐར་པ་རྣམས་དང་། མཐར་གྱིས་གནས་པའི་སྙོམས་པར་འཇུག་པ་རྣམས་དང་། རྣམ་པར་ཐར་པའི་སྒོ་སྟོང་པ་ཉིད་དང་། མཚན་མ་མེད་པ་དང་། སྨོན་པ་མེད་པ་དང་། མངོན་པར་ཤེས་པ་རྣམས་དང་། ཏིང་ངེ་འཛིན་རྣམས་དང་། གཟུངས་ཀྱི་སྒོ་རྣམས་དང་། དེ་བཞིན་གཤེགས་པའི་སྟོབས་བཅུ་དང་། མི་འཇིགས་པ་བཞི་དང་། སོ་སོ་ཡང་དག་པར་རིག་པ་བཞི་དང་། བྱམས་པ་ཆེན་པོ་དང་། སྙིང་རྗེ་ཆེན་པོ་དང་། སངས་རྒྱས་ཀྱི་ཆོས་མ་འདྲེས་པ་བཅོ་བརྒྱད་མི་དམིགས་པའི་ཚུལ་དང་། རྣམ་པ་ཐམས་ཅད་མཁྱེན་པ་ཉིད་ཀྱི་བར་དུ་མི་དམིགས་པའི་ཚུལ་གྱིས་རྣམ་པ་དེ་ལྟ་བུར་འགྱུར་རོ། །དེ་ནས་ཚེ་དང་ལྡན་པ་ཤཱ་ར་དྭ་ཏིའི་བུས། ཚེ་དང་ལྡན་པ་རབ་འབྱོར་ལ་འདི་སྐད་ཅེས་སྨྲས་སོ། །ཚེ་དང་ལྡན་པ་རབ་འབྱོར་ཅིའི་ཕྱིར་ན་ཤེས་རབ་ཀྱི་ཕ་རོལ་དུ་ཕྱིན་པ་འདི་ལས་མི་དམིགས་པའི་ཚུལ་གྱིས་ཐེག་པ་གསུམ་རྒྱ་ཆེར་བསྟན། ཅིའི་ཕྱིར་ན་མི་དམིགས་པའི་ཚུལ་གྱིས་བྱང་ཆུབ་སེམས་དཔའ་སེམས་དཔའ་ཆེན་པོ། ཡོངས་སུ་གཟུང་བ་བསྟན། ཅིའི་ཕྱིར་ན་མི་དམིགས་པའི་ཚུལ་གྱིས་འཇིག་རྟེན་ཐམས་ཅད་ལས་མངོན་པར་འཕགས་ཤིང་ཁྱད་ཞུགས་

པའི་སྤྱོབས་པ་དང་ལྡན་པའི་བར་དུ་ཡིན། དེ་སྐད་ཅེས་སྨྲས་པ་དང་། ཚེ་དང་ལྡན་པ་རབ་འབྱོར་གྱིས། ཚེ་དང་ལྡན་པ་ཤཱ་ར་དྭ་ཏིའི་བུ་ལ་འདི་སྐད་ཅེས་སྨྲས་སོ། །ཚེ་དང་ལྡན་པ་ཤཱ་ར་དྭ་ཏིའི་བུ་ནང་སྟོང་པ་ཉིད་དང་། ཕྱི་སྟོང་པ་ཉིད་དང་། ཕྱི་ནང་སྟོང་པ་ཉིད་ཀྱི་[༡]ཕྱིར། མི་དམིགས་པའི་ཚུལ་གྱིས་ཐེག་པ་གསུམ་རྒྱ་ཆེར་བསྟན་ཏོ། །དངོས་པོ་མེད་པའི་ངོ་བོ་[༢]ཉིད་སྟོང་པ་ཉིད་ཀྱི་བར་གྱི་ཕྱིར་མི་དམིགས་པའི་ཚུལ་གྱིས་ཐེག་པ་གསུམ་རྒྱ་ཆེར་བསྟན་ཏོ། །ནང་སྟོང་པ་ཉིད་དང་། ཕྱི་སྟོང་པ་ཉིད་དང་། ཕྱི་ནང་སྟོང་པ་ཉིད་ཀྱི་[༣]ཕྱིར་མི་དམིགས་པའི་ཚུལ་གྱིས་བྱང་ཆུབ་སེམས་དཔའ་སེམས་དཔའ་ཆེན་པོ་རྣམས་ཡོངས་སུ་གཟུང་[༤]བ་བསྟན་ཏོ། །མི་དམིགས་པའི་ཚུལ་གྱིས་བྱང་ཆུབ་སེམས་དཔའ་སེམས་དཔའ་ཆེན་པོ་རྣམས་འཇིག་རྟེན་ཐམས་ཅད་ལས་མངོན་པར་འཕགས་ཤིང་ཁྱད་ཞུགས་པའི་སྤྱོབས་པའི་བར་དང་ཡང་ལྡན་པར་འགྱུར་རོ། །ཤེས་རབ་ཀྱི་ཕ་རོལ་ཏུ་ཕྱིན་པ་སྟོང་ཕྲག་ཉི་ཤུ་ལྔ་པ་ལས། ལེའུ་བཅོ་ལྔ་པའོ།། །།

དེ་ནས་ལྷའི་དབང་པོ་བརྒྱ་བྱིན་འདི་སྙམ་དུ་སེམས་པར་གྱུར་ཏེ། གནས་བརྟན་རབ་འབྱོར་གྱིས་དེ་ལྟར་ཆོས་ཀྱི་ཆར་པ་འདི་ཕབ་སྟེ་བསྟན་ན། དེ་ལ་བདག་གིས་ཀྱང་ཤེས་རབ་ཀྱི་ཕ་རོལ་ཏུ་ཕྱིན་པ་འདི་ལ་མཆོད་པ་བྱ་བའི་ཕྱིར། མེ་ཏོག་མང་པོ་མངོན་པར་སྤྲུལ་ཏེ། སངས་རྒྱས་བཅོམ་ལྡན་འདས་དང་། བྱང་ཆུབ་སེམས་དཔའ་སེམས་དཔའ་ཆེན་པོ་རྣམས་དང་། དགེ་སློང་གི་དགེ་འདུན་རྣམས་དང་། གནས་བརྟན་རབ་འབྱོར་ལ་གཏོར་བར་བྱའོ། །མངོན་པར་གཏོར་བར་བྱའོ། །རབ་ཏུ་གཏོར་བར་བྱའོ་སྙམ་མོ། །དེ་ནས་སྟོང་གསུམ་གྱི་སྟོང་ཆེན་པོའི་འཇིག་རྟེན་གྱི་ཁམས་འདི་ན་[༥]རྒྱལ་ཆེན་བཞིའི་རིས་ཀྱི་ལྷ་དང་།

འོག་མིན་གྱི་བར་གྱི་ལྷ་ཇི་སྙེད་ཡོད་པ་དེ་[1]དག་ཀུང་འདི་སྙམ་དུ་སེམས་པར་གྱུར་ཏེ། དེ་ལྟར་གནས་བརྟན་རབ་འབྱོར་གྱིས་ཆོས་ཀྱི་ཆར་པ་འདི་ཕབ་སྟེ་བསྟན་ན། དེ་ལ་བདག་ཅག་གིས་ཤེས་རབ་ཀྱི་ཕ་རོལ་དུ་ཕྱིན་པ་འདི་ལ་མཆོད་པ་བྱ་བའི་ཕྱིར། མེ་ཏོག་མང་པོ་མངོན་པར་སྤྲུལ་ཏེ། སངས་རྒྱས་བཅོམ་ལྡན་འདས་རྣམས་དང་། བྱང་ཆུབ་སེམས་དཔའ་སེམས་དཔའ་ཆེན་པོ་རྣམས་དང་། དགེ་སློང་གི་དགེ་འདུན་རྣམས་དང་། གནས་[2]བརྟན་རབ་[3]འབྱོར་ལ་གཏོར་བར་བྱའོ། །མངོན་པར་གཏོར་བར་བྱའོ། །རབ་ཏུ་གཏོར་བར་བྱའོ་སྙམ་མོ། །དེ་ནས་ལྷའི་དབང་པོ་བརྒྱ་བྱིན་དང་། སྟོང་གསུམ་གྱི་སྟོང་ཆེན་པོའི་འཇིག་རྟེན་གྱི་ཁམས་ཀྱི་རྒྱལ་ཆེན་བཞིའི་རིས་ཀྱི་ལྷ་དང་། འོག་མིན་གྱི་བར་གྱི་ལྷ་དེ་དག་ཐམས་ཅད་ཀྱང་། ཤེས་རབ་ཀྱི་ཕ་རོལ་དུ་ཕྱིན་པ་འདི་ལ་མཆོད་པ་བྱ་བའི་ཕྱིར། ལྷ་རྫས་ཀྱི་མེ་ཏོག་མན་དཱ་ར་བ་མང་པོ་མངོན་པར་སྤྲུལ་ཏེ། སངས་རྒྱས་བཅོམ་ལྡན་འདས་དང་། བྱང་ཆུབ་སེམས་དཔའ་སེམས་དཔའ་ཆེན་པོ་རྣམས་དང་། དགེ་སློང་གི་དགེ་འདུན་རྣམས་དང་། གནས་བརྟན་རབ་འབྱོར་ལ་འཐོར་བར་གྱུར་ཏོ། །མངོན་པར་འཐོར་བར་གྱུར་ཏོ། །རབ་ཏུ་འཐོར་བར་གྱུར་ཏོ། །མེ་ཏོག་དེ་དག་གིས་གཏོར་མ་ཐག་ཏུ་སྟོང་གསུམ་གྱི་སྟོང་ཆེན་པོའི་འཇིག་རྟེན་གྱི་ཁམས་འདིའི་གཞི་[4]མེ་ཏོག་གིས་ཁེབས་[5]པར་གྱུར་ནས། སྟེང་གི་[6]བར་སྣང་ལ་ཡང་མེ་ཏོག་གི་ཁང་པ་བརྩེགས་པ། སྟོང་གསུམ་གྱི་སྟོང་ཆེན་པོའི་འཇིག་རྟེན་གྱི་ཁམས་ཙམ་མདངས་དགའ་ཞིང་ཡིད་དུ་འོང་བ་ཀུན་ནས་གནས་པར་གྱུར་ཏོ[7]། །དེ་ནས་གནས་བརྟན་རབ་འབྱོར་འདི་སྙམ་དུ་སེམས་པར་གྱུར་ཏེ་འདི་ལྟར་ལྷ་རྣམས་ཀྱིས་མངོན་པར་གཏོར་བའི་མེ་ཏོག་འདི་དག་ནི་བདག་གིས་སྔོན་ཆད་ལྷའི་གནས་ཐམས་ཅད་ན་ཡང་ཡོད་པར་མ་མཐོང་སྟེ། མེ་ཏོག་འདི་དག་ནི་སྤྲུལ་

པའོ༑ །འདི་ལྟར་ལྷའི་བུ་དག་གིས་མངོན་པར་གཏོར་བའི་མེ་ཏོག་འདི་དག་ནི་ལྗུམ་བུ་ལས་བྱུང་བ་མ་ཡིན། ཆུ་ལས་སྐྱེས་པ་མ་ཡིན། ཐང་ལས་སྐྱེས་པ་མ་ཡིན་ནོ། །འདི་ལྟར་ལྷའི་བུ་དག་གིས་མངོན་པར་གཏོར་བའི་མེ་ཏོག་འདི་དག་ནི་ཡིད་[༧]ལས་བྱུང་བ་སྟེ། མེ་ཏོག་འདི་དག་ནི་ལྗུམ་བུ་ལས་བྱུང་བ་མ་ཡིན་ནོ་སྙམ་པ་དང་། དེ་ནས་ལྷའི་དབང་པོ་བརྒྱ་བྱིན་གྱིས་གནས་བརྟན་རབ་འབྱོར་ལ་འདི་སྐད་ཅེས་སྨྲས་སོ། །བཙུན་པ་རབ་འབྱོར་མེ་ཏོག་འདི་དག་ནི་མ་བྱུང་བ་སྟེ། མེ་ཏོག་འདི་དག་ནི་ཡིད་ལས་བྱུང་བ་མ་ཡིན་ནོ། །ལྗུམ་བུ་ལས་བྱུང་བ་མ་ཡིན་ནོ་སྙམ་མོ། །རབ་འབྱོར་གྱིས་སྨྲས་པ། ཀཽ་ཤི་ཀ་དེ་སྐད་དུ་མེ་ཏོག་འདི་དག་མ་བྱུང་[༨]མ་སྐྱེས་པ་སྟེ། མེ་ཏོག་འདི་དག་ཡིད་ལས་བྱུང་བ་མ་ཡིན། ལྗུམ་བུ་ལས་བྱུང་བ་མ་ཡིན་ནོ་ཞེས་ཟེར་བ་ནི། ཀཽ་ཤི་ཀ་དེ་ལྟར་མ་སྐྱེས་པ་ནི་མེ་ཏོག་ཀྱང་མ་ཡིན་ནོ། །བརྒྱ་བྱིན་གྱིས་སྨྲས་པ། བཙུན་པ་རབ་འབྱོར་མེ་ཏོག་འདི་དག་ཉི་ཚེ་མ་བྱུང་བར་ཟད་དམ། འོན་ཏམ་གཟུགས་ཀྱང་མ་བྱུང་། ཚོར་བ་དང་། འདུ་ཤེས་དང་། འདུ་བྱེད་དང་། རྣམ་པར་ཤེས་པ་ཡང་མ་བྱུང་བ་ཡིན། རབ་འབྱོར་གྱིས་སྨྲས་པ། ཀཽ་ཤི་ཀ་མེ་ཏོག་འདི་དག་ཉི་ཚེ་མ་བྱུང་བར་མ་ཟད་ཀྱི༑ ཀཽ་ཤི་ཀ་གཟུགས་ཀྱང་མ་བྱུང་བ་སྟེ། གང་མ་བྱུང་བ་དེ་ནི་གཟུགས་མ་ཡིན་ནོ། །ཀཽ་ཤི་ཀ་ཚོར་བ་དང་། འདུ་ཤེས་དང་། འདུ་བྱེད་དང་། རྣམ་པར་ཤེས་པ་ཡང་མ་བྱུང་བ་སྟེ། གང་མ་བྱུང་བ་དེ་ནི་རྣམ་པར་ཤེས་པ་མ་ཡིན་ནོ༑ །ཀཽ་ཤི་ཀ་མིག་ནི་མ་བྱུང་བ་སྟེ། གང་མ་བྱུང་བ་དེ་ནི་མིག་མ་ཡིན་ནོ། །ཀཽ་ཤི་ཀ་རྣ་བ་དང་། སྣ་དང་ལྕེ་དང་ལུས་དང་། ཡིད་ནི་མ་བྱུང་བ་སྟེ། གང་མ་བྱུང་བ་དེ་ནི་ཡིད་མ་ཡིན་ནོ། །ཀཽ་ཤི་ཀ་གཟུགས་ནི་མ་བྱུང་བ་སྟེ། གང་མ་བྱུང་བ་དེ་ནི་གཟུགས་མ་ཡིན་ནོ། །ཀཽ་ཤི་ཀ་སྒྲ་དང་། དྲི་དང་། རོ་དང་།

རིག་དང་ཆོས་ནི་མ་བྱུང་བ་སྟེ། གང་མ་བྱུང་བ་དེ་ནི་ཆོས་མ་ཡིན་ནོ། །ཀཽ་ཤི་ཀ་མིག་གི་རྣམ་པར་ཤེས་པ་ནི་མ་བྱུང་བ་སྟེ། གང་མ་བྱུང་བ་དེ་ནི་མིག་གི་རྣམ་པར་ཤེས་པ་མ་ཡིན་ནོ། །ཀཽ་ཤི་ཀ་རྣ་བའི་རྣམ་པར་ཤེས་པ་དང་། སྣའི་རྣམ་པར་ཤེས་པ་དང་། ལྗེའི་རྣམ་པར་ཤེས་པ་དང་། ལུས་ཀྱི་རྣམ་པར་ཤེས་པ་དང་། ཡིད་ཀྱི་རྣམ་པར་ཤེས་པ་ནི་མ་བྱུང་བ་སྟེ། གང་མ་བྱུང་བ་དེ་ནི་ཡིད་ཀྱི་རྣམ་པར་ཤེས་པ་མ་ཡིན་ནོ། །ཀཽ་ཤི་ཀ་མིག་གི་འདུས་ཏེ་རེག་པ་ནི་[༡]མ་བྱུང་བ་སྟེ། གང་མ་བྱུང་བ་དེ་ནི་མིག་གི་འདུས་ཏེ་རེག་པ་མ་ཡིན་ནོ། །ཀཽ་ཤི་ཀ་རྣ་བའི་འདུས་ཏེ་རེག་པ་དང་། སྣའི་འདུས་ཏེ་རེག་པ་དང་། ལྗེའི་འདུས་ཏེ་རེག་པ་དང་། ལུས་ཀྱི་འདུས་ཏེ་རེག་པ་དང་། ཡིད་ཀྱི་འདུས་ཏེ་རེག་པ་ནི་མ་བྱུང་བ་སྟེ། གང་མ་བྱུང་བ་དེ་ནི་ཡིད་ཀྱི་འདུས་ཏེ་རེག་པ་མ་ཡིན་ནོ། །ཀཽ་ཤི་ཀ་མིག་གི་འདུས་ཏེ་རེག་པ་ལས་བྱུང་བའི་ཚོར་བ་ནི་མ་བྱུང་བ་སྟེ། གང་མ་བྱུང་བ་དེ་ནི་མིག་གི་འདུས་ཏེ་རེག་པ་ལས་བྱུང་བའི་ཚོར་བ་མ་ཡིན་ནོ། །ཀཽ་ཤི་ཀ་རྣ་བའི་འདུས་ཏེ་རེག་པ་ལས་བྱུང་བའི་ཚོར་བ་དང་། སྣའི་འདུས་ཏེ་རེག་པ་ལས་བྱུང་བའི་ཚོར་བ་དང་། ལྗེའི་འདུས་ཏེ་རེག་པ་ལས་བྱུང་བའི་ཚོར་བ་དང་། ལུས་ཀྱི་འདུས་ཏེ་རེག་པ་ལས་བྱུང་བའི་ཚོར་བ་དང་། ཡིད་ཀྱི་འདུས་ཏེ་རེག་པ་ལས་བྱུང་བའི་ཚོར་བ་ནི་མ་བྱུང་བ་སྟེ། གང་མ་བྱུང་བ་དེ་ནི་ཡིད་ཀྱི་འདུས་ཏེ་རེག་པ་ལས་བྱུང་བའི་ཚོར་བ་མ་ཡིན་ནོ། །ཀཽ་ཤི་ཀ་སའི་ཁམས་ནི་མ་བྱུང་བ་སྟེ། གང་མ་བྱུང་བ་དེ་ནི་སའི་ཁམས་མ་ཡིན་ནོ། །ཀཽ་ཤི་ཀ་ཆུའི་ཁམས་དང་། མེའི་ཁམས་དང་། རླུང་གི་ཁམས་དང་། ནམ་མཁའི་ཁམས་དང་། རྣམ་པར་ཤེས་པའི་ཁམས་ནི་མ་བྱུང་བ་སྟེ། གང་མ་བྱུང་བ་དེ་ནི་རྣམ་པར་ཤེས་པའི་ཁམས་མ་ཡིན་ནོ། །ཀཽ་ཤི་ཀ་མ་རིག་པ་ནི་མ་བྱུང་བ་སྟེ། གང་མ་བྱུང་བ་དེ་ནི་

མ་རིག་པ་མ་ཡིན་ནོ། །ཀཽ་ཤི་ཀ་འདུ་བྱེད་དང་། རྣམ་པར་ཤེས་པ་དང་། མིང་དང་གཟུགས་དང་། སྐྱེ་མཆེད་དྲུག་དང་། རེག་པ་དང་། ཚོར་བ་དང་། སྲེད་པ་དང་། ལེན་པ་དང་། སྲིད་པ་དང་། སྐྱེ་བ་དང་། རྒ་ཤི་ནི་མ་བྱུང་བ་སྟེ། གང་མ་བྱུང་བ་[༡]དེ་ནི་རྒ་ཤི་མ་ཡིན་ནོ། །ཀཽ་ཤི་ཀ་སྦྱིན་པའི་ཕ་རོལ་ཏུ་ཕྱིན་པ་ནི་མ་བྱུང་བ་སྟེ། གང་མ་བྱུང་བ་དེ་ནི་སྦྱིན་པའི་ཕ་རོལ་ཏུ་ཕྱིན་པ་མ་ཡིན་ནོ། །ཀཽ་ཤི་ཀ་ཚུལ་ཁྲིམས་ཀྱི་ཕ་རོལ་ཏུ་ཕྱིན་པ་དང་། བཟོད་པའི་ཕ་རོལ་ཏུ་ཕྱིན་པ་དང་། བརྩོན་འགྲུས་ཀྱི་ཕ་རོལ་ཏུ་ཕྱིན་པ་དང་། བསམ་གཏན་གྱི་ཕ་རོལ་ཏུ་ཕྱིན་པ་དང་། ཤེས་རབ་ཀྱི་ཕ་རོལ་ཏུ་ཕྱིན་པ་ནི་མ་བྱུང་བ་སྟེ། གང་མ་བྱུང་བ་དེ་ནི་ཤེས་རབ་ཀྱི་ཕ་རོལ་ཏུ་ཕྱིན་པ་མ་ཡིན་ནོ། །ཀཽ་ཤི་ཀ་ནང་སྟོང་པ་ཉིད་ནི་མ་བྱུང་བ་སྟེ། གང་མ་བྱུང་བ་དེ་ནི་ནང་སྟོང་པ་ཉིད་མ་ཡིན་ནོ། །ཀཽ་ཤི་ཀ་དངོས་པོ་མེད་པའི་ངོ་བོ་ཉིད་སྟོང་པ་ཉིད་ཀྱི་བར་ནི་མ་བྱུང་བ་སྟེ། གང་མ་བྱུང་བ་དེ་ནི་དངོས་པོ་མེད་པའི་ངོ་བོ་ཉིད་སྟོང་པ་ཉིད་མ་ཡིན་ནོ། །ཀཽ་ཤི་ཀ་དྲན་པ་ཉེ་བར་གཞག་པ་རྣམས་ནི་མ་བྱུང་བ་སྟེ། གང་མ་བྱུང་བ་དེ་ནི་དྲན་པ་ཉེ་བར་གཞག་པ་རྣམས་མ་ཡིན་ནོ། །ཀཽ་ཤི་ཀ་ཡང་དག་པར་སྤོང་བ་དང་། རྫུ་འཕྲུལ་གྱི་རྐང་པ་དང་། དབང་པོ་དང་། སྟོབས་དང་། བྱང་ཆུབ་ཀྱི་ཡན་ལག་དང་། འཕགས་པའི་ལམ་ཡན་ལག་བརྒྱད་པ་ནི་མ་བྱུང་བ་སྟེ། གང་མ་བྱུང་བ་དེ་ནི་འཕགས་པའི་ལམ་ཡན་ལག་བརྒྱད་པ་མ་ཡིན་ནོ། །ཀཽ་ཤི་ཀ་འཕགས་པའི་བདེན་པ་དང་། བསམ་གཏན་དང་། ཚད་མེད་པ་དང་། གཟུགས་མེད་པའི་སྙོམས་པར་འཇུག་པ་དང་། རྣམ་པར་ཐར་པ་བརྒྱད་དང་། མཐར་གྱིས་གནས་པའི་སྙོམས་པར་འཇུག་པ་དགུ་དང་། རྣམ་པར་ཐར་པའི་སྒོ་སྟོང་པ་ཉིད་དང་། མཚན་མ་མེད་པ་དང་། སྨོན་པ་མེད་པ་དང་། མངོན་

པར་ཤེས་པ་དང་། ཏིང་ངེ་འཛིན་དང་། གཟུངས་ཀྱི་སྒོ་དང་། དེ་བཞིན་གཤེགས་པའི་སྟོབས་དང་། མི་འཇིགས་པ་དང་། སོ་སོ་ཡང་དག་པར་རིག་པ་དང་། བྱམས་པ་ཆེན་པོ་དང་། སྙིང་རྗེ་ཆེན་པོ་དང་། སངས་རྒྱས་ཀྱི་ཆོས་མ་འདྲེས་པ་རྣམས་ནི་མ་བྱུང་བ་སྟེ། གང་མ་བྱུང་བ་དེ་ནི་སངས་རྒྱས་ཀྱི་ཆོས་མ་འདྲེས་པ་རྣམས་མ་ཡིན་ནོ། །ཀཽ་ཤི་ཀ་རྒྱུན་དུ་ཞུགས་པའི་འབྲས་བུ་ནི་མ་བྱུང་བ་སྟེ༑ གང་མ་བྱུང་བ་དེ་ནི་རྒྱུན་དུ་ཞུགས་པའི་འབྲས་བུ་མ་ཡིན་ནོ། །ཀཽ་ཤི་ཀ་ལན་ཅིག་ཕྱིར་འོང་བའི་འབྲས་བུ་དང་། ཕྱིར་མི་འོང་བའི་འབྲས་བུ་དང་། དགྲ་བཅོམ་པ་ཉིད་དང་། རང་བྱང་ཆུབ་ནི་མ་བྱུང་བ་སྟེ། གང་མ་བྱུང་བ་དེ་ནི་རང་བྱང་ཆུབ་མ་ཡིན་ནོ། །ཀཽ་ཤི་ཀ་རྣམ་པ་ཐམས་ཅད་མཁྱེན་པ་ཉིད་ནི་མ་བྱུང་བ་སྟེ། གང་མ་བྱུང་བ་དེ་ནི་རྣམ་པ་ཐམས་ཅད་མཁྱེན་པ་ཉིད་མ་ཡིན་ནོ། །ཀཽ་ཤི་ཀ་རྒྱུན་དུ་ཞུགས་པ་ནི་མ་བྱུང་བ་སྟེ། གང་མ་བྱུང་བ་དེ་ནི་རྒྱུན་དུ་ཞུགས་པ་མ་ཡིན་ནོ། །ཀཽ་ཤི་ཀ་ལན་ཅིག་ཕྱིར་འོང་བ་དང་། ཕྱིར་མི་འོང་བ་དང་། དགྲ་བཅོམ་པ་ཉིད་ནི་མ་བྱུང་བ་སྟེ། གང་མ་བྱུང་བ་དེ་ནི་དགྲ་བཅོམ་པ་མ་ཡིན་ནོ༑ །ཀཽ་ཤི་ཀ་རང་སངས་རྒྱས་ནི་མ་བྱུང་བ་སྟེ། གང་མ་བྱུང་བ་དེ་ནི་རང་སངས་རྒྱས་མ་ཡིན་ནོ། །ཀཽ་ཤི་ཀ་བྱང་ཆུབ་སེམས་དཔའ་ནི་མ་བྱུང་བ་སྟེ། གང་མ་བྱུང་བ་དེ་ནི་བྱང་ཆུབ་སེམས་དཔའ་མ་ཡིན་ནོ། །ཀཽ་ཤི་ཀ་དེ་བཞིན་གཤེགས་པ་ནི་མ་བྱུང་བ་སྟེ། གང་མ་བྱུང་བ་དེ་ནི་དེ་བཞིན་གཤེགས་པ་མ་ཡིན་ནོ༑ །དེ་ནས་ལྷའི་དབང་པོ་བརྒྱ་བྱིན་འདི་སྙམ་དུ་སེམས་པར་གྱུར་ཏེ། ཀྱི་མ་གནས་བརྟན་རབ་འབྱོར་འདི་ལྟར་བཏགས་པ་དང་ཡང་མི་འགལ་ལ[7]། ཆོས་ཉིད་ཀྱང་སྟོན་པ་ནི། ཤེས་རབ་ཟབ་པོ། །དེ་ནས་བཅོམ་ལྡན་འདས་ཀྱིས་ལྷའི་དབང་པོ་བརྒྱ་བྱིན་ལ་བཀའ་སྩལ་པ། དེ་དེ་བཞིན་ནོ། །ཀཽ་ཤི་ཀ་དེ་དེ་

བཞིན་ཏེ། གནས་བརྟན་རབ་འབྱོར་འདི་ནི་ཤེས་རབ་ཟབ་མོ་དང་ལྡན་པ་སྟེ། དེ་ལྟར་བཏགས་པ་དང་ཡང་མི་འགལ་ལ[1]། ཆོས་ཉིད་ཀྱང་སྟོན་ཏོ། །དེ་ནས་ལྷའི་དབང་པོ་བརྒྱ་བྱིན་གྱིས་གསོལ་པ། བཅོམ་ལྡན་འདས་ཇི་ལྟར་གནས་བརྟན་རབ་འབྱོར་འདི་བཏགས་པ་དང་ཡང་མི་འགལ[2]། ཆོས་ཉིད་ཀྱང་སྟོན་པ་ལགས། དེ་སྐད་ཅེས་གསོལ་པ་དང་། བཅོམ་ལྡན་འདས་ཀྱིས་ལྷའི་དབང་པོ་བརྒྱ་བྱིན་ལ་འདི་སྐད་ཅེས་བཀའ་སྩལ་ཏོ། །ཀཽ་ཤི་ཀ་གཟུགས་ནི་བཏགས་པ་ཙམ་མོ། །བཏགས་པ་ཙམ་གང་ཡིན་པ་དེ་ནི་ཆོས་ཉིད་དེ[3]། དེ་ནི་གནས་བརྟན་རབ་འབྱོར་གྱིས་མི་འགལ་བ་[4]བསྟན་ཏོ། །ཀཽ་ཤི་ཀ་ཚོར་བ་དང་། འདུ་ཤེས་དང་། འདུ་བྱེད་དང་། རྣམ་པར་ཤེས་པ་ནི་བཏགས་པ་ཙམ་མོ། །བཏགས་པ་ཙམ་གང་ཡིན་པ་དེ་ནི་ཆོས་ཉིད་དེ། དེ་ནི་གནས་བརྟན་རབ་འབྱོར་གྱིས་མི་འགལ་བ་[5]བསྟན་ཏོ། །ཀཽ་ཤི་ཀ་དེ་ཅིའི་ཕྱིར་ཞེ་ན། ཆོས་རྣམས་ཀྱི་ཆོས་ཉིད་གང་ཡིན་པ་དེ་ནི་མི་འགལ་རྣམ་པར་མི་འགལ་ལོ། །གང་མི་འགལ་རྣམ་པར་མི་འགལ་བ་དེ་ནི་གནས་བརྟན་རབ་འབྱོར་གྱིས་བསྟན་ཏེ་འགལ་[6]བ་མེད་དོ། །ཀཽ་ཤི་ཀ་སྐྱེ་མཆེད་དང་། ཁམས་དང་རྟེན་ཅིང་འབྲེལ་པར་འབྱུང་བ་ནི་བཏགས་པ་ཙམ་མོ། །བཏགས་པ་ཙམ་གང་ཡིན་པ་དེ་ནི་ཆོས་ཉིད་དེ། དེ་ནི་གནས་བརྟན་རབ་འབྱོར་གྱིས་མི་འགལ་བ་[7]བསྟན་ཏོ། །ཀཽ་ཤི་ཀ་དེ་ཅིའི་ཕྱིར་ཞེ་ན། ཆོས་ཉིད་གང་ཡིན་པ་དེ་ནི་མི་འགལ་རྣམ་པར་མི་འགལ་ལོ། །གང་མི་འགལ་རྣམ་པར་མི་འགལ་བ་དེ་ནི་གནས་བརྟན་རབ་འབྱོར་གྱིས་བསྟན་ཏེ་འགལ་བ་མེད་དོ། །ཀཽ་ཤི་ཀ་སྦྱིན་པའི་ཕ་རོལ་ཏུ་ཕྱིན་པ་དང་། ཚུལ་ཁྲིམས་ཀྱི་ཕ་རོལ་ཏུ་ཕྱིན་པ་དང་། བཟོད་པའི་ཕ་རོལ་ཏུ་ཕྱིན་པ་དང་། བརྩོན་འགྲུས་ཀྱི་ཕ་རོལ་ཏུ་ཕྱིན་པ་དང་། བསམ་གཏན་གྱི་ཕ་རོལ་ཏུ་ཕྱིན་པ་དང་། ཤེས་རབ་ཀྱི་ཕ་རོལ་ཏུ་ཕྱིན་པ་དང་།

ནང་སྟོང་པ་ཉིད་དང་། དངོས་པོ་མེད་པའི་ངོ་བོ་ཉིད་སྟོང་པ་ཉིད་ཀྱི་བར་དང་། དྲན་པ་ཉེ་བར་གཞག་པ་རྣམས་དང་། ཡང་དག་པར་སྤོང་བ་རྣམས་དང་། རྫུ་འཕྲུལ་གྱི་རྐང་པ་རྣམས་དང་། དབང་པོ་རྣམས་དང་། སྟོབས་རྣམས་དང་། བྱང་ཆུབ་ཀྱི་ཡན་ལག་རྣམས་དང་། འཕགས་པའི་ལམ་ཡན་ལག་བརྒྱད་པ་དང་། འཕགས་པའི་བདེན་པ་རྣམས་དང་། བསམ་གཏན་རྣམས་དང་། ཚད་མེད་པ་རྣམས་དང་། གཟུགས་མེད་པའི་སྙོམས་པར་འཇུག་པ་རྣམས་དང་། རྣམ་པར་ཐར་པ་བརྒྱད་དང་། མཐར་གྱིས་གནས་པའི་སྙོམས་པར་འཇུག་པ་དགུ་དང་། རྣམ་པར་ཐར་པའི་སྒོ་སྟོང་པ་ཉིད་དང་། མཚན་མ་མེད་པ་དང་། སྨོན་པ་མེད་པ་དང་། མངོན་པར་ཤེས་པ་རྣམས་དང་། ཏིང་ངེ་འཛིན་རྣམས་དང་། གཟུངས་ཀྱི་སྒོ་རྣམས་དང་། དེ་བཞིན་གཤེགས་པའི་སྟོབས་བཅུ་དང་། མི་འཇིགས་པ་བཞི་དང་། སོ་སོ་ཡང་དག་པར་རིག་པ་བཞི་དང་། སངས་རྒྱས་ཀྱི་ཆོས་མ་འདྲེས་པ་བཅོ་བརྒྱད་ནི་བཏགས་པ་ཙམ་མོ། །བཏགས་པ་ཙམ་གང་ཡིན་པ་དེ་ནི་ཆོས་ཉིད་དེ། དེ་ནི་གནས་བརྟན་རབ་འབྱོར་གྱིས་མི་འགལ་བར་བསྟན་ཏོ། །ཀཽ་ཤི་ཀ་དེ་ཅིའི་ཕྱིར་ཞེ་ན། ཆོས་རྣམས་ཀྱི་ཆོས་ཉིད་གང་ཡིན་པ་དེ་ནི་མི་འགལ་རྣམ་པར་མི་འགལ་ལོ། །གང་མི་འགལ་རྣམ་པར་མི་འགལ་བ་དེ་ནི་གནས་བརྟན་རབ་འབྱོར་གྱིས་བསྟན་ཏེ་འགལ་བ་མེད་དོ། །རྒྱུན་དུ་ཞུགས་པའི་འབྲས་བུ་དང་། །ལན་ཅིག་ཕྱིར་འོང་བའི་འབྲས་བུ་དང་། ཕྱིར་མི་འོང་བའི་འབྲས་བུ་དང་། དགྲ་བཅོམ་པ་[༡]ཉིད་དང་། རང་བྱང་ཆུབ་ནི་བཏགས་པ་ཙམ་མོ། །བཏགས་པ་ཙམ་གང་ཡིན་པ་དེ་ནི་ཆོས་ཉིད་དེ། དེ་ནི་གནས་བརྟན་རབ་འབྱོར་གྱིས་མི་འགལ་བར་[༢]བསྟན་ཏོ། །ཀཽ་ཤི་ཀ་རྣམ་པ་… ཐམས་ཅད་མཁྱེན་པ་ཉིད་ནི་བཏགས་པ་ཙམ་མོ། །བཏགས་པ་ཙམ་གང་ཡིན་པ་

དེ་ནི་ཆོས་ཉིད་དེ། དེ་ནི་གནས་བརྟན་རབ་འབྱོར་གྱིས་མི་འགལ་བར་②བསྟན་ཏོ། །ཀཽ་ཤི་ཀ་རྒྱུན་དུ་ཞུགས་པ་ནི་བཏགས་པ་ཙམ་མོ། །བཏགས་པ་ཙམ་གང་ཡིན་པ་དེ་ནི་ཆོས་ཉིད་དེ། དེ་ནི་གནས་བརྟན་རབ་འབྱོར་གྱིས་མི་འགལ་བར་བསྟན་ཏོ། །ཀཽ་ཤི་ཀ་ལན་ཅིག་ཕྱིར་འོང་བ་དང་། ཕྱིར་མི་འོང་བ་དང་། དགྲ་བཅོམ་པ་དང་། རང་སངས་རྒྱས་དང་། བྱང་ཆུབ་སེམས་དཔའ་དང་། ཡང་དག་པར་རྫོགས་པའི་སངས་རྒྱས་ནི་བཏགས་པ་ཙམ་མོ། །བཏགས་པ་ཙམ་གང་ཡིན་པ་དེ་ནི་ཆོས་ཉིད་དེ། དེ་ནི་གནས་བརྟན་རབ་འབྱོར་གྱིས་མི་འགལ་བར་བསྟན་ཏོ། །ཀཽ་ཤི་ཀ་དེ་ཅིའི་ཕྱིར་ཞེ་ན། ཆོས་རྣམས་ཀྱི་ཆོས་ཉིད་གང་ཡིན་པ་དེ་ནི་མི་འགལ་རྣམ་པར་མི་འགལ་ལོ། །གང་མི་འགལ་རྣམ་པར་མི་འགལ་བ་དེ་ནི་གནས་བརྟན་རབ་འབྱོར་གྱིས་བསྟན་ཏེ་འགལ་བ་མེད་དོ། །ཀཽ་ཤི་ཀ་དེ་ལྟར་ན་གནས་བརྟན་རབ་འབྱོར་ནི་བཏགས་པ་དང་ཡང་འགལ་བར་མི་བྱེད་ལ་ཆོས་ཉིད་ཀྱང་སྟོན་ཏོ། །དེ་ནས་ཚེ་དང་ལྡན་པ་རབ་འབྱོར་གྱིས་ལྷའི་དབང་པོ་བརྒྱ་བྱིན་ལ་འདི་སྐད་ཅེས་སྨྲས་སོ། །ཀཽ་ཤི་ཀ་དེ་དེ་བཞིན་ནོ། །དེ་དེ་བཞིན་ཏེ། བཅོམ་ལྡན་འདས་ཀྱིས་ཀྱང་ཆོས་ཐམས་ཅད་ནི་བཏགས་པ་ཙམ་དུ་བསྟན་ཏོ། །ཀཽ་ཤི་ཀ་བྱང་ཆུབ་སེམས་དཔའ་སེམས་དཔའ་ཆེན་པོས་ཀྱང་དེ་ལྟར་ཆོས་ཐམས་ཅད་བཏགས་པ་ཙམ་དུ་རིག་པར་བྱ་སྟེ། ཤེས་རབ་ཀྱི་ཕ་རོལ་ཏུ་ཕྱིན་པ་ལ་བསླབ་པར་བྱའོ། །ཀཽ་ཤི་ཀ་བྱང་ཆུབ་སེམས་དཔའ་སེམས་དཔའ་ཆེན་པོ་དེ་ལྟར་སློབ་པ་ནི་གཟུགས་ལ་མི་སློབ་སྟེ། དེ་ཅིའི་ཕྱིར་ཞེ་ན། འདི་ལྟར་དེས་གང་ལ་བསླབ་③པར་བྱ་བའི་གཟུགས་དེ་ཡང་དག་པར་རྗེས་སུ་མི་མཐོང་ངོ། །ཚོར་བ་དང་འདུ་ཤེས་དང་། འདུ་བྱེད་དང་རྣམ་པར་ཤེས་པ་ལ་མི་སློབ་སྟེ། དེ་ཅིའི་ཕྱིར་ཞེ་ན། འདི་ལྟར་དེས་གང་ལ་བསླབ་③པར་བྱ་བའི་རྣམ་པར་ཤེས་པ་

དེ་ཡང་དག་པར་རྗེས་སུ་མི་མཐོང་ངོ་། །བྱང་ཆུབ་སེམས་དཔའ་སེམས་དཔའ་ཆེན་པོ་དེ་ལྟར་སྤྱོད་པ་ནི་མིག་ལ་མི་སྤྱོད་དེ། དེ་ཅིའི་ཕྱིར་ཞེ་ན། འདི་ལྟར་དེས་གང་ལ་བསླབ་པར་བྱ་བའི་མིག་དེ་ཡང་དག་པར་རྗེས་སུ་མི་མཐོང་ངོ་། །རྣ་བ་དང་སྣ་དང་ལྕེ་དང་ལུས་དང་། ཡིད་ལ་མི་སྤྱོད་དེ། དེ་ཅིའི་ཕྱིར་ཞེ་ན། འདི་ལྟར་དེས་གང་ལ་བསླབ་པར་བྱ་བའི་ཡིད་དེ་ཡང་དག་པར་རྗེས་སུ་མི་མཐོང་ངོ་། །བྱང་ཆུབ་སེམས་དཔའ་སེམས་དཔའ་ཆེན་པོ་དེ་ལྟར་སྤྱོད་པ་ནི་གཟུགས་ལ་མི་སྤྱོད་དེ། དེ་ཅིའི་ཕྱིར་ཞེ་ན། འདི་ལྟར་དེས་གང་ལ་བསླབ་པར་བྱ་བའི་གཟུགས་དེ་ཡང་དག་པར་རྗེས་སུ་མི་མཐོང་ངོ་། །སྒྲ་དང་དྲི་དང་རོ་དང་། རེག་དང་། ཆོས་ལ་མི་སྤྱོད་དེ། དེ་ཅིའི་ཕྱིར་ཞེ་ན། འདི་ལྟར་དེས་གང་ལ་བསླབ་པར་བྱ་བའི་ཆོས་དེ་ཡང་དག་པར་རྗེས་སུ་མི་མཐོང་ངོ་། །བྱང་ཆུབ་སེམས་དཔའ་སེམས་དཔའ་ཆེན་པོ་དེ་ལྟར་སྤྱོད་པ་ནི་མིག་གི་རྣམ་པར་ཤེས་པ་ལ་མི་སྤྱོད་དེ། དེ་ཅིའི་ཕྱིར་ཞེ་ན། འདི་ལྟར་དེས་གང་ལ་བསླབ་པར་བྱ་བའི་མིག་གི་རྣམ་པར་ཤེས་པ་དེ་ཡང་དག་པར་རྗེས་སུ་མི་མཐོང་ངོ་། །རྣ་བའི་རྣམ་པར་ཤེས་པ་དང་། སྣའི་རྣམ་པར་ཤེས་པ་དང་། ལྕེའི་རྣམ་པར་ཤེས་པ་དང་། ལུས་ཀྱི་རྣམ་པར་ཤེས་པ་དང་། ཡིད་ཀྱི་རྣམ་པར་ཤེས་པ་ལ་མི་སྤྱོད་དེ། དེ་ཅིའི་ཕྱིར་ཞེ་ན། འདི་ལྟར་དེས་གང་ལ་བསླབ་པར་བྱ་བའི་ཡིད་ཀྱི་རྣམ་པར་ཤེས་པ་དེ་ཡང་དག་པར་རྗེས་སུ་མི་མཐོང་ངོ་། །བྱང་ཆུབ་སེམས་དཔའ་སེམས་དཔའ་ཆེན་པོ་དེ་ལྟར་སྤྱོད་པ་ནི་མིག་གི་འདུས་ཏེ་རེག་པ་ལ་མི་སྤྱོད་དེ། དེ་ཅིའི་ཕྱིར་ཞེ་ན། འདི་②ལྟར་དེས་གང་ལ་བསླབ་པར་བྱ་བའི་མིག་གི་འདུས་ཏེ་རེག་པ་དེ་ཡང་དག་པར་རྗེས་སུ་མི་མཐོང་ངོ་། །རྣ་བའི་འདུས་ཏེ་རེག་པ་དང་། སྣའི་འདུས་ཏེ་རེག་པ་དང་། ལྕེའི་འདུས་ཏེ་རེག་པ་དང་། ལུས་ཀྱི་འདུས་ཏེ་རེག་

པ་དང་། ཡིད་ཀྱི་འདུས་ཏེ་རེག་པ་ལ་མི་སློབ་སྟེ། དེ་ཅིའི་ཕྱིར་ཞེ་ན། འདི་ལྟར་དེས་གང་ལ་བསླབ་པར་བྱ་བའི་ཡིད་ཀྱི་འདུས་ཏེ་རེག་པ་དེ་ཡང་དག་པར་རྗེས་སུ་མི་མཐོང་ངོ་། །བྱང་ཆུབ་སེམས་དཔའ་སེམས་དཔའ་ཆེན་པོ་དེ་ལྟར་སློབ་པ་ནི་མིག་གི་འདུས་ཏེ་རེག་པའི་རྐྱེན་གྱིས་ཚོར་བ་ལ་མི་སློབ་སྟེ། དེ་ཅིའི་ཕྱིར་ཞེ་ན༏ འདི་ལྟར་དེས་གང་ལ་བསླབ་པར་བྱ་བའི་མིག་གི་འདུས་ཏེ་རེག་པའི་རྐྱེན་གྱིས་ཚོར་བ་དེ་ཡང་དག་པར་རྗེས་སུ་མི་མཐོང་ངོ་། །རྣ་བའི་འདུས་ཏེ་རེག་པའི་རྐྱེན་གྱིས་ཚོར་བ་དང་། སྣའི་འདུས་ཏེ་རེག་པའི་རྐྱེན་གྱིས་ཚོར་བ་དང་། ལྕེའི་འདུས་ཏེ་རེག་པའི་རྐྱེན་གྱིས་ཚོར་བ་དང་ལུས་ཀྱི་འདུས་ཏེ་རེག་པའི་རྐྱེན་གྱིས་ཚོར་བ་དང་། ཡིད་ཀྱི་འདུས་ཏེ་རེག་པའི་རྐྱེན་གྱིས་ཚོར་བ་ལ་མི་སློབ་སྟེ། དེ་ཅིའི་ཕྱིར་ཞེ་ན། འདི་ལྟར་དེས་གང་ལ་བསླབ་པར་བྱ་བའི་ཡིད་ཀྱི་འདུས་ཏེ་རེག་པའི་རྐྱེན་གྱིས་ཚོར་བ་དེ་ཡང་དག་པར་རྗེས་སུ་མི་མཐོང་ངོ་། །བྱང་ཆུབ་སེམས་དཔའ་སེམས་དཔའ་ཆེན་པོ་དེ་ལྟར་སློབ་པ་ནི་སའི་ཁམས་ལ་མི་[༧]སློབ་སྟེ། དེ་ཅིའི་ཕྱིར་ཞེ་ན། འདི་ལྟར་དེས་གང་ལ་བསླབ་པར་བྱ་བའི་སའི་ཁམས་དེ་ཡང་དག་པར་རྗེས་སུ་མི་མཐོང་ངོ་། །ཆུ་དང་མེ་དང་རླུང་དང་ནམ་མཁའ་དང་། རྣམ་པར་ཤེས་པའི་ཁམས་ལ་མི་སློབ་སྟེ། དེ་ཅིའི་ཕྱིར་ཞེ་ན། འདི་ལྟར་དེས་གང་ལ་བསླབ་པར་བྱ་བའི་རྣམ་པར་ཤེས་པའི་ཁམས་དེ་ཡང་དག་པར་རྗེས་སུ་མི་མཐོང་ངོ་། །བྱང་ཆུབ་སེམས་དཔའ་སེམས་དཔའ་ཆེན་པོ་དེ་ལྟར་སློབ་པ་ནི་མ་རིག་པ་ལ་མི་སློབ་སྟེ། དེ་ཅིའི་ཕྱིར་ཞེ་ན། འདི་ལྟར་དེས་གང་ལ་བསླབ་པར་[༣]བྱ་བའི་མ་རིག་པ་དེ་ཡང་དག་པར་རྗེས་སུ་མི་མཐོང་ངོ་། །འདུ་བྱེད་དང་། རྣམ་པར་ཤེས་པ་དང་། མིང་དང་གཟུགས་དང་། སྐྱེ་མཆེད་དྲུག་དང་། རེག་པ་དང་། ཚོར་བ་དང་། སྲེད་པ་དང་། ལེན་པ་དང་། སྲིད་པ་དང་། སྐྱེ་བ་དང་རྒ་

ཤི་ལ་མི་སློབ་སྟེ། དེ་ཅིའི་ཕྱིར་ཞེ་ན། འདི་ལྟར་དེས་[༡]གང་ལ་བསླབ་པར་བྱ་བའི་ཆ་ཤི་དེ་ཡང་དག་པར་རྗེས་སུ་མི་མཐོང་[༢]ངོ་། །བྱང་ཆུབ་སེམས་དཔའ་སེམས་དཔའ་ཆེན་པོ་དེ་ལྟར་སློབ་པ་ནི། སྦྱིན་པའི་ཕ་རོལ་ཏུ་ཕྱིན་པ་ལ་མི་སློབ་སྟེ། དེ་ཅིའི་ཕྱིར་ཞེ་ན། འདི་ལྟར་དེས་གང་ལ་བསླབ་པར་བྱ་བའི་སྦྱིན་པའི་ཕ་རོལ་ཏུ་ཕྱིན་པ་དེ་ཡང་དག་པར་རྗེས་སུ་མི་མཐོང་ངོ་། །ཚུལ་ཁྲིམས་ཀྱི་ཕ་[༣]རོལ་ཏུ་ཕྱིན་པ་དང་། བཟོད་པའི་ཕ་རོལ་ཏུ་ཕྱིན་པ་དང་། བརྩོན་འགྲུས་ཀྱི་ཕ་རོལ་ཏུ་ཕྱིན་པ་དང་། བསམ་གཏན་གྱི་ཕ་རོལ་ཏུ་ཕྱིན་པ་དང་། ཤེས་རབ་ཀྱི་ཕ་རོལ་ཏུ་ཕྱིན་པ་ལ་མི་སློབ་སྟེ། དེ་[༤]ཅིའི་ཕྱིར་ཞེ་ན། འདི་ལྟར་དེས་གང་ལ་བསླབ་པར་བྱ་བའི་ཤེས་རབ་ཀྱི་ཕ་རོལ་ཏུ་ཕྱིན་པ་དེ་ཡང་དག་པར་རྗེས་སུ་མི་མཐོང་ངོ་། །བྱང་ཆུབ་སེམས་དཔའ་སེམས་དཔའ་ཆེན་པོ་དེ་ལྟར་སློབ་པ་ནི། ནང་སྟོང་པ་ཉིད་ལ་མི་སློབ་སྟེ། དེ་ཅིའི་ཕྱིར་ཞེ་ན། འདི་ལྟར་དེས་གང་ལ་བསླབ་པར་བྱ་བའི་ནང་སྟོང་པ་ཉིད་དེ་ཡང་དག་པར་རྗེས་སུ་མི་མཐོང་ངོ་། །དངོས་པོ་མེད་པའི་ངོ་བོ་ཉིད་སྟོང་པ་ཉིད་ཀྱི་བར་ལ་མི་སློབ་སྟེ། དེ་ཅིའི་ཕྱིར་ཞེ་ན། འདི་ལྟར་དེས་གང་ལ་བསླབ་པར་བྱ་བའི་དངོས་པོ་མེད་པའི་ངོ་བོ་ཉིད་སྟོང་པ་ཉིད་ཀྱི་བར་དེ་ཡང་དག་པར་རྗེས་སུ་མི་མཐོང་ངོ་། །བྱང་ཆུབ་སེམས་དཔའ་སེམས་དཔའ་ཆེན་པོ་དེ་ལྟར་སློབ་པ་ནི། དྲན་པ་ཉེ་བར་གཞག་པ་བཞི་ལ་མི་སློབ་སྟེ། དེ་ཅིའི་ཕྱིར་ཞེ་ན། འདི་ལྟར་དེས་གང་ལ་བསླབ་པར་བྱ་བའི་དྲན་པ་ཉེ་བར་གཞག་པ་དེ་དག་[༥]ཡང་དག་པར་རྗེས་སུ་མི་མཐོང་ངོ་། །ཡང་དག་པར་སྤོང་བ་དང་། རྫུ་འཕྲུལ་གྱི་རྐང་པ་དང་། དབང་པོ་དང་། སྟོབས་དང་། བྱང་ཆུབ་ཀྱི་ཡན་ལག་དང་། འཕགས་པའི་ལམ་ཡན་ལག་བརྒྱད་པ་ལ་མི་སློབ་སྟེ། དེ་[༦]ཅིའི་ཕྱིར་ཞེ་ན། འདི་ལྟར་དེས་གང་ལ་བསླབ་

པར་བྱ་བའི་འཕགས་པའི་ལམ་ཡན་ལག་བརྒྱད་པ་དེ་ཡང་དག་པར་རྗེས་སུ་མི་མཐོང་ངོ་། །འཕགས་པའི་བདེན་པ་དང་། བསམ་གཏན་དང་། ཚད་མེད་པ་དང་། གཟུགས་མེད་པའི་སྙོམས་པར་འཇུག་པ་དང་། རྣམ་པར་ཐར་པ་དང་། མཐར་གྱིས་གནས་པའི་སྙོམས་པར་འཇུག་པ་དང་། རྣམ་པར་ཐར་པའི་སྒོ་སྟོང་པ་ཉིད་དང་། མཚན་མ་མེད་པ་དང་སྨོན་པ་མེད་པ་དང་། མངོན་པར་ཤེས་པ་དང་། ཏིང་ངེ་འཛིན་དང་། གཟུངས་ཀྱི་སྒོ་དང་། དེ་བཞིན་གཤེགས་པའི་སྟོབས་དང་། མི་འཇིགས་པ་དང་། སོ་སོ་ཡང་དག་པར་རིག་པ་དང་། སངས་རྒྱས་ཀྱི་ཆོས་མ་འདྲེས་པ་རྣམས་ལ་མི་སློབ་སྟེ། དེ་ཅིའི་ཕྱིར་ཞེ་ན། འདི་ལྟར་དེས་གང་ལ་བསླབ་པར་བྱ་བའི་སངས་རྒྱས་ཀྱི་ཆོས་མ་འདྲེས་པ་དེ་དག་ཡང་དག་པར་རྗེས་སུ་མི་མཐོང་ངོ་། །རྒྱུན་དུ་ཞུགས་པའི་འབྲས་བུ་དང་། ལན་ཅིག་ཕྱིར་འོང་བའི་འབྲས་བུ་དང་། ཕྱིར་མི་འོང་བའི་འབྲས་བུ་དང་། དགྲ་བཅོམ་པ་ཉིད་དང་། རང་བྱང་ཆུབ་ཉིད་ལ་མི་སློབ། ལམ་གྱི་རྣམ་པ་[༡]ཤེས་པ་ཉིད་ལ་མི་སློབ། རྣམ་པ་ཐམས་ཅད་མཁྱེན་པ་ཉིད་ལ་མི་སློབ་སྟེ། དེ་ཅིའི་ཕྱིར་ཞེ་ན། འདི་ལྟར་དེས་གང་ལ་བསླབ་པར་བྱ་བའི་རྣམ་པ་ཐམས་ཅད་མཁྱེན་པ་ཉིད་དེ་ཡང་དག་པར་རྗེས་སུ་མི་མཐོང་ངོ་། །དེ་ནས་ལྷའི་དབང་པོ་བརྒྱ་བྱིན་གྱིས། གནས་བརྟན་[༢]རབ་འབྱོར་ལ་འདི་སྐད་ཅེས་སྨྲས་སོ། །བཙུན་པ་རབ་འབྱོར་བྱང་ཆུབ་སེམས་དཔའ་སེམས་དཔའ་ཆེན་པོས་[༣]ཅིའི་ཕྱིར་ན། གཟུགས་ཡང་དག་པར་རྗེས་སུ་མི་མཐོང་། ཅིའི་ཕྱིར་ན་ཚོར་བ་དང་། འདུ་ཤེས་དང་། འདུ་བྱེད་དང་། རྣམ་པར་ཤེས་པ་ཡང་དག་པར་རྗེས་སུ་མི་མཐོང་། ཅིའི་ཕྱིར་ན་སྐྱེ་མཆེད་དང་[༤]། ཁམས་དང་། རྟེན་ཅིང་འབྲེལ་པར་འབྱུང་བ་ཡང་དག་པར་རྗེས་སུ་མི་མཐོང་། ཅིའི་ཕྱིར་ན་ཕ་རོལ་ཏུ་

ཕྱིན་པ་རྣམས་དང་། སྟོང་པ་ཉིད་ཐམས་ཅད་དང་། བྱང་ཆུབ་ཀྱི་ཕྱོགས་ཀྱི་ཆོས་རྣམས་ཡང་དག་པར་རྗེས་སུ་མི་མཐོང་། ཅིའི་ཕྱིར་ན་འཕགས་པའི་བདེན་པ་དང་། བསམ་གཏན་དང་། ཚད་མེད་པ་དང་། གཟུགས་མེད་པའི་སྙོམས་པར་འཇུག་པ་དང་། རྣམ་པར་ཐར་པ་བརྒྱད་དང་། མཐར་གྱིས་གནས་པའི་སྙོམས་པར་འཇུག་པ་དགུ་དང་། སྟོང་པ་ཉིད་དང་། མཚན་མ་མེད་པ་དང་། སྨོན་པ་མེད་པ་དང་། མངོན་པར་ཤེས་པ་རྣམས་དང་། ཏིང་ངེ་འཛིན་རྣམས་དང་། གཟུངས་ཀྱི་སྒོ་རྣམས་དང་། དེ་བཞིན་གཤེགས་པའི་སྟོབས་བཅུ་དང་། མི་འཇིགས་པ་བཞི་དང་། སོ་སོ་ཡང་དག་པར་རིག་པ་བཞི་དང་། སངས་རྒྱས་ཀྱི་ཆོས་མ་འདྲེས་པ་བཅོ་བརྒྱད་ཡང་དག་པར་རྗེས་སུ་མི་མཐོང་། རྣམ་པ་ཐམས་ཅད་མཁྱེན་པ་ཉིད་ཀྱི་བར་དུ་ཡང་དག་པར་རྗེས་སུ་མི་མཐོང་། རབ་འབྱོར་གྱིས་སྨྲས་པ། ཀཽ་ཤི་ཀ་དེ་ནི་འདི་ལྟར་གཟུགས་གཟུགས་ཀྱིས་སྟོང་ངོ་། །ཚོར་བ་ཚོར་བས་སྟོང་ངོ་། །འདུ་ཤེས་འདུ[7]ཤེས་ཀྱིས་སྟོང་ངོ་། །འདུ་བྱེད་འདུ་བྱེད་ཀྱིས་སྟོང་ངོ་། །རྣམ་པར་ཤེས་པ་རྣམ་པར་ཤེས་པས་སྟོང་ངོ་། །སྐྱེ་མཆེད་དང་། ཁམས་དང་། རྟེན་ཅིང་འབྲེལ་བར་འབྱུང་བ་རྟེན་ཅིང་འབྲེལ་པར་འབྱུང་བས་སྟོང་ངོ་། །ཕ་རོལ་ཏུ་ཕྱིན་པ་རྣམས་དང་། སྟོང་པ་ཉིད་ཐམས་ཅད་དང་། བྱང་ཆུབ་ཀྱི་ཕྱོགས་ཀྱི་ཆོས་སུམ་ཅུ་རྩ་བདུན་དང་། འཕགས་པའི་བདེན་པ་དང་། བསམ་གཏན་དང་། ཚད་མེད་པ་དང་། གཟུགས་མེད་པའི་སྙོམས་པར་འཇུག་པ་དང་། རྣམ་པར་ཐར་པ་དང་། མཐར་གྱིས་གནས་པའི་སྙོམས་པར་འཇུག་པ་དང་། སྟོང་པ་ཉིད་དང་། མཚན་མ་མེད་པ་དང་། སྨོན་པ་མེད་པ་དང་། མངོན་པར་ཤེས་པ་དང་། ཏིང་ངེ་འཛིན་དང་། གཟུངས་ཀྱི་སྒོ་དང་། དེ་བཞིན་གཤེགས་པའི་

སྟོབས་བཅུ་དང་། མི་འཇིགས་པ་བཞི་དང་། སོ་སོ་ཡང་དག་པར་རིག་པ་བཞི་དང་། སངས་རྒྱས་ཀྱི་ཆོས་མ་འདྲེས་པ་བཅོ་བརྒྱད་དང་། རྣམ་པ་ཐམས་ཅད་མཁྱེན་པ་ཉིད་ཀྱི་བར་རྣམ་པ་ཐམས་ཅད་མཁྱེན་པ་ཉིད་ཀྱིས་སྟོང་ངོ་། །ཀཽ་ཤི་ཀ་གཟུགས་སྟོང་པ་ཉིད་ཀྱིས་གཟུགས་སྟོང་པ་ཉིད་ཡང་དག་པར་རྗེས་སུ་མི་མཐོང་ངོ་། །ཚོར་བ་སྟོང་པ་ཉིད་ཀྱིས་ཚོར་བ་སྟོང་པ་ཉིད་ཡང་དག་པར་རྗེས་སུ་མི་མཐོང་ངོ་། །འདུ་ཤེས་སྟོང་པ་ཉིད་ཀྱིས་འདུ་ཤེས་སྟོང་པ་ཉིད་ཡང་དག་པར་རྗེས་སུ་མི་མཐོང་ངོ་། །འདུ་བྱེད་སྟོང་པ་ཉིད་ཀྱིས་འདུ་བྱེད་སྟོང་པ་ཉིད་ཡང་དག་པར་རྗེས་སུ་མི་མཐོང་ངོ་། །རྣམ་པར་ཤེས་པ་སྟོང་པ་ཉིད་ཀྱིས་རྣམ་པར་ཤེས་པ་སྟོང་པ་ཉིད་ཡང་དག་པར་རྗེས་སུ་མི་མཐོང་ངོ་། །རྣམ་པ་ཐམས་ཅད་མཁྱེན་པ་ཉིད་ཀྱི་བར་གྱི་སྟོང་པ་ཉིད་ཀྱིས། རྣམ་པ་ཐམས་ཅད་མཁྱེན་པ་ཉིད་ཀྱིས་[7]སྟོང་པ་ཉིད་ཡང་དག་པར་རྗེས་སུ་མི་མཐོང་ངོ་། །ཀཽ་ཤི་ཀ་དེ་ལྟར་གང་སྟོང་པ་ཉིད་འདི་ལ་སློབ་པ་དེ་ནི་གཉིས་སུ་མེད་པས་སྟོང་པ་ཉིད་ལ་སློབ་པ་སྟེ། དེ་གཉིས་སུ་བྱར་མེད་པར་གཟུགས་སྟོང་པ་ཉིད་ལ་སློབ་པོ། །དེ་གཉིས་སུ་བྱར་མེད་པར་ཚོར་བ་སྟོང་པ་ཉིད་དང་། འདུ་ཤེས་སྟོང་པ་ཉིད་དང་། འདུ་བྱེད་སྟོང་པ་ཉིད་དང་། རྣམ་པར་ཤེས་པ་སྟོང་པ་ཉིད་ལ་སློབ་པོ། །དེ་གཉིས་སུ་བྱར་མེད་པར་སྐྱེ་མཆེད་དང་། ཁམས་དང་། རྟེན་ཅིང་འབྲེལ་བར་འབྱུང་བ་སྟོང་པ་ཉིད་ལ་སློབ་པོ། །དེ་གཉིས་སུ་བྱར་མེད་པར་ཕ་རོལ་ཏུ་ཕྱིན་པ་རྣམས་དང་། སྟོང་པ་ཉིད་ཐམས་ཅད་དང་། བྱང་ཆུབ་ཀྱི་ཕྱོགས་ཀྱི་ཆོས་སུམ་ཅུ་རྩ་བདུན་དང་། འཕགས་པའི་བདེན་པ་དང་། བསམ་གཏན་དང་། ཚད་མེད་པ་དང་། གཟུགས་མེད་པའི་སྙོམས་པར་འཇུག་པ་དང་། རྣམ་པར་ཐར་པ་དང་། མཐར་གྱིས་གནས་པའི་སྙོམས་པར་འཇུག་པ་དང་། སྟོང་པ་ཉིད་

དང་། མཚན་མ་མེད་པ་དང་། སྨོན་པ་མེད་པ་དང་། མངོན་པར་ཤེས་པ་དང་། ཏིང་ངེ་འཛིན་དང་། གཟུངས་ཀྱི་སྒོ་དང་། དེ་བཞིན་གཤེགས་པའི་སྟོབས་དང་། མི་འཇིགས་པ་དང་། སོ་སོ་ཡང་དག་པར་རིག་པ་དང་། སངས་རྒྱས་ཀྱི་ཆོས་མ་འདྲེས་པ་རྣམས་དང་། རྣམ་པ་ཐམས་ཅད་མཁྱེན་པ་ཉིད་ཀྱི་བར་སྟོང་པ་ཉིད་ལ་སློབ་བོ། །ཀཽ་ཤི་ཀ་གཟུགས་སྟོང་པ་ཉིད་ལ་གང་གཉིས་སུ་བྱར་མེད་པར་སློབ་པ་དང་། ཚོར་བ་དང་། འདུ་ཤེས་དང་། འདུ་བྱེད་དང་། རྣམ་པར་ཤེས་པ་སྟོང་པ་ཉིད་ལ་གང་གཉིས་སུ་བྱར་མེད་པར་[1]སློབ་པ་དང་། རྣམ་པ་ཐམས་ཅད་མཁྱེན་པ་ཉིད་ཀྱི་བར་སྟོང་པ་ཉིད་ལ་གང་གཉིས་སུ་བྱར་མེད་པར་སློབ༔པ་དེ་ནི[2]། གཉིས་སུ་བྱར་མེད་པར་སྦྱིན་པའི་ཕ་རོལ་ཏུ་ཕྱིན་པ་ལ་སློབ་བོ། །དེ་གཉིས་སུ་བྱར་མེད་པར་ཚུལ་ཁྲིམས་ཀྱི་ཕ་རོལ་ཏུ་ཕྱིན་པ་དང་། བཟོད་པའི་ཕ་རོལ་ཏུ་ཕྱིན་པ་དང་། བརྩོན་འགྲུས་ཀྱི་ཕ་རོལ་ཏུ་ཕྱིན་པ་དང་། བསམ་གཏན་གྱི་ཕ་རོལ་ཏུ་ཕྱིན་པ་དང་[3]། ཤེས་རབ་ཀྱི་ཕ་རོལ་ཏུ་ཕྱིན་པ་ལ་སློབ་བོ། །དེ་ནི་གཉིས་སུ་བྱར་མེད་པར་ནང་སྟོང་པ་ཉིད་ལ་སློབ་བོ། །དངོས་པོ་མེད་པའི་ངོ་བོ་ཉིད་སྟོང་པ་ཉིད་ཀྱི་བར་ལ་སློབ་བོ། །དེ་ནི་གཉིས་སུ་བྱར་མེད་པར་དྲན་པ་ཉེ་བར་གཞག་པ་རྣམས་ལ་སློབ་བོ། །དེ་ནི་གཉིས་སུ་བྱར་མེད་པར་ཡང་དག་པར་སྤོང་བ་དང་། རྫུ་འཕྲུལ་གྱི་རྐང་པ་དང་། དབང་པོ་དང་། སྟོབས་དང་། བྱང་ཆུབ་ཀྱི་ཡན་ལག་དང་། འཕགས་པའི་ལམ་ཡན་ལག་བརྒྱད་པ་ལ་སློབ་བོ། །དེ་ནི་གཉིས་སུ་བྱར་མེད་པར་འཕགས་པའི་བདེན་པ་དང་། བསམ་གཏན་དང་། ཚད་མེད་པ་དང་། གཟུགས་མེད་པའི་སྙོམས་པར་འཇུག་པ་དང་། རྣམ་པར་ཐར་པ་དང་། མཐར་གྱིས་གནས་པའི་སྙོམས་པར་འཇུག་པ་དང་། སྟོང་པ་ཉིད་དང་། མཚན་མ་མེད་པ་དང་། སྨོན་པ་མེད་

པ་དང་། མངོན་པར་ཤེས་པ་དང་། ཏིང་ངེ་འཛིན་དང་། གཟུངས་ཀྱི་སྒོ་དང་། དེ་བཞིན་གཤེགས་པའི་སྟོབས་དང་། མི་འཇིགས་པ་དང་། སོ་སོ་ཡང་དག་པར་རིག་པ་དང་། སངས་རྒྱས་ཀྱི་ཆོས་མ་འདྲེས་པ་རྣམས་ལ་སློབ་པོ། །དེ་ནི་གཉིས་སུ་བྱར་མེད་པར་རྒྱུན་དུ་ཞུགས་པའི་འབྲས་བུ་དང་། ལན་ཅིག་ཕྱིར་འོང་བའི་འབྲས་བུ་དང་། ཕྱིར་མི་འོང་བའི་འབྲས་བུ་དང་། དགྲ་བཅོམ་པ་ཉིད་དང་། རང་བྱང་ཆུབ་དང་། སངས་རྒྱས་ཉིད་དང་། ༔ལམ་གྱི་རྣམ་པ་ཤེས་[༧]པ་ཉིད་དང་། རྣམ་པ་ཐམས་ཅད་མཁྱེན་པ་ཉིད་ལ་སློབ་པོ། །གཉིས་སུ་བྱར་མེད་པར་སྦྱིན་པའི་ཕ་རོལ་ཏུ་ཕྱིན་པ་ལ་གང་སློབ་པ་དང་། གཉིས་སུ་བྱར་མེད་པར་ཚུལ་ཁྲིམས་ཀྱི་ཕ་རོལ་ཏུ་ཕྱིན་པ་དང་། བཟོད་པའི་ཕ་རོལ་ཏུ་ཕྱིན་པ་དང་། བརྩོན་འགྲུས་ཀྱི་ཕ་རོལ་ཏུ་ཕྱིན་པ་དང་། བསམ་གཏན་གྱི་ཕ་རོལ་ཏུ་ཕྱིན་པ་དང་། ཤེས་རབ་ཀྱི་ཕ་རོལ་ཏུ་ཕྱིན་པ་ལ་གང་སློབ་པ་དང་། གཉིས་སུ་བྱར་མེད་པར་ནང་སྟོང་པ་ཉིད་ལ་གང་སློབ་པ་དང་། གཉིས་སུ་བྱར་མེད་པར་དངོས་པོ་མེད་པའི་ངོ་བོ་ཉིད་སྟོང་པ་ཉིད་ཀྱི་བར་ལ་གང་སློབ་པ་དང་། གཉིས་སུ་བྱར་མེད་པར་དྲན་པ་ཉེ་བར་གཞག་པ་རྣམས་ལ་གང་སློབ་པ་དང་། གཉིས་སུ་བྱར་མེད་པར་འཕགས་པའི་ལམ་ཡན་ལག་བརྒྱད་པའི་བར་ལ་གང་སློབ་པ་དང་། གཉིས་སུ་བྱར་མེད་པར་སངས་རྒྱས་ཀྱི་ཆོས་མ་འདྲེས་པ་བཅོ་བརྒྱད་ཀྱི་བར་ལ་གང་སློབ་པ་དང་། གཉིས་སུ་བྱར་མེད་པར་རྒྱུན་དུ་ཞུགས་པའི་འབྲས་བུ་ལ་གང་སློབ་པ་དང་། གཉིས་སུ་བྱར་མེད་པར་དགྲ་བཅོམ་པ་ཉིད་ཀྱི་བར་ལ་གང་སློབ་པ་དང་། གཉིས་སུ་བྱར་མེད་པར་རང་བྱང་ཆུབ་ལ་གང་སློབ་པ་དང་། གཉིས་སུ་བྱར་མེད་པར༔སངས་རྒྱས་[༡]ཉིད་ལ་གང་སློབ་པ་དང་། གཉིས་སུ་བྱར་མེད་པར་ཐམས་ཅད་མཁྱེན་པ་ཉིད་ལ་གང་སློབ་པ་དང་། གཉིས་སུ་

བྱར་མེད་པར་རྣམ་པ་ཐམས་ཅད་མཁྱེན་པ་ཉིད་ཀྱི་བར་ལ་གང་སློབ་པ་དེ་ནི། གཉིས་སུ་བྱར་མེད་པར་སངས་རྒྱས་ཀྱི་ཆོས་གྲངས་མེད་ཚད་མེད་པ་ལ་སློབ་པོ། །གཉིས་སུ་བྱར་མེད་པར་སངས་རྒྱས་ཀྱི་ཆོས་གྲངས་མེད་ཚད་མེད་ཿཔ་ལ་⑦གང་སློབ་པ་དེ་ནི། གཟུགས་འཕེལ་བར་བྱ་བ་དང་འགྲིབ་པར་བྱ་བའི་ཕྱིར་མི་སློབ་པོ། །ཚོར་བ་དང་། འདུ་ཤེས་དང་། འདུ་བྱེད་དང་། རྣམ་པར་ཤེས་པ་འཕེལ་བར་བྱ་བ་དང་འགྲིབ་པར་བྱ་བའི་ཕྱིར་མི་སློབ་པོ། །སྐྱེ་མཆེད་དང་། ཁམས་འཕེལ་བར་བྱ་བ་དང་འགྲིབ་པར་བྱ་བའི་ཕྱིར་མི་སློབ་པོ། །རྟེན་ཅིང་འབྲེལ་བར་འབྱུང་བ་འཕེལ་བར་བྱ་བ་①དང་འགྲིབ་པར་བྱ་བའི་ཕྱིར་མི་སློབ་པོ། །སྦྱིན་པའི་ཕ་རོལ་ཏུ་ཕྱིན་པ་འཕེལ་བར་བྱ་བ་དང་འགྲིབ་པར་བྱ་བའི་ཕྱིར་མི་སློབ་པོ། །ཚུལ་ཁྲིམས་ཀྱི་ཕ་རོལ་ཏུ་ཕྱིན་པ་དང་། བཟོད་པའི་ཕ་རོལ་ཏུ་ཕྱིན་པ་དང་། བརྩོན་འགྲུས་ཀྱི་ཕ་རོལ་ཏུ་ཕྱིན་པ་དང་བསམ་གཏན་གྱི་ཕ་རོལ་ཏུ་ཕྱིན་པ་དང་། ཤེས་རབ་ཀྱི་ཕ་རོལ་ཏུ་ཕྱིན་པ་འཕེལ་བར་བྱ་བ་དང་འགྲིབ་པར་བྱ་བའི་ཕྱིར་མི་སློབ་པོ། །ནང་སྟོང་པ་ཉིད་དང་། ཕྱི་སྟོང་པ་ཉིད་དང་། ཕྱི་ནང་སྟོང་པ་ཉིད་དང་། དངོས་པོ་མེད་པའི་ངོ་བོ་ཉིད་སྟོང་པ་ཉིད་ཀྱི་བར་འཕེལ་བར་བྱ་བ་དང་འགྲིབ་པར་བྱ་བའི་ཕྱིར་མི་སློབ་པོ། །དྲན་པ་ཉེ་བར་གཞག་པ་རྣམས་འཕེལ་བར་བྱ་བ་དང་འགྲིབ་པར་བྱ་བའི་ཕྱིར་མི་སློབ་པོ། །ཡང་དག་པར་སྤོང་བ་རྣམས་①དང་། རྫུ་འཕྲུལ་གྱི་རྐང་པ་རྣམས་དང་། དབང་པོ་རྣམས་དང་། སྟོབས་རྣམས་དང་། བྱང་ཆུབ་ཀྱི་ཡན་ལག་རྣམས་དང་། འཕགས་པའི་ལམ་ཡན་ལག་བརྒྱད་པ་འཕེལ་བར་བྱ་བ་དང་འགྲིབ་པར་བྱ་བའི་ཕྱིར་མི་སློབ་པོ། །འཕགས་པའི་བདེན་པ་རྣམས་དང་། བསམ་གཏན་རྣམས་དང་། ཚད་མེད་པ་རྣམས་དང་། གཟུགས་མེད་པའི་སྙོམས་པར་འཇུག་པ་རྣམས་དང་། རྣམ་

པར་ཐར་པ་རྣམས་དང་། མཐར་གྱིས་གནས་པའི་སྙོམས་པར་འཇུག་པ་རྣམས་དང་། སྟོང་པ་ཉིད་དང་། མཚན་མ་མེད་པ་དང་། སྨོན་པ་མེད་པ་དང་། མངོན་པར་ཤེས་པ་རྣམས་དང་། ཏིང་ངེ་འཛིན་རྣམས་དང་། གཟུངས་ཀྱི་སྒོ་རྣམས་དང་། དེ་བཞིན་གཤེགས་པའི་སྟོབས་རྣམས་དང་། མི་འཇིགས་པ་རྣམས་དང་། སོ་སོ་ཡང་དག་པར་རིག་པ་རྣམས་དང་། སངས་རྒྱས་ཀྱི་ཆོས་མ་འདྲེས་པ་བཅོ་བརྒྱད་འཕེལ་བར་བྱ་བ་དང་འགྲིབ་པར་བྱ་བའི་ཕྱིར་མི་སློབ་བོ། །རྣམ་པ་ཐམས་ཅད་མཁྱེན་པ་ཉིད་ཀྱི་བར་འཕེལ་བར་བྱ་བ་དང་འགྲིབ་པར་བྱ་བའི་ཕྱིར་མི་སློབ་པོ། །དེ་ལྟར་གང་གཟུགས་འཕེལ་བར་བྱ་བ་དང་འགྲིབ་པར་བྱ་བའི་ཕྱིར་མི་སློབ་པ་དང་། ཚོར་བ་དང་། འདུ་ཤེས་དང་། འདུ་བྱེད་དང་། རྣམ་པར་ཤེས་པ་འཕེལ་བར་བྱ་བ་དང་འགྲིབ་པར་བྱ་བའི་ཕྱིར་མི་སློབ་པ་དང་། རྣམ་པ་ཐམས་ཅད་མཁྱེན་པ་ཉིད་ཀྱི་བར་འཕེལ་བར་བྱ་བ་དང་འགྲིབ་པར་བྱ་བའི་ཕྱིར་མི་སློབ་པ་དེ་ནི། གཟུགས་ཡོངས་སུ་གཟུང་བ་དང་། མེད་པར་བྱ་བའི་ཕྱིར་མི་སློབ་པོ། ཚོར་བ་དང་། འདུ་ཤེས་དང་། འདུ་བྱེད་དང་། རྣམ་པར་ཤེས་པ་ཡོངས་སུ་གཟུང་[༡]བ་དང་། མེད་པར་བྱ་བའི་ཕྱིར་མི་སློབ་པོ། །སྐྱེ་མཆེད་དང་། ཁམས་དང་། རྟེན་ཅིང་འབྲེལ་པར་འབྱུང་བ་ཡོངས་སུ་གཟུང་བ་དང་། མེད་པར་བྱ་བའི་ཕྱིར་མི་སློབ་བོ། །ཕ་རོལ་ཏུ་ཕྱིན་པ་རྣམས་དང་། སྟོང་པ་ཉིད་ཐམས་ཅད་དང་། བྱང་ཆུབ་ཀྱི་ཕྱོགས་ཀྱི་ཆོས་སུམ་ཅུ་རྩ་བདུན་དང་། འཕགས་པའི་བདེན་པ་དང་། བསམ་གཏན་དང་། ཚད་མེད་པ་དང་། གཟུགས་མེད་པའི་སྙོམས་པར་འཇུག་པ་དང་། རྣམ་པར་ཐར་པ་དང་། མཐར་གྱིས་གནས་པའི་སྙོམས་པར་འཇུག་པ་དང་། སྟོང་པ་ཉིད་དང་། མཚན་མ་མེད་པ་དང་། སྨོན་པ་མེད་པ་དང་། མངོན་པར་

ཤེས་པ་དང་། ཏིང་ངེ་འཛིན་དང་། གཟུངས་ཀྱི་སྒོ་དང་དེ་བཞིན་གཤེགས་པའི་སྟོབས་དང་། མི་འཇིགས་པ་དང་། སོ་སོ་ཡང་དག་པར་རིག་པ་དང་། སངས་རྒྱས་ཀྱི་ཆོས་མ་འདྲེས་པ་རྣམས་ཡོངས་སུ་གཟུང་བ་དང་། མེད་པར་བྱ་བའི་ཕྱིར་མི་སློབ་བོ། །རྣམ་པ་ཐམས་ཅད་མཁྱེན་པ་ཉིད་ཀྱི་བར་ཡོངས་སུ་གཟུང་བ་དང་མེད་པར་བྱ་བའི་ཕྱིར་མི་སློབ་བོ།། །།

ཤེས་རབ་ཀྱི་ཕ་རོལ་ཏུ་ཕྱིན་པ་སྟོང་ཕྲག་ཉི་ཤུ་ལྔ་པ། བམ་པོ་སུམ་ཅུ་པ། དེ་ནས་ཚེ་དང་ལྡན་པ་ཤ་ར་དྭ་ཏིའི་བུས། ཚེ་དང་ལྡན་པ་རབ་འབྱོར་ལ་འདི་སྐད་ཅེས་སྨྲས་སོ། །ཚེ་དང་ལྡན་པ་རབ་འབྱོར་དེ་ལྟར་སློབ་པའི་བྱང་ཆུབ་སེམས་དཔའ་སེམས་དཔའ་ཆེན་པོ་གཟུགས་ཡོངས་སུ་གཟུང་བ་དང་། མེད་པར་བྱ་བའི་ཕྱིར་མི་སློབ་པ་ཡིན་ནམ། ཚོར་བ་དང་། འདུ་ཤེས་དང་། འདུ་བྱེད་དང་། རྣམ་པར་ཤེས་པ་ཡོངས་སུ་གཟུང་བ་དང་། མེད་པར་བྱ་བའི་ཕྱིར་མི་སློབ་པ་ཡིན་ནམ། རྣམ་པ་ཐམས་ཅད་མཁྱེན་པ་ཉིད་ཀྱི་བར་དུ་ཡོངས་སུ་གཟུང་བ་དང་། མེད་པར་བྱ་བའི་ཕྱིར་མི་སློབ་པ་ཡིན་ནམ། རབ་འབྱོར་གྱིས་སྨྲས་པ། ཚེ་དང་ལྡན་པ་ཤ་ར་དྭ་ཏིའི་བུ་དེ་ལྟར་སློབ་པའི་བྱང་ཆུབ་སེམས་དཔའ་སེམས་དཔའ་ཆེན་པོ་ནི་གཟུགས་ཡོངས་སུ་གཟུང་བ་དང་། མེད་པར་བྱ་བའི་ཕྱིར་མི་སློབ་བོ། །ཚོར་བ་དང་འདུ་ཤེས་དང་འདུ་བྱེད་དང་རྣམ་པར་ཤེས་པ་ཡོངས་སུ་གཟུང་བ་དང་མེད་པར་བྱ་བའི་ཕྱིར་མི་སློབ་བོ། །རྣམ་པ་ཐམས་ཅད་མཁྱེན་པ་ཉིད་ཀྱི་བར་དུ་ཡོངས་སུ་གཟུང་བ་དང་མེད་པར་བྱ་བའི་ཕྱིར་མི་སློབ་བོ། །སྨྲས་པ་ཚེ་དང་ལྡན་པ་རབ་འབྱོར་བྱང་ཆུབ་སེམས་དཔའ་སེམས་དཔའ་ཆེན་པོ་ཅིའི་ཕྱིར་ན་གཟུགས་ཡོངས་སུ་གཟུང་བ་དང་མེད་པར་བྱ་བའི་ཕྱིར་མི་སློབ་པ་ཡིན། ཅིའི་ཕྱིར་ན་ཚོར་བ་དང་། འདུ་ཤེས་དང་། འདུ་བྱེད་དང་། རྣམ་པར་

ཤེས་པ་ཡོངས་སུ་གཟུང་བ་དང་། མེད་པར་བྱ་བའི་ཕྱིར་[༡]མི་སློབ་པ་ཡིན། ཅིའི་ཕྱིར་ན་རྣམ་པ་ཐམས་ཅད་མཁྱེན་པ་ཉིད་ཀྱི་བར་དུ་ཡོངས་སུ་བཟུང་བ་དང་། མེད་པར་བྱ་བའི་ཕྱིར་མི་སློབ་པ་ཡིན། རབ་འབྱོར་གྱིས་སྨྲས་པ། ཚེ་དང་ལྡན་པ་ཤཱ་རིའི་བུ་དེ་ནི་འདི་ལྟར་གཟུགས་ལ་ཡོངས་སུ་འཛིན་པ་མེད་དེ། ཕྱི་ནང་སྟོང་པ་ཉིད་ཀྱི་ཕྱིར་གཟུགས་ལ་གཟུགས་ཡོངས་སུ་མི་འཛིན་ཏོ། །དེ་ནི་འདི་ལྟར་[༢]ཚོར་བ་དང་། འདུ་ཤེས་དང་། འདུ་བྱེད་དང་། རྣམ་པར་ཤེས་པ་ལ་ཡོངས་སུ་འཛིན་པ་མེད་དེ། ཕྱི་ནང་སྟོང་པ་ཉིད་ཀྱི་ཕྱིར་རྣམ་པར་ཤེས་པ་ལ་རྣམ་པར་ཤེས་པ་ཡོངས་སུ་མི་འཛིན་ཏོ། །དེ་ནི་འདི་ལྟར་སྐྱེ་མཆེད་དང་། ཁམས་དང་རྟེན་ཅིང་འབྲེལ་པར་འབྱུང་བ་[༣]ཡོངས་སུ་འཛིན་པ་མེད་དེ། ཕྱི་ནང་སྟོང་པ་ཉིད་ཀྱི་ཕྱིར་རྟེན་ཅིང་འབྲེལ་པར་འབྱུང་བ་ལ་རྟེན་ཅིང་འབྲེལ་བར་འབྱུང་བ་ཡོངས་སུ་མི་འཛིན་ཏོ། །དེ་ནི་འདི་ལྟར་ཕ་རོལ་ཏུ་ཕྱིན་པ་རྣམས་དང་། སྟོང་པ་ཉིད་ཐམས་ཅད་དང་། བྱང་ཆུབ་ཀྱི་ཕྱོགས་ཀྱི་ཆོས་རྣམས་དང་། འཕགས་པའི་བདེན་པ་རྣམས་དང་། བསམ་གཏན་རྣམས་དང་། ཚད་མེད་པ་རྣམས་དང་། གཟུགས་མེད་[༤]པའི་སྙོམས་པར་འཇུག་པ་རྣམས་དང་། རྣམ་པར་ཐར་པ་རྣམས་དང་། མཐར་གྱིས་གནས་པའི་སྙོམས་པར་འཇུག་པ་རྣམས་དང་། སྟོང་པ་ཉིད་དང་། མཚན་མ་མེད་པ་དང་། སྨོན་པ་མེད་པ་དང་། མངོན་པར་ཤེས་པ་རྣམས་དང་། ཏིང་ངེ་འཛིན་རྣམས་དང་། གཟུངས་ཀྱི་སྒོ་རྣམས་དང་། དེ་བཞིན་གཤེགས་པའི་སྟོབས་རྣམས་དང་། མི་འཇིགས་པ་རྣམས་དང་། སོ་སོ་ཡང་དག་པར་རིག་པ་རྣམས་དང་། སངས་རྒྱས་ཀྱི་ཆོས་མ་འདྲེས་པ་རྣམས་[༥]ཡོངས་སུ་འཛིན་པ་མེད་དེ། །ཕྱི་ནང་སྟོང་པ་ཉིད་ཀྱི་ཕྱིར་སངས་རྒྱས་ཀྱི་ཆོས་མ་འདྲེས་པ་རྣམས་ལ། སངས་རྒྱས་ཀྱི་ཆོས་མ་འདྲེས་པ་

རྣམས་ཡོངས་སུ་མི་འཛིན་ཏོ། །དེ་ནི་འདི་ལྟར་རྣམ་པ་ཐམས་ཅད་མཁྱེན་པ་ཉིད་
ཀྱི་བར་ལ་ཡོངས་སུ་འཛིན་པ་མེད་དེ། ཕྱི་ནང་སྟོང་པ་ཉིད་ཀྱི་ཕྱིར་རྣམ་པ་
ཐམས་ཅད་མཁྱེན་པ་ཉིད་ལ། རྣམ་པ་ཐམས་ཅད་མཁྱེན་པ་ཉིད་ཡོངས་སུ་མི་
འཛིན་ཏོ། །ཚེ་དང་ལྡན་པ་ཤཱ་ར་དྭ་ཏིའི་བུ་དེ་ལྟར་ན། བྱང་ཆུབ་སེམས་
དཔའ་སེམས་དཔའ་ཆེན་པོ་ཆོས་ཐམས་ཅད་ལ་[༡]ཡོངས་སུ་འཛིན་པ་མེད་པའི་ཚུལ་
གྱིས། རྣམ་པ་ཐམས་ཅད་མཁྱེན་པ་ཉིད་དུ་འབྱུང་ངོ་། །སྨྲས་པ་ཚེ་དང་ལྡན་
པ་རབ་འབྱོར་དེ་ལྟར་སློབ་པའི་བྱང་ཆུབ་སེམས་དཔའ་སེམས་དཔའ་ཆེན་པོ།
ཤེས་རབ་ཀྱི་ཕ་རོལ་ཏུ་ཕྱིན་པ་ལ་བསླབས་ཤིང་། རྣམ་པ་ཐམས་ཅད་མཁྱེན་པ་
ཉིད་དུ་འབྱུང་བ་ཡིན་ནམ། རབ་འབྱོར་གྱིས་སྨྲས་[༢]པ། ཚེ་དང་ལྡན་པ་ཤཱ་ར་
དྭ་ཏིའི་བུ་དེ་ལྟར་སློབ་པའི་བྱང་ཆུབ་སེམས་དཔའ་སེམས་དཔའ་ཆེན་པོ་ནི་ཤེས་
རབ་ཀྱི་ཕ་རོལ་ཏུ་ཕྱིན་པ་ལ་བསླབས་[༣]ཤིང་། ཆོས་ཐམས་ཅད་ལ་ཡོངས་སུ་
འཛིན་པ་མེད་པའི་ཚུལ་གྱིས། རྣམ་པ་ཐམས་ཅད་མཁྱེན་པ་ཉིད་དུ་འབྱུང་ངོ་། །
སྨྲས་པ་ཚེ་དང་ལྡན་པ་རབ་འབྱོར་དེ་ལྟར་སློབ་པའི་བྱང་ཆུབ་སེམས་དཔའ་སེམས་
དཔའ་ཆེན་པོ་ཆོས་ཐམས་ཅད་ཡོངས་སུ་གཟུང་བ་དང་། མེད་པར་བྱ་བའི་[༤]
ཕྱིར་བསླབས་ཤིང་རྣམ་པ་ཐམས་ཅད་མཁྱེན་པ་ཉིད་དུ་ཇི་ལྟར་འབྱུང་བར་འགྱུར།
རབ་འབྱོར་གྱིས་སྨྲས་པ། ཚེ་དང་ལྡན་པ་ཤཱ་ར་དྭ་ཏིའི་བུ་འདི་ལ་བྱང་ཆུབ་
སེམས་དཔའ་སེམས་དཔའ་ཆེན་པོ་ཤེས་རབ་ཀྱི་ཕ་རོལ་ཏུ་ཕྱིན་པ་ལ་སྤྱོད་པའི་ཚེ།
གཟུགས་ཀྱི་སྐྱེ་བ་མི་མཐོང་[༥]། འགག་པ་དང་། བླང་བ་དང་དོར་བ་དང་།
ཀུན་ནས་ཉོན་མོངས་པ་དང་། རྣམ་པར་བྱང་བ་དང་། སོགས་[༦]པ་དང་།
འབྲི་བ་དང་། འཕྲིབ་པ་དང་། འཕེལ་བ་མི་མཐོང་སྟེ། དེ་ཅིའི་ཕྱིར་ཞེ་ན།
དེ་ནི་འདི་ལྟར་གཟུགས་གཟུགས་ཀྱི་རང་བཞིན་གྱིས་མེད་ཅིང་མི་དམིགས་སོ། །

ཚོར་བ་དང་། འདུ་ཤེས་དང་། འདུ་བྱེད་དང་། རྣམ་པར་ཤེས་པའི་སྐྱེ་བ་མི་མཐོང་འགག་པ་དང་། གླང་བ་དང་། འཕེལ་བ་དང་། ཀུན་ནས་ཉོན་མོངས་པ་དང་། རྣམ་པར་བྱང་བ་དང་། སོགས་⑦པ་དང་། འབྲི་བ་དང་། འགྲིབ་པ་དང་། འཕེལ་བ་མི་མཐོང་སྟེ། དེ་ཅིའི་ཕྱིར་ཞེ་ན། དེ་ནི་འདི་ལྟར་རྣམ་པར་ཤེས་པ་རྣམ་པར་ཤེས་པའི་རང་བཞིན་གྱིས་མེད་ཅིང་མི་དམིགས་སོ།། སྐྱེ་མཆེད་དང་། ཁམས་དང་། རྟེན་ཅིང་འབྲེལ་བར་འབྱུང་བ་དང་། ཕ་རོལ་ཏུ་ཕྱིན་པ་རྣམས་དང་། སྟོང་པ་ཉིད་ཐམས་ཅད་དང་། བྱང་ཆུབ་ཀྱི་ཕྱོགས་ཀྱི་ཆོས་སུམ་ཅུ་རྩ་བདུན་དང་། འཕགས་པའི་བདེན་པ་དང་། བསམ་གཏན་དང་། ཚད་མེད་③པ་དང་། གཟུགས་མེད་པའི་སྙོམས་པར་འཇུག་པ་དང་། རྣམ་པར་ཐར་པ་དང་། མཐར་གྱིས་གནས་པའི་སྙོམས་པར་འཇུག་པ་དང་། སྟོང་པ་ཉིད་དང་། མཚན་མ་མེད་པ་དང་། སྨོན་པ་མེད་པ་དང་། མངོན་པར་ཤེས་པ་དང་། ཏིང་ངེ་འཛིན་དང་། གཟུངས་ཀྱི་སྒོ་དང་། དེ་བཞིན་གཤེགས་པའི་སྟོབས་རྣམས་དང་། མི་འཇིགས་པ་དང་། སོ་སོ་ཡང་དག་པར་རིག་པ་དང་། སངས་རྒྱས་ཀྱི་ཆོས་མ་འདྲེས་པ་རྣམས་དང་། རྣམ་པ་ཐམས་ཅད་མཁྱེན་པ་ཉིད་ཀྱི་བར་གྱི་སྐྱེ་བ་མི་མཐོང་། འགག་པ་དང་། གླང་བ་དང་། འཕེལ་བ་དང་། ཀུན་ནས་ཉོན་མོངས་པ་དང་། རྣམ་པར་བྱང་བ་དང་། སོགས་③པ་དང་། འབྲི་བ་དང་འགྲིབ་པ་དང་། འཕེལ་བ་མི་མཐོང་སྟེ། དེ་ཅིའི་ཕྱིར་ཞེ་ན། དེ་ནི་འདི་ལྟར་རྣམ་པ་ཐམས་ཅད་མཁྱེན་པ་ཉིད་རྣམ་པ་ཐམས་ཅད་མཁྱེན་པ་ཉིད་ཀྱི་རང་བཞིན་གྱིས་མེད་ཅིང་མི་དམིགས་སོ།། ཚེ་དང་ལྡན་པ་ཤཱ་ར་དྭ་ཏིའི་བུ་དེ་ལྟར་ན་བྱང་ཆུབ་སེམས་དཔའ་སེམས་དཔའ་ཆེན་པོ་ཆོས་ཐམས་ཅད་སྐྱེ་བ་མེད་པ་དང་། འགག་པ་མེད་པ་དང་། གླང་བ་

མེད་པ་དང་། ངོར་བ་མེད་པ་དང་། ཀུན་ནས་ཉོན་མོངས་པ་མེད་པ་དང་། རྣམ་པར་བྱང་བ་མེད་པ་དང་། སོགས་①པ་མེད་པ་དང་། འབྲི་བ་མེད་པ་དང་། འགྲིབ་པ་མེད་པ་དང་། འཕེལ་བ་མེད་པའི་ཕྱིར་མི་སློབ། མི་འབྱུང་བའི་ཚུལ་གྱིས་ཤེས་རབ་ཀྱི་ཕ་རོལ་ཏུ་ཕྱིན་པ་ལ་བསླབས་ཤིང་། རྣམ་པ་ཐམས་ཅད་མཁྱེན་པ་ཉིད་དུ་འབྱུང་ངོ་། །དེ་ནས་ལྷའི་དབང་པོ་བརྒྱ་བྱིན་གྱིས་ཚེ་དང་ལྡན་པ་ཤཱ་ར་དྭ་ཏིའི་བུ་ལ་འདི་སྐད་ཅེས་སྨྲས་སོ། །བཙུན་པ་ཤཱ་ར་དྭ་ཏིའི་བུ་བྱང་ཆུབ་སེམས་དཔའ་སེམས་དཔའ་ཆེན་པོ་རྣམས་ཀྱི་ཤེས་རབ་ཀྱི་ཕ་རོལ་ཏུ་ཕྱིན་པ་གང་ནས་བཙལ་བར་བྱ། ཤཱ་ར་དྭ་ཏིའི་བུས་སྨྲས་པ། ལྷའི་དབང་པོ་བྱང་ཆུབ་སེམས་དཔའ་སེམས་དཔའ་ཆེན་པོ་རྣམས་ཀྱི་ཤེས་རབ་ཀྱི་ཕ་རོལ་ཏུ་ཕྱིན་པ་ནི། རབ་འབྱོར་གྱི་ལེའུ་ལས་བཙལ་བར་བྱའོ། །དེ་ནས་ལྷའི་དབང་པོ་བརྒྱ་བྱིན་གྱིས། ཚེ་དང་ལྡན་པ་རབ་འབྱོར་ལ་འདི་སྐད་ཅེས་སྨྲས་སོ། །བཙུན་པ་རབ་འབྱོར་འཕགས་པ་ཤཱ་ར་དྭ་ཏིའི་བུས་འདི་སྐད་དུ་བྱང་ཆུབ་སེམས་དཔའ་སེམས་དཔའ་ཆེན་པོ་རྣམས་ཀྱི་ཤེས་རབ་ཀྱི་ཕ་རོལ་ཏུ་ཕྱིན་པ་ནི་རབ་འབྱོར་གྱི་ལེའུ་ལས་བཙལ་②བར་བྱའོ་ཞེས་སྨྲས་ཏེ། དེ་ནི་ཁྱོད་ཀྱི་མཐུའོ། །ཁྱོད་ཀྱི་བྱིན་གྱིས་བརླབས་③སོ། ། རབ་འབྱོར་གྱིས་སྨྲས་པ། ཀཽ་ཤི་ཀ་འདི་ནི་བདག་གི་④མཐུ་མ་ཡིན། འདི་ནི་བདག་གི་བྱིན་གྱིས་བརླབས་⑤མ་ཡིན་ནོ། །བརྒྱ་བྱིན་གྱིས་སྨྲས་པ་བཙུན་པ་རབ་འབྱོར་འོ་ན་དེ་སུའི་མཐུ། དེ་སུའི་བྱིན་གྱིས་བརླབས⑥། རབ་འབྱོར་གྱིས་སྨྲས་པ། ཀཽ་ཤི་ཀ་དེ་ནི་དེ་བཞིན་གཤེགས་པའི་མཐུའོ། །དེ་ནི་དེ་བཞིན་གཤེགས་པའི་བྱིན་གྱིས་བརླབས་⑦སོ། །བརྒྱ་བྱིན་གྱིས་སྨྲས་པ། བཙུན་པ་རབ་འབྱོར་ཆོས་ཐམས་ཅད་བྱིན་གྱིས་བརླབས་མེད་⑧ན། ཅིའི་ཕྱིར་དེ་སྐད་དུ། འདི་ནི་དེ་བཞིན་གཤེགས་པའི་མཐུའོ། །འདི་ནི་དེ་བཞིན་གཤེགས་པའི་བྱིན་

ཿགྱིས་བརླབས་[1]སོ། །ཞེས་སྨྲ་བྱིནཿགྱིས་བརླབས་[2]མེད་པའི་ཆོས་ཉིད་ལས་གུད་ན་ཡང་དེ་བཞིན་གཤེགས་པ་མི་དམིགས་ལ། དེ་བཞིན་ཉིད་ལས་གུད་ན་ཡང་དེ་བཞིན་གཤེགས་པ་ཡོད་པར་མི་དམིགས་སོ། །རབ་འབྱོར་གྱིས་སྨྲས་པ། ཀཽ་ཤི་ཀ་དེ་དེ་བཞིན་ནོ། །དེ་དེ་བཞིན་ཏེ། བྱིནཿགྱིས་བརླབས་[3]མེད་པའི་ཆོས་ཉིད་ལས་གུད་ན་ཡང་དེ་བཞིན་གཤེགས་པ་ཡོད་པར་མི་དམིགས་ལ། དེ་བཞིན་ཉིད་ལས་གུད་ན་ཡང་དེ་བཞིན་གཤེགས་པ་ཡོད་པར་མི་དམིགས་སོ། །བྱིནཿགྱིས་བརླབས་[4]མེད་པའི་ཆོས་ཉིད་ལ་ཡང་དེ་བཞིན་གཤེགས་པ་མི་དམིགས་ལ། དེ་བཞིན་གཤེགས་པ་ལ་ཡང་བྱིནཿགྱིས་བརླབས་[5]མེད་པའི་ཆོས་མི་དམིགས་སོ། །དེ་བཞིན་ཉིད་ལ་ཡང་དེ་བཞིན་གཤེགས་པ་མི་དམིགས་སོ། །དེ་བཞིན་གཤེགས་པ་ལ་ཡང་དེ་བཞིན་ཉིད་མི་དམིགས་སོ། །གཟུགས་ཀྱི་དེ་བཞིན་ཉིད་ལ་ཡང་དེ་བཞིན་གཤེགས་པ་མི་དམིགས་སོ། །དེ་བཞིན་གཤེགས་པ་ལ་ཡང་གཟུགས་ཀྱི་དེ་བཞིན་ཉིད་མི་དམིགས་སོ། །གཟུགས་ཀྱི་ཆོས་ཉིད་ལ་ཡང་དེ་བཞིན་གཤེགས་པ་མི་དམིགས་སོ། །དེ་བཞིན་གཤེགས་པ་ལ་ཡང་གཟུགས་ཀྱི་ཆོས་ཉིད་མི་དམིགས་སོ། །ཚོར་བ་དང་། འདུ་ཤེས་དང་། འདུ་བྱེད་དང་། རྣམ་པར་ཤེས་པའི་དེ་བཞིན་ཉིད་ལ་ཡང་དེ་བཞིན་གཤེགས་པ་མི་དམིགས་སོ། །དེ་བཞིན་གཤེགས་པ་ལ་ཡང་རྣམ་པར་ཤེས་པའི་དེ་བཞིན་ཉིད་མི་དམིགས་སོ། །རྣམ་པར་ཤེས་པའི་ཆོས་ཉིད་ལ་ཡང་དེ་བཞིན་གཤེགས་པ་མི་དམིགས་སོ། །དེ་བཞིན་གཤེགས་པ་ལ་ཡང་རྣམ་པར་ཤེས་པའི་ཆོས་ཉིད་མི་དམིགས་སོ། །སྐྱེ་མཆེད་དང་། ཁམས་དང་། རྟེན་ཅིང་འབྲེལ་པར་འབྱུང་བ་དང་། ཕ་རོལ་ཏུ་ཕྱིན་པ་རྣམས་དང་། སྟོང་པ་ཉིད་ཐམས་ཅད་དང་། བྱང་ཆུབ་ཀྱི་ཕྱོགས་ཀྱི་ཆོས་སུམ་ཅུ་རྩ་བདུན་དང་། འཕགས་[6]པའི་བདེན་པ་དང་། བསམ་གཏན་དང་། ཚད་

མེད་པ་དང་། གཟུགས་མེད་པའི་སྙོམས་པར་འཇུག་པ་དང་། རྣམ་པར་ཐར་པ་དང་། མཐར་གྱིས་གནས་པའི་སྙོམས་པར་འཇུག་པ་དང་། སྟོང་པ་ཉིད་དང་མཚན་མ་མེད་པ་དང་། སྨོན་པ་མེད་པ་དང་། མངོན་པར་ཤེས་པ་དང་། ཏིང་ངེ་འཛིན་དང་། གཟུངས་ཀྱི་སྒོ་དང་། དེ་བཞིན་གཤེགས་པའི་སྟོབས་དང་། མི་འཇིགས་པ་དང་། སོ་སོ་ཡང་དག་པར་རིག་པ་དང་། སངས་རྒྱས་ཀྱི་ཆོས་མ་འདྲེས་པ་དང་། རྣམ་པ་ཐམས་ཅད་མཁྱེན་པ་ཉིད་ཀྱི་བར་གྱི་དེ་བཞིན་ཉིད་ལ་ཡང་དེ་བཞིན་གཤེགས་པ་མི་དམིགས་སོ། །དེ་བཞིན་གཤེགས་པ་ལ་ཡང་རྣམ་པ་ཐམས་ཅད་མཁྱེན་པ་ཉིད་ཀྱི་དེ་བཞིན་ཉིད་མི་དམིགས་སོ། །རྣམ་པ་ཐམས་ཅད་མཁྱེན་པ་ཉིད་ཀྱི་ཆོས་ཉིད་ལ་ཡང་དེ་བཞིན་གཤེགས་པ་མི་དམིགས་སོ། །དེ་བཞིན་གཤེགས་པ་ལ་ཡང་རྣམ་པ་ཐམས་ཅད་མཁྱེན་པ་ཉིད་ཀྱི་ཆོས་ཉིད་མི་དམིགས་སོ། །ཀཽ་ཤི་ཀ་དེ་བཞིན་གཤེགས་པ་གང་ཡིན་པ་དེ་ནི་གཟུགས་ཀྱི་དེ་བཞིན་ཉིད་དང་ལྡན་པ་ཡང་མ་ཡིན་བྲལ་བ་ཡང་མ་ཡིན་ནོ། །གཟུགས་ཀྱི་ཆོས་ཉིད་དང་ལྡན་པ་ཡང་མ་ཡིན་བྲལ་བ་ཡང་མ་ཡིན་ནོ། །གཟུགས་ཀྱི་དེ་བཞིན་ཉིད་མ་ཡིན་པ་གཞན་དང་ལྡན་པ་ཡང་མ་ཡིན་བྲལ་བ་ཡང་མ་ཡིན་ནོ། །གཟུགས་ཀྱི་ཆོས་ཉིད་མ་ཡིན་པ་གཞན་དང་ལྡན་པ་ཡང་མ་ཡིན། བྲལ་བ་ཡང་མ་ཡིན་ནོ། །ཚོར་བ་དང་། འདུ་ཤེས་དང་། འདུ་བྱེད་དང་། རྣམ་པར་ཤེས་པའི་དེ་བཞིན་ཉིད་དང་ལྡན་པ་ཡང་མ་ཡིན་བྲལ་བ་ཡང་མ་ཡིན་ནོ། །རྣམ་པར་ཤེས་པའི་ཆོས་ཉིད་དང་ལྡན་པ་ཡང་མ་ཡིན་བྲལ་བ་ཡང་མ་ཡིན་ནོ། །རྣམ་པར་ཤེས་པའི་དེ་བཞིན་ཉིད་མ་ཡིན་པ་གཞན་དང་ལྡན་པ་ཡང་མ་ཡིན་བྲལ་བ་ཡང་མ་ཡིན་ནོ། །རྣམ་པར་ཤེས་པའི་ཆོས་ཉིད་མ་ཡིན་པ་གཞན་དང་ལྡན་པ་ཡང་མ་ཡིན་བྲལ་བ་ཡང་མ་ཡིན་ནོ། །ཀཽ་ཤི་ཀ་དེ་བཞིན་གཤེགས་པ་གང་ཡིན་པ་

དེ་ནི་རྣམ་པ་ཐམས་ཅད་མཁྱེན་པ་ཉིད་ཀྱི་བར་གྱི་དེ་བཞིན་ཉིད་དང་ལྡན་པ་ཡང་མ་ཡིན་བྲལ་བ་ཡང་མ་ཡིན་ནོ། །རྣམ་པ་ཐམས་ཅད་མཁྱེན་པ་ཉིད་ཀྱི་ཆོས་ཉིད་དང་ལྡན་པ་ཡང་མ་ཡིན་བྲལ་བ་ཡང་མ་ཡིན་ནོ། །རྣམ་པ་ཐམས་ཅད་མཁྱེན་པ་ཉིད་ཀྱི་དེ་བཞིན་ཉིད་མ་ཡིན་པ་གཞན་དང་ལྡན་པ་ཡང་མ་ཡིན་བྲལ་བ་ཡང་མ་ཡིན་ནོ། །རྣམ་པ་ཐམས་ཅད་མཁྱེན་པ་ཉིད་ཀྱི་ཆོས་ཉིད་མ་ཡིན་པ་གཞན་དང་ལྡན་པ་ཡང་མ་ཡིན་བྲལ་བ་ཡང་མ་ཡིན་ནོ། །ཀཽ་ཤི་ཀ་འདི་ནི་གང་ཆོས་འདི་དག་ཐམས་ཅད་དང་ལྡན་པ་ཡང་མ་ཡིན་བྲལ་བ་ཡང་མ་ཡིན་པ་དེའི་མཐུ་སྟེ། བྱིནཿགྱིས་བརླབས[1]མེད་པའི་ཚུལ་གྱིས་དེའི་བྱིནཿགྱིས་བརླབས[2]སོ། །ཀཽ་ཤི་ཀ་གང་ཡང་འདི་སྐད་དུ་བྱང་ཆུབ་སེམས་དཔའ་སེམས་དཔའ་ཆེན་པོས་ཤེས་རབ་ཀྱི་ཕ་རོལ་ཏུ་ཕྱིན[3]པ་གང་ནས་བཙལ་བར་བྱ་ཞེས་ཟེར་བ་ནི། ཀཽ་ཤི་ཀ་གཟུགས་ལས་ཀྱང་བཙལ་བར་མི་བྱ། གཟུགས་ལས་གཞན་དུ་ཡང་བཙལ་བར་མི་བྱའོ། །ཚོར་བ་དང་། འདུ་ཤེས་དང་འདུ་བྱེད་དང་། རྣམ་པར་ཤེས་པ་ལས་ཀྱང་བཙལ་བར་མི་བྱ། རྣམ་པར་ཤེས་པ་ལས་གཞན་དུ་ཡང་བཙལ་བར་མི་བྱའོ། །དེ་ཅིའི་ཕྱིར་ཞེ་ན། ཀཽ་ཤི་ཀ་དེ་ནི་འདི་ལྟར་གཟུགས་གང་ཡིན་པ་དང་། ཚོར་བ་དང་། འདུ་ཤེས་དང་། འདུ་བྱེད་དང་། རྣམ་པར་ཤེས་པ་གང་ཡིན་པ་དང་། བྱང་ཆུབ་སེམས་དཔའ་གང་ཡིན་པ་དང་། ཤེས་རབ་ཀྱི་ཕ་རོལ་ཏུ་ཕྱིན་པ་གང་ཡིན་པ་དང་། བཙལ་བ་གང་ཡིན་པའི་ཆོས་དེ་དག་ཐམས་ཅད་ནི་ལྡན་པ་ཡང་མ་ཡིན། མི་ལྡན་པ་ཡང་མ་ཡིན་ནོ། །གཟུགས་མེད་པ། བལྟར་མེད་པ། ཐོགས་པ་མེད་པ་མཚན་ཉིད་གཅིག་པ་སྟེ། འདི་ལྟར་མཚན་ཉིད་མེད་པའོ། །ཀཽ་ཤི་ཀ་གཞན་ཡང་བྱང་ཆུབ་སེམས་དཔའ་སེམས་དཔའ་ཆེན་པོས། ཤེས་རབ་ཀྱི་ཕ་རོལ་ཏུ་ཕྱིན་པ་ནི་སྐྱེ་མཆེད་དང་། ཁམས་དང་། རྟེན་ཅིང་

འབྲེལ་བར་འབྱུང་བ་ལས་ཀྱང་བཙལ་བར་མི་བྱ། ཕ་རོལ་ཏུ་ཕྱིན་པ་རྣམས་དང་། སྟོང་པ་ཉིད་ཐམས་ཅད་དང་། བྱང་ཆུབ་ཀྱི་ཕྱོགས་ཀྱི་ཆོས་རྣམས་དང་། འཕགས་པའི་བདེན་པ་དང་། བསམ་གཏན་དང་། ཚད་མེད་པ་དང་། གཟུགས་མེད་པའི་སྙོམས་པར་འཇུག་པ་དང་། རྣམ་པར་ཐར་པ་དང་། མཐར་གྱིས་གནས་པའི་སྙོམས་པར་འཇུག་པ་དང་། སྟོང་པ་ཉིད་དང་། མཚན་མ་མེད་པ་དང་། སྨོན་པ་མེད་པ་དང་། མངོན་པར་ཤེས་པ་དང་། ཏིང་ངེ་འཛིན་དང་། གཟུངས་ཀྱི་སྒོ་དང་། དེ་བཞིན་གཤེགས་པའི་སྟོབས་དང་། མི་འཇིགས་པ་དང་། སོ་སོ་ཡང་དག་པར་རིག་པ་དང་། སངས་རྒྱས་ཀྱི་ཆོས་མ་འདྲེས་པ་རྣམས་དང་། རྣམ་པ་ཐམས་ཅད་མཁྱེན་པ་ཉིད་ཀྱི་བར་ལས་ཀྱང་བཙལ་བར་མི་བྱ། རྣམ་པ་ཐམས་ཅད་མཁྱེན་པ་ཉིད་ལས་གཞན་དུ་ཡང་བཙལ་བར་མི་བྱའོ། །དེ་ཅིའི་ཕྱིར་ཞེ་ན། ཀཽ་ཤི་ཀ་དེ་ནི་འདི་ལྟར་རྣམ་པ་ཐམས་ཅད་མཁྱེན་པ་ཉིད་གང་ཡིན་པ་དང་། བྱང་ཆུབ་སེམས་དཔའ་གང་ཡིན་པ་དང་། ཤེས་རབ་ཀྱི་ཕ་རོལ་ཏུ་ཕྱིན་པ་གང་ཡིན་པ་དང་། བཙལ་བ་གང་ཡིན་པའི་ཆོས་དེ་དག་ཐམས་ཅད་ནི་ལྡན་པ་ཡང་མ་ཡིན་མི་ལྡན་པ་ཡང་མ་ཡིན། གཟུགས་མེད་པ། བསྟན་མེད་པ། ཐོགས་པ་མེད་པ། མཚན་ཉིད་གཅིག་པ་སྟེ། འདི་ལྟར་མཚན་ཉིད་མེད་པའོ། །དེ་ཅིའི་ཕྱིར་ཞེ་ན། ཀཽ་ཤི་ཀ་དེ་ནི་འདི་ལྟར་གཟུགས་ཀྱང་ཤེས་རབ་ཀྱི་ཕ་རོལ་ཏུ་ཕྱིན་པ་མ་ཡིན། གཟུགས་ལས་གུད་ན་ཡང་ཤེས་རབ་ཀྱི་ཕ་རོལ་ཏུ་ཕྱིན་པ་མེད་དོ། །གཟུགས་ཀྱི་དེ་བཞིན་ཉིད་ཀྱང་ཤེས་རབ་ཀྱི་ཕ་རོལ་ཏུ་ཕྱིན་པ་མ་ཡིན། གཟུགས་ཀྱི་དེ་བཞིན་ཉིད་ལས་གུད་ན་ཡང་ཤེས་རབ་ཀྱི་ཕ་རོལ་ཏུ་ཕྱིན་པ་མེད་དོ། །གཟུགས་ཀྱི་ཆོས་ཉིད་ཀྱང་ཤེས་རབ་ཀྱི་ཕ་རོལ་ཏུ་ཕྱིན་པ་མ་ཡིན། གཟུགས་ཀྱི་ཆོས་ཉིད་ལས་གུད་ན་ཡང་ཤེས་

རབ་ཀྱི་ཕ་རོལ་ཏུ་ཕྱིན་པ་མེད་དོ། །ཚོར་བ་དང་། འདུ་ཤེས་དང་། འདུ་བྱེད་དང་། རྣམ་པར་ཤེས་པ་ཡང་ཤེས་རབ་ཀྱི་ཕ་རོལ་ཏུ་ཕྱིན་པ་མ་ཡིན། རྣམ་པར་ཤེས་པ་ལས་གུད་ན་ཡང་ཤེས་རབ་ཀྱི་ཕ་རོལ་ཏུ་ཕྱིན་པ་མེད་དོ། །རྣམ་པར་ཤེས་པའི་དེ་བཞིན་ཉིད་ཀྱང་ཤེས་རབ་ཀྱི་ཕ་རོལ་ཏུ་ཕྱིན་པ་མ་ཡིན། རྣམ་པར་ཤེས་པའི་དེ་བཞིན་ཉིད་ལས་གུད་ན་ཡང་ཤེས་རབ་ཀྱི་ཕ་རོལ་ཏུ་ཕྱིན་པ་མེད་དོ། །རྣམ་པར་ཤེས་པའི་ཆོས་ཉིད་ཀྱང་ཤེས་རབ་ཀྱི་ཕ་རོལ་ཏུ་ཕྱིན་པ་མ་ཡིན། རྣམ་པར་ཤེས་པའི་ཆོས་ཉིད་ལས་གུད་ན་ཡང་ཤེས་རབ་ཀྱི་ཕ་རོལ་ཏུ་ཕྱིན་པ་མེད་དོ། །སྐྱེ་མཆེད་དང་། ཁམས་དང་། རྟེན་ཅིང་འབྲེལ་བར་འབྱུང་བ་དང་། ཕ་རོལ་ཏུ་ཕྱིན་པ་རྣམས་དང་། སྟོང་པ་ཉིད་ཐམས་ཅད་དང་། བྱང་ཆུབ་ཀྱི་ཕྱོགས་ཀྱི་ཆོས་སུམ་ཅུ་རྩ་བདུན་དང་། འཕགས་པའི་བདེན་པ་རྣམས་དང་། བསམ་གཏན་རྣམས་དང་། ཚད་མེད་པ་རྣམས་དང་། གཟུགས་མེད་པའི་སྙོམས་པར་འཇུག་པ་རྣམས་དང་། རྣམ་པར་ཐར་པ་རྣམས་དང་། མཐར་གྱིས་གནས་པའི་སྙོམས་པར་འཇུག་པ་རྣམས་དང་། སྟོང་པ་ཉིད་དང་། མཚན་མ་མེད་པ་དང་། སྨོན་པ་མེད་པ་དང་། མངོན་པར་ཤེས་པ་རྣམས་དང་། ཏིང་ངེ་འཛིན་རྣམས་དང་། གཟུངས་ཀྱི་སྒོ་རྣམས་དང་། དེ་བཞིན་གཤེགས་པའི་སྟོབས་རྣམས་དང་། མི་འཇིགས་པ་རྣམས་དང་། སོ་སོ་ཡང་དག་པར་རིག་པ་རྣམས་དང་། སངས་རྒྱས་ཀྱི་ཆོས་མ་འདྲེས་པ་རྣམས་དང་། རྣམ་པ་ཐམས་ཅད་མཁྱེན་པ་ཉིད་ཀྱི་བར་ཡང་ཤེས་རབ་ཀྱི་ཕ་རོལ་ཏུ་ཕྱིན་པ་མ་ཡིན། རྣམ་པ་ཐམས་ཅད་མཁྱེན་པ་ཉིད་ལས་གུད་ན་ཡང་ཤེས་རབ་ཀྱི་ཕ་རོལ་ཏུ་ཕྱིན་པ་མེད་དོ། །རྣམ་པ་ཐམས་ཅད་མཁྱེན་པ་ཉིད་ཀྱི་དེ་བཞིན་ཉིད་ཀྱང་ཤེས་རབ་ཀྱི་ཕ་རོལ་ཏུ་ཕྱིན་པ་མ་ཡིན། རྣམ་པ་ཐམས་ཅད་མཁྱེན་པ་ཉིད་ཀྱི་དེ་

བཞིན་ཉིད་ལས་གུད་ན་ཡང་ཤེས་རབ་ཀྱི་ཕ་རོལ་ཏུ་ཕྱིན་པ་མེད་དོ། །རྣམ་པ་ཐམས་ཅད་མཁྱེན་པ་ཉིད་ཀྱི་ཆོས་ཉིད་ཀྱང་ཤེས་རབ་ཀྱི་ཕ་རོལ་ཏུ་ཕྱིན་པ་མ་ཡིན། རྣམ་པ་ཐམས་ཅད་མཁྱེན་པ་ཉིད་ཀྱི་ཆོས་ཉིད་ལས་གུད་ན་ཡང་ཤེས་རབ་ཀྱི་ཕ་རོལ་ཏུ་ཕྱིན་པ་མེད་དོ། །དེ་ཅིའི་ཕྱིར་ཞེ་ན། ཀཽ་ཤི་ཀ་དེ་ནི་འདི་ལྟར་ཆོས་དེ་དག་ཐམས་ཅད་མེད་ཅིང་མི་དམིགས་པ་[1]སྟེ། དེ་ལྟར་ཆོས་ཐམས་ཅད་མེད་ཅིང་མི་དམིགས་པས་ན་གཟུགས་ཀྱང་ཤེས་རབ་ཀྱི་ཕ་རོལ་ཏུ་ཕྱིན་པ་མ་ཡིན། གཟུགས་ལས་གུད་ན་ཡང་ཤེས་རབ་ཀྱི་ཕ་རོལ་ཏུ་ཕྱིན་པ་མེད་དོ། །གཟུགས་ཀྱི་དེ་བཞིན་ཉིད་ཀྱང་ཤེས་རབ་ཀྱི་ཕ་རོལ་ཏུ་ཕྱིན་པ་མ་ཡིན། གཟུགས་ཀྱི་དེ་བཞིན་ཉིད་ལས་གུད་ན་ཡང་ཤེས་རབ་ཀྱི་ཕ་རོལ་ཏུ་ཕྱིན་པ་མེད་དོ། །གཟུགས་ཀྱི་ཆོས་ཉིད་ཀྱང་ཤེས་རབ་ཀྱི་ཕ་རོལ་ཏུ་ཕྱིན་པ་མ་ཡིན། གཟུགས་ཀྱི་ཆོས་ཉིད་ལས་གུད་ན་ཡང་ཤེས་རབ་ཀྱི་ཕ་རོལ་ཏུ་ཕྱིན་པ་མེད་དོ། །ཚོར་བ་དང་འདུ་ཤེས་དང་། འདུ་བྱེད་དང་། རྣམ་པར་ཤེས་པ་ཡང་ཤེས་རབ་ཀྱི་ཕ་རོལ་ཏུ་ཕྱིན་པ་མ་ཡིན། རྣམ་པར་ཤེས་པ་ལས་གུད་ན་ཡང་ཤེས་རབ་ཀྱི་ཕ་རོལ་ཏུ་ཕྱིན་པ་མེད་དོ། །རྣམ་པར་ཤེས་པའི་དེ་བཞིན་ཉིད་ཀྱང་ཤེས་རབ་ཀྱི་ཕ་རོལ་ཏུ་ཕྱིན་པ་མ་ཡིན་རྣམ་པར་ཤེས་པའི་དེ་བཞིན་ཉིད་ལས་གུད་ན་ཡང་ཤེས་རབ་ཀྱི་ཕ་རོལ་ཏུ་ཕྱིན་པ་མེད་དོ། །རྣམ་པར་ཤེས་པའི་ཆོས་ཉིད་ཀྱང་ཤེས་རབ་ཀྱི་ཕ་རོལ་ཏུ་ཕྱིན་པ་མ་ཡིན། རྣམ་པར་ཤེས་པའི་ཆོས་ཉིད་ལས་གུད་ན་ཡང་ཤེས་རབ་ཀྱི་ཕ་རོལ་ཏུ་ཕྱིན་པ་མེད་དོ། །རྣམ་པ་ཐམས་ཅད་མཁྱེན་པ་ཉིད་ཀྱི་བར་ཡང་ཤེས་རབ་ཀྱི་ཕ་རོལ་ཏུ་ཕྱིན་པ་མ་ཡིན། རྣམ་པ་ཐམས་ཅད་མཁྱེན་པ་ཉིད་ལས་གུད་ན་ཡང་ཤེས་རབ་ཀྱི་ཕ་རོལ་ཏུ་ཕྱིན་པ་མེད་དོ། །རྣམ་པ་ཐམས་ཅད་མཁྱེན་པ་ཉིད་ཀྱི་དེ་བཞིན་ཉིད་ཀྱང་ཤེས་རབ་ཀྱི་ཕ་རོལ་ཏུ་ཕྱིན་པ་མ་ཡིན། རྣམ་པ་ཐམས་ཅད་མཁྱེན་པ་ཉིད་ཀྱི་དེ་

བཞིན་ཉིད་ལས་གུད་ན་ཡང་ཤེས་རབ་ཀྱི་ཕ་རོལ་ཏུ་ཕྱིན་པ་མེད་དོ། །རྣམ་པ་ཐམས་ཅད་མཁྱེན་པ་ཉིད་ཀྱི་ཆོས་ཉིད་ཀྱང་ཤེས་རབ་ཀྱི་ཕ་རོལ་ཏུ་ཕྱིན་པ་མ་ཡིན། རྣམ་པ་ཐམས་ཅད་མཁྱེན་པ་ཉིད་ཀྱི་ཆོས་ཉིད་ལས་གུད་ན་ཡང་ཤེས་རབ་ཀྱི་ཕ་རོལ་ཏུ་ཕྱིན་པ་མེད་དོ། །དེ་ནས་ལྷའི་དབང་པོ་བརྒྱ་བྱིན་གྱིས། གནས་བརྟན་རབ་འབྱོར་ལ་འདི་སྐད་ཅེས་སྨྲས་སོ། །བཙུན་པ་རབ་འབྱོར་བྱང་ཆུབ་སེམས་དཔའ་སེམས་དཔའ་ཆེན་པོ་རྣམས་ཀྱི་ཕ་རོལ་ཏུ་ཕྱིན་པ་འདི་ནི་ཆེ་བ་སྟེ། འདི་ལྟར་ཤེས་རབ་ཀྱི་ཕ་རོལ་ཏུ་ཕྱིན་པའོ། །[༡]བཙུན་པ་རབ་འབྱོར་བྱང་ཆུབ་སེམས་དཔའ་སེམས་དཔའ་ཆེན་པོ་རྣམས་ཀྱི་ཕ་རོལ་ཏུ་ཕྱིན་པ་འདི་ནི་ཚད་མེད་པ་སྟེ། འདི་ལྟར་ཤེས་རབ་ཀྱི་ཕ་རོལ་ཏུ་ཕྱིན་པའོ། །བཙུན་པ་རབ་འབྱོར་བྱང་ཆུབ་སེམས་དཔའ་སེམས་དཔའ་ཆེན་པོ་རྣམས་ཀྱི་ཕ་རོལ་ཏུ་ཕྱིན་པ་འདི་ནི་མཐའ་ཡས་པ་སྟེ། འདི་ལྟར་ཤེས་རབ་ཀྱི་ཕ་རོལ་ཏུ་ཕྱིན་པའོ། །དེ་ལ་བསླབས་ཤིང་རྒྱུན་དུ་ཞུགས་པ་རྣམས་ཀྱིས་ནི། རྒྱུན་དུ་ཞུགས་པའི་འབྲས་བུ་ཐོབ་པོ། །ཿའཐོབ་བོ། །ཐོབ་[༢]པར་འགྱུར་རོ། །ལན་ཅིག་ཕྱིར་འོང་བ་དང་། ཕྱིར་མི་འོང་བ་དང་། དགྲ་བཅོམ་པ་རྣམས་ཀྱིས་ནི། དགྲ་བཅོམ་པ་ཉིད་ཐོབ་བོ། །ཿའཐོབ་བོ། །ཐོབ་[༣]པར་འགྱུར་རོ། །རང་སངས་རྒྱས་རྣམས་ནི་རང་བྱང་ཆུབ་ཏུ་མངོན་པར་སངས་རྒྱས་སོ། །མངོན་པར་འཚང་རྒྱའོ། །མངོན་པར་འཚང་རྒྱ་བར་འགྱུར་རོ། །དེ་ལ་བསླབས་ཤིང་བྱང་ཆུབ་སེམས་དཔའ་སེམས་དཔའ་ཆེན་པོ་རྣམས་ནི་སེམས་ཅན་ཡོངས་སུ་སྨིན་པར་བྱས། སངས་རྒྱས་ཀྱི་ཞིང་ཡོངས་སུ་དག་པར་བྱས་ནས། བླ་ན་མེད་པ་ཡང་དག་པར་རྫོགས་པའི་བྱང་ཆུབ་ཏུ་མངོན་པར་རྫོགས་པར་སངས་རྒྱས་སོ། །མངོན་པར་རྫོགས་པར་འཚང་རྒྱའོ། །མངོན་པར་རྫོགས་པར་འཚང་རྒྱ་བར་འགྱུར་རོ། །རབ་འབྱོར་གྱིས་སྨྲས་པ། ཀཽ་ཤི་ཀ་

དེ་དེ་བཞིན་ནོ། །དེ་དེ་བཞིན་ཏེ། བྱང་ཆུབ་སེམས་དཔའ་སེམས་དཔའ་ཆེན་པོ་རྣམས་ཀྱི་ཕ་རོལ་ཏུ་ཕྱིན་པ་འདི་ནི་ཆེ་བ་སྟེ། འདི་ལྟར་ཤེས་རབ་ཀྱི་ཕ་རོལ་ཏུ་ཕྱིན་པའོ། །[༡]བྱང་ཆུབ་སེམས་དཔའ་སེམས་དཔའ་ཆེན་པོ་རྣམས་ཀྱི་ཕ་རོལ་ཏུ་ཕྱིན་པ་འདི་ནི་ཚད་མེད་པ་སྟེ། འདི་ལྟར་ཤེས་རབ་ཀྱི་ཕ་རོལ་ཏུ་ཕྱིན་པའོ། །བྱང་ཆུབ་སེམས་དཔའ་སེམས་དཔའ་ཆེན་པོ་རྣམས་ཀྱི་ཕ་རོལ་ཏུ་ཕྱིན་པ་འདི་ནི་མཐའ་ཡས་པ་སྟེ། འདི་ལྟར་ཤེས་རབ་ཀྱི་ཕ་རོལ་ཏུ་ཕྱིན་པའོ། །དེ་ལ་བསླབས་ཤིང་རྒྱུན་དུ་ཞུགས་པ་རྣམས་ཀྱིས་ནི། རྒྱུན་དུ་ཞུགས་པའི་འབྲས་བུ་ཐོབ་བོ། །ཐོབ་བོ། །ཐོབ་[༢]པར་འགྱུར་རོ། །ལན་ཅིག་ཕྱིར་འོང་བ་དང་། ཕྱིར་མི་འོང་བ་དང་། དགྲ་བཅོམ་པ་རྣམས་ཀྱིས་ནི་དགྲ་བཅོམ་པ་ཉིད་ཐོབ་བོ། །ཐོབ་བོ། །ཐོབ་[༣]པར་འགྱུར་རོ། །རང་སངས་རྒྱས་རྣམས་ཀྱིས་ནི། རང་བྱང་ཆུབ་ཏུ་མངོན་པར་སངས་རྒྱས་སོ། །མངོན་པར་འཚང་རྒྱའོ། །མངོན་པར་འཚང་རྒྱ་བར་འགྱུར་རོ། །དེ་ལ་བསླབས་ཤིང་བྱང་ཆུབ་སེམས་དཔའ་སེམས་དཔའ་ཆེན་པོ་རྣམས་ནི། སེམས་ཅན་རྣམས་ཡོངས་སུ་སྨིན་པར་བྱས། སངས་རྒྱས་ཀྱི་ཞིང་ཡོངས་སུ་དག་པར་བྱས་ནས། བླ་ན་མེད་པ་ཡང་དག་པར་རྫོགས་པའི་བྱང་ཆུབ་ཏུ་མངོན་པར་རྫོགས་པར་སངས་རྒྱས་སོ། །མངོན་པར་རྫོགས་པར་འཚང་རྒྱའོ། །མངོན་པར་རྫོགས་པར་འཚང་རྒྱ་བར་འགྱུར་རོ། །ཀཽ་ཤི་ཀ་གཟུགས་རྒྱ་ཆེ་བའི་ཕྱིར་བྱང་ཆུབ་སེམས་དཔའ་སེམས་དཔའ་ཆེན་པོ་རྣམས་ཀྱི་ཕ་རོལ་ཏུ་ཕྱིན་པ་འདི་རྒྱ་ཆེ་བ་ཡིན་ཏེ། དེ་ཅིའི་ཕྱིར་ཞེ་ན། ཀཽ་ཤི་ཀ་དེ་ནི་འདི་ལྟར་གཟུགས་ཀྱི་སྔོན་གྱི་མཐའ་[༤]མི་དམིགས། ཕྱི་མའི་མཐའ་མི་དམིགས། དབུས་མི་དམིགས་སོ། །ཀཽ་ཤི་ཀ་ཚོར་བ་དང་། འདུ་ཤེས་དང་། འདུ་བྱེད་དང་། རྣམ་པར་ཤེས་པ་རྒྱ་ཆེ་བའི་ཕྱིར་བྱང་ཆུབ་

སེམས་དཔའ་སེམས་དཔའ་ཆེན་པོ་རྣམས་ཀྱི་ཕ་རོལ་ཏུ་ཕྱིན་པ་འདི་ནི་རྒྱ་ཆེ་བ་ཡིན་ཏེ། དེ་ཅིའི་ཕྱིར་ཞེ་ན། ཀཽ་ཤི་ཀ་དེ་ནི་འདི་ལྟར་རྣམ་པར་ཤེས་པའི་སྔོན་གྱི་མཐའ་མི་དམིགས། ཕྱི་མའི་མཐའ་མི་དམིགས། དབུས་མི་དམིགས་སོ། །སྐྱེ་མཆེད་དང་། ཁམས་དང་། རྟེན་ཅིང་འབྲེལ་པར་འབྱུང་བ་དང་། ཕ་རོལ་ཏུ་ཕྱིན་པ་རྣམས་དང་། སྟོང་པ་ཉིད་ཐམས་ཅད་དང་། བྱང་ཆུབ་ཀྱི་ཕྱོགས་ཀྱི་ཆོས་སུམ་ཅུ་རྩ་བདུན་དང་། འཕགས་པའི་བདེན་པ་དང་། བསམ་གཏན་དང་། ཚད་མེད་པ་དང་། གཟུགས་མེད་པའི་སྙོམས་པར་འཇུག་པ་དང་། རྣམ་པར་ཐར་པ་དང་། མཐར་གྱིས་གནས་པའི་སྙོམས་པར་འཇུག་པ་དང་། སྟོང་པ་ཉིད་དང་། མཚན་མ་མེད་པ་དང་། སྨོན་པ་མེད་པ་དང་། མངོན་པར་ཤེས་པ་དང་། ཏིང་ངེ་འཛིན་དང་། གཟུངས་ཀྱི་སྒོ་དང་། དེ་བཞིན་གཤེགས་པའི་སྟོབས་བཅུ་དང་། མི་འཇིགས་པ་དང་། སོ་སོ་ཡང་དག་པར་རིག་པ་དང་། སངས་རྒྱས་ཀྱི་ཆོས་མ་འདྲེས་པ་དང་། རྣམ་པ་ཐམས་ཅད་མཁྱེན་པ་ཉིད་ཀྱི་བར་དུ་རྒྱ་ཆེ་བའི་ཕྱིར། བྱང་ཆུབ་སེམས་དཔའ་སེམས་དཔའ་ཆེན་པོ་རྣམས་ཀྱི་ཕ་རོལ་ཏུ་ཕྱིན་པ་འདི་①ནི་རྒྱ་ཆེ་བ་ཡིན་ཏེ། དེ་ཅིའི་ཕྱིར་ཞེ་ན། ཀཽ་ཤི་ཀ་དེ་ནི་འདི་ལྟར་རྣམ་པ་ཐམས་ཅད་མཁྱེན་པ་ཉིད་ཀྱི་སྔོན་གྱི་མཐའ་མི་དམིགས། ཕྱི་མའི་མཐའ་མི་དམིགས། དབུས་མི་དམིགས་སོ། །ཀཽ་ཤི་ཀ་རྣམ་གྲངས་དེས་ན་བྱང་ཆུབ་སེམས་དཔའ་སེམས་དཔའ་ཆེན་པོ་རྣམས་ཀྱི་ཕ་རོལ་ཏུ་ཕྱིན་པ་འདི་ནི་རྒྱ་ཆེ་བ་སྟེ། འདི་ལྟར་ཤེས་རབ་ཀྱི་ཕ་རོལ་ཏུ་②ཕྱིན་པའོ།། ③ཀཽ་ཤི་ཀ་གཟུགས་ཚད་མེད་པའི་ཕྱིར། བྱང་ཆུབ་སེམས་དཔའ་སེམས་དཔའ་ཆེན་པོ་རྣམས་ཀྱི་ཕ་རོལ་ཏུ་ཕྱིན་པ་ཚད་མེད་པ་སྟེ། དེ་ཅིའི་ཕྱིར་ཞེ་ན། ཀཽ་ཤི་ཀ་དེ་ནི་འདི་ལྟར་གཟུགས་ཀྱི་ཚད་ནི་དམིགས་སུ་མེད་དོ། །ཀཽ་ཤི་ཀ་འདི་ལྟ་སྟེ་

དཔེར་ན། ནམ་མཁའི་ཚད་ཉི་[1]དམིགས་སུ་མེད་དོ[2]། །ཀཽ་ཤི་ཀ་དེ་བཞིན་དུ་གཟུགས་ཀྱི་ཚད་ཀྱང་དམིགས་སུ་མེད་དོ། །ནམ་མཁའ་ཚད་མེད་པའི་ཕྱིར་གཟུགས་ཚད་མེད་དོ། །གཟུགས་ཚད་མེད་པའི་ཕྱིར་ཤེས་རབ་ཀྱི་ཕ་རོལ་དུ་ཕྱིན་པ་ཚད་མེད་དོ། །ཀཽ་ཤི་ཀ་ཚོར་བ་ཚད་མེད་པ་དང་། འདུ་ཤེས་ཚད་མེད་པ་དང་། འདུ་བྱེད་ཚད་མེད་པ་དང་། རྣམ་པར་ཤེས་པ་ཚད་མེད་པའི་ཕྱིར། བྱང་ཆུབ་སེམས་དཔའ་སེམས་དཔའ་ཆེན་པོ་རྣམས་ཀྱི་ཤེས་རབ་ཀྱི་ཕ་རོལ་དུ་ཕྱིན་པ་ཚད་མེད་པ་སྟེ། དེ་ཅིའི་ཕྱིར་ཞེ་ན། ཀཽ་ཤི་ཀ་དེ་ནི་འདི་ལྟར་རྣམ་པར་ཤེས་པའི་ཚད་ནི་དམིགས་སུ་མེད་དོ། །ཀཽ་ཤི་ཀ་འདི་ལྟ་སྟེ་དཔེར་ན། ནམ་མཁའི་ཚད་ནི་དམིགས་སུ་མེད་དོ། །ཀཽ་ཤི་ཀ་དེ་བཞིན་དུ་རྣམ་པར་ཤེས་པའི་ཚད་ནི་དམིགས་སུ་མེད་དོ[3]། །ནམ་མཁའ་ཚད་[4]མེད་པའི་ཕྱིར་རྣམ་པར་ཤེས་པ་ཚད་[5]མེད་དོ། །རྣམ་པར་ཤེས་པ་ཚད་མེད་པའི་ཕྱིར། ཤེས་རབ་ཀྱི་ཕ་རོལ་དུ་ཕྱིན་པ་ཚད་མེད་དོ། །ཀཽ་ཤི་ཀ་སྐྱེ་མཆེད་དང་། ཁམས་དང་། རྟེན་ཅིང་འབྲེལ་པར་འབྱུང་བ་དང་། ཕ་རོལ་དུ་ཕྱིན་པ་རྣམས་དང་། སྟོང་པ་ཉིད་ཐམས་ཅད་དང་། བྱང་ཆུབ་ཀྱི་ཕྱོགས་ཀྱི་ཆོས་སུམ་ཅུ་རྩ་བདུན་དང་། འཕགས་པའི་བདེན་པ་དང་། བསམ་གཏན་དང་། ཚད་མེད་པ་དང་། གཟུགས་མེད་པའི་སྙོམས་པར་འཇུག་པ་དང་། རྣམ་པར་ཐར་པ་དང་། མཐར་གྱིས་གནས་པའི་སྙོམས་པར་འཇུག་པ་དང་། སྟོང་པ་ཉིད་དང་། མཚན་མ་མེད་པ་དང་། སྨོན་པ་མེད་པ་དང་། མངོན་པར་ཤེས་པ་དང་། ཏིང་ངེ་འཛིན་དང་། གཟུངས་ཀྱི་སྒོ་དང་། སྟོབས་བཅུ་དང་། མི་འཇིགས་པ་དང་། སོ་སོ་ཡང་དག་པར་རིག་པ་དང་། སངས་རྒྱས་ཀྱི་ཆོས་མ་འདྲེས་པ་རྣམས་དང་། རྣམ་པ་ཐམས་ཅད་མཁྱེན་པ་ཉིད་ཀྱི་བར་དུ་ཚད་མེད་པའི་ཕྱིར། བྱང་ཆུབ་

སེམས་དཔའ་སེམས་དཔའ་ཆེན་པོ་རྣམས་ཀྱི་ཕ་རོལ་ཏུ་ཕྱིན་པ་འདི་ཚད་མེད་པ་སྟེ། དེ་ཅིའི་ཕྱིར་ཞེ་ན། ཀཽ་ཤི་ཀ་དེ་ནི་འདི་ལྟར་རྣམ་པ་ཐམས་ཅད་མཁྱེན་པ་ཉིད་ཀྱི་ཚད་ནི་དམིགས་སུ་མེད་དོ། །ཀཽ་ཤི་ཀ་འདི་ལྟ་སྟེ་དཔེར་ན། ནམ་མཁའི་ཚད་ནི་དམིགས་སུ་མེད་དོ། །ཀཽ་ཤི་ཀ་དེ་བཞིན་དུ་རྣམ་པ་ཐམས་ཅད་མཁྱེན་པ་ཉིད་ཀྱི་ཚད་ཀྱང་དམིགས་སུ་མེད་དོ། །ནམ་མཁའ་[༡]ཚད་མེད་པའི་ཕྱིར་རྣམ་པ་ཐམས་ཅད་མཁྱེན་པ་ཉིད་ཚད་མེད་དོ། །རྣམ་པ་ཐམས་ཅད་མཁྱེན་པ་ཉིད་ཚད་མེད་པའི་ཕྱིར་ཤེས་རབ་ཀྱི་ཕ་རོལ་ཏུ་ཕྱིན་པ་ཚད་མེད་དོ། །ཀཽ་ཤི་ཀ་རྣམ་གྲངས་དེས་ན། བྱང་ཆུབ་སེམས་དཔའ་སེམས་དཔའ་ཆེན་པོ་རྣམས་ཀྱི་ཕ་རོལ་ཏུ་ཕྱིན་པ་དེ་ནི་ཚད་མེད་པ་སྟེ། འདི་ལྟར་ཤེས་རབ་ཀྱི་ཕ་རོལ་ཏུ་ཕྱིན་པའོ། །ཀཽ་ཤི་ཀ་གཟུགས་མཐའ་ཡས་པའི་ཕྱིར་བྱང་ཆུབ་སེམས་དཔའ་སེམས་དཔའ་ཆེན་པོ་རྣམས་ཀྱི་ཕ་རོལ་ཏུ་ཕྱིན་པ་འདི་མཐའ་ཡས་པ་སྟེ། དེ་ཅིའི་ཕྱིར་ཞེ་ན། ཀཽ་ཤི་ཀ་དེ་ནི་འདི་ལྟར་གཟུགས་ཀྱི་མཐའ་དང་དབུས་མི་དམིགས་སོ། །ཚོར་བ་དང་། འདུ་ཤེས་དང་། འདུ་བྱེད་དང་། རྣམ་པར་ཤེས་པ་མཐའ་ཡས་པའི་ཕྱིར་བྱང་ཆུབ་སེམས་དཔའ་སེམས་དཔའ་ཆེན་པོ་རྣམས་ཀྱི་ཕ་རོལ་ཏུ་ཕྱིན་པ་འདི་མཐའ་ཡས་པ་སྟེ། དེ་ཅིའི་ཕྱིར་ཞེ་ན། ཀཽ་ཤི་ཀ་དེ་ནི་[༢]འདི་ལྟར་རྣམ་པར་ཤེས་པ་[༣]མཐའ་དང་དབུས་མི་དམིགས་སོ། །སྐྱེ་མཆེད་དང་། ཁམས་དང་། རྟེན་ཅིང་འབྲེལ་པར་འབྱུང་བ་དང་། ཕ་རོལ་ཏུ་ཕྱིན་པ་རྣམས་དང་། སྟོང་པ་ཉིད་ཐམས་ཅད་དང་། བྱང་ཆུབ་ཀྱི་ཕྱོགས་ཀྱི་ཆོས་སུམ་ཅུ་རྩ་བདུན་དང་། འཕགས་པའི་བདེན་པ་དང་། བསམ་གཏན་དང་། ཚད་མེད་པ་དང་། གཟུགས་མེད་པའི་སྙོམས་པར་འཇུག་པ་དང་། རྣམ་པར་ཐར་པ་དང་། མཐར་གྱིས་གནས་པའི་སྙོམས་པར་འཇུག་པ་དང་། སྟོང་པ་ཉིད་

དང་། མཚན་མ་མེད་པ་དང་། སྨོན་པ་མེད་པ་དང་། མངོན་པར་ཤེས་པ་དང་། ཏིང་ངེ་འཛིན་དང་། གཟུངས་ཀྱི་སྒོ་དང་། དེ་བཞིན་གཤེགས་པའི་སྟོབས་བཅུ་དང་། མི་འཇིགས་པ་དང་། སོ་སོ་ཡང་དག་པར་རིག་པ་དང་། སངས་རྒྱས་ཀྱི་ཆོས་མ་འདྲེས་པ་བཅོ་བརྒྱད་དང་། རྣམ་པ་ཐམས་ཅད་མཁྱེན་པ་ཉིད་ཀྱི་བར་དུ་མཐའ་ཡས་པའི་ཕྱིར། བྱང་ཆུབ་སེམས་དཔའ་སེམས་དཔའ་ཆེན་པོ་རྣམས་ཀྱི་ཕ་རོལ་དུ་ཕྱིན་པ་འདི་མཐའ་ཡས་པ་སྟེ། དེ་ཅིའི་ཕྱིར་ཞེ་ན། ཀཽ་ཤི་ཀ་དེ་ནི་འདི་ལྟར་རྣམ་པ་ཐམས་ཅད་མཁྱེན་པ་ཉིད་ཀྱི་མཐའ་དང་དབུས་མི་དམིགས་སོ། །ཀཽ་ཤི་ཀ་རྣམ་གྲངས་དེས་ན་བྱང་ཆུབ་སེམས་དཔའ་སེམས་དཔའ་ཆེན་པོ་རྣམས་ཀྱི་ཕ་རོལ་དུ་ཕྱིན་པ་འདི་ནི་གཟུགས་མཐའ་ཡས་པ་དང་། ཚོར་བ་དང་། འདུ་ཤེས་དང་། འདུ་བྱེད་དང་རྣམ་པར་ཤེས་པ་མཐའ་ཡས་པ་དང་། རྣམ་པ་ཐམས་ཅད་མཁྱེན་པ་ཉིད་ཀྱི་བར་མཐའ་ཡས་པའི་ཕྱིར། མཐའ་ཡས་པ་སྟེ། དེ་ནི་འདི་ལྟར་ཤེས་རབ་ཀྱི་ཕ་རོལ་དུ་ཕྱིན་པའོ། །ཀཽ་ཤི་ཀ་གཞན་ཡང་དམིགས་པ་མཐའ་ཡས་པའི་ཕྱིར། བྱང་ཆུབ་སེམས་དཔའ་སེམས་དཔའ་ཆེན་པོ་རྣམས་ཀྱི་ཕ་རོལ་དུ་ཕྱིན་པ་འདི་མཐའ་ཡས་པ་སྟེ། དེ་ནི་འདི་ལྟར་ཤེས་རབ་ཀྱི་ཕ་རོལ་དུ་ཕྱིན་པའོ། །བརྒྱ་བྱིན་གྱིས་སྨྲས་པ། བཙུན་པ་རབ་འབྱོར་དེ་རྣམ་པ་གང་གིས་ན་དམིགས་པ་མཐའ་ཡས་པའི་ཕྱིར། བྱང་ཆུབ་སེམས་དཔའ་སེམས་དཔའ་ཆེན་པོ་རྣམས་ཀྱི་ཕ་རོལ་དུ་ཕྱིན་པ་འདི་མཐའ་ཡས་པ་སྟེ། ཕའདི་ལྟར་ཤེས་རབ་ཀྱི་ཕ་རོལ་དུ་ཕྱིན་པ་ཡིན་ཞེས་སྨྲ[༡]། རབ་འབྱོར་གྱིས་སྨྲས་པ། ཀཽ་ཤི་ཀ་རྣམ་པ་ཐམས་ཅད་མཁྱེན་པ་ཉིད་དམིགས་པ་མཐའ་ཡས་པའི་ཕྱིར། བྱང་ཆུབ་སེམས་དཔའ་སེམས་དཔའ་ཆེན་པོ་རྣམས་ཀྱི་ཕ་རོལ་དུ་ཕྱིན་པ་འདི་མཐའ་ཡས་པ་སྟེ།ཞ[༢] དེ་ནི་འདི་ལྟར་ཤེས་རབ་ཀྱི་ཕ་རོལ་དུ་ཕྱིན…

པའོ། །ཀཽ་ཤི་ཀ་གཞན་ཡང་ཆོས་དམིགས་པ་མཐའ་ཡས་པའི་ཕྱིར། བྱང་ཆུབ་སེམས་དཔའ་སེམས་དཔའ་ཆེན་པོ་རྣམས་ཀྱི་ཕ་རོལ་ཏུ་ཕྱིན་པ་འདི་མཐའ་ཡས་པ་སྟེ། དེ་ནི་འདི་ལྟར་ཤེས་རབ་ཀྱི་ཕ་རོལ་ཏུ་ཕྱིན་པའོ། །བརྒྱ་བྱིན་གྱིས་སྨྲས་པ། བཙུན་པ་རབ་འབྱོར་དེ་རྣམ་པ་གང་གིས་ན། ཆོས་དམིགས་པ་མཐའ་ཡས་པའི་ཕྱིར། བྱང་ཆུབ་སེམས་དཔའ་སེམས་དཔའ་ཆེན་པོ་རྣམས་ཀྱི་ཕ་རོལ་ཏུ་ཕྱིན་པ་འདི་མཐའ་ཡས་པ་སྟེ། འདི་ལྟར་ཤེས་རབ་ཀྱི་ཕ་རོལ་ཏུ་ཕྱིན་པ་ཡིན་ཞེས་བྱ། རབ་འབྱོར་གྱིས་སྨྲས་པ། ཀཽ་ཤི་ཀ་ཆོས་ཀྱི་དབྱིངས་མཐའ་ཡས་པའི་ཕྱིར། བྱང་ཆུབ་སེམས་དཔའ་སེམས་དཔའ་ཆེན་པོ་རྣམས་ཀྱི་ཕ་རོལ་ཏུ་ཕྱིན་པ་འདི་མཐའ་ཡས་པ་སྟེ། དེ་ནི་འདི་ལྟར་ཤེས་རབ་ཀྱི་ཕ་རོལ་ཏུ་ཕྱིན་པའོ། །ཀཽ་ཤི་ཀ་གཞན་ཡང་དེ་བཞིན་ཉིད་དམིགས་པ་མེད་པས[1]མཐའ་ཡས་པའི་ཕྱིར། བྱང་ཆུབ་སེམས་དཔའ་སེམས་དཔའ་ཆེན་པོ་རྣམས་ཀྱི་ཕ་རོལ་ཏུ་ཕྱིན་པ་འདི་མཐའ་ཡས་པ་སྟེ། དེ་ནི་འདི་ལྟར་ཤེས་རབ་ཀྱི་ཕ་རོལ་ཏུ་ཕྱིན་པའོ། །བརྒྱ་བྱིན་གྱིས་སྨྲས་པ། བཙུན་པ་རབ་འབྱོར་དེ་རྣམ་པ་གང་གིས་ན་དམིགས་པ་མཐའ་ཡས་པའི་ཕྱིར། བྱང་ཆུབ་སེམས་དཔའ་སེམས་དཔའ་ཆེན་པོ་རྣམས་ཀྱི་ཕ་རོལ་ཏུ་ཕྱིན་པ་འདི་མཐའ་ཡས་པ་སྟེ། འདི་ལྟར་ཤེས་རབ་ཀྱི་ཕ་རོལ་ཏུ་ཕྱིན་པ་ཡིན་ཞེས་བྱ། རབ་འབྱོར་གྱིས་སྨྲས་པ། ཀཽ་ཤི་ཀ་དེ་ནི་འདི་ལྟར་དེ་བཞིན་ཉིད་མཐའ་ཡས་པའི་ཕྱིར་དམིགས་པ་མཐའ་ཡས་སོ། །དམིགས་པ་མཐའ་ཡས་པའི་ཕྱིར་དེ་བཞིན་ཉིད་མཐའ་ཡས་སོ། །ཀཽ་ཤི་ཀ་དེ་བཞིན་ཉིད་དང་། དམིགས་པ་མཐའ་ཡས་པའི་ཕྱིར། བྱང་ཆུབ་སེམས་དཔའ་སེམས་དཔའ་ཆེན་པོ་རྣམས་ཀྱི་ཕ་རོལ་ཏུ་ཕྱིན་པ་འདི་མཐའ་ཡས་སོ། །ཀཽ་ཤི་ཀ་གཞན་ཡང་སེམས་ཅན་མཐའ་ཡས་པའི་ཕྱིར། བྱང་ཆུབ་སེམས་དཔའ་སེམས་དཔའ་ཆེན་པོ་རྣམས་

ཀྱི་ཕ་རོལ་ཏུ་ཕྱིན་པ་འདི་མཐའ་ཡས་སོ། །བརྒྱ་བྱིན་གྱིས་སྨྲས་པ། བཙུན་པ་རབ་འབྱོར་དེ་ཇི་ལྟར་རྣམ་པ་གང་གིས་ན། སེམས་ཅན་མཐའ་ཡས་པའི་ཕྱིར། བྱང་ཆུབ་སེམས་དཔའ་སེམས་དཔའ་ཆེན་པོ་རྣམས་ཀྱི་ཕ་རོལ་ཏུ་ཕྱིན་པ་འདི་མཐའ་ཡས་པ་ཡིན་ཞེས་བྱ། རབ་འབྱོར་གྱིས་སྨྲས་པ། ཀཽ་ཤི་ཀ་དེ་ཇི་སྙམ་དུ་སེམས། འདི་ལྟ་སྟེ་སེམས་ཅན་སེམས་ཅན་ཞེས་བྱ་བ་དེ་ཆོས་གང་གི་[༡]ཚིག་བླ་དགས་[༢]ཡིན། བརྒྱ་བྱིན་གྱིས་སྨྲས་པ། བཙུན་པ་རབ་འབྱོར་དེ་ནི་ཆོས་ཀྱི་ཚིག་བླ་དགས་ཀྱང་མ་ཡིན། ཆོས་མ་ཡིན་པའི་ཚིག་བླ་དགས་ཀྱང་མ་ཡིན་ཏེ། འདི་ལྟར་སེམས་ཅན་སེམས་ཅན་ཞེས་བྱ་བ་འདི་ནི་གློ་[༣]བུར་དུ་མིང་དུ་བཏགས་པ། དངོས་པོ་མེད་པར་མིང་དུ་བཏགས་པ། དམིགས་པ་མེད་པར་མིང་དུ་བཏགས་པའོ། །རབ་འབྱོར་གྱིས་སྨྲས་པ། ཀཽ་ཤི་ཀ་དེ་ཇི་སྙམ་དུ་སེམས། ཤེས་རབ་ཀྱི་ཕ་རོལ་ཏུ་ཕྱིན་པ་འདི་ལས་སེམས་ཅན་དུ་བཤད་པ་གང་ཡང་ཡོད་དམ། བརྒྱ་བྱིན་གྱིས་སྨྲས་པ། བཙུན་པ་རབ་འབྱོར་དེ་ནི་མེད་དོ། །རབ་འབྱོར་གྱིས་སྨྲས་པ། ཀཽ་ཤི་ཀ་གང་ལ་སེམས་ཅན་དུ་བཤད་པ་གང་ཡང་མེད་པ་དེ་ལ། སེམས་ཅན་མཐའ་ཡས་པ་ཡོད་དེ[༤]། ཀཽ་ཤི་ཀ་གལ་ཏེ་དེ་བཞིན་གཤེགས་པ་དགྲ་བཅོམ་པ་ཡང་དག་པར་རྫོགས་པའི་སངས་རྒྱས་བསྐལ་པ་གང་གཱའི་[༥]ཀླུང་གི་བྱེ་མ་སྙེད་དུ་བཞུགས་ཏེ། སེམས་ཅན་སེམས་ཅན་ཞེས་གསུང་དུ་བརྗོད་ན། ཀཽ་ཤི་ཀ་དེ་ཇི་སྙམ་དུ་སེམས། དེ་ལ་སེམས་ཅན་གང་ཡང་སྐྱེ་བའམ། འགག་པར༔འགྱུར་བ་[༦]ཡོད་དམ། སྨྲས་པ་བཙུན་པ་རབ་འབྱོར་དེ་ནི་མེད་དེ། དེ་ཅིའི་ཕྱིར་ཞེ་ན། སེམས་ཅན་གདོད་མ་ནས་རྣམ་པར་དག་པའི་ཕྱིར་རོ། །རབ་འབྱོར་གྱིས་སྨྲས་པ། ཀཽ་ཤི་ཀ་དེ་ལྟར་རྣམ་གྲངས་དེས་ན། སེམས་ཅན་མཐའ་ཡས་པའི་ཕྱིར། ཤེས་རབ་ཀྱི་ཕ་རོལ་ཏུ་ཕྱིན་པ་མཐའ་ཡས་པར་རིག་པར་བྱའོ། །དེ་ནས་དབང་པོ་དང་བཅས་

པའི་ལྷ་རྣམས་དང་། ཚངས་པ་དང་བཅས་པའི་ལྷ་རྣམས་དང་། སྐྱེ་དགུའི་བདག་པོ་དང་བཅས་པའི་ལྷ་རྣམས་དང་། སྐྱེས་པ་དང་བུད་མེད་དུ་བཅས་པ་དག་གིས་ལན་གསུམ་དུ་ཆེད་དུ་བརྗོད་པ་ཆེད་དུ་བརྗོད་དེ། གང་གནས་བརྟན་རབ་འབྱོར་གྱིས་འདི་ལྟར་དེ་བཞིན་གཤེགས་པ་འབྱུང་བའི་དོན་དུ། དེ་བཞིན་གཤེགས་པའི་བྱིན་གྱིས་བརླབས[༡]པ་དང་། མཐུས་བཤད་ཅིང་བརྗོད་པ[༢]བསྟན་པའི་ཆོས་འདི་ནི་ཀྱེ་མ་ལེགས་པར་བཤད་དོ། །ཀྱེ་མ་ཆོས་འདི་ནི་ལེགས་པར་བཤད་དོ། །ཀྱེ་མ་ཆོས་ཀྱི་ཆོས་ཉིད་འདི་ནི་ལེགས་པར་བཤད་དོ། །བཅོམ་ལྡན་འདས་བདག་ཅག་གིས་བྱང་ཆུབ་སེམས་དཔའ་སེམས་དཔའ་ཆེན་པོ་གང་ཤེས་རབ་ཀྱི་ཕ་རོལ་ཏུ་ཕྱིན་པ་འདི་དང་མ་བྲལ་བ་དེ་ནི། དེ་བཞིན་གཤེགས་པ་ཉིད་དུ་གཟུང་བར་བགྱིའོ། །ཆོས་གང་ཡང་དམིགས་སུ་མ་མཆིས་ཏེ། གཟུགས་སམ། ཚོར་བའམ། འདུ་ཤེས་སམ། འདུ་བྱེད་དམ། རྣམ་པར་ཤེས་པའམ། རྣམ་པ་ཐམས་ཅད་མཁྱེན་པ[༣]ཉིད་ཀྱི་བར་རམ། ཆོས་གང་ཡང་དམིགས་སུ་མ་མཆིས་ཀྱིས་ཀྱང་ཐེག་པ་གསུམ་རྣམ་པར་དགོད་པ[༤]མཆིས་ཏེ། གསུམ་གང་ཞེ་ན། འདི་ལྟ་སྟེ། ཉན་ཐོས་ཀྱི་ཐེག་པ་དང་། རང་སངས་རྒྱས་ཀྱི་ཐེག་པ་དང་། ཡང་དག་པར་རྫོགས་པའི་སངས་རྒྱས་ཀྱི་ཐེག་པའོ། །དེ་ནས་བཅོམ་ལྡན་འདས་ཀྱིས[༥]དབང་པོ་དང་བཅས་པ་རྣམས་ལ་བཀའ་སྩལ་པ། ལྷའི་བུ་དག[༦]དེ་དེ་བཞིན་ནོ། །ཇི་སྐད་དུ་སྨྲས་པ་དེ[༧]དེ་བཞིན་ཏེ[༨]། ཆོས་གང་ཡང་དམིགས་སུ་མེད་དེ[༩]། གཟུགས་སམ། ཚོར་བའམ། འདུ་ཤེས་སམ། འདུ་བྱེད་དམ[༡༠]། རྣམ་པར་ཤེས་པའམ། རྣམ་པ་ཐམས་ཅད་མཁྱེན་པ་ཉིད་ཀྱི་བར་རམ། ཆོས་གང་ཡང་མི་དམིགས་མོད་ཀྱི་ཐེག་པ་གསུམ་རྣམ་པར་དགོད་པ་ཡང་ཡོད་དེ[༡༡]། གསུམ་གང་ཞེ་ན། ཉན་ཐོས་ཀྱི་ཐེག་པ་དང་། རང་

སངས་རྒྱས་ཀྱི་ཐེག་པ་དང་། བླ་ན་མེད་པ་ཡང་དག་པར་རྫོགས་པའི་སངས་རྒྱས་ཀྱི་ཐེག་པའོ། །ལྷའི་བུ་དག་བྱང་ཆུབ་སེམས་དཔའ་སེམས་དཔའ་ཆེན་པོ་གང་མི་དམིགས་པའི་ཚུལ་གྱིས། ཤེས་རབ་ཀྱི་ཕ་རོལ་ཏུ་ཕྱིན་པ་འདི་དང་མ་བྲལ་བ་དེ་ནི། དེ་བཞིན་གཤེགས་པ་ཉིད་དུ་གཟུང་བར་བྱའོ། །དེ་ཅིའི་ཕྱིར་ཞེ་ན། དེ་ནི་འདི་ལྟར་ཤེས་རབ་ཀྱི་ཕ་རོལ་ཏུ་ཕྱིན་པ་འདི་ལས་ཐེག་པ་གསུམ་རྒྱ་ཆེར་བསྟན་ཏེ། གསུམ་གང་ཞེ་ན། འདི་ལྟར་ཉན་ཐོས་ཀྱི་ཐེག་པ་དང་། རང་སངས་རྒྱས་ཀྱི་ཐེག་པ་དང་། ཡང་དག་པར་རྫོགས་པའི་སངས་རྒྱས་ཀྱི་ཐེག་པ་བཤད་དོ། །ཕ་རོལ་ཏུ་ཕྱིན་པ་རྣམས་དང་། སྟོང་པ་ཉིད་ཐམས་ཅད་དང་། དྲན་པ་ཉེ་བར་གཞག་པ་དང་། ཡང་དག་པར་སྤོང་བ་དང་། རྫུ་འཕྲུལ་གྱི་རྐང་པ་དང་། དབང་པོ་དང་། སྟོབས་དང་། བྱང་ཆུབ་ཀྱི་ཡན་ལག་དང་། ལམ་དང་། འཕགས་པའི་བདེན་པ་དང་བསམ་གཏན་དང་། ཚད་མེད་པ་དང་། གཟུགས་མེད་པའི་སྙོམས་པར་འཇུག་པ་དང་། རྣམ་པར་ཐར་པ་བརྒྱད་དང་། མཐར་གྱིས་གནས་པའི་སྙོམས་པར་འཇུག་པ་དགུ་དང་། རྣམ་པར་ཐར་པའི་སྒོ་སྟོང་པ་ཉིད་དང་། མཚན་མ་མེད་པ་དང་། སྨོན་པ་མེད་པ་དང་། མངོན་པར་ཤེས་པ་དང་། ཏིང་ངེ་འཛིན་དང་། གཟུངས་ཀྱི་སྒོ་དང་། དེ་བཞིན་གཤེགས་པའི་སྟོབས་དང་། མི་འཇིགས་པ་དང་། སོ་སོ་ཡང་དག་པར་རིག་པ་དང་། སངས་རྒྱས་ཀྱི་ཆོས་མ་འདྲེས་པ་དང་། རྣམ་པ་ཐམས་ཅད་མཁྱེན་པ་ཉིད་ཀྱི་བར་ལས་གཞན་དུ་ཡང་དེ་བཞིན་གཤེགས་པ་མི་དམིགས་སོ། །ལྷའི་བུ་དག་བྱང་ཆུབ་སེམས་དཔའ་སེམས་དཔའ་ཆེན་པོ་ནི་ཆོས་འདི་དག་ཐམས་ཅད་ལ་སློབ་པ་སྟེ། སྦྱིན་པའི་ཕ་རོལ་ཏུ་ཕྱིན་པ་ལ་སློབ་པོ། །ཚུལ་ཁྲིམས་ཀྱི་ཕ་རོལ་ཏུ་ཕྱིན་པ་དང་། བཟོད་པའི་ཕ་རོལ་ཏུ་ཕྱིན་པ་དང་། བརྩོན་འགྲུས་ཀྱི་ཕ་རོལ་

ཏུ་ཕྱིན་པ་དང་། བསམ་གཏན་གྱི་ཕ་རོལ་ཏུ་ཕྱིན་པ་དང་། ཤེས་རབ་ཀྱི་ཕ··· རོལ་ཏུ་ཕྱིན་པ་ལ་སློབ་བོ། །ནང་སྟོང་པ་ཉིད་ལ་སློབ་བོ། །དངོས་པོ་མེད་པའི་ངོ་བོ་ཉིད་སྟོང་པ་ཉིད་ཀྱི་བར་ལ་སློབ་བོ། །དྲན་པ་ཉེ་བར་གཞག་པ་ལ་སློབ་བོ། །ཡང་དག་པར་སྤོང་བ་དང་། རྫུ་འཕྲུལ་གྱི་རྐང་པ་དང་། དབང་པོ་དང་། སྟོབས་དང་། བྱང་ཆུབ་ཀྱི་ཡན་ལག་དང་། ལམ་དང་། འཕགས་པའི་བདེན་པ་དང་། བསམ་གཏན་དང་། ཚད་མེད་པ་དང་། གཟུགས་མེད་པའི་སྙོམས་པར་འཇུག་པ་དང་། རྣམ་པར་ཐར་པ་བརྒྱད་དང་། མཐར་གྱིས་གནས་པའི་སྙོམས་པར་འཇུག་པ་དགུ་དང་། རྣམ་པར་ཐར་པའི་སྒོ་སྟོང་པ་ཉིད་དང་། མཚན་མ་མེད་པ་དང་། སྨོན་པ་མེད་པ་དང་། མངོན་པར་ཤེས་པ་དང་། ཏིང་ངེ་འཛིན་དང་། གཟུངས་ཀྱི་སྒོ་དང་། དེ་བཞིན་གཤེགས་པའི་སྟོབས་དང་། མི་འཇིགས་པ་དང་། སོ་སོ་ཡང་དག་པར་རིག་པ་དང་། སངས་རྒྱས་ཀྱི་ཆོས་མ་འདྲེས་པ་དང་། རྣམ་པ་ཐམས་ཅད་མཁྱེན་པ་ཉིད་ཀྱི་བར་ལ་སློབ་བོ། །ལྷའི་བུ་དག་དེ་བས་ན་བྱང་ཆུབ་སེམས་དཔའ་སེམས་དཔའ་ཆེན་པོ་ཤེས་རབ་ཀྱི་ཕ་རོལ་ཏུ་ཕྱིན་པ་འདི་དང་མི་འབྲལ་བར། སྤྱོད་པ་དེ་ནི་དེ་བཞིན་གཤེགས་པ་ཉིད་ཅེས་བྱ་སྟེ། ལྷའི་བུ་དག་གང་གི་ཚེ། དེ་བཞིན་གཤེགས་པ་དགྲ་བཅོམ་པ་ཡང་དག་པར་རྫོགས་པའི་སངས་རྒྱས་མར་མེ་མཛད་ཀྱིː ཞབས་འབྲིང་[༡]བྱེད་ཅིང་། རྒྱལ་པོའི་ཁབ་པད་མོ་ཡོད་པའི་ནང་གི་ཚོང་[༢]འདུས་ཀྱི་དབུས་ན་[༣]འདུག་པའི་ཚེ། སྦྱིན་པའི་ཕ་རོལ་ཏུ་ཕྱིན་པ་དང་བྲལ་བར་མ་གྱུར་ཏོ། །ཚུལ་ཁྲིམས་ཀྱི་ཕ་རོལ་ཏུ་ཕྱིན་པ་དང་། བཟོད་པའི་ཕ་རོལ་ཏུ་ཕྱིན་པ་དང་། བརྩོན་འགྲུས་ཀྱི་ཕ་རོལ་ཏུ་ཕྱིན་པ་དང་། བསམ་གཏན་གྱི་ཕ་རོལ་ཏུ་ཕྱིན་པ་དང་། ཤེས་རབ་ཀྱི་ཕ་རོལ་ཏུ་ཕྱིན་པ་དང་། ནང་སྟོང་པ་ཉིད་དང་།

དངོས་པོ་མེད་པའི་ངོ་བོ་ཉིད་སྟོང་པ་ཉིད་ཀྱི་བར་དང་། དྲན་པ་ཉེ་བར་གཞག་པ་རྣམས་དང་། ཡང་དག་པར་སྤོང་བ་རྣམས་དང་། རྫུ་འཕྲུལ་གྱི་རྐང་པ་རྣམས་དང་། དབང་པོ་རྣམས་དང་། སྟོབས་རྣམས་དང་། བྱང་ཆུབ་ཀྱི་ཡན་ལག་རྣམས་དང་། ལམ་རྣམས་དང་། འཕགས་པའི་བདེན་པ་རྣམས་དང་། བསམ་གཏན་རྣམས་དང་། ཚད་མེད་པ་རྣམས་དང་། གཟུགས་མེད་པའི་སྙོམས་པར་འཇུག་པ་རྣམས་དང་། རྣམ་པར་ཐར་པ་བརྒྱད་དང་། མཐར་གྱིས་གནས་པའི་སྙོམས་པར་འཇུག་པ་དགུ་དང་། རྣམ་པར་ཐར་པའི་སྒོ་སྟོང་པ་ཉིད་དང་། མཚན་མ་མེད་པ་དང་། སྨོན་པ་མེད་པ་དང་། མངོན་པར་ཤེས་པ་རྣམས་དང་། ཏིང་ངེ་འཛིན་རྣམས་དང་། གཟུངས་ཀྱི་སྒོ་རྣམས་དང་། དེ་བཞིན་གཤེགས་པའི་སྟོབས་རྣམས་དང་། མི་འཇིགས་པ་རྣམས······དང་། སོ་སོ་ཡང་དག་པར་རིག་པ་རྣམས་དང་། བྱམས་པ་ཆེན་པོ་དང་། སྙིང་རྗེ་ཆེན་པོ་དང་། སངས་རྒྱས་ཀྱི་ཆོས་མ་འདྲེས་པ་རྣམས་དང་ཡང་བྲལ་བར་མ་གྱུར་ཏེ། དེ་མི་དམིགས་པའི་ཚུལ་གྱིས་སངས་རྒྱས་ཀྱི་ཆོས་ཚད་མེད་པ་གཞན་དག་དང་ཡང་བྲལ་བར་མ་གྱུར་ཏོ། །ལྷའི་བུ་དག་དེའི་ཚེ་དེ་བཞིན་གཤེགས་པ་དགྲ་བཅོམ་པ་ཡང་དག་པར་རྫོགས་པའི་སངས་རྒྱས་མར་མེ་མཛད་ཀྱིས། ང་[༡]ལ་[༣]ཁྱེའུ་ཁྱོད་ནི་མ་འོངས་པའི་དུས་ཀྱི་བསྐལ་པ་གྲངས་མེད་པ་ན། བསྐལ་པ་བཟང་པོའི་ཚེ། འཇིག་རྟེན་གྱི་ཁམས་འདི་ཉིད་དུ་ཤཱཀྱ་ཐུབ་པ་ཞེས་བྱ་བ་དེ་བཞིན་གཤེགས་པ་དགྲ་བཅོམ་པ་ཡང་དག་པར་རྫོགས་པའི་སངས་རྒྱས་མཁྱེན་པ་དང་རྐང་པར་ལྡན་པ། བདེ་བར་གཤེགས་པ་འཇིག་རྟེན་མཁྱེན་པ། བླ་ན་མེད་པ། སྐྱེས་བུ་འདུལ་བའི་ཁ་ལོ་སྒྱུར་བ། ལྷ་དང་མི་རྣམས་ཀྱི་སྟོན་པ། སངས་རྒྱས་བཅོམ་ལྡན་འདས་སུ་འགྱུར་རོ། །ཞེས་བླ་ན་མེད་པ་ཡང་དག་པར···

རྫོགས་པའི་བྱང་ཆུབ་ཏུ་ལུང་བསྟན་ཏོ། །དེ་ནས་ལྷའི་བུ་དེ་དག་གིས་བཅོམ་ལྡན་འདས་ལ་འདི་སྐད་ཅེས་གསོལ་ཏོ། །བཅོམ་ལྡན་འདས་བྱང་ཆུབ་སེམས་དཔའ་སེམས་དཔའ་ཆེན་པོ་རྣམས་ཀྱི་ཤེས་རབ་ཀྱི་ཕ་རོལ་ཏུ་ཕྱིན་པ་འདི་དེ་ལྟར་གཟུགས་མི་ལེན་མི་འདོར་བའི་ཚུལ་དང་། ཚོར་བ་དང་། འདུ་ཤེས་དང་། འདུ་བྱེད་དང་། རྣམ་པར་ཤེས་པ་མི་ལེན་མི་འདོར་བའི་ཚུལ་དང་། སྐྱེ་མཆེད་དང་། ཁམས་དང་། རྟེན་ཅིང་འབྲེལ་བར་འབྱུང་བ་དང་། ཕ་རོལ་ཏུ་ཕྱིན་པ་རྣམས་དང་། སྟོང་པ་ཉིད་ཐམས་ཅད་དང་། བྱང་ཆུབ་ཀྱི་ཕྱོགས་ཀྱི་ཆོས་རྣམས་དང་། འཕགས་པའི་བདེན་པ་དང་། བསམ་གཏན་དང་། ཚད་མེད་པ་དང་། གཟུགས་མེད་པའི་སྙོམས་པར་འཇུག་པ་དང་། རྣམ་པར་ཐར་པ་དང་། མཐར་གྱིས་གནས་པའི་སྙོམས་པར་འཇུག་པ་དང་། སྟོང་པ་ཉིད་དང་། མཚན་མ་མེད་པ་དང་། སྨོན་པ་མེད་པ་དང་། མངོན་པར་ཤེས་པ་དང་། ཏིང་ངེ་འཛིན་དང་། གཟུངས་ཀྱི་སྒོ་དང་། དེ་བཞིན་གཤེགས་པའི་སྟོབས་དང་། མི་འཇིགས་པ་དང་། སོ་སོ་ཡང་དག་པར་རིག་པ་དང་། སངས་རྒྱས་ཀྱི་ཆོས་མ་འདྲེས་པ་བཅོ་བརྒྱད་དང་། རྣམ་པ་ཐམས་ཅད་མཁྱེན་པ་ཉིད་ཀྱི་བར་དུ་མི་ལེན་མི་འདོར་བའི་ཚུལ་གྱིས། བྱང་ཆུབ་སེམས་དཔའ་སེམས་དཔའ་ཆེན་པོ་རྣམས་ཀྱི་རྣམ་པ་ཐམས་ཅད་མཁྱེན་པ་ཉིད་འཐུན་[7]པར་ཡོངས་སུ་འཛིན་པ་ནི་ངོ་མཚར་ཆེའོ། །དེ་ནས་བཅོམ་ལྡན་འདས་ཀྱིས་དགེ་སློང་དང་དགེ་སློང་མ་དང་། དགེ་བསྙེན་དང་། དགེ་བསྙེན་མའི་འཁོར་བཞི་དང་། བྱང་ཆུབ་སེམས་དཔའ་སེམས་དཔའ་ཆེན་པོ་རྣམས་དང་། རྒྱལ་ཆེན་བཞིའི་རིས་ཀྱི་ལྷའི་བུ་དང་། འོག་མིན་གྱི་བར་གྱི་ལྷའི་བུ་དེ་དག་འདུས་ཤིང་ཚོགས་པར་མཁྱེན་ནས། དེ་དག་ཐམས་ཅད་དཔང་དུ་བཙུགས་ཏེ། ལྷའི་དབང་པོ་བརྒྱ་

བྱིན་ལ་བཀའ་སྩལ་པ། ཀཽ་ཤི་ཀ་བྱང་ཆུབ་སེམས་དཔའ་སེམས་དཔའ་ཆེན་པོའམ། དགེ་སློང་ངམ། དགེ་སློང་མའམ། དགེ་བསྙེན་ནམ། དགེ་བསྙེན་མའམ། རིགས་ཀྱི་བུའམ་རིགས་ཀྱི་བུ་མོའམ། ལྷའི་བུའམ་ལྷའི་བུ་མོ་གང་ཤེས་རབ་ཀྱི་ཕ་རོལ་ཏུ་ཕྱིན་པ་འདི་འཛིན་པ་དང་། འཆང་བ་དང་། ཀློག་པ་དང་། ཀུན་ཆུབ་པར་བྱེད་པ་དང་། སྒོམ་པ་དང་། གཞན་ལ་རྒྱ་ཆེར་འཆད་པ་དང་། ཚུལ་བཞིན་དུ་ཡིད་ལ་བྱེད་ཅིང་རྣམ་པ་ཐམས་ཅད་མཁྱེན་པ་ཉིད་ཀྱི་སེམས་དང་ཡང་མི་འབྲལ་བ་དེ་དག་ནི། བདུད་སྡིག་ཏོ་ཅན་དང་། བདུད་ཀྱི་རིས་ཀྱི་ལྷ་རྣམས་ཀྱིས་གླགས་རྙེད་པར་མི་འགྱུར་རོ། །དེ་ཅིའི་ཕྱིར་ཞེ་ན། དེ་ནི་འདི་ལྟར་རིགས་ཀྱི་བུ་དང་། རིགས་ཀྱི་བུ་མོ་དེ་དག་གིས་གཟུགས་སྟོང་པ་ཉིད་ཤིན་ཏུ་བྱིན་གྱིས་བརླབས་པར་འགྱུར། ཚོར་བ་དང་། འདུ་ཤེས་དང་། འདུ་བྱེད་དང་། རྣམ་པར་ཤེས་པ་སྟོང་པ་ཉིད་ཤིན་ཏུ་བྱིན་གྱིས་བརླབས་པར་འགྱུར་རོ༑ །དེ་ཅིའི་ཕྱིར་ཞེ་ན། དེ་ནི་འདི་ལྟར་སྟོང་པ་ཉིད་ཀྱིས་སྟོང་པ་ཉིད་ལ་གླགས་མི་རྙེད། མཚན་མ་མེད་པས་མཚན་མ་[7]མེད་པ་ལ་གླགས་མི་རྙེད། སྨོན་པ་མེད་པས་སྨོན་པ་མེད་པ་ལ་གླགས་མི་རྙེད་དོ། །དེ་ནི་འདི་ལྟར་རིགས་ཀྱི་བུའམ་རིགས་ཀྱི་བུ་མོ་དེ་དག་གིས་སྐྱེ་མཆེད་དང་། ཁམས་དང་། རྟེན་ཅིང་འབྲེལ་པར་འབྱུང་བ་དང་། ཕ་རོལ་ཏུ་ཕྱིན་པ་རྣམས་དང་། སྟོང་པ་ཉིད་ཐམས་ཅད་དང་། བྱང་ཆུབ་ཀྱི་ཕྱོགས་ཀྱི་ཆོས་རྣམས་དང་། འཕགས་པའི་བདེན་པ་དང་། བསམ་གཏན་དང་། ཚད་མེད་པ་དང་། གཟུགས་མེད་པའི་སྙོམས་པར་འཇུག་པ་དང་། རྣམ་པར་ཐར་པ་དང་། མཐར་གྱིས་གནས་པའི་སྙོམས་པར་འཇུག་པ་དང་། རྣམ་པར་ཐར་པའི་སྒོ་སྟོང་པ་ཉིད་དང་། མཚན་མ་མེད་པ་དང་། སྨོན་པ་མེད་པ་དང་མངོན་པར་ཤེས་པ་དང་། ཏིང་

ང་འཛིན་དང་། གཟུངས་ཀྱི་སྒོ་དང་། དེ་བཞིན་གཤེགས་པའི་སྟོབས་དང་། མི་འཇིགས་པ་དང་། སོ་སོ་ཡང་དག་པར་རིག་པ་དང་། སངས་རྒྱས་ཀྱི་ཆོས་མ་འདྲེས་པ་རྣམས་དང་། རྣམ་པ་ཐམས་ཅད་མཁྱེན་པ་ཉིད་ཀྱི་བར་དུ་སྟོང་པ་ཉིད་ཤིན་ཏུ་ཕྱིན་གྱིས་བརླབས་པར་འགྱུར་རོ། །དེ་ཅིའི་ཕྱིར་ཞེ་ན། དེ་ནི་འདི་ལྟར་སྟོང་པ་ཉིད་ཀྱིས་སྟོང་པ་ཉིད་ལ་གླགས་མི་རྙེད། མཚན་མ་མེད་པས་མཚན་མ་མེད་པ་ལ་གླགས་མི་རྙེད། སྨོན་པ་མེད་པས་སྨོན་པ་མེད་པ་ལ་གླགས་མི་རྙེད་དོ། །དེ་ཅིའི་ཕྱིར་ཞེ་ན། དེ་ནི་འདི་ལྟར་གང་གིས་གླགས་རྙེད་པར་འགྱུར་བ་དང་། གང་དུ་གླགས་རྙེད་པར་འགྱུར་བ་དང་། གང་ལ་གླགས་རྙེད་པར་འགྱུར་བ་དེ་དག་གིས[1]ངོ་བོ་ཉིད་མེད་དོ། །ཀཽ་ཤི་ཀ་རིགས་ཀྱི་བུའམ་རིགས་ཀྱི་བུ་མོ་དེ་དག་ལ་ནི་མིའམ་ཡིན་པ་གླགས་ལྟ་ཞིང་གླགས་ཚོལ་བ་དག་གིས་གླགས་རྙེད་པར་མི་འགྱུར་རོ། །དེ་ཅིའི་ཕྱིར་ཞེ་ན། དེ་ནི་འདི་ལྟར་རིགས་ཀྱི་བུ་དང་རིགས་ཀྱི་བུ་མོ་དེ་དག་གིས་དེ་མི་དམིགས་པའི་ཚུལ་གྱིས། སེམས་ཅན་ཐམས་ཅད་ལ་བྱམས་པ་དང་། སྙིང་རྗེ་དང་། དགའ་བ་དང་། བཏང་སྙོམས་ཤིན་ཏུ་བསྒོམས་པའི་ཕྱིར་རོ། །རིགས་ཀྱི་བུའམ་རིགས་ཀྱི་བུ་མོ་དེ་དག་ནི་ཉམ་ང་བ་མིཿསྤྱོངས་པས[2]དུས་བྱེད་པར་ཡང་མི་འགྱུར་ཏེ[3]། དེ་ཅིའི་ཕྱིར་ཞེ་ན། དེ་ནི་འདི་ལྟར་རིགས་ཀྱི་བུ་དང་རིགས་ཀྱི་བུ་མོ་སྦྱིན་པའི་ཕ་རོལ་ཏུ་ཕྱིན་པ་ལ་སྤྱོད་པ་དེ་དག་གིས། སེམས་ཅན་ཐམས་ཅད་ལ་ཡང་དག་པའི་རིམ་གྲོས་བསྙེན་བཀུར་བྱས་པའི་ཕྱིར་རོ། །ཀཽ་ཤི་ཀ་གང་ཡང་སྟོང་གསུམ་གྱི་སྟོང་ཆེན་པོའི་འཇིག་རྟེན་གྱི་ཁམས་ན། རྒྱལ་ཆེན་བཞིའི་རིས་ཀྱི་ལྷ་དང་། སུམ་ཅུ་རྩ་གསུམ་གྱི་ལྷ་དང་། མཐེ་མ་དང་དགའ་ལྡན་དང་། འཕྲུལ་དགའ་དང་། གཞན་འཕྲུལ་དབང་བྱེད་དང་། ཀུན་སྣང་དང་བ་དང་། དགེ་རྒྱས་དང་། འབྲས་

བུ་ཆེ་བའི་ལྷ་རྣམས་བླ་ན་མེད་པ་ཡང་དག་པར་རྫོགས་པའི་བྱང་ཆུབ་ཏུ་ཡང་དག་པར་ཞུགས་པ་ཇི་སྙེད་ཅིག་ཡོད་པ་དང་། ལྷའི་བུ་གང་གིས་ཤེས་རབ་ཀྱི་ཕ་རོལ་ཏུ་ཕྱིན་པ་འདི་མ་ཐོས་པ་དང་། མ་བཟུང་བ་དང་། མ་བཅངས་པ་དང་། ཀུན་ཆུབ་པར་མ་བྱས་པ་དེ་དག་གིས་ཀྱང་། ཤེས་རབ་ཀྱི་ཕ་རོལ་ཏུ་ཕྱིན་པ་འདི་མཉན་པར་བྱའོ། །གཟུང་བར་བྱའོ། །བཅང་བར་བྱའོ། །ཀློག[1]པར་བྱའོ། །ཀུན་ཆུབ་པར་བྱའོ། །ཚུལ་བཞིན་དུ་ཡིད་ལ་བྱའོ། །རྣམ་པ་ཐམས་ཅད་མཁྱེན་པའི་སེམས་དང་[2]མ་བྲལ་བར་བྱའོ། །ཀཽ་ཤི་ཀ་གཞན་ཡང་རིགས་ཀྱི་བུ་དང་རིགས་ཀྱི་བུ་མོ་གང་ཤེས་རབ་ཀྱི་ཕ་རོལ་ཏུ་ཕྱིན་པ་འདི་འཛིན་ཅིང་འཆང་བ་དང་། ཀློག་ཅིང་ཀུན་ཆུབ་པར་བྱེད་པ་དང་། ཚུལ་བཞིན་དུ་ཡིད་ལ་བྱེད་ཅིང་རྣམ་པ་ཐམས་ཅད་མཁྱེན་པའི་སེམས་དང་ཡང་མ་བྲལ་བར་བྱེད་ཅིང་[3]དེ་དག་ནི་ཁྲིམ་སྟོང་པ་ན་འདུག་ཀྱང་རུང་། བླ་གབ་མེད་པ་ན་འདུག་ཀྱང་རུང་། ལམ་གོལ་བ་ན་འདུག་ཀྱང་རུང་སྟེ། འཇིགས་པའམ་སྐྲང་[4]བར་མི་འགྱུར་རོ། །དེ་ཅིའི་ཕྱིར་ཞེ་ན། འདི་ལྟར་རིགས་ཀྱི་བུ་དང་། རིགས་ཀྱི་བུ་མོ་དེ་དག་གིས་ནང་སྟོང་པ་ཉིད་དེ་མི་དམིགས་པའི་ཚུལ་གྱིས་ཤིན་དུ་བསྒོམས་སོ། །ཕྱི་སྟོང་པ་ཉིད་དང་། ཕྱི་ནང་སྟོང་པ་ཉིད་དང་། དངོས་པོ་མེད་པའི་ངོ་བོ་ཉིད་སྟོང་པ་ཉིད[5]ཀྱི་བར་དུ་དེ་མི་དམིགས་པའི་ཚུལ་གྱིས་ཤིན་དུ་བསྒོམས་སོ། །དེ་ནས་དེའི་ཚེ་སྟོང་གསུམ་གྱི་སྟོང་ཆེན་པོའི་འཇིག་རྟེན་གྱི་ཁམས་ན། རྒྱལ་ཆེན་བཞིའི་རིས་ཀྱི་ལྷ་དང་། སུམ་ཅུ་རྩ་གསུམ་གྱི་ལྷ་དང་། མཚོ་མ་དང་། དགའ་ལྡན་དང་། འཕྲུལ་དགའ་དང་། གཞན་འཕྲུལ་དབང་བྱེད་དང་། གནས་གཙང་མའི་རིས་ཀྱི་བར་གྱི་ལྷ་ཇི་སྙེད་ཅིག་ཡོད་པ་དེ་དག་ཐམས་ཅད་ཀྱིས་བཅོམ་ལྡན་འདས་ལ་འདི་སྐད་ཅེས་གསོལ་ཏོ། །བཅོམ་ལྡན་འདས་བདག་ཅག་གིས་རིགས་ཀྱི་བུ་དང་

རིགས་ཀྱི་བུ་མོ་གང་ཤེས་རབ་ཀྱི་ཕ་རོལ་ཏུ་ཕྱིན་པ་འདི་ལ་མོས་ཤིང་འཛིན་པ་དང་། འཆང་བ་དང་། ཀློག་པ་དང་། ཀུན་ཆུབ་པར་བགྱིད་པ་དང་། ཚུལ་བཞིན་དུ་ཡིད་ལ་བགྱིད་ཅིང་། གཞན་ལ་ཡང་རྒྱ་ཆེར་སྟོན་པ་དང་། རྣམ་པ་ཐམས་ཅད་མཁྱེན་པ་ཉིད་དུ་ཡིད་ལ་བགྱིད་པ་དང་། མི་འབྲལ་[༡]བ་དེ་དག་ལ་རྟག་ཏུ་རྒྱུན་མི་ཆད་པར་བསྲུང་བ་དང་། བསྐྱང་བ་དང་། བསྐྱབ་པར་བགྱིའོ། །དེ་ཅིའི་སླད་དུ་ཞེ་ན། བཅོམ་ལྡན་འདས་བྱང་ཆུབ་སེམས་དཔའ་སེམས་དཔའ་ཆེན་པོ་མཆིས་ན། སེམས་ཅན་དམྱལ་བ་རྣམས་ཀྱང་རྒྱུན་ཆད་པར་འགྱུར། ཕྱུགས་སོང་གི་སྐྱེ་གནས་དང་། གཤིན་རྗེའི་འཇིག་རྟེན་དང་། ལྷ་ལས་ཕོངས་པ་དང་། མི་ལས་དབུལ་བ་དང་། ནད་དང་གནོད་པ་དང་། འགོ་བའི་ནད་ཐམས་ཅད་ཀྱང་རྒྱུན་ཆད་ཅིང་འཇིག་[༢]པ་དང་[༣]མ་མཆིས་པར་འགྱུར། མུ་གེའི་མུ་ངམ་ཐམས་ཅད་ཀྱང་རྒྱུན་ཆད་པར་འགྱུར་བྱང་ཆུབ་སེམས་དཔའ་སེམས་དཔའ་ཆེན་པོ་མཆིས་ན། དགེ་བ་བཅུའི་ལས་ཀྱི་ལམ་རྣམས་འཇིག་རྟེན་དུ་འབྱུང་བར་འགྱུར། བསམ་གཏན་བཞི་འཇིག་རྟེན་དུ་འབྱུང་བར་འགྱུར། ཚད་མེད་པ་བཞི་འཇིག་རྟེན་དུ་འབྱུང་བར་འགྱུར། གཟུགས་མེད་པའི་སྙོམས་པར་འཇུག་པ་བཞི་འཇིག་རྟེན་དུ་འབྱུང་བར་འགྱུར། མངོན་པར་ཤེས་པ་ལྔ་འཇིག་རྟེན་དུ་འབྱུང་བར་འགྱུར། སྦྱིན་པའི་ཕ་རོལ་ཏུ་ཕྱིན་པ་འཇིག་རྟེན་དུ་འབྱུང་བར་འགྱུར། ཚུལ་ཁྲིམས་ཀྱི་ཕ་རོལ་ཏུ་ཕྱིན་པ་དང་། བཟོད་པའི་ཕ་རོལ་ཏུ་ཕྱིན་པ་དང་། བརྩོན་འགྲུས་ཀྱི་ཕ་རོལ་ཏུ་ཕྱིན་པ་དང་། བསམ་གཏན་གྱི་ཕ་རོལ་ཏུ་ཕྱིན་པ་དང་། ཤེས་རབ་ཀྱི་ཕ་རོལ་ཏུ་ཕྱིན་པ་འཇིག་རྟེན་དུ་འབྱུང་བར་འགྱུར། ནང་སྟོང་པ་ཉིད་དང་། དངོས་པོ་མེད་པའི་ངོ་བོ་ཉིད་སྟོང་པ་ཉིད་ཀྱི་བར་དུ་འཇིག་རྟེན་དུ་འབྱུང་བར་འགྱུར། དྲན་པ་ཉེ་བར་གཞག་པ་དང་། ཡང་དག་པར

སྤྱོད་པ་དང་། རྫུ་འཕྲུལ་གྱི་རྐང་པ་དང་། དབང་པོ་དང་སྟོབས་དང་། བྱང་ཆུབ་ཀྱི་ཡན་ལག་དང་། འཕགས་པའི་ལམ་ཡན་ལག་བརྒྱད་པ་དང་། འཕགས་པའི་བདེན་པ་དང་། བསམ་གཏན་དང་། ཚད་མེད་པ་དང་། གཟུགས་མེད་པའི་སྙོམས་པར་འཇུག་པ་དང་། རྣམ་པར་ཐར་པ་[1]བརྒྱད་དང་། མཐར་གྱིས་གནས་པའི་སྙོམས་པར་འཇུག་པ་དགུ་དང་། རྣམ་པར་ཐར་པའི་སྒོ་སྟོང་པ་ཉིད་དང་། མཚན་མ་མེད་པ་དང་། སྨོན་པ་མེད་པ་དང་། མངོན་པར་ཤེས་པ་དང་། ཏིང་ངེ་འཛིན་དང་། གཟུངས་ཀྱི་སྒོ་དང་། དེ་བཞིན་གཤེགས་པའི་སྟོབས་དང་། མི་འཇིགས་པ་དང་། སོ་སོ་ཡང་དག་པར་རིག་པ་དང་། སངས་རྒྱས་ཀྱི་ཆོས་མ་འདྲེས་པ་རྣམས་དང་། རྣམ་པ་ཐམས་ཅད་མཁྱེན་པ་ཉིད་ཀྱི་བར་དུ་འཇིག་རྟེན་དུ་འབྱུང་བར་འགྱུར། བྱང་ཆུབ་སེམས་དཔའ་སེམས་དཔའ་ཆེན་པོ་མཆིས་ན། རྒྱལ་རིགས་ཆེ་ཞིང་མཐོ་བ་རྣམས་མཆིས་པར་འགྱུར། བྲམ་ཟེའི་རིགས་ཆེ་ཞིང་མཐོ་བ་རྣམས་དང་། ཁྱིམ་བདག་གི་རིགས་ཆེ་ཞིང་མཐོ་བ་རྣམས་དང་། འཁོར་ལོས་སྒྱུར་བའི་རྒྱལ་པོ་དང་། རྒྱལ་ཆེན་བཞིའི་རིས་ཀྱི་ལྷ་རྣམས་དང་། འོག་མིན་གྱི་བར་གྱི་ལྷ་རྣམས་མཆིས་པར་འགྱུར། བྱང་ཆུབ་སེམས་དཔའ་སེམས་དཔའ་ཆེན་པོ་མཆིས་ན། རྒྱུན་དུ་ཞུགས་པའི་འབྲས་བུ་དང་། རྒྱུན་དུ་ཞུགས་པ་མཆིས་པར་འགྱུར། ལན་ཅིག་ཕྱིར་འོང་བའི་འབྲས་བུ་དང་། ལན་ཅིག་ཕྱིར་འོང་བ་མཆིས་པར་འགྱུར། ཕྱིར་མི་འོང་བའི་འབྲས་བུ་དང་། ཕྱིར་མི་འོང་བ་མཆིས་པར་འགྱུར། དགྲ་བཅོམ་པ་ཉིད་དང་། དགྲ་བཅོམ་པ་མཆིས་པར་འགྱུར། རང་བྱང་ཆུབ་དང་། རང་སངས་རྒྱས་མཆིས་པར་འགྱུར། བྱང་ཆུབ་སེམས་དཔའ་སེམས་དཔའ་ཆེན་པོ་མཆིས་ན། སེམས་ཅན་ཡོངས་སུ་སྨིན་པ་མཆིས་པར་འགྱུར། སངས་རྒྱས་

ཀྱི་ཞིང་ཡོངས་སུ་དག་པ་མཆིས་པར་འགྱུར། འཇིག་རྟེན་དུ་དེ་བཞིན་གཤེགས་པ་དགྲ་བཅོམ་པ་ཡང་དག་པར་རྫོགས་པའི་སངས་རྒྱས་འབྱུང་བར་འགྱུར། ཆོས་ཀྱི་འཁོར་ལོ་སྐོར་བ་མཆིས་པར་འགྱུར། སངས་རྒྱས་དཀོན་མཆོག་དང་། ཆོས་དཀོན་མཆོག་དང་། དགེ་འདུན་དཀོན་མཆོག་འབྱུང་བར་འགྱུར། བཅོམ་ལྡན་འདས་རྣམ་གྲངས་དེས་ན། ལྷ་དང་། མི་དང་། ལྷ་མ་ཡིན་དུ་བཅས་པའི་འཇིག་རྟེན་གྱིས། བྱང་ཆུབ་སེམས་དཔའ་སེམས་དཔའ་ཆེན་པོ་ལ་བསྲུང་བ་དང་། བསྐྱང་བ་དང་། བསྐྱབ་པར་བགྱིའོ། །དེ་སྐད་ཅེས་གསོལ་པ་དང་། བཅོམ་ལྡན་འདས་ཀྱིས་ལྷའི་དབང་པོ་བརྒྱ་བྱིན་ལ་འདི་སྐད་ཅེས་བཀའ་སྩལ་ཏོ། །ཀཽ་ཤི་ཀ་དེ་དེ་བཞིན་ནོ། །དེ་དེ་བཞིན་ཏེ། བྱང་ཆུབ་སེམས་དཔའ་སེམས་དཔའ་ཆེན་པོ་ཡོད་ན། སེམས་ཅན་དམྱལ་བ་དང་། ཕྱུགས་སོང་གི་སྐྱེ་གནས་དང་། གཤིན་རྗེའི་འཇིག་རྟེན་ཐམས་ཅད་རྒྱུན་ཆད་པར་འགྱུར་རོ། །ལྷ་ལས་ཕོངས་པ་དང་། མི་ལས་དབུལ་བ་དང་། ནད་དང་གནོད་པ་དང་། འགྲོ་བའི་ནད་ཐམས་ཅད་རྒྱུན་ཆད་པ་དང་། འཇིག[1]པ་དང་[2]མེད་པར་འགྱུར་རོ། །མུ་གེའི་མུ་ངན་[3]ཐམས་ཅད་རྒྱུན་ཆད་པར་འགྱུར་རོ། །བྱང་ཆུབ་སེམས་དཔའ་སེམས་དཔའ་ཆེན་པོ་ཡོད་ན། དགེ་བ་བཅུའི་ལས་ཀྱི་ལམ་འཇིག་རྟེན་དུ་འབྱུང་བར་འགྱུར་རོ། །བསམ་གཏན་བཞི་དང་། ཚད་མེད་པ་བཞི་དང་། གཟུགས་མེད་པའི་སྙོམས་པར་འཇུག་པ་བཞི་དང་། མངོན་པར་ཤེས་པ་ལྔ་འཇིག་རྟེན་དུ་འབྱུང་བར་འགྱུར་རོ། །ཕ་རོལ་ཏུ་ཕྱིན་པ་རྣམས་དང་། སྟོང་པ་ཉིད་ཐམས་ཅད་དང་། བྱང་ཆུབ་ཀྱི་ཕྱོགས་ཀྱི་ཆོས་རྣམས་དང་། འཕགས་པའི་བདེན་པ་དང་། རྣམ་པར་ཐར་པ་དང་། མཐར་གྱིས་གནས་པའི་སྙོམས་པར་འཇུག་པ་དང་། སྟོང་པ་ཉིད་དང་མཚན་མ་

མེད་པ་དང་། སྨོན་པ་མེད་པ་དང་། མངོན་པར་ཤེས་པ་དང་། ཏིང་ངེ་འཛིན་དང་གཟུངས་ཀྱི་སྒོ་དང་། དེ་བཞིན་གཤེགས་པའི་སྟོབས་དང་། མི་འཇིགས་པ་བཞི་དང་། སོ་སོ་ཡང་དག་པར་རིག་པ་བཞི་དང་། བྱམས་པ་ཆེན་པོ་དང་། སྙིང་རྗེ་(༧)ཆེན་པོ་དང་། སངས་རྒྱས་ཀྱི་ཆོས་མ་འདྲེས་པ་བཅོ་བརྒྱད་དང་། རྣམ་པ་ཐམས་ཅད་མཁྱེན་པ་ཉིད་ཀྱི་བར་དུ་འཇིག་རྟེན་དུ་འབྱུང་བར་འགྱུར་རོ། །བྱང་ཆུབ་སེམས་དཔའ་སེམས་དཔའ་ཆེན་པོ་ཡོད་ན། རྒྱལ་རིགས་ཆེ་ཞིང་མཐོ་བ་དང་། བྲམ་ཟེའི་རིགས་ཆེ་ཞིང་མཐོ་བ་དང་། ཁྱིམ་བདག་གི་རིགས་ཆེ་ཞིང་མཐོ་བ་ཡོད་པར་འགྱུར་རོ། །འཁོར་ལོས་སྒྱུར་བའི་རྒྱལ་པོ་དང་། རྒྱལ་ཆེན་བཞིའི་རིས་ཀྱི་ལྷ་རྣམས་དང་། འོག་མིན་གྱི་བར་གྱི་ལྷ་རྣམས་ཡོད་པར་འགྱུར་རོ། །བྱང་ཆུབ་སེམས་དཔའ་སེམས་དཔའ་ཆེན་པོ་ཡོད་ན། རྒྱུན་དུ་ཞུགས་པའི་འབྲས་བུ་དང་། རྒྱུན་དུ་ཞུགས་པ་ཡོད་པར་འགྱུར་རོ། །ལན་ཅིག་ཕྱིར་འོང་བའི་འབྲས་བུ་དང་། ལན་ཅིག་ཕྱིར་འོང་བ་ཡོད་པར་འགྱུར་རོ༑ །ཕྱིར་མི་འོང་བའི་འབྲས་བུ་དང་། ཕྱིར་མི་འོང་བ་ཡོད་པར་འགྱུར་རོ། །དགྲ་བཅོམ་པ་ཉིད་དང་། དགྲ་བཅོམ་པ་ཡོད་པར་འགྱུར་རོ། །རང་བྱང་ཆུབ་དང་རང་སངས་རྒྱས་ཡོད་པར་འགྱུར་རོ། །(༢)བྱང་ཆུབ་སེམས་དཔའ་སེམས་དཔའ་ཆེན་པོ་ཡོད་ན། སེམས་ཅན་ཡོངས་སུ་སྨིན་པ་ཡོད་པར་འགྱུར་རོ། །སངས་རྒྱས་ཀྱི་ཞིང་ཡོངས་སུ་དག་པ་ཡོད་པར་འགྱུར་རོ། །འཇིག་རྟེན་དུ་དེ་བཞིན་གཤེགས་པ་དགྲ་བཅོམ་པ་ཡང་དག་པར་རྫོགས་པའི་སངས་རྒྱས་འབྱུང་བར་འགྱུར་རོ། །ཆོས་ཀྱི་འཁོར་ལོ་སྐོར་(༣)བ་ཡོད་པར་འགྱུར་རོ། །སངས་རྒྱས་དང་ཆོས་དང་དགེ་འདུན་དཀོན་མཆོག་འབྱུང་བར་འགྱུར་རོ། །དེ་བས་ན་ལྷ་དང་མི་དང་ལྷ་(༨)མ་ཡིན་དུ་བཅས་པའི་འཇིག་རྟེན་གྱིས། བྱང་ཆུབ་སེམས་དཔའ་

སེམས་དཔའ་ཆེན་པོ་ལ་རིམ་གྲོར་བྱའོ། །བཀུར་སྟི་དང་བསྟི་སྟང་དུ་བྱའོ། །མཆོད་པར་བྱའོ། །རྟག་ཏུ་རྒྱུན་མི་ཆད་པར་དེ་ལ་བསྲུང་བ་དང་། བསྐྱང་བ་དང་། བསྐྱབ་པར་བྱའོ། །ཀཽ་ཤི་ཀ་གང་ཡང་བྱང་ཆུབ་སེམས་དཔའ་སེམས་དཔའ་ཆེན་པོ་ལ་རིམ་གྲོར་བྱ་བ་དང་། བཀུར་[༡]སྟིར་བྱ་བ་དང་། བསྟི་སྟང་དུ་བྱ་བ་དང་། མཆོད་པར་བྱ་བར་སེམས་པ་དེ་ཉི་ང་[༢]ལ་རིམ་གྲོར་བྱ་བ་དང་། བཀུར་སྟིར་བྱ་བ་དང་། བསྟི་སྟང་དུ་བྱ་བ་དང་། མཆོད་པར་བྱ་བར་སེམས་སོ། །དེ་བས་ན་ལྷ་དང་། མི་དང་ལྷ་མ་ཡིན་དུ་བཅས་པའི་འཇིག་རྟེན་གྱིས། བྱང་ཆུབ་སེམས་དཔའ་སེམས་དཔའ་ཆེན་པོ་ལ་རིམ་གྲོར་བྱའོ། །བཀུར་སྟིར་བྱའོ། །བསྟི་སྟང་དུ་བྱའོ། །མཆོད་པར་བྱའོ། །རྟག་ཏུ་རྒྱུན་མི་ཆད་པར་དེ་ལ་བསྲུང་བ་དང་། བསྐྱང་བ་དང་། བསྐྱབ་པར་བྱའོ། །ཀཽ་ཤི་ཀ་སྟོང་གསུམ་གྱི་སྟོང་ཆེན་པོའི་འཇིག་རྟེན་གྱི་ཁམས་[༣]འདི་ལྟ་སྟེ་དཔེར་ན་འདམ་བུའི་ཚལ་ལམ། སྨྱིག་[༤]མའི་ཚལ་ལམ། བུ་རམ་ཤིང་གི་ཚལ་ལམ། འོད་མའི་ཚལ་ལམ། རྩི་སྐྱང་གི་བྱིངས་སམ། འབྲས་ཀྱི་ཞིང་ངམ། ཏིལ་གྱི་ཞིང་བཞིན་དུ་ཉན་ཐོས་དང་། རང་སངས་རྒྱས་ཀྱིས་གང་བར་གྱུར་ལ་དེ་དག་ལ་རིགས་ཀྱི་བུའམ་རིགས་ཀྱི་བུ་མོ་གང་ལ་ལ་ཞིག་གིས། ནམ་འཚོའི་བར་དུ་ཡོ་བྱད་ཐམས་ཅད་ཀྱིས་རིམ་གྲོར་བྱས་པ་དང་། བཀུར་[༥]སྟིར་བྱས་པ་དང་། བསྟི་སྟང་དུ་བྱས་པ་དང་། མཆོད་པར་བྱས་པ་བས། གང་ལ་ལས་བྱང་ཆུབ་སེམས་དཔའ་སེམས་དཔའ་ཆེན་པོ་སེམས་དང་པོ་བསྐྱེད་པ་ཕ་རོལ་ཏུ་ཕྱིན་པ་དྲུག་དང་མ་བྲལ་བ་ཞིག་ལ། རིམ་གྲོར་བྱས། བཀུར་སྟིར་བྱས། བསྟི་སྟང་དུ་བྱས། མཆོད་པར་བྱས་ན། དེ་ཉི་དེ་བས་བསོད་ནམས་ཆེས་མང་དུ་འཕེལ་ལོ། །དེ་ཅིའི་ཕྱིར་ཞེ་ན། འདི་ལྟར་ཀཽ་ཤི་ཀ་ཉན་ཐོས་དང་། རང་སངས་རྒྱས་དེ་དག

ཡོད་ན། བྱང་ཆུབ་སེམས་དཔའ་སེམས་དཔའ་ཆེན་པོ་འཇིག་རྟེན་དུ་འབྱུང་བར་[1] འགྱུར་བ་མ་ཡིན། དེ་བཞིན་གཤེགས་པ་དགྲ་བཅོམ་པ་ཡང་དག་པར་རྫོགས་པའི་སངས་རྒྱས་འཇིག་རྟེན་དུ་འབྱུང་བར་འགྱུར་བ་མ་ཡིན་གྱི། ཀཽ་ཤི་ཀ་བྱང་ཆུབ་སེམས་དཔའ་སེམས་དཔའ་ཆེན་པོ་ཡོད་ན། ཉན་ཐོས་དང་། རང་སངས་རྒྱས་ཐམས་ཅད་འཇིག་རྟེན་ན་ཡོད་པར་འགྱུར་རོ། །དེ་བཞིན་གཤེགས་པ་དགྲ་བཅོམ་པ་ཡང་དག་པར་རྫོགས་པའི་སངས་རྒྱས་རྣམས་འཇིག་རྟེན་དུ་འབྱུང་བར་འགྱུར་རོ། །ཀཽ་ཤི་ཀ་དེ་བས་ན་ལྷ་དང་། མི་དང་། ལྷ་མ་ཡིན་དུ་བཅས་པའི་འཇིག་རྟེན་གྱིས། བྱང་ཆུབ་སེམས་དཔའ་སེམས་དཔའ་ཆེན་པོ་ལ་རིམ་གྲོར་བྱའོ། །བཀུར་སྟིར་བྱའོ། །བསྟི་སྟང་དུ་བྱའོ། །མཆོད་པར་བྱའོ། །རྟག་ཏུ་རྒྱུན་མི་ཆད་པར་དེ་ལ་བསྲུང་བ་དང་། བསྐྱང་བ་དང་། བསྐྱབ་པར་བྱའོ༔ །ཤེས་རབ་ཀྱི་ཕ་རོལ་ཏུ་ཕྱིན་པ་སྟོང་ཕྲག་ཉི་ཤུ་ལྔ་པ་ལས། ལེའུ་བཅུ་དྲུག་པའོ།། །།

དེ་ནས་ལྷའི་དབང་པོ་བརྒྱ་བྱིན་གྱིས། བཅོམ་ལྡན་འདས་ལ་འདི་སྐད་ཅེས་གསོལ་ཏོ། །བཅོམ་ལྡན་འདས་དེ་ལྟར་བྱང་ཆུབ་སེམས་དཔའ་སེམས་དཔའ་ཆེན་པོ་ཤེས་རབ་ཀྱི་ཕ་རོལ་ཏུ་ཕྱིན་པ་འདི། འཛིན་པ་དང་། འཆང་བ་དང་། ཀློག་པ་དང་། ཀུན་ཆུབ་པར་བགྱིད་[3]པ་དང་། ཚུལ་བཞིན་དུ་ཡིད་ལ་བགྱིད་པ་དེ་དག་གིས། ཚེ་འདི་ལ་འཐོབ་པའི་ཡོན་ཏན་འདི་དག་ཡོངས་སུ་ཟིན་པར་འགྱུར་ཞིང་། སེམས་ཅན་རྣམས་ཡོངས་སུ་སྨིན་པར་བགྱིད་པ་དང་། སངས་རྒྱས་ཀྱི་ཞིང་ཡོངས་སུ་དག་པར་བགྱིད་པ་དང་། སངས་རྒྱས་བཅོམ་ལྡན་འདས་ལ་བསྙེན་བཀུར་བའི་སླད་དུ། སངས་རྒྱས་ཀྱི་ཞིང་ནས་སངས་རྒྱས་ཀྱི་ཞིང་དུ་

མཆི་བ་དང་། དགེ་བའི་རྩ་བ་གང་གིས་སངས་རྒྱས་བཅོམ་ལྡན་འདས་དེ་དག་ལ་རིམ་གྲོར་བགྱི་བ་དང་། བཀུར་སྟིར་བགྱི་བ་དང་། བསྟི་སྟང་དུ་བགྱི་བ་དང་། མཆོད་པར་བགྱི་བར་འཚལ་བ་དེ་ལྟ་བུའི་དགེ་བའི་རྩ་བ་དེ་དག་ཀུང་ཕུན་སུམ་ཚོགས་པར་འགྱུར་བ་དང་། སངས་རྒྱས་བཅོམ་ལྡན་འདས་དེ་དག་ལས་ཆོས་གང་ཐོས་པ་དེ་དག་ཀུང་། བླ་ན་མེད་པ་ཡང་དག་པར་རྫོགས་པའི་བྱང་ཆུབ་ཏུ་མངོན་པར་རྫོགས་པར་སངས་རྒྱས་པར་མ་གྱུར་གྱི་བར་དུ་དྲན་པ་མི་ཉམས་[༡]པ་དང་། རིགས་ཕུན་སུམ་ཚོགས་པ་ཡོངས་སུ་འཛིན་པ་དང་། སྐྱེད་པ་ཕུན་སུམ་ཚོགས་པ་དང་། ཚེ་ཕུན་སུམ་ཚོགས་པ་དང་། འཁོར་ཕུན་སུམ་ཚོགས་པ་དང་། མཚན་ཕུན་སུམ་ཚོགས་པ་དང་། འོད་ཕུན་སུམ་ཚོགས་པ་དང་། མིག་ཕུན་སུམ་ཚོགས་པ་དང་། དབྱངས་ཕུན་སུམ་ཚོགས་པ་དང་། ཏིང་ངེ་འཛིན་ཕུན་སུམ་ཚོགས་པ་དང་། གཟུངས་ཕུན་སུམ་ཚོགས་པ་ཡོངས་སུ་འཛིན་པ་དང་། ཐབས་མཁས་པས་བདག་[༢]ཀུང་། སངས་རྒྱས་ཀྱི་སྐུར་མངོན་པར་སྤྲུལ་ཅིང་། འཇིག་རྟེན་གྱི་ཁམས་ནས་འཇིག་རྟེན་གྱི་ཁམས་སུ་མངོན་པར་མཆི་བ་དང་། གང་དུ་སངས་རྒྱས་བཅོམ་ལྡན་འདས་སྐྱེ་ཞིང་འབྱུང་བར་མ་གྱུར་པ་དེ་དང་དེ་དག་ཏུ་མཆིས་ཤིང་། སྦྱིན་པའི་ཕ་རོལ་ཏུ་ཕྱིན་པའི་ཡོན་ཏན་རྗོད་[༣]པ་དང་། ཚུལ་ཁྲིམས་ཀྱི་ཕ་རོལ་ཏུ་ཕྱིན་པ་དང་། བཟོད་པའི་ཕ་རོལ་ཏུ་ཕྱིན་པ་དང་། བརྩོན་འགྲུས་ཀྱི་ཕ་རོལ་ཏུ་ཕྱིན་པ་དང་། བསམ་གཏན་གྱི་ཕ་རོལ་ཏུ་ཕྱིན་པ་དང་། ཤེས་རབ་ཀྱི་ཕ་རོལ་ཏུ་ཕྱིན་པའི་ཡོན་ཏན་རྗོད་[༤]པ་དང་། ནང་སྟོང་པ་ཉིད་དང་། དངོས་པོ་མེད་པའི་ངོ་བོ་ཉིད་སྟོང་པ་ཉིད་ཀྱི་བར་གྱི་ཡོན་ཏན་རྗོད་པ་དང་། དྲན་པ་ཉེ་བར་གཞག་པ་རྣམས་ཀྱི་ཡོན་ཏན་རྗོད་པ་དང་། ཡང་དག་པར་སྤོང་བ་དང་། རྫུ་འཕྲུལ་གྱི་རྐང་པ་དང་། དབང་པོ་དང་

སྟོབས་དང་། བྱང་ཆུབ་ཀྱི་ཡན་ལག་དང་། འཕགས་པའི་ལམ་ཡན་ལག་བརྒྱད་པ་དང་། འཕགས་པའི་བདེན་པ་དང་། བསམ་གཏན་དང་། ཚད་མེད་པ་དང་། གཟུགས་མེད་པའི་སྙོམས་པར་འཇུག་པ་དང་། རྣམ་པར་ཐར་པ་བརྒྱད་དང་། མཐར་གྱིས་གནས་པའི་སྙོམས་པར་འཇུག་པ་དགུ་དང་། རྣམ་པར་ཐར་པའི་སྒོ་སྟོང་པ་ཉིད་དང་། མཚན་མ་མེད་པ་དང་། སྨོན་པ་མེད་པ་དང་། མངོན་པར་ཤེས་པ་དང་། ཏིང་ངེ་འཛིན་དང་། གཟུངས་ཀྱི་སྒོ་དང་། དེ་བཞིན་གཤེགས་པའི་སྟོབས་དང་། མི་འཇིགས་པ་དང་། སོ་སོ་ཡང་དག་པར་རིག་པ་དང་། སངས་རྒྱས་ཀྱི་ཆོས་མ་འདྲེས་པའི་ཡོན་ཏན་རྫོད་པ་དང་། ཐབས་མཁས་པས་སེམས་ཅན་རྣམས་ལ་ཆོས་སྟོན་པ་དང་། སེམས་ཅན་རྣམས་ཉན་ཐོས་ཀྱི་ཐེག་པ་དང་། རང་སངས་རྒྱས་ཀྱི་ཐེག་པ་དང་། སངས་རྒྱས་ཀྱི་ཐེག་པ་དང་། ཐེག་པ་གསུམ་ལ་འདུལ་བ་ནི་ངོ་མཚར་ཆེའོ། །

དེ་ནས་ལྷའི་དབང་པོ་བརྒྱ་བྱིན་གྱིས། བཅོམ་ལྡན་འདས་ལ་འདི་སྐད་ཅེས་གསོལ་ཏོ། །བཅོམ་ལྡན་འདས་དེ་ལྟར་ཤེས་རབ་ཀྱི་ཕ་རོལ་དུ་ཕྱིན་པ་འདི་ཡོངས་སུ་བཟུང་ན། ཕ་རོལ་དུ་ཕྱིན་པ་དྲུག་པོ་ཐམས་ཅད་ཡོངས་སུ་བཟུང་བར་འགྱུར་བ་དང་། སྟོང་པ་ཉིད་ཐམས་ཅད་དང་། དྲན་པ་ཉེ་བར་གཞག་པ་དང་། ཡང་དག་པར་སྤོང་བ་དང་། རྫུ་འཕྲུལ་གྱི་རྐང་པ་དང་། དབང་པོ་དང་། སྟོབས་དང་། བྱང་ཆུབ་ཀྱི་ཡན་ལག་དང་། འཕགས་པའི་ལམ་ཡན་ལག་བརྒྱད་པ་དང་། འཕགས་པའི་བདེན་པ་དང་། བསམ་གཏན་དང་། ཚད་མེད་པ་དང་། གཟུགས་མེད་པའི་སྙོམས་པར་འཇུག་པ་དང་། རྣམ་པར་ཐར་པ་བརྒྱད་དང་། མཐར་གྱིས་གནས་པའི་སྙོམས་པར་འཇུག་པ་དགུ་དང་། རྣམ་པར་ཐར་པའི་སྒོ་སྟོང་པ་ཉིད་དང་། མཚན་མ་མེད་པ་དང་། སྨོན་པ་མེད་པ

དང་། མངོན་པར་ཤེས་པ་དང་། ཏིང་ངེ་འཛིན་དང་། གཟུངས་ཀྱི་སྒོ་དང་། དེ་བཞིན་གཤེགས་པའི་སྟོབས་དང་། མི་འཇིགས་པ་དང་། སོ་སོ་ཡང་དག་པར་རིག་པ་དང་། སངས་རྒྱས་ཀྱི་ཆོས་མ་འདྲེས་པ་རྣམས་དང་། རྣམ་པ་ཐམས་ཅད་མཁྱེན་པ་ཉིད་ཀྱི་བར་དུ་ཡོངས་སུ་གཟུང་བར་འགྱུར་བ་ངོ་མཚར་ཆེའོ།། དེ་སྐད་ཅེས་གསོལ་པ་དང་། བཅོམ་ལྡན་འདས་ཀྱིས་ལྷའི་དབང་པོ་བརྒྱ་བྱིན་ལ་འདི་སྐད་ཅེས་བཀའ་སྩལ་ཏོ། །ཀཽ་ཤི་ཀ་དེ་དེ་བཞིན་ནོ། །དེ་དེ་བཞིན་ཏེ། ཤེས་རབ་ཀྱི་ཕ་རོལ་ཏུ་ཕྱིན་པ་ཡོངས་སུ་བཟུང་བས། ཕ་རོལ་ཏུ་ཕྱིན་པ་ཐམས་ཅད་ཡོངས་སུ་གཟུང་བར་འགྱུར་རོ། །སྟོང་པ་ཉིད་ཐམས་ཅད་དང་། བྱང་ཆུབ་ཀྱི་ཕྱོགས་ཀྱི་ཆོས་རྣམས་དང་། འཕགས་པའི་བདེན་པ་དང་། བསམ་གཏན་དང་། ཚད་མེད་པ་དང་། གཟུགས་མེད་པའི་སྙོམས་པར་འཇུག་པ་དང་། རྣམ་པར་ཐར་པ་བརྒྱད་དང་། མཐར་གྱིས་གནས་པའི་སྙོམས་པར་འཇུག་པ་དགུ་དང་། སྟོང་པ་ཉིད་དང་མཚན་མ་མེད་པ་དང་། སྨོན་པ་མེད་པ་དང་། མངོན་པར་ཤེས་པ་དང་། ཏིང་ངེ་འཛིན་དང་། གཟུངས་ཀྱི་སྒོ་དང་། དེ་བཞིན་གཤེགས་པའི་སྟོབས་བཅུ་དང་། མི་འཇིགས་པ་བཞི་དང་། སོ་སོ་ཡང་དག་པར་རིག་པ་བཞི་དང་། སངས་རྒྱས་ཀྱི་ཆོས་མ་འདྲེས་པ་བཅོ་བརྒྱད་དང་། རྣམ་པ་ཐམས་ཅད་མཁྱེན་པ་ཉིད་ཀྱི་བར་དུ་ཡོངས་སུ་གཟུང་བར་འགྱུར་རོ། །ཀཽ་ཤི་ཀ་གཞན་ཡང་ཤེས་རབ་ཀྱི་ཕ་རོལ་ཏུ་ཕྱིན་པ་འདི་བཟུང་བ་དང་། ཡོངས་སུ་བཟུང་བ་དང་། ༔བཅངས་པ་[1]དང་། ཀློགས་[2]པ་དང་། ཀུན་ཆུབ་པར་བྱེད་[3]པ་དང་། ཚུལ་བཞིན་དུ་ཡིད་ལ་བྱེད་[4]ན། རིགས་ཀྱི་བུའམ་རིགས་ཀྱི་བུ་མོ་དེ་དག་གིས་[5]ཚེ་འདི་ལ་ཡོན་ཏན་གང་དང་གང་ཡོངས་སུ་ཟིན་པར་འགྱུར་བ་དེ་དག་བསྟན་གྱིས། ཞིན་ཏུ་ལེགས་པར་ཉོན་ལ་ཡིད་ལ་གྱིས་

ཤིག །བཅོམ་ལྡན་འདས་དེ་ལྟར་བགྱིའོ་ཞེས་ནས། ལྷའི་དབང་པོ་བརྒྱ་བྱིན་བཅོམ་ལྡན་འདས་ལ་ཕྱིར་ཉན་ཏོ། །བཅོམ་ལྡན་འདས་ཀྱིས་(༡)དེ་ལ་འདི་སྐད་ཅེས་བཀའ་སྩལ་ཏོ། །ཀཽ་ཤི་ཀ་མུ་སྟེགས་ཅན་གཞན་དང་མུ་སྟེགས་སྤྱོད་པ་དང་། ཀུན་དུ་རྒྱུ་བ་དང་བདུད་དམ་བདུད་ཀྱི་རིས་སུ་གཏོགས་པའི་ལྷའམ། གང་ཟག་ང་རྒྱལ་ཅན་(༢)ལ་ལ་ཞིག །ཤེས་རབ་ཀྱི་ཕ་རོལ་ཏུ་ཕྱིན་པ་འདི་ལ་བརྒལ་བར་(༣)འདོད་པ་དང་། འདི་དང་དབྲལ་བར་འདོད་པ་དང་། འདི་ལ་བཟད་(༤)པར་འདོད་པ་དང་། དགལ་(༥)བར་འདོད་པ་ཞིག་བྱུང་ན། བརྒལ་བར་འདོད་པ་དང་། །དབྲལ་བར་འདོད་པ་དང་། བཟད་པར་འདོད་པ་དང་། དགལ་བར་འདོད་པ་དེ་དག་གིས་བརྒལ་བ་དང་།(༦) དབྲལ་བར་འདོད་པ་དང་། བཟད་(༧)པར་འདོད་པ་དང་། དགལ་(༨)བར་འདོད་པ་དེ་དག་གི་རྒོལ་བ་དང་དབྲལ་བར་བྱ་བ་དང་། བཟད་(༩)པ་དང་། དགལ་(༡༠)བར་བྱེད་པ་གང་དང་གང་བྱུང་བ་ཀུན་ཀྱང་མྱུར་དུ་ནུབ་ཅིང་མེད་པར་གྱུར་(༡༡)ཏེ། བརྒལ་བར་དགའ་བ་དང་། དབྲལ་བར་དགའ་བ་དང་། བཟད་(༡༢)པར་དགའ་བ་དང་། དགལ་(༡༣)བར་དགའ་བ་དེ་དག་གི་བསམ་པ་ཡང་ཡོངས་སུ་རྫོགས་པར་མི་འགྱུར་རོ།། དེ་ཅིའི་ཕྱིར་ཞེ་ན། ཀཽ་ཤི་ཀ་དེ་ནི་འདི་ལྟར་བྱང་ཆུབ་སེམས་དཔའ་སེམས་དཔའ་ཆེན་པོ་ཡུན་རིང་པོར་ཕ་རོལ་ཏུ་ཕྱིན་པ་དྲུག་ལ་སྤྱོད་པའི་ཚེ། གང་གི་དོན་དུ་སེམས་ཅན་རྣམས་ཡུན་རིང་པོར་འཐབ་པ་དང་། རྩོད་པ་དང་། འཁྲུག་པ་དང་། ཤགས་(༡༤)སུ་གྱུར་པའི་ཕྱི་ནང་གི་ཆོས་དེ་དག་བྱང་ཆུབ་སེམས་དཔའ་སེམས་དཔའ་ཆེན་པོས་ཡོངས་སུ་བཏང་སྟེ། སེམས་ཅན་དེ་དག་སྦྱིན་པའི་ཕ་རོལ་ཏུ་ཕྱིན་པ་ལ་རབ་ཏུ་བཀོད་པའི་ཕྱིར་རོ། །གང་གི་དོན་དུ་སེམས་ཅན་དེ་དག་ཡུན་རིང་པོར་ཚུལ་ཁྲིམས་ངན་པར༔འགྱུར་བའི་(༡༥)ཕྱི་ནང་གི་ཆོས་དེ་དག །

བྱང་ཆུབ་སེམས་དཔའ་སེམས་དཔའ་ཆེན་པོས་ཡོངས་སུ་བཏང་སྟེ། སེམས་ཅན་དེ་དག་ཚུལ་ཁྲིམས་ཀྱི་ཕ་རོལ་ཏུ་ཕྱིན་པ་ལ་རབ་ཏུ་བཀོད་པའི་ཕྱིར་རོ། །གང་གི་དོན་དུ་སེམས་ཅན་དེ་དག་ཡུན་རིང་པོར་ཁྲོ་བ་དང་། གནོད་སེམས་དང་། འཚེ་བར་གྱུར་པའི་ཕྱི་ནང་གི་ཆོས་དེ་དག་བྱང་ཆུབ་སེམས་དཔའ་སེམས་དཔའ་ཆེན་པོས་ཡོངས་སུ་བཏང་སྟེ། སེམས་ཅན་དེ་དག་བཟོད་པའི་ཕ་རོལ་ཏུ་ཕྱིན་པ་ལ་རབ་ཏུ་བཀོད་པའི་ཕྱིར་རོ། །གང་གི་དོན་དུ་སེམས་ཅན་དེ་དག་ཡུན་རིང་པོར་ལེ་ལོ་བྱེད་པར་གྱུར་པའི་ཕྱི་ནང་གི་ཆོས་དེ་དག །བྱང་ཆུབ་སེམས་དཔའ་སེམས་དཔའ་ཆེན་པོས་ཡོངས་སུ་བཏང་སྟེ། སེམས་ཅན་དེ་དག་བརྩོན་འགྲུས་ཀྱི་ཕ་རོལ་ཏུ་ཕྱིན་པ་ལ་རབ་ཏུ་བཀོད་པའི་ཕྱིར་རོ། །གང་གི་དོན་དུ་སེམས་ཅན་དེ་དག་ཡུན་རིང་པོར་སེམས་གཡེངས་པར་གྱུར་པའི་ཕྱི་ནང་གི་ཆོས་དེ་དག་བྱང་ཆུབ་སེམས་དཔའ་སེམས་དཔའ་ཆེན་པོས་ཡོངས་སུ་བཏང་སྟེ། སེམས་ཅན་དེ་དག་བསམ་གཏན་གྱི་ཕ་རོལ་ཏུ་ཕྱིན་པ་ལ་རབ་ཏུ་བཀོད་པའི་ཕྱིར་རོ། །གང་གི་དོན་དུ་སེམས་ཅན་དེ་དག་ཡུན་རིང་པོར་ཤེས་རབ་འཆལ་པར་གྱུར་པའི་ཕྱི་ནང་གི་ཆོས་དེ་དག །བྱང་ཆུབ་སེམས་དཔའ་སེམས་དཔའ་ཆེན་པོས་ཡོངས་སུ་བཏང་སྟེ། ཤེས་རབ་ཀྱི་ཕ་རོལ་ཏུ་ཕྱིན་པ་ལ་རབ་ཏུ་བཀོད་པ་དང་། ཡང་དག་པར་བསྐུལ་བའི་ཕྱིར་རོ། །ཀཽ་ཤི་ཀ་གང་གི་དོན་དུ་སེམས་ཅན་དེ་དག་འདི་ལྟ་སྟེ། བག་ལ་ཉལ་བ་དང་། ཀུན་ནས་ལྡང་བས་[1]འཁོར་བ་ན་འཁོར་བར་གྱུར་པའི་བག་ལ་ཉལ་བ་དང་། ཀུན་ནས་ལྡང་བ་དེ་དག་བྱང་ཆུབ་སེམས་དཔའ་སེམས་དཔའ་ཆེན་པོས་རྣམ་པར་བཅིལ་ཏེ། སེམས་ཅན་དེ་དག་བསམ་གཏན་བཞི་ལ་ཡང་དག་པར་བསྐུལ་བའི་ཕྱིར་རོ། །ཚད་མེད་པ་བཞི་དང་། གཟུགས་མེད་པའི་སྙོམས་པར་འཇུག་པ་བཞི་དང་། མངོན་པར་ཤེས་པ་ལྔ་དང་། དྲན་པ་ཉེ་

བར་གཞག་པ་བཞི་དང་། ཡང་དག་པར་སྤོང་བ་དང་། རྫུ་འཕྲུལ་གྱི་རྐང་པ་དང་། དབང་པོ་དང་། སྟོབས་དང་། བྱང་ཆུབ་ཀྱི་ཡན་ལག་དང་། འཕགས་པའི་ལམ་ཡན་ལག་བརྒྱད་པ་དང་། འཕགས་པའི་བདེན་པ་དང་། རྣམ་པར་ཐར་པ་བརྒྱད་དང་། མཐར་གྱིས་གནས་པའི་སྙོམས་པར་འཇུག་པ་དགུ་དང་། རྣམ་པར་ཐར་པའི་སྒོ་སྟོང་པ[༡]ཉིད་དང་། མཚན་མ་མེད་པ་དང་། སྨོན་པ་མེད་པ་དང་། མངོན་པར་ཤེས་པ་དང་། ཏིང་ངེ་འཛིན་དང་། གཟུངས་ཀྱི་སྒོ་དང་། དེ་བཞིན་གཤེགས་པའི་སྟོབས་དང་། མི་འཇིགས་པ་དང་། སོ་སོ་ཡང་དག་པར་རིག་པ་དང་། སངས་རྒྱས་ཀྱི་ཆོས་མ་འདྲེས་པ་ལ་ཡང་དག་པར་བསྒྲུབ་པའི་ཕྱིར་རོ། །རྒྱུན་དུ་ཞུགས་པའི་འབྲས་བུ་དང་། ལན་ཅིག་ཕྱིར་འོང་བའི་འབྲས་བུ་དང་། ཕྱིར་མི་འོང་བའི་འབྲས་བུ་དང་། དགྲ་བཅོམ་པ་ཉིད་དང་། རང་བྱང་ཆུབ་དང་། བླ་ན་མེད་པ་ཡང་དག་པར་རྫོགས་པའི་བྱང་ཆུབ་ལ་ཡང་དག་པར་བསྒྲུབ་པའི་ཕྱིར་རོ། །ཀཽ་ཤི་ཀ་དེ་ལྟར་བྱང་ཆུབ་སེམས་དཔའ་སེམས་དཔའ་ཆེན་པོ་བྱང་ཆུབ་སེམས་དཔའི་སྤྱོད་པ་སྤྱོད་པའི་ཚེ། དེ་ལ་ཡོན་ཏན་དེ་དག་འབྱུང་སྟེ། ཚེ་རབས་གཞན་ལ་ཡང་བླ་ན་མེད་པ་ཡང་དག་པར་རྫོགས་པའི་བྱང་ཆུབ་ཏུ་མངོན་པར་རྫོགས་པར་སངས་རྒྱས་ནས། ཆོས་ཀྱི་འཁོར་ལོ་བསྐོར་ཏེ། སེམས་ཅན་རྣམས། སྨོན་ལམ་གྱི་ཚུལ་བཞིན་དུ་རབ་ཏུ་བཀོད་ནས། ཕུང་པོ་མ་ལུས་པའི་མྱ་ངན་ལས་འདས་པའི་དབྱིངས་སུ་ཡོངས་སུ་མྱ་ངན་ལས་འདས་པར་འགྱུར་ཏེ། ཀཽ་ཤི་ཀ་དེ་ནི་བྱང་ཆུབ་སེམས་དཔའ་སེམས་དཔའ་ཆེན་པོ་རྣམས་ཀྱི་ཚེ་རབས་གཞན་ལ་འབྱུང་བའི་ཡོན་ཏན་དང་། ལེགས་པ་དག་གོ། །ཀཽ་ཤི་ཀ་གཞན་ཡང་སའི་ཕྱོགས་གང་ན་རིགས་ཀྱི་བུའམ་རིགས་ཀྱི་བུ་མོ་ཤེས་རབ་ཀྱི་ཕ་རོལ་ཏུ་ཕྱིན་པ་འདི་འཛིན་ཅིང་

འཆང་བ་དང་། ཀློག་ཅིང་ཀུན་ཆུབ་པར་བྱེད་པ་དང་། ཚུལ་བཞིན་དུ་ཡིད་
ལ་བྱེད་པ་ཡོད་པའི་སའི་ཕྱོགས་དེར་བདུད་དམ། བདུད་ཀྱི་རིས་སུ་གཏོགས་
པའི་ལྷའམ། མུ་སྟེགས་ཅན་གཞན་དང་ཀུན་དུ་རྒྱུ་བའམ། གང་ཟག་ང་རྒྱལ་
ཅན་རྣམས་ཀྱིས་ཤེས་རབ་ཀྱི་ཕ་རོལ་ཏུ་ཕྱིན་པ་འདི་ལ་སེམས་①གཡེང་བར་བྱ་
བའམ། རྒོལ་②བའམ། བརྩད་③པའམ། འགལ་བའམ། མེད་པར་བྱ་
བའི་ཕྱིར་འོང་བར་མི་ནུས་ཏེ་དེའི་གོང་དུ་དེ་དག་ལ་ཡོན་ཏན་དང་ལེགས་པར་
འགྱུར་བ་ནི། ཤེས་རབ་ཀྱི་ཕ་རོལ་ཏུ་ཕྱིན་པ་འདི་མཉན་པ་དང་གཟུང་བ་དང་
བསྒོམ་པ་དང་། ཐེག་པ་གསུམ་གྱིས་བྱུང་ནས། སྡུག་བསྔལ་མཐར་འབྱིན་
པར་འགྱུར་རོ། །ཀཽ་ཤི་ཀ་འདི་ལྟ་སྟེ་དཔེར་ན། རྩི་མ་ཧྲི་ཞེས་བྱ་བ་དུག་ཐམས་
ཅད་ཞི་བར་བྱེད་པ་ཡོད་དེ། དེར་སྦྲུལ་ལམ་སྲོག་ཆགས་བཀྲེས་པས་མནར་
ཅིང་། ཟས་ཚོལ་བ་ཞིག་གིས་སྲོག་ཆགས་ཀྱི་རིགས་ལ་ལ་མཐོང་བར་གྱུར་ཏེ།
དེས་སྲོག་ཆགས་ཀྱི་རིགས་དེ་བཟའ་བའི་ཕྱིར། དེའི་རྗེས་སུ་འབྲངས་ཏེ་བསྙགས་
པར་གྱུར་ན། དེ་ནས་སྲོག་ཆགས་ཀྱི་རིགས་དེ་འཆི་བས་འཇིགས་ཤིང་སྐྲག་སྟེ།
རྩི་མ་ཧྲི་གང་ན་ཡོད་པ་དེར་སོང་ན། དེ་ནས་སྦྲུལ་དེ་རྩི་དེའི་དྲི་ཚོར་བ་ཙམ་གྱིས
ཕྱིར་ལྡོག་པར་འགྱུར་རོ། །དེ་ཅིའི་ཕྱིར་ཞེ་ན། ཀཽ་ཤི་ཀ་དེ་ལྟར་སྦྲུལ་གྱི་གདུག་
པ་ཟིལ་གྱིས་གནོན་པ་དེ་ནི་རྩི་མ་ཧྲིའི་རྩིའི་ཡོན་ཏན་ཏེ། ཀཽ་ཤི་ཀ་རྩི་མ་ཧྲི་དེ་ནི་
དེ་ལྟ་བུའི་མཐུ་དང་ལྡན་ནོ། །ཀཽ་ཤི་ཀ་དེ་བཞིན་དུ་རིགས་ཀྱི་བུའམ་རིགས་④ཀྱི་
བུ་མོ་གང་ལ་ལ་ཤེས་རབ་ཀྱི་ཕ་རོལ་ཏུ་ཕྱིན་པ་འདི་འཛིན་ཅིང་འཆང་བ་དང་།
ཀློག་ཅིང་ཀུན་ཆུབ་པར་བྱེད་པ་དང་། ཚུལ་བཞིན་དུ་ཡིད་ལ་བྱེད་པ་དེ་ལ་ནི།
ཀཽ་ཤི་ཀ་རྒོལ་བ་དང་རྩོད་པ་དང་། འགལ་⑤བར་བྱེད་པ་གང་དང་གང་བྱུང་བ་
དེ་དག་ཐམས་ཅད་ཤེས་རབ་ཀྱི་ཕ་རོལ་ཏུ་ཕྱིན་པའི་གཟི་བརྗིད་དང་། ཤེས་རབ་

ཀྱི་ཕ་རོལ་ཏུ་ཕྱིན་པའི་མཐུས་དེ་དག་ཉེ་བར་ཞི་བ་དང་མེད་པར་འགྱུར་ཏེ། གང་དང་གང་ནས་བྱུང་བ་དེ་དང་དེ་ཉིད་དུ་མེད་པར་འགྱུར་ཞིང་རྣམ་པར་འཕེལ་བར་མི་འགྱུར་རོ། །དེ་ཅིའི་ཕྱིར་ཞེ་ན། ཀཽ་ཤི་ཀ་དེ་ནི་འདི་ལྟར་ཤེས་རབ་ཀྱི་ཕ་རོལ་ཏུ་ཕྱིན་པ་ནི་སྡིག་ཏོ་མི་དགེ་བའི་ཆོས་ཐམས་ཅད་ཉེ་བར་ཞི་བར་བྱེད་པ་སྟེ། རྣམ་པར་འཕེལ་བར་བྱེད་པ་མ་ཡིན་ནོ། །སྡིག་ཏོ་མི་དགེ་བའི་ཆོས་གང་ཐམས་ཅད་ཉེ་བར་ཞི་བར་བྱེད་ཅིང་རྣམ་པར་འཕེལ་བར་བྱེད་པ་མ་ཡིན་ཞེ་ན། འདི་ལྟ་སྟེ་འདོད་ཆགས་དང་། ཞེ་སྡང་དང་། གཏི་མུག་ཉེ་བར་ཞི་བར་བྱེད་དེ་རྣམ་པར་འཕེལ་བར་བྱེད་པ་མ་ཡིན་ནོ། །མ་རིག་པ་དང་འདུ་བྱེད་དང་། རྣམ་པར་ཤེས་པ་དང་། མིང་དང་གཟུགས་དང་། སྐྱེ་མཆེད་དྲུག་དང་། རེག་པ་དང་། ཚོར་བ་དང་། སྲེད་པ་དང་། ལེན་པ་དང་། སྲིད་པ་དང་། སྐྱེ་བ་དང་། རྒ་ཤི་དང་། མྱ་ངན་དང་། སྨྲེ་སྔགས་འདོན་པ་དང་། སྡུག་བསྔལ་བ་དང་། ཡིད་མི་བདེ་བ་དང་། འཁྲུག་པ་དང་། སྡུག་བསྔལ་[1]ཀྱི་ཕུང་པོ་ཆེན་པོ་འབའ་ཞིག་གི་བར་དུ་ཉེ་བར་ཞི་བར་བྱེད་དེ། རྣམ་པར་འཕེལ་བར་བྱེད་པ་མ་ཡིན་ནོ། །བར་དུ་གཅོད་པ་དང་། སྒྲིབ་པ་དང་། བག་ལ་ཉལ་བ་དང་། ཀུན་ནས་ལྡང་བ་དང་། བདག་ཏུ་ལྟ[2]བ་དང་། སེམས་ཅན་དང་། སྲོག་དང་། འགྲོ་བ་དང་། གསོ་བ་དང་། སྐྱེས་བུ་དང་། གང་ཟག་དང་། ཤེད་ཅན་དང་། ཤེད་བདག་དང་། བྱེད་པ་པོ་དང་། ཚོར་བ་པོ་དང་། ཤེས་པ་པོ་དང་། མཐོང་བ་པོར་ལྟ[3]བ་དང་། ཆད་པར་ལྟ[4]བ་དང་། རྟག་པར་ལྟ[5]བ་དང་། ཡོད་པར་ལྟ[6]བ་དང་། མེད་པར་ལྟ[7]བ་དང་། ལྟ་བའི་རྣམ་པ་ཐམས་ཅད་དང་། སེར་སྣ་དང་ཚུལ་ཁྲིམས་ངན་པ་དང་། གནོད་སེམས་དང་། ལེ་ལོ་དང་འཁྲུག་པ་དང་། ཤེས་རབ་འཆལ་པ་དང་།

རྟག་པར་འདུ་ཤེས་པ་དང་། བདེ་བར་འདུ་ཤེས་པ་དང་། བདག་ཏུ་འདུ་ཤེས་པ་དང་། སྡུག་པར་འདུ་ཤེས་པ་དང་། སྲིད་པས་སྲིད་པའི་རྣམ་པར་སྤྱོད་པ་དང་། གཟུགས་སུ་འཛིན་པ་དང་། ཚོར་བ་དང་། འདུ་ཤེས་དང་། འདུ་བྱེད་དང་། རྣམ་པར་ཤེས་པར་འཛིན་པ་དང་། སྦྱིན་པའི་ཕ་རོལ་ཏུ་ཕྱིན་པར་འཛིན་པ་དང་། ཚུལ་ཁྲིམས་ཀྱི་ཕ་རོལ་ཏུ་ཕྱིན་པ་དང་། བཟོད་པའི་ཕ་རོལ་ཏུ་ཕྱིན་པ་དང་། བརྩོན་འགྲུས་ཀྱི་ཕ་རོལ་ཏུ་ཕྱིན་པ་དང་། བསམ་གཏན་གྱི་ཕ་རོལ་ཏུ་ཕྱིན་པ་དང་། ཤེས་རབ་ཀྱི་ཕ་རོལ་ཏུ་ཕྱིན་པར་འཛིན་པ་དང་། ནང་སྟོང་པ་ཉིད་དུ་འཛིན་པ་དང་། དངོས་པོ་མེད་པའི་ངོ་བོ་ཉིད་སྟོང་པ་ཉིད་ཀྱི་བར་དུ་འཛིན་པ་དང་། དྲན་པ་ཉེ་བར་གཞག་པར་འཛིན་པ་དང་། ཡང་དག་པར་སྤོང་བ་དང་། རྫུ་འཕྲུལ་གྱི་རྐང་པ་དང་། དབང་པོ་དང་། སྟོབས་དང་བྱང་ཆུབ་ཀྱི་ཡན་ལག་དང་། འཕགས་པའི་ལམ་ཡན་ལག་བརྒྱད་པར་འཛིན་པ་དང་། འཕགས་པའི་བདེན་པ་དང་བསམ་གཏན་དང་། ཚད་མེད་པ་དང་གཟུགས་མེད་པའི་སྙོམས་པར་འཇུག་པ་དང་། རྣམ་པར་ཐར་པ་[1]བརྒྱད་དང་། མཐར་གྱིས་གནས་པའི་སྙོམས་པར་འཇུག་པ་དགུ་དང་། རྣམ་པར་ཐར་པའི་སྒོ་སྟོང་པ་ཉིད་དང་། མཚན་མ་མེད་པ་དང་སྨོན་པ་མེད་པ་དང་། མངོན་པར་ཤེས་པ་དང་། ཏིང་ངེ་འཛིན་དང་། གཟུངས་ཀྱི་སྒོ་དང་། དེ་བཞིན་གཤེགས་པའི་སྟོབས་དང་མི་འཇིགས་པ་དང་། སོ་སོ་ཡང་དག་པར་རིག་པ་དང་། སངས་རྒྱས་ཀྱི་ཆོས་མ་འདྲེས་པར་འཛིན་པ་དང་། རྣམ་པ་ཐམས་ཅད་མཁྱེན་པ་ཉིད་ཀྱི་བར་དུ་འཛིན་པ་ཉེ་བར་ཞི་བར་བྱེད་དེ། རྣམ་པར་འཕེལ་བར་བྱེད་པ་མ་ཡིན་ནོ། །མྱ་ངན་ལས་འདས་པར་འཛིན་པ་ཉེ་བར་ཞི་བར་བྱེད་དེ། རྣམ་པར་འཕེལ་བར་བྱེད་པ་མ་ཡིན་ནོ། །ཀཽ་ཤི་ཀ་ཤེས་

རབ་ཀྱི་ཕ་རོལ་ཏུ་ཕྱིན་པ་འདི་ནི་སྡིག་ཏོ་མི་དགེ་བའི་ཆོས་དེ་དག་ཐམས་ཅད་ཞི··· བར་བྱེད་པ་ཡིན་ཏེ། རྣམ་པར་འཕེལ་བར་བྱེད་པ་①མ་ཡིན་ནོ། །ཀཽ་ཤི་ཀ་ སྟོང་གསུམ་གྱི་སྟོང་ཆེན་པོའི་འཇིག་རྟེན་གྱི་ཁམས་ན། རྒྱལ་པོ་ཆེན་པོ་བཞི··· དང་། ལྷའི་དབང་པོ་བརྒྱ་བྱིན་དང་། མི་མཇེད་②ཀྱི་བདག་པོ་ཚངས་པ་དང་། འོག་མིན་གྱི་ལྷའི་བར་དེ་དག་ཐམས་ཅད་ཀྱང་། རིགས་ཀྱི་བུའམ་རིགས་ཀྱི་བུ་མོ་ གང་། ཤེས་རབ་ཀྱི་ཕ་རོལ་ཏུ་ཕྱིན་པ་འདི་འཛིན་ཅིང་འཆང་བ་དང་། ཀློག་ ཅིང་ཀུན་ཆུབ་པར་བྱེད་པ་དང་། ཚུལ་བཞིན་དུ་ཡིད་ལ་བྱེད་པ་དེ་ལ་རྟག་ཏུ་ རྒྱུན་མི་ཆད་པར་བསྲུང་བ་དང་། བསྐྱབ་པ་དང་། བསྐྱང་བར་བྱེད་དོ།། །།

ཤེས་རབ་ཀྱི་ཕ་རོལ་ཏུ་ཕྱིན་པ་སྟོང་ཕྲག་ཉི་ཤུ་ལྔ་པ། བམ་པོ་སུམ་ཅུ་ གཅིག་པ། ཕྱོགས་བཅུའི་འཇིག་རྟེན་གྱི་ཁམས་ན། སངས་རྒྱས་བཅོམ་ལྡན··· འདས་གང་བཞུགས་ཤིང་འཚོ་སྐྱོང་བ་དེ་དག་ཀྱང་རིགས་ཀྱི་བུའམ་རིགས་ཀྱི་བུ་མོ་ གང་ཤེས་རབ་ཀྱི་ཕ་རོལ་ཏུ་ཕྱིན་པ་འདི་འཛིན་ཅིང་འཆང་བ་དང་། ཀློག་ཅིང··· ཀུན་ཆུབ་པར་བྱེད་པ་དང་། ཚུལ་བཞིན་དུ་ཡིད་ལ་བྱེད་པ་དེ་ལ་རྟག་ཏུ་རྒྱུན་མི་ ཆད་པར་བསྲུང་①བ་དང་། བསྐྱབ་པ་དང་། བསྐྱང་བར་མཛད་དེ་དེ་ནི་མི··· དགེ་བའི་ཆོས་རྣམས་ཡོངས་སུ་སྤངས་ཤིང་། དགེ་བའི་ཆོས་རྣམས་རྣམ་པར་ འཕེལ་བར་འགྱུར་ཏེ་དེ་②ལྟར་མི་དམིགས་པའི་ཚུལ་གྱིས། སྦྱིན་པའི་ཕ་རོལ་ཏུ་ ཕྱིན་པས་རྣམ་པར་འཕེལ་བར་འགྱུར་གྱི་ཡོངས་སུ་འགྲིབ་པར་མི་འགྱུར་རོ་མི་ དམིགས་པའི་ཚུལ་གྱིས། ཚུལ་ཁྲིམས་ཀྱི་ཕ་རོལ་ཏུ་ཕྱིན་པ་དང་། བཟོད་པའི་ ཕ་རོལ་ཏུ་ཕྱིན་པ་དང་། བརྩོན་འགྲུས་ཀྱི་ཕ་རོལ་ཏུ་ཕྱིན་པ་དང་། བསམ་ གཏན་གྱི་ཕ་རོལ་ཏུ་ཕྱིན་པ་དང་། ཤེས་རབ་ཀྱི་ཕ་རོལ་ཏུ་ཕྱིན་པས་རྣམ་པར··· འཕེལ་བར་འགྱུར་གྱི་ཡོངས་སུ་འགྲིབ་པར་མི་འགྱུར་རོ། །མི་དམིགས་པའི་ཚུལ་

གྱིས་ནང་སྟོང་པ་ཉིད་ཀྱིས་[༡]རྣམ་པར་འཕེལ་བར་འགྱུར་གྱི། ཡོངས་སུ་འགྲིབ་པར་མི་འགྱུར་རོ། །མི་དམིགས་པའི་ཚུལ་གྱིས་དངོས་པོ་མེད་པའི་ངོ་བོ་ཉིད་སྟོང་པ་ཉིད་ཀྱི་བར་དུ་རྣམ་པར་འཕེལ་བར་འགྱུར་གྱི། ཡོངས་སུ་འགྲིབ་པར་མི་འགྱུར་རོ། །མི་དམིགས་པའི་ཚུལ་གྱིས་དྲན་པ་ཉེ་བར་གཞག་པ་རྣམས་ཀྱིས་རྣམ་པར་འཕེལ་བར་འགྱུར་གྱི། ཡོངས་སུ་འགྲིབ་པར་མི་འགྱུར་རོ། །མི་དམིགས་པའི་ཚུལ་གྱིས་ཡང་དག་པར་སྤོང་བ་དང་། རྫུ་འཕྲུལ་གྱི་རྐང་པ་དང་། དབང་པོ་དང་སྟོབས་དང་། བྱང་ཆུབ་ཀྱི་ཡན་ལག་དང་འཕགས་པའི་ལམ་ཡན་ལག་བརྒྱད་པས་རྣམ་པར་འཕེལ་བར་འགྱུར་གྱི་ཡོངས་སུ་འགྲིབ་པར་མི་འགྱུར་རོ། །[༢]འཕགས་པའི་བདེན་པ་དང་། བསམ་གཏན་དང་། ཚད་མེད་པ་དང་གཟུགས་མེད་པའི་སྙོམས་པར་འཇུག་པ་དང་། རྣམ་པར་ཐར་པ་བརྒྱད་དང་། མཐར་གྱིས་གནས་པའི་སྙོམས་པར་འཇུག་པ་དགུ་དང་། རྣམ་པར་ཐར་པའི་སྒོ་སྟོང་པ་ཉིད་དང་མཚན་མ་མེད་པ་དང་། སྨོན་པ་མེད་པ་དང་། མངོན་པར་ཤེས་པ་དང་། ཏིང་ངེ་འཛིན་དང་། གཟུངས་ཀྱི་སྒོ་དང་། དེ་བཞིན་གཤེགས་པའི་སྟོབས་དང་། མི་འཇིགས་པ་དང་། སོ་སོ་ཡང་དག་པར་རིག་པ་དང་། སངས་རྒྱས་ཀྱི་ཆོས་མ་འདྲེས་པ་དང་། རྣམ་པ་ཐམས་ཅད་མཁྱེན་པ་ཉིད་ཀྱི་བར་གྱིས་རྣམ་པར་འཕེལ་བར་འགྱུར་གྱི། ཡོངས་སུ་འགྲིབ་པར་མི་འགྱུར་རོ། །དེའི་ཚིག་བླང་བར་འོས་པ་དང་ལྡན་པར་འགྱུར་རོ། །ཚིག་རན་པ་དང་ལྡན་པར་འགྱུར་རོ། །ཚིག་འཆལ་པ་མེད་པ་དང་ལྡན་པར་འགྱུར་རོ། །ཁྲོ་བས་[༣]ཟིལ་གྱིས་ནོན་པ་མེད་པར་འགྱུར་རོ། །ང་རྒྱལ་གྱིས་[༤]ཟིལ་གྱིས་ནོན་པ་མེད་པར་འགྱུར་རོ། །སེར་སྣ་ཅན་དང་ཕྲག་དོག་ཅན་དུ་མི་འགྱུར་རོ། །བདག་ཀྱང་སྲོག་གཅོད་པ་སྤོང་བར་འགྱུར་རོ[༥]། །གཞན་ཡང་སྲོག་གཅོད་པ་

སྤོང་བ་ལ་ཡང་དག་པར་སྐུལ་བར་འགྱུར་རོ། །སྲོག་གཅོད་པ་སྤོང་བའི་ལེགས་པ་[1] བརྗོད་པར་འགྱུར་རོ[2]། །གཞན་གྱིས་སྲོག་གཅོད་པ་སྤངས་ན་ཡང་དེ་དག་གི་ལེགས་པ་བརྗོད་ཅིང་རྗེས་སུ་དགའ་བར་འགྱུར་རོ། །བདག་ཀྱང་མ་བྱིན་པར་ལེན་པ་དང་། འདོད་པས་ལོག་པར་གཡེམ་པ་དང་། བརྫུན་[3]དུ་སྨྲ་བ་དང་ཕྲ་མ་དང་ཞེ་གཅོད་པ་དང་། ཚིག་ཀྱལ་པ་དང་ཆགས་སེམས་དང་། གནོད་སེམས་དང་ལོག་པར་ལྟ་བ་སྤངས་པར་[4]འགྱུར[5]། གཞན་ཡང་ལོག་པར་ལྟ་བ་སྤོང་བ་ལ་ཡང་དག་པར་སྐུལ་བར་འགྱུར། ལོག་པར་ལྟ་བ་སྤོང་བའི་ལེགས་པ་བརྗོད་པར་འགྱུར། གཞན་གྱིས་ལོག་པར་ལྟ་བ་སྤོངས་[6]ན་ཡང་དེ་དག་གི་[7]ལེགས་པ་བརྗོད་ཅིང་བརྗེས་[8]སུ་དགའ་བར་འགྱུར་རོ། །བདག་ཀྱང་སྦྱིན་པའི་ཕ་རོལ་ཏུ་ཕྱིན་པ་ལ་འཇུག་པར་འགྱུར། གཞན་ཡང་སྦྱིན་པའི་ཕ་རོལ་ཏུ་ཕྱིན་པ་ལ་ཡང་དག་པར་སྐུལ་[9]བར་འགྱུར། སྦྱིན་པའི་ཕ་རོལ་ཏུ་ཕྱིན་པའི་ལེགས་པ་བརྗོད་པར་འགྱུར། གཞན་སྦྱིན་པའི་ཕ་རོལ་ཏུ་ཕྱིན་པ་ལ་འཇུག་ན་ཡང་དེ་དག་གི་ལེགས་པ་བརྗོད་ཅིང་རྗེས་སུ་དགའ་བར་འགྱུར་རོ། །བདག་ཀྱང་ཚུལ་ཁྲིམས་ཀྱི་ཕ་རོལ་ཏུ་ཕྱིན་པ་དང་། བཟོད་པའི་ཕ་རོལ་ཏུ་ཕྱིན་པ་དང་། བརྩོན་འགྲུས་ཀྱི་ཕ་རོལ་ཏུ་ཕྱིན་པ་དང་། བསམ་གཏན་གྱི་ཕ་རོལ་ཏུ་ཕྱིན་པ་དང་། ཤེས་རབ་ཀྱི་ཕ་རོལ་ཏུ་ཕྱིན་པ་ལ་འཇུག་པར་འགྱུར་རོ། །གཞན་ཡང་ཤེས་རབ་ཀྱི་ཕ་རོལ་ཏུ་ཕྱིན་པ་ལ་ཡང་དག་པར་སྐུལ་བར་འགྱུར། ཤེས་རབ་ཀྱི་ཕ་རོལ་ཏུ་ཕྱིན་པའི་ལེགས་པ་[10]བརྗོད་པར་འགྱུར། གཞན་ཡང་[11]ཤེས་རབ་ཀྱི་ཕ་རོལ་ཏུ་ཕྱིན་པ་ལ་འཇུག་ན་ཡང་དེ་དག་གི་[12]ལེགས་པ་བརྗོད་ཅིང་རྗེས་སུ་དགའ་བར་འགྱུར་རོ། །བདག་ཀྱང་ནང་སྟོང་པ་ཉིད་སྒོམ་པར་འགྱུར། གཞན་ཡང་ནང་སྟོང་པ་ཉིད་སྒོམ་པ་ལ་ཡང་དག་པར་སྐུལ་བར་འགྱུར། ནང་སྟོང་པ་ཉིད་ཀྱི་ལེགས་པ་བརྗོད་པར་འགྱུར། གཞན་

ནང་སྟོང་པ་ཉིད་སྒོམ་ན་ཡང་དེ་དག་གི་ལེགས་པ་རྗོད་ཅིང་རྗེས་སུ་དགའ་བར་འགྱུར་རོ། །བདག་ཀྱང་དངོས་པོ་མེད་པའི་ངོ་བོ་ཉིད་སྟོང་པ་ཉིད་ཀྱི་བར་དུ་སྒོམ་པར་འགྱུར། གཞན་ཡང་དངོས་པོ་མེད་པའི་ངོ་བོ་ཉིད་སྟོང་པ་ཉིད་ལ་ཡང་དག་པར་སྐུལ་བར་འགྱུར། དངོས་པོ་མེད་པའི་ངོ་བོ་ཉིད་སྟོང་པ་ཉིད་ཀྱི་ལེགས་པ་རྗོད་པར་འགྱུར། གཞན་དངོས་པོ་མེད་པའི་ངོ་བོ་ཉིད་སྟོང་པ་ཉིད་སྒོམ་ན་ཡང་དེ་དག་གི་ལེགས་པ་རྗོད་ཅིང་རྗེས་སུ་དགའ་བར་འགྱུར་རོ། །བདག་ཀྱང་ཏིང་ངེ་འཛིན་ཐམས་ཅད་ལ་སྙོམས་པར་འཇུག་པར་འགྱུར། གཞན་ཡང་ཏིང་ངེ་འཛིན་ཐམས་ཅད་ལ་སྙོམས་པར་འཇུག་པར་ཡང་དག་པར་སྐུལ་བར་འགྱུར། ཏིང་ངེ་འཛིན་ཐམས་ཅད་ལ་སྙོམས་པར་འཇུག་པའི་ལེགས་པ་རྗོད་པར་འགྱུར། གཞན་ཏིང་ངེ་འཛིན་ཐམས་ཅད་ལ་སྙོམས་པར་འཇུག་ན་ཡང་དེ་དག་གི་ལེགས་པ་རྗོད་ཅིང་རྗེས་སུ་དགའ་བར་འགྱུར་རོ། །བདག་ཀྱང་གཟུངས་རྣམས་ཐོབ་པར་འགྱུར། གཞན་ཡང་གཟུངས་རྣམས་ཐོབ་པར་བྱ་བ་ལ་ཡང་དག་པར་སྐུལ་བར་འགྱུར། གཟུངས་རྣམས་ཐོབ་པར་བྱེད་པའི་ལེགས་པ་རྗོད་པར་འགྱུར། གཞན་གྱིས་གཟུངས་རྣམས་ཐོབ་ན་ཡང་དེ་དག་གི་ལེགས་པ་རྗོད་ཅིང་རྗེས་སུ་དགའ་བར་འགྱུར་རོ①། །བདག་ཀྱང་བསམ་གཏན་དང་པོ་ལ་སྙོམས་པར་འཇུག་པར་འགྱུར། གཞན་ཡང་བསམ་གཏན་དང་པོ་ལ་ཡང་དག་པར་སྐུལ་②བར་འགྱུར། བསམ་གཏན་དང་པོའི་ལེགས་པ་རྗོད་པར་འགྱུར། གཞན་བསམ་གཏན་དང་པོ་ལ་སྙོམས་པར་འཇུག་ན་ཡང་དེ་དག་གི་ལེགས་པ་རྗོད་ཅིང་རྗེས་སུ་དགའ་བར་འགྱུར་རོ། །བདག་ཀྱང་བསམ་གཏན་གཉིས་པ་དང་། གསུམ་པ་དང་བཞི་པ་ལ་སྙོམས་པར་འཇུག་པར་འགྱུར། གཞན་ཡང་བསམ་གཏན་བཞི་པ་ལ་ཡང་དག་པར་སྐུལ་བར་འགྱུར། བསམ་གཏན་བཞི་པའི་ལེགས་པ་③རྗོད་པར་

འགྱུར༔ གཞན་བསམ་གཏན་བཞི་པ་ལ་སྙོམས་པར་འཇུག་ན་ཡང་དེ་དག་གི་ལེགས་པ་རྗོད་ཅིང་རྗེས་སུ་དགའ་བར་འགྱུར་རོ། །བདག་ཀྱང་བྱམས་པ་ལ་སྙོམས་པར་འཇུག་པར་འགྱུར། གཞན་ཡང་བྱམས་པ་ལ་སྙོམས་པར་འཇུག་པ་ལ་ཡང་དག་པར་སྐུལ་བར་འགྱུར། བྱམས་པ་ལ་སྙོམས་པར་འཇུག་པའི་ལེགས་པ་རྗོད་པར་འགྱུར། གཞན་བྱམས་པ་ལ་སྙོམས་པར་འཇུག་ན་ཡང་དེ་དག་གི་ལེགས་པ་རྗོད་ཅིང་རྗེས་སུ་དགའ་བར་འགྱུར་རོ། །བདག་ཀྱང་སྙིང་རྗེ་དང་དགའ་བ་དང་བཏང་སྙོམས་ལ་སྙོམས་པར་འཇུག་པར་འགྱུར། གཞན་ཡང་བཏང་སྙོམས་ལ་སྙོམས་པར་འཇུག་པ་[༡]ཡང་དག་པར་སྐུལ་བར་འགྱུར། བཏང་སྙོམས་ལ་སྙོམས་པར་འཇུག་པའི་ལེགས་པ་རྗོད་པར་འགྱུར། །གཞན་བཏང་སྙོམས་ལ་སྙོམས་པར་འཇུག་ན་ཡང་དེ་དག་གི་ལེགས་པ་རྗོད་ཅིང་རྗེས་སུ་དགའ་བར་འགྱུར་རོ། །བདག་ཀྱང་ནམ་མཁའ་མཐའ་ཡས་སྐྱེ་མཆེད་ལ་སྙོམས་པར་འཇུག་པར་འགྱུར། གཞན་ཡང་ནམ་མཁའ་མཐའ་ཡས་སྐྱེ་མཆེད་ལ་སྙོམས་པར་འཇུག་པར་ཡང་དག་པར་སྐུལ་[༢]བར་འགྱུར། [༣]ནམ་མཁའ་མཐའ་ཡས་སྐྱེ་མཆེད་ལ་སྙོམས་པར་[༤]འཇུག་པའི་ལེགས་པ་རྗོད་པར་འགྱུར། གཞན་ནམ་མཁའ་མཐའ་ཡས་སྐྱེ་མཆེད་ལ་སྙོམས་པར་འཇུག་ན་ཡང་དེ་དག་གི་ལེགས་པ་རྗོད་ཅིང་རྗེས་སུ་དགའ་བར་འགྱུར་རོ། །བདག་ཀྱང་རྣམ་ཤེས་མཐའ་ཡས་སྐྱེ་མཆེད་དང་། ཆུང་[༥]ཟད་མེད་པའི་སྐྱེ་མཆེད་དང་འདུ་ཤེས་མེད་འདུ་ཤེས་མེད་མིན་སྐྱེ་མཆེད་ལ་སྙོམས་པར་འཇུག་པར་འགྱུར། གཞན་ཡང་འདུ་ཤེས་མེད་འདུ་ཤེས་མེད་མིན་སྐྱེ་མཆེད་ལ་སྙོམས་པར་འཇུག་པར་ཡང་དག་པར་སྐུལ་བར་འགྱུར། འདུ་ཤེས་མེད་འདུ་ཤེས་མེད་མིན་སྐྱེ་མཆེད་ལ་སྙོམས་པར་འཇུག་པའི་ལེགས་པ་རྗོད་པར་འགྱུར། གཞན་འདུ་ཤེས་མེད་འདུ་ཤེས་མེད་མིན་སྐྱེ་མཆེད་ལ་སྙོམས་

པར་འཇུག་ན་ཡང་དེ་དག་གི་ལེགས་པ་རྗོད་ཅིང་རྗེས་སུ་དགའ་བར་འགྱུར་རོ། །བདག་ཀྱང་དྲན་པ་ཉེ་བར་གཞག་པ་སྒོམ་པར་འགྱུར། གཞན་ཡང་དྲན་པ་ཉེ་བར་གཞག་པ་སྒོམ་པ་ལ་ཡང་དག་པར་སྐུལ་[༧]བར་འགྱུར། དྲན་པ་ཉེ་བར་གཞག་པ་སྒོམ་པའི་ལེགས་པ་རྗོད་པར་འགྱུར། གཞན་དྲན་པ་ཉེ་བར་གཞག་པ་སྒོམ་ན་ཡང་དེ་དག་གི་ལེགས་པ་རྗོད་ཅིང་རྗེས་སུ་དགའ་བར་འགྱུར་རོ། །བདག་ཀྱང་ཡང་དག་པར་སྤོང་བ་དང་། རྫུ་འཕྲུལ་གྱི་རྐང་པ་དང་། དབང་པོ་དང་། སྟོབས་དང་། བྱང་ཆུབ་ཀྱི་ཡན་ལག་དང་། འཕགས་པའི་ལམ་ཡན་ལག་བརྒྱད་པ་[༣]སྒོམ་པར་འགྱུར། གཞན་ཡང་འཕགས་པའི་ལམ་ཡན་ལག་བརྒྱད་པ་སྒོམ་པ་ལ་ཡང་དག་པར་སྐུལ་བར་འགྱུར། འཕགས་པའི་ལམ་ཡན་ལག་བརྒྱད་པ་སྒོམ་པའི་ལེགས་པ་རྗོད་པར་འགྱུར། གཞན་འཕགས་པའི་ལམ་ཡན་ལག་བརྒྱད་པ་སྒོམ་ན་ཡང་དེ་དག་གི་ལེགས་པ་རྗོད་ཅིང་རྗེས་སུ་དགའ་བར་འགྱུར་རོ། །བདག་ཀྱང་སྟོང་པ་ཉིད་དང་། མཚན་མ་མེད་པ་དང་། སྨོན་པ་མེད་པའི་ཏིང་ངེ་འཛིན་སྒོམ་པར་འགྱུར། གཞན་ཡང་སྟོང་པ་ཉིད་དང་། མཚན་མ་མེད་པ་དང་། སྨོན་པ་མེད་པའི་ཏིང་ངེ་འཛིན་ལ་ཡང་དག་པར་སྐུལ་བར་འགྱུར། སྟོང་པ་ཉིད་དང་། མཚན་མ་མེད་པ་དང་། སྨོན་པ་མེད་པའི་ཏིང་ངེ་འཛིན་གྱི་ལེགས་པ་རྗོད་པར་འགྱུར། གཞན་སྟོང་པ་ཉིད་དང་མཚན་མ་མེད་པ་དང་། སྨོན་པ་མེད་པའི་ཏིང་ངེ་འཛིན་སྒོམ་ན་ཡང་དེ་དག་གི་ལེགས་པ་རྗོད་ཅིང་རྗེས་སུ་དགའ་བར་འགྱུར་རོ། །བདག་ཀྱང་རྣམ་པར་ཐར་པ་བརྒྱད་ལ་ལུགས་དང་འཐུན་པ་དང་། ལུགས་དང་མི་འཐུན་པར་སྙོམས་པར་འཇུག་པར་འགྱུར། གཞན་ཡང་རྣམ་པར་ཐར་པ་བརྒྱད་ལ་ཡང་དག་པར་སྐུལ་[༡]བར་འགྱུར། རྣམ་པར་ཐར་པ་བརྒྱད་ཀྱི་ལེགས་པ་རྗོད་པར་འགྱུར། གཞན་རྣམ་

པར་ཐར་པ་བརྒྱད་ལ་ལུགས་དང་མཐུན་པ་དང་། ལུགས་དང་མི་མཐུན་པར་སྙོམས་པར་འཇུག་ན་ཡང་དེ་དག་གི་ལེགས་པ་རྗོད་ཅིང་རྗེས་སུ་དགའ་བར་འགྱུར་རོ། །བདག་ཀྱང་མཐར་གྱིས་གནས་པའི་སྙོམས་པར་འཇུག་པ་དགུ་ལ་སྙོམས་པར་འཇུག་པར་འགྱུར། གཞན་ཡང་མཐར་གྱིས་གནས་པའི་སྙོམས་པར་འཇུག་པ་དགུ་ལ་སྙོམས་པར་འཇུག་པར་ཡང་དག་པར་སྐུལ་བར་འགྱུར། མཐར་གྱིས་གནས་པའི་སྙོམས་པར་འཇུག་པ་དགུའི་ལེགས་པ་རྗོད་པར་འགྱུར། གཞན་མཐར་གྱིས་གནས་པའི་སྙོམས་པར་འཇུག་པ་དགུ་ལ་སྙོམས་པར་འཇུག་ན་ཡང་དེ་དག་གི་ལེགས་པ་རྗོད་ཅིང་རྗེས་སུ་དགའ་བར་འགྱུར་རོ། །བདག་ཀྱང་དེ་བཞིན་གཤེགས་པའི་སྟོབས་བཅུ་ལ་སྙོམས་པར་འཇུག་པར་འགྱུར[༧]། གཞན་ཡང་དེ་བཞིན་གཤེགས་པའི་སྟོབས་བཅུ་ལ་ཡང་དག་པར་སྐུལ་བར་འགྱུར། དེ་བཞིན་གཤེགས་པའི་སྟོབས་བཅུའི་ལེགས་པ་རྗོད་པར་འགྱུར། གཞན་དེ་བཞིན་གཤེགས་པའི་སྟོབས་བཅུ་ལ་སྙོམས་པར་འཇུག་ན་ཡང་དེ་དག་གི་ལེགས་པ་རྗོད་ཅིང་རྗེས་སུ་དགའ་བར་འགྱུར་རོ། །བདག་ཀྱང་མི་འཇིགས་པ་བཞི་དང་། སོ་སོ་ཡང་དག་པར་རིག་པ་བཞི་དང་། བྱམས་པ་ཆེན་པོ་དང་། སྙིང་རྗེ་ཆེན་པོ་དང་། སངས་རྒྱས་ཀྱི་ཆོས་མ་འདྲེས་པ་བཅོ་བརྒྱད་སྒྲུབ་པར་འགྱུར། གཞན་ཡང་སངས་རྒྱས་ཀྱི་ཆོས་མ་འདྲེས་པ་བཅོ་བརྒྱད་སྒྲུབ་པ་ལ་ཡང་དག་པར་སྐུལ[༨] བར་འགྱུར། སངས་རྒྱས་ཀྱི་ཆོས་མ་འདྲེས་པ་བཅོ་བརྒྱད་སྒྲུབ་པའི་ལེགས་པ་རྗོད་པར་འགྱུར། གཞན་སངས་རྒྱས་ཀྱི་ཆོས་མ་འདྲེས་པ་བཅོ་བརྒྱད་སྒྲུབ་ན་ཡང་དེ་དག་གི་ལེགས་པ་རྗོད་ཅིང་རྗེས་སུ་དགའ་བར་འགྱུར་རོ། །བདག་ཀྱང་ཡོངས་སུ་མི་ཉམ[༩]པའི་ཆོས་དང་། རྟག་ཏུ་བཏང་སྙོམས་དང་། ལམ་གྱི་རྣམ་པ[༡༠]ཤེས་པ་ཉིད་དང་། རྣམ་པ་ཐམས་ཅད་མཁྱེན་པ་ཉིད་ཐོབ་པར་འགྱུར།

གཞན་ཡང་རྣམ་པ་ཐམས་ཅད་མཁྱེན་པ་ཉིད་ཐོབ་པར་བྱ་བ་ལ་ཡང་དག་པར་སྐུལ་བར་འགྱུར། རྣམ་པ་ཐམས་ཅད་མཁྱེན་པ་ཉིད་ཀྱི་ལེགས་པ་རྗོད་པར་འགྱུར། གཞན་རྣམ་པ་ཐམས་ཅད་མཁྱེན་པ་ཉིད་ཐོབ་པར་བྱེད་ན་ཡང་དེ་དག་གི་ལེགས་པ་རྗོད་ཅིང་རྗེས་སུ་དགའ་བར་འགྱུར་རོ། །དེ་ཕ་རོལ་ཏུ་ཕྱིན་པ་དྲུག་ལ་སྤྱོད་པའི་ཚེ། སྦྱིན་པ་ཡོངས་སུ་གཏོང་ཡང་སེམས་ཅན་ཐམས་ཅད་དང་ཐུན་མོང་དུ་བྱས་ཤིང་། མི་དམིགས་པའི་ཚུལ་གྱིས། བླ་ན་མེད་པ་ཡང་དག་པར་རྫོགས་པའི་བྱང་ཆུབ་ཏུ་ཡོངས་སུ་བསྔོ་བར་འགྱུར་རོ། །ཚུལ་ཁྲིམས་སྲུང་[1]བ་དང་། བཟོད་པ་སྒོམ་པ་དང་། བརྩོན་འགྲུས་རྩོམ་པ་དང་། བསམ་གཏན་ལ་སྙོམས་པར་འཇུག་པ་དང་། ཤེས་རབ་སྒོམ་ཡང་དེ་དག་སེམས་ཅན་ཐམས་ཅད་དང་ཐུན་མོང་དུ་བྱས་ཤིང་། མི་དམིགས་པའི་ཚུལ་གྱིས་བླ་ན་མེད་པ་ཡང་དག་པར་རྫོགས་པའི་[2]བྱང་ཆུབ་ཏུ་ཡོངས་སུ་བསྔོ་བར་འགྱུར་རོ། །རིགས་ཀྱི་བུའམ་རིགས་ཀྱི་བུ་མོ་དེ་ལྟར་ཕ་རོལ་ཏུ་ཕྱིན་པ་དྲུག་ལ་སྤྱོད་པའི་ཚེ། དྲན་པ་[3]སྐྱེ་བར་འགྱུར་ཏེ། གལ་ཏེ་བདག་གིས་སྦྱིན་པ་མ་བཏང་ན་ངན་སོང་གི་རྒྱུད་དུ་སྐྱེ་བར་འགྱུར་ཏེ། བདག་གིས་སེམས་ཅན་ཡོངས་སུ་སྨིན་པར་ཡང་མི་འགྱུར། སངས་རྒྱས་ཀྱི་ཞིང་ཡོངས་སུ་དག་པར་ཡང་མི་འགྱུར། རྣམ་པ་ཐམས་ཅད་མཁྱེན་པ་ཉིད་ཐོབ་པར་ཡང་མི་འགྱུར་རོ། །གལ་ཏེ་བདག་གིས་ཚུལ་ཁྲིམས་མ་བསྲུངས་ན་ངན་སོང་གསུམ་དུ་སྐྱེ་བར་འགྱུར་ཏེ། མིའི་ལུས་འཐོབ་པར་ཡང་མི་འགྱུར། བདག་གིས་སེམས་ཅན་ཡོངས་སུ་སྨིན་པར་ཡང་མི་འགྱུར། སངས་རྒྱས་ཀྱི་ཞིང་ཡོངས་སུ་དག་པར་ཡང་མི་འགྱུར། རྣམ་པ་ཐམས་ཅད་མཁྱེན་པ་ཉིད་ཐོབ་པར་ཡང་མི་འགྱུར་རོ། །གལ་ཏེ་བདག་གིས་བཟོད་པ་མ་བསྒོམས་[4]ན། བདག་གིས་[5]དབང་པོ་རྣམས་ཀུན་ཉམས་པར་འགྱུར། བདག་གི་བཞིན་གྱི་དཀྱིལ་

འཁོར་ཡང་གཟི་མེད་པར་འགྱུར། གཟུགས་ཕུན་སུམ་ཚོགས་པ་ཡང་འཐོབ་པར་མི་འགྱུར་ཏེ། གཟུགས་ཕུན་སུམ་ཚོགས་པ་གང་གིས་བྱང་ཆུབ་སེམས་དཔའི་སྤྱོད་པ་སྤྱོད་པའི་ཚེ། མཐོང་མ་ཐག་ཏུ་སེམས་ཅན་རྣམས་བླ་ན་མེད་པ་ཡང་དག་པར་རྫོགས་པའི་བྱང་ཆུབ་ཏུ་གདོན་མི་ཟ་བར་འགྱུར་བ་དེ་ལྟ་བུ་ཡང་མེད་པར་འགྱུར་ཏེ། གཟུགས་ཕུན་སུམ་ཚོགས་པས་སེམས་ཅན་ཡོངས་སུ་སྨིན་པར་ཡང་མི་འགྱུར། སངས་རྒྱས་ཀྱི་ཞིང་ཡོངས་སུ་དག་པར་ཡང་མྱི་[༡]འགྱུར། རྣམ་པ་ཐམས་ཅད་མཁྱེན་པ་ཉིད་ཐོབ་པར་ཡང་མི་འགྱུར་རོ། །གལ་ཏེ་ལེ་ལོར་གྱུར་ན་བདག་གིས་བྱང་ཆུབ་ཀྱི་ལམ་ཐོབ་པར་ཡང་མི་ནུས། སེམས་ཅན་ཡོངས་སུ་སྨིན་པར་ཡང་མི་འགྱུར། སངས་རྒྱས་ཀྱི་ཞིང་ཡོངས་སུ་དག་པར་ཡང་མི་འགྱུར། རྣམ་པ་ཐམས་ཅད་མཁྱེན་པ་ཉིད་ཐོབ་པར་ཡང་མི་འགྱུར་རོ། །གལ་ཏེ་སེམས་འཁྲུགས་པར་གྱུར་ན་བདག་གིས་ཏིང་ངེ་འཛིན་གང་གིས་སེམས་ཅན་ཡོངས་སུ་སྨིན་པར་འགྱུར་བ་དེ་ལྟ་བུའི་ཏིང་ངེ་འཛིན་བསྐྱེད་པར་མི་ནུས། བདག་གིས་སངས་རྒྱས་ཀྱི་ཞིང་ཡོངས་སུ་དག་པར་ཡང་མི་འགྱུར། རྣམ་པ་ཐམས་ཅད་མཁྱེན་པ་ཉིད་ཐོབ་པར་ཡང་མི་འགྱུར་རོ། །གལ་ཏེ་ཤེས་རབ་འཆལ་པར་གྱུར་[༢]ན་བདག་གིས་ཤེས་རབ་དང་ཐབས་མཁས་པས་ཉན་ཐོས་ཀྱི་ས་དང་། རང་སངས་རྒྱས་ཀྱི་ས་ལས་བཟླས་[༣]ཏེ། སེམས་ཅན་རྣམས་ཡོངས་སུ་སྨིན་པར་བྱས་ནས་སངས་རྒྱས་ཀྱི་ཞིང་ཡོངས་སུ་དག་པར་སྦྱངས་ཏེ། རྣམ་པ་ཐམས་ཅད་མཁྱེན་པ་ཉིད་ཐོབ་པར་བྱ་བར་ཡང་མི་ནུས་སོ་ཞེས་ཏེ[༤]། འདི་ལྟར་ཡང་དག་པར་སློབ་སྟེ[༥]། དེ་ལྟར་བདག་གིས་སེར་སྣའི་དབང་གིས་སྦྱིན་པའི་ཕ་རོལ་ཏུ་ཕྱིན་པ་ཡོངས་སུ་རྫོགས་པར་མི་བྱ་བ་ནི་མི་རིགས་མི་ཆའོ། །ཚུལ་ཁྲིམས་ངན་པའི་དབང་གིས་ཚུལ་ཁྲིམས་ཀྱི་ཕ་རོལ་ཏུ་ཕྱིན་པ་དང་། གནོད་སེམས་ཀྱི་དབང་གིས་བཟོད་པའི་ཕ་རོལ་ཏུ་ཕྱིན་

པ་དང་། ལེ་ལོའི་དབང་གིས་བརྩོན་འགྲུས་ཀྱི་ཕ་རོལ་ཏུ་ཕྱིན་པ་དང་། འཁྲུག་པའི་དབང་གིས་བསམ་གཏན་གྱི་ཕ་རོལ་ཏུ་ཕྱིན་པ་དང་། ཤེས་རབ་འཆལ་བའི་དབང་གིས་ཤེས་རབ་ཀྱི་ཕ་རོལ་ཏུ་ཕྱིན་པ་ཡོངས་སུ་རྫོགས་པར་མི་བྱེ་བ་ནི་མི་རིགས་མི་ཆ་སྟེ། ཕ་རོལ་ཏུ་ཕྱིན་པ་དྲུག་ཡོངས་སུ་རྫོགས་པར་མ་བྱས་པར་ནི་རྣམ་པ་ཐམས་ཅད་མཁྱེན་པ་ཉིད་དུ་འབྱུང་བར་མི་འགྱུར་རོ་ཞེས་བྱ་བ་[1] དྲན་པ་[2] སྐྱེ་བར་འགྱུར་ཏེ། ཀཽ་[3] ཤི་ཀཿདེ་ལྟར་[4] རིགས་ཀྱི་བུའམ་རིགས་ཀྱི་བུ་མོ་གང་ཤེས་རབ་ཀྱི་ཕ་རོལ་ཏུ་ཕྱིན་པ་འདི་འཛིན་ཅིང་འཆང་བ་དང་། ཀློག་ཅིང་ཀུན་ཆུབ་པར་བྱེད་པ་དང་། ཚུལ་བཞིན་དུ་ཡིད་ལ་བྱེད་ཅིང་རྣམ་པ་ཐམས་ཅད་མཁྱེན་པ་ཉིད་ཀྱི་སེམས་དང་མི་འབྲལ་བ་དེ་དག་གིས། ཚེ་འདི་དང་ཚེ་རབས་གཞན་ལ་ཡོན་ཏན་འདི་དག་འཐོབ་པར་འགྱུར་རོ། །བརྒྱ་བྱིན་གྱིས་གསོལ་པ། བཅོམ་ལྡན་འདས་ཤེས་རབ་ཀྱི་ཕ་རོལ་ཏུ་ཕྱིན་པ་འདི་དེ་ལྟར་བྱང་ཆུབ་སེམས་དཔའ་སེམས་དཔའ་ཆེན་པོ་རྣམས་ཡོངས་སུ་འདུལ་བ་དང་། ང་རྒྱལ་མ་མཆིས་པར་འགྱུར་བའི་དོན་དུ་ཉེ་བར་གནས་པ་ངོ་མཚར་ཆེའོ། །བཅོམ་ལྡན་འདས་ཀྱིས་བཀའ་སྩལ་པ། ཀཽ་[5] ཤི་ཀ་དེ་ཇི་ལྟར་ན་ཤེས་རབ་ཀྱི་ཕ་རོལ་ཏུ་ཕྱིན་པ་འདི་བྱང་ཆུབ་སེམས་དཔའ་སེམས་དཔའ་ཆེན་པོ་རྣམས་ཡོངས་སུ་འདུལ་བ་དང་། ང་རྒྱལ་མེད་པའི་དོན་དུ་ཉེ་བར་གནས་པ་ཡིན། བརྒྱ་བྱིན་གྱིས་གསོལ་པ། བཅོམ་ལྡན་འདས་འདི་ལ་བྱང་ཆུབ་སེམས་དཔའ་སེམས་དཔའ་ཆེན་པོ་འཇིག་རྟེན་པའི་སྦྱིན་པའི་ཕ་རོལ་ཏུ་ཕྱིན་པ་ལ་སྤྱོད་པའི་ཚེ། སངས་རྒྱས་བཅོམ་ལྡན་འདས་རྣམས་དང་། རང་སངས་རྒྱས་དང་། ཉན་ཐོས་རྣམས་ལ་སྦྱིན་པ་ཡོངས་སུ་གཏོང་བ་བགྱིད་ཅིང་འདི་སྙམ་དུ། འདི་ལྟར་བདག་ནི་སངས་རྒྱས་བཅོམ་ལྡན་འདས་རྣམས་དང་། རང་སངས་རྒྱས་རྣམས་དང་། ཉན་ཐོས་རྣམས་དང་

ཉམས་ཐག་པ་དང་འགྲོན་[1]པོ་དང་། སློང་བ་རྣམས་ལ་སྦྱིན་པ་ཡོངས་སུ་གཏོང་ངོ་སྙམ་དུ་སེམས་ན་དེ་ཐབས་མི་མཁས་པའི་སྦྱིན་པ་དེས་ང་རྒྱལ་དུ་འགྱུར་རོ། །འཇིག་རྟེན་པའི་ཚུལ་ཁྲིམས་ཀྱི་ཕ་རོལ་ཏུ་ཕྱིན་པ་ལ་སྤྱོད་པའི་ཚེ། འདི་སྙམ་དུ་འདི་ལྟར་བདག་ནི་ཚུལ་ཁྲིམས་ཀྱི་ཕ་རོལ་ཏུ་ཕྱིན་པ་ལ་སྤྱོད་དོ། །བདག་ནི་ཚུལ་ཁྲིམས་ཀྱི་ཕ་རོལ་ཏུ་ཕྱིན་པ་ཡོངས་སུ་རྫོགས་པར་བྱེད་དོ་སྙམ་ན་ཡང་། དེ་དེས་ང་རྒྱལ་དུ་འགྱུར་རོ། །འཇིག་རྟེན་པའི་བཟོད་པའི་ཕ་རོལ་ཏུ་ཕྱིན་པ་ལ་སྤྱོད་པའི་ཚེ། འདི་སྙམ་དུ་འདི་ལྟར་བདག་ནི་བཟོད་པའི་ཕ་རོལ་ཏུ་ཕྱིན་པ་ལ་སྤྱོད་དོ། །བདག་ནི་བཟོད་པའི་ཕ་རོལ་ཏུ་ཕྱིན་པ་ཡོངས་སུ་རྫོགས་པར་བྱེད་དོ་སྙམ་ན་ཡང་དེ་དེས་ང་རྒྱལ་དུ་འགྱུར་རོ། །འཇིག་རྟེན་པའི་བརྩོན་འགྲུས་ཀྱི་ཕ་རོལ་ཏུ་ཕྱིན་པ་ལ་སྤྱོད་པའི་ཚེ། འདི་སྙམ་དུ་འདི་ལྟར་བདག་ནི་བརྩོན་འགྲུས་ཀྱི་ཕ་རོལ་ཏུ་ཕྱིན་པ་ལ་སྤྱོད་དོ། །བདག་ནི་བརྩོན་འགྲུས་ཀྱི་ཕ་རོལ་ཏུ་ཕྱིན་པ་ཡོངས་སུ་རྫོགས་པར་བྱེད་དོ་སྙམ་ན་ཡང་དེ་དེས་ང་རྒྱལ་དུ་འགྱུར་རོ། །འཇིག་རྟེན་པའི་བསམ་གཏན་གྱི་ཕ་རོལ་ཏུ་ཕྱིན་པ་ལ་སྤྱོད་པའི་ཚེ། འདི་སྙམ་དུ་འདི་ལྟར་བདག་ནི་བསམ་གཏན་གྱི་ཕ་རོལ་ཏུ་ཕྱིན་པ་ལ་སྤྱོད་དོ། །བདག་ནི་བསམ་གཏན་གྱི་ཕ་རོལ་ཏུ་ཕྱིན་པ་ཡོངས་སུ་རྫོགས་པར་བྱེད་དོ། །སྙམ་ན་ཡང་དེ་དེས་ང་རྒྱལ་དུ་འགྱུར་རོ། །འཇིག་རྟེན་པའི་ཤེས་རབ་ཀྱི་ཕ་རོལ་ཏུ་ཕྱིན་པ་ལ་སྤྱོད་པའི་ཚེ། འདི་སྙམ་དུ་འདི་ལྟར་བདག་ནི་ཤེས་རབ་ཀྱི་ཕ་རོལ་ཏུ་ཕྱིན་པ་ལ་སྤྱོད་དོ། །བདག་ནི་ཤེས་རབ་ཀྱི་ཕ་རོལ་ཏུ་ཕྱིན་པ་སྒོམ་མོ་སྙམ་ན་ཡང་དེ་ཐབས་མི་མཁས་པའི་སྐད་དུ་འཇིག་རྟེན་པའི་ཤེས་རབ་ཀྱི་ཕ་རོལ་ཏུ་ཕྱིན་པ་དེ་དེས་ང་རྒྱལ་དུ་འགྱུར་རོ། །དྲན་པ་ཉེ་བར་གཞག་པ་དང་། ཡང་དག་པར་སྤོང་བ་དང་། རྫུ་འཕྲུལ་གྱི་རྐང་པ་དང་། དབང་པོ་དང་། སྟོབས་དང་། བྱང་ཆུབ་ཀྱི་

ཡན་ལག་དང་། འཕགས་པའི་ལམ་ཡན་ལག་བརྒྱད་པ་དང་། འཕགས་པའི་བདེན་པ་དང་། བསམ་གཏན་དང་། ཚད་མེད་པ་དང་། གཟུགས་མེད་པའི་སྙོམས་པར་འཇུག་པ་དང་། རྣམ་པར་ཐར་པ་བརྒྱད་དང་། མཐར་གྱིས་གནས་པའི་སྙོམས་པར་འཇུག་པ་དགུ་དང་། རྣམ་པར་ཐར་པའི་སྒོ་སྟོང་པ་ཉིད་དང་མཚན་མ་མེད་པ་དང་། སྨོན་པ་མེད་པ་དང་། མངོན་པར་ཤེས་པ་དང་། ཏིང་ངེ་འཛིན་དང་། གཟུངས་ཀྱི་སྒོ་དང་། དེ་བཞིན་གཤེགས་པའི་སྟོབས་བཅུ་དང་། མི་འཇིགས་པ་བཞི་དང་། སོ་སོ་ཡང་དག་པར་རིག་པ་བཞི་དང་། སངས་རྒྱས་ཀྱི་ཆོས་མ་འདྲེས་པ་བཅོ་བརྒྱད་དང་། རྣམ་པ་ཐམས་ཅད་མཁྱེན་པ་ཉིད་ཀྱི་བར་དུ་ཐོབ་པར་བྱའོ་སྙམ་དུ་སེམས་ན་ཡང་། དེ་བདག་ཏུ་བགྱི་བ་ལ་མངོན་པར་ཆགས་པས་ང་རྒྱལ་དུ་འགྱུར་རོ། །བཅོམ་ལྡན་འདས་བྱང་ཆུབ་[1]སེམས་དཔའ་སེམས་དཔའ་ཆེན་པོ་དེ་ལྟར་འཇིག་རྟེན་པའི་ཆོས་རྣམས་ལ་སྤྱོད་པའི་ཚེ། བདག་ཏུ་བགྱི་བ་ལ་མངོན་པར་ཆགས་པས་ང་རྒྱལ་དུ་འགྱུར་ཏེ[2]། དེ་ལ་ནི་ཤེས་རབ་ཀྱི་ཕ་རོལ་ཏུ་ཕྱིན་པ་ཡོངས་སུ་འདུལ་བ་དང་། ང་རྒྱལ་མ་མཆིས་པའི་སླད་དུ་ཉེ་བར་གནས་སོ། །བཅོམ་ལྡན་འདས་འདི་ལ་[3]བྱང་ཆུབ་སེམས་དཔའ་སེམས་དཔའ་ཆེན་པོ་འཇིག་རྟེན་ལས་འདས་པའི་སྦྱིན་པའི་ཕ་རོལ་ཏུ་ཕྱིན་པ་ལ་སྤྱོད་པའི་ཚེ། ཤེས་རབ་ཀྱི་ཕ་རོལ་ཏུ་ཕྱིན་པ་ཞིན་དུ་བསྒོམས་[4]པའི་སླད་དུ་སྦྱིན་པ་ཡང་མི་དམིགས། གཏོང་བ་ཡང་མི་དམིགས་ལེན་པ་ཡང་མི་དམིགས་ཏེ། བཅོམ་ལྡན་འདས་དེ་ལྟར་ཤེས་རབ་ཀྱི་ཕ་རོལ་ཏུ་ཕྱིན་པ་ནི། སྦྱིན་པའི་ཕ་རོལ་ཏུ་ཕྱིན་པ་ལ་སྤྱོད་པའི་བྱང་ཆུབ་སེམས་དཔའ་སེམས་དཔའ་ཆེན་པོ་ཡོངས་སུ་འདུལ་བ་དང་། ང་རྒྱལ་མ་མཆིས་པའི་སླད་དུ་ཉེ་བར་གནས་སོ། །ཚུལ་ཁྲིམས་ཀྱི་ཕ་རོལ་ཏུ་ཕྱིན་པ་དང་། བཟོད་པའི་ཕ་རོལ་ཏུ་ཕྱིན་པ་དང་།

བརྩོན་འགྲུས་ཀྱི་ཕ་རོལ་ཏུ་ཕྱིན་པ་དང་། བསམ་གཏན་གྱི་ཕ་རོལ་ཏུ་ཕྱིན་པ་དང་། ཤེས་རབ་ཀྱི་ཕ་རོལ་ཏུ་ཕྱིན་པ་ལ་སྤྱོད་པའི་ཚེ། ཤེས་རབ་ཀྱི་ཕ་རོལ་ཏུ་ཕྱིན་པ་ལ་ཤིན་ཏུ་བསྒོམས་པའི་སླད་དུ། ཤེས་རབ་ཏུ་ཡང་མི་དམིགས། ཤེས་རབ་དང་ལྡན་པ་ཡང་མི་དམིགས་ཏེ། བཅོམ་ལྡན་འདས་དེ་ལྟར་ན་ཤེས་རབ་ཀྱི་ཕ་རོལ་ཏུ་ཕྱིན་པ་ནི་ཤེས་རབ་ཀྱི་ཕ་རོལ་ཏུ་ཕྱིན་པ་ལ་སྤྱོད་པའི་བྱང་ཆུབ་སེམས་དཔའ་སེམས་དཔའ་ཆེན་པོ་⑦ཡོངས་སུ་འདུལ་བ་དང་། ང་རྒྱལ་མ་མཆིས་པའི་སླད་དུ་ཉེ་བར་གནས་སོ། །དེ་དྲན་པ་ཉེ་བར་གཞག་པ་དང་། ཡང་དག་པར་སྤོང་བ་དང་། རྫུ་འཕྲུལ་གྱི་རྐང་པ་དང་། དབང་པོ་དང་། སྟོབས་དང་། བྱང་ཆུབ་ཀྱི་ཡན་ལག་དང་། ལམ་དང་། འཕགས་པའི་བདེན་པ་དང་། བསམ་གཏན་དང་། ཚད་མེད་པ་དང་། གཟུགས་མེད་པའི་སྙོམས་པར་འཇུག་པ་དང་། རྣམ་པར་ཐར་པ་བརྒྱད་དང་། མཐར་གྱིས་གནས་པའི་སྙོམས་པར་འཇུག་པ་དགུ་དང་། རྣམ་པར་ཐར་པའི་སྒོ་སྟོང་པ་ཉིད་དང་། མཚན་མ་མེད་པ་དང་། སྨོན་པ་མེད་པ་དང་། མངོན་པར་ཤེས་པ་དང་། ཏིང་ངེ་འཛིན་དང་། གཟུངས་ཀྱི་སྒོ་དང་། སྟོབས་བཅུ་དང་། མི་འཇིགས་པ་དང་། སོ་སོ་ཡང་དག་པར་རིག་པ་དང་། སངས་རྒྱས་ཀྱི་ཆོས་མ་འདྲེས་པ་རྣམས་དང་། རྣམ་པ་ཐམས་ཅད་མཁྱེན་པ་ཉིད་སྒོམ་ཡང་། ཤེས་རབ་ཀྱི་ཕ་རོལ་ཏུ་ཕྱིན་པ་ཤིན་ཏུ་བསྒོམས་པའི་སླད་དུ་དམིགས་པ་མ་མཆིས་ཏེ། བཅོམ་ལྡན་འདས་དེ་ལྟར་ན་ཤེས་རབ་ཀྱི་ཕ་རོལ་ཏུ་ཕྱིན་པ་ནི། བྱང་ཆུབ་སེམས་དཔའ་སེམས་དཔའ་ཆེན་པོ་ཡོངས་སུ་འདུལ་བ་དང་། ང་རྒྱལ་མ་མཆིས་པའི་སླད་དུ་ཉེ་བར་གནས་སོ། །ཤེས་རབ་ཀྱི་ཕ་རོལ་ཏུ་ཕྱིན་པ་སྟོང་ཕྲག་ཉི་ཤུ་ལྔ་པ་ལས། ལེའུ་བཅུ་བདུན་པའོ།། ||

དེ་ནས་བཅོམ་ལྡན་འདས་ཀྱིས་ལྷའི་དབང་པོ་བརྒྱ་བྱིན་ལ་འདི་སྐད་ཅེས་བཀའ་སྩལ་ཏོ། །ཀཽ་ཤི་ཀ་རིགས་ཀྱི་བུའམ་རིགས་ཀྱི་བུ་མོ་གང་ཤེས་རབ་ཀྱི་ཕ་རོལ་ཏུ་ཕྱིན་པ་ཟབ་མོ་འདི་འཛིན་ཅིང་འཆང་བ་དང་། ཀློག་ཅིང་ཀུན་ཆུབ་པར་བྱེད་པ་དང་ཁ་ཏོན་[1]དུ་བྱེད་ཅིང་ཚུལ་བཞིན་དུ་ཡིད་ལ་བྱེད་པ་ཞིག་འཐབ་[2]མོའི་ནང་དུ་འདུག་ཅིང་གཡུལ་ངོར་ཆས་[3]པའི་ཚེ། དེར་གལ་ཏེ་རིགས་ཀྱི་བུའམ་རིགས་ཀྱི་བུ་མོ་གང་[4]ཤེས་རབ་ཀྱི་ཕ་རོལ་ཏུ་ཕྱིན་པ། ཟབ་མོ་འདི་ཁ་ཏོན་དུ་བྱས་ནས་སོང་སྟེ་[5]འདུག་ན། རིགས་ཀྱི་བུའམ་རིགས་ཀྱི་བུ་མོ་དེ་[6]ཕམ་པར་མི་ནུས་ཏེ། གདོན་མི་ཟ་བར་རྒྱལ་བར་འགྱུར་རོ། །རྒྱལ་ནས་མ་རྨས་མ་ཉམས་པར་འཐབ་[7]མོ་དེ་ལས་ཐར་བར་འགྱུར་ཏེ། ཀཽ་ཤི་ཀ་རིགས་ཀྱི་བུའམ་རིགས་ཀྱི་བུ་མོ་གང་ཤེས་རབ་ཀྱི་ཕ་རོལ་ཏུ་ཕྱིན་པ་ཟབ་མོ་འདི་ཁ་ཏོན་དུ་བྱེད་ཅིང་གཡུལ་ངོར་[8]སོང་སོང་བ་ལས་སྲོག་གི་བར་ཆད་དུ་འགྱུར་བ་ནི་མི་སྲིད་དེ། གནས་མེད་སྐབས་མེད་དེ། གལ་ཏེ་དེའི་ལུས་ལ། ལ་ལ་ཞིག་གིས་མདས་འཕངས་སམ། མཚོན་གྱིས་བཏབ་ན་ལུས་ལ་ཕོག་ཅིང་འཛུག་པར་མི་འགྱུར་རོ། །དེ་ཅིའི་ཕྱིར་ཞེ་ན། རིགས་ཀྱི་བུའམ་རིགས་ཀྱི་བུ་མོ་དེས་ཡུན་རིང་པོར་ཕ་རོལ་ཏུ་ཕྱིན་པ་དྲུག་ལ་སྤྱད་དེ[9]། ཤེས་རབ་ཀྱི་ཕ་རོལ་ཏུ་ཕྱིན་པ་འདི་ཉིད་ལ་བརྟེན་ཤེས་རབ་ཀྱི་ཕ་རོལ་ཏུ་ཕྱིན་པ་འདི་ཉིད་ལ་བསྒོམས་[10]ཏེ། བདག་གི་འདོད་ཆགས་ཀྱི་མཚོན་དང་། འདོད་ཆགས་ཀྱི་མདའ་ཡང་བཅོམ། གཞན་གྱི་འདོད་ཆགས་ཀྱི་མཚོན་དང་། འདོད་ཆགས་ཀྱི་མདའ་ཡང་བཅོམ། བདག་གི་[11]ཞེ་སྡང་གི་མཚོན་དང་། ཞེ་སྡང་གི་མདའ་ཡང་བཅོམ། གཞན་གྱི་ཞེ་སྡང་གི་མཚོན་དང་། ཞེ་སྡང་གི་མདའ་ཡང་བཅོམ། བདག་གི་[12]གཏི་མུག་གི་མཚོན་དང་། གཏི་མུག་གི་མདའ་ཡང་བཅོམ། གཞན་གྱི་གཏི་མུག་གི་མཚོན་དང་། གཏི་མུག་གི་མདའ་ཡང་

བཅོམ། བདག་གི་ལྷ་བའི་རྣམ་པའི་མཚན་དང་། ལྷ་བའི་རྣམ་པའི་མདའ་ཡང་བཅོམ། གཞན་གྱི་ལྷ་བའི་རྣམ་པའི་མཚན་དང་། ལྷ་བའི་རྣམ་པའི་མདའ་ཡང་བཅོམ། བདག་གི་[1]ཀུན་ནས་ལྡང་བའི་མཚན་དང་། ཀུན་ནས་ལྡང་བའི་མདའ་ཡང་བཅོམ། གཞན་གྱི་ཀུན་ནས་ལྡང་བའི་མཚན་དང་། ཀུན་ནས་ལྡང་བའི་མདའ་ཡང་བཅོམ། བདག་གི་བག་ལ་ཉལ་བའི་མཚན་དང་། བག་ལ་ཉལ་བའི་མདའ་ཡང་བཅོམ། གཞན་གྱི་བག་ལ་ཉལ་བའི་མཚན་དང་། བག་ལ་ཉལ་བའི་མདའ་ཡང་བཅོམ་པའི་ཕྱིར་ཏེ། ཀཽ་ཤི་ཀ་རྣམ་གྲངས་དེས་ན། རིགས་ཀྱི་བུའམ་རིགས་ཀྱི་བུ་མོ་གཡུལ་དུ་ཕྱིན་པའི་ཚེ། ལུས་ལ་མཚོན་ནམ༔མདས་ཕོག་[2]ཅིང་ཟུག་པར་མི་འགྱུར་རོ། །ཀཽ་ཤི་ཀ་གཞན་ཡང་གལ་ཏེ་རིགས་ཀྱི་བུའམ་རིགས་ཀྱི་བུ་མོ་ཤེས་རབ་ཀྱི་ཕ་རོལ་ཏུ་ཕྱིན་པ་ཟབ་མོ་འདི་འཛིན་ཅིང་འཆང་བ་དང་། ཀློག་ཅིང་ཀུན་ཆུབ་པར་བྱེད་པ་དང་ཚུལ་བཞིན་དུ་ཡིད་ལ་བྱེད་ཅིང་། ༔རྣམ་པ་[3]ཐམས་ཅད་མཁྱེན་པ་ཉིད་ཀྱི་སེམས་དང་ཡང་མི་འབྲལ་ན། དེ་ལ་ལ་ལ་ཞིག་གིས་དུག་གིས་གཏོར་ཏམ[4]། བྱད་བྱས་སམ། མེའི་འོབས་སུ་བརྗོད་[5]དམ། མཚོན་གྱིས་བཏབ་བམ། དུག་སླུད་དམ། ཆུར་བོར་ཡང་རུང་སྟེ། དེ་དག་ཐམས་ཅད་ཀྱིས་དེ་ལ་གནོད་པར་མི་འགྱུར་རོ། །དེ་ཅིའི་ཕྱིར་ཞེ་ན། ཀཽ་ཤི་ཀ་འདི་ལྟར་ཤེས་རབ་ཀྱི་ཕ་རོལ་ཏུ་ཕྱིན་པ་འདི་ནི་རིག་སྔགས་ཆེན་མོའོ། །ཀཽ་ཤི་ཀ་འདི་ལྟར་ཤེས་རབ་ཀྱི་ཕ་རོལ་ཏུ་ཕྱིན་པ་འདི་ནི་རིག་སྔགས་བླ་ན་མེད་པའོ། །ཀཽ་ཤི་ཀ་འདི་ལྟར་ཤེས་རབ་ཀྱི་ཕ་རོལ་ཏུ་ཕྱིན་པ་འདི་ནི་རིག་སྔགས་གོང་ན་མེད་པ་སྟེ། རིག་སྔགས་འདི་ལ་སློབ་པའི་རིགས་ཀྱི་བུའམ་རིགས་ཀྱི་བུ་མོ་ནི་བདག་ལ་ཡང་གནོད་པར་མི་བྱེད། གཞན་ལ་ཡང་གནོད་པར་མི་བྱེད། གཉིས་ཀ་ལ་ཡང་གནོད་པར་མི་བྱེད་དོ། །དེ་ཅིའི་ཕྱིར་ཞེ་ན། འདི་ལྟར་དེ་

འདི་ལ་སློབ་པའི་ཚེ་བདག་མི་དམིགས་སོ་མཐོང་བ་པོའི་བར་དུ་མི་[1]དམིགས་སོ། །གཟུགས་མི་དམིགས་སོ། །ཚོར་བ་དང་འདུ་ཤེས་དང་། འདུ་བྱེད་དང་རྣམ་པར་ཤེས་པ་མི་དམིགས་སོ། །སྐྱེ་མཆེད་དང་། ཁམས་དང་། རྟེན་ཅིང་འབྲེལ་པར་འབྱུང་བ་དང་ཕ་རོལ་དུ་ཕྱིན་པ་རྣམས་དང་། སྟོང་པ་ཉིད་ཐམས་ཅད་དང་། བྱང་ཆུབ་ཀྱི་ཕྱོགས་ཀྱི་ཆོས་རྣམས་དང་། འཕགས་པའི་བདེན་པ་དང་། བསམ་གཏན་དང་། ཚད་མེད་པ་དང་གཟུགས་མེད་པའི་སྙོམས་པར་འཇུག་པ་དང་། རྣམ་པར་ཐར་པ་བརྒྱད་དང་། མཐར་གྱིས་གནས་པའི་སྙོམས་པར་འཇུག་པ་དགུ་དང་། རྣམ་པར་ཐར་པའི་སྒོ་སྟོང་པ་ཉིད་དང་། མཚན་མ་མེད་པ་དང་སྨོན་པ་མེད་པ་དང་། མངོན་པར་ཤེས་པ་དང་ཏིང་ངེ་འཛིན་དང་། གཟུངས་ཀྱི་སྒོ་དང་སྟོབས་བཅུ་དང་། མི་འཇིགས་པ་དང་སོ་སོ་ཡང་དག་པར་རིག་པ་དང་། སངས་རྒྱས་ཀྱི་ཆོས་མ་འདྲེས་པ་རྣམས་དང་། རྣམ་པ་ཐམས་ཅད་མཁྱེན་པ་ཉིད་ཀྱི་བར་དུ་མི་དམིགས་སོ། །དེ་ལྟར་མི་དམིགས་པས་ན་བདག་ལ་ཡང་གནོད་པར་མི་བྱེད། གཞན་ལ་ཡང་གནོད་པར་མི་བྱེད་གཉིས་ཀ་ལ་ཡང་གནོད་པར་མི་བྱེད་དེ་བླ་ན་མེད་པ་ཡང་དག་པར་རྫོགས་པའི་བྱང་ཆུབ་ཐོབ་ཅིང་། སེམས་ཅན་ཐམས་ཅད་ཀྱི་སེམས་ལ་རྣམ་པར་ལྟ་བར་འགྱུར་རོ། །དེ་ཅིའི་ཕྱིར་ཞེ་ན། འདས་པ་དང་མ་བྱོན་པ་དང་། ད་ལྟར་བྱུང་བའི་དེ་བཞིན་གཤེགས་པ་དགྲ་བཅོམ་པ་ཡང་དག་པར་རྫོགས་པའི་སངས་རྒྱས་རྣམས་ཀྱིས་ཀྱང་རིག་སྔགས་འདི་ཉིད་ལ་བསླབས་ཏེ། བླ་ན་མེད་པ་ཡང་དག་པར་རྫོགས་པའི་བྱང་ཆུབ་ཏུ་མངོན་པར་རྫོགས་པར་སངས་རྒྱས་སོ། །ཀཽ་ཤི་ཀ་གཞན་ཡང་ཤེས་རབ་ཀྱི་ཕ་རོལ་དུ་ཕྱིན་པ་འདི་གཟུང་བ་[2]མ་བྱས་ཁ་ཏོན་མ་བྱས། ཀླག་[3]པ་དང་ཀུན་ཆུབ་པར་མ་བྱས་ཚུལ་བཞིན་དུ་ཡིད་ལ་མ་བྱས་ཀྱང་། གང་

ན༔ བྲི་ཤིང་[༧]འཆང་བའི་ཁྱིམ་འམ་[༣]གྲོང་ངམ་གྲོང་རྡལ་ལམ་གྲོང་ཁྱེར་དེར་ནི་མིའམ་མི་མ་ཡིན་པ་གླགས་ལྟ་བས་གླགས་རྙེད་པར་མི་འགྱུར་རོ། །དེ་ཅིའི་ཕྱིར་ཞེ་ན། དེ་ནི་འདི་ལྟར་ཤེས་རབ་ཀྱི་ཕ་རོལ་ཏུ་ཕྱིན་པ་འདི་མཆོད་པའི་ཕྱིར། སྟོང་གསུམ་གྱི་སྟོང་ཆེན་པོའི་འཇིག་རྟེན་གྱི་ཁམས་ཀྱི་རྒྱལ་ཆེན་བཞིའི་རིས་ཀྱི་ལྷའི་བུ་དང་། སུམ་ཅུ་རྩ་གསུམ་དང་། མཆེ་མ་དང་། དགའ་ལྡན་དང་། འཕྲུལ་དགའ་དང་། གཞན་འཕྲུལ་དབང་བྱེད་དང་། ཚངས་རིས་དང་། ཚངས་ལྷ་ཉེ་ཕན་དང་། ཚངས་པ་ཀུན་འཁོར་དང་། འོག་མིན་གྱི་བར་གྱི་ལྷའི་བུ་དང་། འཇིག་རྟེན་གྱི་ཁམས་ཚད་མེད་གྲངས་མེད་པའི་རྒྱལ་ཆེན་བཞིའི་རིས་ཀྱི་ལྷའི་བུ་དང་། སུམ་ཅུ་རྩ་གསུམ་དང་། མཆེ་མ་དང་། དགའ་ལྡན་དང་། འཕྲུལ་དགའ་དང་། གཞན་འཕྲུལ་དབང་བྱེད་དང་། ཚངས་རིས་དང་། ཚངས་ལྷ་ཉེ་ཕན་དང་། ཚངས་པ་ཀུན་འཁོར་དང་། འོག་མིན་གྱི་བར་གྱི་ལྷའི་བུ་གང་ཇི་སྙེད་ཡོད་པ་དེ་དག་ཀུང་རིགས་ཀྱི་བུའམ། རིགས་ཀྱི་བུ་མོ་གང་གིས་ཤེས་རབ་ཀྱི་ཕ་རོལ་ཏུ་ཕྱིན་པ་ཟབ་མོ་འདི་བྲིས་ཤིང་། བཅངས་པ་དེ་དག་ལ་རྟག་ཏུ་རྒྱུན་མི་ཆད་པར་བསྲུང་བ་དང་། བསྐྱབ་པ་དང་། བསྐྱང་བ་བྱེད་དེ། ལྷའི་བུ་དེ་དག་འོངས་ནས་ཀྱང་ཤེས་རབ་ཀྱི་ཕ་རོལ་ཏུ་ཕྱིན་པ་འདི་ལ་རིམ་གྲོ་དང་། བཀུར་སྟི་དང་། བསྟི་སྟང་དང་། མཆོད་པར་བྱས་ཤིང་འདོང་བར་འགྱུར་ཏེ[༡]། ཀཽ་ཤི་ཀ་དེ་ལྟར་གང་ལ་ལས་ཤེས་རབ་ཀྱི་ཕ་རོལ་ཏུ་ཕྱིན་པ་འདི་བྲིས་ཏེ། བཅངས་ན་དེ་ལ་ཚེ་འདིའི་ཡོན་ཏན་དང་། ལེགས་པ་འདི་དག་ཡོད་པར་འགྱུར་རོ། །ཀཽ་ཤི་ཀ་འདི་ལྟ་སྟེ། དཔེར་ན། སྙིང་པོ་བྱང་ཆུབ་བམ། སྙིང་པོ་བྱང་ཆུབ་ཀྱི་འཁོར་ཏམ[༨]། སྙིང་པོ་བྱང་ཆུབ་ཀྱི་ནང་ན་ཕྱོལ་སོང་གི་སྐྱེ་གནས་སུ་གཏོགས་པའི་སྲོག་ཆགས་སམ། མིར་གྱུར་པ་གང་སུ་

འདུག་ཀྱང་ཉུང་སྟེ། དེ་དག་ལ་མིའམ་མི་མ་ཡིན་པས་གཅེ་བའམ། ༔ཐོ་འཚམ་[༡]པར་མི་ནུས་སོ། །དེ་ཅིའི་ཕྱིར་ཞེ་ན། སྔོན་གྱི་དེ་བཞིན་གཤེགས་པ་དགྲ་བཅོམ་པ་ཡང་དག་པར་རྫོགས་པའི་སངས་རྒྱས་རྣམས་ཀྱིས་ཀྱང་དེ་ལ་བཞུགས་ནས་བླ་ན་མེད་པ་ཡང་དག་པར་རྫོགས་པའི་བྱང་ཆུབ་ཏུ་མངོན་པར་རྫོགས་པར་སངས་རྒྱས་སོ། །གང་མ་བྱོན་པ་དང་། ད་ལྟར་བྱུང་བའི་དེ་བཞིན་གཤེགས་པ་དགྲ་བཅོམ་པ་ཡང་དག་པར་རྫོགས་པའི་སངས་རྒྱས་དེ་དག་ཀྱང་། དེ་ཉིད་དུ་བཞུགས་ཤིང་[༢]བླ་ན་མེད་པ་ཡང་དག་པར་རྫོགས་པའི་བྱང་ཆུབ་ཏུ་མངོན་པར་རྫོགས་པར་འཚང་རྒྱ་བར་འགྱུར་རོ། །ད་ལྟར་ཕྱོགས་བཅུའི་འཇིག་རྟེན་གྱི་ཁམས་ན། དེ་བཞིན་གཤེགས་པ་དགྲ་བཅོམ་པ་ཡང་དག་པར་རྫོགས་པའི་སངས་རྒྱས་གང་བཞུགས་པ་དེ་དག་ཀྱང་དེ་ཉིད་ལ་བཞུགས་ཏེ། བླ་ན་མེད་པ་ཡང་དག་པར་རྫོགས་པའི་བྱང་ཆུབ་ཏུ་མངོན་པར་རྫོགས་པར་སངས་རྒྱས་སོ། །དེ་བཞིན་གཤེགས་པ་དགྲ་བཅོམ་པ་ཡང་དག་པར་རྫོགས་པའི་སངས་རྒྱས་དེ་དག་ཐམས་ཅད་ཀྱིས། བླ་ན་མེད་པ་ཡང་དག་པར་རྫོགས་པའི་བྱང་ཆུབ་ཏུ་མངོན་པར་རྫོགས་པར་སངས་རྒྱས་ནས་ཀྱང་། སེམས་ཅན་ཐམས་ཅད་འཇིགས་པ་མེད་པ་དང་། ཁོན་[༣]མེད་པ་དང་། གཙུགས་མེད་པར་ནན་ཏན་མཛད་ནས། སེམས་ཅན་ཚད་མེད་གྲངས་མེད་པ་ལྷ་དང་མིའི་ཕུན་སུམ་ཚོགས་པ་ལ་བཀོད་པར་གྱུར་ཏོ། །བཀོད་དོ། །དགོད་པར་འགྱུར་རོ། །རྒྱུན་དུ་ཞུགས་པའི་འབྲས་བུ་དང་། ལན་ཅིག་ཕྱིར་འོང་བའི་འབྲས་བུ་དང་། ཕྱིར་མི་འོང་བའི་འབྲས་བུ་དང་། དགྲ་བཅོམ་པ་ཉིད་དང་། རང་བྱང་ཆུབ་དང་། བླ་ན་མེད་པ་ཡང་དག་པར་རྫོགས་པའི་བྱང་ཆུབ་ལ་བཀོད་པར་གྱུར་ཏོ། །བཀོད་[༤]དོ། །དགོད་པར་འགྱུར་རོ། །ཀཽ་ཤི་ཀ་དེ་ཅིའི་ཕྱིར་ཞེ་ན། ཤེས་རབ་ཀྱི་ཕ་རོལ་ཏུ་ཕྱིན་པ་

འདི་ཉིད་ཀྱིས་སའི་ཕྱོགས་དེ་སེམས་ཅན་ཐམས་ཅད་ཀྱི་མཆོད་རྟེན་དུ་བྱས་པས་མེ་ཏོག་དང་། ཕྲེང་བ་དང་། སྤོས་དང་། བྱུག་པ་དང་། ཕྱེ་མ་དང་། ན་བཟའ་དང་། གདུགས་དང་། རྒྱལ་མཚན་དང་། བ་དན་མང་པོས[1]ཕྱག་བྱ་བ་དང་། གདུད་པ་དང་། བསྟི་སྟང་དུ་བྱ་བ་དང་། རིམ་གྲོར་བྱ་བ་དང་། མཆོད་པར་བྱ་བ་དང་། བཀུར་སྟིར་བྱ་བར་གྱུར་ཏོ། །བརྒྱ་བྱིན་གྱིས་གསོལ་པ། བཅོམ་ལྡན་འདས་རིགས་ཀྱི་བུའམ། རིགས་ཀྱི་བུ་མོ་གང་ལ་ལས་ཤེས་རབ་ཀྱི་ཕ་རོལ་དུ་ཕྱིན་པ་འདི་ བྲིས་ཤིང་གླེགས་བམ་དུ་བགྱིས་ཏེ་བཅངས་ལ། དེ་ལ་མེ་ཏོག་དང་། ཕྲེང་བ་དང་། སྤོས་དང་། བྱུག་པ་དང་། ཕྱེ་མ་དང་། ན་བཟའ་དང་། གདུགས་དང་། རྒྱལ་མཚན་དང་། བ་དན་མང་པོས་རིམ་གྲོ་དང་། བཀུར་སྟི་དང་། བསྟི་སྟང་དང་། མཆོད་པ་བགྱིས་པ་དང་། གང་ལ་ལས་དེ་བཞིན་གཤེགས་པ་དགྲ་བཅོམ་པ་ཡང་དག་པར་རྫོགས་པའི་སངས་རྒྱས་ཡོངས་སུ་མྱ་ངན་ལས་འདས་པའི་དེ་བཞིན་གཤེགས་པའི་སྐུ་གདུང་རྣམས་རིན་པོ་ཆེ་སྣ་བདུན་གྱི་མཆོད་རྟེན་དུ་སྟྲལ་ཏེ། མཆོད་དམ། རིན་པོ་ཆེ་སྣ་བདུན་གྱི་སྣོད་དུ་སྟྲལ་ཏེ། དེ་ལ་མེ་ཏོག་དང་། ཕྲེང་བ་དང་། སྤོས་དང་། བྱུག་པ་དང་། ཕྱེ་མ་དང་། ན་བཟའ་དང་། གདུགས་དང་། རྒྱལ་མཚན་དང་། བ་དན་མང་པོས་རིམ་གྲོ་དང་། བཀུར་སྟི་དང་། བསྟི་སྟང་དང་། མཆོད་པ་བགྱིས་ན། དེ་གཉིས་ལས་གང་གི[2]བསོད་ནམས་ཀྱི་ཕུང་པོ་མང་དུ་འཕེལ་བ་ལགས། བཅོམ་ལྡན་འདས་ཀྱིས་བཀའ་སྩལ་པ། ཀཽ་ཤི་ཀ་དེ་བས་ན་དེ་ཁྱོད་ཉིད་ལ་དྲིས[3]། ཁྱོད་ཀྱིས་ཇི་ལྟར་བཟོད་པ་དེ་བཞིན་དུ་ལུང་སྟོན་ཅིག །ཀཽ་ཤི་ཀ་དེ་ཇི་སྙམ་དུ་སེམས། དེ་བཞིན་གཤེགས་པ་དགྲ་བཅོམ་པ་ཡང་དག་པར་རྫོགས་པའི་སངས་རྒྱས་ཀྱིས། རྣམ་པ་ཐམས་ཅད་མཁྱེན་པ་ཉིད་བརྙེས་པ་དང་། སྐུ་

འདི་ལྟ་བུ་མངོན་པར་གྲུབ་པ་དེ་ལམ་གང་ལ་བསླབས་པས། དེ་བཞིན་གཤེགས་པ་དགྲ་བཅོམ་པ་ཡང་དག་པར་རྫོགས་པའི་སངས་རྒྱས་ཀྱིས། རྣམ་པ་ཐམས་ཅད་མཁྱེན་པ་ཉིད་བརྙེས་ཏེ། སྐུ་འདི་ལྟ་བུ་མངོན་པར་གྲུབ་པར་གྱུར། བརྒྱ་བྱིན་གྱིས་གསོལ་པ། བཅོམ་ལྡན་འདས་ཤེས་རབ་ཀྱི་ཕ་རོལ་ཏུ་ཕྱིན་པ་འདི་ཉིད་ལ་བསླབས་ཏེ། དེ་བཞིན་གཤེགས་པ་དགྲ་བཅོམ་པ་ཡང་དག་པར་རྫོགས་པའི་སངས་རྒྱས་ཀྱིས། རྣམ་པ་ཐམས་ཅད་མཁྱེན་པ་ཉིད་བརྙེས་ཏེ་སྐུ་འདི་ལྟ་བུ་ཡང་མངོན་པར་གྲུབ་བོ། །བཅོམ་ལྡན་འདས་ཀྱིས་བཀའ་སྩལ་པ། ཀཽ་ཤི་ཀ་དེ་དེ་བཞིན་ནོ། །དེ་དེ་བཞིན་ཏེ། ངས་[༡]ཤེས་རབ་ཀྱི་ཕ་རོལ་ཏུ་ཕྱིན་པ་འདི་ཉིད་ལ་བསླབས་ནས། རྣམ་པ་ཐམས་ཅད་མཁྱེན་པ་ཉིད་བརྙེས་སོ། །སྐུ་འདི་འདྲ་བ་ཡང་མངོན་པར་གྲུབ་བོ། །ཀཽ་ཤི་ཀ་ངའི་སྐུ་འདི་བརྙེས་པ[༢]ནི། དེ་བཞིན་གཤེགས་པ་དེ་བཞིན་གཤེགས་པ་ཞེས་བྱ་བའི་གྲངས་སུ་ཡང་མི་འགྲོ་སྟེ། རྣམ་པ་ཐམས་ཅད་མཁྱེན་པ་ཉིད་བརྙེས་པས། དེ་བཞིན་གཤེགས་པ་དེ་བཞིན་གཤེགས་པ་ཞེས་བྱ་བའི་གྲངས་སུ་འགྲོའོ། །ཀཽ་ཤི་ཀ་རྣམ་པ་ཐམས་ཅད་མཁྱེན་པ་ཉིད་ནི་ཤེས་རབ་ཀྱི་ཕ་རོལ་ཏུ་ཕྱིན་པ་ལས་བྱུང་ངོ་། །ཀཽ་ཤི་ཀ་དེ་ལྟར་ལུས་འདི་ནི་རྣམ་པ་ཐམས་ཅད་མཁྱེན་པ་ཉིད་ཀྱི་ཡེ་ཤེས་ཀྱི་གཞི་སྟེ། གཞི་དེ་ལ་བརྟེན་ནས་དེ་བཞིན་གཤེགས་པ་དགྲ་བཅོམ་པ་ཡང་དག་པར་རྫོགས་པའི་སངས་རྒྱས་ཀྱིས། རྣམ་པ་ཐམས་ཅད་མཁྱེན་པ་ཉིད་བརྙེས་སོ། །དེ་ལྟ་བས་ན་སྐུ་འདི་ནི་རྣམ་པ་ཐམས་ཅད་མཁྱེན་པ་ཉིད་ཀྱི་ཡེ་ཤེས་དེའི་གཞིར་གྱུར་པས། སེམས་ཅན་ཐམས་ཅད་ཀྱི་མཆོད་རྟེན་དུ་གྱུར་ཅིང་ཕྱག་བྱ་བ་དང་། བསྙེ་སྟང་དུ་བྱ་བ་དང་། མཆོད་པར་བྱ་བ་དང་། རིམ་གྲོར་བྱ་བ་དང་། བཀུར་སྟིར་བྱ་བར་གྱུར་ཏེ། ཀཽ་ཤི་ཀ་དེ[༣]ཡོངས་སུ་མྱ་ངན་ལས་འདས་ནས། སྐུ་གདུང་མཆོད་པ་ཡང་སྐུ་ལ་

མཆོད་པ་[༡]ཉིད་དུ་འགྱུར་གྱི། ཆོས་ལ་མཆོད་པར་མི་འགྱུར་རོ། །ཀཽ་ཤི་ཀ་རིགས་ཀྱི་བུའམ། རིགས་ཀྱི་བུ་མོ་གང་ལ་ལས་ཤེས་རབ་ཀྱི་ཕ་རོལ་ཏུ་ཕྱིན་པ་འདི་བྲིས་ཏེ་འཛིན་ཅིང་འཆང་བ་དང་། ཀློག་ཅིང་ཀུན་ཆུབ་པར་བྱེད་པ་དང་། ཚུལ་བཞིན་དུ་ཡིད་ལ་བྱེད་པ་དང་། མེ་ཏོག་དང་། ཕྲེང་བ་དང་། སྤོས་དང་། བྱུག་པ་[༢]དང་། ཕྱེ་མ་དང་། ན་བཟའ་དང་། གདུགས་དང་། རྒྱལ་མཚན་དང་། བ་དན་མང་པོས་རིམ་གྲོ་དང་། བཀུར་སྟི་དང་། བསྟི་སྟང་དང་། མཆོད་པ་བྱས་པས་ནི། རྣམ་པ་ཐམས་ཅད་མཁྱེན་པ་ཉིད་ཀྱི་ཡེ་ཤེས་ལ་མཆོད་པ་བྱས་པར་འགྱུར་རོ། །ཀཽ་ཤི་ཀ་དེ་བས་ན་རིགས་ཀྱི་བུའམ། རིགས་ཀྱི་བུ་མོ་དད་པ་དེ་བཞིན་གཤེགས་པ་ལ་མཆོད་པར་འདོད་པས། ཤེས་རབ་ཀྱི་ཕ་རོལ་ཏུ་ཕྱིན་པ་འདི་ཉིད་བྲིས་ཏེ། གཟུང་བར་བྱའོ། །བཅང་བར་བྱའོ། །ཀློག་[༣]པར་བྱའོ། །ཀུན་ཆུབ་པར་བྱའོ། །ཚུལ་བཞིན་དུ་ཡིད་ལ་བྱའོ། །མེ་ཏོག་དང་། ཕྲེང་བ་དང་། སྤོས་དང་། བྱུག་པ་དང་། ཕྱེ་མ་དང་། ན་བཟའ་དང་། གདུགས་དང་། རྒྱལ་མཚན་དང་། བ་དན་མང་པོས་རིམ་གྲོར་བྱའོ། །བཀུར་སྟིར་བྱའོ། །བསྟི་སྟང་དུ་བྱའོ། །མཆོད་པར་བྱའོ། །ཀཽ་ཤི་ཀ་གང་ལ་ལས་དེ་བཞིན་གཤེགས་པ་ཡོངས་སུ་མྱ་ངན་ལས་འདས་པའི་སྐུ་གདུང་རིན་པོ་ཆེ་སྣ་བདུན་གྱི་[༤]མཆོད་རྟེན་དུ་བཅུག་གམ། རིན་པོ་ཆེ་སྣ་བདུན་གྱི་སྣོད་དུ་བླུགས་ཤིང་གཅེས་པར་བྱས་ཏེ། དེ་ལ་[༥]མེ་ཏོག་དང་། ཕྲེང་བ་དང་། སྤོས་དང་། བྱུག་པ་དང་། ཕྱེ་མ་དང་། ན་བཟའ་དང་། གདུགས་དང་། རྒྱལ་མཚན་དང་། བ་དན་མང་པོས་རིམ་གྲོ་དང་། བཀུར་སྟི་དང་། བསྟི་སྟང་དང་མཆོད་པ་བྱས་པ་བས། གང་གིས་ཤེས་རབ་ཀྱི་ཕ་རོལ་ཏུ་ཕྱིན་པ་འདི་བྲིས་ཏེ། བཟུང་བ་དང་། [༦]ཀུན་ཆུབ་པར་བྱས་པ་དང་། ཚུལ་བཞིན་དུ་

ཡིད་ལ་བྱས་པ་དང་། མེ་ཏོག་དང་། ཕྲེང་བ་དང་། སྤོས་དང་། བྱུག་པ་དང་། ཕྱེ་མ་དང་། ན་བཟའ་དང་། གདུགས་དང་། རྒྱལ་མཚན་དང་། བ་དན་མང་པོས་རིམ་གྲོ་དང་། བཀུར་སྟི་དང་། བསྟི་སྟང་དང་། མཆོད་པ་བྱས་ན། འདི་ཉིད་དེ་བས་བསོད་ནམས་ཆེས་མང་དུ་འཕེལ་ལོ། །ཀཽ་ཤི་ཀ་དེ་ཅིའི་ཕྱིར་ཞེ་ན། ཕ་རོལ་ཏུ་ཕྱིན་པ་ལྔ་ཡང་འདི་ལས་བྱུང་ངོ་། །ནང་སྟོང་པ་ཉིད་དང་། དངོས་པོ་མེད་པའི་ངོ་བོ་ཉིད་སྟོང་པ་ཉིད་ཀྱི་བར་ཡང་འདི་ལས་བྱུང་ངོ་། །དྲན་པ་ཉེ་བར་གཞག་པ་དང་། ཡང་དག་པར་སྤོང་བ་དང་། རྫུ་འཕྲུལ་གྱི་རྐང་པ་དང་། དབང་པོ་དང་། སྟོབས་དང་། བྱང་ཆུབ་ཀྱི་ཡན་ལག་དང་། ལམ་དང་། འཕགས་པའི་བདེན་པ་དང་། བསམ་གཏན་དང་། ཚད་མེད་པ་དང་། གཟུགས་མེད་པའི་སྙོམས་པར་འཇུག་པ་དང་། རྣམ་པར་ཐར་པ་བརྒྱད་དང་། མཐར་གྱིས་གནས་པའི་སྙོམས་པར་འཇུག་པ་དགུ་དང་། རྣམ་པར་ཐར་པའི་སྒོ་སྟོང་པ་ཉིད་དང་། མཚན་མ་མེད་པ་དང་། སྨོན་པ་མེད་པ་དང་། མངོན་པར་ཤེས་པ་དང་། ཏིང་ངེ་འཛིན་དང་། གཟུངས་ཀྱི་སྒོ་དང་། དེ་བཞིན་གཤེགས་པའི་སྟོབས་དང་། མི་འཇིགས་པ་དང་། སོ་སོ་ཡང་དག་པར་རིག་པ་དང་། སངས་རྒྱས་ཀྱི་ཆོས་མ་འདྲེས་པ་བཅོ་བརྒྱད་ཀྱང་འདི་ལས་བྱུང་ངོ་། །སེམས་ཅན་ཡོངས་སུ་སྨིན་པར་བྱ་བ་ཡང་འདི་ལས་བྱུང་ངོ་།། སངས་རྒྱས་ཀྱི་ཞིང་ཕུན་སུམ་ཚོགས་པ་ཡང་འདི་ལས་བྱུང་ངོ་། །བྱང་ཆུབ་སེམས་དཔའ་སེམས་དཔའ་ཆེན་པོའི་རིགས་ཕུན་སུམ་ཚོགས་པ་དང་། གཟུགས་ཕུན་སུམ་ཚོགས་པ་དང་། ལོངས་སྤྱོད་ཕུན་སུམ་ཚོགས་པ་དང་། འཁོར་ཕུན་སུམ་ཚོགས་པ་ཡང་འདི་ལས་བྱུང་ངོ་། །བྱམས་པ་ཆེན་པོ་ཡང་འདི་ལས་བྱུང་ངོ་། །སྙིང་རྗེ་ཆེན་པོ་ཡང་འདི་ལས་བྱུང་ངོ་། །རྒྱལ་རིགས་ཆེ་ཞིང་མཐོ་བ་དང་།

བྲམ་ཟེའི་རིགས་ཆེ་ཞིང་མཐོ་བ་དང་། ཁྱིམ་བདག་གི་རིགས་ཆེ་ཞིང་མཐོ་བ་དང་། རྒྱལ་ཆེན་བཞིའི་རིས་ཀྱི་ལྷའི་བུ་དང་། སུམ་ཅུ་རྩ་གསུམ་དང་། མཚེ་མ་དང་། དགའ་ལྡན་དང་། འཕྲུལ་དགའ་དང་། གཞན་འཕྲུལ་དབང་བྱེད་དང་། འོག་མིན་གྱི་བར་གྱི་ལྷ་རྣམས་ཀྱང་འདི་ལས་བྱུང་ངོ་། །རྒྱུན་དུ་ཞུགས་པ་དང་། ལན་ཅིག་ཕྱིར་འོང་བ་དང་། ཕྱིར་མི་འོང་བ་དང་། དགྲ་བཅོམ་པ་དང་། རང་སངས་རྒྱས་དང་། བྱང་ཆུབ་སེམས་དཔའ་དང་། དེ་བཞིན་གཤེགས་པ་དགྲ་བཅོམ་པ་ཡང་དག་པར་རྫོགས་པའི་སངས་རྒྱས་རྣམས་ཀྱི་རྣམ་པ་ཐམས་ཅད་མཁྱེན་པ་ཉིད་ཀྱང་འདི་ལས་བྱུང་ངོ་། །བརྒྱ་བྱིན་གྱིས་གསོལ་པ། བཅོམ་ལྡན་འདས་འཛམ་བུའི་གླིང་གི་མི་གང་ཤེས་རབ་ཀྱི་ཕ་རོལ་དུ་ཕྱིན་པ་འདི་ལ་རིམ་གྲོ་མི་བགྱིད། བཀུར་སྟི་མི་བགྱིད། བསྟི་སྟང་མི་བགྱིད། མཆོད་པར་མི་བགྱིད་པ་དེ་དག་གིས་ཤེས་རབ་ཀྱི་ཕ་རོལ་དུ་ཕྱིན་པ་ལ་མཆོད་པ་དེ་ལྟར་མཐུ་ཆེ་བར་མ་འཚལ་ཏམ། བཅོམ་ལྡན་འདས་ཀྱིས་བཀའ་སྩལ་པ། ཀཽ་ཤི་ཀ་དེ་ཇི་སྙམ་དུ་སེམས། འཛམ་བུའི་གླིང་གི་མི་དེ་དག་ལས་སངས་རྒྱས་ལ་མོས་པ་མི་ཕྱེད་པ་དང་ལྡན་པ་དང་། གང་ཆོས་དང་། དགེ་འདུན་ལ་མོས་པ་མི་ཕྱེད་པ་དང་ལྡན་པ་དང་། གང་སངས་རྒྱས་ལ་ནེམ་ནུར་མེད་པ་དང་། གང་ཆོས་དང་། དགེ་འདུན་ལ་ནེམ་ནུར་མེད་པ་དང་། གང་སངས་རྒྱས་ལ་ཤིན་ཏུ་རྟོན་པ་དང་། གང་ཆོས་དང་། དགེ་འདུན་ལ་ཤིན་ཏུ་རྟོན་པ་དེ་ལྟ་བུ་ནི་ཇི་སྙེད་ཅིག་ཡོད། བརྒྱ་བྱིན་གྱིས་གསོལ་པ། བཅོམ་ལྡན་འདས་འཛམ་བུའི་གླིང་གི་མི་གང་སངས་རྒྱས་ལ་མོས་པ་མི་ཕྱེད་པ་དང་ལྡན་པ་དང་། གང་ཆོས་དང་། དགེ་འདུན་ལ་མོས་པ་མི་[7]ཕྱེད་པ་དང་ལྡན་པ་དང་། གང་སངས་རྒྱས་ལ་ནེམ་ནུར་མ་མཆིས་པ་དང་། གང་ཆོས་དང་དགེ་འདུན་ལ་ནེམ་ནུར་མ་མཆིས་པ་དང་། གང་

སངས་རྒྱས་ལ་ཤིན་ཏུ་རྟོན་པ་དང་། གང་ཆོས་དང་། དགེ་འདུན་ལ་ཤིན་ཏུ་རྟོན[1]པ་དེ་ལྟ་བུ་ནི་ཉུང་ངོ་། །བཅོམ་ལྡན་འདས་ཀྱིས་བཀའ་སྩལ་པ། ཀཽ་ཤི་ཀ་དེ་ཇི་སྙམ་དུ་སེམས། འཛམ་བུའི་གླིང་གི་མི་ལས་བྱང་ཆུབ་ཀྱི་ཕྱོགས་ཀྱི་ཆོས་སུམ་ཅུ་རྩ་བདུན་ཐོབ་པ་ནི་ཇི་སྙེད་ཅིག་ཡོད། རྣམ་པར་ཐར་པའི་སྒོ་གསུམ་ཐོབ་པ་ནི་ཇི་སྙེད་ཅིག་ཡོད། རྣམ་པར་ཐར་པ་བརྒྱད་ཐོབ་པ་དེ་ལྟ་བུ་ནི་ཇི་སྙེད་ཅིག་ཡོད། མཐར་གྱིས་གནས་པའི་སྙོམས་པར་འཇུག་པ་དགུ་ཐོབ་པ་དེ་ལྟ་བུ་ནི་ཇི་སྙེད་ཅིག་ཡོད། སོ་སོ་ཡང་དག་པར་རིག་པ་བཞི་ཐོབ་པ་དེ་ལྟ་བུ་ནི་ཇི་སྙེད་ཅིག་ཡོད། མངོན་པར་ཤེས་པ་དྲུག་ཐོབ་པ་དེ་ལྟ་བུ་ནི་ཇི་སྙེད་ཅིག་ཡོད། འཛམ་བུའི་གླིང་གི་མི་ལས་ཀུན་དུ་སྦྱོར་བ་གསུམ་སྤངས[3]པའི་ཕྱིར། རྒྱུན་དུ་ཞུགས་པར་གྱུར་པ་དེ་ལྟ་བུ་ནི་ཇི་སྙེད་ཅིག་ཡོད། འདོད་ཆགས་དང་། ཞེ་སྡང་དང་། གཏི་མུག་བསྲབས་པའི་ཕྱིར། ལན་ཅིག་ཕྱིར་འོང་བར་གྱུར་པ་དེ་ལྟ་བུ་ནི་ཇི་སྙེད་ཅིག་ཡོད། དམ་པ་མ་ཡིན་པའི་ཆའི་ཀུན་དུ་སྦྱོར་བ་ལྔ་སྤངས་པའི་ཕྱིར། ཕྱིར་མི་འོང་བར་གྱུར་པ་དེ་ལྟ་བུ་ནི་ཇི་སྙེད་ཅིག་ཡོད། གོང་མའི་ཆའི་ཀུན་དུ་སྦྱོར་བ་ལྔ་སྤངས་པའི་ཕྱིར། དགྲ་བཅོམ་པར་གྱུར་པ་དེ་ལྟ་བུ་ནི་ཇི་སྙེད་ཅིག་ཡོད། རང་བྱང་ཆུབ་ཏུ་ཡང་དག་པར་ཞུགས་པར་གྱུར་པ་དེ་ལྟ་བུ་ནི་ཇི་སྙེད་ཅིག་ཡོད། བླ་ན་མེད་པ་ཡང་དག་པར་རྫོགས་པའི་བྱང་ཆུབ་ཏུ་ཡང་དག་པར་ཞུགས་པ་དེ་ལྟ་བུ་ནི་ཇི་སྙེད་ཅིག་ཡོད། བརྒྱ་བྱིན་གྱིས་གསོལ་པ། འཛམ་བུའི་གླིང་གི་མི་ལ་བྱང་ཆུབ་ཀྱི་ཕྱོགས་ཀྱི་ཆོས་སུམ་ཅུ་རྩ་བདུན་ཐོབ་པ་དེ་ལྟ་བུ་ནི་ཆེས་ཉུང་ངོ་། །དེ་བས་ཀྱང་རྣམ་པར་ཐར་པའི་སྒོ་གསུམ་ཐོབ་པ་དེ་ལྟ་བུ་ནི་ཆེས་ཉུང་ངོ་། །དེ་བས་ཀྱང་རྣམ་པར་ཐར་པ་བརྒྱད་ཐོབ་པ་དེ་ལྟ་བུ་ནི་ཆེས་ཉུང་ངོ་། །དེ་བས་ཀྱང་མཐར་གྱིས་གནས་པའི་སྙོམས་པར་འཇུག་པ་དགུ་ཐོབ་པ་དེ་ལྟ་བུ་ནི་ཆེས་ཉུང་ངོ་། །

དེ་བས་ཀྱང་སོ་སོ་ཡང་དག་པར་རིག་པ་བཞི་ཐོབ་པ་དེ་ལྟ་བུ་ནི་[1]ཆེས་ཉུང་ངོ་། །དེ་བས་ཀྱང་མངོན་པར་ཤེས་པ་དྲུག་ཐོབ་པ་དེ་ལྟ་བུ་ནི་ཆེས་ཉུང་ངོ་། །དེ་བས་ཀྱང་འཛམ་བུའི་གླིང་གི་མི་ལས་ཀུན་དུ་སྦྱོར་བ་གསུམ་སྤངས་པའི་སླད་དུ། རྒྱུན་དུ་ཞུགས་པར་གྱུར་པ་དེ་ལྟ་བུ་ནི་ཆེས་ཉུང་ངོ་། །དེ་བས་ཀྱང་འདོད་ཆགས་དང་། ཞེ་སྡང་དང་། གཏི་མུག་བསྲབས་པའི་སླད་དུ། ལན་ཅིག་ཕྱིར་འོང་བར་གྱུར་པ་དེ་ལྟ་བུ་ནི་ཆེས་ཉུང་ངོ་། །དེ་བས་ཀྱང་དམ་པ་མ་ལགས་པའི་ཆའི་ཀུན་དུ་སྦྱོར་བ་ལྔ་སྤངས་པའི་སླད་དུ། ཕྱིར་མི་འོང་བར་གྱུར་པ་དེ་ལྟ་བུ་ནི་ཆེས་ཉུང་ངོ་།། དེ་བས་ཀྱང་བླ་མའི་ཆའི་ཀུན་དུ་སྦྱོར་བ་ལྔ་སྤངས་པའི་སླད་དུ། དགྲ་བཅོམ་པར་གྱུར་པ་དེ་ལྟ་བུ་ནི་ཆེས་ཉུང་ངོ་། །དེ་བས་ཀྱང་རང་བྱང་ཆུབ་ཏུ་ཡང་དག་པར་ཞུགས་པ་དེ་ལྟ་བུ་ནི་ཆེས་ཉུང་ངོ་། །དེ་བས་ཀྱང་འཛམ་བུའི་གླིང་གི་མི་ལས་བླ་ན་མེད་པ་ཡང་དག་པར་[2]རྫོགས་པའི་བྱང་ཆུབ་ཏུ་ཡང་དག་པར་ཞུགས་པར་གྱུར་པ་དེ་ལྟ་བུ་ནི་ཆེས་ཉུང་ངོ་། །བཅོམ་ལྡན་འདས་ཀྱིས་བཀའ་སྩལ་པ། ཀཽ་ཤི་ཀ་དེ་[3]དེ་བཞིན་ནོ། །དེ་དེ་བཞིན་ཏེ། འཛམ་བུའི་གླིང་གི་མི་དེ་དག་ལས། སངས་རྒྱས་ལ་མོས་པ་མི་ཕྱེད་པ་དང་ལྡན་པ་དང་། ཆོས་ལ་མོས་པ་མི་ཕྱེད་པ་དང་ལྡན་པ་དང་། དགེ་འདུན་ལ་མོས་པ་མི་ཕྱེད་པ་དང་ལྡན་པ་དང་། སངས་རྒྱས་ལ་ནེམ་ནུར་མེད་པ་དང་། ཆོས་ལ་ནེམ་ནུར་མེད་པ་དང་། དགེ་འདུན་ལ་ནེམ་ནུར་མེད་པ་དེ་ལྟ་བུ་ནི་ཆེས་ཉུང་ངོ་། །དེ་བས་ཀྱང་སངས་རྒྱས་ལ་ཤིན་དུ་རྟོན་པ་དང་། ཆོས་ལ་ཤིན་དུ་རྟོན་པ་དང་། དགེ་འདུན་ལ་ཤིན་དུ་རྟོན་པ་དེ་ལྟ་བུ་ནི་ཆེས་ཉུང་ངོ་། །དེ་བས་ཀྱང་བྱང་ཆུབ་ཀྱི་ཕྱོགས་ཀྱི་ཆོས་སུམ་ཅུ་རྩ་བདུན་ཐོབ་པ་དེ་ལྟ་བུ་ནི་ཆེས་[4]ཉུང་ངོ་། །དེ་བས་ཀྱང་རྒྱུན་དུ་ཞུགས་པར་གྱུར་པ་དེ་ལྟ་བུ་ནི་ཆེས་ཉུང་ངོ་། །དེ་བས་ཀྱང་ལན་ཅིག་ཕྱིར་འོང་བར་གྱུར་པ་

དེ་ལྟ་བུ་ནི་ཆེས་ཉུང་ངོ་། །དེ་བས་ཀྱང་ཕྱིར་མི་འོང་བར་གྱུར་པ་དེ་ལྟ་བུ་ནི་ཆེས་ཉུང་ངོ་། །དེ་བས་ཀྱང་དགྲ་བཅོམ་པར་གྱུར་པ་དེ་ལྟ་བུ་ནི་ཆེས་ཉུང་ངོ་། །དེ་བས་ཀྱང་རང་བྱང་ཆུབ་ཏུ་ཡང་དག་པར་ཞུགས་པ་དེ་ལྟ་བུ་ནི་ཆེས་ཉུང་ངོ་། །དེ་བས་ཀྱང་བླ་ན་མེད་པ་ཡང་དག་པར་རྫོགས་པའི་བྱང་ཆུབ་ཏུ་ཡང་དག་པར་ཞུགས་པར་གྱུར་པ་དེ་ལྟ་བུ་ནི་ཆེས་ཉུང་ངོ་། །དེ་བས་ཀྱང་བྱང་ཆུབ་ཏུ་སྤྱོད་པར་གྱུར་པ་དེ་ལྟ་བུ་ནི་ཆེས་ཉུང་ངོ་། །དེ་ཅིའི་ཕྱིར་ཞེ་ན། དེ་ནི་འདི་ལྟར་སྔོན་འཁོར་བ་ན་འཁོར་བའི་ཚེ། སངས་རྒྱས་མ་མཐོང་བ་དང་། ཆོས་མ་ཐོས་པ་དང་། དགེ་འདུན་ལ་བསྙེན་མ་བཀུར་བ[1]དང་། སྦྱིན་པ་མ་བྱིན་པ་དང་། ཚུལ་ཁྲིམས་མ་བསྲུངས་པ་དང་། བཟོད་པ་མ་བསྒོམས་པ་དང་། བརྩོན་འགྲུས་མ་བརྩམས་པ་དང་། བསམ་གཏན་མ་བསྒོམས་པ་དང་། ཤེས་རབ་མ་བསྒོམས་པ་དང་། སྦྱིན་པའི་ཕ་རོལ་ཏུ་ཕྱིན་པ་མ་ཐོས་མ་བསྒོམས་པ་དང་། ཚུལ་ཁྲིམས་ཀྱི་ཕ་རོལ་ཏུ་ཕྱིན་པ་དང་། བཟོད་པའི་ཕ་རོལ་ཏུ་ཕྱིན་པ་དང་། བརྩོན་འགྲུས་ཀྱི་ཕ་རོལ་ཏུ་ཕྱིན་པ་དང་། བསམ་གཏན་གྱི་ཕ་རོལ་ཏུ་ཕྱིན་པ་དང་། ཤེས་རབ་ཀྱི་ཕ་རོལ་ཏུ་ཕྱིན་པ་མ་ཐོས་མ་བསྒོམས་པ་དང་། ནང་སྟོང་པ་ཉིད་མ་ཐོས་མ་བསྒོམས་པ་དང་། དངོས་པོ་མེད་པའི་ངོ་བོ་ཉིད་སྟོང་པ་ཉིད་ཀྱི་བར་དུ་མ་ཐོས་མ་བསྒོམས་པ་དང་། དྲན་པ་ཉེ་བར་གཞག་པ་རྣམས་མ་ཐོས་མ་བསྒོམས་པ་དང་། འཕགས་པའི་ལམ་ཡན་ལག་བརྒྱད་པའི་བར་དུ་མ་ཐོས་མ་བསྒོམས་པ་དང་། སངས་རྒྱས་ཀྱི་ཆོས་མ་འདྲེས་པ་རྣམས་ཀྱི་བར་དུ་མ་ཐོས་མ་བསྒོམས་པ་དང་། རྣམ་པ་ཐམས་ཅད་མཁྱེན་པ་ཉིད་ཀྱི་བར་དུ་མ་ཐོས་མ་བསྒོམས་པའི་ཕྱིར་རོ། །ཀཽ་ཤི་ཀ་རྣམ་གྲངས་དེས་ན་འདི་ལྟར་འཛམ་བུའི་གླིང་གི[3] སེམས་ཅན་ལས། སངས་རྒྱས་ལ་མོས་པ་མི་ཕྱེད་པ་དང་ལྡན་པ་དང་། ཆོས་

ལ་སྨོས་པ་མི་ཕྱེད་པ་དང་ལྡན་པ་དང་། དགེ་འདུན་ལ་སྨོས་པ་མི་ཕྱེད་པ་དང་ལྡན་པ་དེ་ལྟ་བུ་ནི་ཆེས་ཉུང་སྟེ། དེ་བས་ཀྱང་རང་བྱང་ཆུབ་ཏུ་ཡང་དག་པར་ཞུགས་པར་གྱུར་པའི་བར་དུ་ཆེས་ཉུང་ངོ་། །དེ་བས་ཀྱང་བླ་ན་མེད་པ་ཡང་དག་པར་རྫོགས་པའི་བྱང་ཆུབ་ཏུ་ཡང་དག་པར་ཞུགས་པར་གྱུར་པ་ཆེས་ཉུང་ངོ་། །དེ་བས་ཀྱང་བསམ་པ་དག་པས་བྱང་ཆུབ་ཏུ་སྤྱོད་པ་ནི་ཆེས་ཉུང་བར་རིག་པར་བྱའོ། །ཀཽ་ཤི་ཀ་མི་རྣམས་ལྷ་ཞིག་གི་དེ་ཇི་སྙམ་དུ་སེམས། འཛམ་བུའི་གླིང་གི་སྲོག་ཆགས་རྣམས་ལས་བྱང་ཆུབ་ཀྱི་ཕྱོགས་ཀྱི་ཆོས་སུམ་ཅུ་རྩ་བདུན་ཐོབ་པ་དང་། རྣམ་པར་ཐར་པའི་སྒོ་གསུམ་ཐོབ་པ་དང་། རྣམ་པར་ཐར་པ་བརྒྱད་ཐོབ་པ་དང་། མཐར་གྱིས་གནས་པའི་སྙོམས་པར་འཇུག་པ་དགུ་ཐོབ་པ་དང་། སོ་སོ་ཡང་དག་པར་རིག་པ་བཞི་ཐོབ་པ་དང་། མངོན་པར་ཤེས་པ་དྲུག་ཐོབ་པ་དེ་ལྟ་བུ་ནི་ཇི་སྙེད་ཅིག་ཡོད། འཛམ་བུའི་གླིང་གི་སྲོག་ཆགས་རྣམས་ལས། ཀུན་དུ་སྦྱོར་བ་གསུམ་སྤངས་པའི་ཕྱིར། རྒྱུན་དུ་ཞུགས་པར་གྱུར་པ་དང་། འདོད་ཆགས་དང་། ཞེ་སྡང་དང་། གཏི་མུག་བསྲབས་པའི་ཕྱིར། ལན་ཅིག་ཕྱིར་འོང་བར་གྱུར་པ་དང་། དམ་པ་མ་ཡིན་པའི་ཆའི་ཀུན་དུ་སྦྱོར་བ་ལྔ་སྤངས་པའི་ཕྱིར། ཕྱིར་མི་འོང་བར་གྱུར་པ་དང་། གོང་མའི་ཆའི་ཀུན་དུ་སྦྱོར་བ་ལྔ་སྤངས་པའི་ཕྱིར། དགྲ་བཅོམ་པར་གྱུར་པ་དང་། རང་བྱང་ཆུབ་ཏུ་ཡང་དག་པར་ཞུགས་པ་དེ་ལྟ་བུ་ནི་ཇི་སྙེད་ཅིག་ཡོད། འཛམ་བུའི་གླིང་གི་སྲོག་ཆགས་རྣམས་ལས་བླ་ན་མེད་པ་ཡང་དག་པར་རྫོགས་པའི་བྱང་ཆུབ་ལ་ཉེམ་ཉུར་མེད་པ་དང་། སངས་རྒྱས་དང་། ཆོས་དང་། དགེ་འདུན་ལ་ཉེམ་ཉུར་མེད་པ་ནི་ཇི་སྙེད་ཅིག་ཡོད། འཛམ་བུའི་གླིང་གི་སྲོག་ཆགས་རྣམས་ལས་མར་ཤེས་པ་དང་། ཕར་ཤེས་པ་དང་། དགེ་སྦྱོང་དུ་ཤེས་པ་དང་། བྲམ་ཟེར་ཤེས་པ་དང་། རིགས་ཀྱི་གཙོ་བོ་ལ་རིམ་གྲོ་

བྱེད་པ་དང་། སྦྱིན་པ་སྦྱིན་པ་དང་། ཚུལ་ཁྲིམས་བསྲུང་བ་དང་། གསོ་སྦྱིན་ལ་གནས་པ་དང་། འདོད་པ་ལ་ཁ་ན་མ་ཐོ་བར་འདུ་ཤེས་ཤིང་རྣམ་པར་སྤྱོད་པ་དང་། དེ་བཞིན་དུ་མི་རྟག་པར་འདུ་ཤེས་པ་དང་། བདག་མེད་པར་འདུ་ཤེས་པ་དང་། མི་གཙང་བར་[༡]འདུ་ཤེས་པ་དང་། འཇིག་རྟེན་ཐམས་ཅད་དུ་མངོན་པར་དགའ་བ་མེད་པར་འདུ་ཤེས་པ་ནི་ཇི་སྙེད་ཅིག་ཡོད། འཛམ་བུའི་གླིང་གི་སྲོག་ཆགས་རྣམས་ལས། བླ་ན་མེད་པ་ཡང་དག་པར་རྫོགས་པའི་བྱང་ཆུབ་ཏུ་ཡང་དག་པར་ཞུགས་པ་ནི་ཇི་སྙེད་ཅིག་ཡོད། བརྒྱ་བྱིན་གྱིས་གསོལ་པ། བཅོམ་ལྡན་འདས་འཛམ་བུའི་གླིང་གི་སྲོག་ཆགས་རྣམས་[༢]ལས་བྱང་ཆུབ་ཀྱི་ཕྱོགས་ཀྱི་ཆོས་སུམ་ཅུ་རྩ་བདུན་ཐོབ་པ་དང་། རྣམ་པར་ཐར་པའི་སྒོ་གསུམ་ཐོབ་པ་དང་། རྣམ་པར་ཐར་པ་བརྒྱད་ཐོབ་པ་དང་། མཐར་གྱིས་གནས་པའི་སྙོམས་པར་འཇུག་པ་དགུ་ཐོབ་པ་དང་། སོ་སོ་ཡང་དག་པར་རིག་པ་བཞི་ཐོབ་པ་དང་། མངོན་པར་ཤེས་པ་དྲུག་ཐོབ་པ་དང་། ཀུན་དུ་སྦྱོར་བ་གསུམ་སྤངས་པའི་སླད་དུ། རྒྱུན་དུ་ཞུགས་པར་གྱུར་པ་དང་། འདོད་ཆགས་དང་། ཞེ་སྡང་དང་། གཏི་མུག་བསྲབས་པའི་སླད་དུ། ལན་ཅིག་ཕྱིར་འོང་བར་གྱུར་པ་དང་། དམ་པ་མ་ལགས་པའི་ཆའི་ཀུན་དུ་སྦྱོར་བ་ལྔ་སྤངས་པའི་སླད་དུ། ཕྱིར་མི་འོང་བར་གྱུར་པ་དང་། བླ་མའི་ཆའི་ཀུན་དུ་སྦྱོར་བ་ལྔ་སྤངས་པའི་སླད་དུ། དགྲ་བཅོམ་པར་གྱུར་པ་དང་། རང་བྱང་ཆུབ་ཏུ་ཡང་དག་པར་ཞུགས་པ་དེ་ལྟ་བུ་ནི་ཤིན་དུ་ཉུང་ངོ་། །བཅོམ་ལྡན་འདས་འཛམ་བུའི་གླིང་གི་སྲོག་ཆགས་ལས། བླ་ན་མེད་པ་ཡང་དག་པར་རྫོགས་པའི་བྱང་ཆུབ་ཏུ་ཡང་དག་པར་ཞུགས་པ་དེ་ལྟ་བུ་ནི་དེ་བས་ཀྱང་ཆེས་ཉུང་ངོ་། །བཅོམ་ལྡན་འདས་ཀྱིས་བཀའ་སྩལ་པ། ཀཽ་ཤི་ཀ་དེ་དེ་བཞིན་ནོ། །དེ་དེ་བཞིན་ཏེ[༢]། ཇི་སྐད་སྨྲས་པ་དེ་

བཞིན་ཏེ། ཀཽ་ཤི་ཀ་འཛམ་བུའི་གླིང་གི་སྲོག་ཆགས་[༡]ལས། བྱང་ཆུབ་ཀྱི་ཕྱོགས་ཀྱི་ཆོས་སུམ་ཅུ་རྩ་བདུན་ཐོབ་པ་དང་། རྣམ་པར་ཐར་པའི་སྒོ་གསུམ་ཐོབ་པ་དང་། རྣམ་པར་ཐར་པ་བརྒྱད་ཐོབ་པ་དང་། མཐར་གྱིས་གནས་པའི་སྙོམས་པར་འཇུག་པ་དགུ་ཐོབ་པ་དང་། སོ་སོ་ཡང་དག་པར་རིག་པ་བཞི་ཐོབ་པ་དང་། མངོན་པར་ཤེས་པ་དྲུག་ཐོབ་པ་དང་། ཀུན་དུ་སྦྱོར་བ་གསུམ་སྤངས་པའི་ཕྱིར། རྒྱུན་དུ་ཞུགས་པ་ཐོབ་པ་དང་། འདོད་ཆགས་དང་། ཞེ་སྡང་དང་། གཏི་མུག་བསྲབས་པའི་ཕྱིར། ལན་ཅིག་ཕྱིར་འོང་བར་གྱུར་པ་དང་། དམ་པ་མ་ཡིན་པའི་ཆའི་ཀུན་དུ་སྦྱོར་བ་ལྔ་སྤངས་པའི་ཕྱིར། ཕྱིར་མི་འོང་བར་གྱུར་པ་དང་། བླ་མའི་ཆ་ཅན་གྱི་[༣]ཀུན་དུ་[༣]སྦྱོར་བ་ལྔ་སྤངས་པའི་ཕྱིར། དགྲ་བཅོམ་པར་གྱུར་པ་དང་། རང་བྱང་ཆུབ་ཏུ་ཡང་དག་པར་ཞུགས་པ་དང་། བླ་ན་མེད་པ་ཡང་དག་པར་རྫོགས་པའི་བྱང་ཆུབ་ཏུ་ཡང་དག་པར་ཞུགས་པ་དེ་ལྟ་བུ་ནི་ཉུང་སྟེ། དེ་བས་ཀྱང་གང་བླ་ན་མེད་པ་ཡང་དག་པར་རྫོགས་པའི་བྱང་ཆུབ་ཏུ་སྤྱོད་པ་དེ་ལྟ་བུ་ནི་ཆེས་ཉུང་ངོ་། །དེ་བས་ཀྱང་བླ་ན་མེད་པ་ཡང་དག་པར་རྫོགས་པའི་བྱང་ཆུབ་ཏུ་མངོན་པར་རྫོགས་པར་འཚང་རྒྱ་བར་འདོད་པ་དེ་ལྟ་བུ་ནི་ཆེས་ཉུང་ངོ་། །ཀཽ་ཤི་ཀ་ངས་འདི་ནས་སངས་རྒྱས་ཀྱི་སྤྱན་བསྒྲིབས་པ་མེད་པས། ཤར་ཕྱོགས་ཀྱི་འཇིག་རྟེན་གྱི་ཁམས་གང་གཱའི་ཀླུང་[༨]གི་བྱེ་མ་སྙེད་དག་ན། སེམས་ཅན་ཚད་མེད་གྲངས་མེད་པ་བླ་ན་མེད་པ་ཡང་དག་པར་རྫོགས་པའི་བྱང་ཆུབ་ཏུ་སྤྱོད་ཀྱང་ཤེས་རབ་ཀྱི་ཕ་རོལ་ཏུ་ཕྱིན་པའི་ཐབས་མཁས་པ་དང་མི་ལྡན་པས། དེ་ལས་གཅིག་གམ་གཉིས་ཤིག་ཕྱིར་མི་ལྡོག་པའི་ས་ལ་གནས་པར་འགྱུར་གྱི། དེ་ལས་ཕལ་ཆེར་ཉན་ཐོས་དང་། རང་སངས་རྒྱས་ཀྱི་ས་ལ་གནས་པར་འགྱུར་བ་མཐོང་ངོ་། །དེ་ཅིའི་ཕྱིར་ཞེ་ན། ཀཽ་ཤི་ཀ་བླ་ན་མེད་པ་ཡང་དག་པར་རྫོགས་

པའི་བྱང་ཆུབ་ནི་ལེ་ལོ་ཅན། བརྩོན་འགྲུས་མེད་པ། བསམ་པ་ཞན①པ། མོས་པ་དམའ་བ། ཤེས་རབ་འཆལ་པ་ཅན་རྣམས་ཀྱིས་བསྒྲུབ②དཀའོ། །ཀཽ་ཤི་ཀ་ངས་འདི་ནས་སངས་རྒྱས་ཀྱི་སྤྱན་བསྒྲིབས③པ་མེད་པས། ལྷོ་དང་། ནུབ་དང་། བྱང་དང་། བྱང་ཤར་དང་། ཤར་ལྷོ་དང་། ལྷོ་ནུབ་དང་། ནུབ་བྱང་དང་། འོག་དང་། སྟེང་གི་ཕྱོགས་ཀྱི་འཇིག་རྟེན་གྱི་ཁམས་གང་གཱའི་ཀླུང་གི་བྱེ་མ་སྙེད་དག་ན། སེམས་ཅན་ཚད་མེད་གྲངས་མེད་པ་བླ་ན་མེད་པ་ཡང་དག་པར་རྫོགས་པའི་བྱང་ཆུབ་ཏུ་སྤྱོད་ཀྱང་། ཤེས་རབ་ཀྱི་ཕ་རོལ་དུ་ཕྱིན་པའི་ཐབས་མཁས་པ་དང་མི་ལྡན་པས། དེ་ལས་གཅིག་གམ་གཉིས་ཤིག་ཕྱིར་མི་ལྡོག་པའི་ས་ལ་གནས་པར་འགྱུར་གྱི་དེ་ལས་ཕལ་ཆེར་ཉན་ཐོས་དང་རང་སངས་རྒྱས་ཀྱི་ས་ལ་གནས་པར་འགྱུར་བ་མཐོང་ངོ་། །དེ་ཅིའི་ཕྱིར་ཞེ་ན། ཀཽ་ཤི་ཀ་བླ་ན་མེད་པ་ཡང་དག་པར་རྫོགས་པའི་བྱང་ཆུབ་ནི་ལེ་ལོ་ཅན། བརྩོན་འགྲུས་མེད་པ། བསམ་པ་ཞན④པ་མོས་པ་དམའ་བ། ཤེས་རབ་འཆལ་པ་ཅན་རྣམས་ཀྱིས་བསྒྲུབ་པར་དཀའོ། །ཀཽ་ཤི་ཀ་དེ་བས་ན་རིགས་ཀྱི་བུའམ། རིགས་ཀྱི་བུ་མོ་གང་བླ་ན་མེད་པ་ཡང་དག་པར་རྫོགས་པའི་བྱང་ཆུབ་ཏུ་ཡང་དག་པར་ཞུགས་པ་དེ་དག་མྱུར་ཞིང་བདེ་བར། བླ་ན་མེད་པ་ཡང་དག་པར་རྫོགས་པའི་བྱང་ཆུབ་ཏུ་མངོན་པར་རྫོགས་པར་འཚང་རྒྱ་བར་འདོད་ན། ཡང་དང་ཡང་དུ་ཤེས་རབ་ཀྱི་ཕ་རོལ་དུ་ཕྱིན་པ་འདི་ལ་མཉན་པར་བྱའོ། །གཟུང་བར་བྱའོ། །བཅང་བར་བྱའོ། །ཀློག⑤པར་བྱའོ། །ཀུན་ཆུབ་པར་བྱའོ། །ཚུལ་བཞིན་དུ་ཡིད་ལ་བྱའོ། །དེ་དག་གིས་ཤེས་རབ་ཀྱི་ཕ་རོལ་དུ་ཕྱིན་པ་འདི་གཟུང་ཞིང་བཅང་བ་དང་། ཀློག⑥ཅིང་ཀུན་ཆུབ་པ་དང་། ཚུལ་བཞིན་དུ་ཡིད་ལ་བྱས་ཤིང་བྲིས་ཏེ། མེ་ཏོག་དང་། བདུག་སྤོས་དང་། ཕྲེང་བ་དང་། སྤོས་དང་།

བྱུག་པ་དང་། ཕྱེ་མ་དང་། ན་བཟའ་དང་། གདུགས་དང་། རྒྱལ་མཚན་དང་། བ་དན་མང་པོས་རིམ་གྲོར་བྱའོ། །བཀུར་སྟིར་བྱའོ། །བསྟི་སྟང་དུ་བྱའོ། །མཆོད་པར་བྱའོ། །དགེ་བའི་ཆོས་གང་ཇི་སྙེད་པ་གཞན་ཡང་ཤེས་རབ་ཀྱི་ཕ་རོལ་དུ་ཕྱིན་པ་འདིའི་ནང་དུ་འདུ་སྟེ། དེ་དག་ཀྱང་གཟུང་བར་བྱ། བཅང་བར་བྱ། ཀློག[1]པར་བྱ། ཀུན་ཆུབ་པར་བྱ། ཚུལ་བཞིན་དུ་ཡིད་ལ་བྱ་སྟེ། འདི་ལྟར་སྦྱིན་པའི་ཕ་རོལ་དུ་ཕྱིན་པ་དང་། ཚུལ་ཁྲིམས་ཀྱི་ཕ་རོལ་དུ་ཕྱིན་པ་དང་། བཟོད་པའི་ཕ་རོལ་དུ་ཕྱིན་པ་དང་། བརྩོན་འགྲུས་ཀྱི་ཕ་རོལ་དུ་ཕྱིན་པ་དང་། བསམ་གཏན་གྱི་ཕ་རོལ་དུ་ཕྱིན་པ་དང་། ཤེས་རབ་ཀྱི་ཕ་རོལ་དུ་ཕྱིན་པ་དང་། ནང་སྟོང་པ་ཉིད་དང་། དངོས་པོ་མེད་པའི་ངོ་བོ་ཉིད་སྟོང་པ་ཉིད་ཀྱི་བར་དང་། དྲན་པ་ཉེ་བར་གཞག་པ་རྣམས་དང་། འཕགས་པའི་ལམ་ཡན་ལག་བརྒྱད་པའི་བར་དང་། སངས་རྒྱས་ཀྱི་ཆོས་མ་འདྲེས་པ་བཅོ་བརྒྱད་ཀྱི་བར་དང་། གཞན་ཡང་སངས་རྒྱས་ཀྱི་ཆོས་ཚད་མེད་པ་གང་ཇི་སྙེད་ཤེས་རབ་ཀྱི་ཕ་རོལ་དུ་ཕྱིན་པ་འདིའི་ནང་དུ་འདུས་པ་དེ་དག་ཀྱང་གཟུང་བར་བྱའོ། །བཅང་བར་བྱའོ། །ཀློག[2]པར་བྱའོ། །ཀུན་ཆུབ་པར་བྱའོ། །ཚུལ་བཞིན་དུ་ཡིད་ལ་བྱའོ། །དེ་ཅིའི་ཕྱིར་ཞེ་ན། ཀཽ་ཤི་ཀ་དེ་ནི་འདི་ལྟར་རིགས་ཀྱི་བུའམ། རིགས་ཀྱི་བུ་མོ་དེ་དག་འདི་ལྟར་ཤེས་པར་འགྱུར་ཏེ། དེ་བཞིན་གཤེགས་པ་སྟོན་བྱང་ཆུབ་སེམས་དཔའི་སྤྱད་པ་སྤྱོད་པའི་ཚེ་ཡང་། འདི་ལྟར་ཤེས་རབ་ཀྱི་ཕ་རོལ་དུ་ཕྱིན་པ་དང་། བསམ་གཏན་གྱི་ཕ་རོལ་དུ་ཕྱིན་པ་དང་། བརྩོན་འགྲུས་ཀྱི་ཕ་རོལ་དུ་ཕྱིན་པ་དང་། བཟོད་པའི་ཕ་རོལ་དུ་ཕྱིན་པ་དང་། ཚུལ་ཁྲིམས་ཀྱི་ཕ་རོལ་དུ་ཕྱིན་པ་དང་། སྦྱིན་པའི་ཕ་རོལ་དུ་ཕྱིན་པ་དང་། ནང་སྟོང་པ་ཉིད་དང་། དངོས་པོ་མེད་པའི་ངོ་བོ་ཉིད་སྟོང་པ་ཉིད་ཀྱི་བར་དང་། དྲན་པ་ཉེ

བར་གཞག་པ་བཞི་དང་། ཡང་དག་པར་སྤོང་བ་དང་། རྫུ་འཕྲུལ་གྱི་རྐང་པ་དང་། དབང་པོ་དང་། སྟོབས་དང་། བྱང་ཆུབ་ཀྱི་ཡན་ལག་དང་། ལམ་དང་། འཕགས་པའི་བདེན་པ་དང་། བསམ་གཏན་དང་། ཚད་མེད་པ་དང་། གཟུགས་མེད་པའི་སྙོམས་པར་འཇུག་པ་དང་། རྣམ་པར་ཐར་པ་བརྒྱད་དང་། མཐར་གྱིས་གནས་པའི་སྙོམས་པར་འཇུག་པ་དགུ་དང་། རྣམ་པར་ཐར་པའི་སྒོ[༡]སྟོང་པ་ཉིད་དང་། མཚན་མ་མེད་པ་དང་། སྨོན་[༢]པ་མེད་པ་དང་། མངོན་པར་ཤེས་པ་དང་། ཏིང་ངེ་འཛིན་དང་། གཟུངས་ཀྱི་སྒོ་དང་། དེ་བཞིན་གཤེགས་པའི་སྟོབས་དང་། མི་འཇིགས་པ་དང་། སོ་སོ་ཡང་དག་པར་རིག་པ་དང་། བྱམས་པ་ཆེན་པོ་དང་། སྙིང་རྗེ་ཆེན་པོ་དང་། སངས་རྒྱས་ཀྱི་ཆོས་མ་འདྲེས་པ་བཅོ་བརྒྱད་པོ་འདི་དག་དང་། གཞན་ཡང་སངས་རྒྱས་ཀྱི་ཆོས་ཚད་མེད་པ་དག་ལ་བསླབ༔པ་མཛད་ཀྱིས[༣]། བདག་ཅག་གིས་ཀྱང་དེའི་རྗེས་སུ་བསླབ་པར་བྱའོ། །འདི་ལྟ་སྟེ། ཤེས་རབ་ཀྱི་ཕ་རོལ་ཏུ་ཕྱིན་པ་འདི་ནི་བདག་ཅག་གི་སྟོན་པའོ། །སངས་རྒྱས་ཀྱི་ཆོས་གཞན་ཚད་མེད་པའི་བར་དུ་ཡང་བདག་ཅག་གི་སྟོན་པ་སྟེ། དེ་ནི་སངས་རྒྱས་བཅོམ་ལྡན་འདས་རྣམས་ཀྱིས་བསྟན་པའོ། །རང་སངས་རྒྱས་དང་། དགྲ་བཅོམ་པ་དང་། ཕྱིར་མི་འོང་བ་དང་[༤]། ལན་ཅིག་ཕྱིར་འོང་བ་དང་། རྒྱུན་དུ་ཞུགས་པ་རྣམས་ཀྱིས་བསྟན་པ་ཡང་འདི་ཡིན་ཏེ། ཤེས་རབ་ཀྱི་ཕ་རོལ་ཏུ་ཕྱིན་པའོ། །ཤེས་རབ་ཀྱི་ཕ་རོལ་ཏུ་ཕྱིན་པ་འདི་ལ་སློབ་སློབ་པ་དང་། བསམ་གཏན་གྱི་ཕ་རོལ་ཏུ་ཕྱིན་པ་དང་། བརྩོན་འགྲུས་ཀྱི་ཕ་རོལ་ཏུ་ཕྱིན་པ་དང་། བཟོད་པའི་ཕ་རོལ་ཏུ་ཕྱིན་པ་དང་། ཚུལ་ཁྲིམས་ཀྱི་ཕ་རོལ་ཏུ་ཕྱིན་པ་དང་། སྦྱིན་པའི་ཕ་རོལ་ཏུ་ཕྱིན་པ་ལ་སློབ་སློབ་པ་དང་། ནང་སྟོང་པ་ཉིད་ལ་སློབ་སློབ་པ་དང་། དངོས་

པོ་མེད་པའི་ངོ་བོ་ཉིད་སྟོང་པ་ཉིད་ཀྱི་བར་ལ་སློབ་སློབ་པ་དང་། དྲན་པ་ཉེ་བར་གཞག་པ་རྣམས་ལ་སློབ་སློབ་པ་དང་། འཕགས་པའི་ལམ་ཡན་ལག་བརྒྱད་པའི་བར་ལ་སློབ་སློབ་པ་དང་། སངས་རྒྱས་ཀྱི་ཆོས་མ་འདྲེས་པ་རྣམས་ཀྱི་བར་ལ་སློབ་སློབ་པ་དང་། རྣམ་པ་ཐམས་ཅད་མཁྱེན་པ་ཉིད་ཀྱི་བར་ལ་སློབ་སློབ་པའི་སངས་རྒྱས་བཅོམ་ལྡན་འདས་རྣམས་དང་། རང་སངས་རྒྱས་རྣམས་དང་། དགྲ་བཅོམ་པ་རྣམས་དང་། ཕྱིར་མི་འོང་བ་རྣམས་དང་། ལན་ཅིག་ཕྱིར་འོང་བ་རྣམས་དང་། རྒྱུན་དུ་ཞུགས་པ་རྣམས་ཀྱིས་ཀྱང་ཕ་རོལ་ཏུ་ཕྱིན་པར་གྱུར་ཏོ། །ཕ་རོལ་ཏུ་ཕྱིན་ཏོ། །ཕ་རོལ་ཏུ་ཕྱིན་པར་འགྱུར་རོ་ཞེས་བྱ་བར་ཤེས་པར་འགྱུར་རོ། །ཀཽ་ཤི་ཀ་དེ་བས་ན་རིགས་ཀྱི་བུའམ། རིགས་ཀྱི་བུ་མོ་དེ་དག་གིས་དེ་བཞིན་གཤེགས་པ་བཞུགས་ཀྱང་རུང་། དེ་བཞིན་གཤེགས་པ་ཡོངས་སུ་མྱ་ངན་ལས་འདས་ཀྱང་རུང་སྟེ། ཤེས་རབ་ཀྱི་ཕ་རོལ་ཏུ་ཕྱིན་པ་འདི་ཉིད་ལ་བརྟེན་པར་བྱའོ། །དེ་ཅིའི་ཕྱིར་ཞེ་ན། ཀཽ་ཤི་ཀ་ཤེས་རབ་ཀྱི་ཕ་རོལ་ཏུ་ཕྱིན་པ་འདི་ཉིད་ཉན་ཐོས་དང་། རང་སངས་རྒྱས་དང་། བྱང་ཆུབ་སེམས་དཔའ་སེམས་དཔའ་ཆེན་པོ་ཐམས་ཅད་ཀྱི་རྟེན་ཡིན་ཏེ། ལྷ་དང་མི་དང་། ལྷ་མ་ཡིན་གྱི་སྐྱེ་དགུའི་བར་གྱི་རྟེན་ཡིན་නོ། །དེ་དག་གིས་བསམ་གཏན་གྱི་ཕ་རོལ་ཏུ་ཕྱིན་པ་དང་། བརྩོན་འགྲུས་ཀྱི་ཕ་རོལ་ཏུ་ཕྱིན་པ་དང་། བཟོད་པའི་ཕ་རོལ་ཏུ་ཕྱིན་པ་དང་། ཚུལ་ཁྲིམས་ཀྱི་ཕ་རོལ་ཏུ་ཕྱིན་པ་དང་། སྦྱིན་པའི་ཕ་རོལ་ཏུ་ཕྱིན་པ་དང་། རྣམ་པ་ཐམས་ཅད་མཁྱེན་པ་ཉིད་ཀྱི་བར་ལ་བརྟེན་[7]པར་བྱ་སྟེ། དེ་ཅིའི་ཕྱིར་ཞེ་ན། ཀཽ་ཤི་ཀ་རྣམ་པ་ཐམས་ཅད་མཁྱེན་པ་ཉིད་འདི་ནི་ཉན་ཐོས་དང་། རང་སངས་རྒྱས་དང་། བྱང་ཆུབ་སེམས་དཔའ་སེམས་དཔའ་ཆེན་པོ་ཐམས་ཅད་ཀྱི་རྟེན་ཡིན་ཏེ། ལྷ་དང་། མི་དང་། ལྷ་མ་ཡིན་གྱི་སྐྱེ་

དགུའི་བར་གྱི་རྟེན་ཡིན་ནོ།། ||

ཤེས་རབ་ཀྱི་ཕ་རོལ་ཏུ་ཕྱིན་པ་སྟོང་ཕྲག་ཉི་ཤུ་ལྔ་པ། བམ་པོ་སུམ་ཅུ་གཉིས་པ། ཀཽ་ཤི་ཀ་རིགས་ཀྱི་བུའམ། རིགས་ཀྱི་བུ་མོ་གང་ལ་ལ་ཞིག་གིས། དེ་བཞིན་གཤེགས་པ་ཡོངས་སུ་མྱ་ངན་ལས་འདས་ནས། མཆོད་པའི་ཕྱིར་རིན་པོ་ཆེ་སྣ་བདུན་གྱིས་མཆོད་རྟེན་འཕང་དུ་དཔག་ཚད་ཙམ་ལ། རྒྱར་དཔག་ཚད་ཕྱེད་པ་བྱས་ཏེ། དེ་ལ་ནམ་འཚོའི་བར་དུ་ལྷ་རྫས་ཀྱི་མེ་ཏོག་དང་། ཕྲེང་བ་དང་། སྤོས་དང་། བྱུག་པ་དང་། ཕྱེ་མ་དང་། ཆོས་གོས་དང་། ན་བཟའ་དང་། གདུགས་དང་། རྒྱལ་མཚན་དང་། བ་དན་དང་། ལྷ་རྫས་ཀྱི་སིལ་སྙན་མང་པོས་རིམ་གྲོར་བྱས། བཀུར་སྟིར་བྱས། བསྟི་སྟང་དུ་བྱས། མཆོད་པར་བྱས་ན། ཀཽ་ཤི་ཀ་དེ་ལ་ཇི་སྙམ་དུ་སེམས། དེའི་ཕྱིར་རིགས་ཀྱི་བུའམ། རིགས་ཀྱི་བུ་མོ་དེའི་བསོད་ནམས་མང་དུ་འཕེལ་ལམ། བརྒྱ་བྱིན་གྱིས་གསོལ་པ། བཅོམ་ལྡན་འདས་མང་ངོ་། །བདེ་བར་གཤེགས་པ་མང་ངོ་།། བཅོམ་ལྡན་འདས་ཀྱིས་བཀའ་སྩལ་པ། ཀཽ་ཤི་ཀ་དེ་བས་ཀྱང་རིགས་ཀྱི་བུའམ། རིགས་ཀྱི་བུ་མོ་གང་ཤེས་རབ་ཀྱི་ཕ་རོལ་ཏུ་ཕྱིན་པ་འདི་བྲིས་ཤིང་འཛིན་པ་དང་། འཆང་བ་དང་། ཀློག་པ་དང་། ཀུན་ཆུབ་པར་བྱེད་པ་དང་། ཚུལ་བཞིན་དུ་ཡིད་ལ་བྱེད་པ་དང་། གཞན་ལ་ཡང་རྒྱ་ཆེར་སྟོན་ཅིང་། རྣམ་པ་ཐམས་ཅད་མཁྱེན་པ་ཉིད་ཀྱི་སེམས་དང་ཡང་མི་འབྲལ་ལ། གོང་དུ་མེ་ཏོག་དང་། ཕྲེང་བ་དང་། སྤོས་དང་། བྱུག་པ་དང་། ཕྱེ་མ་དང་། [༡]ན་བཟའ་དང་། གདུགས་དང་། རྒྱལ་མཚན་དང་། བ་དན་དང་། སིལ་སྙན་སྣ་ཚོགས་ཀྱིས་[༣] རིམ་གྲོར་བྱེད། བཀུར་སྟིར་བྱེད། བསྟི་སྟང་དུ་བྱེད། མཆོད་པར་བྱེད་ན། དེའི་བསོད་ནམས་ཆེས་མང་དུ་འཕེལ་ལོ། །ཀཽ་ཤི་ཀ་མཆོད་རྟེན་གཅིག་ལྟ་ཞོག་

གི༔ །ཀཽ་ཤི་ཀ་གལ་ཏེ་རིགས་ཀྱི་བུའམ། རིགས་ཀྱི་བུ་མོ་གང་ལ་ལ་ཞིག་གིས། དེ་བཞིན་གཤེགས་པ་ཡོངས་སུ་མྱ་ངན་ལས་འདས་ནས་མཆོད་པའི་ཕྱིར་འཛམ་བུའི་གླིང་འདི་རིན་པོ་ཆེ་སྣ་བདུན་ལས་བྱས་པའི་མཆོད་རྟེན་འཕང་དུ་དཔག་ཚད་ཙམ་ལ། རྒྱར་དཔག་ཚད་ཕྱེད་པས་ཡོངས་སུ་བཀང་སྟེ། དེ་དག་ལ་ནམ་འཚོའི་བར་དུ་ལྷ་རྫས་ཀྱི་མེ་ཏོག་དང་། ཕྲེང་བ་དང་། སྤོས་དང་། བྱུག་པ་དང་། ཕྱེ་མ་དང་། ཆོས་གོས་དང་། ན་བཟའ་དང་། གདུགས་དང་། རྒྱལ་མཚན་དང་། བ་དན་དང་། ལྷ་རྫས་ཀྱི་སིལ་སྙན་མང་པོས་རིམ་གྲོར་བྱས། བཀུར་སྟིར་བྱས། བསྟི་སྟང་དུ་བྱས། མཆོད་པར་བྱས་ན། ཀཽ་ཤི་ཀ་དེ་ལ་ཇི་སྙམ་དུ་སེམས། དེའི་ཕྱིར་རིགས་ཀྱི་བུའམ། རིགས་ཀྱི་བུ་མོ་དེའི་བསོད་ནམས་མང་དུ་འཕེལ་ལམ། བརྒྱ་བྱིན་གྱིས་གསོལ་པ། བཅོམ་ལྡན་འདས་མང་ངོ་། །བདེ་བར་གཤེགས་པ་མང་ངོ་། །བཅོམ་ལྡན་འདས་ཀྱིས་བཀའ་སྩལ་པ། ཀཽ་ཤི་ཀ་དེ་བས་ཀྱང་རིགས་ཀྱི་བུའམ། རིགས་ཀྱི་བུ་མོ་གང་ཤེས་རབ་ཀྱི་ཕ་རོལ་ཏུ་ཕྱིན་པ་འདི་བྲིས་ཤིང་འཛིན་པ་དང་། འཆང་བ་དང་། ཀློག་པ་དང་། ཀུན་ཆུབ་པར་བྱེད་པ་དང་། ཚུལ་བཞིན་དུ་ཡིད་ལ་བྱེད་ཅིང་། རྣམ་པ་ཐམས་ཅད་མཁྱེན་པ་ཉིད་ཀྱི་སེམས་དང་ཡང་མི་འབྲལ་ལ། གོང་དུ་མེ་ཏོག་དང་། ཕྲེང་བ་དང་། སྤོས་དང་། བྱུག་པ་དང་། ཕྱེ་མ་དང་། ན་བཟའ་དང་། གདུགས་དང་། རྒྱལ་མཚན་དང་། བ་དན་དང་། སིལ་སྙན་སྣ་ཚོགས་ཀྱིས་རིམ་གྲོར་བྱེད། བཀུར་སྟིར་བྱེད། བསྟི་སྟང་དུ་བྱེད། མཆོད་པར་བྱེད་ན། དེའི་བསོད་ནམས་ཆེས་མང་དུ་འཕེལ་ལོ། །ཀཽ་ཤི་ཀ་འཛམ་བུའི་གླིང་འདི་དེ་བཞིན་གཤེགས་པའི་མཆོད་རྟེན་གྱིས་ཡོངས་སུ་བཀང་བ་ལྟ་ཞོག་གི། ཀཽ་ཤི་ཀ་གལ་ཏེ་རིགས་ཀྱི་བུའམ། རིགས་ཀྱི་བུ་མོ་གང་ལ་ལ་ཞིག་

གིས༔ དེ་བཞིན་གཤེགས་པ་ཡོངས་སུ་མྱ་ངན་ལས་འདས་ནས། མཆོད་པའི་ཕྱིར་གླིང་བཞི་པའི་འཇིག་རྟེན་གྱི་ཁམས་འདི་རིན་པོ་ཆེ་སྣ་བདུན་ལས་བྱས་པའི་མཆོད་རྟེན་འཕང་དུ་དཔག་ཚད་ཙམ་ལ། རྒྱར་དཔག་ཚད་ཕྱེད་པས་ཡོངས་སུ་བཀང་སྟེ། དེ་དག་ལ་ནམ་འཚོའི་བར་དུ་ལྷ་རྫས་ཀྱི་མེ་ཏོག་དང་། ཕྲེང་བ་དང་། སྤོས་དང་། བྱུག་པ་དང་། ཕྱེ་མ་དང་། ཆོས་གོས་དང་། ན་བཟའ་དང་། གདུགས་དང་། རྒྱལ་མཚན་དང་། བ་དན་དང་། ལྷ་རྫས་ཀྱི་སིལ་སྙན་མང་པོས་རིམ་གྲོར་བྱས། བཀུར་སྟིར་བྱས། བསྟི་སྟང་དུ་བྱས། མཆོད་པར་བྱས་ན། ཀཽ་ཤི་ཀ་དེ་ལ་ཇི་སྙམ་དུ་སེམས། དེའི་ཕྱིར་རིགས་ཀྱི་བུའམ༔ རིགས་ཀྱི་བུ་མོ་དེའི་བསོད་ནམས་མང་དུ་འཕེལ་ལམ། བརྒྱ་བྱིན་གྱིས་གསོལ་པ། བཅོམ་ལྡན་འདས་མང་ངོ་། །བདེ་བར་གཤེགས་པ་མང་ངོ་། །བཅོམ་ལྡན་འདས་ཀྱིས་བཀའ་སྩལ་པ། ཀཽ་ཤི་ཀ་དེ་བས་ཀྱང་རིགས་ཀྱི་བུའམ། རིགས་ཀྱི་བུ་མོ་གང་ཤེས་རབ་ཀྱི་ཕ་རོལ་ཏུ་ཕྱིན་པ་འདི་གླེགས་བམ་དུ་བྱས་ཏེ། འཛིན་པ་དང་། འཆང་བ་དང་། ཀློག་པ་དང་། ཀུན་ཆུབ་པར་བྱེད་པ་དང་། ཚུལ་བཞིན་དུ་ཡིད་ལ་བྱེད་པ་དང་། བྲིས་ཤིང་མེ་ཏོག་དང་། ཕྲེང་བ་དང་། སྤོས་དང་། བྱུག་པ་དང་། ཕྱེ་མ་དང་། ན་བཟའ་དང་། གདུགས་དང་། རྒྱལ་མཚན་དང་། བ་དན་དང་། སིལ་སྙན་སྣ་ཚོགས་ཀྱིས་རིམ་གྲོར་བྱེད། བཀུར་སྟིར་བྱེད། བསྟི་སྟང་དུ་བྱེད། མཆོད་པར་བྱེད་ན། དེའི་བསོད་ནམས་ཆེས་མང་དུ་འཕེལ་ལོ། །ཀཽ་ཤི་ཀ་གླིང་བཞི་པའི་འཇིག་རྟེན་གྱི་ཁམས་དེ་བཞིན་གཤེགས་པའི་མཆོད་རྟེན་གྱིས་ཡོངས་སུ་བཀང་བ་ལྟ་ཞོག་གི། ཀཽ་ཤི་ཀ་གལ་ཏེ་རིགས་ཀྱི་བུའམ་རིགས་ཀྱི་བུ་མོ་གང་ལ་ལ་ཞིག་གིས། དེ་བཞིན་གཤེགས་པ་ཡོངས་སུ་མྱ་ངན་ལས་འདས་ནས་མཆོད་པའི་ཕྱིར། སྟོང་གི་འཇིག

རྗེན་གྱི་ཁམས་བྱུར་བུ་འདི་རིན་པོ་ཆེ་སྣ་བདུན་ལས་བྱས་པའི་མཆོད་རྗེན་འཕང་དུ་དཔག་ཚད་ཙམ་ལ། རྒྱར་དཔག་ཚད་ཕྱེད་པས་ཡོངས་སུ་བཀང་སྟེ། དེ་དག་ལ་[1]ནམ་འཚོའི་བར་དུ་ལྷ་རྫས་ཀྱི་མེ་ཏོག་དང་། ཕྲེང་བ་དང་། སྤོས་དང་། བྱུག་པ་དང་། ཕྱེ་མ་དང་། ན་བཟའ་དང་། གདུགས་དང་། རྒྱལ་མཚན་དང་། བ་དན་དང་། ལྷ་རྫས་ཀྱི་སིལ་སྙན་མང་པོས་རིམ་གྲོར་བྱས། བཀུར་སྟིར་བྱས། བསྟི་སྟང་དུ་བྱས། མཆོད་པར་བྱས་ན། ཀཽ་ཤི་ཀ་དེ་ལ་ཇི་སྙམ་དུ་སེམས། དེའི་ཕྱིར་རིགས་ཀྱི་བུའམ། རིགས་ཀྱི་བུ་མོ་དེའི་བསོད་ནམས་མང་དུ་འཕེལ་ལམ། བརྒྱ་[2]བྱིན་གྱིས་གསོལ་པ། བཅོམ་ལྡན་འདས་མང་ངོ་། །བདེ་བར་གཤེགས་པ་མང་ངོ་། །བཅོམ་ལྡན་འདས་ཀྱིས་བཀའ་སྩལ་པ། ཀཽ་ཤི་ཀ་དེ་བས་ཀྱང་རིགས་ཀྱི་བུའམ། རིགས་ཀྱི་བུ་མོ་གང་ཤེས་རབ་ཀྱི་ཕ་རོལ་དུ་ཕྱིན་པ་འདི་གླེགས་བམ་དུ་བྱས་ཤིང་འཛིན་པ་དང་། འཆང་བ་དང་། ཀློག་པ་དང་། ཀུན་ཆུབ་པར་བྱེད་པ་དང་། ཚུལ་བཞིན་དུ་ཡིད་ལ་བྱེད་པ་དང་། ཁྲིས་ཤིང་མེ་ཏོག་དང་། ཕྲེང་བ་དང་། སྤོས་དང་བྱུག་པ་དང་། ཕྱེ་མ་དང་། ན་བཟའ་དང་། གདུགས་དང་། རྒྱལ་མཚན་དང་། བ་དན་དང་། སིལ་སྙན་སྣ་ཚོགས་ཀྱིས་རིམ་གྲོར་བྱེད། བཀུར་སྟིར་བྱེད། བསྟི་སྟང་དུ་བྱེད། མཆོད་པར་བྱེད་ན། དེའི་བསོད་ནམས་ཆེས་མང་དུ་འཕེལ་ལོ། །ཀཽ་ཤི་ཀ་སྟོང་གི་འཇིག་རྟེན་གྱི་ཁམས་བྱུར་བུ་དེ་བཞིན་གཤེགས་པའི་མཆོད་རྗེན་གྱིས་ཡོངས་སུ་བཀང་བ་ལྟ་ཞོག་གི། ཀཽ་ཤི་ཀ་གལ་ཏེ་རིགས་ཀྱི་བུའམ། རིགས་ཀྱི་བུ་མོ་གང་[3]ལ་ལ་ཞིག་གིས། དེ་བཞིན་གཤེགས་པ་ཡོངས་སུ་མྱ་ངན་ལས་འདས་ནས་མཆོད་པའི་ཕྱིར། འཇིག་རྟེན་གྱི་ཁམས་འབྲིང་པོ་སྟོང་གཉིས་པ་འདི་རིན་པོ་ཆེ་སྣ་བདུན་ལས་བྱས་པའི་མཆོད་རྗེན་འཕང་དུ་དཔག་ཚད་ཙམ་ལ། རྒྱར་དཔག་ཚད

ཕྱེད་པས་ཡོངས་སུ་བཀང་སྟེ། དེ་དག་ལ་ནམ་འཚོའི་བར་དུ་ལྷ་རྫས་ཀྱི་མེ་ཏོག་དང་། ཕྲེང་བ་དང་། སྤོས་དང་། བྱུག་པ་དང་། ཕྱེ་མ་དང་། ན་བཟའ་དང་། གདུགས་དང་། རྒྱལ་མཚན་དང་། བ་དན་དང་། སིལ་སྙན་མང་པོས་རིམ་གྲོར་བྱས། བཀུར་སྟིར་བྱས། བསྟི་སྟང་དུ་བྱས། མཆོད་པར་བྱས་ན། ཀཽ་ཤི་ཀ་དེ་ལ་ཇི་སྙམ་དུ་སེམས། དེའི་ཕྱིར་རིགས་ཀྱི་བུའམ། རིགས་ཀྱི་བུ་མོ་དེ་[༡]དེའི་བསོད་ནམས་མང་དུ་འཕེལ་ལམ། བརྒྱ་བྱིན་གྱིས་གསོལ་པ། བཅོམ་ལྡན་འདས་མང་ངོ་། བདེ་བར་གཤེགས་པ་མང་ངོ་། །བཅོམ་ལྡན་འདས་ཀྱིས་བཀའ་སྩལ་པ། ཀཽ་ཤི་ཀ་དེ་བས་ཀྱང་རིགས་ཀྱི་བུའམ། རིགས་ཀྱི་བུ་མོ་གང་ཤེས་རབ་ཀྱི་ཕ་རོལ་དུ་ཕྱིན་པ་འདི་བྲིས་ཤིང་འཛིན་པ་དང་། འཆང་བ་དང་། ཀློག་པ་དང་། ཀུན་ཆུབ་པར་བྱེད་པ་དང་། ཚུལ་བཞིན་དུ་ཡིད་ལ་བྱེད་ཅིང་། མེ་ཏོག་དང་། ཕྲེང་བ་དང་། སྤོས་དང་། བྱུག་པ་དང་། ཕྱེ་མ་དང་། ན་བཟའ་དང་། གདུགས་དང་། རྒྱལ་མཚན་དང་། བ་དན་དང་། སིལ་སྙན་སྣ་ཚོགས་ཀྱིས་རིམ་གྲོར་བྱེད། བཀུར་སྟིར་བྱེད། བསྟི་སྟང་དུ་བྱེད། མཆོད་པར་བྱེད་ན། དེའི་བསོད་ནམས་ཆེས་[༢]མང་དུ་འཕེལ་ལོ། །ཀཽ་ཤི་ཀ་འཇིག་རྟེན་གྱི་ཁམས་འབྲིང་པོ་སྟོང་གཉིས་པ་འདི། དེ་བཞིན་གཤེགས་པའི་མཆོད་རྟེན་གྱིས་ཡོངས་སུ་བཀང་བ་ལྟ་ཞོག་གི། ཀཽ་ཤི་ཀ་གལ་ཏེ་རིགས་ཀྱི་བུའམ། རིགས་ཀྱི་བུ་མོ་གང་ལ་ལ་ཞིག་གིས། དེ་བཞིན་གཤེགས་པ་ཡོངས་སུ་མྱ་ངན་ལས་འདས་ནས་མཆོད་པའི་ཕྱིར། སྟོང་གསུམ་གྱི་སྟོང་ཆེན་པོའི་འཇིག་རྟེན་གྱི་ཁམས་རིན་པོ་ཆེ་སྣ་བདུན་ལས་བྱས་པའི་མཆོད་རྟེན་འཕང་དུ་དཔག་ཚད་ཙམ་ལ། རྒྱར་དཔག་ཚད་ཕྱེད་པས་ཡོངས་སུ་བཀང་སྟེ། དེ་དག་ལ་ནམ་འཚོའི་བར་དུ་ལྷ་རྫས་ཀྱི་མེ་ཏོག་དང་། ཕྲེང་བ་དང་། སྤོས་

དང་། བྱུག་པ་དང་། ཕྱེ་མ་དང་། ན་བཟའ་དང་། གདུགས་དང་།
རྒྱལ་མཚན་དང་། བ་དན་དང་། ལྷ་རྫས་ཀྱི་སིལ་སྙན་མང་པོས་རིམ་གྲོར་བྱས།
བཀུར་སྟིར་བྱས། བསྟི་སྟང་དུ་བྱས། མཆོད་པར་བྱས་ན། ཀཽ་ཤི་ཀ་དེ་ལ་ཇི་
སྙམ་དུ་སེམས། རིགས་ཀྱི་བུའམ། རིགས་ཀྱི་བུ་མོ་དེའི་བསོད་ནམས་མང་དུ་
འཕེལ་ལམ། བརྒྱ་བྱིན་གྱིས་གསོལ་པ། བཅོམ་ལྡན་འདས་མང་ངོ་། །བདེ་
བར་གཤེགས་པ་མང་ངོ་། །བཅོམ་ལྡན་འདས་ཀྱིས་བཀའ་སྩལ་པ། ཀཽ་ཤི་ཀ་
དེ་བས་ཀྱང་རིགས་ཀྱི་བུའམ། རིགས་ཀྱི་བུ་མོ་གང་ཤེས་རབ་ཀྱི་ཕ་རོལ་དུ་ཕྱིན་
པ་འདི་བྲིས་ཤིང་འཛིན་པ་དང་། འཆང་བ་དང་། ཀློག་པ་དང་། ཀུན་
ཆུབ་པར་བྱེད་པ་དང་། ཚུལ་བཞིན་དུ་ཡིད་ལ་བྱེད་ཅིང་། མེ་ཏོག་དང་།
ཕྲེང་བ་དང་། སྤོས་དང་། བྱུག་པ་དང་། ཕྱེ་མ་དང་། ན་བཟའ་དང་།
གདུགས་དང་། རྒྱལ་མཚན་དང་། བ་དན་དང་། སིལ་སྙན་སྣ་ཚོགས་ཀྱིས་
རིམ་གྲོར་བྱེད། བཀུར་སྟིར་བྱེད། བསྟི་སྟང་དུ་བྱེད། མཆོད་པར་བྱེད་ན།
དེའི་བསོད་ནམས་ཆེས་མང་དུ་འཕེལ་ལོ། །ཀཽ་ཤི་ཀ་སྟོང་གསུམ་གྱི་སྟོང་ཆེན་པོའི་
འཇིག་རྟེན་གྱི་ཁམས་དེ་བཞིན་གཤེགས་པའི་མཆོད་རྟེན་གྱིས་ཡོངས་སུ་བཀང་བ་
ལྟ་ཞོག་གི། ཀཽ་ཤི་ཀ་སྟོང་གསུམ་གྱི་སྟོང་ཆེན་པོའི་འཇིག་རྟེན་གྱི་ཁམས་ན།
སེམས་ཅན་ཇི་སྙེད་ཡོད་པ་དེ་དག་ལས་སེམས་ཅན་རེ་རེས། དེ་བཞིན་གཤེགས་
པ་ཡོངས་སུ་མྱ་ངན་ལས་འདས་ནས་མཆོད་པའི་ཕྱིར། རིན་པོ་ཆེ་སྣ་བདུན་ལས་
བྱས་པའི་མཆོད་རྟེན་འཕང་དུ་དཔག་ཚད་ཙམ་ལ། རྒྱར་དཔག་ཚད་ཕྱེད་པ་ཤ་
སྟག་བྱས་ཏེ། དེ་དག་ལ་ནམ་འཚོའི་བར་དུ་ལྷ་རྫས་ཀྱི་མེ་ཏོག་དང་ཕྲེང་བ་དང་།
སྤོས་དང་། བྱུག་པ་དང་། ཕྱེ་མ་དང་། ན་བཟའ་དང་། གདུགས་དང་།
རྒྱལ་མཚན་དང་། བ་དན་དང་། ལྷ་རྫས་ཀྱི་སིལ་སྙན་མང་པོས་རིམ་གྲོར་བྱས།

བཀུར་སྟིར་བྱས། བསྟི་སྟང་དུ་བྱས། མཆོད་པར་བྱས་པ་བས། རིགས་ཀྱི་བུའམ། རིགས་ཀྱི་བུ་མོ་གང་ལ་ལས། ཤེས་རབ་ཀྱི་ཕ་རོལ་དུ་ཕྱིན་པ་འདི་བྲིས་ཤིང་བཟུང་བ་དང་། བཅངས་པ་དང་། ཀླགས[1]པ་དང་། ཀུན་ཆུབ་པར་བྱས་པ་དང་། ཚུལ་བཞིན་དུ་ཡིད་ལ་བྱས་པ་དང་། རྣམ་པ་ཐམས་ཅད་མཁྱེན་པ་ཉིད་ཀྱི་སེམས་དང་ཡང་མ་བྲལ[2]བར་བྱས་ཏེ། དེ་ལ་མེ་ཏོག་དང་། ཕྲེང་བ་དང་། སྤོས་དང་། བྱུག་པ་དང་། ཕྱེ་མ་དང་། ན་བཟའ་དང་། གདུགས་དང་། རྒྱལ་མཚན་དང་། བ་དན་དང་། སིལ་སྙན་སྣ་ཚོགས་ཀྱིས་རིམ་གྲོར་བྱས། བཀུར་སྟིར་བྱས། བསྟི་སྟང་དུ་བྱས། མཆོད་པར་བྱས་ན། དེ་ཉིད་བསོད་ནམས་ཆེས[3]མང་དུ་འཕེལ་ལོ། །བརྒྱ་བྱིན་གྱིས་གསོལ་པ། བཅོམ་ལྡན་འདས་དེ་དེ་ལགས་སོ། །བདེ་བར་གཤེགས་པ་དེ་དེ་ལགས་ཏེ། བཅོམ་ལྡན་འདས་ཤེས་རབ་ཀྱི་ཕ་རོལ་དུ་ཕྱིན་པ་ལ་རིམ་གྲོར་བགྱིས་པ་དང་། བཀུར་སྟིར་བགྱིས་པ་དང་། བསྟི་སྟང་དུ་བགྱིས་པ་དང་། མཆོད་པར་བགྱིས་པས་ནི། འདས་པ་དང་། མ་བྱོན་པ་དང་། ད་ལྟར་བྱུང་བའི་དེ་བཞིན་གཤེགས་པ་དགྲ་བཅོམ་པ་ཡང་དག་པར་རྫོགས་པའི་སངས་རྒྱས་རྣམས་ལ་རིམ་གྲོར་བགྱིས་པ་དང་། བཀུར་སྟིར་བགྱིས་པ་དང་། བསྟི་སྟང་དུ་བགྱིས་པ་དང་། མཆོད་པར་བགྱིས་པར་འགྱུར་རོ། །ཤར་ཕྱོགས་ཀྱི་འཛིག་རྟེན་གྱི་ཁམས་གང་གཱའི[4]ཀླུང་གི་བྱེ་མ་སྙེད་ན། སེམས་ཅན་ཇི་སྙེད་ཅིག་མཆིས་པ་དེ་དག་ལས། སེམས་ཅན་རེ་རེས་ཀྱང་དེ་བཞིན་གཤེགས་པ་ཡོངས་སུ་མྱ་ངན་ལས་འདས་ནས་མཆོད་པའི་སླད་དུ། རིན་པོ་ཆེ་སྣ་བདུན་ལས་བགྱིས་པའི་མཆོད་རྟེན་འཕང་དུ་དཔག་ཚད་ཙམ་ལ། རྒྱར་དཔག་ཚད་ཕྱེད་པ་ཤ་སྟག་བགྱིས་ཏེ། དེ་དག་ལ་བསྐལ་པའམ། བསྐལ་པའི་ལྷག་མར་ལྷ་རྫས་ཀྱི་མེ་ཏོག་དང་། ཕྲེང་བ་

དང་། སྤོས་དང་། བྱུག་པ་དང་། ཕྱེ་མ་དང་། ན་བཟའ་དང་།
གདུགས་དང་། རྒྱལ་མཚན་དང་། བ་དན་དང་། ལྷ་རྫས་ཀྱི་སིལ་སྙན་སྣ་
ཚོགས་ཀྱིས་རིམ་གྲོར་བགྱིས། བཀུར་སྟིར་བགྱིས། བསྟི་སྟང་དུ་བགྱིས།
མཆོད་པར་བགྱིས་པ་དང་། ཞོ་དང་། ཉུབ་དང་། བྱང་དང་། བྱང་ཤར་
དང་། ཤར་ལྷོ་དང་། ལྷོ་ནུབ་དང་། ནུབ་བྱང་དང་[1]། འོག་དང་།
སྟེང་གི་ཕྱོགས་ཀྱི་ཕྱོགས་རེ་རེ་ཞིང་འཇིག་རྟེན་གྱི་ཁམས་གཉྷའི་ཀླུང་གི་བྱེ་མ་སྙེད་ན།
སེམས་ཅན་ཇི་སྙེད་ཅིག་མཆིས་པ་དེ་དག་ལས། སེམས་ཅན་རེ་རེས་ཀྱང་དེ་
བཞིན་གཤེགས་པ་ཡོངས་སུ་མྱ་ངན་ལས་འདས་ནས་མཆོད་པའི་སླད་དུ། རིན་
པོ་ཆེ་སྣ་བདུན་ལས་བགྱིས་པའི་མཆོད་རྟེན་འཕང་དུ་དཔག་ཚད་ཙམ་ལ། རྒྱར་
དཔག་ཚད་ཕྱེད་པ་ཤ་སྟག་བགྱིས་ཏེ། དེ་དག་ལ་བསྐལ་པའམ། བསྐལ་པའི་
ལྷག་མར་[2]ལྷ་རྫས་ཀྱི་མེ་ཏོག་དང་། ཕྲེང་བ་དང་། སྤོས་དང་། བྱུག་པ་
དང་། ཕྱེ་མ་དང་། ན་བཟའ་དང་། གདུགས་དང་། རྒྱལ་མཚན་དང་།
བ་དན་དང་། ལྷ་རྫས་ཀྱི་སིལ་སྙན་སྣ་ཚོགས་ཀྱིས་རིམ་གྲོར་བགྱིས། བཀུར་
སྟིར་བགྱིས། བསྟི་སྟང་དུ་བགྱིས། མཆོད་པར་བགྱིས་ན། བཅོམ་ལྡན་
འདས་དེ[3]ལ་ཇི་ལྟར་དགོངས། དེའི་སླད་དུ་རིགས་ཀྱི་བུའམ། རིགས་ཀྱི་བུ་
མོ་དེ་དག་གི་བསོད་ནམས་མང་དུ་འཕེལ་བ་ལགས་སམ། བཅོམ་ལྡན་འདས་
ཀྱིས་བཀའ་སྩལ་པ། ཀཽ་ཤི་ཀ་མང་ངོ་། །བརྒྱ་བྱིན་གྱིས་གསོལ་པ། བཅོམ་
ལྡན་འདས་དེ་བས་ཀྱང་རིགས་ཀྱི་བུའམ། རིགས་ཀྱི་བུ་མོ་གང་ཤེས་རབ་ཀྱི་ཕ་
རོལ་ཏུ་ཕྱིན་པ་འདི་བྲིས་ཤིང་འཛིན་པ་དང་། འཆང་བ་དང་། ཀློག་པ་དང་།
ཀུན་ཆུབ་པར་བགྱིད་ཅིང་། དེ་ལ་མེ་ཏོག་དང་། ཕྲེང་བ་དང་། སྤོས་དང་།
བྱུག་པ་[4]དང་། ཕྱེ་མ་དང་། ན་བཟའ་དང་། གདུགས་དང་། རྒྱལ་

མཚན་དང་། པ་དན་དང་། སིལ་སྙན་སྣ་ཚོགས་ཀྱིས་རིམ་གྲོར་བགྱིས། བཀུར་སྟིར་བགྱིས། བསྟི་སྟང་དུ་བགྱིས། མཆོད་པར་བགྱིས་ན། དེའི་བསོད་ནམས་ཆེས་མང་དུ་འཕེལ་ལོ། །དེ་ཅིའི་སླད་དུ་ཞེ་ན། བཅོམ་ལྡན་འདས་ཤེས་རབ་ཀྱི་ཕ་རོལ་དུ་ཕྱིན་པ་འདིའི་ནང་དུ་དགེ་བའི་ཆོས་ཐམས་ཅད་འདུས་ཏེ། འདི་ལྟར་དགེ་བ་བཅུའི་ལས་ཀྱི་ལམ་དང་། བསམ་གཏན་བཞི་དང་། ཚད་མེད་པ་བཞི་དང་། གཟུགས་མེད་པའི་སྙོམས་པར་འཇུག་པ་བཞི་དང་། སྦྱིན་པའི་ཕ་རོལ་དུ་ཕྱིན་པ་དང་། ཚུལ་ཁྲིམས་ཀྱི་ཕ་རོལ་དུ་ཕྱིན་པ་དང་། བཟོད་པའི་ཕ་རོལ་དུ་ཕྱིན་པ་དང་། བརྩོན་འགྲུས་ཀྱི་ཕ་རོལ་དུ་ཕྱིན་པ་དང་། བསམ་གཏན་གྱི་ཕ་རོལ་དུ་ཕྱིན་པ་དང་། ཤེས་རབ་ཀྱི་ཕ་རོལ་དུ་ཕྱིན་པ་དང་། ནང་སྟོང་པ་ཉིད་དང་། དངོས་པོ་མེད་པའི་ངོ་བོ་ཉིད་སྟོང་པ་ཉིད་ཀྱི་བར་དང་། དྲན་པ་ཉེ་བར་གཞག་པ་རྣམས་དང་། ཡང་དག་པར་སྤོང་བ་རྣམས་དང་། རྫུ་འཕྲུལ་གྱི་རྐང་པ་རྣམས་དང་། དབང་པོ་རྣམས་དང་། སྟོབས་རྣམས་དང་། བྱང་ཆུབ་ཀྱི་ཡན་ལག་རྣམས་དང་། འཕགས་པའི་ལམ་ཡན་ལག་བརྒྱད་པ་དང་། རྣམ་པར་ཐར་པའི་སྒོ་སྟོང་པ་ཉིད་དང་། མཚན་མ་མེད་པ་དང་། སྨོན་པ་མེད་པ་དང་། འཕགས་པའི་བདེན་པ་དང་། སྡུག་བསྔལ་བ་[༡]དང་། ཀུན་འབྱུང་བ་དང་། འགོག་པ་དང་། ལམ་བཞི་[༣]དང་། མངོན་པར་ཤེས་པ་དྲུག་དང་། རྣམ་པར་ཐར་པ་བརྒྱད་དང་། མཐར་གྱིས་གནས་པའི་སྙོམས་པར་འཇུག་པ་དགུ་དང་། ཏིང་ངེ་འཛིན་ཐམས་ཅད་དང་། གཟུངས་ཀྱི་སྒོ་ཐམས་ཅད་དང་། དེ་བཞིན་གཤེགས་པའི་སྟོབས་བཅུ་དང་། མི་འཇིགས་པ་བཞི་དང་། སོ་སོ་ཡང་དག་པར་རིག་པ་བཞི་དང་། བྱམས་པ་ཆེན་པོ་དང་། སྙིང་རྗེ་ཆེན་པོ་དང་། སངས་རྒྱས་ཀྱི་ཆོས་མ་འདྲེས་

པ་བཅོ་བརྒྱད་དང་། རྣམ་པ་ཐམས་ཅད་མཁྱེན་པ་ཉིད་ཀྱི་བར་དུ་ཡང་འདུས་སོ།། དེ་ནི་སངས་རྒྱས་བཅོམ་ལྡན་འདས་རྣམས་ཀྱི་བསྟན་པ་སྟེ། དེ་ལ་བསླབས་ཤིང་འདས་པ་དང་། མ་བྱོན་པ་དང་། ད་ལྟར་བྱུང་བའི་ཉན་ཐོས་དང་། རང་སངས་རྒྱས་དང་། སངས་རྒྱས་བཅོམ་ལྡན་འདས་ཐམས་ཅད་ཀྱིས་ཆོས་ཐམས་ཅད་ཀྱི་ཕ་རོལ་དུ་ཕྱིན་པར་གྱུར་ཏོ། །ཕྱིན་ཏོ། །ཕྱིན་པར་འགྱུར་རོ། །ཤེས་རབ་ཀྱི་ཕ་རོལ་དུ་ཕྱིན་པ་སྟོང་ཕྲག་ཉི་ཤུ་ལྔ་པ་ལས་ལེའུ་བཅོ་བརྒྱད་པའོ།། ||

དེ་ནས་བཅོམ་ལྡན་འདས་ཀྱིས། ལྷའི་དབང་པོ་བརྒྱ་བྱིན་ལ་འདི་སྐད་ཅེས་བཀའ་སྩལ་ཏོ། །ཀཽ་ཤི་ཀ་དེ་དེ་བཞིན་ནོ། །དེ་དེ་བཞིན་ཏེ། རིགས་ཀྱི་བུའམ། རིགས་ཀྱི་བུ་མོ་དེ་དག་གི་བསོད་ནམས་མང་དུ་འཕེལ་ལོ། །གང་གིས་ཤེས་རབ་ཀྱི་ཕ་རོལ་དུ་ཕྱིན་པ་འདི་བྲིས་ཤིང་①གླེགས་བམ་དུ་བྱས་ཏེ་འཛིན་ཅིང་འཆང་བ་དང་། ཀློག་ཅིང་ཀུན་ཆུབ་པར་བྱེད་པ་དང་། ཚུལ་བཞིན་དུ་ཡིད་ལ་བྱེད་ཅིང་། གོང་དུ་མེ་ཏོག་དང་། ཕྲེང་བ་དང་། སྤོས་དང་། བྱུག་②པ་དང་། ཕྱེ་མ་དང་། ན་བཟའ་དང་། གདུགས་དང་། རྒྱལ་མཚན་དང་། བ་དན་དང་། སིལ་སྙན་སྣ་ཚོགས་ཀྱིས་རིམ་གྲོར་བྱས། བཀུར་སྟིར་བྱས། བསྟི་སྟང་དུ་བྱས། མཆོད་པར་བྱས་ན། དེའི་ཕྱིར་རིགས་ཀྱི་བུའམ། རིགས་ཀྱི་བུ་མོ་དེ་དག་གི་བསོད་ནམས་ནི་ཚད་མེད་གྲངས་མེད་བསམ་གྱིས་མི་ཁྱབ་མཚུངས་པ་མེད། དཔག་ཏུ་མེད་པར་འཕེལ་ལོ། །དེ་ཅིའི་ཕྱིར་ཞེ་ན། ཀཽ་ཤི་ཀ་ཤེས་རབ་ཀྱི་ཕ་རོལ་ཏུ་ཕྱིན་པ་ལས་བྱུང་བ་ནི། དེ་བཞིན་གཤེགས་པ་དགྲ་བཅོམ་པ་ཡང་དག་པར་རྫོགས་པའི་སངས་རྒྱས་རྣམས་ཀྱི་རྣམ་པ་ཐམས་ཅད་མཁྱེན་པ་ཉིད་དོ། །ཤེས་རབ་ཀྱི་ཕ་རོལ་དུ་ཕྱིན་པ་ལས་བྱུང་བ་ནི་ཕ་

རོལ་ཏུ་ཕྱིན་པ་ལྔ་དང་། ནང་སྟོང་པ་ཉིད་དང་། དངོས་པོ་མེད་པའི་ངོ་བོ་ཉིད་སྟོང་པ་ཉིད་ཀྱི་བར་དང་། དྲན་པ་ཉེ་བར་གཞག་པ་དང་། ཡང་དག་པར་སྤོང་བ་དང་། རྫུ་འཕྲུལ་གྱི་རྐང་པ་དང་། དབང་པོ་དང་། སྟོབས་དང་། བྱང་ཆུབ་ཀྱི་ཡན་ལག་དང་། འཕགས་པའི་ལམ་ཡན་ལག་བརྒྱད་པ་དང་། འཕགས་པའི་བདེན་པ་དང་། བསམ་གཏན་དང་། ཚད་མེད་པ་དང་། གཟུགས་མེད་པའི་སྙོམས་པར་འཇུག་པ་དང་། རྣམ་པར་ཐར་པ་བརྒྱད་དང་། མཐར་གྱིས་གནས་པའི་སྙོམས་པར་འཇུག་པ་དགུ་དང་། རྣམ་པར་ཐར་པའི་སྒོ་སྟོང་པ་ཉིད་དང་། མཚན་མ་མེད་པ་དང་། སྨོན་པ་མེད་པ་དང་། མངོན་པར་ཤེས་པ་རྣམས་དང་། ཏིང་ངེ་འཛིན་རྣམས་དང་། གཟུངས་ཀྱི་སྒོ་རྣམས་དང་། དེ་བཞིན་གཤེགས་པའི་སྟོབས་རྣམས་དང་། མི་འཇིགས་པ་རྣམས་དང་། སོ་སོ་ཡང་དག་པར་རིག་པ་རྣམས་དང་། བྱམས་པ་ཆེན་པོ་དང་། སྙིང་རྗེ་ཆེན་པོ་དང་། སངས་རྒྱས་ཀྱི་ཆོས་མ་འདྲེས་པ་རྣམས་དང་། དེ་བཞིན་གཤེགས་པའི་སྤྱན་ལྔ་དང་། སེམས་ཅན་ཡོངས་སུ་སྨིན་པ་དང་། སངས་རྒྱས་ཀྱི་ཞིང་ཡོངས་སུ་དག་པའོ། །ཀཽ་ཤི་ཀ་ཤེས་རབ་ཀྱི་ཕ་རོལ་ཏུ་ཕྱིན་པ་ལས་བྱུང་བ་ནི། ཐམས་ཅད་ཤེས་པ་ཉིད་དང་། ལམ་གྱི་རྣམ་པ་ཤེས་པ་དང་། རྣམ་པ་ཐམས་ཅད་མཁྱེན་པ་ཉིད་དོ། །ཀཽ་ཤི་ཀ་ཤེས་རབ་ཀྱི་ཕ་རོལ་ཏུ་ཕྱིན་པ་ལས་བྱུང་བ་ནི་ཉན་ཐོས་ཀྱི་ཐེག་པ་དང་། རང་སངས་རྒྱས་ཀྱི་ཐེག་པ་དང་། ཐེག་པ་ཆེན་པོའོ[7]། །ཀཽ་ཤི་ཀ་ཤེས་རབ་ཀྱི་ཕ་རོལ་ཏུ་ཕྱིན་པ་ལས་བྱུང་བ་ནི་བླ་ན་མེད་པ་ཡང་དག་པར་རྫོགས་པའི་བྱང་ཆུབ་པོ། །ཀཽ་ཤི་ཀ་དེ་བས་ན་རིགས་ཀྱི་བུའམ། རིགས་ཀྱི་བུ་མོ་གང་ལ་ལས་ཤེས་རབ་ཀྱི་ཕ་རོལ་ཏུ་ཕྱིན་པ་འདི་བྲིས་ཏེ། གླེགས་བམ་དུ་བྱས་ཤིང་འཛིན་པ་དང་། འཆང་བ་དང་།

ཐྲོག་པ་དང་། ཀུན་ཆུབ་པར་བྱེད་པ་དང་། ཚུལ་བཞིན་དུ་ཡིད་ལ་བྱེད་ཅིང་[1]། མི་རྟག་དང་། ཕྲེང་བ་དང་། སྤོས་དང་། བྱུག་པ་དང་། ཕྱེ་མ་དང་། ན་བཟའ་དང་། གདུགས་དང་། རྒྱལ་མཚན་དང་། བ་དན་དང་། སིལ་སྙན་སྣ་ཚོགས་ཀྱིས་རིམ་གྲོར་བྱས། བཀུར་སྟིར་བྱས། བསྟི་སྟང་དུ་བྱས། མཆོད་པར་བྱས་ན། བསོད་ནམས་མངོན་པར་འདུ་བྱ་བ་འདི་ལ་བསོད་ནམས་མངོན་པར་འདུ་བྱ་བ་སྔ་མས་བརྒྱའི་ཆར་ཡང་ཉེ་བར་མི་འགྲོའོ། །སྟོང་གི་ཆ་དང་། བརྒྱ་ཕྲག་སྟོང་གི་ཆ་དང་བྱེ་བའི་ཆ་དང་། བྱེ་བ་བརྒྱའི་ཆ་དང་། བྱེ་བ་སྟོང་གི་ཆ་དང་། བྱེ་བ་བརྒྱ་ཕྲག་སྟོང་གི་ཆ་དང་། གྲངས་དང་། ཆ་དང་། བགྲང་བ་དང་། དཔེར་ཡང་ཉེ་བར་མི་འགྲོ། རྒྱུར་ཡང་མི་བཟོད་དོ། །དེ་ཅིའི་ཕྱིར་ཞེ་ན། ཀཽ་ཤི་ཀ་ཤེས་རབ་ཀྱི་ཕ་རོལ་ཏུ་ཕྱིན་པ་འདི་ཇི་སྲིད་དུ་འཛམ་བུའི་གླིང་དུ་གནས་པ་དེ་སྲིད་དུ། སངས་རྒྱས་དཀོན་མཆོག་ནུབ་པར་མི་འགྱུར་རོ། །ཆོས་དཀོན་མཆོག་ནུབ་པར་མི་འགྱུར་རོ། །དགེ་འདུན་དཀོན་མཆོག་ནུབ་པར་མི་འགྱུར་རོ། །དེ་སྲིད་དུ་དགེ་བ་བཅུའི་ལས་ཀྱི་ལམ་དང་། བསམ་གཏན་བཞི་དང་། ཚད་མེད་པ་བཞི་དང་། གཟུགས་མེད་པའི་སྙོམས་པར་འཇུག་པ་བཞི་དང་། མངོན་པར་ཤེས་པ་ལྔ་དང་། སྦྱིན་པའི་ཕ་རོལ་ཏུ་ཕྱིན་པ་དང་། ཚུལ་ཁྲིམས་ཀྱི་ཕ་རོལ་ཏུ་ཕྱིན་པ་དང་། བཟོད་པའི་ཕ་རོལ་ཏུ་ཕྱིན་པ་དང་། བརྩོན་འགྲུས་ཀྱི་ཕ་རོལ་ཏུ་ཕྱིན་པ་དང་། བསམ་གཏན་གྱི་ཕ་རོལ་ཏུ་ཕྱིན་པ་དང་། ཤེས་རབ་ཀྱི་ཕ་རོལ་ཏུ་ཕྱིན་པ་དང་། ནང་སྟོང་པ་ཉིད་དང་། དངོས་པོ་མེད་པའི་ངོ་བོ་ཉིད་སྟོང་པ་ཉིད་ཀྱི་བར་དང་། དྲན་པ་ཉེ་བར་གཞག་པ་རྣམས་དང་། ཡང་དག་པར་སྤོང་བ་རྣམས་དང་། རྫུ་འཕྲུལ་གྱི་རྐང་པ་རྣམས་དང་། དབང་པོ་རྣམས་དང་། སྟོབས་རྣམས་དང་། བྱང་ཆུབ་ཀྱི་

ཡན་ལག་རྣམས་དང་། འཕགས་པའི་ལམ་ཡན་ལག་བརྒྱད་པ་དང་། འཕགས་པའི་བདེན་པ་རྣམས་དང་། བསམ་གཏན་རྣམས་དང་། ཚད་མེད་པ་རྣམས་དང་། གཟུགས་མེད་པའི་སྙོམས་པར་འཇུག་པ་རྣམས་དང་། རྣམ་པར་ཐར་པ་རྣམས་དང་། མཐར་གྱིས་གནས་པའི་སྙོམས་པར་འཇུག་པ་དགུ་དང་། རྣམ་པར་ཐར་པའི་སྒོ་སྟོང་པ་ཉིད་དང་། མཚན་མ་མེད་པ་དང་། སྨོན་པ་མེད་པ་དང་། མངོན་པར་ཤེས་པ་(༡)དང་། ཏིང་ངེ་འཛིན་རྣམས་དང་། གཟུངས་ཀྱི་སྒོ་རྣམས་དང་། དེ་བཞིན་གཤེགས་པའི་སྟོབས་རྣམས་དང་། མི་འཇིགས་པ་རྣམས་དང་། སོ་སོ་ཡང་དག་པར་རིག་པ་རྣམས་དང་། བྱམས་པ་ཆེན་པོ་དང་། སྙིང་རྗེ་ཆེན་པོ་དང་། སངས་རྒྱས་ཀྱི་ཆོས་མ་འདྲེས་པ་བཅོ་བརྒྱད་དང་། རྣམ་པ་ཐམས་ཅད་མཁྱེན་པ་ཉིད་ཀྱི་བར་དུ་འཇིག་རྟེན་དུ་འབྱུང་བར་འགྱུར་རོ། །དེ་སྲིད་དུ་རྒྱལ་རིགས་ཆེ་ཞིང་མཐོ་བ་རྣམས་དང་། བྲམ་ཟེའི་རིགས་ཆེ་ཞིང་མཐོ་བ་རྣམས་དང་། ཁྱིམ་བདག་གི་རིགས་ཆེ་ཞིང་མཐོ་བ་རྣམས་དང་། རྒྱལ་ཆེན་བཞིའི་རིས་(༢)ཀྱི་ལྷ་རྣམས་དང་། སུམ་ཅུ་རྩ་གསུམ་དང་། མཚེ་མ་དང་། དགའ་ལྡན་དང་། འཕྲུལ་དགའ་དང་། གཞན་འཕྲུལ་དབང་བྱེད་དང་། འོག་མིན་གྱི་བར་གྱི་ལྷ་རྣམས་འཇིག་རྟེན་དུ་འབྱུང་བར་འགྱུར་རོ། །རྒྱུན་དུ་ཞུགས་པ་རྣམས་དང་། ལན་ཅིག་ཕྱིར་འོང་བ་རྣམས་དང་། ཕྱིར་མི་འོང་བ་རྣམས་དང་། དགྲ་བཅོམ་པ་རྣམས་དང་། རང་སངས་རྒྱས་རྣམས་དང་། ཡང་དག་པར་རྫོགས་པའི་སངས་རྒྱས་རྣམས་འཇིག་རྟེན་དུ་འབྱུང་བར་འགྱུར་རོ། །བྱང་ཆུབ་སེམས་དཔའ་སེམས་དཔའ་ཆེན་པོ་རྣམས་འབྱུང་བ་ཡོད་དོ། །བླ་ན་མེད་པའི་སངས་རྒྱས་ཀྱི་ཡེ་ཤེས་དང་། ཆོས་ཀྱི་འཁོར་ལོ་བསྐོར་(༣)བ་དང་། སེམས་ཅན་ཡོངས་སུ་སྨིན་པ་དང་། སངས་

རྒྱས་ཀྱི་ཞིང་ཡོངས་སུ་དག་པ་ཡོད་དོ། །དེ་ནས་སྟོང་གསུམ་གྱི་སྟོང་ཆེན་པོའི་འཇིག་རྟེན་གྱི་ཁམས་འདི་ན། རྒྱལ་ཆེན་བཞིའི་རིས་ཀྱི་ལྷ་རྣམས་དང་། འོག་མིན་གྱི་བར་གྱི་ལྷ་གང་ཇི་སྙེད་ཡོད་པ་དེ་དག་ལ། ལྷའི་དབང་པོ་བརྒྱ་བྱིན་གྱིས་སྨྲས་པ། གྲོགས་པོ་དག་ཤེས་རབ་ཀྱི་ཕ་རོལ་ཏུ་ཕྱིན་པ་གཟུང་བར་བྱའོ། །བཅང་བར་བྱའོ། །ཀླག་[1]པར་བྱའོ། །ཀུན་ཆུབ་པར་བྱའོ། །ཚུལ་བཞིན་དུ་ཡིད་ལ་བྱའོ། །གྲོགས་པོ་དག་ཤེས་རབ་ཀྱི་ཕ་རོལ་ཏུ་ཕྱིན་པ་འདི་བཟུང་བ……དང་། བཅངས་པ་དང་། བླགས་[2]པ་དང་། ཀུན་ཆུབ་པར་བྱས་པ་དང་། ཚུལ་བཞིན་དུ་ཡིད་ལ་བྱས་པས་ནི། སངས་རྒྱས་ཀྱི་ཚུལ་རྒྱུན་ཆད་པར་མི་འགྱུར་རོ། །ཆོས་ཀྱི་ཚུལ་རྒྱུན་ཆད་པར་མི་འགྱུར་རོ། །དགེ་འདུན་གྱི་ཚུལ་རྒྱུན་ཆད་པར་མི་འགྱུར་རོ། །གྲོགས་པོ་དག་དཀོན་མཆོག་གསུམ་གྱི་ཚུལ་རྒྱུན་མ་ཆད་ན། ཕ་རོལ་ཏུ་ཕྱིན་པ་ཐམས་ཅད་འཇིག་རྟེན་དུ་འབྱུང་བར་འགྱུར་རོ། །ནང་སྟོང་པ་ཉིད་དང་། དངོས་པོ་མེད་པའི་ངོ་བོ་ཉིད་སྟོང་པ་ཉིད་ཀྱི་བར་དང་། དྲན་པ་ཉེ་བར་གཞག་པ་རྣམས་དང་། ཡང་དག་པར་སྤོང་བ་རྣམས་དང་། རྫུ་འཕྲུལ་གྱི་རྐང་པ་རྣམས་དང་། དབང་པོ་རྣམས་དང་། སྟོབས་རྣམས་དང་། བྱང་ཆུབ་ཀྱི་ཡན་ལག་རྣམས་དང་། འཕགས་པའི་ལམ་ཡན་ལག་བརྒྱད་པ་དང་། འཕགས་པའི་བདེན་པ་རྣམས་དང་། བསམ་གཏན་རྣམས་དང་། ཚད་མེད་པ་རྣམས་དང་། གཟུགས་མེད་པའི་སྙོམས་པར་འཇུག་པ་རྣམས་དང་། རྣམ་པར་ཐར་པ་རྣམས་དང་། མཐར་གྱིས་གནས་པའི་སྙོམས་པར་འཇུག་པ་རྣམས་དང་། རྣམ་པར་ཐར་པའི་སྒོ་སྟོང་པ་ཉིད་དང་། མཚན་མ་མེད་པ་དང་། སྨོན་པ་མེད་པ་དང་། མངོན་པར་ཤེས་པ་རྣམས་དང་། ཏིང་ངེ་འཛིན་རྣམས་དང་། གཟུངས་ཀྱི་སྒོ་རྣམས་དང་། །དེ་བཞིན་གཤེགས་པའི་སྟོབས་རྣམས་

དང་། མི་འཇིགས་པ་རྣམས་དང་། སོ་སོ་ཡང་དག་པར་རིག་པ་རྣམས་དང་།
①སངས་རྒྱས་ཀྱི་ཆོས་མ་འདྲེས་པ་རྣམས་དང་། བྱང་ཆུབ་སེམས་དཔའི་སྤྱོད་པ་
དང་། རྒྱུན་དུ་ཞུགས་པའི་འབྲས་བུ་དང་། ལན་ཅིག་ཕྱིར་འོང་བའི་འབྲས་བུ་
དང་། ཕྱིར་མི་འོང་བའི་འབྲས་བུ་དང་། དགྲ་བཅོམ་པ་ཉིད་དང་། རང་
བྱང་ཆུབ་དང་། བླ་ན་མེད་པ་ཡང་དག་པར་རྫོགས་པའི་བྱང་ཆུབ་འཇིག་རྟེན་དུ་
འབྱུང་བར་འགྱུར་རོ། །དེ་ནས་བཅོམ་ལྡན་འདས་ཀྱིས་ལྷའི་དབང་པོ་བརྒྱ་བྱིན་
ལ་བཀའ་སྩལ་པ། ཀཽ་ཤི་ཀ་ཁྱོད་ཀྱིས་ཤེས་རབ་ཀྱི་ཕ་རོལ་ཏུ་ཕྱིན་པ་འདི་ཟུང་②
ཤིག །ཆོངས་ཤིག །ཀློགས་ཤིག །ཀུན་ཆུབ་པར་གྱིས་③ཤིག །ཀཽ་ཤི་ཀ་
ཤེས་རབ་ཀྱི་ཕ་རོལ་ཏུ་ཕྱིན་པ་འདི་ཚུལ་བཞིན་དུ་ཡིད་ལ་གྱིས་ཤིག །དེ་ཅིའི་
ཕྱིར་ཞེ་ན། ཀཽ་ཤི་ཀ་ནམ་ལྷ་མ་ཡིན་རྣམས་འདི་སྙམ་དུ་སེམས་ཤིང་། སུམ་ཅུ་
རྩ་གསུམ་གྱི་ལྷ་རྣམས་དང་ཐབ་④མོ་བྱའོ། །སུམ་ཅུ་རྩ་གསུམ་གྱི་ལྷ་རྣམས་དང་
མཚམས་⑤བརྟལ་ལོ་སྙམ་ན་དེའི་ཚེ། ཀཽ་ཤི་ཀ་ཁྱོད་ཀྱིས་ཤེས་རབ་ཀྱི་ཕ་རོལ་ཏུ་
ཕྱིན་པ་འདི་ཡིད་ཀྱིས་སོམས་⑥ལ་ཁ་ཏོན་གྱིས་ཤིག །ཚུལ་བཞིན་དུ་ཡིད་ལ་གྱིས་
ཤིག་དང་⑦། དེས་ལྷ་མ་ཡིན་གྱི་བསམ་པ་དེ་དག་ཕྱིར་ནུབ་པར་འགྱུར་ཏེ།
སེམས་བསྐྱེད་པ་དེ་དགཿསློས་ཤིང་⑧རྣམ་པར་འཕེལ་བར་མི་འགྱུར་རོ། །ལྷའི་བུ་
དང་ལྷའི་བུ་མོ་གང་དག་ཤི་འཕོ་བའི་ཚེ། ནམ་བདག་ཅག་ངན་སོང་དུ་སྐྱེ་བར་
མཐོང་ན་ཡང་། ཀཽ་ཤི་ཀ་ཁྱོད་ཀྱིས་དེ་དག་གི་མདུན་དུ་ཤེས་རབ་ཀྱི་ཕ་རོལ་ཏུ་
ཕྱིན་པ་འདི་ཁ་ཏོན་དུ་གྱིས་ཤིག་དང་⑨། དེ་དག་གིས་ཤེས་རབ་ཀྱི་ཕ་རོལ་ཏུ་
ཕྱིན་པ་ཐོས་པའི་དགེ་བའི་རྩ་བ་དང་། ཤེས་རབ་ཀྱི་ཕ་རོལ་ཏུ་ཕྱིན་པ་ལ་མོས་
པས་ལྷའི་གནས་དེ་ཉིད་དུ་སྐྱེ་བར་འགྱུར་རོ། །དེ་ཅིའི་ཕྱིར་ཞེ་ན། ཀཽ་ཤི་ཀ་
ཤེས་རབ་ཀྱི་ཕ་རོལ་ཏུ་ཕྱིན་པ་འདི་ཐོས་པ་ནི་དེ་ལྟར་དོན་དང་ལྡན་པ་སྟེ།

རིགས་ཀྱི་བུའམ། རིགས་ཀྱི་བུ་མོ་གང་སུ་ཡང་རུང་སྟེ། དེ་དག་གིས་ཤེས་རབ་ཀྱི་ཕ་རོལ་ཏུ་ཕྱིན་པ་འདི་ཐོས་པར་གྱུར་པ་དེ་དག་ཐམས་ཅད་ཀྱང་དགེ་བའི་རྩ་བ་དེས་མཐར་གྱིས་བླ་ན་མེད་པ་ཡང་དག་པར་རྫོགས་པའི་བྱང་ཆུབ་ཏུ་མངོན་པར་རྫོགས་པར་འཚང་རྒྱ་བར་འགྱུར་རོ། །དེ་ཅིའི་ཕྱིར་ཞེ་ན། ཀཽ་ཤི་ཀ་དེ་ནི་འདི་ལྟར་འདས་པའི་དུས་ཀྱི་དེ་བཞིན་གཤེགས་པ་དགྲ་བཅོམ་པ་ཡང་དག་པར་རྫོགས་པའི་སངས་རྒྱས་ཉན་ཐོས་ཀྱི་དགེ་འདུན་དང་བཅས་པ་ཇི་སྙེད་ཅིག་བྱུང་བ་དེ་དག་ཀྱང་། ཤེས་རབ་ཀྱི་ཕ་རོལ་ཏུ་ཕྱིན་པ་འདི་ལ་བསླབས་ནས། ཕུང་པོ་མ་ལུས་པའི་མྱ་ངན་ལས་འདས་པའི་དབྱིངས་སུ་ཡོངས་སུ་མྱ་ངན་ལས་འདས་སོ། །མ་འོངས་པའི་དུས་ཀྱི་དེ་བཞིན་གཤེགས་པ་དགྲ་བཅོམ་པ་ཡང་དག་པར་རྫོགས་པའི་སངས་རྒྱས་ཉན་ཐོས་ཀྱི་དགེ་འདུན་དང་བཅས་པ་ཇི་སྙེད་ཅིག་འབྱུང་བ་དེ་དག་ཀྱང་ཤེས་རབ་ཀྱི་ཕ་རོལ་ཏུ་ཕྱིན་པ་འདི་ཉིད་ལ་བསླབས་ཤིང་། བླ་ན་མེད་པ་ཡང་དག་པར་རྫོགས་པའི་བྱང་ཆུབ་ཏུ་མངོན་པར་རྫོགས་པར་འཚང་རྒྱ་བར་འགྱུར་རོ། །ད་①ལྟར་ཕྱོགས་བཅུའི་འཇིག་རྟེན་གྱི་ཁམས་ན། དེ་བཞིན་གཤེགས་པ་དགྲ་བཅོམ་པ་ཡང་དག་པར་རྫོགས་པའི་སངས་རྒྱས་ཉན་ཐོས་ཀྱི་དགེ་འདུན་དང་བཅས་པ་ཇི་སྙེད་ཅིག་བཞུགས་ཤིང་འཚོ་སྐྱོང་བ་དེ་དག་ཐམས་ཅད་ཀྱང་ཤེས་རབ་ཀྱི་ཕ་རོལ་ཏུ་ཕྱིན་པ་འདི་ཉིད་③བསླབས་ཏེ། བླ་ན་མེད་པ་ཡང་དག་པར་རྫོགས་པའི་བྱང་ཆུབ་ཏུ་མངོན་པར་རྫོགས་པར་སངས་རྒྱས་སོ། །དེ་ཅིའི་ཕྱིར་ཞེ་ན། ཀཽ་ཤི་ཀ་དེ་ནི་འདི་ལྟར་ཤེས་རབ་ཀྱི་ཕ་རོལ་ཏུ་ཕྱིན་པ་འདིའི་ནང་དུ་ཉན་ཐོས་ཀྱི་ཆོས་སམ། རང་སངས་རྒྱས་ཀྱི་ཆོས་སམ། བྱང་ཆུབ་སེམས་དཔའི་ཆོས་སམ། །སངས་རྒྱས་ཀྱི་ཆོས་ཀྱང་རུང་སྟེ། བྱང་ཆུབ་ཀྱི་ཕྱོགས་ཀྱི་ཆོས་ཐམས་ཅད་འདུས་སོ། །བརྒྱ་བྱིན་གྱིས་གསོལ་པ། བཅོམ་ལྡན་

འདས་འདི་ལྟ་སྟེ་ཤེས་རབ་ཀྱི་ཕ་རོལ་ཏུ་ཕྱིན་པ་འདི་ནི་རིག་སྔགས་ཆེན་མོའོ། །བཅོམ་ལྡན་འདས་འདི་ལྟ་སྟེ། ཤེས་རབ་ཀྱི་ཕ་རོལ་ཏུ་ཕྱིན་པ་འདི་ནི་བླ་ན་མེད་པའི་རིག་སྔགས་སོ། །བཅོམ་ལྡན་འདས་འདི་ལྟ་སྟེ། ཤེས་རབ་ཀྱི་ཕ་རོལ་ཏུ་ཕྱིན་པ་འདི་ནི་མི་མཉམ་པ་དང་མཉམ་པའི་རིག་སྔགས་སོ། །དེ་ཅིའི་སླད་དུ་ཞེ་ན༑ བཅོམ་ལྡན་འདས་དེ་ནི་འདི་ལྟར་ཤེས་རབ་ཀྱི་ཕ་རོལ་ཏུ་ཕྱིན་པ་ནི་མི་དགེ་བའི་ཆོས་ཐམས་ཅད་སྤོང་བའོ། །དགེ་བའི་ཆོས་ཐམས་ཅད་སྒྲུབ་པའོ། །བཅོམ་ལྡན་འདས་ཀྱིས་བཀའ་སྩལ་པ། ཀཽ་ཤི་ཀ་དེ་དེ་བཞིན་ནོ། །དེ་དེ་བཞིན་ཏེ། ཀཽ་ཤི་ཀ་འདི་ལྟར་ཤེས་རབ་ཀྱི་ཕ་རོལ་ཏུ་ཕྱིན་པ་འདི་ནི་རིག་[༡]སྔགས་ཆེན་མོའོ། །ཀཽ་ཤི་ཀ་འདི་ལྟ་སྟེ་ཤེས་རབ་ཀྱི་ཕ་རོལ་ཏུ་ཕྱིན་པ་འདི་ནི་བླ་ན་མེད་པའི་རིག་སྔགས་སོ། །ཀཽ་ཤི་ཀ་འདི་ལྟ་སྟེ། ཤེས་རབ་ཀྱི་ཕ་རོལ་ཏུ་ཕྱིན་པ་འདི་ནི་མི་མཉམ་པ་དང་མཉམ་པའི་རིག་སྔགས་སོ། །དེ་ཅིའི་ཕྱིར་ཞེ་ན། ཀཽ་ཤི་ཀ་དེ་ནི་འདི་ལྟར་འདས་པ་དང་། མ་བྱོན་པ་དང་། ད་ལྟར་ཕྱོགས་བཅུའི་འཇིག་རྟེན་གྱི་ཁམས་ན། དེ་བཞིན་གཤེགས་པ་དགྲ་བཅོམ་པ་ཡང་དག་པར་རྫོགས་པའི་སངས་རྒྱས་ཇི་སྙེད་ཅིག་བཞུགས་ཤིང་འཚོ་སྐྱོང་བ་དེ་དག་ཀུང་རིག་སྔགས་འདི་ཉིད་ལ་བརྟེན་ཏེ། བླ་ན་མེད་པ་ཡང་དག་པར་རྫོགས་པའི་བྱང་ཆུབ་ཏུ་མངོན་པར་རྫོགས་པར་སངས་རྒྱས་པར་གྱུར་ཏོ། །མངོན་པར་རྫོགས་པར་སངས་རྒྱས་སོ། །མངོན་པར་རྫོགས་པར་འཚང་རྒྱ་བར་འགྱུར་རོ། །དེ་ཅིའི་ཕྱིར་ཞེ་ན། ཀཽ་ཤི་ཀ་དེ་ནི་འདི་ལྟར་རིག་སྔགས་འདི་ཡོད་ན། དགེ་བ་བཅུའི་ལས་ཀྱི་ལམ་རྣམས་འཇིག་རྟེན་ན་ཡོད་པ་ཡིན། བསམ་གཏན་བཞི་དང་། ཚད་མེད་པ་བཞི་དང་། གཟུགས་མེད་པའི་སྙོམས་པར་[༣]འཇུག་པ་བཞི་དང་། མངོན་པར་ཤེས་པ་ལྔ་འཇིག་རྟེན་ན་ཡོད་པ་ཡིན། ཕ་རོལ་ཏུ་ཕྱིན་པ་ཐམས་ཅད་

དང་། སྟོང་པ་ཉིད་ཐམས་ཅད་དང་། དྲན་པ་ཉེ་བར་གཞག་པ་རྣམས་དང་། ཡང་དག་པར་སྤོང་བ་རྣམས་དང་། རྫུ་འཕྲུལ་གྱི་རྐང་པ་རྣམས་དང་། དབང་པོ་རྣམས་དང་། སྟོབས་རྣམས་དང་། བྱང་ཆུབ་ཀྱི་ཡན་ལག་རྣམས་དང་། འཕགས་པའི་ལམ་ཡན་ལག་བརྒྱད་པ་དང་། འཕགས་པའི་བདེན་པ་རྣམས་དང་། ①རྣམ་པར་ཐར་པ་རྣམས་དང་། མཐར་གྱིས་གནས་པའི་སྙོམས་པར་འཇུག་པ་རྣམས་དང་། རྣམ་པར་ཐར་པའི་སྒོ་སྟོང་པ་ཉིད་དང་། མཚན་མ་མེད་པ་དང་། སྨོན་པ་མེད་པ་དང་། མངོན་པར་ཤེས་པ་རྣམས་དང་། ཏིང་ངེ་འཛིན་རྣམས་དང་། གཟུངས་ཀྱི་སྒོ་རྣམས་དང་། དེ་བཞིན་གཤེགས་པའི་སྟོབས་རྣམས་དང་། མི་འཇིགས་པ་རྣམས་དང་། སོ་སོ་ཡང་དག་པར་རིག་པ་རྣམས་དང་། བྱམས་པ་ཆེན་པོ་དང་། སྙིང་རྗེ་ཆེན་པོ་དང་། སངས་རྒྱས་ཀྱི་ཆོས་མ་འདྲེས་པ་རྣམས་འཇིག་རྟེན་ན་ཡོད་པ་ཡིན། ཆོས་ཀྱི་དབྱིངས་འཇིག་རྟེན་ན་ཡོད་པ་ཡིན། ཡང་དག་པའི་མཐའ་དང་། དེ་བཞིན་ཉིད་དང་། མ་ནོར་བ་དེ་བཞིན་ཉིད་དང་། གཞན་མ་ཡིན་པ་དེ་བཞིན་ཉིད་དང་། ཆོས་ཉིད་དང་། ཆོས་ཀྱི་གནས་ཉིད་དང་། ཆོས་སྐྱོན་མེད་པ་ཉིད་འཇིག་རྟེན་ན་ཡོད་པ་ཡིན། མིག་ལྟ་འཇིག་རྟེན་ན་ཡོད་པ་ཡིན། རྒྱུན་དུ་ཞུགས་པའི་འབྲས་བུ་འཇིག་རྟེན་ན་ཡོད་པ་ཡིན། ལན་ཅིག་ཕྱིར་འོང་བའི་འབྲས་བུ་དང་། ཕྱིར་མི་འོང་བའི་འབྲས་བུ་དང་། དགྲ་བཅོམ་པ་ཉིད་དང་། རང་བྱང་ཆུབ་འཇིག་རྟེན་ན་ཡོད་པ་ཡིན། ཐམས་ཅད་ཤེས་པ་ཉིད་འཇིག་རྟེན་ན་ཡོད་པ་ཡིན། ལམ་གྱི་རྣམ་པ་ཤེས་པ་ཉིད་དང་། རྣམ་པ་ཐམས་ཅད་མཁྱེན་པ་ཉིད་འཇིག་རྟེན་ན་ཡོད་པ་ཡིན། ཀཽ་ཤི་ཀ་བྱང་ཆུབ་སེམས་དཔའ་ཡོད་ན་དགེ་བ་བཅུའི་ལས་ཀྱི་ལམ་རྣམས་འཇིག་རྟེན་ན་གདགས་སུ་ཡོད་པ་ཡིན། རྣམ་པ་ཐམས་ཅད་མཁྱེན་

པ་ཉིད་ཀྱི་བར་དུ་འཇིག་རྟེན་ན་གདགས་སུ་ཡོད་པ་ཡིན། རྒྱུན་དུ་ཞུགས་པ་འཇིག་རྟེན་ན་གདགས་སུ་ཡོད་པ་ཡིན། ལན་ཅིག་ཕྱིར་འོང་བ་དང་། ཕྱིར་མི་འོང་བ་དང་། དགྲ་བཅོམ་པ་དང་། རང་སངས་རྒྱས་འཇིག་རྟེན་ན་གདགས་སུ་ཡོད་པ་ཡིན། དེ་བཞིན་གཤེགས་པ་དགྲ་བཅོམ་པ་ཡང་དག་པར་རྫོགས་པའི་སངས་རྒྱས་འཇིག་རྟེན་ན་གདགས་སུ་ཡོད་པ་ཡིན་ནོ①། །ཀཽ་ཤི་ཀ་འདི་ལྟ་སྟེ་དཔེར་ན། ཟླ་བའི་དཀྱིལ་འཁོར་ཡོད་ན་སྐྱེ་དང་། རྒྱུ་སྐར་དང་། སྐར་མ་ཐམས་ཅད་②གདགས་སུ་ཡོད་དོ། །ཀཽ་ཤི་ཀ་དེ་བཞིན་དུ་བྱང་ཆུབ་སེམས་དཔའི་ཟླ་བའི་དཀྱིལ་འཁོར་ཡོད་ན། དགེ་བའི་སྤྱོད་པ་དང་། ཡང་དག་པའི་སྤྱོད་པ་དང་། དགེ་བ་བཅུའི་ལས་ཀྱི་ལམ་དང་། ཕ་རོལ་ཏུ་ཕྱིན་པ་ཐམས་ཅད་དང་། སྟོང་པ་ཉིད་ཐམས་ཅད་དང་། དྲན་པ་ཉེ་བར་གཞག་པ་དང་། ཡང་དག་པར་སྤོང་བ་དང་། རྫུ་འཕྲུལ་གྱི་རྐང་པ་དང་། དབང་པོ་དང་། སྟོབས་དང་། བྱང་ཆུབ་ཀྱི་ཡན་ལག་དང་། ལམ་དང་། འཕགས་པའི་བདེན་པ་དང་། བསམ་གཏན་དང་། ཚད་མེད་པ་དང་། གཟུགས་མེད་པའི་སྙོམས་པར་འཇུག་པ་དང་། རྣམ་པར་ཐར་པ་③བརྒྱད་དང་། མཐར་གྱིས་གནས་པའི་སྙོམས་པར་འཇུག་པ་དགུ་དང་། རྣམ་པར་ཐར་པའི་སྒོ་སྟོང་པ་ཉིད་དང་། མཚན་མ་མེད་པ་དང་། སྨོན་པ་མེད་པ་དང་། མངོན་པར་ཤེས་པ་དང་། ཏིང་ངེ་འཛིན་དང་། གཟུངས་ཀྱི་སྒོ་དང་། དེ་བཞིན་གཤེགས་པའི་སྟོབས་བཅུ་དང་། མི་འཇིགས་པ་བཞི་དང་། སོ་སོ་ཡང་དག་པར་རིག་པ་④དང་། ⑤སངས་རྒྱས་ཀྱི་ཆོས་མ་འདྲེས་པའི་སྐྱེ་ཐམས་ཅད་གདགས་སུ་ཡོད་དོ། །སློབ་པ་དང་། མི་སློབ་པ་དང་། ཉན་ཐོས་དང་། རང་སངས་རྒྱས་ཀྱི་རྒྱུ་སྐར་དང་། སྐར་མ་ཐམས་ཅད་ཀྱང་གདགས་སུ་ཡོད་དོ། །དེ་བཞིན་གཤེགས་པ་དགྲ་བཅོམ་

པ་ཡང་དག་པར་རྫོགས་པའི་སངས་རྒྱས་ཀྱང་འཇིག་རྟེན་ན་ཡོད་པར་འགྱུར་རོ། །གང་གི་ཚེ་སངས་རྒྱས་བཅོམ་ལྡན་འདས་རྣམས་འཇིག་རྟེན་དུ་མ་བྱུང་བ་དེའི་ཚེ་ན་ཡང་། བྱང་ཆུབ་སེམས་དཔའ་སེམས་དཔའ་ཆེན་པོ་རྣམས། སེམས་ཅན་རྣམས་ལ་འཇིག་རྟེན་པ་དང་། འཇིག་རྟེན་ལས་འདས་པའི་ཆོས་སྟོན་ཏོ། །དེ་ཅིའི་ཕྱིར་ཞེ་ན། བྱང་ཆུབ་སེམས་དཔའ་ལས་བྱུང་བ་ནི་ཉན་ཐོས་ཀྱི་ཐེག་པ་དང་། རང་སངས་རྒྱས་ཀྱི་ཐེག་པ་དང་། ཐེག་པ་ཆེན་པོ་རྣམས་ཏེ། བྱང་ཆུབ་སེམས་དཔའ་སེམས་དཔའ་ཆེན་པོ་ཐབས་ལ་མཁས་པ་གང་དང་ལྡན་པས། ཕ་རོལ་དུ་ཕྱིན་པ་དྲུག་ལ་སྤྱོད་པ་དང་། སྟོང་པ་ཉིད་ཐམས་ཅད་ལ་སྤྱོད་པ་དང་། བྱང་ཆུབ་ཀྱི་ཕྱོགས་ཀྱི་ཆོས་སུམ་ཅུ་རྩ་བདུན་ལ་སྤྱོད་པ་དང་། འཕགས་པའི་བདེན་པ་དང་། བསམ་གཏན་དང་། ཚད་མེད་པ་དང་། གཟུགས་མེད་པའི་སྙོམས་པར་འཇུག་པ་དང་། རྣམ་པར་ཐར་པ་བརྒྱད་དང་། མཐར་གྱིས་གནས་པའི་སྙོམས་པར་འཇུག་པ་དགུ་དང་། རྣམ་པར་ཐར་པའི་སྒོ་གསུམ་ལ་སྤྱོད་པ་དང་། མངོན་པར་ཤེས་པ་དྲུག་དང་། སྟོབས་བཅུ་དང་། མི་འཇིགས་པ་བཞི་དང་། སོ་སོ་ཡང་དག་པར་རིག་པ་བཞི་དང་། [༡]སངས་རྒྱས་ཀྱི་ཆོས་མ་འདྲེས་པ་བཅོ་བརྒྱད་ལ་སྤྱོད་པ་དང་། ཉན་ཐོས་ཀྱི་སར་མི་ལྟུང་བ་དང་། རང་སངས་རྒྱས་ཀྱི་ས་མངོན་དུ་མི་བྱེད་པ་དང་། སེམས་ཅན་ཡོངས་སུ་སྨིན་པར་བྱེད་པ་དང་། སངས་རྒྱས་ཀྱི་ཞིང་ཡང་ཡོངས་སུ་དག་པར་བྱེད་པ་དང་། ཚེ་ཕུན་སུམ་ཚོགས་པ་ཡང་ཡོངས་སུ་འཛིན་པ་དང་། སེམས་ཅན་ཕུན་སུམ་ཚོགས་པ་ཡོངས་སུ་འཛིན་པ་དང་། སངས་རྒྱས་ཀྱི་ཞིང་ཕུན་སུམ་ཚོགས་པ་ཡོངས་སུ་འཛིན་པ་དང་། བྱང་ཆུབ་སེམས་དཔའ་ཕུན་སུམ་ཚོགས་པ་ཡོངས་སུ་འཛིན་པ་དང་། རྣམ་པ་ཐམས་ཅད་མཁྱེན་པ་ཉིད་ཇེས་སུ[༢]ཐོབ་པར་བྱེད་པའི་ཐབས་…

མཁས་པ་དེ་ཡང་། ཤེས་རབ་ཀྱི་ཕ་རོལ་ཏུ་ཕྱིན་པ་ལས་བྱུང་བར་རིག་པར་བྱའོ། །ཀཽ་① ཤི་ཀ་གཞན་ཡང་རིགས་ཀྱི་བུའམ། རིགས་ཀྱི་བུ་མོ་གང་ཤེས་རབ་ཀྱི་ཕ་རོལ་ཏུ་ཕྱིན་པ་འདི་འཛིན་པ་དང་། འཆང་བ་དང་། ཀློག་པ་དང་། ཀུན་ཆུབ་པར་བྱེད་པ་དང་། ཚུལ་བཞིན་དུ་ཡིད་ལ་བྱེད་པ་དེ་ནི་ཚེ་འདིའི་ཡོན་ཏན་འདི་དག་དང་། ཚེ་རབས་གཞན་གྱི་ཡོན་ཏན་འདི་དག་དང་ཡང་ལྡན་པར་འགྱུར་རོ། །བརྒྱ་བྱིན་གྱིས་གསོལ་པ། བཅོམ་ལྡན་འདས་རིགས་ཀྱི་བུའམ། རིགས་ཀྱི་བུ་མོ་གང་ཤེས་རབ་ཀྱི་ཕ་རོལ་ཏུ་ཕྱིན་པ་འདི་འཛིན་པ་དང་། འཆང་བ་དང་། ཀློག་པ་དང་། ཀུན་ཆུབ་པར་བགྱིད་པ་དང་② ། ཚུལ་བཞིན་དུ་ཡིད་ལ་བགྱིད་པ་དེ་ཚེ་འདིའི་ཡོན་ཏན་གང་དང་ལྡན་པར་འགྱུར་བ་ལགས། བཅོམ་ལྡན་འདས་ཀྱིས་བཀའ་སྩལ་པ། ཀཽ་ཤི་ཀ་རིགས་ཀྱི་བུའམ། རིགས་ཀྱི་བུ་མོ་གང་ཤེས་རབ་ཀྱི་ཕ་རོལ་ཏུ་ཕྱིན་པ་འདི་འཛིན་པ་དང་། འཆང་བ་དང་། ཀློག་པ་དང་། ཀུན་ཆུབ་པར་བྱེད་པ་དང་། ཚུལ་བཞིན་དུ་ཡིད་ལ་བྱེད་པ་དེ་སྔོན་གྱི་ལས་ཀྱི་རྣམ་པར་སྨིན་པ་མ་གཏོགས་པར། དུག་གིས་དུས་བྱེད་པར་མི་འགྱུར་རོ། །མཚོན་གྱིས་དུས་བྱེད་པར་མི་འགྱུར་རོ། །མེས་དུས་བྱེད་པར་མི་འགྱུར་རོ། །ཆུས་དུས་བྱེད་པར་མི་འགྱུར་རོ། །ནད་བརྒྱ་རྩ་གཅིག་གི་བར་གྱིས་དུས་བྱེད་པར་མི་འགྱུར་རོ། །རྒྱལ་པོ་དང་༔ བླ་མས་③ གནོད་པར་བྱ་བ་ཞིག་བྱུང་བ་ལས། གལ་ཏེ་རིགས་ཀྱི་བུའམ། རིགས་ཀྱི་བུ་མོ་ཤེས་རབ་ཀྱི་ཕ་རོལ་ཏུ་ཕྱིན་པ་འདི་ཁ་ཏོན་④ དུ་བྱེད་ཅིང་། རྒྱལ་པོའི་ཕོ་བྲང་དུ་སོང་ན། དེ་ལ་གླགས་ཚོལ་བ་དེ་དག་གིས་གླགས་མི་རྙེད་དེ། རྒྱལ་པོའི་བུ་དང་། རྒྱལ་པོའི་བློན་པོ་ཆེན་པོ་དག་ཀྱང་གཏམ་དྲི་བ་དང་། གཏམ་བྱ་བར་སེམས་ཤིང་། དགའ་བར་བྱ་བར་སེམས་པར་འགྱུར་རོ། །དེ་ཅིའི་ཕྱིར་ཞེ་ན། དེ་ནི་ཤེས་

རབ་ཀྱི་ཕ་རོལ་ཏུ་ཕྱིན་པ་འདི་ཉིད་ཀྱི་གཟི་བརྗིད་དང་མཐུས་དེ་ལྟར་སེམས་སོ། །གལ་ཏེ་རིགས་ཀྱི་བུའམ། རིགས་ཀྱི་བུ་མོ་གང་ཤེས་རབ་ཀྱི་ཕ་རོལ་ཏུ་ཕྱིན་པ་འདི་ཉིད་ཁ་ཏོན་དུ་བྱེད་ཅིང་། རྒྱལ་པོའི་ཕོ་བྲང་དུ་སོང་ན། དེ་ལ་རྒྱལ་པོའི་བུའམ་རྒྱལ་པོའི་བློན་པོ་ཆེན་པོ་དག་ཀྱང་དགའ་[༡]བའི་ཚིག་གིས་གཏམ་དྲི་བ་དང་། གཏམ་བྱ་བར་སེམས་ཤིང་དགའ་བར་བྱ་བར་སེམས་པར་འགྱུར་[༢]རོ། །དེ་ཅིའི་ཕྱིར་ཞེ་ན། ཀཽ་ཤི་ཀ་དེ་ནི་འདི་ལྟར་རིགས་ཀྱི་བུའམ། རིགས་ཀྱི་བུ་མོ་དེ་དག་གིས་སེམས་ཅན་ཐམས་ཅད་ལ་བྱམས་པའི་སེམས་ཉེ་བར་གཞག །སྙིང་རྗེའི་སེམས་དང་། དགའ་བའི་སེམས་དང་། བཏང་[༣]སྙོམས་ཀྱི་སེམས་ཉེ་བར་གཞག་པའི་ཕྱིར་ཏེ། ཀཽ་ཤི་ཀ་རིགས་ཀྱི་བུའམ། རིགས་ཀྱི་བུ་མོ་གང་ཤེས་རབ་ཀྱི་ཕ་རོལ་ཏུ་ཕྱིན་པ་འདི་འཛིན་པ་དང་། འཆང་བ་དང་། ཀློག་པ་དང་། ཀུན་ཆུབ་པར་བྱེད་པ་དང་། ཚུལ་བཞིན་དུ་ཡིད་ལ་བྱེད་པ་དེ་ནི། ཚེ་འདིའི་ཡོན་ཏན་དེ་དག་དང་ལྡན་པར་འགྱུར་རོ། །ཀཽ་ཤི་ཀ་ཚེ་རབས་གཞན་གྱི་ཡོན་ཏན་གང་དག་དང་ཡང་ལྡན་པར་འགྱུར་ཞེ་ན། འདི་ལྟ་སྟེ་ནམ་ཡང་དགེ་བ་བཅུའི་ལས་ཀྱི་ལམ་དང་བྲལ་བར་མི་འགྱུར་ཏེ། བསམ་གཏན་བཞི་དང་། ཚད་མེད་པ་བཞི་དང་། གཟུགས་མེད་པའི་སྙོམས་པར་འཇུག་པ་བཞི་དང་། ཕ་རོལ་ཏུ་ཕྱིན་པ་དྲུག་དང་། བྱང་ཆུབ་ཀྱི་ཕྱོགས་ཀྱི་ཆོས་སུམ་ཅུ་རྩ་བདུན་དང་། འཕགས་པའི་བདེན་པ་རྣམས་དང་། བསམ་གཏན་རྣམས་དང་། ཚད་མེད་པ་རྣམས་དང་། གཟུགས་མེད་པའི་སྙོམས་པར་འཇུག་པ་རྣམས་དང་། རྣམ་པར་ཐར་པ་རྣམས་དང་། མཐར་གྱིས་གནས་པའི་སྙོམས་པར་འཇུག་པ་རྣམས་དང་། རྣམ་པར་ཐར་པའི་སྒོ་གསུམ་དང་། མངོན་པར་ཤེས་པ་རྣམས་དང་། ཏིང་ངེ་འཛིན་རྣམས་དང་། གཟུངས་ཀྱི་སྒོ་རྣམས་དང་། དེ་བཞིན་གཤེགས་

པའི་སྟོབས་རྣམས་དང་། མི་འཇིགས་པ་རྣམས་དང་། སོ་སོ་ཡང་དག་པར་རིག་པ་རྣམས་དང་། སངས་རྒྱས་ཀྱི་ཆོས་མ་འདྲེས་པ་རྣམས་དང་བྲལ་བར་མི་འགྱུར་རོ། །དེ་[1]སེམས་ཅན་རྣམས་ཡོངས་སུ་སྨིན་པར་བྱ་བའི་སྨོན་ལམ་གྱི་དབང་མ་གཏོགས་པར། ནམ་ཡང་སེམས་ཅན་དམྱལ་བ་དང་། ཕྱུགས་སོང་གི་སྐྱེ་གནས་དང་། གཤིན་རྗེའི་འཇིག་རྟེན་དུ་མི་སྐྱེའོ། །དེ་ནམ་ཡང་ཡན་ལག་ཉམས་པ་ཅན་དུ་མི་འགྱུར། ནམ་ཡང་དབུལ་པོའི་རིགས་སུ་མི་སྐྱེ། སྨྱིག་མ་མཁན་གྱི་རིགས་སམ། སྣ་[2]ཤ་ཅན་གྱི་རིགས་སམ། མགར་བའམ། ཕྱག་དར་[3]བའམ། ཤན་པའམ། ཕག་གསོད་པའི་རིགས་སམ། དམངས་རིགས་སུ་མི་སྐྱེ་སྟེ། རྟག་ཏུ་རྒྱུན་མི་ཆད་[4]པར་མི་ཆེན་པོའི་མཚན་སུམ་ཅུ་རྩ་གཉིས་དང་ལྡན་པར་འགྱུར[5]། འཇིག་རྟེན་གྱི་ཁམས་གང་ན། སངས་རྒྱས་བཅོམ་ལྡན་འདས་རྣམས་བཞུགས་ཤིང་འཚོ་སྐྱོང་བའི་འཇིག་རྟེན་གྱི་ཁམས་དེ་དག་ཏུ་རྫུས་[6]ཤིང་སྐྱེ་བར་འགྱུར་ཏེ། ནམ་ཡང་བྱང་ཆུབ་སེམས་དཔའི་མངོན་པར་ཤེས་པ་དང་བྲལ་བར་མི་འགྱུར་རོ། །དེ་འདོད་ན་སངས་རྒྱས་བཅོམ་ལྡན་འདས་རྣམས་ལ་བལྟ་བ་དང་། ཕྱག་བྱ་བ་དང་། བསྙེན་བཀུར་བ་དང་། ཆོས་མཉན་པའི་ཕྱིར། སངས་རྒྱས་ཀྱི་ཞིང་ནས་སངས་རྒྱས་ཀྱི་ཞིང་དུ་འགྲོ་བར་འགྱུར་ཏེ། དེ་སངས་རྒྱས་ཀྱི་ཞིང་ནས་སངས་རྒྱས་ཀྱི་ཞིང་དུ་འགྲོ་ཞིང་། སེམས་ཅན་རྣམས་ཀྱང་ཡོངས་སུ་སྨིན་པར་བྱེད། སངས་རྒྱས་ཀྱི་ཞིང་ཡང་ཡོངས་སུ་དག་པར་བྱེད་དོ། །ཀཽ་ཤི་ཀ་དེ་བས་ན་རིགས་ཀྱི་བུའམ། རིགས་ཀྱི་བུ་མོ་ཡོན་ཏན་འདི་དག་ཕུན་སུམ་ཚོགས་པར་འདོད་པས། ཤེས་རབ་ཀྱི་ཕ་རོལ་ཏུ་ཕྱིན་པ་འདི་གཟུང་བར་བྱ། བཅང་བར་བྱ། ལྷག་[7]པར་བྱ། ཀུན་ཆུབ་པར་བྱ། ཚུལ་བཞིན་དུ་ཡིད་ལ་བྱ། རྣམ་པ་ཐམས་ཅད་མཁྱེན་པ་ཉིད་ཀྱི་སེམས་དང་མ་བྲལ་བར་བྱའོ། །དེ་དག་ནི་ནམ་ཧླན་[8]མེད་པ་ཡང་དག་པར་རྫོགས་པའི་

བྱང་ཆུབ་ཏུ་མངོན་པར་རྫོགས་པར་སངས་རྒྱས་ཀྱི་བར་དུ་ཚེ་འདིའི་ཡོན་ཏན་དང་། ཚེ་རབས་གཞན་གྱི་ཡོན་ཏན་དེ་དག་དང་ལྡན་པར་འགྱུར་རོ། །ཤེས་རབ་ཀྱི་ཕ་རོལ་ཏུ་ཕྱིན་པ་སྟོང་ཕྲག་ཉི་ཤུ་ལྔ་པ་ལས། ལེའུ་བཅུ་དགུ་པའོ།། ||

དེ་ནས་མུ་སྟེགས་ཅན་གཞན་དང་། ཀུན་[1]ཏུ་རྒྱུ་བ་སྐྱགས་བལྟ་[2]བའི་བསམ་པ་ཅན་བརྒྱ་ཙམ་ཞིག །བཅོམ་ལྡན་འདས་གང་ན་བ་དེ་ལོགས་སུ་དོང་བ་དང་། དེ་ནས་ལྷའི་དབང་པོ་བརྒྱ་བྱིན་འདི་སྙམ་དུ་སེམས་པར་གྱུར་ཏེ། མུ་སྟེགས་ཅན་གཞན་དང་། ཀུན་ཏུ་རྒྱུ་བ་བརྒྱ་པོ་[3]སྐྱགས་བལྟ་བའི་བསམ་པ་ཅན་འདི་དག་བཅོམ་ལྡན་འདས་གང་ན་བ་དེར་དོང་ནས་[4]དེ་ལ་བདག་གིས་ཅི་ནས་ཀྱང་ཤེས་རབ་ཀྱི་ཕ་རོལ་ཏུ་ཕྱིན་པ་བརྗོད་པས། མུ་སྟེགས་ཅན་གཞན་དང་། ཀུན་ཏུ་རྒྱུ་བ་འདི་དག་བཅོམ་ལྡན་འདས་ཀྱི་[5]དྲུང་དུ་དོང་[6]ནས། བར་ཆད་བྱེད་པར་མི་འགྱུར་བར་བདག་གིས་བཅོམ་ལྡན་འདས་ལས་ཤེས་རབ་ཀྱི་ཕ་རོལ་ཏུ་ཕྱིན་པ་འདི་ལས་ཇི་སྙེད་ཅིག་བཟུང་བ་དེ་དག་ཁ་ཏོན་དུ་བྱའོ་སྙམ་ནས། དེ་ནས་ལྷའི་དབང་པོ་བརྒྱ་བྱིན་གྱིས། བཅོམ་ལྡན་འདས་ལས་ཤེས་རབ་ཀྱི་ཕ་རོལ་ཏུ་ཕྱིན་པ་ལས་ཇི་སྙེད་བཟུང་བ་དེ་དག་ཁ་ཏོན་དུ་བརྗོད་དོ། །དེ་ནས་མུ་སྟེགས་ཅན་གཞན་དང་། ཀུན་ཏུ་རྒྱུ་བ་དེ་དག་རྒྱང་རིང་པོ་རིང་པོ་ནས། བཅོམ་ལྡན་འདས་ལ་གཡས་ཕྱོགས་སུ་བསྐོར་བ་བྱས་ནས། ལམ་དེ་ཉིད་དང་སྒོ་དེ་ཉིད་ནས་ཕྱིར་དོང་ངོ་། །དེ་ནས་ཚེ་དང་ལྡན་པ་ཤ་ར་དྭ་ཏིའི་བུ་འདི་སྙམ་དུ་སེམས་པར་གྱུར་ཏེ། དེ་ལྟར་མུ་སྟེགས་ཅན་གཞན་དང་། ཀུན་ཏུ་རྒྱུ་བ་དེ་དག་གིས། རྒྱང་རིང་པོ་རིང་པོ་ནས་བཅོམ་ལྡན་འདས་ལ་གཡས་ཕྱོགས་ནས་བསྐོར་བ་བྱས་ཏེ། ལམ་དེ་ཉིད་དང་སྒོ་དེ་ཉིད་ནས་ཕྱིར་དོང་ན། དེ་ཅིའི་རྒྱུ་ཞིག་[7]སྙམ་པ་དང་།

དེ་ནས་བཅོམ་ལྡན་འདས་ཀྱིས་ཚེ་དང་ལྡན་པ་ཤ་ར་དྭ་ཏིའི་བུའི་སེམས་ཀྱི་ཀུན་ཏུ་རྟོག་པ་ཐུགས་ཀྱིས་ཐུགས་སུ་ཆུད་ནས། ཚེ་དང་ལྡན་པ་ཤ་ར་དྭ་ཏིའི་བུ་ལ་བཀའ་སྩལ་པ། ཤ་ར་དྭ་ཏིའི་བུ་དེ་ནི་ལྷའི་དབང་པོ་བརྒྱ་བྱིན་གྱིས། ཤེས་རབ་ཀྱི་ཕ་རོལ་ཏུ་ཕྱིན་པ་ཡང་དག་པར་བསམས་[1]པས། དེའི་ཕྱིར་མུ་སྟེགས་ཅན་གཞན་དང་། ཀུན་ཏུ་རྒྱུ་བ་འདི་དག་རྒྱང་རིང་པོ་རིང་པོ་ནས་ང་ལ་གཡས་ཕྱོགས་སུ་བསྐོར་བ་བྱས་ཏེ། ལམ་དེ་ཉིད་དང་སྒོ་དེ་ཉིད་ནས་ཕྱིར་དོང་བ་ཡིན་ནོ། །ཤ་ར་དྭ་ཏིའི་བུ་མུ་སྟེགས་ཅན་གཞན་དང་། ཀུན་ཏུ་རྒྱུ་བ་འདི་དག་ལས་འགའ་ཙམ་ཡང་དཀར་པོའི་སེམས་དང་ལྡན་པར་མ་མཐོང་སྟེ། མུ་སྟེགས་ཅན་གཞན་དང་། ཀུན་ཏུ་རྒྱུ་བ་འདི་དག་ཐམས་ཅད་ནི་གནོད་པར་བྱ་བའི་སེམས་དང་ལྡན་པ། གླགས་བལྟ་[2]བའི་བསམ་པ་ཅན་ཤ་སྟག་སྟེ། འཁོར་འདིར་འོང་བར་སེམས་པ་ཤ་སྟག་ཀྱང་། ཤ་ར་དྭ་ཏིའི་བུ་ངས་ནི་འཇིག་རྟེན་ལྷ་དང་བཅས་པ། བདུད་དང་[3]བཅས་པ། ཚངས་པར་[4]བཅས་པ་དང་། དགེ་སྦྱོང་དང་བྲམ་ཟེར་བཅས་པའི་སྐྱེ་དགུའི་ནང་ན། གང་[5]ཤེས་རབ་ཀྱི་ཕ་རོལ་ཏུ་ཕྱིན་པ་འདི་བསྟན་པའི་ཚེ། ཞེ་སྡང་བའི་སེམས་སམ[6]། གླགས་བལྟ་[7]བའི་བསམ་པས་ཉེ་བར་འགྲོ་བ་མ་མཐོང་སྟེ། དེ་ནི་གནས་མེད་དོ། །དེ་ཅིའི་ཕྱིར་ཞེ་ན། ཤ་ར་དྭ་ཏིའི་བུ་དེ་ནི་འདི་ལྟར་སྟོང་གསུམ་གྱི་སྟོང་ཆེན་པོའི་འཇིག་རྟེན་གྱི་ཁམས་འདི་ན་རྒྱལ་ཆེན་བཞིའི་རིས་ཀྱི་ལྷའི་བུ་དང་། འོག་མིན་གྱི་བར་གྱི་ལྷའི་བུ་གང་ཇི་སྙེད་ཅིག་ཡོད་པ་དང་། ཉན་ཐོས་དང་། རང་སངས་རྒྱས་གང་ཇི་སྙེད་ཅིག་ཡོད་པ་དང་། བྱང་ཆུབ་སེམས་དཔའ་གང་ཇི་སྙེད་ཅིག་ཡོད་པ་དེ་དག་གིས་ཤེས་རབ་ཀྱི་ཕ་རོལ་ཏུ་ཕྱིན་པ་འདི་ཡོངས་སུ་བཟུང་ངོ་། །དེ་ཅིའི་ཕྱིར་ཞེ་ན། འདི་ལྟར་དེ་དག་ཐམས་ཅད་ནི་ཤེས་རབ་ཀྱི་ཕ་རོལ་ཏུ་ཕྱིན་པ་ལས་བྱུང་བ་ཤ་སྟག་གོ། །

ཤ་ར་དྭ་ཏིའི་བུ་གཞན་ཡང་ཤར་ཕྱོགས་ཀྱི་འཇིག་རྟེན་གྱི་ཁམས་གང་གཱའི་ཀླུང་གི་བྱེ་མ་སྙེད་དག་ན། སངས་རྒྱས་བཅོམ་ལྡན་འདས་ཉན་ཐོས་ཀྱི་དགེ་འདུན་དང་བཅས་པ་ཇི་སྙེད་ཅིག་བཞུགས་པ་དང་། རང་སངས་རྒྱས་དང་། བྱང་ཆུབ་སེམས་དཔའ་སེམས་དཔའ་ཆེན་པོ་དང་། ལྷ་དང་། ཀླུ་དང་། གནོད་སྦྱིན་དང་། དྲི་ཟ་[1]དང་། ལྷ་མ་ཡིན་དང་། ནམ་མཁའ་ལྡིང་དང་། མིའམ་ཅི་དང་། ལྟོ་འཕྱེ་ཆེན་པོ་གང་ཇི་སྙེད་ཅིག་ཡོད་པ་དེ་དག་ཐམས་ཅད་ཀྱིས་ཀྱང་ཤེས་རབ་ཀྱི་ཕ་རོལ་ཏུ་ཕྱིན་པ་འདི་ཡོངས་སུ་བཟུང་ངོ་། །དེ་ཅིའི་ཕྱིར་ཞེ་ན། འདི་ལྟར་དེ་དག་ཐམས་ཅད་ནི་ཤེས་རབ་ཀྱི་ཕ་རོལ་ཏུ་ཕྱིན་པ་ལས་བྱུང་བ་ཤ་སྟག་གོ༑ །ལྷོ་དང་། ནུབ་དང་། བྱང་དང་། བྱང་ཤར་དང་། ཤར་ལྷོ་དང་། ལྷོ་ནུབ་དང་། ནུབ་བྱང་དང་། འོག་དང་། སྟེང་གི་ཕྱོགས་ཀྱི་ཕྱོགས་རེ་རེའི་འཇིག་རྟེན་གྱི་ཁམས་གང་གཱའི་ཀླུང་གི་བྱེ་མ་སྙེད་དག་ན། སངས་རྒྱས་བཅོམ་ལྡན་འདས་ཉན་ཐོས་ཀྱི་དགེ་འདུན་དང་བཅས་པ་ཇི་སྙེད་ཅིག་བཞུགས་པ་དང་། རང་སངས་རྒྱས་དང་། བྱང་ཆུབ་སེམས་དཔའ་སེམས་དཔའ་ཆེན་པོ་དང་། ལྷ་དང་། ཀླུ་དང་། གནོད་སྦྱིན་དང་། དྲི་ཟ་དང་། ལྷ་མ་ཡིན་དང་། ནམ་མཁའ་ལྡིང་དང་། མིའམ་ཅི་དང་། ལྟོ་འཕྱེ་ཆེན་པོ་གང་ཇི་སྙེད་ཅིག་ཡོད་པ་དེ་དག་ཐམས་ཅད་ཀྱིས་ཀྱང་ཤེས་རབ་ཀྱི་ཕ་རོལ་ཏུ་ཕྱིན་པ་འདི་ཡོངས་སུ་བཟུང་ངོ་། །དེ་ཅིའི་ཕྱིར་ཞེ་ན། འདི་ལྟར་དེ་དག་ཐམས་ཅད་ནི་ཤེས་རབ་ཀྱི་ཕ་རོལ་ཏུ་ཕྱིན་པ་ལས་བྱུང་བ་ཤ་སྟག་གོ། །དེ་ནས་བདུད་སྡིག་ཏོ་ཅན་འདི་སྙམ་དུ་སེམས་པར་གྱུར་ཏེ། དེ་བཞིན་གཤེགས་པ་དགྲ་བཅོམ་པ་ཡང་དག་པར་རྫོགས་པའི་སངས་རྒྱས་ཀྱི་འཁོར་བཞི་པོ་འདི་དག་ཀྱང་མངོན་དུ་གྱུར། འདོད་པ་ལ་སྤྱོད་པ་དང་། གཟུགས་ལ་སྤྱོད་པའི་ལྷ་འདི་དག་ཀྱང་མངོན་དུ་གྱུར་

པ་ལས། འདིར་ནི་གདོན་མི་ཟ་བར་བྱང་ཆུབ་སེམས་དཔའ་སེམས་དཔའ་ཆེན་པོ་རྣམས་བླ་ན་མེད་པ་ཡང་དག་པར་རྫོགས་པའི་བྱང་ཆུབ་ཏུ་ལུང་སྟོན་པར་འགྱུར་གྱིས[1]། དེ་ལ་བདག་གིས་བཅོམ་ལྡན་འདས་གང་[2]ན་བ་དེར་སོང་སྟེ་བར་ཆད་བྱའོ་སྙམ་ནས། བདུད་སྡིག་ཏོ་ཅན་གྱིས་དཔུང་གི་ཚོགས་ཡན་ལག་བཞི་པ་མངོན་པར་སྤྲུལ་ནས། བཅོམ་ལྡན་འདས་གང་ན་བ་དེར་འགྲོ་འདོད་པར་གྱུར་པ་དང་། དེ་ནས་ལྷའི་དབང་པོ་བརྒྱ་བྱིན་འདི་སྙམ་དུ་སེམས་པར་གྱུར་ཏོ[3]། ། ཀྱེ་མ་བདུད་སྡིག་ཏོ་ཅན་འདི་དཔུང་གི་ཚོགས་ཡན་ལག་བཞི་པ་མངོན་པར་སྤྲུལ་ཅིང་། བཅོམ་ལྡན་འདས་གང་ན་བ་དེར་འགྲོ་བར་འདོད་ལ། བདུད་སྡིག་ཏོ་ཅན་གྱི་དཔུང་གི་ཚོགས་ཡན་ལག་བཞི་རྣམ་པར་བཀོད་པ་འདི་ནི། རྒྱལ་པོ་བི་མ་བི་སཱ་[4]རའི་དཔུང་གི་ཚོགས་ཡན་ལག་བཞི་པ་རྣམ་པར་བཀོད་པས་ཀྱང་དེ་ཙམ་མི་ཕོད། རྒྱལ་པོ་སྔེ་རབ་ཏུ་ཕམ་བྱེད་དང་། ཤཱཀྱ་རྣམས་དང་། ༑ལི་ཙ་བྱི་[5]རྣམས་ཀྱི་དཔུང་གི་ཚོགས་ཡན་ལག་བཞི་པ་རྣམ་པར་བཀོད་པས་ཀྱང་དེ་ཙམ་མི་ཕོད་དེ། བདུད་སྡིག་ཏོ་ཅན་འདི་ནི་ཡུན་རིང་པོ་ནས་བཅོམ་ལྡན་འདས་ལ་ཡང་གླགས་ལྟ་[6]ཞིང་གླགས་ཚོལ[7]། སེམས་ཅན་ཡང་དག་པར་བརྩོན་པ་རྣམས་ལ་ཡང་གཙེ་བའི་བསམ་པ་ཅན་ཡིན་གྱིས[8]། བདག་གིས་ཤེས་རབ་ཀྱི་ཕ་རོལ་ཏུ་ཕྱིན་པ་འདི་ཡང་དག་པར་བསམ་པར་བྱའོ། །དྲན་པས་བརྗོད་པར་བྱའོ་སྙམ་ནས། ལྷའི་དབང་པོ་བརྒྱ་བྱིན་གྱིས། ཤེས་རབ་ཀྱི་ཕ་རོལ་ཏུ་ཕྱིན་པ་འདི་ཡང་དག་པར་བསམས་ཏེ། དྲན་པས་གསལ་བར་བརྗོད་པ་དང་། ལྷའི་དབང་པོ་བརྒྱ་བྱིན་གྱིས། ཇི་ལྟ་ཇི་ལྟར་ཤེས་རབ་ཀྱི་ཕ་རོལ་ཏུ་ཕྱིན་པ་འདི་གསལ་བར་བརྗོད་པ་དེ་ལྟ་དེ་ལྟར། བདུད་སྡིག་[9]ཅན་དེ་དག་ལམ་དེ་ཉིད་དང་སྒོ་དེ་ཉིད་ནས་ཕྱིར་ལོག་གོ། །དེ་ནས་འཁོར་དེ་ན་རྒྱལ་ཆེན་བཞིའི་རིས་ཀྱི་ལྷའི་

བུ་དང་། འོག་མིན་གྱི་བར་གྱི་ལྷ་ཇི་སྙེད་ཅིག་འཁོད་པ་དེ་དག་གིས། ལྷ་རྫས་ཀྱི་མེ་ཏོག་དང་། ན་བཟའ་མང་པོ་མངོན་པར་སྤྲུལ་ནས། བར་སྣང་གི་ནམ་མཁའ་ལ་འཁོད་བཞིན་དུ། བཅོམ་ལྡན་འདས་གང་ན་བ་དེར་གཏོར་ཏེ། མངོན་པར་གཏོར་ནས་ཚིག་འདི་སྐད་དུ་བརྗོད་དོ། །འཛམ་བུའི་གླིང་གི་མི་འདི་རྣམས་ཤེས་རབ་ཀྱི་ཕ་རོལ་ཏུ་ཕྱིན་པ་འདི་ལ་ཡུན་རིང་པོར་སྤྱོད་པར༔ གྱུར་ཅིག[༡] །འཛམ་བུའི་གླིང་གི་མི་འདི་དག་ཇི་སྲིད་དུ་ཤེས་རབ་ཀྱི་ཕ་རོལ་ཏུ་ཕྱིན་པ་འདི་ལ་སྤྱོད་པ་དེ་སྲིད་དུ། དེ་བཞིན་གཤེགས་པ་དགྲ་བཅོམ་པ་ཡང་དག་པར་རྫོགས་པའི་སངས་རྒྱས་ཀྱང་ནུབ་པར་མི་འགྱུར་ལ། དམ་པའི་ཆོས་ཡུན་རིང་དུ་གནས་ཤིང་། དགེ་འདུན་དཀོན་མཆོག་ཀྱང་འཇིག་རྟེན་དུ་འབྱུང་བར་འགྱུར་ཞེའོ། །སྟོང་གསུམ་གྱི་སྟོང་ཆེན་པོའི་འཇིག་རྟེན་གྱི་ཁམས་དང་། ཕྱོགས་བཅུའི་འཇིག་རྟེན་གྱི་ཁམས་ཀྱི་བར་གྱི་དེ་བཞིན་གཤེགས་པ་དགྲ་བཅོམ་པ་ཡང་དག་པར་རྫོགས་པའི་སངས་རྒྱས་ཀྱང་ནུབ་པར་མི་འགྱུར་ལ། དམ་པའི་ཆོས་ཀྱང་ཡུན་རིང་པོར་གནས་ཤིང་། དགེ་འདུན་དཀོན་མཆོག་ཀྱང་འཇིག་རྟེན་དུ་འབྱུང་བར་འགྱུར་ཞེའོ༑ །བྱང་ཆུབ་སེམས་དཔའ་སེམས་དཔའ་ཆེན་པོ་རྣམས་ཀྱི་སྤྱོད་པ་ཁྱད་པར་དུ་འཕགས་པ་ཡང་ཡོད་པར་འགྱུར་ཞེའོ། །ཕྱོགས་གང་ན་རིགས་ཀྱི་བུའམ་རིགས་ཀྱི་བུ་མོ་དེ་དག་གིས་ཤེས་རབ་ཀྱི་ཕ་རོལ་ཏུ་ཕྱིན་པ་འདི་བྲིས་ཤིང་གླེགས་བམ་དུ་བྱས་ཏེ་འཆང་བའི་ཕྱོགས་དེ་ནི་སྣང་བ་དང་ལྡན་པར[༢] རིག་པར་བྱའོ། །ཕྱོགས་དེ་ནི་མགོན་དང་བཅས་ཤིང་མུན་པ་དང་བྲལ་བར་རིག་པར་བྱའོ། །དེ་ནས་བཅོམ་ལྡན་འདས་ཀྱིས་ལྷའི་དབང་པོ་བརྒྱ་བྱིན་དང་། འོག་མིན་གྱི་བར་གྱི་ལྷའི་བུ་དེ་དག་ལ་འདི་སྐད་ཅེས་བཀའ་སྩལ་ཏོ། །ཀཽ་ཤི་ཀ་དེ་དེ་བཞིན་ཏེ། དེ་དེ་བཞིན་ནོ། །ལྷའི་བུ་དག་དེ་དེ་བཞིན་ནོ། །དེ་དེ་བཞིན་ཏེ། ཇི་སྲིད་དུ

འཛམ་བུའི་གླིང་གི་མི་རྣམས་ཤེས་རབ་ཀྱི་ཕ་རོལ་དུ་ཕྱིན་པ་འདི་ལ་སྤྱོད་པ་དེ་སྲིད་དུ། དེ་བཞིན་གཤེགས་པ་དགྲ་བཅོམ་པ་ཡང་དག་པར་རྫོགས་པའི་སངས་རྒྱས་ཀྱང་ནུབ་པར་མི་འགྱུར་ལ། དམ་པའི་ཆོས་ཀྱང་ཡུན་རིང་དུ་གནས་ཤིང་། དགེ་འདུན་དཀོན་མཆོག་ཀྱང་འཇིག་རྟེན་དུ་འབྱུང་བར་འགྱུར་རོ། །སྟོང་གསུམ་གྱི་སྟོང་ཆེན་པོའི་[༡]འཇིག་རྟེན་གྱི་ཁམས་དང་། ཕྱོགས་བཅུ་ཀུན་གྱི་འཇིག་རྟེན་གྱི་ཁམས་ཀྱི་བར་གྱི་དེ་བཞིན་གཤེགས་པ་དགྲ་བཅོམ་པ་ཡང་དག་པར་རྫོགས་པའི་སངས་རྒྱས་རྣམས་ཀྱང་ནུབ་པར་མི་འགྱུར་ལ། དམ་པའི་ཆོས་ཀྱང་ཡུན་རིང་དུ་གནས་ཤིང་། དགེ་འདུན་དཀོན་མཆོག་ཀྱང་འཇིག་རྟེན་དུ་འབྱུང་བར་འགྱུར་རོ།། བྱང་ཆུབ་སེམས་དཔའ་སེམས་དཔའ་ཆེན་པོ་རྣམས་ཀྱི་སྤྱོད་པ་ཁྱད་པར་[༢]དུ་འཕགས་པ་ཡང་ཡོད་པར་འགྱུར་རོ། །ཕྱུགས་གང་ན་རིགས་ཀྱི་བུའམ། རིགས་ཀྱི་བུ་མོ་དེ་དག་གིས་ཤེས་རབ་ཀྱི་ཕ་རོལ་དུ་ཕྱིན་པ་འདི་བྲིས་ཤིང་གླེགས་བམ་དུ་བྱས་ཏེ་འཆང་བའི་ཕྱོགས་དེ་ནི་སྣང་བ་དང་ལྡན་པར་དངས་ཤེས་སོ། །ཕྱོགས་དེ་ནི་མགོན་དང་བཅས་ཤིང་མུན་པ་དང་བྲལ་བར་དངས་ཤེས་སོ། །དེ་ནས་ལྷའི་བུ་དེ་དག་གིས་ལྷ་རྫས་ཀྱི་མེ་ཏོག་མང་པོ་མངོན་པར་སྤྲུལ་ནས། བཅོམ་ལྡན་འདས་གང་ན་བ་དེར་མངོན་པར་གཏོར་ཏེ། འདི་སྐད་ཀྱི་ཚིག་བརྗོད་དོ། །བཅོམ་ལྡན་འདས་རིགས་ཀྱི་བུའམ། རིགས་ཀྱི་བུ་མོ་གང་ལ་ལ། ཤེས་རབ་ཀྱི་ཕ་རོལ་དུ་ཕྱིན་པ། འདི་འཛིན་པ་དང་། འཆང་བ་དང་། ཀློག་པ་དང་། ཀུན་ཆུབ་པར་བགྱིད་ཅིང་། ཚུལ་བཞིན་དུ་ཡིད་ལ་བགྱིད་པ་དེ་ལ་བདུད་དམ་བདུད་ཀྱི་རིགས་[༣]སུ་གཏོགས་པའི་ལྷ་གླགས་ཚོལ་བ་རྣམས་ཀྱིས་གླགས་མི་རྙེད་དོ། །བཅོམ་ལྡན་འདས་བདག་ཅག་གིས་ཀྱང་རིགས་ཀྱི་བུའམ། རིགས་ཀྱི་བུ་མོ་དེ་ལ་རྟག་ཏུ་རྒྱུན་མི་ཆད་པར་བསྲུང་[༤]བ་དང་། བསྐྱབ་པ་དང་། བསྐྱང་བར་

བགྱིའོ།། །དེ་ཅིའི་སླད་དུ་ཞེ་ན། རིགས་ཀྱི་བུའམ། རིགས་ཀྱི་བུ་མོ་གང་ཤེས་རབ་ཀྱི་ཕ་རོལ་དུ་ཕྱིན་པ་འདི་འཛིན་ཅིང་འཆང་བ་དང་། ཀློག་ཅིང་ཀུན་ཆུབ་པར་བགྱིད་པ་དང་། ཚུལ་བཞིན་དུ་ཡིད་ལ་བགྱིད་པ་དེ་ནི་སྟོན་པའམ། སྟོན་པ་དང་མཚུངས་པ་ཙམ་དུ་བདག་ཅག་སེམས་སོ། །དེ་ནས་ལྷའི་དབང་པོ་བརྒྱ་བྱིན་གྱིས། བཅོམ་ལྡན་འདས་ལ་འདི་སྐད་ཅེས་གསོལ་ཏོ། །བཅོམ་ལྡན་འདས་རིགས་ཀྱི་བུའམ། རིགས་ཀྱི་བུ་མོ་གང་ཤེས་རབ་ཀྱི་ཕ་རོལ་དུ་ཕྱིན་པ་འདི་འཛིན་ཅིང་འཆང་བ་དང་། ཀློག་ཅིང་ཀུན་ཆུབ་པར་བགྱིད་པ་དང་། ཚུལ་བཞིན་དུ་ཡིད་ལཿབགྱིད་པ་[1]དེ་དག་ནི་དགེ་བའི་རྩ་བ་དམའ་བ་དང་ལྡན་པ་མ་ལགས་ཏེ། བཅོམ་ལྡན་འདས་རིགས་ཀྱི་བུའམ། རིགས་ཀྱི་བུ་མོ་གང་ཤེས་རབ་ཀྱི་ཕ་རོལ་དུ་ཕྱིན་པ་འདི་འཛིན་ཅིང་འཆང་བ་དང་། ཀློག་ཅིང་ཀུན་ཆུབ་པར་བགྱིད་པ་དང་། ཚུལ་བཞིན་དུ་ཡིད་ལ་བྱེད་པ་དེ་དག་ནི་སྟོན་གྱི་རྒྱལ་བ་ལ་བགྱི་བ་བགྱིད་པ་ལགས་སོ། །བཅོམ་ལྡན་འདས་རིགས་ཀྱི་བུའམ། རིགས་ཀྱི་བུ་མོ་གང་ཤེས་རབ་ཀྱི་ཕ་རོལ་དུ་ཕྱིན་པ་འདི་འཛིན་ཅིང་འཆང་བ་དང་། ཀློག་ཅིང་ཀུན་ཆུབ་པར་བགྱིད་པ་དང་། ཚུལ་བཞིན་དུ་ཡིད་ལ་བགྱིད་པ་དེ་དག་ནི། སངས་རྒྱས་མང་པོ་ལ་བསྙེན་བཀུར་བགྱིས་པར་འགྱུར། དགེ་བའི་བཤེས་[2]གཉེན་གྱིས་ཡོངས་སུ་བཟུང་བར་འགྱུར་རོ། །བཅོམ་ལྡན་འདས་དེ་ཅིའི་སླད་དུ་ཞེ་ན། འདི་ལྟ་སྟེ། ཤེས་རབ་ཀྱི་ཕ་རོལ་དུ་ཕྱིན་པ་འདི་ལས། རྣམ་པ་ཐམས་ཅད་མཁྱེན་པ་ཉིད་བཙལ་བར་བགྱིའོ། །བཅོམ་ལྡན་འདས་འདི་ལྟ་སྟེ། རྣམ་པ་ཐམས་ཅད་མཁྱེན་པ་ཉིད་ལས་ཤེས་རབ་ཀྱི་ཕ་རོལ་དུ་ཕྱིན་པ་བཙལ་བར་བགྱིའོ། །དེ་ཅིའི་སླད་དུ་ཞེ་ན། བཅོམ་ལྡན་འདས་དེ་ནི་འདི་ལྟར་ཤེས་རབ་ཀྱི་ཕ་རོལ་དུ་ཕྱིན་པ་ཡང་གཞན་ལ། རྣམ་པ་ཐམས་ཅད་མཁྱེན་པ་ཉིད་ཀྱང་

གཞན་མ་ལགས། རྣམ་པ་ཐམས་ཅད་མཁྱེན་པ་ཉིད་ཀྱང་གཞན་ལ། ཤེས་རབ་ཀྱི་ཕ་རོལ་ཏུ་ཕྱིན་པ་ཡང་གཞན་མ་ལགས་ཏེ། ཤེས་རབ་ཀྱི་ཕ་རོལ་ཏུ་ཕྱིན་པ་དང་། རྣམ་པ་ཐམས་ཅད་མཁྱེན་པ་ཉིད་དེ་ལ་གཉིས་སུ་མ་མཆིས་ཏེ་གཉིས་སུ་བགྱིར་མ་མཆིས་སོ། །བཅོམ་ལྡན་འདས་ཀྱིས་བཀའ་སྩལ་པ། ཀཽ་ཤི་ཀ་དེ་དེ་བཞིན་ནོ། །དེ་དེ་བཞིན་ཏེ། ཀཽ་ཤི་ཀ་ཤེས་རབ་ཀྱི་ཕ་རོལ་ཏུ་ཕྱིན་པ་ལས་བྱུང་བ་ནི། དེ་བཞིན་གཤེགས་པ་དགྲ་བཅོམ་པ་ཡང་དག་པར་རྫོགས་པའི་སངས་རྒྱས་རྣམས་ཀྱི་རྣམ་པ་ཐམས་ཅད་མཁྱེན་པ་ཉིད་དོ། །རྣམ་པ་ཐམས་ཅད་མཁྱེན་པ་ཉིད་ལས་བྱུང་བ་ནི་ཤེས་རབ་ཀྱི་ཕ་རོལ་ཏུ་ཕྱིན་པའོ། །དེ་ཅིའི་ཕྱིར་ཞེ་ན། ཀཽ་ཤི་ཀ་དེ་ནི་འདི་ལྟར་ཤེས་རབ་ཀྱི་ཕ་རོལ་ཏུ་ཕྱིན་པ་ཡང་གཞན་ལ། རྣམ་པ་ཐམས་ཅད་མཁྱེན་པ་ཉིད་ཀྱང་གཞན་མ་ཡིན། རྣམ་པ་ཐམས་ཅད་མཁྱེན་པ་ཉིད་ཀྱང་། གཞན་ལ། ཤེས་རབ་ཀྱི་ཕ་རོལ་ཏུ་ཕྱིན་པ་ཡང་གཞན་མ་ཡིན་ཏེ། དེ་ལྟར་ཤེས་རབ་ཀྱི་ཕ་རོལ་ཏུ་ཕྱིན་པ་དང་། རྣམ་པ་ཐམས་ཅད་མཁྱེན་པ་ཉིད་དེ་ལ་གཉིས་སུ་མེད་དེ་གཉིས་སུ་བྱར་མེད་དོ། །ཤེས་རབ་ཀྱི་ཕ་རོལ་ཏུ་ཕྱིན་པ་སྟོང་ཕྲག་ཉི་ཤུ་ལྔ་པ་ལས། ལེའུ་ཉི་ཤུ་པའོ།། །།

དེ་ནས་ཚེ་དང་ལྡན་པ་དགའ་བོས། བཅོམ་ལྡན་འདས་ལ་འདི་སྐད་ཅེས་གསོལ་ཏོ། །བཅོམ་ལྡན་འདས་ཀྱིས་(༡)ཇི་ལྟར་ཤེས་རབ་ཀྱི་ཕ་རོལ་ཏུ་ཕྱིན་པའི་མིང་ཡོངས་སུ་བརྗོད་པར་(༢)མཛད་པ་དེ་ལྟར། སྦྱིན་པའི་ཕ་རོལ་ཏུ་ཕྱིན་པའི་མིང་ཡང་ཡོངས་སུ་བརྗོད་པ་(༣)མ་མཛད། དེ་ལྟར་ཚུལ་ཁྲིམས་ཀྱི་ཕ་རོལ་ཏུ་ཕྱིན་པ་དང་། བཟོད་པའི་ཕ་རོལ་ཏུ་ཕྱིན་པ་དང་། བརྩོན་འགྲུས་ཀྱི་ཕ་རོལ་ཏུ་ཕྱིན་པ་དང་། དེ་ལྟར་བསམ་གཏན་གྱི་ཕ་རོལ་ཏུ་ཕྱིན་པའི་མིང་ཡང་ཡོངས་སུ་

བརྗོད་པ་མ་མཛད་དོ། །དེ་ལྟར་ན་ནང་སྟོང་པ་ཉིད་དང་། དངོས་པོ་མེད་པའི་ངོ་བོ་ཉིད་སྟོང་པ་ཉིད་ཀྱི་བར་གྱི་མིང་ཡང་[༡]ཡོངས་སུ་བརྗོད་པ་མ་མཛད་དོ། །དེ་ལྟར་དྲན་པ་ཉེ་བར་གཞག་པ་རྣམས་ཀྱི་མིང་ཡང་ཡོངས་སུ་བརྗོད་པ་མ་མཛད་དོ། །དེ་ལྟར་ཡང་དག་པར་སྤོང་བ་རྣམས་དང་། རྫུ་འཕྲུལ་གྱི་རྐང་པ་རྣམས་དང་། དབང་པོ་རྣམས་དང་། སྟོབས་རྣམས་དང་། བྱང་ཆུབ་ཀྱི་ཡན་ལག་རྣམས་དང་། འཕགས་པའི་ལམ་ཡན་ལག་བརྒྱད་པའི་མིང་ཡང་ཡོངས་སུ་བརྗོད་པ་མ་མཛད་དོ། །དེ་ལྟར་འཕགས་པའི་བདེན་པ་རྣམས་དང་། བསམ་གཏན་རྣམས་དང་། ཚད་མེད་པ་རྣམས་དང་། གཟུགས་མེད་པའི་སྙོམས་པར་འཇུག་པ་རྣམས་ཀྱི་མིང་ཡང་ཡོངས་སུ་བརྗོད་པ་མ་མཛད་དོ། །དེ་ལྟར་རྣམ་པར་ཐར་པ་བརྒྱད་དང་། མཐར་གྱིས་གནས་པའི་སྙོམས་པར་འཇུག་པ་དགུ་དང་། རྣམ་པར་ཐར་པའི་སྒོ་སྟོང་པ་ཉིད་དང་། མཚན་མ་མེད་པ་དང་། སྨོན་པ་མེད་པ་དང་། མངོན་པར་ཤེས་པ་རྣམས་དང་། ཏིང་ངེ་འཛིན་རྣམས་དང་། གཟུངས་ཀྱི་སྒོ་རྣམས་ཀྱི་མིང་ཡང་ཡོངས་སུ་བརྗོད་པ་མ་མཛད་དོ། །དེ་ལྟར་དེ་བཞིན་གཤེགས་པའི་སྟོབས་བཅུ་དང་། མི་འཇིགས་པ་བཞི་དང་། སོ་སོ་ཡང་དག་པར་རིག་པ་བཞི་དང་། སངས་རྒྱས་ཀྱི་ཆོས་མ་འདྲེས་པ་རྣམས་ཀྱི་མིང་ཡང་ཡོངས་སུ་བརྗོད་པ་མ་མཛད་དོ། །བཅོམ་ལྡན་འདས་ཀྱིས་བཀའ་སྩལ་པ། དགའ་བོ་ཤེས་རབ་ཀྱི་ཕ་རོལ་ཏུ་ཕྱིན་པ་འདི་ནི་འདི་ལྟ་སྟེ། ཕ་རོལ་ཏུ་ཕྱིན་པ་ལྔ་དང་། སྟོང་པ་ཉིད་ཐམས་ཅད་དང་། བྱང་ཆུབ་ཀྱི་ཕྱོགས་ཀྱི་ཆོས་སུམ་ཅུ་རྩ་བདུན་དང་། འཕགས་པའི་བདེན་པ་བཞི་དང་། བསམ་གཏན་བཞི་དང་། ཚད་མེད་པ་བཞི་དང་། གཟུགས་མེད་པའི་སྙོམས་པར་འཇུག་པ་བཞི་དང་། རྣམ་པར་ཐར་པ་བརྒྱད་དང་། མཐར་གྱིས་གནས་པའི་སྙོམས་པར་འཇུག་པ་

དགུ་དང་། རྣམ་པར་ཐར་པའི་སྒོ་སྟོང་པ་ཉིད་དང་མཚན་མ་མེད་པ་དང་། སྨོན་པ་མེད་པ་དང་། མངོན་པར་ཤེས་པ་རྣམས་དང་། ཏིང་ངེ་འཛིན་རྣམས་དང་། གཟུངས་ཀྱི་སྒོ་རྣམས་དང་། དེ་བཞིན་གཤེགས་པའི་སྟོབས་བཅུ་དང་། མི་འཇིགས་པ་བཞི་དང་། སོ་སོ་ཡང་དག་པར་རིག་པ་བཞི་དང་། སངས་རྒྱས་ཀྱི་ཆོས་མ་འདྲེས་པ་བཅོ་བརྒྱད་དག་གི་ཐོག་མར་འགྲོའོ[༧]། །ཀུན་དུ་འདྲེན[༨]པའོ། །དགའ་བོ་དེ་ཇི་སྙམ་དུ་སེམས། རྣམ་པ་ཐམས་ཅད་མཁྱེན་པ་ཉིད་དུ་ཡོངས་སུ་མ་བསྔོས[༩]པའི་སྦྱིན་པ། སྦྱིན་པའི་ཕ་རོལ་ཏུ་ཕྱིན་པ་ཡིན་ནམ། རྣམ་པ་ཐམས་ཅད་མཁྱེན་པ་ཉིད་དུ་ཡོངས་སུ་མ་བསྔོས་པའི་ཚུལ་ཁྲིམས་དང་། བཟོད་པ་དང་། བརྩོན་འགྲུས་དང་། བསམ་གཏན་དང་ཤེས་རབ་ཤེས་རབ་ཀྱི་ཕ་རོལ་ཏུ་ཕྱིན་པ་ཡིན་ནམ། གསོལ་པ། བཅོམ་ལྡན་འདས་དེ་ནི་མ་ལགས་ནོ། །བཅོམ་ལྡན་འདས་རྣམ་པ་ཐམས་ཅད་མཁྱེན་པ་ཉིད་དུ་ཇི་ལྟར་ཡོངས་སུ་བསྔོས་པའི་སྦྱིན་པ། སྦྱིན་པའི་ཕ་རོལ་ཏུ་ཕྱིན་པ་ལགས། རྣམ་པ་ཐམས་ཅད་མཁྱེན་པ་ཉིད་དུ་ཇི་ལྟར་ཡོངས་སུ་བསྔོས་པའི་ཚུལ་ཁྲིམས་དང་། བཟོད་པ་དང་། བརྩོན་འགྲུས་དང་། བསམ་གཏན་དང་། ཤེས་རབ་ནི[༡༠]ཤེས་རབ་ཀྱི་ཕ་རོལ་དུ་ཕྱིན་པ་ལགས། བཅོམ་ལྡན་འདས་ཀྱིས་བཀའ་སྩལ་པ་དགའ་བོ་གཉིས་སུ་མེད་པའི་ཚུལ་གྱིས། རྣམ་པ་ཐམས་ཅད་མཁྱེན་པ་ཉིད་དུ་ཡོངས་སུ་བསྔོས་པའི་སྦྱིན་པ་ནི། སྦྱིན་པའི་ཕ་རོལ་དུ་ཕྱིན་པ་ཡིན་ནོ། །དགའ་བོ་གཉིས་སུ་མེད་པའི་ཚུལ་གྱིས། རྣམ་པ་ཐམས་ཅད་མཁྱེན་པ་ཉིད་དུ་ཡོངས་སུ་བསྔོས་པའི་ཚུལ་ཁྲིམས་དང་། བཟོད་པ་དང་། བརྩོན་འགྲུས་དང་། བསམ་གཏན་དང་། ཤེས་རབ་ནི་ཤེས་རབ་ཀྱི་ཕ་རོལ་དུ་ཕྱིན་པ་ཡིན་ནོ། །མི་སྐྱེ་བའི་ཚུལ་དང་། མི་དམིགས་པའི་ཚུལ་གྱིས། རྣམ་པ་ཐམས་ཅད་མཁྱེན་པ་ཉིད་དུ་

ཡོངས་སུ་བསྔོས་པའི་སྦྱིན་པ་ནི། སྦྱིན་པའི་ཕ་རོལ་ཏུ་ཕྱིན་པ་ཡིན་ནོ། །མི་སྐྱེ་བ་དང་། མི་དམིགས་པའི་ཚུལ་གྱིས། རྣམ་པ་ཐམས་ཅད་མཁྱེན་པ་ཉིད་དུ་ཡོངས་སུ་བསྔོས་པའི་ཚུལ་ཁྲིམས་དང་། བཟོད་པ་དང་། བརྩོན་འགྲུས་དང་། བསམ་གཏན་དང་། ཤེས་རབ་ནི་ཤེས་རབ་ཀྱི་ཕ་རོལ་ཏུ་ཕྱིན་པ་ཡིན་ནོ། །གསོལ་པ། བཅོམ་ལྡན་འདས་ཇི་ལྟར་གཉིས་སུ་མ་མཆིས་པའི་ཚུལ་དང་། མི་སྐྱེ་བའི་ཚུལ་དང་། མི་དམིགས་པའི་ཚུལ་གྱིས། རྣམ་པ་ཐམས་ཅད་མཁྱེན་པ་ཉིད་དུ་ཡོངས་སུ་བསྔོས་པའི་སྦྱིན་པ་ནི། སྦྱིན་པའི་ཕ་རོལ་ཏུ་ཕྱིན་པ་ལགས། ཇི་ལྟར་གཉིས་སུ་མ་མཆིས་པའི་ཚུལ་དང་མི་སྐྱེ་བའི་ཚུལ་དང་། མི་དམིགས་པའི་ཚུལ་གྱིས། རྣམ་པ་ཐམས་ཅད་མཁྱེན་པ་ཉིད་དུ་ཡོངས་སུ་བསྔོས་པའི་ཚུལ་ཁྲིམས་དང་། བཟོད་པ་དང་། བརྩོན་འགྲུས་དང་། བསམ་གཏན་དང་། ཤེས་རབ་ནི་ཤེས་རབ་ཀྱི་ཕ་རོལ་ཏུ་ཕྱིན་པ་ལགས། བཅོམ་ལྡན་འདས་ཀྱིས་བཀའ་སྩལ་པ། གཟུགས་གཉིས་སུ་མེད་པའི་ཚུལ་གྱིས་[༡]ཚོར་བ་དང་། འདུ་ཤེས་དང་། འདུ་བྱེད་དང་། རྣམ་པར་ཤེས་པ་གཉིས་སུ་མེད་པའི་ཚུལ་དང་། བྱང་ཆུབ་ཀྱི་བར་དུ་གཉིས་སུ་མེད་པའི་ཚུལ་གྱིས་དེ་ལྟར་འགྱུར་རོ། །གསོལ་པ། བཅོམ་ལྡན་འདས་ཇི་ལྟར་གཟུགས་གཉིས་སུ་མ་མཆིས་པའི་ཚུལ་དང་། ཇི་ལྟར་ཚོར་བ་དང་། འདུ་ཤེས་དང་། འདུ་བྱེད་དང་། རྣམ་པར་ཤེས་པ་གཉིས་སུ་མ་མཆིས་པའི་ཚུལ་དང་། ཇི་ལྟར་བྱང་ཆུབ་ཀྱི་བར་དུ་གཉིས་སུ་མ་མཆིས་པའི་ཚུལ་ལགས། བཅོམ་ལྡན་འདས་ཀྱིས་བཀའ་སྩལ་པ། དགའ་བོ་འདི་ལྟར་གཟུགས་ནི་གཟུགས་ཀྱིས་སྟོང་ངོ་། །ཚོར་བ་དང་། འདུ་ཤེས་དང་། འདུ་བྱེད་དང་། རྣམ་པར་ཤེས་པ་ནི་རྣམ་པར་ཤེས་པས་སྟོང་སྟེ། དེ་ཅིའི་ཕྱིར་ཞེ་ན། འདི་ལྟར་གཟུགས་དང་། ཚོར་བ་དང་། འདུ་ཤེས་དང་། འདུ་

བྱེད་དང་། རྣམ་པར་ཤེས་པ་དང་། ཕ་རོལ་ཏུ་ཕྱིན་པ་འདི་དག་གཉིས་སུ་མེད་དེ་གཉིས་སུ་བྱར་མེད་དོ། །བྱང་ཆུབ་ཀྱི་བར་ནི་བྱང་ཆུབ་ཀྱིས་སྟོང་ངོ་། །དེ་ཅིའི་ཕྱིར་ཞེ་ན། དེ་ནི་འདི་ལྟར་བྱང་ཆུབ་དང་། ཕ་རོལ་ཏུ་ཕྱིན་པ་འདི···དག་གཉིས་སུ་མེད་དེ་གཉིས་སུ་བྱར་མེད་དོ། །དགའ་བོ་དེ་ལྟ་བས་ན་ཕ་རོལ་ཏུ་ཕྱིན་པ་ལྔ་པོ་འདི་དག་གི་ཐོག་མར་འགྲོ་བ་ནི་ཤེས་རབ་ཀྱི་ཕ་རོལ་ཏུ་ཕྱིན་པ་ཉིད་དོ། །སྟོང་པ་ཉིད་ཐམས་ཅད་དང་། བྱང་ཆུབ་ཀྱི་ཕྱོགས་ཀྱི་ཆོས་སུམ་ཅུ་①རྩ་བདུན་དང་། འཕགས་པའི་བདེན་པ་རྣམས་དང་། བསམ་གཏན་རྣམས་དང་། ཚད་མེད་པ་རྣམས་དང་། གཟུགས་མེད་པའི་སྙོམས་པར་འཇུག་པ་རྣམས་དང་། རྣམ་པར་ཐར་པ་བརྒྱད་དང་། མཐར་གྱིས་གནས་པའི་སྙོམས་པར་འཇུག་པ་དགུ་དང་། རྣམ་པར་ཐར་པའི་སྒོ་གསུམ་དང་། མངོན་པར་ཤེས་པ་དྲུག་དང་། ཏིང་ངེ་འཛིན་ཐམས་ཅད་དང་། གཟུངས་ཀྱི་སྒོ་ཐམས་ཅད་དང་། དེ་བཞིན་གཤེགས་པའི་སྟོབས་བཅུ་དང་། མི་འཇིགས་པ་བཞི་དང་། སོ་སོ་ཡང་དག···པར་རིག་པ་བཞི་དང་། ②སངས་རྒྱས་ཀྱི་ཆོས་མ་འདྲེས་པ་③བཅོ་བརྒྱད་དང་། བྱང་ཆུབ་ཀྱི་བར་གྱི་ཐོག་མར་འགྲོ་བ་ནི་ཤེས་རབ་ཀྱི་ཕ་རོལ་ཏུ་ཕྱིན་པ་ཉིད་དོ། །དགའ་བོ་འདི་ལྟ་སྟེ། དཔེར་ན། ས་ཆེན་པོ་ལ་ས་བོན་བཏབ་པ་རྒྱུ་རྐྱེན་ཚོགས་པར་གྱུར་ནས། རྣམ་པར་འཕེལ་བར་འགྱུར་བ་ཡང་། ས་ཆེན་པོ་ནི་དེ་དག་གི་གནས་ཏེ། ས་ཆེན་པོ་དེ་ལ་རྟེན་④ཅིང་ས་བོན་དེ་དག་སྐྱེ་བར་འགྱུར་རོ། །དེ་བཞིན་དུ་ཤེས་རབ་ཀྱི་ཕ་རོལ་ཏུ་ཕྱིན་པ་ལ་རྟེན་⑤ཅིང་། ཕ་རོལ་ཏུ་ཕྱིན་པ་ཐམས་ཅད་དང་། སྟོང་པ་ཉིད་ཐམས་ཅད་དང་། བྱང་ཆུབ་ཀྱི་ཕྱོགས་ཀྱི་ཆོས་སུམ་ཅུ་རྩ་བདུན་དང་། འཕགས་པའི་བདེན་པ་རྣམས་དང་། བསམ་གཏན་རྣམས་དང་། ཚད་མེད་པ་རྣམས་དང་། གཟུགས་མེད་པའི་སྙོམས་པར་འཇུག་པ་

རྣམས་དང་། རྣམ་པར་ཐར་པ་བརྒྱད་དང་། མཐར་གྱིས་གནས་པའི་སྙོམས་པར་འཇུག་པ་དགུ་དང་། རྣམ་པར་ཐར་པའི་སྒོ་གསུམ་དང་། མངོན་པར་ཤེས་པ་དྲུག་དང་། ཏིང་ངེ་འཛིན་རྣམས་དང་། གཟུངས་ཀྱི་སྒོ་རྣམས་རྣམ་པར་འཕེལ་ལོ། །དེ་བཞིན་གཤེགས་པའི་སྟོབས་བཅུ་དང་། མི་འཇིགས་པ་བཞི་དང་། སོ་སོ་ཡང་དག་པར་རིག་པ་བཞི་དང་། [༡]སྙིང་རྗེ་ཆེན་པོ་དང་། སངས་རྒྱས་ཀྱི་ཆོས་མ་འདྲེས་པ་བཅོ་བརྒྱད་རྣམ་པར་འཕེལ་ལོ། །ཐམས་ཅད་ཤེས་པ་ཉིད་དང་། ལམ་གྱི་རྣམ་པ་[༢]ཤེས་པ་ཉིད་དང་། རྣམ་པ་ཐམས་ཅད་མཁྱེན་པ་ཉིད་རྣམ་པར་འཕེལ་ཏེ། དགའ་བོ་རྣམ་པ་ཐམས་ཅད་མཁྱེན་པ་ཉིད་ལ་རྟེན་[༣]ཅིང་། ཕ་རོལ་ཏུ་ཕྱིན་པ་ལྔ་རྣམས་རྣམ་པར་འཕེལ་ལོ། །རྣམ་པ་ཐམས་ཅད་མཁྱེན་པ་ཉིད་ལ་རྟེན་[༤]ཅིང་། སྟོང་པ་ཉིད་ཐམས་ཅད་རྣམ་པར་འཕེལ་ལོ། །རྣམ་པ་ཐམས་ཅད་མཁྱེན་པ་ཉིད་ལ་རྟེན་[༥]ཅིང་། དྲན་པ་ཉེ་བར་གཞག་པ་བཞི་རྣམ་པར་འཕེལ་ལོ། །རྣམ་པ་ཐམས་ཅད་མཁྱེན་པ་ཉིད་ལ་རྟེན་[༦]ཅིང་། ཡང་དག་པར་སྤོང་བ་བཞི་དང་། རྫུ་འཕྲུལ་གྱི་རྐང་པ་བཞི་དང་། དབང་པོ་ལྔ་དང་། སྟོབས་ལྔ་དང་། བྱང་ཆུབ་ཀྱི་ཡན་ལག་བདུན་དང་། འཕགས་པའི་ལམ་ཡན་ལག་བརྒྱད་པ་རྣམ་པར་འཕེལ་ལོ། །རྣམ་པ་ཐམས་ཅད་མཁྱེན་པ་ཉིད་ལ་རྟེན་[༧]ཅིང་། འཕགས་པའི་བདེན་པ་བཞི་དང་། བསམ་གཏན་བཞི་དང་། ཚད་མེད་པ་བཞི་དང་། གཟུགས་མེད་པའི་སྙོམས་པར་འཇུག་པ་བཞི་དང་། རྣམ་པར་ཐར་པ་བརྒྱད་དང་། མཐར་གྱིས་གནས་པའི་སྙོམས་པར་འཇུག་པ་དགུ་དང་། རྣམ་པར་ཐར་པའི་སྒོ་སྟོང་པ་ཉིད་དང་། མཚན་མ་མེད་པ་དང་། སྨོན་པ་མེད་པ་དང་། མངོན་པར་ཤེས་པ་རྣམས་དང་། ཏིང་ངེ་འཛིན་རྣམས་དང་། གཟུངས་ཀྱི་སྒོ་རྣམས་དང་། དེ་བཞིན་

ག་ཤེགས་པའི་སྟོབས་བཅུ་དང་། མི་འཇིགས་པ་བཞི་དང་། སོ་སོ་ཡང་དག་པར་རིག་པ་བཞི་དང་། (༡)སྙིང་རྗེ་ཆེན་པོ་དང་། སངས་རྒྱས་ཀྱི་ཆོས་མ་འདྲེས་པ་བཅོ་བརྒྱད་རྣམ་པར་འཕེལ་ལོ། །རྣམ་པ་ཐམས་ཅད་མཁྱེན་པ་ཉིད་ལ་རྟེན་(༢)ཅིང་། ཐམས་ཅད་ཤེས་པ་ཉིད་དང་། ལམ་གྱི་རྣམ་པ་ཤེས་པ་ཉིད་དང་། རྣམ་པ་ཐམས་ཅད་མཁྱེན་པ་ཉིད་རྣམ་པར་འཕེལ་ལོ། །དགའ་བོ་དེ་ལྟ་བས་ན་ཤེས་རབ་ཀྱི་ཕ་རོལ་ཏུ་ཕྱིན་པ་ནི། ཕ་རོལ་ཏུ་ཕྱིན་པ་ལྔ་པོ་འདི་དག་ཡོངས་སུ་སྐྱོབ་པའོ། །སྟོང་པ་ཉིད་ཐམས་ཅད་ཡོངས་སུ་སྐྱོབ་པའོ(༣)། །དྲན་པ་ཉེ་བར་གཞག་པ་བཞི་ཡོངས་སུ་སྐྱོབ་པའོ། །ཡང་དག་པར་སྤོང་བ་བཞི་དང་། རྫུ་འཕྲུལ་གྱི་རྐང་པ་བཞི་དང་། དབང་པོ་ལྔ་དང་། སྟོབས་ལྔ་དང་། བྱང་ཆུབ་ཀྱི་ཡན་ལག་བདུན་དང་། འཕགས་པའི་ལམ་ཡན་ལག་བརྒྱད་པ་ཡོངས་སུ་སྐྱོབ་པའོ། །འཕགས་པའི་བདེན་པ་བཞི་དང་། བསམ་གཏན་བཞི་དང་། ཚད་མེད་པ་བཞི་དང་། གཟུགས་མེད་པའི་སྙོམས་པར་འཇུག་པ་བཞི་དང་། རྣམ་པར་ཐར་པ་བརྒྱད་དང་། མཐར་གྱིས་གནས་པའི་སྙོམས་པར་འཇུག་པ་དགུ་དང་། རྣམ་པར་ཐར་པའི་སྒོ་སྟོང་པ་ཉིད་དང་། མཚན་མ་མེད་པ་དང་། སྨོན་པ་མེད་པ་དང་། མངོན་པར་ཤེས་པ་རྣམས་དང་། ཏིང་ངེ་འཛིན་རྣམས་དང་། གཟུངས་ཀྱི་སྒོ་རྣམས་དང་། །དེ་བཞིན་གཤེགས་པའི་སྟོབས་བཅུ་དང་། མི་འཇིགས་པ་བཞི་དང་། སོ་སོ་ཡང་དག་པར་རིག་པ་བཞི་དང་། (༤)སྙིང་རྗེ་ཆེན་པོ་དང་། སངས་རྒྱས་ཀྱི་ཆོས་མ་འདྲེས་པ་བཅོ་བརྒྱད་ཡོངས་སུ་སྐྱོབ་པའོ། །ཐམས་ཅད་ཤེས་པ་ཉིད་དང་། ལམ་གྱི་རྣམ་པ་(༥)ཤེས་པ་ཉིད་དང་། རྣམ་པ་ཐམས་ཅད་མཁྱེན་པ་ཉིད་ཡོངས་སུ་སྐྱོབ་པའོ།། །།

ཤེས་རབ་ཀྱི་ཕ་རོལ་ཏུ་ཕྱིན་པ་སྟོང་ཕྲག་ཉི་ཤུ་ལྔ་པ། བམ་པོ་སུམ་ཅུ་གསུམ་

པ༑ དེ་ནས་ལྷའི་དབང་པོ་བརྒྱ་བྱིན་གྱིས། བཅོམ་ལྡན་འདས་ལ་འདི་སྐད་ཅེས་གསོལ་ཏོ། །བཅོམ་ལྡན་འདས་དེ་བཞིན་གཤེགས་པ་དགྲ་བཅོམ་པ་ཡང་དག་པར་རྫོགས་པའི་སངས་རྒྱས་ཀྱིས་ཤེས་རབ་ཀྱི་ཕ་རོལ་ཏུ་ཕྱིན་པའི་ཡོན་ཏན་གང་བདག་གིས་བཅོམ་ལྡན་འདས་ལས་ཐོས་ཏེ། རིགས་ཀྱི་བུའམ། རིགས་ཀྱི་བུ་མོ་གང་ཤེས་རབ་ཀྱི་ཕ་རོལ་ཏུ་ཕྱིན་པ་འདི་འཛིན་པ་དང་། འཆང་བ་དང་། ཀློག་པ་དང་། ཀུན་ཆུབ་པར་བགྱིད་པ་དང་། ཚུལ་བཞིན་དུ་ཡིད་ལ་བགྱིད་པའི་ཡོན་ཏན་གང་ཇི་སྙེད་ཅིག་མཆིས་པ་དང་། ཤེས་རབ་ཀྱི་ཕ་རོལ་ཏུ་ཕྱིན་པ་འདིའི་ཡོན་ཏན་གང་ཇི་སྙེད་ཅིག་བདག་གིས། བཅོམ་ལྡན་འདས་ལས་བཟུང་སྟེ། བཅངས་པ་དང་། བླགས་[༡]པ་དང་། ཀུན་ཆུབ་པར་བགྱིད་[༢]པ་དང་། སྤེལ་བ་དེ་དག་ཐམས་ཅད་ནི་བཀའ་མ་སྩལ་ཏེ། བཅོམ་ལྡན་འདས་ཤེས་རབ་ཀྱི་ཕ་རོལ་ཏུ་ཕྱིན་པ་བཟུང་བ་དང་། བཅངས་པ་དང་། བླགས་[༣]པ་དང་། སྤེལ་བ་དང་། ཚུལ་བཞིན་དུ་ཡིད་ལ་བགྱིས་པས་ནི། དགེ་བ་བཅུའི་ལས་ཀྱི་ལམ་རྣམས་འཇིག་རྟེན་དུ་འབྱུང་བར་འགྱུར་རོ། །བསམ་གཏན་བཞི་འཇིག་རྟེན་དུ་འབྱུང་བར་འགྱུར་རོ། །ཚད་མེད་པ་བཞི་དང་། གཟུགས་མེད་པའི་སྙོམས་[༤]པར་འཇུག་པ་བཞི་དང་། མངོན་པར་ཤེས་པ་ལྔ་འཇིག་རྟེན་དུ་འབྱུང་བར་འགྱུར་རོ། །སྦྱིན་པའི་ཕ་རོལ་ཏུ་ཕྱིན་པ་འཇིག་རྟེན་དུ་འབྱུང་བར་འགྱུར་རོ། །ཚུལ་ཁྲིམས་ཀྱི་ཕ་རོལ་ཏུ་ཕྱིན་པ་དང་། བཟོད་པའི་ཕ་རོལ་ཏུ་ཕྱིན་པ་དང་། བརྩོན་འགྲུས་ཀྱི་ཕ་རོལ་ཏུ་ཕྱིན་པ་དང་། བསམ་གཏན་གྱི་ཕ་རོལ་ཏུ་ཕྱིན་པ་དང་། ཤེས་རབ་ཀྱི་ཕ་རོལ་ཏུ་ཕྱིན་པ་འཇིག་རྟེན་དུ་འབྱུང་བར་འགྱུར་རོ། །ནང་སྟོང་པ་ཉིད་འཇིག་རྟེན་དུ་འབྱུང་བར་འགྱུར་རོ། །དངོས་པོ་མེད་པའི་ངོ་བོ་ཉིད་སྟོང་པ་ཉིད་ཀྱི་བར་དུ་འཇིག་རྟེན་དུ་འབྱུང་བར་འགྱུར་རོ། །དྲན་པ་ཉེ་

བར་གཞག་པ་བཞི་འཇིག་རྟེན་དུ་འབྱུང་བར་འགྱུར་རོ། །འཕགས་པའི་ལམ་ཡན་ལག་བརྒྱད་པའི་བར་དུ་འཇིག་རྟེན་དུ་འབྱུང་བར་འགྱུར་རོ། །སངས་རྒྱས་ཀྱི་ཆོས་མ་འདྲེས་པ་བཅོ་བརྒྱད་ཀྱི་བར་དུ་འཇིག་རྟེན་དུ་འབྱུང་བར་འགྱུར་རོ། །བཅོམ་ལྡན་འདས་ཤེས་རབ་ཀྱི་ཕ་རོལ་དུ་ཕྱིན་པ་བཟུང་བ་དང་། བཅངས་པ་དང་། ཀླགས་①པ་དང་། ཀུན་ཆུབ་པར་བགྱིས་པ་དང་། ཚུལ་བཞིན་དུ་ཡིད་ལ་བགྱིས་པས། རྒྱལ་རིགས་ཆེ་ཞིང་མཐོ་བ་རྣམས་འཇིག་རྟེན་དུ་འབྱུང་བར་འགྱུར་རོ། །བྲམ་ཟེའི་རིགས་ཆེ་ཞིང་མཐོ་བ་རྣམས་འཇིག་རྟེན་དུ་འབྱུང་བར་འགྱུར་རོ། །ཁྱིམ་བདག་གི་རིགས་ཆེ་ཞིང་མཐོ་བ་རྣམས་འཇིག་རྟེན་དུ་འབྱུང་བར་འགྱུར་རོ། །རྒྱལ་ཆེན་བཞིའི་རིས་ཀྱི་ལྷ་རྣམས་འཇིག་རྟེན་ན་མཆིས་སོ། །འོག་མིན་གྱི་བར་གྱི་ལྷ་རྣམས་འཇིག་རྟེན་ན་མཆིས་སོ། །བཅོམ་ལྡན་འདས་ཤེས་རབ་ཀྱི་ཕ་རོལ་དུ་ཕྱིན་པ་བཟུང་བ་དང་། བཅངས་པ་དང་། ཀླགས་②པ་དང་། ཀུན་ཆུབ་པར་བགྱིས་པ་དང་། ཚུལ་བཞིན་དུ་ཡིད་ལ་བགྱིས་པས་ནི། རྒྱུན་དུ་ཞུགས་པ་རྣམས་འཇིག་རྟེན་དུ་③མཆིས་སོ། །ལན་ཅིག་ཕྱིར་འོང་བ་དང་། ཕྱིར་མི་འོང་བ་དང་། དགྲ་བཅོམ་པ་རྣམས་འཇིག་རྟེན་ན་མཆིས་སོ④། །རང་སངས་རྒྱས་རྣམས་འཇིག་རྟེན་ན་མཆིས་སོ། །བྱང་ཆུབ་སེམས་དཔའ་སེམས་དཔའ་ཆེན་པོ་རྣམས་འཇིག་རྟེན་ན་མཆིས་སོ། །བཅོམ་ལྡན་འདས་ཤེས་རབ་ཀྱི་ཕ་རོལ་དུ་ཕྱིན་པ་བཟུང་བ་དང་། བཅངས་པ་དང་། ཀླགས་⑤པ་དང་། ཀུན་ཆུབ་པར་བགྱིས་པ་དང་། ཚུལ་བཞིན་དུ་ཡིད་ལ་བགྱིས་པས་ནི་དེ་བཞིན་གཤེགས་པ་དགྲ་བཅོམ་པ་ཡང་དག་པར་རྫོགས་པའི་སངས་རྒྱས་ཀྱང་འཇིག་རྟེན་དུ་འབྱུང་བར་འགྱུར་རོ། །བཅོམ་ལྡན་འདས་ཀྱིས་བཀའ་སྩལ་པ། ཀཽ་ཤི་ཀ་རིགས་ཀྱི་བུ་འམ། རིགས་ཀྱི་བུ་མོ་གང་གིས་ཤེས་རབ་

ཀྱི་ཕ་རོལ་ཏུ་ཕྱིན་པ་འདི་བཟུང་བ་དང་། བཅངས་པ་དང་། བླགས་[1]པ་དང་།
ཀུན་ཆུབ་པར་བྱས་པ་དང་། ཚུལ་བཞིན་དུ་ཡིད་ལ་བྱས་པ་དེའི་ཡོན་ཏན་ནི།
དེར་ཟད་པར་ཡང་མ་བཤད་དེ། ཀཽ་ཤི་ཀ་དེ་ཅིའི་ཕྱིར་ཞེ་ན། རིགས་ཀྱི་བུའམ།
རིགས་ཀྱི་བུ་མོ་གང་ཤེས་རབ་ཀྱི་ཕ་རོལ་ཏུ་ཕྱིན་པ་འདི་འཛིན་པ་དང་། འཆང་
བ་དང་། ཀློག་པ་དང་། ཀུན་ཆུབ་པར་བྱེད་པ་དང་། ཚུལ་བཞིན་དུ་ཡིད་
ལ་བྱེད་པ་དང་། རྣམ་པ་ཐམས་ཅད་མཁྱེན་པ་ཉིད་ཀྱི་སེམས་དང་མ་བྲལ་བར་
བྱེད་པ་དེ་དག་ནི་ཚུལ་ཁྲིམས་ཀྱི་ཕུང་པོ་ཚད་མེད་པ་དང་ལྡན་པར་འགྱུར་རོ། །
རིགས་ཀྱི་བུའམ། རིགས་ཀྱི་བུ་མོ་གང་ཤེས་རབ་ཀྱི་ཕ་རོལ་ཏུ་ཕྱིན་པ་འདི་འཛིན་
པ་དང་། འཆང་བ་དང་། ཀློག་[2]པ་དང་། ཀུན་ཆུབ་པར་བྱེད་པ་དང་།
ཚུལ་བཞིན་དུ་ཡིད་ལ་བྱེད་པ་དང་། རྣམ་པ་ཐམས་ཅད་མཁྱེན་པ་ཉིད་ཀྱི་སེམས་
དང་མ་བྲལ་བར་བྱེད་པ་དེ་དག་ནི། ཏིང་ངེ་འཛིན་གྱི་ཕུང་པོ་དང་། ཤེས་
རབ་ཀྱི་ཕུང་པོ་དང་། རྣམ་པར་གྲོལ་བའི་ཕུང་པོ་དང་། རྣམ་པར་གྲོལ་བའི་
ཡེ་ཤེས་མཐོང་བའི་ཕུང་པོ་ཚད་མེད་པ་དང་ལྡན་པར་འགྱུར་རོ། །ཀཽ་ཤི་ཀ་
རིགས་ཀྱི་བུའམ། རིགས་ཀྱི་བུ་མོ་གང་ཤེས་རབ་ཀྱི་ཕ་རོལ་ཏུ་ཕྱིན་པ་འདི་འཛིན་
པ་དང་། འཆང་བ་དང་། ཀློག་པ་དང་། ཀུན་ཆུབ་པར་བྱེད་པ་དང་།
ཚུལ་བཞིན་དུ་ཡིད་ལ་བྱེད་པ་དང་། རྣམ་པ་ཐམས་ཅད་མཁྱེན་པ་ཉིད་ཀྱི་སེམས་
དང་མ་བྲལ་བར་བྱེད་པ་དེ་དག་ནི། དེ་བཞིན་གཤེགས་པའི་དོན་དུ་ཞུགས་པར་
རིག་པར་བྱའོ། །ཀཽ་ཤི་ཀ་ཉན་ཐོས་དང་། རང་སངས་རྒྱས་ཐམས་ཅད་ཀྱི་
ཚུལ་ཁྲིམས་ཀྱི་ཕུང་པོ་དང་། ཏིང་ངེ་འཛིན་གྱི་ཕུང་པོ་དང་། ཤེས་རབ་ཀྱི་
ཕུང་པོ་དང་། རྣམ་པར་གྲོལ་བའི་ཕུང་པོ་དང་། རྣམ་པར་གྲོལ་བའི་ཡེ་ཤེས་
མཐོང་བའི་ཕུང་པོ་དང་། གང་ཡང་རིགས་ཀྱི་བུ་དང་། རིགས་ཀྱི་བུ་མོ་དེ་

དག་གི་ཚུལ་ཁྲིམས་ཀྱི་ཕུང་པོ་དང་། ཏིང་ངེ་འཛིན་གྱི་ཕུང་པོ་དང་། ཤེས་རབ་ཀྱི་ཕུང་པོ་དང་། རྣམ་པར་གྲོལ་བའི་ཕུང་པོ་དང་། རྣམ་པར་གྲོལ་བའི་ཡེ་ཤེས་མཐོང་བའི་ཕུང་པོ་ལས། ཀཽ་ཤི་ཀ་ཚུལ་ཁྲིམས་ཀྱི་ཕུང་པོ་དང་། ཏིང་ངེ་འཛིན་གྱི་ཕུང་པོ་དང་། ཤེས་རབ་ཀྱི་ཕུང་པོ་དང་། རྣམ་པར་གྲོལ་བའི་ཕུང་པོ་དང་། རྣམ་པར་གྲོལ་བའི་ཡེ་ཤེས་མཐོང་བའི་ཕུང་པོ་འདི་ལ་ནི། ཉན་ཐོས་དང་། རང་སངས་རྒྱས་ཐམས་ཅད་ཀྱི་ཚུལ་ཁྲིམས་ཀྱི་ཕུང་པོ་དང་། ཤེས་རབ་ཀྱི་ཕུང་པོ་དང་། ཏིང་ངེ་འཛིན་གྱི་ཕུང་པོ་དང་། རྣམ་པར་གྲོལ་བའི་ཕུང་པོ་དང་། རྣམ་པར་གྲོལ་བའི་ཡེ་ཤེས་མཐོང་བའི་ཕུང་པོས་བརྒྱའི་ཆར་ཡང་ཉེ་བར་མི་འགྲོའོ། །སྟོང་གི་ཆར་ཡང་ཉེ་བར་མི་འགྲོའོ། །བརྒྱ་ཕྲག་སྟོང་གི་ཆར་ཡང་ཉེ་བར་མི་འགྲོའོ། །ཿབྱེ་བའི་[7]ཆར་ཡང་ཉེ་བར་མི་འགྲོའོ། །བྱེ་བ་བརྒྱའི་ཆར་ཡང་ཉེ་བར་མི་འགྲོའོ། །བྱེ་བ་སྟོང་གི་ཆར་ཡང་ཉེ་བར་མི་འགྲོའོ། །བྱེ་བ་བརྒྱ་ཕྲག་སྟོང་གི་ཆར་ཡང་ཉེ་བར་མི་འགྲོའོ། །བྱེ་བ་ཁྲག་ཁྲིག་བརྒྱ་ཕྲག་སྟོང་གི་ཆར་ཡང་ཉེ་བར་མི་འགྲོའོ། །གྲངས་སུ་ཡང་ཉེ་བར་མི་འགྲོའོ། །ཆར་ཡང་ཉེ་བར་མི་འགྲོའོ། །བགྲང་བར་ཡང་ཉེ་བར་མི་འགྲོའོ། །དཔེར་ཡང་ཉེ་བར་མི་འགྲོའོ། །རྒྱུར་ཡང་མི་བཟོད་དོ། །དེ་ཅིའི་ཕྱིར་ཞེ་ན། དེ་ནི་འདི་ལྟར་རིགས་ཀྱི་བུ་དང་། རིགས་ཀྱི་བུ་མོ་དེ་དག་ཉན་ཐོས་དང་། རང་སངས་རྒྱས་ཀྱི་ས་ལས་སེམས་རྣམ་པར་གྲོལ་ཡང་ཆོས་གང་[1]ཡོངས་སུ་ཤེས་པ་མེད་དོ། །ཀཽ་[3]ཤི་ཀ་རིགས་ཀྱི་བུ་དང་། རིགས་ཀྱི་བུ་མོ་གང་ཤེས་རབ་ཀྱི་ཕ་རོལ་ཏུ་ཕྱིན་པ་འདི་བྲིས་ཤིང་འཛིན་པ་དང་། འཆང་བ་དང་། ཀློག་པ་དང་། ཀུན་ཆུབ་པར་བྱེད་པ་དང་། ཚུལ་བཞིན་དུ་ཡིད་ལ་བྱེད་པ་དེ་ལ་མེ་ཏོག་དང་། ཕྲེང་བ་དང་། སྤོས་དང་། བྱུག་པ་དང་། ཕྱེ་མ་དང་། ན་བཟའ་དང་།

གདུགས་དང་། རྒྱལ་མཚན་དང་། བ་དན་དང་། སིལ་སྙན་སྣ་ཚོགས་ཀྱིས་རིམ་གྲོར་བྱེད་པ་དང་། བཀུར་སྟིར་བྱེད་པ་དང་། བསྟི་སྟང་དུ་བྱེད་པ་དང་། མཆོད་པར་བྱེད་པ་དེ་དག་ཆེ་འདི་ཉིད་དང་། ཚེ་རབས་ཕྱི་མ་ལ་ཡོན་ཏན་དེ་དག་ཀྱང་། རྣམ་པ་དེ་བཞིན་དུ་འཐོབ་པར་ངས་བཤད་དོ། །བརྒྱ་བྱིན་གྱིས་གསོལ་པ། བཅོམ་ལྡན་འདས་རིགས་ཀྱི་བུའམ། རིགས་ཀྱི་བུ་མོ་གང་ཤེས་རབ་ཀྱི་ཕ་རོལ་དུ་ཕྱིན་པ་འདི་འཛིན་པ་དང་། འཆང་བ་དང་། ཀློག་པ་དང་། ཀུན་ཆུབ་པར་བགྱིད་པ་དང་། ཚུལ་བཞིན་དུ་ཡིད་ལ་བགྱིད་ཅིང་། རྣམ་པ་ཐམས་ཅད་མཁྱེན་པ་ཉིད་ཀྱི་སེམས་དང་མ་བྲལ་བར་བགྱིད་པ་དང་། ཤེས་རབ་ཀྱི་ཕ་རོལ་དུ་ཕྱིན་པ་འདི་བྲིས་ཤིང་། མེ་ཏོག་དང་། ཕྲེང་བ་དང་། སྤོས་དང་། ཐུག་[༡]པ་དང་། ཕྱེ་མ་དང་། ན་བཟའ་དང་། གདུགས་དང་། རྒྱལ་མཚན་དང་། བ་དན་དང་། སིལ་སྙན་སྣ་ཚོགས་ཀྱིས་རིམ་གྲོར་བགྱིད་པ་དང་། བཀུར་སྟིར་བགྱིད་པ་དང་། བསྟི་སྟང་དུ་བགྱིད་པ་དང་། མཆོད་པར་བགྱིད་པ་དེ་[༢]ལ་ནི། བདག་ཤ་གིས་ཀྱང་[༣]རྟག་ཏུ་རྒྱུན་མི་འཆད་[༤]པར་ཿབསྲུང་བ་[༥]དང་། བསྐྱབ་པ་དང་། བསྐྱང་བ་[༦]བགྱིའོ། །བཅོམ་ལྡན་འདས་ཀྱིས་བཀའ་སྩལ་པ། ཀཽ་ཤི་ཀ་རིགས་ཀྱི་བུའམ། རིགས་ཀྱི་བུ་མོ་ཤེས་རབ་ཀྱི་ཕ་རོལ་དུ་ཕྱིན་པ་འདི། ཁ་ཏོན་དུ་བྱེད་པའི་ཚེ། ལྷའི་བུ་བརྒྱ་སྟོང་མང་པོ་དགའ་བའི་ཡིད་ཀྱིས་ཆོས་ཉན་པའི་ཕྱིར་[༧]འོངས་ཏེ། རིགས་ཀྱི་བུའམ། རིགས་ཀྱི་བུ་མོ་དེ་ཤེས་རབ་ཀྱི་ཕ་རོལ་དུ་ཕྱིན་པ་དང་ལྡན་པའི་ཆོས་སྟོན་པའི་ཚེ་ཡང་། ལྷའི་བུ་དེ་དག་སྤོབས་པ་ཉེ་བར་བསྒྲུབ་པར་སེམས་སོ། །ཆོས་སྨྲ་བ་དེ་དག་སྨྲ་བ་སྙོམ་པར་གྱུར་ན་ཡང་། ལྷའི་བུ་དེ་དག་ཆོས་ཀྱི་རིམ་གྲོ་དེ་ཉིད་ཀྱི་[༨]སྤོབས་པ་ཉེ་བར་བསྒྲུབ་པར་སེམས་ཏེ། ཀཽ་ཤི་ཀ་རིགས་ཀྱི་བུའམ། རིགས་ཀྱི་

བུ་མོ་གང་ཤེས་རབ་ཀྱི་ཕ་རོལ་དུ་ཕྱིན་པ་འདི་འཛིན་པ་དང་། འཆང་བ་དང་། ཀློག་པ་དང་། ཀུན་ཆུབ་པར་བྱེད་པ་དང་། ཚུལ་བཞིན་དུ་ཡིད་ལ་བྱེད་པ་དང་། ཁྲིས་ཤིང་མེ་ཏོག་དང་། ཕྲེང་བ་དང་། བདུག་སྤོས་[1]དང་། བྱུག་པ་དང་། ཕྱེ་མ་དང་། ན་བཟའ་དང་། གདུགས་དང་། རྒྱལ་མཚན་དང་། བ་དན་དང་། སིལ་སྙན་སྣ་ཚོགས་ཀྱིས་རིམ་གྲོར་བྱེད་པ་དང་། བཀུར་སྟི་བྱེད་པ་དང་། བསྟི་སྟང་དུ་བྱེད་པ་དང་། མཆོད་པར་བྱེད་པ་དེ་དག་གིས་ཚེ་འདིའི་ཡོན་ཏན་འདི་ཡང་ཡོངས་སུ་ཟིན་པར་འགྱུར་རོ། །ཀཽ་ཤི་ཀ་གཞན་ཡང་རིགས་ཀྱི་བུའམ། རིགས་ཀྱི་བུ་མོ་དེ་དག་འཁོར་བཞི་ལ་ཤེས་རབ་ཀྱི་ཕ་རོལ་དུ་ཕྱིན་པ་སྟོན་པའི་ཚེ། ལ་ལ་ཞིག་བདག་ལ་སྐྱོན་ཀ་ཚོལ་[2]ཞིང་སྐྱུགས་ལྷ་བར་[3]གྱུར་དུ་འོང་ངོ་། །ཞེས་བྱ་བར་ཞུམ་པ་མེད་པར་འགྱུར་རོ། །དེ་ཅིའི་ཕྱིར་ཞེ་ན། དེ་ནི་འདི་ལྟར་རིགས་ཀྱི་བུའམ། རིགས་ཀྱི་བུ་མོ་དེ་ལ་ཤེས་རབ་ཀྱི་ཕ་རོལ་དུ་ཕྱིན་པ་འདི་ཉིད་བསྲུང་བ་དང་། བསྐྱབ་པ་དང་། བསྐྱང་བ་[4]བྱེད་དོ། །དེ་ཅིའི་ཕྱིར་ཞེ་ན། འདི་ལྟར་ཤེས་རབ་ཀྱི་ཕ་རོལ་དུ་ཕྱིན་པ་འདི་ལ་ནི། འཇིག་རྟེན་པ་དང་། འཇིག་རྟེན་ལས་འདས་པ་དང་། ཟག་པ་དང་བཅས་པ་དང་། ཟག་པ་མེད་པ་དང་། ཐུན་མོང་དང་། ཐུན་མོང་མ་ཡིན་པ་དང་། དགེ་བ་དང་། མི་དགེ་བ་དང་། འདུས་བྱས་དང་། འདུས་[5]མ་བྱས་དང་། ཉན་ཐོས་ཀྱི་ཆོས་དང་། རང་སངས་རྒྱས་ཀྱི་ཆོས་དང་། བྱང་ཆུབ་སེམས་དཔའི་ཆོས་དང་། སངས་རྒྱས༔ཀྱི་ཆོས་[6]ཐམས་ཅད་ཀྱང་ཐ་མི་དད་[7]དོ། །དེ་ཅིའི་ཕྱིར་ཞེ་ན། འདི་ལྟར་འདི་ནི་དགེ་བའི་ཆོས་ཐམས་ཅད་ཀྱི་གཏེར་ཡིན་ལ། རིགས་ཀྱི་བུའམ་རིགས་ཀྱི་བུ་མོ་དེ་ཡང་། ནང་སྟོང་པ་ཉིད་ལ་གནས། དངོས་པོ་མེད་པའི་ངོ་བོ་ཉིད་སྟོང་པ་ཉིད་ཀྱི་བར་ལ་གནས་པས། ཤེས་རབ་ཀྱི་ཕ་རོལ་

དུ་ཕྱིན་པ་ལ་སླགས་ལྟ་བ་དེ་ཡང་[༡]ཡང་དག་པར་རྗེས་སུ་མི་མཐོང་། ཤེས་རབ་ཀྱི་ཕ་རོལ་ཏུ་ཕྱིན་པ་ལ་གང་སླགས་ལྟ་བ་དེ་ཡང་ཡང་དག་པར་རྗེས་སུ་མི་མཐོང་[༢] ཤེས་རབ་ཀྱི་ཕ་རོལ་ཏུ་ཕྱིན་པ་ལ་གང་[༣]སླགས་ལྟ་བར་བྱ་བ་དེ་ཡང་ཡ་དག་པར་རྗེས་སུ་མི་མཐོང་སྟེ། དེ་ལྟར་ཤེས་རབ་ཀྱི་ཕ་རོལ་ཏུ་ཕྱིན་པས་ཡོངས་སུ་བཟུང་བའི་ཕྱིར། རིགས་ཀྱི་བུའམ་རིགས་ཀྱི་བུ་མོ་དེ་ལ་སུས་ཀྱང་སླགས་ལྟ་བ་མེད་དོ། །ཀཽ་ཤི་ཀ་གཞན་ཡང་རིགས་ཀྱི་བུའམ། རིགས་ཀྱི་བུ་མོ་གང་ཤེས་རབ་ཀྱི་ཕ་རོལ་ཏུ་ཕྱིན་པ་འདི་འཛིན་ཅིང་འཆང་བ་དང་། ཀློག་ཅིང་ཀུན་ཆུབ་པར་བྱེད་པ་དང་། ཚུལ་བཞིན་དུ་ཡིད་ལ་བྱེད་པ་དེའི་སེམས་[༤]ཞུམ་[༥]པར་མི་འགྱུར། ཡོངས་སུ་ཞུམ་པར་མི་འགྱུར། འཇིགས་པར་མི་འགྱུར། སྔང་[༦]བར་མི་འགྱུར། སྐྲག་པར་མི་འགྱུར་རོ། །དེ་ཅིའི་ཕྱིར་ཞེ་ན། དེ་ནི་འདི་ལྟར་རིགས་ཀྱི་བུའམ། རིགས་ཀྱི་བུ་མོ་དེ་ལ་སུས་ཀྱང་སླགས་ལྟ་བ་མེད་དོ། །ཀཽ་ཤི་ཀ་གཞན་ཡང་རིགས་ཀྱི་བུའམ། རིགས་ཀྱི་བུ་མོ་ཤེས་རབ་ཀྱི་ཕ་རོལ་ཏུ་ཕྱིན་པ་འདི་[༧]འཛིན་ཅིང་འཆང་བ་དང་། ཀློག་ཅིང་ཀུན་ཆུབ་པར་བྱེད་པ་དང་། ཚུལ་བཞིན་དུ་ཡིད་ལ་བྱེད་པ་དེའི་སེམས་ཞུམ་པར་མི་འགྱུར། ཡོངས་སུ་ཞུམ་པར་མི་འགྱུར། འཇིགས་པར་མི་འགྱུར། སྔང་[༨]བར་མི་འགྱུར། སྐྲག་པར་མི་འགྱུར་རོ། །དེ་ཅིའི་ཕྱིར་ཞེ་ན། དེ་ནི་འདི་ལྟར་རིགས་ཀྱི་བུའམ། རིགས་ཀྱི་བུ་མོ་དེ་དག་གིས་གང་ཞུམ་པར་འགྱུར་བའམ། ཡོངས་སུ་ཞུམ་པར་[༩]འགྱུར་བའམ། འཇིགས་པར་འགྱུར་བའམ། [༡༠]སྐྲག་པར་འགྱུར་བ་དེ་ལྟ་བུའི་དངོས་པོ་ཡང་དག་པར་རྗེས་སུ་མ་མཐོང་བའི་ཕྱིར་ཏེ། ཀཽ་ཤི་ཀ་རིགས་ཀྱི་བུའམ། རིགས་ཀྱི་བུ་མོ་གང་ཤེས་རབ་ཀྱི་ཕ་རོལ་ཏུ་ཕྱིན་པ་འདི་འཛིན་པ་དང་། འཆང་བ་དང་། ཀློག་པ་དང་། ཀུན་ཆུབ་པར་བྱེད་པ་དང་། ཚུལ་བཞིན་དུ་ཡིད་ལ་བྱེད་པ་

དང་། བྲིས་ཞིང་དེ་①ལ་མེ་ཏོག་དང་། ཕྲེང་བ་དང་། སྤོས་དང་། བྱུག་པ་དང་། ཕྱེ་མ་དང་། ན་བཟའ་དང་། གདུགས་དང་། རྒྱལ་མཚན་དང་། བ་དན་དང་། སིལ་སྙན་སྣ་ཚོགས་ཀྱིས་རིམ་གྲོར་བྱེད་པ་དང་། བཀུར་སྟིར་བྱེད་པ་དང་། བསྟི་སྟང་དུ་བྱེད་པ་དང་། མཆོད་པར་བྱེད་པ་དེ་དག་གིས་ཚེ་འདིའི་ཡོན་ཏན་འདི་དག་ཡོངས་སུ་ཟིན་པར་འགྱུར་རོ། །ཀཽ་ཤི་ཀ་གཞན་ཡང་རིགས་ཀྱི་བུའམ། རིགས་ཀྱི་བུ་མོ་གང་ལ་ལ་ཤེས་རབ་ཀྱི་ཕ་རོལ་ཏུ་ཕྱིན་པ་འདི་འཛིན་པ་དང་། འཆང་བ་དང་། ཀློག་པ་དང་། ཀུན་ཆུབ་པར་བྱེད་པ་དང་། ཚུལ་བཞིན་དུ་ཡིད་ལ་བྱེད་པ་དང་། བྲིས་ཞིང་དེ་ལ་མེ་ཏོག་དང་། ཕྲེང་བ་དང་། སྤོས་དང་། བྱུག་པ་དང་། ཕྱེ་མ་དང་། ན་བཟའ་དང་། གདུགས་དང་། རྒྱལ་མཚན་དང་། བ་དན་དང་། སིལ་སྙན་སྣ་ཚོགས་ཀྱིས་②རིམ་གྲོར་བྱེད་པ་དང་། བཀུར་སྟིར་བྱེད་པ་དང་། བསྟི་སྟང་དུ་བྱེད་པ་དང་། མཆོད་པར་བྱེད་པ་དེ་ནི་ཕ་དང་མ་དང་། གཉེན་བཤེས་དང་། རྒྱལ་པོ་དང་། བློན་པོ་དང་། དགེ་སྦྱོང་དང་། བྲམ་ཟེ་དག་གིས་དགོངས་པར་བྱ་བ་ཡིན། ཕྱོགས་བཅུའི་འཇིག་རྟེན་གྱི་ཁམས་ན། སངས་རྒྱས་བཅོམ་ལྡན་འདས་གང་ཇི་སྙེད་ཅིག་③བཞུགས་པ་དང་། བྱང་ཆུབ་སེམས་དཔའ་སེམས་དཔའ་ཆེན་པོ་རྣམས་དང་། རང་སངས་རྒྱས་དང་། དགྲ་བཅོམ་པ་དང་། སློབ་པ་དང་། མི་སློབ་པ་ཐམས་ཅད་ཀྱིས་ཀྱང་དབེན་ཅིང་ཡིད་དུ་འོང་བར་བྱ་བ་ཡིན། འཇིག་རྟེན་ལྷ་དང་བཅས་པ། བདུད་དང་བཅས་པ། ཚངས་པ་དང་བཅས་པ་དང་། དགེ་སྦྱོང་④དང་བཅས་⑤བྲམ་ཟེར་བཅས་པའི་སྐྱེ་དགུ་དང་། ལྷ་དང་། མི་དང་། ལྷ་མ་ཡིན་དུ་བཅས་པས་ཀྱང་དགོངས་ཤིང་ཡིད་དུ་འོང་བར་བྱ་བ་ཡིན། སྤོབས་པ་མི་འཛོགས་པར་འགྱུར་བ་ཡིན། སྦྱིན་པའི་ཕ་རོལ་ཏུ་ཕྱིན་པ་མི་

འགྲོགས་པར་འགྱུར་བ་ཡིན། ཚུལ་ཁྲིམས་ཀྱི་ཕ་རོལ་ཏུ་ཕྱིན་པ་དང་། བཟོད་པའི་ཕ་རོལ་ཏུ་ཕྱིན་པ་དང་། བརྩོན་འགྲུས་ཀྱི་ཕ་རོལ་ཏུ་ཕྱིན་པ་དང་། བསམ་གཏན་གྱི་ཕ་རོལ་ཏུ་ཕྱིན་པ་དང་། ཤེས་རབ་ཀྱི་ཕ་རོལ་ཏུ་ཕྱིན་པ་མི་འགྲོགས་པར་འགྱུར་བ་ཡིན། ནང་སྟོང་པ་ཉིད་བསྒོམ་པ་མི་འགྲོགས་པར་འགྱུར་བ་ཡིན། དངོས་པོ་མེད་པའི་ངོ་བོ་ཉིད་སྟོང་པ་ཉིད་ཀྱི་བར་དུ་བསྒོམ་པ་མི་འགྲོགས་པར་འགྱུར་བ་ཡིན། དྲན་པ་ཉེ་བར་གཞག་པ་བསྒོམ་པ་མི་འགྲོགས་པར་འགྱུར་བ་ཡིན། ཡང་དག་པར་སྤོང་བ་དང་། རྫུ་འཕྲུལ་གྱི་རྐང་པ་དང་། དབང་པོ་ལྔ་དང་། སྟོབས་ལྔ་དང་། བྱང་ཆུབ་ཀྱི་ཡན་ལག་བདུན་དང་། འཕགས་པའི་ལམ་ཡན་ལག་[༧]བརྒྱད་པ་བསྒོམ་པ་མི་འགྲོགས་པར་འགྱུར་བ་ཡིན། འཕགས་པའི་བདེན་པ་བཞི་དང་། བསམ་གཏན་བཞི་དང་། ཚད་མེད་པ་བཞི་དང་། གཟུགས་མེད་པའི་སྙོམས་པར་འཇུག་པ་བཞི་དང་། རྣམ་པར་ཐར་པ་བརྒྱད་དང་། མཐར་གྱིས་གནས་པའི་སྙོམས་པར་འཇུག་པ་དགུ་དང་། རྣམ་པར་ཐར་པའི་སྒོ་གསུམ་དང་། མངོན་པར་ཤེས་པ་དང་། ཏིང་ངེ་འཛིན་དང་། གཟུངས་ཀྱི་སྒོ་དང་། དེ་བཞིན་གཤེགས་པའི་སྟོབས་བཅུ་དང་། མི་འཇིགས་པ་བཞི་དང་། སོ་སོ་ཡང་དག་པར་རིག་པ་བཞི་དང་།[༢] སྙིང་རྗེ་ཆེན་པོ་དང་། སངས་རྒྱས་ཀྱི་ཆོས་མ་འདྲེས་པ་བཅོ་བརྒྱད་བསྒོམ་པ་མི་འགྲོགས་པར་འགྱུར་བ་ཡིན། སེམས་ཅན་ཡོངས་སུ་སྨིན་པར་བྱ་བ་མི་འགྲོགས་པ་དང་། སངས་རྒྱས་ཀྱི་ཞིང་ཡོངས་སུ་དག་པར་བྱ་བ་[༣]མི་འགྲོགས་པ་དང་། རྣམ་པ་ཐམས་ཅད་མཁྱེན་པ་ཉིད་བསྒོམ་པ་མི་འགྲོགས་པར་འགྱུར་བ་ཡིན། གཞན་གྱིས་ཕྱིར་བརྒྱལ་[༨]བ་ཇི་སྙེད་བྱུང་བ་ལ་ཡང་ཆོས་དང་མཐུན་པར་ལན་གདབ་པའི་མཐུ་ཡོད་པ་ཡིན་ཏེ། ཀཽ་ཤི་ཀ་རིགས་ཀྱི་བུའམ། རིགས་ཀྱི་བུ་མོ་གང་ཤེས་རབ་ཀྱི་

ཕ་རོལ་ཏུ་ཕྱིན་པ་འདི་འཛིན་པ་དང་། འཆང་བ་དང་། ཀློག་པ་དང་། ཀུན་ཆུབ་པར་བྱེད་པ་དང་། ཚུལ་བཞིན་དུ་ཡིད་ལ་བྱེད་ཅིང་། རྣམ་པ་ཐམས་ཅད་མཁྱེན་པ་ཉིད་ཀྱི་སེམས་དང་ཡང་མ་བྲལ་བར་བྱེད་པ་དང་། བྲིས་ཤིང་དེ་ལ་མེ་ཏོག་དང་། ཕྲེང་བ་དང་། སྤོས་དང་། བྱུག་པ་དང་། ཕྱེ་མ་དང་། ན་བཟའ་དང་། གདུགས་དང་། རྒྱལ་མཚན་དང་། བ་དན་དང་། སིལ་སྙན་སྣ་ཚོགས་ཀྱིས་[1] རིམ་གྲོར་བྱེད་པ་དང་། བཀུར་སྟིར་བྱེད་པ་དང་། བསྟི་སྟང་དུ་བྱེད་པ་དང་། མཆོད་པར་བྱེད་པ་དེས་ཚེ་འདིའི་ཡོན་ཏན་འདི་[2] དག་ཀྱང་ཡོངས་སུ་ཟིན་པར་འགྱུར་རོ། །ཀཽ་ཤི་ཀ་གཞན་ཡང་རིགས་ཀྱི་བུའམ། རིགས་ཀྱི་བུ་མོ་གང་ཤེས་རབ་ཀྱི་ཕ་རོལ་ཏུ་ཕྱིན་པ་འདི་བྲིས་ཤིང་གླེགས་བམ་དུ་བྱས་ཏེ་འཆང་བ་དང་[3]། སྟོང་གསུམ་གྱི་སྟོང་ཆེན་པོའི་འཇིག་རྟེན་གྱི་ཁམས་ཀྱི་རྒྱལ་ཆེན་བཞིའི་རིས་ཀྱི་ལྷའི་བུ། བླ་ན་མེད་པ་ཡང་དག་པར་རྫོགས་པའི་བྱང་ཆུབ་ཏུ་ཡང་དག་པར་ཞུགས་པ་དང་། སུམ་ཅུ་རྩ་གསུམ་དང་། མཚེ་མ་དང་། དགའ་ལྡན་[4] དང་། འཕྲུལ་དགའ་དང་། གཞན་འཕྲུལ་དབང་བྱེད་དང་། ཚངས་རིས་དང་། ཚངས་ལྷ་ཉེ་ཕན་དང་། ཚངས་པ་ཀུན་འཁོར་དང་། ཚངས་ཆེན་དང་། སྣང་བ་དང་། ཆུང་སྣང་དང་། ཚད་མེད་སྣང་བ་དང་། ཀུན་སྣང་དང་བ་དང་། དགེ་བ་དང་། ཆུང་དགེ་དང་། ཚད་མེད་དགེ་བ་དང་། དགེ་རྒྱས་དང་། ཆེ་བ་དང་། ཆུང་ཆེ་བ་[5] དང་། ཚད་མེད་ཆེ་བ་དང་། འབྲས་བུ་ཆེ་བའི་ལྷ་བླ་ན་མེད་པ་ཡང་དག་པར་རྫོགས་པའི་བྱང་ཆུབ་ཏུ་ཡང་དག་པར་ཞུགས་པ་དེ་དག་ཀྱང་དེར་འོང་ཞིང་། ཤེས་རབ་ཀྱི་ཕ་རོལ་ཏུ་ཕྱིན་པ་འདི་བཀླག་[6] པ་དང་། གཟུང་བ་དང་། ཀུན་ཆུབ་པར་བྱ་བ་དང་། ཕྱག་བྱ་བ་[7] དང་། གདུང་པ་བྱས་ཤིང་། ཕྱིར་འདོང་བར་སེམས་སོ། །

གནས་གཙང་མའི་རིས་མི་ཆེ་བ་དང་། མི་གདུང་བ་དང་། ཤིན་ཏུ་མཐོང་བ་དང་། གྱ་ནོམ་སྣང་བ་དང་། འོག་མིན་གྱི་ལྷའི་བུ་དེ་དག་ཀྱང་དེར་དོང་ཞིང་། ཤེས་རབ་ཀྱི་ཕ་རོལ་ཏུ་ཕྱིན་པ་འདི་ཀླག་[1]པ་དང་། གཟུང་བ་དང་། ཀུན་ཆུབ་པར་བྱ་བ་དང་། ཕྱག་བྱ་བ་དང་། གདུད་པ་བྱས་ཤིང་ཕྱིར་འདོང་བར་སེམས་སོ། །ཀཽ་ཤི་ཀ་ཕྱོགས་བཅུའི་འཇིག་རྟེན་གྱི་ཁམས་ཀྱི་རྒྱལ་ཆེན་བཞིའི་རིས་ཀྱི་ལྷའི་བུ་བླ་ན་མེད་པ་ཡང་དག་པར་རྫོགས་པའི་བྱང་ཆུབ་ཏུ་ཡང་དག་པར་ཞུགས་པ་དང་། སུམ་ཅུ་རྩ་གསུམ་དང་། མཚེ་མ་དང་། དགའ་ལྡན་དང་། འཕྲུལ་དགའ་དང་། གཞན་འཕྲུལ་དབང་བྱེད་དང་། ཚངས་རིས་ཀྱི་ལྷ་དང་། ཚངས་ལྷ་ཉེ་ཕན་དང་། ཚངས་པ་ཀུན་འཁོར་དང་། ཚངས་ཆེན་དང་། སྣང་བ་དང་། ཆུང་སྣང་དང་། ཚད་མེད་སྣང་བ་དང་། ཀུན་སྣང་དང་བ་དང་། དགེ་བ་དང་། ཆུང་དགེ་དང་། ཚད་མེད་དགེ་བ་དང་། དགེ་རྒྱས་དང་། ཆེ་བ་དང་། ཆུང་ཆེ་དང་། ཚད་མེད་ཆེ་བ་དང་། འབྲས་བུ་ཆེ་བའི་ལྷའི་བུ་བླ་ན་མེད་པ་ཡང་དག་པར་རྫོགས་པའི་བྱང་ཆུབ་ཏུ་ཡང་དག་པར་ཞུགས་པ་དང་། གནས་གཙང་མའི་རིས་མི་ཆེ་བ་དང་། མི་གདུང་བ་དང་། ཤིན་ཏུ་མཐོང་བ་དང་། གྱ་ནོམ་སྣང་བ་དང་། འོག་མིན་གྱི་ལྷ་དང་། དེ་མ་ཡིན་པའི་ལྷ་དང་། ཀླུ་དང་། གནོད་སྦྱིན་དང་། དྲི་ཟ་དང་། ལྷ་མ་ཡིན་དང་། ནམ་མཁའ་ལྡིང་དང་། མིའམ་ཅི་དང་། ལྟོ་འཕྱེ་ཆེན་པོཿ གཟི་བརྗིད་ཆེན་པོ་[2]གཟི་བརྗིད་ཆེ་བར་བྱ་བཿ མང་པོ་[3]དེ་དག་ཀྱང་དེར་དོང་ཞིང་། ཤེས་རབ་ཀྱི་ཕ་རོལ་ཏུ་ཕྱིན་པ་འདི་ཀླག་[4]པ་དང་། གཟུང་བ་དང་། ཀུན་ཆུབ་པར་བྱ་བ་དང་ཕྱག་བྱ་བ་དང་། གདུད་པ་བྱས་ཤིང་ཕྱིར་འདོང་བར་སེམས་སོ། །ཀཽ་ཤི་ཀ་དེ་ལ་རིགས་ཀྱི་བུའམ། རིགས་ཀྱི་བུ་མོ་དེ་དག་གིས་ཀྱང་

སེམས་འདི་ལྟར་བསྐྱེད་པར་བྱ་སྟེ། ཕྱོགས་བཅུའི་འཇིག་རྟེན་གྱི་ཁམས་ཀྱི་རྒྱལ་ཆེན་བཞིའི་རིས་ཀྱི་ལྷའི་བུ་རྣམས་དང་། འབྲས་བུ་ཆེ་བའི་བར་གྱི་ལྷ་བླ་ན་མེད་པ་ཡང་དག་པར་རྫོགས་པའི་བྱང་ཆུབ་ཏུ་ཡང་དག་པར་ཞུགས་པ་དང་། གནས་གཙང་མའི་རིས་མི་ཆེ་བ་དང་། མི་གདུང་བ་དང་། ཤིན་ཏུ་མཐོང་བ་དང་། གྱ་ནོམ་སྣང་བ་དང་། འོག་མིན་གྱི་བར་གྱི་ལྷ་དང་། དེ་མ་ཡིན་པའི་ལྷ་དང་། ཀླུ་དང་། གནོད་སྦྱིན་དང་། དྲི་ཟ་དང་། ལྷ་མ་ཡིན་དང་། ནམ་མཁའ་ལྡིང་དང་། མིའམ་ཅི་དང་། ལྟོ་འཕྱེ་ཆེན་པོ་གཟི་བརྗིད་ཆེན་པོ་ཤེས་རབ་ཀྱི་ཕ་རོལ་ཏུ་ཕྱིན་པ་འདི་ཀླག་[༧]པ་དང་། གཟུང་བ་དང་། ཀུན་ཆུབ་པར་བྱ་བ་དང་། ཕྱག་བྱ་བ་དང་། མཆོད་པ་བྱ་བའི་ཕྱིར་ལྷགས་པ་དེ་དག་ལ་ཆོས་ཀྱི་སྦྱིན་པ་འདི་བྱིན་པར་གྱུར་ཅིག་ཅེས་སེམས་བསྐྱེད་པར་བྱ་སྟེ། དེ་དག་ཀྱང་ཤེས་རབ་ཀྱི་ཕ་རོལ་ཏུ་ཕྱིན་པ་འདི་ཀླགས་[༨]པ་དང་། བཟུང་བ་དང་། ཿབཅངས་པ་[༩]དང་། ཀུན་ཆུབ་པར་བྱ་བ་དང་། མཆོད་པ་བྱས་ཤིང་། ཕྱག་བྱས་ཏེ། གདུད་པ་བྱས་ནས་ཕྱིར་འདོང་ངོ་། །ཀཽ་ཤི་ཀ་རིགས་ཀྱི་བུའམ། རིགས་ཀྱི་བུ་མོ་དེ་ལ། སྟོང་གསུམ་གྱི་སྟོང་ཆེན་པོའི་འཇིག་རྟེན་གྱི་ཁམས་འདིའི་རྒྱལ་ཆེན་བཞིའི་རིས་ཀྱི་ལྷ་རྣམས་དང་། འོག་མིན་གྱི་བར་གྱི་ལྷ་དག་དང་། ཕྱོགས་བཅུའི་འཇིག་རྟེན་གྱི་ཁམས་ཀྱི་རྒྱལ་ཆེན་བཞིའི་རིས་ཀྱི་ལྷ་རྣམས་དང་། འོག་མིན་གྱི་བར་གྱི་ལྷ་དེ་དག་ཀྱང་བསྲུང་བ་དང་། བསྐྱབ་པ་དང་། བསྐྱང་བ་བྱེད་དེ། ཀཽ་ཤི་ཀ་དེ་ལ་ལས་ཀྱི་རྣམ་པར་སྨིན་པ་མ་གཏོགས་པར། གླགས་ལྟ་བ་རྣམས་ཀྱིས་གླགསཿམི་རྙེད་[༡༠]དོ། །ཀཽ་ཤི་ཀ་རིགས་ཀྱི་བུའམ། རིགས་ཀྱི་བུ་མོ་དེས་ཚེ་འདིའི་ཡོན་ཏན་དེ་ལྟ་བུ་དག་ཀྱང་། ཡོངས་སུ་ཟིན་པར་འགྱུར་རོ། །ལྷའི་བུ་གང་བླ་ན་མེད་པ་ཡང་དག་པར་རྫོགས་པའི་བྱང་ཆུབ་ཏུ་ཡང་དག་པར་

ཞུགས་པ་དེ་དག་ཀྱང་། དེར་ཤེས་རབ་ཀྱི་ཕ་རོལ་ཏུ་ཕྱིན་པ་འདི་ལ་མཆོད་པ་བྱ་བ་དང་། རིགས་ཀྱི་བུ་དང་། རིགས་ཀྱི་བུ་མོ་དེ་དག་ལ་བསྲུང་བ་དང་། བསྐྱབ་པ་དང་། བསྐྱང་བ་བྱ་བའི་དོན་དུ་འདོང་བར་སེམས་ཏེ། དེ་ཅིའི་ཕྱིར་ཞེ་ན། ཀཽ་ཤི་ཀ་དེ་ནི་འདི་ལྟར་རིགས་ཀྱི་བུའམ། རིགས་ཀྱི་བུ་མོ་དེ་དག་ནི་བླ་ན་མེད་པ་ཡང་དག་པར་རྫོགས་པའི་བྱང་ཆུབ་ཏུ་ཡང་དག་པར་ཞུགས་པ་སྟེ། སེམས་ཅན་ཐམས་ཅད་བསྐྱབ་པ་དང་། སེམས་ཅན་ཐམས་ཅད་ཡོངས་སུ་སྨིན་པར་བྱ་བ་དང་། སེམས་ཅན་ཐམས་ཅད་ལ་ཕན་པ་དང་། བདེ་བའི་དོན་དུ་ཉེ་བར་གནས་པའི་ཕྱིར་རོ། །བརྒྱ་བྱིན་གྱིས་གསོལ་པ། བཅོམ་ལྡན་འདས་རིགས་ཀྱི་བུའམ། རིགས་ཀྱི་བུ་མོ་དེས་འདིར་ཕྱོགས་བཅུ་ཀུན་གྱི་འཇིག་རྟེན་གྱི་[༧] ཁམས་ནས། ཤེས་རབ་ཀྱི་ཕ་རོལ་ཏུ་ཕྱིན་པ་འདི་གླག་[༢]པ་དང་། བཟུང་བ་དང་། ཿབཅང་བ་[༣]དང་། ཀུན་ཆུབ་པར་བྱ་བ་དང་། ཁྱུག་བྱ་བ་དང་། གདུད་པ་དང་། རིམ་གྲོར་བྱ་བ་དང་། བཀུར་སྟིར་བྱ་བ་དང་། བསྟི་སྟང་དུ་བྱ་བ་དང་། མཆོད་པའི་ཕྱིར་རྒྱལ་ཆེན་བཞིའི་རིས་ཀྱི་ལྷ་རྣམས་དང་། འོག་མིན་གྱི་བར་གྱི་ལྷ་དག་འདིར་འོངས་སོ་ཞེས་བགྱི་བར་ཇི་ལྟར་འཚལ་བར་འགྱུར། བཅོམ་ལྡན་འདས་ཀྱིས་བཀའ་སྩལ་པ། ཀཽ་ཤི་ཀ་གལ་ཏེ་ཤེས་རབ་ཀྱི་ཕ་རོལ་ཏུ་ཕྱིན་པ་འདི་གང་དུ་གཞག་པར་སྣང་བ་ཆེན་པོ་བྱུང་བར་རིགས་ཀྱི་བུའམ། རིགས་ཀྱི་བུ་མོས་མཐོང་ན། རིགས་ཀྱི་བུ་དང་། རིགས་ཀྱི་བུ་མོ་དེས་འདིར་ནི་ལྷ་མཐུ་ཆེན་པོ་མཐུ་ཆེན་པོ། རྫུ་འཕྲུལ་ཆེ་བ་དབང་ཆེ་བ། གཟི་བརྗིད་ཆེ་བ་དག་ཤེས་རབ་ཀྱི་ཕ་རོལ་ཏུ་ཕྱིན་པ་འདི་གླག་[༨]པ་དང་། གཟུང་བ་དང་། ཀུན་ཆུབ་པར་བྱ་བ་དང་། ཁྱུག་བྱ་བ་དང་། གདུད་པ་བྱ་བ་དང་། རིམ་གྲོར་བྱ་བ་དང་། བཀུར་སྟིར་བྱ་བ་དང་། བསྟི་སྟང་དུ་བྱ་བ

དང་། མཆོད་པའི་ཕྱིར་ལྷགས་སོ། །ཞེས་བྱ་བར་ངེས་པར་ཁོང་དུ་ཆུད་པར་བྱའོ། །ཀཽ་ཤི་ཀ་གཞན་ཡང་གལ་ཏེ་རིགས་ཀྱི་བུའམ། རིགས་ཀྱི་བུ་མོས་ལྷ་རྫས་ཀྱི་དྲི་མ་(༢)ལས་འདས་པ། སྔོན་ཆད་དེ་ལྟ་བུ་ཚོར་མ་མྱོང་བ་ཚོར་ན། རིགས་ཀྱི་བུའམ། རིགས་ཀྱི་བུ་མོ༔ ངེས་འདི་(༣)ནི་ལྷ་མཐུ་ཆེན་པོ་མཐུ་ཆེན་པོ། རྫུ་འཕྲུལ་ཆེ་བ་དབང་ཆེ་བ་དང་། གཟི་བརྗིད་ཆེ་བ་དག་ཤེས་རབ་ཀྱི་ཕ་རོལ་ཏུ་ཕྱིན་པ་འདི་སྤྲག་(༤)པ་དང་། བཅང་བ་དང་། ཀུན་ཆུབ་པར་བྱ་བ་དང་། ཕྱག་བྱ་བ་དང་། གདུད་པ་བྱ་བ་དང་། རིམ་གྲོར་བྱ་བ་དང་། བཀུར་སྟིར་བྱ་བ་དང་། བསྙི་སྟང་དུ་བྱ་བ་དང་། མཆོད་པའི་(༥)ཕྱིར་ལྷགས་སོ། །ཞེས་བྱ་བར་ངེས་པར་ཁོང་དུ་ཆུད་པར་བྱའོ། །ཀཽ་ཤི་ཀ་གཞན་ཡང་གལ་ཏེ་རིགས་ཀྱི་བུའམ། རིགས་ཀྱི་བུ་མོ་གཙང་སྦྲའི་སྤྱོད་པ་དང་ལྡན་ན། དེའི་གཙང་སྦྲའི་སྤྱོད་པ་དེས། ལྷ་དེ་དག་ཀྱང་ཉེ་བར་འོངས་ཤིང་། ཤེས་རབ་ཀྱི་ཕ་རོལ་ཏུ་ཕྱིན་པ་འདི་སྤྲག་(༦)པ་དང་། གཟུང་བ་དང་། ཀུན་ཆུབ་པར་བྱ་བ་དང་། རིམ་གྲོར་བྱ་བ་དང་། བཀུར་སྟིར་བྱ་བ་དང་། བསྙི་སྟང་དུ་བྱ་བ་དང་། མཆོད་པར་བྱས་ནས་ཤིན་ཏུ་དགའ་བའི་ཡིད་དུ་འགྱུར་རོ། །གནས་དེ་ན་ལྷ་མཐུ་ཆུང་ངུ་ཇི་སྙེད་ཅིག་གནས་པ་དེ་དག་ཀྱང་ལྷ་མཐུ་ཆེན་པོ་མཐུ་ཆེན་པོ་དེ་དག་གི་གཟི་བརྗིད་དང་། དཔལ་དང་། ཟིལ་མི་བཟོད་པའི་ཕྱིར་གནས་དེ་ནས་གུད་དུ་འདོང་(༧)བར་སེམས་སོ། །ཇི་ལྟ་ཇི་ལྟར་ལྷ་མཐུ་ཆེན་པོ་མཐུ་ཆེན་པོ། རྫུ་འཕྲུལ་ཆེ་བ་དང་། དབང་ཆེ་བ་དེ་དག་ཉེ་བར་འོང་བར་སེམས་པ། དེ་ལྟ་དེ་ལྟར་རིགས་ཀྱི་བུའམ། རིགས་ཀྱི་བུ་(༨)མོ་དེ་ཡང་མོས་པ་རྒྱ་ཆེན་པོ་དང་ལྡན་པར་འགྱུར་རོ། །དེའི་གནས་ཀྱི་འཁོར་ཀུན་ཏུ་ཡང་གཙང་སྦྲ་མེད་པའི་སྤྱོད་པ་མི་རྒྱུ་བར་བྱས་ཏེ། རིགས་ཀྱི་བུའམ། རིགས་ཀྱི་བུ་མོ་དེས་ཤེས་རབ་ཀྱི་ཕ་རོལ་ཏུ་

ཕྱིན་པ་འདི་ལ་མཆོད་པའི་ལས་ཀྱི་ཕྱིར་དེའི་འཁོར་གྱིས་ཡང་སྤོས་ཆུའི་ཆག་ཆག་གིས་བཏབ་པོ། །མེ་ཏོག་དང་། སྤོས་ཀྱིས་གཏོར་རོ། །བདུག་[༡]སྤོས་འཐུལ་བའི་སྣོད་གཞག་གོ[༢]། །དར་གྱི་ལྡ་ལྡི་དང་། གོས་ཀྱི་བླ་རེ་བྲེ་ཞིང་སའི་ཕྱོགས་དེ་ཡང་རྣམ་པ་དུ་མས་བརྒྱན་པར་བྱའོ། །ཀཽ་ཤི་ཀ་རིགས་ཀྱི་བུའམ། རིགས་ཀྱི་བུ་མོ་དེ་ལ་ངལ་ཞིང་ཆད་པར་འགྱུར་བ་མེད་དེ། རིགས་ཀྱི་བུའམ། རིགས་ཀྱི་བུ་མོ་དེ་ནི་ལུས་བདེ་བ་དང་། ལུས་ཡང་བ་དང་། ལུས་གསལ་བ་ཡང་ཉམས་སུ་མྱོང་བར་འགྱུར་རོ། །རིགས་ཀྱི་བུའམ། རིགས་ཀྱི་བུ་མོ་དེས་ནི་སེམས་བདེ་བ་དང་། སེམས་ཡང་བ་དང་། སེམས་གསལ་བ་ཡང་ཉམས་སུ་མྱོང་བར་འགྱུར་རོ། །དེ་ནས་ནུབ་མོ་ཉལ་ན་ཡང་ཤེས་རབ་ཀྱི་ཕ་རོལ་ཏུ་ཕྱིན་པ་འདི་ལ་བསམ་པས་མོས་པར་བྱས་ན། སྡིག་ཏོའི་རྨི་ལམ་མཐོང་བར་མི་འགྱུར་རོ།། དེས་མཐོང་ན་ཡང་དེ་བཞིན་གཤེགས་པ་དགྲ་བཅོམ་པ་ཡང་དག་པར་རྫོགས་པའི་སངས་རྒྱས་མི་ཆེན་པོའི་མཚན་སུམ་ཅུ་རྩ་གཉིས་མངའ་བ། དཔེ་བྱད་བཟང་པོ་བརྒྱད་ཅུས་ཀུན་དུ་བརྒྱན་པ། སྐུ་གསེར་གྱི་མདོག་ཏུ་བཞུགས་པ། དགེ་སློང་གི་དགེ་འདུན་གྱིས་ཀུན་ནས་བསྐོར་བ། བྱང་ཆུབ་སེམས་དཔའི་ཚོགས་ཀྱིས་མདུན་དུ་བདར་བ། ཆོས་སྟོན་པ་མཐོང་བར་འགྱུར་ཏེ། དེ་བཞིན་གཤེགས་པ་དེ་ལས་འདི་ལྟ་སྟེ། ཕ་རོལ་ཏུ་ཕྱིན་པ་དྲུག་དང་། སྟོང་པ་ཉིད་ཐམས་ཅད་དང་། བྱང་ཆུབ་ཀྱི་ཕྱོགས་ཀྱི་ཆོས་སུམ་ཅུ་རྩ་བདུན་དང་། སངས་རྒྱས་ཀྱི་ཆོས་མ་འདྲེས་པ་བཅོ[༣]བརྒྱད་ཀྱི་ཆོས་བསྟན་པའང[༤]ཐོས་པར་འགྱུར་རོ། །ཕ་རོལ་ཏུ་ཕྱིན་པ་དྲུག་པོ་དེའི་དོན་རྣམ་པར་ཕྱེ་བ་ཡང་ཐོས་པར་འགྱུར་རོ། །སྟོང་པ་ཉིད་ཐམས་ཅད་དང་། བྱང་ཆུབ་ཀྱི་ཕྱོགས་ཀྱི་ཆོས་སུམ་ཅུ་རྩ་བདུན་དང་། སངས་རྒྱས་ཀྱི་ཆོས་མ་འདྲེས་པ་བཅོ་བརྒྱད་ཀྱི་བར་དེ་དག་གི་དོན་རྣམ་པར་ཕྱེ་བ

ཡང་ཐོས་པར་འགྱུར་རོ། །བྱང་ཆུབ་ཀྱི་ཤིང་ཡང་མཐོང་བར་འགྱུར་རོ། །བྱང་ཆུབ་སེམས་དཔའ་སེམས་དཔའ་ཆེན་པོ་བྱང་ཆུབ་ཀྱི་ཤིང་དྲུང་དུ་འགྲོ་བ་ཡང་མཐོང་བར་འགྱུར་རོ། །བླ་ན་མེད་པ་ཡང་དག་པར་རྫོགས་པའི་བྱང་ཆུབ་ཏུ་མངོན་པར་རྫོགས་པར་འཚང་རྒྱ་བ་ཡང་མཐོང་བར་འགྱུར་རོ། །དེ་[༧]ལྟར་མངོན་པར་རྫོགས་པར་སངས་རྒྱས་ནས་ཆོས་ཀྱི་འཁོར་ལོ་བསྐོར་བ་ཡང་མཐོང་བར་འགྱུར་རོ། །བྱང་ཆུབ་སེམས་དཔའ་བརྒྱ་སྟོང་མང་པོ་ཆོས་ཡང་དག་པར་འགྲོ་[༢]བ་བྱེད་ཅིང་། རྣམ་པ་ཐམས་ཅད་མཁྱེན་པ་ཉིད་ནི་འདི་ལྟར་ཡོངས་སུ་བསྒྲུབ་པར་བྱའོ[༣]། སེམས་ཅན་མང་པོ་ནི་འདི་ལྟར་ཡོངས་སུ་སྨིན་པར་བྱའོ། །སངས་རྒྱས་ཀྱི་ཞིང་ནི་འདི་ལྟར་ཡོངས་སུ་བཟུང་བར་བྱའོ། །བདུད་འཁོར་དང་བཅས་པ་ནི་འདི་ལྟར་ཕམ་པར་བྱའོ་ཞེས་ཟེར་བ་དག་ཀྱང་མཐོང་བར་འགྱུར་རོ། །ཤར་ཕྱོགས་ཀྱི་སངས་རྒྱས་བྱེ་བ་ཁྲག་ཁྲིག་བརྒྱ་སྟོང་མང་པོའི་སྒྲ་ཡང་ཐོས་པར་འགྱུར་རོ། །ལྷོ་དང་། ནུབ་དང་། བྱང་དང་། བྱང་ཤར་དང་། ཤར་ལྷོ་དང་། ལྷོ་ནུབ་དང་། ནུབ་བྱང་དང་། འོག་དང་། སྟེང་གི་ཕྱོགས་ཀྱི་སངས་རྒྱས་བྱེ་བ་ཁྲག་ཁྲིག་བརྒྱ་སྟོང་མང་པོའི་སྒྲ་ཡང་ཐོས་པར་འགྱུར་ཏེ། འཇིག་རྟེན་གྱི་ཁམས་ཆེ་གེ་མོ་ཞིག་ན་ནི། དེ་བཞིན་གཤེགས་པ་དགྲ་བཅོམ་པ···ཡང་དག་པར་རྫོགས་པའི་སངས་རྒྱས་ཆེ་གེ་མོ་ཞིག་བཞུགས་ཏེ། བྱང་ཆུབ་སེམས་དཔའ་བྱེ་བ་ཁྲག་ཁྲིག་བརྒྱ་སྟོང་འདི་སྙེད་ཅིག་དང་། ཉན་ཐོས་བྱེ་བ་ཁྲག་ཁྲིག་བརྒྱ་སྟོང་འདི་སྙེད་ཅིག་གིས་བསྐོར་ཅིང་མདུན་དུ་བྱས་ཏེ་ཆོས་སྟོན་ཏོ་ཞེས་བྱ་བའི་སྒྲ་ཐོས་པར་འགྱུར་རོ། །ཤར་ཕྱོགས་ཀྱི་སངས་རྒྱས་བྱེ་བ་ཁྲག་ཁྲིག་བརྒྱ་སྟོང་མང་པོ་ཡོངས་སུ་མྱ་ངན་ལས་འདའ་བ་དག་ཀྱང་མཐོང་བར་འགྱུར། སྟེང་གི་ཕྱོགས་ཀྱི་བར་གྱི་སངས་རྒྱས་བྱེ་བ་ཁྲག་ཁྲིག་བརྒྱ་སྟོང་མང་པོ་ཡོངས་སུ་མྱ་ངན་

ལས་འདའ་བ་དག་ཀུང་མཐོང་བར་འགྱུར་ཏེ། མཆོད་རྟེན་རིན་པོ་ཆེ་སྣ་བདུན་ལས་བྱས་པ་བྱེ་བ་ཁྲག་ཁྲིག་བརྒྱ་སྟོང་མང་པོ་ཡང་མཐོང་བར་འགྱུར་རོ། །དེ་བཞིན་གཤེགས་པའི་མཆོད་རྟེན་དེ་དག་ཀུང་མེ་ཏོག་དང་། སྤོས་དང་། ཕྲེང་བ་དང་། བདུག་སྤོས་དང་། བྱུག་པ་དང་། ཕྱེ་མ་དང་། ན་བཟའ་དང་། གདུགས་དང་། རྒྱལ་མཚན་དང་། བ་དན་དང་། མཆོད་པ་སྣ་ཚོགས་མང་པོས་རིམ་གྲོར་བྱ་བ་དང་། བཀུར་སྟིར་བྱ་བ་དང་། བསྟི་སྟང་དུ་བྱ་བ་དང་། མཆོད་པར་བྱ་བ་མཐོང་བར་འགྱུར་རོ། །ཀཽ་ཤི་ཀ་དེ་ལྟར་རིགས་ཀྱི་བུའམ། རིགས་ཀྱི་བུ་མོ་དེ་དག་གིས་རྨི་ལམ་བཟང་པོ་དེ་ལྟ་བུ་དག་མཐོང་བར་འགྱུར་ཏེ། དེ་དག་བདེ་བར་ཉལ་ཞིང་བདེ་བར་ལྡང་བར་འགྱུར་རོ། །དེའི་ལུས་ཀྱང་མདངས་དང་ལྡན་པར་འགྱུར་རོ། །ལུས་ལ་ཡང་བའི་ཉམས་ཡོད་པར་འགྱུར་ཞིང་། ལྗི་བའི་ཉམས་མེད་པར་འགྱུར། ཟས་ལ་ཆེར་ཆགས་པ་མེད་པར་འགྱུར། གོས་ལ་ཆགས་པ་མེད་པར་འགྱུར། ནད་ཀྱི་རྐྱེན་སྨན་དང་། ཡོ་བྱད་ལ་ཆགས་པ་མེད་པར་འགྱུར། ཟས་ཀྱི་འདུ་ཤེས་ཆུང་བར་འགྱུར། གོས་ཀྱི་འདུ་ཤེས་ཆུང་བར་འགྱུར། ནད་ཀྱི་རྐྱེན་སྨན་དང་། ཡོ་བྱད་ཀྱི་འདུ་ཤེས་ཀྱང་ཆུང་བར་འགྱུར་རོ། །ཀཽ་ཤི་ཀ་དེ་ནི་འདི་ལྟར་དཔེར་ན། རྣལ་འབྱོར་ལ་སྤྱོད་པའི་དགེ་སློང་ཏིང་ངེ་འཛིན་ལས་ལངས་པའི་སེམས་ཡིད་ལ་བྱ་བས་ཡོངས་སུ་བརླན[༢]་པ་ནི། ཟས་ལ་ཆེར་ཆགས་པ་མེད་པ་ཡིན། ཟས་ཀྱི་འདུ་ཤེས་ཆུང་བ་ཡིན། ཀཽ་ཤི་ཀ་དེ་བཞིན་དུ་རིགས་ཀྱི་བུའམ། རིགས་ཀྱི་བུ་མོ་དེ་དག་ཀྱང་ཟས་ལ་ཆེར་ཆགས་པ་མེད་པར་འགྱུར་རོ། །ཟས་ཀྱི་འདུ་ཤེས་ཆུང་བར་འགྱུར་རོ།། དེ་ཅིའི་ཕྱིར་ཞེ་ན། དེ་ལ་མི་མ་ཡིན་པ་རྣམས་ལུས་ལ་མདངས་ཉེ་བར་སྒྲུབ[༣]་པོ། ། ཤར་ཕྱོགས་དང་། ལྷོ་དང་། ནུབ་དང་། བྱང་དང་། བྱང་ཤར་དང་།

ཤར་ལྷོ་དང་། ལྷོ་ནུབ་དང་། ནུབ་བྱང་དང་། འོག་དང་། སྟེང་གི་ཕྱོགས་ཀྱི་སངས་རྒྱས་བཅོམ་ལྡན་འདས་གང་ཇི་སྙེད་པ་དང་། བྱང་ཆུབ་སེམས་དཔའ་གང་ཇི་སྙེད་པ་དང་། ལྷ་དང་། ཀླུ་དང་། གནོད་སྦྱིན་དང་། དྲི་ཟ་དང་། ལྷ་མ་ཡིན་དང་། ནམ་མཁའ་ལྡིང་དང་། མིའམ་ཅི་དང་། ལྟོ་འཕྱེ་ཆེན་པོ་གང་ཇི་སྙེད་ཡོད་པ་དེ་དག་ཀྱང་དེའི་ལུས་ལ་མདངས་ཉེ་བར་སྒྲུབ་[༡]པོ།། ཀཽ་ཤི་ཀ་རིགས་ཀྱི་བུའམ། རིགས་ཀྱི་བུ་མོ་ཚེ་འདི་ཉིད་ལ་ཡོན་ཏན་འདི་དག་ཡོངས་སུ་བཟུང་བར་འདོད་པས། ཤེས་རབ་ཀྱི་ཕ་རོལ་ཏུ་ཕྱིན་པ་འདི་ཉིད་ལ་ནན་ཏན་དུ་མཉན་པར་བྱའོ། །གཟུང་བར་བྱའོ། །བཅང་བར་བྱའོ། །ཀློག་[༢]པར་བྱའོ། །ཀུན་ཆུབ་པར་བྱའོ། །ཚུལ་བཞིན་དུ་ཡིད་ལ་བྱའོ། །རྣམ་པ་ཐམས་ཅད་མཁྱེན་པ་ཉིད་ཀྱི་སེམས་དང་ཡང་མི་འབྲལ་བར་བྱའོ། །ཀཽ་ཤི་ཀ་དེ་སྟེ་རིགས་ཀྱི་བུའམ། རིགས་ཀྱི་བུ་མོ་དེ་དག་གིས་[༣]ཤེས་རབ་ཀྱི་ཕ་རོལ་ཏུ་ཕྱིན་པ་འདི་མ་བཟུང་མ་བཅངས། མ་བླགས[༤]། ཀུན་ཆུབ་པར་མ་བྱས། ཚུལ་བཞིན་དུ་ཡིད་ལ་མ་བྱས་ན་ཡང་། རིགས་ཀྱི་བུའམ་རིགས་ཀྱི་བུ་མོ་དེ་དག་གིས་[༥]ཤེས་རབ་ཀྱི་ཕ་རོལ་ཏུ་ཕྱིན་པ་འདི་བྲིས་ཤིང་། གླེགས་བམ་དུ་བྱས་ཏེ། མེ་ཏོག་དང་། ཕྲེང་བ་དང་། སྤོས་དང་། བྱུག་པ་དང་། ཕྱེ་མ་དང་། གོས་དང་། གདུགས་དང་། རྒྱལ་མཚན་དང་། བ་དན་དང་། སིལ་སྙན་སྣ་ཚོགས་ཀྱིས་རིམ་གྲོར་བྱའོ། །བཀུར་སྟིར་བྱའོ། །བསྟི་སྟང་དུ་བྱའོ། །མཆོད་པར་བྱའོ། །ཀཽ་ཤི་ཀ་དེ་ལྟར་ན་རིགས་ཀྱི་བུའམ། རིགས་ཀྱི་བུ་མོ་དེ་དག་སྐྱེ་བོ་མང་པོ་ལ་ཕན་པ་དང་། སྐྱེ་བོ་མང་པོ་ལ་བདེ་བའི་དོན་དུ་ཞུགས་པ་ཡིན༑ ཀཽ་ཤི་ཀ་རིགས་ཀྱི་བུའམ། རིགས་ཀྱི་བུ་མོ་གང་ལ་ལ་ཤེས་རབ་ཀྱི་ཕ་རོལ་ཏུ་ཕྱིན་པ་འདི་གཟུང་བ་དང་། བཅང་བ་དང་། ཀློག་[༦]པ་དང་། ཀུན་

ཆུབ་པར་བྱ་བ་དང་། ཚུལ་བཞིན་དུ་ཡིད་ལ་བྱེད་ཅིང་བྲིས་ཏེ། མེ་ཏོག་དང་། ཕྲེང་བ་དང་། སྤོས་དང་། བྱུག་པ་དང་། ཕྱེ་མ་དང་། ཆོས་གོས་དང་། གདུགས་དང་། རྒྱལ་མཚན་དང་། བ་དན་དང་། སིལ་སྙན་སྣ་ཚོགས་ཀྱིས་རིམ་གྲོར་བྱེད། བཀུར་སྟིར་བྱེད། བསྟི་སྟང་དུ་བྱེད། མཆོད་པར་བྱེད་ན། རིགས་ཀྱི་བུའམ། རིགས་ཀྱི་བུ་མོ་དེའི་བསོད་ནམས་ཆེས་མང་དུ་འཕེལ་གྱི། ཕྱོགས་བཅུ་ཀུན་གྱི་འཇིག་རྟེན་གྱི་ཁམས་ན། དེ་བཞིན་གཤེགས་པ་དགྲ་བཅོམ་པ་ཡང་དག་པར་རྫོགས་པའི་སངས་རྒྱས་ཉན་ཐོས་ཀྱི་དགེ་འདུན་དང་བཅས་པ་བཞུགས་པ་རྣམས་ལ། ནམ་འཚོའི་བར་དུ་ན་བཟའ་དང་། བསོས་དང་། གཟིམས་ཆ་དང་། སྨན་གྱི་རྐྱེན་སྨན་དང་། ཡོ་བྱད་མང་པོས་རིམ་གྲོར་བྱས། བཀུར་སྟིར་བྱས། བསྟི་སྟང་དུ་བྱས། མཆོད་པར་བྱས་པ་དང་། དེ་བཞིན་གཤེགས་པ་དགྲ་བཅོམ་པ་ཡང་དག་པར་རྫོགས་པའི་སངས་རྒྱས་ཉན་ཐོས་ཀྱི་དགེ་འདུན་དང་བཅས་པ་དེ་དག་མྱ་ངན་ལས་འདས་ནས་ཀྱང་། རིན་པོ་ཆེ་སྣ་བདུན་ལས་བྱས་པའི་མཆོད་རྟེན་བརྩིགས་ཏེ། ནམ་འཚོའི་བར་དུ་མེ་ཏོག་དང་། ཕྲེང་བ་དང་། སྤོས་དང་། བྱུག་པ་དང་། ཕྱེ་མ་དང་། ཆོས་གོས་དང་། གདུགས་དང་། རྒྱལ་མཚན་དང་། བ་དན་དང་། སིལ་སྙན་སྣ་ཚོགས་ཀྱིས་རིམ་གྲོར་བྱས། བཀུར་སྟིར་བྱས། བསྟི་སྟང་དུ་བྱས། མཆོད་པར་བྱས་པས་ནི་མ་ཡིན་ནོ། །ཤེས་རབ་ཀྱི་ཕ་རོལ་ཏུ་ཕྱིན་པ་སྟོང་ཕྲག་ཉི་ཤུ་ལྔ་པ་ལས་ལེའུ་ཉི་ཤུ་གཅིག་པའོ།། ||

དེ་ནས་བཅོམ་ལྡན་འདས་ཀྱིས། ལྷའི་དབང་པོ་བརྒྱ་བྱིན་ལ་བཀའ་སྩལ་པ། ཀཽ་ཤི་ཀ་ཁྱོད་ཀྱིས་འཛམ་བུའི་གླིང་དེ་བཞིན་གཤེགས་པའི་སྐུ་གདུང་གིས་ཕུར་བུར་

གང་བ་ཞིག་ཀྱང་རྙེད་[༡]། ཤེས་རབ་ཀྱི་ཕ་རོལ་ཏུ་ཕྱིན་པ་འདི་གླེགས་བམ་དུ་བྲིས་པ་ཞིག་ཀྱང་ལ་ལས་ཕྱིན་ན། དེ་ལས་གང་བླང་བར་བྱ། བརྒྱ་བྱིན་གྱིས་གསོལ་པ། བཅོམ་ལྡན་འདས་གལ་ཏེ་བདག་འཛམ་བུའི་གླིང་དེ་བཞིན་གཤེགས་པའི་སྐུ་གདུང་གིས་བྱུར་བུར་གཏམས་པ་ཞིག་ཀྱང་ལ་ལས་སྩལ། ཤེས་རབ་ཀྱི་ཕ་རོལ་ཏུ་ཕྱིན་པ་འདི་གླེགས་བམ་དུ་བྲིས་པ་ཞིག་ཀྱང་ལ་ལས་སྩལ་ན། ཤེས་རབ་ཀྱི་ཕ་རོལ་ཏུ་ཕྱིན་པ་འདི་ཉིད་བདག་གིས་བླང་བར་བགྱིའོ། །དེ་ཅིའི་སླད་དུ་ཞེ་ན། བཅོམ་ལྡན་འདས་དེ་བཞིན་གཤེགས་པའི་སྐུ་གདུང་དེ་དག་ལ་བདག་རིམ་གྲོ་མ་མཆིས་པ་ཡང་མ་ལགས། མི་སྟོན་པ་ཡང་མ་ལགས། བཙུན་པར་མི་བགྱིད་པ་ཡང་མ་ལགས་ཏེ། བཅོམ་ལྡན་འདས་བདག་ནི་དེ་བཞིན་གཤེགས་པའི་སྐུ་གདུང་ལ་རིམ་གྲོ་བགྱི་བར་མི་འཚལ་བའམ། བཀུར་སྟི་བགྱི་བར་མི་འཚལ་བའམ། བསྟི་སྟང་དུ་བགྱི་བར་མི་འཚལ་བའམ། མཆོད་པར་བགྱི་བར་མི་འཚལ་བ་ཡང་མ་ལགས་ན། བཅོམ་ལྡན་འདས་དེ་བཞིན་གཤེགས་པའི་སྐུ་གདུང་དེ་དག་ཀྱང་། ཤེས་རབ་ཀྱི་ཕ་རོལ་ཏུ་ཕྱིན་པ་ལས་བྱུང་བ་སྟེ། དེའི་[༢]སླད་དུ་[༣]དེ་བཞིན་གཤེགས་པའི་སྐུ་གདུང་རྣམས་ཀྱང་རིམ་གྲོར་བགྱི་བ་ལགས། བཀུར་སྟིར་བགྱི་བ་ལགས། བསྟི་སྟང་དུ་བགྱི་བ་ལགས། མཆོད་པར་བགྱི་བ་ལགས་སོ། །སྐུ་གདུང་དེ་དག་ནི་ཤེས་རབ་ཀྱི་ཕ་རོལ་ཏུ་ཕྱིན་པས་བསྒྲུབས་པ་སྟེ། དེའི་སླད་དུ་དེ་བཞིན་གཤེགས་པའི་སྐུ་གདུང་དེ་དག་ཀྱང་མཆོད་པ་མངའོ། །བཅོམ་ལྡན་འདས་ནམ་བདག་དེ་བཞིན་གཤེགས་པའི་སྐུ་གདུང་ལ་ལྷ་རྫས་ཀྱི་མེ་ཏོག་དང་། ཕྲེང་བ་དང་། སྤོས་དང་། བྱུག་པ་དང་། ཕྱེ་མ་དང་། ན་བཟའ་དང་། གདུགས་དང་། རྒྱལ་མཚན་དང་། བ་དན་དང་། ལྷ་རྫས་ཀྱི་སིལ་སྙན་སྣ་ཚོགས་ཀྱིས་རིམ་གྲོར་བགྱིད་ཅིང་། བཀུར་སྟིར་བགྱིད་པ་དང་། བསྟི་སྟང་དུ་

བགྱིད་པ་དང་མཆོད་པར་བགྱིད་པའི་ཚེ་ཡང་། དེ་བཞིན་གཤེགས་པའི་སྐུ་གདུང་དེ་དག་ཤེས་རབ་ཀྱི་ཕ་རོལ་དུ་ཕྱིན་པ་ལས་བྱུང་བ་ལགས་པས་ན། ལྷ་དང་། མི་དང་། ལྷ་མ་ཡིན་དུ་བཅས་པའི་འཇིག་རྟེན་གྱིས་རིམ་གྲོར་བགྱི་བ་ལགས། བཀུར་སྟིར་བགྱི་བ་ལགས། བསྟི་སྟང་དུ་བགྱི་བ་ལགས། མཆོད་པར་བགྱི་བ་ལགས་པས་བསྲུང་ཞིང་རིམ་གྲོ[1]དང་། བཀུར་སྟི་དང་། བསྟི་སྟང་དང་། མཆོད་པར་བགྱིད་དོ། །དེ་ནས་ཚེ་དང་ལྡན་པ་ཤ་ར་དྭ་ཏིའི་བུས། ལྷའི་དབང་པོ་བརྒྱ་བྱིན་ལ་འདི་སྐད་ཅེས་སྨྲས་སོ། །ཀཽ་ཤི་ཀ་ཤེས་རབ་ཀྱི་ཕ་རོལ་དུ་ཕྱིན་པ་འདི་ནི་གཟུང་དུ་མེད་པ་གཟུགས་མེད་པ། བལྟར་མེད་པ། ཐོགས་པ་མེད་པ། མཚན་ཉིད་གཅིག་པ་སྟེ། འདི་ལྟར་མཚན་ཉིད་མེད་པ་ཡིན་ན། དེ་ལ་ཁྱོད་ཇི་ལྟར་ན་ཤེས་རབ་ཀྱི་ཕ་རོལ་དུ་ཕྱིན་པ་གཟུང་དུ་མེད་པ། གཟུགས་མེད་པ། བལྟར་མེད་པ། ཐོགས་པ་མེད་པ་མཚན་ཉིད་གཅིག་པ་སྟེ། འདི་ལྟར་མཚན་ཉིད་མེད་པ་ལ་གཟུང་བར་སེམས། དེ་ཅིའི་ཕྱིར་ཞེ་ན། ཤེས་རབ་ཀྱི་ཕ་རོལ་དུ་ཕྱིན་པ་འདི་འཛིན་པ་དང་། དོར་བར་བྱ་བའི་ཕྱིར་ཉེ་བར་གནས་པ་མ་ཡིན། འགྲིབ་པའི་ཕྱིར་མ་ཡིན། འཕེལ་བའི་ཕྱིར་མ་ཡིན། བསྐྱེད་པའི་ཕྱིར་མ་ཡིན། བསྲུང་[2]བའི་ཕྱིར་མ་ཡིན། འབྲི་བའི་ཕྱིར་མ་ཡིན། བསྣན་པའི་ཕྱིར་མ་ཡིན། ཀུན་ནས་ཉོན་མོངས་པའི་ཕྱིར་མ་ཡིན། རྣམ་པར་བྱང་བའི་ཕྱིར་མ་ཡིན། སངས་རྒྱས་ཀྱི་ཆོས་རྣམས་ཉེ་བར་སྒྲུབ་[3]པ་མ་ཡིན། སོ་སོའི་སྐྱེ་བོའི་ཆོས་རྣམས་འདོར་བ[4]མ་ཡིན། བྱང་ཆུབ་སེམས་དཔའི་ཆོས་རྣམས་དང་། རང་སངས་རྒྱས་ཀྱི་ཆོས་རྣམས་དང་། ཉན་ཐོས་ཀྱི་ཆོས་རྣམས་དང་། སློབ་པ་དང་། མི་སློབ་པའི་ཆོས་རྣམས་ཉེ་བར་སྒྲུབ[5]པ་མ་ཡིན། སོ་སོའི་སྐྱེ་བོའི་ཆོས་རྣམས་འདོར་བ་མ་ཡིན། འདུས་མ་བྱས་ཀྱི་དབྱིངས་ཉེ་བར་

སྒྲུབ་[1]པ་མ་ཡིན། འདུས་བྱས་ཀྱི་ཁམས་འདོར་བར་བྱེད་པ་མ་ཡིན། སྦྱིན་པའི་ཕ་རོལ་ཏུ་ཕྱིན་པ་ཉེ་བར་སྒྲུབ་[2]པ་མ་ཡིན། ༔བསམ་གཏན་གྱི་[3]ཕ་རོལ་ཏུ་ཕྱིན་པའི་བར་དུ་ཉེ་བར་སྒྲུབ་[4]པ་མ་ཡིན། ནང་སྟོང་པ་ཉིད་ཉེ་བར་སྒྲུབ་[5]པ་མ་ཡིན༑ དངོས་པོ་མེད་པའི་ངོ་བོ་ཉིད་སྟོང་པ་ཉིད་ཀྱི་བར་དུ་ཉེ་བར་སྒྲུབ་[6]པ་མ་ཡིན༑ དྲན་པ་ཉེ་བར་གཞག་པ་རྣམས་ཉེ་བར་སྒྲུབ་[7]པ་མ་ཡིན། ཡང་དག་པར་སྤོང་བ་དང་། རྫུ་འཕྲུལ་གྱི་རྐང་པ་དང་། དབང་པོ་དང་། སྟོབས་དང་། བྱང་ཆུབ་ཀྱི་ཡན་ལག་དང་། འཕགས་པའི་ལམ་ཡན་ལག་བརྒྱད་པ་ཉེ་བར་སྒྲུབ་[8]པ་མ་ཡིན། འཕགས་པའི་བདེན་པ་དང་། བསམ་གཏན་དང་། ཚད་མེད་པ་དང་། གཟུགས་མེད་པའི་སྙོམས་པར་འཇུག་པ་དང་། རྣམ་པར་ཐར་པ་དང་། མཐར་གྱིས་གནས་པའི་སྙོམས་པར་འཇུག་པ་དང་། རྣམ་པར་ཐར་པའི་སྒོ་སྟོང་པ་ཉིད་དང་། མཚན་མ་མེད་པ་དང་། སྨོན་པ་མེད་པ་དང་། མངོན་པར་ཤེས་པ་དང་། ཏིང་ངེ་འཛིན་དང་། གཟུངས་ཀྱི་སྒོ་དང་། དེ་བཞིན་གཤེགས་པའི་སྟོབས་དང་། མི་འཇིགས་པ་དང་། སོ་སོ་ཡང་དག་པར་རིག་པ་དང་། ༔བྱམས་པ་ཆེན་པོ་དང་།[9] སྙིང་རྗེ་ཆེན་པོ་དང་། སངས་རྒྱས་ཀྱི་ཆོས་མ་འདྲེས་པ་རྣམས་ཉེ་བར་སྒྲུབ་[10]པ་མ་ཡིན། རྣམ་པ་ཐམས་ཅད་མཁྱེན་པ་ཉིད་ཀྱི་བར་དུ་ཉེ་བར་སྒྲུབ་[11]པ་མ་ཡིན་ནོ། །བརྒྱ་བྱིན་གྱིས་སྨྲས་པ། བཙུན་པ་ཤ་ར་དྭ་ཏིའི་བུ་དེ་དེ་བཞིན་ནོ། །དེ་དེ་བཞིན་ཏེ། བཙུན་པ་ཤ་ར་དྭ་ཏིའི་བུ་གང་གིས་དེ་ལྟར་ཤེས་རབ་ཀྱི་ཕ་རོལ་ཏུ་ཕྱིན་པ་ནི། སངས་རྒྱས་ཀྱི་ཆོས་རྣམས་ཉེ་བར་སྒྲུབ་[12]པ་མ་ཡིན། སོ་སོའི་སྐྱེ་བོའི་ཆོས་རྣམས་འདོར་བར་བྱེད་པ་མ་ཡིན། རྣམ་པ་ཐམས་ཅད་མཁྱེན་པ་ཉིད་ཀྱི་བར་དུ་ཉེ་བར་སྒྲུབ་[13]པ་མ་ཡིན་ནོ་ཞེས་བྱ་བར་ཤེས་པ་དེ་ནི། ཤེས་རབ་ཀྱི་ཕ་རོལ་ཏུ་ཕྱིན་པ་ལ་སྤྱོད་

པ་ཡིན་ནོ། །ཤེས་རབ་ཀྱི་ཕ་རོལ་དུ་ཕྱིན་པ་ལ་སློམ་པ་ཡིན་ནོ། །ཤེས་རབ་ཀྱི་ཕ་རོལ་དུ་ཕྱིན་པ་ནི་གཉིས་སུ་ཤེས་པར་བྱ་བ་མ་ཡིན་ཏེ། ཤེས་རབ་ཀྱི་ཕ་རོལ་དུ་ཕྱིན་པ་ནི་མི་གཉིས་པའོ། །བསམ་གཏན་གྱི་ཕ་རོལ་དུ་ཕྱིན་པ་དང་། བརྩོན་འགྲུས་ཀྱི་ཕ་རོལ་དུ་ཕྱིན་པ་དང་། བཟོད་པའི་ཕ་རོལ་དུ་ཕྱིན་པ་དང་། ཚུལ་ཁྲིམས་ཀྱི་ཕ་རོལ་དུ་ཕྱིན་པ་དང་། སྦྱིན་པའི་ཕ་རོལ་དུ་ཕྱིན་པ་ནི་གཉིས་སུ་ཤེས་པར་བྱ་བ་⑦མ་ཡིན་ཏེ། སྦྱིན་པའི་ཕ་རོལ་དུ་ཕྱིན་པ་ནི་མི་གཉིས་པའོ། །དེ་ནས་བཅོམ་ལྡན་འདས་ཀྱིས་ལྷའི་དབང་པོ་བརྒྱ་བྱིན་ལ་ལེགས་སོ། །ཞེས་བྱ་བ་… གནང་③སྟེ། ཀཽ་ཤི་ཀ་ལེགས་སོ་ལེགས་སོ། །དེ་དེ་བཞིན་ཏེ། ཇི་སྐད་དུ་སྨྲས་པ་བཞིན་ནོ། །ཤེས་རབ་ཀྱི་ཕ་རོལ་དུ་ཕྱིན་པ་ནི་གཉིས་སུ་ཤེས་པར་བྱ་བ་མ་ཡིན་ཏེ། དེ་ཅིའི་ཕྱིར་ཞེ་ན། ཤེས་རབ་ཀྱི་ཕ་རོལ་དུ་ཕྱིན་པ་ནི་མི་གཉིས་པའོ། །བསམ་གཏན་གྱི་ཕ་རོལ་དུ་ཕྱིན་པ་དང་། བརྩོན་འགྲུས་ཀྱི་ཕ་རོལ་དུ་ཕྱིན་པ…… དང་། བཟོད་པའི་ཕ་རོལ་དུ་ཕྱིན་པ་དང་། ཚུལ་ཁྲིམས་ཀྱི་ཕ་རོལ་དུ་ཕྱིན་པ་དང་། སྦྱིན་པའི་ཕ་རོལ་དུ་ཕྱིན་པ་ནི་གཉིས་སུ་ཤེས་པར་བྱ་བ་མ་ཡིན་ཏེ། དེ་ཅིའི་ཕྱིར་ཞེ་ན། སྦྱིན་པའི་ཕ་རོལ་དུ་ཕྱིན་པ་ནི་མི་གཉིས་པའོ། །ཀཽ་ཤི་ཀ་གང་ཤེས་རབ་ཀྱི་ཕ་རོལ་ཏུ་ཕྱིན་པ་ལ་གཉིས་སུ་འདོད་པ་དེ་ནི། ཆོས་ཀྱི་དབྱིངས་ལ་གཉིས་སུ་འདོད་དུ་ཟད་དོ། །དེ་ཅིའི་ཕྱིར་ཞེ་ན། ཀཽ་ཤི་ཀ་དེ་ནི་འདི་ལྟར་ཆོས་ཀྱི་དབྱིངས་དང་། ཤེས་རབ་ཀྱི་ཕ་རོལ་དུ་ཕྱིན་པ་དེ་ལ་གཉིས་སུ་མེད་དེ་གཉིས་སུ་བྱར་མེད་དོ། །ཀཽ་ཤི་ཀ་གང་བསམ་གཏན་གྱི་ཕ་རོལ་དུ་ཕྱིན་པ་དང་། བརྩོན་འགྲུས་ཀྱི་ཕ་རོལ་དུ་ཕྱིན་པ་དང་། བཟོད་པའི་ཕ་རོལ་དུ་ཕྱིན་པ་དང་། ཚུལ་ཁྲིམས་ཀྱི་ཕ་རོལ་དུ་ཕྱིན་པ་དང་། སྦྱིན་པའི་ཕ་རོལ་དུ་ཕྱིན་པ་ལ་གཉིས་སུ་འདོད་པ་དེ་ནི། ཆོས་ཀྱི་དབྱིངས་ལ་གཉིས་སུ་འདོད་དུ་ཟད་དོ①། །དེ་ཅིའི…

ཕྱིར་ཞེ་ན། དེ་ནི་འདི་ལྟར་ཆོས་ཀྱི་དབྱིངས་དང་། སྦྱིན་པའི་ཕ་རོལ་ཏུ་ཕྱིན་པ་དེ་ལ་གཉིས་སུ་མེད་དེ་གཉིས་སུ་བྱར་མེད་དོ། །ཀཽ་ཤི་ཀ་གང་ཤེས་རབ་ཀྱི་ཕ་རོལ་ཏུ་ཕྱིན་པ་ལ་གཉིས་སུ་འདོད་པ་དེ་ནི། དེ་བཞིན་ཉིད་དང་། ཡང་དག་པའི་མཐའ་དང་། བསམ་གྱིས་མི་ཁྱབ་པའི་དབྱིངས་ལ་གཉིས་སུ་འདོད་དུ་ཟད་དོ། །དེ་ཅིའི་ཕྱིར་ཞེ་ན། ཀཽ་ཤི་ཀ་དེ་ནི་འདི་ལྟར་དེ་བཞིན་ཉིད་དང་། ཡང་དག་པའི་མཐའ་དང་། བསམ་གྱིས་མི་ཁྱབ་པའི་དབྱིངས་དང་། ཤེས་རབ་ཀྱི་ཕ་རོལ་ཏུ་ཕྱིན་པ་དེ་ལ་གཉིས་སུ་མེད་དེ་གཉིས་སུ་བྱར་མེད་དོ། །ཀཽ་ཤི་ཀ་གང་བསམ་གཏན་གྱི་ཕ་རོལ་ཏུ་ཕྱིན་པ་དང་། བརྩོན་འགྲུས་ཀྱི་ཕ་རོལ་ཏུ་ཕྱིན་པ་དང་། བཟོད་པའི་ཕ་རོལ་ཏུ་ཕྱིན་པ་དང་། ཚུལ་ཁྲིམས་ཀྱི་ཕ་རོལ་ཏུ་ཕྱིན་པ་དང་། སྦྱིན་པའི་ཕ་རོལ་ཏུ་ཕྱིན་པ་ལ་གཉིས་སུ་འདོད་པ་དེ་ནི། དེ་བཞིན་ཉིད་དང་། ཡང་དག་པའི་མཐའ་དང་། བསམ་གྱིས་མི་ཁྱབ་པའི་དབྱིངས་ལ་གཉིས་སུ་འདོད་དུ་ཟད་དོ། །དེ་ཅིའི་ཕྱིར་ཞེ་ན། དེ་བཞིན་ཉིད་དང་། ཡང་དག་པའི་མཐའ་དང་། བསམ་གྱིས་(༡)མི་ཁྱབ་པའི་དབྱིངས་དང་། སྦྱིན་པའི་ཕ་རོལ་ཏུ་ཕྱིན་པ་(༢)ལ་གཉིས་སུ་མེད་དེ་གཉིས་སུ་བྱར་མེད་དོ། །དེ་ནས་ལྷའི་དབང་པོ་བརྒྱ་བྱིན་གྱིས། བཅོམ་ལྡན་འདས་ལ་འདི་སྐད་ཅེས་གསོལ་ཏོ། །བཅོམ་ལྡན་འདས་ཤེས་རབ་ཀྱི་ཕ་རོལ་ཏུ་ཕྱིན་པ་འདི་ནི་ལྷ་དང་། མི་དང་། ལྷ་མ་ཡིན་དུ་བཅས་པའི་འཇིག་རྟེན་གྱིས་ཕྱག་བགྱི་བར་འོས་པ་སྟེ། དེ་ལ་བསླབས་(༣)པས་ནི། བྱང་ཆུབ་སེམས་དཔའ་སེམས་དཔའ་ཆེན་པོ་རྣམས་བླ་ན་མེད་པ་ཡང་དག་པར་རྫོགས་པའི་བྱང་ཆུབ་ཏུ་མངོན་པར་རྫོགས་པར་སངས་རྒྱས་སོ། །མངོན་པར་རྫོགས་པར་འཚང་རྒྱའོ། །མངོན་པར་རྫོགས་པར་འཚང་རྒྱ་བར་འགྱུར་རོ། །བཅོམ་ལྡན་འདས་གང་གི་ཚེ་བདག་ཆོས་བཟང་པོའི་ལྷའི་

འཁོར་དུ་བདག་ཉིད་ཀྱི། ལྷའི་དབང་པོའི་སྐྱན་ལ་མཆིས་པར་གྱུར་པ་དེའི་ཚེ། དེར་ལྷའི་བུ་གང་ཇི་སྙེད་ཅིག་(༡)བདག་གི་རིམ་གྲོ་ལ་མཆིས་པ་དེ་དག་ཀུན་ཀྱང་བདག་ལ་མཆོད་པ་(༢)བགྱིད་དེ། ནམ་དེར་བདག་མ་མཆིས་ཤིང༌། སྐྱན་དེ་ལ་མ་མཆིས་པ་དེའི་ཚེ་ཡང་ལྷའི་བུ་དེ་དག་འཁོར་དེར་མཆིས་ཤིང༌། ལྷའི་དབང་པོ་བརྒྱ་བྱིན་སྐྱན་འདི་ལ་འདུག་ཅིང༌། སུམ་ཅུ་རྩ་གསུམ་གྱི་ལྷ་རྣམས་ལ་ཆོས་སྟོན་ཏོ་ཞེས་སྐྱན་དེ་ལ་གཡས་ཕྱོགས་སུ་བསྐོར་བ་བགྱིས་ཅིང་(༣)ཕྱག་འཚལ་(༤)ཏེ་སླར་མཆིའོ། །བཅོམ་ལྡན་འདས་དེ་བཞིན་དུ་གང་ན་ཤེས་རབ་ཀྱི་ཕ་རོལ་དུ་ཕྱིན་པ་འདི་བྲིས་ཤིང་འཆང་བ་དང༌། ཁ་ཏོན་(༥)དུ་བགྱིད་ཅིང་གཞན་ལ་ཡང་རྒྱ་ཆེར་སྟོན་པ་དེར། ཕྱོགས་བཅུའི་འཇིག་རྟེན་གྱི་ཁམས་ན། ལྷ་དང༌། ཀླུ་དང༌། གནོད་སྦྱིན་དང༌། དྲི་ཟ་དང༌། ལྷ་མ་ཡིན་དང༌། ནམ་མཁའ་ལྡིང་དང༌། མིའམ་ཅི་དང༌། ལྟོ་འཕྱེ་ཆེན་པོ་ཇི་སྙེད་ཅིག་(༦)མཆིས་པ་དེ་དག་ཀྱང༌། དེ་བཞིན་གཤེགས་པ་དགྲ་བཅོམ་པ་ཡང་དག་པར་རྫོགས་པའི་སངས་རྒྱས་རྣམས་ནི་འདི་ལས་བྱུང་ངོ༌། །ཉན་ཐོས་དང༌། རང་སངས་རྒྱས་ཐམས་ཅད་ཀྱང་འདི་ལས་བྱུང་ངོ༌། །སེམས་ཅན་ཐམས་ཅད་ཀྱི་བདེ་བའི་ཡོ་བྱད་ཐམས་ཅད་ཀྱང་འདི་ལས་བྱུང་ངོ་ཞེས། ཤེས་རབ་ཀྱི་ཕ་རོལ་དུ་ཕྱིན་པ་ལ་ཕྱག་བགྱིས་ཤིང་གདུང་བ་བགྱིས་ནས་སླར་མཆི་བར་འགྱུར་རོ། །དེ་བཞིན་གཤེགས་པའི་སྐུ་གདུང་རྣམས་མཆོད་པ་མངའ་བ་ཡང༌། ཤེས་རབ་ཀྱི་ཕ་རོལ་དུ་ཕྱིན་པས་ཡོངས་སུ་བསྒྲུབས་(༧)པའི་སླད་དུ། མཆོད་པ་མངའ་སྟེ། དེ་ཅིའི་སླད་དུ་ཞེ་ན། བཅོམ་ལྡན་འདས་བྱང་ཆུབ་སེམས་དཔའ་སེམས་དཔའ་ཆེན་པོ་བྱང་ཆུབ་སེམས་དཔའི་སྤྱོད་པ་སྤྱོད་པའི་ཚེ། ཤེས་རབ་ཀྱི་ཕ་རོལ་དུ་ཕྱིན་པ་ནི་ཐམས་ཅད་མཁྱེན་པའི་ཡེ་ཤེས་ཀྱི་གཞིར་གྱུར་ཏོ། །རྒྱུར་གྱུར་ཏོ། །རྐྱེན་དུ་གྱུར་ཏོ། །ཡོངས་སུ་སྒྲུབ་པར་

གྱུར་ཏོ། །བཅོམ་ལྡན་འདས་དེ་ལྟ་བས་ན་ཆ་དེ་གཉིས་ལས་བདག་ནི་ཤེས་རབ་ཀྱི་ཕ་རོལ་ཏུ་ཕྱིན་པ་འདི་ཉིད་ལེན་ཏོ། །བཅོམ་ལྡན་འདས་གང་གི་ཚེ་བདག་གིས་ཤེས་རབ་ཀྱི་ཕ་རོལ་ཏུ་ཕྱིན་པ་འདི་བླངས་ཏེ། ཆོས་ཀྱི་ཡོངས་སུ་གཏོགས་པའི་ཡིད་ཀྱིས་ཁ་ཏོན་བགྱིད་པ་དེའི་ཚེ་འཇིགས་པའམ། བག་ཚ་བའི་མཚན་མ་ཅམ་ཡང་ཡང་དག་པར་རྗེས་སུ་མི་མཐོང་ངོ་། །བཅོམ་ལྡན་འདས་དེ་ཅིའི་སླད་དུ་ཞེ་ན། ཤེས་རབ་ཀྱི་ཕ་རོལ་ཏུ་ཕྱིན་པ་ནི་མཚན་མ་མ་མཆིས། རྟགས་མ་མཆིས་བརྗོད་དུ་མ་མཆིས་པ་སྟེ། བཅོམ་ལྡན་འདས་ཤེས་རབ་ཀྱི་ཕ་རོལ་ཏུ་ཕྱིན་པ་ནི་སྨོས་སུ་མ་མཆིས་པའོ། །བཅོམ་ལྡན་འདས་བསམ་གཏན་གྱི་ཕ་རོལ་ཏུ་ཕྱིན་པ་དང་། བརྩོན་འགྲུས་ཀྱི་ཕ་རོལ་ཏུ་ཕྱིན་པ་དང་། བཟོད་པའི་ཕ་རོལ་ཏུ་ཕྱིན་པ་དང་། ཚུལ་ཁྲིམས་ཀྱི་ཕ་རོལ་ཏུ་ཕྱིན་པ་དང་། སྦྱིན་པའི་ཕ་རོལ་ཏུ་ཕྱིན་པ་ནི་མཚན་མ་མ་མཆིས་རྟགས་མ་མཆིས་བརྗོད་དུ་མ་མཆིས་པ་སྟེ། བཅོམ་ལྡན་འདས་ཕ་རོལ་ཏུ་ཕྱིན་པ་དེ་དག་ནི་སྨོས་སུ་མ་མཆིས་པའོ། །བཅོམ་ལྡན་འདས་རྣམ་པ་ཐམས་ཅད་མཁྱེན་པ་ཉིད་ཀྱི་བར་ནི་མཚན་མ་མ[1]མཆིས། རྟགས་མ་མཆིས་བརྗོད་དུ་མ་མཆིས་པ་སྟེ། བཅོམ་ལྡན་འདས་རྣམ་པ་ཐམས་ཅད་མཁྱེན་པ་ཉིད་ནི་སྨོས་སུ་མ་མཆིས་པའོ། །བཅོམ་ལྡན་འདས་གལ་ཏེ་ཤེས་རབ་ཀྱི་ཕ་རོལ་ཏུ་ཕྱིན་པ་མཚན་མ་མ[2]མཆིས་པ་ཞིག་ལགས་ཏེ། མཚན་མ་མཆིས་པ་མ[3]ལགས་ན་ནི། དེ་བཞིན་གཤེགས་པ་དགྲ་བཅོམ་པ་ཡང་དག་པར་རྫོགས་པའི་སངས་རྒྱས་ཀྱིས། ཆོས་ཐམས་ཅད་ལ་མཚན་མ་མ་མཆིས་པ་དང་། རྟགས་མ་མཆིས་པ་དང་། བརྗོད་དུ་མ་མཆིས་པ་དང་། སྨོས་སུ་མ་མཆིས་པར་ཐུགས་སུ་ཆུད་དེ། བླ་ན་མེད་པ་ཡང་དག་པར་རྫོགས་པའི་བྱང་ཆུབ་ཏུ་མངོན་པར་རྫོགས་པར་སངས་རྒྱས་ནས་སེམས་ཅན་རྣམས་ལ་མཚན་མ་མ་མཆིས་

པ་དང་། རྟགས་མ་མཆིས་པ་དང་། བརྗོད་དུ་མ་མཆིས་པ་དང་། སྨོས་སུ་མ་མཆིས་པའི་ཆོས་མི་སྟོན་ཏོ[1]། །བཅོམ་ལྡན་འདས་འདི་ལྟར་ཤེས་རབ་ཀྱི་ཕ་རོལ་ཏུ་ཕྱིན་པ་མཚན་མ་མ་མཆིས། རྟགས་མ་མཆིས། བརྗོད་དུ་མ་མཆིས། སྨོས་སུ་མ་མཆིས་པས། དེའི་སླད་དུ་དེ་བཞིན་གཤེགས་པས་ཆོས་ཐམས་ཅད་མཚན་མ་མ་མཆིས་པ་དང་། རྟགས་མ་མཆིས་པ་དང་། བརྗོད་དུ་མ་མཆིས་པ་དང་། སྨོས་སུ་མ་མཆིས་པར་ཐུགས་སུ་ཆུད་དེ། བླ་ན་མེད་པ་ཡང་དག་པར་རྫོགས་པའི་བྱང་ཆུབ་ཏུ་མངོན་པར་རྫོགས་པར་སངས་རྒྱས་ནས་སེམས་ཅན་རྣམས་ལ་མཚན་མ་མ་མཆིས་པ་དང་། རྟགས་མ་མཆིས་པ་དང་། བརྗོད་དུ་མ་མཆིས་པ་དང་། སྨོས་སུ་མ་མཆིས་པའི་ཆོས་བསྟན་[2]ཏོ། །བཅོམ་ལྡན་འདས་དེ་བས་ན་ཤེས་རབ་ཀྱི་ཕ་རོལ་ཏུ་ཕྱིན་པ་འདི་ནི་ལྷ་དང་། མི་དང་། ལྷ་མ་ཡིན་དུ་བཅས་པའི་འཇིག་རྟེན་གྱིས། མེ་ཏོག་དང་། ཕྲེང་བ་དང་། སྤོས་དང་། བྱུག་པ་དང་། ཕྱེ་མ་དང་། ན་བཟའ་དང་། གདུགས་དང་། རྒྱལ་མཚན་དང་། བ་དན་དང་། སིལ་སྙན་སྣ་ཚོགས་ཀྱིས་རིམ་གྲོ་དང་། བཀུར་སྟི་དང་། བསྟི་སྟང་དང་། མཆོད་པར་བགྱི་བར་འོས་པའོ། །ཕྲིས་ཤིང་མེ་ཏོག་དང་། ཕྲེང་བ་དང་། སྤོས་དང་། བྱུག་པ་དང་། ཕྱེ་མ་དང་། ན་བཟའ་དང་། གདུགས་དང་། རྒྱལ་མཚན་དང་། བ་དན་དང་། སིལ་སྙན་སྣ་ཚོགས་ཀྱིས་རིམ་གྲོ་དང་། བཀུར་སྟི་དང་། བསྟི་སྟང་དང་། མཆོད་པར་བགྱི་བར་འོས་པའོ། །བཅོམ་ལྡན་འདས་གང་ལ་ལ་ཞིག་ཤེས་རབ་ཀྱི་ཕ་རོལ་ཏུ་ཕྱིན་པ་འདི་འཛིན་ཅིང་། འཆང་བ་དང་། ཀློག་ཅིང་ཀུན་ཆུབ་པ་དང་། ཚུལ་བཞིན་དུ་ཡིད་ལ་བགྱིད་པ་དང་། དེ་ཕྲིས་ཤིང་མེ་ཏོག་དང་། ཕྲེང་བ་དང་། སྤོས་དང་། བྱུག་པ་དང་། ཕྱེ་མ་དང་། ན་བཟའ་དང་།

གདུགས་དང་། རྒྱལ་མཚན་དང་། བ་དན་དང་། སིལ་སྙན་སྣ་ཚོགས་ཀྱིས་རིམ་གྲོ་དང་། བཀུར་སྟི་དང་། བསྟི་སྟང་དང་། མཆོད་པ་[༡]བགྱིད་པ་དེ་ནི་ནམ་བླ་ན་མེད་པ་ཡང་དག་པར་རྫོགས་པའི་བྱང་ཆུབ་ཏུ་མངོན་པར་རྫོགས་པར་སངས་རྒྱས་ཀྱི་བར་དུ་དེས་སེམས་ཅན་དམྱལ་བའི་རྒྱུད་ཀྱི་དོགས་པ་མ་མཆིས་པར་བགྱིའོ། །ཕྱུལ་སོང་གི་སྐྱེ་གནས་དང་། གཤིན་རྗེའི་འཇིག་རྟེན་གྱི་རྒྱུད་ཀྱི་དོགས་པ་མ་མཆིས་པར་བགྱིའོ། །ཉན་ཐོས་ཀྱི་ས་དང་རང་སངས་རྒྱས་ཀྱི་སའི་དོགས་པ་མ་མཆིས་པར་བགྱིའོ། །དེ་ནི་དེ་བཞིན་གཤེགས་པ་མཐོང་བ་དང་ཡང་མི་འབྲལ་བར་འགྱུར། སེམས་ཅན་ཡོངས་སུ་སྨིན་པར་བགྱི་བ་དང་ཡང་མི་འབྲལ་བར་འགྱུར་ཏེ། དེ་བཞིན་གཤེགས་པ་དགྲ་བཅོམ་པ་ཡང་དག་པར་རྫོགས་པའི་སངས་རྒྱས་དེ་དག་ལ་མེ་ཏོག་དང་། ཕྲེང་བ་དང་། སྤོས་དང་། བྱུག་པ་དང་། ཕྱེ་མ་དང་། ན་བཟའ་དང་། གདུགས་དང་། རྒྱལ་མཚན་དང་། བ་དན་དང་། སིལ་སྙན་སྣ་ཚོགས་ཀྱིས་རིམ་གྲོ་དང་། བཀུར་སྟི་དང་། བསྟི་སྟང་དང་། མཆོད་པར་བགྱིད་ཅིང་སངས་རྒྱས་ཀྱི་ཞིང་ནས་སངས་རྒྱས་ཀྱི་[༢]ཞིང་དུ་མཆི་བར་འགྱུར་རོ། །བཅོམ་ལྡན་འདས་གཞན་ཡང་གལ་ཏེ་སྟོང་གསུམ་གྱི་སྟོང་ཆེན་པོའི་འཇིག་རྟེན་གྱི་ཁམས་འདི་དེ་བཞིན་གཤེགས་པའི་སྐུ་གདུང་གིས་[༣]བྱུར་བུར་གཏམས་པ་[༤]ཞིག་ཀྱང་སླུལ་ལ། ཤེས་རབ་ཀྱི་ཕ་རོལ་དུ་ཕྱིན་པ་འདི་ཡང་བྲིས་ཏེ་སྟུལ་ན། བཅོམ་ལྡན་འདས་དཀོན་མཆོག་དེ་གཉིས་ལས་བདག་ནི་ཤེས་རབ་ཀྱི་ཕ་རོལ་དུ་ཕྱིན་པ་འདི་ཉིད་ལེན་ཏོ། །བཅོམ་ལྡན་འདས་དེ་ཅིའི་སླད་དུ་ཞེ་ན། འདི་ལས་བྱུང་བ་ནི་དེ་བཞིན་གཤེགས་པ་རྣམས་དང་། དེ་བཞིན་གཤེགས་པའི་སྐུ་གདུང་རྣམས་ཏེ། དེ་བས་ན་དེ་བཞིན་གཤེགས་པའི་སྐུ་གདུང་དེ་དག་ཀྱང་རིམ་གྲོར་བགྱི་བ་དང་། བཀུར་སྟིར་བགྱི་བ་དང་། བསྟི་སྟང་དུ་བགྱི་

ཞིང་མཆོད་པར་བགྱི་བ་ལགས་ཏེ། རིགས་ཀྱི་བུའམ་རིགས་ཀྱི་བུ་མོ་དེ་དག་གིས། དེ་དག་ལ་རིམ་གྲོར་བགྱིས། བཀུར་སྟིར་བགྱིས། བསྟི་སྟང་དུ་བགྱིས། མཆོད་པར་བགྱིས་ན། ཡོག་པར་ལྟུང་བ་དང་། ངན་སོང་དུ་མཆི་བར་མི[༡]འགྱུར་ཏེ། ལྷ་དང་མིའི་ཕུན་སུམ་ཚོགས་པ་མྱོང་ནས། སྨོན་ལམ་གྱི་ཚུལ་བཞིན་དུ་ཉན་ཐོས་ཀྱི་ཐེག་པའམ་རང་སངས་རྒྱས་ཀྱི་ཐེག་པའམ། ཡང་དག་པར་རྫོགས་པའི་སངས་རྒྱས་ཀྱི་ཐེག་པས་ཡོངས་སུ་མྱ་ངན་ལས༔འདས་པར[༢]འགྱུར་རོ། །བཅོམ་ལྡན་འདས་དེ་ལྟ་བས་ན་གང་དེ་བཞིན་གཤེགས་པ་མཐོང་བ་དང་། ཤེས་རབ་ཀྱི་ཕ་རོལ་དུ་ཕྱིན་པ་བྲིས་པ་མཐོང་བ་དེ་ནི་མི་འདྲ་བ་མ་མཆིས་སོ། །དེ་ཅིའི་སླད་དུ་ཞེ་ན། བཅོམ་ལྡན་འདས་དེ་ནི་འདི་ལྟར་ཤེས་རབ་ཀྱི་ཕ་རོལ་དུ་ཕྱིན་པ་དང་། དེ་བཞིན་གཤེགས་པ་ལ་གཉིས་སུ་མ་མཆིས་ཏེ་གཉིས་སུ་བགྱིར་མ་མཆིས་སོ། །བཅོམ་ལྡན་འདས་གཞན་ཡང་གང་དེ་བཞིན་གཤེགས་པ་དགྲ་བཅོམ་པ་ཡང་དག་པར་རྫོགས་པའི་སངས་རྒྱས་ཀྱིས[༣]ཆོ་འཕྲུལ་རྣམ་པ་གསུམ་ལ་བཞུགས་ཏེ། མདོ་དང་། དབྱངས་ཀྱིས་བསྙད་པ་དང་། ལུང་བསྟན་པ་དང་། ཆོས་གདན[༤]ལ་དབབ་པ་བསྟན་པའི་བར་དུ་གསུངས་ཏེ་བཤད་པ་དང་། རིགས་ཀྱི་བུའམ། རིགས་ཀྱི་བུ་མོ་ལ་ལས། ཤེས་རབ་ཀྱི་ཕ་རོལ་དུ་ཕྱིན་པ་འདི་བཟུང་ཞིང་ཀུན་ཆུབ་པར་བགྱིས་ཏེ། གཞན་ལ་བསྟན་པ་དེ་གཉིས་ཀྱང་མི་འདྲ་བ་མ་མཆིས་སོ། །བཅོམ་ལྡན་འདས་དེ་ཅིའི་སླད་དུ་ཞེ་ན། འདི་ལས་བྱུང་བ་ནི་དེ་བཞིན་གཤེགས་པ་དགྲ་བཅོམ་པ་ཡང་དག་པར་རྫོགས་པའི་སངས་རྒྱས་རྣམས་སོ། །འདི་ལས་བྱུང་བ་ནི་ཆོ་འཕྲུལ་རྣམ་པ་གསུམ་མོ། །འདི་ལས་བྱུང་བ་ནི་མདོ་དང་། དབྱངས་ཀྱིས་བསྙད་པ[༥]དང་། ལུང་བསྟན་པ་དང་། ཆོས་གདན[༦]ལ་དབབ་པ་བསྟན་པའི་བར་དག་གོ། །བཅོམ་ལྡན་འདས་གཞན་ཡང་ཤར་ཕྱོགས་ཀྱི་དེ་བཞིན་གཤེགས་པ་དགྲ་བཅོམ་པ་ཡང་དག་

པར་རྫོགས་པའི་སངས་རྒྱས་གང་གཱའི་ཀླུང་གི་བྱེ་མ་སྙེད་མང་པོ་དང་། ལྷོ་དང་། ནུབ་དང་། བྱང་དང་། བྱང་ཤར་དང་། ཤར་ལྷོ་དང་། ལྷོ་ནུབ་དང་། ནུབ་བྱང་དང་། འོག་དང་། སྟེང་གི་ཕྱོགས་ཀྱི་ཕྱོགས་རེ་རེ་ཞིང་། དེ་བཞིན་གཤེགས་པ་དགྲ་བཅོམ་པ་ཡང་དག་པར་རྫོགས་པའི་སངས་རྒྱས་གང་གཱའི་ཀླུང་གི་བྱེ་མ་སྙེད་མང་པོས་ཆོ་འཕྲུལ་རྣམ་པ་གསུམ་ལ་བཞུགས་ཏེ། མདོ་དང་། དབྱངས་ཀྱིས་བསྙད་པ་དང་། ལུང་བསྟན་པ་དང་། ཆོས་གཏན་ལ་དབབ་པ་བསྟན་པའི་བར་དུ་གསུངས་ཏེ་བཤད་པ་དང་། རིགས་ཀྱི་བུའམ། རིགས་ཀྱི་བུ་མོ་གང་ལ་ལས། ཤེས་རབ་ཀྱི་ཕ་རོལ་ཏུ་ཕྱིན་པ་འདི་བཟུང་ཞིང་ཀུན་ཆུབ་པར་བགྱིས་ཏེ། གཞན་ལ་བསྟན་པ་དེ་གཉིས་ཀྱང་མི་འདྲ་བ་མ་མཆིས་སོ། །དེ་ཅིའི་སླད་དུ་ཞེ་ན། འདི་ལས་བྱུང་བ་ནི་ཕྱོགས་བཅུའི་དེ་བཞིན་གཤེགས་པ་དགྲ་བཅོམ་པ་ཡང་དག་པར་རྫོགས་པའི་སངས་རྒྱས་རྣམས་སོ། །འདི་ལས་བྱུང་བ་ནི་ཆོ་འཕྲུལ་རྣམ་པ་གསུམ་མོ། །འདི་ལས་བྱུང་བ་ནི་མདོ་དང་དབྱངས་ཀྱིས་བསྙད་པ་དང་། ལུང་བསྟན་པ་དང་། ཆོས་གཏན་ལ་དབབ་པ་བསྟན་པའི་བར་དག་གོ། །བཅོམ་ལྡན་འདས་གཞན་ཡང་ཕྱོགས་བཅུའི་ཕྱོགས་རེ་རེ་ཞིང་འཇིག་རྟེན་གྱི་ཁམས་གང་གཱའི་ཀླུང་གི་བྱེ་མ་སྙེད་ཀྱི་དེ་བཞིན་གཤེགས་པ་དགྲ་བཅོམ་པ་ཡང་དག་པར་རྫོགས་པའི་སངས་རྒྱས་དེ་དག་ལ། མེ་ཏོག་དང་། ཕྲེང་བ་དང་། སྤོས་དང་། བྱུག་པ་དང་། ཕྱེ་མ་དང་། ན་བཟའ་དང་། གདུགས་དང་། རྒྱལ་མཚན་དང་། བ་དན་དང་། སིལ་སྙན་སྣ་ཚོགས་ཀྱིས་རིམ་གྲོ་དང་། བཀུར་སྟི་དང་། བསྟི་སྟང་དང་། མཆོད་པ་བགྱིས་པ་དང་། ཤེས་རབ་ཀྱི་ཕ་རོལ་ཏུ་ཕྱིན་པ་འདི་གླེགས་བམ་དུ་བྲིས་ཤིང་། མེ་ཏོག་དང་། ཕྲེང་བ་དང་། སྤོས་དང་། བྱུག་པ་དང་། ཕྱེ་མ་དང་། ན་བཟའ་དང་།

གདུགས་དང་། རྒྱལ་མཚན་དང་། བ་དན་དང་། སིལ་སྙན་སྣ་ཚོགས་ཀྱིས་རིམ་གྲོ་དང་། བཀུར་སྟི་དང་། བསྟི་སྟང་དང་། མཆོད་པ་[1]བགྱིས་པར་ཡང་མི་འདྲ་བ་མ་མཆིས་སོ། །དེ་ཅིའི་སླད་དུ་ཞེ་ན། འདི་ལས་བྱུང་བ་ནི་དེ་བཞིན་གཤེགས་པ་དགྲ་བཅོམ་པ་ཡང་དག་པར་རྫོགས་པའི་སངས་རྒྱས་རྣམས་སོ། །བཅོམ་ལྡན་འདས་གཞན་ཡང་རིགས་ཀྱི་བུའམ། རིགས་ཀྱི་བུ་མོ་གང་ཤེས་རབ་ཀྱི་ཕ་རོལ་ཏུ་ཕྱིན་པ་འདི་འཛིན་ཅིང་འཆང་བ་དང་། ཀློག་ཅིང་ཀུན་ཆུབ་པར་བྱེད་པ་དང་། ཚུལ་བཞིན་དུ་ཡིད་ལ་བགྱིད་ཅིང་། གཞན་ལ་ཡང་རྒྱ་ཆེར་སྟོན་པ་དེས་ནི། སེམས་ཅན་དམྱལ་བའི་རྒྱུད་ཀྱི་དོགས་པ་མ་མཆིས་པར་བགྱིའོ། །ཕྱུལ་སོང་གི་སྐྱེ་གནས་དང་། གཤིན་རྗེའི་འཇིག་རྟེན་གྱི་རྒྱུད་ཀྱི་དོགས་པ་མ་མཆིས་པར་བགྱིའོ། །ཉན་ཐོས་ཀྱི་ས་དང་། རང་སངས་རྒྱས་ཀྱི་སའི་དོགས་པ་མ་མཆིས་པར་བགྱིའོ། །དེ་ཅིའི༔སླད་དུ་[2]ཞེ་ན། འདི་ལྟར་རིགས་ཀྱི་བུའམ། རིགས་ཀྱི་བུ་མོ་དེ་ནི་ཕྱིར་མི་ལྡོག་པའི་ས་ལ་གནས་པར་རིག་པར་བགྱིའོ། །དེ་ཅིའི་སླད་དུ་ཞེ་ན། དེ་ནི་འདི་ལྟར་ཤེས་རབ་ཀྱི་ཕ་རོལ་དུ་ཕྱིན་པ་འདི་བྲིས་ཤིང་འཛིན་ཏོ། །འཆང་ངོ་། །ཀློག་གོ། །ཀུན་ཆུབ་པར་བགྱིད་དོ། །ཚུལ་བཞིན་དུ་ཡིད་ལ་བགྱིད་དོ། །བྲིས་པ་དེ་ལ་ཡང་མེ་ཏོག་དང་། ཕྲེང་བ་དང་། སྤོས་དང་། བྱུག་པ་དང་། ཕྱེ་མ་དང་། ན་བཟའ་དང་། གདུགས་དང་། རྒྱལ་མཚན་དང་། བ་དན་དང་། སིལ་སྙན་སྣ་ཚོགས་ཀྱིས་རིམ་གྲོར་བགྱིད། བཀུར་སྟིར་བགྱིད། བསྟི་སྟང་དུ་བགྱིད། མཆོད་པར་བགྱིད་དོ། །བཅོམ་ལྡན་འདས་དེ་ལྟར་ན་[3]ཤེས་རབ་ཀྱི་ཕ་རོལ་དུ་ཕྱིན་པ་འདི་ནི་འཇིགས་པ་ཐམས་ཅད་ཞི་བར་བགྱིད་པའོ། །ནད་ཐམས་ཅད་རབ་ཏུ་སེལ་[4]བའོ། །བཅོམ་ལྡན་འདས་གཞན་ཡང་རིགས་ཀྱི་བུ་དང་རིགས་ཀྱི་བུ་མོ་གང་ཤེས་རབ་ཀྱི་ཕ་རོལ་དུ་

ཕྱིན་པ་འདི་ཁྲིས་ཤིང་འཛིན་པ་དང་། འཆང་བ་དང་། ཀློག་པ་དང་། ཀུན་ཆུབ་པར་བགྱིད་པ་དང་། དེ་ལ་མེ་ཏོག་དང་། ཕྲེང་བ་དང་། སྤོས་དང་། བྱུག་པ་དང་། ཕྱེ་མ་དང་། ན་བཟའ་དང་། གདུགས་དང་། རྒྱལ་མཚན་དང་། བ་དན་དང་། སིལ་སྙན་སྣ་ཚོགས་ཀྱིས་རིམ་གྲོ་དང་། བཀུར་སྟི་དང་། བསྟི་སྟང་དང་། མཆོད་པར་བགྱིས་པ་དེས་ནི། གང་ནས་ཀྱང་འཇིགས་པ་འབྱུང་བའི་དོགས་པ་མ་མཆིས་པར་བགྱིའོ། །བཅོམ་ལྡན་འདས་འདི་ལྟ་སྟེ་དཔེར་ན། སྐྱེས་བུ་ནོར་གྱི་བདག་པོ་ཞིག་འཇིགས་ནས། རྒྱལ་པོ་ལ་གནས་ཤིང་རྒྱལ་པོ་ལ༔རྟེན་ན[༡]། དེ་རྒྱལ་པོ་ལ་གནས་ཤིང་རྒྱལ་པོ་ལ་རྟེན་[༢]པས། སུས་འཇིགས་པ་དེ་དག་ཉིད་ཀྱང་དེ་ལ་བརྟེན་[༣]པས། དེ་དག་གིས་འཇིགས་པར་མི་འགྱུར་རོ། །དེ་ཅིའི་སླད་དུ་ཞེ་ན། བཅོམ་ལྡན་འདས་དེ་ནི་འདི་ལྟར་གཤའ་[༤]སྟེ། གང་རྒྱལ་པོ་ལ་བརྟེན་[༥]པ་ནི་མཐུ་དང་ལྡན་པ་ལ་བརྟེན་[༦]པའོ། །བཅོམ་ལྡན་འདས་དེ་བཞིན་དུ་དེ་བཞིན་གཤེགས་པའི་སྐུ་གདུང་དེ་དག་ཀྱང་། ཤེས་རབ་ཀྱི་ཕ་རོལ་ཏུ་ཕྱིན་པས་ཡོངས་སུ་བསྒྲུབས་[༧]པས་ན་མཆོད་པ་མངའོ། །བཅོམ་ལྡན་འདས་རྣམ་པ་ཐམས་ཅད་མཁྱེན་པའི་ཡེ་ཤེས་གང་ལགས་པ་དེ་ཡང་། ཤེས་རབ་ཀྱི་ཕ་རོལ་ཏུ་ཕྱིན་པས་ཡོངས་སུ་བསྒྲུབས་པར་བལྟའོ། །བཅོམ་ལྡན་འདས་དེ་ལྟ་[༨]བས་ན་བདག་གིས་ཆ་དེ་གཉིས་ལས། ཤེས་རབ་ཀྱི་ཕ་རོལ་ཏུ་ཕྱིན་པ་འདི་ཉིད་བླང་བར་བགྱིའོ། །བཅོམ་ལྡན་འདས་དེ་ཅིའི་སླད་དུ་ཞེ་ན། འདི་ལས་བྱུང་བ་ནི་དེ་བཞིན་གཤེགས་པའི་སྐུ་གདུང་རྣམས་སོ། །འདི་ལས་བྱུང་བ་ནི་མི་ཆེན་པོའི་མཚན་[༩]སུམ་ཅུ་རྩ་གཉིས་སོ། །འདི་ལས་བྱུང་བ་ནི་དེ་བཞིན་གཤེགས་པའི་སྟོབས་བཅུ་དང་། མི་འཇིགས་པ་བཞི་དང་། སོ་སོ་ཡང་དག་པར་རིག་པ་བཞི་དང་། སངས་རྒྱས་ཀྱི་ཆོས་མ་འདྲེས་པ་བཅོ་བརྒྱད་དོ། །

འདི་ལས་བྱུང་བ་ནི་བྱམས་པ་ཆེན་པོ་དང་། སྙིང་རྗེ་ཆེན་པོའོ། །བཅོམ་ལྡན་འདས་འདི་ལས་བྱུང་བ་ནི་ཕ་རོལ་ཏུ་ཕྱིན་པ་ལྔ་སྟེ། དེ་དག་ཕ་རོལ་ཏུ་ཕྱིན་པའི་མིང་འཐོབ་བོ། །འདི་ལས་བྱུང་བ་ནི་དེ་བཞིན་གཤེགས་པའི་རྣམ་པ་ཐམས་ཅད་མཁྱེན་པ་ཉིད་ཀྱི་བར་ཏེ། བཅོམ་ལྡན་འདས་གྲོང་ངམ། གྲོང་རྡལ་[༡]ལམ། གྲོང་ཁྱེར་རམ། ཁམས་སམ། རྒྱལ་པོའི་གནས་སམ། སྟོང་གསུམ་གྱི་སྟོང་ཆེན་པོའི་འཇིག་རྟེན་གྱི་ཁམས་གང་ན། ཤེས་རབ་ཀྱི་ཕ་རོལ་ཏུ་ཕྱིན་པ་འདི་འཛིན་ཅིང་འཆང་བ་དང་། ཀློག་ཅིང་ཀུན་ཆུབ་པར་བགྱིད་པ་དང་། [༡]བྲིས་ཤིང་རིམ་གྲོ་དང་། བཀུར་སྟི་དང་། བསྟི་སྟང་དང་། མཆོད་པ་བགྱིད་པ་དེ་དག་ཏུ་མིའམ་མི་མ་ལགས་པ་སྣགས་ལྷ་ཞིང་སྣགས་ཚོལ་བ་རྣམས་ཀྱིས་སྣགས་རྙེད་པར་མི་འགྱུར་ཏེ། སེམས་ཅན་དེ་དག་ཐམས་ཅད་ཀྱང་ཐེག་པ་གསུམ་ལས། ཐེག་པ་གང་ཡང་རུང་བས་མཐར་གྱིས་ཡོངས་སུ་མྱ་ངན་ལས་འདས་པའི་ཆོས་ཅན་དུ་འགྱུར་རོ། །བཅོམ་ལྡན་འདས་དེ་ལྟ་བས་ན། ཤེས་རབ་ཀྱི་ཕ་རོལ་ཏུ་ཕྱིན་པ་འདི་ནི་དོན་ཆེན་པོ་དང་ལྡན་པ་སྟེ། སྟོང་གསུམ་གྱི་སྟོང་ཆེན་པོའི་འཇིག་རྟེན་གྱི་ཁམས་ན། དེ་ལྟར་སེམས་ཅན་རྣམས་ཀྱི་སངས་རྒྱས་ཀྱི་དོན་དུ་ཉེ་བར་གནས་སོ༑ །བཅོམ་ལྡན་འདས་འཇིག་རྟེན་གྱི་ཁམས་གང་ན་ཤེས་རབ་ཀྱི་ཕ་རོལ་ཏུ་ཕྱིན་པ་འདི་མཆིས་པའི། འཇིག་རྟེན་གྱི་ཁམས་དེར་ནི་སངས་རྒྱས་བྱུང་བ་དང་འདྲ་བར་བལྟའོ། །བཅོམ་ལྡན་འདས་འདི་ལྟ་སྟེ་དཔེར་ན། ནོར་བུ་རིན་པོ་ཆེ་ཆེན་པོ་མི་དཔོགས་རིན་ཆེན་ཅེས་བགྱི་བ་མཆིས་ཏེ། དེ་ནི་ནོར་བུ་རིན་པོ་ཆེ་ཆེན་པོའི་ཡོན་ཏན་རྣམ་པ་འདི་ལྟ་བུ་དག་དང་ལྡན་ཏེ། ནོར་བུ་རིན་པོ་ཆེ་དེ་གང་དང་གང་དུ་གཞག་པ་དེ་དང་དེར། མྱི་[༡]མ་ལགས་པ་རྣམས་ཀྱིས་སྣགས་མི་རྙེད་དོ། །མི་མ་ལགས་པས་ཟིན་པའི་སྐྱེས་པའམ། བུད་མེད་ཀྱང་ནོར་བུ་རིན་

པོ་ཆེ་དེ་བསྟན་[༡]ན། མི་མ་ལགས་པ་དེ་ནོར་བུ་རིན་པོ་ཆེ་ཆེན་པོ་[༢]དེའི་གཟི་བརྗིད་མི་བཟོད་དེ་མྱུར་དུ་འཕྲོ་ཞིང་མི་གནས་སོ། །མཁྲིས་པས་གདུངས་པའི་ལུས་ལ་ནོར་བུ་རིན་པོ་ཆེ་ཆེན་པོ་དེ་བཏགས་ན། མཁྲིས་པ་དེའང་འབྱིང་[༣]བར་འགྱུར་རོ། །རླུང་གིས་མནར་བའི་ལུས་ལ་ནོར་བུ་རིན་པོ་ཆེ་ཆེན་པོ་དེ་བཏགས་ན། རླུང་དེའང་འབྱུང་[༤]བར་འགྱུར་རོ། །བད་ཀན་གྱིས་ནོན་པའི་ལུས་ལ་ནོར་བུ་རིན་པོ་ཆེ་ཆེན་པོ་དེ་བཏགས་ན། བད་[༥]ཀན་དེའང་ཞི་བར་འགྱུར་རོ། །འདུས་པའི་ནད་ཀྱིས་བཏབ་པའི་ལུས་ལ་ནོར་བུ་རིན་པོ་ཆེ་ཆེན་པོ་[༦]བཏགས་ན། འདུས་པའི་ནད་དེའང་ཞི་བར་འགྱུར་ཞིང་རྣམ་པར་མི་འཕེལ་ལོ། །ནུབ་མོ་ནི་ནོར་བུ་རིན་པོ་ཆེ་ཆེན་པོ་དེ་སྣང་བར་བགྱིད་དོ། །ཚ་བའི་དུས་ན་ནི་ནོར་བུ་རིན་པོ་ཆེ་ཆེན་པོ་དེ་ཕྱོགས་གང་དུ་བཞག་པའི་ཕྱོགས་དེ་[༧]བསིལ་བར་བགྱིད་དོ། །གྲང་བའི་དུས་ན་ནི་ནོར་བུ་རིན་པོ་ཆེ་ཆེན་པོ་དེ་ཕྱོགས་གང་དུ་བཞག་པའི་ཕྱོགས་དེ་དྲོ་བར་བགྱིད་དོ། །ནོར་བུ་རིན་པོ་ཆེ་ཆེན་པོ་དེ་དོག་སའི་ཕྱོགས་གང་དུ་བཞག་པའི་ཕྱོགས་དེ་ཡང་། ཏ་ཙང་[༨]ཡང་མི་དྲོ་ཏ་ཙང་[༩]ཡང་མི་གྲང་ཞིང་རན་པ་ཕུན་སུམ་ཚོགས་པར་བགྱིད་དོ། །ནོར་བུ་རིན་པོ་ཆེ་ཆེན་པོ་དེ་དོག་སའི་ཕྱོགས་གང་དུ་བཞག་པའི་དོག་སའི་ཕྱོགས་དེར་སྦྲུལ་ལམ། དེ་མ་ལགས་པའི་སྡིག་པ་ལ་སོགས་པ་གདུག་པ་དང་། གཞན་དག་ཀྱང་རྒྱུ་བར་མི་འགྱུར་རོ།། ||

ཤེས་རབ་ཀྱི་ཕ་རོལ་ཏུ་ཕྱིན་པ་སྟོང་ཕྲག་ཉི་ཤུ་ལྔ་པ། བམ་པོ་སུམ་ཅུ་བཞི་པ། བཅོམ་ལྡན་འདས་སྐྱེས་པའམ། བུད་མེད་ལ་ལ་ཞིག་སྦྲུལ་གདུག་པས་ཟིན་པ་ལ། ནོར་བུ་རིན་པོ་ཆེ་ཆེན་པོ་དེ་བསྟན་ན། དེས་དེ་མཐོང་མ་ཐག་ཏུ་དུག་དེ་ཡང་བྱུང་བར་འགྱུར་རོ། །བཅོམ་ལྡན་འདས་ནོར་བུ་རིན་པོ་ཆེ་ཆེན་པོ་དེ་ནི་ཡོན་ཏན་གྱི་རྣམ་པ་འདི་ལྟ་བུ་དག་དང་ལྡན་ཏེ། སྐྱེས་པའམ། བུད་

མེད་ལ་ལ་ཞིག་འབྲུམ་བུས་བཏབ་བམ་མིག་རབ་རིབ་ཅན་དུ་གྱུར་ཏེ། མིག་གི་ནད་དམ། རྣ་བའི་ནད་དམ། སྣའི་ནད་དམ། ལྕེའི་ནད་དམ། སྐྲག་མའི་ནད་དམ། ལུས་ཀྱི་ནད་ཅིག[1]བྱུང་བ་ལས་དེའི་ལུས་ལ་ནོར་བུ་རིན་པོ་ཆེ་ཆེན་པོ་དེ་བཏགས་ན། དེ་དག་གི་འབྲུམ་བུའམ། རབ་རིབ་བམ། མིག་གི་ནད་དམ། རྣ་བའི་ནད་དམ། སྣའི་ནད་དམ། ལྕེའི་ནད་དམ། སྐྲག་མའི་ནད་དམ། ལུས་ཀྱི་ནད་དེ་དག་ཀུང་ཞི་བར་འགྱུར་རོ། །བཅོམ་ལྡན་འདས་ནོར་བུ་རིན་པོ་ཆེ་ཆེན་པོ་དེ་ནི་ཡོན་ཏན་གྱི་རྣམ་པ་འདི་ལྟ་བུ་དག་དང་ཡང་ལྡན་ནོ[2]། །གལ་ཏེ་ནོར་བུ་རིན་པོ་ཆེ་ཆེན་པོ་དེ་དག་ཆབ་རྙོག་པ་ཅན་གྱི་ནང་དུ་སྩུལ་ན། དེའི་མོད་ལ་ཆབ་དེ་ཐམས་ཅད་ཀུང་ཡན་ལག་བརྒྱད་དང་ལྡན་ཞིང་ཁ་དོག་གཅིག་པར་འགྱུར་རོ། །གལ་ཏེ་ནོར་བུ་རིན་པོ་ཆེ་ཆེན་པོ་དེ་གོས་སྔོན་པོས་དཀྲིས་ཏེ་ཆབ་ཀྱི་ནང་དུ་སྩུལ་ན། ཆབ་དེ་ཡང་དེའི་རང་བཞིན་ཉིད་དུ་འགྱུར་རོ། །གལ་ཏེ་ནོར་བུ་རིན་པོ་ཆེ་ཆེན་པོ་དེ་གོས་སེར་པོའམ། དམར་པོའམ། དཀར་པོའམ། ཿལེབ་རྒྱན[3]ནམ། ཤེལ་གྱི་ཁ་དོག་གམ། གོས་གཞན་རྣམ་པ་སྣ་ཚོགས་ཀྱིས[4]ནོར་བུ་རིན་པོ་ཆེ་ཆེན་པོ་དེ་དཀྲིས་ཏེ་ཆབ་ཀྱི་ནང་དུ་སྩུལ་ན། ཆབ་དེ་ཡང་དེའི་རང་བཞིན་ཉིད་དུ་འགྱུར་རོ། །ཆབ་དེ་ལ་རྙོག་པ[5]མཆིས་པ་ཡང་། ནོར་བུ་རིན་པོ་ཆེ་ཆེན་པོ་དེས[6]དང་སྟེ། བཅོམ་ལྡན་འདས་ནོར་བུ་རིན་པོ་ཆེ་ཆེན་པོ་དེ་ནི་ཡོན་ཏན་གྱི་རྣམ་པ་དེ་ལྟ་བུ་དག་དང་། གཞན་ཡང་རྣམ་པ་མང་པོ་དག་དང་ལྡན་ནོ། །བཅོམ་ལྡན་འདས་ཤེས་རབ་ཀྱི་ཕ་རོལ་ཏུ་ཕྱིན་པ་འདི་ཡང་ལྷ་རྫས་ཀྱི་ནོར་བུ་རིན་པོ་ཆེ་ཆེན་པོ་དེ་དང་འདྲ་བར་ཡོན་ཏན་ཐམས་ཅད་ཀྱི་འབྱུང་གནས་སུ་གྱུར་པ་སྟེ། སྡིག་པ་ཐམས་ཅད་སེལ་བའོ། །དེ་ནས་ཚེ་དང་ལྡན་པ་དགའ་བོས། ལྷའི་དབང་པོ་བརྒྱ་བྱིན་ལ་འདི་སྐད་ཅེས་སྨྲས་སོ། །ཀཽ་ཤི་ཀ་དེ་ཇི་

སྨམ་དུ་སེམས། ནོར་བུ་རིན་པོ་ཆེ་ཆེན་པོ་དེ་ལྷ་རྫས་ཤིག་ཡིན་ནམ། འོན་ཏམ་ནོར་བུ་རིན་པོ་ཆེ་ཆེན་པོ་དེ་འཛམ་བུའི་གླིང་གི་མི་རྣམས་ལ་ཡང་ཡོད། བརྒྱ་བྱིན་གྱིས་སྨྲས་པ། བཙུན་པ་དགའ་བོ་ནོར་བུ་རིན་པོ་ཆེ་ཆེན་པོ་དེ་ནི་ལྷ་རྫས་ཏེ། བཙུན་པ་དགའ་བོ་འཛམ་བུའི་[1]གླིང་གི་མི་རྣམས་ལ་ནོར་བུ་རིན་པོ་ཆེ་གང་ཡོད་པ་དེ་དག་ནི་ཆུང་ཞིང་ལྟོ། ལྷ་རྫས་ཀྱི་ནོར་བུ་རིན་པོ་ཆེ་དེ་དག་ནི་ཆེ་ཞིང་ཡང་སྟེ། འཛམ་བུའི་[2]གླིང་གི་མི་རྣམས་ཀྱི་ནོར་བུ་[3]རིན་པོ་ཆེ་ཆེན་པོ་[4]དེ་དག་ནི་ལྷ་རྫས་ལྟར་ཡན་ལག་དེ་དག་གིས་ཡོངས་སུ་རྫོགས་པ་མ་ཡིན་ཏེ། འཛམ་བུའི་[5]གླིང་གི་ནོར་བུ་རིན་པོ་ཆེ་དེ་དག་གིས་ནི། ལྷ་རྫས་ཀྱི་ནོར་བུ་རིན་པོ་ཆེ་ཆེན་པོ་དེའི་གྲངས་སམ། ཆའམ། བགྲང་བའམ། དཔེ་འམ། རྒྱུར་ཡང་ཉེ་[6]བར་མི་འགྲོའོ། །དེ་ནས་ཡང་ལྷའི་དབང་པོ་བརྒྱ་བྱིན་གྱིས་བཅོམ་ལྡན་འདས་ལ་འདི་སྐད་ཅེས་གསོལ་ཏོ། །བཅོམ་ལྡན་འདས་ནོར་བུ་རིན་པོ་ཆེ་ཆེན་པོ་དེ་སྣོད་ལ་ལ་ཞིག་གི་[7]ནང་དུ་[8]སྩལ་པ་ལས། སྣོད་དེ་ནས་ཕྱུང་[9]ཡང་སྣོད་དེ་ནི་ནོར་བུ་རིན་པོ་ཆེ་དེའི་ཡོན་ཏན་གྱིས་ཡིད་དུ་མཆི་བར་འགྱུར་ཏེ། གཞན་ཡང་སྣོད་དེ་ལ་མོས་པ་སྐྱེད་དོ། །བཅོམ་ལྡན་འདས་དེ་བཞིན་དུ་ཤེས་རབ་ཀྱི་ཕ་རོལ་ཏུ་ཕྱིན་པ་འདི་གང་ན་མཆིས་པ་དེའི། རིགས་ཀྱི་བུའམ་རིགས་ཀྱི་བུ་མོ་དག་གི་ལུས་སམ་སེམས་ཀྱི་སྡུག་བསྔལ་དང་། གནོད་པ་མི་ལས་གྱུར་[10]པའམ། མི་མ་ལགས་པ་ལས་གྱུར་པ་ཐམས་ཅད་ཀྱང་མ་མཆིས་པར་འགྱུར་ཏེ། བཅོམ་ལྡན་འདས་ནོར་བུ་རིན་པོ་ཆེ་ཆེན་པོ་ཞེས་བགྱི་བ་ནི་ཤེས་རབ་ཀྱི་ཕ་རོལ་ཏུ་ཕྱིན་པའི་ཚིག་བླ་དགས་སོ། །རྣམ་པ་ཐམས་ཅད་མཁྱེན་པའི་ཡེ་ཤེས་ཀྱི་ཚིག་[11]བླ་དགས་སོ།། བཅོམ་ལྡན་འདས་ཤེས་རབ་ཀྱི་ཕ་རོལ་ཏུ་ཕྱིན་པའི་ཡོན་ཏན་ལྟ་ཇི་སྙེད་ཅིག་བརྗོད་པར་བགྱི་[12]སྟེ། ཤེས་རབ་ཀྱི་ཕ་རོལ་ཏུ་ཕྱིན་པའི་ཡོན་ཏན་ནི་ཚད་མ་མཆིས་སོ། །

དེ་བཞིན་གཤེགས་པའི་སྐུ་གདུང་དེ་དག་ཀྱང་ཤེས་རབ་ཀྱི་ཕ་རོལ་ཏུ་ཕྱིན་པའི་སྟོང་ངོ་༎ །བཅོམ་ལྡན་འདས་བསམ་གཏན་གྱི་ཕ་རོལ་ཏུ་ཕྱིན་པ་དང་། བརྩོན་འགྲུས་ཀྱི་ཕ་རོལ་ཏུ་ཕྱིན་པ་དང་། བཟོད་པའི་ཕ་རོལ་ཏུ་ཕྱིན་པ་དང་། ཚུལ་ཁྲིམས་ཀྱི་ཕ་རོལ་ཏུ་ཕྱིན་པ་དང་། སྦྱིན་པའི་ཕ་རོལ་ཏུ་ཕྱིན་པ་དང་། ནང་སྟོང་པ་ཉིད་དང་། དངོས་པོ་མེད་པའི་ངོ་བོ་ཉིད་སྟོང་པ་ཉིད་ཀྱི་བར་དང་། དྲན་པ་ཉེ་བར་གཞག་པ་བཞི་དང་། ཡང་དག་པར་སྤོང་བ་བཞི་དང་། རྫུ་འཕྲུལ་གྱི་རྐང་པ་བཞི་དང་། དབང་པོ་ལྔ་དང་། སྟོབས་ལྔ་དང་། བྱང་ཆུབ་ཀྱི་ཡན་ལག་བདུན་དང་། འཕགས་པའི་ལམ་ཡན་ལག་བརྒྱད་པ་དང་། འཕགས་པའི་བདེན་པ་རྣམས་དང་། བསམ་གཏན་བཞི་དང་། ཚད་མེད་པ་བཞི་དང་། གཟུགས་མེད་པའི་སྙོམས་པར་འཇུག་པ་བཞི་དང་། རྣམ་པར་ཐར་པ་བརྒྱད་དང་། མཐར་གྱིས་[༧]གནས་པའི་སྙོམས་པར་འཇུག་པ་དགུ་དང་། རྣམ་པར་ཐར་པའི་སྒོ་གསུམ་དང་། མངོན་པར་ཤེས་པ་རྣམས་དང་། ཏིང་ངེ་འཛིན་རྣམས་དང་། གཟུངས་ཀྱི་སྒོ་རྣམས་དང་། དེ་བཞིན་གཤེགས་པའི་སྟོབས་བཅུ་དང་། མི་འཇིགས་པ་བཞི་དང་། སོ་སོ་ཡང་དག་པར་རིག་པ་བཞི་དང་། ༑བྱམས་པ་ཆེན་པོ་དང་།[༢] སྙིང་རྗེ་ཆེན་པོ་དང་། སངས་རྒྱས་ཀྱི་ཆོས་མ་འདྲེས་པ་བཅོ་བརྒྱད་[༣]དང་། ཐམས་ཅད་ཤེས་པ་ཉིད་དང་། ལམ་གྱི་རྣམ་པ་ཤེས་པ་ཉིད་དང་། རྣམ་པ་ཐམས་ཅད་མཁྱེན་པ་ཉིད་ཀྱི་ཡེ་ཤེས་དང་། དེ་བཞིན་ཉིད་དང་། མ་ནོར་བ་དེ་བཞིན་ཉིད་དང་། གཞན་མ་ཡིན་པ་དེ་བཞིན་ཉིད་དང་། ཆོས་ཉིད་དང་། ཆོས་ཀྱི་དབྱིངས་དང་། ཆོས་ཀྱི་གནས་ཉིད་དང་། ཆོས་མི་འགྱུར་བ་ཉིད་དང་། ཡང་དག་པའི་མཐའ་དང་། བསམ་གྱིས་[༨]མི་ཁྱབ་པའི་དབྱིངས་དང་། བག་ཆགས་ཀྱི་མཚམས་སྦྱོར་བའི་ཉོན་

ཉོན་མོངས་པ་ཐམས་ཅད་སྤངས་པ་དང་། རྟག་ཏུ་བཏང་སྙོམས་ལ་གནས་པ་དང་། མི་ཉམ་[1]པའི་ཆོས་ཉིད་ཀྱི་ཡོན་ཏན་ནི་[2]ཇི་སྙེད་ཅིག་བརྗོད་པར་[3]བགྱི་སྟེ། མི་ཉམ་[4]པའི་ཆོས་ཉིད་ཀྱི་ཡོན་ཏན་ནི་ཚད་མ་མཆིས་སོ། །དེ་བཞིན་གཤེགས་པའི་སྐུ་གདུང་དེ་དག་ཀྱང་མི་ཉམ་[5]པའི་ཆོས་ཉིད་ཀྱི་སྣོད་དོ། །དེ་བས་ན་དེ་བཞིན་གཤེགས་པའི་སྐུ་གདུང་དེ་དག་ནི་མཆོད་པ་མངའོ། །བཅོམ་ལྡན་འདས་དེ་བཞིན་གཤེགས་པའི་སྐུ་གདུང་དེ་དག་ནི་ཕ་རོལ་ཏུ་ཕྱིན་པ་རིན་པོ་ཆེའི་སྣོད་དོ། །དེ་བཞིན་གཤེགས་པའི་སྐུ་གདུང་དེ་དག་ནི་ཕ་རོལ་ཏུ་ཕྱིན་པ་ཀུན་ནས་ཉོན་མོངས་པ་མ་མཆིས་པ་[6]རྣམ་པར་བྱང་བ་མ་མཆིས་པ་དང་། ཕ་རོལ་ཏུ་ཕྱིན་པ་མི་སྐྱེ་མི་འགག་པ་དང་། ཕ་རོལ་ཏུ་ཕྱིན་པ་བླང་བ་མ་མཆིས་དོར་བ་མ་མཆིས་པ་དང་། ཕ་རོལ་ཏུ་ཕྱིན་པ་དབྱེ་[7]བ་མ་མཆིས་བསྣན་པ་མ་མཆིས་པ་དང་། ཕ་རོལ་ཏུ་ཕྱིན་པ་འོང་བ་མ་མཆིས་འགྲོ་བ་མ་མཆིས། གནས་པ་མ་མཆིས་པའི་སྣོད་དོ[8]། དེ་བས་ན་དེ་བཞིན་གཤེགས་པའི་སྐུ་གདུང་དེ་དག་ནི་མཆོད་པ་མངའོ། །བཅོམ་ལྡན་འདས་དེ་བཞིན་གཤེགས་པའི་སྐུ་གདུང་དེ་དག་ནི་ཕ་རོལ་ཏུ་ཕྱིན་པའི་[9]ཆོས་ཉིད་ཀྱི་སྣོད་དེ། དེ་བཞིན་གཤེགས་པའི་སྐུ་གདུང་དེ་དག་ནི་ཕ་རོལ་ཏུ་ཕྱིན་པའི་ཆོས་ཉིད་ཀྱིས་ཡོངས་སུ་བསྒོམས་[10]པའོ། །དེ་བས་ན་དེ་བཞིན་གཤེགས་པ་མྱ་ངན་ལས་འདས་ཀྱང་། དེ་བཞིན་གཤེགས་པའི་སྐུ་གདུང་དེ་དག་ནི་མཆོད་པ་མངའོ། །གཞན་ཡང་སྟོང་གསུམ་གྱི་སྟོང་ཆེན་པོའི་འཇིག་རྟེན་གྱི་ཁམས་དེ་བཞིན་གཤེགས་པའི་སྐུ་གདུང་གིས་བྱུར་བུར་ཡོངས་སུ་གཏམས་པ་ལྟ་[11]ཞིག[12] །བཅོམ་ལྡན་འདས་གལ་ཏེ་ཕྱོགས་བཅུའི་འཇིག་རྟེན་གྱི་ཁམས་གང་གཱའི་ཀླུང་གི་བྱེ་མ་སྙེད་ཅིག། དེ་བཞིན་གཤེགས་པའི་སྐུ་གདུང་གིས་བྱུར༔བུར་གཏམས་[13]པ་དང་། ཤེས་རབ་ཀྱི་ཕ་རོལ་ཏུ་ཕྱིན་པ་གླེགས་བམ་དུ་བྲིས་པ་ཞིག་སྣལ་ན། བཅོམ་ལྡན་འདས་རྣམ་

པ་དེ་གཉིས་ལས་བདག་ནི་ཤེས་རབ་ཀྱི་ཕ་རོལ་ཏུ་ཕྱིན་པ་འདི༔ཉིད་ལེན་ཏོ[༡]། ། དེ་ཅིའི་སླད་དུ་ཞེ་ན། བཅོམ་ལྡན་འདས་འདི་ལས་བྱུང་བ་ནི[༢]། དེ་བཞིན་གཤེགས་པ་དགྲ་བཅོམ་པ་ཡང་དག་པར་རྫོགས་པའི་སངས་རྒྱས་ཀྱི་སྐུ་གདུང་རྣམས་ཏེ་མཆོད་པ་མངའོ། །བཅོམ་ལྡན་འདས[༣]ཤེས་རབ་ཀྱི་ཕ་རོལ་ཏུ་ཕྱིན་པ་ཡོངས་སུ་བསྒོམས་པས་ན། དེ་བཞིན་གཤེགས་པའི་སྐུ་གདུང་དེ་དག་མཆོད་པ་མངའ་སྟེ། བཅོམ་ལྡན་འདས་རིགས་ཀྱི་བུའམ། རིགས་ཀྱི་བུ་མོ་གང་དེ་བཞིན་གཤེགས་པའི་སྐུ་གདུང་རྣམས་ལ་རིམ་གྲོར་བགྱིད་པ་དང་། བཀུར་སྟིར་བགྱིད་པ་དང་། བསྟི་སྟང་དུ་བགྱིད་པ་དང་། མཆོད་པར་བགྱིད་པ་ཡང་དགེ་བའི་རྩ་བ་དེའི་མཐའ་མི་དམིགས་ཤིང་། རྒྱལ་རིགས་ཆེ་ཞིང་མཐོ་བའམ། བྲམ་ཟེའི་རིགས་ཆེ་ཞིང་མཐོ་བའམ། ཁྱིམ་བདག་གི་རིགས་ཆེ་ཞིང་མཐོ་བའམ། རྒྱལ་ཆེན་བཞིའི་རིས་ཀྱི་ལྷའམ། སུམ་ཅུ་རྩ་གསུམ་མམ། མཚེ་མའམ། དགའ་ལྡན་ནམ། འཕྲུལ་དགའ་འམ། གཞན་འཕྲུལ་དབང་བྱེད་ཀྱི་ལྷའི་ནང་དུ་མི་དང་། ལྷའི་ཕུན་སུམ་ཚོགས་པ་དང་། བདེ་བ་མྱོང་ནས་དགེ་བའི་རྩ་བ་དེ་ཉིད་ཀྱིས་སྡུག་བསྔལ་གྱི་མཐར་འགྱུར་སྟེ། དེ་བཞིན་གཤེགས་པའི་སྐུ་གདུང་མཆོད་པའི་འབྲས་བུ་ལྟ་དེ[༤]ཙམ་དུ་བས་ཀྱི། ཤེས་རབ་ཀྱི་ཕ་རོལ་ཏུ་ཕྱིན་པ་འདི་བཟུང་ཞིང་བཅངས་པ་དང་། ཀློགས[༥]ཤིང་ཀུན་ཆུབ་པར་བགྱིས་པ་དང་། ཚུལ་བཞིན་དུ་ཡིད་ལ་བགྱིས་ན། སྦྱིན་པའི་ཕ་རོལ་ཏུ་ཕྱིན་པ་ཡོངས་སུ་རྫོགས་པར་འགྱུར་རོ། །ཚུལ་ཁྲིམས་ཀྱི་ཕ་རོལ་ཏུ་ཕྱིན་པ་དང་། བཟོད་པའི་ཕ་རོལ་ཏུ་ཕྱིན་པ་དང་། བརྩོན་འགྲུས་ཀྱི་ཕ་རོལ་ཏུ་ཕྱིན་པ་དང་། བསམ་གཏན་གྱི་ཕ་རོལ་ཏུ་ཕྱིན་པ་དང་། ཤེས་རབ་ཀྱི་ཕ་རོལ་ཏུ་ཕྱིན་པ་ཡོངས་སུ་རྫོགས་པར་འགྱུར་རོ། །ནང་སྟོང་པ་ཉིད་ཡོངས་སུ་རྫོགས་པར་འགྱུར་རོ། །དངོས་པོ་མེད་

པའི་ངོ་བོ་ཉིད་སྟོང་པ་ཉིད་ཀྱི་བར་དུ་ཡོངས་སུ་རྫོགས་པར་འགྱུར་རོ། །བྱང་ཆུབ་ཀྱི་ཕྱོགས་ཀྱི་ཆོས་སུམ་ཅུ་རྩ་བདུན་ཡོངས་སུ་རྫོགས་པར་འགྱུར་རོ། །སངས་རྒྱས་ཀྱི་ཆོས་མ་འདྲེས་པ་བཅོ་བརྒྱད་ཀྱི་བར་དུ་ཡོངས་སུ་རྫོགས་པར་འགྱུར་རོ། །དེ་ཆེད་དུ་བསམས་ཏེ་ལུས་[༧]ཡོངས་སུ་འཛིན་པར་འགྱུར་རོ། །ལུས་དེ་དག་གིས་སེམས་ཅན་ཡོངས་སུ་སྨིན་པར་བགྱིད་པར་འགྱུར་ཏེ། འཁོར་ལོས་སྒྱུར་བའི་ལུས་སམ༑ །རྒྱལ་རིགས་ཆེ་ཞིང་མཐོ་བའམ། བྲམ་ཟེའི་རིགས་ཆེ་ཞིང་མཐོ་བའམ། ཁྱིམ་བདག་གི་རིགས་ཆེ་ཞིང་མཐོ་བའི་ལུས་སམ། བརྒྱ་བྱིན་གྱི་[༢]གཟུགས་སམ། ཚངས་[༡]པའི་གཟུགས་སམ། ངལ་བསོ་བོའི་གཟུགས་ཀྱང་རུང་སྟེ། དེ་[༨]ལུས་དེ་དག་གིས་སེམས་ཅན་ཡོངས་སུ་སྨིན་པར་བགྱིད་པར་འགྱུར་རོ། །ཉན་ཐོས་ཀྱི་ས་དང་། རང་སངས་རྒྱས་ཀྱི་ས་ལས་འདས་ཏེ[༥]། བྱང་ཆུབ་སེམས་དཔའི་སྐྱོན་མེད་པར་འཇུག་པར་འགྱུར་རོ། །བྱང་ཆུབ་སེམས་དཔའི་སྐྱོན་མེད་པར་ཞུགས་ནས། བྱང་ཆུབ་སེམས་དཔའི་མངོན་པར་ཤེས་པ་འཐོབ་པར་འགྱུར་རོ། །བྱང་ཆུབ་སེམས་དཔའི་མངོན་པར་ཤེས་པ་ཐོབ་ནས། སངས་རྒྱས་ཀྱི་ཞིང་ནས་སངས་རྒྱས་ཀྱི་ཞིང་དུ་མཆི་བར་འགྱུར་རོ། །བཅོམ་ལྡན་འདས་དེ་བས་ན་བདག་ནི་དེ་བཞིན་གཤེགས་པའི་སྐུ་གདུང་ལ་རིམ་གྲོ་མ་མཆིས་པ་ཡང་མ་ལགས། གློ་བ་མཆིས་[༨]པ་ཡང་མ་མཆིས། མཆོད་པར་མི་འཚལ་བ་ཡང་མ་ལགས། གཟུང་བར་མི་འཚལ་བ་ཡང་མ་ལགས་ཏེ། བཅོམ་ལྡན་འདས་ཤེས་རབ་ཀྱི་ཕ་རོལ་ཏུ་ཕྱིན་པ་འདི་ནི་རིགས་ཀྱི་བུའམ། རིགས་ཀྱི་བུ་མོ་རྣམས་ཀྱིས་རིམ་གྲོ་དང་། བཀུར་སྟི་དང་། བསྟི་སྟང་དང་། མཆོད་པ་བགྱིས་ན་སངས་རྒྱས་ཀྱི་ཆོས་ཐམས་ཅད་ཀྱི་རྒྱུ་ཤིན་ཏུ་བསགས་པ་ལགས། ཕུན་སུམ་ཚོགས་པ་ཐམས་ཅད་ཀྱང་ཡོངས་སུ་ཟིན་པར་འགྱུར། དེ་བཞིན་གཤེགས་པའི་སྐུ་གདུང་རྣམས་ལ་ཡང་

རིམ་གྲོ་དང་། བཀུར་སྟི་དང་། བསྟི་སྟང་དང་། མཆོད་པ་བགྱིད་[1]པར་འགྱུར་རོ། །བཅོམ་ལྡན་འདས་གཞན་ཡང་ཕྱོགས་བཅུའི་འཇིག་རྟེན་གྱི་ཁམས་ཚད་དང་གྲངས་མ་མཆིས་པ་དག་ན། དེ་བཞིན་གཤེགས་པ་དགྲ་བཅོམ་པ་ཡང་དག་པར་རྫོགས་པའི་སངས་རྒྱས་ཇི་སྙེད་ཅིག་བཞུགས་ཤིང་འཚོ་སྐྱོང་བ་དང་། ཆོས་སྟོན་པ་དེ་དག་ཆོས་ཀྱི་སྐུ་དང་། གཟུགས་ཀྱི་སྐུ་དང་། ཡེ་ཤེས་ཀྱི་སྐུར་མཐོང་བར་འཚལ་ཞིང་མཆོད་པར་འཚལ་བས། ཤེས་རབ་ཀྱི་ཕ་རོལ་ཏུ་ཕྱིན་པ་འདི་ཉིད་གཟུང་བར་བགྱི། བཅང་བར་བགྱི། ཀློག་[2]པར་བགྱི། ཀུན་ཆུབ་པར་བགྱི། མཆོད་པར་བགྱི། གཞན་ལ་ཡང་རྒྱ་ཆེར་ཡང་དག་པར་བསྟན་པར་བགྱི། ཚུལ་བཞིན་དུ་ཡང་ཡིད་ལ་བགྱིད་དེ[3]། རིགས་ཀྱི་བུའམ། རིགས་ཀྱི་བུ་མོ་དེས་ནི་ཕྱོགས་བཅུའི་འཇིག་རྟེན་གྱི་ཁམས་གྲངས་དང་ཚད་མ་མཆིས་པའི་དེ་བཞིན་གཤེགས་པ་དགྲ་བཅོམ་པ་ཡང་དག་པར་རྫོགས་པའི་སངས་རྒྱས་རྣམས་མཐོང་བར་འགྱུར་རོ། །དེ་བས་ན་རིགས་ཀྱི་བུའམ། རིགས་ཀྱི་བུ་མོ་ཤེས་རབ་ཀྱི་ཕ་རོལ་ཏུ་ཕྱིན་པ་ལ་སྤྱོད་པ་དེས[4]། ཆོས་ཉིད་དུ་སངས་རྒྱས་རྗེས་སུ་དྲན་པ་བསྒོམ[5]་པར་བགྱིའོ། །བཅོམ་ལྡན་འདས་གཞན་ཡང་རིགས་ཀྱི་བུའམ། རིགས་ཀྱི་[6]བུ་མོ་དེ་བཞིན་གཤེགས་པ་དགྲ་བཅོམ་པ་ཡང་དག་པར་རྫོགས་པའི་སངས་རྒྱས་དེ་དག་མཐོང་བར་[7]འཚལ་བས། ཤེས་རབ་ཀྱི་ཕ་རོལ་ཏུ་ཕྱིན་པ་འདི་གཟུང་བར་བགྱི། བཅང་བར་བགྱི། ཀློག་[8]པར་བགྱི། ཀུན་ཆུབ་པར་བགྱི། མཆོད་པར་བགྱི། གཞན་ལ་ཡང་རྒྱ་ཆེར་ཡང་དག་པར་བསྟན་པར་བགྱི། ཆོས་ཉིད་ཚུལ་བཞིན་དུ་ཡང་[9]ཡིད་ལ་[10]བགྱིའོ། །བཅོམ་ལྡན་འདས་གཉིས་པོ་འདི་དག་ནི་ཆོས་ཉིད་དེ། གཉིས་གང་ཞེ་ན། འདུས་བྱས་ཀྱི་ཆོས་རྣམས་ཀྱི་ཆོས་ཉིད་དང་། འདུས་མ་བྱས་ཀྱི་ཆོས་རྣམས་ཀྱི་ཆོས་ཉིད་དོ། །

བཅོམ་ལྡན་འདས་དེ་ལ་འདུས་བྱས་ཀྱི་ཆོས་རྣམས་ཀྱི་ཆོས་ཉིད་གང་ལགས་ཤེ་ན། ནང་སྟོང་པ་ཉིད་ཀྱི་ཡེ་ཤེས་དང་། ཕྱི་སྟོང་པ་ཉིད་ཀྱི་ཡེ་ཤེས་དང་། ཕྱི་ནང་སྟོང་པ་ཉིད་ཀྱི་ཡེ་ཤེས་དང་། དངོས་པོ་མེད་པའི་ངོ་བོ་ཉིད་སྟོང་པ་ཉིད་ཀྱི་བར་གྱི་ཡེ་ཤེས་དང་། བྱང་ཆུབ་ཀྱི་ཕྱོགས་ཀྱི་ཆོས་སུམ་ཅུ་རྩ་བདུན་གྱི་ཡེ་ཤེས་དང་། འཕགས་པའི་བདེན་པ་བཞི་དང་། བསམ་གཏན་བཞི་དང་། ཚད་མེད་པ་བཞི་དང་། གཟུགས་མེད་པའི་སྙོམས་པར་འཇུག་པ་བཞི་དང་། རྣམ་པར་ཐར་པ་བརྒྱད་དང་། མཐར་གྱིས་[༧]གནས་པའི་སྙོམས་པར་འཇུག་པ་དགུ་དང་། རྣམ་པར་ཐར་པའི་སྒོ་སྟོང་པ་ཉིད་དང་། མཚན་མ་མེད་པ་དང་། སྨོན་པ་མེད་པའི་ཡེ་ཤེས་དང་། དེ་བཞིན་གཤེགས་པའི་སྟོབས་བཅུ་དང་། མི་འཇིགས་པ་བཞི་དང་། སོ་སོ་ཡང་དག་པར་རིག་པ་བཞི་དང་། [༨]སྙིང་རྗེ་ཆེན་པོ་དང་། སངས་རྒྱས་ཀྱི་ཆོས་མ་འདྲེས་པ་བཅོ་བརྒྱད་ཀྱི་ཡེ་ཤེས་དང་། དགེ་བ་དང་མི་དགེ་བའི་ཆོས་རྣམས་ཀྱི་ཡེ་ཤེས་དང་། ཟག་པ་མེད་པ་དང་། ཟག་པ་དང་བཅས་པའི་ཆོས་རྣམས་ཀྱི་ཡེ་ཤེས་དང་། འཇིག་རྟེན་པ་དང་། འཇིག་རྟེན་ལས་འདས་པའི་ཆོས་རྣམས་ཀྱི་ཡེ་ཤེས་གང་ལགས་པ་དེ་ནི། འདུས་བྱས་ཀྱི་ཆོས་རྣམས་ཀྱི་ཆོས་ཉིད་ཅེས་བགྱིའོ། །དེ་ལ་འདུས་མ་བྱས་ཀྱི་ཆོས་རྣམས་ཀྱི་ཆོས་ཉིད་གང་ལགས་ཤེ་ན། དེ་ནི་གང་ལ་སྐྱེ་བ་མ་མཆིས་པ་དང་། འགག་པ་མ་མཆིས་པ་དང་། གནས་པ་མ་མཆིས་པ་དང་། གནས་པ་ལས་གཞན་དུ་འགྱུར་བ་མ་མཆིས་པ་དང་། ཀུན་ནས་ཉོན་མོངས་པ་མ་མཆིས་པ་དང་། རྣམ་པར་བྱང་བ་མ་མཆིས་པ་དང་། འཕེལ་བ་མ་མཆིས་པ་དང་། འགྲིབ་པ་མ་མཆིས་པ་སྟེ། དེ་ནི་ཆོས་ཐམས་ཅད་ཀྱི་ངོ་བོ་ཉིད་དོ། །ཆོས་ཐམས་ཅད་ཀྱི་ངོ་བོ་ཉིད་གང་ལགས་ཤེ་ན། ཆོས་ཐམས་ཅད་ནི་དངོས་པོ་མ་མཆིས་པའི་ངོ་བོ་ཉིད་དེ།

འདི་ནི་འདུས་མ་བྱས་ཀྱི་ཆོས་རྣམས་ཀྱི་ཆོས་ཉིད་ཅེས་བགྱིའོ། །བཅོམ་ལྡན་འདས་ཀྱིས་བཀའ་སྩལ་པ། ཀཽ་ཤི་ཀ་དེ་དེ་བཞིན་ནོ། །དེ་[༡]དེ་བཞིན་ཏེ། འདས་པའི་དུས་ཀྱི་དེ་བཞིན་གཤེགས་པ་དགྲ་བཅོམ་པ་ཡང་དག་པར་རྫོགས་པའི་སངས་རྒྱས་གང་ཇི་སྙེད་ཅིག་བྱུང་བ་དེ་དག་ཀྱང་། ཤེས་རབ་ཀྱི་ཕ་རོལ་ཏུ་ཕྱིན་པ་འདི་ཉིད་ལ་རྟེན་[༢]ཏེ། བླ་ན་མེད་པ་ཡང་དག་པར་རྫོགས་པའི་བྱང་ཆུབ་ཏུ་མངོན་པར་རྫོགས་པར་སངས་རྒྱས་སོ། །མ་འོངས་པའི་དུས་ཀྱི་དེ་བཞིན་གཤེགས་པ་དགྲ་བཅོམ་པ་ཡང་དག་པར་རྫོགས་པའི་སངས་རྒྱས་གང་ཇི་སྙེད་ཅིག་འབྱུང་བ་དེ་དག་ཀྱང་། ཤེས་རབ་ཀྱི་ཕ་རོལ་ཏུ་ཕྱིན་པ་འདི་ཉིད་ལ་རྟེན་[༣]ཅིང་། བླ་ན་མེད་པ་ཡང་དག་པར་རྫོགས་པའི་བྱང་ཆུབ་ཏུ་མངོན་པར་རྫོགས་པར་འཚང་རྒྱའོ། །ད་[༤]ལྟར་བྱུང་བའི་ཕྱོགས་བཅུའི་འཇིག་རྟེན་གྱི་ཁམས་ཚད་མེད་གྲངས་མེད་པ་དག་ན། དེ་བཞིན་གཤེགས་པ་དགྲ་བཅོམ་པ་ཡང་དག་པར་རྫོགས་པའི་སངས་རྒྱས་གང་ཇི་སྙེད་ཅིག་བཞུགས་ཤིང་འཚོ་སྐྱོང་བ་དང་། ཆོས་སྟོན་[༥]པ་དེ་དག་ཀྱང་ཤེས་རབ་ཀྱི་ཕ་རོལ་ཏུ་ཕྱིན་པ་འདི་ཉིད་ལ་བརྟེན་ཏེ། བླ་ན་མེད་པ་ཡང་དག་པར་རྫོགས་པའི་བྱང་ཆུབ་ཏུ་མངོན་པར་རྫོགས་པར་སངས་རྒྱས་སོ། །འདས་པའི་དུས་ཀྱི་དེ་བཞིན་གཤེགས་པ་དགྲ་བཅོམ་པ་ཡང་དག་པར་རྫོགས་པའི་སངས་རྒྱས་རྣམས་ཀྱི་ཉན་ཐོས་གང་ཇི་[༦]སྙེད་ཅིག་བྱུང་བ་དང་། མ་བྱོན་པའི་དེ་བཞིན་གཤེགས་པ་དགྲ་བཅོམ་པ་ཡང་དག་པར་རྫོགས་པའི་སངས་རྒྱས་རྣམས་ཀྱི་ཉན་ཐོས་གང་ཇི་སྙེད་ཅིག་འབྱུང་བ་དང་། ད་ལྟར་བྱུང་བའི་དེ་བཞིན་གཤེགས་པ་དགྲ་བཅོམ་པ་ཡང་དག་པར་རྫོགས་པའི་སངས་རྒྱས་རྣམས་ཀྱི་ཉན་ཐོས་གང་ཇི་སྙེད་ཅིག་ཡོད་པ་དེ་དག་གིས་ཀྱང་། ཤེས་རབ་ཀྱི་ཕ་རོལ་ཏུ་ཕྱིན་པ་འདི་ཉིད་ལ་བརྟེན་[༧]ཏེ། རྒྱུན་དུ་ཞུགས་པའི་འབྲས་བུ་དང་། ལན་ཅིག་ཕྱིར་འོང་བའི་

འབྲས་བུ་དང་། ཕྱིར་མི་འོང་བའི་འབྲས་བུ་དང་། དགྲ་བཅོམ་པ་ཉིད་ཐོབ་པོ།། འཐོབ་པོ། །ཐོབ་①པར་འགྱུར་རོ། །འདས་པའི་དུས་ཀྱི་རང་སངས་རྒྱས་གང་ཇི་སྙེད་ཅིག་བྱུང་བ་དང་། མ་འོངས་པའི་དུས་ཀྱི་རང་སངས་རྒྱས་གང་ཇི་སྙེད་ཅིག་འབྱུང་བ་དང་། ད་ལྟར་བྱུང་བའི་འཇིག་རྟེན་གྱི་ཁམས་གྲངས་མེད་ཚད་མེད་པ་དག་ན། རང་སངས་རྒྱས་གང་ཇི་སྙེད་ཅིག་འཚོད་ཅིང་འཚོ་སྐྱོང་བ་དེ་དག་གིས་ཀྱང་། ཤེས་རབ་ཀྱི་ཕ་རོལ་ཏུ་ཕྱིན་པ་འདི་ཉིད་ལ་བརྟེན་ཏེ་རང་བྱང་ཆུབ་ཐོབ་②བོ། །འཐོབ་བོ། །ཐོབ་③པར་འགྱུར་རོ། །དེ་ཅིའི་ཕྱིར་ཞེ་ན། འདི་ལྟར་ཤེས་རབ་ཀྱི་ཕ་རོལ་ཏུ་ཕྱིན་པ་འདི་ལས་ཐེག་པ་གསུམ་པོ་ཐམས་ཅད་རྒྱ་ཆེར་བསྟན་ཏེ། དེ་དག་ཀྱང་མཚན་མ་མེད་པའི་ཚུལ་དང་། དམིགས་པ་མེད་པའི་ཚུལ་དང་། སྐྱེ་བ་མེད་པའི་ཚུལ་དང་། འགག་པ་མེད་པའི་ཚུལ་དང་། ཀུན་ནས་ཉོན་མོངས་པ་མེད་པ་དང་། རྣམ་པར་བྱང་བ་མེད་པའི་ཚུལ་དང་། མངོན་པར་འདུ་བྱ་བ་མེད་པའི་ཚུལ་དང་། ལེན་④པ་མེད་པ་དང་། འདོར་བ་མེད་པའི་ཚུལ་དང་། དབྱེ་བ་མེད་པ་དང་། བསྟན་པ་མེད་པའི་ཚུལ་དང་། བླང་བ་མེད་པ་དང་། སྤང་བ་མེད་པའི་ཚུལ་གྱིས་བསྟན་ཏེ། དེ་ཡང་འཇིག་རྟེན་གྱི་ཐ་སྙད་ཀྱི་ཚུལ་གྱིས་བསྟན་གྱི། དོན་དམ་པར་ནི་མ་ཡིན་ནོ། །དེ་ཅིའི་ཕྱིར་ཞེ་ན། ཤེས་རབ་ཀྱི་ཕ་རོལ་ཏུ་ཕྱིན་པ་⑤ནི་རིང་དུ་སོང་བ་མ་ཡིན། ཕ་རོལ་ཏུ་ཕྱིན་པ་མ་ཡིན་ཏེ། ཤེས་རབ་ཀྱི་ཕ་རོལ་ཏུ་ཕྱིན་པ་ནི་ཚུ་རོལ་མ་ཡིན། ཕ་རོལ་མ་ཡིན། ⑥ཐང་དུ་འདུག་པ་མ་ཡིན། གཞོང་དུ་འདུག་པ་མ་ཡིན། མཉམ་པ་མ་ཡིན། མི་མཉམ་པ་མ་ཡིན། མཚན་མ་མ་ཡིན། མཚན་མ་མེད་པ་མ་ཡིན། འཇིག་རྟེན་པ་མ་ཡིན། འཇིག་རྟེན་ལས་འདས་པ་མ་ཡིན། འདུས་བྱས་མ་ཡིན། འདུས་མ་བྱས་མ་ཡིན། དགེ་བ་མ་ཡིན། མི་དགེ་བ་མ་

ཡིན༏ འདས་པ་མ་ཡིན། མ་འོངས་པ་མ་ཡིན། ད་ལྟར་བྱུང་བ་མ་ཡིན་ཏེ། ཀཽ་ཤི་ཀ་ཤེས་རབ་ཀྱི་ཕ་རོལ་དུ་ཕྱིན་པ་ནི་སངས་རྒྱས་ཀྱི་ཆོས་རྣམས་ཉེ་བར་སྒྲུབ་[1] པ་མ་ཡིན་ཏེ། དགྲ་བཅོམ་པའི་བར་གྱི་ཆོས་རྣམས་དང་། རང་སངས་རྒྱས་ཀྱི་ཆོས་རྣམས་ཉེ་བར་སྒྲུབ་[2] པ་མ་ཡིན[3]། །སོ་སོའི་སྐྱེ་བོའི་ཆོས་རྣམས་འདོར་བ་མ་ཡིན་ནོ། །བརྒྱ་བྱིན་གྱིས་གསོལ་པ། བཅོམ་ལྡན་འདས་ཤེས་རབ་ཀྱི་ཕ་རོལ་དུ་ཕྱིན་པ་འདི་ནི་ཕ་རོལ་དུ་ཕྱིན་པ་ཆེན་པོ་སྟེ། བཅོམ་ལྡན་འདས་བྱང་ཆུབ་སེམས་དཔའ་སེམས་དཔའ་ཆེན་པོ་ཤེས་རབ་ཀྱི་ཕ་རོལ་དུ་ཕྱིན་པ་འདི་ལ་སྤྱོད་པ་རྣམས་ནི། སེམས་ཅན་ཐམས་ཅད་ཀྱི་སེམས་དང་སྤྱོད་པ་ཡང་འཚལ་ཏེ། སེམས་ཅན་དུ་དམིགས་པ་མ་མཆིས་སོ། །སེམས་ཅན་དུ་གདགས་པར་དམིགས་པ་མ་མཆིས་སོ། །བདག་དང་། སེམས་ཅན་དང་། སྲོག་དང་། འགྲོ་བ་དང་། གསོ་བ་དང་། སྐྱེས་[4]བུ་དང་། གང་ཟག་དང་། ཤེད་ཅན་དང་། ཤེད་བདག་དང་། བྱེད་པ་པོ་དང་། ཚོར་བ་པོ་དང་། ཤེས་པ་པོ་དང་། མཐོང་བ་པོར་དམིགས་པ་མ་མཆིས་སོ། །གཟུགས་སུ་དམིགས་པ་མ་མཆིས། ཚོར་བ་དང་། འདུ་ཤེས་དང་། འདུ་བྱེད་དང་། རྣམ་པར་ཤེས་པར་དམིགས་པ་མ་མཆིས་སོ། །མིག་ཏུ་དམིགས་པ་མ་མཆིས། ཡིད་ཀྱི་བར་དུ་དམིགས་པ་མ་མཆིས་སོ[5]། །གཟུགས་སུ་དམིགས་པ་མ་མཆིས། ཆོས་ཀྱི་བར་དུ་དམིགས་པ་མ་མཆིས་སོ། །མིག་གི་རྣམ་པར་ཤེས་པར་དམིགས་པ་མ་མཆིས[6]། ཡིད་ཀྱི་རྣམ་པར་ཤེས་པའི་བར་དུ་དམིགས་པ་མ་མཆིས་སོ། །མིག་གི་འདུས་ཏེ་རེག་པར་དམིགས་པ་མ་མཆིས། ཡིད་ཀྱི་འདུས་ཏེ་རེག་པའི་བར་དུ་དམིགས་པ་མ་མཆིས་སོ། །མིག་གི་འདུས་ཏེ་རེག་པ་ལས་བྱུང་བའི་[7]ཚོར་བར་དམིགས་པ་མ་མཆིས༏ ཡིད་ཀྱི་འདུས་ཏེ་རེག་པ་ལས་བྱུང་བའི་ཚོར་བའི་བར་དུ་དམིགས་པ་

མ་མཆིས་སོ། །སའི་ཁམས་སུ་དམིགས་པ་མ་མཆིས་སོ[7]། །ཆུའི་ཁམས་དང་། མེའི་ཁམས་དང་། རླུང་གི་ཁམས་དང་། ནམ་མཁའི་ཁམས་དང་། རྣམ་པར་ཤེས་པའི་ཁམས་སུ་དམིགས་པ་མ་མཆིས་སོ། །མ་རིག་པར་དམིགས་པ་མ་མཆིས། འདུ་བྱེད་དང་། རྣམ་པར་ཤེས་པ་དང་། མིང་དང་གཟུགས་དང་། སྐྱེ་མཆེད་དྲུག་དང་། རེག་པ་དང་། ཚོར་བ་དང་། སྲེད་པ་དང་། ལེན་པ་དང་། སྲིད་པ་དང་། སྐྱེ་བ་དང་། རྒ་ཤིར་དམིགས་པ་མ་མཆིས་སོ། །སྦྱིན་པའི་ཕ་རོལ་ཏུ་ཕྱིན་པར་དམིགས་པ་མ་མཆིས། ཚུལ་ཁྲིམས་ཀྱི་ཕ་རོལ་ཏུ་ཕྱིན་པ་དང་། བཟོད་པའི་ཕ་རོལ་ཏུ་ཕྱིན་པ་དང་། བརྩོན་འགྲུས་ཀྱི་ཕ་རོལ་ཏུ་ཕྱིན་པ་དང་། བསམ་གཏན་གྱི་ཕ་རོལ་ཏུ་ཕྱིན་པ་དང་། ཤེས་རབ་ཀྱི་ཕ་རོལ་ཏུ་ཕྱིན་པར་དམིགས་པ་མ་མཆིས་སོ། །ནང་སྟོང་པ་ཉིད་དུ་དམིགས་པ་མ་མཆིས། དངོས་པོ་མེད་པའི་ངོ་བོ་ཉིད་སྟོང་པ་ཉིད་ཀྱི་བར་དུ་དམིགས་པ་མ་མཆིས་སོ། །དྲན་པ་ཉེ་བར་གཞག་པ་རྣམས་སུ་དམིགས་པ་མ་མཆིས། ཡང་དག་པར་སྤོང་བ་དང་། རྫུ་འཕྲུལ་གྱི་རྐང་པ་དང་། དབང་པོ་དང་། སྟོབས་དང་། བྱང་ཆུབ་ཀྱི་ཡན་ལག་དང་། འཕགས་པའི་ལམ་ཡན་ལག་བརྒྱད་པར་དམིགས་པ་མ་མཆིས་སོ། །འཕགས་པའི་བདེན་པ་རྣམས་སུ་དམིགས་པ་མ་མཆིས་སོ། །བསམ་གཏན་དང་། ཚད་མེད་པ་དང་། གཟུགས་མེད་པའི་སྙོམས་པར་འཇུག་པ་རྣམས་སུ་དམིགས་པ་མ་མཆིས་སོ། །རྣམ་པར་ཐར་པ་བརྒྱད་དུ་དམིགས་པ་མ་མཆིས། མཐར་གྱིས[3]གནས་པའི་སྙོམས་པར[3]འཇུག་པ་དགུ་དང་། རྣམ་པར་ཐར་པའི་སྒོ་གསུམ་དང་། མངོན་པར་ཤེས་པ་རྣམས་སུ་དམིགས་པ་མ་མཆིས་སོ། །ཏིང་ངེ་འཛིན་རྣམས་སུ་དམིགས་པ་མ་མཆིས་སོ[8]། །གཟུངས་ཀྱི་སྒོ་རྣམས་སུ་དམིགས་པ་མ་མཆིས་སོ། །དེ་བཞིན་གཤེགས་པའི་

སྟོབས་རྣམས་སུ་དམིགས་པ་མ་མཆིས། མི་འཇིགས་པ་རྣམས་དང་། སོ་སོ་ཡང་དག་པར་རིག་པ་རྣམས་དང་། སྙིང་རྗེ་ཆེན་པོ་དང་། སངས་རྒྱས་ཀྱི་ཆོས་མ་འདྲེས་པ་རྣམས་སུ་དམིགས་པ་མ་མཆིས་སོ། །རྒྱུན་དུ་ཞུགས་པའི་འབྲས་བུར་[1]དམིགས་པ་མ་མཆིས། ལན་ཅིག་ཕྱིར་འོང་བའི་འབྲས་[2]བུ་དང་། ཕྱིར་མི་འོང་བའི་འབྲས་བུ་དང་། དགྲ་བཅོམ་པ་ཉིད་དུ་དམིགས་པ་མ་མཆིས་སོ། །རང་བྱང་ཆུབ་ཏུ་དམིགས་པ་མ་མཆིས་སོ། །ལམ་གྱི་རྣམ་པ་[3]ཤེས་པ་ཉིད་དང་། བྱང་ཆུབ་དང་། སངས་རྒྱས་དང་། སངས་རྒྱས་ཀྱི་ཆོས་སུ་དམིགས་པ་མ་མཆིས་ཏེ། ཤེས་རབ་ཀྱི་ཕ་རོལ་ཏུ་ཕྱིན་པ་ནི་དམིགས་པའི་ཚུལ་དུ་ཉེ་བར་གནས་པ་མ་ལགས་སོ། །དེ་ཅིའི་སླད་དུ་ཞེ་ན། དེ་ནི་འདི་ལྟར་གང་གིས་དམིགས་པར་བགྱི་བ་དང་། གང་ལ་དམིགས་པར་བགྱི་བ་དང་། གང་དུ་དམིགས་པར་བགྱི་བ་དེ་ལྟ་བུའི་ངོ་བོ་ཉིད་དེ་ལ་མ་མཆིས་[4]སོ། །བཅོམ་ལྡན་འདས་ཀྱིས་བཀའ་སྩལ་པ། ཀཽ་ཤི་ཀ་དེ་དེ་བཞིན་ནོ། །དེ་དེ་བཞིན་ཏེ། བྱང་ཆུབ་སེམས་དཔའ་སེམས་དཔའ་ཆེན་པོ་དེས་མི་དམིགས་པའི་ཚུལ་དུ། ཤེས་རབ་ཀྱི་ཕ་རོལ་དུ་ཕྱིན་པ་ལ་ཡུན་རིང་པོར་སྤྱད་པས[5]། དེས་བྱང་ཆུབ་ཀྱང་མི་དམིགས་ན། སངས་རྒྱས་ལྟ་ཅི་སྨོས། སངས་རྒྱས་ཀྱི་ཆོས་ལྟ་ཡང་ཅི་སྨོས། བརྒྱ་བྱིན་གྱིས་གསོལ་པ། བཅོམ་ལྡན་འདས་བྱང་ཆུབ་སེམས་དཔའ་སེམས་དཔའ་ཆེན་པོ་ཤེས་རབ་ཀྱི་ཕ་རོལ་དུ་ཕྱིན་པ་ལ་སྤྱོད་ཀྱི་དེ་མ་ལགས་པའི་ཕ་རོལ་དུ་ཕྱིན་པ་གཞན་ལ་མི་སྤྱོད་དམ། བཅོམ་ལྡན་འདས་ཀྱིས་བཀའ་སྩལ་པ། ཀཽ་ཤི་ཀ་བྱང་ཆུབ་སེམས་དཔའ་སེམས་དཔའ་ཆེན་པོ་ནི་ཕ་རོལ་དུ་ཕྱིན་པ་དྲུག་པོ་ཀུན་ལ་ཡང་། དེ་མི་དམིགས་པའི་ཚུལ་གྱིས་སྤྱོད་དེ། དེས་སྦྱིན་པ་ཡང་མི་དམིགས། གཏོང་བ་ཡང་མི་དམིགས། ལེན་པ་ཡང་མི་དམིགས་སོ། །ཚུལ་ཁྲིམས་ཀྱང་མི་

དམིགས། ཚུལ་ཁྲིམས་དང་ལྡན་པ་ཡང་མི་དམིགས། ཚུལ་ཁྲིམས་ངན་པ་ཡང་མི་དམིགས་སོ། །བཟོད་པ་ཡང་མི་དམིགས། བཟོད་པ་དང་ལྡན་པ་ཡང་མི་དམིགས། གནོད་སེམས་ཀྱང་མི་དམིགས་སོ། །བརྩོན་འགྲུས་ཀྱང་མི་དམིགས། བརྩོན་འགྲུས་དང་ལྡན་པ་ཡང་མི་དམིགས། ལེ་ལོ་ཡང་མི་དམིགས་སོ། །བསམ་གཏན་ཡང་མི་དམིགས། བསམ་གཏན་དང་ལྡན་པ་ཡང་མི་དམིགས། འཁྲུག་[༡]པ་ཡང་མི་དམིགས་སོ། །ཤེས་རབ་ཀྱང་མི་དམིགས། ཤེས་རབ་དང་ལྡན་པ་ཡང༔མི་དམིགས[༢]། ཤེས་རབ་འཆལ་[༣]པ་ཡང་མི་དམིགས་སོ། །ཀཽ་ཤི་ཀ་འོན་ཀྱང་ཤེས་རབ་ཀྱི་ཕ་རོལ་ཏུ་ཕྱིན་པ་ནི་གཟུགས་མི་དམིགས་པའི་ཚུལ་དང་། ཚོར་བ་དང་། འདུ་ཤེས་དང་། འདུ་བྱེད་དང་། རྣམ་པར་ཤེས་པ་མི་དམིགས་པའི་ཚུལ་དང་། ༔མིག་མི་དམིགས་པའི་ཚུལ་དང་།[༤] རྣ་བ་དང་། སྣ་དང་། ལྕེ་དང་། ལུས་དང་། ཡིད་མི་དམིགས་པའི་ཚུལ་དང་། གཟུགས་མི་དམིགས་པའི་ཚུལ་དང་། སྒྲ་དང་། དྲི་དང་། རོ་དང་། རེག་དང་། ཆོས་མི་དམིགས་པའི་ཚུལ་དང་། མིག་གི་རྣམ་པར་ཤེས་པ་མི་དམིགས་པའི་ཚུལ་དང་། རྣ་བའི་རྣམ་པར་ཤེས་པ་དང་། སྣའི་རྣམ་པར་ཤེས་པ་དང་། ལྕེའི་རྣམ་པར་ཤེས་པ་དང་ལུས་ཀྱི་རྣམ་པར་ཤེས་པ་དང་། ཡིད་ཀྱི་རྣམ་པར་ཤེས་པ་མི་དམིགས་པའི་ཚུལ་དང་། མིག་གི་འདུས་ཏེ་རེག་པ་མི་དམིགས་པའི་ཚུལ་དང་། རྣ་བའི་འདུས་ཏེ་རེག་པ་དང་། སྣའི་འདུས་ཏེ་རེག་པ་དང་། ལྕེའི་འདུས་ཏེ་རེག་པ་དང་། ལུས་ཀྱི་འདུས་ཏེ་རེག་པ་དང་། ཡིད་ཀྱི་འདུས་ཏེ་རེག་པ་མི་དམིགས་པའི་ཚུལ་དང་། མིག་གི་འདུས་ཏེ་རེག་པ་ལས་བྱུང་བའི་ཚོར་བ་མི་དམིགས་པའི་ཚུལ་དང་། རྣ་བའི་འདུས་ཏེ་རེག་པ་ལས་བྱུང་བའི་ཚོར་བ་དང་། སྣའི་འདུས་ཏེ་རེག་པ་ལས་བྱུང་བའི་ཚོར་བ་དང་།

ལྗེའི་འདུས་ཏེ་རེག་པ་ལས་བྱུང་བའི་ཚོར་བ་དང་། ལུས་ཀྱི་འདུས་ཏེ་རེག་པ་ལས་བྱུང་བའི་ཚོར་བ་དང་། ཡིད་ཀྱི་འདུས་ཏེ་རེག་པ་ལས་བྱུང་བའི་ཚོར་བ་མི་དམིགས་པའི་ཚུལ་དང་། སའི་ཁམས་མི་དམིགས་པའི་ཚུལ་དང་། ཆུའི་ཁམས་དང་། མེའི་ཁམས་དང་། རླུང་གི་ཁམས་དང་། ནམ་མཁའི་ཁམས་དང་། རྣམ་པར་ཤེས་པའི་ཁམས་མི་དམིགས་པའི་ཚུལ་དང་། མ་རིག་པ་མི་དམིགས་པའི་ཚུལ་དང་། འདུ་བྱེད་དང་། རྣམ་པར་ཤེས་པ་དང་། མིང་དང་གཟུགས་དང་། སྐྱེ་མཆེད་དྲུག་དང་། རེག་པ་དང་། ཚོར་བ་དང་། སྲེད་པ་དང་། ལེན་པ་དང་། སྲིད་པ་དང་། སྐྱེ་བ་དང་། རྒ་ཤི་མི་དམིགས་པའི་ཚུལ་དང་། སྦྱིན་པའི་ཕ་རོལ་ཏུ་ཕྱིན་པ་མི་དམིགས་པའི་ཚུལ་དང་། ཚུལ་ཁྲིམས་ཀྱི་ཕ་རོལ་ཏུ་ཕྱིན་པ་དང་། བཟོད་པའི་ཕ་རོལ་ཏུ་ཕྱིན་པ་དང་། བརྩོན་འགྲུས་ཀྱི་ཕ་རོལ་ཏུ་ཕྱིན་པ་དང་། བསམ་གཏན་གྱི་ཕ་རོལ་ཏུ་ཕྱིན་པ་དང་། ཤེས་རབ་ཀྱི་ཕ་རོལ་ཏུ་ཕྱིན་པ་མི་དམིགས་པའི་ཚུལ་དང་། ནང་སྟོང་པ་ཉིད་མི་དམིགས་པའི་ཚུལ་དང་། དངོས་པོ་མེད་པའི་ངོ་བོ་ཉིད་སྟོང་པ་ཉིད་ཀྱི་བར་དུ་མི་དམིགས་པའི་ཚུལ་དང་། བྱང་ཆུབ་ཀྱི་ཕྱོགས་ཀྱི་ཆོས་སུམ་ཅུ་རྩ་བདུན་མི་དམིགས་པའི་ཚུལ་དང་། །འཕགས་པའི་བདེན་པ་རྣམས་དང་། བསམ་གཏན་རྣམས་དང་། ཚད་མེད་པ་རྣམས་དང་། གཟུགས་མེད་པའི་སྙོམས་པར་འཇུག་པ་རྣམས་མི་དམིགས་པའི་ཚུལ་དང་། རྣམ་པར་ཐར་པ་བརྒྱད་དང་། མཐར་གྱིས་གནས་པའི་སྙོམས་པར་འཇུག་པ་དགུ་དང་། རྣམ་པར་ཐར་པའི་སྒོ་གསུམ་དང་། མངོན་པར་ཤེས་པ་ལྔ་དང་། ཏིང་ངེ་འཛིན་ཐམས་ཅད་དང་། གཟུངས་ཀྱི་སྒོ་ཐམས་ཅད་མི་དམིགས་པའི་ཚུལ་དང་། དེ་བཞིན་གཤེགས་པའི་སྟོབས་བཅུ་དང་། མི་འཇིགས་པ་དང་། སོ་སོ་ཡང་དག་

པར་རིག་པ་བཞི་དང་། སྙིང་རྗེ་ཆེན་པོ་དང་། སངས་རྒྱས་ཀྱི་ཆོས་མ་འདྲེས་པ་བཅོ་བརྒྱད་མི་དམིགས་པའི་ཚུལ་དང་། རྒྱུན་དུ་ཞུགས་པའི་འབྲས་བུ་དང་། ལན་ཅིག་ཕྱིར་འོང་བའི་འབྲས་བུ་དང་། ཕྱིར་མི་འོང་བའི་འབྲས་བུ་དང་། དགྲ་བཅོམ་པ་ཉིད་དང་། རང་བྱང་ཆུབ་དང་། ལམ་གྱི་རྣམ་པ་ཤེས་པ་ཉིད་དང་། རྣམ་པ་ཐམས་ཅད་མཁྱེན་པ་ཉིད་མི་དམིགས་པའི་ཚུལ་དང་། ཆོས་ཐམས་ཅད་མི་དམིགས་པའི་ཚུལ་གྱིས། བྱང་ཆུབ་སེམས་དཔའ་སེམས་དཔའ་ཆེན་པོ་སྦྱིན་པ་ཡོངས་སུ་གཏོང་བའི་སྦྱིན་པའི་ཕ་རོལ་དུ་ཕྱིན་པ་ཡོངས་སུ་རྫོགས་པར་བྱ་བ་ལ་སྟོན་དུ་འགྲོ་བའོ། །ཤེས་རབ་ཀྱི་ཕ་རོལ་དུ་ཕྱིན་པ་ནི་བྱང་ཆུབ་སེམས་དཔའ་སེམས་དཔའ་ཆེན་པོ་ཚུལ་ཁྲིམས་བསྲུང་བའི། ཚུལ་ཁྲིམས་ཀྱི་ཕ་རོལ་དུ་ཕྱིན་པ་ཡོངས་སུ་རྫོགས་པར་བྱ་བ་ལ་སྟོན་དུ་འགྲོ་བའོ། །ཤེས་རབ་ཀྱི་ཕ་རོལ་དུ་ཕྱིན་པ་ནི་བྱང་ཆུབ་སེམས་དཔའ་སེམས་དཔའ་ཆེན་པོ་བཟོད་པ་ཡོངས་སུ་སྒྲུབ་[1]པའི། བཟོད་པའི་ཕ་རོལ་དུ་ཕྱིན་པ་ཡོངས་སུ་རྫོགས་པར་བྱ་བ་ལ་སྟོན་དུ་འགྲོ་བའོ། །ཤེས་རབ་ཀྱི་ཕ་རོལ་དུ་ཕྱིན་པ་ནི་བྱང་ཆུབ་སེམས་དཔའ་སེམས་དཔའ་ཆེན་པོ་བརྩོན་འགྲུས་རྩོམ་[2]པའི། བརྩོན་འགྲུས་ཀྱི་ཕ་རོལ་དུ་ཕྱིན་པ་ཡོངས་སུ་རྫོགས་པར་བྱ་བ་ལ་སྟོན་དུ་འགྲོ་བའོ། །ཤེས་རབ་ཀྱི་ཕ་རོལ་དུ་ཕྱིན་པ་ནི་བྱང་ཆུབ་སེམས་དཔའ་སེམས་དཔའ་ཆེན་པོ་བསམ་གཏན་ལ་སྙོམས་པར་འཇུག་པའི། བསམ་གཏན་གྱི་ཕ་རོལ་དུ་ཕྱིན་པ་ཡོངས་སུ་རྫོགས་པར་བྱ་བ་ལ་སྟོན་དུ་འགྲོ་བའོ། །ཤེས་རབ་ཀྱི་ཕ་རོལ་དུ་ཕྱིན་པ་ནི་བྱང་ཆུབ་སེམས་དཔའ་སེམས་དཔའ་ཆེན་པོ་ཆོས་ལ་རྣམ་པར་ལྟ་བའི་ཤེས་རབ་ཀྱི་ཕ་རོལ་དུ་ཕྱིན་པ་ཡོངས་སུ་རྫོགས་པར་བྱ་བ་ལ་སྟོན་དུ་འགྲོ་བའོ། །ཀཽ་ཤི་ཀ་འདི་ལྟ་སྟེ་དཔེར་ན། འཛམ་བུའི་གླིང་གི་ཤིང་རྣམས་ལོ་མ་སྣ་ཚོགས་ཅན། མེ་ཏོག་སྣ་ཚོགས་ཅན།

འབྲས་བུ་སྣ་ཚོགས་ཅན། དབྱིབས་སྣ་ཚོགས་ཅན། ཚུ་ཞེང་སྣ་ཚོགས་ཅན་དུ་འཕོད་ཀྱང་། དེ་དག་གི་གྲིབ་མ་ལ་ཁྱད་པར་རམ་བྱེ་བྲག་མི་དམིགས་ཏེ། གཞན་དུ་ན་གྲིབ་མ་གྲིབ་མ་ཞེས་བྱ་བའི་གྲངས་སུ་འགྲོ་བར་ཟད་དོ། །ཀཽ་ཤི་ཀ་དེ་བཞིན་དུ་ཕ་རོལ་དུ་ཕྱིན་པ་ལྔ་ཤེས་རབ་ཀྱི་ཕ་རོལ་དུ་ཕྱིན་པས་ཡོངས་སུ་ཟིན་པ། ཐམས་ཅད་མཁྱེན་པའི་ཡེ་ཤེས་སུ་ཡོངས་སུ་བསྔོས་པ་རྣམས་ལ་ཡང་ཁྱད་པར་རམ་བྱེ་བྲག་མི་དམིགས་སོ། །བརྒྱ་བྱིན་གྱིས་གསོལ་པ། བཅོམ་ལྡན་འདས་ཤེས་རབ་ཀྱི་ཕ་རོལ་དུ་ཕྱིན་པ་ནི་ཡོན་ཏན་ཐམས་ཅད་ཡོངས་སུ་རྫོགས་པར་བགྱིད་པའི་སླད་དུ། ཡོན་ཏན་ཆེན་པོ་དང་ལྡན་པའོ། །བཅོམ་ལྡན་འདས་ཤེས་རབ་ཀྱི་ཕ་རོལ་དུ་ཕྱིན་པ་ནི་ཡོན་ཏན་ཚད་མ་མཆིས་པ་དང་ལྡན་པའི་སླད་དུ། ཚད་མ་མཆིས་པའི་ཡོན་ཏན་དང་ལྡན་པའོ། །བཅོམ་ལྡན་འདས་ཤེས་རབ་ཀྱི་ཕ་རོལ་དུ་ཕྱིན་པ་ནི་ཡོན་ཏན་མུ་མ་མཆིས་པ་དང་ལྡན་པའི་སླད་དུ། ཡོན་ཏན་ཀུན་དུ་མཐའ་ཡས་པ་དང་ལྡན་པའོ། །བཅོམ་ལྡན་འདས་རིགས་ཀྱི་བུའམ། རིགས་ཀྱི་བུ་མོ་གང་ལ་ལ་ཞིག་གིས། ཤེས་རབ་ཀྱི་ཕ་རོལ་དུ་ཕྱིན་པ། འདི་བྲིས་ཤིང་གླེགས་བམ་དུ་བགྱིས་ཏེ། བཅངས་པ་དང་། མེ་ཏོག་དང་། ཕྲེང་བ་དང་། སྤོས་དང་། བྱུག་པ་དང་། ཕྱེ་མ་དང་། ན་བཟའ་དང་། གདུགས་དང་། རྒྱལ་མཚན་དང་། བ་དན་དང་། སིལ་སྙན་སྣ་ཚོགས་ཀྱིས་རིམ་གྲོར་བགྱིས། བཀུར་སྟི་ར་བགྱིས། བསྟི་སྟང་དུ་བགྱིས། མཆོད་པར་བགྱིས་ཏེ། དེ་ནས་གོང་དུ་ཇི་སྐད་བསྟན་པ་བཞིན་དུ། ཤེས་རབ་ཀྱི་ཕ་རོལ་དུ་ཕྱིན་པ་ཚུལ་བཞིན་དུ་ཡིད་ལ་བགྱིས་པ་དང་། རིགས་ཀྱི་བུའམ་རིགས་ཀྱི་[༡]བུ་མོ་གང་ལ་ལས། ཤེས་རབ་ཀྱི་ཕ་རོལ་དུ་ཕྱིན་པ་འདི་གླེགས་བམ་དུ་བགྱིས་ཏེ། གཞན་ལ་[༢]སྦྱིན་ན། དེ་གཉིས་ལས་གང་གི་བསོད་ནམས་ཆེར་འཕེལ་བར་འགྱུར། བཅོམ་ལྡན་འདས་

ཀྱིས་བཀའ་སྩལ་པ། ཀཽ་ཤི་ཀ་དེ་བས་ན་ཁྱོད་ཉིད་ལ་དྲིས[1]། ཁྱོད་ཀྱིས་ཇི་ལྟར་བཟོད་པ་དེ་ལྟར་ལུང་སྟོན་ཅིག །ཀཽ་ཤི་ཀ་དེ་ཇི་སྙམ་དུ་སེམས། རིགས་ཀྱི་བུའམ། རིགས་ཀྱི་བུ་མོ་ལ་ལས། དེ་བཞིན་གཤེགས་པའི་སྐུ་གདུང་མང་པོ་ལ། མེ་ཏོག་དང་། ཕྲེང་བ་དང་། སྤོས་དང་། བྱུག་པ་དང་། ཕྱེ་མ་དང་། ན་བཟའ་དང་། གདུགས་དང་། རྒྱལ་མཚན་དང་། བ་དན་དང་། སིལ་སྙན་སྣ་ཚོགས་ཀྱིས་རིམ་གྲོར་བྱས་བཀུར་སྟིར་བྱས། བསྟི་སྟང་དུ་བྱས། མཆོད་པར་བྱས་པ་དང་། རིགས་ཀྱི་བུའམ་རིགས་ཀྱི་བུ་མོ་ལ་ལས། དེ་བཞིན་གཤེགས་པའི་སྐུ་གདུང་ཡུངས་ཀར་[2]གྱི་འབྲུ་ཙམ་ཞིག་གཞན་ལ་བྱིན་ཏེ་བགོ་བཤར་བྱས་པ་དང་། རིགས་ཀྱི་བུའམ་རིགས་ཀྱི་བུ་མོ་ལ་ལས། དེ་བཞིན་གཤེགས་པའི་སྐུ་གདུང་ཡུངས་ཀར་[3]གྱི་འབྲུ་ཙམ་པོ་དེ་བླངས་ཏེ། མེ་ཏོག་དང་། ཕྲེང་བ་དང་། སྤོས་དང་། བྱུག་པ་དང་། ཕྱེ་མ་དང་། ན་བཟའ་དང་། གདུགས་དང་། རྒྱལ་མཚན་དང་[4]། བ་དན་དང་། སིལ་སྙན་སྣ་ཚོགས་ཀྱིས་རིམ་གྲོར་བྱས། བཀུར་སྟིར་བྱས། བསྟི་སྟང་དུ་བྱས། མཆོད་པར་བྱས་ན། དེ་དག་ལས་གང་གི་བསོད་ནམས་ཆེར་འཕེལ་བ་ཡིན། བརྒྱ་བྱིན་གྱིས་གསོལ་པ། བཅོམ་ལྡན་འདས་བདག་གིས་བཅོམ་ལྡན་འདས་ཀྱིས་གསུངས་པའི་དོན་འཚལ་ཏེ། དེ་ལ་རིགས་ཀྱི་བུའམ་རིགས་ཀྱི་བུ་མོ་གང་གིས། དེ་བཞིན་གཤེགས་པའི་སྐུ་གདུང་མང་པོ་ལ་མེ་ཏོག་དང་། ཕྲེང་བ་དང་། སྤོས་དང་། བྱུག་པ་དང་། ཕྱེ་མ་དང་། ན་བཟའ་དང་། གདུགས་དང་། རྒྱལ་མཚན་དང་བ་དན་དང་སིལ་སྙན་སྣ་ཚོགས་ཀྱིས་[5]རིམ་གྲོར་བགྱིས། བཀུར་སྟིར་བགྱིས། བསྟི་སྟང་དུ་བགྱིས། མཆོད་པར་བགྱིས་པ་བས་གང་ལ་ལས་དེ་བཞིན་གཤེགས་པའི་སྐུ་གདུང་ཡུངས་ཀར་[6]གྱི་འབྲུ་ཙམ་གཞན་ལ་[7]སྩལ་ན། འདི་ནི་དེ་བས་བསོད་

ནམས་ཆེས་མང་དུ་འཕེལ་ལོ། །བཅོམ་ལྡན་འདས་དེ་བཞིན་གཤེགས་པ་དགྲ་བཅོམ་པ་ཡང་དག་པར་རྫོགས་པའི་སངས་རྒྱས་ཀྱིས་ཀྱང་དོན་དེ་ཉིད་གཟིགས་ཏེ། རྡོ་རྗེ་ལྟ་བུའི་ཏིང་ངེ་འཛིན་ལ་མཉམ་པར་གཞག་ནས། རྡོ་རྗེ་ལྟ་བུའི་སྐུ་བཤིག་སྟེ། སེམས་ཅན་གྱི་རིས་ན། དེ་བཞིན་གཤེགས་པའི་རིང་བསྲེལ་གྱིས་འདུལ་བའི་སེམས་ཅན་མཆིས་པ་རྣམས་ཀྱི་སླད་དུ་ཐུགས་རྗེ་ཆེན་པོ་བསྐྱེད་དེ། དེ་བཞིན་གཤེགས་པའི་སྐུ་གདུང་དུ་བྱིན་གྱིས་བརླབས་སོ། །བཅོམ་ལྡན་འདས་གང་ལ་ལས་ཆུང་ངུ་ན། དེ་བཞིན་གཤེགས་པའི་སྐུ་གདུང་ཡུངས་ཀར་[༡]གྱི་འབྲུ་ཙམ་ལ། མཆོད་པ་སྣ་ཚོགས་ཀྱིས་མཆོད་པ་བགྱིས་ན། དེ་དག་ཐམས་ཅད་ཀྱང་དགེ་བའི་རྩ་བ་དེའི་མཐར་མ་ཐུག་པར་སྡུག་བསྔལ་གྱི་མཐར་འབྱིན་པར་འགྱུར་རོ། །བཅོམ་ལྡན་འདས་ཀྱིས་བཀའ་སྩལ་པ། ཀཽ་ཤི་ཀ་དེ་དེ་བཞིན་ནོ། །དེ་དེ་བཞིན་ཏེ། ཀཽ་ཤི་ཀ་རིགས་ཀྱི་བུའམ། རིགས་ཀྱི་བུ་མོ་ལ་ལས། ཤེས་རབ་ཀྱི་ཕ་རོལ་ཏུ་ཕྱིན་པ་འདི་གླེགས་བམ་དུ་བྱས་ཏེ། མེ་ཏོག་དང་། ཕྲེང་བ་དང་། སྤོས་དང་། བྱུག་པ་དང་། ཕྱེ་མ་དང་། ན་བཟའ་དང་། གདུགས་དང་། རྒྱལ་མཚན་དང་། བ་དན་དང་། སིལ་སྙན་སྣ་ཚོགས་ཀྱིས་རིམ་གྲོར་བྱས། བཀུར་སྟིར་བྱས། བསྟི་སྟང་དུ་བྱས། མཆོད་པར་བྱས་པ་བས། གང་ལ་ལས་ཤེས་རབ་ཀྱི་ཕ་རོལ་ཏུ་ཕྱིན་པ་འདི་བྲིས་ཏེ། ཆོས་ཀྱི་དགའ་བས་གཞན་ལ་[༢]བྱིན་ན། རིགས་ཀྱི་བུའམ། རིགས་ཀྱི་བུ་མོ་དེ་ནི་[༣]བསོད་ནམས་ཆེར་འཕེལ་ལོ། །ཀཽ་ཤི་ཀ་གཞན་ཡང་རིགས་ཀྱི་བུའམ། རིགས་ཀྱི་བུ་མོ་ལ་ལས། ཤེས་རབ་ཀྱི་ཕ་རོལ་ཏུ་ཕྱིན་པ་[༤]ཇི་སྐད་དུ་བསྟན་པ་བཞིན་དུ། གཞན་གྱི་དྲུང་དུ་སོང་སྟེ་བཤད་ཅིང་བསྟན་པ་དང་། བརྗོད་ཅིང་བཀྲོལ་བ་དང་། རྣམ་པར་ཕྱེ་སྟེ་གསལ་བར་བྱས་ན་རིགས་ཀྱི་བུའམ། རིགས་ཀྱི་བུ་མོ་དེ་ནི། རིགས་ཀྱི་བུའམ།

རིགས་ཀྱི་བུ་མོ་སྲ་མ་དེ་[7] དག་པས། བསོད་ནམས་ཆེར་འཕེལ་ཏེ། དེ་ནི་སྟོན་པ་ཡིན་པར་བསམ་མོ། །བླ་མའི་གནས་མཁས་པ་ཚངས་པ་མཚུངས་པར་སྤྱོད་པ་ལ་ལ་ཞིག་ཡིན་པར་བསམ་མོ། །དེ་ཅིའི་ཕྱིར་ཞེ་ན། ཀཽ་ཤི་ཀ་དེ་ནི་ཤེས་རབ་ཀྱི་ཕ་རོལ་ཏུ་ཕྱིན་པ་འདི་ཉིད་སྟོན་པ་ཡིན་ཏེ། སྟོན་པ་ནི་གཞན། ཤེས་རབ་ཀྱི་ཕ་རོལ་ཏུ་ཕྱིན་པ་ནི་གཞན་ཞེས་བྱ་བ་མེད་ཀྱི། ཤེས་རབ་ཀྱི་ཕ་རོལ་ཏུ་ཕྱིན་པ་ཉིད་ཀྱང་སྟོན་པ། སྟོན་པ་ཉིད་ཀྱང་ཤེས་རབ་ཀྱི་ཕ་རོལ་ཏུ་ཕྱིན་པའོ། །དེ་ཅིའི་ཕྱིར་ཞེ་ན། ཤེས་རབ་ཀྱི་ཕ་རོལ་ཏུ་ཕྱིན་པ་འདི་ཉིད་ལ་བསླབས་པས། འདས་པ་དང་། མ་བྱོན་པ་དང་། ད་ལྟར་བྱུང་བའི་དེ་བཞིན་གཤེགས་པ་དགྲ་བཅོམ་པ་ཡང་དག་པར་རྫོགས་པའི་སངས་རྒྱས་རྣམས་ཀྱིས། བླ་ན་མེད་པ་ཡང་དག་པར་རྫོགས་པའི་བྱང་ཆུབ་ཏུ་མངོན་པར་རྫོགས་པར་སངས་རྒྱས་སོ། །མངོན་པར་རྫོགས་པར་འཚང་རྒྱའོ། །མངོན་པར་རྫོགས་པར་འཚང་རྒྱ་བར་འགྱུར་རོ། །ཚངས་པ་མཚུངས་པར་སྤྱོད་པ་དེ་དག་ཀྱང་། ཕྱིར་མི་ལྡོག་པའི་བྱང་ཆུབ་སེམས་དཔའ་རྣམས་ལས་གུད་ན་མེད་དེ། དེ་དག་ཀྱང་ཤེས་རབ་ཀྱི་ཕ་རོལ་ཏུ་ཕྱིན་པ་འདི་ཉིད་ལ་བསླབས་ཤིང་། བླ་ན་མེད་པ་ཡང་དག་པར་རྫོགས་པའི་བྱང་ཆུབ་ཏུ་མངོན་པར་རྫོགས་པར་སངས་རྒྱས་སོ། །མངོན་པར་རྫོགས་པར་འཚང་རྒྱའོ། །མངོན་པར་རྫོགས་པར་འཚང་རྒྱ་བར་འགྱུར་རོ། །ཀཽ་ཤི་ཀ་ཤེས་རབ་ཀྱི་ཕ་རོལ་ཏུ་ཕྱིན་པ་འདི་ཉིད་ལ་བསླབས་ཤིང་། ཉན་ཐོས་ཀྱི་ཐེག་པ་པ་རྣམས་ཀྱིས་[8] ཀྱང་རྒྱུན་དུ་ཞུགས་པའི་འབྲས་བུ་ཐོབ་པོ། །འཐོབ་པོ། །ཐོབ་[9] པར་འགྱུར་རོ། །དགྲ་བཅོམ་པ་ཉིད་ཀྱི་བར་དུ་ཐོབ་པོ། །འཐོབ་པོ། །ཐོབ་[10] པར་འགྱུར་རོ། །རང་སངས་རྒྱས་ཀྱི་ཐེག་པ་པ་རྣམས་ཀྱིས་ཀྱང་། ཤེས་རབ་ཀྱི་ཕ་རོལ་ཏུ་ཕྱིན་པ་འདི་ཉིད་ལ་བསླབས་ཤིང་། རང་བྱང་ཆུབ་ཏུ་མངོན་པར་

རྫོགས་པར་སངས་རྒྱས་སོ། །མངོན་པར་རྫོགས་པར་འཚང་རྒྱའོ། །མངོན་པར་རྫོགས་པར་འཚང་རྒྱ་བར་འགྱུར་རོ། །བྱང་ཆུབ་སེམས་དཔའ་སེམས་དཔའ་ཆེན་པོ་རྣམས་ཀྱང་། ཤེས་རབ་ཀྱི་ཕ་རོལ་ཏུ་ཕྱིན་པ་འདི་ཉིད་ལ་བསླབས་ཤིང་། བྱང་ཆུབ་སེམས་དཔའི་སྐྱོན་མེད་པར་ཞུགས་སོ། །འཇུག་གོ། །འཇུག་པར་འགྱུར་རོ། །བླ་ན་མེད་པ་ཡང་དག་པར་རྫོགས་པའི་བྱང་ཆུབ་ཏུ་མངོན་པར་རྫོགས་པར་སངས་རྒྱས་སོ། །མངོན་པར་རྫོགས་པར་འཚང་རྒྱའོ། །མངོན་པར་རྫོགས་པར་འཚང་རྒྱ་བར་འགྱུར་རོ། །ཀཽ་ཤི་ཀ་དེ་བས་ན་རིགས་ཀྱི་བུའམ། རིགས་ཀྱི་བུ་མོ། དེ་བཞིན་གཤེགས་པ་དགྲ་བཅོམ་པ་ཡང་དག་པར་རྫོགས་པའི་སངས་རྒྱས་རྣམས་ལ། མེ་ཏོག་དང་། ཕྲེང་བ་དང་། སྤོས་དང་། བྱུག་པ་དང་། ཕྱེ་མ་དང་། ན་བཟའ་དང་། གདུགས་དང་། རྒྱལ་མཚན་དང་། བ་དན་དང་། སིལ་སྙན་སྣ་ཚོགས་ཀྱིས་མངོན་དུ་རིམ་གྲོར་བྱ་བར་འདོད་པ་དང་། བཀུར་སྟིར་བྱ་བར་འདོད་པ་དང་། བསྟི་སྟང་དུ་བྱ་བར་འདོད་པ་དང་། མཆོད་པར་བྱ་བར་འདོད་པས། ཤེས་རབ་ཀྱི་ཕ་རོལ་ཏུ་ཕྱིན་པ་འདི་ཁྲིས་ཏེ། མེ་ཏོག་དང་། ཕྲེང་བ་དང་། སྤོས་དང་། བྱུག་པ་དང་། ཕྱེ་མ་དང་། ན་བཟའ་དང་། གདུགས་དང་། རྒྱལ་མཚན་དང་། བ་དན་དང་། སིལ་སྙན་སྣ་ཚོགས་ཀྱིས་རིམ་གྲོར་བྱའོ། །བཀུར་སྟིར་བྱའོ། །བསྟི་སྟང་དུ་བྱའོ། །མཆོད་པར་བྱའོ། །ཀཽ་ཤི་ཀ་ངས་དོན་དེ་ཉིད་ཀྱི་དབང་ཡང་དག་པར་མཐོང་སྟེ། བླ་ན་མེད་པ་ཡང་དག་པར་རྫོགས་པའི་བྱང་ཆུབ་ཏུ་མངོན་པར་རྫོགས་པར་སངས་རྒྱས་ནས་འདི་སྙམ་སྟེ། གང་ཞིག་[7]ལ་བདག་གིས་རིམ་གྲོ་དང་། བཀུར་སྟི་དང་། བསྟི་སྟང་དང་། མཆོད་པ་བྱས་ཏེ། བརྟེན་ཅིང་རྣམ་པར་སྤྱད་པར་བྱ་སྙམ་ན་ཡང་། ཀཽ་ཤི་ཀ་དེ་ལ་ངས་འཇིག་རྟེན་ལྷ་དང་བཅས་པ། བདུད་

དང་བཅས་པ། ཚངས་པ་དང་བཅས་པ། དགེ་སྦྱོང་དང་བྲམ་ཟེར་བཅས་པའི་སྐྱེ་དགུ་དང་། ལྷ་དང་། མི་དང་། ལྷ་མ་ཡིན་དུ་བཅས་པའི་ནང་ན། ང་དང་འདྲ་བའམ། ལྷག་པ་ཡང་དག་པར་རྗེས་སུ་མ་མཐོང་ནས། དེ་ལ་ངས་འདི་སྙམ་དུ་བསམས[1]ཏེ། དེ་ལྟ་ཡིན་ན་བདག་གིས་ཆོས་ཞི་བ་བཟང་པོ་གང་བདག་ཉིད་ཀྱིས་མངོན་པར་སངས་རྒྱས་པ་དེ་ཉིད་ལ་རིམ་གྲོ་དང་། བཀུར་སྟི་དང་། བསྟི་སྟང་དང་། མཆོད་པ་བྱས་ཏེ། བརྟེན་[2]ཅིང་ནམ་པར་སྤྱད་པར་བྱའོ། །སྙམ་དུ་བསམས་སོ། །ཀཽ་ཤི་ཀ་ཆོས་དེ་ཡང་གང་ཞེ་ན། འདི་ལྟ་སྟེ། ཤེས་རབ་ཀྱི་ཕ་རོལ་དུ་ཕྱིན་པ་འདི་ཉིད་ཡིན་ཏེ། ཀཽ་ཤི་ཀ་དེ་ལྟར་ང་[3]ཉིད་ཀྱང་ཤེས་རབ་ཀྱི་ཕ་རོལ་དུ་ཕྱིན་པ་འདི་ལ་རིམ་གྲོར་བྱེད། བཀུར་སྟིར་བྱེད། བསྟི་སྟང་དུ་བྱེད། མཆོད་པར་བྱེད་དེ། དེ་ལྟར་རིམ་གྲོ་དང་། བཀུར་སྟི་དང་། བསྟི་སྟང་དང་། མཆོད་པ་བྱས་ཤིང་ནམ་པར་སྤྱོད་ན། ཀཽ་ཤི་ཀ་རིགས་ཀྱི་བུའམ་རིགས་ཀྱི་བུ་མོ། བླ་ན་མེད་པ་ཡང་དག་པར་རྫོགས་པའི་བྱང་ཆུབ་ཏུ་མངོན་པར་རྫོགས་པར་འཚང་རྒྱ་བར་འདོད་པས། ཤེས་རབ་ཀྱི་ཕ་རོལ་དུ་ཕྱིན་པ་ལ་མེ་ཏོག་དང་། ཕྲེང་བ་དང་། སྤོས་དང་། བྱུག་པ་དང་། ཕྱེ་མ་དང་། ན་བཟའ་དང་། གདུགས་དང་། རྒྱལ་མཚན་དང་། བ་དན་དང་། སིལ་སྙན་སྣ་ཚོགས་ཀྱིས་རིམ་གྲོར་བྱ་བ་དང་། བཀུར་སྟིར་བྱ་བ་དང་། བསྟི་སྟང་དུ་བྱ་བ་དང་། མཆོད་པར་བྱ་བ་ལྟ་ཅི་སྨོས། ཉན་ཐོས་ཀྱི་ཐེག་པ་པའི་རིགས་ཀྱི་བུའམ། རིགས་ཀྱི་བུ་མོ་དང་། རང་སངས་རྒྱས་ཀྱི་ཐེག་པ་པའི་རིགས་ཀྱི་བུའམ། རིགས་ཀྱི་བུ་མོ་དེ་དག་གིས་ཤེས་རབ་ཀྱི་ཕ་རོལ་དུ་ཕྱིན་པ་འདི་ཉིད་ལ་མེ་ཏོག་དང་། ཕྲེང་བ་དང་། སྤོས་དང་། བྱུག་པ་དང་། ཕྱེ་མ་དང་། ན་བཟའ་དང་། གདུགས་དང་། རྒྱལ་མཚན་དང་། བ་དན་

དང་། སིལ་སྙན་སྣ་ཚོགས་ཀྱིས་རིམ་གྲོར་བྱ་བ་དང་། བཀུར་སྟིར་བྱ་བ་དང་། བསྟི་སྟང་དུ་བྱ་བ་དང་། མཆོད་པར་བྱ་བ་ལྟ་ཅི་སྨོས། དེ་ཅིའི་ཕྱིར་ཞེ་ན། ཤེས་རབ་ཀྱི་ཕ་རོལ་ཏུ་ཕྱིན་པ་ལས་བྱུང་བ་ནི། བྱང་ཆུབ་སེམས་དཔའ་སེམས་དཔའ་ཆེན་པོ་རྣམས་སོ། །བྱང་ཆུབ་སེམས་དཔའ་ལས་བྱུང་བ་ནི། དེ་བཞིན་གཤེགས་[༡]པ་དགྲ་བཅོམ་པ་ཡང་དག་པར་རྫོགས་པའི་སངས་རྒྱས་རྣམས་སོ། །དེ་བཞིན་གཤེགས་པ་དགྲ་བཅོམ་པ་ཡང་དག་པར་རྫོགས་པའི་སངས་རྒྱས་རྣམས་ལས་བྱུང་བ་ནི་ཉན་ཐོས་དང་། རང་སངས་རྒྱས་རྣམས་སོ། །ཀཽ་ཤི་ཀ་དེ་ལྟ་བས་ན་བྱང་ཆུབ་སེམས་དཔའི་ཐེག་པ་པའི་རིགས་ཀྱི་བུ་དང་། རིགས་ཀྱི་བུ་མོའམ། ཉན་ཐོས་ཀྱི་ཐེག་པ་པའམ། རང་སངས་རྒྱས་ཀྱི་ཐེག་པ་པའི་རིགས་ཀྱི་བུ་དང་། རིགས་ཀྱི་བུ་མོས། ཤེས་རབ་ཀྱི་ཕ་རོལ་ཏུ་ཕྱིན་པ་འདི་ཉིད་ལ་མེ་ཏོག་དང་། ཕྲེང་བ་དང་། སྤོས་དང་། བྱུག་པ་དང་། ཕྱེ་མ་དང་། ན་བཟའ་དང་། གདུགས་དང་། རྒྱལ་མཚན་དང་། བ་དན་དང་། སིལ་སྙན་སྣ་ཚོགས་ཀྱིས་རིམ་གྲོར་བྱའོ། །བཀུར་སྟིར་བྱའོ། །བསྟི་སྟང་དུ་བྱའོ། །མཆོད་པར་བྱའོ། །དེ་ལྟར་དེ་ལ་སློབ་པའི། རིགས་ཀྱི་བུའམ་རིགས་ཀྱི་བུ་མོ་དེ་དག་ནི། བླ་ན་མེད་པ་ཡང་དག་པར་རྫོགས་པའི་བྱང་ཆུབ་ཏུ་མངོན་པར་རྫོགས་པར་སངས་རྒྱས་སོ། །མངོན་པར་རྫོགས་པར་འཚང་རྒྱའོ། །མངོན་པར་རྫོགས་པར་འཚང་རྒྱ་བར་འགྱུར་རོ། །ཉན་ཐོས་ཀྱི་ཐེག་པ་པ་རྣམས་ཀྱིས་ཀྱང་། དགྲ་བཅོམ་པ་ཉིད་ཐོབ་བོ། །འཐོབ་པོ། །ཐོབ་[༢]པར་འགྱུར་རོ། །རང་སངས་རྒྱས་ཀྱི་ཐེག་པ་པ་རྣམས་ཀྱིས་ཀྱང་། རང་སངས་རྒྱས་ཀྱི་བྱང་ཆུབ་ཐོབ་བོ། །འཐོབ་པོ། །ཐོབ་[༣]པར་འགྱུར་རོ། །ཤེས་རབ་ཀྱི་ཕ་རོལ་ཏུ་ཕྱིན་པ་སྟོང་ཕྲག་ཉི་ཤུ་ལྔ་པ་ལས། ལེའུ་ཉི་ཤུ་གཉིས་པའོ།། ||

དེ་ནས་བཅོམ་ལྡན་འདས་ཀྱིས་ལྷའི་དབང་པོ་བརྒྱ་བྱིན་ལ་བཀའ་སྩལ་པ། ཀཽ་ཤི་ཀ་རིགས་ཀྱི་བུའམ་རིགས་ཀྱི་བུ་མོ་ལ་ལ་ཞིག་གིས་གལ་ཏེ། འཛམ་བུའི་གླིང་གི་སེམས་ཅན་དེ་དག་དགེ་བ་བཅུའི་ལས་ཀྱི་ལམ་ལ་བཀོད་པར་གྱུར་ན། ཀཽ་ཤི་ཀ་དེ་ཇི་སྙམ་དུ་སེམས། རིགས་ཀྱི་བུའམ་རིགས་ཀྱི་བུ་མོ་དེ་དེའི་རྒྱུས་བསོད་ནམས་མང་དུ་འཕེལ་བར་འགྱུར་རམ། གསོལ་པ། བཅོམ་ལྡན་འདས་མང་ངོ་། །ཿབདེ་བར་གཤེགས་པ་མང་ངོ་། །[1]བཅོམ་ལྡན་འདས་ཀྱིས་བཀའ་སྩལ་པ། ཀཽ་ཤི་ཀ་དེ་བས་ཀྱང་ལ་ལ་ཞིག་གིས་ཤེས་རབ་ཀྱི་ཕ་རོལ་དུ་ཕྱིན་པ་འདིའི་གླེགས་བམ་གླག་[2]པའམ་བྲི་བའམ་ཁ་ཏོན་[3]བྱ་བའི་ཕྱིར་གཞན་ལ་བྱིན་ན་བསོད་ནམས་ཆེས་མང་དུ་འཕེལ་ལོ། །དེ་ཅིའི་ཕྱིར་ཞེ་ན། ཤེས་རབ་ཀྱི་ཕ་རོལ་དུ་ཕྱིན་པ་འདི་ལས་ཟག་པ་མེད་པའི་ཆོས་གང་ལ་རིགས་ཀྱི་བུའམ་རིགས་ཀྱི་བུ་མོ་སློབ་ཅིང་ཡང་དག་པའི་སྐྱོན་མེད་པར་ཞུགས་པར་གྱུར་པ་དང་། འཇུག་པ་དང་འཇུག་པར་འགྱུར་བ་དང་། དགྲ་བཅོམ་པ་ཉིད་ཀྱི་བར་དུ་ཐོབ་པར་གྱུར་པ་དང་། འཐོབ་[4]པ་དང་ཐོབ་[5]པར་འགྱུར་བ་དང་། རང་སངས་རྒྱས་ཀྱི་ཐེག་པ་པ་རྣམས་ཀྱིས་རང་སངས་རྒྱས་ཀྱི་བྱང་ཆུབ་ཐོབ་པར་གྱུར་པ་དང་། འཐོབ་[6]པ་དང་། ཐོབ་[7]པར་འགྱུར་བ་དང་། བླ་ན་མེད་པ་ཡང་དག་པར་རྫོགས་པའི་བྱང་ཆུབ་ཏུ་ཡང་དག་པར་ཞུགས་པ་རྣམས་ཀྱིས་བྱང་ཆུབ་སེམས་དཔའི་སྐྱོན་མེད་པར་ཞུགས་པ་དང་། འཇུག་པ་དང་འཇུག་པར་འགྱུར་བ་དང་། བླ་ན་མེད་པ་ཡང་དག་པར་རྫོགས་པའི་བྱང་ཆུབ་ཏུ་མངོན་པར་རྫོགས་པར་སངས་རྒྱས་པ་དང་། མངོན་པར་རྫོགས་པར་འཚང་རྒྱ་བ་དང་། མངོན་པར་རྫོགས་པར་འཚང་རྒྱ་བར་འགྱུར་བ་དེ་ལྟ་བུའི་ཆོས་མང་པོ་རྒྱ་ཆེར་བསྟན་ཏོ། །ཀཽ་ཤི་ཀ་ཟག་པ་མེད་པའི་ཆོས་དེ་དག་ཀྱང་གང་ཞེ་ན།

འདི་ལྟ་སྟེ། སྦྱིན་པའི་ཕ་རོལ་ཏུ་ཕྱིན་པ་དང་། ཤེས་རབ་ཀྱི་ཕ་རོལ་ཏུ་ཕྱིན···
པའི་བར་དང་། ནང་སྟོང་པ་ཉིད་དང་། དངོས་པོ་མེད་པའི་ངོ་བོ་ཉིད་སྟོང་
པ་ཉིད་ཀྱི་བར་དང་། བྱང་ཆུབ་ཀྱི་ཕྱོགས་ཀྱི་ཆོས་སུམ་ཅུ་རྩ་བདུན་དང་།
འཕགས་པའི་བདེན་པ་བཞི་དང་། རྣམ་པར་ཐར་པ་བརྒྱད་དང་། མཐར་
གྱིས་གནས་པའི་སྙོམས་པར་འཇུག་པ་དགུ་དང་། རྣམ་པར་ཐར་པའི་སྒོ་སྟོང་པ་
ཉིད་དང་། མཚན་མ་མེད་པ་དང་། སྨོན་པ་མེད་པ་དང་། མངོན་པར་
ཤེས་པ་དྲུག་དང་། ཏིང་ངེ་འཛིན་ཐམས་ཅད་དང་གཟུངས་ཀྱི་སྒོ་ཐམས་ཅད་
དང་། དེ་བཞིན་གཤེགས་པའི་སྟོབས་བཅུ་དང་། མི་འཇིགས་པ་བཞི་དང་།
སོ་སོ་ཡང་དག་པར་རིག་པ་བཞི་དང་། སངས་རྒྱས་ཀྱི་ཆོས་མ་འདྲེས་པ་བཅོ་
བརྒྱད་དང་། བྱམས་པ་ཆེན་པོ་དང་། སྙིང་རྗེ་ཆེན་པོ་དང་། དགའ་བ···
ཆེན་པོ་དང་། བཏང་སྙོམས་ཆེན་པོ་དག་སྟེ་སངས་རྒྱས་ཀྱི་ཆོས་ཚད་མེད་པ་
གཞན་དག་ཀྱང་རྒྱ་ཆེར་བསྟན་ཏོ། །ཀཽ་ཤི་ཀ་རིགས་ཀྱི་བུའམ་རིགས་ཀྱི[1]བུ་མོ་ལ་
ལ་ཞིག་གིས། སེམས་ཅན་གཅིག་ཅིག་རྒྱུན་དུ་ཞུགས་པའི་འབྲས་བུ་ལ་བཞག་ན།
དེའི་བསོད་ནམས་ཆེས[2]མང་དུ་འཕེལ་གྱི། འཛམ་བུའི་གླིང་གི་སེམས་ཅན་རྣམས་
དགེ་བ་བཅུའི་ལས་ཀྱི་ལམ་ལ་བཀོད་པས་ནི་མ་ཡིན་ནོ། །དེ་ཅིའི་ཕྱིར་ཞེ་ན། ཀཽ་ཤི་
ཀ་དགེ་བ་བཅུའི་ལས་ཀྱི་ལམ་ལ་བཀོད་པའི་སེམས་ཅན་རྣམས་ནི། སེམས་ཅན་
དམྱལ་བ་དང་། དུད་འགྲོ་དང་། གཤིན་རྗེའི་འཇིག་རྟེན་ནས···
ཡོངས་སུ་གྲོལ་བ་མ་ཡིན་ནོ། །ཀཽ་ཤི་ཀ་རྒྱུན་དུ་ཞུགས་པའི་འབྲས་བུ་ལ་བཀོད་
པའི་སེམས་ཅན་ནི། སེམས་ཅན་དམྱལ་བ་དང་དུད་འགྲོ་དང་གཤིན་རྗེའི་
འཇིག་རྟེན་ནས་ཡོངས་སུ་གྲོལ་བའི་ཕྱིར་ཏེ་ལན་ཅིག་ཕྱིར་འོང་བའི་
འབྲས་བུ་དང་། ཕྱིར་མི[3]འོང་བའི་འབྲས་བུ་དང་། དགྲ་བཅོམ་པ་ཉིད་ལ་

བཀོད་པ་ལྟ་ཅི་སྨོས། ཀཽ་ཤི་ཀ་གང་ལ་ལས་འཛམ་བུའི་གླིང་[1]གི་སེམས་ཅན་རྣམས་རྒྱུན་དུ་ཞུགས་པའི་འབྲས་བུ་ལ་བཀོད་པ་དང་། དགྲ་བཅོམ་པ་ཉིད་ཀྱི་བར་ལ་བཀོད་པ་བས་ལ་ལ་ཞིག་གིས་སེམས་ཅན་གཅིག་ཅིག་རང་བྱང་ཆུབ་ལ་བཞག་ན་དེའི་བསོད་ནམས་ཆེས་མང་དུ་འཕེལ་ལོ། །རིགས་ཀྱི་བུའམ་རིགས་ཀྱི་བུ་མོ་ལ་ལ་ཞིག་[2]གིས་འཛམ་བུའི་གླིང་[3]གི་སེམས་ཅན་ཐམས་ཅད་རང་བྱང་ཆུབ་ལ་བཀོད་[4]པ་བས་རིགས་ཀྱི་བུའམ་རིགས་ཀྱི་བུ་མོ་ལ་ལ་ཞིག་གིས་སེམས་ཅན་གཅིག་ཅིག་བླ་ན་མེད་པ་ཡང་དག་པར་རྫོགས་པའི་བྱང་ཆུབ་ལ་བཞག་ན་དེའི་བསོད་ནམས་ཆེས་མང་དུ་འཕེལ་ལོ། །དེ་ཅིའི་ཕྱིར་ཞེ་ན། སེམས་ཅན་གཅིག་པོ་བླ་ན་མེད་པ་ཡང་དག་པར་རྫོགས་པའི་བྱང་ཆུབ་ཏུ་གཞག་པ་དེ་ནི་སངས་རྒྱས་ཀྱི་ཚུལ་རྒྱུན་མི་འཆད་པའི་དོན་དུ་ཞུགས་པའི་ཕྱིར་རོ། །དེ་ཡང་ཅིའི་ཕྱིར་ཞེ་ན། ཀཽ་ཤི་ཀ་བྱང་ཆུབ་སེམས་དཔའ་ལས་བྱུང་བ་ནི་རྒྱུན་དུ་ཞུགས་པ་དང་དགྲ་བཅོམ་པ་ཉིད་ཀྱི་བར་དང་རང་སངས་རྒྱས་རྣམས་སོ། །ཀཽ་ཤི་ཀ་བྱང་ཆུབ་སེམས་དཔའ་ལས་བྱུང་བ་ནི་དེ་བཞིན་གཤེགས་པ་དགྲ་བཅོམ་པ་ཡང་དག་པར་རྫོགས་པའི་སངས་རྒྱས་རྣམས་སོ། །ཀཽ་ཤི་ཀ་རྣམ་གྲངས་དེས་ན། འདི་ལྟར་བྱང་[5]ཆུབ་སེམས་དཔའ་རྣམས་ཀྱང་མཆོད་ཅིང་རིམ་གྲོར་བྱ་བ་ཡིན་ཏེ། འཇིག་རྟེན་ལྷ་དང་བཅས་པ་བདུད་དང་བཅས་པ་ཚངས་པ་དང་བཅས་པ་དང་། དགེ་སྦྱོང་དང་བྲམ་ཟེར་བཅས་པའི་སྐྱེ་དགུས་མེ་ཏོག་དང་ཕྲེང་བ་དང་། སྤོས་དང་བྱུག་པ་དང་ཕྱེ་མ་དང་། ན་བཟའ་དང་གདུགས་དང་རྒྱལ་མཚན་དང་བ་དན་དང་སིལ་སྙན་སྣ་ཚོགས་ཀྱིས་རིམ་གྲོར་བྱ་བ་དང་། བཀུར་སྟིར་བྱ་བ་དང་། བསྟི་སྟང་དུ་བྱ་བ་དང་། མཆོད་པར་བྱ་བ་ཡིན་པར་ཤེས་པར་བྱའོ། །ཀཽ་ཤི་ཀ་རིགས་ཀྱི་བུའམ་རིགས་ཀྱི་བུ་མོ་ལ་ལ་ཞིག་གིས་འཛམ་བུའི་གླིང་གི་སེམས་ཅན་ཐམས་ཅད་དགེ་བ་བཅུའི་ལས་

ཀྱི་ལམ་ལ་བཀོད་པར་གྱུར་ན། ཀཽ་ཤི་ཀ་དེ་ཇི་སྙམ་དུ་སེམས་རིགས་ཀྱི་བུའམ་རིགས་ཀྱི་བུ་མོ་དེའི་བསོད་ནམས་དེའི་རྒྱུས་མང་དུ་འཕེལ་ལམ། བརྒྱ་བྱིན་གྱིས་གསོལ་པ། བཅོམ་ལྡན་འདས་མང་ངོ་། །བདེ་བར་གཤེགས་པ་མང་ངོ་། །བཅོམ་ལྡན་འདས་ཀྱིས་བཀའ་སྩལ་པ། ཀཽ་ཤི་ཀ་དེ་བས་ཀྱང་རིགས་ཀྱི་བུའམ་རིགས་ཀྱི་བུ་མོ་གང་གིས། ཤེས་རབ་ཀྱི་ཕ་རོལ་ཏུ་ཕྱིན་པ་འདི་གླེགས་བམ་[1] བྲི་[2] བའམ་སླག་[3] པའམ་ཁ་ཧོན་[4] དུ་བྱ་བའི་ཕྱིར་གཞན་ལ་བྱིན་ན། བསོད་ནམས་ཆེས་མང་དུ་འཕེལ་ལོ། །དེ་ཅིའི་ཕྱིར་ཞེ་ན། ཤེས་རབ་ཀྱི་ཕ་རོལ་ཏུ་ཕྱིན་པ་འདི་ལས་ཟག་པ་མེད་པའི་ཆོས་རྣམས་རྒྱ་ཆེར་བསྟན་ཏེ། དེ་དག་ལ་བསླབས་ཤིང་། རིགས་ཀྱི་བུ་དང་རིགས་ཀྱི་བུ་མོ་དག་ཡང་དག་པའི་སྐྱོན་མེད་པར་ཞུགས་པར་གྱུར་ཏོ། །འཇུག་གོ། །འཇུག་པར་འགྱུར་རོ། །དགྲ་བཅོམ་པ་ཉིད་ཀྱི་བར་དུ་ཐོབ་བོ། །འཐོབ་བོ། །ཐོབ་[5] པར་འགྱུར་རོ། །རང་སངས་རྒྱས་ཀྱི་[6] ཐེག་པ་པ་རྣམས་ཀྱིས། རང་བྱང་ཆུབ་ཐོབ་པར་གྱུར་ཏོ། །འཐོབ་པོ། །ཐོབ་[7] པར་འགྱུར་རོ། །བྱང་ཆུབ་སེམས་དཔའ་སེམས་དཔའ་ཆེན་པོ་རྣམས་ཀྱང་། ཡང་དག་པའི་སྐྱོན་མེད་པར་ཞུགས་པར་གྱུར་ཏོ། །འཇུག་གོ། །འཇུག་པར་འགྱུར་རོ། །བླ་ན་མེད་པ་ཡང་དག་པར་རྫོགས་པའི་བྱང་ཆུབ་ཏུ་མངོན་པར་རྫོགས་པར་སངས་རྒྱས་སོ། །མངོན་པར་རྫོགས་པར་[8] འཚང་རྒྱའོ། །མངོན་པར་རྫོགས་པར་འཚང་རྒྱ་བར་འགྱུར་རོ། །ཀཽ་ཤི་ཀ་ཟག་པ་མེད་པའི་ཆོས་དེ་དག་ཀྱང་གང་ཞེ་ན། འདི་ལྟ་སྟེ། ཕ་རོལ་ཏུ་ཕྱིན་པ་དྲུག་དང་སྟོང་པ་ཉིད་ཐམས་ཅད་དང་། བྱང་ཆུབ་ཀྱི་ཕྱོགས་ཀྱི་ཆོས་སུམ་ཅུ་རྩ་བདུན་དང་། འཕགས་པའི་བདེན་པ་བཞི་དང་། བསམ་གཏན་རྣམས་དང་། ཚད་མེད་པ་རྣམས་དང་། གཟུགས་མེད་པའི་སྙོམས་པར་འཇུག་པ་རྣམས་དང་། རྣམ་པར་ཐར་པ་བརྒྱད་དང་། མཐར་གྱིས་

གནས་པའི་སྙོམས་པར་འཇུག་པ་དགུ་དང་། རྣམ་པར་ཐར་པའི་སྒོ་གསུམ་དང་། མངོན་པར་ཤེས་པ་དྲུག་དང་། ཏིང་ངེ་འཛིན་ཐམས་ཅད་དང་། གཟུངས་ཀྱི་སྒོ་ཐམས་ཅད་དང་། དེ་བཞིན་གཤེགས་པའི་སྟོབས་བཅུ་དང་། མི་འཇིགས་པ་བཞི་དང་། སོ་སོ་ཡང་དག་པར་རིག་པ་བཞི་དང་། སངས་རྒྱས་ཀྱི་ཆོས་མ་འདྲེས་པ་བཅོ་བརྒྱད་དང་། བྱམས་པ་ཆེན་པོ་དང་། སྙིང་རྗེ་ཆེན་པོ་དང་། དགའ་བ་ཆེན་པོ་དང་། བཏང་སྙོམས་ཆེན་པོ་དག་སྟེ། སངས་རྒྱས་ཀྱི་ཆོས་ཚད་མེད་པ་གཞན་དག་ཀྱང་རྒྱ་ཆེར་བསྟན་ཏོ། །ཀཽ་ཤི་ཀ་རྣམ་གྲངས་དེས་ཀྱང་རིགས་ཀྱི་བུའམ། རིགས་ཀྱི་བུ་མོ་གང་གིས། ཤེས་རབ་ཀྱི་ཕ་རོལ་ཏུ་ཕྱིན་པ་འདི་གླེགས་བམ་དུ་བྱས་ཏེ། ཞགས་[1]པ་དང་། བྲི་བ་དང་། ཁ་ཏོན་དུ་བྱ་བའི་ཕྱིར་གཞན་ལ་[2]བྱིན་ན། །དེ་ནི་[3]བསོད་ནམས་ཆེས་[4]མང་དུ་འཕེལ་བར་ཤེས་པར་བྱའོ། །དེ་ཅིའི་ཕྱིར་ཞེ་ན། ཀཽ་ཤི་ཀ་ཤེས་རབ་ཀྱི་ཕ་རོལ་ཏུ་ཕྱིན་པ་འདི་ལས་ཆོས་ཐམས་ཅད་རྒྱ་ཆེར་བསྟན་ཏེ[5]། དེ་དག་ཡོད་པས་རྒྱལ་རིགས་ཆེ་ཤིང་མཐོ་བ་རྣམས་ཡོད་དོ། །བྲམ་ཟེའི་རིགས་ཆེ་ཤིང་མཐོ་བ་དང་། ཁྱིམ་བདག་གི་རིགས་ཆེ་ཤིང་མཐོ་བ་རྣམས་ཡོད་དོ། །རྒྱལ་ཆེན་བཞིའི་རིས་ཀྱི་ལྷ་རྣམས་ཡོད་དོ། །སུམ་ཅུ་རྩ་གསུམ་དང་། མཆེ་མ་དང་དགའ་ལྡན་དང་། འཕྲུལ་དགའ་དང་གཞན་འཕྲུལ་དབང་བྱེད་ཀྱི་ལྷ་རྣམས་དང་། ཚངས་རིས་དང་ཚངས་ལྷ་ཉེ་ཕན་དང་། ཚངས་པ་ཀུན་འཁོར་དང་ཚངས་ཆེན་དང་། འོག་མིན་[6]གྱི་བར་གྱི་ལྷ་རྣམས་དང་། ནམ་མཁའ་མཐའ་ཡས་སྐྱེ་མཆེད་དང་། འདུ་ཤེས་མེད་འདུ་ཤེས་མེད་མིན་སྐྱེ་མཆེད་ཀྱི་བར་གྱི་ལྷ་རྣམས་ཡོད་དོ། །ཕ་རོལ་ཏུ་ཕྱིན་པ་ཐམས་ཅད་ཡོད་དོ། །སྟོང་པ་ཉིད་ཐམས་ཅད་ཡོད་དོ། །བྱང་ཆུབ་ཀྱི་ཕྱོགས་ཀྱི་ཆོས་སུམ་ཅུ་རྩ་བདུན་ཡོད་དོ། །འཕགས་པའི་བདེན་པ་རྣམས་

དང་། བསམ་གཏན་རྣམས་དང་། ཚད་མེད་པ་[1]རྣམས་དང་། གཟུགས་མེད་པའི་སྙོམས་པར་འཇུག་པ་རྣམས་ཡོད་དོ། །རྣམ་པར་ཐར་པ་བརྒྱད་དང་། མཐར་གྱིས་གནས་པའི་སྙོམས་པར་འཇུག་པ་དགུ་ཡོད་དོ། །རྣམ་པར་ཐར་པའི་སྒོ་གསུམ་དང་། མངོན་པར་ཤེས་པ་རྣམས་ཡོད་དོ། །ཏིང་ངེ་འཛིན་རྣམས་དང་། གཟུངས་ཀྱི་སྒོ་རྣམས་ཡོད་དོ། །དེ་བཞིན་གཤེགས་པའི་སྟོབས་རྣམས་དང་། མི་འཇིགས་པ་རྣམས་དང་། སོ་སོ་ཡང་དག་པར་རིག་པ་རྣམས་དང་། ༔བྱམས་པ་ཆེན་པོ་དང་།[2] སྙིང་རྗེ་ཆེན་པོ་དང་། སངས་རྒྱས་ཀྱི་ཆོས་མ་འདྲེས་པ་རྣམས་ཡོད་དོ། །རྣམ་པ་ཐམས་ཅད་མཁྱེན་པ་ཉིད་ཀྱི་བར་དུ་ཡོད་དོ། །རྒྱུན་དུ་ཞུགས་པ་དང་། ལན་ཅིག་ཕྱིར་འོང་བ་དང་། ཕྱིར་མི་འོང་བ་དང་། དགྲ་བཅོམ་པ་དང་། རང་སངས་རྒྱས་རྣམས་ཡོད་དོ། །བྱང་ཆུབ་སེམས་དཔའ་སེམས་དཔའ་ཆེན་པོ་རྣམས་ཡོད་དོ། །དེ་བཞིན་གཤེགས་པ་དགྲ་བཅོམ་པ་ཡང་དག་པར་རྫོགས་པའི་སངས་རྒྱས་རྣམས་ཡོད་དོ། །ཀཽ་ཤི་ཀ་འཛམ་བུའི་[3]གླིང་གི་སེམས་ཅན་རྣམས་དགེ་བ་བཅུའི་ལས་ཀྱི་ལམ་ལ་བཀོད་པ་དང་། རང་བྱང་ཆུབ་ཀྱི་བར་ལ་བཀོད་པ་ལྟ་ཞོག་གི[4]། ཀཽ་ཤི་ཀ་གླིང་བཞི་པའི་འཇིག་རྟེན་གྱི་ཁམས་ཀྱི་སེམས་ཅན་ཇི་སྙེད་པ་དེ་དག།རིགས་ཀྱི་བུའམ་རིགས་ཀྱི་བུ་མོ་ལ་ལས། དགེ་བ་བཅུའི་ལས་ཀྱི་ལམ་ལ་རབ་ཏུ་བཀོད་[5]ན། ཀཽ་ཤི་ཀ་དེ་ཇི་སྙམ་དུ་སེམས། རིགས་ཀྱི་བུའམ། རིགས་ཀྱི་བུ་མོ་དེའི་བསོད་ནམས་དེའི་རྒྱུས་མང་དུ་འཕེལ་ལམ། གསོལ་པ། བཅོམ་ལྡན་འདས་མང་ངོ་། །བདེ་བར་གཤེགས་པ་མང་ངོ་། ། བཅོམ་ལྡན་འདས་ཀྱིས་བཀའ་སྩལ་པ། ཀཽ་ཤི་ཀ་དེ་བས་ཀྱང་རིགས་ཀྱི་བུའམ[6]། རིགས་ཀྱི་བུ་མོ་གང་གིས། ཤེས་རབ་ཀྱི་ཕ་རོལ་དུ་ཕྱིན་པ་འདིའི་གླེགས་བམ། བླག་[7]པ་དང་། བྲི་[8]བ་དང་། ཁ་ཏོན་དུ་བྱ་བའི་ཕྱིར་གཞན་ལ་[9]བྱིན་ན་

བསོད་ནམས་ཆེས་མང་དུ་འཕེལ་ལོ། །དེ་ཅིའི་ཕྱིར་ཞེ་ན། ཀཽ་ཤི་ཀ་དེ་ནི་འདི་ལྟར། ཤེས་རབ་ཀྱི་ཕ་རོལ་ཏུ་ཕྱིན་པ་ལས་སྐྱེས་པ་ནི། ཉན་ཐོས་དང་། རང་སངས་རྒྱས་དང་། བྱང་ཆུབ་སེམས་དཔའི་ཆོས་ཐམས་ཅད་དང་། [༡]སངས་རྒྱས་ཀྱི་ཆོས་ཐམས་ཅད་དོ། །ཀཽ་ཤི་ཀ་གླིང་ཆེན་པོ་བཞི་པའི་འཇིག་རྟེན་གྱི་ཁམས་ཀྱི་སེམས་ཅན་རྣམས། དགེ་བ་བཅུའི་ལས་ཀྱི་ལམ་[༢]ལ་བཀོད་པ་དང་། རང་བྱང་ཆུབ་ཀྱི་བར་ལ་བཀོད་པ་ལྟ་ཞོག་གི། ཀཽ་ཤི་ཀ་སྟོང་གི་འཇིག་རྟེན་གྱི་ཁམས་ཕྱུར་བུའི་སེམས་ཅན་ཇི་སྙེད་ཅིག་ཡོད་པ་དེ་དག །རིགས་ཀྱི་བུའམ་རིགས་ཀྱི་བུ་མོ་ལ་ལས། དགེ་བ་བཅུའི་ལས་ཀྱི་ལམ་ལ་རབ་ཏུ་བཀོད། རང་བྱང་ཆུབ་ཀྱི་བར་ལ་རབ་ཏུ་བཀོད་[༣]ན། ཀཽ་ཤི་ཀ་དེ་ཇི་སྙམ་དུ་སེམས། རིགས་ཀྱི་བུའམ། རིགས་ཀྱི་བུ་མོ་དེའི་བསོད་ནམས་དེའི་རྒྱུས་མང་དུ་འཕེལ་ལམ། གསོལ་པ། བཅོམ་ལྡན་འདས་མང་ངོ་། །བདེ་བར་གཤེགས་པ་མང་ངོ་། །བཅོམ་ལྡན་འདས་ཀྱིས་བཀའ་སྩལ་པ། ཀཽ་ཤི་ཀ་དེ་བས་རིགས་ཀྱི་བུའམ། རིགས་ཀྱི་བུ་མོ་གང་གིས། ཤེས་རབ་ཀྱི་ཕ་རོལ་ཏུ་ཕྱིན་པ་འདིའི་གླེགས་བམ། ཟླུག་[༤]པ་དང་། བྲི་བ་དང་། ཁ་ཏོན་དུ༔བྱ་བའི་[༥]ཕྱིར་གཞན་ལ་[༦]བྱིན་ན། བསོད་ནམས་ཆེས་མང་དུ་འཕེལ་ལོ། །ཀཽ་ཤི་ཀ་སྟོང་གི་འཇིག་རྟེན་གྱི་ཁམས་ཕྱུར་བུ་ལྟ་ཞོག་གི། ཀཽ་ཤི་ཀ་སྟོང་གཉིས་པ་འཇིག་རྟེན་གྱི་ཁམས། འབྲིང་པོའི་སེམས་ཅན་ཇི་སྙེད་པ་དེ་དག །རིགས་ཀྱི་བུའམ་རིགས་ཀྱི་བུ་མོ་ལ་ལས། དགེ་བ་བཅུའི་ལས་ཀྱི་ལམ་ལ་རབ་ཏུ་བཀོད་པ་དང་། རང་བྱང་ཆུབ་ཀྱི་བར་ལ་རབ་ཏུ་བཀོད་པ་[༧]ན། ཀཽ་ཤི་ཀ་དེ་ཇི་སྙམ་དུ་སེམས། རིགས་ཀྱི་བུའམ། རིགས་ཀྱི་བུ་མོ་དེའི་བསོད་ནམས་དེའི་རྒྱུས་མང་དུ་འཕེལ་ལམ། གསོལ་པ། བཅོམ་ལྡན་འདས་མང་ངོ་། །བདེ་བར་གཤེགས་པ་མང་ངོ་། །བཅོམ་ལྡན་འདས་

ཀྱིས་[1]བཀའ་སྩལ་པ། ཀཽ་ཤི་ཀ་དེ་བས་རིགས་ཀྱི་བུའམ། རིགས་ཀྱི་བུ་མོ་གང་གིས། ཤེས་རབ་ཀྱི་ཕ་རོལ་ཏུ་ཕྱིན་པ་འདིའི་གླེགས་བམ། བྲི་[2]བ་དང་། ཀླག་[3]པ་དང་། ཁ་ཏོན་དུ་བྱ་བའི་ཕྱིར་གཞན་ལ་[4]བྱིན་ན། བསོད་ནམས་ཆེས་མང་དུ་འཕེལ་ལོ། །ཀཽ་ཤི་ཀ་སྟོང་གཉིས་པ[5]། འཇིག་རྟེན་གྱི་ཁམས་འབྲིང་པོ་ལྟ་ཞོག་གི། ཀཽ་ཤི་ཀ་སྟོང་གསུམ་གྱི་སྟོང་ཆེན་པོའི་འཇིག་རྟེན་གྱི་ཁམས་ཀྱི་སེམས་ཅན་ཇི་སྙེད་པ་དེ་དག །རིགས་ཀྱི་བུའམ་རིགས་ཀྱི་བུ་མོ་ལ་ལས། དགེ་བ་བཅུའི་ལས་ཀྱི་ལམ་ལ་རབ་ཏུ་བཀོད་པ་དང་། རང་བྱང་ཆུབ་ཀྱི་བར་ལ་རབ་ཏུ་བཀོད་པ་[6]ན། ཀཽ་ཤི་ཀ་དེ་ཇི་སྙམ་དུ་སེམས། རིགས་ཀྱི་བུའམ། རིགས་ཀྱི་བུ་མོ་དེའི་བསོད་ནམས་དེའི་རྒྱུས་མང་དུ་འཕེལ་ལམ། གསོལ་པ། བཅོམ་ལྡན་འདས་མང་ངོ་། །བདེ་བར་གཤེགས་པ་མང་ངོ་། །བཅོམ་ལྡན་འདས་ཀྱིས་བཀའ་སྩལ་པ། ཀཽ་ཤི་ཀ་དེ་བས་རིགས་ཀྱི་བུའམ། རིགས་ཀྱི་བུ་མོ་གང་གིས། ཤེས་རབ་ཀྱི་ཕ་རོལ་ཏུ་ཕྱིན་པ་འདིའི་གླེགས་བམ[7]། བྲི་[8]བ་དང་། ཀླག་[9]པ་དང་། ཁ་ཏོན་དུ་[10]བྱ་བའི་ཕྱིར་གཞན་ལ་[11]བྱིན་ན། བསོད་ནམས་ཆེས་མང་དུ་འཕེལ་ལོ། །ཀཽ་ཤི་ཀ་སྟོང་གསུམ་གྱི་སྟོང་ཆེན་པོའི་འཇིག་རྟེན་གྱི་ཁམས་ལྟ་ཞོག་གི། ཀཽ་ཤི་ཀ་ཕྱོགས་བཅུའི་ཕྱོགས་རེ་རེ་ཞིང་། འཇིག་རྟེན་གྱི་ཁམས་གང་གཱའི་ཀླུང་གི་བྱེ་མ་སྙེད་དག་ན། སེམས་ཅན་ཇི་སྙེད་ཅིག་ཡོད་པ་དེ་དག །རིགས་ཀྱི་བུའམ་རིགས་ཀྱི་བུ་མོ་ལ་ལས། དགེ་བ་བཅུའི་ལས་ཀྱི་ལམ་ལ་རབ་ཏུ་བཀོད་པ་དང་། རང་བྱང་ཆུབ་ཀྱི་བར་ལ་རབ་ཏུ་བཀོད་ན། ཀཽ་ཤི་ཀ་དེ་ཇི་སྙམ་དུ་སེམས། རིགས་ཀྱི་བུའམ། རིགས་ཀྱི་བུ་མོ་དེའི་བསོད་ནམས་དེའི་རྒྱུས་མང་དུ་འཕེལ་ལམ། གསོལ་པ། བཅོམ་ལྡན་འདས་མང་ངོ་། །བདེ་བར་གཤེགས་པ་མང་ངོ་། །བཅོམ་ལྡན་འདས་ཀྱིས་བཀའ་སྩལ་པ། ཀཽ་ཤི་

ཀ་དེ་བས་རིགས་ཀྱི་བུའམ[1]། རིགས་ཀྱི་བུ་མོ་གང་གིས། ཤེས་རབ་ཀྱི་ཕ་རོལ་
ཏུ་ཕྱིན་པ་འདིའི་གླེགས་བམ། བྲི་བ[2]་དང་། ལྐུག[3]་པ་དང་། ཁ་ཏོན་དུ་བྱ་
བའི་ཕྱིར་གཞན་ལ[4]་བྱིན་ན། བསོད་ནམས་ཆེས་མང་དུ་འཕེལ་ལོ། །དེ་ཅིའི་
ཕྱིར་ཞེ་ན། ཀཽ་ཤི་ཀ་དེ་ནི་འདི་ལྟར་ཤེས་རབ་ཀྱི་ཕ་རོལ་ཏུ་ཕྱིན་པ་འདི་ལས།
ཟག་པ་མེད་པའི་ཆོས་རྣམས་རྒྱ་ཆེར་བསྟན་ཏེ། དེ་དག[5]་བསླབས་ཤིང་།
རིགས་ཀྱི་བུའམ། རིགས་ཀྱི་བུ་མོ་དག །ཡང་དག་པའི་སྐྱོན་མེད་པར་ཞུགས་
པར་འགྱུར་རོ[6]། །འཇུག་གོ། །འཇུག་པར་འགྱུར་རོ། །དགྲ་བཅོམ་པ་ཉིད་
ཀྱི་བར་དུ་ཐོབ་པར་གྱུར་ཏོ། །འཐོབ་པོ། །ཐོབ[7]་པར་འགྱུར་རོ། །རང་
བྱང་ཆུབ་ཐོབ་པར་གྱུར་ཏོ། །འཐོབ་བོ། །ཐོབ[8]་པར་འགྱུར་རོ། །བྱང་
ཆུབ་སེམས་དཔའ་སེམས་དཔའ་ཆེན་པོ་རྣམས་ཀྱང་། བྱང་ཆུབ་སེམས་དཔའི་
སྐྱོན་མེད་པར་ཞུགས་པར་གྱུར་ཏོ། །འཇུག་གོ། །འཇུག་པར་འགྱུར་རོ། །བླ་
ན་མེད་པ[9]་ཡང་དག་པར་རྫོགས་པའི་བྱང་ཆུབ་ཏུ་མངོན་པར་རྫོགས་པར་སངས་
རྒྱས་སོ། །མངོན་པར་རྫོགས་པར་འཚང[10]་རྒྱའོ། །མངོན་པར་རྫོགས་པར་
འཚང་རྒྱ་བར་འགྱུར་རོ། །ཀཽ་ཤི་ཀ་ཟག་པ་མེད་པའི་ཆོས། དེ་དག་ཀྱང་གང་
ཞེ་ན། འདི་ལྟ་སྟེ། ཕ་རོལ་ཏུ་ཕྱིན་པ་རྣམས་དང་། ནང་སྟོང་པ་ཉིད་དང་།
དངོས་པོ་མེད་པའི་ངོ་བོ་ཉིད་སྟོང་པ་ཉིད་ཀྱི་བར་དང་། བྱང་ཆུབ་ཀྱི་ཕྱོགས་ཀྱི་
ཆོས་སུམ་ཅུ་རྩ་བདུན་དང་། འཕགས་པའི་བདེན་པ་དང་། བསམ་གཏན་
དང་། ཚད་མེད་པ་དང་། གཟུགས་མེད་པའི་སྙོམས་པར་འཇུག་པ་དང་།
རྣམ་པར་ཐར་པ་བརྒྱད་དང་། མཐར་གྱིས་གནས་པའི་སྙོམས་པར་འཇུག་པ་
དགུ་དང་། རྣམ་པར་ཐར་པའི་སྒོ་གསུམ་དང་། མངོན་པར་ཤེས་པ་དྲུག་དང་།
ཏིང་ངེ་འཛིན་ཐམས་ཅད་དང་། གཟུངས་ཀྱི་སྒོ་ཐམས་ཅད་དང་། དེ་བཞིན་

གཤེགས་པའི་སྟོབས་བཅུ་དང་། མི་འཇིགས་པ་བཞི་དང་། སོ་སོ་ཡང་དག་པར་རིག་པ་བཞི་དང་། སངས་རྒྱས་ཀྱི་ཆོས་མ་འདྲེས་པ་བཅོ་བརྒྱད་ཀྱི་བར་དང་། སངས་རྒྱས་ཀྱི་ཆོས་ཚད་མེད་པའི་བར་གཞན་དག་ཀྱང་རྒྱ་ཆེར་བསྟན་ཏོ། །ཀཽ་ཤི་ཀ་རྣམ་གྲངས་དེས་ཀྱང་། རིགས་ཀྱི་བུའམ་རིགས་ཀྱི་བུ་མོ་གང་གིས། ཤེས་རབ་ཀྱི་ཕ་རོལ་ཏུ་ཕྱིན་པ་འདི་[1]གླེགས་བམ་དུ་[2]བྲིས་ཤིང་། གླག་[3]པ་དང་། བྲི་བ་དང་། ཁ་ཏོན་དུ་བྱ་བའི་ཕྱིར་གཞན་ལ་[4]བྱིན་ན། དེ་བས་འདིའི་བསོད་ནམས་ཆེས་མང་དུ་འཕེལ་བར་ཤེས་པར་བྱའོ། །དེ་ཅིའི་ཕྱིར་ཞེ་ན། ཀཽ་ཤི་ཀ་དེ་ནི་འདི་ལྟར་ཤེས་རབ་ཀྱི་ཕ་རོལ་ཏུ་ཕྱིན་པ་འདི་ལས་ཆོས་ཐམས་ཅད་རྒྱ་ཆེར་བསྟན་ཏེ། དེ་དག་ཡོད་པས་རྒྱལ་རིགས་ཆེ་ཞིང་མཐོ་བ་དང་། བྲམ་ཟེའི་རིགས་ཆེ་ཞིང་མཐོ་བ་དང་། ཁྱིམ་བདག་གི་རིགས་ཆེ་ཞིང་མཐོ་བ་དང་། རྒྱལ་ཆེན་བཞིའི་རིས་[5]ཀྱི་ལྷ་རྣམས་ཡོད་དོ། །སུམ་ཅུ་རྩ་གསུམ་དང་། མཚེ་མ་དང་། དགའ་ལྡན་དང་། འཕྲུལ་དགའ་དང་། གཞན་འཕྲུལ་དབང་བྱེད་ཀྱི་ལྷ་རྣམས་དང་། ཚངས་རིས་དང་། ཚངས་ལྷ་ཉེ་ཕན་དང་། ཚངས་པ་ཀུན་འཁོར་དང་། ཚངས་ཆེན་དང་། འོག་མིན་གྱི་བར་གྱི་ལྷ་རྣམས་དང་། ནམ་མཁའ་མཐའ་ཡས་སྐྱེ་མཆེད་དང་། འདུ་ཤེས་མེད་འདུ་ཤེས་མེད་མིན་སྐྱེ་མཆེད་ཀྱི་བར་གྱི་ལྷ་རྣམས་ཡོད་དོ། །ཕ་རོལ་ཏུ་ཕྱིན་པ་རྣམས་ཡོད་དོ། །ནང་སྟོང་པ་ཉིད་ཡོད་དོ། །དངོས་པོ་མེད་པའི་ངོ་བོ་ཉིད་སྟོང་པ་ཉིད་ཀྱི་བར་དུ་ཡོད་དོ། །བྱང་ཆུབ་ཀྱི་ཕྱོགས་ཀྱི་ཆོས་སུམ་ཅུ་རྩ་བདུན་ཡོད་དོ། །སངས་རྒྱས་ཀྱི་ཆོས་མ་འདྲེས་པ་བཅོ་བརྒྱད་ཀྱི་བར་དུ་ཡོད་དོ། །ཐམས་ཅད་ཤེས་པ་ཉིད་ཡོད་དོ། །ལམ་གྱི་རྣམ་པ་ཤེས་པ་ཉིད་དང་། རྣམ་པ་ཐམས་ཅད་མཁྱེན་པ་ཉིད་ཡོད་དོ། །རྒྱུན་དུ་ཞུགས་པ་རྣམས་ཡོད་དོ། །ལན་ཅིག་ཕྱིར་འོང་བ་དང་། ཕྱིར་མི་འོང་བ་

དང་། དགྲ་བཅོམ་པ་དང་། རང་སངས་རྒྱས་རྣམས་ཡོད་དོ། །བྱང་ཆུབ་སེམས་དཔའ་སེམས་དཔའ་ཆེན་པོ་རྣམས་ཡོད་དོ། །དེ་བཞིན་གཤེགས་པ་དགྲ་བཅོམ་པ་ཡང་དག་པར་རྫོགས་པའི་སངས་རྒྱས་[1]ཡོད་དོ། །ཀཽ་ཤི་ཀ་གཞན་ཡང་འཛམ་བུའི་གླིང་གི་མི་ཇི་སྙེད་པ་དེ་དག་རིགས་ཀྱི་བུའམ། རིགས་ཀྱི་བུ་མོ་ལ་ལས། བསམ་གཏན་བཞི་ལ་བཀོད། ཚད་མེད་པ་བཞི་ལ་བཀོད། གཟུགས་མེད་[2]པའི་སྙོམས་པར་འཇུག་པ་བཞི་ལ་བཀོད། མངོན་པར་ཤེས་པ་[3]ལྔ་ལ་བཀོད་ན། ཀཽ་ཤི་ཀ་དེ་ཇི་སྙད་དུ་སེམས། རིགས་ཀྱི་བུའམ་རིགས་ཀྱི་བུ་མོ་དེའི་བསོད་ནམས་དེའི་རྒྱུས་མང་དུ་འཕེལ་ལམ། གསོལ་པ། བཅོམ་ལྡན་འདས་མང་ངོ་། །བདེ་བར་གཤེགས་པ་མང་ངོ་། །བཅོམ་ལྡན་འདས་ཀྱིས་བཀའ་སྩལ་པ། ཀཽ་ཤི་ཀ་དེ་བས་རིགས་ཀྱི་བུའམ། རིགས་ཀྱི་བུ་མོ་གང་གིས། ཤེས་རབ་ཀྱི་ཕ་རོལ་དུ་ཕྱིན་པ་འདིའི་གླེགས་བམ། ཀླག་[4]པ་དང་། བྲི་[5]བ་དང་། ཁ་ཏོན་དུ་བྱ་བའི་ཕྱིར་གཞན་ལ་[6]བྱིན་ན། བསོད་ནམས་ཆེས་མང་དུ་འཕེལ་ལོ། །དེ་ཅིའི་ཕྱིར་ཞེ་ན། ཀཽ་ཤི་ཀ་དེ་ནི་འདི་ལྟར་ཤེས་རབ་ཀྱི་ཕ་རོལ་དུ་ཕྱིན་པ་འདི་ལས་ཆོས་ཐམས་ཅད་རྒྱ་ཆེར་བསྟན་ཏོ། །ཀཽ་ཤི་ཀ་འཛམ་བུའི་གླིང་ལྟ་[7]ཞོག །གླིང་ཆེན་པོ་བཞིའི་འཇིག་རྟེན་གྱི་ཁམས་ཀྱང་ལྟ་[8]ཞོག །སྟོང་གི་འཇིག་རྟེན་གྱི་ཁམས་ཀྱང་ལྟ་[9]ཞོག །སྟོང་གཉིས་ཀྱི་འཇིག་རྟེན་གྱི་ཁམས་ཀྱང་ལྟ་[10]ཞོག །སྟོང་གསུམ་གྱི་སྟོང་ཆེན་པོའི་འཇིག་རྟེན་གྱི་ཁམས་ལྟ་ཡང་ཞོག་གི། ཀཽ་ཤི་ཀ་ཤར་ཕྱོགས་ཀྱི་འཇིག་རྟེན་གྱི་ཁམས་གང་གཱའི་ཀླུང་གི་བྱེ་མ་སྙེད་ཀྱི་སེམས་ཅན་ཇི་སྙེད་པ་དང་། ལྷོ་དང་། ནུབ་དང་། བྱང་དང་། བྱང་ཤར་དང་། ཤར་ལྷོ་དང་། ལྷོ་ནུབ་དང་། ནུབ་བྱང་དང་། འོག་དང་། སྟེང་གི་ཕྱོགས་ཀྱི་ཕྱོགས་རེ་རེ་ཞིང་། འཇིག་རྟེན་གྱི་ཁམས་གང་གཱའི་ཀླུང་གི་བྱེ་མ་སྙེད་[11]སེམས་ཅན་ཇི་སྙེད་པ་

དེ་དག །རིགས་ཀྱི་བུའམ་རིགས་ཀྱི་བུ་མོ་ལ་ལས། བསམ་གཏན་བཞི་ལ་བཀོད། ཚད་མེད་པ་བཞི་ལ་བཀོད། གཟུགས་མེད་པའི་སྙོམས་པར་འཇུག་པ་བཞི་ལ་བཀོད། མངོན་པར་ཤེས་པ་ལྔ་ལ་བཀོད་ན། ཀཽ་ཤི་ཀ་དེ་ཇི་སྙམ་དུ་སེམས། རིགས་ཀྱི་བུའམ། རིགས་ཀྱི་བུ་མོ་དེའི་བསོད་ནམས་དེའི་རྒྱུས་མང་དུ་འཕེལ་ལམ། གསོལ་པ། བཅོམ་ལྡན་འདས་མང་ངོ་། །བདེ་བར་གཤེགས་པ་མང་ངོ་། །བཅོམ་ལྡན་འདས་ཀྱིས་བཀའ་སྩལ་པ། ཀཽ་ཤི་ཀ་དེ་བས་རིགས་ཀྱི་བུའམ་རིགས་ཀྱི་བུ་མོ་གང་གིས། ཤེས་རབ་ཀྱི་ཕ་རོལ་ཏུ་ཕྱིན་པ་འདིའི་གླེགས་བམ། ཀླག[༡]པ་དང་། བྲི་བ་དང་། ཁ་ཏོན་དུ[༢]བྱ་བའི་ཕྱིར་གཞན་ལ[༣]བྱིན་ན། བསོད་ནམས་ཆེས་མང་དུ་འཕེལ་ལོ། །དེ་ཅིའི་ཕྱིར་ཞེ་ན། ཀཽ་ཤི་ཀ་དེ་ནི་འདི་ལྟར་ཤེས་རབ་ཀྱི་ཕ་རོལ་ཏུ་ཕྱིན་པ་འདི་ལས། ཟག་པ་མེད་པའི་ཆོས་རྣམས་རྒྱ་ཆེར་བསྟན་ཏེ། དེ་དག་ལ་བསླབས་ཤིང་། རིགས་ཀྱི་བུའམ། རིགས་ཀྱི་བུ་མོ་དག་ཡང་དག་པའི་སྐྱོན་མེད་པར་ཞུགས་པར་འགྱུར་ཏོ། །འཇུག་གོ། །འཇུག་པར་འགྱུར་རོ། །རྒྱུན་དུ་ཞུགས་པའི་འབྲས་བུ་ཐོབ་པར་འགྱུར་ཏོ། །ཿའཐོབ་བོ། །ཐོབ[༤]པར་འགྱུར་རོ། །དགྲ་བཅོམ་པ་ཉིད་ཀྱི་བར་དུ་ཐོབ་པར་འགྱུར་ཏོ། །ཿའཐོབ་བོ། །ཐོབ[༥]པར་འགྱུར་རོ། །རང་བྱང་ཆུབ་ཐོབ་པར་འགྱུར་ཏོ། །ཿའཐོབ་བོ། ཐོབ[༦]པར་འགྱུར་རོ། །བྱང་ཆུབ་སེམས་དཔའ་སེམས་དཔའ་ཆེན་པོ་རྣམས་ཀྱང་། བྱང་ཆུབ་སེམས་དཔའི་སྐྱོན་མེད་པར་ཞུགས་པར་འགྱུར་ཏོ། །འཇུག་གོ། །འཇུག་པར་འགྱུར་རོ། །བླ་ན་མེད་པ་ཡང་དག་པར་རྫོགས་པའི་བྱང་ཆུབ་ཏུ་མངོན་པར་རྫོགས་པར་སངས་རྒྱས་སོ། །མངོན་པར་རྫོགས་པར་འཚང་རྒྱའོ། །མངོན་པར་རྫོགས་པར་འཚང་རྒྱ་བར་འགྱུར་རོ། །ཀཽ་ཤི་ཀ་གཞན་ཡང་རིགས་ཀྱི་བུའམ། རིགས་ཀྱི་བུ་མོ་གང་ལ་

ལས་[1]ཤེས་རབ་ཀྱི་ཕ་རོལ་ཏུ་ཕྱིན་པ་འདི་འཛིན་པ་དང་། འཆང་བ་དང་། ཀློག་[2]པ་དང་། ཀུན་ཆུབ་པར་བྱེད་པ་དང་། ཚུལ་བཞིན་དུ་ཡིད་ལ་བྱེད་ན། དེའི་བསོད་ནམས་ཆེས་མང་དུ་འཕེལ་གྱི[3]། འཛམ་བུའི་གླིང་གི་སེམས་ཅན་རྣམས་དང་། སྟོང་གསུམ་གྱི་སྟོང་ཆེན་པོའི་འཇིག་རྟེན་གྱི་ཁམས་ཀྱི་བར་གྱི་སེམས་ཅན་དང་། ཕྱོགས་བཅུ་ཀུན་གྱི་ཕྱོགས་རེ་རེ་ཞིང་། འཇིག་རྟེན་གྱི་ཁམས་གང་གཱའི་ཀླུང་གི་བྱེ་མ་སྙེད་ཀྱི། སེམས་ཅན་ཇི་སྙེད་པ་དེ་དག །དགེ་བ་བཅུའི་ལས་ཀྱི་ལམ་ལ་བཀོད་པ་དང་། བསམ་གཏན་བཞི་དང་། ཚད་མེད་པ་བཞི་དང་། གཟུགས་མེད་པའི་སྙོམས་པར་འཇུག་པ་བཞི་དང་། མངོན་པར་ཤེས་པ་ལྔ་ལ་བཀོད་པས་ནི་མ་ཡིན་ནོ། །དེ་ལ་ཚུལ་བཞིན་དུ་ཡིད་ལ་བྱེད་པ་ནི་འདི་ཡིན་ཏེ། གཉིས་ལ་སྤྱོད་པ་ཡང་མ་ཡིན། མི་གཉིས་པ་ལ་སྤྱོད་པ་ཡང་མ་ཡིན་པའི་བློས། ཤེས་རབ་ཀྱི་ཕ་རོལ་ཏུ་ཕྱིན་པ་འདི་འཛིན་པ་དང་། ཀུན་ཆུབ་པར་བྱེད་པ་དང་། འཆང་བ་དང་། ཀློག་པ་དང་། ཚུལ་བཞིན་དུ་ཡིད་ལ་བྱེད་པའོ། །གཉིས་ལ་སྤྱོད་པ་ཡང་མ་ཡིན། མི་གཉིས་པ་ལ་སྤྱོད་པ་ཡང་མ་ཡིན་པའི་བློས། བསམ་གཏན་གྱི་ཕ་རོལ་ཏུ་ཕྱིན་པ་དང་། བརྩོན་འགྲུས་ཀྱི་ཕ་རོལ་ཏུ་ཕྱིན་པ་དང་། བཟོད་པའི་ཕ་རོལ་ཏུ་ཕྱིན་པ་དང་། ཚུལ་ཁྲིམས་ཀྱི་ཕ་རོལ་ཏུ་ཕྱིན་པ་དང་། སྦྱིན་པའི་ཕ་རོལ་ཏུ་ཕྱིན་པ་འཛིན་པ་དང་། ཀུན་ཆུབ་པར་བྱེད་པ་དང་། འཆང་བ་དང་། ཀློག་པ་དང་། ཚུལ་བཞིན་དུ་ཡིད་ལ་བྱེད་པའོ། །གཉིས་ལ་སྤྱོད་པ་ཡང་མ་ཡིན། མི་གཉིས་པ་ལ་སྤྱོད་པ་ཡང་མ་ཡིན་པའི་བློས། ནང་སྟོང་པ་ཉིད་འཛིན་པ་དང་། ཀུན་ཆུབ་པར་བྱེད་པ་དང་། འཆང་བ་དང་། ཀློག་པ་དང་། ཚུལ་བཞིན་དུ་ཡིད་ལ་བྱེད་པའོ། །གཉིས་ལ་སྤྱོད་པ་ཡང་མ་ཡིན། མི་གཉིས་པ་ལ་སྤྱོད་པ་ཡང་མ་ཡིན་པའི་བློས། དངོས་པོ་མེད་

པའི་ངོ་བོ་ཉིད་སྟོང་པ་ཉིད་ཀྱི་བར་དུ་ཚུལ་བཞིན་དུ་ཡིད་ལ་བྱེད་པའོ།། །།

ཤེས་རབ་ཀྱི་ཕ་རོལ་ཏུ་ཕྱིན་པ་སྟོང་ཕྲག་ཉི་ཤུ་ལྔ་པ། བམ་པོ་སུམ་ཅུ་ལྔ་པ། གཉིས་ལ་སྤྱོད་པ་ཡང་མ་ཡིན། མི་གཉིས་པ་ལ་སྤྱོད་པ་ཡང་མ་ཡིན་པའི་ཚུལ། དྲན་པ་ཉེ་བར་གཞག་པ་དང་། ཡང་དག་པར་སྤོང་བ་དང་། རྫུ་འཕྲུལ་གྱི་རྐང་པ་དང་། དབང་པོ་དང་། སྟོབས་དང་། བྱང་ཆུབ་ཀྱི་ཡན་ལག་དང་། འཕགས་པའི་ལམ་ཡན་ལག་བརྒྱད་པ་ཚུལ་བཞིན་དུ་ཡིད་ལ་བྱེད་པའོ། །གཉིས་ལ་སྤྱོད་པ་ཡང་མ་ཡིན། མི་གཉིས་པ་ལ་སྤྱོད་པ་ཡང་མ་ཡིན་པའི་ཚུལ། སངས་རྒྱས་ཀྱི་ཆོས་མ་འདྲེས་པ་རྣམས་ཀྱི་བར་དུ་ཚུལ་བཞིན་དུ་ཡིད་ལ་བྱེད་པའོ། །གཉིས་ལ་སྤྱོད་པ་ཡང་མ་ཡིན། མི་གཉིས་པ་ལ་སྤྱོད་པ་ཡང་མ་ཡིན་པའི་ཚུལ། རྣམ་པ་ཐམས་ཅད་མཁྱེན་པ་ཉིད་ཀྱི་བར་དུ་ཚུལ་བཞིན་དུ་ཡིད་ལ་བྱེད་པའོ། །ཀཽ་ཤི་ཀ་གཞན་ཡང་རིགས་ཀྱི་བུ་དང་། རིགས་ཀྱི་བུ་མོ[1]ལ་ལ་ཞིག །ཤེས་རབ་ཀྱི་ཕ་རོལ་ཏུ་ཕྱིན་པ་འདི་གཞན་ལ་རྣམ་གྲངས་དུ་མར་རྒྱ་ཆེར་རྗོད་ཅིང་སྟོན་ལ། འཆད་ཅིང་འགྲེལ་པ་དང་། རྣམ་པར་འབྱེད་ཅིང་གསལ་བར་བྱེད་ལ། ཡང་དག་པར་སྟོན་ཅིང་དེའི་དོན་གཏན་ལ་དབབ་པ[2]སྟོན་པ[3]བྱེད་ན། ཀཽ་ཤི་ཀ་དེ་ལ་ཤེས་རབ་ཀྱི་ཕ་རོལ་ཏུ་ཕྱིན་པའི་དོན་ནི་འདི་ཡིན་ཏེ་ཤེས་རབ་ཀྱི་ཕ་རོལ་ཏུ་ཕྱིན་པ་ནི་གཉིས་སུ་བལྟ་བ་མ་ཡིན། གཉིས་སུ་མེད་པར་བལྟ་བ་མ་ཡིན། མཚན་མར་མ་ཡིན། མཚན་མ་མེད་པར་མ་ཡིན། བླང་བར་མ་ཡིན། དོར་བར་མ་ཡིན། དབྲི་བར[4]མ་ཡིན། བསྣན་པར་མ་ཡིན། ཀུན་ནས་ཉོན་མོངས་པར་མ་ཡིན། རྣམ་པར་བྱང་བར་མ་ཡིན། སྐྱེ་བར་མ་ཡིན། འགག་པར་མ་ཡིན། གཟུང་བར་མ་ཡིན། མི[5]གཟུང་བར་མ་ཡིན། ལེན་པར་མ་ཡིན། དོར་བར་མ་ཡིན། གནས་པར་མ་ཡིན། མི་གནས་པར་མ་ཡིན།

ཡང་དག་པར་མ་ཡིན། ཡོག་[1]པར་མ་ཡིན། ལྡན་པར་མ་ཡིན། མི་[2]ལྡན་པར་མ་ཡིན། འདྲེ་[3]བར་མ་ཡིན། མི་འདྲེ་[4]བར་མ་ཡིན། རྐྱེན་དུ་མ་ཡིན། རྐྱེན་མེད་པར་མ་ཡིན། ཆོས་སུ་མ་ཡིན། ཆོས་མ་ཡིན་པར་མ་ཡིན། དེ་བཞིན་ཉིད་དུ་མ་ཡིན། དེ་བཞིན་ཉིད་མ་ཡིན་པར་མ་ཡིན། ཡང་དག་པའི་མཐའ་མ་ཡིན། ཡང་དག་པའི་མཐའ་མ་ཡིན་པར་མ་ཡིན་ཏེ། འདི་ནི་གཉིས་སུ་མེད་པའི་དོན་ཏོ། །རིགས་ཀྱི་བུའམ་རིགས་ཀྱི་བུ་མོ་གང་ཤེས་རབ་ཀྱི་ཕ་རོལ་ཏུ་ཕྱིན་པ་འདི་གཞན་[5]ལ་རྒྱ་ཆེར་རྗོད་ཅིང་སྟོན་ལ། འཆད་ཅིང་འགྲེལ་པ་དང་། རྣམ་པར་འབྱེད་ཅིང་གསལ་བར་བྱེད་ལ། ཡང་དག་པར་སྟོན་པར་བྱེད་ཅིང་། དེའི་དོན་གཏན་ལ་དབབ་པར་སྟོན་ན། བསོད་ནམས་མང་དུ་འཕེལ་གྱི་[6]བདག་འབའ་ཞིག་གིས་བཟུང་བའམ། ཀུན་ཆུབ་པར་བྱས་པའམ། བཅངས་པའམ། གླགས་[7]པའམ། ཚུལ་བཞིན་དུ་ཡིད་ལ་བྱས་པས་ནི་མ་ཡིན་ནོ། །ཀཽ་ཤི་ཀ་གཞན་ཡང་རིགས་ཀྱི་བུའམ། རིགས་ཀྱི་[8]བུ་མོ་གང་ལ་ལ་ཞིག་བདག་ཉིད་ཀྱང་ཤེས་རབ་ཀྱི་ཕ་རོལ་ཏུ་ཕྱིན་པ་འཛིན་ཅིང་། ཀུན་ཆུབ་པར་བྱེད་དེ། འཆང་ཞིང་གློག་[9]ལ། ཚུལ་བཞིན་དུ་ཡིད་ལ་བྱེད་ཅིང་། གཞན་ལ་ཡང་རྒྱ་ཆེར་རྗོད་ཅིང་སྟོན་ལ། འཆད་ཅིང་འགྲེལ་པ་དང་། རྣམ་པར་འབྱེད་ཅིང་གསལ་[10]བར་བྱེད་ལ། ཡང་དག་པར་སྟོན་པར་བྱེད་ཅིང་། དེའི་དོན་གཏན་ལ་དབབ་པར་སྟོན་ན། ཀཽ་ཤི་ཀ་རིགས་ཀྱི་བུའམ། རིགས་ཀྱི་བུ་མོ་དེའི་བསོད་ནམས་ནི་ཤིན་ཏུ་མང་དུ་འཕེལ་ལོ། །བརྒྱ་བྱིན་གྱིས་གསོལ་པ། བཅོམ་ལྡན་འདས་རིགས་ཀྱི་བུའམ་རིགས་ཀྱི་བུ་མོས། ཤེས་རབ་ཀྱི་ཕ་རོལ་ཏུ་ཕྱིན་པ་དེ་ལྟར་དོན་དང་ལྡན་ལ་ཡི་གེ་དང་ལྡན་པར་བསྟན་པར་བགྱིའམ། བཅོམ་ལྡན་འདས་ཀྱིས་བཀའ་སྩལ་པ། ཀཽ་ཤི་ཀ་རིགས་ཀྱི་བུའམ་རིགས་ཀྱི་བུ་མོས། ཤེས་རབ་ཀྱི་ཕ་རོལ་ཏུ་ཕྱིན་

པ་དེ་ལྟར་དོན་དང་ལྡན[1]། ཡི་གེ་དང་ལྡན་པར་བསྟན་པར་བྱ་སྟེ། ཀཽ་ཤི་ཀ་དེ་ལྟར་སྟོན་པའི་རིགས་ཀྱི་བུའམ་རིགས་ཀྱི་བུ་མོ་ནི་བསོད་ནམས་ཀྱི་ཕུང་པོ་ཚད་མེད་གྲངས་མེད་པ་དང་ལྡན་པར་འགྱུར་རོ། །ཀཽ་ཤི་ཀ་གལ་ཏེ་རིགས་ཀྱི་བུའམ། རིགས་ཀྱི་བུ་མོ་ལ་ལས་ཕྱོགས་བཅུ་ཀུན་གྱི་ཕྱོགས་རེ་རེ་ཞིང་། དེ་བཞིན་གཤེགས་པ་དགྲ་བཅོམ་པ་ཡང་དག་པར་རྫོགས་པའི་སངས་རྒྱས་ཚད་མེད། གྲངས་མེད་པ་དག་ལ། ནམ་འཚོའི་བར་དུ་མེ་ཏོག་དང་། ཕྲེང་བ་དང་། སྤོས་དང་། བྱུག་པ་དང་། ཕྱེ་མ་དང་། ན་བཟའ་དང་། གདུགས་དང་། རྒྱལ་མཚན་དང་། བ་དན་དང་། སིལ་སྙན་སྣ་ཚོགས་དང་། བདེ་བའི་ཡོ་བྱད་ཐམས་ཅད་ཀྱིས་རིམ་གྲོར་བྱས་པ་དང་། བཀུར་སྟིར་བྱས་པ་དང་། བསྟི་སྟང་དུ་བྱས་པ་དང་། མཆོད་པ[2]བྱས་པ་བས། ཀཽ་ཤི་ཀ་རིགས་ཀྱི་བུའམ་རིགས་ཀྱི་བུ་མོ་ལ་ལ་ཞིག་གིས། ཤེས་རབ་ཀྱི་ཕ་རོལ་ཏུ་ཕྱིན་པ་འདི་གཞན་ལ་རྒྱ་ཆེར་དོན་དང་ལྡན། ཡི་གེ་དང་ལྡན་པར་རྣམ་གྲངས་དུ་མར་བརྗོད་དེ་བསྟན་པ་དང་། བཤད་དེ་བཀྲོལ་ཞིང་རྣམ་པར་ཕྱེ་སྟེ་གསལ་བ་དང་། ཡང་དག་པར་བསྟན་པ་བྱས་ན། རིགས་ཀྱི་བུའམ་རིགས་ཀྱི་བུ་མོ་དེའི་བསོད་ནམས་དེ་ནི་ཆེས་མང་དུ་འཕེལ་ལོ། །དེ་ཅིའི་ཕྱིར་ཞེ་ན། ཤེས་རབ་ཀྱི་ཕ་རོལ་ཏུ་ཕྱིན་པ་འདི་ལ་བསླབས་ཏེ། འདས་པ་དང་མ་བྱོན་པ་དང་། ད་ལྟར་བྱུང་བའི་དེ་བཞིན་གཤེགས་པ་དགྲ་བཅོམ་པ་ཡང་དག་པར་རྫོགས་པའི་སངས་རྒྱས་རྣམས་ཀྱིས་བླ་ན་མེད་པ་ཡང་དག་པར་རྫོགས་པའི་བྱང་ཆུབ་ཏུ་མངོན་པར་རྫོགས་པར་སངས་རྒྱས་སོ། །མངོན་པར་རྫོགས་པར་འཚང་རྒྱའོ། །མངོན་པར་རྫོགས་པར་འཚང་རྒྱ་བར་འགྱུར་རོ། །ཀཽ་ཤི་ཀ་གཞན་ཡང་རིགས་ཀྱི་བུའམ་རིགས་ཀྱི་བུ་མོ་གང་ལ་ལས། བསྐལ་པ་ཚད་མེད་གྲངས་མེད་པར་དམིགས་པའི་ཚུལ་གྱིས། སྦྱིན་པའི་ཕ་རོལ་ཏུ་ཕྱིན་པ་དང་།

ཚུལ་ཁྲིམས་ཀྱི་ཕ་རོལ་ཏུ་ཕྱིན་པ་དང་། བཟོད་པའི་ཕ་རོལ་ཏུ་ཕྱིན་པ་དང་།
བརྩོན་འགྲུས་ཀྱི་ཕ་རོལ་ཏུ་ཕྱིན་པ་དང་། བསམ་གཏན་གྱི་ཕ་རོལ་ཏུ་ཕྱིན་པ་
དང་། ཤེས་རབ་ཀྱི་ཕ་རོལ་ཏུ་ཕྱིན་པ་ལ་སྤྱོད་པ་བས་ནི། གང་ལ་ལ་ཤེས་རབ་
ཀྱི་ཕ་རོལ་ཏུ་ཕྱིན་པ་འདིའི་དོན་དང་ལྡན། ཡི་གེ་དང་ལྡན་པར་མི་དམིགས་པའི་
ཚུལ་གྱིས། གཞན་ལ་རྒྱ་ཆེར་བརྗོད་ཅིང་སྟོན་ལ་འཆད་ཅིང་རྣམ་པར་འགོད་པ་
དང་། རབ་ཏུ་འགོད་ཅིང་རྣམ་པར་འབྱེད་ལ། གསལ་བར་བྱེད་ཅིང་ཡང་
དག་པར་སྟོན་པ་བྱེད་[1]ན། དེའི་བསོད་ནམས་ཆེས་མང་དུ་འཕེལ་ལོ། །དེ་ལ་
དམིགས་པ་ནི་[2]འདི་ཡིན་ཏེ། ཀཽ་ཤི་ཀ་འདི་ལ་བྱང་ཆུབ་སེམས་དཔའ་[3]དམིགས་
པའི་ཚུལ་གྱིས་སྦྱིན་པ་གཏོང་ཞིང་འདི་སྙམ་དུ་བདག་ནི་སྦྱིན་པ་གཏོང་ངོ་། །
སྦྱིན་པ་ནི་འདི་གཏོང་ངོ་། །འདི་ལ་ནི་སྦྱིན་པར་བྱའོ་སྙམ་ན། དེས་སྦྱིན་པ་དེ་
ལྟར་བཏང་བས་སྦྱིན་པ་ཉིད་དུ་འགྱུར་གྱི། སྦྱིན་པའི་ཕ་རོལ་ཏུ་ཕྱིན་པ་མ་ཡིན་ནོ། །
བདག་[4]ནི་ཚུལ་ཁྲིམས་སྲུང་[5]ངོ་། །ཚུལ་ཁྲིམས་ནི་འདི་སྲུང་[6]ངོ་སྙམ་ན། དེས་
ཚུལ་ཁྲིམས་དེ་ལྟར་བསྲུངས་པས། ཚུལ་ཁྲིམས་ཉིད་དུ་འགྱུར་གྱི། ཚུལ་ཁྲིམས་
ཀྱི་ཕ་རོལ་ཏུ་ཕྱིན་པ་མ་ཡིན་ནོ། །བདག་ནི་བཟོད་པ་སྒོམ་མོ། །བཟོད་པ་[7]
འདི་སྒོམ་མོ་སྙམ་ན། དེས་བཟོད་པ་དེ་ལྟར་བསྒོམས་པས། བཟོད་པ་ཉིད་
དུ་འགྱུར་[8]གྱི། བཟོད་པའི་ཕ་རོལ་ཏུ་ཕྱིན་པ་མ་ཡིན་ནོ། །བདག་ནི་བརྩོན་
འགྲུས་རྩོམ་[9]མོ། །འདིའི་དོན་དུ་བརྩོན་[10]འགྲུས་བརྩམ་མོ་སྙམ་ན། དེས་
བརྩོན་འགྲུས་དེ་ལྟར་བརྩམས་པས། བརྩོན་འགྲུས་ཉིད་དུ་འགྱུར་གྱི། བརྩོན་
འགྲུས་ཀྱི་ཕ་རོལ་ཏུ་ཕྱིན་པ་མ་ཡིན་ནོ། །བདག་ནི་བསམ་གཏན་རྣམས་ལ་སྙོམས་
པར་འཇུག་གོ། །བསམ་གཏན་ནི་འདི་དག་ལ་མཉམ་པར་གཞག་གོ། །སྙམ་ན།
དེས་བསམ་གཏན་ལ་དེ་ལྟར་མཉམ་པར་བཞག་པས། བསམ་གཏན་ཉིད་དུ་

འགྱུར་གྱི། བསམ་གཏན་གྱི་ཕ་རོལ་ཏུ་ཕྱིན་པ་མ་ཡིན་ནོ། །བདག་ནི་ཤེས་རབ་སྒོམ་མོ། །ཤེས་རབ་ནི་འདི་བསྒོམ་མོ་སྙམ་ན། དེས་ཤེས་རབ་དེ་ལྟར་བསྒོམས་[1]པས་ཤེས་རབ་ཉིད་དུ་འགྱུར་གྱི། ཤེས་རབ་ཀྱི་ཕ་རོལ་ཏུ་ཕྱིན་པ་མ་ཡིན་ནོ། །ཀཽ་ཤི་ཀ་རིགས་ཀྱི་བུའམ། རིགས་ཀྱི་བུ་མོ་དེ་ལྟར་དམིགས་པ་ལ་སྤྱོད་[2]པས་ནི། སྦྱིན་པའི་ཕ་རོལ་ཏུ་ཕྱིན་པ། ཡོངས་སུ་རྫོགས་པར་མི་འགྱུར་རོ། །ཚུལ་ཁྲིམས་དང་། བཟོད་པ་[3]དང་། བརྩོན་འགྲུས་དང་། བསམ་གཏན་དང་། ཤེས་རབ་ཀྱི་ཕ་རོལ་ཏུ་ཕྱིན་པ་ཡོངས་སུ་རྫོགས་པར་མི་འགྱུར་རོ། །བརྒྱ་བྱིན་གྱིས་གསོལ་པ། བཅོམ་ལྡན་འདས་བྱང་ཆུབ་སེམས་དཔའ་སེམས་དཔའ་ཆེན་པོས། ཇི་ལྟར་སྤྱོད་[4]ན། སྦྱིན་པའི་ཕ་རོལ་ཏུ་ཕྱིན་པ་ཡོངས་སུ་རྫོགས་པར་འགྱུར། ཇི་ལྟར་སྤྱོད་[5]ན། ཚུལ་ཁྲིམས་ཀྱི་ཕ་རོལ་ཏུ་ཕྱིན་པ་ཡོངས་སུ་རྫོགས་པར་འགྱུར། ཇི་ལྟར་སྤྱོད་ན། བཟོད་པའི་ཕ་རོལ་ཏུ་ཕྱིན་པ་ཡོངས་སུ་རྫོགས་པར་འགྱུར། ཇི་ལྟར་སྤྱོད་ན། བརྩོན་འགྲུས་ཀྱི་ཕ་རོལ་ཏུ་ཕྱིན་པ་ཡོངས་སུ་རྫོགས་པར་འགྱུར། ཇི་ལྟར་སྤྱོད་ན། བསམ་གཏན་གྱི་ཕ་རོལ་ཏུ་ཕྱིན་པ་ཡོངས་སུ་རྫོགས་པར་འགྱུར། ཇི་ལྟར་སྤྱོད་ན། ཤེས་རབ་ཀྱི་ཕ་རོལ་ཏུ་ཕྱིན་པ་ཡོངས་སུ་རྫོགས་པར་འགྱུར། བཅོམ་ལྡན་འདས་ཀྱིས་བཀའ་སྩལ་པ། ཀཽ་ཤི་ཀ་འདི་ལ། བྱང་ཆུབ་སེམས་དཔའ་སེམས་དཔའ་ཆེན་པོ་སྦྱིན་པ་གཏོང་[6]བའི་ཚེ། ཡོངས་སུ་གཏོང་བ་མི་དམིགས། སྦྱིན་པ་དང་ལེན་པ་མི་དམིགས་[7]སོ། །ཚུལ་ཁྲིམས་སྲུང་[8]བའི་ཚེ། ཚུལ་ཁྲིམས་དང་། ཚུལ་ཁྲིམས་ཡང་དག་པར་བླང་བར་[9]མི་དམིགས་སོ། །བཟོད་པ་སྒོམ་པའི་ཚེ། བཟོད་པ་དང་། བཟོད་པ་བསྒོམ་པ་མི་དམིགས་སོ། །བརྩོན་འགྲུས་རྩོམ་[10]པའི་ཚེ། བརྩོན་འགྲུས་དང་། བརྩོན་འགྲུས་རྩོམ་[11]པ་མི་དམིགས་སོ། །

བསམ་གཏན་ལ་སྙོམས་པར་འཇུག་པའི་ཚེ། བསམ་གཏན་དང་བསམ་གཏན་སྒོམ་པ་མི་དམིགས་སོ། །ཤེས་རབ་སྒོམ་པའི་ཚེ། ཤེས་རབ་དང་ཤེས་རབ་བསྒོམ་པ་དང་། ཤེས་རབ་དང་ལྡན་པ་མི་དམིགས་སོ། །ཀཽ་ཤི་ཀ་དེ་ལྟར་སྤྱོད་པའི་བྱང་ཆུབ་སེམས་དཔའ་སེམས་དཔའ་ཆེན་པོས་ནི། སྦྱིན་པའི་ཕ་རོལ་ཏུ་ཕྱིན་པ་ཡོངས་སུ་རྫོགས་པར་འགྱུར་རོ། །ཚུལ་ཁྲིམས་ཀྱི་ཕ་རོལ་ཏུ་ཕྱིན་པ་དང་། བཟོད་པའི་ཕ་རོལ་ཏུ་ཕྱིན་པ་དང་། བརྩོན་འགྲུས་ཀྱི་ཕ་རོལ་ཏུ་ཕྱིན་པ་དང་། བསམ་གཏན་གྱི་ཕ་རོལ་ཏུ་ཕྱིན་པ་དང་། ཤེས་རབ་ཀྱི་ཕ་རོལ་ཏུ་ཕྱིན་པ་ཡོངས་སུ་རྫོགས་པར་འགྱུར་རོ། །ཀཽ་ཤི་ཀ་རིགས་ཀྱི་བུའམ་རིགས་ཀྱི་བུ་མོ་དེ་ལྟར་ཁོང་དུ་ཆུད་པ་མེད་པར། ཤེས་རབ་ཀྱི་ཕ་རོལ་ཏུ་ཕྱིན་པ་དོན་དང་ལྡན་ཡི་གེ་དང་ལྡན་པར་བསྟན་པར་བྱའོ། །བསམ་གཏན་གྱི་ཕ་རོལ་ཏུ་ཕྱིན་པ་དང་། བརྩོན་འགྲུས་ཀྱི་ཕ་རོལ་ཏུ་ཕྱིན་པ་དང་། བཟོད་པའི་ཕ་རོལ་ཏུ་ཕྱིན་པ་དང་། ཚུལ་ཁྲིམས་ཀྱི་ཕ་རོལ་ཏུ་ཕྱིན་པ་དང་། སྦྱིན་པའི་ཕ་རོལ་ཏུ་ཕྱིན་པ་བསྟན་པར་བྱའོ། །དེ་ཅིའི་ཕྱིར་ཞེ་ན། ཀཽ་ཤི་ཀ་མ་འོངས་པའི་དུས་ན་རིགས་ཀྱི་བུའམ་རིགས་བུ་མོ་ལ་ལ། བྱང་ཆུབ་སེམས་དཔའི་[༡]ཐེག་པ་པ་རྣམས་ལ་ཤེས་རབ་ཀྱི་ཕ་རོལ་ཏུ་ཕྱིན་པའི་གཟུགས་བརྙན་སྟོན་པ་[༣]འབྱུང་སྟེ། དེར་རིགས་ཀྱི་བུའམ་རིགས་ཀྱི་བུ་མོ་གང་། བླ་ན་མེད་པ་ཡང་དག་པར་རྫོགས་པའི་བྱང་ཆུབ་ཏུ་ཞུགས་པ་དེ་དག་གིས་ཀྱང་གཟུགས་བརྙན་དེ་ཐོས་ནས། ལམ་སྟོན་པར་འགྱུར་ཏེ། དེ་དག་ལ་ཤེས་རབ་ཀྱི་ཕ་རོལ་ཏུ་ཕྱིན་པ་འདི་དོན་དང་ལྡན། ཡི་གེ་དང་ལྡན་པར་བསྟན་པར་བྱའོ། །བརྒྱ་བྱིན་གྱིས་གསོལ་པ། བཅོམ་ལྡན་འདས་ཤེས་རབ་ཀྱི་ཕ་རོལ་ཏུ་ཕྱིན་པའི་གཟུགས་བརྙན་གང་ལགས། བཅོམ་ལྡན་འདས་ཀྱིས་བཀའ་སྩལ་པ། ཀཽ་ཤི་ཀ་འདི་ལ་རིགས་ཀྱི་བུའམ་རིགས་ཀྱི་བུ་མོ་དག །ཤེས་རབ་ཀྱི་ཕ་རོལ་ཏུ་

ཕྱིན་པ་བསྟན་ཏོ། །སྐབས་ཞིང་དེ་དག་གཟུགས་བརྙན་སྟོན་པ་བྱེད་པའོ། །བརྒྱ་བྱིན་གྱིས་གསོལ་པ꞉ བཅོམ་ལྡན་འདས་[1]ཇི་ལྟར་ན་རིགས་ཀྱི་བུའམ་རིགས་ཀྱི་བུ་མོ་དེ་དག་ཤེས་རབ་ཀྱི་ཕ་རོལ་ཏུ་ཕྱིན་པའི་[2]གཟུགས་བརྙན་སྟོན་པ་ལགས། བཅོམ་ལྡན་འདས་ཀྱིས་བཀའ་སྩལ་པ། ཀཽ་ཤི་ཀ་འདི་ལ་རིགས་ཀྱི་བུའམ་རིགས་ཀྱི་བུ་མོ་དེ་དག་ཤེས་རབ་ཀྱི་ཕ་རོལ་ཏུ་ཕྱིན་པ་སྟོན་པར་བྱེད་པའི་ཚེ། ཤེས་རབ་ཀྱི་ཕ་རོལ་ཏུ་ཕྱིན་པའི་གཟུགས་བརྙན་སྟོན་ཏེ[3]། དེ་ལ་འདི་ནི་ཤེས་རབ་ཀྱི་ཕ་རོལ་ཏུ་ཕྱིན་པའི་གཟུགས་བརྙན་ཏེ། འདི་ལྟར་གཟུགས་མི་རྟག་གོ་ཞེས་བྱ་བར་སྟོན། གཟུགས་སྡུག་བསྔལ་ལོ་ཞེས་བྱ་བ་དང་། བདག་མེད་དོ་ཞེས་བྱ་བ་དང་། མི་སྡུག་གོ་ཞེས་བྱ་བར་སྟོན། ཚོར་བ་དང་འདུ་ཤེས་དང་འདུ་བྱེད་དང་། རྣམ་པར་ཤེས་པ་མི་རྟག་གོ་ཞེས་བྱ་བར་སྟོན། ཚོར་བ་དང་འདུ་ཤེས་དང་འདུ་བྱེད་དང་རྣམ་པར་ཤེས་པ་སྡུག་བསྔལ་ལོ་ཞེས་བྱ་བ་དང་། བདག་མེད་དོ་ཞེས་བྱ་བ་དང་། མི་སྡུག་གོ་ཞེས་བྱ་བར་སྟོན་ཅིང་། འདི་སྐད་དུ་གང་དེ་ལྟར་སྤྱོད་པ་ནི་ཤེས་རབ་ཀྱི་ཕ་རོལ་ཏུ་ཕྱིན་པ་ལ་སྤྱོད་དོ་ཞེས་བརྗོད་དེ། སུ་ལ་བསྟན་པ་དེ་དག་ཀྱང་གཟུགས་མི་རྟག་ཅེས་བྱ་བར་རྟོག་པར་འགྱུར་རོ། །གཟུགས་སྡུག་བསྔལ་ཞེས་བྱ་བ་དང་བདག་མེད་ཅེས་བྱ་བ་དང་མི་སྡུག་ཅེས་བྱ་བར་རྟོག་པར་འགྱུར་རོ། །ཚོར་བ་དང་འདུ་ཤེས་དང་འདུ་བྱེད་དང་རྣམ་པར་ཤེས་པ་མི་རྟག་ཅེས་བྱ་བར་རྟོག་པར་འགྱུར་རོ། །ཚོར་བ་དང་འདུ་ཤེས་དང་འདུ་བྱེད་དང་རྣམ་པར་ཤེས་པ་སྡུག་བསྔལ་ཞེས་བྱ་བ་དང་བདག་མེད་ཅེས་བྱ་བ་དང་མི་སྡུག་ཅེས་བྱ་བར་རྟོག་པར་འགྱུར་རོ། །དེ་ལྟར་དེ་དག་[4]གཟུགས་མི་རྟག་གོ་ཞེས་བྱ་བར་རྟོག་པ་དང་གཟུགས་སྡུག་བསྔལ་ལོ་ཞེས་བྱ་བ་དང་བདག་མེད་དོ་ཞེས་བྱ་བ་དང་། མི་སྡུག་གོ་ཞེས་བྱ་བ་དང་། ཚོར་བ་དང་འདུ་ཤེས་དང་འདུ་བྱེད་དང་རྣམ་

པར་ཤེས་པ་མི་རྟག་གོ་ཞེས་བྱ་བ་དང་ཚོར་བ་དང་འདུ་ཤེས་དང་འདུ་བྱེད་དང་རྣམ་པར་ཤེས་པ་སྡུག་བསྔལ་ལོ་ཞེས་བྱ་བ་དང་བདག་མེད་དོ་ཞེས་བྱ་བ་དང་མི་སྡུག་གོ་ཞེས་བྱ་བར་རྟོག་པས། ཤེས་རབ་ཀྱི་ཕ་རོལ་ཏུ་ཕྱིན་པའི་གཟུགས་བརྙན་ལ་སྤྱོད་པར་འགྱུར་རོ། །མིག་[1]མི་རྟག་གོ་ཞེས་བྱ་བར་སྟོན། མིག་[2]སྡུག་བསྔལ་ལོ་ཞེས་བྱ་བ་དང་བདག་མེད་དོ་ཞེས་བྱ་བ་དང་མི་སྡུག་གོ་ཞེས་བྱ་བར་སྟོན། རྣ་བ་དང་སྣ་དང་ལྗེ་དང་ལུས་དང་ཡིད་མི་རྟག་གོ་ཞེས་བྱ་བར་སྟོན། རྣ་བ་དང་སྣ་དང་ལྗེ་དང་ལུས་དང་ཡིད་སྡུག་བསྔལ་ལོ་ཞེས་བྱ་བ་དང་བདག་མེད་དོ་ཞེས་བྱ་བ་དང་མི་སྡུག་གོ་ཞེས་བྱ་བར་སྟོན། གཟུགས་མི་རྟག་གོ་ཞེས་བྱ་བར་སྟོན། གཟུགས་སྡུག་བསྔལ་ལོ་ཞེས་བྱ་བ་དང་བདག་མེད་དོ་ཞེས་བྱ་བ་དང་མི་སྡུག་གོ་ཞེས་བྱ་བར་སྟོན། སྒྲ་དང་དྲི་དང་རོ་དང་རེག་དང་ཆོས་མི་རྟག་གོ་ཞེས་བྱ་བར་སྟོན༑ སྒྲ་དང་དྲི་དང་རོ་དང་རེག་དང་ཆོས་སྡུག་བསྔལ་ལོ་ཞེས་བྱ་བ་དང་བདག་མེད་དོ་ཞེས་བྱ་བ་དང་མི་སྡུག་གོ་ཞེས་བྱ་བར་སྟོན། མིག་གི་རྣམ་པར་ཤེས་པ་མི་རྟག་གོ་ཞེས་བྱ་བར་སྟོན། མིག་གི་རྣམ་པར་ཤེས་པ་སྡུག་བསྔལ་ལོ་ཞེས་བྱ་བ་དང་། བདག་མེད་དོ་ཞེས་བྱ་བ་དང་མི་སྡུག་གོ་ཞེས་བྱ་བར་སྟོན། ༔རྣ་བའི་རྣམ་པར་ཤེས་པ་དང་སྣའི་རྣམ་པར་ཤེས་པ་དང་ལྗེའི་རྣམ་པར་ཤེས་པ་་་དང་ལུས་ཀྱི་རྣམ་པར་ཤེས་པ་དང་ཡིད་ཀྱི་རྣམ་པར་ཤེས་པ་མི་རྟག་གོ་ཞེས་བྱ་བར་སྟོན༑ [3] རྣ་བའི་རྣམ་པར་ཤེས་པ་དང་སྣའི་རྣམ་པར་ཤེས་པ་དང་ལྗེའི་རྣམ་པར་ཤེས་པ་དང་ལུས་ཀྱི་རྣམ་པར་ཤེས་པ་དང་ཡིད་ཀྱི་རྣམ་པར་ཤེས་པ་སྡུག་བསྔལ་ལོ་ཞེས་བྱ་བ་དང་བདག་མེད་དོ་ཞེས་བྱ་བ་དང་། མི་སྡུག་གོ་ཞེས་བྱ་བར་སྟོན། མིག་གི་འདུས་ཏེ་རེག་པ་མི་རྟག་གོ་ཞེས་བྱ་བར་སྟོན། མིག་གི་འདུས་ཏེ་རེག་པ་སྡུག་བསྔལ་ལོ་ཞེས་བྱ་བ་དང་བདག་མེད་དོ་ཞེས་བྱ་བ་དང་མི་སྡུག་གོ་ཞེས་བྱ་བར་

སྟོན༑ རྣ་བའི་འདུས་ཏེ་རེག་པ་དང་། སྣའི་འདུས་ཏེ་རེག་པ་དང་ལྗེའི་འདུས་ཏེ་རེག་པ་དང་ལུས་ཀྱི་འདུས་ཏེ་རེག་པ་དང་ཡིད་ཀྱི་འདུས་ཏེ་རེག་པ་མི་རྟག་གོ་ཞེས་བྱ་བར་སྟོན། རྣ་བའི་འདུས་ཏེ་རེག་པ་དང་སྣའི་འདུས་ཏེ་རེག་པ་དང་ལྗེའི་འདུས་ཏེ་རེག་པ་དང་ལུས་ཀྱི་འདུས་ཏེ་རེག་པ་དང་ཡིད་ཀྱི་འདུས་ཏེ་རེག་པ་སྡུག་བསྔལ་ལོ་ཞེས་བྱ་བ་དང་བདག་མེད་དོ་ཞེས་བྱ་བ་དང་། [༡]མི་སྡུག་གོ་ཞེས་བྱ་བར་སྟོན། མིག་གི་འདུས་ཏེ་རེག་པའི་རྐྱེན་གྱིས་ཚོར་བ་མི་རྟག་གོ་ཞེས་བྱ་བར་སྟོན། མིག་གི་འདུས་ཏེ་རེག་པའི་རྐྱེན་གྱིས[༢]ཚོར་བ་སྡུག་བསྔལ་ལོ་ཞེས་བྱ་བ་དང་བདག་མེད་དོ་ཞེས་བྱ་བ་དང་། མི་སྡུག་གོ་ཞེས་བྱ་བར་སྟོན། རྣ་བའི་འདུས་ཏེ་རེག་པའི་རྐྱེན་གྱིས་ཚོར་བ་དང་། སྣའི་འདུས་ཏེ་རེག་པའི་རྐྱེན་གྱིས་ཚོར་བ་དང་། ལྗེའི་འདུས་ཏེ་རེག་པའི་རྐྱེན་གྱིས་ཚོར་བ་དང་། ལུས་ཀྱི་འདུས་ཏེ་རེག་པའི་རྐྱེན་གྱིས་ཚོར་བ་དང་། ཡིད་ཀྱི་འདུས་ཏེ་རེག་པའི་རྐྱེན་གྱིས་ཚོར་བ་མི་རྟག་གོ་ཞེས་བྱ་བར་སྟོན། རྣ་བའི་འདུས་ཏེ་རེག་པའི་རྐྱེན་གྱིས་ཚོར་བ་དང་། སྣའི་འདུས་ཏེ་རེག་པའི་རྐྱེན་གྱིས་ཚོར་བ་དང་། ལྗེའི་འདུས་ཏེ་རེག་པའི་རྐྱེན་གྱིས་ཚོར་བ་དང་། ལུས་ཀྱི་འདུས་ཏེ་རེག་པའི་རྐྱེན་གྱིས་ཚོར་བ་དང་། ཡིད་ཀྱི་འདུས་ཏེ་རེག་པའི་རྐྱེན་གྱིས་ཚོར་བ་སྡུག་བསྔལ་ལོ་ཞེས་བྱ་བ་དང་། བདག་མེད་དོ་ཞེས་བྱ་བ་དང་། མི་སྡུག་གོ་ཞེས་བྱ་བར་སྟོན། སའི་ཁམས་མི་རྟག་གོ་ཞེས་བྱ་བར[༣]སྟོན། སའི་ཁམས་སྡུག་བསྔལ་ལོ་ཞེས་བྱ་བ[༤]དང༔ བདག་མེད་དོ་ཞེས་བྱ་བ་དང[༥]མི་སྡུག་གོ་ཞེས་བྱ་བར་སྟོན། ཆུའི་ཁམས་དང་། མེའི་ཁམས་དང་། རླུང་གི་ཁམས་དང་། ནམ་མཁའི་ཁམས་དང་། རྣམ་པར་ཤེས་པའི་ཁམས་མི་རྟག་གོ་ཞེས་བྱ་བར་སྟོན། ཆུའི་ཁམས་དང་། མེའི་ཁམས་དང་། རླུང་གི་ཁམས་དང་། ནམ་མཁའི་ཁམས་དང་། རྣམ་

པར་ཤེས་པའི་ཁམས་སྡུག་བསྔལ་ལོ་ཞེས་བྱ་བ་དང་། བདག་མེད་དོ་ཞེས་བྱ་བ་དང་། མི་སྡུག་གོ་ཞེས་བྱ་བར་སྟོན། མ་རིག་པ་མི་རྟག་གོ་ཞེས་བྱ་བར་སྟོན། མ་རིག་པ་སྡུག་བསྔལ་ལོ་ཞེས་བྱ་བ་དང་། བདག་མེད་དོ་ཞེས་བྱ་བ་དང་། མི་སྡུག་གོ་ཞེས་བྱ་བར་སྟོན། འདུ་བྱེད་དང་རྣམ་པར་ཤེས་པ་དང་མིང་དང་གཟུགས་དང་སྐྱེ་མཆེད་དྲུག་དང་རེག་པ་དང་ཚོར་བ་དང་སྲིད་པ་དང་ལེན་པ་དང་སྲིད་པ་དང་སྐྱེ་བ་དང་རྒ་ཤི་མི་རྟག་གོ་ཞེས་བྱ་བར་སྟོན། འདུ་བྱེད་དང་རྣམ་པར་ཤེས་པ་དང་མིང་དང་གཟུགས་དང་སྐྱེ་མཆེད་དྲུག་དང་རེག་པ་དང་ཚོར་བ་དང་སྲིད་པ་དང་ལེན་པ་དང་སྲིད་པ་དང་། སྐྱེ་བ་དང་རྒ་ཤི་སྡུག་བསྔལ་ལོ་ཞེས་བྱ་བ་དང་བདག་མེད་དོ་ཞེས་བྱ་བ་དང་མི་སྡུག་གོ་ཞེས་བྱ་བར་སྟོན། སྦྱིན་པའི་ཕ་རོལ་ཏུ་ཕྱིན་པ་མི་རྟག་གོ་ཞེས་བྱ་བར་སྟོན། སྦྱིན་པའི་ཕ་རོལ་ཏུ་ཕྱིན་པ་སྡུག་བསྔལ་ལོ་ཞེས་བྱ་བ་དང་བདག་མེད་དོ་ཞེས་བྱ་བ་དང་མི་སྡུག་གོ་ཞེས་བྱ་བར་སྟོན། ཚུལ་ཁྲིམས་ཀྱི་ཕ་རོལ་ཏུ་ཕྱིན་པ་དང་། བཟོད་པའི་ཕ་རོལ་ཏུ་ཕྱིན་པ་དང་། བརྩོན་འགྲུས་ཀྱི་ཕ་རོལ་ཏུ་ཕྱིན་པ་དང་། བསམ་གཏན་གྱི་ཕ་རོལ་ཏུ་ཕྱིན་པ་དང་ཤེས་རབ་ཀྱི་ཕ་རོལ་ཏུ་ཕྱིན་པ་མི་རྟག་གོ་ཞེས་བྱ་བར་སྟོན། ཚུལ་ཁྲིམས་ཀྱི་ཕ་རོལ་ཏུ་ཕྱིན་པ་དང་བཟོད་པའི་ཕ་རོལ་ཏུ་ཕྱིན་པ་དང་བརྩོན་འགྲུས་ཀྱི་ཕ་རོལ་ཏུ་ཕྱིན་པ་དང་བསམ་གཏན་གྱི་ཕ་རོལ་ཏུ་ཕྱིན་པ་དང་། ཤེས་རབ་ཀྱི་ཕ་རོལ་ཏུ་ཕྱིན་པ་སྡུག་བསྔལ་ལོ་ཞེས་བྱ་བ་དང་། བདག་མེད་དོ་ཞེས་བྱ་བ་དང་། མི་སྡུག་གོ་ཞེས་བྱ་བར་སྟོན། ནང་སྟོང་པ་ཉིད་མི་རྟག་གོ་ཞེས་བྱ་བར་སྟོན། ནང་སྟོང་པ་ཉིད་སྡུག་བསྔལ་ལོ་ཞེས་བྱ་བ་དང་། བདག་མེད་དོ་ཞེས་བྱ་བ་དང་། མི་སྡུག་གོ་ཞེས་བྱ་བར་སྟོན། དངོས་པོ་མེད་པའི་ངོ་བོ་ཉིད་སྟོང་པ་ཉིད་ཀྱི་བར་དུ་མི་རྟག་གོ་ཞེས་བྱ་བར་སྟོན། དངོས་པོ་མེད་པའི་ངོ་བོ་ཉིད་སྟོང་པ་ཉིད་ཀྱི་

བར་དུ་སྡུག་བསྔལ་ལོ་ཞེས་བྱ་བ་དང་། བདག་མེད་དོ་ཞེས་བྱ་བ་དང་། མི་སྡུག་གོ་ཞེས་བྱ་བར་སྟོན། དྲན་པ་ཉེ་བར་གཞག་པ་རྣམས་མི་རྟག་གོ་ཞེས་བྱ་བར་སྟོན། དྲན་པ་ཉེ་བར་གཞག་པ་རྣམས་སྡུག་བསྔལ་ལོ་ཞེས་བྱ་བ་དང་བདག་མེད་དོ་ཞེས་བྱ་བ་དང་མི་སྡུག་གོ་ཞེས་བྱ་བར་སྟོན། ཡང་དག་པར་སྤོང་བ་དང་རྫུ་འཕྲུལ་གྱི་རྐང་པ་དང་དབང་པོ་དང་སྟོབས་དང་བྱང་ཆུབ་ཀྱི་ཡན་ལག་དང་། འཕགས་པའི་ལམ་ཡན་ལག་བརྒྱད་པ་མི་རྟག་གོ་ཞེས་བྱ་བར་སྟོན། ཡང་དག་པར་སྤོང་བ་དང་རྫུ་འཕྲུལ་གྱི་རྐང་པ་དང་དབང་པོ་དང་སྟོབས་དང་བྱང་ཆུབ་ཀྱི་ཡན་ལག་དང་འཕགས་པའི་ལམ་ཡན་ལག་བརྒྱད་པ་སྡུག་བསྔལ་ལོ་ཞེས་བྱ་བ་དང་། བདག་མེད་དོ་ཞེས་བྱ་བ་དང་མི་སྡུག་གོ་ཞེས་བྱ་བར་སྟོན། སངས་རྒྱས་ཀྱི་ཆོས་མ་འདྲེས་པ་རྣམས་ཀྱི་བར་དུ་མི་རྟག་གོ་ཞེས་བྱ་བར་སྟོན། སངས་རྒྱས་ཀྱི་ཆོས་མ་འདྲེས་པ་རྣམས་སྡུག་བསྔལ་ལོ་ཞེས་བྱ་བ་དང་བདག་མེད་དོ་ཞེས་བྱ་བ་དང་མི་སྡུག་གོ་ཞེས་བྱ་བར་སྟོན། རྣམ་པ་ཐམས་ཅད་མཁྱེན་པ་ཉིད་ཀྱི་བར་དུ་མི་རྟག་གོ་ཞེས་བྱ་བར་སྟོན། རྣམ་པ་ཐམས་ཅད་མཁྱེན་པ་ཉིད་སྡུག་བསྔལ་ལོ་ཞེས་བྱ་བ་དང་། བདག་མེད་དོ་ཞེས་བྱ་བ་དང་མི་སྡུག་གོ་ཞེས་བྱ་བར་སྟོན་ཅིང་། འདི་སྐད་དུ་གང་དེ་ལྟར་སྟོན་པ་ནི་ཤེས་རབ་ཀྱི་ཕ་རོལ་ཏུ་ཕྱིན་པ་ལ་སྤྱོད་དོ་ཞེས་བརྗོད་དེ༏ ཀུ་ལ་བསྟན་པ་དེ་དག་ཀྱང་གཟུགས་མི་རྟག་ཅེས་བྱ་བར་རྟོག་པར་འགྱུར་རོ༏ །གཟུགས་སྡུག་བསྔལ་ལོ་ཞེས་བྱ་བ་དང་། བདག་མེད་ཅེས་བྱ་བ་དང་། མི་སྡུག་ཅེས་བྱ་བར་རྣམ་པར་རྟོག་པར་འགྱུར་རོ། །རྣམ་པ་ཐམས་ཅད་མཁྱེན་པ་ཉིད་ཀྱི་བར་དུ་མི་རྟག་ཅེས༔ བྱ་བར་[༡]རྟོག་པར་འགྱུར་རོ། །རྣམ་པ་ཐམས་ཅད་མཁྱེན་པ་ཉིད་སྡུག་བསྔལ་ལོ་[༢]ཞེས་བྱ་བ་དང་། བདག་མེད་[༣]ཅེས་བྱ་བ་དང་། མི་སྡུག་ཅེས་བྱ་བར་རྟོག་པར་འགྱུར་རོ། །དེ་ལྟར་དེ་དག་རྣམ་པ་ཐམས་ཅད་

མཁྱེན་པ་ཉིད་མི་རྟག་གོ་ཞེས་བྱ་བར་རྟོག་པ་དང་། རྣམ་པ་ཐམས་ཅད་མཁྱེན་
པ་ཉིད་སྡུག་བསྔལ་ལོ་ཞེས་བྱ་བར་རྟོག་པ་དང་། བདག་མེད་དོ་ཞེས་བྱ་བར་
རྟོག་པ་དང་། མི་སྡུག་གོ་ཞེས་བྱ་བར་རྟོག་པས་ཤེས་རབ་ཀྱི་ཕ་རོལ་ཏུ་ཕྱིན་པའི་
གཟུགས་བརྙན་ལ་སྤྱོད་པར་འགྱུར་ཏེ། ཀཽ་ཤི་ཀ་དེ་ནི་ཤེས་རབ་ཀྱི་ཕ་རོལ་ཏུ་
ཕྱིན་པ་ལ་སྤྱོད་པའི་གཟུགས་བརྙན་ནོ། །ཀཽ་ཤི་ཀ་གཞན་ཡང་རིགས་ཀྱི་བུའམ་
རིགས་ཀྱི་བུ་མོ་དེ་དག་ཤེས་རབ་ཀྱི་ཕ་རོལ་དུ་ཕྱིན་པ་སྟོན་ན་འདི་ལྟར་སྟོན་ཏེ།
ཚུར་རིགས་ཀྱི་བུ་ཤེས་རབ་ཀྱི་ཕ་རོལ་དུ་ཕྱིན་པ་སྒོམས་ཤིག །ཁྱོད་ཀྱིས[7]ཤེས་
རབ་ཀྱི་ཕ་རོལ་དུ་ཕྱིན་པ་བསྒོམས་དང་། བྱང་ཆུབ་སེམས་དཔའི་ས་དང་པོ་ལ་
གནས་པར་འགྱུར་རོ། །ས་བཅུ་པའི་བར་ལ་གནས་པར་འགྱུར་རོ། །ཚུར་
རིགས་ཀྱི་བུ་བསམ་གཏན་གྱི་ཕ་རོལ་དུ་ཕྱིན་པ་དང་བརྩོན་འགྲུས་ཀྱི་ཕ་རོལ་དུ་
ཕྱིན་པ་དང་བཟོད་པའི་ཕ་རོལ་དུ་ཕྱིན་པ་དང་ཚུལ་ཁྲིམས་ཀྱི་ཕ་རོལ་དུ་ཕྱིན་པ་
དང་སྦྱིན་པའི་ཕ་རོལ་དུ་ཕྱིན་པ་སྒོམས་ཤིག །ཁྱོད་ཀྱིས་སྦྱིན་པའི་ཕ་རོལ་དུ་
ཕྱིན་པ་བསྒོམས་དང་། བྱང་ཆུབ་སེམས་དཔའི་ས་དང་པོ་ལ་གནས་པར་འགྱུར་
རོ། །ས་བཅུ་པའི་བར་ལ་གནས་པར་འགྱུར་རོ་ཞེས། དེ་ཡང་མཚན་མའི་
ཚུལ་དང་། དམིགས་པའི་ཚུལ་གྱིས་སྟོན་ཏེ། དེ་དུས་ཀྱི་འདུ་ཤེས་ཀྱིས་ཤེས་
རབ་ཀྱི་ཕ་རོལ་དུ་ཕྱིན་པ་སྒོམ[8]པར་འགྱུར་ཏེ། ཀཽ་ཤི་ཀ་དེ་ནི་ཤེས་རབ་ཀྱི་ཕ་
རོལ་དུ་ཕྱིན་པའི་གཟུགས་བརྙན་ནོ། །ཀཽ་ཤི་ཀ་གཞན་ཡང་རིགས་ཀྱི་བུའམ་
རིགས་ཀྱི་བུ་མོ་དེ་དག་བྱང་ཆུབ་སེམས་དཔའི་ཐེག་པ་པའི་རིགས་ཀྱི་བུའམ།
རིགས་ཀྱི་བུ་མོ་དག་ལ་ཤེས་རབ་ཀྱི་ཕ་རོལ་དུ་ཕྱིན་པ་འདི་ལྟར་སྟོན་ཏེ། ཚུར་
རིགས་ཀྱི་བུ་ཁྱོད་ཀྱིས་ཤེས་རབ་ཀྱི་ཕ་རོལ་དུ་ཕྱིན་པ་སྒོམས་ཤིག །རིགས་ཀྱི་བུ་
ཁྱོད་ཀྱིས་ཤེས་རབ་ཀྱི་ཕ་རོལ་ཏུ་ཕྱིན་པ་བསྒོམས་ན། ཉན་ཐོས་ཀྱི་ས་ལས་འདའ་

བར་འགྱུར་རོ། །རང་སངས་རྒྱས་ཀྱི་ས་ལས་འདའ་བར་འགྱུར་རོ་ཞེས་སྟོན་ཏེ། ཀོཽ་ཤི་ཀ་དེ་ནི་ཤེས་རབ་ཀྱི་ཕ་རོལ་ཏུ་ཕྱིན་པའི་གཟུགས་བརྙན་ནོ། །ཀོཽ་ཤི་ཀ་གཞན་ཡང་རིགས་ཀྱི་བུའམ་རིགས་ཀྱི་བུ་མོ་དེ་དག་བྱང་ཆུབ་སེམས་དཔའི་ཐེག་པ་པའི་རིགས་ཀྱི་བུའམ་རིགས་ཀྱི་བུ་མོ་དེ་དག་ལ་ཤེས་རབ་ཀྱི་ཕ་རོལ་ཏུ་ཕྱིན་པ་སྟོན་པ་ན་[༡]འདི་ལྟར་སྟོན་ཏེ། ཚུར་རིགས་ཀྱི་བུ་ཁྱོད་ཀྱིས་ཤེས་རབ་ཀྱི་ཕ་རོལ་དུ་ཕྱིན་པ་སློམས་ཤིག །རིགས་ཀྱི་བུ་ཁྱོད་ཀྱིས་ཤེས་རབ་ཀྱི་ཕ་རོལ་ཏུ་ཕྱིན་པ་བསློམས་དང༌། བྱང་ཆུབ་སེམས་དཔའི་སྐྱོན་མེད་པར་འཇུག་[༢]པར་འགྱུར་རོ། །མི་སྐྱེ་བའི་ཆོས་ལ་བཟོད་པ་ཐོབ་པར་འགྱུར་རོ། །ཁྱོད་ཀྱིས་དེ་ལྟར་མི་སྐྱེ་བའི་ཆོས་ལ་བཟོད་པ་ཐོབ་པ་དང༌། བྱང་ཆུབ་སེམས་དཔའི་མངོན་པར་ཤེས་པ་ལ་གནས་ཏེ། དེ་བཞིན་གཤེགས་པ་དགྲ་བཅོམ་པ་ཡང་དག་པར་རྫོགས་པའི་སངས་རྒྱས་རྣམས་ལ། རིམ་གྲོ་དང་བཀུར་སྟི་དང་སྟི་སྟང་དང་མཆོད་པར་བྱེད་ཅིང༌། སངས་རྒྱས་ཀྱི་ཞིང་ནས། སངས་རྒྱས་ཀྱི་ཞིང་དུ་འགྲོ་བར་འགྱུར་རོ་ཞེས། རིགས་ཀྱི་བུའམ་རིགས་ཀྱི་བུ་མོ་དེ་དག །བྱང་ཆུབ་སེམས་དཔའི་ཐེག་པ་པའི་རིགས་ཀྱི་བུའམ་རིགས་ཀྱི་བུ་མོ་དེ་དག་ལ་སྟོན་ན་འདི་སྐད་སྟོན་ཏེ། རིགས་ཀྱི་བུ་དག་སུ་ཤེས་རབ་ཀྱི་ཕ་རོལ་དུ་ཕྱིན་པ་འཛིན་པ་དང༌། འཆང་བ་དང་ཀློག་ཅིང་ཀུན་ཆུབ་པར་བྱེད་པ་དང༌། ཚུལ་བཞིན་དུ་ཡིད་ལ་བྱེད་པ་དེ་ནི་བསོད་ནམས་ཀྱི་ཕུང་པོ་ཚད་མེད་གྲངས་མེད་དཔག་ཏུ་མེད་པར་འགྱུར་རོ་ཞེས་ཟེར་ཏེ། དེ་ལྟར་སྟོན་པའི་རིགས་ཀྱི་བུའམ་རིགས་ཀྱི་བུ་མོ་དེ་དག་ནི། ཤེས་རབ་ཀྱི་ཕ་རོལ་དུ་ཕྱིན་པའི་གཟུགས་བརྙན་སྟོན་ཏོ། །ཀོཽ་ཤི་ཀ་གཞན་ཡང་རིགས་ཀྱི་བུའམ་རིགས་ཀྱི་བུ་མོ་དེ་དག་བྱང་ཆུབ་སེམས་དཔའི་ཐེག་པ་པའི་རིགས་ཀྱི་བུའམ་རིགས་ཀྱི་བུ་མོ་དེ་དག་ལ་འདི་ལྟར་སྟོན་ཏོ[༡]། །ཚུར་རིགས་ཀྱི་བུ་ཁྱོད་ཀྱིས་འདས་པ་དང༌། མ་

ཕྱིན་པ་དང་། ད་ལྟར་བྱུང་བའི་དེ་བཞིན་གཤེགས་པ་དགྲ་བཅོམ་པ་ཡང་དག་པར་རྫོགས་པའི་སངས་རྒྱས་རྣམས་ཀྱིས་ཐུགས་དང་པོ་བསྐྱེད་པ་ནས་ཕུང་པོ་མ་ལུས་པའི་མྱ་ངན་ལས་འདས་པའི་དབྱིངས་སུ་ཡོངས་སུ་མྱ་ངན་ལས་འདས་པའི་བར་གྱི། དགེ་བའི་རྩ་བ་གང་ཇི་སྙེད་པ་དེ་དག་ཐམས་ཅད་གཅིག་ཏུ་བསྡུས་ཏེ། རྗེས་སུ་དགའ་བར་གྱིས་ལ་བླ་ན་མེད་པ་ཡང་དག་པར་རྫོགས་པའི་བྱང་ཆུབ་ཏུ་ཡོངས་སུ་བསྔོས་ཤིག་ཅེས། རིགས་ཀྱི་བུའམ་རིགས་ཀྱི་བུ་མོ་དེ་དག་དེ་ལྟར་སྟོན་ཅིང་། ཤེས་རབ་ཀྱི་ཕ་རོལ་ཏུ་ཕྱིན་པའི་གཟུགས་བརྙན་སྟོན་ཏོ། །བརྒྱ་བྱིན་གྱིས་གསོལ་པ། བཅོམ་ལྡན་འདས་ཇི་ལྟར་སྟོན་པའི་རིགས་ཀྱིཿབུ་དང་[༧]། རིགས་ཀྱི་བུ་མོ་དེ་དག་བྱང་ཆུབ་སེམས་དཔའི་ཐེག་པ་པའི་རིགས་ཀྱི་བུའམ་རིགས་ཀྱི་བུ་མོ་དེ་དག་ལ། ཤེས་རབ་ཀྱི་ཕ་རོལ་ཏུ་ཕྱིན་པའི་གཟུགས་བརྙན་མི་སྟོན་པ་ལགས། བཅོམ་ལྡན་འདས་ཀྱིས་བཀའ་སྩལ་པ། ཀཽ་ཤི་ཀ་འདི་ལ་རིགས་ཀྱི་བུའམ་རིགས་ཀྱི་བུ་མོ་དག་བྱང་ཆུབ་སེམས་དཔའི་ཐེག་པ་པའི་རིགས་ཀྱི་བུའམ་རིགས་ཀྱི་བུ་མོ་དག་ལ་[༣]ཤེས་རབ་ཀྱི་ཕ་རོལ་ཏུ་ཕྱིན་པ་འདི་ལྟར་སྟོན་ཏེ། ཚུར་རིགས་ཀྱི་བུ་ཁྱོད་ཀྱིས་ཤེས་རབ་ཀྱི་ཕ་རོལ་ཏུ་ཕྱིན་པ་སྒོམས་ཤིག །གཟུགས་མི་རྟག་ཅེས་བྱ་བར་ཡང་དག་པར་རྗེས་སུ་མ་ལྟ་ཤིག །དེ་ཅིའི་ཕྱིར་ཞེ་ན། གཟུགས་ནི་རང་བཞིན་གྱིས་སྟོང་སྟེ། གཟུགས་ཀྱི་རང་བཞིན་གང་ཡིན་པ་དེ་ནི་དངོས་པོ་མེད་པའོ། །དངོས་པོ་མེད་པ་གང་ཡིན་པ་དེ་ནི་ཤེས་རབ་ཀྱི་ཕ་རོལ་ཏུ་ཕྱིན་པ་སྟེ། ཤེས་རབ་ཀྱི་ཕ་རོལ་ཏུ་ཕྱིན་པ་གང་ཡིན་པ་དེ་ལ་ནི་གཟུགས་རྟག་ཅེས་བྱའམ[༣]། གཟུགས་མི་རྟག་ཅེས་བྱ་བ་མི་དམིགས་སོ། །དེ་ལ་གཟུགས་ཉིད་ཀྱང་མེད་ན་རྟག་པའམ་མི་རྟག་པ་ལྟ་ག་ལ་ཡོད་ཅེས་སྟོན་ཏེ། ཀཽ་ཤི་ཀ་དེ་ལྟར་སྟོན་པའི་རིགས་ཀྱི་བུའམ་རིགས་ཀྱི་བུ་མོ་དེ་[༤]དག་ནི་ཤེས་རབ་ཀྱི་ཕ་རོལ་ཏུ་ཕྱིན་པའི་གཟུགས་བརྙན་

མི་[1]སྟོན་ཏོ། །ཀོ་ཤི་ཀ་གཞན་ཡང་རིགས་ཀྱི་བུ་དང་། རིགས་ཀྱི་བུ་མོ་དེ་དག་བྱང་ཆུབ་སེམས་དཔའི་ཐེག་པ་པའི་རིགས་ཀྱི་བུ་དང་། རིགས་ཀྱི་བུ་མོ་དེ་དག་ལ་ཤེས་རབ་ཀྱི་ཕ་རོལ་དུ་ཕྱིན་པ་འདི་ལྟར་སྟོན་ཏེ། ཚུར་རིགས་ཀྱི་བུ་ཁྱོད་ཀྱིས་ཤེས་རབ་ཀྱི་ཕ་རོལ་དུ་ཕྱིན་པ་སྒོམས་ཤིག །ཚོར་བ་མི་རྟག་ཅེས་བྱ་བར་ཡང་དག་པར་རྗེས་སུ་མ་ལྟ་ཤིག །འདུ་ཤེས་དང་འདུ་བྱེད་ད[illegible]པར་ཤེས་པ་མི་རྟག་ཅེས་བྱ་བར་ཡང་དག་པར་རྗེས་སུ་མ་ལྟ་ཤིག །དེ་ཅིའི་ཕྱིར་ཞེ་ན། རྣམ་པར་ཤེས་པ་ནི་རང་བཞིན་གྱིས་སྟོང་སྟེ། རྣམ་པར་ཤེས་པའི་རང་བཞིན་གང་ཡིན་པ་དེ་ནི་དངོས་པོ་མེད་པའོ། །དངོས་པོ་མེད་པ་གང་ཡིན་པ་དེ་ནི་ཤེས་རབ་ཀྱི་ཕ་རོལ་དུ་ཕྱིན་པ་སྟེ། ཤེས་རབ་ཀྱི་ཕ་རོལ་དུ་ཕྱིན་པ་གང་ཡིན་པ་དེ་ལ་ནི། རྣམ་པར་ཤེས་པ་རྟག་ཅེས་བྱ་བའམ། མི་རྟག་ཅེས་བྱ་བ་མི་དམིགས་སོ། །དེ་ལ་རྣམ་པར་ཤེས་པ་ཉིད་ཀྱང་མེད་ན། རྟག་པའམ་མི་རྟག་པ་ལྟ་ག་ལ་ཡོད་ཅེས་སྟོན་ཏེ། ཀོ་ཤི་ཀ་དེ་ལྟར་སྟོན་པའི་རིགས་ཀྱི་བུའམ། རིགས་ཀྱི་བུ་མོ་དེ་དག་ནི་ཤེས་རབ་ཀྱི་ཕ་རོལ་དུ་ཕྱིན་པའི་གཟུགས་བརྙན་མི་སྟོན་ཏོ[2]། །ཀོ་ཤི་ཀ་གཞན་ཡང་རིགས་ཀྱི་བུའམ[1]། རིགས་ཀྱི་བུ་མོ་དེ་དག་བྱང་ཆུབ་སེམས་དཔའི་ཐེག་པ་པའི་རིགས་ཀྱི་བུ་དང་རིགས་ཀྱི་བུ་མོ་དེ་དག་ལ། ཤེས་རབ་ཀྱི་ཕ་རོལ་དུ་ཕྱིན་པ་འདི་ལྟར་སྟོན་ཏེ། ཚུར་རིགས་ཀྱི་བུ་ཁྱོད་ཀྱིས་ཤེས་རབ་ཀྱི་ཕ་རོལ་དུ་ཕྱིན་པ་སྒོམས་ཤིག །རྣམ་པ་ཐམས་ཅད་མཁྱེན་པ་ཉིད་ཀྱི་བར་དུ་མི་རྟག་ཅེས་བྱ་བར་ཡང་དག་པར་རྗེས་སུ་མ་ལྟ་ཤིག །དེ་ཅིའི་ཕྱིར་ཞེ་ན། རྣམ་པ་ཐམས་ཅད་མཁྱེན་པ་ཉིད་ནི་རང་བཞིན་གྱིས་སྟོང་སྟེ། རྣམ་པ་ཐམས་ཅད་མཁྱེན་པ་ཉིད་ཀྱི་རང་བཞིན་གང་ཡིན་པ་དེ་ནི་དངོས་པོ་མེད་པའོ། །དངོས་པོ་མེད་པ་གང་ཡིན་པ་དེ་ནི་ཤེས་རབ་ཀྱི་ཕ་རོལ་དུ་ཕྱིན་པ་སྟེ། ཤེས་རབ་ཀྱི་ཕ་རོལ་དུ་ཕྱིན་པ་གང་ཡིན་པ་

དེ་ལ་ནི། རྣམ་པ་ཐམས་ཅད་མཁྱེན་པ་ཉིད་རྟག་ཅེས་བྱ་བའམ། མི་རྟག་ཅེས་བྱ་བ་མི་དམིགས་སོ། །དེ་ལ་རྣམ་པ་ཐམས་ཅད་མཁྱེན་པ་ཉིད་ཀྱང་མེད་ན། རྟག་པའམ་མི་རྟག་པ་ལྟ་ག་ལ་ཡོད་ཅེས་སྟོན་ཏེ། ཀཽ་ཤི་ཀ་⑦དེ་ལྟར་སྟོན་པའི་རིགས་ཀྱི་བུའམ་རིགས་ཀྱི་བུ་མོ་དེ་དག་ནི་ཤེས་རབ་ཀྱི་ཕ་རོལ་ཏུ་ཕྱིན་པའི་གཟུགས་བརྙན་མི་སྟོན་ཏོ། །ཀཽ་ཤི་ཀ་གཞན་ཡང་རིགས་ཀྱི་བུ་དང་རིགས་ཀྱི་བུ་མོ་དེ་དག་ཀྱང་། བྱང་ཆུབ་སེམས་དཔའི་ཐེག་པ་པའི་རིགས་ཀྱི་བུའམ་རིགས་ཀྱི་བུ་མོ་དེ་དག་ལ། ཤེས་རབ་ཀྱི་ཕ་རོལ་ཏུ་ཕྱིན་པ་འདི་ལྟར་སྟོན་ཏེ། ཚུར་རིགས་ཀྱི་བུ་ཤེས་རབ་ཀྱི་ཕ་རོལ་ཏུ་ཕྱིན་པ་སྒོམས་ཤིག །ཆོས་གང་ལས་ཀྱང་ཡོངས་སུ་འདའ་བར་མ་བྱེད་ཅིག །ཆོས་གང་ལ་ཡང་གནས་②གནས་པར་མ་བྱེད་ཅིག །དེ་ཅིའི་ཕྱིར་ཞེ་ན། དེ་ནི་འདི་ལྟར་ཤེས་རབ་ཀྱི་ཕ་རོལ་ཏུ་ཕྱིན་པ་ལ་ཆོས་གང་ལས་འདའ་བར་བྱ་བའམ། གང་ལ་གནས་པར་བྱ་བའི་ཆོས་དེ་ལྟ་བུ་མེད་དོ། །དེ་ཅིའི་ཕྱིར་ཞེ་ན། ཀཽ་ཤི་ཀ་དེ་ནི་འདི་ལྟར་ཆོས་ཐམས་ཅད་ནི་རང་བཞིན་གྱིས་སྟོང་སྟེ། རང་བཞིན་གྱིས་སྟོང་པའི་ཆོས་གང་ཡིན་པ་དེ་ནི་དངོས་པོ་མེད་པའོ། །དངོས་པོ་མེད་པ་གང་ཡིན་པ་དེ་ནི་ཤེས་རབ་ཀྱི་ཕ་རོལ་ཏུ་ཕྱིན་པ་སྟེ། ཤེས་རབ་ཀྱི་ཕ་རོལ་ཏུ་ཕྱིན་པ་གང་ཡིན་པ་དེ་ལ་ནི་བླང་བར་བྱ་བའམ། དོར་བར་བྱ་བའམ། བསྐྱེད་པར་བྱ་བའམ། ༔དགག་པར་①བྱ་བའི་ཆོས་གང་ཡང་མེད་དོ་ཞེས་སྟོན་ཏེ། ཀཽ་ཤི་ཀ་དེ་ལྟར་སྟོན་པའི་རིགས་ཀྱི་བུའམ་རིགས་ཀྱི་བུ་མོ་དེ་དག་ནི། ཤེས་རབ་ཀྱི་ཕ་རོལ་ཏུ་ཕྱིན་པའི་གཟུགས་བརྙན་མི་སྟོན་ཏོ། །ཀཽ་ཤི་ཀ་དེ་བས་ན་རིགས་ཀྱི་བུའམ་རིགས་ཀྱི་བུ་མོས་དེ་ལྟར་ཤེས་རབ་ཀྱི་ཕ་རོལ་ཏུ་ཕྱིན་པའི་དོན་བསྟན་⑥པར་བྱ་སྟེ། ཀཽ་ཤི་ཀ་དེ་ལྟར་སྟོན་པའི་རིགས་ཀྱི་བུའམ་རིགས་ཀྱི་བུ་མོ་དག་གི་བསོད་ནམས་ཀྱི་ཕུང་པོ་ནི་ཆེས་མང་དུ་འཕེལ་གྱི། རིགས་

ཀྱི་བུའམ་རིགས་ཀྱི་བུ་མོ་སྔ་མ་དག་གི་ནི་མ་ཡིན་ནོ། །ཀཽ་ཤི་ཀ་གཞན་ཡང་འཛམ་བུའི་གླིང་གི་སེམས་ཅན་ཇི་སྙེད་པ་དེ་དག །རིགས་ཀྱི་བུའམ་རིགས་ཀྱི་བུ་མོ་ལ་ལ་ཞིག་གིས། རྒྱུན་དུ་ཞུགས་པའི་འབྲས་བུ་ལ་བཀོད་ན། ཀཽ་ཤི་ཀ་དེ་ཇི་སྙམ་དུ་སེམས། རིགས་ཀྱི་བུའམ་རིགས་ཀྱི་བུ་མོ་དེའི་བསོད་ནམས་དེའི་རྒྱུས་མང་དུ་འཕེལ་ལམ། གསོལ་པ། བཅོམ་ལྡན་འདས་མང་ངོ་། །བདེ་བར་གཤེགས་པ་མང་ངོ་། །བཅོམ་ལྡན་འདས་ཀྱིས་བཀའ་སྩལ་པ། ཀཽ་ཤི་ཀ་དེ་བས་ཀྱང་རིགས་ཀྱི་བུའམ་རིགས་ཀྱི་བུ་མོ་གང་གིས་ཤེས་རབ་ཀྱི་ཕ་རོལ་ཏུ་ཕྱིན་པ་འདི་དོན་དང་ལྡན་ཡི་གེ་དང་[1]ལྡན་པར་གཞན་ལ་རྒྱ་ཆེར་བརྗོད་དེ་བསྟན་པ་དང་། བཤད་དེ་བཀྲོལ་ཞིང་རྣམ་པར་ཕྱེ་སྟེ་གསལ་བ་དང་། ཡང་དག་པར་བསྟན་པ་བྱས་པ་དང་། འདི་སྐད་དུ་ཚུར་རིགས་ཀྱི་བུ་ཁྱོད་ཀྱིས་ཤེས་རབ་ཀྱི་ཕ་རོལ་ཏུ་ཕྱིན་པ་ཟུང་[2]ཤིག །ཀུན་ཆུབ་པར་གྱིས་ཤིག །ཚོངས་ཤིག །ཀློགས་ཤིག །ཚུལ་བཞིན་དུ་ཡིད་ལ་གྱིས་ཤིག །ཇི་ལྟར་བསྟན་པའི་ཤེས་རབ་ཀྱི་ཕ་རོལ་ཏུ་ཕྱིན་པ་ལ་ནན་ཏན་དུ་གྱིས་ཤིག་ཅེས་བསྒོ་ན། ཆེས་དེའི་བསོད་ནམས་མང་དུ་འཕེལ་ལོ། །དེ་ཅིའི་ཕྱིར་ཞེ་ན། ཀཽ་ཤི་ཀ་ཤེས་རབ་ཀྱི་ཕ་རོལ་ཏུ་ཕྱིན་པ་འདི་ལས། རྒྱུན་དུ་ཞུགས་པ་རྣམས་ཡོད་པར་འགྱུར་རོ། །ཀཽ་ཤི་ཀ་འཛམ་བུའི་[1]གླིང་གི་སེམས་ཅན་ལྟ་ཡང་ཤོག །གླིང་ཆེན་པོ་བཞིའི་འཇིག་རྟེན་གྱི་ཁམས་ཀྱི་སེམས་ཅན་ལྟ་ཡང་ཤོག །སྟོང་གི་འཇིག་རྟེན་གྱི་ཁམས་བྱུར་བུའི་སེམས་ཅན་ལྟ་ཡང་ཤོག །སྟོང་གཉིས་ཀྱི་འཇིག་རྟེན་གྱི་ཁམས་འབྲིང་པོའི་སེམས་ཅན་ལྟ་ཡང་ཤོག །སྟོང་གསུམ་གྱི་སྟོང་ཆེན་པོའི་འཇིག་རྟེན་གྱི་ཁམས་ཀྱི་སེམས་ཅན་རྒྱུན་དུ་ཞུགས་པའི་འབྲས་བུ་ལ་བཀོད་པ་ལྟ་ཡང་ཤོག་གི། ཀཽ་ཤི་ཀ་ཕྱོགས་བཅུའི་ཕྱོགས་རེ་རེ་ཞིང་། གང་གཱའི་ཀླུང་གི་བྱེ་མ་སྙེད་ཀྱི་འཇིག་རྟེན་གྱི་ཁམས་ཀྱི་སེམས་ཅན་ཇི་སྙེད་པ་དེ་དག

རིགས་ཀྱི་བུའམ་རིགས་ཀྱི་བུ་མོ་ལ་ལ་ཞིག་གིས་རྒྱུན་ཏུ་ཞུགས་པའི་འབྲས་བུ་ལ་བཀོད་ན། ཀཽ་ཤི་ཀ་དེ་ཇི་སྙམ་དུ་སེམས། རིགས་ཀྱི་བུའམ་རིགས་ཀྱི་བུ་མོ་དེའི་བསོད་ནམས་དེའི་རྒྱུས་མང་དུ་འཕེལ་ལམ[1]། གསོལ་པ། བཅོམ་ལྡན་འདས་མང་ངོ་། །བདེ་བར་གཤེགས་པ་མང་ངོ་། །བཅོམ་ལྡན་འདས་ཀྱིས་བཀའ་སྩལ་པ། ཀཽ་ཤི་ཀ་དེ་བས་ཀྱང་རིགས་ཀྱི་བུའམ་རིགས་ཀྱི་བུ་མོ་གང་གིས། ཤེས་རབ་ཀྱི་ཕ་རོལ་ཏུ་ཕྱིན་པ་འདི་དོན་དང་ལྡན་ཡི་གེ་དང་ལྡན་པར་གཞན་ལ་རྒྱ་ཆེར་བརྗོད་དེ་བསྟན་པ་དང་། བཤད་དེ་བཀྲོལ་ཞིང་རྣམ་པར་ཕྱེ་སྟེ[2]གསལ་བ་དང་ཡང་དག་པར་བསྟན་པ་བྱས་པ་དང་། འདི་སྐད་དུ་ཚུར[3]རིགས་ཀྱི་བུ་ཁྱོད་ཀྱིས་ཤེས་རབ་ཀྱི་ཕ་རོལ་ཏུ་ཕྱིན་པ་ཟུང[4]ཤིག །ཀུན་ཆུབ་པར་གྱིས་ཤིག ། ཆོངས་ཤིག །ཀློགས་ཤིག །ཚུལ་བཞིན་དུ་ཡིད་ལ་གྱིས་ཤིག །ཇི་ལྟར་བསྟན་པའི་ཤེས་རབ་ཀྱི་ཕ་རོལ་ཏུ་ཕྱིན་པ་ལ་ནན་ཏན་དུ་གྱིས་ཤིག་ཅེས་བསྒོ་ན། ཚེས་དེའི་བསོད་ནམས་མང་དུ་འཕེལ་ལོ། །དེ་ཅིའི་ཕྱིར་ཞེ་ན། ཀཽ་ཤི་ཀ་ཤེས་རབ་ཀྱི་ཕ་རོལ་ཏུ་ཕྱིན་པ་འདི་ལས་རྒྱུན་ཏུ་ཞུགས་པ་རྣམས་ཡོད་པར་འགྱུར་རོ། །ཀཽ་ཤི་ཀ་གཞན་ཡང་འཛམ་བུའི་གླིང་གི་སེམས་ཅན་ཇི་སྙེད་པ་དེ་དག་རིགས་ཀྱི་བུའམ་རིགས་ཀྱི་བུ་མོ་ལ་ལ་ཞིག་གིས། ལན་ཅིག་ཕྱིར་འོང་བའི་འབྲས་བུ་ལ་བཀོད[5]། ཕྱིར་མི་འོང་བའི་འབྲས་བུ་དང་། དགྲ་བཅོམ་པ་ཉིད་དང་། རང་བྱང་ཆུབ་ལ་རབ་ཏུ་བཀོད་ན། ཀཽ་ཤི་ཀ་དེ་ཇི་སྙམ་དུ་སེམས། རིགས་ཀྱི་བུའམ་རིགས་ཀྱི་བུ་མོ་དེའི་བསོད་ནམས་དེའི་རྒྱུས་མང་དུ་འཕེལ་ལམ། གསོལ་པ། བཅོམ་ལྡན་འདས་མང་ངོ་། །བདེ་བར་གཤེགས་པ་མང་ངོ་། །བཅོམ་ལྡན་འདས་ཀྱིས་བཀའ་སྩལ་པ། ཀཽ་ཤི་ཀ་དེ་བས་ཀྱང་རིགས་ཀྱི་བུའམ་རིགས་ཀྱི་བུ་མོ་གང་གིས་ཤེས་རབ་ཀྱི་ཕ་རོལ་ཏུ་ཕྱིན་པ་འདི་དོན་དང་ལྡན་ཡི་གེ་དང་ལྡན་པར་གཞན་ལ་རྒྱ་

ཆེར་བརྗོད་དེ་བསྟན་པ་དང་། བཤད་དེ་བཀྲོལ་ཞིང་རྣམ་པར་ཕྱེ་སྟེ་གསལ་བ་དང་། ཡང་དག་པར་བསྟན་པ་བྱས་པ་དང་། འདི་སྐད་དུ་ཚུར་རིགས་ཀྱི་བུ་ཁྱོད་ཀྱིས་ཤེས་རབ་ཀྱི་ཕ་རོལ་ཏུ་ཕྱིན་པ་ཟུང་ཤིག །ཀུན་ཆུབ་པར་གྱིས་ཤིག །ཚངས་ཤིག །ཀློགས་ཤིག །ཚུལ་བཞིན་དུ་ཡིད་ལ་གྱིས་ཤིག །ཇི་ལྟར་བསྟན་པའི་ཤེས་རབ་ཀྱི་ཕ་རོལ་ཏུ་ཕྱིན་པ་ལ་ནན་ཏན་དུ་གྱིས་ཤིག་ཅེས་བསྒོ[༡]ན། ཆེས[༢]བསོད་ནམས་མང་དུ[༣]འཕེལ་ལོ། །དེ་ཅིའི་ཕྱིར་ཞེ་ན། ཀཽ་ཤི་ཀ་ཤེས་རབ་ཀྱི་ཕ་རོལ་ཏུ་ཕྱིན་པ་འདི་ལས། ལན་ཅིག་ཕྱིར་འོང་བ་དང་། ཕྱིར་མི་འོང་བ་དང་། དགྲ་བཅོམ་པ་ཉིད་དང་། རང་སངས་རྒྱས་རྣམས་ཡོད་པར་འགྱུར་རོ། །ཀཽ་ཤི་ཀ་འཛམ་བུའི་གླིང་གི་སེམས་ཅན[༤]ལན་ཅིག་ཕྱིར་འོང་བའི་འབྲས་བུ་དང་། ཕྱིར་མི་འོང་བའི་འབྲས་བུ་དང་། དགྲ་བཅོམ་པ་ཉིད་དང་། རང་བྱང་ཆུབ་ལ་བཀོད་པ་ལྟ་ཡང་ཞོག །གླིང་ཆེན་པོ་བཞིའི་འཇིག་རྟེན་གྱི་ཁམས་ཀྱི་སེམས་ཅན་ལྟ་ཡང་ཞོག །སྟོང་གི་འཇིག་རྟེན་གྱི་ཁམས་བྱུར་བུའི་སེམས་ཅན་ལྟ་ཡང་ཞོག །སྟོང་གཉིས་ཀྱི་འཇིག་རྟེན་གྱི་ཁམས་འབྲིང་པོའི་སེམས་ཅན་ལྟ་ཡང་ཞོག །སྟོང་གསུམ་གྱི་སྟོང་ཆེན་པོའི་འཇིག་རྟེན་གྱི་ཁམས་ཀྱི་སེམས་ཅན་ལན་ཅིག་ཕྱིར་འོང་བའི་འབྲས་བུ་དང་། ཕྱིར་མི་འོང་བའི་འབྲས་བུ་དང་། དགྲ་བཅོམ་པ་ཉིད་དང་། རང་བྱང་ཆུབ་ལ་བཀོད་པ་ལྟ་ཡང་ཞོག་གི། ཕྱོགས་བཅུའི་ཕྱོགས་རེ་རེ་ཞིང་གང་གཱའི[༥]ཀླུང་གི་བྱེ་མ་སྙེད་ཀྱི་འཇིག་རྟེན་གྱི་ཁམས་ཀྱི་སེམས་ཅན་ཇི་སྙེད་པ་དེ་དག །རིགས་ཀྱི་བུའམ་རིགས་ཀྱི་བུ[༦]མོ་ལ་ལ་ཞིག་གིས། ལན་ཅིག་ཕྱིར་འོང་བའི་འབྲས་བུ་དང་། ཕྱིར་མི་འོང་བའི་འབྲས་བུ་དང་། དགྲ་བཅོམ་པ་ཉིད་དང་། རང་བྱང་ཆུབ་ལ་བཀོད་ན། ཀཽ་ཤི་ཀ་དེ་ཇི་སྙམ་དུ་སེམས། རིགས་ཀྱི་བུའམ་རིགས་ཀྱི་བུ[༧]མོ་དེའི་བསོད་ནམས་དེའི་རྒྱུས་མང་དུ་འཕེལ་ལམ། གསོལ་པ། བཅོམ་

ལྡན་འདས་མང་ངོ་། བདེ་བར་གཤེགས་པ་མང་ངོ་། །བཅོམ་ལྡན་འདས་ཀྱིས་བཀའ་སྩལ་པ། ཀཽ་ཤི་ཀ་དེ་བས་ཀྱང་རིགས་ཀྱི་བུའམ་རིགས་ཀྱི་བུ་མོ་གང་གིས། ཤེས་རབ་ཀྱི་ཕ་རོལ་ཏུ་ཕྱིན་པ་འདི་དོན་དང་ལྡན་ཡི་གེ་དང་ལྡན་པར་གཞན་ལ་རྒྱ་ཆེར་བརྗོད་དེ་བསྟན་པ་དང་། བཤད་དེ་བཀྲོལ་ཞིང་རྣམ་པར་ཕྱེ་སྟེ་གསལ་བ་དང་། ཡང་དག་པར་བསྟན་པ་བྱས་པ་དང་། འདི་སྐད་དུ་ཚུར་རིགས་ཀྱི་བུ་ཁྱོད་ཀྱིས་ཤེས་རབ་ཀྱི་ཕ་རོལ་ཏུ་ཕྱིན་པ་ཟུང་[༧] ཤིག །ཀུན་ཆུབ་པར་གྱིས་ཤིག །ཆོངས་ཤིག །ཀློགས་ཤིག །ཚུལ་བཞིན་དུ་ཡིད་ལ་གྱིས་ཤིག །ཇི་ལྟར་བསྟན་པའི་ཤེས་རབ་ཀྱི་ཕ་རོལ་ཏུ་ཕྱིན་པ་ལ་ནན་ཏན་དུ་གྱིས་ཤིག་ཅེས་བསྒོ་ན། ཆེས་དེའི་བསོད་ནམས་མང་དུ་འཕེལ་ལོ། །དེ་ཅིའི་ཕྱིར་ཞེ་ན། ཀཽ་ཤི་ཀ་ཤེས་རབ་ཀྱི་ཕ་རོལ་ཏུ་ཕྱིན་པ་འདི་ལས། ལན་ཅིག་ཕྱིར་འོང་བ་དང་། ཕྱིར་མི་འོང་བ་དང་། དགྲ་བཅོམ་པ་ཉིད་དང་། རང་སངས་རྒྱས་རྣམས་ཡོད་པར་འགྱུར་རོ།།

ཀཽ་ཤི་ཀ་གཞན་ཡང་འཛམ་བུའི་གླིང་གི་སེམས་ཅན་ཇི་སྙེད་པ་དེ་དག །རིགས་ཀྱི་བུའམ་རིགས་ཀྱི་བུ་མོ་ལ་ལ་ཞིག་གིས་བླ་ན་མེད་པ་ཡང་དག་པར་རྫོགས་པའི་བྱང་ཆུབ་ཏུ་ཡང་དག་པར་བསྐུལ་བ་བྱས་ན། ཀཽ་ཤི་ཀ་དེ་ཇི་སྙམ་དུ་སེམས། རིགས་ཀྱི་བུའམ་རིགས་ཀྱི་བུ་མོ་དེའི་བསོད་ནམས་དེའི་རྒྱུས་མང་དུ་འཕེལ་ལམ། གསོལ་པ། བཅོམ་ལྡན་འདས་མང་ངོ་། །བདེ་བར་གཤེགས་པ་མང་ངོ་། །བཅོམ་ལྡན་འདས་ཀྱིས་བཀའ་སྩལ་པ། ཀཽ་ཤི་ཀ་དེ་བས་ཀྱང་རིགས་ཀྱི་བུའམ་རིགས་ཀྱི་བུ་མོ་གང་གིས། ཤེས་རབ་ཀྱི་ཕ་རོལ་ཏུ་ཕྱིན་པ་འདི་དོན་དང་ལྡན་ཡི་གེ་དང་ལྡན་པར་གཞན་ལ་རྒྱ་ཆེར་བརྗོད་དེ་བསྟན་པ་དང་། བཤད་དེ་བཀྲོལ་ཞིང་རྣམ་པར་ཕྱེ་སྟེ་གསལ་བ་དང་། ཡང་དག་པར་བསྟན་པ་བྱས་པ་དང་། འདི་སྐད་དུ་ཚུར་[༢] རིགས་ཀྱི་བུ་ཁྱོད་ཀྱིས་ཤེས༔ རབ་ཀྱི་[༡] ཕ་རོལ་ཏུ་ཕྱིན་པ་ཟུང་[༨]

ཤིག །ཀུན་ཆུབ་པར་གྱིས་ཤིག །ཚངས་ཤིག །ལྡོགས་ཤིག །ཚུལ་བཞིན་དུ་ཡིད་ལ་གྱིས་ཤིག །ཇི་ལྟར་བསྟན་པའི་ཤེས་རབ་ཀྱི་ཕ་རོལ་ཏུ་ཕྱིན་པ་ལ་ནན་ཏན་དུ་གྱིས་ཤིག །རིགས་ཀྱི་བུ་ཁྱོད་གང་གི[༧]ཚེ་ཤེས་རབ་ཀྱི་ཕ་རོལ་ཏུ་ཕྱིན་པ་ཇི་ལྟར་བསྟན་པ་ལ་ནན་ཏན་བྱེད་པ་དེའི་ཚེ། རིགས་ཀྱི་བུ་ཁྱོད་ཤེས་རབ་ཀྱི་ཕ་རོལ་ཏུ་ཕྱིན་པ་ལ་སློབ་པར་འགྱུར་རོ། །རིགས་ཀྱི་བུ་ཁྱོད་གང་གི་ཚེ་ཤེས་རབ་ཀྱི་ཕ་རོལ་ཏུ་ཕྱིན་པ་ལ་སློབ་པར་གྱུར་པ་དེའི་ཚེ། ཁྱོད་ཀྱིས་ཐམས་ཅད་མཁྱེན་པ་ཉིད་ཀྱི་ཆོས་རྣམས་ཐོབ་པར་འགྱུར་རོ། །གང་གི་ཚེ་ཁྱོད་ཀྱིས་ཐམས་ཅད་མཁྱེན་པ་ཉིད་ཀྱི་ཆོས་རྣམས་ཐོབ་པར་གྱུར་པ་དེའི་ཚེ། ཁྱོད་ཀྱི་ཤེས་རབ་ཀྱི་ཕ་རོལ་ཏུ་ཕྱིན་པ༔བསྒོམ་པ་དེ[༢]བས་ཀྱང་ཡོངས་སུ་རྫོགས་པར་འགྱུར་རོ། །གང་གི་ཚེ་ཁྱོད་ཀྱི[༣]ཤེས་རབ་ཀྱི་ཕ་རོལ་ཏུ་ཕྱིན་པ་བསྒོམ་པ་དེ་དག་ཀྱང་ཡོངས་སུ་རྫོགས་པར་གྱུར་པ་དེའི་ཚེ། ཁྱོད་བླ་ན་མེད་པ་ཡང་དག་པར་རྫོགས་པའི་བྱང་ཆུབ་ཏུ་མངོན་པར་རྫོགས་པར་འཚང་རྒྱའོ་ཞེས་བསྒོ་ན། ཆེས[༨]དེའི་བསོད་ནམས་མང་དུ་འཕེལ་ལོ།། དེ་ཅིའི་ཕྱིར་ཞེ་ན། ཀཽ་ཤི་ཀ་འདི་ལས་བྱུང་བ་ནི་སེམས་དང་པོ་བསྐྱེད་པའི་བྱང་ཆུབ་སེམས་དཔའ་སེམས་དཔའ་ཆེན་པོ་རྣམས་སོ། །ཀཽ་ཤི་ཀ་འཛམ་བུའི་གླིང་གི་སེམས་ཅན་བླ་ན་མེད་པ་ཡང་དག་པར་རྫོགས་པའི་བྱང་ཆུབ་ཏུ་ཡང་དག་པར་བསྐུལ་བ་བྱས་པ་ལྟ་ཡང་ཞོག །གླིང་ཆེན་པོ་བཞིའི་འཇིག་རྟེན་གྱི་ཁམས་ཀྱི་སེམས་ཅན་ལྟ་ཡང་ཞོག །སྟོང་གི་འཇིག་རྟེན་གྱི་ཁམས་ཕྱུར་བུའི་སེམས་ཅན་ལྟ་ཡང་ཞོག །སྟོང་གཉིས་ཀྱི་འཇིག་རྟེན་གྱི་ཁམས་འབྲིང་པོའི་སེམས་ཅན་ལྟ་ཡང་ཞོག །སྟོང་གསུམ་གྱི་སྟོང་ཆེན་པོའི་འཇིག་རྟེན་གྱི་ཁམས་ཀྱི་སེམས་ཅན་ཇི་སྙེད་པ་དེ་དག་བླ་ན་མེད་པ་ཡང་དག་པར་རྫོགས་པའི་བྱང་ཆུབ་ཏུ་ཡང་དག་པར་བསྐུལ་བ་བྱས་པ་ལྟ་ཡང་ཞོག་གི། ཀཽ་ཤི་ཀ་ཕྱོགས་བཅུའི་ཕྱོགས་རེ་རེ་ཞིང་།

གང་གཱའི་ཀླུང་གི་བྱེ་མ་སྙེད་ཀྱི་འཇིག་རྟེན་གྱི་ཁམས་ཀྱི་སེམས་ཅན་ཇི་སྙེད་པ་དེ་དག །རིགས་ཀྱི་བུའམ་རིགས་ཀྱི་བུ་མོ་ལ་ལ་ཞིག་གིས། བླ་ན་མེད་པ་ཡང་དག་པར་རྫོགས་པའི་བྱང་ཆུབ་ཏུ་ཡང་དག་པར་བསྐུལ་བ་བྱས་ན། ཀཽ་ཤི་ཀ་དེ་ཇི་སྙམ་དུ་སེམས། རིགས་ཀྱི་བུའམ་རིགས་ཀྱི་[1]བུ་མོ་དེའི་བསོད་ནམས་[2]དེའི་རྒྱུས་མང་དུ་འཕེལ་ལམ། གསོལ་པ། བཅོམ་ལྡན་འདས་མང་ངོ་། །བདེ་བར་གཤེགས་པ་མང་ངོ་། །བཅོམ་ལྡན་འདས་ཀྱིས་བཀའ་སྩལ་པ། ཀཽ་ཤི་ཀ་དེ་བས་ཀྱང་རིགས་ཀྱི་བུའམ་རིགས་ཀྱི་བུ་མོ་གང་གིས། ཤེས་རབ་ཀྱི་ཕ་རོལ་ཏུ་ཕྱིན་པ་འདི་དོན་དང་ལྡན་ཡི་གེ་དང་ལྡན་པར་གཞན་ལ་རྒྱ་ཆེར་བརྗོད་དེ་བསྟན་པ་དང་། བཤད་དེ་བཀྲོལ་ཞིང་རྣམ་པར་ཕྱེ་སྟེ་གསལ་བ་དང་། ཡང་དག་པར་བསྟན་པ༔བྱས་པ་[3]དང་། འདི་སྐད་དུ་ཚུར་[4]རིགས་ཀྱི་བུ་ཁྱོད་ཀྱིས་ཤེས་རབ་ཀྱི་ཕ་རོལ་ཏུ་ཕྱིན་པ༔འདི་ཟུང་[5]ཤིག །ཀུན་ཆུབ་པར་གྱིས་ཤིག །ཚོངས་ཤིག །ཀློགས་ཤིག །ཚུལ་བཞིན་དུ་ཡིད་ལ་གྱིས་ཤིག །ཇི་ལྟར་བསྟན་པའི་ཤེས་རབ་ཀྱི་ཕ་རོལ་ཏུ་ཕྱིན་པ་ལ་ནན་ཏན་དུ་གྱིས་ཤིག །རིགས་ཀྱི་བུ་ཁྱོད་གང་གི་ཚེ་ཤེས་རབ་ཀྱི་ཕ་རོལ་ཏུ་ཕྱིན་པ་ཇི་ལྟར་བསྟན་པ་ལ་ནན་ཏན་བྱེད་པ་དེའི་ཚེ། རིགས་ཀྱི་བུ་ཁྱོད་ཤེས་རབ་ཀྱི་ཕ་རོལ་ཏུ་ཕྱིན་པ་ལ་སློབ་པར་འགྱུར་རོ། །རིགས་ཀྱི་བུ་ཁྱོད་གང་གི་ཚེ་ཤེས་རབ་ཀྱི་ཕ་རོལ་ཏུ་ཕྱིན་པ་ལ་སློབ་པར༔གྱུར་པ་[6]དེའི་ཚེ། ཁྱོད་ཀྱིས་ཐམས་ཅད་མཁྱེན་པ་ཉིད་ཀྱི་ཆོས་རྣམས་ཐོབ་པར་འགྱུར་རོ། །གང་གི་ཚེ་ཁྱོད་ཀྱིས་ཐམས་ཅད་མཁྱེན་པ་ཉིད་ཀྱི་ཆོས་རྣམས་ཐོབ་པར་གྱུར་པ་དེའི་ཚེ། ཁྱོད་ཀྱི་ཤེས་རབ་ཀྱི་ཕ་རོལ་ཏུ་ཕྱིན་པ་བསྒོམ་པ་དེ་བས་ཀྱང་ཡོངས་སུ་རྫོགས་པར་འགྱུར་རོ། །གང་གི་ཚེ་ཁྱོད་ཀྱི་ཤེས་རབ་ཀྱི་ཕ་རོལ་ཏུ་ཕྱིན་པ་བསྒོམ་པ་དེ་བས་ཀྱང་ཡོངས་སུ་རྫོགས་པར་གྱུར་པ་དེའི་ཚེ། ཁྱོད་བླ་ན་མེད་པ་ཡང་དག་པར་རྫོགས་པའི་བྱང་

ཆུབ་ཏུ་མངོན་པར་རྫོགས་པར་འཚང་རྒྱའོ་ཞེས་བསྒོ་ན། ཆོས་དེའི་བསོད་ནམས་མང་དུ་འཕེལ་ལོ། །དེ་ཅིའི་ཕྱིར་ཞེ་ན། ཀཽ་ཤི་ཀ་འདི་ལས་བྱུང་བ་ནི་སེམས་དང་པོ་བསྐྱེད་པའི་བྱང་ཆུབ་སེམས་དཔའ་སེམས་དཔའ་ཆེན་པོ་རྣམས་སོ། །ཀཽ་ཤི་ཀ་གཞན་ཡང་འཛམ་བུའི་གླིང་གི་སེམས་ཅན་ཇི་སྙེད་པ་དེ་དག་རིགས་ཀྱི་བུའམ་རིགས་ཀྱི་བུ་མོ་ལ་ལ་ཞིག་གིས། ཕྱིར་མི་ལྡོག་པའི་ས་ལ་བཀོད་ན། ཀཽ་ཤི་ཀ་དེ་ཇི་སྙམ་དུ་སེམས། རིགས་ཀྱི་བུའམ་རིགས་ཀྱི་བུ་མོ་དེའི་བསོད་ནམས་དེའི་རྒྱུས་མང་དུ་འཕེལ་ལམ། གསོལ་པ། བཅོམ་ལྡན་འདས་མང་ངོ་། །བདེ་བར་གཤེགས་པ་མང་ངོ་། །བཅོམ་ལྡན་འདས་ཀྱིས་བཀའ་སྩལ་པ། ཀཽ་ཤི་ཀ་དེ་བས་ཀྱང་རིགས་ཀྱི་བུའམ་རིགས་ཀྱི་བུ་མོ་གང་གིས། ཤེས་རབ་ཀྱི་ཕ་རོལ་ཏུ་ཕྱིན་པ་འདི་དོན་དང་ལྡན་ཡི་གེ་དང་ལྡན་པར་གཞན་ལ་རྒྱ་ཆེར་བརྗོད་དེ་བསྟན་པ་དང་། བཤད་དེ་བཀྲོལ་ཞིང་རྣམ་པར་ཕྱེ་སྟེ་གསལ་བ་དང་། ཡང་དག་པར་བསྟན་པ་བྱས་པ་དང་། འདི་སྐད་དུ་ཚུར་རིགས་ཀྱི་བུ་ཁྱོད་ཀྱིས་ཤེས་རབ་ཀྱི་ཕ་རོལ་ཏུ་ཕྱིན་པ་ཟུང་[1]ཤིག །ཀུན་ཆུབ་པར་གྱིས་ཤིག །ཆོངས་ཤིག །ཀློགས་ཤིག །ཚུལ་བཞིན་དུ་ཡིད་ལ་གྱིས་ཤིག །ཇི་ལྟར་བསྟན་པའི་ཤེས་རབ་ཀྱི་ཕ་རོལ་ཏུ་ཕྱིན་པ་ལ་ནན་ཏན་དུ་གྱིས་ཤིག །རིགས་ཀྱི་བུ་ཁྱོད་གང་གི་ཚེ། ཇི་ལྟར་བསྟན་པའི་ཤེས་རབ་ཀྱི་ཕ་རོལ་ཏུ་ཕྱིན་པ་ལ་ནན་ཏན་དུ་བྱེད་པ་དེའི་ཚེ། རིགས་ཀྱི་བུ་ཁྱོད་ཤེས་རབ་ཀྱི་ཕ་རོལ་ཏུ་ཕྱིན་པ་ལ་སློབ་པར་འགྱུར་རོ། །རིགས་ཀྱི་བུ་ཁྱོད་གང་གི་ཚེ། ཤེས་རབ་ཀྱི་ཕ་རོལ་ཏུ་ཕྱིན་པ་ལ་སློབ་པར་གྱུར་པ་དེའི་ཚེ་ཁྱོད་ཀྱིས་ཐམས་ཅད་མཁྱེན་པ་ཉིད་ཀྱི་ཆོས་རྣམས་ཐོབ་པར་འགྱུར་རོ། །གང་གི་ཚེ་ཁྱོད་ཀྱིས་ཐམས་ཅད་མཁྱེན་པ་ཉིད་ཀྱི་ཆོས་རྣམས་ཐོབ་པར་གྱུར་པ་དེའི་ཚེ། ཁྱོད་ཀྱི་ཤེས་རབ་ཀྱི་ཕ་རོལ་ཏུ་ཕྱིན་པ་[2]བསྒོམ་པ་དེ་བས་ཀྱང་ཡོངས་སུ་རྫོགས་པར་འགྱུར་

རོ། །གང་གི་ཚེ་ཁྱོད་ཀྱི་ཤེས་རབ་ཀྱི་ཕ་རོལ་ཏུ་ཕྱིན་པ་བསྒོམ་པ་དེ་བས་ཀྱང་ཡོངས་སུ་རྫོགས་པར་གྱུར་པ་དེའི་ཚེ། ཁྱོད་བླ་ན་མེད་པ་ཡང་དག་པར་རྫོགས་པའི་བྱང་ཆུབ་ཏུ་མངོན་པར་རྫོགས་པར་འཚང་རྒྱའོ་ཞེས་བསྒོ་ན། ཆོས་དེའི་བསོད་ནམས་མང་དུ་འཕེལ་ལོ། །དེ་ཅིའི་ཕྱིར་ཞེ་ན། ཀཽ་ཤི་ཀ་འདི་ལས་བྱུང་བ་ནི་བྱང་ཆུབ་སེམས་དཔའ་སེམས་དཔའ་ཆེན་པོ་རྣམས་ཀྱི་ཕྱིར་མི་ལྡོག་པའི་སའོ། །ཀཽ་ཤི་ཀ་འཛམ་བུའི་གླིང་གི་སེམས་ཅན་རྣམས་ཕྱིར་མི་ལྡོག་པའི་ས་ལ་བཀོད་པ་ལྟ་ཡང་ཞོག །གླིང་ཆེན་པོ་བཞིའི་འཇིག་རྟེན་གྱི་ཁམས་ཀྱི་སེམས་ཅན་ལྟ་ཡང་ཞོག །སྟོང་གི་འཇིག་རྟེན་གྱི་ཁམས་བྱུར་བུའི་སེམས་ཅན་ལྟ་ཡང་ཞོག །སྟོང་གཉིས་ཀྱི་འཇིག་རྟེན་གྱི་ཁམས་འབྲིང་པོའི་སེམས་ཅན་ལྟ་ཡང་ཞོག །སྟོང་གསུམ་གྱི་སྟོང་ཆེན་པོའི་འཇིག་རྟེན་གྱི་ཁམས་ཀྱི་སེམས་ཅན་ཇི་སྙེད་པ་དེ་དག་ཕྱིར་མི་ལྡོག་པའི་ས་ལ་བཀོད་པ་ལྟ་ཡང་ཞོག་གི། ཀཽ་ཤི་ཀ་ཕྱོགས་བཅུའི་ཕྱོགས་རེ་རེ་ཞིང་གང་གཱའི་ཀླུང་གི་བྱེ་མ་སྙེད་ཀྱི་འཇིག་རྟེན་གྱི་ཁམས་ཀྱི་སེམས་ཅན་ཇི་སྙེད་པ་དེ་དག །རིགས་ཀྱི་བུའམ་རིགས་ཀྱི་བུ་མོ་ལ་ལ་ཞིག་གིས་ཕྱིར་མི་ལྡོག་པའི་ས་ལ་བཀོད་ན། ཀཽ་ཤི་ཀ་དེ་ཇི་སྙམ་དུ་སེམས། རིགས་ཀྱི་བུའམ་རིགས་ཀྱི་བུ་མོ་དེའི་བསོད་ནམས་དེའི་རྒྱུས་མང་དུ་འཕེལ་ལམ། གསོལ་པ། བཅོམ་ལྡན་འདས་མང་ངོ་། །བདེ་བར་གཤེགས་པ་མང་ངོ་། །བཅོམ་ལྡན་འདས་ཀྱིས་བཀའ་སྩལ་པ། ཀཽ་ཤི་ཀ་དེ་བས་ཀྱང་རིགས་ཀྱི་བུའམ་རིགས་ཀྱི་བུ་མོ་གང་གིས། ཤེས་རབ་ཀྱི་ཕ་རོལ་ཏུ་ཕྱིན་པ་འདི་དོན་དང་ལྡན་ཡི་གེ་དང་ལྡན་པར་གཞན་ལ་རྒྱ་ཆེར་བརྗོད་དེ་བསྟན་པ་དང་། བཤད་དེ་བཀྲོལ་ཞིང་རྣམ་པར་ཕྱེ་སྟེ་གསལ་བ་དང་། ཡང་དག་པར་བསྟན་པ་བྱས་པ་དང་། འདི་སྐད་དུ་ཚུར་རིགས་ཀྱི་བུ་ཁྱོད་ཀྱིས་ཤེས་རབ་ཀྱི་ཕ་རོལ་ཏུ་ཕྱིན་པ་ཟུང་[7] ཤིག །ཀུན་ཆུབ་པར་གྱིས་ཤིག །ཚོངས་ཤིག །

ལྷོགས་ཤིག །ཚུལ་བཞིན་དུ་ཡིད་ལ་གྱིས་ཤིག །ཇི་ལྟར་བསྟན་པའི་ཤེས་རབ་ཀྱི་ཕ་རོལ་ཏུ་ཕྱིན་པ་ལ་ནན་ཏན་དུ་གྱིས་ཤིག །རིགས་ཀྱི་བུ་ཁྱོད་གང་གི་ཚེ་ཇི་ལྟར་བསྟན་པའི་ཤེས་རབ་ཀྱི་ཕ་རོལ་ཏུ་ཕྱིན་པ་ལ་ནན་ཏན་དུ་བྱེད་པ་དེའི་ཚེ། རིགས་ཀྱི་བུ་ཁྱོད་ཤེས་རབ་ཀྱི་ཕ་རོལ་ཏུ་ཕྱིན་པ་ལ་སློབ་པར་འགྱུར་རོ། །རིགས་ཀྱི་བུ་ཁྱོད་གང་གི་ཚེ་ཤེས་རབ་ཀྱི་ཕ་རོལ་ཏུ་ཕྱིན་པ་ལ་སློབ་པར་གྱུར་པ་དེའི་ཚེ། ཁྱོད་ཀྱིས་ཐམས་ཅད་མཁྱེན་པ་ཉིད་ཀྱི་ཆོས་རྣམས་ཐོབ་པར་འགྱུར་རོ། །གང་གི་ཚེ་ཁྱོད་ཀྱིས་ཐམས་ཅད་མཁྱེན་[༧]པ་ཉིད་ཀྱི་ཆོས་རྣམས་ཐོབ་པར་གྱུར་པ་དེའི་ཚེ། ཁྱོད་བླ་ན་མེད་པ་ཡང་དག་པར་རྫོགས་པའི་བྱང་ཆུབ་ཏུ་མངོན་པར་རྫོགས་པར་འཚང་རྒྱའོ་ཞེས་བསྒོ་ན། ཆེས་དེའི་བསོད་ནམས་མང་དུ་འཕེལ་ལོ། །དེ་ཅིའི་ཕྱིར་ཞེ་ན། ཀཽ་ཤི་ཀ་ཤེས་རབ་ཀྱི་ཕ་རོལ་ཏུ་ཕྱིན་པ་ལས་བྱུང་བ་ནི། བྱང་ཆུབ་སེམས་དཔའ་སེམས་དཔའ་ཆེན་པོ་རྣམས་[༡]ཕྱིར་མི་ལྡོག་པའི་སའོ། །ཀཽ་ཤི་ཀ་གཞན་ཡང་འཛམ་བུའི་གླིང་གི་སེམས་ཅན་ཇི་སྙེད་པ་དེ་དག་ཐམས་ཅད་བླ་ན་མེད་པ་ཡང་དག་པར་རྫོགས་པའི་བྱང་ཆུབ་ཏུ་ཡང་དག་པར་ཞུགས་པར་གྱུར་ཏེ། དེ་དག་ལ་རིགས་ཀྱི་བུའམ་རིགས་ཀྱི་བུ་མོ་ལ་ལ་ཞིག་གིས། ཤེས་རབ་ཀྱི་ཕ་རོལ་ཏུ་ཕྱིན་པ་འདི་དོན་དང་ལྡན་ཡི་གེ་དང་ལྡན་པར་རྒྱ་ཆེར་བརྗོད་དེ་བསྟན་པ་དང་། བཤད་དེ་བཀྲོལ་ཞིང་རྣམ་པར་ཕྱེ་སྟེ་གསལ་བ་དང་། ཡང་དག་པར་བསྟན་པ་བྱས་པ་དང་། འདི་སྐད་དུ་ཚུར་རིགས་ཀྱི་བུ་ཁྱོད་ཀྱིས་ཤེས་རབ་ཀྱི་ཕ་རོལ་ཏུ་ཕྱིན་པ་ཟུང་[༡]ཤིག །ཀུན་ཆུབ་པར་གྱིས་ཤིག །ཆོངས་ཤིག །ལྷོགས་ཤིག །ཚུལ་བཞིན་དུ་ཡིད་ལ་གྱིས་ཤིག །ཇི་ལྟར་བསྟན་པའི་ཤེས་རབ་ཀྱི་ཕ་རོལ་ཏུ་ཕྱིན་པ་ལ་ནན་ཏན་དུ་གྱིས་ཤིག །རིགས་ཀྱི་བུ་ཁྱོད་གང་གི་ཚེ། ཇི་ལྟར་བསྟན་པའི་ཤེས་རབ་ཀྱི་ཕ་རོལ་ཏུ་ཕྱིན་པ་ལ་ནན་ཏན་དུ་བྱེད་པ་དེའི་ཚེ། རིགས་ཀྱི་བུ་

ཁྱོད་ཤེས་རབ་ཀྱི་ཕ་རོལ་ཏུ་ཕྱིན་པ་ལ་སློབ་པར་འགྱུར་རོ། །རིགས་ཀྱི་བུ་ཁྱོད་གང་གི་ཚེ་ཤེས་རབ་ཀྱི་ཕ་རོལ་ཏུ་ཕྱིན་པ་ལ་སློབ་པར་གྱུར་པ་དེའི་ཚེ། ཁྱོད་ཀྱིས་ཐམས་ཅད་མཁྱེན་པ་ཉིད་ཀྱི་ཆོས་རྣམས་ཐོབ་པར་འགྱུར་རོ། །གང་གི་ཚེ་ཁྱོད་ཀྱིས་ཐམས་ཅད་མཁྱེན་པ་ཉིད་ཀྱི་ཆོས་རྣམས་ཐོབ་པར་གྱུར་པ་དེའི་ཚེ། ཁྱོད་བླ་ན་མེད་པ་ཡང་དག་པར་རྫོགས་པའི་བྱང་ཆུབ་ཏུ་མངོན་པར༔རྫོགས་པར་[1]འཚང་རྒྱའོ་ཞེས་བསྒྲོན། ཆེས་དེའི་བསོད་ནམས་མང་དུ་འཕེལ་ལོ། །ཀཽ་ཤི་ཀ་འཛམ་བུའི་གླིང་གི་སེམས་ཅན་རྣམས་བླ་ན་མེད་པ་ཡང་དག་པར་རྫོགས་པའི་བྱང་ཆུབ་ཏུ་ཡང་དག་པར་ཞུགས་པ་ལྟ་ཡང་ཞོག །གླིང་བཞི་པའི་འཇིག་རྟེན་གྱི་ཁམས་ཀྱི་སེམས་ཅན་ལྟ་ཡང་ཞོག །སྟོང་གི་འཇིག་རྟེན་གྱི་ཁམས་ཕྱུར་བུའི་སེམས་ཅན་ལྟ་ཡང་ཞོག །སྟོང་གཉིས་ཀྱི་འཇིག་རྟེན་གྱི་ཁམས་འབྲིང་པོའི་སེམས་ཅན་ལྟ་ཡང་ཞོག །སྟོང་གསུམ་གྱི་སྟོང་ཆེན་པོའི་འཇིག་རྟེན་གྱི་ཁམས་ཀྱི་སེམས་ཅན་ཇི་སྙེད་པ་དེ་དག་བླ་ན་མེད་པ་ཡང་དག་པར་རྫོགས་པའི་བྱང་ཆུབ་ཏུ་ཡང་དག་པར་ཞུགས་པ་ལྟ་ཡང་ཞོག[2] །ཀཽ་ཤི་ཀ་ཕྱོགས་བཅུའི་ཕྱོགས་རེ་རེ་ཞིང་གང་གཱའི་ཀླུང་གི་བྱེ་མ་སྙེད་ཀྱི་འཇིག་རྟེན་གྱི་ཁམས་ཀྱི་སེམས་ཅན་ཇི་སྙེད་པ་དེ་དག་ཐམས་ཅད་བླ་ན་མེད་པ་ཡང་དག་པར་རྫོགས་པའི་བྱང་ཆུབ་ཏུ་ཡང་དག་པར་ཞུགས་པར་གྱུར་ཏེ། དེ་དག་ལ་རིགས་ཀྱི་བུའམ་རིགས་ཀྱི་བུ་མོ་ལ་ལ་ཞིག་གིས། ཤེས་རབ་ཀྱི་ཕ་རོལ་ཏུ་ཕྱིན་པ་འདི་དོན་དང་ལྡན་ཡི་གེ་དང་ལྡན་པར་རྒྱ་ཆེར་བརྗོད་དེ་བསྟན་པ་དང་། བཤད་དེ་བཀྲོལ་ཞིང་[3]རྣམ་པར་ཕྱེ་སྟེ་གསལ་བ་དང་། ཡང་དག་པར་བསྟན་པ་བྱས་པ་དང་། འདི་སྐད་དུ་ཚུར་རིགས་ཀྱི་བུ་ཁྱོད་ཀྱིས་ཤེས་རབ་ཀྱི་ཕ་རོལ་ཏུ་ཕྱིན་པ་ཟུང་[4]ཤིག །ཀུན་ཆུབ་པར་གྱིས་ཤིག །ཚངས་ཤིག །ཀློགས་ཤིག །ཚུལ་བཞིན་དུ་ཡིད་ལ་གྱིས་ཤིག །ཇི་ལྟར་བསྟན་པའི་ཤེས་རབ་

ཀྱི་ཕ་རོལ་ཏུ་ཕྱིན་པ་ལ་ནན་ཏན་དུ་གྱིས་ཤིག །རིགས་ཀྱི་བུ་ཁྱོད་གང་གི་ཚེ་ཇི་ལྟར་བསྟན་པའི་ཤེས་རབ་ཀྱི་ཕ་རོལ་ཏུ་ཕྱིན་པ་ལ་ནན་ཏན་དུ་བྱེད་པ་དེའི་ཚེ། རིགས་ཀྱི་བུ་ཁྱོད་ཤེས་རབ་ཀྱི་ཕ་རོལ་ཏུ་ཕྱིན་པ་ལ་སློབ་པར་འགྱུར་རོ། །རིགས་ཀྱི་བུ་ཁྱོད་གང་གི་ཚེ། ཤེས་རབ་ཀྱི་ཕ་རོལ་ཏུ་ཕྱིན་པ་ལ་སློབ་པར་གྱུར་པ་དེའི་ཚེ། ཁྱོད་ཀྱིས་ཐམས་ཅད་མཁྱེན་པ་ཉིད་ཀྱི་ཆོས་རྣམས་ཐོབ་པར་འགྱུར་རོ། །གང་གི་ཚེ་ཁྱོད་ཀྱིས་ཐམས་ཅད་མཁྱེན་པ་ཉིད་ཀྱི་ཆོས་རྣམས་ཐོབ་པར་གྱུར་པ་དེའི་ཚེ། ཁྱོད་བླ་ན་མེད་པ་ཡང་དག་པར་རྫོགས་པའི་བྱང་ཆུབ་ཏུ་མངོན་པར་རྫོགས་པར་འཚང་རྒྱའོ་ཞེས་བསྒོ་ན། ཆེས་དེའི་བསོད་ནམས་མང་དུ་འཕེལ་ལོ། །ཀཽ་ཤི་ཀ་གཞན་ཡང་འཛམ་བུའི་གླིང་གི་སེམས་ཅན་ཇི་སྙེད་པ་དེ་དག་ཐམས་ཅད་བླ་ན་མེད་པ་ཡང་དག་པར་རྫོགས་པའི་བྱང་ཆུབ་ལས་ཕྱིར་མི་ལྡོག་པར་གྱུར[1]ཏེ། བྱང་ཆུབ་སེམས་དཔའ་སེམས་དཔའ་ཆེན་པོ་དེ་དག་ལ་རིགས་ཀྱི་བུའམ་རིགས་ཀྱི་བུ་མོ་ལ་ལ་ཞིག་གིས། ཤེས་རབ་ཀྱི་ཕ་རོལ་ཏུ་ཕྱིན་པ་འདི་དོན་དང་ལྡན་ཡི་གེ་དང་ལྡན་པར་རྒྱ་ཆེར་བརྗོད་དེ་བསྟན་པ་དང་། བཤད་དེ་བཀྲོལ་ཞིང་རྣམ་པར་ཕྱེ་སྟེ་གསལ་བ་དང་། ཡང་དག་པར་བསྟན་པ་བྱས་པ་བས། དེའི་ནང་ནས་བྱང་ཆུབ་སེམས་དཔའ་སེམས་དཔའ་ཆེན་པོ་ལ་ལ་ཞིག་འདི་སྐད་དུ། བདག་མྱུར་དུ་བླ་ན་མེད་པ་ཡང་དག་པར་རྫོགས་པའི་བྱང་ཆུབ་ཏུ་མངོན་པར་རྫོགས་པར་འཚང་རྒྱའོ་ཞེས་ཟེར་ལ། རིགས་ཀྱི་བུའམ་རིགས་ཀྱི་བུ་མོ་ལ་ལ་ཞིག་གིས། དེ་ལ་ཤེས་རབ་ཀྱི་ཕ་རོལ་ཏུ་ཕྱིན་པ་འདི་དོན་དང་ལྡན་ཡི་གེ་དང་ལྡན་པར་རྒྱ་ཆེར་བརྗོད་དེ་བསྟན་ན། རིགས་ཀྱི་བུའམ་རིགས་ཀྱི་བུ་མོ་དེའི་བསོད་ནམས་ཆེས་མང་དུ་འཕེལ་ལོ། །ཀཽ་ཤི་ཀ་འཛམ་བུའི་གླིང་གི་སེམས་ཅན་རྣམས་བླ་ན་མེད་པ་ཡང་དག་པར་རྫོགས་པའི་བྱང་ཆུབ་ལས་ཕྱིར་མི་ལྡོག་པར་གྱུར་པ་ལྟ་ཡང་ཞོག །

གླིང་བཞི་པའི་འཇིག་རྟེན་གྱི་ཁམས་ཀྱི་སེམས་ཅན་ལྟ་ཡང་ཞོག །སྟོང་གི་འཇིག་རྟེན་གྱི་ཁམས་བྱུར་བུའི་སེམས་ཅན་ལྟ་ཡང་ཞོག །སྟོང་གཉིས་ཀྱི་འཇིག་རྟེན་གྱི་ཁམས་འབྲིང་པོའི་[1]སེམས་ཅན་ལྟ་ཡང་ཞོག །སྟོང་གསུམ་གྱི་སྟོང་ཆེན་པོའི་འཇིག་རྟེན་གྱི་ཁམས་ཀྱི་སེམས་ཅན་རྣམས་བླ་ན་མེད་པ་ཡང་དག་པར་རྫོགས་པའི་བྱང་ཆུབ་ལས་ཕྱིར་མི་ལྡོག་པར་[2]གྱུར་པ་ལྟ་ཡང་ཞོག་གི། ཀཽ་ཤི་ཀ་ཕྱོགས་བཅུའི་ཕྱོགས་རེ་རེ་ཞིང་གངྒའི་[3]ཀླུང་གི་བྱེ་མ་སྙེད་ཀྱི་འཇིག་རྟེན་གྱི་ཁམས་ཀྱི་སེམས་ཅན་ཇི་སྙེད་པ་དེ་དག་ཐམས་ཅད་བླ་ན་མེད་པ་ཡང་དག་པར་རྫོགས་པའི་བྱང་ཆུབ་ལས་ཕྱིར་མི་ལྡོག་པར་གྱུར་ཏེ། བྱང་ཆུབ་སེམས་དཔའ་སེམས་དཔའ་ཆེན་པོ་དེ་དག་ལ། རིགས་ཀྱི་བུའམ་[4]རིགས་ཀྱི་བུ་མོ་ལ་ལ་ཞིག་གིས། ཤེས་རབ་ཀྱི་ཕ་རོལ་ཏུ་ཕྱིན་པ་འདི་དོན་དང་ལྡན་ཡི་གེ་དང་ལྡན་པར་རྒྱ་ཆེར་བརྗོད་དེ་བསྟན་པ་དང་། བཤད་དེ་བཀྲོལ་ཞིང་རྣམ་པར་ཕྱེ་སྟེ་གསལ་[5]བ་དང་། ཡང་དག་པར་བསྟན་པ་བྱས་པ་བས། དེའི་ནང་ནས་བྱང་ཆུབ་སེམས་དཔའ་སེམས་དཔའ་ཆེན་པོ་ལ་ལ་ཞིག་འདི་སྐད་དུ། བདག་མྱུར་དུ་བླ་ན་མེད་པ་ཡང་དག་པར་རྫོགས་པའི་བྱང་ཆུབ་ཏུ་མངོན་པར་རྫོགས་པར་འཚང་རྒྱའོ་ཞེས་ཟེར་ལ། རིགས་ཀྱི་བུའམ་རིགས་ཀྱི་བུ་མོ་ལ་ལ་ཞིག་གིས། དེ་ལ་ཤེས་རབ་ཀྱི་ཕ་རོལ་ཏུ་ཕྱིན་པ་འདི་དོན་དང་ལྡན་ཡི་གེ་དང་ལྡན་པར་རྒྱ་ཆེར་བརྗོད་དེ་བསྟན་ན། རིགས་ཀྱི་བུའམ་[6]རིགས་ཀྱི་བུ་མོ་དེའི་བསོད་ནམས་ཆེས་མང་དུ་འཕེལ་ལོ། །དེ་ཅིའི་ཕྱིར་ཞེ་ན། ཕྱིར་མི་ལྡོག་པའི་བྱང་ཆུབ་སེམས་དཔའ་སེམས་དཔའ་ཆེན་པོ་དེ་དག་ནི་ངེས་པ་སྟེ། རྫོགས་པའི་བྱང་ཆུབ་ཏུ་གཞོལ་ཞིང་བླ་ན་མེད་པ་ཡང་དག་པར་རྫོགས་པའི་བྱང་ཆུབ་ལས་ཕྱིར་ལྡོག་པར་[7]མི་འགྱུར་བས་ན། དེ་དག་ལ་ནི་དེ་ཙམ་དུ་ཆོས་བསྟན་ཀྱང་མི་དགོས་ཀྱི། འདི་ནི་འཁོར་བ་ནས་འབྱུང་བར་འདོད་ལ། སྙིང་རྗེ་ཆེན་

པོས་མནར་བའི་ཕྱིར་རོ[༡]། །དེ་ནས་ལྷའི་དབང་པོ་བརྒྱ་བྱིན་གྱིས། བཅོམ་ལྡན་འདས་ལ་འདི་སྐད་ཅེས་གསོལ་ཏོ[༢]། །བཅོམ་ལྡན་འདས་[༣]ཇི་ལྟ་ཇི་ལྟར་བྱང་ཆུབ་སེམས་དཔའ་སེམས་དཔའ་ཆེན་པོ་བླ་ན་མེད་པ་ཡང་དག་པར་རྫོགས་པའི་བྱང་ཆུབ་ཏུ་ཉེ་བར་གྱུར་པ་དེ་ལྟ་དེ་ལྟར་བྱང་ཆུབ་སེམས་དཔའ་སེམས་དཔའ་ཆེན་པོ་དེ་སྦྱིན་པའི་ཕ་རོལ་ཏུ་ཕྱིན་པ་ལ་གདམས་ཤིང་རྗེས་སུ་བསྟན་པར་བགྱིའོ། །ཚུལ་ཁྲིམས་ཀྱི་ཕ་རོལ་ཏུ་ཕྱིན་པ་དང་། བཟོད་པའི་ཕ་རོལ་ཏུ་ཕྱིན་པ་དང་། བརྩོན་འགྲུས་ཀྱི་ཕ་རོལ་ཏུ་ཕྱིན་པ་དང་། བསམ་གཏན་གྱི་ཕ་རོལ་ཏུ་ཕྱིན་པ་དང་། ཤེས་རབ་ཀྱི་ཕ་རོལ་ཏུ་ཕྱིན་པ་ལ་གདམས་ཤིང་རྗེས་སུ་བསྟན་པར་བགྱིའོ།། ནང་སྟོང་པ་ཉིད་ལ་གདམས་ཤིང་རྗེས་སུ་བསྟན་པར་བགྱིའོ། །དངོས་པོ་མེད་པའི་ངོ་བོ་ཉིད་སྟོང་པ་ཉིད་ཀྱི་བར་ལ་གདམས་ཤིང་རྗེས་སུ་བསྟན་པར་བགྱིའོ། །དྲན་པ་ཉེ་བར་གཞག་པ་རྣམས་དང་། ཡང་དག་པར་སྤོང་བ་རྣམས་དང་། རྫུ་འཕྲུལ་གྱི་རྐང་པ་རྣམས་དང་། དབང་པོ་རྣམས་དང་། སྟོབས་རྣམས་དང་། བྱང་ཆུབ་ཀྱི་ཡན་ལག་རྣམས་དང་། འཕགས་པའི་ལམ་ཡན་ལག་བརྒྱད་པ་ལ་གདམས་ཤིང་རྗེས་སུ་བསྟན་པར་བགྱིའོ། །འཕགས་པའི་བདེན་པ་རྣམས་དང་། བསམ་གཏན་རྣམས་དང་། ཚད་མེད་པ་རྣམས་དང་། གཟུགས་མེད་པའི་སྙོམས་པར་འཇུག་པ་རྣམས་དང་། རྣམ་པར་ཐར་པ་བརྒྱད་དང་། མཐར་གྱིས་གནས་པའི་སྙོམས་པར་འཇུག་པ་དགུ་དང་། རྣམ་པར་ཐར་པའི་སྒོ་གསུམ་དང་། མངོན་པར་ཤེས་པ་རྣམས་དང་། ཏིང་ངེ་འཛིན་རྣམས་དང་། གཟུངས་ཀྱི་སྒོ་རྣམས་ལ་གདམས་ཤིང་རྗེས་སུ་བསྟན་པར་བགྱིའོ། །དེ་བཞིན་གཤེགས་པའི་སྟོབས་རྣམས་དང་། མི་འཇིགས་པ་རྣམས་དང་། སོ་སོ་ཡང་དག་པར་རིག་པ་རྣམས་དང་། བྱམས་པ་ཆེན་པོ་དང་། སྙིང་རྗེ་ཆེན་པོ་དང་།

སངས་རྒྱས་ཀྱི་ཆོས་མ་འདྲེས་པ་བཅོ་བརྒྱད་ལ་གདམས་ཤིང་རྗེས་སུ་བསྟན་པར་བགྱིའོ། །གོས་དང་བསོད་སྙོམས་དང་མལ་ཆ་དང་ནད་ཀྱི་རྐྱེན་སྨན་དང་ཡོ་བྱད་[1]ཀྱིས་ཀྱང་རྗེས་སུ་གཟུང་བར་བགྱི་སྟེ། བྱང་ཆུབ་སེམས་དཔའ་སེམས་དཔའ་ཆེན་པོ་དེ་ལ་ཆོས་ཀྱིས་བསྡུ་བ་དང་། ཟང་ཟིང་གིས་བསྡུ་བས་རྗེས་སུ་འཛིན་པའི་རིགས་ཀྱི་བུའམ་རིགས་ཀྱི་བུ་མོ་དེ་དག་གི་བསོད་ནམས་ནི་ཆེས་མང་དུ་འཕེལ་གྱི། རིགས་ཀྱི་བུ་དང་རིགས་ཀྱི་བུ་མོ་སྟྲ་མ་དག་ནི་[2]མ་ལགས་སོ། །དེ་ཅིའི་སླད་དུ་ཞེ་ན། བཅོམ་ལྡན་འདས་དེ་ནི་ཡོང་ཡང་དེ་ལྟར་འགྱུར་ཏེ། བྱང་ཆུབ་སེམས་དཔའ་སེམས་དཔའ་ཆེན་པོ་གང་ལགས་པ་དེ་ནི་ཕ་རོལ་ཏུ་ཕྱིན་པ་རྣམས་ལ་གདམས་ཤིང་རྗེས་སུ་བསྟན་པའོ། །སྟོང་པ་ཉིད་ཐམས་ཅད་དང་བྱང་ཆུབ་ཀྱི་ཕྱོགས་ཀྱི་ཆོས་ཐམས་ཅད་དང་། འཕགས་པའི་བདེན་པ་རྣམས་དང་བསམ་གཏན་རྣམས་དང་ཚད་མེད་པ་རྣམས་དང་གཟུགས་མེད་པའི་སྙོམས་པར་འཇུག་པ་རྣམས་ལ་གདམས་ཤིང་རྗེས་སུ་བསྟན་པའོ། །རྣམ་པར་ཐར་པ་བརྒྱད་དང་མཐར་གྱིས་གནས་པའི་སྙོམས་པར་འཇུག་པ་[3]དགུ་དང་རྣམ་པར་ཐར་པའི་སྒོ་གསུམ་དང་མངོན་པར་ཤེས་པ་རྣམས་དང་ཏིང་ངེ་འཛིན་རྣམས་དང་གཟུངས་ཀྱི་སྒོ་རྣམས་ལ་གདམས་ཤིང་རྗེས་སུ་བསྟན་པའོ། །དེ་བཞིན་གཤེགས་པའི་སྟོབས་བཅུ་དང་མི་འཇིགས་པ་བཞི་དང་སོ་སོ་ཡང་དག་པར་རིག་པ་བཞི་དང་བྱམས་པ་ཆེན་པོ་དང་སྙིང་རྗེ་ཆེན་པོ་དང་སངས་རྒྱས་ཀྱི་ཆོས་མ་འདྲེས་པ་བཅོ་བརྒྱད་ལ་གདམས་ཤིང་རྗེས་སུ་བསྟན་པའོ། །དེ་ནས་ཚེ་དང་ལྡན་པ་རབ་འབྱོར་གྱིས། ལྷའི་དབང་པོ་བརྒྱ་བྱིན་ལ་སྨྲས་པ། ཀཽ་[4]ཤི་ཀ་དེ་ལྟར་ཁྱོད་བྱང་ཆུབ་སེམས་དཔའ་རྣམས་ཀྱིས་མོས་པ་བསྐྱེད་[5]པ་དང་། བྱང་ཆུབ་སེམས་དཔའ་རྣམས་ལ་ཕན་འདོགས་པ་དང་ཡོངས་སུ་སྐྱོང་བ་ལེགས་སོ། ལེགས་སོ། །ཀཽ་ཤི་

ཀ་ཁྱོད་ཀྱིས་དེ་བཞིན་དུ་བྱའོ། །འཕགས་པ་ཉན་ཐོས་གང་སེམས་ཅན་རྣམས་ལ་
ཕན་འདོགས་པར་འདོད་པ་དེས་ཀྱང་། བྱང་ཆུབ་སེམས་དཔའ་སེམས་དཔའ་
ཆེན་པོ་རྣམས་བླ་ན་མེད་པ་ཡང་དག་པར་རྫོགས་པའི་བྱང་ཆུབ་ཏུ་སེམས་པ་བསྐྱེད་
པར་བྱའོ། །བྱང་ཆུབ་སེམས་དཔའ་རྣམས་ཟང་ཟིང་དང་། ཆོས་ཀྱིས་ཕན་
གདགས་པས་ཕན་གདགས་ཤིང་ཡོངས་སུ་བསྲུང་བར[1]བྱའོ། །དེ་ཅིའི་ཕྱིར་ཞེ་ན།
ཀཽ་ཤི་ཀ་བཅོམ་ལྡན་འདས་ཀྱི་ཉན་ཐོས་ཀྱི་དགེ་འདུན་ནི་འདི་ལྟ་སྟེ། བྱང་ཆུབ་
སེམས་དཔའ་སེམས་དཔའ་ཆེན་པོ་དེ་དག་ལས་འབྱུང་ངོ་། །གལ་ཏེ་བྱང་ཆུབ་
སེམས་དཔའ་སེམས་དཔའ་ཆེན་པོ་བླ་ན་མེད་པ་ཡང་དག་པར་རྫོགས་པའི་བྱང་
ཆུབ་ཏུ་སེམས་མི་བསྐྱེད་ན། བྱང་ཆུབ་སེམས་དཔའ་སེམས་དཔའ་ཆེན་པོ་ཕ་
རོལ་ཏུ་ཕྱིན་པ་དྲུག་པོ་འདི་དག་ལ་སློབ[2]པ་མ་ཡིན། ནང་སྟོང་པ་ཉིད་དང་
དངོས་པོ་མེད་པའི་ངོ་བོ་ཉིད་སྟོང་པ་ཉིད་ཀྱི་བར་དང་བྱང་ཆུབ་ཀྱི་ཕྱོགས་ཀྱི་ཆོས་
སུམ་ཅུ་རྩ་བདུན་དང་འཕགས་པའི་བདེན་པ་རྣམས་དང་བསམ་གཏན་རྣམས་དང་
ཚད་མེད་པ་རྣམས་དང་། གཟུགས་མེད་པའི་སྙོམས་པར་འཇུག་པ་རྣམས་དང་།
རྣམ་པར་ཐར་པ་བརྒྱད་དང་མཐར་གྱིས་གནས་པའི་སྙོམས་པར་འཇུག་པ་དགུ་
དང་། རྣམ་པར་ཐར་པའི་སྒོ་གསུམ་དང་མངོན་པར་ཤེས་པ་རྣམས་དང་ཏིང་ངེ་
འཛིན་རྣམས་དང་གཟུངས་ཀྱི་སྒོ་རྣམས་དང་དེ་བཞིན་གཤེགས་པའི་སྟོབས་རྣམས་
དང་མི་འཇིགས་པ་རྣམས་དང་སོ་སོ་ཡང་དག་པར་རིག་པ་རྣམས་དང་སངས་རྒྱས་
ཀྱི་ཆོས་མ་འདྲེས་པ་བཅོ་བརྒྱད་ལ་སློབ་པ་མ་ཡིན་ཏེ། བླ་ན་མེད་པ་ཡང་དག་
པར་རྫོགས་པའི་བྱང་ཆུབ་ཏུ་མངོན་པར་རྫོགས་པར་འཚང་རྒྱ་བར་མི་འགྱུར་རོ། །
བླ་ན་མེད་པ་ཡང་དག་པར་རྫོགས་པའི་བྱང་ཆུབ་ཏུ་མངོན་པར་རྫོགས་པར་འཚང་
རྒྱ་བར་མ་གྱུར་ན། རང་སངས་རྒྱས་དང་། ཉན་ཐོས་རྣམས་ཀྱང་ཡོད་པར་མི་

འགྱུར་རོ[1]། །ཀཽ་ཤི་ཀ་བྱང་ཆུབ་སེམས་དཔའ་སེམས་དཔའ་ཆེན་པོ་ནི་ཕ་རོལ་ཏུ་ཕྱིན་པ་དྲུག་པོ་འདི་དག་ལ་ཡང་སློབ་ལ། སྟོང་པ་ཉིད་ཐམས་ཅད་དང་བྱང་ཆུབ་ཀྱི་ཕྱོགས་ཀྱི་ཆོས་སུམ་བཅུ་རྩ་བདུན་དང་འཕགས་པའི་བདེན་པ་རྣམས་དང་བསམ་གཏན་རྣམས་དང་ཚད་མེད་པ་རྣམས་དང་གཟུགས་མེད་པའི་སྙོམས་པར་འཇུག་པ་རྣམས་དང་རྣམ་པར་ཐར་པ་བརྒྱད་དང་མཐར་གྱིས་གནས་པའི་སྙོམས་པར་འཇུག་པ་དགུ་དང་རྣམ་པར་ཐར་པའི་སྒོ་གསུམ་དང་མངོན་པར་ཤེས་པ་རྣམས་དང་ཏིང་ངེ་འཛིན་རྣམས་དང་གཟུངས་ཀྱི་སྒོ་རྣམས་དང་དེ་བཞིན་གཤེགས་པའི་སྟོབས་རྣམས་དང་མི་འཇིགས་པ་རྣམས[2]དང་སོ་སོ་ཡང་དག་པར་རིག་པ་རྣམས་དང་སངས་རྒྱས་ཀྱི་ཆོས་མ་འདྲེས་པ་བཅོ་བརྒྱད་ལ་ཡང་སློབ་པས། དེ་ལྟར་བྱང་ཆུབ་སེམས་དཔའ་སེམས་དཔའ་ཆེན་པོ་བླ་ན་མེད་པ་ཡང་དག་པར་རྫོགས་པའི་བྱང་ཆུབ་ཏུ་མངོན་པར་རྫོགས་པར་འཚང་རྒྱ་སྟེ། བླ་ན་མེད་པ་ཡང་དག་པར་རྫོགས་པའི་བྱང་ཆུབ་ཏུ་མངོན་པར་རྫོགས་པར་སངས་རྒྱས་པ་དང་། འཇིག་རྟེན་གྱི་ཁམས་ཐམས་ཅད་དུ་སེམས་ཅན་དམྱལ་བ་རྣམས་རྒྱུན་ཆད་པར་འགྱུར་རོ། །ཕྱུལ་སོང་གི་སྐྱེ་གནས་དང་། གཤིན་རྗེའི་འཇིག་རྟེན་རྣམས་རྒྱུན་ཆད་པར་འགྱུར་རོ། །ལྷ་མ་ཡིན་གྱི་རིས་ཀྱང་ཡོངས་སུ་འགྲིབ་པར་འགྱུར་རོ། །ལྷའི་རིས་ཀྱང་མངོན་པར་འཕེལ་བར་འགྱུར་རོ། །རྒྱལ་རིགས་ཤིང་ཆེན་པོ་ལྟ་བུ་རྣམས་འཇིག་རྟེན་དུ་འབྱུང་བར་འགྱུར་རོ། །བྲམ་ཟེའི་རིགས་ཤིང་ཆེན་པོ་ལྟ་བུ་རྣམས་དང་། ཁྱིམ་བདག་གི་རིགས་ཤིང་ཆེན་པོ་ལྟ་བུ་རྣམས་འཇིག་རྟེན་དུ་འབྱུང་བར་འགྱུར་རོ། །རྒྱལ་ཆེན་བཞིའི་རིས་ཀྱི་ལྷ་རྣམས་འཇིག་རྟེན་དུ་འབྱུང་བར་འགྱུར་རོ། །སུམ་ཅུ་རྩ་གསུམ་གྱི་ལྷ་རྣམས་དང་། མཐའ་བྲལ་དང་དགའ་ལྡན་དང་འཕྲུལ་དགའ་དང་། གཞན་འཕྲུལ་དབང་བྱེད་ཀྱི་ལྷ་རྣམས་འཇིག་རྟེན་དུ་

འབྱུང་བར་འགྱུར་རོ། །ཚངས་རིས་དང་ཚངས་ལྷ་ཉེ་ཕན་དང་། ཚངས་པ་ཀུན་འཁོར་དང་ཚངས་ཆེན་དང་སྣང་བ་དང་ཆུང་སྣང་དང་ཚད་མེད་སྣང་བ་དང་ཀུན་སྣང་དང་བ་དང་དགེ་བ་དང་ཆུང་དགེ་དང་ཚད་མེད་དགེ་བ་དང་དགེ་རྒྱས་དང་ཆེ་བ་དང་ཆུང་ཆེ་དང་ཚད་མེད་ཆེ་བ་དང་འབྲས་བུ་ཆེ་བ་དང་མི་ཆེ་བ་དང་མི་གདུང་བ་དང་ཤིན་དུ་མཐོང་བ་དང་གྲུ་ནོམ་སྣང་བ་དང་འོག་མིན་གྱི་ལྷ་རྣམས་འཇིག་རྟེན་དུ་འབྱུང་བར་འགྱུར་རོ། །ནམ་མཁའ་མཐའ་ཡས་སྐྱེ་མཆེད་དང་རྣམ་ཤེས་མཐའ་ཡས་སྐྱེ་མཆེད་དང་ཅུང་ཟད་མེད་པའི་སྐྱེ་མཆེད་དང་འདུ་ཤེས་མེད་འདུ་ཤེས་མེད་མིན་སྐྱེ་མཆེད་ཀྱི་ལྷ་རྣམས་འཇིག་རྟེན་དུ་འབྱུང་བར་འགྱུར་རོ།། སྦྱིན་པའི་ཕ་རོལ་དུ་ཕྱིན་པ་འཇིག་རྟེན་དུ་འབྱུང་བར་འགྱུར་རོ། །ཚུལ་ཁྲིམས་ཀྱི་ཕ་རོལ་དུ་ཕྱིན་པ་དང་བཟོད་པའི་ཕ་རོལ་དུ་ཕྱིན་པ་དང་བརྩོན་འགྲུས་ཀྱི་ཕ་རོལ་དུ་ཕྱིན་པ་དང་བསམ་གཏན་གྱི་ཕ་རོལ་དུ་ཕྱིན་པ་དང་། ཤེས་རབ་ཀྱི་ཕ་རོལ་དུ་ཕྱིན་པ་འཇིག་རྟེན་དུ་འབྱུང་བར་འགྱུར་རོ། །ནང་སྟོང་པ་ཉིད་འཇིག་རྟེན་དུ་འབྱུང་བར་འགྱུར་རོ། །དངོས་པོ་མེད་པའི་ངོ་བོ་ཉིད་སྟོང་པ་ཉིད་ཀྱི་བར་དུ་འཇིག་རྟེན་དུ་འབྱུང་བར་འགྱུར་རོ། །བྱང་ཆུབ་ཀྱི་ཕྱོགས་ཀྱི་ཆོས་སུམ་ཅུ་རྩ་བདུན་དང་འཕགས་པའི་བདེན་པ་རྣམས་དང་། བསམ་གཏན་རྣམས་དང་ཚད་མེད་པ་རྣམས་དང་གཟུགས་མེད་པའི་སྙོམས་པར་འཇུག་པ་རྣམས་དང་། རྣམ་པར་ཐར་པ་བརྒྱད་དང་མཐར་གྱིས་གནས་པའི་སྙོམས་པར་འཇུག་པ་དགུ་དང་། རྣམ་པར་ཐར་པའི་སྒོ་གསུམ་དང་མངོན་པར་ཤེས་པ་རྣམས་དང་། ཏིང་ངེ་འཛིན་རྣམས་དང་གཟུངས་[1]ཀྱི་སྒོ་རྣམས་འཇིག་རྟེན་དུ་འབྱུང་བར་འགྱུར་རོ། །དེ་བཞིན་གཤེགས་པའི་སྟོབས་བཅུ་དང་མི་འཇིགས་པ་བཞི་དང་སོ་སོ་ཡང་དག་པར་རིག་པ་བཞི་དང༌བྱམས་པ་ཆེན་པོ་དང་[2]། སྙིང་རྗེ་ཆེན་པོ་དང་སངས་རྒྱས་

ཀྱི་ཆོས་མ་འདྲེས་པ་བཅོ་བརྒྱད་འཇིག་རྟེན་དུ་འབྱུང་བར་འགྱུར་རོ། །ཉན་ཐོས་ཀྱི་ཐེག་པ་འཇིག་རྟེན་དུ་འབྱུང་བར་འགྱུར་རོ། །རང་སངས་རྒྱས་ཀྱི་ཐེག་པ་འཇིག་རྟེན་དུ་འབྱུང་བར་འགྱུར་རོ། །ཐེག་པ་ཆེན་པོ་འཇིག་རྟེན་དུ་འབྱུང་[༧]བར་འགྱུར་རོ། །ཤེས་རབ་ཀྱི་ཕ་རོལ་ཏུ་ཕྱིན་པ་སྟོང་ཕྲག་ཉི་ཤུ་ལྔ་པ་ལས། བརྒྱ་བྱིན་གྱི་ལེའུ་སྟེ་ཉི་ཤུ་གསུམ་པའོ།། །།

དེ་ནས་བྱང་ཆུབ་སེམས་དཔའ་སེམས་དཔའ་ཆེན་པོ་བྱམས་པས། གནས་བརྟན་རབ་འབྱོར་ལ་སྨྲས་པ། བཙུན་པ་རབ་འབྱོར་བྱང་ཆུབ་སེམས་དཔའ་སེམས་དཔའ་ཆེན་པོའི་རྗེས་སུ་ཡི་རང་བ་དང་ལྡན་པའི་བསོད་ནམས་བྱ་བའི་དངོས་པོ་གང་ཡིན་པ་དང་། བྱང་ཆུབ་སེམས་དཔའ་སེམས་དཔའ་ཆེན་པོ་བསོད་ནམས་བྱ་བའི་དངོས་པོ་སེམས་ཅན་ཐམས་ཅད་དང་ཐུན་མོང་དུ་བྱས་ཏེ། དེ་མི་དམིགས་པའི་ཚུལ་གྱིས། བླ་ན་མེད་པ་ཡང་དག་པར་རྫོགས་པའི་བྱང་ཆུབ་ཏུ་ཡོངས་སུ་བསྔོ་བ་གང་ཡིན་པ་དང་། སེམས་ཅན་ཐམས་ཅད་ཀྱི་རྗེས་སུ་ཡི་རང་བ་དང་ལྡན་པའི་བསོད་ནམས་བྱ་བའི་དངོས་པོ་དང་ཉན་ཐོས་ཀྱི་ཐེག་པ་པ་རྣམས་དང་རང་སངས་རྒྱས་ཀྱི་ཐེག་པ་པ་རྣམས་ཀྱི་སྦྱིན་པ་ལས་བྱུང་བའི་བསོད་ནམས་བྱ་བའི་དངོས་པོ་དང་། ཚུལ་ཁྲིམས་ལས་བྱུང་བ་དང་། བསྒོམ་པ་ལས་བྱུང་བའི་བསོད་ནམས་བྱ་བའི་དངོས་པོ་གང་ཡིན་པ་དེ་དག་ལས། བྱང་ཆུབ་སེམས་དཔའ་སེམས་དཔའ་ཆེན་པོའི་རྗེས་སུ་ཡི་རང་བ་དང་ལྡན་པའི་བསོད་ནམས་བྱ་བའི་དངོས་པོ་སེམས་ཅན་ཐམས་ཅད་དང་ཐུན་མོང་དུ་བྱས་ཏེ། བླ་ན་མེད་པ་ཡང་དག་པར་རྫོགས་པའི་བྱང་ཆུབ་ཏུ་ཡོངས་སུ་བསྔོས་པ་འདི་ཉིད་རབ་ཅེས་བྱའོ།། དམ་པ་ཞེས་བྱའོ། །གཙོ་བོ་ཞེས་བྱའོ། །མཆོག་ཅེས་བྱའོ། །ཕུལ་ཞེས་བྱའོ། །

ཀྱི་ཆོམ་པ་ཞེས་བྱའོ། །ལྷ་ན་མེད་པ་ཞེས་བྱའོ། །གོང་ན་མེད་པ་ཞེས་བྱའོ། །མཉམ་པ་མེད་པ་ཞེས་བྱའོ། །མི་མཉམ་པ་དང་མཉམ་པ་ཞེས་བྱའོ།། །།

ཤེས་རབ་ཀྱི་ཕ་རོལ་ཏུ་ཕྱིན་པ་སྟོང་ཕྲག་ཉི་ཤུ་ལྔ་པ། བམ་པོ་སུམ་ཅུ་དྲུག་པ༔ དེ་ཅིའི་ཕྱིར་ཞེ་ན། འདི་ལྟར་ཉན་ཐོས་དང་རང་སངས་རྒྱས་ཀྱི་ཐེག་པ་པ་རྣམས་ཀྱི་སྦྱིན་པ་ལས་བྱུང་བའི་བསོད་ནམས་བྱ་བའི་དངོས་པོ་དང་ཚུལ་ཁྲིམས་ལས་བྱུང་བ་དང་བསྒོམ་པ་ལས་བྱུང་བའི་བསོད་ནམས་བྱ་བའི་དངོས་པོ་ནི་བདག་གདུལ་བ་དང་། བདག་ཞི་བར་བྱ་བ་དང་བདག་ཡོངས་སུ་མྱ་ངན་ལས་བཟླ[1] བའི་ཕྱིར་ཉེ་བར[2] གནས་པ་སྟེ། དྲན་པ་ཉེ་བར་གཞག་པ་རྣམས་དང་འཕགས་པའི་ལམ་ཡན་ལག་བརྒྱད་པའི་བར་དང་། འཕགས་པའི་བདེན་པ་བཞི་དང་བསམ་གཏན་བཞི་དང་། ཚད་མེད་པ་བཞི་དང་གཟུགས་མེད་པའི་སྙོམས་པར་འཇུག་པ་བཞི་དང་རྣམ་པར་ཐར་པའི་སྒོ་སྟོང་པ་ཉིད་དང་མཚན་མ་མེད་པ་དང་སྨོན་པ་མེད་པ་དང་རྣམ་པར་ཐར་པ་བརྒྱད་དང་མཐར་གྱིས་གནས་པའི་སྙོམས་པར་འཇུག་པ་དགུ་དང་། སོ་སོ་ཡང་དག་པར་རིག་པ་བཞི་དང་མངོན་པར་ཤེས་པ་དྲུག་དག་ཀྱང་། བདག་གདུལ[3] བ་དང་། བདག་ཞི་བར་བྱ་བ་དང་བདག་ཡོངས་སུ་མྱ་ངན་ལས་བཟླ[4] བའི་ཕྱིར་ཉེ་བར་གནས་པར་ཟད་ཀྱི། བྱང་ཆུབ་སེམས་དཔའ་ནི་སེམས་ཅན་ཐམས་ཅད་གདུལ་བ་དང་། ཞི་བར་བྱ་བ་དང་། ཡོངས་སུ་མྱ་ངན་ལས་བཟླ[5] བའི་ཕྱིར་རྗེས་སུ་ཡི་རང་བ་དང[6] ལྡན་པའི་བསོད་ནམས་བྱ་བའི་དངོས་པོ་སེམས་ཅན་ཐམས་ཅད་དང་ཐུན་མོང[7] དུ་བྱས་ཤིང་། མི་དམིགས་པའི་ཚུལ་གྱིས་བླ་ན་མེད་པ་ཡང་དག་པར་རྫོགས་པའི་བྱང་ཆུབ་ཏུ་ཡོངས་སུ་བསྔོའོ། །དེ་ནས་ཚེ་དང་ལྡན་པ་རབ་འབྱོར་གྱིས་བྱང་ཆུབ་སེམས་དཔའ་སེམས་དཔའ་ཆེན་པོ་བྱམས་པ་ལ་འདི་སྐད་ཅེས་སྨྲས་སོ། །དེ་ལྟར་བྱང་

ཆུབ་སེམས་དཔའ་སེམས་དཔའ་ཆེན་པོས་ཤར་ཕྱོགས་ཀྱི་འཇིག་རྟེན་གྱི་ཁམས་གྲངས་མེད་ཚད་མེད་དཔག་ཏུ་མེད་པ་དག་གི། འཇིག་རྟེན་གྱི་ཁམས་རེ་རེར་ཡང་སངས་རྒྱས་བཅོམ་ལྡན་འདས་ཚད་མེད་གྲངས་མེད་པ་ཡོངས་སུ་མྱ་ངན་ལས་འདས་པར་གྱུར་པ་དེ་དག་དང༌། ལྷོ་དང་ནུབ་དང་བྱང་དང་བྱང་ཤར་དང་ཤར་ལྷོ་དང་ལྷོ་ནུབ་དང་ནུབ་བྱང་དང་འོག་དང་སྟེང་གི་ཕྱོགས་ཀྱི་ཕྱོགས་རེ་རེ་ཞིང༌། འཇིག་རྟེན་གྱི་ཁམས་གྲངས་མེད་ཚད་མེད་དཔག་ཏུ་མེད་པ་དག་གི། འཇིག་རྟེན་གྱི་ཁམས་རེ་རེར་ཡང་སངས་རྒྱས་བཅོམ་ལྡན་འདས་གྲངས་མེད་ཚད་མེད་པ་ཡོངས་སུ་མྱ་ངན་ལས་འདས་པར་གྱུར་པ་དེ་དག་ཐུགས་དང་པོ་བསྐྱེད་པ་ནས་བླ་ན་མེད་པ་ཡང་དག་པར་རྫོགས་པའི་བྱང་ཆུབ་ཏུ་མངོན་པར་རྫོགས་པར་སངས་རྒྱས་པའི་བར་དང༌། ཕུང་པོ་མ་ལུས་པའི་མྱ་ངན་ལས་འདས་པའི་དབྱིངས་སུ་ཡོངས་སུ་མྱ་ངན་ལས་འདས་པའི་བར་གྱི་[༡]དམ་པའི་ཆོས་[༣]ཀྱི་བར་དུ་དགེ་བའི་རྩ་བ་ཕ་རོལ་ཏུ་ཕྱིན་པ་དྲུག་དང་ལྡན་པ་གང་ཅི་སྙེད་ཅིག་ཡོད་པ་དང༌། ཉན་ཐོས་ཀྱི་ཐེག་པ་ལ་ཡང་དག་པར་ཞུགས་པ་དེ་དག་གི་སྦྱིན་པ་ལས་བྱུང་བའི་བསོད་ནམས་བྱ་བའི་དངོས་པོ་དང༌། ཚུལ་ཁྲིམས་ལས་བྱུང་བ་དང༌། བསྒོམ་པ་ལས་བྱུང་བའི་བསོད་ནམས་བྱ་བའི་དངོས་པོ་དང་སློབ་པ་དེ་དག་གི་དགེ་བའི་རྩ་བ་ཟག་པ་མེད་པ་དག་དང་མི་སློབ་པ་དེ་དག་གི་དགེ་བའི་རྩ་བ་ཟག་པ་མེད་པ་དག་དང༌། དེ་བཞིན་གཤེགས་པ་དགྲ་བཅོམ་པ་ཡང་དག་པར་རྫོགས་པའི་སངས་རྒྱས་དེ་དག་གི་ཚུལ་ཁྲིམས་ཀྱི་ཕུང་པོ་དང༌། ཏིང་ངེ་འཛིན་གྱི་ཕུང་པོ་དང་ཤེས་རབ་ཀྱི་ཕུང་པོ་དང་རྣམ་པར་གྲོལ་བའི་ཕུང་པོ་དང་རྣམ་པར་གྲོལ་བའི་ཡེ་ཤེས་གཟིགས་པའི་ཕུང་པོ་དང་ཕན་པར་བཞེད་པ་དང་ཐུགས་རྗེ་ཆེན་པོ་དང༌། སངས་རྒྱས་ཀྱི་ཆོས་གྲངས་མེད་ཚད་མེད་པ་དང་སངས་རྒྱས་བཅོམ་ལྡན་འདས་དེ་

དག་གིས་ཆོས་གང་བསྟན་པ་དང་ཆོས་བསྟན་པ་དེ་ལ་བསླབས་ཤིང་རྒྱུན་ཏུ་ཞུགས་པའི་འབྲས་བུ་ཐོབ་པ་དང་། ལན་ཅིག་ཕྱིར་འོང་བའི་འབྲས་བུ་ཐོབ་པ་དང་ཕྱིར་མི་འོང་བའི་འབྲས་བུ་ཐོབ་པ་དང་དགྲ་བཅོམ་པ་ཉིད་དང་རང་བྱང་ཆུབ་ཐོབ་པ་དང་བྱང་ཆུབ་སེམས་དཔའི་སྐྱོན་མེད་པར་ཞུགས་པ་དེ་དག་གི་དགེ་བའི་རྩ་བ་གང་ཇི་སྙེད་པ་དང་། གང་གིས་[༡]དེ་བཞིན་གཤེགས་པ་དེ་དག་བཞུགས་ཀྱང་རུང་། ཡོངས་སུ་མྱ་ངན་ལས་འདས་ཀྱང་རུང་སྟེ། དེ་དག་ལ་དགེ་བའི་རྩ་བ་གང་ཇི་སྙེད་ཅིག་བསྐྱེད་པ། དེ་ཐམས་ཅད་གཅིག་ཏུ་བསྡུས་ཏེ། རྗེས་སུ་ཡི་རང་བའི་མཆོག་གཙོ་བོ་དམ་པ། རབ་ཕུལ་གྱི་ནོམ་པ་བླ་ན་མེད་པ། གོང་ན་མེད་པ། མཉམ་པ་མེད་པ། མི་མཉམ་པ་དང་མཉམ་པས་རྗེས་སུ་ཡི་རང་སྟེ། དེ་ལྟར་རྗེས་སུ་ཡི་རང་ནས། རྗེས་སུ་ཡི་རང་བ་དང་ལྡན་པའི་བསོད་ནམས་བྱ་བའི་དངོས་པོ་དེ། སེམས་ཅན་ཐམས་ཅད་དང་ཐུན་མོང་དུ་བྱས་ཏེ། བླ་ན་མེད་པ་ཡང་དག་པར་རྫོགས་པའི་བྱང་ཆུབ་སྒྲུབ་པར་གྱུར་ཅིག་ཅེས། བླ་ན་མེད་པ་ཡང་དག་པར་རྫོགས་པའི་བྱང་ཆུབ་ཏུ་ཡོངས་སུ་བསྔོས་ན། དེ་ལྟར་བྱང་ཆུབ་སེམས་དཔའི་ཐེག་པ་ལ་ཡང་དག་པར་ཞུགས་པ་དེས་དེ་སྐད་དུ་སྨྲས་ཏེ། སེམས་ཀྱི་རྣམ་པ་དེ་ལྟ་བུས་ཡོངས་སུ་བསྔོས་ན། དམིགས་པ་གང་དང་དངོས་པོ་གང་དག་གིས་སེམས་དེ་[༢]ལྟ་བུ་སྐྱེས་པར་གྱུར་པའི་དངོས་པོ་དེ་དག་དང་། དམིགས་པ་དེ་དག་རིགས་ཀྱི་བུ་དེ་དག་གིས་ཇི་ལྟར་མཚན་མར་བྱས་པ་དེ་བཞིན་དུ་དམིགས་སུ་ཡོད་པ་[༣]ཡིན་ནམ། བྱམས་པས་སྨྲས་པ་བྱང་ཆུབ་སེམས་དཔའི་ཐེག་པ་པའི་རིགས་ཀྱི་བུ་དེ་དག་གིས་ཇི་ལྟར་མཚན་མར་བྱས་ཏེ། བླ་ན་མེད་པ་ཡང་དག་པར་རྫོགས་པའི་བྱང་ཆུབ་ཏུ་ཡོངས་སུ་བསྔོས་པ་དེ་བཞིན་[༤]དུ། དངོས་པོ་དེ་དག་དང་། དམིགས་པ་དེ་དག་དམིགས་སུ་ཡོད་པ་མ་ཡིན་ནོ། །རབ་

འཁོར་གྱིས་སྨྲས་པ། གལ་ཏེ་དེ་ལྟར་དངོས་པོ་མེད་པ་དེ་དག་དམིགས་སུ་མེད་ན། སངས་རྒྱས་བཅོམ་ལྡན་འདས་ཕྱོགས་བཅུའི་འཇིག་རྟེན་གྱི་ཁམས་ན་བཞུགས་པ་དེ་དག་དང་། དེ་དག་གི་[༡]ཐུགས་དང་པོ་བསྐྱེད་པ་ནས། དམ་པའི་ཆོས་གནས་པའི་བར་གྱི་དགེ་བའི་རྩ་བ་དང་། ཉན་ཐོས་དང་། རང་སངས་རྒྱས་ཀྱི་ཐེག་པ་ལ་གནས་པའི་རིགས་ཀྱི་བུ་དང་། རིགས་ཀྱི་བུ་མོ་དེ་དག་གི་དགེ་བའི་རྩ་བ་གང་ཇི་སྙེད་པ་དང་། སློབ་པ་རྣམས་ཀྱི་དགེ་བའི་རྩ་བ་གང་ཇི་སྙེད་པ་དང་། མི་སློབ་པ་རྣམས་ཀྱི་དགེ་བའི་རྩ་བ་གང་ཇི་སྙེད་པ་དེ་དག་ཐམས་ཅད་གཅིག་ཏུ་བསྡུས་ཏེ[༢]། བླ་ན་མེད་པ་ཡང་དག་པར་རྫོགས་པའི་བྱང་ཆུབ་ཏུ་མཚན་མའི་ཚུལ་གྱིས་ཡོངས་སུ་བསྔོས་ན། ཇི་ལྟར་མི་རྟག་པ་ལ་རྟག་གོ་ཞེས་བྱ་བར་འདུ་ཤེས་ཕྱིན་ཅི་ལོག་དང་། སེམས་ཕྱིན་ཅི་ལོག་པ་དང་། ལྟ་བ་ཕྱིན་ཅི་ལོག་ཏུ་གྱུར་པ་དང་། སྡུག་བསྔལ་བ་ལ་བདེ་ཞེས་བྱ་བ་དང་། བདག་མེད་པ་ལ་བདག་ཅེས་བྱ་བ་དང་། མི་གཙང་བ་ལ་གཙང་ཞེས་བྱ་བར་འདུ་ཤེས་ཕྱིན་ཅི་ལོག་པ་དང་། སེམས་ཕྱིན་ཅི་[༣]ལོག་པ་དང་། ལྟ་བ་ཕྱིན་ཅི་ལོག་ཏུ་གྱུར་པ་དེ་ལྟར་དེའི་འདུ་ཤེས་ཕྱིན་ཅི་ལོག་ཏུ་མ་གྱུར་ཏམ། དེ་ལྟ་ཡིན་ཡང་ཐམས་ཅད་དངོས་པོ་ཇི་ལྟ་བ་དང་། དམིགས་པ་ཇི་ལྟ་བར་བྱང་ཆུབ་ཀྱང་དེ་བཞིན། སེམས་ཀྱང་དེ་བཞིན་སྦྱིན་པའི་ཕ་རོལ་ཏུ་ཕྱིན་པ་དང་། ཚུལ་ཁྲིམས་ཀྱི་ཕ་རོལ་ཏུ་ཕྱིན་པ་དང་། བཟོད་པའི་ཕ་རོལ་ཏུ་ཕྱིན་པ་དང་། བརྩོན་འགྲུས་ཀྱི་ཕ་རོལ་ཏུ་ཕྱིན་པ་དང་། བསམ་གཏན་གྱི་ཕ་རོལ་ཏུ་ཕྱིན་པ་དང་། ཤེས་རབ་ཀྱི་ཕ་རོལ་ཏུ་ཕྱིན་པ་ཡང་དེ་བཞིན། གཟུགས་དང་ཚོར་བ་དང་འདུ་ཤེས་དང་འདུ་བྱེད་དང་། རྣམ་པར་ཤེས་པ་ཡང་དེ་བཞིན། མིག་[༤]དང་། རྣ་བ་དང་སྣ་དང་ལྕེ་དང་ལུས་དང་། ཡིད་ཀྱང་དེ་བཞིན། གཟུགས་དང་སྒྲ་དང་དྲི་དང་རོ་

དང་རེག་དང་ཚོས་ཀྱང་དེ་བཞིན། ཁམས་དང་སྐྱེ་མཆེད་དང་རྟེན་ཅིང་འབྲེལ་པར་འབྱུང་བ་ཡང་དེ་བཞིན། ནང་སྟོང་པ་ཉིད་དང་། དངོས་པོ་མེད་པའི་ངོ་བོ་ཉིད་སྟོང་པ་ཉིད་ཀྱི་བར་ཡང་དེ་བཞིན། དྲན་པ་ཉེ་བར་གཞག་པ་རྣམས་དང་། འཕགས་པའི་ལམ་ཡན་ལག་བརྒྱད་པའི་བར་ཡང་དེ་བཞིན། འཕགས་པའི་བདེན་པ་རྣམས་དང་། བསམ་གཏན་རྣམས་དང་ཚད་མེད་པ་རྣམས་དང་། གཟུགས་མེད་པའི་སྙོམས་པར་འཇུག་པ་རྣམས་དང་རྣམ་པར་ཐར་པ་བརྒྱད་དང་། མཐར་གྱིས་གནས་པའི་སྙོམས་ཟ་པར་འཇུག[1]པ་དགུ[2]དང་། རྣམ་པར་ཐར་པའི་སྒོ་སྟོང་པ་ཉིད་དང་། མཚན་མ་མེད་པ་དང་། སྨོན་པ་མེད་པ་དང་། མངོན་པར་ཤེས་པ་རྣམས་དང་། ཏིང་ངེ་འཛིན་རྣམས་དང་། གཟུངས་ཀྱི་སྒོ་རྣམས་དང་། དེ་བཞིན་གཤེགས་པའི་སྟོབས་བཅུ་དང་། མི་འཇིགས་པ་བཞི་དང་། སོ་སོ་ཡང་དག་པར་རིག་པ་བཞི་དང་། སངས་རྒྱས་ཀྱི་ཆོས་མ་འདྲེས་པ་བཅོ་བརྒྱད་ཀྱང་དེ་བཞིན་ཏེ། གལ་ཏེ་དེ་ལྟར་དངོས་པོ་ཇི་ལྟ་བ་དང་། དམིགས་པ་ཇི་ལྟ་བར་བྱང་ཆུབ་ཀྱང་དེ་བཞིན། སེམས་ཀྱང་དེ་བཞིན། སྦྱིན་པའི་ཕ་རོལ་ཏུ་ཕྱིན་པ་ཡང་དེ་བཞིན། ཚུལ་ཁྲིམས་ཀྱི་ཕ་རོལ་ཏུ་ཕྱིན་པ་དང་། བཟོད་པའི་ཕ་རོལ་ཏུ་ཕྱིན་པ་དང་། བརྩོན་འགྲུས་ཀྱི་ཕ་རོལ་ཏུ་ཕྱིན་པ་དང་། བསམ་གཏན་གྱི་ཕ་རོལ་ཏུ་ཕྱིན་པ་དང་། ཤེས་རབ་ཀྱི་ཕ་རོལ་ཏུ་ཕྱིན་པ་ཡང་དེ་བཞིན། ནང་སྟོང་པ་ཉིད་དང་། དངོས་པོ་མེད་པའི་ངོ་བོ་ཉིད་སྟོང་པ་ཉིད་ཀྱི་བར་ཡང་དེ་བཞིན། དྲན་པ་ཉེ་བར་གཞག་པ་རྣམས་དང་། ཡང་དག་པར་སྤོང་བ་རྣམས་དང་། རྫུ་འཕྲུལ་གྱི་རྐང་པ་རྣམས་དང་། དབང་པོ་རྣམས་དང་། སྟོབས་རྣམས་དང་། བྱང་ཆུབ་ཀྱི་ཡན་ལག་རྣམས་དང་། འཕགས་པའི་ལམ་ཡན་ལག་བརྒྱད་པ་དང་། འཕགས་པའི་བདེན་པ་རྣམས་དང་། བསམ་

གཏན་རྣམས་དང་། ཚད་མེད་པ་རྣམས་དང་། གཟུགས་མེད་པའི་སྙོམས་པར་འཇུག་པ་རྣམས་དང་། རྣམ་པར་ཐར་པ་བརྒྱད་དང་། མཐར་གྱིས་གནས་པའི་སྙོམས་པར་འཇུག་པ་དགུ་དང་། རྣམ་པར་ཐར་པའི་སྒོ་གསུམ་དང་། མངོན་པར་ཤེས་པ་རྣམས་དང་། ཏིང་ངེ་འཛིན་རྣམས་དང་། གཟུངས་ཀྱི་སྒོ་རྣམས་དང་། དེ་བཞིན་གཤེགས་པའི་སྟོབས་བཅུ་དང་། མི་འཇིགས་པ་བཞི་དང་། སོ་སོ་ཡང་དག་པར་རིག་པ་བཞི་དང་། [1]སངས་རྒྱས་ཀྱི་ཆོས་མ་འདྲེས་པ་བཅོ་བརྒྱད་ཀྱང་དེ་བཞིན་ཿན་ནི[2]། བླ་ན་མེད་པ་ཡང་དག་པར་རྫོགས་པའི་བྱང་ཆུབ་ཏུ་ཡོངས་སུ་བསྔོ་བའི་དངོས་པོ་དེ་ནི་གང་ཞིག་ཡིན། དམིགས་པ་དེ་ནི་གང་ཞིག་ཡིན། བྱང་ཆུབ་ཿདེ་ནི་[3]གང་ཞིག་ཡིན། སེམས་དེ་ནི་གང་ཞིག་ཡིན། དགེ་བའི་རྩ་བ་དེ་དག་ནི་གང་ཞིག་ཡིན། རྗེས་སུ་ཡི་རང་བ་དང་ལྡན་པའི་བསོད་ནམས་བྱ་བའི་དངོས་པོ་དེ་ནི་གང་ཞིག་ཡིན། བྱམས་པས་སྨྲས་པ། གལ་ཏེ་བྱང་ཆུབ་སེམས་དཔའ་ཕ་རོལ་ཏུ་ཕྱིན་པ་དྲུག་ལ་སྤྱོད་སྤྱོད་པ། སངས་རྒྱས་མང་པོ་ལ་བསྙེན་བཀུར་ཅིང་དགེ་བའི་རྩ་བ་བསྐྱེད་པར་ཿའགྱུར་བ་[4]དང་། དགེ་བའི་བཤེས་གཉེན་གྱིས་ཀྱང་ཡོངས་སུ་ཟིན་པ་དང་། རང་གི་མཚན་ཉིད་ཀྱིས་སྟོང་པའི་ཆོས་ཐམས་ཅད་ལ་བསླབ་[5]པ་དེ་དག་ནི། དངོས་པོ་དེ་དག་དང་། དམིགས་པ་དེ་དག་དང་། སངས་རྒྱས་བཅོམ་ལྡན་འདས་དེ་དག་དང་། དགེ་བའི་རྩ་བ་དེ་དག་དང་། རྗེས་སུ་ཡི་རང་བ་དང་ལྡན་པའི་བསོད་ནམས་བྱ་བའི་དངོས་པོ་དེ་དག་མཚན་མར་བྱས་ཤིང་། བླ་ན་མེད་པ་ཡང་དག་པར་རྫོགས་པའི་བྱང་ཆུབ་ཏུ་ཡོངས་སུ་མི་བསྔོའོ། །དེ་དག་ནི་[6]འདི་ལྟར་ཡོངས་སུ་བསྔོ་སྟེ་གཉིས་ཀྱི་ཚུལ་གྱིས་[7]མ་ཡིན་ནོ། །གཉིས་སུ་མེད་པའི་ཚུལ་གྱིས་མ་ཡིན་ནོ། །མཚན་མའི་ཚུལ་གྱིས་མ་ཡིན་ནོ། །མཚན་མ་མེད་པའི་ཚུལ་གྱིས་མ་ཡིན་ནོ། །

དམིགས་པའི་ཚུལ་གྱིས་མ་ཡིན་ནོ། །དམིགས་སུ་མེད་པའི་ཚུལ་གྱིས་མ་ཡིན་ནོ། །ཉོན་མོངས་པའི་ཚུལ་གྱིས་མ་ཡིན་ནོ། །རྣམ་པར་བྱང་བའི་ཚུལ་གྱིས་མ་ཡིན་ནོ། །སྐྱེ་བའི་ཚུལ་གྱིས་མ་ཡིན་ནོ། །འགག་པའི་ཚུལ་གྱིས་མ་ཡིན་ནོ། །གལ་ཏེ་བྱང་ཆུབ་སེམས་དཔའ་དེ་དག་ཕ་རོལ་ཏུ་ཕྱིན་པ་དྲུག་ལ་སྤྱོད་སྤྱོད་པ་ཡང་མ་ཡིན། སངས་རྒྱས་མང་པོ་ལ་བསྙེན་བཀུར་བྱེད་བྱེད་པ་ཡང་མ་ཡིན། དགེ་བའི་རྩ་བ་བསྐྱེད་པར་གྱུར་པ་ཡང་མ་ཡིན། དགེ་བའི་བཤེས་གཉེན་གྱིས་ཡོངས་སུ་ཟིན་པ་ཡང་མ་ཡིན། རང་གི་མཚན་ཉིད་ཀྱིས་སྟོང་པའི་ཆོས་ཐམས་ཅད་ལ་བསླབས་པར་གྱུར་པ་ཡང་མ་ཡིན[1]། དེ་དག་ནི་དངོས་པོ་དེ་དག་དང་། དམིགས་པ་དེ་དག་དང་། སངས་རྒྱས་བཅོམ་ལྡན་འདས་དེ་དག་དང་། དགེ་བའི་རྩ་བ་དེ་དག་དང་། རྗེས་སུ་ཡི་རང་བ་དང་ལྡན་པའི་སེམས་བསྐྱེད་པ་དེ་དག་ལ་མཚན་མར་བྱས་ཤིང་། བླ་ན་མེད་པ་ཡང་དག་པར་རྫོགས་པའི་བྱང་ཆུབ་ཏུ་ཡོངས་སུ་བསྔོ་བར་འགྱུར་ཏེ། བཙུན་པ་རབ་འབྱོར་ཤེས་རབ་ཀྱི་ཕ་རོལ་ཏུ་ཕྱིན་པ་དེ་ལྟར་བསྟན་པ་ནི། ཐེག་པ་ལ་གསར་དུ་ཞུགས་པའི་བྱང་ཆུབ་སེམས་དཔའི་མདུན་དུ་མི་བཤད་དོ། །བསམ་གཏན་གྱི་ཕ་རོལ་ཏུ་ཕྱིན་པ་དང་། བརྩོན་འགྲུས་ཀྱི་ཕ་རོལ་ཏུ་ཕྱིན་པ་དང་། བཟོད་པའི་ཕ་རོལ་ཏུ་ཕྱིན་པ་དང་ཚུལ་ཁྲིམས་ཀྱི་ཕ་རོལ་ཏུ་ཕྱིན་པ་དང་། སྦྱིན་པའི་ཕ་རོལ་ཏུ་ཕྱིན་པ་དེ་ལྟར་བསྟན་པ་ནི། ཐེག་པ་ལ་གསར་དུ་ཞུགས་པའི་བྱང་ཆུབ་སེམས་དཔའི་མདུན་དུ་མི་བཤད་དོ། །ནང་སྟོང་པ་ཉིད་དང་། དངོས་པོ་མེད་པའི་ངོ་བོ་ཉིད་སྟོང་པ་ཉིད་ཀྱི་བར་དང་། དྲན་པ་ཉེ་བར་གཞག་པ་རྣམས་དང་། ཡང་དག་པར་སྤོང་བ་རྣམས་དང་། རྫུ་འཕྲུལ་གྱི་རྐང་པ་རྣམས་དང་། དབང་པོ་རྣམས་དང་། སྟོབས་རྣམས་དང་། བྱང་ཆུབ་ཀྱི་ཡན་ལག་རྣམས་དང་། འཕགས་པའི་ལམ་ཡན་ལག་བརྒྱད་པ་དེ་

ལྟར་བསྟན་པ་ནི། ཐེག་པ་ལ་གསར་དུ་ཞུགས་པའི་བྱང་ཆུབ་སེམས་དཔའི་མདུན་དུ་མི་བཤད་དོ། །འཕགས་པའི་བདེན་པ་རྣམས་དང་། བསམ་གཏན་རྣམས་དང་། ཚད་མེད་པ་རྣམས་དང་། གཟུགས་མེད་པའི་སྙོམས་པར་འཇུག་པ་རྣམས་དང་། རྣམ་པར་ཐར་པ་བརྒྱད་དང་། མཐར་གྱིས་གནས་པའི་སྙོམས་པར་འཇུག་པ་དགུ་དང་། སྟོང་པ་ཉིད་དང་མཚན་མ་མེད་པ་དང་། སྨོན་པ་མེད་པ་དང་། མངོན་པར་ཤེས་པ་རྣམས་དང་། ཏིང་ངེ་འཛིན་རྣམས་དང་། གཟུངས་ཀྱི་སྒོ་རྣམས་དང་། དེ་བཞིན་གཤེགས་པའི་སྟོབས་བཅུ་དང་། མི་འཇིགས་པ་བཞི་དང་། སོ་སོ་ཡང་དག་པར་རིག་པ་བཞི་དང་། [2]སངས་རྒྱས་ཀྱི་ཆོས་མ་འདྲེས་པ་བཅོ་བརྒྱད་དེ་ལྟར་བསྟན་པ་ནི། ཐེག་པ་ལ་གསར་དུ་ཞུགས་པའི་བྱང་ཆུབ་སེམས་དཔའི་མདུན་དུ་མི་བཤད་དོ། །ཐམས་ཅད་ཤེས་པ་ཉིད་དང་། ལམ་གྱི་རྣམ་པ་ཤེས་པ་ཉིད་དང་། རྣམ་པ་ཐམས་ཅད་མཁྱེན་པ་ཉིད་དེ་ལྟར་བསྟན་པ་ནི། ཐེག་པ་ལ་གསར་དུ་ཞུགས་པའི་བྱང་ཆུབ་སེམས་དཔའི་མདུན་དུ་མི་བཤད་དོ། །རང་གི་མཚན་ཉིད་ཀྱིས་སྟོང་པའི་ཆོས་རྣམས་དེ་ལྟར་བསྟན་པ་ནི། ཐེག་པ་ལ་གསར་དུ་ཞུགས་པའི་བྱང་ཆུབ་སེམས་དཔའི་མདུན་དུ་མི་བཤད་དོ། །དེ་ཅིའི་ཕྱིར་ཞེ་ན། དེ་ནི་དེ་ལ་དད་པ་ཙམ་འམ[3]། དགའ་བ་ཙམ་འམ[4]། མོས་པ་ཙམ་འམ[5]། གུས་པ་ཙམ་ཞིག་ཡོད་པ་དེ་ཡང་མེད་པར་འགྱུར་བའི་ཕྱིར་ཏེ། ཕྱིར་མི་ལྡོག་པའི་བྱང་ཆུབ་སེམས་དཔའ་སེམས་དཔའ་ཆེན་པོའི་མདུན་དུ་བཤད་ཅིང་བསྟན་ཏོ། །དགེ་བའི་བཤེས་གཉེན་གྱིས་ཡོངས་སུ་ཟིན་པ་དང་། སྔོན་གྱི་རྒྱལ་བ་ལ་བྱ་བ་བྱས་པ་དང་། དགེ་བའི་རྩ་བ་བསྐྱེད་པ་དང་། སངས་རྒྱས་མང་པོ་ལ་བསྙེན་བཀུར་བྱེད་བྱེད་པའི་མདུན་དུ་ཤེས་རབ་ཀྱི་ཕ་རོལ་ཏུ་ཕྱིན་པ་དེ་ལྟར་བསྟན་པ་འདི་བཤད་པར་བྱའོ། །བསྟན་

པར་བྱའོ། །བསམ་གཏན་གྱི་ཕ་རོལ་ཏུ་[༡]ཕྱིན་པ་དང་། བརྩོན་འགྲུས་ཀྱི་ཕ་རོལ་ཏུ་ཕྱིན་པ་དང་། བཟོད་པའི་ཕ་རོལ་ཏུ་ཕྱིན་པ་དང་། ཚུལ་ཁྲིམས་ཀྱི་ཕ་རོལ་ཏུ་ཕྱིན་པ་དང་། སྦྱིན་པའི་ཕ་རོལ་ཏུ་ཕྱིན་པ་དེ་ལྟར་བསྟན་པ་བཤད་པར་བྱའོ༑ །བསྟན་པར་བྱའོ། །ནང་སྟོང་པ་ཉིད་དང་། དངོས་པོ་མེད་པའི་ངོ་བོ་ཉིད་སྟོང་པ་ཉིད་ཀྱི་བར་དུ་དེ་ལྟར་བསྟན་པ་[༢]བཤད་པར་བྱའོ། །བསྟན་པར་བྱའོ༑ །དྲན་པ་ཉེ་བར་གཞག་པ་རྣམས་དང་། ཡང་དག་པར་སྤོང་བ་རྣམས་དང་། རྫུ་འཕྲུལ་གྱི་རྐང་པ་རྣམས་དང་། དབང་པོ་རྣམས་དང་། སྟོབས་རྣམས་དང་། བྱང་ཆུབ་ཀྱི་ཡན་ལག་རྣམས་དང་། འཕགས་པའི་ལམ་ཡན་ལག་བརྒྱད་པ་དང་། འཕགས་པའི་བདེན་པ་རྣམས་དང་། བསམ་གཏན་[༣]རྣམས་དང་། ཚད་མེད་པ་རྣམས་དང་། གཟུགས་མེད་པའི་སྙོམས་པར་འཇུག་པ་རྣམས་དང་། རྣམ་པར་ཐར་པ་བརྒྱད་དང་། མཐར་གྱིས་གནས་པའི་སྙོམས་པར་འཇུག་པ་དགུ་དང་། སྟོང་པ་ཉིད་དང་། མཚན་མ་མེད་པ་དང་སྨོན་པ་མེད་པ་དང་། མངོན་པར་ཤེས་པ་རྣམས་དང་། ཏིང་ངེ་འཛིན་རྣམས་དང་། གཟུངས་ཀྱི་སྒོ་རྣམས་དང་། དེ་བཞིན་གཤེགས་པའི་སྟོབས་བཅུ་དང་། མི་འཇིགས་པ་བཞི་དང་། སོ་སོ་ཡང་དག་པར་རིག་པ་བཞི་དང་། [༤]སྙིང་རྗེ་[༥]ཆེན་པོ་དང་། སངས་རྒྱས་ཀྱི་ཆོས་མ་འདྲེས་པ་བཅོ་བརྒྱད་དེ་ལྟར་བསྟན་པ་བཤད་པར་བྱའོ། །བསྟན་པར་བྱའོ། །ཐམས་ཅད་ཤེས་པ་ཉིད་དང་། ལམ་གྱི་རྣམ་པ་ཤེས་པ་ཉིད་དང་། རྣམ་པ་ཐམས་ཅད་མཁྱེན་པ་ཉིད་དེ་ལྟར་བསྟན་པར་བཤད་པར་བྱའོ། །བསྟན་པར་བྱའོ། །དེའི་མདུན་དུ་རང་གི་[༦]མཚན་ཉིད་ཀྱིས་[༧]སྟོང་པའི་ཆོས་རྣམས་བཤད་པར་བྱའོ། །བསྟན་པར་བྱའོ། །དེས་ནི་དེ་ཐོས་ན་མི་འཇིགས་མིཿ དངང་སྐྲག་པར་མི་[༨]འགྱུར་ཏེ། རབ་འབྱོར་

བྱང་ཆུབ་སེམས་དཔའ་སེམས་དཔའ་ཆེན་པོས་རྗེས་སུ་ཡི་རང་བ་དང་ལྡན་པའི་བསོད་ནམས་བྱ་བའི་དངོས་པོ་ཡང་བླ་ན་མེད་པ་ཡང་དག་པར་རྫོགས་པའི་བྱང་ཆུབ་ཏུ་དེ་ལྟར་ཡོངས་སུ་བསྔོ་བར་བྱའོ། །རབ་འབྱོར་གྱིས་སྨྲས་པ། བྱམས་པ་སེམས་གང་གིས་རྗེས་སུ་ཡི་རང་ཞིང་། དགེ་བའི་རྩ་བ་དེ་དག་བླ་ན་མེད་པ་ཡང་དག་པར་རྫོགས་པའི་བྱང་ཆུབ་ཏུ་ཡོངས་སུ་བསྔོ་བར་བྱ་བའི་སེམས་དེ་ནི་ཟད་ཅིང་འགགས་ལ་མེད་དེ་རྣམ་པར་གྱུར་ལ། དངོས་པོ་དེ་དག་དང་། དམིགས་པ་དེ་དག་དང་། དགེ་བའི་རྩ་བ་དེ་དག་ཀྱང་ཟད་ཅིང་འགགས་ལ་མེད་དེ་རྣམ་པར་གྱུར་ན། རྗེས་སུ་ཡི་རང་བ་དང་ལྡན་པའི་སེམས་དེ་ནི་གང་ཞིག །དངོས་པོ་དེ་དག་ནི་གང་ཞིག །དམིགས་པ་དེ་དག་ནི་གང་ཞིག །དགེ་བའི་རྩ་བ་དེ་དག་ནི་གང་ཞིག །བླ་ན་མེད་པ་ཡང་དག་པར་རྫོགས་པའི་བྱང་ཆུབ་ཏུ་ཡོངས་སུ་བསྔོ་བར་བྱ། ཅི་སེམས་ཀྱིས་⑦སེམས་ཡོངས་སུ་བསྔོའམ། དེ་ལྟར་སེམས་ཀྱིས་སེམས་ཡོངས་སུ་བསྔོ་ན་ནི། སེམས་གཉིས་འཕྲད་པར་འགྱུར་བ་མེད་དེ། སེམས་ཀྱི་རང་བཞིན་གང་ཡིན་པ་དེ་ཡང་ཡོངས་སུ་བསྔོ་བར་མི་ནུས་སོ། །གལ་ཏེ་བྱང་ཆུབ་སེམས་དཔའ་སེམས་དཔའ་ཆེན་པོ་ཤེས་རབ་ཀྱི་ཕ་རོལ་ཏུ་ཕྱིན་པ་ལ་སྤྱོད་པའི་ཚེ། འདི་ལྟར་ཤེས་རབ་ཀྱི་ཕ་རོལ་ཏུ་ཕྱིན་པ་ནི་དངོས་པོ་མེད་པའོ། །བསམ་གཏན་གྱི་ཕ་རོལ་ཏུ་ཕྱིན་པ་དང་། བརྩོན་འགྲུས་ཀྱི་ཕ་རོལ་ཏུ་ཕྱིན་པ་དང་། བཟོད་པའི་ཕ་རོལ་ཏུ་ཕྱིན་པ་དང་། ཚུལ་ཁྲིམས་ཀྱི་ཕ་རོལ་ཏུ་ཕྱིན་པ་དང་། སྦྱིན་པའི་ཕ་རོལ་ཏུ་ཕྱིན་པ་ནི་དངོས་པོ་མེད་པའོ། །ནང་སྟོང་པ་ཉིད་དང་། དངོས་པོ་མེད་པའི་ངོ་བོ་ཉིད་སྟོང་པ་ཉིད་ཀྱི་བར་ནི་དངོས་པོ་མེད་པའོ། །དྲན་པ་ཉེ་བར་གཞག་པ་རྣམས་དང་། ཡང་དག་པར་སྤོང་བ་རྣམས་དང་། རྫུ་འཕྲུལ་གྱི་རྐང་པ་རྣམས་དང་། དབང་པོ་རྣམས་དང་། སྟོབས་རྣམས་དང་།

བྱང་ཆུབ་ཀྱི་ཡན་ལག་རྣམས་དང་། འཕགས་པའི་ལམ་ཡན་ལག་བརྒྱད་པ་ནི་དངོས་པོ་མེད་པའོ། །འཕགས་པའི་བདེན་པ་རྣམས་དང་། བསམ་གཏན་རྣམས་དང་། ཚད་མེད་པ་རྣམས་དང་། གཟུགས་མེད་པའི་སྙོམས་པར་འཇུག་པ་རྣམས་དང་། རྣམ་པར་ཐར་པ་རྣམས་དང་། མཐར་གྱིས་གནས་པའི་སྙོམས་པར་འཇུག་པ་རྣམས་དང་། སྟོང་པ་ཉིད་དང་། མཚན་མ་མེད་པ་དང་། སྨོན་པ་མེད་པ་དང་། མངོན་པར་ཤེས་པ་རྣམས་ནི་དངོས་པོ་མེད་པའོ།། ཏིང་ངེ་འཛིན་རྣམས་དང་། གཟུངས་ཀྱི་སྒོ་རྣམས་དང་། དེ་བཞིན་གཤེགས་པའི། སྟོབས་བཅུ་དང་། མི་འཇིགས་པ་བཞི་དང་། སོ་སོ་ཡང་དག་པར་རིག་པ་བཞི་དང་།[༡] སྙིང་རྗེ་ཆེན་པོ་དང་། སངས་རྒྱས་ཀྱི་ཆོས་མ་འདྲེས་པ་བཅོ་བརྒྱད་ནི་དངོས་པོ་མེད་པའོ། །རྒྱུན་དུ་ཞུགས་པའི་འབྲས་བུ་དང་། ལན་ཅིག་ཕྱིར་འོང་བའི་འབྲས་བུ་དང་། ཕྱིར་མི་འོང་བའི་འབྲས་བུ་དང་། དགྲ་བཅོམ་པ་ཉིད་དང་། རང་བྱང་ཆུབ་དང་། ཐམས་ཅད་ཤེས་པ་ཉིད་དང་། ལམ་གྱི་རྣམ་པ་ཤེས་པ་ཉིད་དང་། རྣམ་པ་ཐམས་ཅད་མཁྱེན་པ་ཉིད་ནི་དངོས་པོ་མེད་པའོ་ཞེས་བྱ་བར་ཤེས་ན། དེ་ལྟར་བྱང་ཆུབ་སེམས་དཔའ་སེམས་དཔའ་ཆེན་པོས་རྗེས་སུ་ཡི་རང་བ་དང་ལྡན་པའི་བསོད་ནམས་བྱ་བའི་དངོས་པོ་བླ་ན་མེད་པ་ཡང་དག་པར་རྫོགས་པའི་བྱང་ཆུབ་ཏུ་ཡོངས་སུ་བསྔོ་བར་བྱའོ། །གལ་ཏེ་དེ་ལྟར་ཡོངས་སུ་བསྔོ་ན་བླ་ན་མེད་པ་ཡང་དག་པར་རྫོགས་པའི་བྱང་ཆུབ་ཏུ་ཡོངས་སུ་བསྔོས་པར་འགྱུར་རོ། །དེ་ནས་ལྷའི་དབང་པོ་བརྒྱ་བྱིན་གྱིས། གནས་བརྟན་[༢]རབ་འབྱོར་ལ་སྨྲས་པ། བཙུན་པ་རབ་འབྱོར་ཐེག་པ་ལ་གསར་དུ་ཞུགས་པའི་བྱང་ཆུབ་སེམས་དཔའ་སེམས་དཔའ་ཆེན་པོས་བསྟན་པ་འདི་ཐོས་ན། འཇིགས་ཤིང་སྐྲག་[༣]བའམ། སྐྲག་པར་མི་འགྱུར་རམ། བཙུན་པ་རབ་འབྱོར་

ཇི་ལྟར་ཐེག་པ་ལ་གསར་དུ་ཞུགས་པའི་བྱང་ཆུབ་སེམས་དཔའ་སེམས་དཔའ་ཆེན་པོས་དགེ་བའི་རྩ་བ་དེ་དག་བླ་ན་མེད་པ་ཡང་དག་པར་རྫོགས་པའི་བྱང་ཆུབ་ཏུ་ཡོངས་སུ་བསྔོ་བར་བྱ། ཇི་ལྟར་ན་དེས་རྗེས་སུ་ཡི་རང་བ་དང་ལྡན་པའི་བསོད་ནམས་བྱ་བའི་དངོས་པོ་(༧)ཡོངས་སུ་བཟུང་ཞིང་། བླ་ན་མེད་པ་ཡང་དག་པར་རྫོགས་པའི་བྱང་ཆུབ་ཏུ་ཡོངས་སུ་བསྔོས་པ་མ་(༣)ཡིན། དེ་ནས་ཚེ་དང་ལྡན་པ་རབ་འབྱོར་གྱིས། བྱང་ཆུབ་སེམས་དཔའ་སེམས་དཔའ་ཆེན་པོ་བྱམས་པ་ལ་དམིགས་ནས། ལྷའི་དབང་པོ་བརྒྱ་བྱིན་ལ་འདི་སྐད་ཅེས་སྨྲས་སོ། །ཀཽ་ཤི་ཀ་གལ་ཏེ་ཐེག་པ་ལ་གསར་དུ་ཞུགས་པའི་བྱང་ཆུབ་སེམས་དཔའ་སེམས་དཔའ་ཆེན་པོ་དེ་ཤེས་རབ་ཀྱི་ཕ་རོལ་ཏུ་ཕྱིན་པ་ལ་སྤྱོད་ཅིང་། ཤེས་རབ་ཀྱི་ཕ་རོལ་ཏུ་ཕྱིན་པ་དེ་ཡང་མི་དམིགས་པའི་ཚུལ་དང་། མཚན་མ་མེད་པའི་ཚུལ་གྱིས་འཛིན་པར་བྱེད། བསམ་གཏན་གྱི་ཕ་རོལ་ཏུ་ཕྱིན་པ་དང་། །བརྩོན་འགྲུས་ཀྱི་ཕ་རོལ་ཏུ་ཕྱིན་པ་དང་། བཟོད་པའི་ཕ་རོལ་ཏུ་ཕྱིན་པ་དང་། ཚུལ་ཁྲིམས་ཀྱི་ཕ་རོལ་ཏུ་ཕྱིན་པ་དང་། སྦྱིན་པའི་ཕ་རོལ་ཏུ་ཕྱིན་པ་ལ་སྤྱོད་ཅིང་སྦྱིན་པའི་ཕ་རོལ་ཏུ་ཕྱིན་པ་དེ་ཡང་མི་དམིགས་པའི་ཚུལ་དང་། མཚན་མ་མེད་པའི་ཚུལ་གྱིས་འཛིན་པར་བྱེད། ནང་སྟོང་པ་ཉིད་ལ་སྤྱོད་ཅིང་། ནང་སྟོང་པ་ཉིད་དེ་ཡང་མི་དམིགས་པའི་ཚུལ་དང་། མཚན་མ་མེད་པའི་ཚུལ་གྱིས་འཛིན་པར་བྱེད། དངོས་པོ་མེད་པའི་ངོ་བོ་ཉིད་སྟོང་པ་ཉིད་ཀྱི་བར་ལ་སྤྱོད་ཅིང་། དངོས་པོ་མེད་པའི་ངོ་བོ་ཉིད་སྟོང་པ་ཉིད་དེ་ཡང་མི་དམིགས་པའི་ཚུལ་དང་། མཚན་མ་མེད་པའི་ཚུལ་གྱིས་འཛིན་པར་བྱེད། དྲན་པ་ཉེ་བར་གཞག་(༣)པ་རྣམས་ལ་སྤྱོད་ཅིང་། དྲན་པ་ཉེ་བར་གཞག་པ་དེ་དག་ཀྱང་མི་དམིགས་(༤)པའི་ཚུལ་དང་། མཚན་མ་མེད་པའི་ཚུལ་གྱིས་འཛིན་པར་བྱེད། ཡང་དག་པར་སྤོང་བ་དང་། རྫུ་འཕྲུལ་གྱི་

རྐང་པ་དང་། དབང་པོ་དང་། སྟོབས་དང་བྱང་ཆུབ་ཀྱི་ཡན་ལག་དང་། འཕགས་པའི་ལམ་ཡན་ལག་བརྒྱད་པ་ལ་སྤྱོད་ཅིང་། འཕགས་པའི་ལམ་ཡན་ལག་བརྒྱད་པ་དེ་ཡང་མི་དམིགས་པའི་ཚུལ་དང་། མཚན་མ་མེད་པའི་ཚུལ་གྱིས་འཛིན་པར་བྱེད། འཕགས་པའི་བདེན་པ་རྣམས་དང་། བསམ་གཏན་རྣམས་དང་། ཚད་མེད་པ་རྣམས་དང་། གཟུགས་མེད་པའི་སྙོམས་པར་འཇུག་པ་རྣམས་དང་། རྣམ་པར་ཐར་པ་བརྒྱད་དང་། མཐར་གྱིས་གནས་པའི་སྙོམས་པར་འཇུག་པ་དགུ་དང་། སྟོང་པ་ཉིད་དང་། མཚན་མ་མེད་པ་དང་། སྨོན་པ་མེད་པ་དང་། མངོན་པར་ཤེས་པ་རྣམས་དང་། ཏིང་ངེ་འཛིན་རྣམས་དང་། གཟུངས་ཀྱི་སྒོ་རྣམས་དང་། དེ་བཞིན་གཤེགས་པའི་སྟོབས་བཅུ་དང་། མི་འཇིགས་པ་བཞི་དང་། སོ་སོ་ཡང་དག་པར་རིག་པ་བཞི་དང་། [1]སྙིང་རྗེ་ཆེན་པོ་དང་། སངས་རྒྱས་ཀྱི་ཆོས་མ་འདྲེས་པ་བཅོ་བརྒྱད་ལ་སྤྱོད་ཅིང་། སངས་རྒྱས་ཀྱི་ཆོས་མ་འདྲེས་པ་བཅོ་བརྒྱད་པོ་དེ་ཡང་མི་དམིགས་པའི་ཚུལ་དང་། མཚན་མ་མེད་པའི་ཚུལ་གྱིས་འཛིན་པར་བྱེད། ཐམས་ཅད་ཤེས་པ་ཉིད་དང་། ལམ་གྱི་རྣམ་པ་ཤེས་པ་ཉིད་དང་། རྣམ་པ་ཐམས་ཅད་མཁྱེན་པ་ཉིད་ལ་སྤྱོད་ཅིང་། རྣམ་པ་ཐམས་ཅད་མཁྱེན་པ་ཉིད་དེ་ཡང་མི་དམིགས་པའི་ཚུལ་དང་། མཚན་མ་མེད་པའི་ཚུལ་གྱིས་འཛིན་པར་བྱེད་ན། དེས་ཤེས་རབ་ཀྱི་ཕ་རོལ་ཏུ་ཕྱིན་པ་ལ་མོས་པ་མང་བ་དང་། བསམ་གཏན་གྱི་ཕ་རོལ་ཏུ་ཕྱིན་པ་དང་། བརྩོན་འགྲུས་ཀྱི་ཕ་རོལ་ཏུ་ཕྱིན་པ་དང་། བཟོད་པའི་ཕ་རོལ་ཏུ་ཕྱིན་པ་དང་། ཚུལ་ཁྲིམས་ཀྱི་ཕ་རོལ་ཏུ་ཕྱིན་པ་དང་། སྦྱིན་པའི་ཕ་རོལ་ཏུ་ཕྱིན་པ་ལ་མོས་པ་མང་བ་དང་། ནང་སྟོང་པ་ཉིད་ལ་མོས་པ་མང་བ་དང་། དངོས་པོ་མེད་པའི་ངོ་བོ་ཉིད་སྟོང་པ་ཉིད་ཀྱི་བར་ལ་མོས་པ་མང་བ་དང་། བྱང་ཆུབ་ཀྱི་ཕྱོགས་ཀྱི་

ཆོས་སུམ་ཅུ་རྩ་བདུན་ལ་མོས་པ་མང་བ་དང་། འཕགས་པའི་བདེན་པ་རྣམས་དང་། བསམ་གཏན་རྣམས་དང་། ཚད་མེད་པ་རྣམས་དང་། གཟུགས་མེད་པའི་སྙོམས་པར་འཇུག་པ་རྣམས་ལ་མོས་པ་མང་བ་དང་། རྣམ་པར་ཐར་པ་བརྒྱད་དང་། མཐར་གྱིས་གནས་པའི་སྙོམས་པར་འཇུག་པ་དགུ་དང་། སྟོང་པ་ཉིད་དང་། མཚན་མ་མེད་པ་དང་། སྨོན་པ་མེད་པ་ལ་མོས་པ་མང་བ་དང་། མངོན་པར་ཤེས་པ་རྣམས་དང་། ཏིང་ངེ་འཛིན་རྣམས་དང་། གཟུངས་ཀྱི་སྒོ་རྣམས་དང་། དེ་བཞིན་གཤེགས་པའི་སྟོབས་བཅུ་དང་། མི་འཇིགས་པ་བཞི་[༧]དང་། སོ་སོ་ཡང་དག་པར་རིག་པ་བཞི་དང་། [༣]སངས་རྒྱས་ཀྱི་ཆོས་མ་འདྲེས་པ་བཅོ་བརྒྱད་ལ་མོས་པ་མང་བ་དང་། ཐམས་ཅད་ཤེས་པ་ཉིད་དང་། ལམ་གྱི་རྣམ་པ་ཤེས་པ་ཉིད་དང་། རྣམ་པ་ཐམས་ཅད་མཁྱེན་པ་ཉིད་ལ་མོས་པ་མང་བར་འགྱུར་རོ། །དགེ་བའི་བཤེས་གཉེན་གྱིས་ཡོངས་སུ་ཟིན་པར་འགྱུར་རོ། །དགེ་བའི་བཤེས་གཉེན་དེ་དག་ཀྱང་ཕ་རོལ་ཏུ་ཕྱིན་པ་དྲུག་པོ་འདི་དག་དོན་དང་ལྡན་ཡི་[༣]གེ་དང་ལྡན་པར་སྟོན་པར་འགྱུར་ཏེ། དེ་ཡང་བྱང་ཆུབ་སེམས་དཔའི་སྐྱོན་མེད་པར་ཆུད་ཀྱི་བར་དུ། ཅི་ནས་ཀྱང་ཤེས་རབ་ཀྱི་ཕ་རོལ་ཏུ་ཕྱིན་པ་དང་བྲལ་བར་[༥]མི་འགྱུར་བ་དེ་ལྟར་སྟོན་ཏོ། །བསམ་གཏན་གྱི་ཕ་རོལ་ཏུ་ཕྱིན་པ་དང་། བརྩོན་འགྲུས་ཀྱི་ཕ་རོལ་ཏུ་ཕྱིན་པ་དང་། བཟོད་པའི་ཕ་རོལ་ཏུ་ཕྱིན་པ་དང་། ཚུལ་ཁྲིམས་ཀྱི་ཕ་རོལ་ཏུ་ཕྱིན་པ་དང་། སྦྱིན་པའི་ཕ་རོལ་ཏུ་ཕྱིན་པ་དང་བྲལ་བར་མི་འགྱུར་བ་དེ་ལྟར་སྟོན་ཏོ། །སྟོང་པ་ཉིད་ཐམས་ཅད་དང་། བྱང་ཆུབ་ཀྱི་ཕྱོགས་ཀྱི་ཆོས་སུམ་ཅུ་རྩ་བདུན་དང་། འཕགས་པའི་བདེན་པ་རྣམས་དང་། བསམ་གཏན་རྣམས་དང་། ཚད་མེད་པ་རྣམས་དང་། གཟུགས་མེད་པའི་སྙོམས་པར་འཇུག་པ་རྣམས་དང་། རྣམ་

པར་ཐར་པ་བརྒྱད་དང་། མཐར་གྱིས་གནས་པའི་སྙོམས་པར་འཇུག་པ་དགུ་དང་། སྟོང་པ་ཉིད་དང་། མཚན་མ་མེད་པ་དང་། སྨོན་པ་མེད་པ་དང་། མངོན་པར་ཤེས་པ་ལྔ་དང་། ཏིང་ངེ་འཛིན་རྣམས་དང་། གཟུངས་ཀྱི་སྒོ་རྣམས་དང་། དེ་བཞིན་གཤེགས་པའི་སྟོབས་བཅུ་དང་། མི་འཇིགས་པ་བཞི་དང་། སོ་སོ་ཡང་དག་པར་རིག་པ་བཞི་དང་། [1]སྙིང་རྗེ་ཆེན་པོ་དང་། སངས་རྒྱས་ཀྱི་ཆོས་མ་འདྲེས་པ་བཅོ་བརྒྱད་དང་བྲལ་བར་མི་འགྱུར་བ་དེ་ལྟར་སྟོན་ཏོ། །དེ་ལ་བདུད་ཀྱི་ལས་རྣམས་ཀྱང་སྟོན་པར་འགྱུར་རོ[2]། །དེས་[3]བདུད་ཀྱི་ལས་དེ་དག་ཐོས་ནས་འགྲིབ་པའམ། འཕེལ་བ་མེད་པར་འགྱུར་རོ། །དེ་ཅིའི་ཕྱིར་ཞེ་ན། དེ་ནི་འདི་ལྟར་བདུད་ཀྱི་ལས་དེ་དག་ལ་ངོ་བོ་ཉིད་མེད་དོ། །དེ་ནི་བྱང་ཆུབ་སེམས་དཔའི་སྐྱོན་མེད་པར་ཆུད་ཀྱི་བར་དུ[4]། སངས་རྒྱས་བཅོམ་ལྡན་འདས་རྣམས་དང་བྲལ་བར་མི་འགྱུར་ཏེ། དེ་དག་ལ་ཡང་དགེ་བའི་རྩ་བ་བསྐྱེད་[5]པར་འགྱུར་རོ། །དགེ་བའི་རྩ་བ་དེ་དག་གིས་ཀྱང་བྱང་ཆུབ་སེམས་དཔའི་རིགས་ཡོངས་སུ་འཛིན་པར་འགྱུར་རོ། །བྱང་ཆུབ་སེམས་དཔའི་རིགས་དེ༔དག་ཡང་[6]བླ་ན་མེད་པ་ཡང་དག་པར་རྫོགས་པའི་བྱང་ཆུབ་[7]མངོན་པར་རྫོགས་པར་སངས་རྒྱས་ཀྱི་བར་དུ་ནམ་ཡང་བྲལ་[8]བར་མི་འགྱུར་རོ། །ཀཽ་ཤི་ཀ་གཞན་ཡང་བྱང་ཆུབ་སེམས་དཔའ་སེམས་དཔའ་ཆེན་པོ་ཐེག་པ་ལ་གསར་དུ་ཞུགས་པའི[9]། ཤར་ཕྱོགས་དང་། ལྷོ་ཕྱོགས་དང་། ནུབ་ཕྱོགས་དང་། བྱང་ཕྱོགས་དང་། བྱང་ཤར་དང་། ཤར་ལྷོ་དང་། ལྷོ་ནུབ་དང་། ནུབ་བྱང་དང་། འོག་དང་། སྟེང་གི་ཕྱོགས་ཀྱི་ཕྱོགས་རེ་རེ་ཞིང་འཇིག་རྟེན་གྱི་ཁམས་གྲངས་མེད་ཚད་མེད་པ་དག་ན། དེ་བཞིན་གཤེགས་པ་དགྲ་བཅོམ་པ་ཡང་དག་པར་རྫོགས་པའི་སངས་རྒྱས་ཚད་མེད་གྲངས་མེད་པ་བཞུགས་[10]ཤིང་འཚོ་

སྐྱོང་བ་དང་། ཆོས་སྟོན་པའི་སངས་རྒྱས་བཅོམ་ལྡན་འདས་སྤྲོས་པའི་ཚུལ་ཆད་པར་གྱུར་པ། ཚིག་གི་[1]ལམ་ཉམས་[2]པ་མི་མངའ་བ། ཁུར་བོར་བ། གྲོང་གི་ཚེར་མ་རབ་ཏུ་བསལ་བ། སྲིད་པ་[3]ཀུན་དུ་སྦྱོར་བ་ཡོངས་སུ་ཆད་པ། ཡང་དག་པར་ཡོངས་སུ་མཁྱེན་པས། ཐུགས་ཤིན་དུ་རྣམ་པར་གྲོལ་བའི་སངས་རྒྱས་བཅོམ་ལྡན་འདས་ཉན་ཐོས་ཀྱི་དགེ་འདུན་དང་བཅས་པ་དེ་དག་གིས་བསོད་ནམས་མངོན་པར་འདུ་མཛད་པ་དང་། དེ་དག་དུ་རྒྱལ་རིགས་ཆེ་ཞིང་མཐོ་བའམ། བྲམ་ཟེའི་རིགས་ཆེ་ཞིང་མཐོ་བའམ། ཁྱིམ་བདག་གི་རིགས་ཆེ་ཞིང་མཐོ་བའམ། རྒྱལ་ཆེན་བཞིའི་རིས་ཀྱི་ལྷའམ། སུམ་ཅུ་རྩ་གསུམ་འམ[4]། མཚེ་མའམ། དགའ་ལྡན་ནམ་འཕྲུལ་དགའ་འམ། གཞན་འཕྲུལ་དབང་བྱེད་དམ། ཚངས་རིས་སམ། ཚངས་ལྷ་ཉེ་ཕན་ནམ། ཚངས་པ་ཀུན་འཁོར་ཏམ[5]། ཚངས་ཆེན་ནམ། སྣང་བའམ། ཆུང་སྣང་ངམ། ཚད་མེད་སྣང་བའམ། ཀུན་སྣང་དང་བའམ། དགེ་བའམ། ཆུང་དགེའམ། ཚད་མེད་དགེ་བའམ། དགེ་རྒྱས་སམ། ཆེ་བའམ། ཆུང་ཆེའམ། ཚད་མེད་ཆེ་བའམ། འབྲས་བུ་ཆེ་བའམ། མི་ཆེ་བའམ། མི་གདུང་བའམ། ཤིན་ཏུ་མཐོང་བའམ། གྱ་ནོམ་སྣང་བའམ། འོག་མྱིན་[6]གྱི་ལྷ་རྣམས་སམ། སུས་ཀྱང་རུང་སྟེ། དགེ་བའི་རྩ་བ་ཇི་སྙེད་ཅིག་བསྐྱེད་པ་དེ་དག་ཐམས་ཅད་མངོན་པར་བསྡུས་ཏེ་གཅིག་ཏུ་བརྟུལ་ནས་ཚད་བཟུང་སྟེ། རྗེས་སུ་ཡི་རང་བའི་རབ་དམ་པ། མཆོག་ཕུལ། གཙོ་བོ་གྱ་ནོམ་པ་བླ་ན་མེད་པ། གོང་ན་མེད་པ། མཉམ་པ་མེད་པ། མི་[7]མཉམ་པ་དང་མཉམ་པས་རྗེས་སུ་ཡི་རང་བར་བྱས་ཏེ། རྗེས་སུ་ཡི་རང་བར་བྱས་ནས་ཀྱང་། སེམས་ཅན་ཐམས་ཅད་དང་ཐུན་མོང་དུ་བྱས་ཏེ། བླ་ན་མེད་པ་ཡང་དག་པར་རྫོགས་པའི་བྱང་ཆུབ་ཏུ་ཡོངས་སུ་བསྔོ་བར

བྱའོ༔ །དེ་ནས་བྱང་ཆུབ་སེམས་དཔའ་སེམས་དཔའ་ཆེན་པོ་བྱམས་པས། ཚེ་དང་ལྡན་པ་རབ་འབྱོར་ལ་འདི་སྐད་ཅེས་སྨྲས་སོ། །གལ་ཏེ་ཐེག་པ་ལ་གསར་དུ་ཞུགས་པའི་བྱང་ཆུབ་སེམས་དཔའ་སེམས་དཔའ་ཆེན་པོ་དེ། སངས་རྒྱས་བཅོམ་ལྡན་འདས་དེ་དག་དང་། སངས་རྒྱས་བཅོམ་ལྡན་འདས་དེ་དག་གི་ཉན་ཐོས་ཀྱི་དགེ་འདུན་རྣམས་ཀྱི་དགེ་བའི་རྩ་བ་དེ་དག་ཐམས་ཅད་ལ་སེམས་ཤིང་བསམས་ནས༔ རྗེས་སུ་ཡི་རང་བའི་རབ་དམ་པ། མཆོག་ཕུལ་གཙོ་བོ་གྱ་ནོམ་པ། བླ་ན་མེད་པ། གོང་ན་མེད་པ། མཉམ་པ་མེད་པ། མི་མཉམ་པ་དང་མཉམ་པས་རྗེས་སུ་ཡི་རང་བ་དང་། བླ་ན་མེད་པ་ཡང་དག་པར་རྫོགས་པའི་བྱང་ཆུབ་ཏུ་ཡོངས་སུ་བསྔོ[༡]བར་བྱེད་ན། ཇི་ལྟར་བྱང་ཆུབ་སེམས་དཔའ་སེམས་དཔའ་ཆེན་པོ[༢]འདུ་ཤེས་ཕྱིན་ཅི་ལོག་ཏུ་མི་འགྱུར་བ་ཡིན། སེམས་ཕྱིན་ཅི་ལོག་ཏུ་མི་འགྱུར་བ་ཡིན། ལྟ་བ་ཕྱིན་ཅི་ལོག་ཏུ་མི་འགྱུར་བ་ཡིན། རབ་འབྱོར་གྱིས་སྨྲས་པ༔ བྱམས་པ་གལ་ཏེ་བྱང་ཆུབ་སེམས་དཔའ་སེམས་དཔའ་ཆེན་པོ་དེ། སངས་རྒྱས་བཅོམ་ལྡན་འདས་ཉན་ཐོས་དང་བཅས་པ་དེ་དག་ལ་སེམས་ཀྱང་། དེ་ལ་སངས་རྒྱས་སུ་འདུ་ཤེས་པར་མི་འགྱུར། ཉན་ཐོས་སུ་འདུ་ཤེས་པར་མི་འགྱུར༔ དགེ་བའི་རྩ་བར་འདུ་ཤེས་པར་མི་འགྱུར་ཞིང་། སེམས་གང་གིས་ཡོངས་སུ་བསྔོ་བའི་སེམས་དེ་ལ་ཡང་སེམས་ཀྱི་འདུ་ཤེས་སུ་མི་འགྱུར་ན། དེ་ལྟར་ཡོངས་སུ་བསྔོ་བའི་བྱང་ཆུབ་སེམས་དཔའ་སེམས་དཔའ་ཆེན་པོ་ལ་འདུ་ཤེས་ཕྱིན་ཅི་ལོག་ཏུ་འགྱུར་བ་མེད་དོ། །སེམས་ཕྱིན་ཅི་ལོག་ཏུ་འགྱུར་བ་མེད་དོ། །ལྟ་བ་ཕྱིན་ཅི་ལོག་ཏུ་འགྱུར་བ་མེད་དོ། །གལ་ཏེ་བྱང་ཆུབ་སེམས་དཔའ་སེམས་དཔའ་ཆེན་པོ་དེ། སངས་རྒྱས་བཅོམ་ལྡན་འདས་ཉན་ཐོས་དང་བཅས་པ་དེ་དག་དང་། དགེ་བའི་རྩ་བ་དེ་དག་ལ་སེམས་ཤིང་། མཚན་མར་འཛིན་ལ་མཚན་མར་བཟུང་

ནས། བླ་ན་མེད་པ་ཡང་དག་པར་རྫོགས་པའི་བྱང་ཆུབ་ཏུ་ཡོངས་སུ་བསྔོ་[༡]ན། དེ་ནི་བྱང་ཆུབ་སེམས་དཔའ་སེམས་དཔའ་ཆེན་པོའི་འདུ་ཤེས་ཕྱིན་ཅི་ལོག་ཏུ་འགྱུར་རོ། །སེམས་ཕྱིན་ཅི་ལོག་ཏུ་འགྱུར་རོ། །ལྟ་བ་ཕྱིན་ཅི་ལོག་ཏུ་འགྱུར་རོ།། གལ་ཏེ་བྱང་ཆུབ་སེམས་དཔའ་སེམས་དཔའ་ཆེན་པོ་དེ་སེམས་གང་གིས། སངས་རྒྱས་བཅོམ་ལྡན་འདས་ཉན་ཐོས་དང་བཅས་པ་དེ་དག་དང་། དགེ་བའི་རྩ་བ་དེ་དག་ལ་སེམས་པའི་[༢]སེམས་དེ་ལ་ཡང་དག་པར་སེམས་ཤིང་། འདི་ལྟར་ཟད་པ་ལ་ཟད་ཅེས་བྱ་བར་ཤེས་ལ་[༣]གང་ཟད་པ་དེས་ཡོངས་སུ་བསྔོ་བར་མི་ནུས་ཏེ། སེམས་གང་གིས་ཡོངས་སུ་བསྔོ་བའི་སེམས་དེ་ཉིད་ཀྱི་ཆོས་ཉིད་ཀྱང་དེ་ཡིན་ལ། ཆོས་གང་ལ་ཡོངས་སུ་བསྔོ་བའི་ཆོས་དེའི་ཆོས་ཉིད་ཀྱང་དེ་ཡིན་ནོ་ཞེས། གལ་ཏེ་དེ་ལྟར་ཡོངས་སུ་བསྔོ་ན། ཡང་དག་པར་ཡོངས་སུ་བསྔོ་བ་སྟེ་ལོག་པ་མ་ཡིན་ནོ།། དེ་[༤]ལྟར་བྱང་ཆུབ་སེམས་དཔའ་སེམས་དཔའ་ཆེན་པོས་དགེ་བའི་རྩ་བ་རྣམས་ཡོངས་སུ་བསྔོ་བར་བྱའོ། །གལ་ཏེ་བྱང་ཆུབ་སེམས་དཔའ་སེམས་དཔའ་ཆེན་པོས་འདས་པ་དང་། མ་བྱོན་པ་དང་། ད་ལྟར་བྱུང་བའི་སངས་རྒྱས་བཅོམ་ལྡན་འདས་རྣམས་ཀྱི་ཐུགས་དང་པོ་བསྐྱེད་པ་ནས། དམ་པའི་ཆོས་གནས་པའི་བར་གྱི་དགེ་བའི་རྩ་བ་གང་ཇི་སྙེད་པ་དང་། ཉན་ཐོས་དང་། རང་སངས་རྒྱས་དེ་དག་གི་དགེ་བའི་རྩ་བ་གང་ཇི་སྙེད་པ་དང་། དེ་དག་ཏུ་སོ་སོའི་སྐྱེ་བོ་མང་པོས་དགེ་བའི་རྩ་བ་གང་ཇི་སྙེད་ཅིག་བསྐྱེད་པ་དང་། ཆོས་བསྟན་པ་གང་ཇི་སྙེད་ཅིག་ཐོས་པ་དང་། དེ་དག་ཏུ་ལྷ་དང་། ཀླུ་དང་གནོད་སྦྱིན་དང་དྲི་ཟ་[༥]དང་ལྷ་མ་ཡིན་དང་། ནམ་མཁའ་ལྡིང་དང་། མིའམ་ཅི་དང་། ལྟོ་འཕྱེ་ཆེན་པོ་[༦]དག་གིས་དགེ་བའི་རྩ་བ་གང་ཇི་སྙེད་ཅིག་བསྐྱེད་པ་དང་། རྒྱལ་རིགས་ཆེ་ཞིང་མཐོ་བ་རྣམས་སམ། བྲམ་ཟེའི་རིགས་ཆེ་ཞིང་མཐོ་བ་རྣམས་སམ།

ཁྲིམ་བདག་གི་རིགས་ཆེ་ཞིང་མཐོ་བ་རྣམས་སམ། རྒྱལ་ཆེན་བཞིའི་རིས་ཀྱི་ལྷ་རྣམས་སམ། འོག་མིན་གྱི་བར་གྱི་ལྷ་རྣམས་ཀྱིས་དགེ་བའི་རྩ་བ་གང་ཇི་སྙེད་ཅིག་བསྐྱེད་པ་དང་། དམ་པའི་ཆོས་ཇི་སྙེད་ཅིག་ཐོས་ཏེ། བླ་ན་མེད་པ་ཡང་དག་པར་རྫོགས་པའི་བྱང་ཆུབ་ཏུ་སེམས་བསྐྱེད་པ་དེ་དག་ཐམས་ཅད་མངོན་པར་བསྡུས་ཏེ། གཅིག་ཏུ་བརྩུལ་ནས་ཚད་བཟུང་སྟེ། རྗེས་སུ་ཡི་རང་བའི་རབ། མཆོག་ཕུལ། དམ་པ། གྱ་ནོམ་པ། བླ་ན་མེད་པ། གོང་ན་མེད་པ། མཉམ་པ་མེད་པ། མི་མཉམ་པ་དང་[༡]། མཉམ་པས་རྗེས་སུ་ཡི་རང་ནས། དེ་ཐམས་ཅད་བླ་ན་མེད་པ་ཡང་དག་པར་རྫོགས་པའི་བྱང་ཆུབ་ཏུ་ཡོངས་སུ་བསྔོ་ཞིང་། གལ་ཏེ་འདི་ལྟར་ཆོས་དེ་དག་ནི་ཟད་དོ། །འགགས་སོ། །མེད་དོ། །རྣམ་པར་གྱུར་ཏོ། །གང་ལ་ཡོངས་སུ་བསྔོ་བའི་སེམས་དེ་ཡང་རང་བཞིན་གྱིས་སྟོང་པའོ་ཞེས། གལ་ཏེ་དེ་ལྟར་ཡོངས་སུ་བསྔོ་ན། བླ་ན་མེད་པ་ཡང་དག་པར་རྫོགས་པའི་བྱང་ཆུབ་ཏུ་ཡོངས་སུ་བསྔོས་པ་ཡིན་ནོ། །གལ་ཏེ་འདི་ལྟར་ཆོས་ཀྱིས་ཆོས་ཡོངས་སུ་བསྔོ་བར་མི་བྱ་སྟེ། དེ་ཅིའི་ཕྱིར་ཞེ་ན། དེ་ནི་འདི་ལྟར་ཆོས་ཐམས་ཅད་རང་བཞིན་གྱིས་སྟོང་ངོ་ཞེས་བྱ་བར་ཤེས་ལ། གལ་ཏེ་དེ་ལྟར་ཡོངས་སུ་བསྔོ་ན། བླ་ན་མེད་པ་ཡང་དག་པར་རྫོགས་པའི་བྱང་ཆུབ་ཏུ་ཡོངས་སུ་བསྔོས་པ་དེ་དག་ནི་དེ་ལྟར་ན། བྱང་ཆུབ་[༢]སེམས་དཔའ་སེམས་དཔའ་ཆེན་པོ་ཤེས་རབ་ཀྱི་ཕ་རོལ་ཏུ་ཕྱིན་པ་ལ་སྤྱོད་པ་དང་། བསམ་གཏན་གྱི་ཕ་རོལ་ཏུ་ཕྱིན་པ་དང་། བརྩོན་འགྲུས་ཀྱི་ཕ་རོལ་ཏུ་ཕྱིན་པ་དང་། བཟོད་པའི་ཕ་རོལ་ཏུ་ཕྱིན་པ་དང་། ཚུལ་ཁྲིམས་ཀྱི་ཕ་རོལ་ཏུ་ཕྱིན་པ་དང་། སྦྱིན་པའི་ཕ་རོལ་ཏུ་ཕྱིན་པ་ལ་སྤྱོད་པའི་ཚེ། འདུ་ཤེས་ཕྱིན་ཅི་ལོག་ཏུ་མི་འགྱུར་རོ། །སེམས་ཕྱིན་ཅི་ལོག་ཏུ་མི་འགྱུར་རོ། །ལྟ་བ་ཕྱིན་ཅི་ལོག་ཏུ་མི་འགྱུར་རོ། །དེ་ཅིའི་ཕྱིར་ཞེ་ན།

དེ་ནི་འདི་ལྟར་བྱང་ཆུབ་སེམས་དཔའ་སེམས་དཔའ་ཆེན་པོ་དེ་ཡོངས་སུ་བསྔོ་བ་ལ་མངོན་པར་ཆགས་པ་མེད་དོ། །དགེ་བའི་རྩ་བ་དེ་དག་ལ་ཡང་མངོན་པར་ཆགས་པ་མེད་དོ། །བྱང་ཆུབ་དེ་ཡང་ཡང་དག་པར་རྗེས་སུ་མི་མཐོང་ངོ་། །གང་ལ་ཆགས་པར་འགྱུར་བའི་བྱང་ཆུབ་ཀྱི་སེམས་དེ་ཡང་ཡང་དག་པར་རྗེས་སུ་མི་མཐོང་སྟེ། འདི་ནི་བྱང་ཆུབ་སེམས་དཔའ་སེམས་དཔའ་ཆེན་པོའི་ཡོངས་སུ་བསྔོ་བ་བླ་ན་མེད་པའོ། གལ་ཏེ་བྱང་ཆུབ་སེམས་དཔའ་སེམས་དཔའ་ཆེན་པོས་བསོད་ནམས་བྱ་བའི་དངོས་པོ་མངོན་པར་འདུ་བྱ་བ་དེ་ཕུང་པོ་དང་། ཁམས་དང་། སྐྱེ་མཆེད་རྣམས་[༧]དབེན་པར་ཤེས་ཏེ། ཤེས་རབ་ཀྱི་ཕ་རོལ་ཏུ་ཕྱིན་པས་དབེན་པར་ཤེས། བསམ་གཏན་གྱི་ཕ་རོལ་ཏུ་ཕྱིན་པ་དང་། བརྩོན་འགྲུས་ཀྱི་ཕ་རོལ་ཏུ་ཕྱིན་པ་དང་། བཟོད་པའི་ཕ་རོལ་ཏུ་ཕྱིན་པ་དང་། ཚུལ་ཁྲིམས་ཀྱི་ཕ་རོལ་ཏུ་ཕྱིན་པ་དང་། སྦྱིན་པའི་ཕ་རོལ་ཏུ་ཕྱིན་པས་དབེན་པར་ཤེས། ནང་སྟོང་པ་ཉིད་ཀྱིས་དབེན་པར་ཤེས། དངོས་པོ་མེད་པའི་ངོ་བོ་ཉིད་སྟོང་པ་ཉིད་ཀྱི་བར་གྱིས་དབེན་པར་ཤེས། བྱང་ཆུབ་ཀྱི་ཕྱོགས་ཀྱི་ཆོས་སུམ་ཅུ་རྩ་བདུན་གྱིས་དབེན་པར་ཤེས། འཕགས་པའི་བདེན་པ་རྣམས་དང་། བསམ་གཏན་རྣམས་དང་། ཚད་མེད་པ་རྣམས་དང་། གཟུགས་མེད་པའི་སྙོམས་པར་འཇུག་པ་རྣམས་དང་། རྣམ་པར་ཐར་པ་བརྒྱད་དང་། མཐར་གྱིས་གནས་པའི་སྙོམས་པར་འཇུག་པ་དགུ་དང་། སྟོང་པ་ཉིད་དང་། མཚན་མ་[༡]མེད་པ་དང་། སྨོན་པ་མེད་པ་[༡]དང་། མངོན་པར་ཤེས་པ་དང་། ཏིང་ངེ་འཛིན་དང་། གཟུངས་ཀྱི་སྒོ་རྣམས་ཀྱིས་དབེན་པར་ཤེས། དེ་བཞིན་གཤེགས་པའི་སྟོབས་བཅུ་དང་། མི་འཇིགས་པ་བཞི་དང་། སོ་སོ་ཡང་དག་པར་རིག་[༨]པ་བཞི་དང་། བྱམས་པ་ཆེན་པོ་དང་། སྙིང་རྗེ་ཆེན་པོ་དང་། སངས་རྒྱས་ཀྱི་ཆོས་མ་འདྲེས་པ་བཅོ་

བརྒྱད་ཀྱིས་དབེན་པར་ཤེས་ན། རབ་འབྱོར་དེ་ལྟར་བྱང་ཆུབ་སེམས་དཔའ་
སེམས་དཔའ་ཆེན་པོས། བསོད་ནམས་བྱ་བའི་དངོས་པོ་མངོན་པར་འདུ་བྱ་བ་དེ།
བླ་ན་མེད་པ་ཡང་དག་པར་རྫོགས་པའི་བྱང་ཆུབ་ཏུ་ཡོངས་སུ་བསྔོས་པ་ཡིན་ནོ། །
གལ་ཏེ་དེ་བྱང་ཆུབ་སེམས་དཔའ་སེམས་དཔའ་ཆེན་པོས་རྗེས་སུ་ཡི་རང་བ་དང་
ལྡན་པའི་བསོད་ནམས་བྱ་བའི་དངོས་པོ་མངོན་པར་འདུ་བྱ་བ་དེ། རྗེས་སུ་ཡི་
རང་བ་དང་ལྡན་པའི་བསོད་ནམས་བྱ་བའི་དངོས་པོ་མངོན་པར་འདུ་བྱ་བ་དེ་ཉིད་
ཀྱི་ངོ་བོ་ཉིད་ཀྱིས་དབེན་པར་ཤེས་ཏེ། སངས་རྒྱས་བཅོམ་ལྡན་འདས་དེ་དག་ནི་
སངས་རྒྱས་ཀྱི་ངོ་བོ་ཉིད་ཀྱིས་དབེན་ནོ། །དགེ་བའི་རྩ་བ་དེ་དག་ནི་དགེ་བའི་རྩ་
བའི་ངོ་བོ་ཉིད་ཀྱིས་དབེན་ནོ། །མངོན་པར་འདུ་བྱ་བ་དེ་དག་ནི་མངོན་པར་
འདུ་བྱ་བའི་ངོ་བོ་ཉིད་ཀྱིས་དབེན་ནོ། །བྱང་ཆུབ་ཀྱི་སེམས་དེ་ནི་བྱང་ཆུབ་ཀྱི་
སེམས་ཀྱི་ངོ་བོ་ཉིད་ཀྱིས་དབེན་ནོ། །ཡོངས་སུ་བསྔོ་བ་ནི་ཡོངས་སུ་བསྔོ་བའི་ངོ་
བོ་ཉིད་ཀྱིས་དབེན་ནོ། །བྱང་ཆུབ་ནི་བྱང་ཆུབ་ཀྱི་ངོ་བོ་ཉིད་ཀྱིས་དབེན་ནོ། །
ཤེས་རབ་ཀྱི་ཕ་རོལ་ཏུ་ཕྱིན་པ་ནི་ཤེས་རབ་ཀྱི་ཕ་རོལ་ཏུ་ཕྱིན་པའི་ངོ་བོ་ཉིད་ཀྱིས་
དབེན་ནོ། །བསམ་གཏན་གྱི་ཕ་རོལ་ཏུ་ཕྱིན་པ་ནི་བསམ་གཏན་གྱི་ཕ་རོལ་ཏུ་
ཕྱིན་པའི་ངོ་བོ་ཉིད་ཀྱིས་དབེན་ནོ། །བརྩོན་འགྲུས་ཀྱི་ཕ་རོལ་ཏུ་ཕྱིན་པ་ནི་
བརྩོན་འགྲུས་ཀྱི་ཕ་རོལ་ཏུ་ཕྱིན་པའི་ངོ་བོ་ཉིད་ཀྱིས་དབེན་ནོ། །བཟོད་པའི་ཕ་
རོལ་ཏུ་ཕྱིན་པ་ནི་བཟོད་པའི་ཕ་རོལ་ཏུ་ཕྱིན་པའི་ངོ་བོ་ཉིད་ཀྱིས་དབེན་ནོ། །
ཚུལ་ཁྲིམས་ཀྱི་ཕ་རོལ་ཏུ་ཕྱིན་པ་ནི་ཚུལ་ཁྲིམས་ཀྱི་ཕ་རོལ་ཏུ་ཕྱིན་པའི་ངོ་བོ་ཉིད་
ཀྱིས་དབེན་ནོ། །སྦྱིན་པའི་ཕ་རོལ་ཏུ་ཕྱིན་པ་ནི་སྦྱིན་པའི་ཕ་རོལ་ཏུ་ཕྱིན་པའི་ངོ་
བོ་ཉིད་ཀྱིས་དབེན་ནོ། །ནང་སྟོང་པ་ཉིད་ནི་ནང་སྟོང་པ་ཉིད་ཀྱི་ངོ་བོ་ཉིད་ཀྱིས་
དབེན་ནོ། །ཕྱི་སྟོང་པ་ཉིད་ནི་ཕྱི་སྟོང་པ་ཉིད་ཀྱི་ངོ་བོ་ཉིད་ཀྱིས་དབེན་ནོ། །ཕྱི་

ནང་སྟོང་པ་ཉིད་ནི་ཕྱི་ནང་སྟོང་པ་ཉིད་ཀྱི་ངོ་བོ་ཉིད་ཀྱིས་དབེན་ནོ། །དངོས་པོ་མེད་པའི་ངོ་བོ་ཉིད་སྟོང་པ་ཉིད་ཀྱི་བར་ནི། དངོས་པོ་མེད་པའི་ངོ་བོ་ཉིད༔སྟོང་པ་ཉིད་[7]ཀྱི་བར་གྱི་ངོ་བོ་ཉིད་ཀྱིས་དབེན་ནོ། །བྱང་ཆུབ་ཀྱི་ཕྱོགས་ཀྱི་ཆོས་སུམ་ཅུ་རྩ་བདུན་ནི། བྱང་ཆུབ་ཀྱི་ཕྱོགས་ཀྱི་ཆོས་སུམ་ཅུ་རྩ་བདུན་གྱི་ངོ་བོ་ཉིད་ཀྱིས་དབེན་ནོ། །འཕགས་པའི་བདེན་པ་རྣམས་དང་། བསམ་གཏན་རྣམས་དང་། ཚད་མེད་པ་རྣམས་དང་། གཟུགས་མེད་པའི་སྙོམས་པར་འཇུག་པ་རྣམས་དང་། རྣམ་པར་ཐར་པ་བརྒྱད་དང་། མཐར་གྱིས་གནས་པའི་སྙོམས་པར་འཇུག་པ་དགུ་དང་། སྟོང་པ་ཉིད་དང་། མཚན་མ་མེད་པ་དང་། སྨོན་པ་མེད་པ་དང་། མངོན་པར་ཤེས་པ་རྣམས་དང་། ཏིང་ངེ་འཛིན་རྣམས་དང་། གཟུངས་ཀྱི་སྒོ་རྣམས་ནི་གཟུངས་ཀྱི་སྒོ་རྣམས་ཀྱི་ངོ་བོ་ཉིད་ཀྱིས་དབེན་ནོ། །དེ་བཞིན་གཤེགས་པའི་སྟོབས་བཅུ་དང་། མི་འཇིགས་པ་བཞི་དང་། སོ་སོ་ཡང་དག་པར་རིག་པ་བཞི་དང་། བྱམས་པ་ཆེན་པོ་དང་། སྙིང་རྗེ་ཆེན་པོ་དང་། སངས་རྒྱས་ཀྱི་ཆོས་མ་འདྲེས་པ་རྣམས་ནི་སངས་རྒྱས་ཀྱི་ཆོས་མ་འདྲེས་པ་རྣམས་ཀྱི་ངོ་བོ་ཉིད་ཀྱིས་དབེན་ནོ་ཞེས་བྱ་བར་ཤེས་ན། བྱང་ཆུབ་སེམས་དཔའ་སེམས་དཔའ་ཆེན་པོ་དེས་དབེན་པའི་ཤེས་རབ་ཀྱི་ཕ་རོལ་ཏུ་ཕྱིན་པ་ལ་དེ་ལྟར་སྤྱད་པར་བྱ་སྟེ། འདི་ནི་བྱང་ཆུབ་སེམས་དཔའ་སེམས་དཔའ་ཆེན་པོའི་ཤེས་རབ་ཀྱི་ཕ་རོལ་ཏུ་ཕྱིན་པའོ། །གཞན་ཡང་བྱང་ཆུབ་སེམས་དཔའ་སེམས་དཔའ་ཆེན་པོས་སངས་རྒྱས་བཅོམ་ལྡན་འདས་ཉན་ཐོས་ཀྱི་དགེ་འདུན་དང་བཅས་པ་ཡོངས་སུ་མྱ་ངན་ལས་འདས་པ་དེ་དག་གི་དགེ་བའི་རྩ་བ་དེ་དག་ཡོངས་སུ་བསྔོ་ན། འདི་ལྟར་ཡོངས་སུ་བསྔོ་བར་བྱ་སྟེ། སངས་རྒྱས་བཅོམ་ལྡན་འདས་དེ་དག་ཇི་ལྟར་ཡོངས་སུ་མྱ་ངན་ལས་འདས་པ་དེ་བཞིན་དུ། དགེ་བའི་རྩ་བ་འདི་དག་ཀྱང་

ཡོངས་སུ་མྱ་ངན་ལས་འདས་པ་སྟེ། དགེ་བའི་རྩ་བ་དེ་དག་ཇི་ལྟ་བ་བཞིན་དུ་ཡོངས་སུ་བསྔོ་བ་འདི་ཡང་ཡོངས་སུ་མྱ་ངན་ལས་འདས་པའོ། །སེམས་གང་གིས་བསྔོ་བའི་སེམས་དེ་ཡང་དེ་དང་ཚུལ་མཐུན་ཏེ། དེའི་ངོ་བོ་ཉིད་དོ་ཞེས། གལ་ཏེ་དེ་ལྟར་ཤེས་ན། བླ་ན་མེད་པ་ཡང་དག་པར་རྫོགས་པའི་བྱང་ཆུབ་ཏུ་ཡོངས་སུ་བསྔོས་པ་ཡིན་ཏེ། དེ་ལྟར་ཡོངས་སུ་བསྔོ་ན། འདུ་ཤེས་ཕྱིན་ཅི་ལོག་ཏུ་མི་འགྱུར་རོ། །སེམས་ཕྱིན་ཅི་ལོག་ཏུ་མི་འགྱུར་རོ། །ལྟ་བ་ཕྱིན་ཅི་ལོག་ཏུ་མི་འགྱུར་རོ། །གལ་ཏེ་བྱང་ཆུབ་སེམས་དཔའ་སེམས་དཔའ་ཆེན་པོ་ཤེས་རབ་ཀྱི་ཕ་རོལ་ཏུ་ཕྱིན་པ་ལ་སྤྱོད་པའི་ཚེ། མཚན་མའི་ཚུལ་གྱིས་སངས་རྒྱས་བཅོམ་ལྡན་འདས་དེ་དག་གི་དགེ་བའི་རྩ་བ་དེ་དག་ཡོངས་སུ་ཤེས་ན། བླ་ན་མེད་པ་ཡང་དག་པར་རྫོགས་པའི་བྱང་ཆུབ་ཏུ་ཡོངས་སུ་བསྔོ་བ་མ་ཡིན་ནོ། །འདས་པའི་སངས་རྒྱས་བཅོམ་ལྡན་འདས་ཇི་སྙེད་པ་དེ་དག་ཀྱང་མཚན་མ་མ་ཡིན། མཚན་མའི་ཡུལ་མ་ཡིན་ནོ། །དེས་[1] གལ་ཏེ་དེ་ལྟར་སེམས་ན་ཡང་མཚན་མར་བྱེད་པ་ཡིན་གྱིས[2]། དགེ་བའི་རྩ་བ་དེ་དག་བླ་ན་མེད་པ་ཡང་དག་པར་རྫོགས་པའི་བྱང་ཆུབ་ཏུ་ཡོངས་སུ་བསྔོ་བ་མ་ཡིན་ཏེ། དེ་ལྟར་ན་དེའི་འདུ་ཤེས་ཕྱིན་ཅི་ལོག་ཏུ་འགྱུར་རོ། །སེམས་ཕྱིན་ཅི་ལོག་ཏུ་འགྱུར་རོ། །ལྟ་བ་ཕྱིན་ཅི་ལོག་ཏུ་འགྱུར་རོ།། གལ་ཏེ་བྱང་ཆུབ་སེམས་དཔའ་སེམས་དཔའ་ཆེན་པོས། སངས་རྒྱས་བཅོམ་ལྡན་འདས་དེ་དག་དང་། དགེ་བའི་རྩ་བ་དེ་དག་དང་མངོན་པར་འདུ་བྱ་བ་དེ་དག་དང་། སེམས་བསྐྱེད་པ་དེ་དག་ཡོངས་སུ་ཤེས་པ་མེད་ཅིང་མཚན་མར་མི་བྱེད་ན། དགེ་བའི་རྩ་བ་དེ་དག་བླ་ན་མེད་པ་ཡང་དག་པར་རྫོགས་པའི་བྱང་ཆུབ་ཏུ་ཡོངས་སུ་བསྔོ་བ་ཡིན་ཏེ། དེ་ལྟར་ན་བྱང་ཆུབ་སེམས་དཔའ་སེམས་དཔའ་ཆེན་པོའི་འདུ་ཤེས་ཕྱིན་ཅི་ལོག་ཏུ་མི་འགྱུར་རོ། །སེམས་ཕྱིན་ཅི་ལོག་ཏུ་མི་འགྱུར་རོ། །

ལྟ་བ་ཕྱིན་ཅི་ལོག་ཏུ་མི་འགྱུར་རོ། །བྱམས་པས་སྨྲས་པ། བཙུན་པ་རབ་འབྱོར་ཇི་ལྟར་ན་བྱང་ཆུབ་སེམས་དཔའ་སེམས་དཔའ་ཆེན་པོས་དགེ་བའི་རྩ་བ་དེ་དག་ལ་མཚན་མར་མི་བྱེད་ཅིང་། བླ་ན་མེད་པ་ཡང་དག་པར་རྫོགས་པའི་བྱང་ཆུབ་ཏུ་ཡོངས་སུ་བསྔོ་བ་ཡིན། རབ་འབྱོར་གྱིས་སྨྲས་པ། བྱང་ཆུབ་སེམས་དཔའ་སེམས་དཔའ་ཆེན་པོས། ཤེས་རབ་ཀྱི་ཕ་རོལ་ཏུ་ཕྱིན་པ་འདི་ལ་ཐབས་མཁས་པ་དེ་དག་བསླབ་པར་བྱ་སྟེ། ཤེས་རབ་ཀྱི་ཕ་རོལ་ཏུ་ཕྱིན་པ[༡]ལས་བྱང་ཆུབ་སེམས་དཔའ་སེམས་དཔའ་ཆེན་པོའི་ཐབས་མཁས་པ[༢]རིག་པར་བྱའོ། །ཤེས་རབ་ཀྱི་ཕ་རོལ་ཏུ་ཕྱིན་པ་ལ་མ་ཧེན[༣]པར་བསོད་ནམས་བྱ་བའི་དངོས་པོ་ཡོངས་སུ་བསྔོ་བར་མི་ནུས་སོ། །བྱམས་པས་སྨྲས་པ། སངས་རྒྱས་བཅོམ་ལྡན་འདས་དེ་དག་ཀྱང་ཤེས་རབ་ཀྱི་ཕ་རོལ་ཏུ་ཕྱིན་པ་ལ་མེད་དེ་མི་དམིགས་སོ་ཞེས་བྱ་བ་དང་། དགེ་བའི་རྩ་བ་དེ་དག་དང་། མངོན་པར་འདུ་བྱ་བ་དེ་དག་དང་། གང་གིས་བླ་ན་མེད་པ་ཡང་དག་པར་རྫོགས་པའི་བྱང་ཆུབ་ཏུ་ཡོངས་སུ་བསྔོ་བའི་སེམས་བསྐྱེད་པ་དེ་དག་ཀྱང་མེད་དེ་མི་དམིགས་སོ་ཞེས་བྱ་བ་འདི[༤]སྐྱོན་དུ་སྐྱོས་པར་མི་འགྱུར་རམ་སྙམ་ན། ༔དེ་ལ[༥]བྱང་ཆུབ་སེམས་དཔའ་སེམས་དཔའ་ཆེན་པོས་ཤེས་རབ་ཀྱི་ཕ་རོལ་ཏུ་ཕྱིན་པ་ལ་སྤྱོད་པའི་ཚེ། འདི་ལྟར་ཡོངས་སུ་བརྟག་པར་བྱ་སྟེ། བདག་གི་ལུས་དེ་དག་ཀྱང་འགགས་པར་གྱུར[༦]། དགེ་བའི་རྩ་བ་དེ་དག་དང་། མངོན་པར་འདུ་བྱ་བ་དེ་དག་དང་། སེམས་བསྐྱེད་པ་དེ་དག་ཀྱང་འགགས་པར་གྱུར་ན། བདག་ནི་སངས་རྒྱས་བཅོམ་ལྡན་འདས་དེ་དག་དང་། དགེ་བའི་རྩ་བ་དེ་དག་དང་། མངོན་པར་འདུ་བྱ་བ་དེ་དག[༧]དང་། སེམས་བསྐྱེད་པ་དེ་དག་ལ་མཚན་མར་བྱས་ཤིང་རྣམ་པར༔རྟོག་པ་ལྟ[༨]། དེ་བཞིན་གཤེགས་པ་དགྲ་བཅོམ་པ་ཡང་དག་པར་རྫོགས་པའི་སངས་རྒྱས་རྣམས་ཀྱིས་ནི། །

དེ་ལྟར་མཚན་མའི་ཚུལ་གྱིས་ཡོངས་སུ་བསྔོ་བ་ལ་རྗེས་སུ་དགྱེས་པ་དང་། མངོན་པར་བསྔགས་པ་མ་མཛད་དོ། །དེ་ཅིའི་ཕྱིར་ཞེ་ན། དེ་ལྟར་སངས་རྒྱས་བཅོམ་ལྡན་འདས་ཡོངས་སུ་མྱ་ངན་ལས་འདས་པ་རྣམས་མཚན་མར་བྱས་ཤིང་། རྣམ་པར་བརྟགས་ཏེ་དམིགས་པ་ནི། དེའི་དམིགས་པ་ཆེན་པོར་འགྱུར་ཏེ། དེ་བས་ན་བྱང་ཆུབ་སེམས་དཔའ་སེམས་དཔའ་ཆེན་པོ་དགེ་བའི་རྩ་བ་དེ་དག་ཡོངས་སུ་བསྔོ་བར་འདོད་པས། མི་དམིགས་ཤིང་མཚན་མ་མེད་པར་བྱས་ཏེ་ཡོངས་སུ་བསྔོ་བར་བྱའོ། །དེ་བཞིན་གཤེགས་པ་དགྲ་བཅོམ་པ་ཡང་དག་པར་རྫོགས་པའི་སངས་རྒྱས་རྣམས་ཀྱིས་ནི་དམིགས་པའི་འདུ་ཤེས་ཅན་དང་། མཚན་མའི་འདུ་ཤེས་ཅན་གྱི་ཡོངས་སུ་བསྔོ་བ་དེ་ནི་དོན་ཆེ་བར་མ་གསུངས་སོ། །དེ་ཅིའི་ཕྱིར་ཞེ་ན། ཡོངས་སུ་བསྔོ་བ་དེ་ནི་དུག་ཅན་ཟུག་རྔུ་ཅན་ཏེ། འདི་ལྟ་སྟེ་དཔེར་ན་ཁ་ཟས་བསོད་པ། ཁ་དོག་ལྡན་སུམ་ཚོགས་པ། དྲི་ལྡན་སུམ་ཚོགས་པ་ཞིག་ཡོད་ཀྱང་དུག་དང་འདྲེས་པར་གྱུར་ན། ཁ་དོག་དང་དྲི་དང་། རོ་(༡)ཡིད་དུ་འོང་བ་ཡང་ཡིན་མོད་ཀྱི་འོན་ཀྱང་དུག་ཅན་དུ་ཟད་ན། དེ་ལ་སྐྱེས་བུ་བྱིས་པའི་ངང་ཚུལ་ཅན། ཤེས་རབ་འཆལ་པའི་ངང་ཚུལ་ཅན་ནི་བཟའ་བར་སེམས་ཏེ། དེས་(༢)དེ་ཟོས་ན་ཡང་ཁ་དོག་དང་། དྲི་དང་། རོ་ཞིམ་པར་ཚོར་མོད་ཀྱི། སྡུག་བསྔལ་དང་། སྡུག་བསྔལ་གྱི་རྣམ་པར་སྨིན་པར་འགྱུར་རོ། །དེ་བཞིན་དུ་འདི་ལ་ལོག་པར་རིག་པ་དང་། ལོག་པར་ཤེས་པ་དང་། ལོག་པར་བསླབས་པ་ལས་དོན་མ་རྟོགས་མི་ཤེས་ཤིང་འདི་སྐད་དུ་སྟོན་ཏེ། ཚུར་རིགས་ཀྱི་བུ་ཁྱོད་ཀྱིས་འདས་པ་དང་། མ་བྱོན་པ་དང་། ད་ལྟར་བྱུང་བའི་སངས་རྒྱས་བཅོམ་ལྡན་འདས་རྣམས་ཀྱི་ཐུགས་དང་པོ་བསྐྱེད་པ་ནས་ཉེ་བར་བཟུང་སྟེ། བླ་ན་མེད་པ་ཡང་དག་པར་རྫོགས་པའི་བྱང་ཆུབ་ཏུ་མངོན་པར་རྫོགས་པར་སངས་རྒྱས་ཀྱི་

བར་དང་། ཕུང་པོ་མ་ལུས་པའི་མྱ་ངན་ལས་འདས་པའི་དབྱིངས་སུ་ཡོངས་སུ་མྱ་ངན་ལས་འདས་ཀྱི་བར་དུ། དམ་པའི་ཆོས་ནུབ་པར་མ་གྱུར་གྱི་བར་དུ་ཤེས་རབ་ཀྱི་ཕ་རོལ་ཏུ་ཕྱིན་པ་ལ་སྤྱོད་[༧]་དེ། དགེ་བའི་རྩ་བ་གང་ཇི་སྙེད་ཅིག་མངོན་པར་འདུ་མཛད་པར་གྱུར་པ་དང་། བསམ་གཏན་གྱི་ཕ་རོལ་ཏུ་ཕྱིན་པ་དང་། བརྩོན་འགྲུས་ཀྱི་ཕ་རོལ་ཏུ་ཕྱིན་པ་དང་། བཟོད་པའི་ཕ་རོལ་ཏུ་ཕྱིན་པ་དང་། ཚུལ་ཁྲིམས་ཀྱི་ཕ་རོལ་ཏུ་ཕྱིན་པ་དང་། སྦྱིན་པའི་ཕ་རོལ་ཏུ་ཕྱིན་པ་ལ་སྤྱད་དེ། དགེ་བའི་རྩ་བ་གང་ཇི་སྙེད་ཅིག་མངོན་པར་འདུ་མཛད་པར་གྱུར་[༨]་པ་དང་མངོན་པར་འདུ་མཛད་པ་དང་། མངོན་པར་འདུ་མཛད་པར་འགྱུར་བ་དང་། བསམ་གཏན་བཞི་ལ་བསྒོམས་པ་དང་། ཚད་མེད་པ་བཞི་དང་། གཟུགས་མེད་པའི་སྙོམས་པར་འཇུག་པ་བཞི་དང་། མངོན་པར་ཤེས་པ་ལྔ་དང་། བྱང་ཆུབ་ཀྱི་ཕྱོགས་ཀྱི་ཆོས་སུམ་ཅུ་རྩ་བདུན་དང་། འཕགས་པའི་བདེན་པ་བཞི་དང་། རྣམ་པར་ཐར་པ་བརྒྱད་དང་། མཐར་གྱིས་གནས་པའི་སྙོམས་པར་འཇུག་པ་དགུ་དང་། སྟོང་པ་ཉིད་དང་། མཚན་མ་མེད་པ་དང་། སྨོན་པ་མེད་པ་དང་། ཏིང་ངེ་འཛིན་དང་། གཟུངས་ཀྱི་སྒོ་རྣམས་དང་། དེ་བཞིན་གཤེགས་པའི་སྟོབས་བཅུ་དང་། མི་འཇིགས་པ་བཞི་དང་། སོ་སོ་ཡང་དག་པར་རིག་པ་བཞི་དང་། [༩]སྙིང་རྗེ་ཆེན་པོ་དང་། སངས་རྒྱས་ཀྱི་ཆོས་མ་འདྲེས་པ་[༡༠]བཅོ་བརྒྱད་ལ་བསྒོམས་ཏེ། དགེ་བའི་རྩ་བ་གང་ཇི་སྙེད་ཅིག་མངོན་པར་འདུ་མཛད་པར་གྱུར་པ་དང་། མངོན་པར་འདུ་མཛད་པ་དང་། མངོན་པར་འདུ་མཛད་པར་འགྱུར་བ་དང་། དགེ་བའི་རྩ་བ་མངོན་པར་འདུ་མཛད་པ་གང་དག་གིས། སངས་རྒྱས་ཀྱི་ཞིང་མང་པོ་ཡོངས་སུ་དག་པར་གྱུར་པ་དང་། ཡོངས་སུ་དག་པ་དང་། ཡོངས་སུ་དག་པར་འགྱུར་བ་དང་། སེམས་ཅན་མང་

པོ་ཡོངས་སུ་སྨིན་པར་མཛད་པར་གྱུར་པ་དང་། ཡོངས་སུ་སྨིན་པར་མཛད་པ་དང་། ཡོངས་སུ་སྨིན་པར་མཛད་པར་འགྱུར་བ་དང་། སངས་རྒྱས་བཅོམ་ལྡན་འདས་དེ་དག་གི་ཚུལ་ཁྲིམས་ཀྱི་ཕུང་པོ་དང་། ཏིང་ངེ་འཛིན་གྱི་ཕུང་པོ་དང་། ཤེས་རབ་ཀྱི་ཕུང་པོ་དང་། རྣམ་པར་གྲོལ་བའི་ཕུང་པོ་དང་། རྣམ་པར་གྲོལ་བའི་ཡེ་ཤེས་གཟིགས་པའི་ཕུང་པོ་དང་། རྣམ་པ་ཐམས་ཅད་མཁྱེན་པ་ཉིད་ཀྱི་ཡེ་ཤེས་དང་། ༑མི་ཉམ[༡]པའི་ཆོས་ཉིད་དང་། རྟག་ཏུ་བཏང་སྙོམས་སུ་གནས་པ་དང་། ཉན་ཐོས་དེ་དག་གི་དགེ་བའི་རྩ་བ་ཟག་པ་མེད་པ་རྣམས་དང་། གང་གིས་དེར་དགེ་བའི་རྩ་བ་དེ་དག་ལ་རྗེས་སུ་ཡི[༢]རང་བར་གྱུར་པ་དང་། རྗེས་སུ་ཡི[༣]རང་བ་དང་། རྗེས་སུ་ཡི[༤]རང་བར་འགྱུར་བ་དང་། སངས་རྒྱས་བཅོམ་ལྡན་འདས་དེ་དག་གིས་རང་སངས་རྒྱས་རྣམས་ལུང་བསྟན་པར་གྱུར་པ་དང་། ལུང་བསྟན་པ་དང་། ལུང་བསྟན་པར་འགྱུར་བ་དང་། དེར་ལྷ་དང་། ཀླུ་དང་གནོད་སྦྱིན་དང་། དྲི་ཟ་དང་ལྷ་མ་ཡིན་དང་ནམ་མཁའ་ལྡིང་དང་མིའམ་ཅི་དང་། ལྟོ་འཕྱེ་ཆེན་པོ་དག་གིས་དགེ་བའི་རྩ་བ་བསྐྱེད་པར་གྱུར་པ་དང་། བསྐྱེད་པ་དང་། བསྐྱེད་པར༔གྱུར་པ[༥]དེ་དག་ཐམས་ཅད་མངོན་པར་བསྡུས[༦]ཏེ། གཅིག་ཏུ་བརྟུལ[༧]ལ་ཚད་བཟུང་སྟེ། བླ་ན་མེད་པ་ཡང་དག་པར་རྫོགས་པའི་བྱང་ཆུབ་ཏུ་ཡོངས་སུ་བསྔོས་ཤིག་ཅེས་བྱ་བར་སྟོན་ཏེ། དེ་ལྟར་བསྔོ་བ་དེས་མཚན་མའི་ཚུལ་དང་དམིགས་པའི་ཚུལ་གྱིས་ཡོངས་སུ་བསྔོས་ན༑ དུག་ཏུ་འགྱུར་བ་ཡིན་ནོ། །འདི་ལྟ་སྟེ་དཔེར་ན། ཟས་དུག་ཅན་དེ་དང་འདྲ་བར་དམིགས་པའི་འདུ་ཤེས་ཅན་ལ་ཡོངས་སུ་བསྔོ་བ་མེད་དོ། །དེ་ཅིའི་ཕྱིར་ཞེ་ན། དམིགས་པ་ནི་དུག་དང་བཅས་པ་སྟེ། མཚན་མ་དང་བཅས་པ། རྒྱུ་དང་བཅས་པ། རྐྱེན་དང་བཅས་པ་སྟེ། དེ་དེ་ལྟར་ཡོངས་སུ་བསྔོས་ན།

དེ་བཞིན་གཤེགས་པ་ལ་སྐུར་[1]པར་འགྱུར། དེ་བཞིན་གཤེགས་པས་གསུངས་པ་བཞིན་དུ་སྨྲ་[2]བ་ཡང་མ་ཡིན། ཆོས་བཞིན་དུ་སྨྲ་བ་ཡང་མ་ཡིན་པར་འགྱུར་ཏེ། དེ་ལ་བྱང་ཆུབ་སེམས་དཔའི་ཐེག་པ་པའི་རིགས་ཀྱི་བུའམ། རིགས་ཀྱི་བུ་མོས་ཇི་ལྟར་ན་འདས་པ་དང་། མ་བྱོན་པ་དང་། ད་ལྟར་བྱུང་བའི་སངས་རྒྱས་བཅོམ་ལྡན་འདས་རྣམས་ཀྱི་དགེ་བའི་རྩ་བ་རྣམས་ལ་རྗེས་སུ་ཡི་[3]རང་སྟེ། ཡོངས་སུ་བསྔོ་བར་བྱ། ཇི་ལྟར་ན་ཕྱོགས་བཅུའི་འཇིག་རྟེན་གྱི་ཁམས་ཐམས་ཅད་ཀྱི་འདས་པ་དང་། མ་བྱོན་པ་དང་། ད་ལྟར་བྱུང་བའི་སངས་རྒྱས་བཅོམ་ལྡན་འདས་རྣམས་ཀྱིས་ཐུགས་དང་པོ་བསྐྱེད་པ་ནས་ཉེ་བར་བཟུང་སྟེ། བླ་ན་མེད་པ་ཡང་དག་པར་རྫོགས་པའི་བྱང་ཆུབ་ཏུ་མངོན་པར་རྫོགས་པར་སངས་རྒྱས་ཀྱི་བར་དང་། ཕུང་པོ་མ་ལུས་པའི་མྱ་ངན་ལས་འདས་པའི་དབྱིངས་སུ་ཡོངས་སུ་མྱ་ངན་ལས་[4]འདས་པའི་བར་དང་། དམ་པའི་ཆོས་ནུབ་པར་མ་གྱུར་གྱི་བར་དུ་ཤེས་རབ་ཀྱི་ཕ་རོལ་ཏུ་ཕྱིན་པ་ལ་སྤྱོད་[5]དེ། དགེ་བའི་རྩ་བ་གང་ཇི་སྙེད་ཅིག་མངོན་པར་འདུ་མཛད་པར་གྱུར་པ་དང་། མངོན་པར་འདུ་མཛད་པ་དང་། མངོན་པར་འདུ་མཛད་པར་[6]འགྱུར་བ་དང་། བསམ་གཏན་གྱི་ཕ་རོལ་ཏུ་ཕྱིན་པ་དང་། བརྩོན་འགྲུས་ཀྱི་ཕ་རོལ་ཏུ་ཕྱིན་པ་དང་། བཟོད་པའི་ཕ་རོལ་ཏུ་ཕྱིན་པ་དང་། ཚུལ་ཁྲིམས་ཀྱི་ཕ་རོལ་ཏུ་ཕྱིན་པ་དང་། སྦྱིན་པའི་ཕ་རོལ་ཏུ་ཕྱིན་པ་ལ་སྤྱོད་[7]དེ། དགེ་བའི་རྩ་བ་གང་ཇི་སྙེད་ཅིག་མངོན་པར་འདུ་མཛད་པར་གྱུར་པ་དང་། མངོན་པར་འདུ་མཛད་པ་དང་། མངོན་པར་འདུ་མཛད་པར་འགྱུར་བ་དང་། བསམ་གཏན་བཞི་ལ་བསྒོམས་[8]པ་དང་། ཚད་མེད་པ་བཞི་དང་། གཟུགས་མེད་པའི་སྙོམས་པར་འཇུག་པ་བཞི་དང་། མངོན་པར་ཤེས་པ་ལྔ་དང་། བྱང་ཆུབ་ཀྱི་ཕྱོགས་ཀྱི་ཆོས་སུམ་ཅུ་རྩ་བདུན་དང་།

འཕགས་པའི་བདེན་པ་བཞི་དང་། རྣམ་པར་ཐར་པ་བརྒྱད་དང་། མཐར་གྱིས་གནས་པའི་སྙོམས་པར་འཇུག་པ་དགུ་དང་། སྟོང་པ་ཉིད་དང་། མཚན་མ་མེད་པ་དང་། སྨོན་པ་མེད་པ་དང་། མངོན་པར་ཤེས་པ་རྣམས་དང་། ཏིང་ངེ་འཛིན་རྣམས་དང་། གཟུངས་ཀྱི་སྒོ་རྣམས་དང་། དེ་བཞིན་གཤེགས་པའི་སྟོབས་བཅུ་དང་། མི་འཇིགས་པ་བཞི་དང་། སོ་སོ་ཡང་དག་པར་རིག་པ་བཞི་དང་། [1]སྙིང་རྗེ་ཆེན་པོ་དང་། སངས་རྒྱས་ཀྱི་ཆོས་མ་འདྲེས་པ་བཅོ་བརྒྱད་ལ་བསྒོམས་ཏེ། དགེ་བའི་རྩ་བ་གང་ཇི་སྙེད་ཅིག་མངོན་པར་འདུ་མཛད་པར་གྱུར་པ་དང་། མངོན་པར་འདུ་མཛད་པ་དང་། མངོན་པར་འདུ་མཛད་པར་འགྱུར་བ་དང་། དགེ་བའི་རྩ་བ་མངོན་པར་འདུ་མཛད་པ་གང་དག་གིས། སངས་རྒྱས་ཀྱི་ཞིང་མང་པོ་ཡོངས་སུ་དག་པར་གྱུར་པ་དང་། ཡོངས་སུ་དག་པ་དང་། ཡོངས་སུ་དག་པར་འགྱུར་བ་དང་། སེམས་ཅན་མང་པོ་ཡོངས་སུ་སྨིན་པར་མཛད་པར་གྱུར་པ་དང་། ཡོངས་སུ་སྨིན་པར་མཛད་པ་དང་། ཡོངས་སུ་སྨིན་པར་མཛད་པར་འགྱུར་བ་དང་། སངས་རྒྱས་བཅོམ་ལྡན་འདས་དེ་དག་གི་ཚུལ་ཁྲིམས་ཀྱི་ཕུང་པོ་དང་། ཏིང་ངེ་འཛིན་གྱི་ཕུང་པོ་དང་། ཤེས་རབ་ཀྱི་ཕུང་པོ་དང་། རྣམ་པར་གྲོལ་བའི་ཕུང་པོ་དང་། རྣམ་པར་གྲོལ་བའི་ཡེ་ཤེས་གཟིགས་པའི་ཕུང་པོ་དང་། རྣམ་པ་ཐམས་ཅད་མཁྱེན་པ་ཉིད་ཀྱི་[2]ཡེ་ཤེས་དང་། མི་ཉམ་[3]པའི་ཆོས་ཉིད་དང་། རྟག་ཏུ་བཏང་སྙོམས་སུ་གནས་པ་དང་། ཉན་ཐོས་དེ་དག་གི་དགེ་བའི་རྩ་བ་ཟག་པ་མེད་པ་རྣམས་དང་། གང་གིས་དེར་དགེ་བའི་རྩ་བ་དེ་དག་ལ་རྗེས་སུ་ཡི་རང་བར་གྱུར་པ་དང་། རྗེས་སུ་ཡི་རང་བ་དང་། རྗེས་སུ་ཡི་རང་བར་འགྱུར་བ་དང་། སངས་རྒྱས་བཅོམ་ལྡན་འདས་དེ་དག་གིས། རང་སངས་རྒྱས་རྣམས་ལུང་བསྟན་པར་གྱུར་པ་དང་། ལུང་བསྟན་པ་དང་།

ལུང་བསྟན་པར་འགྱུར་བ་དང་། དེ་ལྟར་ལྷ་དང་ཀླུ་དང་གནོད་སྦྱིན་དང་དྲི་ཟ་དང་ལྷ་མ་ཡིན་དང་། ནམ་མཁའ་ལྡིང་དང་། མིའམ་ཅི་དང་ལྟོ་འཕྱེ་ཆེན་པོ་དེ་དག་གིས་དགེ་བའི་རྩ་བ་བསྐྱེད་པར་གྱུར་པ་དང་། བསྐྱེད་པ་དང་། བསྐྱེད་[༧]པར་འགྱུར་བ་རྣམས་ལ་རྗེས་སུ་ཡི་རང་སྟེ། ཡོངས་སུ་བསྔོས་ན་དགེ་བའི་རྩ་བ་དེ་དག་བླ་ན་མེད་པ་ཡང་དག་པར་རྫོགས་པའི་བྱང་ཆུབ་ཏུ་ཡོངས་སུ་བསྔོས་པར་འགྱུར་བ་སྙམ་དུ་བསླབ་པར་མི་བྱའོ། །རབ་འབྱོར་གྱིས་སྨྲས་པ། བྱམས་པ་འདི་ལ་བྱང་ཆུབ་སེམས་དཔའི་ཐེག་པ་པའི་རིགས་ཀྱི་བུའམ། རིགས་ཀྱི་བུ་མོ་ཤེས་རབ་ཀྱི་ཕ་རོལ་ཏུ་ཕྱིན་པ་ལ་སྤྱོད་པ། དེ་བཞིན་གཤེགས་པ་ལ་སྐུར་[༣]པར་འགྱུར་བ་མེད་པར་འདོད་པས། འདི་ལྟར་ཡོངས་སུ་བསྔོ་བར་བྱ་སྟེ། ཇི་ལྟར་དེ་བཞིན་གཤེགས་པ་དགྲ་བཅོམ་པ་ཡང་དག་པར་རྫོགས་པའི་སངས་རྒྱས་དེ་དག་གིས་སངས་རྒྱས་ཀྱི་ཡེ་ཤེས་བླ་ན་མེད་པས། དགེ་བའི་རྩ་བ་དེ་དག་གི་ངང་ཚུལ་གང་ཡིན་པ་དང་། རང་བཞིན་གང་ཡིན་པ་དང་། མཚན་ཉིད་གང་ཡིན་པ་ཐུགས་སུ་ཆུད་དེ། མཁྱེན་ལ་རབ་ཏུ་མཁྱེན་ཅིང་ཆོས་ཉིད་གང་གིས་ཡོད་པ་དེ་བཞིན་དུ། བདག་གིས་རྗེས་སུ་ཡི་[༡]རང་བར་བྱའོ། །ཇི་ལྟར་སངས་རྒྱས་བཅོམ་ལྡན་འདས་དེ་དག་གིས་ཐུགས་སུ་ཆུད་པ་དེ་བཞིན་དུ། བདག་གིས་བླ་ན་མེད་པ་ཡང་དག་པར་རྫོགས་པའི་བྱང་ཆུབ་ཏུ་ཡོངས་སུ་བསྔོའོ་ཞེས། དེ་ལྟར་བྱང་ཆུབ་སེམས་དཔའི་ཐེག་པ་པའི་རིགས་ཀྱི་བུའམ་རིགས་ཀྱི་བུ་མོས། དགེ་བའི་རྩ་བ་དེ་དག་བླ་ན་མེད་པ་ཡང་དག་པར་རྫོགས་པའི་བྱང་ཆུབ་ཏུ་ཡོངས་སུ་བསྔོ་བར་བྱ་སྟེ། དེ་ལྟར་ཡོངས་སུ་བསྔོས་ན། དེ་བཞིན་གཤེགས་པ་ལ་སྐུར་[༤]བར་མི་འགྱུར། དེ་བཞིན་གཤེགས་པས་གསུངས་པ་བཞིན་དུ་སྨྲ་བ་དང་། ཆོས་བཞིན་དུ་སྨྲ་བར་འགྱུར་རོ། །དེ་ལྟར་སྤྱོད་པའི་བྱང་ཆུབ་སེམས་དཔའ་

སེམས་དཔའ་ཆེན་པོའི་ཡོངས་སུ་བསྔོ་བ་[༡]དེ་དུག་མེད་ཅིང་བདུད་རྩིའི་མཐར་ཕྱིན་པར་འགྱུར་རོ། །གཞན་ཡང་བྱང་ཆུབ་སེམས་དཔའི་ཐེག་པ་པའི་རིགས་ཀྱི་བུའམ། རིགས་ཀྱི་བུ་མོ་ཤེས་རབ་ཀྱི་ཕ་རོལ་ཏུ་ཕྱིན་པ་ལ་སྤྱོད་པའི་ཚེ། དགེ་བའི་རྩ་བ་རྣམས་འདི་ལྟར་ཡོངས་སུ་བསྔོ་བར་བྱ་སྟེ། ཇི་ལྟར་གཟུགས་འདོད་པའི་ཁམས་དང་། གཟུགས་ཀྱི་ཁམས་དང་། གཟུགས་མེད་པའི་ཁམས་ཀྱི་ཁོངས་སུ་ཆུད་པ་མ་ཡིན་ཏེ། གང་[༢]ཁོངས་སུ་ཆུད་པ་མ་ཡིན་པ་དེ་ནི་འདས་[༣]པ་ཡང་མ་ཡིན། མ་འོངས་པ་ཡང་མ་ཡིན། ད་ལྟར་བྱུང་བ་ཡང་མ་ཡིན་ནོ། །ཚོར་བ་དང་འདུ་ཤེས་དང་འདུ་བྱེད་དང་། རྣམ་[༤]པར་ཤེས་པ་འདོད་པའི་ཁམས་དང་། གཟུགས་ཀྱི་ཁམས་དང་། གཟུགས་མེད་པའི་ཁམས་ཀྱི་ཁོངས་སུ་ཆུད་པ་མ་ཡིན་ཏེ༑ གང་ཁོངས་སུ་ཆུད་པ་མ་ཡིན་པ་དེ་ནི་འདས་[༥]པ་ཡང་མ་ཡིན། མ་འོངས་པ་ཡང་མ་ཡིན། ད་ལྟར་བྱུང་བ་ཡང་མ་ཡིན་ནོ། །སྐྱེ་མཆེད་རྣམས་དང་། ཁམས་རྣམས་དང་། རྟེན་ཅིང་འབྲེལ་པར་འབྱུང་བ་འདོད་པའི་ཁམས་དང་། གཟུགས་ཀྱི་ཁམས་དང་། གཟུགས་མེད་པའི་ཁམས་ཀྱི་ཁོངས་སུ་ཆུད་པ་མ་ཡིན་ཏེ། གང་ཁོངས་སུ་ཆུད་པ་མ་ཡིན་པ་དེ་ནི་འདས་[༦]པ་ཡང་མ་ཡིན༑ མ་འོངས་པ་ཡང་མ་ཡིན། ད་ལྟར་བྱུང་བ་ཡང་མ་ཡིན་ནོ། །ཤེས་རབ་ཀྱི༔ཕ་རོལ་ཏུ་[༧]ཕྱིན་པ་འདོད་པའི་ཁམས་དང་། གཟུགས་ཀྱི་ཁམས་དང་། གཟུགས་མེད་པའི་ཁམས་ཀྱི་ཁོངས་སུ་ཆུད་པ་མ་ཡིན་ཏེ། གང་ཁོངས་སུ་ཆུད་པ་མ་ཡིན་པ་དེ་ནི་འདས་[༨]པ་ཡང་མ་ཡིན། མ་འོངས་པ་ཡང་[༩]མ་ཡིན། ད་ལྟར་བྱུང་བ་ཡང་མ་ཡིན་ནོ། །བསམ་གཏན་གྱི་ཕ་རོལ་ཏུ་ཕྱིན་པ་དང་། བརྩོན་འགྲུས་ཀྱི་ཕ་རོལ་ཏུ་ཕྱིན་པ་དང་། བཟོད་པའི་ཕ་རོལ་ཏུ་ཕྱིན་པ་དང་། ཚུལ་ཁྲིམས་ཀྱི་ཕ་རོལ་ཏུ་ཕྱིན་པ་དང་། སྦྱིན་པའི་ཕ་རོལ་ཏུ་ཕྱིན་པ་འདོད་པའི་

ཁམས་དང་། གཟུགས་ཀྱི་ཁམས་དང་། གཟུགས་མེད་པའི་ཁམས་ཀྱི་ཁོངས་སུ་ཆུད་པ་མ་ཡིན་ཏེ། གང་ཁོངས་སུ་ཆུད་པ་མ་ཡིན་པ་དེ་ནི་འདས་[1]པ་ཡང་མ་ཡིན། མ་འོངས་པ་ཡང་མ་ཡིན། ད་ལྟར་བྱུང་བ་ཡང་མ་ཡིན་ནོ། །ནང་སྟོང་པ་ཉིད་དང་། དངོས་པོ་མེད་པའི་ངོ་བོ་ཉིད་སྟོང་པ་ཉིད་ཀྱི་བར་དུ་འདོད་པའི་ཁམས་དང་། གཟུགས་ཀྱི་ཁམས་དང་། གཟུགས་མེད་པའི་ཁམས་ཀྱི་ཁོངས་སུ་ཆུད་པ་མ་ཡིན་ཏེ། གང་ཁོངས་སུ་ཆུད་པ་མ་ཡིན་པ་དེ་ནི་འདས་པ་ཡང་མ་ཡིན། མ་འོངས་པ་ཡང་མ་ཡིན། ད་ལྟར་བྱུང་བ་ཡང་མ་ཡིན་ནོ། །བྱང་ཆུབ་ཀྱི་ཕྱོགས་ཀྱི་ཆོས་སུམ་ཅུ་རྩ་བདུན་འདོད་པའི་ཁམས་དང་། གཟུགས་ཀྱི་ཁམས་དང་། གཟུགས་མེད་པའི་ཁམས་ཀྱི་ཁོངས་སུ་ཆུད་པ་[2]མ་ཡིན་ཏེ། གང་ཁོངས་སུ་ཆུད་པ་མ་ཡིན་པ་དེ་ནི་འདས་[3]པ་ཡང་མ་ཡིན། མ་འོངས་པ་ཡང་མ་ཡིན། ད་ལྟར་བྱུང་བ་ཡང་མ་ཡིན་ནོ། །འཕགས་པའི་བདེན་པ་རྣམས་དང་། བསམ་གཏན་རྣམས་དང་། ཚད་མེད་པ་རྣམས་དང་། གཟུགས་མེད་པའི་སྙོམས་པར་འཇུག་[4]པ་རྣམས་དང་། རྣམ་པར་ཐར་པ་བརྒྱད་དང་། མཐར་གྱིས་གནས་[5]པའི་སྙོམས་པར་འཇུག་པ་དགུ་དང་། སྟོང་པ་ཉིད་དང་། མཚན་མ་མེད་པ་དང་། སྨོན་པ་མེད་པ་དང་། མངོན་པར་ཤེས་པ་རྣམས་དང་། ཏིང་ངེ་འཛིན་རྣམས་དང་། གཟུངས་ཀྱི་སྒོ་རྣམས་དང་། དེ་བཞིན་གཤེགས་པའི་སྟོབས་བཅུ་དང་། མི་འཇིགས་པ་བཞི་དང་། སོ་སོ་ཡང་དག་པར་རིག་པ་བཞི་དང་། [6]སྙིང་རྗེ་ཆེན་པོ་དང་། སངས་རྒྱས་ཀྱི་ཆོས་མ་འདྲེས་པ་བཅོ་བརྒྱད་འདོད་པའི་ཁམས་དང་། གཟུགས་ཀྱི་ཁམས་དང་། གཟུགས་མེད་པའི་ཁམས་ཀྱི་ཁོངས་སུ་ཆུད་པ་མ་ཡིན་ཏེ། གང་ཁོངས་སུ་ཆུད་པ་མ་ཡིན་པ་དེ་ནི་འདས་པ་ཡང་མ་ཡིན། མ་འོངས་པ་ཡང་མ་ཡིན། ད་ལྟར་བྱུང་བ་ཡང་མ་

ཡིན་ནོ། །དེ་བཞིན་ཉིད་དང་། མ་ནོར་བ་དེ་བཞིན་ཉིད་དང་། གཞན་མ་ཡིན་པ་དེ་བཞིན་ཉིད་དང་། ཆོས་ཉིད་དང་། ཆོས་ཀྱི་དབྱིངས་དང་། ཆོས་ཀྱི་གནས་ཉིད་དང་། ཆོས་སྐྱོན་མེད་པ་ཉིད་དང་། ཡང་དག་པའི་མཐའ་དང་། བསམ་གྱིས་མི་ཁྱབ་པའི་དབྱིངས་འདོད་པའི་ཁམས་དང་། གཟུགས་ཀྱི་ཁམས་དང་། གཟུགས་མེད་པའི་ཁམས་ཀྱི་ཚོངས་སུ་ཆུད་པ་མ་ཡིན་ཏེ། གང་ཚོངས་སུ་ཆུད་པ་མ་ཡིན་པ་དེ་ནི་འདས་པ་ཡང་མ་ཡིན། མ་འོངས་པ་ཡང་མ་ཡིན། ད་ལྟར་བྱུང་བ་ཡང་མ་ཡིན་ནོ། །ཚུལ་ཁྲིམས་དང་། ཏིང་ངེ་འཛིན་དང་། ཤེས་རབ་དང་། རྣམ་པར་གྲོལ་བ་དང་། རྣམ་པར་གྲོལ་[༡]བའི་ཡེ་ཤེས་མཐོང་བ་དང་། རྣམ་པ་ཐམས་ཅད་མཁྱེན་པ་ཉིད་དང་། མི་ཉམ་[༣]པའི་ཆོས་ཉིད་དང་། རྟག་ཏུ་བཏང་སྙོམས་སུ་གནས་པ་གང་འདོད་པའི་ཁམས་དང་། གཟུགས་ཀྱི་ཁམས་དང་། གཟུགས་མེད་པའི་ཁམས་ཀྱི་ཚོངས་སུ་ཆུད་པ་མ་ཡིན་ཏེ། གང་ཚོངས་སུ་ཆུད་པ་མ་ཡིན་པ་དེ་ནི་འདས་པ་ཡང་མ་ཡིན། མ་འོངས་པ་ཡང་མ་ཡིན། ད་ལྟར་བྱུང་བ་ཡང་མ་ཡིན་ནོ། །དེ་ཅིའི་ཕྱིར་ཞེ་ན། འདི་ལྟར་དེ་ནི་ཚོངས་སུ་མ་ཆུད་པའི་ཕྱིར་ཏེ། དེ་བཞིན་དུ་ཡོངས་སུ་བསྔོ་བ་ཡང་ཚོངས་སུ་ཆུད་པ་མ་ཡིན་ཏེ། གང་ཚོངས་སུ་ཆུད་པ་མ་ཡིན་པ་དེ་ནི་འདས་པ་ཡང་མ་ཡིན། མ་འོངས་པ་ཡང་མ་ཡིན། ད་ལྟར་བྱུང་བ་ཡང་མ་ཡིན་ནོ། །ཆོས་གང་ལ་ཡོངས་སུ་བསྔོ་བའི་ཆོས་དེ་ཡང་ཚོངས་སུ་ཆུད་པ་མ་ཡིན་ཏེ། གང་ཚོངས་སུ་ཆུད་པ་མ་ཡིན་པ་དེ་ནི་འདས་པ་ཡང་མ་ཡིན། མ་འོངས་པ་ཡང་མ་ཡིན། ད་ལྟར་བྱུང་བ་ཡང་མ་ཡིན་ནོ། །གང་ཡོངས་སུ་བསྔོ་བ་དེ་ཡང་ཚོངས་སུ་ཆུད་པ་མ་ཡིན་ཏེ། གང་ཚོངས་སུ་ཆུད་པ་མ་ཡིན་པ་དེ་ནི་འདས་པ་ཡང་མ་ཡིན། མ་འོངས་པ་ཡང་མ་ཡིན། ད་ལྟར་བྱུང་བ་ཡང་མ་ཡིན་ནོ། །སངས་

རྒྱས་བཅོམ་ལྡན་འདས་དེ་དག་ཀྱང་ཡོངས་སུ་ཆུད་པ་མ་ཡིན་ཏེ། གང་ཡོངས་སུ་ཆུད་པ་མ་ཡིན་པ་དེ་ནི་འདས་པ་ཡང་མ་ཡིན། མ་འོངས་པ་ཡང་མ་ཡིན། ད་ལྟར་བྱུང་བ་ཡང་མ་ཡིན་ནོ། །སངས་རྒྱས་བཅོམ་ལྡན་འདས་དེ་དག་གི་དགེ་བའི་རྩ་བ་དེ་དག་ཀྱང་[1]ཡོངས་སུ་ཆུད་པ༔མ་ཡིན་ཏེ། གང་ཡོངས་སུ་ཆུད་པ་[2]མ་ཡིན་པ་དེ་ནི་འདས་པ་ཡང་མ་ཡིན་མ་འོངས་པ་ཡང་མ་ཡིན། ད་ལྟར་བྱུང་བ་ཡང་མ་ཡིན་ནོ། །ཉན་ཐོས་དེ་དག་དང་། རང་སངས་རྒྱས་དེ་དག་ཀྱང་ཡོངས་སུ་ཆུད་པ་མ་ཡིན། དེ་དག་གིས་[3]དགེ་བའི་རྩ་བ་དེ་དག་ཀྱང་ཡོངས་སུ་ཆུད་པ་མ་ཡིན་ཏེ། གང་ཡོངས་སུ་ཆུད་པ་མ་ཡིན་པ་དེ་ནི་འདས་པ་ཡང་མ་ཡིན། མ་འོངས་པ་ཡང་མ་ཡིན། ད་ལྟར་བྱུང་བ་ཡང་མ་ཡིན་ནོ། །གལ་ཏེ་བྱང་ཆུབ་སེམས་དཔའ་སེམས་དཔའ་ཆེན་པོ་ཤེས་རབ་ཀྱི་ཕ་རོལ་ཏུ་ཕྱིན་པ་ལ་སྤྱོད་པའི་ཚེ། དེ་ལྟར་གཟུགས་གང་འདོད་པའི་ཁམས་དང་། གཟུགས་ཀྱི་ཁམས་དང་། གཟུགས་མེད་པའི་ཁམས་ཀྱི་ཡོངས་སུ་ཆུད་པ་མ་ཡིན་པ་དེ་ནི་འདས་པ་ཡང་མ་ཡིན་ནོ། མ་འོངས་པ་ཡང་[4]མ་ཡིན། ད་ལྟར་བྱུང་བ་ཡང་མ་ཡིན་ཏེ། དེ་ནི་མཚན་མའི་ཚུལ་ལམ། དམིགས་པའི་ཚུལ་གྱིས་ཡོངས་སུ་བསྔོ་བར་མི་ནུས་སོ། །དེ་ཅིའི་ཕྱིར་ཞེ་ན། དེ་ལ་རང་བཞིན་མེད་དོ། །གང་ལ་རང་བཞིན་མེད་པ་དེ་ནི་དངོས་པོ་མེད་པ་[5]སྟེ། དངོས་པོ་མེད་པ་ནི་དངོས་པོ་མེད་པས་ཡོངས་སུ་བསྔོ་བར་མི་ནུས་སོ། །ཚོར་བ་དང་། འདུ་ཤེས་དང་། འདུ་བྱེད་དང་། རྣམ་པར་ཤེས་པ་གང་འདོད་པའི་ཁམས་དང་། གཟུགས་ཀྱི་ཁམས་དང་། གཟུགས་མེད་པའི་ཁམས་ཀྱི་ཡོངས་སུ་ཆུད་པ་མ་ཡིན་པ་དེ་ནི་འདས་པ་ཡང་མ་ཡིན། མ་འོངས་པ་ཡང་མ་ཡིན། ད་ལྟར་བྱུང་བ་ཡང་མ་ཡིན་ཏེ། དེ་ནི་མཚན་མའི་ཚུལ་ལམ། དམིགས་པའི་ཚུལ་གྱིས་ཡོངས་སུ་བསྔོ་བར་མི་ནུས་སོ། །དེ་ཅིའི…

ཕྱིར་ཞེ་ན། དེ་ལ་རང་བཞིན་མེད་དོ། །གང་ལ་རང་བཞིན་མེད་པ་དེ་[༡]ནི་
དངོས་པོ་མེད་པ་སྟེ། དངོས་པོ་མེད་པ་ནི་དངོས་པོ་མེད་པས་ཡོངས་སུ་བསྐྱོ་བར་
མི་ནུས་སོ། །སྐྱེ་མཆེད་དང་ཁམས་དང་རྟེན་ཅིང་འབྲེལ་པར་འབྱུང་བ་དང་།
སྦྱིན་པའི་ཕ་རོལ་དུ་ཕྱིན་པ་དང་། ཚུལ་ཁྲིམས་ཀྱི་ཕ་རོལ་དུ་ཕྱིན་པ་དང་།
བཟོད་པའི་ཕ་རོལ་དུ་ཕྱིན་པ་དང་། བརྩོན་འགྲུས་ཀྱི་ཕ་རོལ་དུ་ཕྱིན་པ་དང་།
བསམ་གཏན་གྱི་ཕ་རོལ་དུ་ཕྱིན་པ་དང་། ཤེས་རབ་ཀྱི་ཕ་རོལ་དུ་ཕྱིན་པ་དང་།
ནང་སྟོང་པ་ཉིད་དང་། ཕྱི་སྟོང་པ་ཉིད་དང་། ཕྱི་ནང་སྟོང་པ་ཉིད་དང་།
དངོས་པོ་མེད་པའི་ངོ་བོ་ཉིད་སྟོང་པ་ཉིད་ཀྱི་བར་དང་། བྱང་ཆུབ་ཀྱི་ཕྱོགས་ཀྱི་
ཆོས་སུམ་ཅུ་རྩ་བདུན་དང་། འཕགས་པའི་བདེན་པ་དང་། བསམ་གཏན་
དང་། ཚད་མེད་པ་དང་། གཟུགས་མེད་པའི་སྙོམས་པར་འཇུག་པ་དང་།
རྣམ་པར་ཐར་པ་བརྒྱད་དང་། མཐར་གྱིས་གནས་པའི་སྙོམས་པར་འཇུག་པ་
དགུ་དང་། སྟོང་པ་ཉིད་དང་། མཚན་མ་མེད་པ་དང་། སྨོན་པ་མེད་པ་
དང་། མངོན་པར་ཤེས་པ་རྣམས་དང་། ཏིང་ངེ་འཛིན་རྣམས་དང་།
གཟུངས་ཀྱི་སྒོ་རྣམས་དང་། དེ་བཞིན་གཤེགས་པའི་སྟོབས་བཅུ་དང་། མི་
འཇིགས་པ་བཞི་དང་། སོ་སོ་ཡང་དག་པར་རིག་པ་བཞི་དང་། [༢]སངས་རྒྱས་
ཀྱི་ཆོས་མ་འདྲེས་པ་བཅོ་བརྒྱད་དང་། ཐམས་ཅད་ཤེས་པ་ཉིད་དང་། ལམ་
གྱི་རྣམ་པ་ཤེས་པ་ཉིད་དང་། རྣམ་པ་ཐམས་ཅད་མཁྱེན་པ་ཉིད་དང་། མི་
ཉམ་[༣]པའི་ཆོས་ཉིད་དང་། རྟག་ཏུ་བཏང་སྙོམས་སུ་གནས་པ་གང་འདོད་པའི་
ཁམས་དང་། གཟུགས་ཀྱི་ཁམས་དང་། གཟུགས་མེད་པའི་ཁམས་ཀྱི་ཁོངས་[༤]
སུ་ཆུད་པ་མ་ཡིན་པ་དེ་ནི་འདས་པ་ཡང་མ་ཡིན། མ་འོངས་པ་ཡང་མ་ཡིན།
ད་ལྟར་བྱུང་བ་ཡང་མ་ཡིན་ཏེ། དེ་ནི་མཚན་མའི་ཚུལ་ལམ། དམིགས་པའི་

ཚུལ་གྱིས་ཡོངས་སུ་བསྔོ་བར་མི་ནུས་སོ། །དེ་ཅིའི་ཕྱིར་ཞེ་ན། དེ་ལ་རང་བཞིན་མེད་དོ། །གང་ལ་རང་བཞིན་མེད་པ་དེ་ནི་དངོས་པོ་མེད་པ་སྟེ། དངོས་པོ་མེད་པ་ནི་དངོས་པོ་མེད་པས་ཡོངས་སུ་བསྔོ་བར་མི་ནུས་སོ་ཞེས། དེ་ལྟར་ཤེས་ན་བྱང་ཆུབ་སེམས་དཔའ་སེམས་དཔའ་ཆེན་པོ་ནི་[༧]བསྔོ་བ་ལ་དུག་མེད་པ་ཡིན་ཏེ། བདུད་རྩིའི་མཐར་ཕྱིན་པར་འགྱུར་རོ། །བྱང་ཆུབ་སེམས་དཔའི་ཐེག་པ་པའི་རིགས་ཀྱི་བུའམ་རིགས་ཀྱི་བུ་མོ་མཚན་མའི་ཚུལ་ལམ། དམིགས་པའི་ཚུལ་གྱིས་དགེ་བའི་རྩ་བ་དེ་དག་ཡོངས་སུ་བསྔོ་ན། དེ་ནི་ལོག་པར་ཡོངས་སུ་བསྔོ་བ་ཡིན་གྱི་ཡང་དག་པར་ཡོངས་སུ་བསྔོ་བ་མ་ཡིན་ནོ། །ལོག་པར་ཡོངས་སུ་བསྔོ་བ་ནི་སངས་རྒྱས་བཅོམ་ལྡན་འདས་རྣམས་ཀྱིས་མི་བསྔགས་པ་ཡིན་ཏེ། གང་སངས་རྒྱས་བཅོམ་ལྡན་འདས་རྣམས་ཀྱིས་མ་[༣]བསྔགས་པའི་ཡོངས་སུ་བསྔོ་བ་དེས་ནི། དེའི་སྦྱིན་པའི་ཕ་རོལ་ཏུ་ཕྱིན་པ་ཡོངས་སུ་རྫོགས་པར་མི་འགྱུར་རོ་ཚུལ་ཁྲིམས་ཀྱི་ཕ་རོལ་ཏུ་ཕྱིན་པ་དང་། བཟོད་པའི་ཕ་རོལ་ཏུ་ཕྱིན་པ་དང་། བརྩོན་འགྲུས་ཀྱི་ཕ་རོལ་ཏུ་ཕྱིན་པ་དང་། བསམ་གཏན་གྱི་ཕ་རོལ་ཏུ་ཕྱིན་པ་དང་། ཤེས་རབ་ཀྱི་ཕ་རོལ་ཏུ་ཕྱིན་པ་ཡོངས་སུ་རྫོགས་པར་མི་འགྱུར་རོ། །ནང་སྟོང་པ་ཉིད་དང་། ཕྱི་སྟོང་པ་ཉིད་དང་། ཕྱི་ནང་སྟོང་པ་ཉིད་དང་། དངོས་པོ་མེད་པའི་ངོ་བོ་ཉིད་སྟོང་པ་ཉིད་ཀྱི་བར་དང་། བྱང་ཆུབ་ཀྱི་ཕྱོགས་ཀྱི་ཆོས་སུམ་ཅུ་རྩ་བདུན་དང་། འཕགས་པའི་བདེན་པ་རྣམས་དང་། བསམ་གཏན་རྣམས་དང་། ཚད་མེད་པ་རྣམས་དང་། གཟུགས་མེད་པའི་སྙོམས་པར་འཇུག་པ་རྣམས་དང་། རྣམ་པར་ཐར་པ་བརྒྱད་དང་། མཐར་གྱིས་གནས་པའི་སྙོམས་པར་འཇུག་པ་དགུ་དང་། སྟོང་པ་ཉིད་དང་མཚན་མ་མེད་པ་དང་། སྨོན་པ་མེད་པ་དང་། མངོན་པར་ཤེས་པ་རྣམས་དང་། ཏིང་ངེ་

འཛིན་རྣམས་དང་། གཟུངས་ཀྱི་སྒོ་རྣམས་དང་། དེ་བཞིན་གཤེགས་པའི་སྟོབས་བཅུ་དང་། མི་འཇིགས་པ་བཞི་དང་། སོ་སོ་ཡང་དག་པར་རིག་པ་བཞི་དང་། [7]སངས་རྒྱས་ཀྱི་ཆོས་མ་འདྲེས་པ་བཅོ་བརྒྱད་ཡོངས་སུ་རྫོགས་པར་མི་འགྱུར་རོ།། །།

ཤེས་རབ་ཀྱི་ཕ་རོལ་ཏུ་ཕྱིན་པ་སྟོང་ཕྲག་ཉི་ཤུ་ལྔ་པ། བམ་པོ་སུམ་ཅུ་བདུན་པ། ཕ་རོལ་ཏུ་ཕྱིན་པ་དྲུག་ཡོངས་སུ་རྫོགས་པར་མི་འགྱུར་བ་དང་། ནང་སྟོང་པ་ཉིད་དང་། ཕྱི་སྟོང་པ་ཉིད་དང་། ཕྱི་ནང་སྟོང་པ་ཉིད་དང་། དངོས་པོ་མེད་པའི་ངོ་བོ་ཉིད་སྟོང་པ་ཉིད་ཀྱི་བར་དང་། བྱང་ཆུབ་ཀྱི་ཕྱོགས་ཀྱི་ཆོས་སུམ་ཅུ་རྩ་བདུན་དང་། འཕགས་པའི་བདེན་པ་རྣམས་དང་། བསམ་གཏན་རྣམས་དང་། ཚད་མེད་པ་རྣམས་དང་། གཟུགས་མེད་པའི་སྙོམས་པར་འཇུག་པ་རྣམས་དང་། རྣམ་པར་ཐར་པ་བརྒྱད་དང་། མཐར་གྱིས་གནས་པའི་སྙོམས་པར་འཇུག་པ་དགུ་དང་། སྟོང་པ་ཉིད་དང་མཚན་མ་མེད་པ་དང་སྨོན་པ་མེད་པ་དང་། མངོན་པར་ཤེས་པ་རྣམས་དང་། ཏིང་ངེ་འཛིན་རྣམས་དང་། གཟུངས་ཀྱི་སྒོ་རྣམས་དང་། དེ་བཞིན་གཤེགས་པའི་སྟོབས་བཅུ་དང་། མི་འཇིགས་པ་བཞི་དང་། སོ་སོ་ཡང་དག་པར་རིག་པ་བཞི་དང་། [2]སངས་རྒྱས་ཀྱི་ཆོས་མ་འདྲེས་པ་བཅོ་བརྒྱད་ཡོངས་སུ་རྫོགས་པར་མི་འགྱུར་[1]བ་དེས་ནི། སངས་རྒྱས་ཀྱི་ཞིང་ཡོངས་སུ་དག་པར་མི་འགྱུར། སེམས་ཅན་རྣམས་ཡོངས་སུ་སྨིན་པར་མི་འགྱུར་རོ། །གང་གིས་སངས་རྒྱས་ཀྱི་ཞིང་ཡོངས་སུ་དག་པར་མ་[8]གྱུར་པ་དང་། སེམས་ཅན་རྣམས་ཡོངས་སུ་སྨིན་པར་མ་གྱུར་པ་དེ་ནི། བླ་ན་མེད་པ་ཡང་དག་པར་རྫོགས་པའི་བྱང་ཆུབ་ཏུ་མངོན་པར་རྫོགས་པར་འཚང་རྒྱ་བར་མི་འགྱུར་རོ། །དེ་ཅིའི་ཕྱིར་ཞེ་ན། དེ་ལྟར་ཡོངས་སུ་བསྒོ་

བ་དེ་ནི་དུག་དང་བཅས་པའི་ཕྱིར་[༧]རོ། །གཞན་ཡང་བྱང་ཆུབ་སེམས་དཔའ་སེམས་དཔའ་ཆེན་པོས་ཤེས་རབ་ཀྱི་ཕ་རོལ་ཏུ་ཕྱིན་པ་ལ་སྤྱོད་པའི་ཚེ། འདི་ལྟར་ཡོངས་སུ་བཏག་པར་བྱ་སྟེ། ཇི་ལྟར་སངས་རྒྱས་བཅོམ་ལྡན་འདས་དེ་དག་གིས་ཆོས་ཉིད་འདིས་དགེ་བའི་རྩ་བ་དེ་དག་ཡོངས་སུ་བསྔོ་བར་བྱ་སྟེ། དེ་ལྟར་ཡོངས་སུ་བསྔོས་ནས་[༨]ཡོངས་སུ་བསྔོ་བའི་རབ་ཏུ་འགྱུར་རོ་ཞེས་བྱ་བར་ཐུགས་སུ་ཆུད་པ་དེ་བཞིན་དུ་བདག་གིས་ཀྱང་ཆོས་ཉིད་དེས་བླ་ན་མེད་པ་[༩]ཡང་དག་པར་རྫོགས་པའི་བྱང་ཆུབ་ཏུ་ཡོངས་སུ་བསྔོ་བར་བྱའོ་ཞེས་ཡོངས་སུ་བཏག་པར་བྱའོ། །དེ་ནས་བཅོམ་ལྡན་འདས་ཀྱིས་ཚེ་དང་ལྡན་པ་རབ་འབྱོར་ལ་བཀའ་སྩལ་པ། རབ་འབྱོར་ལེགས་སོ། །ལེགས་སོ། །རབ་འབྱོར་དེ་ལྟར་ཁྱོད་བྱང་ཆུབ་སེམས་དཔའ་སེམས་དཔའ་ཆེན་པོ་རྣམས་ཀྱི་ཡོངས་སུ་བསྔོ་བའི་ཕུང་པོ་མཚན་མ་མེད་པའི་ཚུལ་དང་། དམིགས་པ་མེད་པའི་ཚུལ་དང་། སྐྱེ་བ་མེད་པའི་ཚུལ་དང་། འགགས་[༡༠]པ་མེད་པའི་ཚུལ་དང་། ཀུན་ནས་ཉོན་མོངས་པ་མེད་པའི་ཚུལ་དང་། རྣམ་པར་བྱང་བ་མེད་པའི་ཚུལ་དང་། དངོས་པོ་མེད་པའི་ངོ་བོ་ཉིད་ཀྱི་ཚུལ་དང་། རང་གི་མཚན་ཉིད་སྟོང་པ་ཉིད་ཀྱི་ཚུལ་དང་། ངོ་བོ་ཉིད་སྟོང་པ་ཉིད་ཀྱི་ཚུལ་དང་། ཆོས་ཀྱི་དབྱིངས་ཀྱི་ཚུལ་དང་། དེ་བཞིན་ཉིད་ཀྱི་ཚུལ་དང་། གཞན་མ་ཡིན་པ་དེ་བཞིན་ཉིད་ཀྱི་ཚུལ་གྱིས་སྟོན་པ་ནི། རབ་འབྱོར་ཁྱོད་སྟོན་པའི་བྱ་བ་བྱེད་པ་ཡིན་ནོ། །རབ་འབྱོར་གལ་ཏེ་སྟོང་གསུམ་གྱི་སྟོང་ཆེན་པོའི་འཇིག་རྟེན་གྱི་ཁམས་འདིའི་སེམས་ཅན་དེ་དག་ཐམས་ཅད་དགེ་བ་བཅུའི་ལས་ཀྱི་ལམ་ཐོབ་པར་གྱུར། བསམ་གཏན་བཞི་དང་། ཚད་མེད་པ་བཞི་དང་། གཟུགས་མེད་པའི་སྙོམས་པར་འཇུག་པ་བཞི་དང་། མངོན་པར་ཤེས་པ་ལྔ་ཐོབ་པར་གྱུར་ན། རབ་འབྱོར་དེ་ཇི་སྙམ་དུ་སེམས། སེམས་ཅན་དེ་དག་གིས་

བསོད་ནམས་དེའི་རྒྱུས་[༡]མང་དུ་འཕེལ་ལམ། གསོལ་པ། བཅོམ་ལྡན་འདས་
མང་ངོ་། །བདེ་བར་གཤེགས་པ་མང་ངོ་། །བཅོམ་ལྡན་འདས་ཀྱིས་བཀའ་
སྩལ་པ། རབ་འབྱོར་དེ་བས་ཀྱང་། རིགས་ཀྱི་བུའམ་རིགས་ཀྱི་བུ་མོ་གང་དགེ་
བའི་རྩ་བ་རྣམས་ཆགས་[༢]པ་མེད་པར་[༣]ཡོངས་སུ་བསྔོ་བས་ཡོངས་སུ་བསྔོས་པའི་
བསོད་ནམས་ནི་ཆེས་མང་དུ་འཕེལ་ལོ། །རབ་འབྱོར་དེ་ལྟར་ན་རིགས་ཀྱི་བུའམ་
རིགས་ཀྱི་བུ་མོ་དེའི་དགེ་བའི་རྩ་བ་ཡོངས་སུ་བསྔོ་བ་དེ་ནི་རབ་ཞེས་བྱའོ། །གཙོ་
བོ་ཞེས་བྱའོ། །དམ་པ་ཞེས་བྱའོ། །ཕུལ་ཞེས་བྱའོ། །མཆོག་ཅེས་བྱའོ། །
གྱ་ནོམ་པ་ཞེས་བྱའོ། །བླ་ན་མེད་པ་ཞེས་བྱའོ། །གོང་ན་མེད་པ་ཞེས་བྱའོ། །
རབ་འབྱོར་གཞན་ཡང་སྟོང་གསུམ་གྱི་སྟོང་ཆེན་པོའི་འཇིག་རྟེན་གྱི་ཁམས་འདི་ན།
སེམས་ཅན་ཇི་སྙེད་ཅིག་ཡོད་པ་དེ་དག་ཐམས་ཅད་རྒྱུན་དུ་ཞུགས་པར་གྱུར།
ལན་ཅིག་ཕྱིར་འོང་བ་དང་། ཕྱིར་མི་འོང་བ་དང་། དགྲ་བཅོམ་པར་གྱུར་ཏེ།
རིགས་ཀྱི་བུའམ་རིགས་ཀྱི་བུ་མོ་ལ་ལ་ཞིག་གིས། སེམས་ཅན་རྒྱུན་དུ་ཞུགས་པར་
གྱུར་པ་དང་། ལན་ཅིག་ཕྱིར་འོང་བ་དང་། ཕྱིར་མི་འོང་བ་དང་། དགྲ་
བཅོམ་པར་གྱུར་པ་དེ་དག་ཐམས་ཅད་ལ་ནམ་འཚོའི་བར་དུ་གོས་དང་། བསོད་
སྙོམས་དང་། མལ་ཆ་དང་ནད་ཀྱི་རྐྱེན་སྨན་དང་། ཡོ་བྱད་མང་པོས་རིམ་གྲོར་[༤]
བྱས། བཀུར་སྟིར་བྱས། བསྟི་སྟང་དུ་བྱས། མཆོད་པར་བྱས་ན། རབ་
འབྱོར་དེ་ཇི་སྙམ་དུ་སེམས། རིགས་ཀྱི་བུའམ་རིགས་ཀྱི་བུ་མོ་དེའི་བསོད་ནམས་
དེའི་རྒྱུས་མང་དུ་འཕེལ་ལམ། གསོལ་པ། བཅོམ་ལྡན་འདས་མང་ངོ་། །
བདེ་བར་གཤེགས་པ་མང་ངོ་། །བཅོམ་ལྡན་འདས་ཀྱིས་བཀའ་སྩལ་པ། རབ་
འབྱོར་དེ་བས་ཀྱང་རིགས་ཀྱི་བུའམ་རིགས་ཀྱི་བུ་མོ་གང་དགེ་བའི་རྩ་བ་རྣམས་
ཆགས་པ་མེད་པར་ཡོངས་སུ་བསྔོ་བས། ཡོངས་སུ་བསྔོ་བའི་བསོད་ནམས་ནི་

ཆེས་མང་དུ་འཕེལ་ལོ། །རབ་འབྱོར་དེ་ལྟར་ན་རིགས་ཀྱི་བུའམ་རིགས་ཀྱི་བུ་མོ་དེའི་དགེ་བའི་རྩ་བ་ཡོངས་སུ་བསྔོ་བ་དེ་ནི་རབ་ཅེས་བྱའོ། །གཙོ་བོ་ཞེས་བྱའོ། །དམ་པ་ཞེས་བྱའོ། །ཕུལ་ཞེས་བྱའོ། །མཆོག་ཅེས་བྱའོ། །གྱ་ནོམ་པ་ཞེས་བྱའོ། །ཟླ[༡]ན་མེད་པ་ཞེས་བྱའོ། །གོང་ན་མེད་པ་ཞེས་བྱའོ། །རབ་འབྱོར་གཞན་ཡང་སྟོང་གསུམ་གྱི་སྟོང་ཆེན་པོའི་འཇིག་རྟེན་གྱི་ཁམས་ན། སེམས་ཅན་ཇི་སྙེད་ཅིག་ཡོད་པ་དེ་དག་ཐམས་ཅད་རང་སངས་རྒྱས་སུ་གྱུར་ཏེ། དེ་ལ་རིགས་ཀྱི་བུའམ་རིགས་ཀྱི་བུ་མོ་ལ་ལ་ཞིག་གིས་གོས་དང་། བསོད་སྙོམས་དང་མལ་ཆ་དང་ནད་ཀྱི་རྐྱེན་སྨན་དང་། ཡོ་བྱད་མང་པོས་རིམ་གྲོར་བྱས། བཀུར་སྟིར་བྱས། བསྟི་སྟང་དུ་བྱས། མཆོད་པར་བྱས་ན། རབ་འབྱོར་དེ་ཇི་སྙམ་དུ་སེམས། རིགས་ཀྱི་བུའམ[༢]རིགས་ཀྱི་བུ་མོ་དེའི་བསོད་ནམས་དེའི་རྒྱུས་མང་དུ་འཕེལ་ལམ། གསོལ་པ། བཅོམ་ལྡན་འདས་མང་ངོ་། །བདེ་བར་གཤེགས་པ་མང་ངོ་། །བཅོམ་ལྡན་འདས་ཀྱིས་བཀའ་སྩལ་པ། རབ་འབྱོར་དེ་བས་ཀྱང་རིགས་ཀྱི་བུའམ[༣]། རིགས་ཀྱི་བུ་མོ་གང་དགེ་བའི་རྩ་བ་རྣམས་ཆགས་པ་མེད་པའི[༤]ཡོངས་སུ་བསྔོ་བས་ཡོངས་སུ་བསྔོ་བ་དེའི་བསོད་ནམས་ནི[༥]ཆེས་མང་དུ་འཕེལ་ལོ། །རབ་འབྱོར་དེ་ལྟར་ན་རིགས་ཀྱི་བུའམ། རིགས་ཀྱི་བུ་མོ་དེའི་དགེ་བའི་རྩ་བ་ཡོངས་སུ[༦]བསྔོ་བ་དེ་ནི་རབ་ཅེས་བྱའོ། །གཙོ་བོ་ཞེས་བྱའོ། །དམ་པ་ཞེས་བྱའོ། །ཕུལ་ཞེས་བྱའོ། །མཆོག་ཅེས་བྱའོ། །གྱ་ནོམ་པ་ཞེས་བྱའོ། །ཟླ་ན་མེད་པ་ཞེས་བྱའོ། །གོང་ན་མེད་པ་ཞེས་བྱའོ། །རབ་འབྱོར་གཞན་ཡང་སྟོང་གསུམ་གྱི་སྟོང་ཆེན་པོའི་འཇིག་རྟེན་གྱི་ཁམས་ན། སེམས་ཅན་ཇི་སྙེད་ཅིག་ཡོད་པ་དེ་དག་ཐམས་ཅད་ཟླ་ན་མེད་པ་ཡང་དག་པར་རྫོགས་པའི་བྱང་ཆུབ་ཏུ་ཡང་དག་པར་ཞུགས་པར་གྱུར་ཏེ། དེ་ལ་ཤར་ཕྱོགས་ཀྱི་འཇིག་རྟེན་གྱི་ཁམས་གནའི[༧]ཀླུང་གི་བྱེ་མ་སྙེད་ན། སེམས་

ཅན་ཇི་སྙེད་ཅིག་ཡོད་པ་དེ་དག་ཐམས་ཅད་ཀྱིས། བྱང་ཆུབ་སེམས་དཔའ་སེམས་དཔའ་ཆེན་པོ་རེ་རེ་ལ་ཡང་གོས་དང་། བསོད་སྙོམས་དང་། མལ་ཆ་དང་། ནད་ཀྱི་རྐྱེན་སྨན་དང་། ཡོ་བྱད་མང་པོས་བསྐལ་པ་གངྒཱའི་ཀླུང་གི་[༡]བྱེ་མ་སྙེད་དུ་རིམ་གྲོར་བྱས། བཀུར་སྟིར་བྱས། བསྟི་སྟང་དུ་བྱས། མཆོད་པར་བྱས་ཏེ། བདེ་བའི་ཡོ་བྱད་ཐམས་ཅད་ཀྱིས་བསྙེན་བཀུར་བྱས་པ་དང་། ལྷོ་དང་ནུབ་དང་བྱང་དང་བྱང་[༢]ཤར་དང་ཤར་ལྷོ་དང་ལྷོ་ནུབ་དང་ནུབ་བྱང་དང་འོག་དང་སྟེང་གི་ཕྱོགས་རེ་རེ་ཞིང་འཇིག་རྟེན་གྱི་ཁམས་གངྒཱའི་ཀླུང་གི་བྱེ་མ་སྙེད་ན། སེམས་ཅན་ཇི་སྙེད་ཅིག་ཡོད་པ་དེ་དག་ཐམས་ཅད་ཀྱིས། བྱང་ཆུབ་སེམས་དཔའ་སེམས་དཔའ་ཆེན་པོ་རེ་རེ་ལ་ཡང་གོས་དང་། བསོད་སྙོམས་དང་། མལ་ཆ་དང་། ནད་ཀྱི་རྐྱེན་སྨན་དང་། ཡོ་བྱད་མང་པོས་བསྐལ་པ་གངྒཱའི་ཀླུང་གི་བྱེ་མ་སྙེད་དུ་རིམ་གྲོར་བྱས། བཀུར་སྟིར་བྱས། བསྟི་སྟང་དུ་བྱས། མཆོད་པར་བྱས་ཏེ། བདེ་བའི་ཡོ་བྱད་ཐམས་ཅད་ཀྱིས་བསྙེན་བཀུར་བྱས་ན། རབ་འབྱོར་དེ་ཇི་སྙམ་དུ་སེམས། རིགས་ཀྱི་བུའམ་རིགས་ཀྱི་བུ་མོ་དེ་དག་གི་བསོད་ནམས་དེའི་རྒྱུས་མང་དུ་འཕེལ་ལམ། གསོལ་པ། བཅོམ་ལྡན་འདས་མང་ངོ་། །བདེ་བར་གཤེགས་པ་མང་ངོ་། །བཅོམ་ལྡན་འདས་དེ་ནི་ཚད་མ་མཆིས། གྲངས་མ་མཆིས། དཔག་ཏུ་མ་མཆིས་ཏེ། བཅོམ་ལྡན་འདས་བསོད་ནམས་བགྱི་བའི་དངོས་པོ་དེའི་དཔེ་བགྱི་བར་ཡང་དཀའོ། །བཅོམ་ལྡན་འདས་གལ་ཏེ་བསོད་ནམས་བགྱི་བའི་དངོས་པོ་དེ་ལ། གཟུགས་མཆིས་སུ་ལགས་ན་ནི། འཇིག་རྟེན་གྱི་ཁམས་གངྒཱའི་ཀླུང་གི་བྱེ་མ་སྙེད་དུ་ཡང་ཤོང་བར་མི་འགྱུར་རོ། །བཅོམ་ལྡན་འདས་ཀྱིས་བཀའ་སྩལ་པ། རབ་འབྱོར་ལེགས་སོ་ལེགས་སོ། །དེ་དེ་བཞིན་ཏེ། ཇི་སྐད་དུ་སྨྲས་པ་དེ་བཞིན་ནོ། །རབ་འབྱོར་དེ་བས་ཀྱང་

རིགས་ཀྱི་བུའམ་རིགས་ཀྱི་བུ་མོ་གང་དགེ་བའི་རྩ་བ་རྣམས་ཆགས་པ་མེད་པའི་ཡོངས་སུ་བསྔོ་བས་བླ་ན་མེད་པ་ཡང་དག་པར་རྫོགས་པའི་བྱང་ཆུབ་ཏུ་ཡོངས་སུ་བསྔོ་བ་དེའི་བསོད་ནམས་ཆེས་མང་དུ་འཕེལ་ཏེ། རབ་འབྱོར་དེ་ལྟར་ན་རིགས་ཀྱི་བུའམ་རིགས་ཀྱི་བུ་མོ་དེའི་དགེ་བའི་རྩ་བ་ཡོངས་སུ་བསྔོ་བ་འདི་ནི་རབ་ཅེས་བྱའོ། །གཙོ་བོ་[1]ཞེས་བྱའོ། །དམ་པ་ཞེས་བྱའོ། །ཕུལ་ཞེས་བྱའོ། །མཆོག་ཅེས་བྱའོ། །གྱ་ནོམ་པ་ཞེས་བྱའོ། །བླ་ན་མེད་པ་ཞེས་བྱའོ། །གོང་ན་མེད་པ་ཞེས་བྱའོ། །རབ་འབྱོར་ཆགས་པ་མེད་པའི་ཡོངས་སུ་བསྔོ་བ་འདི་ལ་དགེ་བའི་རྩ་བ་སྔ་མ་དེས་བརྒྱའི་ཆར་ཡང་ཉེ་བར་མི་འགྲོའོ། །སྟོང་གི་ཆ་དང་བརྒྱ་སྟོང་གི་ཆ་དང་། བྱེ་བ་བརྒྱའི་ཆ་དང་། བྱེ་བ་སྟོང་གི་ཆ་དང་། བྱེ་བ་བརྒྱ་སྟོང་གི་ཆ་དང་། བྱེ་བ་ཁྲག་ཁྲིག་བརྒྱ་སྟོང་གི་ཆ་དང་། གྲངས་དང་ཆ་དང་བགྲང་བ་དང་[2]དཔེ་དང་རྒྱུར་ཡང་མི་བཟོད་དོ། །དེ་ཅིའི་ཕྱིར་ཞེ་ན། དེ་ནི་འདི་ལྟར་རིགས་ཀྱི་བུའམ་རིགས་ཀྱི་བུ་མོ་གང་དགེ་བ་བཅུའི་ལས་ཀྱི་ལམ་དང་ལྡན་པར་གྱུར་པ་དང་། བསམ་གཏན་བཞི་དང་། ཚད་མེད་པ་བཞི་དང་། གཟུགས་མེད་པའི་སྙོམས་པར་འཇུག་པ་བཞི་དང་། མངོན་པར་ཤེས་པ་ལྔ་དང་ལྡན་པར་གྱུར་པ་དེ་དག་ནི་དམིགས་པའི་འདུ་ཤེས་ཅན་ནོ། །དེ་ལྟར་སེམས་ཅན་ཐམས་ཅད་རྒྱུན་དུ་ཞུགས་པར་གྱུར་པ་དང་། སེམས་ཅན་ཐམས་ཅད་ལན་ཅིག་ཕྱིར་འོང་བ་དང་། ཕྱིར་མི་འོང་བ་དང་། དགྲ་བཅོམ་པར་གྱུར་པ་དང་། སེམས་ཅན་ཐམས་ཅད་རང་སངས་རྒྱས་སུ་གྱུར་པ་དེ་དག་ལ་གོས་དང་། བསོད་སྙོམས་དང་། མལ་ཆ་དང་ནད་ཀྱི་རྐྱེན་སྨན་དང་། ཡོ་བྱད་མང་པོས་རིམ་གྲོར་བྱེད། བཀུར་སྟིར་བྱེད། བསྟི་སྟང་དུ་བྱེད། མཆོད་པར་བྱེད་པའི་རིགས་ཀྱི་བུའམ་[3]རིགས་ཀྱི་བུ་མོ་དེ་དག་ཀྱང་དམིགས་པའི་འདུ་ཤེས་ཅན་ནོ། །དེ་ནས་

རྒྱལ་པོ་ཆེན་པོ་བཞི་རྒྱལ་ཆེན་བཞིའི་རིས་ཀྱི་ལྷའི་བུ་སྟོང་ཕྲག་ཉི་ཤུ་དང་འགྲོགས་ཏེ་ཐལ་མོ་སྦྱར་ནས་དགའ་བའི་ཡིད་ཀྱིས་བཅོམ་ལྡན་འདས་ལ་ཕྱག་འཚལ་ཏེ་འདི་སྐད་ཅེས་གསོལ་ཏོ། །ཀྱེ་མ་བཅོམ་ལྡན་འདས་དེ་ལྟར་བྱང་ཆུབ་སེམས་དཔའ་སེམས་དཔའ་ཆེན་པོ་རྣམས་ཐབས་མཁས་པས། དམིགས་སུ་མ་མཆིས་པའི་ཚུལ་དང་། ཆགས་པ་མ་མཆིས་པའི་ཚུལ་དང་། མཚན་མ་མ་མཆིས་པའི་ཚུལ་དང་། བགྱིད་པ་མ་མཆིས་པའི་ཚུལ་གྱིས། དགེ་བའི་རྩ་བ་དེ་དག་བླ་ན་མེད་པ་ཡང་དག་པར་རྫོགས་པའི་བྱང་ཆུབ་ཏུ་ཡོངས་སུ་བསྔོ་ཞིང་། ཅི་ནས་ཀྱང་གཉིས་སུ་མི་འགྱུར་བ་དང་གཉིས་མ་ལགས་པར་ཡང་མི་འགྱུར་བ་དེ་ལྟར་ཡོངས་སུ་བསྔོ་བ་དེ་ནི་བྱང་ཆུབ་སེམས་དཔའ་སེམས་དཔའ་ཆེན་པོ་རྣམས་ཀྱི་ཡོངས་སུ་བསྔོ་བ་ཤིན་ཏུ་ཆེའོ། །དེ་ནས་ལྷའི་དབང་པོ་བརྒྱ་བྱིན་སུམ་ཅུ་རྩ་གསུམ[༡]གྱི་རིས་ཀྱི་ལྷའི་བུ་སྟོང་ཕྲག་དུ་མ་དང་འགྲོགས་ཏེ། ལྷ་རྫས་ཀྱི་མེ་ཏོག་དང་ཕྲེང་བ་དང་སྤོས་དང་བྱུག་པ་དང་ཕྱེ་མ་དང་ན[༢]བཟའ་དང་། གདུགས་དང་རྒྱལ་མཚན་དང་། ལྷ་རྫས་ཀྱི་བ་དན་མང་པོ་ཐོགས་ཏེ། ལྷ་རྫས་ཀྱི་རོལ་མོ་བྱེད་ཅིང་། ལྷ་རྫས་ཀྱི་མེ་ཏོག་དང་། ཕྲེང་བ་དང་སྤོས་དང་བྱུག་པ་དང་ཕྱེ་མ་དང་ན[༢]བཟའ་དང་། གདུགས་དང་རྒྱལ་མཚན་དང་། ལྷ་རྫས་ཀྱི་བ་དན་དེ་དག་གིས། བཅོམ་ལྡན་འདས་ལ་མཆོད་པ[༣]བྱས་ནས། འདི་སྐད་ཀྱི་ཚིག་བརྗོད་དོ། །བཅོམ་ལྡན་འདས་དེ་ལྟར་བྱང་ཆུབ་སེམས་དཔའ་སེམས་དཔའ་ཆེན་པོ་རྣམས་ཐབས་མཁས་པས་དམིགས་སུ་མ་མཆིས་པའི་ཚུལ་དང་། མཚན་མ་མ་མཆིས་པའི་ཚུལ་དང་། བགྱིད་པ་མ་མཆིས་པའི་ཚུལ་གྱིས། དགེ་བའི་རྩ་བ་དེ་དག་བླ་ན་མེད་པ་ཡང་དག་པར་རྫོགས་པའི་བྱང་ཆུབ་ཏུ་ཡོངས་སུ་བསྔོ་ཞིང་། ཅི་ནས་ཀྱང་གཉིས་སུ་མི་འགྱུར་བ་དང་། གཉིས་མ་ལགས་པར་ཡང་མི་འགྱུར་བ་དེ་ལྟར་ཡོངས་སུ་བསྔོ་བ་

དེ་ནི། བྱང་ཆུབ་སེམས་དཔའ་སེམས་དཔའ་ཆེན་པོ་རྣམས་ཀྱི་ཡོངས་སུ་བསྔོ་བ་ཤིན་ཏུ་ཆེའོ། །དེ་ནས་ལྷའི་བུ་རབ་མཆོག་དང་རབ་དགའ་ལྡན་དང་རབ་འཕྲུལ་དགའ་དང་ལྷའི་བུ་དབང་བྱེད་ཀྱང་ལྷའི་བུ་སྟོང་ཕྲག་དུ་མ་དང་འགྲོགས་ཏེ། ལྷ་རྫས་ཀྱི་མེ་ཏོག་དང་ཕྲེང་བ་དང་སྤོས་དང་བྱུག་པ་དང་ཕྱེ་མ་དང་། ན་བཟའ་དང་གདུགས་དང་། རྒྱལ་མཚན་དང་བ་དན་མང་པོ་ཐོགས་ཏེ་ལྷ་རྫས་ཀྱི་རོལ་མོ་བྱེད་ཅིང་། ལྷ་རྫས་ཀྱི་མེ་ཏོག་དང་ཕྲེང་བ་དང་སྤོས་དང་བྱུག་པ་དང་ཕྱེ་མ་དང་ན་[༧]བཟའ་དང་གདུགས་དང་རྒྱལ་མཚན་དང་ལྷ་རྫས་ཀྱི་བ་དན་དེ་དག་གིས་བཅོམ་ལྡན་འདས་ལ་མཆོད་ནས་འདི་སྐད་ཀྱི་ཚིག་བརྗོད་དོ། །བཅོམ་ལྡན་འདས་དེ་ལྟར་བྱང་ཆུབ་སེམས་དཔའ་སེམས་དཔའ་ཆེན་པོ་ཐབས་མཁས་པས། དམིགས་སུ་མ་མཆིས་པའི་ཚུལ་དང་མཚན་མ་མ་མཆིས་པའི་ཚུལ་དང་། བགྱིད་པ་མ་མཆིས་པའི་ཚུལ་གྱིས་དགེ་བའི་རྩ་བ་དེ་དག་བླ་ན་མེད་པ་ཡང་དག་པར་རྫོགས་པའི་བྱང་ཆུབ་ཏུ་ཡོངས་སུ་བསྔོ་ཞིང་། ཅི་ནས་ཀྱང་གཉིས་སུ་མི་འགྱུར་བ་དང་། གཉིས་མ་ལགས་པར་ཡང་མི་འགྱུར་བ་དེ་ལྟར་ཡོངས་སུ་བསྔོ་བ་དེ་ནི། བྱང་ཆུབ་སེམས་དཔའ་སེམས་དཔའ་ཆེན་པོ་རྣམས་ཀྱི་ཡོངས་སུ་བསྔོ་བ་ཤིན་ཏུ་ཆེའོ། དེ་ནས་ཚངས་རིས་ཀྱི་ལྷ་བྱེ་བ་ཁྲག་ཁྲིག་བརྒྱ་སྟོང་དུ་མ་བཅོམ་ལྡན་འདས་གང་ན་བ་དེར་ལྷགས་ནས། བཅོམ་ལྡན་འདས་ཀྱི་ཞབས་གཉིས་ལ་སྤྱི་བོས་ཕྱག་འཚལ་[༣]ཏེ། བཅོམ་ལྡན་འདས་དེ་ལྟར་བྱང་ཆུབ་སེམས་དཔའ་སེམས་དཔའ་ཆེན་པོ་ཤེས་རབ་ཀྱི་ཕ་རོལ་ཏུ་ཕྱིན་པ་དང་། ཐབས་མཁས་པས་ཡོངས་སུ་བཟུང་བ་དེ་དག་གིས། རིགས་ཀྱི་བུ་དང་རིགས་ཀྱི་བུ་མོ་སྔ་མ་ཐབས་མཁས་པ་དང་མི་ལྡན་པ། དམིགས་པའི་སྤྱོད་པ་ཅན་དེ་དག་ནི་[༡]དགེ་བའི་རྩ་བ་དེ་དག་ཟིལ་གྱིས་མནན་པ་ངོ་མཚར་ཆེའོ་ཞེས་སྨྲར་བསྔགས་ཏེ་དབྱངས་སུ་བརྗོད་དོ། །

ཚངས་ལྷ་ཉེ་ཕན་དང་ཚངས་པ་ཀུན་འཁོར་དང་། སྣང་བ་དང་ཆུང་སྣང་དང་ཚད་མེད་སྣང་བ་དང་། ཀུན་སྣང་དང་བ་དང་དགེ་བ་དང་ཆུང་དགེ་དང་ཚད་མེད་དགེ་བ་དང་དགེ་རྒྱས་དང་འབྲས་བུ་ཆེ་བ་དང་། གནས་གཙང་མའི་[༡]ལྷ་བྱེ་བ་ཁྲག་ཁྲིག་བརྒྱ་སྟོང་དུ་མ་བཅོམ་ལྡན་འདས་གང་ན་བ་དེར་ལྷགས་ནས། བཅོམ་ལྡན་འདས་ཀྱི་ཞབས་གཉིས་ལ་སྤྱི་བོས་ཕྱག་འཚལ་[༢]ཏེ། བཅོམ་ལྡན་འདས་དེ་ལྟར་བྱང་ཆུབ་སེམས་དཔའ་སེམས་དཔའ་ཆེན་པོ་ཤེས་རབ་ཀྱི་ཕ་རོལ་ཏུ་ཕྱིན་པ་དང་། ཐབས་མཁས་པས་ཡོངས་སུ་བཟུང་བ་དེ་དག་གིས་རིགས་ཀྱི་བུ་དང་རིགས་ཀྱི་བུ་མོ་སྔ་མ་ཐབས་མཁས་པ་དང་མི་ལྡན་པ་དམིགས་པའི་སྤྱོད་པ་ཅན་དེ་དག་གི་དགེ་བའི་རྩ་བ་དེ་དག་ཟིལ་གྱིས་མནན་པ་ངོ་མཚར་ཆེའོ་ཞེས་སྨྲར་བསྒྲགས་ཏེ་དབྱངས་སུ་བརྗོད་དོ། །དེ་ནས་བཅོམ་ལྡན་འདས་ཀྱིས་རྒྱལ་ཆེན་བཞིའི་རིས་ཀྱི་ལྷ་རྣམས་དང་། གནས་གཙང་མའི་རིས་ཀྱི་བར་གྱི་ལྷ་རྣམས་ལ་བཀའ་སྩལ་པ། ལྷའི་བུ་དག་གལ་ཏེ་སྟོང་གསུམ་གྱི་སྟོང་ཆེན་པོའི་འཇིག་རྟེན་གྱི་ཁམས་ཀྱི་སེམས་ཅན་ཇི་སྙེད་པ་དེ་དག་ཐམས་ཅད་བླ་ན་མེད་པ་ཡང་དག་པར་རྫོགས་པའི་བྱང་ཆུབ་ཏུ་ཞུགས་པར་གྱུར་ཏེ། ཕྱོགས་བཅུའི་དེ་བཞིན་གཤེགས་པ་དགྲ་བཅོམ་པ་ཡང་དག་པར་རྫོགས་པའི་སངས་རྒྱས་འདས་པ་དང་། མ་བྱོན་པ་དང་ད་ལྟར་བྱུང་བ་དེ་དག་ཐམས་ཅད་དང་། ཉན་ཐོས་དང་རང་སངས་རྒྱས་དེ་དག་གི་སེམས་དང་པོ་བསྐྱེད་པ་ནས། དམ་པའི་ཆོས་གནས་པའི་བར་གྱི་སངས་རྒྱས་བཅོམ་ལྡན་འདས་དེ་དག་[༡]ཉན་ཐོས་དེ་དག་དང་། རང་སངས་རྒྱས་དེ་དག་དང་། སེམས་ཅན་ཐམས་ཅད་ཀྱི་སྦྱིན་པའི་ཕ་[༢]རོལ་ཏུ་ཕྱིན་པའམ། ཚུལ་ཁྲིམས་ཀྱི་ཕ་རོལ་ཏུ་ཕྱིན་པའམ། བཟོད་པའི་ཕ་རོལ་ཏུ་ཕྱིན་པའམ། བརྩོན་འགྲུས་ཀྱི་ཕ་རོལ་ཏུ་ཕྱིན་པའམ། བསམ་གཏན་གྱི་ཕ་རོལ་ཏུ་ཕྱིན་པའམ།

ཤེས་རབ་ཀྱི་ཕ་རོལ་ཏུ་ཕྱིན་པའམ། སྦྱིན་པའམ། ཚུལ་ཁྲིམས་སམ། བཟོད་པའམ། བརྩོན་འགྲུས་སམ། བསམ་གཏན་ནམ། ཤེས་རབ་འམ[7]། ཚུལ་ཁྲིམས་ཀྱི་ཕུང་པོའམ། ཏིང་ངེ་འཛིན་གྱི་ཕུང་པོའམ། ཤེས་རབ་ཀྱི་ཕུང་པོའམ། རྣམ་པར་གྲོལ་བའི་ཕུང་པོའམ། རྣམ་པར་གྲོལ་བའི་ཡེ་ཤེས་མཐོང་བའི་ཕུང་པོའམ། སངས་རྒྱས་ཀྱི་ཆོས་ཚད་མེད་པ་གཞན་དག་ཀྱང་རུང་སྟེ། དེ་དག་ཐམས་ཅད་གཅིག་ཏུ་བསྡུས་ནས། རྗེས་སུ་ཡི་རང་བར་བྱས་ལ། དེ་ལྟར་རྗེས་སུ་ཡི་རང་ནས་ཀྱང་། དམིགས་པའི་ཚུལ་གྱིས་བླ་ན་མེད་པ་ཡང་དག་པར་[3]རྫོགས་པའི་བྱང་ཆུབ་ཏུ་ཡོངས་སུ་བསྔོས་པ་[3]བས། རིགས་ཀྱི་བུའམ་རིགས་ཀྱི་བུ་མོ་གང་བླ་ན་མེད་པ་ཡང་དག་པར་རྫོགས་པའི་བྱང་ཆུབ་ཏུ་ཡང་དག་པར་ཞུགས་པར་གྱུར་ཏེ། དེས་འདས་པ་དང་། མ་བྱོན་པ་དང་། ད་ལྟར་བྱུང་བའི་སངས་རྒྱས་བཅོམ་ལྡན་འདས་ཉན་ཐོས་དང་རང་སངས་རྒྱས་སུ་བཅས་པ་དག་གི་སེམས་དང་པོ་བསྐྱེད་པ་ནས། དམ་པའི་ཆོས་གནས་པའི་བར་གྱི། སྦྱིན་པའི་ཕ་རོལ་ཏུ་ཕྱིན་པའམ། ཚུལ་ཁྲིམས་ཀྱི་ཕ་རོལ་ཏུ་ཕྱིན་པའམ། བཟོད་པའི་ཕ་རོལ་ཏུ་ཕྱིན་པའམ། བརྩོན་འགྲུས་ཀྱི་ཕ་རོལ་ཏུ་ཕྱིན་པའམ། བསམ་གཏན་གྱི་ཕ་རོལ་ཏུ་ཕྱིན་པའམ[8]། ཤེས་རབ་ཀྱི་ཕ་རོལ་ཏུ་ཕྱིན་པའམ། གཞན་ཡང་སངས་རྒྱས་ཀྱི་ཆོས་ཚད་མེད་པའི་བར་དེ་དག་ཐམས་ཅད་གཅིག་ཏུ་བསྡུས་ཏེ། དམིགས་སུ་མེད་པའི་ཚུལ་དང་། གཉིས་སུ་མེད་པའི་ཚུལ་དང་། མཚན་མ་མེད་པའི་ཚུལ་དང་། ཆགས་པ་མེད་པའི་ཚུལ་དང་། བྱེད་པ་མེད་པའི་ཚུལ་དུ་རྗེས་སུ་ཡི་རང་བའི་རབ་ཀྱིས་རྗེས་སུ་ཡི་རང་བ་དང་། རྗེས་སུ་ཡི་རང་བའི་གཙོ་བོ་དང་། དམ་པ་དང་མཆོག་དང་ཕུལ་དང་ཀུ་ནོམ་པ་དང་བླ་ན་མེད་པ་དང་གོང་ན་མེད་པ་དང་མཉམ་པ་མེད་པ་དང་མི་མཉམ་པ་དང་མཉམ་

པས་རྗེས་སུ་ཡི་རང་ནས། རྗེས་སུ་ཡི་རང་བ་དང་ལྡན་པའི་དགེ་བའི་རྩ་བ་དེ་མི་དམིགས་པའི་ཚུལ་དང་། གཉིས་སུ་མེད་པའི་ཚུལ་དང་། མཚན་མ་མེད་པའི་ཚུལ་དང་། ཆགས་པ་མེད་པའི་ཚུལ་དང་། བྱེད་པ་མེད་པའི་ཚུལ་གྱིས་བླ་ན་མེད་པ་ཡང་དག་པར་རྫོགས་པའི་བྱང་ཆུབ་ཏུ་ཡོངས་སུ་བསྔོ་ན། རིགས་ཀྱི་བུའམ་རིགས་ཀྱི་བུ་མོ་དེ་ནི་རིགས་ཀྱི་བུའམ་རིགས་ཀྱི་བུ་མོ་སྔ་མ་དེ་དག་བས་བསོད་ནམས་ཆེས་མང་དུ་འཕེལ་ཏེ། དགེ་བའི་རྩ་བ་འདི་ལ་ནི་དགེ་བའི་རྩ་བ་སྔ་མ་དེས་བརྒྱའི་ཆར་ཡང་ཉེ་བར་མི་འགྲོའོ། །རྒྱུའི་བར་དུ་ཡང་མི་བཟོད་དོ། །བྱང་ཆུབ་སེམས་དཔའ་སེམས་དཔའ་ཆེན་པོའི་དམིགས་སུ་མེད་པའི་ཚུལ་གྱིས་[1] ཡོངས་སུ་བསྔོ་བ་འདི་ནི་མཆོག་ཅེས་བྱའོ། །མི་མཉམ་པ་དང་མཉམ་པའི་བར་ཞེས་བྱའོ། །དེ་ནས་ཚེ་དང་ལྡན་པ་རབ་འབྱོར་གྱིས། བཅོམ་ལྡན་འདས་ལ་འདི་སྐད་ཅེས་གསོལ་ཏོ། །བཅོམ་ལྡན་འདས་ཀྱིས་གང་དེ་སྐད་དུ་[2] རིགས་ཀྱི་བུའམ། རིགས་ཀྱི་བུ་མོ་གང་དག་གིས། དགེ་བའི་རྩ་བ་དེ་དག་ཐམས་ཅད་མངོན་པར་བསྡུས་ཏེ་གཅིག་ཏུ་བརྟུལ་ནས་ཚད་བཟུང་སྟེ། རྗེས་སུ་ཡི་རང་བའི་རབ་ཀྱིས་རྗེས་སུ་ཡི་རང་བ་དང་། རྗེས་སུ་ཡི་རང་བ་མི་མཉམ་པ་དང་མཉམ་པའི་བར་གྱིས། རྗེས་སུ་ཡི་རང་བར་བྱེད་དོ་ཞེས་བཀའ་སྩལ་པ[3]། བཅོམ་ལྡན་འདས་ཇི་ཙམ་གྱིས་ན་རྗེས་སུ་ཡི་རང་བའི་དམ་པར་འགྱུར། ཇི་ཙམ་གྱིས་ན་རྗེས་སུ་[4]ཡི་རང་བའི་མི་མཉམ་པ་དང་མཉམ་པའི་བར་དུ་འགྱུར་བ་ལགས། བཅོམ་ལྡན་འདས་ཀྱིས་བཀའ་སྩལ་པ། ནམ་རིགས་ཀྱི་བུའམ་རིགས་ཀྱི་བུ་མོ་དེ་འདས་པ་དང་། མ་བྱོན་པ་དང་། ད་ལྟར་བྱུང་བའི་དེ་བཞིན་གཤེགས་པ་དགྲ་བཅོམ་པ་ཡང་དག་པར་རྫོགས་པའི་སངས་རྒྱས་ཉན་ཐོས་ཀྱི་དགེ་འདུན་དང་བཅས་པ་རྣམས་དང་། རང་སངས་རྒྱས་དེ་དག་དང་། སེམས་ཅན་ཐམས་

ཅན་ཀྱི་དགེ་བའི་རྩ་བ་དེ་དག་མི་ལེན་མི་གཏོང་བ་དང་། མི་སྤྲོམ་མི་འཇུམ་ཞིང་།
དམིགས་པ་ཡང་མ་ཡིན། མི་དམིགས་པ་ཡང་མ་ཡིན་ལ། དེ་འདི་སྙམ་དུ་འདི་
ལ་ཆོས་གང་ཡང་སྐྱེ་བ་ཡང་མེད། འགགས་[༡]པ་ཡང་མེད། ཉོན་མོངས་པར་
འགྱུར་བ་ཡང་མེད། རྣམ་པར་བྱང་བར་འགྱུར་བ་ཡང་མེད་དེ། ཆོས་དེ་དག་
ལ་འགྲིབ་པ་ཡང་མེད། འཕེལ་བ་ཡང་མེད། འོང་བ་ཡང་མེད། [༢]ཕྱུང་པོར་
འགྱུར་བ་ཡང་མེད་དོ་ཞེས་རྣམ་[༣]གྲངས་དེ་ལྟ་བུས་འདས་པ་དང་། མ་འོངས་པ་
དང་། ད་ལྟར་བྱུང་བའི་ཆོས་རྣམས་ཀྱི་དེ་བཞིན་ཉིད་དང་། མ་ནོར་བ་དེ་
བཞིན་ཉིད་དང་། གཞན་[༤]མ་ཡིན་པ་དེ་བཞིན་ཉིད་དང་། ཆོས་ཉིད་དང་།
ཆོས་ཀྱི་གནས་ཉིད་དང་། ཆོས་སྐྱོན་མེད་པ་ཉིད་ཇི་ལྟ་བ་དེ་ལྟར་བདག་གིས་
རྗེས་སུ་ཡི་རང་བར་བྱའོ། །རྗེས་སུ་ཡི་རང་ནས་བླ་ན་མེད་པ་ཡང་དག་པར་
རྫོགས་པའི་བྱང་ཆུབ་ཏུ་ཡོངས་སུ་བསྔོའོ་ཞེས་དེ་ལྟར་ཡོངས་སུ་བསྔོ་བའི་བྱང་ཆུབ་
སེམས་དཔའ་སེམས་དཔའ་ཆེན་པོའི་རྗེས་སུ་ཡི་རང་བ་དེ་ནི་དམ་པར་འགྱུར་ཏེ།
རྗེས་སུ་ཡི་རང་བ་དེ་དག་ནི་མི་མཉམ་པ་དང་མཉམ་པའི་བར་དུ་འགྱུར་[༥]རོ། །
རབ་འབྱོར་རྗེས་སུ་ཡི་རང་བ་འདི་ལ་ནི་དེ་མ་ཡིན་པའི་རྗེས་སུ་ཡི་རང་བ་གཞན་
ཐམས་ཅད་ཀྱིས་བརྒྱའི་ཆར་ཡང་ཉེ་བར་མི་འགྲོའོ། །རྒྱུའི་བར་དུ་ཡང་མི་བཟོད་
དེ[༦]། རྗེས་སུ་ཡི་རང་བ་འདི་ནི་དེ་མ་ཡིན་པའི་རྗེས་སུ་ཡི་རང་བ་གཞན་དག་
བས་རབ་ཅེས་བྱའོ། །གཙོ་བོ་ཞེས་བྱའོ། །དམ་པ་ཞེས་བྱའོ། །མཆོག་ཅེས་
བྱའོ། །ཕུལ་ཞེས་བྱའོ། །གྱ་ནོམ་པ་ཞེས་བྱའོ། །བླ་ན་མེད་པ་ཞེས་བྱའོ། །
གོང་ན་མེད་པ་ཞེས་བྱའོ། །མཉམ་པ་མེད་པ་ཞེས་བྱའོ། །མི་མཉམ་པ་དང་[༧]
མཉམ་པ་ཞེས་བྱའོ། །རབ་འབྱོར་གཞན་ཡང་བྱང་ཆུབ་སེམས་དཔའི་ཐེག་པ་
པའི་རིགས་ཀྱི་བུའམ། རིགས་ཀྱི་བུ་མོས་འདས་པ་དང་། མ་བྱོན་པ་དང་།

ད་ལྟར་བྱུང་བའི་དེ་བཞིན་གཤེགས་པ་དགྲ་བཅོམ་པ་[1]ཡང་དག་པར་རྫོགས་པའི་སངས་རྒྱས་དེ་དག་དང་། ཉན་ཐོས་དང་། རང་སངས་རྒྱས་སུ་བཅས་པ་དེ་དག་གི་སེམས་དང་པོ་བསྐྱེད་པ་ནས། དམ་པའི་ཆོས་གནས་པའི་བར་གྱི་སྦྱིན་པའི་ཕ་རོལ་ཏུ་ཕྱིན་པ་དང་། ཚུལ་ཁྲིམས་ཀྱི་[2]ཕ་རོལ་ཏུ་ཕྱིན་པ་དང་། བཟོད་པའི་ཕ་རོལ་ཏུ་ཕྱིན་པ་དང་། བརྩོན་[3]འགྲུས་ཀྱི་ཕ་རོལ་ཏུ་ཕྱིན་པ་དང་། བསམ་གཏན་གྱི་ཕ་རོལ་ཏུ་ཕྱིན་པ་དང་ཤེས་རབ་ཀྱི་ཕ་རོལ་ཏུ་ཕྱིན་པ་དང་ལྡན་པའི་དགེ་བའི་རྩ་བ་དང་གཞན་ཡང་སངས་རྒྱས་ཀྱི་ཆོས་ཚད་མེད་པའི་བར་དང་། སེམས་ཅན་ཐམས་ཅད་ཀྱི་དགེ་བའི་རྩ་བ་ཇི་སྙེད་པ་དེ་དག་ཐམས་ཅད་ལ་རྗེས་སུ་ཡི་རང་བར་འདོད་ན། འདི་ལྟར་རྗེས་སུ་ཡི་རང་བར་བྱའོ། །རྣམ་པར་གྲོལ་བ་ཇི་ལྟ་བ་དེ་ལྟ་བུ་ནི་གཟུགས་སོ། །རྣམ་པར་གྲོལ་བ་ཇི་ལྟ་བ་དེ་ལྟ་བུ་ནི་ཚོར་བ་དང་། འདུ་ཤེས་དང་འདུ་བྱེད་དང་རྣམ་པར་ཤེས་པ་རྣམས་སོ། །རྣམ་པར་གྲོལ་བ་ཇི་ལྟ་བ་དེ་ལྟ་བུ་ནི་སྐྱེ་མཆེད་རྣམས་དང་ཁམས་རྣམས་སོ། །རྣམ་པར་གྲོལ་བ་ཇི་ལྟ་བ་དེ་ལྟ་བུ་ནི་རྟེན་ཅིང་འབྲེལ་པར་འབྱུང་བའོ། །རྣམ་པར་གྲོལ་བ་ཇི་ལྟ་བ་དེ་ལྟ་བུ་ནི་སྦྱིན་པའི་ཕ་རོལ་ཏུ་ཕྱིན་པའོ། །རྣམ་པར་གྲོལ་བ་ཇི་ལྟ་བ་དེ་ལྟ་བུ་ནི་ཚུལ་ཁྲིམས་ཀྱི་ཕ་རོལ་ཏུ་ཕྱིན་པ་དང་། བཟོད་པའི་ཕ་རོལ་ཏུ་ཕྱིན་པ་དང་། བརྩོན་འགྲུས་ཀྱི་ཕ་རོལ་ཏུ་ཕྱིན་པ་དང་། བསམ་གཏན་གྱི་ཕ་རོལ་ཏུ་ཕྱིན་པ་དང་། ཤེས་རབ་ཀྱི་ཕ་རོལ་ཏུ་ཕྱིན་པའོ། །རྣམ་པར་གྲོལ་བ་ཇི་ལྟ་བ་དེ་ལྟ་བུ་ནི་ནང་སྟོང་པ་ཉིད་དང་། དངོས་པོ་མེད་པའི་ངོ་བོ་ཉིད་སྟོང་པ་ཉིད་ཀྱི་བར་རོ། །རྣམ་པར་གྲོལ་བ་ཇི་ལྟ་བ་དེ་ལྟ་བུ་ནི་བྱང་ཆུབ་ཀྱི་ཕྱོགས་ཀྱི་ཆོས་རྣམས་སོ༑ །རྣམ་པར་གྲོལ་བ་ཇི་ལྟ་བ་དེ་ལྟ་བུ་ནི་འཕགས་པའི་བདེན་པ་རྣམས་དང་། བསམ་གཏན་རྣམས་དང་། ཚད་མེད་པ་རྣམས་དང་། གཟུགས་མེད་པའི་

སྙོམས་པར་འཇུག་པ་རྣམས་སོ། །རྣམ་པར་གྲོལ་བ་ཇི་ལྟ་བ་[༡]དེ་ལྟ་བུ་ནི་རྣམ་
པར་ཐར་པ་བརྒྱད་དང་། མཐར་གྱིས་གནས་པའི་སྙོམས་པར་འཇུག་པ་དགུ་
དང་། སྟོང་པ་ཉིད་དང་། མཚན་མ་མེད་པ་དང་། སྨོན་པ་མེད་པ་དང་།
མངོན་པར་ཤེས་པ་རྣམས་སོ། །རྣམ་པར་གྲོལ་བ་ཇི་ལྟ་བ་དེ་ལྟ་བུ་ནི་ཏིང་ངེ་
འཛིན་རྣམས་དང་། གཟུངས་ཀྱི་སྒོ་རྣམས་སོ། །རྣམ་པར་གྲོལ་བ་ཇི་ལྟ་བ་དེ་
ལྟ་བུ་ནི་དེ་བཞིན་གཤེགས་པའི་སྟོབས་བཅུ་དང་། མི་འཇིགས་པ་བཞི་དང་།
སོ་སོ་ཡང་དག་པར་རིག་པ་བཞི་དང་། སངས་རྒྱས་ཀྱི་ཆོས་མ་འདྲེས་པ་བཅོ་
བརྒྱད་དོ། །རྣམ་པར་གྲོལ་བ་ཇི་ལྟ་བ་དེ་ལྟ་བུ་ནི་རྣམ་པར་གྲོལ་བའི་ཡེ་ཤེས་
མཐོང་བའོ། །རྣམ་པར་གྲོལ་བ་ཇི་ལྟ་བ་དེ་ལྟ་བུ་ནི་རྣམ་པར་གྲོལ་བའི་ཡེ་ཤེས་
མཐོང་བའི་ཕུང་པོའོ། །རྣམ་པར་གྲོལ་བ་ཇི་ལྟ་བ་དེ་ལྟ་བུ་ནི་སོས་པའོ། །རྣམ་
པར་གྲོལ་བ་ཇི་ལྟ་བ་དེ་ལྟ་བུ་ནི་རྗེས་སུ་ཡི་རང་བའོ། །རྣམ་པར་གྲོལ་བ་ཇི་ལྟ་བ་
དེ་ལྟ་བུ་ནི་འདས་པ་དང་། མ་འོངས་པ་དང་། ད་ལྟར་བྱུང་བའི་ཆོས་རྣམས་
སོ། །རྣམ་པར་གྲོལ་བ་ཇི་ལྟ་བ་དེ་ལྟ་བུ་ནི་སངས་རྒྱས་བཅོམ་ལྡན་འདས་དེ་
དག་གོ། །རྣམ་པར་གྲོལ་བ་ཇི་ལྟ་བ་དེ་ལྟ་བུ་ནི་སངས་རྒྱས་བཅོམ་ལྡན་འདས་དེ་
དག་གི་ཡོངས་སུ་མྱ་ངན་ལས་འདས་པའོ། །རྣམ་པར་གྲོལ་བ་ཇི་ལྟ་བ་དེ་ལྟ་བུ་ནི་
སངས་རྒྱས་བཅོམ་ལྡན་འདས་དེ་དག་གི་ཉན་ཐོས་རྣམས་དང་། ཉན་ཐོས་དེ་
དག་གི་ཡོངས་སུ་མྱ་ངན་ལས་འདས་པའོ། །རྣམ་པར་གྲོལ་བ་ཇི་ལྟ་བ་དེ་ལྟ་བུ་ནི་
རང་[༢]སངས་རྒྱས་རྣམས་དང་། རང་སངས་རྒྱས་དེ་དག་གི་ཡོངས་སུ་མྱ་ངན་
ལས་འདས་པའོ། །རྣམ་པར་གྲོལ་བ་ཇི་ལྟ་བ་དེ་ལྟ་བུ་ནི་སངས་རྒྱས་བཅོམ་ལྡན་
འདས་དེ་དག་གི་ཆོས་ཉིད་དོ། །རྣམ་པར་གྲོལ་བ་ཇི་ལྟ་བ་དེ་ལྟ་བུ་ནི་ཉན་ཐོས་
དང་། རང་སངས་རྒྱས་དེ་དག་གི་ཆོས་ཉིད་དོ། །རྣམ་པར་གྲོལ་བ་ཇི་ལྟ་བ་དེ་

ལྟ་བུ་ནི་ཆོས་རྣམས་ཀྱི་ཆོས་ཉིད་དོ་ཞེས། དེ་ལྟར་ཆོས་མ་ཆགས་པ་དང་། མ་བཅིངས་པ་དང་། མ་གྲོལ་བ་དང་། མ་ཞེན་པ་དང་ཀུན་ནས་ཉོན་མོངས་པ་མེད་པ་དང་རྣམ་པར་བྱང་བ་མེད་པ་རྣམས་ཀྱི་ཆོས་ཉིད་དང་། ཆོས་མ་སྐྱེས་པ་དང་ཡོངས་སུ་མ་སྐྱེས་པ་དང་། མ་བྱུང་བ་དང་མ་འགགས་པའི་ཆོས་ཉིད་ཇི་ལྟ་བ་དེ་བཞིན་དུ་འཕོ་བ་མེད་པ་དང་། འཇིག་པ་མེད་པ་ཉེ་བར་བཟུང་སྟེ། བླ་ན་མེད་པ་ཡང་དག་པར་རྫོགས་པའི་བྱང་ཆུབ་ཏུ་ཡོངས་སུ་བསྔོ་སྟེ། རབ་འབྱོར་འདི་ནི་བྱང་ཆུབ་སེམས་དཔའ་སེམས་དཔའ་ཆེན་པོ་རྣམས་ཀྱི་རྗེས་སུ་ཡི་རང་བའི་རབ་བོ། །རྗེས་སུ་ཡི་རང་བའི་མི་མཉམ་པ་དང་མཉམ་པའི་བར་རོ། །རབ་འབྱོར་རྗེས་སུ་ཡི་རང་བ་དེ་དང་ལྡན་པའི་བྱང་ཆུབ་སེམས་དཔའ་སེམས་དཔའ་ཆེན་པོ་ནི་མྱུར་དུ་བླ་ན་མེད་པ་ཡང་དག་པར་རྫོགས་པའི་བྱང་ཆུབ་ཏུ་མངོན་པར་རྫོགས་པར་འཚང་རྒྱའོ། །རབ་འབྱོར་གཞན་ཡང་ཤར་ཕྱོགས་ཀྱི་འཇིག་རྟེན་གྱི་ཁམས་གང་གཱའི་[1]ཀླུང་གི་བྱེ་མ་སྙེད་དག་ན། སངས་རྒྱས་བཅོམ་ལྡན་འདས་ཉན་ཐོས་ཀྱི་དགེ་འདུན་དང་བཅས་པ་གང་ཇི་སྙེད་ཅིག་བཞུགས་པ་དང་། འཚོ་སྐྱོང་ཞིང་ཆོས་སྟོན་པ་དང་། ལྷོ་དང་ནུབ་དང་བྱང་དང་བྱང་ཤར་དང་ཤར་ལྷོ་དང་ལྷོ་ནུབ་དང་ནུབ་བྱང་དང་འོག་དང་སྟེང་གི་ཕྱོགས་ཀྱི་ཕྱོགས་རེ་རེ་ཞིང་འཇིག་རྟེན་གྱི་ཁམས་གང་གཱའི་ཀླུང་གི་བྱེ་མ་སྙེད་དག་ན། སངས་རྒྱས་བཅོམ་ལྡན་འདས་ཉན་ཐོས་ཀྱི་དགེ་འདུན་དང་བཅས་པ་གང་ཇི་སྙེད་ཅིག་བཞུགས་པ་དང་། འཚོ་སྐྱོང་ཞིང་ཆོས་སྟོན་པའི་དེ་བཞིན་གཤེགས་[2]པ་དགྲ་བཅོམ་པ་ཡང་དག་པར་རྫོགས་པའི་སངས་རྒྱས་ཉན་ཐོས་ཀྱི་དགེ་འདུན་དང་བཅས་པ་དེ་དག་ལ། བྱང་ཆུབ་སེམས་དཔའི་ཐེག་པ་པའི་རིགས་ཀྱི་བུའམ་རིགས་ཀྱི་བུ་མོ་ལ་ལ་ཞིག་གིས། ནམ་འཚོའི་བར་དུ་ན་བཟའ་དང་། བསོད་སྙོམས་དང་། གཟིམས་ཆ་དང་། སྨན་གྱི

རྒྱན་རྩི་དང་། ཡོ་བྱད་མང་པོ་དང་། བདེ་བའི་ཡོ་བྱད་ཐམས་ཅད་ཀྱིས་རིམ་གྲོར་བྱས། བཀུར་སྟིར་བྱས། བསྟི་སྟང་དུ་བྱས། མཆོད་པར་བྱས་པ་དང་། སངས་རྒྱས་བཅོམ་ལྡན་འདས་དེ་དག་ཡོངས་སུ་མྱ་ངན་ལས་འདས་ནས་ཀྱང་། དེ་དག་གི་རིང་བསྲེལ་ལ་ཉིན་མཚན་དུ་མེ་ཏོག་དང་ཕྲེང་བ་དང་སྤོས་དང་བྱུག་པ་དང་ཕྱེ་མ་དང་ན་བཟའ་དང་གདུགས་དང་། རྒྱལ་མཚན་དང་། བ་དན་མང་པོས་རིམ་གྲོར་བྱ་བ་དང་བཀུར་སྟིར་བྱ་བ་དང་བསྟི་སྟང་དུ་བྱ་བ་དང་། མཆོད་པར་བྱ་བའི་དོན་དུ་ཉམས་སུ་ལེན་ཅིང་། དེ་དམིགས་པའི་ཚུལ་གྱིས། ཚུལ་ཁྲིམས་སྲུང་[༡]བ་དང་། དེ་དམིགས་པའི་ཚུལ་གྱིས་བཟོད་པ་བསྒོམ་[༢]པ་དང་། དེ་དམིགས་པའི་ཚུལ་གྱིས་བརྩོན་འགྲུས་རྩོམ་[༣]པ་དང་། དེ་དམིགས་པའི་ཚུལ་གྱིས་བསམ་གཏན་ལ་སྙོམས་པར་འཇུག་པ་དང་། དེ་དམིགས་པའི་ཚུལ་གྱིས་ཤེས་རབ་སྒོམ་པ་བས། རིགས་ཀྱི་བུའམ་རིགས་ཀྱི་བུ་མོ་བླ་ན་མེད་པ་ཡང་དག་པར་རྫོགས་པའི་བྱང་ཆུབ་ཏུ་ཡང་དག་པར་ཞུགས་པ་གང་སྦྱིན་པའི་ཕ་རོལ་ཏུ་ཕྱིན་པ་ལ་མི་དམིགས་པའི་ཚུལ་གྱིས་སྤྱོད་པ་དང་། ཚུལ་ཁྲིམས་ཀྱི་ཕ་རོལ་ཏུ་ཕྱིན་པ་དང་། བཟོད་པའི་ཕ་རོལ་ཏུ་ཕྱིན་པ་དང་། བརྩོན་འགྲུས་ཀྱི་ཕ་རོལ་ཏུ་ཕྱིན་པ་དང་། བསམ་གཏན་གྱི་ཕ་རོལ་ཏུ་ཕྱིན་པ་དང་། ཤེས་རབ་ཀྱི་ཕ་རོལ་ཏུ་ཕྱིན་པ་ལ་མི་དམིགས་པའི་ཚུལ་གྱིས་སྤྱོད་པའི་ཚེ། ཐབས་མཁས་པས་དགེ་བའི་རྩ་བ་དེ་དག་བླ་ན་མེད་པ་ཡང་དག་པར་རྫོགས་པའི་བྱང་ཆུབ་ཏུ་ཡོངས་སུ་བསྔོས་ན། བསོད་ནམས་མངོན་པར་འདུ་བྱ་བ་དང་། དགེ་བ་མངོན་པར་འདུ་བྱ་བ་འདི་ལ་ནི། བསོད་ནམས་མངོན་པར་འདུ་བྱ་བ་སྔ་མས་བརྒྱའི་ཆར་ཡང་ཉེ་བར་མི་འགྲོ། རྒྱུའི་བར་དུ་ཡང་མི་བཟོད་དེ། ཡོངས་སུ་བསྔོ་བ་དེ་ཉིད་རབ་ཅེས་བྱའོ། །གོང་ན་མེད་པའི་བར་ཞེས་བྱའོ། །རབ་འབྱོར་དེ་ལྟར་མི་དམིགས་པའི་ཚུལ་གྱིས་

བྱང་ཆུབ་སེམས་དཔའ་སེམས་དཔའ་ཆེན་པོས། སྦྱིན་པའི་ཕ་རོལ་ཏུ་ཕྱིན་པ་ལ་སྤྱོད་པ་དང་། ཚུལ་ཁྲིམས་ཀྱི་ཕ་རོལ་ཏུ་ཕྱིན་པ་དང་། བཟོད་པའི་ཕ་རོལ་ཏུ་ཕྱིན་པ་དང་། བརྩོན་འགྲུས་ཀྱི་ཕ་རོལ་ཏུ་ཕྱིན་པ་དང་། བསམ་གཏན་གྱི་ཕ་རོལ་ཏུ་ཕྱིན་པ་དང་། ཤེས་རབ་ཀྱི་ཕ་རོལ་ཏུ་ཕྱིན་པ་ལ་སྤྱོད་པའི་ཚེ། ཐབས་མཁས་པས་དགེ་བའི་རྩ་བ་དེ་དག་བླ་ན་མེད་པ་[༡]ཡང་དག་པར་རྫོགས་པའི་བྱང་ཆུབ་ཏུ་ཡོངས་སུ་བསྔོ་བར་བྱའོ། །ཤེས་རབ་ཀྱི་ཕ་རོལ་ཏུ་ཕྱིན་པ་སྟོང་ཕྲག་ཉི་ཤུ་ལྔ་པ་ལས། ཡོངས་སུ་བསྔོ་བའི་ལེའུ་སྟེ་ཉི་ཤུ་བཞི་པའོ།། ||

དེ་ནས་ཚེ་དང་ལྡན་པ་ཤཱ་ར་དྭ་ཏིའི་བུས། བཅོམ་ལྡན་འདས་ལ་འདི་སྐད་ཅེས་གསོལ་ཏོ། །བཅོམ་ལྡན་འདས་ཤེས་རབ་ཀྱི་ཕ་རོལ་ཏུ་ཕྱིན་པ་ནི་ཤིན་ཏུ་རྣམ་པར་དག་པའི་སླད་དུ་སྣང་བར་བགྱིད་པའོ། །བཅོམ་ལྡན་འདས་ཤེས་རབ་ཀྱི་ཕ་རོལ་ཏུ་ཕྱིན་པ་ནི་ཕྱག་བགྱི་བར་འོས་པའོ། །བཅོམ་ལྡན་འདས་ཤེས་རབ་[༢]ཀྱི་ཕ་རོལ་ཏུ་ཕྱིན་པ་ལ་བདག་ཕྱག་འཚལ་ལོ། །བཅོམ་ལྡན་འདས་ཤེས་རབ་ཀྱི་ཕ་རོལ་ཏུ་ཕྱིན་པ་ནི་ཁམས་གསུམ་པ་ཐམས་ཅད་ཀྱིས་མ་གོས་པའོ། །བཅོམ་ལྡན་འདས་ཤེས་རབ་ཀྱི་ཕ་རོལ་ཏུ་ཕྱིན་པ་ནི་ཉོན་མོངས་པ་དང་ལྟ་བའི་མུན་པ་ཐམས་ཅད་བསལ་[༣]པ་ལ་རབ་རིབ་མ་མཆིས་པར་བགྱིད་པའོ། །བཅོམ་ལྡན་འདས་ཤེས་རབ་ཀྱི་ཕ་རོལ་ཏུ་ཕྱིན་པ་ནི་བྱང་ཆུབ་ཀྱི་ཕྱོགས་ཀྱི་ཆོས་རྣམས་ཀྱི་ནང་ན་མཆོག་ཏུ་བགྱིད་པའོ[༤]། །བཅོམ་ལྡན་འདས་ཤེས་རབ་ཀྱི་ཕ་རོལ་ཏུ་ཕྱིན་པ་ནི་འཇིགས་པ་དང་། གནོད་པ་དང་། འཚེ་བ་ཐམས་ཅད་རབ་ཏུ་བྱུང་བའི་སླད་དུ་བདེ་བར་བགྱིད་པའོ། །བཅོམ་ལྡན་འདས་ཤེས་རབ་ཀྱི་ཕ་རོལ་ཏུ་ཕྱིན་པ་ནི་སེམས་ཅན་ཐམས་ཅད་ཀྱི་མིག་ལྔ་ཡོངས་སུ་ཐོབ་པར་བགྱིད་པ་ལ་སྣང་བར་བགྱིད་

པའོ། །བཅོམ་ལྡན་འདས་ཤེས་རབ་ཀྱི་ཕ་རོལ་ཏུ་ཕྱིན་པ་ནི་སེམས་ཅན་ཤུལ་
གོལ་བར་ཞུགས་པ་རྣམས་ཀྱི་[1]མཐའ་ལས་བཟློག་[2]པའི་སླད་དུ་ཤུལ་སྟོན་པའོ། །
བཅོམ་ལྡན་འདས་ཤེས་རབ་ཀྱི་ཕ་རོལ་ཏུ་ཕྱིན་པ་ནི་བག་ཆགས་ཀྱི་མཚམས་སྦྱོར་
བའི་ཉོན་མོངས་པ་ཐམས་ཅད་སྤང་བ་ལ་ཐམས་ཅད་མཁྱེན་པ་ཉིད་དུ་བགྱིད་པའོ། །
བཅོམ་ལྡན་འདས་ཤེས་རབ་ཀྱི་ཕ་རོལ་ཏུ་ཕྱིན་པ་ནི་སངས་རྒྱས་ཀྱི་ཆོས་སྐྱེད་[3]པ་སྟེ།
བྱང་ཆུབ་སེམས་དཔའ་སེམས་དཔའ་ཆེན་པོ་རྣམས་ཀྱི་མའོ། །བཅོམ་ལྡན་འདས་
ཤེས་རབ་ཀྱི་ཕ་རོལ་ཏུ་ཕྱིན་པ་ནི་རང་གི་མཚན་ཉིད་སྟོང་པ་ཉིད་ཀྱི་སླད་དུ་མ་སྐྱེས་
མ་འགགས་པའོ། །བཅོམ་ལྡན་འདས་ཤེས་རབ་ཀྱི་ཕ་རོལ་ཏུ་ཕྱིན་པ་ནི་མི་རྟག་
མི་འཇིག་པའི་སླད་དུ་འཁོར་བའི་གཉེན་པོའོ། །བཅོམ་ལྡན་འདས་ཤེས་རབ་ཀྱི་
ཕ་རོལ་ཏུ་ཕྱིན་པ་ནི་ཆོས་རིན་པོ་ཆེ་ཐམས་ཅད་སྟོབས་པའི་སླད་དུ། སེམས་ཅན་
མགོན་མ་མཆིས་པ་རྣམས་ཀྱི་མགོན་བགྱིད་པའོ། །བཅོམ་ལྡན་འདས་ཤེས་རབ་
ཀྱི་ཕ་རོལ་ཏུ་ཕྱིན་པ་ནི་ཐུབ་པ་མ་མཆིས་པའི་སླད་དུ་སྟོབས་བཅུ་བགྱིད་པའོ། །
བཅོམ་ལྡན་འདས་ཤེས་རབ་ཀྱི་ཕ་རོལ་ཏུ་ཕྱིན་པ་ནི་འགྲོ་བ་དང་ལྡོག་པ་མ་མཆིས་
པའི་སླད་དུ། རྣམ་པ་བཅུ་གཉིས་རྒྱུད་གསུམ་དུ་འཁོར་བའི་ཆོས་ཀྱི་འཁོར་ལོ་
བསྐོར་[4]བའོ། །བཅོམ་ལྡན་འདས་ཤེས་རབ་ཀྱི་ཕ་རོལ་ཏུ་ཕྱིན་པ་ནི་དངོས་པོ་མ་
མཆིས་པའི་ངོ་བོ་ཉིད་སྟོང་པ་ཉིད་ཀྱི་སླད་དུ་ཆོས་ཐམས་ཅད་ཀྱི་ངོ་བོ་ཉིད་སྟོན་
པའོ། །བཅོམ་ལྡན་འདས་བྱང་ཆུབ་སེམས་དཔའི་ཐེག་པ་པའམ། ཉན་ཐོས་
སམ། ཉན་ཐོས་ཀྱི་ཐེག་པ་པའམ། རང་སངས་རྒྱས་སམ། རང་སངས་
རྒྱས་ཀྱི་ཐེག་པ་པས། ཇི་ལྟར་ཤེས་རབ་ཀྱི་ཕ་རོལ་ཏུ་ཕྱིན་པ་ལ་གནས་པར་བགྱི།
བཅོམ་ལྡན་འདས་ཀྱིས་བཀའ་སྩལ་པ། ཤ་ར་དྭ་ཏིའི་བུ་སྟོན་པ་ལ་ཇི་ལྟ་བ་[5]དེ་
བཞིན་དུ་ཤེས་རབ་ཀྱི་ཕ་རོལ་ཏུ་ཕྱིན་པ་ལ་གནས་པར་བྱའོ། །སྟོན་པ་ལ་ཇི་ལྟར་

ཕྱག་བྱ་བ་དེ་བཞིན་དུ་ཤེས་རབ་ཀྱི་ཕ་རོལ་ཏུ་ཕྱིན་པ་ལ་ཕྱག་བྱའོ། །དེ་ཅིའི་ཕྱིར་ཞེ་ན། ཤེས་རབ་ཀྱི་ཕ་རོལ་ཏུ་ཕྱིན་པ་འདི་ཉིད་སྟོན་པ་ཡིན་ཏེ། སྟོན་པ་ཡང་གཞན་མ་ཡིན། ཤེས་རབ་ཀྱི་ཕ་རོལ་ཏུ་ཕྱིན་པ་ཡང་གཞན་མ་ཡིན། སྟོན་པ་ཉིད་ཀྱང་ཤེས་རབ་ཀྱི་ཕ་རོལ་ཏུ་ཕྱིན་པ། ཤེས་རབ་ཀྱི་ཕ་རོལ་ཏུ་ཕྱིན་པ་ཉིད་ཀྱང་སྟོན་པའོ། །དེའི་ཕྱིར་ཤེས་རབ་ཀྱི་ཕ་རོལ་ཏུ་ཕྱིན་པ་ལས་དེ་བཞིན་གཤེགས་པ་དགྲ་བཅོམ་པ་ཡང་དག་པར་རྫོགས་པའི་སངས་རྒྱས་རྣམས་འབྱུང་ངོ་། །བྱང་ཆུབ་སེམས་དཔའ་སེམས་དཔའ་ཆེན་པོ་རྣམས་དང་། རང་སངས་རྒྱས་དང་། དགྲ་བཅོམ་པ་དང་། ཕྱིར་མི་འོང་བ་དང་། ལན་ཅིག་ཕྱིར་འོང་བ་དང་། རྒྱུན་དུ་ཞུགས་པ་རྣམས་འབྱུང་ངོ་། །དེའི་ཕྱིར་ཤེས་རབ་ཀྱི་ཕ་རོལ་ཏུ་ཕྱིན་པ་ལས་དགེ་བ་བཅུའི་ལས་ཀྱི་ལམ་རྣམས་འབྱུང་ངོ་། །བསམ་གཏན་བཞི་དང་། ཚད་མེད་པ་བཞི་དང་། གཟུགས་མེད་པའི་སྙོམས་པར་འཇུག་པ་བཞི་དང་། མངོན་པར་ཤེས་པ་ལྔ་དང་། སྦྱིན་པའི་ཕ་རོལ་ཏུ་ཕྱིན་པ་དང་། ཚུལ་ཁྲིམས་ཀྱི་ཕ་རོལ་ཏུ་ཕྱིན་པ་དང་། བཟོད་པའི་ཕ་རོལ་ཏུ་ཕྱིན་པ་དང་། བརྩོན་འགྲུས་ཀྱི་ཕ་རོལ་ཏུ་ཕྱིན་པ་དང་། བསམ་གཏན་གྱི་ཕ་རོལ་ཏུ་ཕྱིན་པ་དང་། ཤེས་རབ་ཀྱི་ཕ་རོལ་ཏུ་ཕྱིན་པ་དང་། ནང་སྟོང་པ་ཉིད་དང་། ཕྱི་སྟོང་པ་ཉིད་དང་། ཕྱི་ནང་སྟོང་པ་ཉིད་དང་། དངོས་པོ་མེད་པའི་ངོ་བོ་ཉིད་སྟོང་པ་ཉིད་ཀྱི་བར་དང་། བྱང་ཆུབ་ཀྱི་ཕྱོགས་ཀྱི་ཆོས་སུམ་ཅུ་རྩ་བདུན་དང་། འཕགས་པའི་བདེན་པ་བཞི་དང་། བསམ་གཏན་བཞི་དང་། ཚད་མེད་པ་བཞི་དང་། གཟུགས་མེད་པའི་སྙོམས་པར་འཇུག་པ་བཞི་དང་། རྣམ་པར་ཐར་པ་བརྒྱད་དང་། མཐར་གྱིས་གནས་པའི་སྙོམས་པར་འཇུག་པ་དགུ་དང་། སྟོང་པ་ཉིད་དང་། མཚན་མ་མེད་པ་དང་། སྨོན་པ་མེད་པ་དང་། མངོན་པར་ཤེས་པ་

རྣམས་དང་། ཏིང་ངེ་འཛིན་རྣམས་དང་། གཟུངས་ཀྱི་སྒོ་རྣམས་དང་། དེ་བཞིན་གཤེགས་པའི་སྟོབས་བཅུ་དང་། མི་འཇིགས་པ་བཞི་དང་། སོ་སོ་ཡང་དག་པར་རིག་པ་བཞི་དང་། སངས་རྒྱས་ཀྱི་ཆོས་མ་འདྲེས་པ་བཅོ་བརྒྱད་དང་། ཐམས་ཅད་ཤེས་པ་ཉིད་དང་། ལམ་གྱི་རྣམ་པ་[༧]ཤེས་པ་ཉིད་དང་། རྣམ་པ་ཐམས་ཅད་མཁྱེན་པ་ཉིད་འབྱུང་ངོ་། །དེ་ནས་ལྷའི་དབང་པོ་བརྒྱ་བྱིན་འདི་སྙམ་དུ་གྱུར་ཏེ། བཙུན་པ་ཤ་ར་དྭ་ཏིའི་བུ་ཞུ་བ་འདི་ནི་གང་ལས་སྐྱེས། ཅིའི་རྒྱུ་སྙམ་པ་དང་། དེ་ནས་ཚེ་དང་ལྡན་པ་ཤ་ར་དྭ་ཏིའི་བུས། ལྷའི་དབང་པོ་བརྒྱ་བྱིན་ལ་འདི་སྐད་ཅེས་སྨྲས་སོ། །ཀཽ་ཤི་ཀ་བྱང་ཆུབ་སེམས་དཔའ་སེམས་དཔའ་ཆེན་པོ་ཤེས་རབ་ཀྱི་ཕ་རོལ་ཏུ་ཕྱིན་པས་ཡོངས་སུ་བཟུང་བ་རྣམས་ནི་ཐབས་མཁས་པས། འདས་པ་དང་། མ་བྱོན་པ་དང་། ད་ལྟར་བྱུང་བའི་སངས་རྒྱས་བཅོམ་ལྡན་འདས་དེ་དག་གི་ཐུགས་དང་པོ་བསྐྱེད་པ་ནས། དམ་པའི་ཆོས་གནས་པའི་བར་གྱི་སངས་རྒྱས་བཅོམ་ལྡན་འདས་ཉན་ཐོས་ཀྱི་དགེ་འདུན་དང་བཅས་པ་དང་། རང་སངས་རྒྱས་དང་བཅས་པ་དེ་དག་དང་། སེམས་ཅན་ཐམས་ཅད་ཀྱི་དགེ་བའི་རྩ་བ་དེ་དག་ཐམས་ཅད་གཅིག་ཏུ་བསྡུས་ཏེ། རྣམ་པ་ཐམས་ཅད་མཁྱེན་པ་ཉིད་དུ་ཡོངས་སུ་བསྔོ་བ་ནས་བདག་གི་ཞུ་བ་སྐྱེས་སོ། །ཀཽ་ཤི་ཀ་བྱང་ཆུབ་སེམས་དཔའ་སེམས་དཔའ་ཆེན་པོ་རྣམས་ནི་[༡]ཤེས་རབ་ཀྱི་ཕ་རོལ་ཏུ་ཕྱིན་པ་འདི་[༢]ནི། སྦྱིན་པའི་ཕ་རོལ་ཏུ་ཕྱིན་པ་ཟིལ་གྱིས་གནོན་ཏོ། །ཚུལ་ཁྲིམས་ཀྱི་ཕ་རོལ་ཏུ་ཕྱིན་པ་དང་། བཟོད་པའི་ཕ་རོལ་ཏུ་ཕྱིན་པ་དང་། བརྩོན་འགྲུས་ཀྱི་ཕ་རོལ་ཏུ་ཕྱིན་པ་དང་། བསམ་གཏན་གྱི་ཕ་རོལ་ཏུ་ཕྱིན་པ་ཟིལ་གྱིས་[༣]གནོན་ཏོ། །ཀཽ་ཤི་ཀ་འདི་ལྟ་སྟེ་དཔེར་ན། དམུས་ལོང་བརྒྱའམ། སྟོང་ངམ། བརྒྱ་ཕྲག་སྟོང་ཡང་རུང་སྟེ། དམིགས་བུ་མེད་པས་[༤]ལམ་དུ་འཇུག་

པར་ཡང་མི་ནུས་ན། གྲོང་ཁྱེར་དུ་འགྲོ་བར་ལྟ་ག་ལ་ནུས། ཀཽ་ཤི་ཀ་དེ་བཞིན་དུ་ཕ་རོལ་དུ་ཕྱིན་པ་ལྔ་པོ་འདི་དག་ནི་དམུས་ལོང་ལྟ་བུར་གྱུར་པ་སྟེ། ཤེས་རབ་ཀྱི་ཕ་རོལ་དུ་ཕྱིན་པ་མེད་ན། དེ་དག་ལ་དམིགས་བུ་[1]མེད་པས་བྱང་ཆུབ་ཀྱི་ལམ་ཡང་སྐྱེད་[2]མི་ནུས་ན[3]། རྣམ་པ་ཐམས་ཅད་མཁྱེན་པ་ཉིད་ཀྱི་གྲོང་ཁྱེར་དུ་འཇུག་པར་ལྟ་ག་[4]ལ་ནུས། ཀཽ་ཤི་ཀ་ཕ་རོལ་དུ་ཕྱིན་པ་ལྔ་ནམ་[5]ཤེས་རབ་ཀྱི་ཕ་རོལ་དུ་ཕྱིན་པས་ཡོངས་སུ་ཟིན་པར་གྱུར་པ་དེའི་ཚེ། མིག་དང་ལྡན་པར་འགྱུར་ཏེ། ཕ་རོལ་དུ་ཕྱིན་པ་ལྔ་པོ་འདི་དག་ནི་ཤེས་རབ་ཀྱི་ཕ་རོལ་དུ་ཕྱིན་པས་ཡོངས་སུ་བཟུང་ན། ཕ་རོལ་དུ་ཕྱིན་པའི་མིང་འཐོབ་པོ། །དེ་ནས་ལྷའི་དབང་པོ་བརྒྱ་བྱིན་གྱིས། ཚེ་དང་ལྡན་པ་ཤ་ར་དྭ་ཏིའི་བུ་ལ་འདི་སྐད་ཅེས་སྨྲས་སོ། །བཙུན་པ་ཤ་ར་དྭ་ཏིའི་བུས་གང་འདི་སྐད་དུ། ཕ་རོལ་དུ་ཕྱིན་པ་ལྔ་པོ་འདི་དག་ཤེས་རབ་ཀྱི་ཕ་རོལ་དུ་[6]ཕྱིན་པས་ཡོངས་སུ་བཟུང་ན། ཕ་རོལ་དུ་ཕྱིན་པའི་མིང་འཐོབ་[7]པོ་ཞེས་སྨྲས་ན། བཙུན་པ་ཤ་ར་དྭ་ཏིའི་བུ་དེ་ནི་དེར་ཡང་མ་ཟད་དེ། ཕ་རོལ་དུ་ཕྱིན་པ་ལྔ་ནི་སྦྱིན་པའི་ཕ་རོལ་དུ་ཕྱིན་པས་ཡོངས་སུ་བཟུང་ཡང་ཕ་རོལ་དུ་ཕྱིན་པའི་མིང་འཐོབ་བམ[8]། ཕ་རོལ་དུ་ཕྱིན་པ་ལྔ་ནི་ཚུལ་ཁྲིམས་དང་བཟོད་པ་དང་བརྩོན་འགྲུས་དང་། བསམ་གཏན་གྱི་ཕ་རོལ་དུ་ཕྱིན་པས་ཡོངས་སུ་བཟུང་ཡང་ཕ་རོལ་དུ་ཕྱིན་པའི་མིང་འཐོབ་བམ[9]། སྨྲས་པ་དེ་ལྟ་མ་ཡིན་ཏེ། ཀཽ་ཤི་ཀ་དེ་ནི་དེ་ལྟ་[10]མ་ཡིན་ནོ། །ཕ་རོལ་དུ་ཕྱིན་པ་ལྔ་ནི་སྦྱིན་པའི་ཕ་རོལ་དུ་ཕྱིན་པས་ཡོངས་སུ་བཟུང་བས། ཕ་རོལ་དུ་ཕྱིན་པའི་མིང་འཐོབ་པར་མི་འགྱུར་ཕ་རོལ་དུ་ཕྱིན་པ་ལྔ་ནི་ཚུལ་ཁྲིམས་དང་བཟོད་པ་དང་། བརྩོན་འགྲུས་དང་བསམ་གཏན་གྱི་ཕ་རོལ་དུ་ཕྱིན་པས་ཡོངས་སུ་བཟུང་བས། ཕ་རོལ་དུ་ཕྱིན་པའི་མིང་འཐོབ་པར་མི་འགྱུར་གྱི། ཤེས་རབ་ཀྱི་ཕ་རོལ་དུ་ཕྱིན་པས་ཡོངས་སུ་བཟུང་

བའི་ཕ་རོལ་དུ་ཕྱིན་པ་ལྔ་ནི། ཕ་རོལ་དུ་ཕྱིན་པའི་མིང་འདོགས་སྟེ། ཀཽ་ཤི་ཀ་
ཤེས་རབ་ཀྱི་ཕ་རོལ་དུ་ཕྱིན་པ་ལ་གནས་པའི་བྱང་ཆུབ་སེམས་དཔའ་སེམས་དཔའ་
ཆེན་པོ་ནི། སྦྱིན་པའི་ཕ་རོལ་དུ་ཕྱིན་པས་[7]ཡོངས་སུ་རྫོགས་པར་བྱེད་དོ། །
ཚུལ་ཁྲིམས་ཀྱི་ཕ་རོལ་དུ་ཕྱིན་པ་དང་། བཟོད་པའི་ཕ་རོལ་དུ་ཕྱིན་པ་དང་།
བརྩོན་འགྲུས་ཀྱི་ཕ་རོལ་དུ་ཕྱིན་པ་དང་། བསམ་གཏན་གྱི་ཕ་རོལ་དུ་ཕྱིན་པ་
དང་། ཤེས་རབ་ཀྱི་ཕ་རོལ་དུ་ཕྱིན་པ་ཡོངས་སུ་རྫོགས་པར་བྱེད་དོ། །ཀཽ་ཤི་ཀ་
དེ་བས་ན་ཤེས་རབ་ཀྱི་ཕ་རོལ་དུ་ཕྱིན་པ་ནི། ཕ་རོལ་དུ་ཕྱིན་པ་ལྔ་པོ་འདི་དག་
གི་རབ་ཅེས་བྱའོ། །གཙོ་བོ་དང་དམ་པ་དང་མཆོག་དང་ཕུལ་དང་གྱ་ནོམ་པ་
དང་བླ་ན་མེད་པ་དང་གོང་ན་མེད་པ་ཞེས་བྱའོ། །དེ་ནས་ཚེ་དང་ལྡན་པ་ཤཱ་ར་
དྭ་ཏིའི་བུས། བཅོམ་ལྡན་འདས་ལ་འདི་སྐད་ཅེས་གསོལ་ཏོ། །བཅོམ་ལྡན་
འདས་ཤེས་རབ་ཀྱི་ཕ་རོལ་དུ་ཕྱིན་པ་དེ་ཇི་ལྟར་མངོན་པར་བསྒྲུབ་པར་བགྱི།
བཅོམ་ལྡན་འདས་ཀྱིས་བཀའ་སྩལ་པ། ཤཱ་ར་དྭ་ཏིའི་བུ་གཟུགས་མངོན་པར་
བསྒྲུབ་པ་མེད་པའི་ཕྱིར། ཤེས་རབ་ཀྱི་ཕ་རོལ་དུ་ཕྱིན་པ་མངོན་པར་བསྒྲུབ་པར་
བྱའོ། །ཚོར་བ་དང་འདུ་ཤེས་དང་འདུ་བྱེད་དང་རྣམ་པར་ཤེས་པ་མངོན་པར་
བསྒྲུབ་པ་མེད་པའི་ཕྱིར། ཤེས་རབ་ཀྱི་ཕ་རོལ་དུ་ཕྱིན་པ་མངོན་པར་བསྒྲུབ་པར་
བྱའོ། །སྐྱེ་མཆེད་དང་ཁམས་དང་། རྟེན་ཅིང་འབྲེལ་པར་འབྱུང་བ་རྣམས་
མངོན་པར་བསྒྲུབ་པ་མེད་པའི་ཕྱིར། ཤེས་རབ་ཀྱི་ཕ་རོལ་དུ་ཕྱིན་པ་མངོན་པར་
བསྒྲུབ་པར་བྱའོ། །སྦྱིན་པའི་ཕ་རོལ་དུ་ཕྱིན་པ་མངོན་པར་བསྒྲུབ་པ་མེད་པའི་
ཕྱིར། ཤེས་རབ་ཀྱི་ཕ་རོལ་དུ་ཕྱིན་པ་མངོན་པར་བསྒྲུབ་པར་བྱའོ། །ཚུལ་
ཁྲིམས་དང་བཟོད་པ་དང་བརྩོན་འགྲུས་དང་། བསམ་གཏན་གྱི་ཕ་རོལ་དུ་ཕྱིན་
པ་མངོན་པར་བསྒྲུབ་པ་མེད་པའི་ཕྱིར། ཤེས་རབ་ཀྱི་ཕ་རོལ་དུ་ཕྱིན་པ་མངོན་

པར་བསྒྲུབ་པར་བྱའོ། །ནང་སྟོང་པ་ཉིད་མངོན་པར་བསྒྲུབ་པ་མེད་པའི་ཕྱིར། ཤེས་རབ་ཀྱི་ཕ་རོལ་ཏུ་ཕྱིན་པ་མངོན་པར་བསྒྲུབ་པར་བྱའོ། །དངོས་པོ་མེད་པའི་ངོ་བོ་ཉིད་སྟོང་པ་ཉིད་ཀྱི་བར་དུ་མངོན་པར་བསྒྲུབ་པ་མེད་པའི་ཕྱིར། ཤེས་རབ་ཀྱི་ཕ་རོལ་ཏུ་ཕྱིན་པ་མངོན་པར་བསྒྲུབ་པར་བྱའོ། །བྱང་ཆུབ་ཀྱི་ཕྱོགས་ཀྱི་ཆོས་སུམ་ཅུ་རྩ་བདུན་མངོན་པར་བསྒྲུབ་པ་མེད་པའི་ཕྱིར། ཤེས་རབ་ཀྱི་ཕ་རོལ་ཏུ་ཕྱིན་པ་མངོན་པར་བསྒྲུབ་པར་བྱའོ། །འཕགས་པའི་བདེན་པ་རྣམས་དང་། བསམ་གཏན་རྣམས་དང་ཚད་མེད་པ་རྣམས་དང་། གཟུགས་མེད་པའི་སྙོམས་པར་འཇུག་པ་རྣམས་དང་། རྣམ་པར་ཐར་པ་བརྒྱད་དང་། མཐར་གྱིས་གནས་པའི་སྙོམས་པར་འཇུག་པ་དགུ་དང་། སྟོང་པ་ཉིད་དང་མཚན་མ་མེད་པ་དང་། སྨོན་པ་མེད་པ་དང་མངོན་པར་ཤེས་པ་རྣམས་དང་། ཏིང་ངེ་འཛིན་རྣམས་དང་། གཟུངས་ཀྱི་སྒོ་རྣམས་དང་། དེ་བཞིན་གཤེགས་པའི་སྟོབས་རྣམས་དང་། མི་འཇིགས་པ་རྣམས་དང་། སོ་སོ་ཡང་དག་པར་རིག་པ་རྣམས་དང་།[1] སངས་རྒྱས་ཀྱི་ཆོས་མ་འདྲེས་པ་རྣམས་མངོན་པར་བསྒྲུབ་[2]པ་མེད་པའི་ཕྱིར། ཤེས་རབ་ཀྱི་ཕ་རོལ་ཏུ་ཕྱིན་པ་མངོན་པར་བསྒྲུབ་པར་བྱའོ། །ཐམས་ཅད་ཤེས་པ་ཉིད་དང་ལམ་གྱི་རྣམ་པ་[3]ཤེས་པ་ཉིད་དང་། རྣམ་པ་ཐམས་ཅད་མཁྱེན་པ་ཉིད་མངོན་པར་བསྒྲུབ་པ་མེད་པའི་ཕྱིར། ཤེས་རབ་ཀྱི་ཕ་རོལ་ཏུ་ཕྱིན་པ་མངོན་པར་བསྒྲུབ་པར་བྱའོ། །དེ་བཞིན་དུ་ཆོས་ཐམས་ཅད་མངོན་པར་བསྒྲུབ་པ་མེད་པའི་ཕྱིར། ཤེས་རབ་ཀྱི་ཕ་རོལ་ཏུ་ཕྱིན་པ་མངོན་པར་བསྒྲུབ་པར་བྱའོ། །གསོལ་པ། བཅོམ་ལྡན་འདས་ཇི་ལྟར་གཟུགས་མངོན་པར་བསྒྲུབ་པ་མ་མཆིས་པའི་སླད་དུ། ཤེས་རབ་ཀྱི་ཕ་རོལ་ཏུ་ཕྱིན་པ་མངོན་པར་བསྒྲུབ་པར་བགྱི། ཇི་ལྟར་ཆོས་ཐམས་ཅད་ཀྱི་བར་དུ་མངོན་པར་བསྒྲུབ་པ་མ་མཆིས་པའི་

སླད་དུ། ཤེས་རབ་ཀྱི་ཕ་རོལ་ཏུ་ཕྱིན་པ་མངོན་པར་བསྒྲུབ་པར་བགྱི། བཅོམ་ལྡན་འདས་ཀྱིས་བཀའ་སྩལ་པ། གཟུགས་མངོན་པར་འདུ་བྱ་བ་མེད་པ་དང་། གཟུགས་སྐྱེ་བ་མེད་པ་དང་། གཟུགས་འགག་པ་མེད་པ་དང་། གཟུགས་དམིགས་པ་མེད་པ་དང་། གཟུགས་འཇིག[1]པ་མེད་པས་ཤེས་རབ་ཀྱི་ཕ་རོལ་ཏུ་ཕྱིན་པ་མངོན་པར་བསྒྲུབ་པར་བྱའོ། །ཆོས་ཐམས་ཅད་ཀྱི་བར་དུ་མངོན་པར་འདུ་བྱ་བ་མེད་པ་དང་། སྐྱེ་བ་མེད་པ་དང་འགག[2]པ་མེད་པ་དང་། དམིགས་པ་མེད་པ་དང་། འཇིག[3]པ་མེད་པས་ཤེས་རབ་ཀྱི་ཕ་རོལ་ཏུ་ཕྱིན་པ་མངོན་པར་བསྒྲུབ་པར་བྱའོ། །གསོལ་པ། བཅོམ་ལྡན་འདས་དེ་ལྟར་མངོན་པར་བསྒྲུབས་པའི་ཤེས་རབ་ཀྱི་ཕ་རོལ་ཏུ་ཕྱིན་པ་ཆོས་གང་ཐོབ་པར་བགྱིད[4]། བཅོམ་ལྡན་འདས་ཀྱིས་བཀའ་སྩལ་པ། ཤ་ར་དྭ་ཏིའི་བུ་དེ་ལྟར་མངོན་པར་བསྒྲུབས་པའི་ཤེས་རབ་ཀྱི་ཕ་རོལ་ཏུ་ཕྱིན་པ་ནི་ཆོས་གང་ཡང་ཐོབ་པར་མི་བྱེད་དོ[5]། །ནམ་ཆོས་གང་ཡང་ཐོབ་པར་མི་བྱེད་པ་དེའི་ཚེ། ཤེས་རབ་ཀྱི་ཕ་རོལ་ཏུ་ཕྱིན་པའི་གྲངས་སུ་འགྲོའོ། །གསོལ་པ། བཅོམ་ལྡན་འདས་ཆོས་ཐམས་ཅད་ཐོབ་པར་མི་བགྱིད་པ་གང་ལགས། བཅོམ་ལྡན་འདས་ཀྱིས་བཀའ་སྩལ་པ། མི་དགེ་བའི་ཆོས་རྣམས་ཐོབ་པར་མི་བྱེད་དོ། །དགེ་བའི་ཆོས་རྣམས་ཐོབ་པར་མི་བྱེད་དོ། །འཇིག་རྟེན་པ་དང་འཇིག་རྟེན་ལས་འདས་པ་དང་། ཟག་པ་དང་བཅས་པ་དང་། ཟག་པ་མེད་པ་དང་། ཁ་ན་མ་ཐོ་བ་དང་བཅས་པ་དང་། ཁ་ན་མ་ཐོ་བ་མེད་པ་དང་། འདུས་བྱས་དང་། འདུས་མ་བྱས་ཀྱི་ཆོས་རྣམས་ཐོབ་པར་མི་བྱེད་དོ། །དེ་ཅིའི་ཕྱིར་ཞེ་ན། ཤེས་རབ་ཀྱི་ཕ་རོལ་ཏུ་ཕྱིན་པ་ནི་ཆོས་གང་གི་ཕྱིར་ཡང་དམིགས་པའི་ཚུལ་གྱིས་ཉེ་བར་མི་གནས་ཏེ། དེའི་ཕྱིར་ཆོས་གང་ཡང་ཐོབ་པར་བྱེད་པ་མ་ཡིན་ནོ། །དེ་ནས་ལྷའི་དབང་པོ་བརྒྱ་བྱིན་གྱིས།

བཅོམ་ལྡན་འདས་ལ་འདི་སྐད་ཅེས་གསོལ་ཏོ། །བཅོམ་ལྡན་འདས་ཅི་ལགས། ཤེས་རབ་ཀྱི་[1]ཕ་རོལ་ཏུ་ཕྱིན་པ་འདི་རྣམ་པ་ཐམས་ཅད་མཁྱེན་པ་ཉིད་ཀྱང་ཐོབ་པར་མི་བགྱིད་དམ། བཅོམ་ལྡན་འདས་ཀྱིས་བཀའ་སྩལ་པ། ཀཽ་ཤི་ཀ་གང་དེ་སྐད་དུ་ཅི་ལགས། ཤེས་རབ་ཀྱི་ཕ་རོལ་ཏུ་ཕྱིན་པ་འདི་རྣམ་པ་ཐམས་ཅད་མཁྱེན་པ་ཉིད་ཀྱང་ཐོབ་པར་མི་བགྱིད་དམ་ཞེས་ཟེར་བ་ནི། ཀཽ་ཤི་[2]ཀ་དེ་དེ་བཞིན་ནོ། དེ་དེ་བཞིན་ཏེ། ཤེས་རབ་ཀྱི་ཕ་རོལ་ཏུ་ཕྱིན་པ་ནི་རྣམ་པ་ཐམས་ཅད་མཁྱེན་པ་ཉིད་ཀྱང་ཐོབ་པར་མི་བྱེད། དམིགས་པར་མི་[3]བྱེད་དོ། བརྒྱ་བྱིན་གྱིས་གསོལ་པ། བཅོམ་ལྡན་འདས་ཇི་ལྟར་ན་ཤེས་རབ་ཀྱི་ཕ་རོལ་ཏུ་ཕྱིན་པ་རྣམ་པ་ཐམས་ཅད་མཁྱེན་པ་ཉིད་ཀྱང་ཐོབ་པར་མི་བགྱིད། དམིགས་པར་མི་བགྱིད་པ་ལགས། བཅོམ་ལྡན་འདས་ཀྱིས་བཀའ་སྩལ་པ། ཀཽ་ཤི་[4]ཀ་ཤེས་རབ་ཀྱི་ཕ་རོལ་ཏུ་ཕྱིན་པ་ནི། མིང་ཇི་ལྟ་བ་དང་། མཚན་མ་ཇི་ལྟ་བ་དང་། མངོན་པར་འདུ་བྱེད་པ་ཇི་ལྟ་བ་དེ་བཞིན་དུ་ཐོབ་པར་མི་བྱེད་པ་ཡིན་ནོ། །བརྒྱ་བྱིན་གྱིས་གསོལ་པ། བཅོམ་ལྡན་འདས་འོ་ན་ཇི་ལྟར་ཐོབ་པར་བགྱིད་པ་ལགས། བཅོམ་ལྡན་འདས་ཀྱིས་བཀའ་སྩལ་པ། མི་དམིགས་པ་དང་། མི་ལེན་པ་དང་། མི་གནས་པ་དང་། མི་འདོར་བ་དང་། མངོན་པར་ཆགས་པ་མེད་པ་དེ་ལྟར་ཐོབ་པར་བྱེད་དེ། གང་ཡང་ཐོབ་པར་བྱེད་པ་མེད་དོ། །ཀཽ་ཤི་ཀ་དེ་ལྟར་ན་ཤེས་རབ་ཀྱི་ཕ་རོལ་ཏུ་ཕྱིན་པ་ནི་ཆོས་ཐམས་ཅད་ཐོབ་པར་མི་བྱེད་དེ[5]། གང་ཡང་ཐོབ་པར་མི་བྱེད་དོ། །བརྒྱ་བྱིན་གྱིས་གསོལ་པ། བཅོམ་ལྡན་འདས་དེ་ལྟར་ཤེས་རབ་ཀྱི་ཕ་རོལ་ཏུ་ཕྱིན་པ་འདི་ཆོས་ཐམས་ཅད་སྐྱེ་བ་མ་མཆིས་པ་དང་། འགག་པ་མ་མཆིས་པ་དང་། མངོན་པར་འདུ་བགྱི་བ་མ་མཆིས་པ་དང་། དམིགས་པ་མ་མཆིས་པ་དང་། འཇིག་པ་མ་མཆིས་པའི་སླད་དུ་ཉེ་བར་གནས་པ་ངོ་མཚར་ཆེའོ། །

དེ་ནས་ཚེ་དང་ལྡན་པ་རབ་འབྱོར་གྱིས། བཅོམ་ལྡན་འདས་ལ་འདི་སྐད་ཅེས་གསོལ་[1]ཏོ། །བཅོམ་ལྡན་འདས་གལ་ཏེ་བྱང་ཆུབ་སེམས་དཔའ་སེམས་དཔའ་ཆེན་པོ་ཤེས་རབ་ཀྱི་ཕ་རོལ་ཏུ་ཕྱིན་པ་ལ་སྤྱོད་པའི་ཚེ། དེ་ལྟར་ཤེས་རབ་ཀྱི་ཕ་རོལ་ཏུ་ཕྱིན་པ་ནི་ཆོས་ཐམས་ཅད་ཐོབ་པར་བགྱིད་པའོ། །ཤེས་རབ་ཀྱི་ཕ་རོལ་ཏུ་ཕྱིན་པ་ནི་ཆོས་ཐམས་ཅད་ཐོབ་པར་མི་བགྱིད་པའོ་ཞེས་དེ་ལྟ་བུའི་འདུ་ཤེས་སུ་གྱུར་ན། བཅོམ་ལྡན་འདས་བྱང་ཆུབ་སེམས་དཔའ་སེམས་དཔའ་ཆེན་པོ་དེ་ནི་ཤེས་རབ་ཀྱི་ཕ་རོལ་ཏུ་ཕྱིན་པ་འདོར་བ་ལགས་སོ། །བཅོམ་ལྡན་འདས་བྱང་ཆུབ་སེམས་དཔའ་སེམས་དཔའ་ཆེན་པོ་དེ་ནི་ཤེས་རབ་ཀྱི་ཕ་རོལ་ཏུ་ཕྱིན་པ་རིང་དུ་བགྱིད་པ་ལགས་སོ། །བཅོམ་ལྡན་འདས་ཀྱིས་བཀའ་སྩལ་པ། རབ་འབྱོར་རྣམ་གྲངས་གང་གིས་བྱང་ཆུབ་སེམས་དཔའ་སེམས་དཔའ་ཆེན་པོ་ཤེས་རབ་ཀྱི་ཕ་རོལ་ཏུ་ཕྱིན་པ་འདོར་བར་བྱེད་པ་དང་། ཤེས་རབ་ཀྱི་ཕ་རོལ་ཏུ་ཕྱིན་པ་རིང་དུ་བྱེད་པ་དེ་ལྟ་བུའི་རྣམ་གྲངས་ཡོད་དོ[2]། །གལ་ཏེ་བྱང་ཆུབ་སེམས་དཔའ་སེམས་དཔའ་ཆེན་པོ་ཤེས་རབ་ཀྱི་ཕ་རོལ་ཏུ་ཕྱིན་པ་ལ་སྤྱོད་པའི་ཚེ། ཀྱེ་མ་ཤེས་རབ་ཀྱི་ཕ་རོལ་ཏུ་ཕྱིན་པ་འདི་ནི་གསོབ་བོ། །ཀྱེ་མ་ཤེས་རབ་ཀྱི་ཕ་རོལ་ཏུ་ཕྱིན་པ་འདི་ནི་གསོག་གོ། །ཀྱེ་མ་ཤེས་རབ་ཀྱི་ཕ་རོལ་ཏུ་ཕྱིན་པ་འདི་ནི་སྙིང་པོ་མེད་པའོ་སྙམ་དུ་དེ་ལྟར་འདུ་ཤེས་ན། བྱང་ཆུབ་སེམས་དཔའ་སེམས་དཔའ་ཆེན་པོ་ཤེས་རབ་ཀྱི་ཕ་རོལ་ཏུ་ཕྱིན་པ་འདོར་བར་བྱེད་པའོ། །བྱང་ཆུབ་སེམས་དཔའ་སེམས་དཔའ་ཆེན་པོ་ཤེས་རབ་ཀྱི་ཕ་རོལ་ཏུ་ཕྱིན་པ་རིང་དུ་བྱེད་པའོ། །རབ་འབྱོར་དེ་ནི་རྣམ་གྲངས་གང་གིས་བྱང་ཆུབ་སེམས་དཔའ་སེམས་དཔའ་ཆེན་པོ་ཤེས་རབ་ཀྱི་ཕ་རོལ་ཏུ་ཕྱིན་པ་འདོར་བར་བྱེད་པ་དང་། བྱང་ཆུབ་སེམས་དཔའ་སེམས་དཔའ་ཆེན་པོ་ཤེས་རབ་ཀྱི་ཕ་[3]རོལ་ཏུ་ཕྱིན་པ་རིང་དུ་བྱེད་པའི་རྣམ་གྲངས་སོ། །

གསོལ་པ། བཅོམ་ལྡན་འདས་ཤེས་རབ་ཀྱི་ཕ་རོལ་ཏུ་ཕྱིན་པ་ལ་ཡིད་ཆེས་པས་ཆོས་གང་ལ་ཡིད་ཆེས་པར་⑦མི་འགྱུར་བ་ལགས། བཅོམ་ལྡན་འདས་ཀྱིས་བཀའ་སྩལ་པ། རབ་འབྱོར་ཤེས་རབ་ཀྱི་ཕ་རོལ་ཏུ་ཕྱིན་པ་ལ་ཡིད་ཆེས་པས། གཟུགས་ལ་ཡིད་ཆེས་པར་མི་འགྱུར་རོ། །ཚོར་བ་དང་འདུ་ཤེས་དང་འདུ་བྱེད་དང་། རྣམ་པར་ཤེས་པ་ལ་ཡིད་ཆེས་པར་མི་འགྱུར་རོ། །མིག་③ལ་ཡིད་ཆེས་པར་མི་འགྱུར་རོ། །རྣ་བ་དང་སྣ་དང་ལྕེ་དང་ལུས་དང་། ཡིད་ལ་ཡིད་ཆེས་པར་མི་འགྱུར་རོ། །གཟུགས་ལ་ཡིད་ཆེས་པར་མི་འགྱུར་རོ། །སྒྲ་དང་དྲི་དང་རོ་དང་རེག་དང་ཆོས་ལ་ཡིད་ཆེས་པར་མི་འགྱུར་རོ། །མིག་གི་རྣམ་པར་ཤེས་པ་ལ་ཡིད་ཆེས་པར་མི་འགྱུར་རོ། །རྣ་བའི་རྣམ་པར་ཤེས་པ་དང་། སྣའི་རྣམ་པར་ཤེས་པ་དང་། ལྕེའི་རྣམ་པར་ཤེས་པ་དང་། ལུས་ཀྱི་རྣམ་པར་ཤེས་པ་དང་། ཡིད་ཀྱི་རྣམ་པར་ཤེས་པ་ལ་ཡིད་ཆེས་པར་མི་འགྱུར་རོ། །མིག་གི་འདུས་ཏེ་རེག་པ་ལ་ཡིད་ཆེས་པར་མི་འགྱུར་རོ། །རྣ་བའི་འདུས་ཏེ་རེག་པ་དང་། སྣའི་འདུས་ཏེ་རེག་པ་དང་། ལྕེའི་འདུས་ཏེ་རེག་པ་དང་། ལུས་ཀྱི་འདུས་ཏེ་རེག་པ་དང་། ཡིད་ཀྱི་འདུས་ཏེ་རེག་པ་ལ་ཡིད་ཆེས་པར་མི་འགྱུར་རོ། །མིག་གི་འདུས་ཏེ་རེག་པའི་རྐྱེན་གྱིས་ཚོར་བ་ལ་ཡིད་ཆེས་པར་མི་འགྱུར་རོ། །རྣ་བའི་འདུས་ཏེ་རེག་པའི་རྐྱེན་གྱིས་ཚོར་བ་དང་། སྣའི་འདུས་ཏེ་རེག་པའི་རྐྱེན་གྱིས་ཚོར་བ་དང་། ལྕེའི་འདུས་ཏེ་རེག་པའི་རྐྱེན་གྱིས་ཚོར་བ་དང་། ལུས་ཀྱི་འདུས་ཏེ་རེག་པའི་རྐྱེན་གྱིས་ཚོར་བ་དང་། ཡིད་ཀྱི་འདུས་ཏེ་རེག་པའི་རྐྱེན་གྱིས་ཚོར་བ་ལ་ཡིད་ཆེས་པར་མི་འགྱུར་རོ། །སའི་ཁམས་ལ་ཡིད་ཆེས་པར་མི་འགྱུར་རོ། །ཆུའི་ཁམས་དང་། མེའི་ཁམས་དང་། རླུང་གི་ཁམས་དང་། ནམ་མཁའི་ཁམས་དང་། རྣམ་པར་ཤེས་པའི་ཁམས་ལ་ཡིད་ཆེས་པར་མི་འགྱུར་རོ། །མ་

རིག་པ་དང་[1]འདུ་བྱེད་དང་རྣམ་པར་ཤེས་པ་དང་མིང་དང་གཟུགས་དང་སྐྱེ་མཆེད་དྲུག་དང་། རེག་པ་དང་ཚོར་བ་དང་སྲེད་པ་དང་ལེན་པ་དང་སྲིད་པ་དང་སྐྱེ་བ་དང་རྒ་ཤི་ལ་ཡིད་ཆེས་པར་མི་འགྱུར་རོ། །སྦྱིན་པའི་ཕ་རོལ་དུ་ཕྱིན་པ་ལ་ཡིད་ཆེས་པར་མི་འགྱུར་རོ། །ཚུལ་ཁྲིམས་ཀྱི་ཕ་རོལ་དུ་ཕྱིན་པ་དང་། བཟོད་པའི་ཕ་རོལ་དུ་ཕྱིན་པ་དང་། བརྩོན་འགྲུས་ཀྱི་ཕ་རོལ་དུ་ཕྱིན་པ་དང་། བསམ་གཏན་གྱི་ཕ་རོལ་དུ་ཕྱིན་པ་དང་། ཤེས་རབ་ཀྱི་ཕ་རོལ་དུ་ཕྱིན་པ་ལ་ཡིད་ཆེས་པར་མི་འགྱུར་རོ། །ནང་སྟོང་པ་ཉིད་ལ་ཡིད་ཆེས་པར་མི་འགྱུར་རོ། །ཕྱི་སྟོང་པ་ཉིད་དང་། ཕྱི་ནང་སྟོང་པ་ཉིད་ལ་ཡིད་ཆེས་པར་མི་འགྱུར་རོ། །དངོས་པོ་མེད་པའི་ངོ་བོ་ཉིད་སྟོང་པ་ཉིད་ཀྱི་བར་ལ་ཡིད་ཆེས་པར་མི་འགྱུར་རོ། །བྱང་ཆུབ་ཀྱི་ཕྱོགས་ཀྱི་ཆོས་སུམ་ཅུ་རྩ་བདུན་ལ་ཡིད་ཆེས་པར་མི་འགྱུར་རོ། །འཕགས་པའི་བདེན་པ་བཞི་དང་། བསམ་གཏན་བཞི་དང་། ཚད་མེད་པ་བཞི་དང་། གཟུགས་མེད་པའི་སྙོམས་པར་འཇུག་པ་བཞི་དང་། རྣམ་པར་ཐར་པ་བརྒྱད་དང་། མཐར་གྱིས་གནས་པའི་སྙོམས་པར་འཇུག་པ་དགུ་དང་། སྟོང་པ་ཉིད་དང་མཚན་མ་མེད་པ་དང་། སྨོན་པ་མེད་པ་དང་། མངོན་པར་ཤེས་པ་རྣམས་དང་། ཏིང་ངེ་འཛིན་རྣམས་དང་། གཟུངས་ཀྱི་སྒོ་རྣམས་དང་། དེ་བཞིན་གཤེགས་པའི་སྟོབས་བཅུ་དང་། མི་འཇིགས་པ་བཞི་དང་། སོ་སོ་ཡང་དག་པར་རིག་པ་བཞི་དང་། [2]སངས་རྒྱས་ཀྱི་ཆོས་མ་འདྲེས་པ་བཅོ་བརྒྱད་ལ་ཡིད་ཆེས་པར་མི་འགྱུར་རོ། །རྒྱུན་དུ་ཞུགས་པའི་འབྲས་བུ་ལ་ཡིད་ཆེས་པར་མི་འགྱུར་རོ། །ལན་ཅིག་ཕྱིར་འོང་བའི་འབྲས་བུ་དང་། ཕྱིར་མི་འོང་བའི་འབྲས་བུ་དང་། དགྲ་བཅོམ་པ་ཉིད་ལ་ཡིད་ཆེས་པར་མི་འགྱུར་རོ། །རང་བྱང་ཆུབ་ལ་[3]ཡིད་ཆེས་པར་མི་འགྱུར་རོ། །ལམ་གྱི་རྣམ་པ་ཤེས་པ་ཉིད་ལ་ཡིད་

ཆེས་པར་མི་འགྱུར་རོ། །རྣམ་པ་ཐམས་ཅད་མཁྱེན་པ་ཉིད་ལ་ཡིད་ཆེས་པར་མི་འགྱུར་རོ། །གསོལ་པ། བཅོམ་ལྡན་འདས་ཇི་ལྟར་ན་ཤེས་རབ་ཀྱི་ཕ་རོལ་ཏུ་ཕྱིན་པ་ལ་ཡིད་ཆེས་པས། གཟུགས་ལ་ཡིད་ཆེས་པར་མི་འགྱུར་བ་ལགས། རྣམ་པ་ཐམས་ཅད་མཁྱེན་པ་ཉིད་ཀྱི་བར་ལ་ཡིད་ཆེས་པར་མི་འགྱུར་བ་ལགས། བཅོམ་ལྡན་འདས་ཀྱིས་བཀའ་སྩལ་པ། རབ་འབྱོར་གཟུགས་མི་དམིགས་པས་ཤེས་རབ་ཀྱི་ཕ་རོལ་ཏུ་ཕྱིན་པ་ལ་ཡིད་ཆེས་པར་འགྱུར། རྣམ་པ་ཐམས་ཅད་མཁྱེན་པ་ཉིད་ཀྱི་བར་དུ་མི་དམིགས་པས། ཤེས་རབ་ཀྱི་ཕ་རོལ་ཏུ་ཕྱིན་པ་ལ་ཡིད་ཆེས་པར་འགྱུར་ཏེ། དེ་ལྟར་ན་ཤེས་རབ་ཀྱི་ཕ་རོལ་ཏུ་ཕྱིན་པ་ལ་ཡིད་ཆེས་པས། གཟུགས་ལ་ཡིད་ཆེས་པར་མི་འགྱུར་རོ། །རྣམ་པ་ཐམས་ཅད་མཁྱེན་པ་ཉིད་ཀྱི་བར་ལ་ཡིད་ཆེས་པར་མི་འགྱུར་རོ། །གསོལ་པ། བཅོམ་ལྡན་འདས་འདི་ལྟར་ཤེས་རབ་ཀྱི་ཕ་རོལ་ཏུ་ཕྱིན་པ་འདི་ནི། ཕ་རོལ་ཏུ་ཕྱིན་པ་ཆེན་པོའོ། །བཅོམ་ལྡན་འདས་ཀྱིས་བཀའ་སྩལ་པ། རབ་འབྱོར་དེ་ཇི་སྙམ་དུ་སེམས། རྒྱུ་གང་གིས་ན་ཤེས་རབ་ཀྱི་ཕ་རོལ་ཏུ་ཕྱིན་པ་འདི་ཕ་རོལ་ཏུ་ཕྱིན་པ་ཆེན་པོ་ཡིན། གསོལ་པ། བཅོམ་ལྡན་འདས་ཤེས་རབ་ཀྱི་ཕ་རོལ་ཏུ་ཕྱིན་པ་ནི་གཟུགས་ཆེ་བར་མི་བགྱིད། ཆུང་བར་མི་བགྱིད། ཚོར་བ་དང་། འདུ་ཤེས་དང་འདུ་བྱེད་དང་། རྣམ་པར་ཤེས་པ་ཆེ་བར་མི་བགྱིད། ཆུང་བར་མི་བགྱིད། སྐྱེ་མཆེད་དང་ཁམས་དང་རྟེན་ཅིང་འབྲེལ་པར་འབྱུང་བ་ཆེ་བར་མི་བགྱིད། ཆུང་བར་མི་བགྱིད། སྦྱིན་པའི་ཕ་རོལ་ཏུ་ཕྱིན་པ་ཆེ་བར་མི་བགྱིད། ཆུང་བར་མི་བགྱིད། ཚུལ་ཁྲིམས་ཀྱི་ཕ་རོལ་ཏུ་ཕྱིན་པ་དང་། བཟོད་པའི་ཕ་རོལ་ཏུ་ཕྱིན་པ་དང་། བརྩོན་འགྲུས་ཀྱི་ཕ་རོལ་ཏུ་ཕྱིན་པ་དང་། བསམ་གཏན་གྱི་ཕ་རོལ་ཏུ་ཕྱིན་པ་དང་། ཤེས་རབ་ཀྱི་ཕ་རོལ་ཏུ་ཕྱིན་པ་ཆེ་བར་མི་བགྱིད། ཆུང་བར་མི་བགྱིད།

ནང་སྟོང་པ་ཉིད་ཆེ་བར་མི་བགྱིད། ཆུང་བར་མི་བགྱིད། ཕྱི་སྟོང་པ་ཉིད་དང་། ཕྱི་ནང་སྟོང་པ་ཉིད་དང་། དངོས་པོ་མེད་པའི་ངོ་བོ་ཉིད་སྟོང་པ་ཉིད་ཀྱི་བར་ཆེ་བར་མི་བགྱིད། ཆུང་བར་མི་བགྱིད། བྱང་ཆུབ་ཀྱི་ཕྱོགས་ཀྱི་ཆོས་སུམ་ཅུ་རྩ་བདུན་ཆེ་བར་མི་བགྱིད། ཆུང་བར་མི་བགྱིད། འཕགས་པའི་བདེན་པ་དང་། བསམ་གཏན་དང་། ཚད་མེད་པ་དང་། གཟུགས་མེད་པའི་སྙོམས་པར་འཇུག་པ་①རྣམས་དང་། རྣམ་པར་ཐར་པ་བརྒྱད་དང་། མཐར་གྱིས་གནས་པའི་སྙོམས་པར་འཇུག་པ་དགུ་དང་། སྟོང་པ་ཉིད་དང་། མཚན་མ་མེད་པ་དང་། སྨོན་པ་མེད་པ་དང་། མངོན་པར་ཤེས་པ་རྣམས་ཆེ་བར་མི་བགྱིད། ཆུང་བར་མི་བགྱིད། ཏིང་ངེ་འཛིན་རྣམས་དང་། གཟུངས་ཀྱི་སྒོ་རྣམས་དང་། དེ་བཞིན་གཤེགས་པའི་སྟོབས་བཅུ་དང་། མི་འཇིགས་པ་བཞི་དང་། སོ་སོ་ཡང་དག་པར་རིག་པ་བཞི་དང་། སངས་རྒྱས་ཀྱི་ཆོས་མ་འདྲེས་པ་བཅོ་བརྒྱད་ཆེ་བར་མི་བགྱིད། ཆུང་བར་མི་བགྱིད། རྒྱུན་དུ་ཞུགས་པའི་འབྲས་བུ་ཆེ་བར་མི་བགྱིད། ཆུང་བར་མི་བགྱིད། ལན་ཅིག་ཕྱིར་འོང་བའི་འབྲས་བུ་དང་། ཕྱིར་མི་འོང་བའི་འབྲས་བུ་དང་། དགྲ་བཅོམ་པ་ཉིད་དང་། རང་②བྱང་ཆུབ་ཆེ་བར་མི་བགྱིད། ཆུང་བར་མི་བགྱིད། ལམ་གྱི་རྣམ་པ་③ཤེས་པ་ཉིད་དང་། བྱང་ཆུབ་དང་སངས་རྒྱས་དང་། སངས་རྒྱས་ཀྱི་ཆོས་རྣམས་ཆེ་བར་མི་བགྱིད། ཆུང་བར་མི་བགྱིད། གཞན་ཡང་ཤེས་རབ་ཀྱི་ཕ་རོལ་ཏུ་ཕྱིན་པ་ནི་གཟུགས་འདུ་བར་མི་བགྱིད། ཡངས་པར་མི་བགྱིད། ཚོར་བ་དང་། འདུ་ཤེས་དང་འདུ་བྱེད་དང་རྣམ་པར་ཤེས་པ་འདུ་བར་མི་བགྱིད། ཡངས་པར་མི་བགྱིད། བྱང་ཆུབ་དང་སངས་རྒྱས་དང་སངས་རྒྱས་ཀྱི་ཆོས་རྣམས་ཀྱི་བར་དུ་འདུ་བར་མི་བགྱིད། ཡངས་པར་མི་བགྱིད། གཞན་ཡང་ཤེས་རབ་ཀྱི་ཕ་རོལ་ཏུ་ཕྱིན་པ་ནི་གཟུགས་

ཚད་མཆིས་པར་མི་བགྱིད། ཚད་མ་མཆིས་པར་མི་བགྱིད། བྱང་ཆུབ་དང་སངས་རྒྱས་དང་། སངས་རྒྱས་ཀྱི་ཆོས་རྣམས་ཀྱི་བར་དུ་ཚད་མཆིས་པར་མི་བགྱིད། ཚད་མ་མཆིས་པར་མི་བགྱིད། གཞན་ཡང་ཤེས་རབ་ཀྱི་ཕ་རོལ་དུ་ཕྱིན་པ་ནི། གཟུགས་རྒྱ་ཆེན་པོར་མི་བགྱིད། རྒྱ་ཆུང་ངུར་མི་བགྱིད། བྱང་ཆུབ་དང་སངས་རྒྱས་དང་སངས་རྒྱས་ཀྱི་ཆོས་རྣམས་ཀྱི་བར་དུ་རྒྱ་ཆེན་པོར་མི་བགྱིད། རྒྱ་ཆུང་ངུར་མི་བགྱིད། གཞན་ཡང་ཤེས་རབ་ཀྱི་ཕ་རོལ་དུ་ཕྱིན་པ་ནི། གཟུགས་མཐུ་དང་ལྡན་པར་མི་བགྱིད། མཐུ་མ་མཆིས་པར་མི་བགྱིད། བྱང་ཆུབ་དང་སངས་རྒྱས་དང་སངས་རྒྱས་ཀྱི་ཆོས་རྣམས་ཀྱི་བར་དུ་མཐུ་དང་ལྡན་པར་མི་བགྱིད། མཐུ་མ་མཆིས་པར་མི་①བགྱིད་དེ། བཅོམ་ལྡན་འདས་རྣམ་གྲངས་དེས་ན་འདི་ལྟ་སྟེ། ཤེས་རབ་ཀྱི་ཕ་རོལ་དུ་ཕྱིན་པ་འདི་ནི་བྱང་ཆུབ་སེམས་དཔའ་སེམས་དཔའ་ཆེན་པོ་རྣམས་ཀྱི་ཕ་རོལ་དུ་ཕྱིན་པ་ཆེན་མོའོ། །བཅོམ་ལྡན་འདས་གལ་ཏེ་②བྱང་ཆུབ་སེམས་དཔའ་སེམས་དཔའ་ཆེན་པོ་ཐེག་པ་ལ་གསར་དུ་ཞུགས་པས་ཤེས་རབ་ཀྱི་ཕ་རོལ་དུ་ཕྱིན་པ་ལ་བརྟེན་③ནས། བསམ་གཏན་གྱི་ཕ་རོལ་དུ་ཕྱིན་པ་དང་། བརྩོན་འགྲུས་ཀྱི་ཕ་རོལ་དུ་ཕྱིན་པ་དང་། བཟོད་པའི་ཕ་རོལ་དུ་ཕྱིན་པ་དང་། ཚུལ་ཁྲིམས་ཀྱི་ཕ་རོལ་དུ་ཕྱིན་པ་དང་། སྦྱིན་པའི་ཕ་རོལ་དུ་ཕྱིན་པ་ལ་བརྟེན་ནས། ཤེས་རབ་ཀྱི་ཕ་རོལ་དུ་ཕྱིན་པ་ནི་གཟུགས་ཆེ་བར་མི་བྱེད། ཆུང་བར་མི་བྱེད་དོ། །བྱང་ཆུབ་དང་། སངས་རྒྱས་དང་སངས་རྒྱས་ཀྱི་ཆོས་རྣམས་ཀྱི་བར་དུ་ཆེ་བར་མི་བྱེད། ཆུང་བར་མི་བྱེད་དོ། །གཟུགས་མཐུ་དང་ལྡན་པའི་བར་དུ་མི་བྱེད་དེ④། མཐུ་མེད་པར་མི་བྱེད་དོ། །བྱང་ཆུབ་དང་སངས་རྒྱས་དང་སངས་རྒྱས་ཀྱི་ཆོས་རྣམས་ཀྱི་བར་དུ་མཐུ་དང་ལྡན་པར་མི་བྱེད། མཐུ་མེད་པར་མི་བྱེད་དོ་ཞེས་བགྱི་བར་འདུ་ཤེས་སུ་

གྱུར་ན། བཅོམ་ལྡན་འདས་དེ་ལྟར་འདུ་ཤེས་སུ་གྱུར་པའི་བྱང་ཆུབ་སེམས་དཔའ་སེམས་དཔའ་ཆེན་པོ་ནི་ཤེས་རབ་ཀྱི་ཕ་རོལ་དུ་ཕྱིན་པ་ལ་སྤྱོད་པ་མ་ལགས་སོ། །དེ་ཅིའི་སླད་དུ་ཞེ་ན། གང་གཟུགས་ཆེ་བར་བགྱིད་པའམ། ཆུང་བར་བགྱིད་པ་དེ་ནི་ཤེས་རབ་ཀྱི་ཕ་རོལ་ཏུ་ཕྱིན་པ་དང་མཐུན་པའི་འབྲས་བུ་མ་ལགས་སོ། །བྱང་ཆུབ་དང་སངས་རྒྱས་དང་སངས་རྒྱས་ཀྱི་ཆོས་རྣམས་ཀྱི་བར་དུ་ཆེ་བར་བགྱིད་པའམ། ཆུང་བར་བགྱིད་པ་དེ་ནི་ཤེས་རབ་ཀྱི་ཕ་རོལ་དུ་ཕྱིན་པ་དང་། མཐུན་པའི་འབྲས་བུ་མ་ལགས་སོ། །གང་གཟུགས་མཐུ་དང་ལྡན་པའི་བར་དུ་བགྱིད་པའམ། མཐུ་མ་མཆིས་པར་བགྱིད་པ་དེ་ནི་ཤེས་རབ་ཀྱི་ཕ་རོལ་དུ་ཕྱིན་པ་དང་མཐུན་པའི་འབྲས་བུ་མ་ལགས་སོ། །གང་བྱང་ཆུབ་དང་། སངས་རྒྱས་དང་། སངས་རྒྱས་ཀྱི་ཆོས་རྣམས་ཀྱི་བར་དུ་མཐུ་དང་ལྡན་པའམ། མཐུ་མ་མཆིས་པར་བགྱིད་པ་དེ་ནི་ཤེས་རབ་ཀྱི་ཕ་རོལ་དུ་ཕྱིན་པ་དང་མཐུན་པའི་འབྲས་བུ་མ་ལགས་ཏེ། བཅོམ་ལྡན་འདས་གང་དེ་ལྟར་ཤེས་རབ་ཀྱི་ཕ་རོལ་དུ་ཕྱིན་པ་ལ་སྤྱོད་པའི་ཚེ། གཟུགས་ཆེ་བར་བགྱིད་པའམ། ཆུང་བར་བགྱིད་པའམ། བྱང་ཆུབ་དང་། སངས་རྒྱས་དང་། སངས་རྒྱས་ཀྱི་ཆོས་རྣམས་ཀྱི་བར་དུ་ཆེ་བར་བགྱིད་པའམ། ཆུང་བར་བགྱིད་པའམ། གང་གཟུགས་མཐུ་དང་ལྡན་པའི་བར་དུ་བགྱིད་པའམ། མཐུ་མ་མཆིས་པར་བགྱིད་པའམ། བྱང་ཆུབ་དང་། སངས་རྒྱས་དང་། སངས་རྒྱས་ཀྱི་ཆོས་རྣམས་ཀྱི་བར་དུ་མཐུ་དང་ལྡན་པའི་བར་དུ་བགྱིད་པའམ། མཐུ་མ་མཆིས་པའི་བར་དུ་བགྱིད་པ་དེ་ནི་དེའི་དམིགས་པ་ཆེན་པོར་འགྱུར་རོ། །དེ་ཅིའི་སླད་དུ་ཞེ་ན། དམིགས་པའི་འདུ་ཤེས་ཅན་ལ་བྱང་ཆུབ་ཅེས་བགྱི་བ་མ་མཆིས་ཏེ། དེ་ནི་འདི་ལྟར་སེམས་ཅན་སྐྱེ་བ་མ་མཆིས་པའི་སླད་དུ། ཤེས་རབ་ཀྱི་ཕ་རོལ་དུ་ཕྱིན་པ་སྐྱེ་བ་མ་མཆིས་པར

བལྟའོ༑ ༑གཟུགས་སྐྱེ་བ་མ་མཆིས་པའི་སླད་དུ། ཤེས་རབ་ཀྱི་ཕ་རོལ་དུ་ཕྱིན་པ་སྐྱེ་བ་མ་མཆིས་པར་བལྟའོ། །ཚོར་བ་དང་འདུ་ཤེས་དང་འདུ་བྱེད་དང་། རྣམ་པར་ཤེས་པ་སྐྱེ་བ་མ་མཆིས་པ་དང་། བྱང་ཆུབ་དང་སངས་རྒྱས་དང་། སངས་རྒྱས་ཀྱི་ཆོས་རྣམས་ཀྱི་བར་དུ་སྐྱེ་བ་མ་མཆིས་པའི་སླད་དུ། ཤེས་རབ་ཀྱི་ཕ་རོལ་དུ་ཕྱིན་པ་སྐྱེ་བ་མ་མཆིས་པར་བལྟའོ། །སེམས་ཅན་རང་བཞིན་མ་མཆིས་པའི་སླད་དུ། ཤེས་རབ་ཀྱི་ཕ་རོལ་དུ་ཕྱིན་པ་རང་བཞིན་མ་མཆིས་པར་བལྟའོ། །གཟུགས་རང་བཞིན་མ་མཆིས་པའི་སླད་དུ། ཤེས་རབ་ཀྱི་ཕ་རོལ་དུ་ཕྱིན་པ་རང་བཞིན་མ་མཆིས་པར་བལྟའོ[1]། །ཚོར་བ་དང་། འདུ་ཤེས་དང་འདུ་བྱེད་དང་། རྣམ་པར་ཤེས་པ་རང་བཞིན་མ་མཆིས་པ་དང་། བྱང་ཆུབ་དང་། སངས་རྒྱས་དང་། སངས་རྒྱས་ཀྱི་ཆོས་རྣམས་ཀྱི་བར་དུ་རང་བཞིན་མ་མཆིས་པའི་སླད་དུ། ཤེས་རབ་ཀྱི་ཕ་རོལ་དུ་ཕྱིན་པ་རང་བཞིན་མ་མཆིས་པར་བལྟའོ[2]། །སེམས་ཅན་དངོས་པོ་མ་མཆིས་པའི་སླད་དུ། ཤེས་རབ་ཀྱི་ཕ་རོལ་དུ་ཕྱིན་པ་དངོས་པོ་མ་མཆིས་པར་བལྟའོ། །གཟུགས་དངོས་པོ་མ་མཆིས་པའི་སླད་དུ། ཤེས་རབ་ཀྱི་ཕ་རོལ་དུ་ཕྱིན་པ་དངོས་པོ་མ་མཆིས་པར་བལྟའོ། །ཚོར་བ་དང་འདུ་ཤེས་དང་འདུ་བྱེད་དང་རྣམ་པར་ཤེས་པ་དངོས་པོ་མ་མཆིས་པ་དང་། བྱང་ཆུབ་དང་སངས་རྒྱས་དང་། སངས་རྒྱས་ཀྱི་ཆོས་རྣམས་ཀྱི་བར་དུ་དངོས་པོ་མ་མཆིས་པའི་སླད་དུ། ཤེས་རབ་ཀྱི་ཕ་རོལ་དུ་ཕྱིན་པ་དངོས་པོ་མ་མཆིས་པར་བལྟའོ། །སེམས་ཅན་སྟོང་པ་ཉིད་ཀྱི་སླད་དུ། ཤེས་རབ་ཀྱི་ཕ་རོལ་དུ་ཕྱིན་པ་སྟོང་པ་ཉིད་དུ་བལྟའོ། །གཟུགས་སྟོང་པ་ཉིད་ཀྱི་སླད་དུ། ཤེས་རབ་ཀྱི་ཕ་རོལ་དུ་ཕྱིན་པ་སྟོང་པ་ཉིད་དུ་བལྟའོ། །ཚོར་བ་དང་འདུ་ཤེས་དང་འདུ་བྱེད་དང་། རྣམ་པར་ཤེས་པ་སྟོང་པ་ཉིད་དང་། བྱང་ཆུབ་དང་སངས་རྒྱས་དང་། སངས་རྒྱས་

ཀྱི་ཆོས་རྣམས་ཀྱི་བར་དུ་སྟོང་པ་ཉིད་ཀྱི་སླད་དུ། ཤེས་རབ་ཀྱི་ཕ་རོལ་ཏུ་ཕྱིན་པ་སྟོང་པ་ཉིད་དུ་བལྟའོ། །སེམས་ཅན་དབེན་པའི་སླད་དུ། ཤེས་རབ་ཀྱི་ཕ་རོལ་ཏུ་ཕྱིན་པ་དབེན་པར་བལྟའོ། །གཟུགས་དབེན་པའི་སླད་དུ། ཤེས་རབ་ཀྱི་ཕ་རོལ་ཏུ་ཕྱིན་པ་དབེན་པར་བལྟའོ། །ཚོར་བ་དང་འདུ་ཤེས་དང་འདུ་བྱེད་དང་··· རྣམ་པར་ཤེས་པ་དབེན་པ་དང་། བྱང་ཆུབ་དང་། སངས་རྒྱས་དང་སངས··· རྒྱས་ཀྱི་ཆོས་རྣམས་ཀྱི་བར་དུ་དབེན་པའི་སླད་དུ། ཤེས་རབ་ཀྱི་ཕ་རོལ་ཏུ་ཕྱིན་པ་དབེན་པར་བལྟའོ། །སེམས་ཅན་མ་མཆིས་པའི་སླད་དུ། ཤེས་རབ་ཀྱི་ཕ་རོལ་ཏུ་ཕྱིན་པ་མ་མཆིས་པར་བལྟའོ། །གཟུགས་མ་མཆིས་⑦པའི་སླད་དུ། ཤེས་རབ་ཀྱི་ཕ་རོལ་ཏུ་ཕྱིན་པ་མ་མཆིས་པར་བལྟའོ། །ཚོར་བ་དང་འདུ་ཤེས་དང་འདུ་བྱེད་དང་རྣམ་པར་ཤེས་པ་མ་མཆིས་པ་དང་③། བྱང་ཆུབ་དང་། སངས་རྒྱས་དང་། སངས་རྒྱས་ཀྱི་ཆོས་རྣམས་ཀྱི་བར་དུ་མ་མཆིས་པའི་སླད་དུ། ཤེས་རབ་ཀྱི་ཕ་རོལ་ཏུ་ཕྱིན་པ་མ་མཆིས་པར་བལྟའོ། །སེམས་ཅན་བསམ་གྱིས་མི་ཁྱབ་པའི་སླད་དུ། ཤེས་རབ་ཀྱི་ཕ་རོལ་ཏུ་ཕྱིན་པ་བསམ་གྱིས་མི་ཁྱབ་པར་བལྟའོ།། གཟུགས་བསམ་གྱིས་མི་ཁྱབ་པའི་སླད་དུ། ཤེས་རབ་ཀྱི་ཕ་རོལ་ཏུ་ཕྱིན་པ་བསམ་གྱིས་མི་ཁྱབ་པར་བལྟའོ། །ཚོར་བ་དང་འདུ་ཤེས་དང་འདུ་བྱེད་དང་། རྣམ··· པར་ཤེས་པ་བསམ་གྱིས་མི་ཁྱབ་པ་དང་། བྱང་ཆུབ་དང་སངས་རྒྱས་དང་སངས་རྒྱས་ཀྱི་ཆོས་རྣམས་ཀྱི་བར་དུ་བསམ་གྱིས་མི་ཁྱབ་པའི་སླད་དུ། ཤེས་རབ་ཀྱི་ཕ··· རོལ་ཏུ་ཕྱིན་པ་བསམ་གྱིས་③མི་ཁྱབ་པར་བལྟའོ། །སེམས་ཅན་རྣམ་པར་འཇིག་པ་མ་མཆིས་པའི་སླད་དུ། ཤེས་རབ་ཀྱི་ཕ་རོལ་ཏུ་ཕྱིན་པ་རྣམ་པར་འཇིག་པ་མ་མཆིས་པར་བལྟའོ། །གཟུགས་རྣམ་པར་འཇིག་པ་མ་མཆིས་པའི་སླད་དུ། ཤེས་རབ་ཀྱི་ཕ་རོལ་ཏུ་ཕྱིན་པ་རྣམ་པར་འཇིག་པ་མ་མཆིས་པར་བལྟའོ། །ཚོར···

བ་དང་འདུ་ཤེས་དང་འདུ་བྱེད་དང་རྣམ་པར་ཤེས་པ་རྣམ་པར་འཛིག་པ་མ་མཆིས་པ་དང་། བྱང་ཆུབ་དང་སངས་རྒྱས་དང་། སངས་རྒྱས་ཀྱི་ཆོས་རྣམས་ཀྱི་བར་དུ་རྣམ་པར་འཛིག་པ་མ་མཆིས་པའི་སླད་དུ། ཤེས་རབ་ཀྱི་ཕ་རོལ་དུ་ཕྱིན་པ་རྣམ་པར་འཛིག་པ་མ་མཆིས་པར་བལྟའོ། །སེམས་ཅན་མངོན་པར་རྫོགས་པར་འཚང་རྒྱ་བ་མ་མཆིས་པའི་སླད་དུ། ཤེས་རབ་ཀྱི་ཕ་རོལ་དུ་ཕྱིན་པ་མངོན་པར་རྫོགས་པར་འཚང་རྒྱ་བ་མ་མཆིས་པར་བལྟའོ། །གཟུགས་མངོན་པར་རྫོགས་པར་འཚང་རྒྱ་བ་མ་མཆིས་པའི་སླད་དུ། ཤེས་རབ་ཀྱི་ཕ་རོལ་དུ་ཕྱིན་པ་མངོན་པར་རྫོགས་པར་འཚང་རྒྱ་བ་མ་མཆིས་པར་བལྟའོ། །ཚོར་བ་དང་འདུ་ཤེས་དང་འདུ་བྱེད་དང་། རྣམ་པར་ཤེས་པ་མངོན་པར་རྫོགས་པར་འཚང་རྒྱ་བ་མ་མཆིས་པ་དང་། བྱང་ཆུབ་དང་སངས་རྒྱས་དང་སངས་རྒྱས་ཀྱི་ཆོས་རྣམས་ཀྱི་བར་དུ་མངོན་པར་རྫོགས་པར་འཚང་རྒྱ་བ་མ་མཆིས་པའི་སླད་དུ། ཤེས་རབ་ཀྱི་ཕ་རོལ་དུ་ཕྱིན་པ་མངོན་པར་རྫོགས་པར་འཚང་རྒྱ་བ་མ་མཆིས་པར་བལྟའོ། །སེམས་ཅན་གྱི་སྟོབས་ཡོངས་སུ་འགྲུབ་པ་མ་མཆིས་པའི་སླད་དུ། ཤེས་རབ་ཀྱི་ཕ་རོལ་དུ་ཕྱིན་པའི་སྟོབས་ཡོངས་སུ་འགྲུབ་པ་མ་མཆིས་པར་བལྟའོ། །གཟུགས་ཀྱི་སྟོབས་ཡོངས་སུ་འགྲུབ་པ་མ་མཆིས་པའི་སླད་དུ། ཤེས་རབ་ཀྱི་ཕ་རོལ་དུ་ཕྱིན་པའི་སྟོབས་ཡོངས་སུ་འགྲུབ་པ་མ་མཆིས་པར་བལྟའོ། །ཚོར་བ་དང་འདུ་ཤེས་དང་འདུ་བྱེད་དང་རྣམ་པར་ཤེས་པའི་སྟོབས་ཡོངས་སུ་འགྲུབ་པ་མ་མཆིས་པ་དང་། བྱང་ཆུབ་དང་སངས་རྒྱས་དང་སངས་རྒྱས་ཀྱི་ཆོས་རྣམས་ཀྱི་བར་གྱི་སྟོབས་ཡོངས་སུ་འགྲུབ་པ་མ་མཆིས་པའི་སླད་དུ། ཤེས་རབ་ཀྱི་ཕ་རོལ་དུ་ཕྱིན་པའི་སྟོབས་ཡོངས་སུ་འགྲུབ་པ་མ་མཆིས་པར་བལྟའོ། །བཅོམ་ལྡན་འདས་རྣམ་གྲངས་དེས་ཀྱང་འདི་ལྟ་སྟེ། ཤེས་རབ་ཀྱི་ཕ་རོལ་དུ་ཕྱིན་པ་འདི་ནི་བྱང་ཆུབ་སེམས་དཔའ་

སེམས་དཔའ་ཆེན་པོ་རྣམས་ཀྱི་ཕ་རོལ་ཏུ་ཕྱིན་པ་ཆེན་མོའོ། །ཤེས་རབ་ཀྱི་ཕ་རོལ་ཏུ་ཕྱིན་པ་སྟོང་ཕྲག་ཉི་ཤུ་ལྔ་པ་ལས། ལེའུ་ཉི་ཤུ[7]ལྔ་པའོ།། ||

དེ་ནས་ཚེ་དང་ལྡན་པ་ཤཱ་ར་དྭ་ཏིའི་བུས། བཅོམ་ལྡན་འདས་ལ་འདི་སྐད་ཅེས་གསོལ་ཏོ། །བཅོམ་ལྡན་འདས་བྱང་ཆུབ་སེམས་དཔའ་སེམས་དཔའ་ཆེན་པོ་གང་ཤེས་རབ་ཀྱི་ཕ་རོལ་ཏུ་ཕྱིན་པ་ཟབ་མོ་འདི་ལ། མོས་པར་འགྱུར་བ་དེ། གང་ནས་ཤི་འཕོས་ཏེ་འདིར་མཆིས་པ་ལགས། རིགས་ཀྱི་བུའམ། རིགས་ཀྱི་བུ་མོ་དེ་ཇི་སྲིད་ཅིག་ནས་བླ་ན་མེད་པ་ཡང་དག་པར་རྫོགས་པའི་བྱང་ཆུབ་ཏུ་ཞུགས་པ་ལགས། དེ་བཞིན་གཤེགས་པ་དགྲ་བཅོམ་པ་ཡང་དག་པར་རྫོགས་པའི་སངས་རྒྱས་ནི་ཇི་སྙེད་ཅིག་བསྙེན་བཀུར་བ་ལགས། གང་ཤེས་རབ་ཀྱི་ཕ་རོལ་ཏུ་ཕྱིན་པ་ཟབ་མོ་འདི་ལ་དོན་དང་ཚུལ་གྱིས་མོས་པར་འགྱུར་བ་དེ་སྦྱིན་པའི་ཕ་རོལ་ཏུ་ཕྱིན་པ་ལ་ནི་ཡུན་རིང་པོ་ཇི་སྲིད་ཅིག་ནས་སྤྱོད[3]པ་ལགས། ཚུལ་ཁྲིམས་ཀྱི་ཕ་རོལ་ཏུ་ཕྱིན་པ་དང་། བཟོད་པའི་ཕ་རོལ་ཏུ་ཕྱིན་པ་དང་། བརྩོན་འགྲུས་ཀྱི་ཕ་རོལ་ཏུ་ཕྱིན་པ་དང་། བསམ་གཏན་གྱི་ཕ་རོལ་ཏུ་ཕྱིན་པ་དང་། ཤེས་རབ་ཀྱི་ཕ་རོལ་ཏུ་ཕྱིན་པ་ལ་ནི་ཡུན་རིང་པོ་ཇི་སྲིད་ཅིག་ནས་སྤྱད་པ་ལགས། བཅོམ་ལྡན་འདས་ཀྱིས་བཀའ་སྩལ་པ། ཤཱ་ར་དྭ་ཏིའི་བུ་བྱང་ཆུབ་སེམས་དཔའ་སེམས་དཔའ་ཆེན་པོ་དེ་ནི་ཕྱོགས་བཅུའི་འཇིག་རྟེན་གྱི་ཁམས་ཀྱི་དེ་བཞིན་གཤེགས་པ་དགྲ་བཅོམ་པ་ཡང་དག་པར་རྫོགས་པའི་སངས་རྒྱས་ཚད་མེད་གྲངས་མེད་པ་བསྙེན་བཀུར་ནས་འདིར་འོངས་ཤིང་འདིར་སྐྱེས་པ་སྟེ། ཤཱ་ར་དྭ་ཏིའི་བུ་བྱང་ཆུབ་སེམས་དཔའ་སེམས་དཔའ་ཆེན་པོ་དེ་ནི་བསྐལ་པ་བྱེ་བ་ཁྲག་ཁྲིག་བརྒྱ་སྟོང་གྲངས་མེད་ཚད་མེད་དཔག་ཏུ་མེད་པར་སྦྱིན་པའི་ཕ་རོལ་ཏུ་ཕྱིན་པ་ལ་སྤྱོད་པའོ། །

ཚུལ་ཁྲིམས་ཀྱི་ཕ་རོལ་ཏུ་ཕྱིན་པ་དང་། བཟོད་པའི་ཕ་རོལ་ཏུ་ཕྱིན་པ་དང་།
བརྩོན་འགྲུས་ཀྱི་ཕ་རོལ་ཏུ་ཕྱིན་པ་དང་། བསམ་གཏན་གྱི་ཕ་རོལ་ཏུ་ཕྱིན་པ་
དང་། ཤེས་རབ་ཀྱི་ཕ་རོལ་ཏུ་ཕྱིན་པ་ལ་སྤྱོད[༧]པའོ། །དེ་ནི་བསྐལ་པ་བྱེ་བ་
ཁྲག་ཁྲིག་བརྒྱ་སྟོང་གྲངས་མེད་ཚད་མེད་དཔག་ཏུ་མེད་པ་ནས། བླ་ན་མེད་པ་
ཡང་དག་པར་རྫོགས་པའི་བྱང་ཆུབ་ཏུ་ཡང་དག་པར་ཞུགས་པ་སྟེ། དེ་སེམས་
དང་པོ་བསྐྱེད་ཕྱིན་ཅད[༣]སྦྱིན་པའི་ཕ་རོལ་ཏུ་ཕྱིན་པ་ལ་སྤྱོད་ཅིང་འདིར་འོངས་
པའོ། །ཚུལ་ཁྲིམས་ཀྱི་ཕ་རོལ་ཏུ་ཕྱིན་པ་དང་། བཟོད་པའི་ཕ་རོལ་ཏུ་ཕྱིན་
པ་དང་། བརྩོན་འགྲུས་ཀྱི་ཕ་རོལ་ཏུ་ཕྱིན་པ་དང་། བསམ་གཏན་གྱི་ཕ་རོལ་
ཏུ་ཕྱིན་པ་དང་། ཤེས་རབ་ཀྱི་ཕ་རོལ་ཏུ་ཕྱིན་པ་ལ་སྤྱོད་ཅིང་འདིར་འོངས་པའོ། །
དེས་དེ་ནས་བཟུང་སྟེ། དེ་བཞིན་གཤེགས་པ་དགྲ་བཅོམ་པ་ཡང་དག་པར་
རྫོགས་པའི་སངས་རྒྱས་གྲངས་མེད་ཚད་མེད་དཔག་ཏུ་མེད་པ། བསམ་གྱིས་མི་
ཁྱབ་པ་མཚུངས་པ་མེད་པ་བསྙེན་བཀུར་ནས[༡]། འདིར་འོངས་ཤིང་འདིར་སྐྱེས་
པ་སྟེ། ཤ་ར་དྭ་ཏིའི་བུ་བྱང་ཆུབ་སེམས་དཔའ་སེམས་དཔའ་ཆེན་པོ་དེས་ཤེས་
རབ་ཀྱི་ཕ་རོལ་ཏུ་ཕྱིན་པ་འདི་མཐོང་ངམ་ཐོས་ན། བདག་གི་སྟོན་པ་མཐོང་ངོ་
ཞེས་བྱ་བར་སེམས་བསྐྱེད[༨]པར་འགྱུར་རོ། །བདག་གི་སྟོན་པ་ཐོས་སོ་ཞེས་བྱ་
བར་སེམས་བསྐྱེད་པར་འགྱུར་རོ། །ཤ་ར་དྭ་ཏིའི་བུ་བྱང་ཆུབ་སེམས་དཔའ་
སེམས་དཔའ་ཆེན་པོ། དེ་ནི་ཤེས་རབ་ཀྱི་ཕ་རོལ་ཏུ་ཕྱིན་པ་འདི་ལ་མི་གཉིས་པ་
དང་། དམིགས་པའི་ཚུལ་དུ་དོན་དང་ཚུལ་གྱིས་རྗེས་སུ་འབྲང་བར་འགྱུར་རོ། །
དེ་ནས་ཚེ་དང་ལྡན་པ་རབ་འབྱོར་གྱིས། བཅོམ་ལྡན་འདས་ལ་འདི་སྐད་ཅེས་
གསོལ་ཏོ། །བཅོམ་ལྡན་འདས་ཤེས་རབ་ཀྱི་ཕ་རོལ་ཏུ་ཕྱིན་པ་ལ་མཉན་པའམ་ལྟ[༥]
བར་ནུས་ལགས་སམ། བཅོམ་ལྡན་འདས་ཀྱིས་བཀའ་སྩལ་པ། རབ་འབྱོར་དེ་

ནི་མ་ཡིན་ནོ། །རབ་འབྱོར་ཤེས་རབ་ཀྱི་ཕ་རོལ་ཏུ་ཕྱིན་པ་ལ་ནི་ཉན་པ་མེད་དོ། །ལྟ་[༧]བ་མེད་དོ། །ཤེས་རབ་ཀྱི་ཕ་རོལ་ཏུ་ཕྱིན་པ་ཉིད་ཀྱང་མི་ཉན་མི་ལྟའོ[༣]། །ཆོས་ལ་སེམས་མེད་པའི་ཕྱིར་ཤེས་རབ་ཀྱི་ཕ་རོལ་ཏུ་ཕྱིན་པ་ནི་དེ་དག་གིས་མི་ཐོས་མི་མཐོང་ངོ་། །དེ་བཞིན་དུ་ཆོས་ལ་སེམས་མེད་པའི་ཕྱིར་བསམ་གཏན་གྱི་ཕ་རོལ་ཏུ་ཕྱིན་པ་དང་། བརྩོན་འགྲུས་ཀྱི་ཕ་རོལ་ཏུ་ཕྱིན་པ་དང་། བཟོད་པའི་ཕ་རོལ་ཏུ་ཕྱིན་པ་དང་། ཚུལ་ཁྲིམས་ཀྱི་ཕ་རོལ་ཏུ་ཕྱིན་པ་དང་། སྦྱིན་པའི་ཕ་རོལ་ཏུ་ཕྱིན་པ་ནི་དེ་དག་གིས་མི་ཐོས་མི་མཐོང་ངོ་། །ཆོས་ལ་སེམས་མེད་པའི་ཕྱིར་ནང་སྟོང་པ་ཉིད་ནི་དེ་དག་གིས་མི་ཐོས་མི་མཐོང་ངོ་། །ཆོས་ལ་སེམས་མེད་པའི་ཕྱིར་དངོས་པོ་མེད་པའི་ངོ་བོ་ཉིད་སྟོང་པ་ཉིད་ཀྱི་བར་ནི་དེ་དག་གིས་མི་ཐོས་མི་མཐོང་ངོ་། །ཆོས་ལ་སེམས་མེད་པའི་ཕྱིར་དྲན་པ་ཉེ་བར་གཞག་པ་རྣམས་ནི་དེ་དག་གིས་མི་ཐོས་མི་མཐོང་ངོ་། །ཆོས་ལ་སེམས་མེད་པའི་ཕྱིར་ཡང་དག་པར་སྤོང་བ་རྣམས་དང་། རྫུ་འཕྲུལ་གྱི་རྐང་པ་རྣམས་དང་། དབང་པོ་རྣམས་དང་སྟོབས་རྣམས་དང་། བྱང་ཆུབ་ཀྱི་ཡན་ལག་རྣམས་དང་། འཕགས་པའི་ལམ་ཡན་ལག་བརྒྱད་པ་ནི་དེ་དག་གིས་མི་ཐོས་མི་མཐོང་ངོ་། །ཆོས་ལ་སེམས་མེད་པའི་ཕྱིར་འཕགས་པའི་བདེན་པ་རྣམས་དང་། བསམ་གཏན་རྣམས་དང་ཚད་མེད་པ་རྣམས་དང་། གཟུགས་མེད་པའི་སྙོམས་པར་འཇུག་པ་རྣམས་དང་། རྣམ་པར་ཐར་པ་རྣམས་དང་། མཐར་གྱིས་གནས་པའི་སྙོམས་པར་འཇུག་པ་རྣམས་དང་། སྟོང་པ་ཉིད་དང་མཚན་མ་མེད་པ་དང་། སྨོན་པ་མེད་པ་དང་མངོན་པར་ཤེས་པ་རྣམས་ནི་དེ་དག་གིས་མི་ཐོས་མི་མཐོང་ངོ་། །ཆོས་ལ་སེམས་མེད་པའི་ཕྱིར། ཏིང་ངེ་འཛིན་རྣམས་དང་། གཟུངས་ཀྱི་སྒོ་རྣམས་དང་། དེ་བཞིན་གཤེགས་པའི་སྟོབས་རྣམས་དང་། མི་འཇིགས་པ་

རྣམས་དང་། སོ་སོ་ཡང་དག་པར་རིག་པ་རྣམས་དང་། སངས་རྒྱས་ཀྱི་ཆོས་མ་འདྲེས་པ་རྣམས་ནི་དེ་དག་གིས་མི་ཐོས་མི་མཐོང་ངོ་། །ཆོས་ལ་སེམས་མེད་པའི་ཕྱིར་རྒྱུན་དུ་ཞུགས་པའི་འབྲས་བུ་ནི་དེ་དག་གིས་མི་ཐོས་མི་མཐོང་ངོ་། །ཆོས་ལ་སེམས་མེད་པའི་ཕྱིར་ལན་ཅིག་ཕྱིར་འོང་བའི་འབྲས་བུ་དང་། ཕྱིར་མི་འོང་བའི་འབྲས་བུ་དང་། དགྲ་བཅོམ་པ་ཉིད་དང་། རང་བྱང་ཆུབ་ནི་དེ་དག་གིས་མི་ཐོས་མི་མཐོང་ངོ་། །ཆོས་ལ་སེམས་མེད་པའི་ཕྱིར་ལམ་གྱི་རྣམ་པ་ཤེས་པ་ཉིད་དང་། བྱང་ཆུབ་དང་སངས་རྒྱས་དང་། སངས་རྒྱས་ཀྱི་ཆོས་ནི་དེ་དག་གིས་མི་ཐོས་མི་མཐོང་ངོ་།། །།

ཤེས་རབ་ཀྱི་ཕ་རོལ་ཏུ་ཕྱིན་པ་སྟོང་ཕྲག་ཉི་ཤུ་ལྔ་པ། བམ་པོ་སུམ་ཅུ་བརྒྱད་པ། གསོལ་པ་བཅོམ་ལྡན་འདས་བྱང་ཆུབ་སེམས་དཔའ་སེམས་དཔའ་ཆེན་པོ་གང་ཤེས་རབ་ཀྱི་ཕ་རོལ་ཏུ་ཕྱིན་པ་ཟབ་མོ་འདི་ལ་བརྩོན་པར་བགྱིད་པ་དེ། ཡུན་རིང་པོ་ཇི་སྲིད་ཅིག་ནས་སྦྱོད་སྦྱོད་པ་ལགས། བཅོམ་ལྡན་འདས་ཀྱིས་བཀའ་སྩལ་པ། རབ་འབྱོར་དེ་ནི་རྣམ་པར་ཕྱེ་ཞིང་བཤད་དགོས་པ་སྟེ། རབ་འབྱོར་བྱང་ཆུབ་སེམས་དཔའ་སེམས་དཔའ་ཆེན་པོ་ལ་ལ་སེམས་དང་པོ་བསྐྱེད་པ་ནས་ཉེ་བར་བཟུང་སྟེ། ཤེས་རབ་ཀྱི་ཕ་རོལ་ཏུ་ཕྱིན་པ་ཟབ་མོ་འདི་ལ་དེ་མི་དམིགས་པའི་ཚུལ་གྱིས་བརྩོན་པར་བྱེད་པ་དང་། བསམ་གཏན་གྱི་[7]ཕ་རོལ་ཏུ་ཕྱིན་པ་དང་། བརྩོན་འགྲུས་ཀྱི་ཕ་རོལ་ཏུ་ཕྱིན་པ་དང་། བཟོད་པའི་ཕ་རོལ་ཏུ་ཕྱིན་པ་དང་། ཚུལ་ཁྲིམས་ཀྱི་ཕ་རོལ་ཏུ་ཕྱིན་པ་དང་། སྦྱིན་པའི་ཕ་རོལ་ཏུ་ཕྱིན་པ་ལ་བརྩོན་པར་བྱེད་ཅིང་འཕེལ་བ་དང་འགྲིབ་པར་མཐོང་བ་མེད་པས། ཆོས་གང་ཡང་མི་སྤོང་སྟེ། ནམ་ཡང་ཕ་རོལ་ཏུ་ཕྱིན་པ་དྲུག་དང་འབྲལ་བར་མི་འགྱུར་ལ། སངས་རྒྱས་བཅོམ་ལྡན་འདས་རྣམས་དང་ཡང་འབྲལ་བར་མི་འགྱུར་

ཞིང་དགེ་བའི་རྩ་བ་གང་གིས། སངས་རྒྱས་བཅོམ་ལྡན་འདས་དེ་དག་ལ་རིམ་གྲོ་དང་། བཀུར་སྟི་དང་བསྟི་སྟང་དང་། མཆོད་པ་བྱ་བར་འདོད་པའི་དགེ་བའི་རྩ་བ་དེ་དག་ཀྱང་། སེམས་བསྐྱེད་པ་ཙམ་གྱིས་འགྲུབ་པར་འགྱུར་ཏེ་སངས་རྒྱས་ཀྱི་ཞིང་ནས་སངས་རྒྱས་ཀྱི་ཞིང་དུ་འགྲོ་ཞིང་། ནམ་ཡང་མའི་མངལ་དུ་མི་སྐྱེ་ལ། ནམ་ཡང་མངོན་པར་ཤེས་པ་རྣམས་དང་མི་འབྲལ་ཞིང་། ཉོན་མོངས་པ་གང་དང་ཡང་མི་འགྲོགས་ལ། ཉན་ཐོས་ཀྱི་སེམས་དང་། རང་སངས་རྒྱས་ཀྱི་སེམས་དང་ལྷན་ཅིག་མི་གནས་ཤིང་། སེམས་ཅན་ཡོངས་སུ་སྨིན་པར་བྱ་བ་དང་། སངས་རྒྱས་ཀྱི་ཞིང་ཡོངས་སུ་དག་པར་བྱེད་ཅིང་། སངས་རྒྱས་ཀྱི་ཞིང་ནས་སངས་རྒྱས་ཀྱི་ཞིང་དུ་འགྲོ་བ་དེ་ལྟ་བུའི་རྣམ་གྲངས་ཡོད་དེ། རབ་འབྱོར་བྱང་ཆུབ་སེམས་དཔའ་སེམས་དཔའ་ཆེན་པོ་དེ་ལྟ་བུ་དག་ནི། ཤེས་རབ་ཀྱི་ཕ་རོལ་ཏུ་ཕྱིན་པ་ཟབ་མོ་འདི་ལ་བརྩོན་པར་བྱེད་དོ། །རབ་འབྱོར་གཞན་ཡང་བྱང་ཆུབ་སེམས་དཔའི་ཐེག་པ་པའི་རིགས་ཀྱི་བུའམ་རིགས་ཀྱི་བུ་མོ་གང་གིས། སངས་རྒྱས་བརྒྱ་ཕྲག་མང་པོ་དང་། སངས་རྒྱས་སྟོང་ཕྲག་མང་པོ་དང་། སངས་རྒྱས་བྱེ་བ་ཁྲག་ཁྲིག་བརྒྱ་ཕྲག་མང་པོ་མཐོང་ཞིང་། དེ་དག་གི་དྲུང་དུ་དམིགས་པའི་ཚུལ་གྱིས་སྦྱིན་པ་བྱིན་པ་དང་། ཚུལ་ཁྲིམས༔བསྲུངས་པ་[1]དང་། བཟོད་པ་བསྒོམས་པ་དང་། བརྩོན་འགྲུས་བརྩམས་[2]པ་དང་། བསམ་གཏན་བསྐྱེད་པ་དང་། ཤེས་རབ་བསྒོམས་[3]པ་ཡོད་དེ[4]། དེ་དག་ནི་ཤེས་རབ་ཀྱི་ཕ་རོལ་ཏུ་ཕྱིན་པ་ཟབ་མོ་འདི་བསྟན་པའི་ཚེ། འཁོར་དེ་ནས་ཀུན་དུ་འདོང་སྟེ། བྱང་ཆུབ་སེམས་དཔའི་ཐེག་པ་པའི་རིགས་ཀྱི་བུའམ་རིགས་ཀྱི་བུ་མོ་དེ་དག་ནི། ཤེས་རབ་ཀྱི་ཕ་རོལ་ཏུ་ཕྱིན་པ་ཟབ་མོ་འདི་བསྟན་པའི་ཚེ། རིམ་གྲོ་མེད་པའི་[5]སངས་རྒྱས་བཅོམ་ལྡན་འདས་དེ་དག་གི་དྲུང་ནས་ཀུན་དུ་འདོང་བའོ། །དེ་ཅིའི་ཕྱིར་ཞེ་

ན། དེ་ནི་འདི་ལྟར་བྱང་ཆུབ་སེམས་དཔའི་ཐེག་པ་པའི་རིགས་ཀྱི་བུའམ་རིགས་ཀྱི་བུ་མོ་དེ་དག་ནི། [1]ཤེས་རབ་ཀྱི་ཕ་རོལ་ཏུ་ཕྱིན་པ་འདི་བསྟན་པའི་ཚེ་འཁོར་དེ་ནས་གུད་དུ་འདོང་འདོང་བ་སྟེ་དེ་དག་ནི་ད་ལྟར་བྱུང་བའི་ཚེ་ཡང་[2]ཤེས་རབ་ཀྱི་ཕ་རོལ་ཏུ་ཕྱིན་པ་ཟབ་མོ་འདི་བསྟན་[3]པའི་ཚེ། འཁོར་དེ་ནས་གུད་དུ་འདོང་བར་འགྱུར་ཏེ། ལུས་དང་སེམས་ཀྱིས་འཐུན་པར་སྤྱོད་པར་མི་འགྱུར་རོ། །དེ་དག་ནི་ཤེས་རབ་འཆལ་པར་འགྱུར་བའི་ལས་གསོགས་[4]པ་ཡིན་ཏེ། དེ་དག་གིས་ཤེས་རབ་འཆལ་པར་འགྱུར་བའི་ལས་བྱས་ཤིང་བསགས་པ་དེས། ཤེས་རབ་ཀྱི་ཕ་རོལ་ཏུ་ཕྱིན་པ་འདི་བསྟན་པའི་ཚེ། སྤོང་བར་འགྱུར་ཏེ་དེ་དག་གིས་ཤེས་རབ་ཀྱི་ཕ་རོལ་ཏུ་ཕྱིན་པ་འདི་སྤངས་པས། འདས་པ་དང་། མ་བྱོན་པ་དང་། ད་ལྟར་བྱུང་བའི་སངས་རྒྱས་བཅོམ་ལྡན་འདས་རྣམས་ཀྱི་རྣམ་པ་ཐམས་[5]ཅད་མཁྱེན་པ་ཉིད་སྤངས་པར་འགྱུར་ཏེ། དེ་དག་རྣམ་པ་ཐམས་ཅད་མཁྱེན་པ་ཉིད་སྤངས་པ་[6]ལས་བྱུང་བའི་ལས་མངོན་པར་འདུ་བྱས་ཤིང་བསྟགས་[7]པ་དང་། ཆོས་བརླག་པར་འགྱུར་བའི་ལས་བྱས་ཤིང་བསྟགས་[8]པ་དེས། ལོ་མང་པོ་དང་། ལོ་བརྒྱ་ཕྲག་མང་པོ་དང་། ལོ་སྟོང་ཕྲག་མང་པོ་དང་། ལོ་བྱེ་བ་ཁྲག་ཁྲིག་བརྒྱ་སྟོང་ཕྲག་མང་པོའི་བར་དུ་སེམས་ཅན་དམྱལ་བར་བསྐྱེག[9]པར་འགྱུར་རོ། །དེ་དག་སེམས་ཅན་དམྱལ་བ་ཆེན་པོ་ནས། སེམས་ཅན་དམྱལ་བ་ཆེན་པོར་འདོང་བར་འགྱུར་ཏེ། དེ་དག་སེམས་ཅན་དམྱལ་བ་ཆེན་པོ་ནས་སེམས་ཅན་དམྱལ་བ་ཆེན་པོར་འདོང་བའི་ཚེ། མེས་ཡོངས་སུ་འཛིག་[10]པའམ། ཆུས་ཡོངས་སུ་འཛིག་[11]པའམ། རླུང་གིས་[12]ཡོངས་སུ་འཛིག་[13]པ་འབྱུང་བར་འགྱུར་ཏེ། དེ་དག་དེ་ལྟར་མེས་ཡོངས་སུ་འཛིག་པའམ། ཆུས་ཡོངས་སུ་འཛིག་[14]པའམ། རླུང་གིས་[15]ཡོངས་སུ་འཛིག་པ་འབྱུང་བའི་ཚེ་ཡང་། འཛིག་རྟེན་གྱི་ཁམས་

གཞན་དག་གི་སེམས་ཅན་དམྱལ་བ་ཆེན་པོ་དེ་དག་ཏུ་འཕོང་[༡]བར་འགྱུར་ཏེ། དེ་དག་ཏུ་སྐྱེ་བར་འགྱུར་[༢]དེ་དག་ཏུ་བསྒྲིག་[༣]པར་འགྱུར་རོ། །དེར་འཕོངས་ཏེ་[༤]དེར་སྐྱེས་ནས་ཀྱང་། སེམས་ཅན་དམྱལ་བ་ཆེན་པོ་ནས། སེམས་ཅན་དམྱལ་བ་ཆེན་པོར་འདོང་བར་འགྱུར་ཏེ། དེ་དག་སེམས་ཅན་དམྱལ་བ་ཆེན་པོ་ནས། སེམས་ཅན་དམྱལ་བ་ཆེན་པོར་འདོང་བའི་ཚེ། མེས་ཡོངས་སུ་འཇིག་པའམ། ཆུས་ཡོངས་སུ་འཇིག་པའམ། རླུང་གི་ཡོངས་སུ་འཇིག་པ་འབྱུང་སྟེ། དེ་དག་དེ་ལྟར་མེས་ཡོངས་སུ་འཇིག་པའམ། ཆུས་ཡོངས་སུ་འཇིག་པའམ། རླུང་གིས་ཡོངས་སུ་འཇིག་པ་འབྱུང་བའི་ཚེ་ཡང་། ཤར་ཕྱོགས་ཀྱི་སེམས་ཅན་དམྱལ་བ་ཆེན་པོ་དེ་དག་ཏུ༔འཕངས་པར་[༥]འགྱུར། ལྷོ་དང་ནུབ་དང་། བྱང་དང་བྱང་ཤར་དང་། ཤར་ལྷོ་དང་། ལྷོ་ནུབ་དང་ནུབ་བྱང་དང་འོག་དང་། སྟེང་གི་ཕྱོགས་ཀྱི་སེམས་ཅན་དམྱལ་བ་ཆེན་པོ་དག་ཏུ་འཕང་བར་འགྱུར་རོ། །དེ་དག་ཏུ་ཡང་སེམས་ཅན་དམྱལ་བ་ཆེན་པོ་ནས། སེམས་ཅན་དམྱལ་བ་ཆེན་པོར་འདོང་བར་འགྱུར་ཏེ། དེར་ཡང་མེས་ཡོངས་སུ་འཇིག་པའམ། ཆུས་ཡོངས་སུ་འཇིག་པའམ། རླུང་གིས་ཡོངས་སུ་འཇིག་པ་འབྱུང་བ་སྟེ། དེ་དག་དེ་ལྟར་མེས་ཡོངས་སུ་འཇིག་པའམ། ཆུས་ཡོངས་སུ་འཇིག་པའམ། རླུང་གིས་[༦]ཡོངས་སུ་འཇིག་པ་འབྱུང་བའི་ཚེ། དེ་ནས་ཤི་འཕོས་ནས་ཆོས་འཇིག་པར་འགྱུར་བའི་ལས་དེ་མ་ཟད་པས་ཡང་འདིར་སྐྱེས་ཏེ། དེ་དག་ཡང་[༧]སེམས་ཅན་དམྱལ་བ་ཆེན་པོ་ནས་སེམས་ཅན་དམྱལ་བ་ཆེན་པོར་འདོང་བར་འགྱུར་རོ། །དེ་དག་དེར་སྐྱེས་ནས་ཀྱང་སེམས་ཅན་དམྱལ་བ་ཆེན་པོ་དེ་དག་ཏུ་སེམས་ཅན་དམྱལ་བའི་སྡུག་བསྔལ་ཉམས་སུ་འབབ་པར་འགྱུར་རོ། །དེ་དག་ཏུ་ཡང་མེས་ཡོངས་སུ་འཇིག་པའམ། ཆུས་ཡོངས་སུ་འཇིག་པའམ། རླུང་གིས་[༨]ཡོངས་སུ་འཇིག་པ་མ་

བྱུང་གི་བར་དུ། སེམས་ཅན་དམྱལ་བའི་སྡུག་བསྔལ་དེ་དག་མྱོང་བར་འགྱུར་རོ།། དེ་དག་མེས་ཡོངས་སུ་འཇིག་པའམ། ཆུས་ཡོངས་སུ་འཇིག་པའམ། རླུང་གིས་[7] ཡོངས་སུ་འཇིག་པ་བྱུང་ནས་ཀྱང་། དེ་དག་ནས་ཤི་འཕོས་ཏེ། ཤར་ཕྱོགས་ཀྱི་འཇིག་རྟེན་གྱི་ཁམས་དག་ཏུ། ཕྱོལ་སོང་གི་སྐྱེ་གནས་པ་རྣམས་དང་། སྐལ་བ་མཉམ་པར་སྐྱེ་བར་འགྱུར་རོ། །ལྷོ་དང་ནུབ་དང་བྱང་དང་བྱང་ཤར་དང་། ཤར་ལྷོ་དང་ལྷོ་ནུབ་དང་ནུབ་བྱང་དང་འོག་དང་། སྟེང་གི་ཕྱོགས་ཀྱི་འཇིག་རྟེན་གྱི་ཁམས་དག་ཏུ་ཕྱོལ་སོང་གི་སྐྱེ་གནས་པ་རྣམས་དང་སྐལ་བ་མཉམ་པར་སྐྱེ་བར་འགྱུར་རོ། །དེ་དག་ཡང་[1] ཕྱོགས་བཅུ་ཀུན་གྱི་འཇིག་རྟེན་གྱི་ཁམས་ཀྱི་བར་དུ་གཞིན་རྗེའི་འཇིག་རྟེན་དུ་སྐྱེ་བར་འགྱུར་རོ། །དེ་དག་དེར་སྐྱེས་ནས་སྡུག་བསྔལ་མང་པོ་མྱོང་བར་འགྱུར་བའི་ལས་ཟད་ནས། ཅི་སྟེ་བརྒྱ་ལ་མིར་[3] སྐྱེ་བ་ཐོབ་ན་ཡང་། ཆོས་འཇིག་པར་འགྱུར་བའི་ལས་བྱས་པ་དང་བསགས་པ་དང་བསྐྱབས་པ་དང་། ཚང་པ་དང་། རྫོགས་པའི་རྣམ་པར་སྨིན་པ་དེས། དེ་དག་གང་དང་གང་དུ་སྐྱེ་བ་དེ་དང་དེར་དམུས་ལོང་གི་རིགས་སུ་སྐྱེ་བར་འགྱུར། ཕྱག་དར་པའི་རིགས་སུ་སྐྱེ་བར་འགྱུར། གདོལ་པའི་རིགས་སུ་སྐྱེ་བར་འགྱུར། སྐྱིག་[6] མ་མཁན་གྱི་རིགས་སུ་སྐྱེ་བར་འགྱུར། དེ་དག་དེར་སྐྱེས་ནས་ཀྱང་དམུས་ལོང་དུ་འགྱུར་བ་ཡིན༔ ཞ་བོར་[5] འགྱུར་བ་ཡིན། སྣ་མེད་པར་འགྱུར་བ་ཡིན། ལྕེ་མེད་པར་འགྱུར་བ་ཡིན། ལག་པ་མེད་པར་འགྱུར་བ་ཡིན། རྐང་པ་མེད་པར་འགྱུར་བ་ཡིན། མཛེ་ཅན་དུ་འགྱུར་བ་ཡིན། ཤ་བཀྲ་ཅན་དུ་འགྱུར་བ་ཡིན། སྐྱུར་པོར་འགྱུར་བ་ཡིན། གང་ན་སངས་རྒྱས་ཀྱི་སྒྲ་མེད་པ་དང་། ཆོས་ཀྱི་སྒྲ་མེད་པ་དང་། དགེ་འདུན་གྱི་སྒྲ་མེད་པ་དེ་དག་ཏུ་རྟག་ཏུ་སྐྱེ་བར་འགྱུར་བ་ཡིན་ནོ༑ །དེ་ནས་ཚེ་དང་ལྡན་པ་ཤ་ར་དྭ་ཏིའི་བུས། བཅོམ་ལྡན་འདས་ལ་འདི་

སྐད་ཅེས་གསོལ་ཏོ། །བཅོམ་ལྡན་འདས་མཚམས་མ་མཆིས་པ་ལྔས་ནི། ཆོས་འཇིག་པར་འགྱུར་བའི་སྤྱུག་ལས་བགྱིས་པ་དང་། བསྒྲུགས[༡]པ་འདིའི་གཟུགས་བརྙན་ཙམ་དུ་ཡང་མ[༢]སྦྱོད་དོ། །བཅོམ་ལྡན་འདས་ཀྱིས་བཀའ་སྩལ་པ། ཤ་ར་དྭ་ཏིའི་བུ་འདི[༣]ནི་གང་ཤེས་རབ་ཀྱི་ཕ་རོལ་ཏུ་ཕྱིན་པ་ཟབ་མོ་འདི་བསྟན་ཅིང་བཤད་པའི་ཚེ། ཕྱིར་སྤྱང་བར་སེམས་ཤིང་འདི་སྐད་དུ། འདི་ལ་ཁྱེད་དང་བདག་ཅག་གིས་བསླབ་པར་མི་བྱ་སྟེ། འདི་ནི་ཆོས་མ་ཡིན་ནོ། །འདི་ནི་འདུལ་བ་མ་ཡིན་ནོ། །འདི་ནི་སྟོན་པའི་བསྟན་པ་མ་ཡིན་ནོ། །འདི་ནི་དེ་བཞིན་གཤེགས་པ་དགྲ་བཅོམ་པ་ཡང་དག་པར[༤]རྫོགས་པའི་སངས་རྒྱས་ཀྱིས་གསུངས་པ་མ་ཡིན་ནོ་ཞེས་ཟེར་ཞིང་དེ་བདག་ཉིད་ཀྱང་ཕྱིར་སྤོང་ལ། སེམས་ཅན་གཞན་ཡང་མོས་པ་མེད་པར་བྱེད་ཅིང་། བདག་གིས་བསམ་པ་ཉམས་པར་བྱས་ནས། གཞན་གྱི་བསམ་པ་ཉམས་པར་བྱེད་པ་བདག་གིས་བསམ་པ་གདུག་པར་བྱས་ནས། གཞན་གྱི་བསམ་པ་གདུག་པར་བྱ་བར་དགའ་བ། བདག་ཉིད་ཚུད་གཟོན[༥]ཅིང་གཞན་ཚུད་གསན[༦]པར་དགའ་བ། བདག་ཉིད་ཤེས་རབ་ཀྱི་ཕ་རོལ་ཏུ་ཕྱིན་པ་ཟབ་མོ་མི་ཤེས་མི་རིག་པས་ཕྱིར་སྤྱང་བར་འདོད་ལ། གཞན་ཡང་དེ་བཞིན་དུ་འཛིན་དུ་འཇུག་པ། དེའི་ཆོས་འཇིག་པར་འགྱུར་བའི་ལས་བྱས་ཤིང་བསྒྲུགས[༧]པ་ལྟ་ལ། དེས་གཟུགས་བརྙན་དུ་ཡང་འགྱུར་རེ་སྐན། ཤ་ར་དྭ་ཏིའི་བུ་དེས་ནི་གང་ཟག་དེ་ལྟ་བུ་ཐོས་པར་བྱ་བར་ཡང་མ་གནང་ན་འཕྲད་པར་ལྟ་ཅི་སྨོས་ཏེ། འགྲོགས་པར་ལྟ[༨]སྨོས་ཀྱང་མི་སྨོས་སོ། །དེ་ཅིའི་ཕྱིར་ཞེ་ན། ཤ་ར་དྭ་ཏིའི་བུ་གང་ཟག་དེ་ལྟ་བུ་དག་ནི་ཆོས་ལ་སྐྱོན་འདོགས་པར་རིག་པར་བྱ་སྟེ། ཤ་ར་དྭ་ཏིའི་བུ་གང་ཟག་དེ་ལྟ་བུ་ནི་སྙོ་ངན་པའི་ཚུལ་ཅན། ཕྱུགས་ནག་པོའི་ཚུལ་ཅན་དུ་རིག་པར་བྱའོ། །ཤ་ར་དྭ་ཏིའི་བུ་གང་ཟག་དེ་ལྟ་བུ་དག་གི་ངག་

མཉན་པར་སེམས་པའམ། དེ་དག་ལ་ཡིད་ཆེས་པར་བྱ་བར་སེམས་པ་དེ་དག་ཀུང་ཚུལ་མ་ཡིན་པའི་འཇིགས་པས་འཕུང་བར་འགྱུར་རོ། །ཤཱ་ར་དྭ་ཏིའི་བུ་གང་ཞེས་རབ་ཀྱི་ཕ་རོལ་ཏུ་ཕྱིན་པ་ལ་སྐྱོན་འདོགས་པ་དེ་ནི། ཆོས་ལ་སྐྱོན་འདོགས་པར་རིག་པར་བྱ་སྟེ། སེམས་ཅན་དམྱལ་བ་པའམ། ཕྱུལ་སོང་གི་སྐྱེ་གནས་པའམ། གཤིན་རྗེའི་འཇིག་རྟེན་པར་རིག་པར་བྱའོ། །གསོལ་པ་བཅོམ་ལྡན་འདས་ཆོས་ལ་སྐྱོན་འདོགས་པའི་གང་ཟག་དེར་སྐྱེས་པ་དེའི་ལུས་ཀྱི་ཚད་ད་དུང་མ་གསུངས་སོ། ། བཅོམ་ལྡན་འདས་ཀྱིས་བཀའ་སྩལ་པ། ཤཱ་ར་དྭ་ཏིའི་བུ་ཆོས་ལ་སྐྱོན་འདོགས་པའི་གང་ཟག་དེར་སྐྱེས་པའི་ལུས་ཀྱི་ཚད་ནི་མ་གླེང་[1] ཤིག །དེ་ཅིའི་ཕྱིར་ཞེ་ན། གང་ཟག་ཆོས་ལ་སྐྱོན་འདོགས་པ་དེའི་ལུས་ཀྱི་ཚད་ཐོས་ན། སོད་ལ་ཁྲག་ཏུ་སྐྱུག་པར་འགྱུར་བའམ། འཆི་བའམ། སྡུག་ལ་འབབ་པའི་སྡུག་བསྔལ་ལམ། མྱ་ངན་གྱི་ཟུག་རྔུ་སྐྱེ་བའམ། ལྟམ་བུ་བརྡས་པ་ལྟར༔ སྐམས་ཤིང་ཉིད་[2] པར་འགྱུར་དུ་འོང་སྟེ། གང་ཟག་དེར་སྐྱེས་པའི་ལུས་ཀྱི་ཚད་ནི་ཐོས་ན་ཡང་ཉེས་པ་དེ་ལྟ་བུ་ཡོད་པ་དེ་ཙམ་སྟེ། དེའི་ལུས་ཀྱི་ཚད་ནི་དེ་ཡིན་ནོ། །ཞེས་ནས་བཅོམ་ལྡན་འདས་ཀྱིས་ཚེ་དང་ལྡན་པ་ཤཱ་ར་དྭ་ཏིའི་བུ་ལ་སྐབས་དབྱེ་བ་མ་མཛད་དོ། །གསོལ་པ་བཅོམ་ལྡན་འདས་ཀྱིས་བསྟན་དུ་གསོལ། ཆོས་འཇིག་པར་འགྱུར་བའི་སྡུག་ལས་བགྱིས་ཤིང་བསྩགས་[3] པ་དེས། ཆོས་ལ་སྐྱོན་འདོགས་པའི་གང་ཟག་ལུས་འདི་འདྲ་བ་ཡོངས་སུ་འཛིན་པར་འགྱུར་རོ་ཞེས་བགྱི་བས་ནི། མ་བྱུང་བའི་སྐྱེ་བོ་རྣམས་ལ་སྣང་བ་བགྱིས་པར་འགྱུར་རོ། །བཅོམ་ལྡན་འདས་ཀྱིས་བཀའ་སྩལ་པ། ཤཱ་ར་དྭ་ཏིའི་བུ་དེ་ནི་ཆོས་འཇིག་པར་འགྱུར་བའི་ལས་བྱས་པ་དང་། བསགས་པ་དང་ཚང་བར་བྱས་པ་དང་། རྫོགས་པར་བྱས་པ་དང་ཡོངས་སུ་བཟུང་བ་དང་། ཡོངས་སུ་བསྐྱང་[4] བ་དེས། འདི་སྙིད་ཅིག་ཏུ་སེམས་ཅན་

དམྱལ་བར་སྡུག་བསྔལ་མྱོང་བར་འགྱུར་རོ། །འདི་སྲིད་ཅིག་ཏུ་ཡི་དྭགས་ཀྱི་(༡)ནང་དུ་སྡུག་བསྔལ་མྱོང་བར་འགྱུར་རོ། །འདི་སྲིད་ཅིག་ཏུ་གཤིན་རྗེའི་འཇིག་རྟེན་དུ་སྡུག་བསྔལ་མྱོང་བར་འགྱུར་རོ་ཞེས་བྱས་པ་དེ་ཉིད་ཀྱིས་ཀྱང་། མ་བྱུང་བའི་སྐྱེ་བོ་རྣམས་ལ་སྣང་བ་བྱས་པར་འགྱུར་རོ་གསོལ་པ་བཅོམ་ལྡན་འདས་དེ་དེ་ལགས་སོ། །བདེ་བར་གཤེགས་པ་དེ་དེ་ལགས་སོ། །བཅོམ་ལྡན་འདས་དེ་ཉིད་ཀྱིས་ཀྱང་དཀར་ཞིང་རིགས་དང་ལྡན་པའི་གང་ཟག་རྣམས་ནོངས་པ་སྤོང་ཞིང་། བདག་ཅག་གིས་དེ་ལྟ་བུའི་སྡུག་བསྔལ་ཉམས་སུ་མྱོང་བར་འགྱུར་(༢)དུ་འོང་ངོ་ཞེས་སྲོག་གི་དོན་དུ་ཡང་དམ་པའི་ཆོས་མི་སྤོང་ངོ་། །དེ་ནས་ཚེ་དང་ལྡན་པ་རབ་འབྱོར་གྱིས། བཅོམ་ལྡན་འདས་ལ་འདི་སྐད་ཅེས་གསོལ་ཏོ། །བཅོམ་ལྡན་འདས་རིགས་ཀྱི་བུའམ་རིགས་ཀྱི་བུ་མོ་དག་གིས་གང་ཟག་དམ་པའི་ཆོས་སྤོང་(༣)བའི་ནོངས་པ་བརྗོད་པ་འདི་ཐོས་ན། བདག་ཅག་ཀྱང་ངན་སོང་དག་ཏུ་སྡུག་བསྔལ་གྱི་རྣམ་པ་དེ་ལྟ་བུ་མྱོང་དུ་འོང་ངོ་། །དེ་བཞིན་གཤེགས་པ་མི་(༤)མཐོང་བ་དང་། ཆོས་མི་ཐོས་པ་དང་། དགེ་འདུན་བསྙེན་(༥)ཅིང་བཀུར་དུ་མེད་པར་འགྱུར་དུ་འོང་ངོ་། །སངས་རྒྱས་འབྱུང་བ་མེད་པའི་སངས་རྒྱས་ཀྱི་ཞིང་དུ་སྐྱེས་སུ་འོང་ངོ་། །མི་འཕོངས་(༦)པར་འགྱུར་དུ་འོང་ངོ་། །ཤིན་ཏུ་འཇུངས་པའི་སེམས་དང་ལྡན་པར་འགྱུར་དུ་འོང་ངོ་ཞེས་བགྱི་བར། ལུས་དང་ངག་དང་ཡིད་ཀྱི་ལས་ཤིན་ཏུ་བསྡམ་པར་བགྱིའོ། །ཡང་ཚེ་དང་ལྡན་པ་རབ་འབྱོར་གྱིས། བཅོམ་ལྡན་འདས་ལ་འདི་སྐད་ཅེས་གསོལ་ཏོ། །བཅོམ་ལྡན་འདས་ཚིག་གི་ལས་བགྱིས་ཤིང་བསྩགས་(༧)པ་ནི། ཆོས་འཇིག་པར་འགྱུར་བའི་ལས་བགྱིས་ཤིང་བསགས་པར་འགྱུར་རོ། །བཅོམ་ལྡན་འདས་ཀྱིས་བཀའ་སྩལ་པ། རབ་འབྱོར་ཚིག་གི་ལས་བྱས་ཤིང་བསགས་པས(༨)། ཆོས་འཇིག་པར་འགྱུར་བའི་ལས་བྱས་

ཤིང་བསགས་པར་འགྱུར་ཏེ། རབ་འབྱོར་སྐྱེས་བུ་གླེན་པ་ཤེས་རབ་ཀྱི་ཕ་རོལ་ཏུ་ཕྱིན་པ་འདི་ལ་སྐྱོན་གདགས་པར་སེམས་ཤིང་། ཕྱིར་སྤོང་①བར་སེམས་པ་དེ་དག་ཀྱང་ཆོས་དང་འདུལ་བ་དེ་ཉིད་ལ་རབ་ཏུ་འབྱུང་བར་མི་འགྱུར་རོ། །རབ་འབྱོར་ཤེས་རབ་ཀྱི་ཕ་རོལ་ཏུ་ཕྱིན་པ་ལ་སྐྱོན་བཏགས་ཤིང་ཕྱིར་སྤངས་པས། སངས་རྒྱས་བཅོམ་ལྡན་འདས་རྣམས་ཀྱི་བྱང་ཆུབ་ལ་སྐྱོན་བཏགས་ཤིང་ཕྱིར་སྤངས་པར་འགྱུར་རོ། །སངས་རྒྱས་ཀྱི་བྱང་ཆུབ་ལ་སྐྱོན་བཏགས་ཤིང་ཕྱིར་སྤངས་པས། འདས་པ་དང་། མ་བྱོན་པ་དང་། ད་ལྟར་བྱུང་བའི་སངས་རྒྱས་བཅོམ་ལྡན་འདས་རྣམས་ཀྱི་རྣམ་པ་ཐམས་ཅད་མཁྱེན་པ་ཉིད་ལ་སྐྱོན་བཏགས་ཤིང་ཕྱིར་སྤངས་པར་འགྱུར་རོ། །རྣམ་པ་ཐམས་ཅད་མཁྱེན་པ་ཉིད་ལ་སྐྱོན་བཏགས་ཤིང་ཕྱིར་སྤངས་པས། ཆོས་ལ་སྐྱོན་བཏགས་ཤིང་ཕྱིར་སྤངས་པར་འགྱུར་རོ། །ཆོས་ཕྱིར་སྤངས་པས་དགེ་འདུན་ཕྱིར་སྤངས་པར་འགྱུར་རོ། །དགེ་འདུན་ཕྱིར་སྤངས་པས། འཇིག་རྟེན་པའི་ཡང་དག་པའི་ལྟ་བ་ཕྱིར་སྤངས་པར་འགྱུར་རོ། །འཇིག་རྟེན་པའི་ཡང་དག་པའི་ལྟ་བ་ཕྱིར་སྤངས་པས། སྦྱིན་པའི་ཕ་རོལ་ཏུ་ཕྱིན་པ་ཕྱིར་སྤངས་པར་འགྱུར་རོ། །ཚུལ་ཁྲིམས་ཀྱི་ཕ་རོལ་ཏུ་ཕྱིན་པ་དང་། བཟོད་པའི་ཕ་རོལ་ཏུ་ཕྱིན་པ་དང་། བརྩོན་འགྲུས་ཀྱི་ཕ་རོལ་ཏུ་ཕྱིན་པ་དང་། བསམ་གཏན་གྱི་ཕ་རོལ་ཏུ་ཕྱིན་པ་དང་། ཤེས་རབ་ཀྱི་ཕ་རོལ་ཏུ་ཕྱིན་པ་ཕྱིར་སྤངས་པར་འགྱུར་རོ། །ནང་སྟོང་པ་ཉིད་ཕྱིར་སྤངས་པར་འགྱུར་རོ། །དངོས་པོ་མེད་པའི་ངོ་བོ་ཉིད་སྟོང་པ་ཉིད་ཀྱི་བར་དུ་ཕྱིར་སྤངས་པར་འགྱུར་རོ། །དྲན་པ་ཉེ་བར་གཞག་པ་བཞི་ཕྱིར་སྤངས་པར་འགྱུར་རོ། །འཕགས་པའི་ལམ་ཡན་ལག་བརྒྱད་པའི་བར་དུ་ཕྱིར་སྤངས་པར་འགྱུར་རོ། །འཕགས་པའི་བདེན་པ་བཞི་③དང་། བསམ་གཏན་བཞི་དང་། ཚད་མེད་པ་བཞི་དང་། གཟུགས་

མེད་པའི་སྙོམས་པར་འཇུག་པ་བཞི་ཕྱིར་སྤྱངས་པར་འགྱུར་རོ། །རྣམ་པར་ཐར་པ་བརྒྱད་དང་། མཐར་གྱིས་གནས་པའི་སྙོམས་པར་འཇུག་པ་དགུ་དང་། སྟོང་པ་ཉིད་དང་། མཚན་མ་མེད་པ་དང་། སྨོན་པ་མེད་པ་དང་། མངོན་པར་ཤེས་པ་ལྔ་ཕྱིར་སྤྱངས་པར་འགྱུར་རོ། །ཏིང་ངེ་འཛིན་ཐམས་ཅད་དང་། གཟུངས་ཀྱི་སྒོ་ཐམས་ཅད་དང་། དེ་བཞིན་གཤེགས་པའི་སྟོབས་བཅུ་དང་། མི་འཇིགས་པ[1]་པ་བཞི་དང་། སོ་སོ་ཡང་དག་པར་རིག་པ་བཞི་དང་། སངས་རྒྱས་ཀྱི་ཆོས་མ་འདྲེས་པ་བཅོ་བརྒྱད་ཕྱིར་སྤྱངས་པར་འགྱུར་རོ། །ཐམས་ཅད་ཤེས་པ་ཉིད་དང་། ལམ་གྱི་རྣམ་པ་ཤེས་པ་ཉིད་དང་། རྣམ་པ་ཐམས་ཅད་མཁྱེན་པ་ཉིད་ཕྱིར་སྤྱངས་པར་འགྱུར་རོ། །རྣམ་པ་ཐམས་ཅད་མཁྱེན་པ་ཉིད་ཕྱིར་སྤྱངས་པས། བསོད་ནམས་མ་ཡིན་པའི་ཕུང་པོ་ཚད་མེད་གྲངས་མེད་དཔག་ཏུ་མེད་པ་ཡོངས་སུ་གཟུང་བར་འགྱུར་རོ། །བསོད་ནམས་མ་ཡིན་པའི་ཕུང་པོ་ཚད་མེད་གྲངས་མེད་དཔག་ཏུ་མེད་པ་ཡོངས་སུ་བཟུང་བས། སེམས་ཅན་དམྱལ་བ་དང་། ཕྱུལ་སོང་དང་། ཡི་དགས་ཀྱི་ནང་དུ་སྡུག་བསྔལ་བ་དང་། ཡིད་[2]མི་བདེ་བ་ཚད་མེད་གྲངས་མེད་དཔག་ཏུ་མེད་པ་མྱོང་བར་འགྱུར་རོ། །རབ་འབྱོར་གྱིས་གསོལ་པ། བཅོམ་ལྡན་འདས་སྐྱེས་བུ་གླེན་པ་གང་ཤེས་རབ་ཀྱི་ཕ་རོལ་དུ་ཕྱིན་པ་འདི་སྐད་སྤོང་[3]བ་དེ་དག་རྣམ་པ་དུ་ཞིག་གིས། ཤེས་རབ་ཀྱི་ཕ་རོལ་དུ་ཕྱིན་པ་ཟབ་མོ་འདི་སྐད་སྤོང་བར་འགྱུར། །བཅོམ་ལྡན་འདས་ཀྱིས་བཀའ་སྩལ་པ། རབ་འབྱོར་སྐྱེས་བུ་གླེན་པ་དེ་དག་རྣམ་པ་བཞིས་ཤེས་རབ་ཀྱི་ཕ་རོལ་དུ་ཕྱིན་པ་ཕྱིར་སྤོང་བར་འགྱུར་རོ། །གསོལ་པ་བཞི་གང་དང་གང་ཞིག་ལགས། བཅོམ་ལྡན་འདས་ཀྱིས་བཀའ་སྩལ་པ། སྐྱེས་བུ་གླེན་པ་གང་ཤེས་རབ་ཀྱི་ཕ་རོལ་དུ་ཕྱིན་པ་ཟབ་མོ་འདི་སྤོང་བ་དེ་དག་ནི་བདུད་ཀྱིས་བྱིན་གྱིས་

བརླབས་པ་ཡིན་ཏེ། རབ་འབྱོར་རྒྱུ་དང་པོ་དེས་ན། ཤེས་རབ་ཀྱི་ཕ་རོལ་ཏུ་ཕྱིན་པ་ཟབ་མོ་འདི་ལ་ཕྱིར་སྦྱོང་བར་འགྱུར་རོ། །ཆོས་ཟབ་མོ་རྣམས་ལ་ཡིད་ཆེས་པ་དང་། དད་ཅིང་མོས་པ་མེད་པ་ཡིན་ཏེ། རྒྱུ་གཉིས་པ་དེས་ན་ཤེས་རབ་ཀྱི་ཕ་རོལ་ཏུ་ཕྱིན་པ་ཟབ་མོ་འདི་ལ་ཕྱིར་སྦྱོང་བར་འགྱུར་རོ། །རབ་འབྱོར་སྐྱེས་བུ་གླེན་པ་དེ་དག་ནི་སྡིག་པའི་གྲོགས་པོའི་ལག་ཏུ་སོང་བ་ཡིན་ཏེ། བརྩོན་འགྲུས་མེད་ཅིང་ཕུང་པོ་ལྔ་ལ་མངོན་པར་ཞེན་པས། རྒྱུ་གསུམ་པ་དེས་ན། ཤེས་རབ་ཀྱི་ཕ་རོལ་ཏུ་ཕྱིན་པ་ཟབ་མོ་འདི་ལ་ཕྱིར་སྦྱོང་བར་འགྱུར་རོ། །རབ་འབྱོར་སྐྱེས་བུ་གླེན་པ་དེ་དག་ནི་ཞེ་སྡང་གི་སྤྱོད་པ་ཅན་ཡིན་ཏེ། དེ་དག་བདག་བསྟོད་ཅིང་གཞན་སྨོད་པར་གྱུར་པས། རྒྱུ་བཞི་པ་དེས་ན་ཤེས་རབ་ཀྱི་ཕ་རོལ་ཏུ་ཕྱིན་པ་ཟབ་མོ་འདི་ལ་ཕྱིར༔ སྦྱོང་བར་[1]འགྱུར་ཏེ། རབ་འབྱོར་རྣམ་པ་བཞི་པོ་དེ་དག་གིས་སྐྱེས་བུ་གླེན་པ་དེ་དག་ཤེས་རབ་ཀྱི་ཕ་རོལ་ཏུ་ཕྱིན་པ་ཟབ་མོ་འདི་ལ་ཕྱིར་སྦྱོང་བར་འགྱུར་རོ། །གསོལ་པ་བཅོམ་ལྡན་འདས་ཤེས་རབ་ཀྱི་ཕ་རོལ་ཏུ་ཕྱིན་པ་འདི་ནི་བརྩོན་འགྲུས་ཆུང་བ་དང་། དགེ་བའི་རྩ་བ་དང་མི་ལྡན་ཞིང་སྡིག་པའི་གྲོགས་པོའི་སུག་པར་མཆིས་པ་རྣམས་ཀྱིས་མོས་པར་དཀའོ། །བཅོམ་ལྡན་འདས་ཀྱིས་བཀའ་སྩལ་པ། རབ་འབྱོར་དེ་དེ་བཞིན་ཏེ། ཤེས་རབ་ཀྱི་ཕ་རོལ་ཏུ་ཕྱིན་པ་ཟབ་མོ་འདི་ནི་བརྩོན་འགྲུས་ཆུང་བ་དང་། དགེ་བའི་རྩ་བ་དང་མི་ལྡན་ཞིང་སྡིག་པའི་གྲོགས་པོའི་ལག་ཏུ་ལྷུང་བ་རྣམས་ཀྱིས་མོས་པར་དཀའོ། །གསོལ་པ་བཅོམ་ལྡན་འདས་དེ་ལྟར་མོས་པར་དཀའ་བའི་ཤེས་རབ་ཀྱི་ཕ་རོལ་ཏུ་ཕྱིན་པ་དེ་ཇི་ཙམ་དུ་ཟབ་[2]པ་ལགས། །བཅོམ་ལྡན་འདས་ཀྱིས་བཀའ་སྩལ་པ། རབ་འབྱོར་གཟུགས་ནི་མ་བཅིངས་མ་གྲོལ་བ་སྟེ། དེ་ཅིའི་ཕྱིར་ཞེ་ན། རབ་འབྱོར་གཟུགས་ལ་རང་བཞིན་མེད་པ་ནི་གཟུགས་སོ། །ཚོར་བ་དང་། འདུ་ཤེས་དང་།

འདུ་བྱེད་དང་། རྣམ་པར་ཤེས་པ་ནི་མ་བཅིངས་མ་གྲོལ་བ་སྟེ། དེ་ཅིའི་ཕྱིར་ཞེ་ན། རབ་འབྱོར་རྣམ་པར་ཤེས་པ་ལ་རང་བཞིན་མེད་པ་ནི་རྣམ་པར་ཤེས་པའོ།། རབ་འབྱོར་སྐྱེ་མཆེད་དང་ཁམས་དང་། རྟེན་ཅིང་འབྲེལ་པར་འབྱུང་བ་མ་བཅིངས་མ་གྲོལ་བའོ། །དེ་ཅིའི་ཕྱིར་ཞེ་ན། རྟེན་ཅིང་འབྲེལ་པར་འབྱུང་བ་ལ་རང་བཞིན་མེད་པ་ནི་རྟེན་ཅིང་འབྲེལ་པར་འབྱུང་བའོ། །སྦྱིན་པའི་ཕ་རོལ་ཏུ་ཕྱིན་པ་ནི་མ་བཅིངས་མ་གྲོལ་བ་སྟེ། དེ་ཅིའི་ཕྱིར་ཞེ་ན། རབ་འབྱོར་སྦྱིན་པའི་ཕ་རོལ་ཏུ་ཕྱིན་པ་ལ་རང་བཞིན་མེད་པ་ནི། སྦྱིན་པའི་ཕ་རོལ་ཏུ་ཕྱིན་པའོ།། རབ་འབྱོར་ཚུལ་ཁྲིམས་ཀྱི་ཕ་རོལ་ཏུ་ཕྱིན་པ་དང་། བཟོད་པའི་ཕ་རོལ་ཏུ་ཕྱིན་པ་དང་། བརྩོན་འགྲུས་ཀྱི་ཕ་རོལ་ཏུ་ཕྱིན་པ་དང་། བསམ་གཏན་གྱི་ཕ་རོལ་ཏུ་ཕྱིན་པ་དང་། ཤེས་རབ་ཀྱི་ཕ་རོལ་ཏུ་ཕྱིན་པ་ནི་མ་བཅིངས་མ་གྲོལ་བ་སྟེ། དེ་ཅིའི་ཕྱིར་ཞེ་ན། རབ་འབྱོར་ཤེས་རབ་ཀྱི་ཕ་རོལ་ཏུ་ཕྱིན་པ་ལ་རང་བཞིན་མེད་པ་ནི། ཤེས་རབ་ཀྱི་ཕ་རོལ་ཏུ་ཕྱིན་པའོ། །རབ་འབྱོར་ནང་སྟོང་པ་ཉིད་ནི་མ་བཅིངས་མ་གྲོལ་བ་སྟེ། དེ་ཅིའི་ཕྱིར་ཞེ་ན། རབ་འབྱོར་ནང་སྟོང་པ་ཉིད་ལ་རང་བཞིན་མེད་པ་ནི་ནང་སྟོང་པ་ཉིད་དོ། །རབ་འབྱོར་ཕྱི་སྟོང་པ་ཉིད་ནི་མ་བཅིངས་མ་གྲོལ་བ་སྟེ། དེ་ཅིའི་ཕྱིར་ཞེ་ན། རབ་འབྱོར་ཕྱི་སྟོང་པ་ཉིད་ལ་རང་བཞིན་མེད་པ་ནི་ཕྱི་སྟོང་པ་ཉིད་དོ། །རབ་འབྱོར་ཕྱི་ནང་སྟོང་པ་ཉིད་ནི་མ་བཅིངས་མ་གྲོལ་བ་སྟེ། དེ་ཅིའི་ཕྱིར་ཞེ་ན། རབ་འབྱོར་ཕྱི་ནང་སྟོང་པ་ཉིད་ལ་[7]རང་བཞིན་མེད་པ་ནི་ཕྱི་ནང་སྟོང་པ་ཉིད་དོ། །རབ་འབྱོར་དངོས་པོ་མེད་པའི་ངོ་བོ་ཉིད་སྟོང་པ་ཉིད་ཀྱི་བར་ནི་མ་བཅིངས་མ་གྲོལ་བ་སྟེ། དེ་ཅིའི་ཕྱིར་ཞེ་ན། རབ་འབྱོར་དངོས་པོ་མེད་པའི་ངོ་བོ་ཉིད་སྟོང་པ་ཉིད་ལ་རང་བཞིན་མེད་པ་ནི། དངོས་པོ་མེད་པའི་ངོ་བོ་ཉིད་སྟོང་པ་ཉིད་དོ། །རབ་འབྱོར་དྲན་

པ་ཉེ་བར་གཞག་པ་རྣམས་ནི་མ་བཅིངས་མ་གྲོལ་བ་སྟེ། དེ་ཅིའི་ཕྱིར་ཞེ་ན།
རབ་འབྱོར་དྲན་པ་ཉེ་བར་གཞག་པ་རྣམས་ལ་རང་བཞིན་མེད་པ་ནི། དྲན་པ་ཉེ་
བར་གཞག་པ་རྣམས་སོ། །རབ་འབྱོར་ཡང་དག་པར་སྤོང་བ་རྣམས་དང་། རྫུ་
འཕྲུལ་གྱི་རྐང་པ་རྣམས་དང་། དབང་པོ་རྣམས་དང་། སྟོབས་རྣམས་དང་།
བྱང་ཆུབ་ཀྱི་ཡན་ལག་རྣམས་དང་། འཕགས་པའི་ལམ་ཡན་ལག་བརྒྱད་པ་ནི་མ་
བཅིངས་མ་གྲོལ་བ་སྟེ། དེ་ཅིའི་ཕྱིར་ཞེ་ན། རབ་འབྱོར་འཕགས་པའི་ལམ་
ཡན་ལག་བརྒྱད་པ་ལ་རང་བཞིན་མེད་པ་ནི། འཕགས་པའི་ལམ་ཡན་ལག་
བརྒྱད་པའོ། །རབ་འབྱོར་འཕགས་པའི་བདེན་པ་རྣམས་དང་། བསམ་གཏན་
རྣམས་དང་། ཚད་མེད་པ་རྣམས་དང་། གཟུགས་མེད་པའི་སྙོམས་པར་
འཇུག་པ་རྣམས་ནི་མ་བཅིངས་མ་གྲོལ་བ་སྟེ། དེ་ཅིའི་ཕྱིར་ཞེ་ན། རབ་འབྱོར་
གཟུགས་མེད་པའི་སྙོམས་པར་འཇུག་པ་རྣམས་ལ་རང་བཞིན་མེད་པ་ནི།
གཟུགས་མེད་པའི་སྙོམས་པར་འཇུག་པ་རྣམས་སོ། །རབ་འབྱོར་རྣམ་པར་ཐར་
པ་རྣམས་དང་། མཐར་གྱིས་གནས་པའི་སྙོམས་པར་འཇུག་པ་རྣམས་དང་།
སྟོང་པ་ཉིད་དང་། མཚན་མ་མེད་པ་དང་སྨོན་པ་མེད་པ་དང་། མངོན་པར་
ཤེས་པ་རྣམས་ནི་མ་བཅིངས་མ་གྲོལ་བ་སྟེ། དེ་ཅིའི་ཕྱིར་ཞེ་ན། རབ་འབྱོར་
མངོན་པར་ཤེས་པ་རྣམས་ལ་རང་བཞིན་མེད་པ་ནི་མངོན་པར་ཤེས་པ་རྣམས་སོ། །
རབ་འབྱོར་ཏིང་ངེ་འཛིན་རྣམས་དང་། གཟུངས་ཀྱི་སྒོ་རྣམས་དང་། དེ་
བཞིན་གཤེགས་པའི་སྟོབས་རྣམས་དང་། མི་འཇིགས་[༧]པ་རྣམས་དང་། སོ་སོ་
ཡང་དག་པར་རིག་པ་རྣམས་དང་། [༣]སངས་རྒྱས་ཀྱི་ཆོས་མ་འདྲེས་པ་རྣམས་ནི་
མ་བཅིངས་མ་གྲོལ་བ་སྟེ། དེ་ཅིའི་ཕྱིར་ཞེ་ན། རབ་འབྱོར་སངས་རྒྱས་ཀྱི་ཆོས་མ་
འདྲེས་པ་རྣམས་ལ་རང་བཞིན་མེད་པ་ནི། སངས་རྒྱས་ཀྱི་ཆོས་མ་འདྲེས་པ་

རྣམས་སོ། །རབ་འབྱོར་ཐམས་ཅད་ཤེས་པ་ཉིད་དང་། ལམ་གྱི་རྣམ་པ་[༡]ཤེས་
པ་ཉིད་དང་། རྣམ་པ་ཐམས་ཅད་མཁྱེན་པ་ཉིད་ནི་མ་བཅིངས་མ་གྲོལ་བ་སྟེ།
དེ་ཅིའི་ཕྱིར་ཞེ་ན། རབ་འབྱོར་རྣམ་པ་ཐམས་ཅད་མཁྱེན་པ་ཉིད་ལ་རང་བཞིན་
མེད་པ་ནི། རྣམ་པ་ཐམས་ཅད་མཁྱེན་པ་ཉིད་དོ། །རབ་འབྱོར་གཟུགས་ཀྱི་
སྔོན་གྱི་མཐའ་ནི་མ་བཅིངས་མ་གྲོལ་བ་སྟེ། དེ་ཅིའི་ཕྱིར་ཞེ་ན། རབ་འབྱོར་
སྔོན་གྱི་མཐའ་དངོས་པོ་མེད་པའི་རང་བཞིན་ནི་གཟུགས་སོ། །རབ་འབྱོར་ཚོར་
བ་དང་འདུ་ཤེས་དང་འདུ་བྱེད་དང་རྣམ་པར་ཤེས་པའི་སྔོན་གྱི་མཐའ་ནི་མ་
བཅིངས་མ་གྲོལ་བ་སྟེ། དེ་ཅིའི་ཕྱིར་ཞེ་ན། རབ་འབྱོར་སྔོན་གྱི་མཐའ་དངོས་
པོ་མེད་པའི་རང་བཞིན་ནི་རྣམ་པར་ཤེས་པའོ། རབ་འབྱོར་རྣམ་པ་ཐམས་ཅད་
མཁྱེན་པ་ཉིད་ཀྱི་བར་གྱི་སྔོན་གྱི་མཐའ་ནི་མ་བཅིངས་མ་གྲོལ་བ་སྟེ། དེ་ཅིའི་
ཕྱིར་ཞེ་ན། རབ་འབྱོར་སྔོན་གྱི་མཐའ་དངོས་པོ་མེད་པའི་རང་བཞིན་ནི།
རྣམ་པ་ཐམས་ཅད་མཁྱེན་པ་ཉིད་དོ། །རབ་འབྱོར་གཟུགས་ཀྱི་ཕྱི་མའི་མཐའ་ནི་
མ་བཅིངས་མ་གྲོལ་བ་སྟེ། དེ་ཅིའི་ཕྱིར་ཞེ་ན། རབ་འབྱོར་ཕྱི་མའི་མཐའ་
དངོས་པོ་མེད་པའི་རང་བཞིན་ནི་གཟུགས་སོ། །རབ་འབྱོར་ཚོར་བ་དང་།
འདུ་ཤེས་དང་། འདུ་བྱེད་དང་། རྣམ་པར་ཤེས་པའི་ཕྱི་མའི་མཐའ་[༢]མ་
བཅིངས་མ་གྲོལ་བ་སྟེ། དེ་ཅིའི་ཕྱིར་ཞེ་ན། རབ་འབྱོར་ཕྱི་མའི་མཐའ་དངོས་
པོ་མེད་པའི་རང་བཞིན་ནི་རྣམ་པར་ཤེས་པའོ། །རབ་འབྱོར་རྣམ་པ་ཐམས་ཅད་
མཁྱེན་པ་ཉིད་ཀྱི་བར་གྱི་ཕྱི་མའི་མཐའ་ནི་མ་བཅིངས་མ་གྲོལ་བ་སྟེ། དེ་ཅིའི་
ཕྱིར་ཞེ་ན། རབ་འབྱོར་ཕྱི་མའི་མཐའ་དངོས་པོ་མེད་པའི་རང་བཞིན་ནི་རྣམ་པ་
ཐམས་ཅད་མཁྱེན་པ་ཉིད་དོ། །རབ་འབྱོར་གཟུགས་ཀྱི་ད་ལྟར་བྱུང་བ་ནི་མ་
བཅིངས་མ་གྲོལ་བ་སྟེ། དེ་ཅིའི་ཕྱིར་ཞེ་ན། རབ་འབྱོར་ད་ལྟར་བྱུང་བ་དངོས་

པོ་མེད་པའི་རང་བཞིན་ནི་གཟུགས་སོ། །རབ་འབྱོར་ཚོར་བ་དང་། འདུ་ཤེས་དང་། འདུ་བྱེད་དང་རྣམ་པར་ཤེས་པའི་དཔྱར་བྱུང་བ་ནི་མ་བཅིངས་མ་གྲོལ་བ་སྟེ། དེ་ཅིའི་ཕྱིར་ཞེ་ན། རབ་འབྱོར་དཔྱར་བྱུང་བ་དངོས་པོ་མེད་པའི་རང་བཞིན་ནི་རྣམ་པར་ཤེས་པའོ། །རབ་འབྱོར་རྣམ་པ་ཐམས་ཅད་མཁྱེན་པ་ཉིད་ཀྱི་བར་གྱི་དཔྱར་བྱུང་བ་ནི་མ་བཅིངས་མ་གྲོལ་བ་སྟེ། དེ་ཅིའི་ཕྱིར་ཞེ་ན། རབ་འབྱོར་དཔྱར་བྱུང་བའི་དངོས་པོ་མེད་པའི་རང་བཞིན་ནི་རྣམ་པ་ཐམས་ཅད་མཁྱེན་པ་ཉིད་དོ། །གསོལ་པ་བཅོམ་ལྡན་འདས་ཤེས་རབ་ཀྱི་ཕ་རོལ་ཏུ་ཕྱིན་པ་ནི་བརྟོན་འགྲུས་ཆུང་བ་དགེ་བའི་རྩ་བ་མ་བསྐྱེད་པ། སྡིག་པའི་གྲོགས་པོའི་སྲུག་པར་ལྷུང་བ། བདུད་ཀྱི་དབང་དུ་གྱུར་པ། ལེ་ལོ་ཅན། བརྟོན་འགྲུས་བཏང་བ༑ དྲན་པ་ཉམས་པ། ཤེས་བཞིན་དང་མི་ལྡན་པ་རྣམས་ཀྱིས་མོས་པར་དཀའོ༑ བཅོམ་ལྡན་འདས་ཀྱིས་བཀའ་སྩལ་པ། རབ་འབྱོར་དེ་དེ་བཞིན་ཏེ། རབ་འབྱོར་ཤེས་རབ་ཀྱི་ཕ་རོལ་ཏུ་ཕྱིན་པ་ནི་བརྟོན་འགྲུས་ཆུང་བ་དགེ་བའི་རྩ་བ་མ་བསྐྱེད་པ། སྡིག་པའི་གྲོགས་པོའི་ལག་ཏུ་ལྷུང་བ། བདུད་ཀྱི་དབང་དུ༔གྱུར་པ་[7]ལེ་ལོ་ཅན། བརྟོན་འགྲུས་བཏང་བ། དྲན་པ་ཉམས་པ། ཤེས་བཞིན་དང་མི་ལྡན་པ་རྣམས་ཀྱིས་མོས་པར་དཀའོ། །རབ་འབྱོར་གཞན་ཡང་གཟུགས་རྣམ་པར་དག་པ་གང་ཡིན་པ་དེ་ནི། འབྲས་བུ་རྣམ་པར་དག་པའོ། །ཚོར་བ་དང་འདུ་ཤེས་དང་འདུ་བྱེད་དང་རྣམ་པར་ཤེས་པ་རྣམ་པར་དག་པ་གང་ཡིན་པ་དེ་ནི་འབྲས་བུ་རྣམ་པར་དག་པའོ། །སྐྱེ་མཆེད་དང་ཁམས་དང་རྟེན་ཅིང་འབྲེལ་པར་འབྱུང་བ་རྣམ་པར་དག་པ་གང་ཡིན་པ་དེ་ནི་འབྲས་བུ་རྣམ་པར་དག་པའོ། །སྦྱིན་པའི་ཕ་རོལ་ཏུ་ཕྱིན་པ་རྣམ་པར་དག་པ་གང་ཡིན་པ་དེ་ནི། འབྲས་བུ་རྣམ་པར་དག་པའོ། །ཚུལ་ཁྲིམས་ཀྱི་ཕ་རོལ་ཏུ་ཕྱིན་པ་དང་། བཟོད་པའི་ཕ་རོལ་

ཏུ་ཕྱིན་པ་དང་། བརྩོན་འགྲུས་ཀྱི་ཕ་རོལ་ཏུ་ཕྱིན་པ་དང་། བསམ་གཏན་གྱི་ཕ་རོལ་ཏུ་ཕྱིན་པ་དང་། ཤེས་རབ་ཀྱི་ཕ་རོལ་ཏུ་ཕྱིན་པ་རྣམ་པར་དག་པ་གང་ཡིན་པ་དེ་ནི་འབྲས་བུ་རྣམ་པར་དག་པའོ། །ནང་སྟོང་པ་ཉིད་རྣམ་པར་དག་པ་གང་ཡིན་པ་དེ་ནི་འབྲས་བུ་རྣམ་པར་དག་པའོ། །དངོས་པོ་མེད་པའི་ངོ་བོ་ཉིད་སྟོང་པ་ཉིད་ཀྱི་བར་རྣམ་པར་དག་པ་གང་ཡིན་པ་དེ་ནི་འབྲས་བུ་རྣམ་པར་དག་པའོ། །བྱང་ཆུབ་ཀྱི་ཕྱོགས་ཀྱི་ཆོས་སུམ་ཅུ་རྩ་བདུན་རྣམ་པར་དག་པ་གང་ཡིན་པ་དེ་ནི། འབྲས་བུ་རྣམ་པར་དག་པའོ། །འཕགས་པའི་བདེན་པ་དང་། བསམ་གཏན་དང་ཚད་མེད་པ་དང་། གཟུགས་མེད་པའི་སྙོམས་པར་འཇུག་པ་རྣམས་རྣམ་པར་དག་པ་གང་ཡིན་པ་དེ་ནི། འབྲས་བུ་རྣམ་པར་དག་པའོ། རྣམ་པར་ཐར་པ་བརྒྱད་དང་། མཐར་གྱིས་གནས་པའི་སྙོམས་པར་འཇུག་པ་དགུ་དང་། སྟོང་པ་ཉིད་དང་། མཚན་མ་མེད་པ་དང་། སྨོན་པ་མེད་པ་དང་། མངོན་པར་ཤེས་པ་རྣམས་རྣམ་པར་དག་པ་གང་ཡིན་པ་དེ་ནི། འབྲས་བུ་རྣམ་པར་དག་པའོ། །ཏིང་ངེ་འཛིན་རྣམས་དང་། གཟུངས་ཀྱི་སྒོ་རྣམས་རྣམ་པར་དག་པ་གང་ཡིན་པ་དེ་ནི། འབྲས་བུ་རྣམ་པར་དག་པའོ། །དེ་བཞིན་གཤེགས་པའི་སྟོབས་བཅུ་དང་། མི་འཇིགས་[7]པ་བཞི་དང་། སོ་སོ་ཡང་དག་པར་རིག་པ་བཞི་དང་།[8] སངས་རྒྱས་ཀྱི་ཆོས་མ་འདྲེས་པ་བཅོ་བརྒྱད་རྣམ་པར་དག་པ་གང་ཡིན་པ་དེ་ནི། འབྲས་བུ་རྣམ་པར་དག་པའོ། །ཐམས་ཅད་ཤེས་པ་ཉིད་དང་། ལམ་གྱི་རྣམ་པ་ཤེས་པ་ཉིད་དང་། རྣམ་པ་ཐམས་ཅད་མཁྱེན་པ་ཉིད་རྣམ་པར་དག་པ་གང་ཡིན་པ་དེ་ནི། འབྲས་བུ་རྣམ་པར་དག་པའོ། །རབ་འབྱོར་གཞན་ཡང་གཟུགས་ཡོངས་སུ་དག་པ་གང་ཡིན་པ་དེ་ནི་ཤེས་རབ་ཀྱི་ཕ་རོལ་ཏུ་ཕྱིན་པ་ཡོངས་སུ་དག་པ། ཤེས་རབ་ཀྱི་ཕ་རོལ་ཏུ་ཕྱིན་པ་

ཡོངས་སུ་དག་པ་གང་ཡིན་པ་དེ་ནི་གཟུགས་ཡོངས་སུ་དག་པ་སྟེ། དེ་ལྟར་ན་གཟུགས་ཡོངས་སུ་དག་པ་དང་། ཤེས་རབ་ཀྱི་ཕ་རོལ་ཏུ་ཕྱིན་པ་ཡོངས་སུ་དག་པ་འདི་ལ་གཉིས་སུ་མེད་དེ་གཉིས་སུ་བྱར་མེད་སོ་སོ་མ་ཡིན་ཐ་མི་དད་དོ། །ཚོར་བ་དང་འདུ་ཤེས་དང་འདུ་བྱེད་དང་རྣམ་པར་ཤེས་པ་ཡོངས་སུ་དག་པ་གང་ཡིན་པ་དེ་ནི། ཤེས་རབ་ཀྱི་ཕ་རོལ་ཏུ་ཕྱིན་པ་ཡོངས་སུ་དག་པ། ཤེས་རབ་ཀྱི་ཕ་རོལ་ཏུ་ཕྱིན་པ་ཡོངས་སུ་དག་པ་གང་ཡིན་པ་དེ་ནི། རྣམ་པར་ཤེས་པ་ཡོངས་སུ་དག་པ་སྟེ། དེ་ལྟར་ན་རྣམ་པར་ཤེས་པ་ཡོངས་སུ་དག་པ་དང་། ཤེས་རབ་ཀྱི་ཕ་རོལ་ཏུ་ཕྱིན་པ་ཡོངས་སུ་དག་པ་འདི་ལ་གཉིས་སུ་མེད་དེ་གཉིས་སུ་བྱར་མེད་སོ་སོ་མ་ཡིན་ཐ་མི་དད་དོ། །རྣམ་པ་ཐམས་ཅད་མཁྱེན་པ་ཉིད་ཀྱི་བར་དུ་ཡོངས་སུ་དག་པ་གང་ཡིན་པ་དེ་ནི། ཤེས་རབ་ཀྱི་ཕ་རོལ་ཏུ་ཕྱིན་པ་ཡོངས་སུ་དག་པ། ཤེས་རབ་ཀྱི་ཕ་རོལ་ཏུ་ཕྱིན་པ་ཡོངས་སུ་དག་པ་གང་ཡིན་པ་དེ་ནི། རྣམ་པ་ཐམས་ཅད་མཁྱེན་པ་ཉིད་ཡོངས་སུ་དག་པ་སྟེ། དེ་ལྟར་ན་རྣམ་པ་ཐམས་ཅད་མཁྱེན་པ་ཉིད་ཡོངས་སུ་དག་པ་དང་། ཤེས་རབ་ཀྱི་ཕ་རོལ་ཏུ་ཕྱིན་པ་ཡོངས་སུ་དག་པ་འདི་ལ་གཉིས་སུ་མེད་དེ་གཉིས་སུ་བྱར་མེད་སོ་སོ་མ་ཡིན་ཐ་མི་དད་དོ། །རབ་འབྱོར་གཞན་ཡང་བདག་རྣམ་པར་དག་པ་གང་ཡིན་པ་དེ་ནི། གཟུགས་རྣམ་པར་དག་པ། གཟུགས་རྣམ་པར་དག་པ་གང་ཡིན་པ་དེ་ནི། བདག་རྣམ་པར་དག་པ་སྟེ། དེ་ལྟར་ན་བདག་རྣམ་པར་དག་པ་དང་། གཟུགས་རྣམ་པར་དག་པ་འདི་ལ་གཉིས་སུ་མེད་དེ་གཉིས་སུ་བྱར་མེད་སོ་སོ་མ་ཡིན་ཐ་མི་དད་དོ། །བདག་རྣམ་པར་དག་པ་གང་ཡིན་པ་དེ་ནི། ཚོར་བ་དང་འདུ་ཤེས་དང་འདུ་བྱེད་དང་། རྣམ་པར་ཤེས་པ་རྣམ་པར་དག་པ། རྣམ་པར་ཤེས་པ་རྣམཿ པར་དག་[༡]པ་གང་ཡིན་པ་དེ་ནི། བདག་རྣམ་པར་དག་པ་སྟེ། དེ་ལྟར་ན་བདག་རྣམ་

པར་དག་པ་དང་། རྣམ་པར་ཤེས་པ་རྣམ་པར་དག་པ་འདི་ལ་གཉིས་སུ་མེད་དེ་གཉིས་སུ་བྱར་མེད་སོ་སོ་མ་ཡིན་ཐ་མི་དད་དོ། །བདག་རྣམ་པར་དག་པ་གང་ཡིན་པ་དེ་ནི། རྣམ་པ་ཐམས་ཅད་མཁྱེན་པ་ཉིད་ཀྱི་བར་དུ་རྣམ་པར་དག་པ། རྣམ་པ་ཐམས་ཅད་མཁྱེན་པ་ཉིད་རྣམ་པར་དག་པ་གང་ཡིན་པ་དེ་ནི། བདག་རྣམ་པར་དག་པ་སྟེ། དེ་ལྟར་ན་བདག་རྣམ་པར་དག་པ་དང་། རྣམ་པ་ཐམས་ཅད་མཁྱེན་པ་ཉིད་རྣམ་པར་དག་པ་འདི་ལ་གཉིས་སུ་མེད་དེ་གཉིས་སུ་བྱར་མེད་སོ་སོ་མ་ཡིན་ཐ་མི་དད་དོ། །སེམས་ཅན་དང་། སྲོག་དང་གསོ་བ་དང་། སྐྱེས་བུ་དང་གང་ཟག་དང་། ཤེད་ཅན་དང་(༡)ཤེད་བདག་དང་། བྱེད་པ་པོ་དང་ཚོར་བ་པོ་(༢)དང་། ཤེས་པ་པོ་དང་། མཐོང་བ་པོ་རྣམ་པར་དག་པ་གང་ཡིན་པ་དེ་ནི། གཟུགས་རྣམ་པར་དག་པ། གཟུགས་རྣམ་པར་དག་པ་གང་ཡིན་པ་དེ་ནི། མཐོང་བ་པོ་རྣམ་པར་དག་པ་སྟེ། དེ་ལྟར་ན་(༣)མཐོང་བ་པོ་རྣམ་པར་དག་པ་དང་། གཟུགས་རྣམ་པར་དག་པ་འདི་ལ་གཉིས་སུ་མེད་དེ་གཉིས་སུ་བྱར་མེད་སོ་སོ་མ་ཡིན་ཐ་མི་དད་དོ། །སེམས་ཅན་དང་། མཐོང་བ་པོའི་བར་དུ་རྣམ་པར་དག་པ་གང་ཡིན་པ་དེ་ནི། ཚོར་བ་དང་འདུ་ཤེས་དང་། འདུ་བྱེད་དང་རྣམ་པར་ཤེས་པ་རྣམ་པར་དག་པ་དང་(༤)། རྣམ་པར་ཤེས་པ་རྣམ་པར་དག་པ་གང་ཡིན་པ་དེ་ནི། (༥)མཐོང་བ་པོ་རྣམ་པར་དག་པ་སྟེ། དེ་ལྟར་ན་མཐོང་བ་པོ་རྣམ་པར་དག་པ་དང་། རྣམ་པར་ཤེས་པ་རྣམ་པར་དག་པ་འདི་ལ་གཉིས་སུ་མེད་དེ་གཉིས་སུ་བྱར་མེད་སོ་སོ་མ་ཡིན་ཐ་མི་དད་དོ། །སེམས་ཅན་དང་མཐོང་བ་པོའི་བར་དུ་རྣམ་པར་(༦)དག་པ་གང་ཡིན་པ་དེ་ནི། རྣམ་པ་ཐམས་ཅད་མཁྱེན་པ་ཉིད་ཀྱི་བར་དུ་རྣམ་པར་དག་པ། རྣམ་པ་ཐམས་ཅད་མཁྱེན་པ་ཉིད་རྣམ་པར་དག་པ་གང་ཡིན་པ་དེ་ནི། མཐོང་བ་པོ་རྣམ་པར་དག་པ་སྟེ།

དེ་ལྟར་ན་མཐོང་བ་པོ་རྣམ་པར་དག་པ་དང་། རྣམ་པ་ཐམས་ཅད་མཁྱེན་པ་ཉིད་རྣམ་པར་དག་པ་འདི་ལ་གཉིས་སུ་མེད་དེ་གཉིས་སུ་བྱར་མེད་སོ་སོ་མ་ཡིན་ཐ་མི་དད་དོ། །རབ་འབྱོར་གཞན་ཡང་བདག་ཡོངས་སུ་དག་པས། གཟུགས་ཡོངས་སུ་དག་པ། གཟུགས་ཡོངས་སུ་དག་པས། བདག་ཡོངས་སུ་དག་པ་སྟེ། དེ་ལྟར་ན་བདག་ཡོངས་སུ་དག་པ་དང་། གཟུགས་ཡོངས་སུ་དག་པ་འདི་ལ་གཉིས་སུ་མེད་དེ་གཉིས་སུ་བྱར་མེད་སོ་སོ་མ་ཡིན་ཐ་མི་དད་དོ། །བདག་ཡོངས་སུ་དག་པས་ཚོར་བ་དང་འདུ་ཤེས་དང་འདུ་བྱེད་དང་རྣམ་པར་ཤེས་པ་ཡོངས་སུ་དག་པ། རྣམ་པར་ཤེས་པ་ཡོངས་སུ་དག་པས་བདག་ཡོངས་སུ་དག་པ་སྟེ། དེ་ལྟར་ན་བདག་ཡོངས་སུ་དག་པ་དང་། རྣམ་པར་ཤེས་པ་ཡོངས་སུ་དག་པ་འདི་ལ་གཉིས་སུ་མེད་དེ་གཉིས་སུ་བྱར་མེད་སོ་སོ་མ་ཡིན་ཐ་མི་དད་དོ། །བདག་ཡོངས་སུ་དག་པས། རྣམ་པ་ཐམས་ཅད་མཁྱེན་པ་ཉིད་ཀྱི་བར་དུ་ཡོངས་སུ་དག་པ༑ རྣམ་པ་ཐམས་ཅད་མཁྱེན་པ་ཉིད་ཡོངས་སུ་དག་པས། བདག་ཡོངས་སུ་དག་པ་སྟེ། དེ་ལྟར་ན་བདག་ཡོངས་སུ་དག་པ་དང་། རྣམ་པ་ཐམས་ཅད་མཁྱེན་པ་ཉིད་ཡོངས་སུ་དག་པ་འདི་ལ་གཉིས་སུ་མེད་དེ་གཉིས་སུ་བྱར་མེད་སོ་སོ་མ་ཡིན་ཐ་མི་དད་དོ། །སེམས་ཅན་དང་། མཐོང་བ་པོའི་བར་དུ་ཡོངས་སུ་དག་པས། གཟུགས་ཡོངས་སུ་དག་པ། གཟུགས་ཡོངས་སུ་དག་པས། མཐོང་བ་པོའི་བར་དུ་ཡོངས་སུ་དག་པ་སྟེ། དེ་ལྟར་ན་མཐོང་བ་པོ་ཡོངས་སུ་དག་པ་དང་། གཟུགས་ཡོངས་སུ་དག་པ་འདི་ལ་གཉིས་སུ་མེད་དེ་གཉིས་སུ་བྱར་མེད་སོ་སོ་མ་ཡིན་ཐ་མི་དད་དོ། །སེམས་ཅན་དང་མཐོང་བ་པོའི་བར་དུ་ཡོངས་སུ་དག་པས། རྣམ་པ་ཐམས་ཅད་མཁྱེན་པ་ཉིད་ཀྱི་བར་དུ་ཡོངས་སུ་དག་པ༑ རྣམ་པ་ཐམས་ཅད་མཁྱེན་པ་ཉིད་ཡོངས་སུ་དག་པས། མཐོང་བ་པོ་[7]

ཡོངས་སུ་དག་པ་སྟེ། དེ་ལྟར་ན་མཐོང་བ་པོ་ཡོངས་སུ་དག་པ་དང་། རྣམ་པ་ཐམས་ཅད་མཁྱེན་པ་ཉིད་ཡོངས་སུ་དག་པ་འདི་ལ་གཉིས་སུ་མེད་དེ་གཉིས་སུ་བྱར་མེད་སོ་སོ་མ་ཡིན་ཐ་མི་དད་དོ། །རབ་འབྱོར་གཞན་ཡང་འདོད་ཆགས་རྣམ་པར་དག་པས། གཟུགས་རྣམ་པར་དག་པ། གཟུགས་རྣམ་པར་དག་པས། འདོད་ཆགས་རྣམ་པར་དག་པ་སྟེ། དེ་ལྟར་ན་འདོད་ཆགས་རྣམ་པར་དག་པ་དང་། གཟུགས་རྣམ་པར་དག་པ་འདི་ལ་གཉིས་སུ་མེད་དེ་གཉིས་སུ་བྱར་མེད་སོ་སོ་མ་ཡིན་ཐ་མི་དད་དོ། །འདོད་ཆགས་རྣམ་པར་དག་པས། རྣམ་པ་ཐམས་ཅད་མཁྱེན་པ་ཉིད་ཀྱི་བར་དུ་རྣམ་པར་དག་པ། རྣམ་པ་ཐམས་ཅད་མཁྱེན་པ་ཉིད་རྣམ་པར་དག་པས། འདོད་ཆགས་རྣམ་པར་དག་པ་སྟེ། དེ་ལྟར་ན་འདོད་ཆགས་རྣམ་པར་དག་པ་དང་། རྣམ་པ་ཐམས་ཅད་མཁྱེན་པ་ཉིད་རྣམ་པར་དག་པ་འདི་ལ་གཉིས་སུ་མེད་དེ་གཉིས་སུ་བྱར་མེད་སོ་སོ་མ་ཡིན་ཐ་མི་དད་དོ། །ཞེ་སྡང་རྣམ་པར་དག་པས། གཟུགས་རྣམ་པར་དག་པ། ①གཟུགས་རྣམ་པར་དག་པས། ཞེ་སྡང་རྣམ་པར་དག་པ་སྟེ། དེ་ལྟར་ན་ཞེ་སྡང་རྣམ་པར་དག་པ་དང་། གཟུགས་རྣམ་པར་དག་པ་འདི་ལ་གཉིས་སུ་མེད་དེ་གཉིས་སུ་བྱར་མེད་སོ་སོ་མ་ཡིན་ཐ་མི་དད་དོ། །ཞེ་སྡང་རྣམ་པར་དག་པས། རྣམ་པ་ཐམས་ཅད་མཁྱེན་པ་ཉིད་ཀྱི་བར་དུ་རྣམ་པར་དག་པ། རྣམ་པ་ཐམས་ཅད་མཁྱེན་པ་ཉིད་རྣམ་པར་②དག་པས། ཞེ་སྡང་རྣམ་པར་དག་པ་སྟེ། དེ་ལྟར་ན་ཞེ་སྡང་རྣམ་པར་དག་པ་དང་། རྣམ་པ་ཐམས་ཅད་མཁྱེན་པ་ཉིད་རྣམ་པར་དག་པ་འདི་ལ་གཉིས་སུ་མེད་དེ་གཉིས་སུ་བྱར་མེད་སོ་སོ་མ་ཡིན་ཐ་མི་དད་དོ། །གཏི་མུག་རྣམ་པར་དག་པས། གཟུགས་རྣམ་པར་དག་པ། གཟུགས་རྣམ་པར་དག་པས། གཏི་མུག་རྣམ་པར་དག་པ་སྟེ། དེ་ལྟར་ན་③གཏི་མུག་རྣམ་པར་

དག་པ་དང་། གཟུགས་རྣམ་པར་དག་པ་འདི་ལ་གཉིས་སུ་མེད་དེ་གཉིས་སུ་བྱར་མེད་སོ་སོ་མ་ཡིན་ཐ་མི་དད་དོ། །གཏི་མུག་རྣམ་པར་དག་པས། རྣམ་པ་ཐམས་ཅད་མཁྱེན་པ་ཉིད་ཀྱི་བར་དུ་རྣམ་པར་དག་པ། རྣམ་པ་ཐམས་ཅད་མཁྱེན་པ་ཉིད་རྣམ་པར་དག་པས། གཏི་མུག་རྣམ་པར་(༧)དག་པ་སྟེ། དེ་ལྟར་ན་གཏི་མུག་རྣམ་པར་དག་པ་དང་། རྣམ་པ་ཐམས་ཅད་མཁྱེན་པ་ཉིད་རྣམ་པར་དག་པ་འདི་ལ་གཉིས་སུ་སྨེད་(༣)དེ་གཉིས་སུ་བྱར་མེད་སོ་སོ་མ་ཡིན་ཐ་མི་དད་དོ། །རབ་འབྱོར་གཞན་ཡང་འདོད་ཆགས་ཡོངས་སུ་དག་པས། གཟུགས་ཡོངས་སུ་དག་པ། གཟུགས་ཡོངས་སུ་དག་པས། འདོད་ཆགས་ཡོངས་སུ་དག་པ་སྟེ། དེ་ལྟར་ན་འདོད་ཆགས་ཡོངས་སུ་དག་པ་དང་། གཟུགས་ཡོངས་སུ་དག་པ་འདི་ལ་གཉིས་སུ་མེད་དེ་གཉིས་སུ་བྱར་མེད་སོ་སོ་མ་ཡིན་ཐ་མི་དད་དོ། །འདོད་ཆགས་ཡོངས་སུ་དག་པས། རྣམ་པ་ཐམས་ཅད་མཁྱེན་པ་ཉིད་ཀྱི་བར་དུ་ཡོངས་སུ་དག་པ། རྣམ་པ་ཐམས་ཅད་མཁྱེན་པ་ཉིད་ཡོངས་སུ་དག་པས། འདོད་ཆགས་ཡོངས་སུ་དག་པ་སྟེ། དེ་ལྟར་ན་འདོད་ཆགས་ཡོངས་སུ་དག་པ་དང་། རྣམ་པ་ཐམས་ཅད་མཁྱེན་པ་ཉིད་ཡོངས་སུ་དག་པ་འདི་ལ་གཉིས་སུ་མེད་དེ་གཉིས་སུ་བྱར་མེད་སོ་སོ་མ་ཡིན་ཐ་མི་དད་དོ། །ཞེ་སྡང་ཡོངས་སུ་དག་པས། གཟུགས་ཡོངས་སུ་དག་པ། གཟུགས་ཡོངས་སུ་དག་པས། ཞེ་སྡང་ཡོངས་སུ་དག་པ་སྟེ། དེ་ལྟར་ན་ཞེ་སྡང་ཡོངས་སུ་དག་པ་དང་། གཟུགས་ཡོངས་སུ་དག་པ་འདི་ལ་གཉིས་སུ་མེད་དེ་གཉིས་སུ་བྱར་མེད་སོ་སོ་མ་ཡིན་ཐ་མི་དད་དོ། །ཞེ་སྡང་ཡོངས་སུ་དག་པས། རྣམ་པ་ཐམས་ཅད་མཁྱེན་པ་ཉིད་ཀྱི་བར་དུ་ཡོངས་སུ་དག་པ། རྣམ་པ་ཐམས་ཅད་མཁྱེན་པ་ཉིད་ཡོངས་སུ་དག་པས། ཞེ་སྡང་ཡོངས་སུ་དག་པ་སྟེ། དེ་ལྟར་ན་ཞེ་སྡང་ཡོངས་སུ་དག་པ་དང་། རྣམ་པ་

ཐམས་ཅད་མཁྱེན་པ་ཉིད་ཡོངས་སུ་དག་པ་འདི་ལ་གཉིས་སུ་མེད་དེ་གཉིས་སུ་བྱར་མེད་སོ་སོ་མ་ཡིན་ཐ་མི་དད་དོ། །གཏི་མུག་ཡོངས་སུ་དག་པས། གཟུགས་ཡོངས་སུ་དག་པ། གཟུགས་ཡོངས་སུ་དག་པས། གཏི་མུག་ཡོངས་སུ་དག་པ་སྟེ། དེ་ལྟར་ན་གཏི་མུག་ཡོངས་སུ་དག་པ་དང་། གཟུགས་ཡོངས་སུ་དག་པ་འདི་ལ་གཉིས་སུ་མེད་དེ་གཉིས་སུ་བྱར་མེད་སོ་སོ་མ་ཡིན་ཐ་མི་དད་དོ། །⑦གཏི་མུག་ཡོངས་སུ་དག་པས། རྣམ་པ་ཐམས་ཅད་མཁྱེན་པ་ཉིད་ཀྱི་བར་དུ་ཡོངས་སུ་དག་པ། རྣམ་པ་ཐམས་ཅད་མཁྱེན་པ་ཉིད་ཡོངས་སུ་དག་པས། གཏི་མུག་ཡོངས་སུ་དག་པ་སྟེ། དེ་ལྟར་ན་གཏི་མུག་ཡོངས་སུ་དག་པ་དང་། རྣམ་པ་ཐམས་ཅད་མཁྱེན་པ་ཉིད་ཡོངས་སུ་དག་པ་འདི་ལ་གཉིས་སུ་མེད་དེ་གཉིས་སུ་བྱར་མེད་སོ་སོ་མ་ཡིན་ཐ་མི་དད་དོ། །རབ་འབྱོར་གཞན་ཡང་མ་རིག་པ་རྣམ་པར་དག་པས། འདུ་བྱེད་རྣམ་པར་དག་པ། འདུ་བྱེད་རྣམ་པར་དག་པས། མ་རིག་པ་རྣམ་པར་དག་པ་སྟེ། དེ་⑧ལྟར་ན་མ་རིག་པ་⑨རྣམ་པར་དག་པ་དང་། འདུ་བྱེད་རྣམ་པར་དག་པ་འདི་ལ་གཉིས་སུ་མེད་དེ་གཉིས་སུ་བྱར་མེད་སོ་སོ་མ་ཡིན་ཐ་མི་དད་དོ། །འདུ་བྱེད་རྣམ་པར་དག་པས། རྣམ་པར་ཤེས་པ་རྣམ་པར་དག་པ། རྣམ་པར་ཤེས་པ་རྣམ་པར་དག་པས། མིང་དང་གཟུགས་རྣམ་པར་དག་པ། མིང་དང་གཟུགས་རྣམ་པར་དག་པས། སྐྱེ་མཆེད་དྲུག་རྣམ་པར་དག་པ། སྐྱེ་མཆེད་དྲུག་རྣམ་པར་དག་པས། རེག་པ་རྣམ་པར་དག་པ། རེག་པ་རྣམ་པར་དག་པས། ཚོར་བ་རྣམ་པར་དག་པ། ཚོར་བ་རྣམ་པར་དག་པས། སྲེད་པ་རྣམ་པར་དག་པ། སྲེད་པ་རྣམ་པར་དག་པས། ལེན་པ་རྣམ་པར་དག་པ། ལེན་པ་རྣམ་པར་དག་པས། སྲིད་པ་རྣམ་པར་དག་པ། སྲིད་པ་རྣམ་པར་དག་པས། སྐྱེ་བ་རྣམ་པར་དག་པ། སྐྱེ་བ་རྣམ་པར་དག་པས།

ཆ་ཤེ་རྣམ་པར་དག་པ། ཆ་ཤེ་རྣམ་པར་དག་པས། སྐྱེ་བ་རྣམ་པར་དག་པ་སྟེ། དེ་ལྟར་ན་སྐྱེ་བ་རྣམ་པར་དག་པ་དང་། ཆ་ཤེ་རྣམ་པར་དག་པ་འདི་ལ་གཉིས་སུ་མེད་དེ་གཉིས་སུ་བྱར་མེད་སོ་སོ་མ་ཡིན་ཐ་མི་དད་དོ། །ཆ་ཤེ་རྣམ་པར་དག་པས། ཤེས་རབ་ཀྱི་ཕ་རོལ་ཏུ་ཕྱིན་པ་རྣམ་པར་དག་པ། ཤེས་རབ་ཀྱི་ཕ་རོལ་ཏུ་ཕྱིན་པ་རྣམ་པར་དག་པས། ཆ་ཤེ་རྣམ་པར་དག་པ་སྟེ། དེ་ལྟར་ན་ཆ་ཤེ་རྣམ་པར་དག་པ་དང་། ཤེས་རབ་ཀྱི་ཕ་རོལ་ཏུ་ཕྱིན་པ་རྣམ་པར་དག་པ་འདི་ལ་གཉིས་སུ་མེད་དེ་གཉིས་སུ་བྱར་མེད་སོ་སོ་མ་ཡིན་ཐ་མི་དད་དོ། །ཤེས་རབ་ཀྱི་ཕ་རོལ་ཏུ་ཕྱིན་པ་རྣམ་པར་དག་པས་བསམ་གཏན་གྱི་ཕ་རོལ་ཏུ་ཕྱིན་པ་རྣམ་པར་དག་པ། བསམ་གཏན་གྱི་ཕ་རོལ་ཏུ་ཕྱིན་པ་རྣམ་པར་དག་པས། བརྩོན་འགྲུས་ཀྱི་ཕ་རོལ་ཏུ་ཕྱིན་པ་རྣམ་པར་དག་པ། བརྩོན་འགྲུས་ཀྱི་ཕ་རོལ་ཏུ་ཕྱིན་པ་རྣམ་པར་དག་པས། བཟོད་པའི་ཕ་རོལ་ཏུ་ཕྱིན་པ་རྣམ་པར་དག་པ། བཟོད་པའི་ཕ་རོལ་ཏུ་ཕྱིན་པ་རྣམ་པར་དག་པས། ཚུལ་ཁྲིམས་ཀྱི་ཕ་རོལ་ཏུ་ཕྱིན་པ་རྣམ་པར་དག་པ། ཚུལ་ཁྲིམས་ཀྱི་ཕ་རོལ་ཏུ་ཕྱིན་པ་རྣམ་པར་དག་པས། སྦྱིན་པའི་ཕ་རོལ་ཏུ་ཕྱིན་པ་རྣམ་པར་དག་པ། སྦྱིན་པའི་ཕ་རོལ་ཏུ་ཕྱིན་པ་རྣམ་པར་དག་པས། ཚུལ་ཁྲིམས་ཀྱི་ཕ་རོལ་ཏུ་ཕྱིན་པ་རྣམ་པར་དག་པ་སྟེ། དེ་ལྟར་ན་སྦྱིན་པའི་ཕ་རོལ་ཏུ་ཕྱིན་པ་རྣམ་པར་དག་པ་དང་། ཚུལ་ཁྲིམས་ཀྱི་ཕ་རོལ་ཏུ་ཕྱིན་པ་རྣམ་པར་དག་པ་འདི་ལ་གཉིས་སུ་མེད་དེ་གཉིས་སུ་བྱར་མེད་སོ་སོ་མ་ཡིན་ཐ་མི་དད་དོ། །སྦྱིན་པའི་ཕ་རོལ་ཏུ་ཕྱིན་པ་རྣམ་པར་དག་པས། ནང་སྟོང་པ་ཉིད་རྣམ་པར་དག་པ། ནང་སྟོང་པ་ཉིད་རྣམ་པར་དག་པས། སྦྱིན་པའི་ཕ་རོལ་ཏུ་ཕྱིན་པ་རྣམ་པར་དག་པ་སྟེ། དེ་ལྟར་ན་སྦྱིན་པའི་ཕ་རོལ་ཏུ་ཕྱིན་པ་རྣམ་པར་དག་པ་དང་། ནང་སྟོང་པ་ཉིད་རྣམ་པར་དག་པ་འདི་ལ་གཉིས་སུ་མེད་དེ་གཉིས་སུ་བྱར་མེད་སོ་སོ་མ་

ཡིན་ཐ་མི་དད་དོ། །ནང་སྟོང་པ་ཉིད་རྣམ་པར་དག་པས། ཕྱི་སྟོང་པ་ཉིད་རྣམ་པར་དག་པ། ཕྱི་སྟོང་པ་ཉིད་རྣམ་པར་དག་པས། ཕྱི་ནང་སྟོང་པ་ཉིད་རྣམ་པར་དག་པ། ཕྱི་ནང་སྟོང་པ་ཉིད་རྣམ་པར་དག་པས། ངོ་བོ་ཉིད་སྟོང་པ་ཉིད་ཀྱི་བར་དུ་རྣམ་པར་དག་པ། ངོ་བོ་ཉིད་སྟོང་པ་ཉིད་ཀྱི་བར་དུ་རྣམ་པར་དག་པས། དངོས་པོ་མེད་པའི་ངོ་བོ་ཉིད་སྟོང་པ་ཉིད་རྣམ་པར་དག་པ། དངོས་པོ་མེད་པའི་ངོ་བོ་ཉིད་སྟོང་པ་ཉིད་རྣམ་པར་དག་པས། ངོ་བོ་ཉིད་སྟོང་པ་ཉིད་རྣམ་པར་དག་པ་སྟེ། དེ་ལྟར་ན་ངོ་བོ་ཉིད་སྟོང་པ་ཉིད་རྣམ་པར་དག་པ་དང་། དངོས་པོ་མེད་པའི་ངོ་བོ་ཉིད་སྟོང་པ་ཉིད་རྣམ་པར་དག་པ་འདི་ལ་གཉིས་སུ་མེད་དེ་གཉིས་སུ་བྱར་མེད་སོ་སོ་མ་ཡིན་ཐ་མི་དད་དོ། །དངོས་པོ་མེད་པའི་ངོ་བོ་ཉིད་སྟོང་པ་ཉིད་རྣམ་པར་དག་པས། དྲན་པ་ཉེ་བར་གཞག་པ་རྣམ་པར་དག་པ། དྲན་པ་ཉེ་བར་གཞག་པ་རྣམ་[2]པར་དག་པས། དངོས་པོ་མེད་པའི་ངོ་བོ་ཉིད་སྟོང་པ་ཉིད་རྣམ་པར་དག་པ་སྟེ། དེ་ལྟར་ན་དངོས་པོ་མེད་པའི་ངོ་བོ་ཉིད་སྟོང་པ་ཉིད་རྣམ་པར་དག་པ་དང་། དྲན་པ་ཉེ་བར་གཞག་པ་རྣམ་པར་དག་པ་འདི་ལ་གཉིས་སུ་མེད་དེ་གཉིས་སུ་བྱར་མེད་སོ་སོ་མ་ཡིན་ཐ་མི་དད་དོ། །དྲན་པ་ཉེ་བར་གཞག་པ་རྣམ་པར་དག་པས། ཡང་དག་པར་སྤོང་བ་རྣམ་པར་དག་པ། ཡང་དག་པར་སྤོང་བ་རྣམ་པར་དག་པས། རྫུ་འཕྲུལ་གྱི་རྐང་པ་རྣམ་པར་དག་པ། རྫུ་འཕྲུལ་གྱི་རྐང་པ་རྣམ་པར་དག་པས། དབང་པོ་རྣམ་པར་དག་པ། དབང་པོ་རྣམ་པར་དག་པས། སྟོབས་རྣམ་པར་དག་པ། སྟོབས་རྣམ་[3]པར་དག་པས། བྱང་ཆུབ་ཀྱི་ཡན་ལག་རྣམ་པར་དག་པ། བྱང་ཆུབ་ཀྱི་ཡན་ལག་རྣམ་པར་དག་པས། ལམ་རྣམ་པར་དག་པ། ལམ་རྣམ་པར་དག་པས། བྱང་ཆུབ་ཀྱི་ཡན་ལག་རྣམ་པར་དག་པ་སྟེ། དེ་ལྟར་ན་བྱང་ཆུབ་ཀྱི་

ཡན་ལག་རྣམ་པར་དག་པ་དང་[1]། ལམ་རྣམ་པར་དག་པ་འདི་ལ་གཉིས་སུ་མེད་དེ་གཉིས་སུ་བྱར་མེད་སོ་སོ་མ་ཡིན་ཐ་མི་དད་དོ། །ལམ་རྣམ་པར་དག་པས། འཕགས་པའི་བདེན་པ་རྣམ་པར་དག་པ། འཕགས་པའི་བདེན་པ་རྣམ་པར་དག་པས། བསམ་གཏན་རྣམ་པར་དག་པ། བསམ་གཏན་རྣམ་པར་དག་པས། ཚད་མེད་པ་རྣམ་པར་དག་པ། ཚད་མེད་པ་རྣམ་པར་དག་པས། གཟུགས་མེད་པའི་སྙོམས་པར་འཇུག་པ་རྣམ་པར་དག་པ། གཟུགས་མེད་པའི་སྙོམས་པར་འཇུག་པ་རྣམ་པར་དག་པས། རྣམ་པར་ཐར་པ་བརྒྱད་རྣམ་པར་དག་པ། རྣམ་པར་ཐར་པ་བརྒྱད་རྣམ་པར་དག་པས། མཐར་གྱིས་གནས་པའི་སྙོམས་[2]པར་འཇུག་པ་དགུ་རྣམ་པར་དག་པ། མཐར་གྱིས་གནས་པའི་སྙོམས་པར་འཇུག་པ་[3]རྣམ་པར་དག་པས། སྟོང་པ་ཉིད་དང་། མཚན་མ་མེད་པ་དང་། སྨོན་པ་མེད་པ་རྣམ་པར་དག་པ། སྟོང་པ་ཉིད་དང་། མཚན་མ་མེད་པ་དང་། སྨོན་པ་མེད་པ་རྣམ་པར་དག་པས། མངོན་པར་ཤེས་པ་རྣམ་པར་དག་པ། མངོན་པར་ཤེས་པ་རྣམ་པར་དག་པས[4]། ཏིང་ངེ་འཛིན་རྣམ་པར་དག་པ། ཏིང་ངེ་འཛིན་རྣམ་པར་དག་པས། གཟུངས་ཀྱི་སྒོ་རྣམ་པར་དག་པ། གཟུངས་ཀྱི་སྒོ་རྣམ་པར་དག་པས། དེ་བཞིན་གཤེགས་པའི་སྟོབས་རྣམ་པར་དག་པ། དེ་བཞིན་གཤེགས་པའི་སྟོབས་རྣམ་པར་དག་པས། མི་འཇིགས་[5]པ་རྣམ་པར་དག་པ། མི་འཇིགས་[6]པ་རྣམ་པར་དག་པས། སོ་སོ་ཡང་དག་པར་[7]རིག་པ་རྣམ་པར་དག་པ། སོ་སོ་ཡང་དག་པར་རིག་པ་རྣམ་པར་དག་པས། སངས་རྒྱས་ཀྱི་ཆོས་མ་འདྲེས་[8]པ་རྣམ་པར་དག་པ། སངས་རྒྱས་ཀྱི་ཆོས་མ་འདྲེས་པ་རྣམ་པར་དག་པས། ཐམས་ཅད་ཤེས་པ་ཉིད་རྣམ་པར་དག་པ། ཐམས་ཅད་ཤེས་པ་ཉིད་རྣམ་པར་དག་པས། ལམ་གྱི་རྣམ་པ་[9]ཤེས་པ་ཉིད་རྣམ་པར་··

དག་པ། ལམ་གྱི་རྣམ་པ་① ཤེས་པ་ཉིད་རྣམ་པར་དག་པས། རྣམ་པ་ཐམས་ཅད་མཁྱེན་པ་ཉིད་རྣམ་པར་དག་པ། རྣམ་པ་ཐམས་ཅད་མཁྱེན་པ་ཉིད་རྣམ་པར་དག་པས། ལམ་གྱི་རྣམ་པ་② ཤེས་པ་ཉིད་རྣམ་པར་དག་པ་སྟེ། དེ་ལྟར་ན་ལམ་གྱི་རྣམ་པ་ཤེས་པ་ཉིད་རྣམ་པར་དག་པ་དང་། རྣམ་པ་ཐམས་ཅད་མཁྱེན་པ་ཉིད་རྣམ་པར་དག་པ་འདི་ལ་གཉིས་སུ་མེད་དེ་གཉིས་སུ་བྱར་མེད་སོ་སོ་མ་ཡིན་ཐ་མི་དད་དོ། །རབ་འབྱོར་གཞན་ཡང་ཤེས་རབ་ཀྱི་ཕ་རོལ་ཏུ་ཕྱིན་པ་རྣམ་པར་དག་པས། གཟུགས་རྣམ་པར་དག་པ། གཟུགས་རྣམ་པར་དག་པས། རྣམ་པ་ཐམས་ཅད་མཁྱེན་པ་ཉིད་རྣམ་པར་དག་པ་སྟེ། དེ་ལྟར་ན་ཤེས་རབ་ཀྱི་ཕ་རོལ་ཏུ་ཕྱིན་པ་རྣམ་པར་དག་པ་དང་། གཟུགས་རྣམ་པར་དག་པ་དང་། རྣམ་པ་ཐམས་ཅད་མཁྱེན་པ་ཉིད་རྣམ་པར་དག་པ་འདི་ལ་གཉིས་སུ་མེད་དེ་གཉིས་སུ་བྱར་མེད་སོ་སོ་མ་ཡིན་ཐ་མི་དད་དོ། །ཤེས་རབ་ཀྱི་ཕ་རོལ་ཏུ་ཕྱིན་པ་རྣམ་པར་དག་པས། ཚོར་བ་དང་། འདུ་ཤེས་དང་། འདུ་བྱེད་དང་། རྣམ་པར་ཤེས་པ་རྣམ་པར་དག་པ། རྣམ་པར་ཤེས་པ་རྣམ་པར་དག་པས། རྣམ་པ་ཐམས་ཅད་མཁྱེན་པ་ཉིད་རྣམ་པར་དག་པ་སྟེ། དེ་ལྟར་ན་ཤེས་རབ་ཀྱི་ཕ་རོལ་ཏུ་ཕྱིན་པ་རྣམ་པར་དག་པ་དང་། རྣམ་པར་ཤེས་པ་རྣམ་པར་དག་པ་དང་། རྣམ་པ་ཐམས་ཅད་མཁྱེན་པ་ཉིད་རྣམ་པར་དག་པ་འདི་ལ་གཉིས་སུ་མེད་དེ་གཉིས་སུ་བྱར་མེད་སོ་སོ་མ་ཡིན་ཐ་མི་དད་དོ། །ཤེས་རབ་ཀྱི་ཕ་རོལ་ཏུ་ཕྱིན་པ་རྣམ་པར་དག་པས། མིག་རྣམ་པར་དག་པ། མིག་རྣམ་པར་དག་པས། རྣམ་པ་ཐམས་ཅད་མཁྱེན་པ་ཉིད་རྣམ་པར་དག་པ་སྟེ། དེ་ལྟར་ན་ཤེས་རབ་ཀྱི་ཕ་རོལ་ཏུ་ཕྱིན་པ་རྣམ་པར་དག་པ་དང་། མིག་རྣམ་པར་དག་པ་དང་། རྣམ་པ་ཐམས་ཅད་མཁྱེན་པ་ཉིད་རྣམ་པར་དག་པ་འདི་ལ་གཉིས་སུ་མེད་དེ་གཉིས་སུ་

བྱར་མེད་སོ་སོ་མ་ཡིན་ཐ་མི་དད་དོ། །ཤེས་རབ་ཀྱི་ཕ་རོལ་ཏུ་ཕྱིན་པ་རྣམ་པར་དག་པས། ཆུ་བ་དང་། ༔སྣ་དང་།[1] ལྕེ་དང་། ལུས་དང་། ཡིད་རྣམ་པར་དག་པ། ཡིད་རྣམ་པར་དག་པས། རྣམ་པ་ཐམས་ཅད་མཁྱེན་པ་[3]ཉིད་རྣམ་པར་དག་པ་སྟེ། དེ་ལྟར་ན་ཤེས་རབ་ཀྱི་ཕ་རོལ་ཏུ་ཕྱིན་པ་རྣམ་པར་དག་པ་དང་། ཡིད་རྣམ་པར་དག་པ་དང་། རྣམ་པ་ཐམས་ཅད་མཁྱེན་པ་ཉིད་རྣམ་པར་དག་པ་འདི་ལ་གཉིས་སུ་མེད་དེ་གཉིས་སུ་བྱར་མེད་སོ་སོ་མ་ཡིན་ཐ་མི་དད་དོ།། ཤེས་རབ་ཀྱི་ཕ་རོལ་ཏུ་ཕྱིན་པ་རྣམ་པར་དག་པས། གཟུགས་རྣམ་པར་དག་པ། གཟུགས་རྣམ་པར་དག་པས། རྣམ་པ་ཐམས་ཅད་མཁྱེན་པ་ཉིད་རྣམ་པར་དག་པ་སྟེ། དེ་ལྟར་ན་ཤེས་རབ་ཀྱི་ཕ་རོལ་ཏུ་ཕྱིན་པ་རྣམ་པར་དག་པ་དང་། གཟུགས་རྣམ་[3]པར་དག་པ་དང་། རྣམ་པ་ཐམས་ཅད་མཁྱེན་པ་ཉིད་རྣམ་པར་དག་པ་འདི་ལ་གཉིས་སུ་མེད་དེ་གཉིས་སུ་བྱར་མེད་སོ་སོ་མ་ཡིན་ཐ་མི་དད་དོ། ། ཤེས་རབ་ཀྱི་ཕ་རོལ་ཏུ་ཕྱིན་པ་རྣམ་པར་དག་པས། སྒྲ་དང་དྲི་དང་། རོ་དང་རེག་དང་ཆོས་རྣམ་པར་དག་པ། ཆོས་རྣམ་པར་དག་པས། རྣམ་པ་ཐམས་ཅད་མཁྱེན་པ་ཉིད་རྣམ་པར་དག་པ་སྟེ། དེ་ལྟར་ན་ཤེས་རབ་ཀྱི་ཕ་རོལ་ཏུ་ཕྱིན་པ་རྣམ་པར་དག་པ་དང་། ཆོས་རྣམ་པར་དག་པ་དང་། རྣམ་པ་ཐམས་ཅད་མཁྱེན་པ་ཉིད་རྣམ་པར་དག་པ་འདི་ལ་གཉིས་སུ་མེད་དེ་གཉིས་སུ་བྱར་མེད་སོ་སོ་མ་ཡིན་ཐ་མི་དད་དོ། །ཤེས་རབ་ཀྱི་ཕ་རོལ་ཏུ་ཕྱིན་པ་རྣམ་པར་དག་པས། མིག་གི་རྣམ་པར་ཤེས་པ་རྣམ་པར་དག་པ། མིག་གི་རྣམ་པར་ཤེས་པ་རྣམ་པར་དག་པས། རྣམ་པ་ཐམས་ཅད་མཁྱེན་པ་ཉིད་རྣམ་པར་དག་པ་སྟེ། དེ་ལྟར་ན་ཤེས་རབ་ཀྱི་ཕ་རོལ་ཏུ་ཕྱིན་པ་རྣམ་པར་དག་པ་དང་། མིག་གི་རྣམ་པར་ཤེས་པ་རྣམ་པར་དག་པ་དང་། རྣམ་པ་ཐམས་ཅད་མཁྱེན་པ་ཉིད་རྣམ་པར་དག་པ་འདི་

ལ་གཉིས་སུ་མེད་དེ་གཉིས་སུ་བྱར་མེད་སོ་སོ་མ་ཡིན་ཐ་མི་དད་དོ། །ཤེས་རབ་ཀྱི་ཕ་རོལ་ཏུ་ཕྱིན་པ་རྣམ་པར་དག་པས། རྣ་བའི་རྣམ་པར་ཤེས་པ་དང་། སྣའི་རྣམ་པར་ཤེས་པ་དང་། ལྕེའི་རྣམ་པར་ཤེས་པ་དང་། ལུས་ཀྱི་རྣམ་པར་ཤེས་པ་དང་། ཡིད་ཀྱི་རྣམ་པར་ཤེས་པ་རྣམ་པར་དག་པ། ཡིད་ཀྱི་རྣམ་པར་ཤེས་པ་རྣམ་པར་དག་པས། རྣམ་པ་ཐམས་ཅད་མཁྱེན་པ་ཉིད་རྣམ་པར་དག་པ་སྟེ། དེ་ལྟར་ན་ཤེས་རབ་ཀྱི་ཕ་རོལ་ཏུ་ཕྱིན་པ་རྣམ་པར་དག་པ་དང་། ཡིད་ཀྱི་རྣམ་པར་ཤེས་པ་རྣམ་པར་དག་པ་དང་། རྣམ་པ་ཐམས་ཅད་མཁྱེན་པ་ཉིད་རྣམ་པར་དག་པ་འདི་ལ་གཉིས་སུ་མེད་དེ་གཉིས་སུ་བྱར་མེད་སོ་སོ་མ་ཡིན་ཐ་མི་དད་དོ། །ཤེས་རབ་ཀྱི་ཕ་རོལ་ཏུ་ཕྱིན་པ་རྣམ་པར་དག་པས། མིག་གི་འདུས་ཏེ་རེག་པ་རྣམ་པར་དག་པ། མིག་གི་འདུས་ཏེ་རེག་པ་རྣམ་པར་དག་པས། རྣམ་པ་ཐམས་ཅད་མཁྱེན་པ་ཉིད་རྣམ་པར་དག་པ་སྟེ། དེ་ལྟར་ན་ཤེས་རབ་ཀྱི་ཕ་རོལ་ཏུ་ཕྱིན་པ་རྣམ་པར་དག་པ་དང་། མིག་གི་འདུས་ཏེ་རེག་པ་རྣམ་པར་དག་པ་དང་། རྣམ་པ་ཐམས་ཅད་མཁྱེན་པ་ཉིད་རྣམ་པར་དག་པ་འདི་ལ་གཉིས་སུ་མེད་དེ་གཉིས་སུ་བྱར་མེད་སོ་སོ་མ་ཡིན་ཐ་མི་དད་དོ། །ཤེས་རབ་ཀྱི་ཕ་རོལ་ཏུ་ཕྱིན་པ་རྣམ་པར་དག་པས། རྣ་བའི་འདུས་ཏེ་རེག་པ་དང་། སྣའི་འདུས་ཏེ་རེག་པ་དང་། ལྕེའི་འདུས་ཏེ་རེག་པ་དང་། ལུས་ཀྱི་འདུས་ཏེ་རེག་པ་དང་། ཡིད་ཀྱི་འདུས་ཏེ་རེག་པ་རྣམ་པར་དག་པ། ཡིད་ཀྱི་འདུས་ཏེ་རེག་པ་རྣམ་པར་དག་པས། རྣམ་པ་ཐམས་ཅད་མཁྱེན་པ་ཉིད་རྣམ་པར་དག་པ་སྟེ། དེ་ལྟར་ན་ཤེས་རབ་ཀྱི་ཕ་རོལ་ཏུ་ཕྱིན་པ་རྣམ་པར་དག་པ་དང་། ཡིད་ཀྱི་འདུས་ཏེ་རེག་པ་རྣམ་པར་དག་པ་དང་། རྣམ་པ་ཐམས་ཅད་མཁྱེན་པ་ཉིད་རྣམ་པར་དག་པ་འདི་ལ་གཉིས་སུ་མེད་དེ་གཉིས་སུ་བྱར་མེད་སོ་སོ་མ་ཡིན་ཐ་མི་དད་དོ། །ཤེས་རབ་ཀྱི་

ཕ་རོལ་ཏུ་ཕྱིན་པ་རྣམ་པར་དག་པས། མིག་གི་འདུས་ཏེ་རེག་པའི་རྐྱེན་གྱིས་ཚོར་བ་རྣམ་པར་དག་པ། མིག་གི་འདུས་ཏེ་རེག་པའི་རྐྱེན་གྱིས་ཚོར་བ་རྣམ་པར་དག་པས། རྣམ་པ་ཐམས་ཅད་མཁྱེན་པ་ཉིད་རྣམ་པར་དག་པ་སྟེ། དེ་ལྟར་ན་ཤེས་རབ་ཀྱི་ཕ་རོལ་ཏུ་ཕྱིན་པ་རྣམ་པར་དག་པ་དང་། མིག་གི་འདུས་ཏེ་རེག་པའི་རྐྱེན་གྱིས་ཚོར་བ་རྣམ་པར་དག་པ་དང་། རྣམ་པ་ཐམས་ཅད་མཁྱེན་པ་ཉིད་རྣམ་པར་དག་པ་འདི་ལ་གཉིས་སུ་མེད་དེ་གཉིས་སུ་བྱར་མེད་སོ་སོ་མ་ཡིན་ཐ་མི་དད་དོ། །ཤེས་རབ་ཀྱི་ཕ་རོལ་ཏུ་ཕྱིན་པ་རྣམ་པར་དག་པས། རྣ་བའི་འདུས་ཏེ་རེག་པའི་རྐྱེན་གྱིས་ཚོར་བ་དང་། སྣའི་འདུས་ཏེ་རེག་པའི་རྐྱེན་གྱིས་ཚོར་བ་དང་། ལྕེའི་འདུས་ཏེ་རེག་པའི་རྐྱེན་གྱིས་ཚོར་བ་དང་། ལུས་ཀྱི་འདུས་ཏེ་རེག་པའི་རྐྱེན་གྱིས་ཚོར་བ་དང་། ཡིད་ཀྱི་འདུས་ཏེ་རེག་པའི་རྐྱེན་གྱིས་ཚོར་བ་རྣམ་པར་དག་པ། ཡིད་ཀྱི་འདུས་ཏེ་རེག་པའི་རྐྱེན་གྱིས་ཚོར་བ་རྣམ་པར་དག་པས། རྣམ་པ་ཐམས་ཅད་མཁྱེན་པ་ཉིད་རྣམ་པར་དག་པ་སྟེ། དེ་ལྟར་ན་ཤེས་རབ་ཀྱི་ཕ་རོལ་ཏུ་ཕྱིན་པ་རྣམ་པར་དག་པ་དང་། ཡིད་ཀྱི་འདུས་ཏེ༔རེག་པའི་[༡]རྐྱེན་གྱིས་ཚོར་བ་རྣམ་པར་དག་པ་དང་། རྣམ་པ་ཐམས་ཅད་མཁྱེན་པ་ཉིད་རྣམ་པར་དག་པ་འདི་ལ་གཉིས་སུ་མེད་དེ་གཉིས་སུ་བྱར་མེད་སོ་སོ་མ་ཡིན་ཐ་མི་དད་དོ། །བསམ་གཏན་གྱི་ཕ་རོལ་ཏུ་ཕྱིན་པ་དང་། བརྩོན་འགྲུས་ཀྱི་ཕ་རོལ་ཏུ་ཕྱིན་པ་དང་། བཟོད་པའི་ཕ་རོལ་ཏུ་ཕྱིན་པ་དང་། ཚུལ་ཁྲིམས་ཀྱི་ཕ་རོལ་ཏུ་ཕྱིན་པ་དང་། སྦྱིན་པའི་ཕ་རོལ་ཏུ་ཕྱིན་པ་རྣམ་པར་དག་པས། གཟུགས་རྣམ་པར་དག་པ། གཟུགས་རྣམ་པར་དག་པས། རྣམ་པ་ཐམས་ཅད་མཁྱེན་པ་ཉིད་རྣམ་པར་དག་པ་སྟེ། དེ་ལྟར་ན་སྦྱིན་པའི་ཕ་རོལ་ཏུ་ཕྱིན་པ་རྣམ་པར་དག་པ་དང་། གཟུགས་རྣམ་པར་དག་པ་དང་། རྣམ་པ་ཐམས་ཅད་

མཁྱེན་པ་ཉིད་རྣམ་པར་དག་པ་འདི་ལ་གཉིས་སུ་མེད་དེ་གཉིས་སུ་བྱར་མེད་སོ་སོ་
མ་ཡིན་ཐ་མི་དད་དོ། །སྦྱིན་པའི་ཕ་རོལ་ཏུ་ཕྱིན་པ་རྣམ་པར་དག་པས།
ཚོར་བ་དང་འདུ་ཤེས་དང་། འདུ་བྱེད་དང་རྣམ་པར་ཤེས་པ་རྣམ་པར་དག་པ།
རྣམ་པར་ཤེས་པ་རྣམ་པར་དག་པས། ༔རྣམ་པ་⑦ཐམས་ཅད་མཁྱེན་པ་ཉིད་རྣམ་
པར་དག་པ་སྟེ། དེ་ལྟར་ན་སྦྱིན་པའི་ཕ་རོལ་ཏུ་ཕྱིན་པ་རྣམ་པར་དག་པ་དང་།
རྣམ་པར་ཤེས་པ་རྣམ་པར་དག་པ་དང་། རྣམ་པ་ཐམས་ཅད་མཁྱེན་པ་ཉིད་རྣམ་
པར་དག་པ་འདི་ལ་གཉིས་སུ་མེད་དེ་གཉིས་སུ་བྱར་མེད་སོ་སོ་མ་ཡིན་ཐ་མི་དད་དོ། །
སྦྱིན་པའི་ཕ་རོལ་ཏུ་ཕྱིན་པ་རྣམ་པར་དག་པས། མིག་རྣམ་པར་དག་པ། མིག་
རྣམ་པར་དག་པས། རྣམ་པ་ཐམས་ཅད་མཁྱེན་པ་ཉིད་རྣམ་པར་དག་པ་སྟེ།
དེ་ལྟར་ན་སྦྱིན་པའི་ཕ་རོལ་ཏུ་ཕྱིན་པ་རྣམ་པར་དག་པ་དང་། མིག་རྣམ་པར་
དག་པ་དང་། རྣམ་པ་ཐམས་ཅད་མཁྱེན་པ་ཉིད་རྣམ་པར་དག་པ་འདི་ལ་གཉིས་
སུ་མེད་དེ་གཉིས་སུ་བྱར་མེད་སོ་སོ་མ་ཡིན་ཐ་མི་དད་དོ། །སྦྱིན་པའི་ཕ་རོལ་ཏུ་
ཕྱིན་པ་རྣམ་པར་དག་པས། རྣ་བ་དང་སྣ་དང་ལྕེ་དང་ལུས་དང་། ཡིད་རྣམ་
པར་དག་པ། ཡིད་རྣམ་པར་དག་པས། རྣམ་པ་ཐམས་ཅད་མཁྱེན་པ་ཉིད་
རྣམ་པར་དག་པ་སྟེ། དེ་ལྟར་ན་སྦྱིན་པའི་ཕ་རོལ་ཏུ༔ཕྱིན་པ་③རྣམ་པར་དག་པ་
དང་། ཡིད་རྣམ་པར་དག་པ་དང་། རྣམ་པ་ཐམས་ཅད་མཁྱེན་པ་ཉིད་རྣམ་
པར་དག་པ་འདི་ལ་གཉིས་སུ་མེད་དེ་གཉིས་སུ་བྱར་མེད་སོ་སོ་མ་ཡིན་ཐ་མི་དད་དོ། །
སྦྱིན་པའི་ཕ་རོལ་ཏུ་ཕྱིན་པ་རྣམ་པར་དག་པས། གཟུགས་རྣམ་པར་དག་པ།
གཟུགས་རྣམ་པར་དག་པས། རྣམ་པ་ཐམས་ཅད་མཁྱེན་པ་ཉིད་རྣམ་པར་དག་
པ་སྟེ། དེ་ལྟར་ན་སྦྱིན་པའི་ཕ་རོལ་ཏུ་ཕྱིན་པ་རྣམ་པར་དག་པ་དང་།
གཟུགས་རྣམ་པར་དག་པ་དང་། རྣམ་པ་ཐམས་ཅད་མཁྱེན་པ་ཉིད་རྣམ་③པར་

དག་པ་འདི་ལ་གཉིས་སུ་མེད་དེ་གཉིས་སུ་བྱར་མེད་སོ་སོ་མ་ཡིན་ཐ་མི་དད་དོ། །སྦྱིན་པའི་ཕ་རོལ་ཏུ་ཕྱིན་པ་རྣམ་པར་དག་པས། སྒྲ་དང་དྲི་དང་རོ་དང་རེག་དང་ཆོས་རྣམ་པར་དག་པ། ཆོས་རྣམ་པར་དག་པས། རྣམ་པ་ཐམས་ཅད་མཁྱེན་པ་ཉིད་རྣམ་པར་དག་པ་སྟེ། དེ་ལྟར་ན་སྦྱིན་པའི་ཕ་རོལ་ཏུ་ཕྱིན་པ་རྣམ་པར་དག་པ་དང་། ཆོས་རྣམ་པར་དག་པ་དང་། རྣམ་པ་ཐམས་ཅད་མཁྱེན་པ་ཉིད་རྣམ་པར་དག་པ་འདི་ལ་གཉིས་སུ་མེད་དེ་གཉིས་སུ་བྱར་མེད་སོ་སོ་མ་ཡིན་ཐ་མི་དད་དོ། །སྦྱིན་པའི་ཕ་རོལ་ཏུ་ཕྱིན་པ་རྣམ་པར་དག་པས། མིག་གི་རྣམ་པར་ཤེས་པ་རྣམ་པར་དག་པ། མིག་གི་རྣམ་པར་ཤེས་པ་རྣམ་པར་དག་པས། རྣམ་པ་ཐམས་ཅད་མཁྱེན་པ་ཉིད་རྣམ་པར་དག་པ་སྟེ། དེ་ལྟར་ན་སྦྱིན་པའི་ཕ་རོལ་ཏུ་ཕྱིན་པ་རྣམ་པར་དག་པ་དང་། མིག་གི་རྣམ་པར་ཤེས་པ་རྣམ་པར་དག་པ་དང་། རྣམ་པ་ཐམས་ཅད་མཁྱེན་པ་ཉིད་རྣམ་པར་དག་པ་འདི་ལ་གཉིས་སུ་མེད་དེ་གཉིས་སུ་བྱར་མེད་སོ་སོ་མ་ཡིན་ཐ་མི་དད་དོ། །སྦྱིན་པའི་ཕ་རོལ་ཏུ་ཕྱིན་པ་རྣམ་པར་དག་པས། རྣ་བའི་རྣམ་པར་ཤེས་པ་དང་། སྣའི་རྣམ་པར་ཤེས་པ་དང་། ལྗེའི་རྣམ་པར་ཤེས་པ་དང་། ལུས་ཀྱི་རྣམ་པར་ཤེས་པ་དང་། ཡིད་ཀྱི་རྣམ་པར་ཤེས་པ་རྣམ་པར་དག་པ། ཡིད་ཀྱི་རྣམ་པར་ཤེས་པ་རྣམ་པར་དག་པས། རྣམ་པ་ཐམས་ཅད་མཁྱེན་པ་ཉིད་རྣམ་པར་དག་པ་སྟེ། དེ་ལྟར་ན་སྦྱིན་པའི་ཕ་རོལ་ཏུ་ཕྱིན་པ་རྣམ་པར་དག་པ་དང་། ཡིད་ཀྱི་རྣམ་པར་ཤེས་པ་རྣམ་པར་དག་པ་དང་། རྣམ་པ་ཐམས་ཅད་མཁྱེན་པ་ཉིད་རྣམ་པར་དག་པ་འདི་ལ་གཉིས་སུ་མེད་དེ་གཉིས་སུ་བྱར་མེད་སོ་སོ་མ་ཡིན་ཐ་མི་དད་དོ། །སྦྱིན་པའི་ཕ་རོལ་ཏུ་ཕྱིན་པ་རྣམ་པར་དག་པས། མིག་གི་འདུས་ཏེ་རེག་པ་རྣམ་པར་དག་པ། མིག་གི་འདུས་ཏེ་རེག་པ་རྣམ་པར་དག་པས། རྣམ་པ་ཐམས་ཅད་མཁྱེན་པ་ཉིད་

རྣམ་པར་དག་པ་སྟེ། དེ་ལྟར་ན་སྦྱིན་པའི་ཕ་རོལ་ཏུ་ཕྱིན་པ་རྣམ་པར་དག་པ་དང་། མིག་གི་འདུས་ཏེ་རེག་པ་རྣམ་པར་དག་པ་དང་། རྣམ་པ་ཐམས་ཅད་མཁྱེན་པ་ཉིད་རྣམ་པར་དག་པ་འདི་ལ་གཉིས་སུ་མེད་དེ་གཉིས་སུ་བྱར་མེད་སོ་སོ་མ་ཡིན་ཐ་མི་དད་དོ། །སྦྱིན་པའི་ཕ་རོལ་ཏུ་ཕྱིན་པ་རྣམ་པར་དག་པས། རྣ་བའི་འདུས་ཏེ་རེག་པ་དང་། སྣའི་འདུས་ཏེ་རེག་པ་དང་། ལྗེའི་འདུས་ཏེ་རེག་པ་དང་། ལུས་ཀྱི་འདུས་ཏེ་རེག་པ་དང་། ཡིད་ཀྱི་འདུས་ཏེ་རེག་པ་རྣམ་པར་དག་པ། ཡིད་ཀྱི་འདུས་ཏེ་རེག་པ་རྣམ་པར་དག་པས། རྣམ་པ་ཐམས་ཅད་མཁྱེན་པ་ཉིད་རྣམ་པར་དག་པ་སྟེ། དེ་ལྟར་ན་སྦྱིན་པའི་ཕ་རོལ་ཏུ་ཕྱིན་པ་རྣམ་པར་དག་པ་དང་། ཡིད་ཀྱི་འདུས་ཏེ་རེག་པ་རྣམ་པར་དག་པ་དང་། རྣམ་པ་ཐམས་ཅད་མཁྱེན་པ་ཉིད་རྣམ་པར་དག་པ་འདི་ལ་གཉིས་སུ་མེད་དེ་གཉིས་སུ་བྱར་མེད་སོ་སོ་མ་ཡིན་ཐ་མི་དད་དོ། །སྦྱིན་པའི་ཕ་རོལ་ཏུ་ཕྱིན་པ་རྣམ་པར་དག་པས། མིག་གི་འདུས་ཏེ་རེག་པའི་རྐྱེན་གྱིས་ཚོར་བ་རྣམ་པར་དག་པ། མིག་གི་འདུས་ཏེ་རེག་པའི་རྐྱེན་གྱིས་ཚོར་བ་རྣམ་པར་དག་པས། རྣམ་པ་ཐམས་ཅད་མཁྱེན་པ་ཉིད་རྣམ་པར་དག་པ་སྟེ། དེ་ལྟར་ན་སྦྱིན་པའི་ཕ་རོལ་ཏུ་ཕྱིན་པ་རྣམ་པར་དག་པ་དང་། མིག་གི་འདུས་ཏེ་རེག་པའི་རྐྱེན་གྱིས་ཚོར་བ་རྣམ་པར་དག་པ་དང་། རྣམ་པ་ཐམས་ཅད་མཁྱེན་པ་ཉིད་རྣམ་པར་དག་པ་འདི་ལ་གཉིས་སུ་མེད་དེ་གཉིས་སུ་⑦བྱར་མེད་སོ་སོ་མ་ཡིན་ཐ་མི་དད་དོ། །སྦྱིན་པའི་ཕ་རོལ་ཏུ་ཕྱིན་པ་རྣམ་པར་དག་པས། རྣ་བའི་འདུས་ཏེ་རེག་པའི་རྐྱེན་གྱིས་ཚོར་བ་དང་། སྣའི་འདུས་ཏེ་རེག་པའི་རྐྱེན་གྱིས་ཚོར་བ་དང་། ལྗེའི་འདུས་ཏེ་རེག་པའི་རྐྱེན་གྱིས་ཚོར་བ་དང་། ལུས་ཀྱི་འདུས་ཏེ་རེག་པའི་རྐྱེན་གྱིས་ཚོར་བ་དང་། ཡིད་ཀྱི་འདུས་ཏེ་རེག་པའི་རྐྱེན་གྱིས་ཚོར་བ་རྣམ་པར་དག་པ། ཡིད་ཀྱི་འདུས་ཏེ་རེག

པའི་རྐྱེན་གྱིས་ཚོར་བ་རྣམ་པར་དག་པས། རྣམ་པ་ཐམས་ཅད་མཁྱེན་པ་ཉིད་རྣམ་པར་དག་པ་སྟེ། དེ་ལྟར་ན་སྦྱིན་པའི་ཕ་རོལ་ཏུ་ཕྱིན་པ་རྣམ་པར་དག་པ་དང་། ཡིད་ཀྱི་འདུས་ཏེ་རེག་པའི་རྐྱེན་གྱིས་ཚོར་བ་རྣམ་པར་དག་པ་དང་། རྣམ་པ་ཐམས་ཅད་མཁྱེན་པ་ཉིད་རྣམ་པར་དག་པ་འདི་ལ་གཉིས་སུ་མེད་དེ་གཉིས་སུ་བྱར་མེད་སོ་སོ་མ་ཡིན་ཐ་མི་དད་དོ། །ནང་སྟོང་པ་ཉིད་རྣམ་པར་དག་པས། གཟུགས་རྣམ་པར་དག་པ། གཟུགས་རྣམ་པར་དག་པས། རྣམ་པ་ཐམས་ཅད་མཁྱེན་པ་ཉིད་རྣམ་པར་དག་པ་སྟེ། དེ་ལྟར་ན་ནང་སྟོང་པ་ཉིད་རྣམ་པར་དག་པ་དང་། གཟུགས་རྣམ་པར་དག་པ་དང་། རྣམ་པ་ཐམས་ཅད་མཁྱེན་པ་ཉིད་རྣམ་པར་དག་པ་འདི་ལ་གཉིས་སུ་མེད་དེ་གཉིས་སུ་བྱར་མེད་སོ་སོ་མ་ཡིན་ཐ་མི་དད་དོ། །ནང་སྟོང་པ་ཉིད་རྣམ་པར་དག་པས། ཡིད་ཀྱི་འདུས་ཏེ་རེག་པའི་རྐྱེན་གྱིས་ཚོར་བའི་བར་དུ་རྣམ་པར་དག་པ། ཡིད་ཀྱི་འདུས་ཏེ་རེག་པའི་རྐྱེན་གྱིས་ཚོར་བ་རྣམ་པར་དག་པས། རྣམ་པ་ཐམས་ཅད་མཁྱེན་པ་ཉིད་རྣམ་པར་དག་པ་སྟེ། དེ་ལྟར་ན་ནང་སྟོང་པ་ཉིད་རྣམ་པར་དག་པ་དང་། ཡིད་ཀྱི་འདུས་ཏེ་རེག་པའི་རྐྱེན་གྱིས་ཚོར་བ་རྣམ་པར་དག་པ་དང་། རྣམ་པ་ཐམས་ཅད་མཁྱེན་པ་ཉིད་རྣམ་པར་དག་པ་འདི་ལ་གཉིས་སུ་མེད་དེ་གཉིས་སུ་བྱར་མེད་སོ་སོ་མ་ཡིན་ཐ་མི་དད་དོ། །དངོས་པོ་མེད་པའི་ངོ་བོ་ཉིད་སྟོང་པ་ཉིད་ཀྱི་[1] བར་དུ་རྣམ་པར་དག་པས། གཟུགས་རྣམ་པར་དག་པ། གཟུགས་རྣམ་པར་དག་པས། རྣམ་པ་ཐམས་ཅད་མཁྱེན་པ་ཉིད་རྣམ་པར་དག་པ་སྟེ། དེ་ལྟར་ན་དངོས་པོ་མེད་པའི་ངོ་བོ་ཉིད་སྟོང་པ་ཉིད་རྣམ་པར་དག་པ་དང་། གཟུགས་རྣམ་པར་དག་པ་དང་། རྣམ་པ་ཐམས་ཅད་མཁྱེན་པ་ཉིད་རྣམ་པར་དག་པ་འདི་ལ་གཉིས་སུ་མེད་དེ་གཉིས་སུ་བྱར་མེད་སོ་སོ་མ་ཡིན་ཐ་མི་དད་དོ། །དངོས་པོ་མེད་པའི་ངོ་བོ་ཉིད་

སྟོང་པ་ཉིད་རྣམ་པར་དག་པས། ཡིད་ཀྱི་འདུས་ཏེ་རེག་པའི་རྐྱེན་གྱིས་ཚོར་བའི་བར་དུ་རྣམ་པར་དག་པ། ཡིད་ཀྱི་འདུས་ཏེ་རེག་པའི་རྐྱེན་གྱིས་ཚོར་བ་རྣམ་པར་དག་པས། རྣམ་པ་ཐམས་ཅད་མཁྱེན་པ་ཉིད་རྣམ་པར་དག་པ་སྟེ། དེ་ལྟར་ན་དངོས་པོ་མེད་པའི་ངོ་བོ་ཉིད་སྟོང་པ་ཉིད་རྣམ་པར་①དག་པ་དང་། ཡིད་ཀྱི་འདུས་ཏེ་རེག་པའི་རྐྱེན་གྱིས་ཚོར་བ་རྣམ་པར་དག་པ་དང་། རྣམ་པ་ཐམས་ཅད་མཁྱེན་པ་ཉིད་རྣམ་པར་དག་པ་འདི་ལ་གཉིས་སུ་མེད་དེ་གཉིས་སུ་བྱར་མེད་སོ་སོ་མ་ཡིན་ཐ་མི་དད་དོ། །དྲན་པ་ཉེ་བར་གཞག་པ་རྣམ་པར་དག་པས། གཟུགས་རྣམ་པར་དག་པ། གཟུགས་རྣམ་པར་དག་པས། རྣམ་པ་ཐམས་ཅད་མཁྱེན་པ་ཉིད་རྣམ་པར་དག་པ་སྟེ། དེ་ལྟར་ན་དྲན་པ་ཉེ་བར་གཞག་པ་རྣམ་པར་དག་པ་དང་། གཟུགས་རྣམ་པར་དག་པ་དང་། རྣམ་པ་ཐམས་ཅད་མཁྱེན་པ་ཉིད་རྣམ་པར་དག་པ་འདི་ལ་གཉིས་སུ་མེད་དེ་གཉིས་སུ་བྱར་མེད་སོ་སོ་མ་ཡིན་ཐ་མི་དད་དོ། །དྲན་པ་ཉེ་བར་གཞག་པ་རྣམ་པར་དག་པས། ཡིད་ཀྱི་འདུས་ཏེ་རེག་པའི་རྐྱེན་གྱིས་ཚོར་བའི་བར་དུ་རྣམ་པར་དག་པ②། ཡིད་ཀྱི་འདུས་ཏེ་རེག་པའི་རྐྱེན་གྱིས་ཚོར་བ་རྣམ་པར་དག་པས③། རྣམ་པ་ཐམས་ཅད་མཁྱེན་པ་ཉིད་རྣམ་པར་དག་པ་སྟེ། དེ་ལྟར་ན་དྲན་པ་ཉེ་བར་གཞག་པ་རྣམ་པར་དག་པ་དང་། ཡིད་ཀྱི་འདུས་ཏེ་རེག་པའི་རྐྱེན་གྱིས་ཚོར་བ་རྣམ་པར་དག་པ་དང་། རྣམ་པ་ཐམས་ཅད་མཁྱེན་པ་ཉིད་རྣམ་པར་དག་པ་འདི་ལ་གཉིས་སུ་མེད་དེ་གཉིས་སུ་བྱར་མེད་སོ་སོ་མ་ཡིན་ཐ་མི་དད་དོ། །འཕགས་པའི་ལམ་ཡན་ལག་བརྒྱད་པའི་བར་དུ་རྣམ་པར་དག་པས། གཟུགས་རྣམ་པར་དག་པ། གཟུགས་རྣམ་པར་དག་པས། རྣམ་པ་ཐམས་ཅད་མཁྱེན་པ་ཉིད་རྣམ་པར་དག་པ་སྟེ། དེ་ལྟར་ན་འཕགས་པའི་ལམ་④ཡན་ལག་བརྒྱད་པ་རྣམ་པར་དག་པ་དང་།

གཟུགས་རྣམ་པར་དག་པ་དང་། རྣམ་པ་ཐམས་ཅད་མཁྱེན་པ་ཉིད་རྣམ་པར་དག་པ་འདི་ལ་གཉིས་སུ་མེད་དེ་གཉིས་སུ་བྱར་མེད་སོ་སོ་མ་ཡིན་ཐ་མི་དད་དོ། །འཕགས་པའི་ལམ་ཡན་ལག་བརྒྱད་པའི་བར་དུ་རྣམ་པར་དག་པས། ཡིད་ཀྱི་འདུས་ཏེ་རེག་པའི་རྐྱེན་གྱིས་ཚོར་བའི་བར་དུ་རྣམ་པར་དག་པ། ཡིད་ཀྱི་འདུས་ཏེ་རེག་པའི་རྐྱེན་གྱིས་ཚོར་བ་རྣམ་པར་དག་པས། རྣམ་པ་ཐམས་ཅད་མཁྱེན་པ་ཉིད་རྣམ་པར་དག་པ་སྟེ། དེ་ལྟར་ན་འཕགས་པའི་ལམ་ཡན་ལག་བརྒྱད་པ་རྣམ་པར་དག་པ་དང་། ཡིད་ཀྱི་འདུས་ཏེ་རེག་པའི་རྐྱེན་གྱིས་ཚོར་བ་རྣམ་པར་དག་པ་དང་། རྣམ་པ་ཐམས་ཅད་མཁྱེན་པ་ཉིད་རྣམ་པར་དག་པ་འདི་ལ་གཉིས་སུ་མེད་དེ་གཉིས་སུ་བྱར་མེད་སོ་སོ་མ་ཡིན་ཐ་མི་དད་དོ། །འཕགས་པའི་བདེན་པ་དང་། བསམ་གཏན་དང་། ཚད་མེད་པ་དང་། གཟུགས་མེད་པའི་སྙོམས་པར་འཇུག་པ་དང་། རྣམ་པར་ཐར་པ་དང་། མཐར་གྱིས་གནས་པའི་སྙོམས་[༧]པར་འཇུག་པ་དང་། སྟོང་པ་ཉིད་དང་། མཚན་མ་མེད་པ་དང་། སྨོན་པ་མེད་པ་དང་། མངོན་པར་ཤེས་པ་དང་། ཏིང་ངེ་འཛིན་དང་། གཟུངས་ཀྱི་སྒོ་དང་། དེ་བཞིན་གཤེགས་པའི་སྟོབས་དང་། མི་འཇིགས་པ་དང་། སོ་སོ་ཡང་དག་པར་རིག་པ་དང་། བྱམས་པ་ཆེན་པོ་དང་། སྙིང་རྗེ་ཆེན་པོ་དང་། སངས་རྒྱས་ཀྱི་ཆོས་མ་འདྲེས་པ་རྣམ་པར་དག་པས། གཟུགས་རྣམ་པར་དག་པ། གཟུགས་རྣམ་པར་དག་པས། རྣམ་པ་ཐམས་ཅད་མཁྱེན་པ་ཉིད་རྣམ་པར་དག་པ་སྟེ[༣]། དེ་ལྟར་ན་སངས་རྒྱས་ཀྱི་ཆོས་མ་འདྲེས་པ་རྣམ་པར་དག་པ་དང་། གཟུགས་རྣམ་པར་དག་པ་དང་། རྣམ་པ་ཐམས་ཅད་མཁྱེན་པ་ཉིད་རྣམ་པར་དག་པ་འདི་ལ་གཉིས་སུ་མེད་དེ་གཉིས་སུ་བྱར་མེད་སོ་སོ་མ་ཡིན་ཐ་མི་དད་དོ། །འཕགས་པའི་བདེན་པ་དང་། བསམ་གཏན་དང་། ཚད་མེད་པ་དང་།

གཟུགས་མེད་པའི་སྙོམས་པར་འཇུག་པ་དང་། རྣམ་པར་ཐར་པ་དང་། མཐར་གྱིས་གནས་པའི་སྙོམས་པར་འཇུག་པ་དང་། སྟོང་པ་ཉིད་དང་། མཚན་མ་མེད་པ་དང་། སྨོན་པ་མེད་པ་དང་། མངོན་པར་ཤེས་པ་དང་། ཏིང་ངེ་འཛིན་དང་། གཟུངས་ཀྱི་སྒོ་དང་། དེ་བཞིན་གཤེགས་པའི་སྟོབས་དང་། མི་འཇིགས་པ་དང་། སོ་སོ་ཡང་དག་པར་རིག་པ་དང་། བྱམས་པ་ཆེན་པོ་དང་། སྙིང་རྗེ་ཆེན་པོ་དང་། སངས་རྒྱས་ཀྱི་ཆོས་མ་འདྲེས་པ་རྣམ་པར་དག་པས། ཡིད་ཀྱི་འདུས་ཏེ་རེག་པའི་རྐྱེན་གྱིས་ཚོར་བའི་བར་དུ་རྣམ་པར་དག་པ། ཡིད་ཀྱི་འདུས་ཏེ་རེག་པའི་རྐྱེན་གྱིས་ཚོར་བ་རྣམ་པར་དག་པས། རྣམ་པ་ཐམས་ཅད་མཁྱེན་པ་ཉིད་རྣམ་པར་དག་པ་སྟེ་དེ་ལྟར་ན་སངས་རྒྱས་ཀྱི་ཆོས་མ་འདྲེས་པ་རྣམ་པར་དག་པ་དང་། ཡིད་ཀྱི་འདུས་ཏེ་རེག་པའི་རྐྱེན་གྱིས་ཚོར་བ་རྣམ་པར་དག་པ་དང་། རྣམ་པ་ཐམས་ཅད་མཁྱེན་པ་ཉིད་རྣམ་པར་དག་པ་འདི་ལ་གཉིས་སུ་མེད་དེ་གཉིས་སུ་བྱར་མེད་སོ་སོ་མ་ཡིན་ཐ་མི་དད་དོ། །རྒྱུན་དུ་ཞུགས་པའི་འབྲས་བུ་རྣམ་པར་དག་པས། གཟུགས་རྣམ་པར་དག་པ། གཟུགས་རྣམ་པར་དག་པས། རྣམ་པ་ཐམས་ཅད་མཁྱེན་པ་ཉིད་རྣམ་པར་དག་པ་སྟེ། དེ་ལྟར་ན་རྒྱུན་དུ་ཞུགས་པའི་འབྲས་བུ་རྣམ་པར་དག་པ་དང་། གཟུགས་རྣམ་པར་དག་པ་དང་། རྣམ་པ་[7]ཐམས་ཅད་མཁྱེན་པ་ཉིད་རྣམ་པར་དག་པ་འདི་ལ་གཉིས་སུ་མེད་དེ་གཉིས་སུ་བྱར་མེད་སོ་སོ་མ་ཡིན་ཐ་མི་དད་དོ།། ||

ཤེས་རབ་ཀྱི་ཕ་རོལ་ཏུ་ཕྱིན་པ་སྟོང་ཕྲག་ཉི་ཤུ་ལྔ་པ། བམ་པོ་སུམ་ཅུ་དགུ་པ། རྒྱུན་དུ་ཞུགས་པའི་འབྲས་བུ་རྣམ་པར་དག་པས། ཡིད་ཀྱི་འདུས་ཏེ་རེག་པའི་རྐྱེན་གྱིས་ཚོར་བའི་བར་དུ་རྣམ་པར་དག་པ། ཡིད་ཀྱི་འདུས་ཏེ་རེག་པའི་རྐྱེན་གྱིས་ཚོར་བ་རྣམ་པར་དག་པས། རྣམ་པ་ཐམས་ཅད་མཁྱེན་པ་ཉིད་

རྣམ་པར་དག་པ་སྟེ། དེ་ལྟར་ན་རྒྱུན་དུ་ཞུགས་པའི་འབྲས་བུ་རྣམ་པར་དག་པ་
དང་། ཡིད་ཀྱི་འདུས་ཏེ་རེག་པའི་རྐྱེན་གྱིས་ཚོར་བ་རྣམ་པར་དག་པ་དང་།
རྣམ་པ་ཐམས་ཅད་མཁྱེན་པ་ཉིད་རྣམ་པར་དག་པ་འདི་ལ་གཉིས་སུ་མེད་དེ་གཉིས་
སུ་བྱར་མེད་སོ་སོ་མ་ཡིན་ཐ་མི་དད་དོ། །ལན་ཅིག་ཕྱིར་འོང་བའི་འབྲས་བུ་དང་།
ཕྱིར་མི་འོང་བའི་འབྲས་བུ་དང་། དགྲ་བཅོམ་པ་ཉིད་དང་། རང་བྱང་ཆུབ་
རྣམ་པར་དག་པས། གཟུགས་རྣམ་པར་དག་པ། གཟུགས་རྣམ་པར་དག་པས།
རྣམ་པ་ཐམས་ཅད་མཁྱེན་པ་ཉིད་རྣམ་པར་དག་པ་སྟེ། དེ་ལྟར་ན་རང་བྱང་ཆུབ་
རྣམ་པར་དག་པ་དང་། གཟུགས་རྣམ་པར་དག་པ་དང་། རྣམ་པ་ཐམས་ཅད་
མཁྱེན་པ་ཉིད་རྣམ་པར་དག་པ་འདི་ལ་གཉིས་སུ་མེད་དེ་གཉིས་སུ་① བྱར་མེད་སོ་སོ་
མ་ཡིན་ཐ་མི་དད་དོ། །ལན་ཅིག་ཕྱིར་འོང་བའི་འབྲས་བུ་དང་། ཕྱིར་མི་འོང་
བའི་འབྲས་བུ་དང་། དགྲ་བཅོམ་པ་ཉིད་དང་། རང་བྱང་ཆུབ་རྣམ་པར་དག་
པས། ཡིད་ཀྱི་འདུས་ཏེ་རེག་པའི་རྐྱེན་གྱིས་ཚོར་བའི་བར་དུ་རྣམ་པར་དག་པ།
ཡིད་ཀྱི་འདུས་ཏེ་རེག་པའི་རྐྱེན་གྱིས་ཚོར་བ་རྣམ་པར་དག་པས། རྣམ་པ་ཐམས་
ཅད་མཁྱེན་པ་ཉིད་རྣམ་པར་དག་པ་སྟེ། དེ་ལྟར་ན་རང་བྱང་ཆུབ་རྣམ་པར་དག་
པ་དང་། ཡིད་ཀྱི་འདུས་ཏེ་རེག་པའི་རྐྱེན་གྱིས་ཚོར་བ་རྣམ་པར་དག་པ་དང་།
རྣམ་པ་ཐམས་ཅད་མཁྱེན་པ་ཉིད་རྣམ་པར་དག་པ་འདི་ལ་གཉིས་སུ་མེད་དེ་གཉིས་
སུ་བྱར་མེད་སོ་སོ་མ་ཡིན་ཐ་མི་དད་དོ། །ལམ་གྱི་རྣམ་པ་ཤེས་པ་ཉིད་རྣམ་པར་
དག་པས། གཟུགས་རྣམ་པར་དག་པ། གཟུགས་རྣམ་པར་དག་པས། རྣམ་
པ་ཐམས་ཅད་མཁྱེན་པ་ཉིད་རྣམ་པར་དག་པ་སྟེ། དེ་ལྟར་ན་ལམ་གྱི་རྣམ་པ་③
ཤེས་པ་ཉིད་རྣམ་པར་དག་པ་དང་། གཟུགས་རྣམ་པར་དག་པ་དང་། རྣམ་
པ་ཐམས་ཅད་མཁྱེན་པ་ཉིད་རྣམ་པར་དག་པ་འདི་ལ་གཉིས་སུ་མེད་དེ། གཉིས་

སུ་བྱར་མེད་སོ་སོ་མ་ཡིན་ཐ་མི་དད་དོ། །ལམ་གྱི་རྣམ་པ་ཤེས་པ་ཉིད་རྣམ་པར་དག་པས། ཡིད་ཀྱི་འདུས་ཏེ་རེག་པའི་རྐྱེན་གྱིས་ཚོར་བའི་བར་དུ་རྣམ་པར་དག་པ། ཡིད་ཀྱི་འདུས་ཏེ་རེག་པའི་རྐྱེན་གྱིས་ཚོར་བ་རྣམ་པར་དག་པས། རྣམ་པ་ཐམས་ཅད་མཁྱེན་པ་ཉིད་རྣམ་པར་དག་པ་སྟེ། དེ་ལྟར་ན་ལམ་གྱི་རྣམ་པ་ཤེས་པ་ཉིད་རྣམ་པར་དག་པ་དང་། ཡིད་ཀྱི་འདུས་ཏེ་རེག་པའི་རྐྱེན་གྱིས་ཚོར་བ་རྣམ་པར་དག་པ་དང་། རྣམ་པ་ཐམས་ཅད་མཁྱེན་པ་ཉིད་རྣམ་པར་དག་པ་འདི་ལ་གཉིས་སུ་མེད་དེ་གཉིས་སུ་བྱར་མེད་སོ་སོ་མ་ཡིན་ཐ་མི་དད་དོ། །རྣམ་པ་ཐམས་ཅད་མཁྱེན་པ་ཉིད་རྣམ་པར་དག་པས། གཟུགས་རྣམ་པར་དག་པ། གཟུགས་རྣམ་པར་དག་པས། རྣམ་པ་ཐམས་ཅད་མཁྱེན་པ་ཉིད་རྣམ་པར་དག་པ་སྟེ། དེ་ལྟར་ན་རྣམ་པ་ཐམས་ཅད་མཁྱེན་པ་ཉིད་རྣམ་པར་དག་པ་དང་། གཟུགས་རྣམ་པར་དག་པ་དང་། རྣམ་པ་ཐམས་ཅད་མཁྱེན་པ་ཉིད་རྣམ་པར་དག་པ་འདི་ལ་གཉིས་སུ་མེད་དེ་གཉིས་སུ་བྱར་མེད་སོ་སོ་མ་ཡིན་ཐ་མི་དད་དོ། །རྣམ་པ་ཐམས་ཅད་མཁྱེན་པ་ཉིད་རྣམ་པར་དག་པས། ཡིད་ཀྱི་འདུས་ཏེ་རེག་པའི་རྐྱེན་གྱིས་ཚོར་བའི་བར་དུ་རྣམ་པར་དག་པ། ཡིད་ཀྱི་འདུས་ཏེ་རེག་པའི་རྐྱེན་གྱིས་ཚོར་བ་རྣམ་པར་དག་པས། རྣམ་པ་ཐམས་ཅད་མཁྱེན་པ་ཉིད་རྣམ་པར་དག་པ་སྟེ། དེ་ལྟར་ན་རྣམ་པ་ཐམས་ཅད་མཁྱེན་པ་ཉིད་རྣམ་པར་དག་པ་དང་། ཡིད་ཀྱི་འདུས་ཏེ་རེག་པའི་རྐྱེན་གྱིས་ཚོར་བ་རྣམ་པར་དག་པ་དང་། རྣམ་པ་ཐམས་ཅད་མཁྱེན་པ་ཉིད་རྣམ་པར་དག་པ་འདི་ལ་གཉིས་སུ་མེད་དེ་གཉིས་སུ་བྱར་མེད་སོ་སོ་མ་ཡིན་ཐ་མི་དད་དོ། །རབ་འབྱོར་གཞན་ཡང་རྣམ་པ་ཐམས་ཅད་མཁྱེན་པ་ཉིད་རྣམ་པར་དག་པས། གཟུགས་རྣམ་པར་དག་པ། གཟུགས་རྣམ་པར་དག་པས། ཤེས་རབ་ཀྱི་ཕ་རོལ་ཏུ་ཕྱིན་པ་རྣམ་པར་དག་པ་སྟེ། དེ་

ལྟར་ན་རྣམ་པ་ཐམས་ཅད་མཁྱེན་པ་ཉིད་རྣམ་པར་དག་པ་དང་། གཟུགས་རྣམ་པར་དག་པ་དང་། ཤེས་རབ་ཀྱི་ཕ་རོལ་ཏུ་ཕྱིན་པ་རྣམ་པར་དག་པ་འདི་ལ་གཉིས་སུ་མེད་དེ་གཉིས་སུ་བྱར་མེད་སོ་སོ་མ་ཡིན་ཐ་མི་དད་དོ། །རྣམ་པ་ཐམས་ཅད་མཁྱེན་པ་ཉིད་རྣམ་པར་དག་པས། ཚོར་བ་དང་། འདུ་ཤེས་དང་། འདུ་བྱེད་དང་། རྣམ་པར་ཤེས་པ་རྣམ་པར་དག་པ། རྣམ་པར་ཤེས་པ་རྣམ་པར་དག་པས། ཤེས་རབ་ཀྱི་ཕ་རོལ་ཏུ་ཕྱིན་པ་རྣམ་པར་དག་པ་སྟེ། དེ་ལྟར་ན་རྣམ་པ་ཐམས་ཅད་མཁྱེན་པ་ཉིད་རྣམ་པར་དག་པ་དང་། རྣམ་པར་ཤེས་པ་རྣམ་པར་དག་པ་དང་། ཤེས་རབ་ཀྱི་ཕ་རོལ་ཏུ་ཕྱིན་པ་རྣམ་པར་དག་པ་འདི་ལ་གཉིས་སུ་མེད་དེ་གཉིས་སུ་བྱར་མེད་སོ་སོ་མ་ཡིན་ཐ་མི་དད་དོ། །རྣམ་པ་ཐམས་ཅད་མཁྱེན་པ་ཉིད་རྣམ་པར་དག་པས། ཡིད་ཀྱི་འདུས་ཏེ་རེག་པའི་རྐྱེན་གྱིས་ཚོར་བའི་བར་དུ་རྣམ་པར་དག་པ། ཡིད་ཀྱི་འདུས་ཏེ་རེག་པའི་རྐྱེན་གྱིས་ཚོར་བ་རྣམ་པར་དག་པས། ཤེས་རབ་ཀྱི་ཕ་རོལ་ཏུ་ཕྱིན་པ་རྣམ་པར་དག་པ་སྟེ། དེ་ལྟར་ན་རྣམ་པ་ཐམས་ཅད་མཁྱེན་པ་ཉིད་རྣམ་པར་དག་པ་དང་། ཡིད་ཀྱི་འདུས་ཏེ་རེག་པའི་རྐྱེན་གྱིས་ཚོར་བ་རྣམ་པར་དག་པ་དང་། ཤེས་རབ་ཀྱི་ཕ་རོལ་ཏུ་ཕྱིན་པ་རྣམ་པར་དག་པ་འདི་ལ་གཉིས་སུ་མེད་དེ་གཉིས་སུ་བྱར་མེད་སོ་སོ་མ་ཡིན་ཐ་མི་དད་དོ། །རྣམ་པ་ཐམས་ཅད་མཁྱེན་པ་ཉིད་རྣམ་པར་དག་པས། གཟུགས་རྣམ་པར་དག་པ། གཟུགས་རྣམ་པར་དག་པས། བསམ་གཏན་གྱི་ཕ་རོལ་ཏུ་ཕྱིན་པ་དང་། བརྩོན་འགྲུས་ཀྱི་ཕ་རོལ་ཏུ་ཕྱིན་པ་དང་། བཟོད་པའི་ཕ་རོལ་ཏུ་ཕྱིན་པ་དང་། ཚུལ་ཁྲིམས་ཀྱི་ཕ་རོལ་ཏུ་ཕྱིན་པ་དང་། སྦྱིན་པའི་ཕ་རོལ་ཏུ་ཕྱིན་པ་རྣམ་པར་དག་པ་སྟེ། དེ་ལྟར་ན་རྣམ་པ་ཐམས་ཅད་མཁྱེན་པ་ཉིད་རྣམ་པར་དག་པ་དང་། གཟུགས་རྣམ་པར་དག་པ་དང་། སྦྱིན་པའི་ཕ་རོལ་

ཏུ་ཕྱིན་པ་རྣམ་པར་དག་པ་འདི་ལ་གཉིས་སུ་མེད་དེ་གཉིས་སུ་བྱར་མེད་སོ་སོ་མ་ཡིན་ཐ་མི་དད་དོ། །རྣམ་པ་ཐམས་ཅད་མཁྱེན་པ་ཉིད་རྣམ་པར་དག་པས། ཡིད་ཀྱི་འདུས་ཏེ་རེག་པའི་རྐྱེན་གྱིས་ཚོར་བའི་བར་དུ་རྣམ་པར་དག་པ། ཡིད་ཀྱི་འདུས་ཏེ་རེག་པའི་རྐྱེན་གྱིས་ཚོར་བ་རྣམ་པར་དག་པས། བསམ་གཏན་གྱི་ཕ་རོལ་ཏུ་ཕྱིན་པ་དང་། བརྩོན་འགྲུས་ཀྱི་ཕ་རོལ་ཏུ་ཕྱིན་པ་དང་། བཟོད་པའི་ཕ་རོལ་ཏུ་ཕྱིན་པ་དང་། ཚུལ་ཁྲིམས་ཀྱི་ཕ་རོལ་ཏུ་ཕྱིན་པ་དང་། སྦྱིན་པའི་ཕ་རོལ་ཏུ་ཕྱིན་པ་རྣམ་པར་དག་པ་སྟེ། དེ་ལྟར་ན་རྣམ་པ་ཐམས་ཅད་མཁྱེན་པ་ཉིད་རྣམ་པར་དག་པ་དང་། ཡིད་ཀྱི་འདུས་ཏེ་རེག་པའི་རྐྱེན་གྱིས་ཚོར་བ་རྣམ་པར་དག་པ་དང་། སྦྱིན་པའི་ཕ་རོལ་ཏུ་ཕྱིན་པ་རྣམ་པར་དག་པ་འདི་ལ་གཉིས་སུ་མེད་དེ་གཉིས་སུ་བྱར་མེད་སོ་སོ་མ་ཡིན་ཐ་མི་དད་དོ། །རབ་འབྱོར་གཞན་ཡང་འདུས་བྱས་རྣམ་པར་དག་པས། འདུས་མ་བྱས་རྣམ་པར་དག་པ་སྟེ། དེ་ལྟར་ན་འདུས་བྱས་རྣམ་པར་དག་པ་དང་། འདུས་མ་བྱས་རྣམ་པར་དག་པ་འདི་ལ་གཉིས་སུ་མེད་དེ་གཉིས་སུ་བྱར་མེད་སོ་སོ་མ་ཡིན་ཐ་མི་དད་དོ། །རབ་འབྱོར་གཞན་ཡང་འདས་པ་རྣམ་པར་དག་པས། མ་འོངས་པ་དང་། ད་ལྟར་བྱུང་བ་རྣམ་པར་དག་པ་སྟེ། དེ་ལྟར་ན་འདས་པ་རྣམ་པར་དག་པ་དང་[༡]། མ་འོངས་པ་དང་། ད་ལྟར་བྱུང་བ་རྣམ་པར་དག་པ་འདི་ལ་གཉིས་སུ་མེད་དེ་གཉིས་སུ་བྱར་མེད་སོ་སོ་མ་ཡིན་ཐ་མི་དད་དོ། །མ་འོངས་པ་རྣམ་པར་དག་པས། འདས་པ་དང་། ད་ལྟར་བྱུང་བ་རྣམ་པར་དག་པ་སྟེ། དེ་ལྟར་ན་མ་འོངས་པ་རྣམ་པར་དག་པ་དང་། འདས་པ་དང་། ད་ལྟར་བྱུང་བ་རྣམ་པར་དག་པ་འདི་ལ་གཉིས་སུ་མེད་དེ་གཉིས་སུ་བྱར་མེད་སོ་སོ་མ་ཡིན་ཐ་མི་དད་དོ། །ད་ལྟར་བྱུང་བ་རྣམ་པར་དག་པས། འདས་པ་དང་མ་འོངས་པ་རྣམ་པར་དག་པ་སྟེ།

དེ་ལྟར་ན་ད་ལྟར་བྱུང་བ་རྣམ་པར་དག་པ་དང་། འདས་པ་དང་མ་འོངས་པ་རྣམ་པར་དག་པ་འདི་ལ་གཉིས་སུ་མེད་དེ་གཉིས་སུ་བྱར་མེད་སོ་སོ་མ་ཡིན་ཐ་མི་དད་དོ། །ཤེས་རབ་ཀྱི་ཕ་རོལ་དུ་ཕྱིན་པ་སྟོང་ཕྲག་ཉི་ཤུ་ལྔ་པ་ལས་སེམས་ཅན་དམྱལ་བའི་ལེའུ་སྟེ། [༡]ཉི་ཤུ་དྲུག་པའོ།། །།

དེ་ནས་ཚེ་དང་ལྡན་པ་ཤ་ར་དྭ་ཏིའི་བུས་བཅོམ་ལྡན་འདས་ལ་འདི་སྐད་ཅེས་གསོལ་ཏོ། །བཅོམ་ལྡན་འདས་རྣམ་པར་དག་པ་འདི་ནི་ཟབ་པོ། །བཅོམ་ལྡན་འདས་ཀྱིས་བཀའ་སྩལ་པ། ཤིན་ཏུ་རྣམ་པར་དག་པའི་ཕྱིར་རོ། །ཤ་ར་དྭ་ཏིའི་བུས་གསོལ་པ་གང་ཤིན་ཏུ་རྣམ་པར་དག་པའི་སླད་དུ། རྣམ་པར་དག་པ་ཟབ་པ་[༢]ལགས། བཅོམ་ལྡན་འདས་ཀྱིས་བཀའ་སྩལ་པ། ཤ་ར་དྭ་ཏིའི་བུ་གཟུགས་རྣམ་པར་དག་པའི་ཕྱིར། རྣམ་པར་དག་པ་ཟབ་པོ། །ཚོར་བ་དང་འདུ་ཤེས་དང་འདུ་བྱེད་དང་། རྣམ་པར་ཤེས་པ་རྣམ་པར་དག་པའི་ཕྱིར། རྣམ་པར་དག་པ་ཟབ་པོ། །མིག་རྣམ་པར་དག་པའི་ཕྱིར། རྣམ་པར་དག་པ་ཟབ་པོ། །རྣ་བ་དང་སྣ་དང་ལྕེ་དང་ལུས་དང་། ཡིད་རྣམ་པར་དག་པའི་ཕྱིར། རྣམ་པར་དག་པ་ཟབ་པོ། །གཟུགས་རྣམ་པར་དག་པའི་ཕྱིར། རྣམ་པར་དག་པ་ཟབ་པོ། །སྒྲ་དང་དྲི་དང་རོ་དང་རེག་དང་། ཆོས་རྣམ་པར་དག་[༣]པའི་ཕྱིར། རྣམ་པར་དག་པ་ཟབ་པོ། །མིག་གི་རྣམ་པར་ཤེས་པ་རྣམ་པར་དག་པའི་ཕྱིར། རྣམ་པར་དག་པ་ཟབ་པོ། །རྣ་བའི་རྣམ་[༤]པར་ཤེས་པ་དང་། སྣའི་རྣམ་པར་ཤེས་པ་དང་། ལྕེའི་རྣམ་པར་ཤེས་པ་དང་། ལུས་ཀྱི་རྣམ་པར་ཤེས་པ་དང་། ཡིད་ཀྱི་རྣམ་པར་ཤེས་པ་རྣམ་པར་དག་པའི་ཕྱིར། རྣམ་པར་དག་པ་ཟབ་པོ། །མིག་གི་འདུས་ཏེ་རེག་པ་རྣམ་པར་དག་པའི་ཕྱིར་རྣམ་པར་དག་པ་ཟབ་པོ། །རྣ་

བའི་འདུས་ཏེ་རེག་པ་དང་། སྣའི་འདུས་ཏེ་རེག་པ་དང་། ལྕེའི་འདུས་ཏེ་རེག་པ་དང་། ལུས་ཀྱི་འདུས་ཏེ་རེག་པ་དང་། ཡིད་ཀྱི་འདུས་ཏེ་རེག་པ་རྣམ་པར་དག་པའི་ཕྱིར། རྣམ་པར་དག་པ་ཟབ་བོ། །མིག་གི་འདུས་ཏེ་རེག་པའི་རྐྱེན་གྱིས་ཚོར་བ་རྣམ་པར་དག་པའི་ཕྱིར། རྣམ་པར་དག་པ་ཟབ་བོ། །རྣ་བའི་འདུས་ཏེ་རེག་པའི་རྐྱེན་གྱིས་ཚོར་བ་དང་། སྣའི་འདུས་ཏེ་རེག་པའི་རྐྱེན་གྱིས་ཚོར་བ་དང་། ལྕེའི་འདུས་ཏེ་རེག་པའི་རྐྱེན་གྱིས་ཚོར་བ་དང་། ལུས་ཀྱི་འདུས་ཏེ་རེག་པའི་རྐྱེན་གྱིས་ཚོར་བ་དང་། ཡིད་ཀྱི་འདུས་ཏེ་རེག་པའི་རྐྱེན་གྱིས་ཚོར་བ་རྣམ་པར་དག་པའི་ཕྱིར། རྣམ་པར་དག་པ་ཟབ་བོ། །སའི་ཁམས་རྣམ་པར་དག་པའི་ཕྱིར། རྣམ་པར་དག་པ་ཟབ་བོ། །ཆུའི་ཁམས་དང་། མེའི་ཁམས་དང་། རླུང་གི་ཁམས་དང་། ནམ་མཁའི་ཁམས་དང་། རྣམ་པར་ཤེས་པའི་ཁམས་རྣམ་པར་དག་པའི་ཕྱིར། རྣམ་པར་དག་པ་ཟབ་བོ། །མ་རིག་པ་རྣམ་པར་དག་པའི་ཕྱིར། རྣམ་པར་དག་པ་ཟབ་བོ། །འདུ་[7]བྱེད་དང་རྣམ་པར་ཤེས་པ་དང་། མིང་དང་གཟུགས་དང་། སྐྱེ་མཆེད་དྲུག་དང་། རེག་པ་དང་ཚོར་བ་དང་སྲེད་པ་དང་ལེན་པ་དང་སྲིད་པ་དང་སྐྱེ་བ་དང་། རྒ་ཤི་རྣམ་པར་དག་པའི་ཕྱིར་རྣམ་པར་དག་པ་ཟབ་བོ། །སྦྱིན་པའི་ཕ་རོལ་ཏུ་ཕྱིན་པ་རྣམ་པར་དག་པའི་ཕྱིར། རྣམ་པར་དག་པ་ཟབ་བོ། །ཚུལ་ཁྲིམས་ཀྱི་ཕ་རོལ་ཏུ་ཕྱིན་པ་དང་། བཟོད་པའི་ཕ་རོལ་ཏུ་ཕྱིན་པ་དང་། བརྩོན་འགྲུས་ཀྱི་ཕ་རོལ་ཏུ་ཕྱིན་པ་དང་། བསམ་གཏན་གྱི་ཕ་རོལ་ཏུ་ཕྱིན་པ་དང་། ཤེས་རབ་ཀྱི་ཕ་རོལ་ཏུ་ཕྱིན་པ་རྣམ་པར་དག་པའི་ཕྱིར། རྣམ་པར་དག་པ་ཟབ་བོ། །ནང་སྟོང་པ་ཉིད་རྣམ་པར་དག་པའི་ཕྱིར། རྣམ་པར་དག་པ་ཟབ་བོ། །དངོས་པོ་མེད་པའི་ངོ་བོ་ཉིད་སྟོང་པ་ཉིད་ཀྱི་བར་དུ་རྣམ་པར་དག་པའི་ཕྱིར། རྣམ་པར་

དག་པ་ཟབ་བོ། །དྲན་པ་ཉེ་བར་གཞག་པ་རྣམ་པར་དག་པའི་ཕྱིར། རྣམ་
པར་དག་པ་ཟབ་བོ། །ཡང་དག་པར་སྤོང་བ་དང་། རྫུ་འཕྲུལ་གྱི་[1]རྐང་པ་
དང་། དབང་པོ་དང་སྟོབས་དང་། བྱང་ཆུབ་ཀྱི་ཡན་ལག་དང་། འཕགས་
པའི་ལམ་ཡན་ལག་བརྒྱད་པ་རྣམ་པར་དག་པའི་ཕྱིར། རྣམ་པར་དག་པ་ཟབ་བོ།།
འཕགས་པའི་བདེན་པ་དང་། བསམ་གཏན་དང་། ཚད་མེད་པ་དང་།
གཟུགས་མེད་པའི་སྙོམས་པར་འཇུག་པ་དང་། རྣམ་པར་ཐར་པ་བརྒྱད་དང་།
མཐར་གྱིས་གནས་པའི་སྙོམས་[2]པར་འཇུག་པ་དགུ་དང་། སྟོང་པ་ཉིད་དང་
མཚན་མ་མེད་པ་དང་། སྨོན་པ་མེད་པ་དང་། མངོན་པར་ཤེས་པ་དང་།
ཏིང་ངེ་འཛིན་དང་། གཟུངས་[3]ཀྱི་སྒོ་དང་། དེ་བཞིན་གཤེགས་པའི་སྟོབས་
དང་། མི་འཇིགས་[4]པ་དང་། སོ་སོ་ཡང་དག་པར་རིག་པ་དང་། [5]སངས་
རྒྱས་ཀྱི་ཆོས་མ་འདྲེས་པ་བཅོ་བརྒྱད་རྣམ་པར་དག་པའི་ཕྱིར། རྣམ་པར་དག་པ་
ཟབ་བོ། །ཐམས་ཅད་ཤེས་པ་ཉིད་དང་། ལམ་གྱི་རྣམ་པ་ཤེས་པ་ཉིད་དང་།
རྣམ་པ་ཐམས་ཅད་མཁྱེན་པ་ཉིད་རྣམ་པར་དག་པའི་ཕྱིར། རྣམ་པར་དག་པ་
ཟབ་བོ། །གསོལ་པ། བཅོམ་ལྡན་འདས་རྣམ་པར་དག་པ་ནི་སྣང་བའོ། །
བཅོམ་ལྡན་འདས་ཀྱིས་བཀའ་སྩལ་པ། ཤིན་ཏུ་རྣམ་པར་དག་པའི་ཕྱིར་རོ། །
ཤ་ར་དྭ་ཏིའི་བུས་གསོལ་པ། བཅོམ་ལྡན་འདས་གང་རྣམ་པར་དག་པའི་སླད་དུ།
རྣམ་པར་དག་པར་[6]སྣང་བ་ལགས། བཅོམ་ལྡན་འདས་ཀྱིས་བཀའ་སྩལ་པ།
ཤ་ར་དྭ་ཏིའི་བུ་གཟུགས་རྣམ་པར་དག་པའི་ཕྱིར། རྣམ་པར་དག་པ་སྣང་བའོ། །
ཚོར་བ་དང་འདུ་ཤེས་དང་འདུ་བྱེད་དང་། རྣམ་པར་ཤེས་པ་རྣམ་པར་དག་པའི་
ཕྱིར། རྣམ་པར་དག་པ་སྣང་བའོ། །མིག་རྣམ་པར་དག་པའི་ཕྱིར། རྣམ་
པར་དག་པ་སྣང་བའོ། །རྣ་བ་དང་སྣ་དང་ལྕེ་དང་ལུས་དང་ཡིད་རྣམ་པར་དག

པའི་ཕྱིར། རྣམ་པར་དག་པ་སྣང་བའོ། །གཟུགས་①རྣམ་པར་དག་པའི་ཕྱིར། རྣམ་པར་དག་པ་སྣང་བའོ། །སྒྲ་དང་དྲི་དང་རོ་དང་རེག་དང་། ཆོས་རྣམ་པར་དག་པའི་ཕྱིར། རྣམ་པར་དག་པ་སྣང་བའོ། །མིག་གི་རྣམ་པར་ཤེས་པ་:རྣམ་པར་དག་པའི་ཕྱིར།② རྣམ་པར་དག་པ་③སྣང་བའོ། །རྣ་བའི་རྣམ་པར་ཤེས་པ་དང་། སྣའི་རྣམ་པར་ཤེས་པ་དང་། ལྕེའི་རྣམ་པར་ཤེས་པ་དང་ལུས་ཀྱི་རྣམ་པར་ཤེས་པ་དང་། ཡིད་ཀྱི་རྣམ་པར་ཤེས་པ་རྣམ་པར་དག་པའི་ཕྱིར། རྣམ་པར་དག་པ་སྣང་བའོ། །མིག་གི་འདུས་ཏེ་རེག་④པ་རྣམ་པར་དག་པའི་ཕྱིར། རྣམ་པར་དག་པ་སྣང་བའོ། །རྣ་བའི་འདུས་ཏེ་རེག་པ་དང་། སྣའི་འདུས་ཏེ་རེག་པ་དང་། ལྕེའི་འདུས་ཏེ་རེག་པ་དང་། ལུས་ཀྱི་འདུས་ཏེ་རེག་པ་དང་། ཡིད་ཀྱི་འདུས་ཏེ་རེག་པ་རྣམ་པར་དག་པའི་ཕྱིར། རྣམ་པར་དག་པ་སྣང་བའོ། །མིག་གི་འདུས་ཏེ་རེག་པའི་རྐྱེན་གྱིས་ཚོར་བ་རྣམ་པར་དག་པའི་ཕྱིར། རྣམ་པར་དག་པ་སྣང་བའོ། །རྣ་བའི་འདུས་ཏེ་རེག་པའི་རྐྱེན་གྱིས་ཚོར་བ་དང་། སྣའི་འདུས་ཏེ་རེག་པའི་རྐྱེན་གྱིས་ཚོར་བ་དང་། ལྕེའི་འདུས་ཏེ་རེག་པའི་རྐྱེན་གྱིས་ཚོར་བ་དང་། ལུས་ཀྱི་འདུས་ཏེ་རེག་པའི་རྐྱེན་གྱིས་ཚོར་བ་དང་། ཡིད་ཀྱི་འདུས་ཏེ་རེག་པའི་རྐྱེན་གྱིས་ཚོར་བ་རྣམ་པར་དག་པའི་ཕྱིར། རྣམ་པར་དག་པ་སྣང་བའོ། །སའི་ཁམས་རྣམ་པར་དག་པའི་ཕྱིར། རྣམ་པར་དག་པ་སྣང་བའོ།། ཆུའི་ཁམས་དང་། མེའི་ཁམས་དང་། རླུང་གི་ཁམས་དང་། ནམ་མཁའི་ཁམས་དང་། རྣམ་པར་ཤེས་པའི་ཁམས་རྣམ་པར་དག་པའི་ཕྱིར། རྣམ་པར་དག་པ་སྣང་བའོ། །མ་རིག་པ་རྣམ་པར་དག་པའི་ཕྱིར། རྣམ་པར་དག་པ་སྣང་བའོ། །འདུ་བྱེད་དང་། རྣམ་པར་ཤེས་པ་དང་། མིང་དང་གཟུགས་དང་སྐྱེ་མཆེད་དྲུག་དང་། རེག་པ་དང་ཚོར་བ་དང་སྲེད་པ་དང་། ལེན་⑤པ

དང་སྲིད་པ་དང་སྐྱེ་བ་དང་། ཀ་ཤི་རྣམ་པར་དག་པའི་ཕྱིར། རྣམ་པར་དག་པ་སྣང་བའོ། །ཤེས་རབ་ཀྱི་ཕ་རོལ་ཏུ་ཕྱིན་པ་རྣམ་པར་དག་པའི་ཕྱིར། རྣམ་པར་དག་པ་སྣང་བའོ། །བསམ་གཏན་གྱི་ཕ་རོལ་ཏུ་ཕྱིན་པ་དང་། བརྩོན་འགྲུས་ཀྱི་ཕ་རོལ་ཏུ་ཕྱིན་པ་དང་། བཟོད་པའི་ཕ་རོལ་ཏུ་ཕྱིན་པ་དང་། ཚུལ་ཁྲིམས་ཀྱི་ཕ་རོལ་ཏུ་ཕྱིན་པ་དང་། སྦྱིན་པའི་ཕ་རོལ་ཏུ་ཕྱིན་པ་རྣམ་པར་དག་པའི་ཕྱིར། རྣམ་པར་དག་པ་སྣང་བའོ། །ནང་སྟོང་པ་ཉིད་རྣམ་པར་དག་པའི་ཕྱིར། རྣམ་པར་དག་པ་སྣང་བའོ། །དངོས་པོ་མེད་པའི་ངོ་བོ་ཉིད་སྟོང་པ་ཉིད་ཀྱི་བར་དུ་རྣམ་པར་དག་པའི་ཕྱིར། རྣམ་པར་དག་པ་སྣང་བའོ། །དྲན་པ་ཉེ་བར་གཞག་པ་རྣམ་པར་དག་པའི་ཕྱིར། རྣམ་པར་དག་པ་སྣང་བའོ། །ཡང་དག་པར་སྤོང་བ་དང་། རྫུ་འཕྲུལ་གྱི་རྐང་པ་དང་། དབང་པོ་དང་སྟོབས་དང་། བྱང་ཆུབ་ཀྱི་ཡན་ལག་དང་། འཕགས་པའི་ལམ་[1]ཡན་ལག་བརྒྱད་པ་རྣམ་པར་དག་པའི་ཕྱིར། རྣམ་པར་དག་པ་སྣང་བའོ། །འཕགས་པའི་བདེན་པ་དང་། བསམ་གཏན་དང་ཚད་མེད་པ་དང་། གཟུགས་མེད་པའི་སྙོམས་པར་འཇུག་པ་རྣམ་པར་དག་པའི་ཕྱིར། རྣམ་པར་དག་པ་སྣང་བའོ། །རྣམ་པར་ཐར་པ་བརྒྱད་དང་། མཐར་གྱིས་གནས་པའི་སྙོམས་པར་འཇུག་པ་དགུ་དང་། སྟོང་པ་ཉིད་དང་མཚན་མ་མེད་པ་དང་། སྨོན་པ་མེད་པ་དང་། མངོན་པར་ཤེས་པ་རྣམ་པར་དག་པའི་ཕྱིར། རྣམ་པར་དག་པ་སྣང་བའོ། །ཏིང་ངེ་འཛིན་དང་གཟུངས་ཀྱི་སྒོ་དང་། དེ་བཞིན་གཤེགས་པའི་སྟོབས་དང་། མི་འཇིགས་པ་དང་། སོ་སོ་ཡང་དག་པར་རིག་པ་དང་། [2]སངས་རྒྱས་ཀྱི་ཆོས་མ་འདྲེས་པ་བཅོ་བརྒྱད་རྣམ་པར་དག་པའི་ཕྱིར། རྣམ་པར་དག་པ་སྣང་བའོ། །ཐམས་ཅད་ཤེས་[3]པ་ཉིད་དང་། ལམ་གྱི་རྣམ་པ་ཤེས་པ་ཉིད་དང་། རྣམ་པ་

ཐམས་ཅད་མཁྱེན་པ་ཉིད་རྣམ་པར་དག་པའི་ཕྱིར། རྣམ་པར་དག་པ་སྣང་བའོ། །གསོལ་པ་བཅོམ་ལྡན་འདས་རྣམ་པར་དག་པ་ནི་ཉིང་གི་མཚམས་སྦྱོར་བ་མ་མཆིས་པའོ། །བཅོམ་ལྡན་འདས་ཀྱིས་བཀའ་སྩལ་པ། ཤིན་ཏུ་རྣམ་པར་དག་པའི་ཕྱིར་རོ། །ཤ་ར་དྭ་ཏིའི་བུས་གསོལ་པ་བཅོམ་ལྡན་འདས་གང་ལ་ཉིང་གི་མཚམས་སྦྱོར་བ་མ་མཆིས་པ་རྣམ་པར་དག་པ་ལགས། བཅོམ་ལྡན་འདས་ཀྱིས་བཀའ་སྩལ་པ། གཟུགས་ལ་འཕོ་བ་མེད་ཅིང་ཉིང་གི་མཚམས་སྦྱོར་བ་མེད་པ་ནི་རྣམ་པར་དག་པའོ། །ཚོར་བ་དང་འདུ་ཤེས་དང་འདུ་བྱེད་དང་། རྣམ་པར་ཤེས་པ་ལ་འཕོ་བ་མེད་ཅིང་ཉིང་གི་མཚམས་སྦྱོར་བ་མེད་པ་ནི་རྣམ་པར་དག་པའོ། །རྣམ་པ་ཐམས་ཅད་མཁྱེན་པ་ཉིད་ཀྱི་བར་དུ་འཕོ་བ་མེད་ཅིང་ཉིང་གི་མཚམས་སྦྱོར་བ་⑦མེད་པ་ནི་རྣམ་པར་དག་པའོ། །གསོལ་པ་བཅོམ་ལྡན་འདས་རྣམ་པར་དགཿ་པ་ནི③། ཀུན་ནས་ཉོན་མོངས་པ་མ་མཆིས་པའོ། །བཅོམ་ལྡན་འདས་ཀྱིས་བཀའ་སྩལ་པ། ཤིན་ཏུ་རྣམ་པར་དག་པའི་ཕྱིར་རོ། །ཤ་ར་དྭ་ཏིའི་བུས་གསོལ་པ། བཅོམ་ལྡན་འདས་གང་ལ་ཀུན་ནས་ཉོན་མོངས་པ་མ་མཆིས་པའི་སླད་དུ། ཀུན་ནས་ཉོན་མོངས་པ་མ་མཆིས་པ་རྣམ་པར་དག་པ་ལགས། བཅོམ་ལྡན་འདས་ཀྱིས་བཀའ་སྩལ་པ། །གཟུགས་རང་བཞིན་གྱིས་འོད་གསལ་བའི་ཕྱིར་རྣམ་པར་དག་པ་ཀུན་ནས་ཉོན་མོངས་པ་མེད་པའོ། །ཚོར་བ་དང་འདུ་ཤེས་དང་འདུ་བྱེད་དང་། རྣམ་པར་ཤེས་པ་རང་བཞིན་གྱིས་འོད་གསལ་བའི་ཕྱིར་རྣམ་པར་དག་པ་ཀུན་ནས་ཉོན་མོངས་པ་མེད་པའོ། །རྣམ་པ་ཐམས་ཅད་མཁྱེན་པ་ཉིད་ཀྱི་བར་དུ་རང་བཞིན་གྱིས་③འོད་གསལ་བའི་ཕྱིར། རྣམ་པར་དག་པ་ཀུན་ནས་ཉོན་མོངས་པ་མེད་པའོ། །གསོལ་པ་བཅོམ་ལྡན་འདས་རྣམ་པར་དག་པ་ནི་ཐོབ་པར་བགྱི་བ་དང་། མངོན་པར་རྫོགས་པར་བགྱི་བ་མ་མཆིས་

པའོ། །བཅོམ་ལྡན་འདས་ཀྱིས་བཀའ་སྩལ་པ། ཤཱ་ར་དྭ་ཏིའི་བུ་ཤིན་ཏུ་རྣམ་པར་དག་པའི་ཕྱིར་རོ། །གསོལ་པ་བཅོམ་ལྡན་འདས་གང་ལ་ཐོབ་པར་བགྱི་བ་མ་མཆིས་པ་དང་། མངོན་པར་རྟོགས་པར་བགྱི་བ་མ་མཆིས་པ་རྣམ་པར་དག་པ་ལགས་བཅོམ་ལྡན་འདས་ཀྱིས་བཀའ་སྩལ་པ། གཟུགས་ཐོབ་པར་བྱ་བ་མེད་པ་དང་། མངོན་པར་རྟོགས་པར་བྱ་བ་མེད་པ་ནི་རྣམ་པར་དག་པའོ། །ཚོར་བ་དང་འདུ་ཤེས་དང་འདུ་བྱེད་དང་། རྣམ་པར་ཤེས་པ་ཐོབ་པར་བྱ་བ་མེད་པ་དང་། མངོན་པར་རྟོགས་པར་བྱ་བ་མེད་པ་ནི་རྣམ་པར་དག་པའོ། །རྣམ་པ་ཐམས་ཅད་མཁྱེན་པ་ཉིད་ཀྱི་བར་དུ་ཐོབ་པར་བྱ་བ་མེད་པ་དང་། མངོན་པར་རྟོགས་པར་བྱ་བ་མེད་པ་ནི་རྣམ་པར་དག་པའོ། །གསོལ་པ་བཅོམ་ལྡན་འདས་རྣམ་པར་དག་པ་ནི་མངོན་པར་མ་གྲུབ་པའོ། །བཅོམ་ལྡན་འདས་ཀྱིས་བཀའ་སྩལ་པ། ཤཱ་ར་དྭ་ཏིའི་བུ་ཤིན་ཏུ་རྣམ་པར་དག་པའི་ཕྱིར་རོ། །གསོལ་པ་བཅོམ་ལྡན་འདས་གང་མངོན་པར་མ་གྲུབ་པ་རྣམ་པར་དག་པ་ལགས། བཅོམ་ལྡན་འདས་ཀྱིས་བཀའ་སྩལ་པ། ཤཱ་ར་དྭ་ཏིའི་བུ་གཟུགས་མངོན་པར་མ་གྲུབ་པ་①ནི་རྣམ་པར་དག་པའོ། །ཚོར་བ་དང་འདུ་ཤེས་དང་འདུ་བྱེད་དང་། རྣམ་པར་ཤེས་པ་མངོན་པར་མ་གྲུབ་པ་ནི་རྣམ་པར་དག་པའོ། །རྣམ་པ་ཐམས་ཅད་མཁྱེན་པ་ཉིད་ཀྱི་བར་དུ་མངོན་པར་མ་གྲུབ་པ་ནི་རྣམ་པར་དག་པའོ། །གསོལ་པ་བཅོམ་ལྡན་འདས་རྣམ་པར་དག་པ་ནི་འདོད་པའི་ཁམས་སུ་སྐྱེ་བ་མ་ལགས་སོ། །བཅོམ་ལྡན་འདས་ཀྱིས་བཀའ་སྩལ་པ། ཤཱ་ར་དྭ་ཏིའི་བུ་ཤིན་ཏུ་རྣམ་པར་དག་པའི་ཕྱིར་རོ། །གསོལ་པ་བཅོམ་ལྡན་འདས་ཅིའི་སླད་དུ་རྣམ་པར་དག་པ་འདོད་པའི་ཁམས་སུ་སྐྱེ་བ་མ་ལགས། བཅོམ་ལྡན་འདས་ཀྱིས་བཀའ་སྩལ་པ། ཤཱ་ར་དྭ་ཏིའི་བུ་འདོད་པའི་ཁམས་རང་བཞིན་གྱིས་མི་དམིགས་པའི་ཕྱིར་རྣམ་པར་དག

པ་ནི་སྐྱེ་བ་མ་ཡིན་ནོ། །གསོལ་པ་བཅོམ་ལྡན་འདས་རྣམ་པར་དག་པ་ནི་གཟུགས་ཀྱི་ཁམས་སུ་སྐྱེ་བ་མ་ལགས་སོ། །བཅོམ་ལྡན་འདས་ཀྱིས་བཀའ་སྩལ་པ། ཤ་ར་དྭ་ཏིའི་བུ་ཤིན་དུ་རྣམ་པར་དག་པའི་ཕྱིར་རོ། །གསོལ་པ། བཅོམ་ལྡན་འདས་ཅིའི་སླད་དུ་རྣམ་པར་དག་པ་གཟུགས་ཀྱི་ཁམས་སུ་སྐྱེ་བ་མ་ལགས། བཅོམ་ལྡན་འདས་ཀྱིས་བཀའ་སྩལ་པ། ཤ་ར་དྭ་ཏིའི་བུ་གཟུགས་ཀྱི་ཁམས་རང་བཞིན་གྱིས་མི་དམིགས་པའི་ཕྱིར། རྣམ་པར་དག་པ་ནི་སྐྱེ་བ་མ་ཡིན་ནོ། །གསོལ་པ་བཅོམ་ལྡན་འདས་རྣམ་པར་དག་པ་ནི་གཟུགས་མེད་པའི་ཁམས་སུ་སྐྱེ་བ་མ་ལགས་སོ། །བཅོམ་ལྡན་འདས་ཀྱིས་བཀའ་སྩལ་པ། ཤ་ར་དྭ་ཏིའི་བུ་ཤིན་དུ་རྣམ་པར་དག་པའི་ཕྱིར་རོ། །གསོལ་པ་བཅོམ་ལྡན་འདས་ཅིའི་སླད་དུ་རྣམ་པར་དག་པ་གཟུགས་མེད་པའི་ཁམས་སུ་སྐྱེ་བ་མ་ལགས། བཅོམ་ལྡན་འདས་ཀྱིས་བཀའ་སྩལ་པ། ཤ་ར་དྭ་ཏིའི་བུ་གཟུགས་མེད་པའི་ཁམས་རང་བཞིན་གྱིས་མི་དམིགས་པའི་ཕྱིར། རྣམ་པར་དག་པ་ནི་སྐྱེ་བ་མ་ཡིན་ནོ། །གསོལ་པ་བཅོམ་ལྡན་འདས་རྣམ་པར་དག་པ་ནི་འཚལ་བ་མ་མཆིས་པའོ། །བཅོམ་ལྡན་འདས་ཀྱིས་བཀའ་སྩལ་པ། ཤ་ར་དྭ་ཏིའི་བུ་ཤིན་དུ་རྣམ་པར་དག་པའི་ཕྱིར་རོ། །གསོལ་པ་བཅོམ་ལྡན་འདས་ཇི་ལྟར་ན་རྣམ་པར་དག་པ་འཚལ་བ་མ་མཆིས་པ་ལགས། བཅོམ་ལྡན་འདས་ཀྱིས་བཀའ་སྩལ་པ། ཤ་ར་དྭ་ཏིའི་བུ་ཆོས་ལ་སེམས་མེད་པའི་ཕྱིར་རྣམ་པར་དག་པ་ལ་ཤེས་པ་མེད་དོ། །གསོལ་པ་བཅོམ་ལྡན་འདས་རྣམ་པར་དག་པས་གཟུགས་མ་འཚལ་ཏོ། །བཅོམ་ལྡན་འདས་ཀྱིས་བཀའ་སྩལ་པ། ཤ་ར་[༧]དྭ་ཏིའི་བུ་[༣]ཤིན་དུ་རྣམ་པར་དག་པའི་ཕྱིར་རོ། །གསོལ་པ་བཅོམ་ལྡན་འདས་ཇི་ལྟར་ན་རྣམ་པར་དག་པས་གཟུགས་[༣]མ་འཚལ་བ་ལགས། བཅོམ་ལྡན་འདས་ཀྱིས་བཀའ་སྩལ་པ། རང་གི་མཚན་ཉིད་སྟོང་པ་ཉིད་ཀྱི་

ཕྱིར་རྣམ་པར་དག་པས་གཟུགས་མི་ཤེས་སོ། །གསོལ་པ་བཅོམ་ལྡན་འདས་རྣམ་
པར་དག་པས་ཚོར་བ་དང་། འདུ་ཤེས་དང་འདུ་བྱེད་དང་། རྣམ་པར་ཤེས་
པ་མ་འཚལ་ཏོ། །བཅོམ་ལྡན་འདས་ཀྱིས་བཀའ་སྩལ་པ། ཤ་ར་དྭ་ཏིའི་བུ་
ཤིན་ཏུ་རྣམ་པར་དག་པའི་ཕྱིར་རོ། །ཤ་ར་དྭ་ཏིའི་བུས་གསོལ་པ། བཅོམ་
ལྡན་འདས་ཇི་ལྟར་ན་རྣམ་པར་དག་པས་ཚོར་བ་དང་འདུ་ཤེས་དང་། འདུ་བྱེད་
དང་རྣམ་པར་ཤེས་པ་མ་འཚལ་བ་ལགས། བཅོམ་ལྡན་འདས་ཀྱིས་བཀའ་སྩལ་པ།
ཤ་ར་དྭ་ཏིའི་བུ་རང་གི་མཚན་ཉིད་སྟོང་པ་ཉིད་ཀྱི་ཕྱིར། རྣམ་པར་དག་པས་
ཚོར་བ་དང་འདུ་ཤེས་དང་འདུ་བྱེད་དང་། རྣམ་པར་ཤེས་པ་མི་ཤེས་སོ། །
གསོལ་པ་བཅོམ་ལྡན་འདས་རྣམ་པར་དག་པས་ཆོས་ཐམས་ཅད་མ་འཚལ་ཏོ། །
བཅོམ་ལྡན་འདས་ཀྱིས་བཀའ་སྩལ་པ། ཤ་ར་དྭ་ཏིའི་བུ་ཤིན་ཏུ་རྣམ་པར་དག་
པའི་ཕྱིར་རོ། །གསོལ་པ་བཅོམ་ལྡན་འདས་ཇི་ལྟར་ན་རྣམ་པར་དག་པས་ཆོས་
ཐམས་ཅད་མ་འཚལ་བ་ལགས། བཅོམ་ལྡན་འདས་ཀྱིས་བཀའ་སྩལ་པ། ཤ་
ར་དྭ་ཏིའི་བུ་རང་གི་མཚན་ཉིད་སྟོང་པ་ཉིད་ཀྱི་ཕྱིར། རྣམ་པར་དག་པས་ཆོས་
ཐམས་ཅད་མི་ཤེས་སོ། །གསོལ་པ་བཅོམ་ལྡན་འདས་ཤེས་རབ་ཀྱི་ཕ་རོལ་ཏུ་ཕྱིན་
པ་ནི་རྣམ་པ་ཐམས་ཅད་མཁྱེན་པ་ཉིད་ལ་སྨན་པར་མི་བགྱིད། གནོད་པར་མི་
བགྱིད་དོ། །བཅོམ་ལྡན་འདས་ཀྱིས་བཀའ་སྩལ་པ། ཤ་ར་དྭ་ཏིའི་བུ་ཤིན་ཏུ་
རྣམ་པར་དག་པའི་ཕྱིར་རོ། །གསོལ་པ། བཅོམ་ལྡན་འདས་ཇི་ལྟར་ན་ཤེས་
རབ་ཀྱི་ཕ་རོལ་ཏུ་ཕྱིན་པ་རྣམ་པ་ཐམས་ཅད་མཁྱེན་པ་ཉིད་ལ་སྨན་པར་མི་བགྱིད།
གནོད་པར་མི་བགྱིད་པ་ལགས། བཅོམ་ལྡན་འདས་ཀྱིས་བཀའ་སྩལ་པ། ཤ་
ར་དྭ་ཏིའི་བུ་ཆོས་ཀྱི་དབྱིངས་འདུག་པ་ཉིད་ཀྱི་ཕྱིར། ཤེས་རབ་ཀྱི་ཕ་རོལ་ཏུ་
ཕྱིན་པ་རྣམ་པ་ཐམས་ཅད་མཁྱེན་པ་ཉིད་ལ་ཕན་པར་མི་བྱེད། གནོད་པར་མི་

བྱེད་དོ། །གསོལ་པ་བཅོམ་ལྡན་འདས་ཤེས་རབ་ཀྱི་ཕ་རོལ་ཏུ་ཕྱིན་པ་རྣམ་པར་དག་པ་ནི་ཆོས་གང་ཡང་ཡོངས་སུ་ལེན་པ་མ་མཆིས་སོ། །བཅོམ་ལྡན་འདས་ཀྱིས་བཀའ་སྩལ་པ། ཤ་ར་དྭ་ཏིའི་བུ་ཤིན་ཏུ་རྣམ་པར་དག་པའི་ཕྱིར་རོ། །གསོལ་པ་བཅོམ་ལྡན་འདས་ཇི་ལྟར་ན་ཤེས་རབ་ཀྱི་ཕ་རོལ་ཏུ་ཕྱིན་པ་རྣམ་པར་དག་པ་ཆོས་གང་ཡང་ཡོངས་སུ་ལེན་པ་མ་མཆིས་པ་ལགས། བཅོམ་ལྡན་འདས་ཀྱིས་བཀའ་སྩལ་པ། ཤ་ར་དྭ་ཏིའི་བུ་ཆོས་ཀྱི་དབྱིངས་མི་གཡོ་བའི་ཕྱིར། ཤེས་རབ་ཀྱི་ཕ་རོལ་ཏུ་ཕྱིན་པ་རྣམ་པར་དག་པ་ཆོས་གང་ཡང་ཡོངས་སུ་ལེན་པ་མེད་དོ། །དེ་ནས་ཚེ་དང་ལྡན་པ་རབ་འབྱོར་གྱིས། བཅོམ་ལྡན་འདས་ལ་འདི་སྐད་ཅེས་གསོལ་ཏོ། །བཅོམ་ལྡན་འདས་བདག་རྣམ་པར་དག་པའི་སླད་དུ་གཟུགས་རྣམ་པར་དག་པའོ། །བཅོམ་ལྡན་འདས་ཀྱིས་བཀའ་སྩལ་པ། རབ་འབྱོར་ཤིན་ཏུ་རྣམ་པར་དག་པའི་ཕྱིར་རོ། །གསོལ་པ་བཅོམ་ལྡན་འདས་ཅིའི་སླད་དུ་ན་བདག་རྣམ་པར་དག་པས་གཟུགས་རྣམ་པར་དག་པ་ལགས། བཅོམ་ལྡན་འདས་ཀྱིས་བཀའ་སྩལ་པ། རབ་འབྱོར་ཤིན་ཏུ་རྣམ་པར་དག་པའི་ཕྱིར་ཏེ། བདག་མེད་པའི་ཕྱིར་གཟུགས་མེད་པ་ནི་ཤིན་ཏུ་རྣམ་པར་དག་པའོ། །གསོལ་པ་བཅོམ་ལྡན་འདས་བདག་རྣམ་པར་དག་པའི་སླད་དུ། ཚོར་བ་དང་འདུ་ཤེས་དང་འདུ་བྱེད་དང་། རྣམ་པར་ཤེས་པ་རྣམ་པར་དག་པའོ། །བཅོམ་ལྡན་འདས་ཀྱིས་བཀའ་སྩལ་པ། རབ་འབྱོར་ཤིན་ཏུ་རྣམ་པར་དག་པའི་ཕྱིར་རོ། །གསོལ་པ་བཅོམ་ལྡན་འདས་ཅིའི་སླད་དུ་ན་བདག་རྣམ་པར་དག་པས་ཚོར་བ་དང་། འདུ་ཤེས་དང་། འདུ་བྱེད་དང་། རྣམ་པར་ཤེས་པ་རྣམ་པར་དག་པ་ལགས། བཅོམ་ལྡན་འདས་ཀྱིས་བཀའ་སྩལ་པ། རབ་འབྱོར་ཤིན་ཏུ་རྣམ་པར་དག་པའི་ཕྱིར་ཏེ། བདག་མེད་པའི་ཕྱིར་ཚོར་བ་དང་། འདུ་ཤེས་དང་འདུ་བྱེད་དང་རྣམ་པར་ཤེས་

པ་མེད་པ་ནི་ཤིན་ཏུ་རྣམ་པར་དག་པའོ། །གསོལ་པ་བཅོམ་ལྡན་འདས་བདག་རྣམ་པར་དག་པའི་སླད་དུ། སྐྱེ་[༡]མཆེད་དང་ཁམས་དང་། རྟེན་ཅིང་འབྲེལ་[༢]པར་འབྱུང་བ་རྣམ་པར་དག་པའོ། །བཅོམ་ལྡན་འདས་ཀྱིས་བཀའ་སྩལ་པ། རབ་འབྱོར་ཤིན་ཏུ་རྣམ་པར་དག་པའི་ཕྱིར་རོ། །གསོལ་པ་བཅོམ་ལྡན་འདས་ཅིའི་སླད་དུ་ན་བདག་རྣམ་པར་དག་པས། སྐྱེ་མཆེད་དང་ཁམས་དང་རྟེན་ཅིང་འབྲེལ་པར་འབྱུང་བ་རྣམ་པར་དག་པ་ལགས། བཅོམ་ལྡན་འདས་ཀྱིས་བཀའ་སྩལ་པ། རབ་འབྱོར་ཤིན་ཏུ་རྣམ་པར་དག་པའི་ཕྱིར་ཏེ། བདག་མེད་པའི་ཕྱིར་སྐྱེ་མཆེད་དང་ཁམས་དང་། རྟེན་ཅིང་འབྲེལ་པར་འབྱུང་བ་མེད་པ་ནི་ཤིན་ཏུ་རྣམ་པར་དག་པའོ། །གསོལ་པ་བཅོམ་ལྡན་འདས་བདག་རྣམ་པར་དག་པའི་སླད་དུ། སྦྱིན་པའི་ཕ་རོལ་ཏུ་ཕྱིན་པ་རྣམ་པར་དག་པའོ། །བཅོམ་ལྡན་འདས་བདག་རྣམ་པར་དག་པའི་སླད་དུ། ཚུལ་ཁྲིམས་ཀྱི་ཕ་རོལ་ཏུ་ཕྱིན་པ་དང་། བཟོད་པའི་ཕ་རོལ་ཏུ་ཕྱིན་པ་དང་། བརྩོན་འགྲུས་ཀྱི་ཕ་རོལ་ཏུ་ཕྱིན་པ་དང་། བསམ་གཏན་གྱི་ཕ་རོལ་ཏུ་ཕྱིན་པ་དང་། ཤེས་རབ་ཀྱི་ཕ་རོལ་ཏུ་ཕྱིན་པ་རྣམ་པར་དག་པའོ། །བཅོམ་ལྡན་འདས་བདག་རྣམ་པར་དག་པའི་སླད་དུ་ནང་སྟོང་པ་ཉིད་རྣམ་པར་དག་[༣]པའོ། །བཅོམ་ལྡན་འདས་བདག་རྣམ་པར་དག་པའི་སླད་དུ། དངོས་པོ་མེད་པའི་ངོ་བོ་ཉིད་སྟོང་པ་ཉིད་ཀྱི་བར་དུ་རྣམ་པར་དག་པའོ།། བཅོམ་ལྡན་འདས་བདག་རྣམ་པར་དག་པའི་སླད་དུ། དྲན་པ་ཉེ་བར་གཞག་པ་རྣམ་པར་དག་པའོ། །བཅོམ་ལྡན་འདས་བདག་རྣམ་པར་དག་པའི་སླད་དུ། ཡང་དག་པར་སྤོང་བ་དང་། རྫུ་འཕྲུལ་གྱི་རྐང་པ་དང་། དབང་པོ་དང་སྟོབས་དང་། བྱང་ཆུབ་ཀྱི་ཡན་ལག་དང་། འཕགས་པའི་ལམ་ཡན་ལག་བརྒྱད་པ་རྣམ་པར་དག་པའོ། །བཅོམ་ལྡན་འདས་བདག་རྣམ་པར་དག་པའི་

སྐད་དུ། འཕགས་པའི་བདེན་པ་དང་། བསམ་གཏན་དང་ཚད་མེད་པ་དང་། གཟུགས་མེད་པའི་སྙོམས་པར་འཇུག་པ་རྣམ་པར་དག་པའོ། །བཅོམ་ལྡན་འདས་བདག་རྣམ་པར་དག་པའི་སྐད་དུ། རྣམ་པར་ཐར་པ་བརྒྱད་དང་། མཐར་གྱིས་གནས་པའི་སྙོམས་པར་འཇུག་པ་དགུ་དང་། སྟོང་པ་ཉིད་དང་མཚན་མ་མེད་པ་དང་། སྨོན་པ་མེད་པ་དང་མངོན་པར་ཤེས་པ་རྣམ་པར་དག་པའོ། །བཅོམ་ལྡན་འདས་བདག་རྣམ་པར་དག་པའི་སྐད་དུ། ཏིང་ངེ་འཛིན་དང་། གཟུངས་ཀྱི་སྒོ་རྣམ་པར་དག་པའོ། །བཅོམ་ལྡན་འདས་བདག་རྣམ་པར་དག་པའི་སྐད་དུ། དེ་བཞིན་གཤེགས་པའི་སྟོབས་དང་། མི་འཇིགས་པ་དང་། སོ་སོ་ཡང་དག་པར་རིག་པ་རྣམ་པར་དག་པའོ། །བཅོམ་ལྡན་འདས་བདག་རྣམ་པར་དག་པའི་སྐད་དུ། སངས་རྒྱས་ཀྱི་ཆོས་མ་འདྲེས་པ་བཅོ་བརྒྱད་རྣམ་པར་དག་པའོ། །བཅོམ་ལྡན་འདས་ཀྱིས་བཀའ་སྩལ་པ། རབ་འབྱོར་ཤིན་ཏུ་རྣམ་པར་དག་པའི་ཕྱིར་རོ། །གསོལ་པ་བཅོམ་ལྡན་འདས་ཅིའི་སྐད་དུ་ན་བདག་རྣམ་པར་དག་པས། སངས་རྒྱས་ཀྱི་ཆོས་མ་འདྲེས་པ་བཅོ་བརྒྱད་རྣམ་པར་དག་པ་ལགས། བཅོམ་ལྡན་འདས་ཀྱིས་བཀའ་སྩལ་པ། རབ་འབྱོར་ཤིན་ཏུ་རྣམ་པར་དག་པའི་ཕྱིར་ཏེ[༡]། བདག་མེད་པའི་ཕྱིར་སངས་རྒྱས་ཀྱི་ཆོས་མ་འདྲེས་པ་བཅོ་བརྒྱད་མེད་པ་ནི་ཤིན་ཏུ་རྣམ་པར་དག་པའོ། །གསོལ་པ། བཅོམ་ལྡན་འདས་བདག་རྣམ་པར་དག་པའི་སྐད་དུ། རྒྱུན་དུ་ཞུགས་པའི་འབྲས་བུ་རྣམ་པར་དག་པའོ། །བཅོམ་ལྡན་འདས་བདག་རྣམ་པར་དག་པའི་སྐད་དུ། ལན་ཅིག་ཕྱིར་འོང་བའི་འབྲས་བུ་རྣམ་པར་དག་པའོ། །བཅོམ་ལྡན་འདས་བདག་རྣམ་པར་དག་པའི་སྐད་དུ། ཕྱིར་མི་འོང་བའི་འབྲས་བུ་རྣམ་པར་དག་པའོ། །བཅོམ་ལྡན་འདས་བདག་རྣམ་པར་དག་པའི་སྐད་དུ། དགྲ་བཅོམ་པ་

ཉིད་རྣམ་པར་དག་པའོ། །བཅོམ་ལྡན་འདས་བདག་རྣམ་པར་དག་པའི་སླད་དུ། རང་བྱང་ཆུབ་རྣམ་པར་དག་པའོ། །བཅོམ་ལྡན་འདས་བདག་རྣམ་པར་དག་པའི་སླད་དུ། བྱང་ཆུབ་རྣམ་པར་དག་པའོ། །བཅོམ་ལྡན་འདས་ཀྱིས་བཀའ་སྩལ་པ། རབ་འབྱོར་ཤིན་དུ་རྣམ་པར་དག་པའི་ཕྱིར་རོ། །གསོལ་པ། བཅོམ་ལྡན་འདས་ཅིའི་སླད་དུ་བདག་རྣམ་པར་དག་པས་རྒྱུན་དུ་ཞུགས་པའི་འབྲས་བུ་རྣམ་པར་དག་པ་ལགས། ཅིའི་སླད་དུ་བདག་རྣམ་པར་དག་པས། ལན་ཅིག་ཕྱིར་འོང་བའི་འབྲས་བུ་དང་། ཕྱིར་མི་འོང་བའི་འབྲས་བུ་དང་། དགྲ་བཅོམ་པ་ཉིད་དང་། རང་བྱང་ཆུབ་རྣམ་པར་དག་པ་ལགས། བཅོམ་ལྡན་འདས་ཀྱིས་བཀའ་སྩལ་པ། རང་གི་མཚན་ཉིད་སྟོང་པ་ཉིད་ཀྱི་ཕྱིར་རོ། །གསོལ་པ་བཅོམ་ལྡན་འདས་བདག་རྣམ་པར་དག་པའི་སླད་དུ། ལམ་གྱི་རྣམ་པ་ཤེས་པ་ཉིད་རྣམ་པར་དག་པའོ། །བཅོམ་ལྡན་འདས་བདག་རྣམ་པར་དག་པའི་སླད་དུ། རྣམ་པ་ཐམས་ཅད་མཁྱེན་པ་ཉིད་རྣམ་པར་དག་པའོ། །བཅོམ་ལྡན་འདས་ཀྱིས་བཀའ་སྩལ་པ། རབ་འབྱོར་ཤིན་དུ་རྣམ་པར་དག་པའི་ཕྱིར་རོ། །གསོལ་པ་བཅོམ་ལྡན་འདས་ཅིའི་སླད་དུ་བདག་རྣམ་པར་དག་པས། ལམ་གྱི་རྣམ་པ་ཤེས་པ་ཉིད་རྣམ་པར་དག་པ་ལགས། ཅིའི་སླད་དུ་བདག་རྣམ་པར་དག་པས། རྣམ་པ་ཐམས་ཅད་མཁྱེན་པ་ཉིད་རྣམ་པར་དག་པ་ལགས། བཅོམ་ལྡན་འདས་ཀྱིས་བཀའ་སྩལ་པ། རང་གི་མཚན་ཉིད་སྟོང་པ་ཉིད་ཀྱི་ཕྱིར་རོ། །གསོལ་པ་བཅོམ་ལྡན་འདས་གཉིས་སུ་མ་མཆིས་ཤིང་རྣམ་པར་དག་པ་ནི་ཐོབ་པར་བགྱི་བ་མ་ལགས། མངོན་པར་རྟོགས་པར་བགྱི་བ་མ་ལགས་སོ། །བཅོམ་ལྡན་འདས་ཀྱིས་བཀའ་སྩལ་པ། རབ་འབྱོར་ཤིན་དུ་རྣམ་པར་དག་པའི་ཕྱིར་རོ། །གསོལ་པ་བཅོམ་ལྡན་འདས་ཅིའི་སླད་དུ་གཉིས་སུ་མ་མཆིས་ཤིང་། རྣམ་པར་

དག་པ་ནི་[7]ཐོབ་པར་བགྱི་བ་མ་ལགས། མངོན་པར་རྫོགས་པར་བགྱི་བ་མ་
ལགས། བཅོམ་ལྡན་འདས་ཀྱིས་བཀའ་སྩལ་པ། ཀུན་ནས་ཉོན་མོངས་པ་
མེད་ཅིང་རྣམ་པར་བྱང་བ་མེད་པའི་ཕྱིར་རོ། །གསོལ་པ། བཅོམ་ལྡན་འདས་
བདག་ཀུན་ཏུ་མཐའ་ཡས་པའི་སླད་དུ་གཟུགས་ཀུན་ཏུ་མཐའ་ཡས་པའོ། །
བཅོམ་ལྡན་འདས་ཀྱིས་བཀའ་སྩལ་པ། རབ་འབྱོར་ཤིན་ཏུ་རྣམ་པར་དག་པའི་
ཕྱིར་རོ། །གསོལ་པ་བཅོམ་ལྡན་འདས་ཅིའི་སླད་དུ་བདག་ཀུན་ཏུ་མཐའ་ཡས་
པས་གཟུགས་ཀུན་ཏུ་མཐའ་ཡས་པ་རྣམ་པར་དག་པ་ལགས། བཅོམ་ལྡན་འདས་
ཀྱིས་བཀའ་སྩལ་པ། མཐའ་ལས་འདས་པ་སྟོང་པ་ཉིད་དང་། ཐོག་མ་དང་ཐ་
མ་མེད་པ་སྟོང་པ་ཉིད་ཀྱི་ཕྱིར་རོ། །གསོལ་པ་བཅོམ་ལྡན་འདས་བདག་ཀུན་ཏུ་
མཐའ་ཡས་པའི་སླད་དུ་ཚོར་བ་དང་འདུ་ཤེས་དང་འདུ་བྱེད་དང་། རྣམ་པར་
ཤེས་པ་ཀུན་ཏུ་མཐའ་ཡས་པའོ། །བཅོམ་ལྡན་འདས་ཀྱིས་བཀའ་སྩལ་པ།
རབ་འབྱོར་ཤིན་ཏུ་རྣམ་པར་དག་པའི་ཕྱིར་རོ། །གསོལ་པ་བཅོམ་ལྡན་འདས་
ཅིའི་སླད་དུ་བདག་ཀུན་ཏུ་མཐའ་ཡས་པས་ཚོར་བ་དང་འདུ་ཤེས་དང་འདུ་བྱེད་
དང་། རྣམ་པར་ཤེས་པ་ཀུན་ཏུ་མཐའ་ཡས་པ་རྣམ་པར་དག་པ་ལགས།
བཅོམ་ལྡན་འདས་ཀྱིས་བཀའ་སྩལ་པ། མཐའ་ལས་འདས་པ་སྟོང་པ་ཉིད་དང་།
ཐོག་མ་དང་ཐ་མ་མེད་པ་སྟོང་པ་ཉིད་ཀྱི་ཕྱིར་རོ། །གསོལ་པ། བཅོམ་ལྡན་
འདས་བདག་ཀུན་ཏུ་མཐའ་ཡས་པའི་སླད་དུ། རྣམ་པ་ཐམས་ཅད་མཁྱེན་པ་
ཉིད་ཀྱི་བར་དུ་ཀུན་ཏུ་མཐའ་ཡས་པའོ། །བཅོམ་ལྡན་འདས་ཀྱིས་བཀའ་སྩལ་པ།
རབ་འབྱོར་ཤིན་ཏུ་རྣམ་པར་དག་པའི་ཕྱིར་རོ། །གསོལ་པ་བཅོམ་ལྡན་འདས་
ཅིའི་སླད་དུ། བདག་ཀུན་ཏུ་མཐའ་ཡས་པས། རྣམ་པ་ཐམས་ཅད་མཁྱེན་པ་
ཉིད་ཀུན་ཏུ་མཐའ་ཡས་པ་རྣམ་པར་དག་པ་ལགས། བཅོམ་ལྡན་འདས་ཀྱིས་

བཀའ་སྩལ་པ། མཐའ་ལས་འདས་པ་སྟོང་པ་ཉིད་དང་། ཐོག་མ་དང་ཐ་མ་མེད་པ་སྟོང་པ་ཉིད་ཀྱི་ཕྱིར་རོ། །གསོལ་པ་བཅོམ་ལྡན་འདས་གང་དེ་ལྟར་རྟོགས[1]པ་ནི་བྱང་ཆུབ་སེམས་དཔའ་སེམས་དཔའ་ཆེན་པོའི་ཤེས་རབ་ཀྱི་ཕ་རོལ་ཏུ་ཕྱིན་པའོ། །བཅོམ་ལྡན་འདས་ཀྱིས་བཀའ་སྩལ་པ། རབ་འབྱོར་ཤིན་ཏུ་རྣམ་པར་དག་པའི་ཕྱིར་རོ། །གསོལ་པ། བཅོམ་ལྡན་འདས་ཅིའི་སླད་དུ་གང་དེ་ལྟར་རྟོགས་པ་དེ་བྱང་ཆུབ་སེམས་དཔའ་སེམས་དཔའ་ཆེན་པོའི་ཤེས་རབ་ཀྱི་ཕ་རོལ་ཏུ་ཕྱིན་པ་ལགས། བཅོམ་ལྡན་འདས་ཀྱིས་བཀའ་སྩལ་པ། ལམ་གྱི་རྣམ་པ་ཤེས་པ་ཉིད་ཀྱི་ཕྱིར་རོ། །གསོལ་པ། བཅོམ་ལྡན་འདས་གལ་ཏེ་བྱང་ཆུབ་སེམས་དཔའ་སེམས་དཔའ་ཆེན་པོ་ཤེས་རབ་ཀྱི་ཕ་རོལ་ཏུ་ཕྱིན་པ་ལ་སྤྱོད་པའི་ཚེ། ཚུ་རོལ་གྱི་འགྲམ་འམ[2]། ཕ་རོལ་གྱི་འགྲམ་འམ[3]། གཉིས་ཀྱི་དབུས་ན་[4]མི་གནས་ན། དེ་ནི་བྱང་ཆུབ་[5]སེམས་དཔའ་སེམས་དཔའ་ཆེན་པོའི་ཤེས་རབ་ཀྱི་ཕ་རོལ་ཏུ་ཕྱིན་པའོ། །བཅོམ་ལྡན་འདས་ཀྱིས་བཀའ་སྩལ་པ། རབ་འབྱོར་ཤིན་ཏུ་རྣམ་པར་དག་པའི་ཕྱིར་རོ། །གསོལ་པ། བཅོམ་ལྡན་འདས་ཅིའི་སླད་དུ། བྱང་ཆུབ་སེམས་དཔའ་སེམས་དཔའ་ཆེན་པོ་ཤེས་རབ་ཀྱི་ཕ་རོལ་ཏུ་ཕྱིན་པ་ལ་སྤྱོད་པའི་ཚེ། ཚུ་རོལ་གྱི་འགྲམ་འམ[6]། ཕ་རོལ་གྱི་འགྲམ་འམ[7]། ༑གཉིས་ཀའི་[8]དབུས་ན་མི་གནས་ཤིང་ཤིན་ཏུ་རྣམ་པར་དག་པ་ལགས། བཅོམ་ལྡན་འདས་ཀྱིས་བཀའ་སྩལ་པ། རབ་འབྱོར་དུས་གསུམ་མཉམ་པ་ཉིད་ཀྱི་ཕྱིར་རོ། །གསོལ་པ་བཅོམ་ལྡན་འདས་གལ་ཏེ་བྱང་ཆུབ་སེམས་དཔའི་ཐེག་པ་པའི་རིགས་ཀྱི་བུའམ་རིགས་ཀྱི་བུ་མོ་ཐབས་མི་མཁས་པས། ཤེས་རབ་ཀྱི་ཕ་རོལ་ཏུ་ཕྱིན་པ་འདི་ལ་དམིགས་པའི་ཚུལ་དུ་འདུ་ཤེས་སུ་བགྱིད་པ་ནི། ཤེས་རབ་ཀྱི་ཕ་རོལ་ཏུ་ཕྱིན་པ་གསོག་ཏུ་འབྱིན་པའོ། །ཤེས་རབ་ཀྱི་ཕ་རོལ་ཏུ་ཕྱིན་པ་རིང་དུ་སྤོང་བའོ། །

བཅོམ་ལྡན་འདས་ཀྱིས་བཀའ་སྩལ་པ། རབ་འབྱོར་དེ་དེ་བཞིན་ཏེ། རབ་འབྱོར་ལེགས་སོ་ལེགས་སོ། །རབ་འབྱོར་དེ་ནི་མིང་དུ་ཡང་ཆགས་པ་ཡིན། མཚན་མར་ཡང་ཆགས་པ་ཡིན། གསོལ་པ་བཅོམ་ལྡན་འདས་ཇི་ལྟར་ན་མིང་དུ་ཡང་ཆགས་ཤིང་མཚན་མར་ཡང་ཆགས་པ་ལགས། བཅོམ་ལྡན་འདས་ཀྱིས་བཀའ་སྩལ་པ། རབ་འབྱོར་འདི་ལ་རིགས་ཀྱི་བུའམ་རིགས་ཀྱི་བུ་མོ་བྱང་ཆུབ་སེམས་དཔའི་[༡]ཐེག་པ་པ་ཤེས་རབ་ཀྱི་ཕ་རོལ་དུ་ཕྱིན་པ་ལ། མིང་དུ་འཛིན་ཏམ་མཚན་མར་འཛིན་ན། དེ་ནི་ཤེས་རབ་ཀྱི་ཕ་རོལ་དུ་ཕྱིན་པ་ལ་མིང་དང་མཚན་མར་འཛིན་ཅིང་། ཤེས་རབ་ཀྱི་ཕ་རོལ་དུ་ཕྱིན་པ་ལ་ཆགས་པས། ཤེས་རབ་ཀྱི་ཕ་རོལ་དུ་ཕྱིན་པ་གསོག་ཏུ་འཛིན་ཏོ། །ཤེས་རབ་ཀྱི་ཕ་རོལ་དུ་ཕྱིན་པ་རིང་དུ་སྤོང་ངོ་། །རབ་འབྱོར་གལ་ཏེ་རིགས་ཀྱི་བུའམ་རིགས་ཀྱི་བུ་མོ་བྱང་ཆུབ་སེམས་དཔའི་ཐེག་པ་པ་ཤེས་རབ་ཀྱི་ཕ་རོལ་དུ་ཕྱིན་པ་ལ་མཚན་མར་འཛིན་ཅིང་། དེ་ཤེས་རབ་ཀྱི་ཕ་རོལ་དུ་ཕྱིན་པ་ལ་མཚན་མར་བཟུང་ནས། ཤེས་རབ་ཀྱི་ཕ་རོལ་དུ་ཕྱིན་པས་རློམ་སེམས་སུ་བྱེད་ན། དེ་ཤེས་རབ་ཀྱི་ཕ་རོལ་དུ་ཕྱིན་པས་རློམ་སེམས་སུ་བྱེད་ཅིང་། ཤེས་རབ་ཀྱི་ཕ་རོལ་དུ་ཕྱིན་པ་ལ་ཆགས་པས། ཤེས་རབ་ཀྱི་ཕ་རོལ་དུ་ཕྱིན་པ་གསོག་ཏུ་འཛིན་[༣]ཏོ། །ཤེས་རབ་ཀྱི་ཕ་རོལ་དུ་ཕྱིན་པ་རིང་དུ་སྤོང་ངོ་། །རབ་འབྱོར་གྱིས་གསོལ་པ་བཅོམ་ལྡན་འདས་བྱང་ཆུབ་སེམས་དཔའ་སེམས་དཔའ་ཆེན་པོ་རྣམས་ལ་ཤེས་རབ་ཀྱི་ཕ་རོལ་དུ་ཕྱིན་པ་འདི་ཡང་དེ་ལྟར་ལེགས་པར་བཤད་ཅིང་ལེགས་པར་བསྟན་ལ་ཆགས་པ་དང་མ་ཆགས་པ་དེ་དག་ཀྱང་མ་མཆིས་པ་ངོ་མཚར་ཆེའོ། །དེ་ནས་ཚེ་དང་ལྡན་པ་ཤ་ར་དྭ་ཏིའི་བུས། ཚེ་དང་ལྡན་པ་རབ་འབྱོར་ལ་འདི་སྐད་ཅེས་སྨྲས་སོ། །ཚེ་དང་ལྡན་པ་རབ་འབྱོར་བྱང་ཆུབ་སེམས་དཔའ་སེམས་དཔའ་ཆེན་པོ་རྣམས་ཀྱི་ཆགས་པ་ནི་གང་ཡིན།

མ་ཆགས་པ་ནི་གང་ཡིན་རབ་འབྱོར་གྱིས་སྨྲས་པ། ཚེ་དང་ལྡན་པ་ཤ་ར་དྭ་ཏིའི་བུ་འདི་⑦ལ་བྱང་ཆུབ་སེམས་དཔའི་ཐེག་པ་པའི་རིགས་ཀྱི་བུའམ་རིགས་ཀྱི་བུ་མོ་ཐབས་མི་མཁས་པས། གཟུགས་སྟོང་པའོ་ཞེས་བྱ་བར་འདུ་ཤེས་ན་ཆགས་པའོ། །ཚོར་བ་དང་འདུ་ཤེས་དང་འདུ་བྱེད་དང་། རྣམ་པར་ཤེས་པ་སྟོང་པའོ་ཞེས་བྱ་བར་འདུ་ཤེས་ན་ཆགས་པའོ། །སྐྱེ་མཆེད་དང་། ཁམས་དང་། རྟེན་ཅིང་འབྲེལ་པར་③འབྱུང་བ་སྟོང་པའོ་ཞེས་བྱ་བར་འདུ་ཤེས་ན་ཆགས་པའོ། །སྦྱིན་པའི་ཕ་རོལ་ཏུ་ཕྱིན་པ་སྟོང་པའོ་ཞེས་བྱ་བར་འདུ་ཤེས་ན་ཆགས་པའོ། །ཚུལ་ཁྲིམས་ཀྱི་ཕ་རོལ་ཏུ་ཕྱིན་པ་དང་། བཟོད་པའི་ཕ་རོལ་ཏུ་ཕྱིན་པ་དང་། བརྩོན་འགྲུས་ཀྱི་ཕ་རོལ་ཏུ་ཕྱིན་པ་དང་། བསམ་གཏན་གྱི་ཕ་རོལ་ཏུ་ཕྱིན་པ་དང་། ཤེས་རབ་ཀྱི་ཕ་རོལ་ཏུ་ཕྱིན་པ་སྟོང་པའོ། །ཞེས་བྱ་བར་འདུ་ཤེས་ན་ཆགས་པའོ། །ནང་སྟོང་པ་ཉིད་སྟོང་པའོ་ཞེས་བྱ་བར་འདུ་ཤེས་ན་ཆགས་པའོ། །དངོས་པོ་མེད་པའི་ངོ་བོ་ཉིད་སྟོང་པ་ཉིད་ཀྱི་བར་དུ་སྟོང་པའོ་ཞེས་བྱ་བར་འདུ་ཤེས་ན་ཆགས་པའོ། །དྲན་པ་ཉེ་བར་གཞག་པ་རྣམས་སྟོང་པའོ་ཞེས་བྱ་བར་འདུ་ཤེས་ན་ཆགས་པའོ། །ཡང་དག་པར་སྤོང་བ་དང་། རྫུ་འཕྲུལ་གྱི་རྐང་པ་དང་། དབང་པོ་དང་། སྟོབས་དང་། བྱང་ཆུབ་ཀྱི་ཡན་ལག་དང་། འཕགས་པའི་ལམ་ཡན་ལག་བརྒྱད་པ་སྟོང་པའོ་ཞེས་བྱ་བར་འདུ་ཤེས་ན་ཆགས་པའོ། །འཕགས་པའི་བདེན་པ་རྣམས་སྟོང་པའོ་ཞེས་བྱ་བར་འདུ་ཤེས་ན་ཆགས་པའོ། །བསམ་གཏན་དང་། ཚད་མེད་པ་དང་། གཟུགས་མེད་པའི་སྙོམས་པར་འཇུག་པ་རྣམས་སྟོང་པའོ། །ཞེས་བྱ་བར་འདུ་ཤེས་ན་ཆགས་པའོ། །རྣམ་པར་ཐར་པ་དང་། མཐར་གྱིས་གནས་པའི་སྙོམས་པར་འཇུག་པ་དང་། སྟོང་པ་ཉིད་དང་། མཚན་མ་མེད་པ་དང་། སྨོན་པ་མེད་པ་དང་མངོན་པར་ཤེས་པ་

རྣམས་སྟོང་པའོ་ཞེས་བྱ་བར་འདུ་ཤེས་ན་ཆགས་པའོ། །ཏིང་ངེ་འཛིན་དང་གཟུངས་ཀྱི་སྒོ་དང་། དེ་བཞིན་གཤེགས་པའི་སྟོབས་དང་། མི་འཇིགས་པ་དང་། སོ་སོ་ཡང་དག་པར་རིག་པ་དང་། སངས་རྒྱས་ཀྱི་ཆོས་མ་འདྲེས་པ་བཅོ་བརྒྱད་[༧]སྟོང་པའོ་ཞེས་བྱ་བར་འདུ་ཤེས་ན་ཆགས་པའོ། །རྣམ་པ་ཐམས་ཅད་མཁྱེན་པ་ཉིད་ཀྱི་བར་དུ་སྟོང་པའོ་ཞེས་བྱ་བར་འདུ་ཤེས་ན་ཆགས་[༣]པའོ། །ཚེ་དང་ལྡན་པ་ཤཱ་རིའི་བུ་གཞན་ཡང་བྱང་ཆུབ་སེམས་དཔའི་ཐེག་པ་པའི་རིགས་ཀྱི་བུའམ་རིགས་ཀྱི་བུ་མོ་ཐབས་མི་མཁས་པས་འདས་པའི་ཆོས་རྣམས་ལ། འདས་པའི་ཆོས་ཤེས་བྱ་བར་འདུ་ཤེས་ན་ཆགས་པའོ། །མ་འོངས་པའི་ཆོས་རྣམས་ལ་མ་འོངས་པའི་ཆོས་ཤེས་བྱ་བར་འདུ་ཤེས་ན་ཆགས་པའོ། །ད་ལྟར་བྱུང་བའི་ཆོས་རྣམས་ལ་ད་ལྟར་བྱུང་བའི་ཆོས་ཤེས་བྱ་བར་འདུ་ཤེས་ན་ཆགས་པའོ། །ཚེ་དང་ལྡན་པ་ཤཱ་རིའི་བུ་གཞན་ཡང་བྱང་ཆུབ་སེམས་དཔའི་ཐེག་པ་པའི་རིགས་ཀྱི་བུའམ་རིགས་ཀྱི་བུ་མོ་དམིགས་པའི་ཚུལ་དུ། སེམས་དང་པོ་བསྐྱེད་པ་ནས་ཉེ་བར་བཟུང་བ་ནས། སྦྱིན་པའི་ཕ་རོལ་ཏུ་ཕྱིན་པ་ལ་སྤྱོད་ན་ཆགས་པའོ། །ཚུལ་ཁྲིམས་ཀྱི་ཕ་རོལ་ཏུ་ཕྱིན་པ་དང་། བཟོད་པའི་ཕ་རོལ་ཏུ་ཕྱིན་པ་དང་། བརྩོན་འགྲུས་ཀྱི་ཕ་རོལ་ཏུ་ཕྱིན་པ་དང་། བསམ་གཏན་གྱི་ཕ་རོལ་ཏུ་ཕྱིན་པ་དང་། ཤེས་རབ་ཀྱི་ཕ་རོལ་ཏུ་ཕྱིན་པ་ལ་སྤྱོད་ན་ཆགས་པའོ། །ནང་སྟོང་པ་ཉིད་ལ་སྤྱོད་ན་ཆགས་པའོ། །དངོས་པོ་མེད་པའི་ངོ་བོ་ཉིད་སྟོང་པ་ཉིད་ཀྱི་བར་ལ་སྤྱོད་ན་ཆགས་པའོ། །དྲན་པ་ཉེ་བར་གཞག་པ་རྣམས་ལ་སྤྱོད་ན་ཆགས་པའོ། །ཡང་དག་པར་སྤོང་བ་དང་། རྫུ་འཕྲུལ་གྱི་རྐང་པ་དང་། དབང་པོ་དང་སྟོབས་དང་། བྱང་ཆུབ་ཀྱི་ཡན་ལག་དང་། འཕགས་པའི་ལམ་ཡན་ལག་བརྒྱད་པ་ལ་སྤྱོད་ན་ཆགས་པའོ། །འཕགས་པའི་བདེན་པ་རྣམས་ལ་སྤྱོད་ན

ཆགས་པའོ། །བསམ་གཏན་དང་ཚད་མེད་པ་དང་། གཟུགས་མེད་པའི་སྙོམས་པར་འཇུག་པ་རྣམས་ལ་སྦྱོད་ན་ཆགས་པའོ། །རྣམ་པར་ཐར་པ་དང་། མཐར་གྱིས་གནས་པའི་སྙོམས་པར་འཇུག་པ་དང་། སྟོང་པ་ཉིད་དང་མཚན་མ་མེད་པ་དང་། སྨོན་པ་མེད་པ་དང་། མངོན་པར་ཤེས་པ་རྣམས་ལ་སྦྱོད་ན་ཆགས་པའོ། །ཏིང་ངེ་འཛིན་དང་། གཟུངས་ཀྱི་སྒོ་དང་། དེ་བཞིན་གཤེགས་པའི་སྟོབས་དང་། མི་འཇིགས་པ་དང་། སོ་སོ་ཡང་དག་པར་རིག་པ་དང་། སངས་རྒྱས་ཀྱི་ཆོས་མ་འདྲེས་པ་བཅོ་བརྒྱད་ལ་སྦྱོད་ན་ཆགས་པའོ། །རྣམ་པ་ཐམས་ཅད་མཁྱེན་པ་ཉིད་ཀྱི་བར་ལ་སྦྱོད་ན་ཆགས་པའོ། །ཚེ་དང་ལྡན་པ་ཤ་ར་དྭ་ཏིའི་བུ་གང་ཡང་འདི་སྐད་དུ་བྱང་ཆུབ་སེམས་དཔའ་སེམས་དཔའ་ཆེན་པོ་ཤེས་རབ་ཀྱི་ཕ་རོལ་ཏུ་ཕྱིན་པ་ལ་སྦྱོད་པ་རྣམས་ཀྱི་ཆགས་པ་མེད་པ་གང་ཞེས་ཟེར་བ་ནི། ཚེ་དང་ལྡན་པ་[༧]ཤ་ར་དྭ་ཏིའི་བུ་འདི་ལ་བྱང་ཆུབ་སེམས་དཔའ་སེམས་དཔའ་ཆེན་པོ་ཐབས་མཁས་པ། ཤེས་རབ་ཀྱི་ཕ་རོལ་ཏུ་ཕྱིན་པ་ལ་སྦྱོད་པ་ནི༑ གཟུགས་ལ་གཟུགས་ཤེས་བྱ་བ་[༣]འདུ་ཤེས་པ་མེད་དོ། །ཚོར་བ་དང་འདུ་ཤེས་དང་། འདུ་བྱེད་དང་། རྣམ་པར་ཤེས་པ་ལ་རྣམ་པར་ཤེས་པ་ཞེས་བྱ་བར་འདུ་ཤེས་པ་མེད་དོ། །འདས་པའི་ཆོས་རྣམས་ལ་འདས་པའི་ཆོས་ཤེས་བྱ་བར་འདུ་ཤེས་པ་མེད་དོ། །མ་འོངས་པའི་ཆོས་རྣམས་ལ་མ་འོངས་པའི་ཆོས་ཤེས་བྱ་བར་འདུ་ཤེས་པ་མེད་དོ། །ད་ལྟར་བྱུང་བའི་ཆོས་རྣམས་ལ་ད་ལྟར་བྱུང་བའི་ཆོས་ཤེས་བྱ་བར་འདུ་ཤེས་པ་མེད་དོ། །ཚེ་དང་ལྡན་པ་ཤ་ར་དྭ་ཏིའི་བུ་བྱང་ཆུབ་སེམས་དཔའ་སེམས་དཔའ་ཆེན་པོ་ཐབས་མཁས་པ་ཤེས་རབ་ཀྱི་ཕ་རོལ་ཏུ་ཕྱིན་པ་ལ་སྦྱོད་པ་ནི། འདི་སྐམ་དུ་བདག་གིས་སྦྱིན་པ་ཞིག་སྦྱིན་ནོ། །འདི་ལ་[༣]སྦྱིན་པ་འདི་ལྟ་བུ་ཞིག་སྦྱིན་[༨]ཞིའམ། བདག་གིས་ནི་ཚུལ་ཁྲིམས་ཤིག་བསྲུང་ངོ་། །

ཚུལ་ཁྲིམས་འདི་ལྟ་བུ་ཞིག་བསྲུང་ངོ་ཞེའམ་བདག་གིས་ནི་བཟོད་པ་ཞིག་བསྒོམ་མོ།། བཟོད་པ་འདི་ལྟ་བུ་ཞིག་བསྒོམ་མོ་[1]ཞེའམ། བདག་གིས་ནི་བརྩོན་འགྲུས་ཤིག་བརྩམ་མོ། །བརྩོན་འགྲུས་འདི་ལྟ་བུ་ཞིག་བརྩམ་མོ་ཞེའམ། བདག་གིས་ནི་བསམ་གཏན་ཞིག་ལ་མཉམ་པར་གཞག་གོ[3]། །བསམ་གཏན་འདི་ལྟ་བུ་ཞིག་ལ་མཉམ་པར་གཞག་གོ་ཞེའམ་བདག་གིས་ནི་ཤེས་རབ་ཅིག་བསྒོམ་མོ། །ཤེས་རབ་འདི་ལྟ་བུ་ཞིག་བསྒོམ་མོ་ཞེའམ་བདག་གིས་ནི་བསོད་ནམས་ཞིག་བསྐྱེད་དོ། །བསོད་ནམས་འདི་ལྟ་བུ་ཞིག་བསྐྱེད་དོ། །བསོད་ནམས་འདི་ཙམ་ཞིག་བསྐྱེད་དོ།། ཞེའམ་བདག་གིས་ནི་བྱང་ཆུབ་སེམས་དཔའི་སྐྱོན་མེད་པར་ཆུད་པར་བྱའོ་ཞེའམ། བདག་གིས་ནི་སངས་རྒྱས་ཀྱི་ཞིང་ཡོངས་སུ་དག་པར་བྱའོ། །ཞེའམ་བདག་གིས་ནི་སེམས་ཅན་ཡོངས་སུ་སྨིན་པར་བྱའོ་ཞེའམ། བདག་གིས་ནི་རྣམ་པ་ཐམས་ཅད་མཁྱེན་པ་ཉིད་ཐོབ་པར་བྱའོ་སྙམ་དུ་སེམས་པ་[3]མེད་དེ། ཚེ་དང་ལྡན་པ་ཤ་ར་དྭ་ཏི་འི་[4]བུ་བྱང་ཆུབ་སེམས་དཔའ་སེམས་དཔའ་ཆེན་པོ་ཐབས་མཁས་པས་ཤེས་རབ་ཀྱི་ཕ་རོལ་དུ་ཕྱིན་པ་ལ་སྤྱོད་པ་ལ་ནི། རྣམ་པར་རྟོག་པ་དེ་ལྟ་བུ་ཐམས་ཅད་དང་ནང་སྟོང་པ་ཉིད་དང་། ཕྱི་སྟོང་པ་ཉིད་དང་། ཕྱི་ནང་སྟོང་པ་ཉིད་དང་། སྟོང་པ་ཉིད་སྟོང་པ་ཉིད་དང་། ཆེན་པོ་སྟོང་པ་ཉིད་དང་དོན་དམ་པ་སྟོང་པ་ཉིད་དང་། འདུས་བྱས་སྟོང་པ་ཉིད་དང་། འདུས་མ་བྱས་སྟོང་པ་ཉིད་དང་། མཐའ་ལས་འདས་པ་སྟོང་པ་ཉིད་དང་། ཐོག་མ་དང་ཐ་མ་མེད་པ་སྟོང་པ་ཉིད་དང་། དོར་བ་མེད་པ་སྟོང་པ་ཉིད་དང་། རང་བཞིན་སྟོང་པ་ཉིད་དང་། ཆོས་ཐམས་ཅད་སྟོང་པ་ཉིད་དང་། རང་གི་མཚན་ཉིད་སྟོང་པ་ཉིད་དང་། མི་དམིགས་པ་སྟོང་པ་ཉིད་དང་། དངོས་པོ་མེད་པ་སྟོང་པ་ཉིད་དང་། ངོ་བོ་ཉིད་སྟོང་པ་ཉིད་དང་། དངོས་པོ་མེད་པའི་ངོ་བོ་ཉིད་སྟོང་པ་ཉིད་ཀྱི་ཕྱིར་མེད་

ཅིང་མི་རྒྱུ་སྟེ། ཚེ་དང་ལྡན་པ་ཤཱ་ར་དྭ་ཏིའི་བུ་དེ་དག་ནི་བྱང་ཆུབ་སེམས་དཔའ་སེམས་དཔའ་ཆེན་པོའི་ཐབས་མཁས་པ། ཤེས་རབ་ཀྱི་ཕ་རོལ་ཏུ་ཕྱིན་པ་ལ་སྤྱོད་པའི་ཆགས་པ་མེད་པ་དག་གོ། །དེ་ནས་ལྷའི་དབང་པོ་བརྒྱ་བྱིན་གྱིས། ཚེ་དང་ལྡན་པ་རབ་འབྱོར་ལ་འདི་སྐད་ཅེས་སྨྲས་སོ། །བཙུན་པ་རབ་འབྱོར་རྣམ་གྲངས་གང་གིས་ན། བྱང་ཆུབ་སེམས་དཔའི་ཐེག་པ་པའི་རིགས་ཀྱི་བུའམ་རིགས་ཀྱི་བུ་མོ་རྣམས་ཀྱིས་(༡)ཆགས་པར་འགྱུར་བ་ཡིན་དེ་སྐད་ཅེས་སྨྲས་པ་དང་། ཚེ་དང་ལྡན་པ་རབ་འབྱོར་གྱིས་ལྷའི་དབང་པོ་བརྒྱ་བྱིན་ལ་འདི་སྐད་ཅེས་སྨྲས་སོ། ཀོ་(༢)ཤི་ཀ་འདི་ལ་བྱང་ཆུབ་སེམས་དཔའི་ཐེག་པ་པའི་རིགས་ཀྱི་བུ་དང་རིགས་ཀྱི་བུ་མོ་སེམས་སུ་འདུ་ཤེས་པ་དང་། སྦྱིན་པའི་ཕ་རོལ་ཏུ་ཕྱིན་པར་འདུ་ཤེས་པ་དང་། ཚུལ་ཁྲིམས་ཀྱི་ཕ་རོལ་ཏུ་ཕྱིན་པ་དང་། བཟོད་པའི་ཕ་རོལ་ཏུ་ཕྱིན་པ་དང་། བརྩོན་འགྲུས་ཀྱི་ཕ་རོལ་ཏུ་ཕྱིན་པ་དང་། བསམ་གཏན་གྱི་ཕ་རོལ་ཏུ་ཕྱིན་པ་དང་། ཤེས་རབ་ཀྱི་ཕ་རོལ་ཏུ་ཕྱིན་པར་འདུ་ཤེས་པ་དང་། ནང་སྟོང་པ་ཉིད་དུ་འདུ་ཤེས་པ་དང་། ཕྱི་སྟོང་པ་ཉིད་དུ་འདུ་ཤེས་པ་དང་། ཕྱི་ནང་སྟོང་པ་ཉིད་དུ་འདུ་ཤེས་པ་དང་། དངོས་པོ་མེད་པའི་ངོ་བོ་ཉིད་སྟོང་པ་ཉིད་ཀྱི་བར་དུ་འདུ་ཤེས་པ་དང་། དྲན་པ་ཉེ་བར་གཞག་པ་རྣམས་སུ་འདུ་ཤེས་པ་དང་། ཡང་དག་པར་སྤོང་བ་དང་། རྫུ་འཕྲུལ་གྱི་རྐང་པ་དང་དབང་པོ་དང་སྟོབས་དང་། བྱང་ཆུབ་ཀྱི་ཡན་ལག་དང་། འཕགས་པའི་ལམ་ཡན་ལག་བརྒྱད་པར་འདུ་ཤེས་པ་དང་། འཕགས་པའི་བདེན་པ་དང་བསམ་གཏན་དང་། ཚད་མེད་པ་དང་། གཟུགས་མེད་པའི་སྙོམས་པར་འཇུག་པ་རྣམས་སུ་འདུ་ཤེས་པ་དང་། རྣམ་པར་ཐར་པ་དང་། མཐར་གྱིས་གནས་པའི་སྙོམས་པར་འཇུག་པ་དང་། སྟོང་པ་ཉིད་དང་མཚན་མ་མེད་པ་དང་། སྨོན་པ་མེད་པ་དང་། མངོན་པར་ཤེས་པ་

རྣམས་སུ་འདུ་ཤེས་པ་དང་། ཏིང་ངེ་འཛིན་དང་། གཟུངས་ཀྱི་སྒོ་རྣམས་སུ་འདུ་ཤེས་པ་དང་། དེ་བཞིན་གཤེགས་པའི་སྟོབས་དང་། མི་འཇིགས་པ་དང་། སོ་སོ་ཡང་དག་པར་རིག་པ་དང་། སངས་རྒྱས་ཀྱི་ཆོས་མ་འདྲེས་པ་བཅོ་བརྒྱད་དུ་འདུ་ཤེས་པ་དང་། སངས་རྒྱས་བཅོམ་ལྡན་འདས་སུ་འདུ་ཤེས་པར་གྱུར་ཏེ། སངས་རྒྱས་ལ་བསྐྱེད་པའི་དགེ་བ་དག་ཏུ་འདུ་ཤེས་ནས། དགེ་བའི་རྩ་བ་དེ་དག་མངོན་པར་བསྡུས་ཏེ་གཅིག་ཏུ་བརྟུལ་⑦ནས། བླ་ན་མེད་པ་ཡང་དག་པར་རྫོགས་པའི་བྱང་ཆུབ་ཏུ་ཡོངས་སུ་བསྔོ་ཞིང་། ཡོངས་སུ་བསྔོ་བ་དེར་ཡང་འདུ་ཤེས་པ་དེ་དག་ནི། ཀཽ་ཤི་ཀ་བྱང་ཆུབ་སེམས་དཔའི་ཐེག་པ་པའི་རིགས་ཀྱི་བུ་དང་རིགས་ཀྱི་བུ་མོ་རྣམས་ཀྱི་ཆགས་པ་སྟེ། ཆགས་པ་དེ་དག་ལ་ཆགས་པར་གྱུར་ན། ཆགས་པ་མེད་པའི་ཤེས་རབ་ཀྱི་ཕ་རོལ་ཏུ་ཕྱིན་པ་ལ་སྤྱོད་པར་མི་ནུས་སོ། །དེ་ཅིའི་ཕྱིར་ཞེ་ན། དེ་ནི་ཀཽ་ཤི་ཀ་གཟུགས་ཀྱི་རང་བཞིན་ཡོངས་སུ་བསྔོ་བར་མི་ནུས་སོ③། །ཚོར་བ་དང་འདུ་ཤེས་དང་འདུ་བྱེད་དང་། རྣམ་པར་ཤེས་པའི་རང་བཞིན་ཡོངས་སུ་བསྔོ་བར་མི་ནུས་སོ། །སྐྱེ་མཆེད་དང་ཁམས་དང་། རྟེན་ཅིང་འབྲེལ་པར་འབྱུང་བའི་རང་བཞིན་ཡོངས་སུ་བསྔོ་བར་མི་ནུས་སོ། །ཕ་རོལ་ཏུ་ཕྱིན་པ་རྣམས་ཀྱི་རང་བཞིན་ཡོངས་སུ་བསྔོ་བར་མི་ནུས་སོ། །སྟོང་པ་ཉིད་ཐམས་ཅད་ཀྱི་རང་བཞིན་ཡོངས་སུ་བསྔོ་བར་མི་ནུས་སོ། །བྱང་ཆུབ་ཀྱི་ཕྱོགས་ཀྱི་ཆོས་སུམ་ཅུ་རྩ་བདུན་གྱི་རང་བཞིན་ཡོངས་སུ་བསྔོ་བར་མི་ནུས་སོ། །འཕགས་པའི་བདེན་པ་དང་། བསམ་གཏན་དང་ཚད་མེད་པ་དང་། གཟུགས་མེད་པའི་སྙོམས་པར་འཇུག་པ་རྣམས་ཀྱི་རང་བཞིན་ཡོངས་སུ་བསྔོ་བར་མི་ནུས་སོ། །རྣམ་པར་ཐར་པ་བརྒྱད་དང་། མཐར་གྱིས་གནས་པའི་སྙོམས་པར་འཇུག་པ་དགུ་དང་། སྟོང་པ་ཉིད་དང་། མཚན་མ་མེད་པ་དང་སྨོན་པ་མེད་པ་དང་།

མངོན་པར་ཤེས་པ་རྣམས་ཀྱི་རང་བཞིན་ཡོངས་སུ་བསྔོ་བར་མི་ནུས་སོ། །ཏིང་ངེ་འཛིན་དང་། གཟུངས་ཀྱི་སྒོ་དང་། དེ་བཞིན་གཤེགས་པའི་སྟོབས་དང་། མི་འཇིགས་པ་དང་། སོ་སོ་ཡང་དག་པར་རིག་པ་དང་། སངས་རྒྱས་ཀྱི་ཆོས་མ་འདྲེས་པ་བཅོ་བརྒྱད་ཀྱི་རང་བཞིན་ཡོངས་སུ་བསྔོ་བར་མི་ནུས་སོ། །རྒྱུན་དུ་ཞུགས་པའི་འབྲས་བུ་དང་། ལན་ཅིག་ཕྱིར་འོང་བའི་འབྲས་བུ་དང་། ཕྱིར་མི་འོང་བའི་འབྲས་བུ་དང་། དགྲ་བཅོམ་པ་ཉིད་དང་། རང་བྱང་ཆུབ་ཀྱི་རང་བཞིན་ཡོངས་སུ་བསྔོ་བར་མི་ནུས་སོ། །ལམ་གྱི་རྣམ་པ་ཤེས་པ་ཉིད་དང་། རྣམ་པ་ཐམས་ཅད་མཁྱེན་པ་ཉིད་ཀྱི་རང་བཞིན་ཡོངས་སུ་བསྔོ་བར་མི་ནུས་སོ། །ཀཽ་ཤི་ཀ་གཞན་ཡང་བྱང་ཆུབ་སེམས་དཔའ་སེམས་དཔའ་ཆེན་པོས་གཞན་ཞིག་བླ་ན་མེད་པ་ཡང་དག་པར་⑦རྫོགས་པའི་བྱང་ཆུབ་ཏུ་ཡང་དག་པར་བསྟན་ཏམ། ཡང་དག་པར་བསྐུལ་ལམ། ཡང་དག་པར་སྤྲོ་བ་བསྐྱེད་དམ། ཡང་དག་པར་རབ་ཏུ་དགའ་བར་བྱས་ན་ཡང་དག་པར་རྗེས་སུ་སོང་བའི་ཡིད་ཀྱིས་གཞན་ཡང་དག་པར་བསྟན་པར་བྱའོ། །ཡང་དག་པར་བསྐུལ་བར་བྱའོ། །ཡང་དག་པར་སྤྲོ་བ་བསྐྱེད་པར་བྱའོ། །ཡང་དག་པར་དགའ་བ་བསྐྱེད་པར་བྱའོ། །དེ་ཡང་ཅི་ནས་ཀྱང་སྦྱིན་པའི་ཕ་རོལ་ཏུ་ཕྱིན་པ་ལ་སྤྱོད་པའི་ཚེ། བདག་ནི་སྦྱིན་པའི་ཕ་རོལ་ཏུ་ཕྱིན་པ་ལ་སྤྱོད་དོ་ཞེས་བྱ་བར་རྣམ་པར་རྟོག་པར་མི་འགྱུར་བ་དང་། བདག་ནི་ཚུལ་ཁྲིམས་ཀྱི་ཕ་རོལ་ཏུ་ཕྱིན་པ་ལ་སྤྱོད་དོ། །བདག་ནི་བཟོད་པའི་ཕ་རོལ་ཏུ་ཕྱིན་པ་ལ་སྤྱོད་དོ། །བདག་ནི་བརྩོན་འགྲུས་ཀྱི་ཕ་རོལ་ཏུ་ཕྱིན་པ་ལ་སྤྱོད་དོ། །བདག་ནི་བསམ་གཏན་གྱི་ཕ་རོལ་ཏུ་ཕྱིན་པ་ལ་སྤྱོད་དོ། །བདག་ནི་ཤེས་རབ་ཀྱི་ཕ་རོལ་ཏུ་ཕྱིན་པ་ལ་སྤྱོད་དོ་ཞེས་བྱ་བར་རྣམ་པར་རྟོག་པར་མི་འགྱུར་བ་དང་། བདག་ནི་ནང་སྟོང་པ་ཉིད་ལ་སྤྱོད་དོ། །བདག་ནི་ཕྱི་སྟོང་པ་ཉིད་ལ་

སྐྱོད་དོ(༡)། །བདག་ནི་ཕྱི་ནང་སྟོང་པ་ཉིད་ལ་སྐྱོད་དོ། །བདག་ནི་དངོས་པོ་མེད་པའི་ངོ་བོ་ཉིད་སྟོང་པ་ཉིད་ཀྱི་བར་ལ་སྐྱོད་དོ། །བདག་ནི་བྱང་ཆུབ་ཀྱི་ཕྱོགས་ཀྱི་ཆོས་སུམ་ཅུ་རྩ་བདུན་ལ་སྐྱོད་དོ། །བདག་ནི་འཕགས་པའི་བདེན་པ་རྣམས་ལ་སྐྱོད་དོ། །བདག་ནི་བསམ་གཏན་དང་ཚད་མེད་པ་དང་། གཟུགས་མེད་པའི་སྙོམས་པར་འཇུག་པ་རྣམས་ལ་སྐྱོད་དོ། །བདག་ནི་རྣམ་པར་ཐར་པ་བརྒྱད་དང་། མཐར་གྱིས་གནས་པའི་སྙོམས་པར་འཇུག་པ་དགུ་དང་། སྟོང་པ་ཉིད་དང་། མཚན་མ་མེད་པ་དང་། སྨོན་པ་མེད་པ་དང་། མངོན་པར་ཤེས་པ་རྣམས་ལ་སྐྱོད་དོ། །བདག་ནི་ཏིང་ངེ་འཛིན་རྣམས་དང་། གཟུངས་ཀྱི་སྒོ་རྣམས་ལ་སྐྱོད་དོ། །བདག་ནི་དེ་བཞིན་གཤེགས་པའི་སྟོབས་དང་། མི་འཇིགས་པ་བཞི(༢)དང་། སོ་སོ་ཡང་དག་པར་རིག་པ་དང་། སངས་རྒྱས་ཀྱི་ཆོས་མ་འདྲེས་པ་བཅོ་བརྒྱད་ལ་སྐྱོད་དོ་ཞེས་བྱ་བར་རྣམ་པར་རྟོག་པར་མི་འགྱུར་བ་དང་། བདག་ནི་རྣམ་པ་ཐམས་ཅད་མཁྱེན་པ་ཉིད་ཀྱི་བར་ལ་སྐྱོད་དོ་ཞེས་བྱ་བར་རྣམ་པར་རྟོག་པར་མི་འགྱུར་བ(༣)དེ་ལྟར་ཡང་དག་པར་བསྟན་པར་བྱ། ཡང་དག་པར་བསྒྲུབ་བར་བྱ། ཡང་དག་པར་སྤྲོ་བ་བསྐྱེད་པར་བྱ། ཡང་དག་པར་དགའ་བ་བསྐྱེད་པར་བྱ་སྟེ། དེ་ལྟར་སྐྱོད་པའི་རིགས་ཀྱི་བུའམ་རིགས་ཀྱི་བུ་མོས། གཞན་བླ་ན་མེད་པ་ཡང་དག་པར་རྫོགས་པའི་བྱང་ཆུབ་ཏུ་ཡང་དག་པར་བསྟན་པར་བྱའོ། །ཡང་དག་པར་བསྒྲུབ་བར་བྱའོ། །ཡང་དག་པར་སྤྲོ་བ་བསྐྱེད་པར་བྱའོ། །ཡང་དག་པར་དགའ་བ་བསྐྱེད་པར་བྱའོ། །དེ་ཡང་དག་པར་བསྟན་པ་དེ་དང་། ཡང་དག་པར་བསྒྲུབ་བ(༤)དེ་དང་། ཡང་དག་པར་སྤྲོ་བ་བསྐྱེད་པར་བྱ་བ་དེ་དང་། ཡང་དག་པར་དགའ་བ་བསྐྱེད་པར་བྱ་བ་དེས། གཞན་ཡང་དག་པར་སྟོན་ཅིང་ཡང་དག་པར་བསྒྲུབ་བ་དང་། ཡང་དག་པར་སྤྲོ

བ་སྐྱེད་[༧]ཅིང་ཡང་དག་པར་དགའ་བར་བྱེད་པའི་ཚེ། ལྡ་[༣]འབྱུང་བར་མི་འགྱུར་ཞིང་། སངས་རྒྱས་ཀྱིས་གནང་བའི་ཡང་དག་པར་བསྐུལ་བས་ཡང་དག་པར་བསྐུལ་བ་ཡིན་ཏེ། དེ་ལྟར་ན་རིགས་ཀྱི་བུའམ་རིགས་ཀྱི་བུ་མོ་དེས་ཆགས་པའི་མཐའ་ཐམས་ཅད་ཡོངས་སུ་སྤངས་[༣]པ་ཡིན་ནོ། །དེ་ནས་བཅོམ་ལྡན་འདས་ཀྱིས་ཚེ་དང་ལྡན་པ་རབ་འབྱོར་ལ་ལེགས་སོ་ཞེས་བྱ་བ་གནང་སྟེ། རབ་འབྱོར་དེ་ལྟར་ཁྱོད་བྱང་ཆུབ་སེམས་དཔའ་སེམས་དཔའ་ཆེན་པོ་རྣམས་ལ་ཆགས་པའི་རྣམ་པ་དེ་ལྟ་བུ་དག་སྟོན་པ་ལེགས་སོ་ལེགས་སོ། །རབ་འབྱོར་དེ་བས་ན་ཁྱོད་ལ་ཆགས་པའི་རྣམ་པ་དེ་[༨]བས་ཀྱང་ཕྲ་བ་བསྟན་པར་བྱས[༥]། དེ་ཉིན་དུ་ལེགས་པར་ཉོན་ལ་ཡིད་ལ་ཟུང་[༦]ཤིག་དང་བསྟན་པར་བྱའོ། །བཅོམ་ལྡན་འདས་དེ་ལྟར་བགྱིའོ་ཞེས་ནས། ཚེ་དང་ལྡན་པ་རབ་འབྱོར་བཅོམ་ལྡན་འདས་ལ་ཕྱིར་ཉན་ཏོ[༧]། །བཅོམ་ལྡན་འདས་ཀྱིས་དེ་ལ་འདི་སྐད་ཅེས་བཀའ་སྩལ་ཏོ། །རབ་འབྱོར་འདི་ལ་རིགས་ཀྱི་བུའམ་རིགས་ཀྱི་བུ་མོ་བླ་ན་མེད་པ་ཡང་དག་པར་རྫོགས་པའི་བྱང་ཆུབ་ཏུ་ཡང་དག་པར་ཞུགས་པ། དེ་བཞིན་གཤེགས་པ་དགྲ་བཅོམ་པ་ཡང་དག་པར་རྫོགས་པའི་སངས་རྒྱས་མཚན་མར་ཡིད་ལ་བྱེད་ན། རབ་འབྱོར་ཇི་ཙམ་དུ་མཚན་མར་གྱུར་པ་དེ་ཙམ་དུ་ཆགས་པའོ། །གང་ཡང་འདས་པ་དང་། མ་བྱོན་པ་དང་། ད་ལྟར་བྱུང་བའི་དེ་བཞིན་གཤེགས་པ་དགྲ་བཅོམ་པ་ཡང་དག་པར་རྫོགས་པའི་སངས་རྒྱས་ཆགས་པ་ཐམས་ཅད་དང་བྲལ་བ་དེ་དག་གི་ཕྱུགས་[༡]དང་པོ་བསྐྱེད་པ་ནས། དམ་པའི་ཆོས་གནས་པའི་བར་གྱི་དགེ་བའི་རྩ་བ་གང་ཇི་སྙེད་པ་དེ་དག་ཐམས་ཅད་མཚན་མར་ཡིད་ལ་བྱེད་ཅིང་། ཡིད་ལ་བྱས་ནས་བླ་ན་མེད་པ་ཡང་དག་པར་རྫོགས་པའི་བྱང་ཆུབ་ཏུ་ཡོངས་སུ་བསྔོ་ན། རབ་འབྱོར་ཇི་ཙམ་དུ་མཚན་མར་ཡིད་ལ་བྱེད་པ་དེ་ཙམ་དུ་ཆགས་པའོ། །གང་ཡང་དེ་

བཞིན་གཤེགས་པའི་ཉན་ཐོས་དེ་དག་དང་། དེ་མ་ཡིན་པའི་སེམས་ཅན་གཞན་རྣམས་ཀྱི་དགེ་བའི་རྩ་བ་གང་ཇི་སྙེད་པ་དེ་ཐམས་ཅད་ཀྱང་མཚན་མར་བྱས་ཏེ། བླ་ན་མེད་པ་ཡང་དག་པར་རྫོགས་པའི་བྱང་ཆུབ་ཏུ་ཡོངས་སུ་བསྔོ་ན། རབ་འབྱོར་ཇི་ཙམ་དུ་མཚན་མར་ཡིད་ལ་བྱེད་པ་དེ་ཙམ་དུ་ཆགས་པའོ། །དེ་ཅིའི་ཕྱིར་ཞེ་ན། དེ་བཞིན་གཤེགས་པ་དེ་དག་ནི་མཚན་མར་ཡིད་ལ་བྱ་བ་མ་ཡིན་ཏེ། དེ་བཞིན་གཤེགས་པ་དེ་དག་གི་དགེ་བའི་རྩ་བ་ཡང་མཚན་མར་ཡིད་ལ་བྱ་བ་མ་ཡིན་ནོ། །གསོལ་པ་བཅོམ་ལྡན་འདས་ཤེས་རབ་ཀྱི་ཕ་རོལ་དུ་ཕྱིན་པ་ནི་ཟབ་པོ། །བཅོམ་ལྡན་འདས་ཀྱིས་བཀའ་སྩལ་པ། རབ་འབྱོར་ཆོས་ཐམས་ཅད་རང་བཞིན་གྱིས་རྣམ་པར་དབེན་པའི་ཕྱིར་རོ། །གསོལ་པ་བཅོམ་ལྡན་[༡]འདས་ཤེས་རབ་ཀྱི་ཕ་རོལ་དུ་ཕྱིན་པ་ལ་ཕྱག་འཚལ་ལོ། །བཅོམ་ལྡན་འདས་ཀྱིས་བཀའ་སྩལ་པ། རབ་འབྱོར་དེ་ནི་འདི་ལྟར་ཤེས་རབ་ཀྱི་ཕ་རོལ་དུ་ཕྱིན་པ་[༢]མ་བྱས་མངོན་པར་འདུ་མ་བྱས་པ་སྟེ། དེ་ནི་སུས་ཀྱང་མངོན་པར་འཚང་རྒྱ་བར༔ བྱ་བར་[༣]མི་ནུས་སོ། །གསོལ་པ་བཅོམ་ལྡན་འདས་ཆོས་ཐམས་ཅད་ནི་མངོན་པར་སངས་མ་རྒྱས་པའོ། །བཅོམ་ལྡན་འདས་ཀྱིས་བཀའ་སྩལ་པ། རབ་འབྱོར་དེ་ནི་འདི་ལྟར་ཆོས་ཀྱི་རང་བཞིན་ནི་གཉིས་མ་ཡིན་ཏེ། ཆོས་ཀྱི་རང་བཞིན་ནི་གཅིག་ཏུ་ཟད་དོ། །རབ་འབྱོར་ཆོས་ཀྱི་རང་བཞིན་ནི་གཅིག་པོ་གང་ཡིན་པ་དེ་ནི་རང་བཞིན་མ་ཡིན་ནོ། །གང་རང་བཞིན་མ་ཡིན་པ་དེ་ནི་མ་བྱས་པའོ། །གང་མ་བྱས་པ་དེ་ནི་མངོན་པར་འདུས་[༤]མ་བྱས་པའོ། །རབ་འབྱོར་དེ་ལྟར་ན་བྱང་ཆུབ་སེམས་དཔའ་སེམས་དཔའ་ཆེན་པོས། ཆོས་ཀྱི་རང་བཞིན་གཅིག་པོ་གང་རང་བཞིན་མ་ཡིན་པ་མ་བྱས་པ་མངོན་པར་འདུས་མ་བྱས་པ་ཤེས་ན་ཆགས་པའི་རྣམ་པ་ཐམས་ཅད་ཡོངས་སུ་སྤངས་པ་ཡིན་ནོ། །གསོལ་པ་བཅོམ་ལྡན་འདས་ཤེས་རབ་ཀྱི་ཕ་རོལ་དུ་ཕྱིན་

པ་ནི་རྟོགས་པར་དཀའ་བའོ། །བཅོམ་ལྡན་འདས་ཀྱིས་བཀའ་སྩལ་པ། རབ་འབྱོར་དེ་ནི་འདི་ལྟར་ཤེས་རབ་ཀྱི་ཕ་རོལ་ཏུ་ཕྱིན་པ་ནི་སུས་ཀྱང་མ་མཐོང་མ་རྟོགས༑ རྣམ་པར་མི་ཤེས་མངོན་པར་སངས་མ་རྒྱས་པའི་ཕྱིར་རོ། །གསོལ་པ་བཅོམ་ལྡན་འདས་ཤེས་རབ་ཀྱི་ཕ་རོལ་ཏུ་ཕྱིན་པ་ནི་བསམ་གྱིས་མི་ཁྱབ་པའོ། །བཅོམ་ལྡན་འདས་ཀྱིས་བཀའ་སྩལ་པ། རབ་འབྱོར་དེ་ནི་འདི་ལྟར་སེམས་ཀྱིས་མ་ཤེས་སོ། །གཟུགས་དང་། ཚོར་བ་དང་། འདུ་ཤེས་དང་། འདུ་བྱེད་དང་། རྣམ་པར་ཤེས་པས་མ་ཤེས་སོ། །སྐྱེ་མཆེད་དང་ཁམས་དང་རྟེན་ཅིང་འབྲེལ་པར་འབྱུང་བས་མ་ཤེས་སོ། །ཕ་རོལ་ཏུ་ཕྱིན་པ་རྣམས་དང་སྟོང་པ་ཉིད་རྣམས་དང་། བྱང་ཆུབ་ཀྱི་ཕྱོགས་ཀྱི་ཆོས་རྣམས་དང་འཕགས་པའི་བདེན་པ་དང་། བསམ་གཏན་དང་། ཚད་མེད་པ་དང་། གཟུགས་མེད་པའི་སྙོམས་པར་འཇུག་པ་རྣམས་ཀྱིས་མ་ཤེས་སོ། །རྣམ་པར་ཐར་པ་བརྒྱད་དང་། མཐར་གྱིས་གནས་པའི་སྙོམས་པར་འཇུག་པ་དགུ་དང་། སྟོང་པ་ཉིད་དང་མཚན་མ་མེད་པ་དང་། སྨོན་པ་མེད་པ་དང་མངོན་པར་ཤེས་པ་རྣམས་ཀྱིས་མ་ཤེས་སོ། །ཏིང་ངེ་འཛིན་དང་། གཟུངས་ཀྱི་[༡]སྒོ་རྣམས་ཀྱིས་མ་ཤེས་སོ། །དེ་བཞིན་གཤེགས་པའི་སྟོབས་དང་། མི་འཇིགས་པ་དང་། སོ་སོ་ཡང་དག་པར་རིག་[༣]པ་རྣམས་དང་། སངས་རྒྱས་ཀྱི་ཆོས་མ་འདྲེས་པ་བཅོ་བརྒྱད་ཀྱིས་མ་ཤེས་སོ། །རྒྱུན་དུ་ཞུགས་པའི་འབྲས་བུ་དང་། ལན་ཅིག་ཕྱིར་འོང་བའི་འབྲས་བུ་དང་། ཕྱིར་མི་འོང་བའི་འབྲས་བུ་དང་། དགྲ་བཅོམ་པ་ཉིད་དང་། རང་བྱང་ཆུབ་ཀྱིས་མ་ཤེས་སོ། །ལམ་གྱི་རྣམ་པ་ཤེས་པ་ཉིད་དང་། རྣམ་པ་ཐམས་ཅད་མཁྱེན་པ་ཉིད་ཀྱིས་མ་ཤེས་སོ། །ཤེས་རབ་ཀྱི་ཕ་རོལ་ཏུ་ཕྱིན་པ་སྟོང་ཕྲག་ཉི་ཤུ་ལྔ་པ་ལས། ཆོས་ཐམས་ཅད་རྣམ་པར་དག་པའི་ལེའུ་སྟེ།

ཉི་ཤུ་རྩ་བདུན་པའོ།། ||

དེ་ནས་ཚེ་དང་ལྡན་པ་རབ་འབྱོར་གྱིས་བཅོམ་ལྡན་འདས་ལ་འདི་སྐད་ཅེས་གསོལ་ཏོ། །བཅོམ་ལྡན་འདས་ཤེས་རབ་ཀྱི་ཕ་རོལ་ཏུ་ཕྱིན་པ་ནི་བགྱིད་པ་མ་མཆིས་པའོ། །བཅོམ་ལྡན་འདས་ཀྱིས་བཀའ་སྩལ་པ། རབ་འབྱོར་བྱེད་པ་པོ་མི་དམིགས་པའི་ཕྱིར་རོ། །རབ་འབྱོར་དེ་བཞིན་དུ་གཟུགས་མི་དམིགས་པ་དང་། ཚོར་བ་དང་འདུ་ཤེས་དང་འདུ་བྱེད་དང་། རྣམ་པར་ཤེས་པ་མི་དམིགས་པ་དང་། རྣམ་པ་ཐམས་ཅད་མཁྱེན་པ་ཉིད་ཀྱི་བར་དུ་མི་དམིགས་[༧]པའི་ཕྱིར་རོ། །གསོལ་པ་བཅོམ་ལྡན་འདས་འདི་ལ་བྱང་ཆུབ་སེམས་དཔའ་སེམས་དཔའ་ཆེན་པོ་ཤེས་རབ་ཀྱི་ཕ་རོལ་ཏུ་ཕྱིན་པ་ལ་སྤྱོད་པས་རྣམ་པ་ཇི་ལྟར་སྤྱད་པར་བགྱི། བཅོམ་ལྡན་འདས་ཀྱིས་བཀའ་སྩལ་པ། རབ་འབྱོར་འདི་ལ་བྱང་ཆུབ་སེམས་དཔའ་སེམས་དཔའ་ཆེན་པོ་[༣]ཤེས་རབ་ཀྱི་ཕ་རོལ་ཏུ་ཕྱིན་པ་ལ་སྤྱོད་པའི་ཚེ། གལ་ཏེ་གཟུགས་ལ་མི་སྤྱོད་ན། ཤེས་རབ་ཀྱི་ཕ་རོལ་ཏུ་ཕྱིན་པ་ལ་སྤྱོད་དོ། །གལ་ཏེ་ཚོར་བ་དང་འདུ་ཤེས་དང་འདུ་བྱེད་དང་། རྣམ་པར་ཤེས་པ་ལ་མི་སྤྱོད་ན། ཤེས་རབ་ཀྱི་ཕ་རོལ་ཏུ་ཕྱིན་པ་ལ་སྤྱོད་དོ། །གལ་ཏེ་སྐྱེ་མཆེད་དང་ཁམས་དང་། རྟེན་ཅིང་འབྲེལ་པར་འབྱུང་བ་ལ་མི་སྤྱོད་ན། ཤེས་རབ་ཀྱི་ཕ་རོལ་ཏུ་ཕྱིན་པ་ལ་སྤྱོད་དོ། །གལ་ཏེ་ཕ་རོལ་ཏུ་ཕྱིན་པ་ཐམས་ཅད་དང་། སྟོང་པ་ཉིད་ཐམས་ཅད་དང་། བྱང་ཆུབ་ཀྱི་ཕྱོགས་ཀྱི་ཆོས་སུམ་ཅུ་རྩ་བདུན་དང་། འཕགས་པའི་བདེན་པ་དང་། བསམ་གཏན་དང་ཚད་མེད་པ་དང་། གཟུགས་མེད་པའི་སྙོམས་པར་འཇུག་པ་ལ་མི་སྤྱོད་ན། ཤེས་རབ་ཀྱི་ཕ་རོལ་ཏུ་ཕྱིན་པ་ལ་སྤྱོད་དོ། །གལ་ཏེ་རྣམ་པར་ཐར་པ་བརྒྱད་དང་། མཐར་གྱིས་གནས་པའི་སྙོམས་པར་

འཇུག་པ་དགུ་དང་། སྟོང་པ་ཉིད་དང་མཚན་མ་མེད་པ་དང་། སྨོན་པ་མེད་པ་དང་། མངོན་པར་ཤེས་པ་རྣམས་ལ་མི་སྤྱོད་ན། ཤེས་རབ་ཀྱི་ཕ་རོལ་ཏུ་ཕྱིན་པ་ལ་སྤྱོད་དོ། །གལ་ཏེ་ཏིང་ངེ་འཛིན་དང་། གཟུངས་ཀྱི་སྒོ་རྣམས་ལ་མི་སྤྱོད་ན། ཤེས་རབ་ཀྱི་ཕ་རོལ་ཏུ་ཕྱིན་པ་ལ་སྤྱོད་དོ། །གལ་ཏེ་དེ་བཞིན་གཤེགས་པའི་སྟོབས་བཅུ་དང་། མི་འཇིགས་པ་དང་། སོ་སོ་ཡང་དག་པར་རིག་པ་དང་། སངས་རྒྱས་ཀྱི་ཆོས་མ་འདྲེས་པ་བཅོ་བརྒྱད་ལ་མི་སྤྱོད་ན། ཤེས་རབ་ཀྱི་ཕ་རོལ་ཏུ་ཕྱིན་པ་ལ་སྤྱོད་དོ། །གལ་ཏེ་ཐམས་ཅད་ཤེས་པ་ཉིད་དང་། ལམ་གྱི་རྣམ་པ་ཤེས་པ་ཉིད་དང་། རྣམ་པ་ཐམས་ཅད་མཁྱེན་པ་ཉིད་ལ་མི་སྤྱོད་ན། ཤེས་རབ་ཀྱི་ཕ་རོལ་ཏུ་ཕྱིན་པ་ལ་སྤྱོད་དོ། །གལ་ཏེ་གཟུགས་རྟག་ཅེས་བྱ་བའམ། མི་རྟག་ཅེས་བྱ་བར་མི་སྤྱོད་ན། ཤེས་རབ་ཀྱི་ཕ་རོལ་ཏུ་ཕྱིན་པ་ལ་སྤྱོད་དོ། །གལ་ཏེ་ཚོར་བ་དང་འདུ་ཤེས་དང་འདུ་བྱེད་དང་། རྣམ་པར་ཤེས་པ་རྟག་ཅེས་བྱ་བའམ། མི་རྟག་ཅེས་བྱ་བར་མི་སྤྱོད་ན། ཤེས་རབ་ཀྱི་ཕ་རོལ་ཏུ་ཕྱིན་པ་ལ་སྤྱོད་དོ། །གལ་ཏེ་རྣམ་པ་ཐམས་ཅད་མཁྱེན་པ་ཉིད་ཀྱི་བར་དུ་རྟག་ཅེས་བྱ་བའམ། མི་རྟག་ཅེས་བྱ་བར་མི་སྤྱོད་ན། ཤེས་རབ་ཀྱི་ཕ་རོལ་ཏུ་ཕྱིན་པ་ལ་སྤྱོད་དོ། །གལ་ཏེ་གཟུགས་བདེ་ཞེས་བྱ་བའམ། སྡུག་བསྔལ་ཞེས་བྱ་བར་མི་སྤྱོད་ན། ཤེས་རབ་ཀྱི་ཕ་རོལ་ཏུ་ཕྱིན་པ་ལ་སྤྱོད་དོ། །གལ་ཏེ་ཚོར་བ་དང་འདུ་ཤེས་དང་འདུ་བྱེད་དང་། རྣམ་པར་ཤེས་པ་བདེ་ཞེས་བྱ་བའམ། སྡུག་བསྔལ་ཞེས་བྱ་བར་མི་སྤྱོད་ན། ཤེས་རབ་ཀྱི་ཕ་རོལ་ཏུ་ཕྱིན་པ་ལ་སྤྱོད་དོ། །གལ་ཏེ་རྣམ་པ་ཐམས་ཅད་མཁྱེན་པ་ཉིད་ཀྱི་བར་དུ་བདེ་ཞེས་བྱ་བའམ། སྡུག་བསྔལ་ཞེས་བྱ་བར་མི་སྤྱོད་ན། ཤེས་རབ་ཀྱི་ཕ་རོལ་ཏུ་ཕྱིན་པ་ལ་སྤྱོད་དོ། །གལ་ཏེ་གཟུགས་བདག་ཅེས་བྱ་བའམ། བདག་མེད་ཅེས་བྱ་བར་མི་སྤྱོད་ན།

ཤེས་རབ་ཀྱི་ཕ་རོལ་ཏུ་ཕྱིན་པ་ལ་སྤྱོད་དོ། །གལ་ཏེ་ཚོར་བ་དང་འདུ་ཤེས་དང་འདུ་བྱེད་དང་རྣམ་པར་ཤེས་པ་བདག་ཅེས་བྱ་བའམ[7]། བདག་མེད་ཅེས་བྱ་བར་མི་སྤྱོད་ན། ཤེས་རབ་ཀྱི་ཕ་རོལ་ཏུ་ཕྱིན་པ་ལ་སྤྱོད་དོ། །གལ་ཏེ་རྣམ་པ་ཐམས་ཅད་མཁྱེན་པ་ཉིད་ཀྱི་བར་དུ་བདག་ཅེས་བྱ་བའམ། བདག་མེད་ཅེས་བྱ་བར་མི་སྤྱོད་ན། ཤེས་རབ་ཀྱི་ཕ་རོལ་ཏུ་ཕྱིན་པ་ལ་སྤྱོད་དོ། །གལ་ཏེ་གཟུགས་སྡུག་ཅེས་བྱ་བའམ། མི་སྡུག་ཅེས་བྱ་བར་མི་སྤྱོད་ན། ཤེས་རབ་ཀྱི་ཕ་རོལ་ཏུ་ཕྱིན་པ་ལ་སྤྱོད་དོ། །གལ་ཏེ་ཚོར་བ་དང་འདུ་ཤེས་དང་འདུ་བྱེད་དང་། རྣམ་པར་ཤེས་པ་སྡུག་ཅེས་བྱ་བའམ། མི་སྡུག་ཅེས་བྱ་བར་མི་སྤྱོད་ན། ཤེས་རབ་ཀྱི་ཕ་རོལ་ཏུ་ཕྱིན་པ་ལ་སྤྱོད་དོ། །གལ་ཏེ་རྣམ་པ་ཐམས་ཅད་མཁྱེན་པ་ཉིད་ཀྱི་བར་དུ་སྡུག་ཅེས་བྱ་བའམ། མི་སྡུག་ཅེས་བྱ་བར་མི་སྤྱོད་ན། ཤེས་རབ་ཀྱི་ཕ་རོལ་ཏུ་ཕྱིན་པ་ལ་སྤྱོད་དོ། །དེ་ཅིའི་ཕྱིར་ཞེ་ན། གང་རྟག་པའམ་མི་རྟག་པའམ། བདེ་བའམ་སྡུག་བསྔལ་བའམ། བདག་གམ་བདག་མེད་པའམ། སྡུག་པའམ་མི་སྡུག་པར་འགྱུར་བ་དེ་ལྟ་བུའི་གཟུགས་མེད་དོ། །གང་རྟག་པའམ། མི་རྟག་པའམ་བདེ་བའམ། སྡུག་བསྔལ་བའམ། བདག་གམ། བདག་མེད་པའམ། སྡུག་པའམ། མི་སྡུག་པར་འགྱུར་བ་དེ་ལྟ་བུའི་ཚོར་བ་དང་འདུ་ཤེས་དང་། འདུ་བྱེད་དང་རྣམ་པར་ཤེས་པ་མེད་དོ། །གང་རྟག་པའམ་མི་རྟག་པའམ། བདེ་བའམ་སྡུག་བསྔལ་བའམ། བདག་གམ་བདག་མེད་པའམ། སྡུག་པའམ་མི་སྡུག་པར་འགྱུར་བ་དེ་ལྟ་བུའི་རྣམ་པ་ཐམས་ཅད་མཁྱེན་པ་ཉིད་ཀྱི་བར་དུ་མེད་དོ།། །།

ཤེས་རབ་ཀྱི་ཕ་རོལ་ཏུ་ཕྱིན་པ་སྟོང་ཕྲག་ཉི་ཤུ་ལྔ་པ། བམ་པོ་བཞི་བཅུ་པ། རབ་འབྱོར་གཞན་ཡང་བྱང་ཆུབ་སེམས་དཔའ་སེམས་དཔའ་ཆེན་པོ་ཤེས་རབ་ཀྱི་

ཕ་རོལ་ཏུ་ཕྱིན་པ་ལ་སྤྱོད་པའི་ཚེ། གལ་ཏེ་གཟུགས་ཡོངས་སུ་མ་རྫོགས་སོ་ཞེས་བྱ་བར་མི་སྤྱོད་ན། ཤེས་རབ་ཀྱི་ཕ་རོལ་ཏུ་ཕྱིན་པ་ལ་སྤྱོད་དོ། །ཚོར་བ་དང་། འདུ་ཤེས་དང་། འདུ་བྱེད་དང་། རྣམ་པར་ཤེས་པ་ཡོངས་སུ་མ་རྫོགས་སོ་ཞེས་བྱ་བར་མི་སྤྱོད་ན། ཤེས་རབ་ཀྱི་ཕ་རོལ་ཏུ་ཕྱིན་པ་ལ་སྤྱོད་དོ། །གལ་ཏེ་སྐྱེ་མཆེད་དང་ཁམས་དང་རྟེན་ཅིང་འབྲེལ་པར་འབྱུང་བ་ཡོངས་སུ་མ་རྫོགས་སོ་ཞེས་བྱ་བར་མི་སྤྱོད་ན། ཤེས་རབ་ཀྱི་ཕ་རོལ་ཏུ་ཕྱིན་པ་ལ་སྤྱོད་དོ། །ཕ་རོལ་ཏུ་ཕྱིན་པ་ཐམས་ཅད་དང་། སྟོང་པ་ཉིད་ཐམས་ཅད་ཡོངས་སུ་མ་རྫོགས་སོ་ཞེས་བྱ་བར་མི་སྤྱོད་ན། ཤེས་རབ་ཀྱི་ཕ་རོལ་ཏུ་ཕྱིན་པ་ལ་སྤྱོད་དོ། །དྲན་པ་ཉེ་བར་གཞག་པ་རྣམས་ཡོངས་སུ་མ་རྫོགས་སོ་ཞེས་བྱ་བར་མི་སྤྱོད་ན། ཤེས་རབ་ཀྱི་ཕ་རོལ་ཏུ་ཕྱིན་པ་ལ་སྤྱོད་དོ། །ཡང་དག་པར་སྤོང་བ་རྣམས་དང་། རྫུ་འཕྲུལ་གྱི་རྐང་པ་རྣམས་དང་། དབང་པོ་རྣམས་དང་། སྟོབས་རྣམས་དང་། བྱང་ཆུབ་ཀྱི་ཡན་ལག་རྣམས་དང་། འཕགས་པའི་ལམ་ཡན་ལག་བརྒྱད་པ་ཡོངས་སུ་མ་རྫོགས་སོ་ཞེས་བྱ་བར་མི་སྤྱོད་ན། ཤེས་རབ་ཀྱི་ཕ་རོལ་ཏུ་ཕྱིན་པ་ལ་སྤྱོད་དོ། །འཕགས་པའི་བདེན་པ་རྣམས་དང་། བསམ་གཏན་རྣམས་དང་། ཚད་མེད་པ་རྣམས་དང་། གཟུགས་མེད་པའི་སྙོམས་པར་འཇུག་པ་རྣམས་དང་། རྣམ་པར་ཐར་པ་བརྒྱད་དང་། མཐར་གྱིས་གནས་པའི་སྙོམས་པར་འཇུག་པ་དགུ་དང་། སྟོང་པ་ཉིད་དང་། མཚན་མ་མེད་པ་དང་། སྨོན་པ་མེད་པ་དང་། མངོན་པར་ཤེས་པ་རྣམས་ཡོངས་སུ་མ་རྫོགས་སོ་ཞེས་བྱ་བར་མི་སྤྱོད་ན། ཤེས་རབ་ཀྱི་ཕ་རོལ་ཏུ་ཕྱིན་པ་ལ་སྤྱོད་དོ། །གལ་ཏེ་ཏིང་ངེ་འཛིན་རྣམས་དང་། གཟུངས་ཀྱི་སྒོ་རྣམས་ཡོངས་སུ་མ་རྫོགས་སོ་ཞེས་བྱ་བར་མི་སྤྱོད་ན། ཤེས་རབ་ཀྱི་ཕ་རོལ་ཏུ་ཕྱིན་པ་ལ་སྤྱོད་དོ། །གལ་ཏེ་དེ་བཞིན་གཤེགས་པའི་སྟོབས་བཅུ་དང་།

མི་འཇིགས་པ་བཞི་དང་། སོ་སོ་ཡང་དག་པར་རིག་པ་བཞི་དང་། བྱམས་པ་ཆེན་པོ་དང་། སྙིང་རྗེ་ཆེན་པོ་དང་། སངས་རྒྱས་ཀྱི་ཆོས་མ་འདྲེས་པ་བཅོ་བརྒྱད་ཡོངས་སུ་མ་རྫོགས་སོ་ཞེས་བྱ་བར་མི་སྤྱོད་ན། ཤེས་རབ་ཀྱི་ཕ་རོལ་ཏུ་ཕྱིན་པ་ལ་སྤྱོད་དོ། །རྣམ་པ་ཐམས་ཅད་མཁྱེན་པ་ཉིད་ཀྱི་བར་དུ་ཡོངས་སུ་མ་རྫོགས་སོ་ཞེས་བྱ་བར་མི་སྤྱོད་ན། ཤེས་རབ་ཀྱི་ཕ་རོལ་ཏུ་ཕྱིན་པ་ལ་སྤྱོད་དོ། །དེ་ཅིའི་ཕྱིར་ཞེ་ན། གཟུགས་ཡོངས་སུ་མ་རྫོགས་པ་གང་ཡིན་པ་དེ་གཟུགས་མ་···ཡིན་ནོ་ཞེས་བྱ་བར་(༡)དེ་ལྟར་ཡང་མི་སྤྱོད་ན། ཤེས་རབ་ཀྱི་ཕ་རོལ་ཏུ་ཕྱིན་པ་ལ་སྤྱོད་དོ། །ཚོར་བ་དང་འདུ་ཤེས་དང་། འདུ་བྱེད་དང་། རྣམ་པར་ཤེས་པ་ཡོངས་སུ་མ་རྫོགས་པ་གང་ཡིན་པ་དེ་རྣམ་པར་ཤེས་པ་མ་ཡིན་ནོ་ཞེས་བྱ་བ་(༢)དེ་ལྟར་ཡང་མི་སྤྱོད་ན། ཤེས་རབ་ཀྱི་ཕ་རོལ་ཏུ་ཕྱིན་པ་ལ་སྤྱོད་དོ། །རྣམ་པ······ཐམས་ཅད་མཁྱེན་པ་ཉིད་ཀྱི་བར་དུ་ཡོངས་སུ་མ་རྫོགས་པ་གང་ཡིན་པ་དེ་རྣམ་པ་ཐམས་ཅད་མཁྱེན་པ་ཉིད་མ་ཡིན་ནོ་ཞེས་བྱ་བར་(༣)དེ་ལྟར་ཡང་མི་སྤྱོད་ན། ཤེས་རབ་ཀྱི་ཕ་རོལ་ཏུ་ཕྱིན་པ་ལ་སྤྱོད་དོ། །གསོལ་པ། བཅོམ་ལྡན་འདས་དེ་ལྟར་དེ་བཞིན་གཤེགས་པ་དགྲ་བཅོམ་པ་ཡང་དག་པར་རྫོགས་པའི་སངས་རྒྱས་ཀྱིས། བྱང་ཆུབ་སེམས་དཔའི་ཐེག་པ་པའི་རིགས་ཀྱི་བུ་དང་རིགས་ཀྱི་བུ་མོ་རྣམས་ལ་ཆགས་པ་དང་མ་ཆགས་པ་ལེགས་པར་བསྟན་པ་འདི་ངོ་མཚར་ཏོ། །བཅོམ་ལྡན་འདས་ཀྱིས་བཀའ་སྩལ་པ། རབ་འབྱོར་དེ་དེ་བཞིན་ནོ། །དེ་དེ་བཞིན་ཏེ། དེ་བཞིན་གཤེགས་པ་དགྲ་བཅོམ་པ་ཡང་དག་པར་རྫོགས་པའི་སངས་རྒྱས་ཀྱིས། བྱང་ཆུབ་སེམས་དཔའི་ཐེག་པ་པའི་རིགས་ཀྱི་བུ་དང་རིགས་ཀྱི་བུ་མོ་རྣམས་ལ་ཆགས་པ་དང་། མ་ཆགས་པ་ལེགས་པར་བསྟན་ཏོ། །རབ་འབྱོར་གཞན་ཡང་བྱང་ཆུབ་སེམས་དཔའ་སེམས་དཔའ་ཆེན་པོ་ཤེས་རབ་ཀྱི་ཕ་རོལ་ཏུ་ཕྱིན་པ་ལ་སྤྱོད་

པའི་ཚེ། གལ་ཏེ་གཟུགས་ཆགས་པའམ་མ་ཆགས་པ་ཞེས་བྱ་བར་མི་སྤྱོད་ན།
ཤེས་རབ་ཀྱི་ཕ་རོལ་ཏུ་ཕྱིན་པ་ལ་སྤྱོད་དོ། །ཚོར་བ་དང་། འདུ་ཤེས་དང་།
འདུ་བྱེད་དང་། རྣམ་པར་ཤེས་པ་ཆགས་པའམ། མ་ཆགས་པ་ཞེས་བྱ་བར་མི་
སྤྱོད་ན། ཤེས་རབ་ཀྱི་ཕ་རོལ་ཏུ་ཕྱིན་པ་ལ་སྤྱོད་དོ། །གལ་ཏེ་སྐྱེ་མཆེད་དང་
ཁམས་དང་། རྟེན་ཅིང་འབྲེལ་པར་འབྱུང་བ་ཆགས་པའམ། མ་ཆགས་པ་
ཞེས་བྱ་བར་མི་སྤྱོད་ན། ཤེས་རབ་ཀྱི་ཕ་རོལ་ཏུ་ཕྱིན་པ་ལ་སྤྱོད་དོ། །སྦྱིན་པའི་
ཕ་རོལ་ཏུ་ཕྱིན་པ་ཆགས་པའམ། མ་ཆགས་པ་ཞེས་བྱ་བར་མི་སྤྱོད་ན། ཤེས་
རབ་ཀྱི་ཕ་རོལ་ཏུ་ཕྱིན་པ་ལ་སྤྱོད་དོ། །ཚུལ་ཁྲིམས་ཀྱི་ཕ་རོལ་ཏུ་ཕྱིན་པ་དང་།
བཟོད་པའི་ཕ་རོལ་ཏུ་ཕྱིན་པ་དང་། བརྩོན་འགྲུས་ཀྱི་ཕ་རོལ་ཏུ་ཕྱིན་པ་དང་།
བསམ་གཏན་ཀྱི་ཕ་རོལ་ཏུ་ཕྱིན་པ་དང་། ཤེས་རབ་ཀྱི་ཕ་རོལ་ཏུ་ཕྱིན་པ་ལ་[1]
ཆགས་པའམ། མ་ཆགས་པ་ཞེས་བྱ་བར་མི་སྤྱོད་ན། ཤེས་རབ་ཀྱི་ཕ་རོལ་ཏུ་
ཕྱིན་པ་ལ་སྤྱོད་དོ། །ནང་སྟོང་པ་ཉིད་ཆགས་པའམ། མ་ཆགས་པ་ཞེས་བྱ་
བར་མི་སྤྱོད་ན། ཤེས་རབ་ཀྱི་ཕ་རོལ་ཏུ་ཕྱིན་པ་ལ་སྤྱོད་དོ། །དངོས་པོ་མེད་
པའི་ངོ་བོ་ཉིད་སྟོང་པ་ཉིད་ཀྱི་བར་དུ་ཆགས་པའམ། མ་ཆགས་པ་ཞེས་བྱ་བར་
མི་སྤྱོད་ན། ཤེས་རབ་ཀྱི་ཕ་རོལ་ཏུ་ཕྱིན་པ་ལ་སྤྱོད་དོ། །བྱང་ཆུབ་ཀྱི་ཕྱོགས་ཀྱི་
ཆོས་སུམ་ཅུ་རྩ་བདུན་ཆགས་པའམ། མ་ཆགས་པ་ཞེས་བྱ་བར་མི་སྤྱོད་ན།
ཤེས་རབ་ཀྱི་ཕ་རོལ་ཏུ་ཕྱིན་པ་ལ་སྤྱོད་དོ། །འཕགས་པའི་བདེན་པ་རྣམས་དང་།
བསམ་གཏན་རྣམས་དང་། ཚད་མེད་པ་རྣམས་དང་། གཟུགས་མེད་པའི་
སྙོམས་པར་འཇུག་པ་རྣམས་དང་། རྣམ་པར་ཐར་པ་བརྒྱད་དང་། མཐར་
གྱིས་གནས་པའི་སྙོམས་པར་འཇུག་པ་དགུ་དང་། སྟོང་པ་ཉིད་དང་མཚན་མ་
མེད་པ་དང་། སྨོན་པ་མེད་པ་དང་། མངོན་པར་ཤེས་པ་རྣམས་ཆགས་པའམ་

མ་ཆགས་པ་ཞེས་བྱ་བར་མི་སྤྱོད་ན། ཤེས་རབ་ཀྱི་ཕ་རོལ་ཏུ་ཕྱིན་པ་ལ་སྤྱོད་དོ། །ཏིང་ངེ་འཛིན་རྣམས་དང་གཟུངས[༡]ཀྱི་སྒོ་རྣམས་ཆགས་པའམ། མ་ཆགས་པ་ཞེས་བྱ་བར་མི་སྤྱོད་ན། ཤེས་རབ་ཀྱི་ཕ་རོལ་ཏུ་ཕྱིན་པ་ལ་སྤྱོད་དོ། །དེ་བཞིན་གཤེགས་པའི་སྟོབས་བཅུ་དང་། མི་འཇིགས་པ་བཞི་དང་། སོ་སོ་ཡང་དག་པར་རིག་པ་བཞི་དང་། བྱམས་པ་ཆེན་པོ་དང་། སྙིང་རྗེ་ཆེན་པོ་དང་། སངས་རྒྱས་ཀྱི་ཆོས་མ་འདྲེས་པ་བཅོ་བརྒྱད་ཆགས་པའམ་མ་ཆགས་པ་ཞེས་བྱ་བར་མི་སྤྱོད་ན། ཤེས་རབ་ཀྱི་ཕ་རོལ་ཏུ་ཕྱིན་པ་ལ་སྤྱོད་དོ། །རྣམ་པ་ཐམས་ཅད་མཁྱེན་པ་ཉིད་ཀྱི་བར་དུ་ཆགས་པའམ། མ་ཆགས་པ་ཞེས་བྱ་བར་མི་སྤྱོད་ན། ཤེས་རབ་ཀྱི་ཕ་རོལ་ཏུ་ཕྱིན་པ་ལ་སྤྱོད་དོ། །རབ་འབྱོར་བྱང་ཆུབ་སེམས་དཔའ་སེམས་དཔའ་ཆེན་པོ་དེ་ལྟར་སྤྱོད་ན། གཟུགས་ཆགས་པའམ། མ་ཆགས་པ་ཞེས་བྱ་བར་འདུ་ཤེས་པ་མེད་དོ། །ཚོར་བ་དང་། འདུ་ཤེས་དང་། འདུ་བྱེད་དང་། རྣམ་པར་ཤེས་པ་ཆགས་པའམ། མ་ཆགས་པ་ཞེས་བྱ་བར་འདུ་ཤེས་པ་མེད་དོ། །སྐྱེ་མཆེད་དང་ཁམས་དང་། རྟེན་ཅིང་འབྲེལ་བར་འབྱུང་བ་ཆགས་པའམ། མ་ཆགས་པ་ཞེས་བྱ་བར་འདུ་ཤེས་པ་མེད་དོ། །ཕ་རོལ་ཏུ་ཕྱིན་པ་ཐམས་ཅད་དང་[༢]། སྟོང་པ་ཉིད་ཐམས་ཅད་དང་། བྱང་ཆུབ་ཀྱི་ཕྱོགས་ཀྱི་ཆོས་སུམ་ཅུ་རྩ་བདུན་ཆགས་པའམ། མ་ཆགས་པ་ཞེས་བྱ་བར་འདུ་ཤེས་པ་མེད་དོ། །འཕགས་པའི་བདེན་པ་རྣམས་དང་། བསམ་གཏན་རྣམས་དང་། ཚད་མེད་པ་རྣམས་དང་། གཟུགས་མེད་པའི་སྙོམས་པར་འཇུག་པ་རྣམས་དང་། རྣམ་པར་ཐར་པ་བརྒྱད་དང་། མཐར་གྱིས་གནས་པའི་སྙོམས་པར་འཇུག་པ་དགུ་དང་། སྟོང་པ་ཉིད་དང་མཚན་མ་མེད་པ་དང་། སྨོན་པ་མེད་པ་དང་། མངོན་པར་ཤེས་པ་རྣམས་ཆགས་པའམ། མ་ཆགས་པ་ཞེས་བྱ་

བར་འདུ་ཤེས་པ་མེད་དོ[༡]། །ཏིང་ངེ་འཛིན་རྣམས་དང་། གཟུངས་ཀྱི་སྒོ་རྣམས་ཆགས་པའམ། མ་ཆགས་པ་ཞེས་བྱ་བར་འདུ་ཤེས་པ་མེད་དོ། །དེ་བཞིན་གཤེགས་པའི་སྟོབས་བཅུ་དང་། མི་འཇིགས་པ་བཞི་དང་། སོ་སོ་ཡང་དག་པར་རིག་[༢]པ་བཞི་དང་། བྱམས་པ་ཆེན་པོ་དང་། སྙིང་རྗེ་ཆེན་པོ་དང་། སངས་རྒྱས་ཀྱི་ཆོས་མ་འདྲེས་པ་བཅོ་བརྒྱད་ཆགས་པའམ། མ་ཆགས་པ་ཞེས་བྱ་བར་འདུ་ཤེས་པ་མེད་དོ། །རྒྱུན་དུ་ཞུགས་པའི་འབྲས་བུ་ཆགས་པའམ། མ་ཆགས་པ་ཞེས་བྱ་བར་འདུ་ཤེས་པ་མེད་དོ། །ལན་ཅིག་ཕྱིར་འོང་བའི་འབྲས་བུ་དང་། ཕྱིར་མི་འོང་བའི་འབྲས་བུ་དང་། དགྲ་བཅོམ་པ་ཉིད་ཆགས་པའམ། མ་ཆགས་པ་ཞེས་བྱ་བར་འདུ་ཤེས་པ་མེད་དོ[༣]། །རང་བྱང་ཆུབ་ཆགས་པའམ། མ་ཆགས་པ་ཞེས་བྱ་བར་འདུ་ཤེས་པ་མེད་དོ། །བླ་ན་མེད་པ་ཡང་དག་པར་རྫོགས་པའི་བྱང་ཆུབ་ཆགས་པའམ། མ་ཆགས་པ་ཞེས་བྱ་བར་འདུ་ཤེས་པ་མེད་དོ༔ །གསོལ་པ་བཅོམ་ལྡན་འདས་དེ་ལྟར་ཆོས་ཟབ་མོ་འདི་བསྟན་ཀྱང་ཡོངས་སུ་མི་འགྲིབ། མ་བསྟན་ཀྱང་ཡོངས་སུ་མི་འགྲིབ། བསྟན་ཀྱང་མི་འཕེལ། མ་བསྟན་ཀྱང་མི་འཕེལ་བ་ངོ་མཚར་ཆེའོ། །བཅོམ་ལྡན་འདས་ཀྱིས་བཀའ་སྩལ་པ༔ དེ་དེ་བཞིན་ནོ། །རབ་འབྱོར་དེ་དེ་བཞིན་ཏེ། ཆོས་ཟབ་མོ་འདི་བསྟན་ཀྱང་ཡོངས་སུ་མི་འགྲིབ། མ་བསྟན་ཀྱང་ཡོངས་སུ་མི་འགྲིབ། བསྟན་ཀྱང་མི་འཕེལ་མ་བསྟན་ཀྱང་མི་འཕེལ་ལོ། །རབ་འབྱོར་འདི་ལྟ་སྟེ་དཔེར་ན་དེ་བཞིན་གཤེགས་པ་དགྲ་བཅོམ་པ་ཡང་དག་པར་རྫོགས་པའི་སངས་རྒྱས་ནམ་འཚོའི་བར་དུ་བཞུགས་ཤིང་། ནམ་མཁའི་ལེགས་པའམ། མ་ལེགས་པ་བརྗོད་ཀྱང་། ནམ་མཁའ་ནི་ལེགས་པ་བརྗོད་པས་ཡོངས་སུ་འཕེལ་བ་མེད་དོ། །ཉེས་པ་བརྗོད་པས་ཡོངས་སུ་འགྲིབ་པ་མེད་དོ། །ནམ་མཁའ་ནི་ལེགས་པ་བརྗོད་ཀྱང༑ ཆགས་

པར་འགྱུར་བ་འཕེལ་བ་[1]མེད་དོ། །ཉེས་པ་བརྗོད་ཀྱང༔ཁོང་ཁྲོ་བར་འགྱུར་[2]བ་མེད་དོ། །རབ་འབྱོར་འདི་ལྟ་སྟེ་དཔེར་ན། སྒྱུ་མའི་སྐྱེས་བུ་ནི་ལེགས་པ་བརྗོད་ཀྱང་འཕེལ་བ་མེད་དོ། །ཉེས་པ་བརྗོད་ཀྱང་ཡོངས་སུ་འགྲིབ་པ་མེད་དོ། །ལེགས་པ་བརྗོད་ཀྱང་ཆགས་པར་འགྱུར་བ་མེད་དོ། །ཉེས་པ་བརྗོད་ཀྱང་ཁོང་ཁྲོ་བར་འགྱུར་བ་མེད་དོ། །རབ་འབྱོར་དེ་བཞིན་དུ་ཆོས་རྣམས་ཀྱི་ཆོས་ཉིད་གང་ཡིན་པ་དེ་བསྟན་ཀྱང་དེ་བཞིན། མ་བསྟན་ཀྱང་དེ་བཞིན་no། །གསོལ་པ། བཅོམ་ལྡན་འདས་བྱང་ཆུབ་སེམས་དཔའ་སེམས་དཔའ་ཆེན་པོ་ཤེས་རབ་ཀྱི་ཕ་རོལ་ཏུ་ཕྱིན་པ་ལ་སྤྱོད་ཅིང་། ཤེས་རབ་ཀྱི་ཕ་རོལ་ཏུ་ཕྱིན་པ་བསྟན་པའི་ཚེ་ཞུམ་པ་དང་། གཡེང་བར་མི་འགྱུར་བ་དང་། ཤེས་རབ་ཀྱི་ཕ་རོལ་ཏུ་ཕྱིན་པ་འདི་ལ་[3]བརྩོན་པར་བགྱིད་ཅིང་བླ་ན་མེད་པ་[4]ཡང་དག་པར་རྫོགས་པའི་བྱང་ཆུབ་ལས་ཕྱིར་མི་ལྡོག༔པ་ནི་[5]དཀའ་བ་བགྱིད་པའོ། །དེ་ཅིའི་སླད་དུ་ཞེ་ན། བཅོམ་ལྡན་འདས་འདི་ལྟ་སྟེ། བྱང་ཆུབ་སེམས་དཔའ་སེམས་དཔའ་ཆེན་པོ་རྣམས་ཀྱི་ཤེས་རབ་ཀྱི་ཕ་རོལ་ཏུ་ཕྱིན་པ་[6]བསྒོམ་པ་འདི་ནི་ནམ་མཁའ་[7]བསྒོམ་པ་སྟེ༑ ནམ་མཁའ་ལ་ནི་གཟུགས་མ་མཆིས་སོ། །ཚོར་བ་དང་། འདུ་ཤེས་དང་། འདུ་བྱེད་དང་། རྣམ་པར་ཤེས་པ་མ་མཆིས་སོ། །ནམ་མཁའ་ལ་ནི་སྐྱེ་མཆེད་དང་། ཁམས་དང་། རྟེན་ཅིང་འབྲེལ་པར་འབྱུང་བ་མ་མཆིས་སོ། །ནམ་མཁའ་ལ་ནི་སྦྱིན་པའི་ཕ་རོལ་ཏུ་ཕྱིན་པ་མ་མཆིས་སོ[8]། །ཚུལ་ཁྲིམས་ཀྱི་ཕ་རོལ་ཏུ་ཕྱིན་པ་དང་། བཟོད་པའི་ཕ་རོལ་ཏུ་ཕྱིན་པ་དང་། བརྩོན་འགྲུས་ཀྱི་ཕ་རོལ་ཏུ་ཕྱིན་པ་དང་། བསམ་གཏན་གྱི་ཕ་རོལ་ཏུ་ཕྱིན་པ་དང་། ཤེས་རབ་ཀྱི་ཕ་རོལ་ཏུ་ཕྱིན་པ་མ་མཆིས་སོ། །ནམ་མཁའ་ལ་ནི་ནང་སྟོང་པ་ཉིད་མ་མཆིས་སོ༑ །དངོས་པོ་མེད་པའི་ངོ་བོ་ཉིད་སྟོང་པ་ཉིད་ཀྱི་བར་དུ་མ་མཆིས་སོ། །

ནམ་མཁའ་ལ་ནི་དྲན་པ་ཉེ་བར་གཞག་པ་རྣམས་མ་མཆིས་སོ། །ཡང་དག་པར་སྤོང་བ་རྣམས་དང་། རྫུ་འཕྲུལ་གྱི་རྐང་པ་རྣམས་དང་། དབང་པོ་རྣམས་དང་། སྟོབས་རྣམས་དང་། བྱང་ཆུབ་ཀྱི་ཡན་ལག་རྣམས་དང་། འཕགས་པའི་ལམ་ཡན་ལག་བརྒྱད་པ་མ་མཆིས་སོ། །ནམ་མཁའ་ལ་ནི་འཕགས་པའི་བདེན་པ་རྣམས་དང་། བསམ་གཏན་རྣམས་དང་། ཚད་མེད་པ་རྣམས་དང་། གཟུགས་མེད་པའི་སྙོམས་པར་འཇུག་པ་རྣམས་དང་། རྣམ་པར་ཐར་པ་བརྒྱད་དང་། མཐར་གྱིས་གནས་པའི་སྙོམས་པར་འཇུག་པ་དགུ་དང་། སྟོང་པ་ཉིད་དང་། མཚན་མ་མེད་པ་དང་། སྨོན་པ་མེད་པ་དང་། མངོན་པར་ཤེས་པ་རྣམས་མ་མཆིས་སོ། །ནམ་མཁའ་ལ་ནི་ཏིང་ངེ་འཛིན་རྣམས་དང་། གཟུངས་ཀྱི་སྒོ་རྣམས་མ་མཆིས་སོ། །ནམ་མཁའ་ལ་ནི་དེ་བཞིན་གཤེགས་པའི་སྟོབས་བཅུ་དང་། མི་འཇིགས་པ་བཞི་དང་། སོ་སོ་ཡང་དག་པར་རིག་པ་བཞི་དང་། བྱམས་པ་ཆེན་པོ་དང་། སྙིང་རྗེ་ཆེན་པོ་དང་། སངས་རྒྱས་ཀྱི་ཆོས་མ་འདྲེས་པ་བཅོ་བརྒྱད་མ་མཆིས་སོ། །ནམ་མཁའ་ལ་ནི་རྒྱུན་དུ་ཞུགས་པའི་འབྲས་བུ་མ་མཆིས་སོ། །ལན་ཅིག་ཕྱིར་འོང་བའི་འབྲས་བུ་དང་། ཕྱིར་མི་འོང་བའི་འབྲས་བུ་དང་། དགྲ་བཅོམ་པ་ཉིད་དང་། རང་བྱང་ཆུབ་མ་མཆིས་སོ། །ནམ་མཁའ་ལ་ནི་བླ་ན་མེད་པ་ཡང་དག་པར་རྫོགས་པའི་བྱང་ཆུབ་མ་མཆིས་སོ། །བཅོམ་ལྡན་འདས་བྱང་ཆུབ་སེམས་དཔའ་སེམས་དཔའ་ཆེན་པོ་གང་གིས་གོ་ཆ་འདི་འཚལ་བ་དེ་དག་ནི་ཕྲག་བགྱི་བར་འོས་པའོ། །བཅོམ་ལྡན་འདས་གང་གིས་གོ་ཆ་འདི་འཚལ་བ་དེ་དག་ནི་ནམ་མཁའི་དོན་དུ་བརྩོན་པར[7]མོས། འབད་པར་མོས། རྩོལ་བར་མོས་པ་དག་སྟེ། བཅོམ་ལྡན་འདས་གང་གིས་སེམས་ཅན་རྣམས་ཀྱི་སླད་དུ་གོ་ཆ་འཚལ་བ་དེ་དག་ནི་ནམ་མཁའ་ཡོངས་སུ་སྐྱིན་པར་

འཚལ་ཞིང་ཡོངས་སུ་གྱོལ་བར་འཚལ་བའོ། །བཅོམ་ལྡན་འདས་བྱང་ཆུབ་སེམས་དཔའ་སེམས་དཔའ་ཆེན་པོ་ནམ་མཁའ་ལྟ་བུའི་ཆོས་རྣམས་ཀྱི་སླད་དུ་གོ་ཆ་འཚལ་བ་དེ་དག་ནི་གོ་ཆ་ཆེན་པོ་འཚལ་བའོ། །བཅོམ་ལྡན་འདས་སེམས་ཅན་རྣམས་ཀྱི་དོན་དུ་གོ་ཆ་འཚལ་བ་དེ་དག་ནི་ནམ་མཁའ་བར་སྣང་ལ་གདེག་པར་འཚལ་བའོ། །བཅོམ་ལྡན་འདས་བྱང་ཆུབ་སེམས་དཔའ་སེམས་དཔའ་ཆེན་པོ་གང་སེམས་ཅན་···རྣམས་ཀྱི་སླད་དུ་བླ་ན་མེད་པ་ཡང་དག་པར་རྫོགས་པའི་བྱང་ཆུབ་ཏུ་ཡང་དག་པར་ཞུགས་པ་དེ་དག་ནི་བརྩོན་འགྲུས་ཆེན་པོ་ཐོབ་པའོ། །བཅོམ་ལྡན་འདས་བྱང་ཆུབ་སེམས་དཔའ་སེམས་དཔའ་ཆེན་པོ་གང་སེམས་ཅན་རྣམས་ཀྱི་དོན་དུ། བླ་ན་མེད་པ་ཡང་དག་པར་རྫོགས་པའི་བྱང་ཆུབ་ཏུ་ཞུགས་པ་དེ་དག་ནི་གོ་ཆ་ཆེན་པོ་འཚལ་བའོ། །བཅོམ་ལྡན་འདས་བྱང་ཆུབ་སེམས་དཔའ་སེམས་དཔའ་ཆེན་པོ་གང་ནམ་མཁའ་ལྟ་བུའི་ཆོས་རྣམས་ཀྱི་སླད་དུ། བླ་ན་མེད་པ་ཡང་དག་པར་རྫོགས་པའི་བྱང་ཆུབ་ཏུ་མངོན་པར་རྫོགས་པར་འཚང་རྒྱ་བར་འཚལ་བ་དེ་དག་ནི། དཔའ་བོ་བསམ་གྱིས་མི་ཁྱབ་མཚུངས་པ་མ་མཆིས་པའི་གོ་ཆ་འཚལ་བའོ། །དེ་ཅིའི་སླད་དུ་ཞེ་ན། བཅོམ་ལྡན་འདས་གལ་ཏེ་སྟོང་གསུམ་གྱི་སྟོང་ཆེན་པོའི་འཇིག་རྟེན་གྱི་ཁམས་འདི། འདི་ལྟ་སྟེ་དཔེར་ན། འདམ་བུའི་ཕྱིངས་(༡)སམ། འོད་མའི་ཚལ་ལམ། བུ་རམ་ཤིང་གི་ཚལ་ལམ། སྨྱིག་མའི་ཚལ་ལམ། འབྲས་ཀྱི་ཞིང་ངམ། ཏིལ་གྱི་ཞིང་བཞིན་དུ་དེ་བཞིན་གཤེགས་པ་མང་པོས་(༢) ཡོངས་སུ་གང་བར་གྱུར་ལ། དེ་བཞིན་གཤེགས་པ་དེ་དག་གིས་ཀྱང་བསྐལ་པའམ། བསྐལ་པའི་ལྷག་མར་ཆོས་བསྟན་ཏེ་དེ་བཞིན་གཤེགས་པ་རེ་རེས་སེམས་ཅན་ཚད་མ་མཆིས། གྲངས་མ་མཆིས་པ་ཡོངས་སུ་མྱ་ངན་ལས་བཟླས་(༣)ཀྱང་། བཅོམ་ལྡན་འདས་སེམས་ཅན་གྱི་ཁམས་ལ་འགྲིབ་པའམ། གང་(༤)བར་མི་གདའོ། །དེ་

ཅིའི་སླད་དུ་ཞེ་ན། སེམས་ཅན་མ་མཆིས་པ་དང་། སེམས་ཅན་དབེན་པའི་སླད་དུ་སྟེ། དེ་བཞིན་དུ་གལ་ཏེ་ཕྱོགས་བཅུའི་ཕྱོགས་རེ་རེ་ཞིང་ཡང་། འཇིག་རྟེན་གྱི་ཁམས་གཉྒའི་ཀླུང་གི་བྱེ་མ་སྙེད་དག་འདི་ལྟ་སྟེ་དཔེར་ན། འདམ་བུའི་ཕྱིངས་[1]སམ། འོད་མའི་ཚལ་ལམ། བུ་རམ་ཤིང་གི་ཚལ་ལམ། སྨྱིག་མའི་ཚལ་ལམ། འབྲས་ཀྱི་ཞིང་ངམ་ཏིལ་གྱི་ཞིང་བཞིན་དུ་དེ་བཞིན་གཤེགས་པ་མང་པོས་ཡོངས་སུ་གང་བར་གྱུར་ལ་དེ་བཞིན་གཤེགས་པ་དེ་དག་གིས་ཀྱང་བསྐལ་པའམ། བསྐལ་པའི་[2]ལྷག་མར་ཆོས་བསྟན་ཏེ། དེ་བཞིན་གཤེགས་པ་རེ་རེས་སེམས་ཅན་ཚད་མ་མཆིས། གྲངས་མ་མཆིས་པ་ཡོངས་སུ་མྱ་ངན་ལས་བཟླས་[3]ཀྱང་། སེམས་ཅན་གྱི་ཁམས་ལ༔འགྲིབ་པའམ་གང་བར་[4]མི་གདའོ། །དེ་ཅིའི་སླད་དུ་ཞེ་ན། སེམས་ཅན་མ་མཆིས་པ་དང་། སེམས་ཅན་དབེན་པའི་སླད་དུ་སྟེ། བཅོམ་ལྡན་འདས་རྣམ་གྲངས་དེས་ན་བདག་འདི་སྙད་དུ་སེམས་ཅན་རྣམས་ཀྱི་སླད་དུ། བླ་ན་མེད་པ་ཡང་དག་པར་རྫོགས་པའི་བྱང་ཆུབ་ཏུ་མངོན་པར་རྫོགས་པར་འཚང་རྒྱ་བར་[5]འཚལ་བ་དེ་དག་ནི་ནམ་མཁའ་ཡོངས་སུ་སྨིན་པར་བགྱི་བར་འཚལ་ཞིང་ཡོངས་སུ་དགྲོལ་བར་འཚལ་བ་ལགས་ཞེས་མཆིའོ། །

དེ་ནས་དགེ་སློང་གཅིག་ཅིག་འདི་སྙམ་དུ་གྱུར་ཏེ། གང་ལ་ཆོས་གང་ཡང་སྐྱེ་བ་དང་འགག་པ་ཡང་མེད་ལ། ཚུལ་ཁྲིམས་ཀྱི་ཕུང་པོ་ཡང་ཡོད། ཏིང་ངེ་འཛིན་གྱི་ཕུང་པོ་དང་། ཤེས་རབ་ཀྱི་ཕུང་པོ་དང་། རྣམ་པར་གྲོལ་བའི་ཕུང་པོ་དང་། རྣམ་པར་གྲོལ་བའི་ཡེ་ཤེས་མཐོང་བའི་ཕུང་པོ་ཡང་ཡོད། རྒྱུན་དུ་ཞུགས་པའི་འབྲས་བུ་ཡང་ཡོད། ལན་ཅིག་ཕྱིར་འོང་བའི་འབྲས་བུ་དང་། ཕྱིར་མི་འོང་བའི་འབྲས་བུ་དང་། དགྲ་བཅོམ་པ་ཉིད་དང་། རང་བྱང་ཆུབ་ཀྱང་ཡོད། བླ་ན་མེད་པ་ཡང་དག་པར་རྫོགས་པའི་བྱང་ཆུབ་ཀྱང་ཡོད། རྒྱུན་དུ་ཞུགས་པ

ཡང་ཡོད། ལན་ཅིག་ཕྱིར་འོང་བ་དང་། ཕྱིར་མི་འོང་བ་དང་། དགྲ་བཅོམ་པ་དང་། རང་སངས་རྒྱས་ཀྱང་ཡོད། དེ་བཞིན་གཤེགས་པ་དགྲ་བཅོམ་པ་ཡང་དག་པར་རྫོགས་པའི་སངས་རྒྱས་ཀྱང་ཡོད། སངས་རྒྱས་དཀོན་མཆོག་དང་། ཆོས་དཀོན་མཆོག་དང་། དགེ་འདུན་དཀོན་མཆོག་ཀྱང་ཡོད། ཆོས་ཀྱི་འཁོར་ལོ་བསྐོར་བ་ཡང་ཡོད་པའི་བཅོམ་ལྡན་འདས་མ་ཤེས་རབ་ཀྱི་ཕ་རོལ་ཏུ་ཕྱིན་པ་ལ་ཕྱག་འཚལ་ལོ་སྙམ་པ་དང་། དེ་ནས་ལྷའི་དབང་པོ་བརྒྱ་བྱིན་གྱིས། ཚེ་དང་ལྡན་པ་རབ་འབྱོར་ལ་འདི་སྐད་ཅེས་སྨྲས་སོ། །བཙུན་པ་རབ་འབྱོར་བྱང་ཆུབ་སེམས་དཔའ་སེམས་དཔའ་ཆེན་པོ་གང་ཤེས་རབ་ཀྱི་ཕ་རོལ་ཏུ་ཕྱིན་པ་ཟབ་མོ་འདི་ལ་བརྟོན་པར་བྱེད་པ་ཞིག་ཡོད་ན། དེ་[༡]གང་ལ་བརྟོན་པར་བྱེད་པ་ཡིན། རབ་འབྱོར་གྱིས་སྨྲས་པ། ཀཽ་ཤི་ཀ་གང་ཤེས་རབ་ཀྱི་ཕ་རོལ་ཏུ་ཕྱིན་པ་འདི་ལ་བསླབ་པར་སེམས་པ་དེ་ནི་ནམ་མཁའ་སྟོང་པ་ལ་བརྟོན་པའོ། །དེ་ནས་ལྷའི་དབང་པོ་བརྒྱ་བྱིན་གྱིས། བཅོམ་ལྡན་འདས་ལ་འདི་སྐད་ཅེས་གསོལ་ཏོ། །བཅོམ་ལྡན་འདས་རིགས་ཀྱི་བུའམ་རིགས་ཀྱི་བུ་མོ་གང་ཤེས་རབ་ཀྱི་ཕ་རོལ་ཏུ་ཕྱིན་པ་འདི་འཛིན་པ་དང་། འཆང་བ་དང་། ཀློག་པ་དང་། ཀུན་ཆུབ་པར་བྱེད་པ་དང་། ཚུལ་བཞིན་དུ་ཡིད་ལ་བྱེད་པ་དེ་ལ་བདག་གིས་བསྲུང་བ་དང་། བསྐྱང་བ་དང་། བསྐྱབ་པ་ཇི་ལྟ་བུ་ཞིག་བགྱི། བཅོམ་ལྡན་འདས་ཀྱིས་བདག་ལ་བཀའ་སྩལ་དུ་གསོལ། དེ་ནས་ཚེ་དང་ལྡན་པ་རབ་འབྱོར་གྱིས། ལྷའི་དབང་པོ་བརྒྱ་བྱིན་ལ་འདི་སྐད་ཅེས་སྨྲས་སོ། །ཀཽ་[༢]ཤི་ཀ་ཁྱོད་ཀྱིས་གང་ལ་བསྲུང་བ་དང་། བསྐྱང་བ་དང་། བསྐྱབ་པར་བྱ་བའི་ཆོས་དེ་ལྟ་བུ་ཡང་དག་པར་རྗེས་སུ་མཐོང་ངམ། སྨྲས་པ་བཙུན་པ་རབ་འབྱོར་བདག་གིས་གང་ལ་བསྲུང་བ་དང་། བསྐྱང་བ་དང་། བསྐྱབ་པར་བྱ་བའི་ཆོས་དེ་ལྟ་བུ་ཡང་དག

པར་རྗེས་སུ་མ་མཐོང་ངོ་། །རབ་འབྱོར་གྱིས་སྨྲས་པ། ཀཽ་ཤི་ཀ་གལ་ཏེ་རིགས་ཀྱི་བུའམ་རིགས་ཀྱི་བུ་མོ་ཇི་སྐད་དུ་བསྟན་པའི་ཤེས་རབ་ཀྱི་ཕ་རོལ་ཏུ་ཕྱིན་པ་ལ་གནས་ན། དེ་ཉིད་དེའི་བསྲུང་བ་དང་། བསྐྱང་བ་དང་། བསྐྱབ་པར་འགྱུར་རོ། །གལ་ཏེ་ཇི་སྐད་དུ་བསྟན་པའི་ཤེས་རབ་ཀྱི་ཕ་རོལ་ཏུ་ཕྱིན་པ་དང་བྲལ་བར་གྱུར་ན། དེ་ལ་མིའམ་མི་(༡)མ་ཡིན་པ་གླགས་ཚོལ་བ་རྣམས་ཀྱིས་(༢)གླགས་རྙེད་པར་འགྱུར་རོ། །གང་ཇི་སྐད་དུ་བསྟན་པའི་ཤེས་རབ་ཀྱི་ཕ་རོལ་ཏུ་ཕྱིན་པ་ལ་མི་གནས་པའི་རིགས་ཀྱི་བུའམ་རིགས་ཀྱི་བུ་མོ་དེ་ནི་ཤེས་རབ་ཀྱི་ཕ་རོལ་ཏུ་ཕྱིན་པ་དང་བྲལ་བར་རིག་པར་བྱའོ། །ཀཽ་ཤི་ཀ་བྱང་ཆུབ་སེམས་དཔའ་སེམས་དཔའ་ཆེན་པོ་ཤེས་རབ་ཀྱི་ཕ་རོལ་ཏུ་ཕྱིན་པ་ལ་སྤྱོད་པ་རྣམས་བསྲུང་བ་དང་། བསྐྱང་བ་དང་། བསྐྱབ་པར་གང་སེམས་པ་དེ་ནི་ནམ་མཁའ་ལ་བསྲུང་བ་དང་བསྐྱང་(༣)བ་དང་། བསྐྱབ་པར་སེམས་པ་སྟེ། དེ་ནི་བསམ་པ་ལྷུར་མི་འགྲུབ་ཅིང་ངུ་བ་པའི་སྐལ་བ་ཅན་དུ་འགྱུར་རོ། །ཀཽ་ཤི་ཀ་དེ་ཇི་སྙམ་དུ་སེམས། ཁྱོད་ཀྱིས་(༤)སྒྱུ་མ་དང་། སྨིག་རྒྱུ་དང་། རྨི་(༥)ལམ་དང་། སྒྲ་བརྙན་དང་། མྱིག་(༦)ཡོར་དང་། (༧)སྤྲུལ་པ་ལ་བསྲུང་བ་དང་། བསྐྱང་བ་དང་། བསྐྱབ་པར་ནུས་སམ། བརྒྱ་བྱིན་གྱིས་སྨྲས་པ། བཙུན་པ་རབ་འབྱོར་དེ་ནི་མི་ནུས་སོ། །སྨྲས་པ། ཀཽ་ཤི་ཀ་དེ་བཞིན་དུ་བྱང་ཆུབ་སེམས་དཔའ་སེམས་དཔའ་ཆེན་པོ་ཤེས་རབ་ཀྱི་ཕ་རོལ་ཏུ་ཕྱིན་པ་ལ་སྤྱོད་པ་རྣམས། བསྲུང་བ་དང་བསྐྱང་བ་དང་། བསྐྱབ་པར་གང་སེམས་པ་དེ་ནི་བསམ་པ་ལྷུར་མི་འགྲུབ་ཅིང་ངུ་བ་པའི་སྐལ་བ་ཅན་དུ་འགྱུར་རོ། །ཀཽ་ཤི་ཀ་དེ་ཇི་སྙམ་དུ་སེམས། ཁྱོད་ཀྱིས་དེ་བཞིན་གཤེགས་པའམ། དེ་བཞིན་གཤེགས་པའི་སྤྲུལ་པ་ལ་བསྲུང་བ་དང་། བསྐྱང་བ་དང་། བསྐྱབ་པར་ནུས་སམ། བརྒྱ་བྱིན་གྱིས་སྨྲས་པ། བཙུན་པ་རབ་འབྱོར་དེ་ནི་མི་ནུས་སོ། །

སྨྲས་པ་ཀཽ་ཤི་ཀ་དེ་བཞིན་དུ་བྱང་ཆུབ་སེམས་དཔའ་སེམས་དཔའ་ཆེན་པོ་ཤེས་རབ་ཀྱི་ཕ་རོལ་ཏུ་ཕྱིན་པ་ལ་སྤྱོད་པ་རྣམས་བསྲུང་བ་དང་། བསྐྱང་བ་དང་། བསྐྱབ་པར་གང་སེམས་པ་དེ་ནི་བསམ་པ་ལྟར་མི་འགྲུབ་ཅིང་དུབ་པའི་སྐལ་བ་ཅན་དུ་འགྱུར་རོ། །ཀཽ་ཤི་ཀ་དེ་ཇི་①སྙམ་དུ་སེམས། ཁྱོད་ཀྱིས་ཆོས་ཀྱི་དབྱིངས་དང་། ཡང་དག་པའི་མཐའ་དང་། དེ་བཞིན་ཉིད་དང་། བསམ་གྱིས་མི་ཁྱབ་པའི་དབྱིངས་ལ་བསྲུང་བ་དང་། བསྐྱང་བ་དང་བསྐྱབ་པར་ནུས་སམ། བརྒྱ་བྱིན་གྱིས་སྨྲས་པ། བཙུན་པ་རབ་འབྱོར་དེ་ནི་མི་ནུས་སོ། །སྨྲས་པ། ཀཽ་ཤི་ཀ་དེ་བཞིན་དུ་བྱང་ཆུབ་སེམས་དཔའ་སེམས་དཔའ་ཆེན་པོ། ཤེས་རབ་ཀྱི་ཕ་རོལ་ཏུ་ཕྱིན་པ་ལ་སྤྱོད་པ་རྣམས་བསྲུང་བ་དང་། བསྐྱང་②བ་དང་བསྐྱབ་པར་གང་སེམས་པ་དེ་ནི་བསམ་པ་ལྟར་མི་འགྲུབ་ཅིང་དུབ་པའི་སྐལ་བ་ཅན་དུ་འགྱུར་རོ། །དེ་ནས་ལྷའི་དབང་པོ་བརྒྱ་བྱིན་གྱིས། ཚེ་དང་ལྡན་པ་རབ་འབྱོར་ལ་འདི་སྐད་ཅེས་སྨྲས་སོ། །བཙུན་པ་རབ་འབྱོར་ཇི་ཙམ་གྱིས་ན། བྱང་ཆུབ་སེམས་དཔའ་སེམས་དཔའ་ཆེན་པོ་ཤེས་རབ་ཀྱི་ཕ་རོལ་ཏུ་ཕྱིན་པ་ལ་སྤྱོད་པས། རྨི་ལམ་ལྟ་བུའི་ཆོས་དང་། སྒྱུ་མ་ལྟ་བུ་དང་། སྨིག་རྒྱུ་ལྟ་བུ་དང་། སྒྲ་བརྙན་ལྟ་བུ་དང་། མིག་ཡོར་ལྟ་བུ་དང་། ③སྤྲུལ་པ་ལྟ་བུའི་ཆོས་རྣམས་ཡོངས་སུ་ཤེས་པ་དང་། དེ་ལྟར་ཡོངས་སུ་ཤེས་པས། བྱང་ཆུབ་སེམས་དཔའ་སེམས་དཔའ་ཆེན་པོཿ རྨི་ལམ་རློམ་སེམས་སུ་མི་བྱེད④། རྨི་ལམ་གྱིས་རློམ་སེམས་སུ་མི་བྱེད། ⑤རྨི་ལམ་ལ་རློམ་སེམས་སུ་མི་བྱེད་དོ། །སྤྲུལ་པའི་བར་དུ་རློམ་སེམས་སུ་མི་བྱེད། སྤྲུལ་པས་རློམ་སེམས་སུ་མི་བྱེད། ⑥སྤྲུལ་པ་ལ་རློམ་སེམས་སུ་མི་བྱེད་པ་ཡིན། རབ་འབྱོར་གྱིས་སྨྲས་པ། ཀཽ་ཤི་ཀ་གལ་ཏེ་བྱང་ཆུབ་སེམས་དཔའ་སེམས་དཔའ་ཆེན་པོ་ཤེས་རབ་ཀྱི་ཕ་རོལ་ཏུ་ཕྱིན་པ་ལ་སྤྱོད་པའི་ཚེ། གཟུགས་རློམ་སེམས་སུ་

མི་བྱེད། གཟུགས་ཀྱིས་རློམ་སེམས་སུ་མི་བྱེད། (༡)གཟུགས་ལ་རློམ་སེམས་སུ་མི་བྱེད་ན། དེ་ཟྙི་ལམ་རློམ་སེམས་སུ་མི་བྱེད། ཟྙི་ལམ་གྱིས་རློམ་སེམས་སུ་མི་བྱེད། (༢)ཟྙི་ལམ་ལ་རློམ་སེམས་སུ་མི་བྱེད་དོ། །སྤྲུལ་པའི་བར་དུ་རློམ་སེམས་སུ་མི་བྱེད། སྤྲུལ་པས་རློམ་སེམས་སུ་མི་བྱེད། (༣)སྤྲུལ་པ་ལ་རློམ་སེམས་སུ་མི་བྱེད་དོ། །ཚོར་བ་དང་། འདུ་ཤེས་དང་། འདུ་བྱེད་དང་། རྣམ་པར་ཤེས་པ་རློམ་སེམས་སུ་མི་བྱེད། རྣམ་པར་ཤེས་པས་རློམ་སེམས་སུ་མི་བྱེད། (༤)རྣམ་པར་ཤེས་པ་ལ་རློམ་སེམས་སུ་མི་བྱེད་དོ(༥)། །དེ་ཟྙི་ལམ་རློམ་སེམས་སུ(༦)མི་བྱེད། (༧)ཟྙི་ལམ་གྱིས་རློམ་སེམས་སུ་མི་བྱེད། (༨)ཟྙི་ལམ་ལ་རློམ་སེམས་སུ་མི་བྱེད་དོ། །སྤྲུལ་པའི་བར་དུ་རློམ་སེམས་སུ་མི་བྱེད། སྤྲུལ་པས་རློམ་སེམས་སུ་མི་བྱེད། (༩)སྤྲུལ་པ་ལ་རློམ་སེམས་སུ་མི་བྱེད་དོ། །སྐྱེ་མཆེད་དང་ཁམས་དང་། རྟེན་ཅིང་འབྲེལ་པར་འབྱུང་བ་རློམ་སེམས་སུ་མི་བྱེད། རྟེན་ཅིང་འབྲེལ་པར་འབྱུང་བས་རློམ་སེམས་སུ་མི་བྱེད། (༡༠)རྟེན་ཅིང་འབྲེལ་པར་འབྱུང་བ་ལ་རློམ་སེམས་སུ་མི་བྱེད་ན། དེ་ཟྙི་ལམ་རློམ་སེམས་སུ་མི་བྱེད། ཟྙི་ལམ་གྱིས་རློམ་སེམས་སུ་མི་བྱེད། (༡༡)ཟྙི་ལམ་ལ་རློམ་སེམས་སུ་མི་བྱེད་དོ། །སྤྲུལ་པའི་བར་དུ་རློམ་སེམས་སུ་མི་བྱེད། སྤྲུལ་པས་རློམ་སེམས་སུ་མི་བྱེད། (༡༢)སྤྲུལ་པ་ལ་རློམ་སེམས་སུ་མི་བྱེད་དོ། །ཕ་རོལ་ཏུ་ཕྱིན་པ་ཐམས་ཅད་དང་། སྟོང་པ་ཉིད་ཐམས་ཅད་དང་། བྱང་ཆུབ་ཀྱི་ཕྱོགས་ཀྱི་ཆོས་སུམ་ཅུ་རྩ་བདུན་རློམ་སེམས་སུ་མི་བྱེད། བྱང་ཆུབ་ཀྱི་ཕྱོགས་ཀྱི་ཆོས་སུམ་ཅུ་རྩ་བདུན་གྱིས་རློམ་སེམས་སུ་མི་བྱེད། (༡༣)བྱང་ཆུབ་ཀྱི་ཕྱོགས་ཀྱི་ཆོས་སུམ་ཅུ་རྩ་བདུན་ལ་རློམ་སེམས་སུ་མི་བྱེད་ན། དེ་ཟྙི་ལམ་རློམ་སེམས་སུ་མི་བྱེད། ཟྙི་ལམ་གྱིས་རློམ་སེམས་སུ་མི་བྱེད། (༡༤)ཟྙི་ལམ་ལ་རློམ་སེམས་སུ་མི་བྱེད་དོ། །སྤྲུལ་པའི་བར་དུ་རློམ་སེམས་སུ་མི་བྱེད། སྤྲུལ་པས་རློམ་སེམས་སུ་མི་བྱེད།

[༡]སྤྲུལ་པ་ལ་རློམ་སེམས་སུ་མི་བྱེད་དོ། །འཕགས་པའི་བདེན་པ་རྣམས་དང་། བསམ་གཏན་རྣམས་དང་། ཚད་མེད་པ་རྣམས་དང་། གཟུགས་མེད་པའི་སྙོམས་པར་འཇུག་པ་རྣམས་དང་། རྣམ་པར་ཐར་པ་བརྒྱད་དང་། མཐར་གྱིས་གནས་པའི་སྙོམས་པར་འཇུག་པ་དགུ་དང་། སྟོང་པ་ཉིད་དང་། མཚན་མ་མེད་པ་དང་། སྨོན་པ་མེད་པ་དང་། མངོན་པར་ཤེས་པ་རྣམས་རློམ་སེམས་སུ་མི་བྱེད། མངོན་པར་ཤེས་པ་རྣམས་ཀྱིས་རློམ་སེམས་སུ་མི་བྱེད།[༢] མངོན་པར་ཤེས་པ་རྣམས་ལ་རློམ་སེམས་སུ་མི་བྱེད་ན། དེ་རྨི་ལམ་རློམ་སེམས་སུ་མི་བྱེད། རྨི་ལམ་གྱིས་རློམ་སེམས་སུ་མི་བྱེད། [༣]རྨི་ལམ་ལ་རློམ་སེམས་སུ་མི་བྱེད་དོ། །སྤྲུལ་པའི་བར་དུ་རློམ་སེམས་སུ་མི་བྱེད། སྤྲུལ་པས་རློམ་སེམས་སུ་མི་བྱེད། [༤]སྤྲུལ་པ་ལ་རློམ་སེམས་སུ་མི་བྱེད་དོ། །ཏིང་ངེ་འཛིན་རྣམས་དང་། གཟུངས་ཀྱི་སྒོ་རྣམས་རློམ་སེམས་སུ་མི་བྱེད། གཟུངས་ཀྱི་སྒོ་རྣམས་ཀྱིས་རློམ་སེམས་སུ་མི་བྱེད། [༥]གཟུངས་ཀྱི་སྒོ་རྣམས་ལ་རློམ་སེམས་སུ་མི་བྱེད་ན། དེ་རྨི་ལམ་རློམ་སེམས་སུ་མི་བྱེད། རྨི་ལམ་གྱིས་རློམ་སེམས་སུ་མི་བྱེད། [༦]རྨི་ལམ་ལ་རློམ་སེམས་སུ་མི་བྱེད་དོ། །སྤྲུལ་པའི་བར་དུ་རློམ་སེམས་སུ་མི་བྱེད། སྤྲུལ་པས་རློམ་སེམས་སུ་མི་བྱེད། [༧]སྤྲུལ་པ་ལ་རློམ་སེམས་སུ་མི་བྱེད་དོ། །དེ་བཞིན་གཤེགས་པའི་སྟོབས་བཅུ་དང་། མི་འཇིགས་པ་བཞི་དང་། སོ་སོ་ཡང་དག་པར་རིག་པ་བཞི་དང་། བྱམས་པ་ཆེན་པོ་དང་། སྙིང་རྗེ་ཆེན་པོ་དང་། སངས་རྒྱས་ཀྱི་ཆོས་མ་འདྲེས་པ་བཅོ་བརྒྱད་རློམ་སེམས་སུ་མི་བྱེད། སངས་རྒྱས་ཀྱི་ཆོས་མ་འདྲེས་པ་རྣམས་ཀྱིས་རློམ་སེམས་སུ་མི་བྱེད། [༨]སངས་རྒྱས་ཀྱི་[༩]ཆོས་མ་འདྲེས་པ་རྣམས་ལ་རློམ་སེམས་སུ་མི་བྱེད་ན། དེ་རྨི་ལམ་རློམ་སེམས་སུ་མི་བྱེད། རྨི་ལམ་གྱིས་རློམ་སེམས་སུ་མི་བྱེད། [༡༠]རྨི་ལམ་ལ་རློམ་སེམས་སུ་མི་བྱེད་དོ། །

སྤྲུལ་པའི་བར་དུ་རློམ་སེམས་སུ་མི་བྱེད། སྤྲུལ་པས་རློམ་སེམས་སུ་མི་བྱེད། (༡)སྤྲུལ་པ་ལ་རློམ་སེམས་སུ་མི་བྱེད་དོ། །རྣམ་པ་ཐམས་ཅད་མཁྱེན་པ་ཉིད་ཀྱི་བར་དུ་རློམ་སེམས་སུ་མི་བྱེད། རྣམ་པ་ཐམས་ཅད་མཁྱེན་པ་ཉིད་ཀྱིས༔ རློམ་སེམས་(༢)སུ་མི་བྱེད། (༣)རྣམ་པ་ཐམས་ཅད་མཁྱེན་པ་ཉིད་ལ་རློམ་སེམས་སུ་མི་བྱེད་ན(༤)། དེ་རྣི་ལམ་རློམ་སེམས་སུ་མི་བྱེད། རྣི་ལམ་གྱིས་རློམ་སེམས་སུ་མི་བྱེད། (༥)རྣི་ལམ་ལ་རློམ་སེམས་སུ་མི་བྱེད་དོ། །སྤྲུལ་པའི་བར་དུ་རློམ་སེམས་སུ་མི་བྱེད། སྤྲུལ་པས་རློམ་སེམས་སུ་མི་བྱེད། (༦)སྤྲུལ་པ་ལ་རློམ་སེམས་སུ་མི་བྱེད་དོ། །དེ་ནས་སངས་རྒྱས་ཀྱི་མཐུས་སྟོང་གསུམ་གྱི་སྟོང་ཆེན་པོའི་འཇིག་རྟེན་གྱི་ཁམས་འདི་ན༑ རྒྱལ་ཆེན་བཞིའི་རིས་(༧)ཀྱི་ལྷ་དང་། སུམ་ཅུ་རྩ་གསུམ་པའི་ལྷ་དང་། མཐའ་བྲལ་དང་དགའ་ལྡན་དང་འཕྲུལ་དགའ་དང་། གཞན་འཕྲུལ་དབང་བྱེད་དང་། ཚངས་རིས་དང་། ཚངས་ལྷ་ཉེ་ཕན་དང་། ཚངས་པ་ཀུན་འཁོར་དང་། གནས་གཙང་མའི་རིས་ཀྱི་བར་གྱི་ལྷའི་བུ་གང་ཇི་སྙེད་ཅིག་ཡོད་པ་དེ་དག་ཐམས་ཅད་ལྷ་རྫས་ཀྱི་ཙན་དན་གྱི་ཕྱེ་མས། བཅོམ་ལྡན་འདས་ལ་མངོན་པར་འཐོར་ཞིང་། བཅོམ་ལྡན་འདས་གང་ན་བ་དེར་དོང་སྟེ། ལྷགས་ནས། བཅོམ་ལྡན་འདས་ཀྱི་ཞབས་གཉིས་ལ་སྤྱི་བོས་ཕྱག་འཚལ་(༨)ཏེ། ཕྱོགས་གཅིག་ཏུ་འཁོད་དོ། །དེ་ནས་རྒྱལ་པོ་ཆེན་པོ་བཞི་དང་། ལྷའི་དབང་པོ་བརྒྱ་བྱིན་དང་། མི་མཇེད་ཀྱི་བདག་པོ་ཚངས་པ་དང་། གནས་གཙང་མའི་རིས་ཀྱི་བར་གྱི་ལྷ་རྣམས་ཀྱིས། སངས་རྒྱས་ཀྱི་མཐུས་ཤར་ཕྱོགས་ཀྱི་སངས་རྒྱས་སྟོང་ཡི་གེ་འདི་དག་ཉིད་ཀྱིས་(༩)ཆོས་སྟོན་པ། མཚན་འདི་ཉིད་མངའ་བ། དགེ་སློང་རབ་འབྱོར་ཅེས་བྱ་བ་ཤ་སྟག་གིས་ཤེས་རབ་ཀྱི་ཕ་རོལ་ཏུ་ཕྱིན་པ་ཟབ་མོ་འདི་ཉིད་དང་། ཤེས་རབ་ཀྱི་ཕ་རོལ་ཏུ་ཕྱིན་པའི་ལེའུ་འདི་ཉིད་ཞུ་བ་དང་། དེ་ནས་(༡༠)ལྷའི་

དབང་པོ་བརྒྱ་[༧]བྱིན་གྱིས། ཤེས་རབ་ཀྱི་ཕ་རོལ་ཏུ་ཕྱིན་པའི་ལེའུ་འདི་ཉིད་ཞུ་
ཞིང་ཡོངས་སུ་འདྲི་བ་སེམས་ཀྱིས་མཐོང་བར་གྱུར་ཏོ[༣]། །སྐྱོ་དང་ཉུབ་དང་།
བྱང་དང་བྱང་ཤར་དང་། ཤར་ལྷོ་དང་། ལྷོ་ནུབ་དང་། ནུབ་བྱང་དང་།
འོག་དང་སྟེང་གི་ཕྱོགས་ཀྱི་ཕྱོགས་རེ་རེ་ཞིང་ཡང་། སངས་རྒྱས་སྟོང་ཡི་གེ་འདི་
དག་ཉིད་ཀྱིས་ཆོས་སྟོན་པ་མཚན་འདི་ཉིད་མངའ་བ། དགེ་སློང་རབ་འབྱོར་
ཅེས་བྱ་བ་ཤ་སྟག་གིས། ཤེས་རབ་ཀྱི་ཕ་རོལ་ཏུ་ཕྱིན་པ་ཟབ་མོ་འདི་ཉིད་དང་།
ཤེས་རབ་ཀྱི་ཕ་རོལ་ཏུ་ཕྱིན་པའི་ལེའུ་འདི་ཉིད་ཞུ་བ་དང་། དེ་ནས་[༣]ལྷའི་
དབང་པོ་བརྒྱ་བྱིན་གྱིས། ཤེས་རབ་ཀྱི་ཕ་རོལ་ཏུ་ཕྱིན་པའི་ལེའུ་འདི་ཉིད་ཞུ་ཞིང་
ཡོངས་སུ་འདྲི་བ་སེམས་ཀྱིས་མཐོང་བར་གྱུར་ཏོ[༨]། །དེ་ནས་བཅོམ་ལྡན་འདས་
ཀྱིས་ཚེ་དང་ལྡན་པ་རབ་འབྱོར་ལ་འདི་སྐད་ཅེས་བཀའ་སྩལ་ཏོ། །རབ་འབྱོར་
བྱང་ཆུབ་སེམས་དཔའ་སེམས་དཔའ་ཆེན་པོ་བྱམས་པ་ཡང་སའི་ཕྱོགས་འདི་ཉིད་དུ།
བླ་ན་མེད་པ་ཡང་དག་པར་རྫོགས་པའི་བྱང་ཆུབ་ཏུ་མངོན་པར་རྫོགས་པར་སངས་
རྒྱས་ཏེ། ཤེས་རབ་ཀྱི་ཕ་རོལ་ཏུ་ཕྱིན་པ་འདི་ཉིད་སྟོན་ཅིང་འཆད་པར་འགྱུར་རོ།།
གང་ཡང་བསྐལ་པ་བཟང་པོ་འདི་ལ་དེ་བཞིན་གཤེགས་པ་དགྲ་བཅོམ་པ་ཡང་དག་
པར་རྫོགས་པའི་སངས་རྒྱས་འབྱུང་བ་དེ་དག་ཀྱང་། སའི་ཕྱོགས་འདི་ཉིད་དུ་བླ་
ན་མེད་པ་ཡང་དག༔པར་རྫོགས་[༥]པའི་བྱང་ཆུབ་ཏུ་མངོན་པར་རྫོགས་པར་སངས་
རྒྱས་ཏེ། ཤེས་རབ་ཀྱི་ཕ་རོལ་ཏུ་ཕྱིན་པ་འདི་ཉིད་སྟོན་ཅིང་འཆད་པར་འགྱུར་རོ།།
གསོལ་པ། བཅོམ་ལྡན་འདས་རྣམ་པ་གང་དང་། རྟགས་གང་དང་།
མཚན་མ་གང་གིས་བྱང་ཆུབ་སེམས་དཔའ་སེམས་དཔའ་ཆེན་པོ་བྱམས་པ་བླ་ན་
མེད་པ་ཡང་དག་པར་རྫོགས་པའི་བྱང་ཆུབ་ཏུ་མངོན་པར་སངས་རྒྱས་ནས།
ཤེས་རབ་ཀྱི་ཕ་རོལ་ཏུ་ཕྱིན་པ་འདི་ཉིད་སྟོན་ཅིང་འཆད་པར་འགྱུར། དེ་སྐད་

ཅེས་གསོལ་པ་དང་། བཅོམ་ལྡན་འདས་ཀྱིས་ཚེ་དང་ལྡན་པ་རབ་འབྱོར་ལ་འདི་སྐད་ཅེས་བཀའ་སྩལ་ཏོ། །འདི་ལ་རབ་འབྱོར་བྱང་ཆུབ་སེམས་དཔའ་སེམས་དཔའ་ཆེན་པོ་བྱམས་པ་བླ་ན་མེད་པ་ཡང་དག་པར་རྫོགས་པའི་བྱང་ཆུབ་ཏུ་མངོན་པར་སངས་རྒྱས་ནས། གཟུགས་རྟག་ཅེས་བྱ་བའམ། མི་རྟག་ཅེས་བྱ་བར་ཆོས་སྟོན་པར་མི་འགྱུར་རོ། །གཟུགས་བདེ་ཞེས་བྱ་བའམ། སྡུག་བསྔལ་ཞེས་བྱ་བའམ། གཟུགས་བདག་ཅེས་བྱ་བའམ། བདག་མེད་ཅེས་བྱ་བའམ། གཟུགས་སྡུག་ཅེས་བྱ་བའམ། མི་སྡུག་ཅེས་བྱ་བར་ཆོས་སྟོན་པར་མི་འགྱུར་རོ། །གཟུགས་ཞི་ཞེས་བྱ་བའམ། མ་ཞི་ཞེས་བྱ་བར་ཆོས་སྟོན་པར་མི་འགྱུར་རོ། །གཟུགས་བཅིངས་ཤེས་བྱ་བའམ། གྲོལ་ཞེས་བྱ་བར་ཆོས་སྟོན་པར་མི་འགྱུར་རོ། །གཟུགས་འདས་ཤེས་བྱ་བའམ། མ་འོངས་ཤེས་བྱ་བའམ། ད་ལྟར་བྱུང་བ་②ཞེས་བྱ་བར་ཆོས་སྟོན་པར་མི་འགྱུར་རོ། །ཚོར་བ་དང་། འདུ་ཤེས་དང་། འདུ་བྱེད་དང་། རྣམ་པར་ཤེས་པ་རྟག་③ཅེས་བྱ་བའམ། མི་རྟག་ཅེས་བྱ་བར་ཆོས་སྟོན་པར་མི་འགྱུར་རོ། །རྣམ་པར་ཤེས་པ་བདེ་ཞེས་བྱ་བའམ། སྡུག་བསྔལ་ཞེས་བྱ་བའམ། རྣམ་པར་ཤེས་པ་བདག་ཅེས་བྱ་བའམ། བདག་མེད་ཅེས་བྱ་བའམ། རྣམ་པར་ཤེས་པ་སྡུག་ཅེས་བྱ་བའམ། མི་སྡུག་ཅེས་བྱ་བར་ཆོས་སྟོན་པར་མི་འགྱུར་རོ། །རྣམ་པར་ཤེས་པ་ཞི་ཞེས་བྱ་བའམ། མ་①ཞི་ཞེས་བྱ་བར་ཆོས་སྟོན་པར་མི་འགྱུར་རོ། །རྣམ་པར་ཤེས་པ་བཅིངས་ཤེས་བྱ་བའམ། གྲོལ་ཞེས་བྱ་བར་ཆོས་སྟོན་པར་མི་འགྱུར་རོ། །རྣམ་པར་ཤེས་པ་འདས་ཤེས་བྱ་བའམ། མ་འོངས་ཤེས་བྱ་བའམ། ད་ལྟར་བྱུང་ཞེས་བྱ་བར་ཆོས་སྟོན་པར་མི་འགྱུར་རོ། །སྐྱེ་མཆེད་དང་ཁམས་དང་། རྟེན་ཅིང་འབྲེལ་བར་འབྱུང་བ་རྟག་ཅེས་བྱ་བའམ། མི་རྟག་ཅེས་བྱ་བར་ཆོས་སྟོན་པར་མི་འགྱུར་རོ། །རྟེན་

ཅིང་འབྲེལ་པར་འབྱུང་བ་བདེ་ཞེས་བྱ་བའམ། སྡུག་བསྔལ་ཞེས་བྱ་བའམ། རྟེན་ཅིང་འབྲེལ་པར་འབྱུང་བ་བདག་ཅེས་བྱ་བའམ། བདག་མེད་ཅེས་བྱ་བའམ། རྟེན་ཅིང་འབྲེལ་པར་འབྱུང་བ་སྡུག་ཅེས་བྱ་བའམ། མི་སྡུག་ཅེས་བྱ་བར་ཆོས་སྟོན་པར་མི་འགྱུར་རོ། །རྟེན་ཅིང་འབྲེལ་པར་འབྱུང་བ་ཞི་ཞེས་བྱ་བའམ། མ་ཞི་ཞེས་བྱ་བར་ཆོས་སྟོན་པར་མི་འགྱུར་རོ། །རྟེན་ཅིང་འབྲེལ་པར་འབྱུང་བ་བཅིངས་ཤེས་བྱ་བའམ། གྲོལ་ཞེས་བྱ་བར་ཆོས་སྟོན་པར་མི་འགྱུར་རོ། །རྟེན་ཅིང་འབྲེལ་པར་འབྱུང་བ་འདས་ཤེས་བྱ་བའམ། མ་འོངས་ཤེས་བྱ་བའམ། ད་ལྟར་བྱུང་ཞེས་བྱ་བར་ཆོས་སྟོན་པར་མི་འགྱུར་རོ། །ཕ་རོལ་ཏུ་ཕྱིན་པ་ཐམས་ཅད་དང་། སྟོང་པ་ཉིད་ཐམས་ཅད་དང་། བྱང་ཆུབ་ཀྱི་ཕྱོགས་ཀྱི་ཆོས་སུམ་ཅུ་རྩ་བདུན་རྟག་ཅེས་བྱ་བའམ། མི་རྟག་ཅེས་བྱ་བར་ཆོས་སྟོན་པར་མི་འགྱུར་རོ།། བྱང་ཆུབ་ཀྱི་ཕྱོགས་ཀྱི་ཆོས་སུམ་ཅུ་རྩ་བདུན་བདེ་ཞེས་བྱ་བའམ། སྡུག་བསྔལ་ཞེས་བྱ་བའམ། བྱང་ཆུབ་ཀྱི་ཕྱོགས་ཀྱི་ཆོས་སུམ་ཅུ་རྩ་བདུན་བདག་ཅེས་བྱ་བའམ། བདག་མེད་ཅེས་བྱ་བའམ། བྱང་ཆུབ་ཀྱི་ཕྱོགས་ཀྱི་ཆོས་སུམ་ཅུ་རྩ་བདུན་སྡུག་ཅེས་བྱ་བའམ། མི་སྡུག་ཅེས་བྱ་བར་ཆོས་སྟོན་པར་མི་འགྱུར་རོ། །བྱང་ཆུབ་ཀྱི་ཕྱོགས་ཀྱི་ཆོས་སུམ་ཅུ་རྩ་བདུན་ཞི་ཞེས་བྱ་བའམ། མ་ཞི་ཞེས་བྱ་བར་ཆོས་སྟོན་པར་མི་འགྱུར་རོ། །བྱང་ཆུབ་ཀྱི་ཕྱོགས་ཀྱི་ཆོས་སུམ་ཅུ་རྩ་བདུན་བཅིངས་ཤེས་བྱ་བའམ། གྲོལ་ཞེས་བྱ་བར་ཆོས་སྟོན་པར་མི་འགྱུར་རོ། །བྱང་ཆུབ་ཀྱི་ཕྱོགས་ཀྱི་ཆོས་སུམ་ཅུ་རྩ་བདུན་འདས་ཤེས་བྱ་བའམ། མ་འོངས་ཤེས་བྱ་བའམ། ད་ལྟར་བྱུང་ཞེས་བྱ་བར་ཆོས་སྟོན་པར་མི་འགྱུར་རོ། །འཕགས་པའི་བདེན་པ་རྣམས་དང་། བསམ་གཏན་རྣམས་དང་། ཚད་མེད་པ་རྣམས་དང་། གཟུགས་མེད་པའི་སྙོམས་པར་འཇུག་པ་རྣམས་དང་། རྣམ་པར་ཐར་

པ་བརྒྱད་དང་། མཐར་གྱིས་གནས་པའི་སྙོམས་པར་འཇུག་པ་དགུ་དང་། སྟོང་པ་ཉིད་དང་། མཚན་མ་མེད་པ་དང་། སྨོན་པ་མེད་པ་དང་། མངོན་པར་ཤེས་པ་རྣམས་རྟག་ཅེས་བྱ་བའམ། མི་རྟག་ཅེས་བྱ་བར་ཆོས་སྟོན་པར་མི་འགྱུར་རོ། །མངོན་པར་ཤེས་པ་རྣམས་བདེ་ཞེས་བྱ་བའམ། སྡུག་བསྔལ་ཞེས་བྱ་བའམ། མངོན་པར་ཤེས་པ་རྣམས་བདག་ཅེས་བྱ་བའམ། བདག་མེད་ཅེས་བྱ་བའམ། མངོན་པར་ཤེས་པ་རྣམས་སྡུག་ཅེས་བྱ་བའམ། མི་སྡུག་ཅེས་བྱ་བར་ཆོས་སྟོན་པར་མི་འགྱུར་རོ། །མངོན་པར་ཤེས་པ་རྣམས་ཞི་ཞེས་བྱ་བའམ། མ་ཞི་ཞེས་བྱ་བར་ཆོས་སྟོན་པར་མི་འགྱུར་རོ། །མངོན་པར་ཤེས་པ་རྣམས་བཅིངས་ཤེས་བྱ་བའམ། གྲོལ་ཞེས་བྱ་བར་ཆོས་སྟོན་པར་མི་འགྱུར་རོ། །མངོན་པར་ཤེས་པ་རྣམས་འདས་ཤེས་བྱ་བའམ། མ་འོངས་ཤེས་བྱ་བའམ། ད་ལྟར་བྱུང་ཞེས་བྱ་བར་ཆོས་སྟོན་པར་མི་འགྱུར་རོ། །ཏིང་ངེ་འཛིན་རྣམས་དང་། གཟུངས་ཀྱི་སྒོ་རྣམས་རྟག་ཅེས་བྱ་བའམ། མི་རྟག་ཅེས་བྱ་བར་ཆོས་སྟོན་པར་མི་འགྱུར་རོ། །གཟུངས་ཀྱི་སྒོ་རྣམས་བདེ་ཞེས་བྱ་བའམ། སྡུག་བསྔལ་ཞེས་བྱ་བའམ། གཟུངས་ཀྱི་སྒོ་རྣམས་བདག་ཅེས་བྱ་བའམ། བདག་མེད་ཅེས་བྱ་བའམ། གཟུངས་ཀྱི་སྒོ་རྣམས་སྡུག་ཅེས་བྱ་བའམ། མི་སྡུག་ཅེས་བྱ་བར་ཆོས་སྟོན་པར་མི་འགྱུར་རོ། །གཟུངས་ཀྱི་སྒོ་རྣམས་ཞི་ཞེས་བྱ་བའམ། མ་ཞི་ཞེས་བྱ་བར་[༡]ཆོས་སྟོན་པར་མི་འགྱུར་རོ། །གཟུངས་ཀྱི་སྒོ་རྣམས་བཅིངས་ཤེས་བྱ་བའམ། གྲོལ་ཞེས་བྱ་བ་[༣]ཆོས་སྟོན་པར་མི་འགྱུར་རོ། །གཟུངས་ཀྱི་སྒོ་རྣམས་འདས་ཤེས་བྱ་བའམ། མ་འོངས་ཤེས་བྱ་བའམ། ད་ལྟར་བྱུང་ཞེས་བྱ་བར་ཆོས་སྟོན་པར་མི་འགྱུར་རོ། །དེ་བཞིན་གཤེགས་པའི་སྟོབས་རྣམས་དང་། མི་འཇིགས་པ་རྣམས་དང་། སོ་སོ་ཡང་དག་པར་རིག་པ་རྣམས་དང་། སངས་

རྒྱས་ཀྱི་ཆོས་མ་འདྲེས་པ་རྣམས་རྟག་ཅེས་བྱ་བའམ། མི་རྟག་ཅེས་བྱ་བར་ཆོས་སྟོན་པར་མི་འགྱུར་རོ། །སངས་རྒྱས་ཀྱི་ཆོས་མ་འདྲེས་པ་རྣམས་བདེ་ཞེས་བྱ་བའམ། སྡུག་བསྔལ་ཞེས་བྱ་བའམ། སངས་རྒྱས་ཀྱི་ཆོས་མ་འདྲེས་པ་རྣམས་བདག་ཅེས་བྱ་བའམ། བདག་མེད་ཅེས་བྱ་བའམ། སངས་རྒྱས་ཀྱི་ཆོས་མ་འདྲེས་པ་རྣམས་སྡུག་ཅེས་བྱའམ[1]། མི་སྡུག་ཅེས་བྱ་བར་ཆོས་སྟོན་པར་མི་འགྱུར་རོ། །སངས་རྒྱས་ཀྱི་ཆོས་མ་འདྲེས་པ་རྣམས་ཞི་ཞེས་བྱ་བའམ། མ་ཞི་ཞེས་བྱ་བར་ཆོས་སྟོན་པར་མི་འགྱུར་རོ། །སངས་རྒྱས་ཀྱི་ཆོས་མ་འདྲེས་པ་རྣམས་བཅིངས་ཤེས་བྱ་བའམ། གྲོལ་ཞེས་བྱ་བར་ཆོས་སྟོན་པར་མི་འགྱུར་རོ། །སངས་རྒྱས་ཀྱི་ཆོས་མ་འདྲེས་པ་རྣམས་འདས་ཤེས་བྱ་བའམ། མ་འོངས་ཤེས་བྱ་བའམ། ད་ལྟར་བྱུང་ཞེས་བྱ་བར་ཆོས་སྟོན་པར་མི་འགྱུར་རོ། །རྣམ་པ་ཐམས་ཅད་མཁྱེན་པ་ཉིད་ཀྱི་བར་དུ་རྟག་ཅེས་བྱ་བའམ། མི་རྟག་ཅེས་བྱ་བར་ཆོས་སྟོན་པར་མི་འགྱུར་རོ། །རྣམ་པ་ཐམས་ཅད་མཁྱེན་པ་ཉིད་བདེ་ཞེས་བྱ་བའམ། སྡུག་བསྔལ་ཞེས་བྱ་བའམ། རྣམ་པ་ཐམས་ཅད་མཁྱེན་པ་ཉིད་བདག་ཅེས་བྱ་བའམ། བདག་མེད་ཅེས་བྱ་བའམ། རྣམ་པ་ཐམས་ཅད་མཁྱེན་པ་ཉིད་སྡུག་ཅེས་བྱ་བའམ། མི་སྡུག་ཅེས་བྱ་བར་ཆོས་སྟོན་པར་མི་འགྱུར་རོ། །རྣམ་པ་ཐམས་ཅད་མཁྱེན་པ་ཉིད་ཞི་ཞེས་བྱ་བའམ། མ་ཞི་ཞེས་བྱ་བར་ཆོས་སྟོན་པར་མི་འགྱུར་རོ། །རྣམ་པ་ཐམས་ཅད་མཁྱེན་པ་ཉིད་བཅིངས་ཤེས་བྱ་བའམ། གྲོལ་ཞེས་བྱ་བར་ཆོས་སྟོན་པར་མི་འགྱུར་རོ། །རྣམ་པ་ཐམས་ཅད་མཁྱེན་པ་ཉིད་འདས་ཤེས་བྱ་བའམ། མ་འོངས་ཤེས་བྱ་བའམ། ད་ལྟར་བྱུང་བ[2]ཞེས་བྱ་བར་ཆོས་སྟོན་པར་མི་འགྱུར་རོ། །གསོལ་པ། བཅོམ་ལྡན་འདས་བྱང་ཆུབ་སེམས་དཔའ་སེམས་དཔའ་ཆེན་པོ་བྱམས་པ་བླ་ན་མེད་པ་ཡང་དག་པར་རྫོགས་པའི་བྱང་

ཆུབ་ཏུ་མངོན་པར་རྫོགས་པར་སངས་རྒྱས་ནས། ཆོས་ནི་ཇི་ལྟར་སྟོན་པར་འགྱུར་སྟོན་ནས་ཇི་(༡)ཞིག་(༢)སྟོན་པར་འགྱུར། བཅོམ་ལྡན་འདས་ཀྱིས་བཀའ་སྩལ་པ། གཟུགས་ཤིན་ཏུ་རྣམ་པར་དག་གོ་ཞེས་ཤིན་ཏུ་རྣམ་པར་དག་པའི་ཆོས་སྟོན་པར་འགྱུར་རོ། །ཚོར་བ་དང་། འདུ་ཤེས་དང་། འདུ་བྱེད་དང་རྣམ་པར་ཤེས་པ་ཤིན་ཏུ་རྣམ་པར་དག་གོ། །ཞེས་ཤིན་ཏུ་རྣམ་པར་དག་པའི་ཆོས་སྟོན་པར་འགྱུར་རོ་སྐྱེ་མཆེད་དང་ཁམས་དང་། རྟེན་ཅིང་འབྲེལ་པར་འབྱུང་བ་ཤིན་ཏུ་རྣམ་པར་དག་གོ། །ཞེས་ཤིན་ཏུ་རྣམ་པར་དག་པའི་ཆོས་སྟོན་པར་འགྱུར་རོ། །ཕ་རོལ་ཏུ་ཕྱིན་པ་ཐམས་ཅད་དང་། སྟོང་པ་ཉིད་ཐམས་ཅད་དང་། བྱང་ཆུབ་ཀྱི་ཕྱོགས་ཀྱི་ཆོས་སུམ་ཅུ་རྩ་བདུན་ཤིན་ཏུ་རྣམ་པར་དག་གོ། །ཞེས་ཤིན་ཏུ་རྣམ་པར་དག་པའི་ཆོས་སྟོན་པར་འགྱུར་རོ། །འཕགས་པའི་བདེན་པ་རྣམས་དང་། བསམ་གཏན་རྣམས་དང་། ཚད་མེད་པ་རྣམས་དང་། གཟུགས་མེད་པའི་སྙོམས་པར་འཇུག་པ་རྣམས་དང་། རྣམ་པར་ཐར་པ་བརྒྱད་དང་། མཐར་གྱིས་གནས་པའི་སྙོམས་པར་འཇུག་པ་དགུ་དང་། སྟོང་པ་ཉིད་དང་། མཚན་མ་མེད་པ་དང་། སྨོན་པ་མེད་པ་དང་། མངོན་པར་ཤེས་པ་རྣམས་ཤིན་ཏུ་རྣམ་པར་དག་གོ། །ཞེས་བྱ་བར་(༣)ཤིན་ཏུ་རྣམ་པར་དག་པའི་ཆོས་སྟོན་པར་འགྱུར་རོ། །ཏིང་ངེ་འཛིན་རྣམས་དང་། གཟུངས་ཀྱི་སྒོ་རྣམས་ཤིན་ཏུ་རྣམ་པར་དག་གོ། །ཞེས་ཤིན་ཏུ་རྣམ་པར་དག་པའི་ཆོས་སྟོན་པར་འགྱུར་རོ། །དེ་བཞིན་གཤེགས་པའི་སྟོབས་རྣམས་དང་། མི་འཇིགས་པ་རྣམས་དང་། སོ་སོ་ཡང་དག་པར་རིག་པ་རྣམས་དང་། སངས་རྒྱས་ཀྱིས་(༤)ཆོས་མ་འདྲེས་པ་རྣམས་ཤིན་ཏུ་རྣམ་པར་དག་གོ། །ཞེས་ཤིན་ཏུ་རྣམ་པར་དག་པའི་ཆོས་སྟོན་པར་འགྱུར་རོ། །རྣམ་པ་ཐམས་ཅད་མཁྱེན་པ་ཉིད་ཀྱི་བར་དུ་ཤིན་ཏུ་རྣམ་པར་དག་གོ། །

ཞེས་ཤིན་ཏུ་རྣམ་པར་དག་པའི་ཆོས་སྟོན་པར་འགྱུར་རོ། །གསོལ་པ། བཅོམ་ལྡན་འདས་ཤེས་རབ་ཀྱི་ཕ་རོལ་ཏུ་ཕྱིན་པ་ནི་ཡོངས་སུ་དག་པའོ། །བཅོམ་ལྡན་འདས་ཀྱིས་བཀའ་སྩལ་པ། རབ་འབྱོར་གཟུགས་ཡོངས་སུ་དག་པའི་ཕྱིར། ཤེས་རབ་ཀྱི་ཕ་རོལ་ཏུ་ཕྱིན་པ་ཡོངས་སུ་དག་པའོ། །ཚོར་བ་དང་། འདུ་ཤེས་དང་། འདུ་བྱེད་དང་། རྣམ་པར་ཤེས་པ་ཡོངས་སུ་དག་པའི་ཕྱིར། ཤེས་རབ་ཀྱི་ཕ་རོལ་ཏུ་ཕྱིན་པ་ཡོངས་སུ་དག་པའོ། །རབ་འབྱོར་སྐྱེ་མཆེད་དང་། ཁམས་དང་། རྟེན་ཅིང་འབྲེལ་པར་འབྱུང་བ་ཡོངས་སུ་དག་པའི་ཕྱིར། ཤེས་རབ་ཀྱི་ཕ་རོལ་ཏུ་ཕྱིན་པ་ཡོངས་སུ་དག་པའོ། །ཕ་རོལ་ཏུ་ཕྱིན་པ་ཐམས་ཅད་དང་། སྟོང་པ་ཉིད་ཐམས་ཅད་དང་། བྱང་ཆུབ་ཀྱི་ཕྱོགས་ཀྱི་ཆོས་སུམ་ཅུ་རྩ་བདུན་ཡོངས་སུ་དག་པའི་ཕྱིར། ཤེས་རབ་ཀྱི་ཕ་རོལ་ཏུ་ཕྱིན་པ་ཡོངས་སུ་དག་པའོ། །འཕགས་པའི་བདེན་པ་དང་། བསམ་གཏན་དང་། ཚད་མེད་པ་དང་། གཟུགས་མེད་པའི་སྙོམས་པར་འཇུག་པ་དང་། རྣམ་པར་ཐར་པ་དང་། མཐར་གྱིས་གནས་པའི་སྙོམས་པར་འཇུག་པ་དང་། སྟོང་པ་ཉིད་དང་། མཚན་མ་མེད་པ་དང་། སྨོན་པ་མེད་པ་དང་། མངོན་པར་ཤེས་པ་རྣམས་ཡོངས་སུ་དག་པའི་ཕྱིར། ཤེས་རབ་ཀྱི་ཕ་རོལ་ཏུ་ཕྱིན་པ་ཡོངས་སུ་དག་པའོ། །ཏིང་ངེ་འཛིན་དང་། གཟུངས་ཀྱི་སྒོ་རྣམས་ཡོངས་སུ་དག་པའི་ཕྱིར། ཤེས་རབ་ཀྱི་ཕ་རོལ་ཏུ་ཕྱིན་པ་ཡོངས་སུ་དག་པའོ། །དེ་བཞིན་གཤེགས་པའི་སྟོབས་དང་། མི་འཇིགས་པ་དང་། སོ་སོ་ཡང་དག་པར་རིག་པ་དང་། སངས་རྒྱས་ཀྱི་ཆོས་མ་འདྲེས་པ་བཅོ་བརྒྱད་ཡོངས་སུ་དག་པའི་ཕྱིར། ཤེས་རབ་ཀྱི་ཕ་རོལ་ཏུ་ཕྱིན་པ་ཡོངས་སུ་དག་པའོ། །རྣམ་པ་ཐམས་ཅད་མཁྱེན་པ་ཉིད་ཀྱི་བར་དུ་ཡོངས་སུ་དག་པའི་ཕྱིར། ཤེས་རབ་ཀྱི་ཕ་རོལ་ཏུ་ཕྱིན་པ་ཡོངས་སུ་དག་པའོ། །གསོལ་

པ། བཅོམ་ལྡན་འདས་ཇི་ལྟར་ན་གཟུགས་ཡོངས་སུ་དག་པའི་སླད་དུ། ཤེས་རབ་ཀྱི་ཕ་རོལ་ཏུ་ཕྱིན་པ་ཡོངས་སུ་དག་པ་ལགས། ཇི་ལྟར་ན་ཚོར་བ་དང་། འདུ་ཤེས་དང་། འདུ་བྱེད་དང་། རྣམ་པར་ཤེས་པ་ཡོངས་སུ་དག་པའི་སླད་དུ། ཤེས་རབ་ཀྱི་ཕ་རོལ་ཏུ་ཕྱིན་པ་ཡོངས་སུ་དག་པ་ལགས། ཇི་ལྟར་ན་སྐྱེ་མཆེད་དང་ཁམས་དང་། རྟེན་ཅིང་འབྲེལ་པར་འབྱུང་བ་ཡོངས་སུ་དག་པའི་སླད་དུ། ཤེས་རབ་ཀྱི་ཕ་རོལ་ཏུ་ཕྱིན་པ་ཡོངས་སུ་དག་པ་ལགས། ཇི་ལྟར་ན་ཕ་རོལ་ཏུ་ཕྱིན་པ་ཐམས་ཅད་དང་སྟོང་པ་ཉིད་ཐམས་ཅད་དང་། བྱང་ཆུབ་ཀྱི་ཕྱོགས་ཀྱི་ཆོས་སུམ་ཅུ་རྩ་བདུན་ཡོངས་སུ་དག་པའི་སླད་དུ། ཤེས་རབ་ཀྱི་ཕ་རོལ་ཏུ་ཕྱིན་པ་ཡོངས་སུ་དག་པ་ལགས། ཇི་ལྟར་ན་འཕགས་པའི་བདེན་པ་དང་། བསམ་གཏན་དང་། ཚད་མེད་པ་དང་། གཟུགས་མེད་པའི་སྙོམས་པར་འཇུག་པ་དང་། རྣམ་པར་ཐར་པ་དང་། མཐར་གྱིས་གནས་པའི་སྙོམས་པར་འཇུག་པ་དང་། སྟོང་པ་ཉིད་དང་མཚན་མ་མེད་པ་དང་། སྨོན་པ་མེད་པ་དང་། མངོན་པར་ཤེས་པ་རྣམས་ཡོངས་སུ་དག་པའི་སླད་དུ། ཤེས་རབ་ཀྱི་ཕ་རོལ་ཏུ་ཕྱིན་པ་ཡོངས་སུ་དག་པ་ལགས། ཇི་ལྟར་ན་ཏིང་ངེ་འཛིན་དང་། གཟུངས་ཀྱི་སྒོ་རྣམས་ཡོངས་སུ་དག་པའི་སླད་དུ། ཤེས་རབ་ཀྱི་ཕ་རོལ་ཏུ་ཕྱིན་པ་ཡོངས་སུ་དག་པ་ལགས། ཇི་ལྟར་ན་དེ་བཞིན་གཤེགས་པའི་སྟོབས་དང་། མི་འཇིགས་པ་དང་། སོ་སོ་ཡང་དག་པར་རིག་པ་དང་། སངས་རྒྱས་ཀྱི་ཆོས་མ་འདྲེས་པ་བཅོ་བརྒྱད་ཡོངས་སུ་དག་པའི་སླད་དུ། ཤེས་རབ་ཀྱི་ཕ་རོལ་ཏུ་ཕྱིན་པ་ཡོངས་སུ་དག་པ་ལགས། ཇི་ལྟར་ན་རྣམ་པ་ཐམས་ཅད་མཁྱེན་པ་ཉིད་ཀྱི་བར་དུ་ཡོངས་སུ་དག་པའི་སླད་དུ། ཤེས་རབ་ཀྱི་ཕ་རོལ་ཏུ་ཕྱིན་པ་ཡོངས་སུ་དག་པ་ལགས། བཅོམ་ལྡན་འདས་ཀྱིས་བཀའ་སྩལ་པ། རབ་འབྱོར་གཟུགས་ལ་སྐྱེ་བ་མེད་པ་

དང་། འགག་པ་མེད་པ་དང་། ཀུན་ནས་ཉོན་མོངས་པ་མེད་པ་དང་། རྣམ་པར་བྱང་བ་མེད་པ་ནི་གཟུགས་ཡོངས་སུ་དག་པའོ། །ཚོར་བ་དང་། འདུ་ཤེས་དང་། འདུ་བྱེད་དང་། རྣམ་པར་ཤེས་པ་ལ་སྐྱེ་བ་མེད་པ་དང་། འགག་པ་མེད་པ་དང་། ཀུན་ནས་ཉོན་མོངས་པ་མེད་པ་དང་། རྣམ་པར་བྱང་བ་མེད་པ་ནི་རྣམ་པར་ཤེས་པ་ཡོངས་སུ་དག་པའོ། །སྐྱེ་མཆེད་དང་ཁམས་དང་། རྟེན་ཅིང་འབྲེལ་པར་འབྱུང་བ་ལ་སྐྱེ་བ་མེད་པ་དང་། འགག་པ་མེད་པ་དང་། ཀུན་ནས་ཉོན་མོངས་པ་མེད་པ་དང་། རྣམ་པར་བྱང་བ་མེད་པ་ནི་རྟེན་ཅིང་འབྲེལ་པར་འབྱུང་བ་ཡོངས་སུ་དག་པའོ། །ཕ་རོལ་ཏུ་ཕྱིན་པ་ཐམས་ཅད་དང་། སྟོང་པ་ཉིད་ཐམས་ཅད་དང་། བྱང་ཆུབ་ཀྱི་ཕྱོགས་ཀྱི་ཆོས་སུམ་ཅུ་རྩ་བདུན་ལ་སྐྱེ་བ་མེད་པ་དང་། འགག་པ་མེད་པ་དང་། ཀུན་ནས་ཉོན་མོངས་པ་མེད་པ་དང་། རྣམ་པར་བྱང་བ་མེད་པ་ནི། བྱང་ཆུབ་ཀྱི་ཕྱོགས་ཀྱི་ཆོས་སུམ་ཅུ་རྩ་བདུན་ཡོངས་སུ་དག་པའོ། །འཕགས་པའི་བདེན་པ་རྣམས་དང་། བསམ་གཏན་རྣམས་དང་། ཚད་མེད་པ་རྣམས་དང་། གཟུགས་མེད་པའི་སྙོམས་པར་འཇུག་པ་རྣམས་དང་། རྣམ་པར་ཐར་པ་རྣམས་དང་། མཐར་གྱིས་གནས་པའི་སྙོམས་པར་འཇུག་པ་རྣམས་དང་། སྟོང་པ་ཉིད་དང་མཚན་མ་མེད་པ་དང་། སྨོན་པ་མེད་པ་དང་། མངོན་པར་ཤེས་པ་རྣམས་ལ་སྐྱེ་བ་མེད་པ་དང་། འགག་པ་མེད་པ་དང་། ཀུན་ནས་ཉོན་མོངས་པ་མེད་པ་དང་། རྣམ་པར་བྱང་བ་མེད་པ་ནི་མངོན་པར་ཤེས་པ་ཡོངས་སུ་དག་པའོ། །ཏིང་ངེ་འཛིན་རྣམས་དང་། གཟུངས་[2]ཀྱི་སྒོ་རྣམས་ལ་སྐྱེ་བ་མེད་པ་དང་། འགག་པ་མེད་པ་དང་། ཀུན་ནས་ཉོན་མོངས་པ་མེད་པ་དང་། རྣམ་པར་བྱང་བ་མེད་པ་ནི་གཟུངས་ཀྱི་སྒོ་[3]ཡོངས་སུ་དག་པའོ། །དེ་བཞིན་གཤེགས་པའི་སྟོབས་རྣམས་

དང་། མི་འཇིགས་པ་རྣམས་དང་། སོ་སོ་ཡང་དག་པར་རིག་པ་རྣམས་དང་། སངས་རྒྱས་ཀྱི་ཆོས་མ་འདྲེས་པ་བཅོ་བརྒྱད་ལ་སྐྱེ་བ་མེད་པ་དང་། འགག་པ་མེད་པ་དང་། ཀུན་ནས་ཉོན་མོངས་པ་མེད་པ་དང་། རྣམ་པར་བྱང་བ་མེད་པ་ནི་སངས་རྒྱས་ཀྱི་ཆོས་མ་འདྲེས་པ་བཅོ་བརྒྱད་ཡོངས་སུ་དག་པའོ། །རྣམ་པ་ཐམས་ཅད་མཁྱེན་པ་ཉིད་ཀྱི་བར་ལ་སྐྱེ་བ་མེད་པ་དང་། འགག་པ་མེད་པ་དང་། ཀུན་ནས་ཉོན་མོངས་པ་མེད་པ་དང་། རྣམ་པར་བྱང་བ་མེད་པ་ནི་རྣམ་པ་ཐམས་ཅད་མཁྱེན་པ་ཉིད་ཡོངས་སུ་དག་པའོ། །རབ་འབྱོར་གཞན་ཡང་ནམ་མཁའ་ཡོངས་སུ་དག་པའི་ཕྱིར། ཤེས་རབ་ཀྱི་ཕ་རོལ་ཏུ་ཕྱིན་པ་ཡོངས་སུ་དག་པའོ༑ །གསོལ་པ། བཅོམ་ལྡན་འདས་ཇི་ལྟར་ན་ནམ་མཁའ་ཡོངས་སུ་དག་པའི་སླད་དུ། ཤེས་རབ་ཀྱི་ཕ་རོལ་ཏུ་ཕྱིན་པ་ཡོངས་སུ་དག་པ་ལགས། བཅོམ་ལྡན་འདས་ཀྱིས་བཀའ་སྩལ་པ། སྐྱེ་བ་མེད་པ་དང་། འགག་པ་མེད་པ་དང་། ཀུན་ནས་ཉོན་མོངས་པ་མེད་པ་དང་། རྣམ་པར་བྱང་བ་མེད་པའི་ཕྱིར་ནམ་མཁའ་ཡོངས་སུ་དག་པ་སྟེ། རབ་འབྱོར་ནམ་མཁའ་ལ་འགྲོ་བ་མེད་པའི་ཕྱིར། ཤེས་རབ་ཀྱི་ཕ་རོལ་ཏུ་ཕྱིན་པ་ཡོངས་སུ་དག་པའོ། །གསོལ་པ། བཅོམ་ལྡན་འདས་ཇི་ལྟར་ན་ནམ་མཁའ་ལ་འགྲོ་བ་མ་མཆིས་པའི་སླད་དུ། ཤེས་རབ་ཀྱི་ཕ་རོལ་ཏུ་ཕྱིན་པ་ཡོངས་སུ་དག་པ་ལགས། བཅོམ་ལྡན་འདས་ཀྱིས་བཀའ་སྩལ་པ། རབ་འབྱོར་ནམ་མཁའ་གཟུང་དུ་མེད་པའི་ཕྱིར། ཤེས་རབ་ཀྱི་ཕ་རོལ་ཏུ་ཕྱིན་པ་ཡོངས་སུ་དག་པའོ། །རབ་འབྱོར་[༡]ནམ་མཁའ་ལ་ཐ་སྙད་མེད་པའི་ཕྱིར། ཤེས་རབ་ཀྱི་ཕ་རོལ་ཏུ་ཕྱིན་པ་ཡོངས་སུ་དག་པའོ། །གསོལ་པ། བཅོམ་ལྡན་འདས་ཇི་ལྟར་[༢]ནམ་མཁའ་ལ་ཐ་སྙད་མ་མཆིས་པའི་སླད་དུ། ཤེས་རབ་ཀྱི་ཕ་རོལ་ཏུ་ཕྱིན་པ་ཡོངས་སུ་དག་པ་ལགས། བཅོམ་ལྡན་འདས་ཀྱིས་བཀའ་སྩལ་པ།

རབ་འབྱོར་འདི་ལྟ་སྟེ་དཔེར་ན། ནམ་མཁའི་སྒྲ་བརྙན་གཉིས་ཀྱི་སྒྲ་ལྟར། ནམ་མཁའ་ལ་ཐ་སྙད་མེད་པའི་ཕྱིར། ཤེས་རབ་ཀྱི་ཕ་རོལ་ཏུ་ཕྱིན་པ་ཡོངས་སུ་དག་པའོ། །རབ་འབྱོར་ནམ་མཁའ་བརྗོད་དུ་མེད་པའི་ཕྱིར། ཤེས་རབ་ཀྱི་ཕ་རོལ་ཏུ་ཕྱིན་པ་ཡོངས་སུ་དག་པའོ། །གསོལ་པ། བཅོམ་ལྡན་འདས་ཇི་ལྟར་ན་[༡]ནམ་མཁའ་བརྗོད་དུ་མ་མཆིས་པའི་སླད་དུ། ཤེས་རབ་ཀྱི་ཕ་རོལ་ཏུ་ཕྱིན་པ་ཡོངས་སུ་དག་པ་ལགས། བཅོམ་ལྡན་འདས་ཀྱིས་བཀའ་སྩལ་པ། རབ་འབྱོར་ནམ་མཁའ་ལ་ནི་གང་ཡང་བརྗོད་དུ་མེད་དོ། །རབ་འབྱོར་དེ་བཞིན་དུ་ནམ་མཁའ་བརྗོད་དུ་མེད་པའི་ཕྱིར། ཤེས་རབ་ཀྱི་ཕ་རོལ་ཏུ་ཕྱིན་པ་ཡོངས་སུ་དག་པའོ། །རབ་འབྱོར་གཞན་ཡང་ནམ་མཁའ་དམིགས་སུ་མེད་པའི་ཕྱིར། ཤེས་རབ་ཀྱི་ཕ་རོལ་ཏུ་ཕྱིན་པ་ཡོངས་སུ་དག་པའོ། །གསོལ་པ། བཅོམ་ལྡན་འདས་ཇི་ལྟར་[༣]ནམ་མཁའ་དམིགས་སུ་མ་མཆིས་པའི་སླད་དུ། ཤེས་རབ་ཀྱི་ཕ་རོལ་ཏུ་ཕྱིན་པ་ཡོངས་སུ་དག་པ་ལགས། བཅོམ་ལྡན་འདས་ཀྱིས་བཀའ་སྩལ་པ། རབ་འབྱོར་ནམ་མཁའ་ལ་གང་ཡང་དམིགས་སུ་མེད་དོ། །རབ་འབྱོར་དེ་བཞིན་དུ་ནམ་མཁའ་དམིགས་སུ་མེད་པའི་ཕྱིར། ཤེས་རབ་ཀྱི་ཕ་རོལ་ཏུ་ཕྱིན་པ་ཡོངས་སུ་དག་པའོ། །རབ་འབྱོར་གཞན་ཡང་ཆོས་ཐམས་ཅད་སྐྱེ་བ་མེད་པ་དང་། འགག་པ་མེད་པ་དང་། ཀུན་ནས་ཉོན་མོངས་པ་མེད་པ་དང་། རྣམ་པར་བྱང་བ་མེད་པའི་ཕྱིར། ཤེས་རབ་ཀྱི་ཕ་རོལ་ཏུ་ཕྱིན་པ་ཡོངས་སུ་དག་པའོ། །གསོལ་པ། བཅོམ་ལྡན་འདས་ཇི་ལྟར་ན་ཆོས་ཐམས་ཅད་སྐྱེ་བ་མ་མཆིས་པ་དང་། འགག་པ་མ་མཆིས་པ་དང་། ཀུན་ནས་ཉོན་མོངས་པ་མ་མཆིས་པ་དང་། རྣམ་པར་བྱང་བ་མ་མཆིས་པའི་སླད་དུ། ཤེས་རབ་ཀྱི་ཕ་རོལ་ཏུ་ཕྱིན་པ་ཡོངས་སུ་དག་པ་ལགས། བཅོམ་ལྡན་འདས་ཀྱིས་བཀའ་སྩལ་པ། རབ་འབྱོར་ཆོས་

ཐམས་ཅད་ཤེས་ནས་རྣམ་པར་དག་པའི་ཕྱིར། ཤེས་རབ་ཀྱི་ཕ་རོལ་ཏུ་ཕྱིན་པ་ཡོངས་སུ་དག་པའོ། །རབ་འབྱོར་གྱིས་གསོལ་པ། བཅོམ་ལྡན་འདས་རིགས་ཀྱི་བུའམ་རིགས་ཀྱི་བུ་མོ་གང་ལ་ལ་ཞིག་ཤེས་རབ་ཀྱི་ཕ་རོལ་ཏུ་ཕྱིན་པ་འདི་འཛིན་པ་དང་། འཆང་བ་དང་། ཀློག་པ་དང་། ཚུལ་བཞིན་དུ་ཡིད་ལ་བྱེད་ན། བཅོམ་ལྡན་འདས་དེ་ལ་མིག་གི་ནད་འབྱུང་བར་མི་འགྱུར་རོ། །རྣ་བའི་ནད་དང་། སྣའི་ནད་དང་། ལྕེའི་ནད་དང་། ༔ལུས་ཀྱི་ནད་དང་།[༧] ཡན་ལག་མ་ཚང་བར་མི་འགྱུར་རོ། །ལུས་ངན་པར་མི་འགྱུར་རོ། །རྒས་པས་འཁོགས་པའི་ལུས་སུ་མི་འགྱུར་རོ། །རིགས་ཀྱི་བུའམ་རིགས་ཀྱི་བུ་མོ་དེ་ནི་[༣]བདེ་བ་མི་སྤྱོངས་པས་དུས་བྱེད་པར་མི་འགྱུར་རོ། །དེའི་སྣད་བཞིན་དུ་ལྷ་བརྒྱ་སྟོང་མང་པོ་འབྲང་བར་འགྱུར་ཏེ། རྒྱལ་ཆེན་བཞིའི་རིས་ཀྱི་ལྷ་རྣམས་དང་། གནས་གཙང་མའི་རིས་ཀྱི་བར་གྱི་ལྷ་རྣམས་ཀྱང་སྣད་བཞིན་དུ་འབྲང་བར་འགྱུར་རོ། །གང་ན་ཆོས་སྨྲ་བའི་རིགས་ཀྱི་བུའམ་རིགས་ཀྱི་བུ་མོ་དེ་ཤེས་རབ་ཀྱི་ཕ་རོལ་ཏུ་ཕྱིན་པ་འདི་སྟོན་པ་དེར་ཡང་། ཆོས་བརྒྱད་དང་། བཅུ་བཞི་དང་། བཅོ་ལྔ་དག་ལ་ལྷའི་ཚོགས་[༣]ཆེན་པོ་འདུ་བར་འགྱུར་རོ། །རིགས་ཀྱི་བུའམ་རིགས་ཀྱི་བུ་མོ་དེ་[༨]ཡང་ཤེས་རབ་ཀྱི་ཕ་རོལ་ཏུ་ཕྱིན་པ་འདི་སྟོན་པའི་ཚེ། བསོད་ནམས་མང་དུ་འཕེལ་བར་འགྱུར་ཏེ༑ རིགས་ཀྱི་བུའམ་རིགས་ཀྱི་བུ་མོ་དེའི་བསོད་ནམས་ཀྱི་ཕུང་པོ་རབ་ཏུ་མང་བ༑ ཚད་མ་མཆིས་པ། གྲངས་མ་མཆིས་པ་བསམ་གྱིས་[༥]མི་ཁྱབ་པ། མཚུངས་པ་མ་མཆིས་པ། གཞལ་དུ་མ་མཆིས་པ། དཔག་ཏུ་མ་མཆིས་པ། རབ་ཏུ་འཕེལ་བར་འགྱུར་རོ། །བཅོམ་ལྡན་འདས་ཀྱིས་བཀའ་སྩལ་པ། རབ་འབྱོར་དེ་དེ་བཞིན་ནོ། །དེ་དེ་བཞིན་ཏེ། རིགས་ཀྱི་བུའམ་རིགས་ཀྱི་བུ་མོ་གང་ཆོས་བརྒྱད་དང་། བཅུ་བཞི་དང་བཅོ་ལྔ་དག་ལ་ཤེས་རབ་ཀྱི་ཕ་རོལ་ཏུ་

ཕྱིན་པ་འདི་ལྷའི་འཁོར་གྱི་མདུན་དུ་སྟོན་པའི་རིགས་ཀྱི་བུའམ་རིགས་ཀྱི་བུ་མོ་དེའི་བསོད་ནམས་མང་དུ་འཕེལ་ཏེ། བསོད་ནམས་ཀྱི་ཕུང་པོ་མང་པོ་དང་། ཚད་མེད་པ་གྲངས་མེད་པ①། བསམ་གྱིས་མི་ཁྱབ་པ་མཚུངས་པ་མེད་པ་གཞལ་དུ་མེད་པ་དཔག་ཏུ་མེད་པ་རབ་ཏུ་འཕེལ་བར་འགྱུར་རོ། །རབ་འབྱོར་དེ་ཅིའི་ཕྱིར་ཞེ་ན། འདི་ལྟ་སྟེ། ཤེས་རབ་ཀྱི་ཕ་རོལ་ཏུ་ཕྱིན་པ་འདི་ནི་རིན་པོ་ཆེའོ། །རབ་འབྱོར་དེ་ལ་ཤེས་རབ་ཀྱི་ཕ་རོལ་ཏུ་ཕྱིན་པ་རིན་པོ་ཆེ་ནི་འདི་ཡིན་ཏེ། སེམས་ཅན་དམྱལ་བ་ལས་ཡོངས་སུ་གྲོལ་བར་བྱེད་པའོ། །ཕྱོལ་སོང་གི་སྐྱེ་གནས་དང་། གཤིན་རྗེའི་འཇིག་རྟེན་དང་། མི་དང་ལྷ་དབུལ་པོ་ལས་ཡོངས་སུ་གྲོལ་བར་བྱེད་པའོ། །རྒྱལ་རིགས་ཆེ་ཞིང་མཐོ་བའི་རིགས་འབྱིན་པའོ། །བྲམ་ཟེ་ཆེ་ཞིང་མཐོ་བའི་རིགས་འབྱིན་པའོ། །ཁྱིམ་བདག་ཆེ་ཞིང་མཐོ་བའི་རིགས་འབྱིན་པའོ། །རྒྱལ་ཆེན་བཞིའི་རིས②ཀྱི་ལྷའི་སྐྱེ་བའི་སྐྱེ་མཆེད་འབྱིན་པའོ། །འདུ་ཤེས་མེད་འདུ་ཤེས་མེད་མིན③སྐྱེ་མཆེད་ཀྱི་བར་གྱི་ལྷའི་སྐྱེ་བའི་སྐྱེ་མཆེད་འབྱིན་པའོ། །རྒྱུན་དུ་ཞུགས་པའི་འབྲས་བུ་འབྱིན་པའོ། ལན་ཅིག་ཕྱིར་འོང་བའི་འབྲས་བུ་དང་། ཕྱིར་མི་འོང་བའི་འབྲས་བུ་འབྱིན་པའོ། །དགྲ་བཅོམ་པ་ཉིད་དང་། རང་བྱང་ཆུབ་འབྱིན་པའོ། །ཡང་དག་པར་རྫོགས་པའི་བྱང་ཆུབ་འབྱིན་པའོ། །དེ་ཅིའི་ཕྱིར་ཞེ་ན། དེ་ནི་འདི་ལྟར་ཤེས་རབ་ཀྱི་ཕ་རོལ་ཏུ་ཕྱིན་པ་འདི་ལས། དགེ་བ་བཅུའི་ལས་ཀྱི་ལམ་རྒྱས་པར་བསྟན་ཏེ། དེ་ལ་བསླབས་པས་རྒྱལ་རིགས་ཆེ་ཞིང་མཐོ་བ་རྣམས་ཡོད་དོ། །བྲམ་ཟེའི་རིགས་ཆེ་ཞིང་མཐོ་བ་རྣམས④ཡོད་དོ། །ཁྱིམ་བདག་གི་རིགས་ཆེ་ཞིང་མཐོ་བ་རྣམས་ཡོད་དོ། །རྒྱལ་ཆེན་བཞིའི་རིས་ཀྱི⑤ལྷ་རྣམས་ཡོད་དོ། །སུམ་ཅུ་རྩ་གསུམ་དང་། མཚེ་མ་དང་། དགའ་ལྡན་དང་། འཕྲུལ་དགའ་དང་གཞན་འཕྲུལ་དབང་བྱེད་ཀྱི་ལྷ་རྣམས་ཡོད་

ངོ། །ཚངས་རིས་དང་། ཚངས་ལྷ་ཉེ་ཕན་དང་། ཚངས་པ་ཀུན་འཁོར་དང་། ཚངས་ཆེན་[༡]དང་། སྣང་བ་དང་། ཆུང་སྣང་དང་། ཚད་མེད་སྣང་བ་དང་། ཀུན་སྣང་དང་བ་དང་། དགེ་བ་དང་། ཆུང་དགེ་དང་། ཚད་མེད་དགེ་བ་དང་། དགེ་རྒྱས་དང་། ཆེ་བ་དང་། ཆུང་ཆེ་བ་[༢]དང་། ཚད་མེད་ཆེ་བ་དང་། འབྲས་བུ་ཆེ་བ་དང་། མི་ཆེ་བ་དང་མི་གདུང་བ་དང་། ཤིན་དུ་མཐོང་བ་དང་། གྱ་ནོམ་སྣང་བ་དང་། འོག་མིན་[༣]གྱི་ལྷ་རྣམས་ཡོད་དོ། །ནམ་མཁའ་མཐའ་ཡས་སྐྱེ་མཆེད་ཀྱི་ལྷ་རྣམས་ཡོད་དོ། །རྣམ་ཤེས་མཐའ་ཡས་སྐྱེ་མཆེད་དང་། ཆུང་[༤]ཟད་མེད་པའི་སྐྱེ་མཆེད་དང་། འདུ་ཤེས་མེད་འདུ་ཤེས་མེད་མིན་[༥]སྐྱེ་མཆེད་ཀྱི་ལྷ་རྣམས་ཡོད་དོ། །རྒྱུན་དུ་ཞུགས་པའི་འབྲས་བུ་དང་། ལན་ཅིག་ཕྱིར་འོང་བའི་འབྲས་བུ་དང་། ཕྱིར་མི་འོང་བའི་འབྲས་བུ་ཡོད་དོ། །དགྲ་བཅོམ་པ་ཉིད་དང་། རང་བྱང་ཆུབ་ཡོད་དོ། །བླ་ན་མེད་པ་ཡང་དག་པར་རྫོགས་པའི་བྱང་ཆུབ་ཡོད་དོ། །ཤེས་རབ་ཀྱི་ཕ་རོལ་དུ་ཕྱིན་པ་འདི་ཡོད་ན། བསམ་གཏན་བཞི་ཡོད་དོ། །ཚད་མེད་པ་བཞི་དང་། གཟུགས་མེད་པའི་སྙོམས་པར་འཇུག་པ་བཞི་ཡོད་དོ། །བྱང་ཆུབ་ཀྱི་ཕྱོགས་ཀྱི་[༦]ཆོས་སུམ་ཅུ་རྩ་བདུན་ཡོད་དོ། །སྦྱིན་པའི་ཕ་རོལ་དུ་ཕྱིན་པ་ཡོད་དོ། །ཚུལ་ཁྲིམས་ཀྱི་ཕ་རོལ་དུ་ཕྱིན་པ་དང་། བཟོད་པའི་ཕ་རོལ་དུ་ཕྱིན་པ་དང་། བརྩོན་འགྲུས་ཀྱི་ཕ་རོལ་དུ་ཕྱིན་པ་དང་། བསམ་གཏན་གྱི་ཕ་རོལ་དུ་ཕྱིན་པ་དང་། ཤེས་རབ་ཀྱི་ཕ་རོལ་དུ་ཕྱིན་པ་ཡོད་དོ། །ནང་སྟོང་པ་ཉིད་ཡོད་དོ། །དངོས་པོ་མེད་པའི་ངོ་བོ་ཉིད་[༧]སྟོང་པ་ཉིད་ཀྱི་བར་དུ་ཡོད་དོ། །འཕགས་པའི་བདེན་པ་བཞི་དང་། བསམ་གཏན་བཞི་དང་། ཚད་མེད་པ་བཞི་དང་། གཟུགས་མེད་པའི་སྙོམས་པར་འཇུག་པ་བཞི་དང་། རྣམ་པར་ཐར་པ་བརྒྱད་

དང་། མཐར་གྱིས་གནས་པའི་སྙོམས་པར་འཇུག་པ་དགུ་དང་། རྣམ་པར····
ཐར་པའི་སྒོ་གསུམ་དང་། མངོན་པར་ཤེས་པ་རྣམས་ཡོད་དོ། །ཏིང་ངེ་འཛིན་
ཐམས་ཅད་དང་། གཟུངས་ཀྱི་སྒོ་ཐམས་ཅད་ཡོད་དོ། །དེ་བཞིན་གཤེགས····
པའི་སྟོབས་བཅུ་དང་། མི་(༡)འཇིགས་པ་བཞི་དང་། སོ་སོ་ཡང་དག་པར་རིག་
པ་བཞི་དང་། བྱམས་པ་ཆེན་པོ་དང་། སྙིང་རྗེ་ཆེན་པོ་དང་། སངས་རྒྱས་
ཀྱི་ཆོས་མ་འདྲེས་པ་བཅོ་བརྒྱད་ཡོད་དོ། །རྣམ་པ་ཐམས་ཅད་མཁྱེན་པ་ཉིད་ཀྱི··
བར་དུ་ཡོད་དོ། །དེ་ཡང་འདི་ལྟར་ཤེས་རབ་ཀྱི་ཕ་རོལ་དུ་ཕྱིན་པ་འདི་ལས་ཆོས་
དེ་(༢)ཐམས་ཅད་རྒྱ་ཆེར་(༣)བསྟན་ཏེ། དེ་ལ་བསླབས་ན་རྒྱལ་རིགས་ཆེ་(༤)ཞིང་མཐོ་
བ་རྣམས་ཡོད་དོ། །བྲམ་ཟེའི་རིགས་ཆེ་ཞིང་མཐོ་བ་རྣམས་(༥)ཡོད་དོ། །ཁྱིམ···
བདག་གི་རིགས་ཆེ་ཞིང་མཐོ་བ་རྣམས་ཡོད་དོ། །རྒྱལ་ཆེན་བཞིའི་རིས་ཀྱི་ལྷ་
རྣམས་ཡོད་དོ། །སུམ་ཅུ་རྩ་གསུམ་དང་། མཚོ་མ་དང་། དགའ་ལྡན་དང་།
འཕྲུལ་དགའ་དང་། གཞན་འཕྲུལ་དབང་བྱེད་དང་། ཚངས་རིས་དང་།
ཚངས་ལྷ་ཉེ་ཕན་དང་། ཚངས་པ་ཀུན་འཁོར་དང་། ཚངས་ཆེན་དང་།
སྣང་བ་དང་། ཆུང་སྣང་དང་། ཚད་མེད་སྣང་བ་དང་། ཀུན་སྣང་དང་བ་
དང་། དགེ་བ་དང་ཆུང་དགེ་དང་ཚད་མེད་དགེ་བ་དང་། དགེ་རྒྱས་དང་ཆེ་
བ་དང་། ཆུང་ཆེ་དང་ཚད་མེད་ཆེ་བ་དང་། འབྲས་བུ་ཆེ་བ་དང་མི་ཆེ་བ་
དང་མི་གདུང་བ་དང་ཤིན་ཏུ་མཐོང་བ་དང་། གྱ་ནོམ་སྣང་བ་དང་། འོག···
མིན་གྱི་ལྷ་རྣམས་ཡོད་དོ། །ནམ་མཁའ་མཐའ་ཡས་སྐྱེ་མཆེད་དང་། རྣམ་ཤེས་
མཐའ་ཡས་སྐྱེ་མཆེད་དང་། ཆུང་(༦)ཟད་མེད་པའི་སྐྱེ་མཆེད་དང་། འདུ་ཤེས་
མེད་འདུ་ཤེས་མེད་མིན་(༧)སྐྱེ་མཆེད་ཀྱི་ལྷ་རྣམས་ཡོད་དོ། །རྒྱུན་དུ་ཞུགས་པ་
རྣམས་ཡོད་དོ། །ལན་ཅིག་ཕྱིར་འོང་བ་དང་། ཕྱིར་མི་འོང་བ་རྣམས་དང་།

དགྲ་བཅོམ་པ་རྣམས་དང་། རང་སངས་རྒྱས་རྣམས་ཡོད་དོ། །བྱང་ཆུབ་སེམས་དཔའ་རྣམས་ཡོད་དོ། །དེ་བཞིན་གཤེགས་པ་དགྲ་བཅོམ་པ་ཡང་དག་པར་རྫོགས་པའི་སངས་རྒྱས་རྣམས་ཡོད་དོ། །དེ་བས་ན་དེ་ནི་ཕ་རོལ་དུ་ཕྱིན་པ་རིན་པོ་ཆེ་ཞེས་བྱའོ། །ཕ་རོལ་དུ་ཕྱིན་པ་རིན་པོ་ཆེ་དེ་ལ་ནི་ཆོས་གང་ཡང་སྐྱེ་བའམ༑ འགག་པའམ། ཀུན་ནས་ཉོན་མོངས་པའམ། རྣམ་པར་བྱང་བའམ༑ ཡོངས་སུ་གཟུང་[༡]བའམ། དོར་བ་མེད་དོ། །དེ་ཅིའི་ཕྱིར་ཞེ་ན། དེ་ནི་འདི་ལྟར་གང་སྐྱེ་བའམ། འགག་པའམ། ཀུན་ནས་ཉོན་མོངས་པའམ། རྣམ་པར་བྱང་བའམ། ཡོངས་སུ་གཟུང་བའམ། དོར་བར་བྱ་བའི་ཆོས་དེ་ལྟ་བུ་མེད་དོ། །རབ་འབྱོར་ཕ་རོལ་དུ་ཕྱིན་པ་རིན་པོ་ཆེ་འདི་ལ་ནི་དགེ་བའམ། མི་དགེ་བའམ། འཇིག་རྟེན་པའམ། འཇིག་རྟེན་ལས་འདས་པའམ། ཟག་པ་དང་བཅས་པའམ་ཟག་པ་མེད་པའམ། འདུས་བྱས་སམ་འདུས་མ་བྱས་ཀྱི་ཆོས་གང་ཡང་དམིགས་སུ་མེད་དེ་རབ་འབྱོར་རྣམ་གྲངས་དེས་ཀྱང་ཕ་རོལ་དུ་ཕྱིན་པ་རིན་པོ་ཆེ་ནི་དམིགས་སུ་མེད་དོ། །རབ་འབྱོར་ཕ་རོལ་དུ་ཕྱིན་པ་རིན་པོ་ཆེ་[༢]ལ་ནི་གང་གིས་ཀྱང་འགོ་[༣]བ་མེད་དོ། །དེ་ཅིའི་ཕྱིར་ཞེ་ན། དེ་ནི་འདི་ལྟར་གངཿ འགོ་བར་[༤]འགྱུར་བའི་ཆོས་དེ་ལྟ་བུ་དམིགས་སུ་མེད་དོ[༥]། །རབ་འབྱོར····དེའི་ཕྱིར་ན་ཕ་རོལ་དུ་ཕྱིན་པ་འདི་ནི་འགོ་[༦]བ་མེད་པའི་ཕ་རོལ་དུ་ཕྱིན་པ་རིན་པོ་ཆེའོ༑ །རབ་འབྱོར་གལ་ཏེ་བྱང་ཆུབ་སེམས་དཔའ་སེམས་དཔའ་ཆེན་པོ་ཤེས་རབ་ཀྱི་ཕ་རོལ་དུ་ཕྱིན་པ་ལ་སྤྱོད་པའི་ཚེ། དེ་ལྟར་འདུ་ཤེས་པར་ཡང་མི་བྱེད་ལ། དེ་[༧]ལྟར་མི་རྟོག་ཅིང་དེ་ལྟར་མི་དམིགས་ཏེ། དེ་ལྟར་འཐྲོ་[༨]བར་ཡང་མི་བྱེད་ན་ཤེས་རབ་ཀྱི་ཕ་རོལ་དུ་ཕྱིན་པ་ལ་སྤྱོད་པ་སྟེ། ཤེས་རབ་ཀྱི་ཕ་རོལ་དུ་ཕྱིན་པ་ལ་སློམ་པའོ། །དེ་ནི་སངས་རྒྱས་བཅོམ་ལྡན་འདས་རྣམས་མཉེས་པར་བྱེད་པའོ། །

སངས་རྒྱས་བཅོམ་ལྡན་འདས་རྣམས་མངོན་པར་བསམས་ཤིང་། སངས་རྒྱས་····བཅོམ་ལྡན་འདས་དེ་དག་ལ་རིམ་གྲོར་བྱ་བ་དང་། བཀུར་སྟིར་བྱ་བ་དང་། བསྟི་སྟང་དུ་བྱ་བ་དང་། མཆོད་པར་བྱ་བའི་ཕྱིར་སངས་རྒྱས་ཀྱི་ཞིང་ནས་སངས་རྒྱས་ཀྱི་ཞིང་དུ་འགྲོ་སྟེ། སེམས་ཅན་ཡོངས་སུ་སྨིན་པར་བྱ་བ་དང་། སངས་··རྒྱས་ཀྱི་ཞིང་ཡོངས་སུ་སྦྱོད་པར་བྱེད་ཅིང་། སངས་རྒྱས་ཀྱི་ཞིང་ནས་སངས་རྒྱས་ཀྱི་ཞིང་དུ་འགྲོའོ། །རབ་འབྱོར་ཤེས་རབ་ཀྱི་ཕ་རོལ་དུ་ཕྱིན་པ་འདི་ནི་ཆོས་གང་ཡང་སྟོན་པའམ། རྣམ་པར་སྟོན་པའམ། ཡོངས་སུ་སྟོན་པའམ། འཛིན་པར་བྱེད་པའམ། འབྱིན་པར་བྱེད་པའམ། སྐྱེ་བར་བྱེད་པའམ། འགག····པར་བྱེད་པའམ། ཀུན་ནས་ཉོན་མོངས་པར་བྱེད་པའམ། རྣམ་པར་བྱང་བར་[༡]བྱེད་པའམ། འགྲིབ་པར་བྱེད་པའམ། འཕེལ་བར་བྱེད་པའམ། འདས་པ་དང་མ་འོངས་པ་དང་[༢]ད་ལྟར་བྱུང་བར་བྱེད་པ་མེད་དོ། །རབ་འབྱོར་དེ་ལྟར་ཤེས་རབ་ཀྱི་ཕ་རོལ་དུ་ཕྱིན་པ་འདི་ནི་འདོད་པའི་ཁམས་ལས་འདའ་བར་བྱེད་པ··མ་ཡིན། གནས་པར་བྱེད་པ་མ་ཡིན། གཟུགས་ཀྱི་ཁམས་ལས་འདའ་བར་བྱེད་པ་མ་ཡིན། གནས་པར་བྱེད་པ་མ་ཡིན། གཟུགས་མེད་པའི་ཁམས་ལས་འདའ་བར་བྱེད་པ་མ་ཡིན། གནས་པར་བྱེད་པ་མ་ཡིན། སྦྱིན་པའི་ཕ་རོལ་དུ་ཕྱིན་པ་སྐྱུབ་[༣]པ་མ་ཡིན་འདོར་བ་མ་ཡིན། ཚུལ་ཁྲིམས་ཀྱི་ཕ་རོལ་དུ་ཕྱིན་པ་དང་། བཟོད་པའི་ཕ་རོལ་དུ་ཕྱིན་པ་དང་། བརྩོན་འགྲུས་ཀྱི་ཕ་རོལ་དུ་ཕྱིན་པ་དང་། བསམ་གཏན་གྱི་ཕ་རོལ་དུ་ཕྱིན་པ་དང་། ཤེས་རབ་ཀྱི་ཕ་རོལ་དུ···ཕྱིན་པ་སྐྱུབ་[༤]པ་མ་ཡིན་འདོར་བ་མ་ཡིན། ནང་སྟོང་པ་ཉིད་སྐྱུབ་[༥]པ་མ་ཡིན···འདོར་བ་མ་ཡིན། དངོས་པོ་མེད་པའི་ངོ་བོ་ཉིད་སྟོང་པ་ཉིད་ཀྱི་བར་དུ་སྐྱུབ་[༦]པ་མ་ཡིན་འདོར་བ་མ་ཡིན། བྱང་ཆུབ་ཀྱི་ཕྱོགས་ཀྱི་ཆོས་སུམ་ཅུ་རྩ་བདུན་སྐྱུབ་[༧]

པ་མ་ཡིན་འདོར་བ་མ་ཡིན། འཕགས་པའི་བདེན་པ་རྣམས་དང་། བསམ་གཏན་རྣམས་དང་། ཚད་མེད་པ་རྣམས་དང་། གཟུགས་མེད་པའི་སྙོམས་པར་འཇུག་པ་རྣམས་སྐྱབ་[༡]པ་མ་ཡིན་འདོར་བ་མ་ཡིན། རྣམ་པར་ཐར་པ་དང་། མཐར་གྱིས་གནས་པའི་སྙོམས་པར་འཇུག་པ་དང་། སྟོང་པ་ཉིད་དང་མཚན་མ་མེད་པ་དང་། སྨོན་པ་མེད་པ་དང་། མངོན་པར་ཤེས་པ་རྣམས་སྐྱབ་[༢]པ་མ་ཡིན་འདོར་བ་མ་ཡིན། ཏིང་ངེ་འཛིན་རྣམས་དང་། གཟུངས་ཀྱི་སྒོ་རྣམས་སྐྱབ་[༣]པ་མ་ཡིན་འདོར་བ་མ་ཡིན། དེ་བཞིན་གཤེགས་པའི་སྟོབས་རྣམས་དང་། མི་འཇིགས་པ་རྣམས་དང་། སོ་སོ་ཡང་དག་པར་རིག་པ་རྣམས་དང་། བྱམས་པ་ཆེན་པོ་དང་། སྙིང་རྗེ་ཆེན་པོ་དང་། སངས་རྒྱས་ཀྱི་ཆོས་མ་འདྲེས་པ་རྣམས་སྐྱབ་[༤]པ་མ་ཡིན་འདོར་བ་མ་ཡིན། རྒྱུན་དུ་ཞུགས་པའི་འབྲས་བུ་སྐྱབ་[༥]པ་མ་ཡིན་འདོར་བ་མ་ཡིན། ལན་ཅིག་ཕྱིར་འོང་བའི་འབྲས་བུ་དང་། ཕྱིར་མི་འོང་བའི་འབྲས་བུ་དང་། དགྲ་བཅོམ་པ་ཉིད་སྐྱབ་[༦]པ་མ་ཡིན་འདོར་བ་མ་ཡིན། རང་བྱང་ཆུབ་སྐྱབ་[༧]པ་མ་ཡིན་འདོར་བ་མ་ཡིན། ལམ་གྱི་རྣམ་པ་ཤེས་པ་ཉིད་སྐྱབ་[༨]པ་མ་ཡིན་འདོར་བ་མ་ཡིན། རྣམ་པ་ཐམས་ཅད་མཁྱེན་པ་ཉིད་སྐྱབ་[༩]པ་མ་ཡིན། འདོར་བ་མ་ཡིན་ནོ།། ||[༡༠]

ཤེས་རབ་ཀྱི་ཕ་རོལ་ཏུ་ཕྱིན་པ་སྟོང་ཕྲག་ཉི་ཤུ་ལྔ་པ། [༡༡]བམ་པོ་བཞི་བཅུ་གཅིག་པ། ཤེས་རབ་ཀྱི་ཕ་རོལ་དུ་ཕྱིན་པ་འདི་ནི་འདུས་བྱས་ཀྱི་ཁམས་འདོར་བ་མ་ཡིན། འདུས་མ་བྱས་ཀྱི་ཁམས་སྐྱབ་[༡༢]པ་མ་ཡིན་ནོ། །དེ་ཅིའི་ཕྱིར་ཞེ་ན། དེ་བཞིན་གཤེགས་པ་རྣམས་བྱུང་ཡང་རུང་། དེ་བཞིན་གཤེགས་པ་རྣམས་མ་བྱུང་ཡང་རུང་། ཆོས་རྣམས་ཀྱི་ཆོས་ཉིད་དང་། ཆོས་ཀྱི་དབྱིངས་དང་། ཆོས་ཀྱི་གནས་ཉིད་དང་། ཆོས་སྐྱོན་[༡༣]མེད་པ་དེ་ནི་དེ་བཞིན་དུ་གནས་པ་ཡིན་

ཏེ་དེ་[1]ནི་དེ་བཞིན་གཤེགས་པས་མངོན་པར་རྫོགས་པར་སངས་རྒྱས་སོ། །མངོན་པར་ཐུགས་སུ་ཆུད་དོ། །མངོན་པར་རྫོགས་པར་སངས་རྒྱས་ཏེ། མངོན་པར་རྫོགས་པར་ཐུགས་སུ་ཆུད་ནས་ཀྱང་གསུང་ངོ་། །སྟོན་ཏོ། །རྗོད་དོ། །འགྲེལ་ཏོ། །རྣམ་པར་འབྱེད་དོ། །གསལ་བར་མཛད་དོ། །ཡང་དག་པར་སྟོན་ཏོ། །དེ་ནས་ལྷའི་བུ་སྟོང་ཕྲག་མང་པོ་སྟེང་གི་བར་སྣང་ལ་འཁོད་ནས་ལྷུང་ལྷུང་ཞེས་ཀྱི་སྒྲ་ཕྱུང་སྟེ། ལྷ་རྫས་ཀྱི་མེ་ཏོག་ཨུཏྤ་ལ་དང་། པད་མོ་དང་། ཀུ་མུ་ད་དང་། ཿཔུན་ད་[2]རཱི་ཀ་དང་། ཿམནྡ་[3]ར་བ་དང་། ཿམནྡ་[4]ར་བ་ཆེན་པོ་འཐོར་ཞིང་འདི་སྐད་ཀྱི་ཚིག་བརྗོད་པར་གྱུར་ཏོ[5]། །ཀྱེ་མ་ཤེས་རབ་ཀྱི་ཕ་རོལ་ཏུ་ཕྱིན་པ་འདི་བསྟན་པས། ལྷའི་བུ་སྟོང་ཕྲག་ཏུ་མ་སྐྱེ་བ་མེད་པའི་ཆོས་ལ་བཟོད་པ་སྐྱེས་པར་གྱུར་ཏེ། འཛམ་བུའི་གླིང་དུ་ཆོས་ཀྱི་འཁོར་ལོ་གཉིས་པ་བསྐོར་བ་མཐོང་ངོ་། །དེ་ནས་བཅོམ་ལྡན་འདས་ཀྱིས་གནས་བརྟན་རབ་འབྱོར་ལ་བཀའ་སྩལ་པ། རབ་འབྱོར་དངོས་པོ་མེད་པའི་ངོ་བོ་ཉིད་སྟོང་པ་ཉིད་ཀྱི་ཕྱིར། འདི་ནི་ཆོས་ཀྱི་འཁོར་ལོ་གཉིས་སུ་བསྐོར་བ་ཡང་མ་ཡིན། གཅིག་ཏུ་བསྐོར་བ་ཡང་མ་ཡིན་ནོ། །ཤེས་རབ་ཀྱི་ཕ་རོལ་ཏུ་ཕྱིན་པ་འདི་ཡང་ཆོས་གང་ཡང་འཁོར་བའམ། མི་འཁོར་བར་བྱ་བའི་ཕྱིར་ཉེ་བར་གནས་པ་མ་ཡིན་ནོ། །གསོལ་པ། བཅོམ་ལྡན་འདས་དེ་ལྟར་ཤེས་རབ་ཀྱི་ཕ་རོལ་ཏུ་ཕྱིན་པ་འདི་ཆོས་གང་ཡང་འཁོར་བར་བགྱི་བའམ། མི་འཁོར་བར་བགྱི་བའི་སླད་དུ། ཉེ་བར་མི་གནས་པའི་དངོས་པོ་མ་མཆིས་པའི་ངོ་བོ་ཉིད་སྟོང་པ་ཉིད་དེ་གང་ལགས། བཅོམ་ལྡན་འདས་ཀྱིས་བཀའ་སྩལ་པ། རབ་འབྱོར་ཤེས་རབ་ཀྱི་ཕ་རོལ་ཏུ་ཕྱིན་པ་ཤེས་རབ་ཀྱི་ཕ་རོལ་ཏུ་ཕྱིན་པས་སྟོང་ངོ་། །བསམ་གཏན་གྱི་ཕ་རོལ་ཏུ་ཕྱིན་པ་དང་། བརྩོན་འགྲུས་ཀྱི་ཕ་རོལ་ཏུ་ཕྱིན་པ་དང་། བཟོད་པའི་ཕ་རོལ་ཏུ་ཕྱིན་པ་

དང་། ཚུལ་ཁྲིམས་ཀྱི་ཕ་རོལ་དུ་ཕྱིན་པ་དང་། སྦྱིན་པའི་ཕ་རོལ་དུ་ཕྱིན་པ་སྦྱིན་པའི་ཕ་རོལ་དུ་ཕྱིན་པས་སྟོང་ངོ་། །ནང་སྟོང་པ་ཉིད་ནང་སྟོང་པ་ཉིད་ཀྱིས་སྟོང་ངོ་། །དངོས་པོ་མེད་པའི་ངོ་བོ་ཉིད་སྟོང་པ་ཉིད་ཀྱི་བར་དུ་དངོས་པོ་མེད་པའི་ངོ་བོ་ཉིད་སྟོང་པ་ཉིད་ཀྱིས་སྟོང་ངོ་། །དྲན་པ་ཉེ་བར་གཞག་པ་རྣམས་དྲན་པ་ཉེ་བར་གཞག་པ་རྣམས་ཀྱིས་སྟོང་ངོ་། །ཡང་དག་པར་སྤོང་བ་རྣམས་དང་། རྫུ་འཕྲུལ་གྱི་རྐང་པ་རྣམས་དང་། དབང་པོ་རྣམས་དང་། སྟོབས་རྣམས་དང་། བྱང་ཆུབ་ཀྱི་ཡན་ལག་རྣམས་དང་། འཕགས་པའི་ལམ་ཡན་ལག་བརྒྱད་པ་འཕགས་པའི་ལམ་ཡན་ལག་བརྒྱད་པས་སྟོང་ངོ་། །འཕགས་པའི་བདེན་པ་རྣམས་དང་། བསམ་གཏན་རྣམས་དང་། ཚད་མེད་པ་རྣམས་དང་། གཟུགས་མེད་པའི་སྙོམས་པར་འཇུག་པ་རྣམས་དང་། རྣམ་པར་ཐར་པ་བརྒྱད་དང་། མཐར་གྱིས་གནས་པའི་སྙོམས་པར་འཇུག་པ་དགུ་དང་། སྟོང་པ་ཉིད་དང་། མཚན་མ་མེད་པ་དང་། སྨོན་པ་མེད་པ་དང་། མངོན་པར་ཤེས་པ་རྣམས་མངོན་པར་ཤེས་པ་རྣམས་ཀྱིས་སྟོང་ངོ་། །ཏིང་ངེ་འཛིན་རྣམས་དང་། གཟུངས་ཀྱི་སྒོ་རྣམས་གཟུངས་ཀྱི་སྒོ་རྣམས་ཀྱིས་སྟོང་ངོ་། །དེ་བཞིན་གཤེགས་པའི་སྟོབས་རྣམས་དང་། མི་འཇིགས་པ་རྣམས་དང་། སོ་སོ་ཡང་དག་པར་རིག་པ་རྣམས་དང་། བྱམས་པ་ཆེན་པོ་དང་། སྙིང་རྗེ་ཆེན་པོ་དང་། སངས་རྒྱས་ཀྱི་ཆོས་མ་འདྲེས་པ་རྣམས་སངས་རྒྱས་ཀྱི་ཆོས་མ་འདྲེས་པ་རྣམས་ཀྱིས་སྟོང་ངོ་། །རྒྱུན་དུ་ཞུགས་པའི་འབྲས་བུ་རྒྱུན་དུ་ཞུགས་པའི་འབྲས་བུས་སྟོང་ངོ་། །ལན་ཅིག་ཕྱིར་འོང་བའི་འབྲས་བུ་དང་། ཕྱིར་མི་འོང་བའི་འབྲས་བུ་ཕྱིར་མི་འོང་བའི་འབྲས་བུས་སྟོང་ངོ་། །དགྲ་བཅོམ་པ་ཉིད་དགྲ་བཅོམ་པ་ཉིད་ཀྱིས་སྟོང་ངོ་། །རང་བྱང་ཆུབ་རང་བྱང་ཆུབ་ཀྱིས་སྟོང་ངོ་། །ལམ་གྱི་རྣམ་པ་ཤེས་པ་ཉིད་ལམ་གྱི་

རྣམ་པ་ཤེས་པ་ཉིད་ཀྱིས་སྟོང་ངོ་། །རྣམ་པ་ཐམས་ཅད་མཁྱེན་པ་ཉིད་རྣམ་པ་ཐམས་ཅད་མཁྱེན་པ་ཉིད་ཀྱིས་སྟོང་ངོ་། །གསོལ་པ། བཅོམ་ལྡན་འདས་བྱང་ཆུབ་སེམས་དཔའ་སེམས་དཔའ་ཆེན་པོ་རྣམས་ཀྱི་ཕ་རོལ་ཏུ་ཕྱིན་པ་འདི་ནི་ཆེན་མོ་སྟེ། འདི་ལྟར་ཤེས་རབ་ཀྱི་ཕ་རོལ་ཏུ་ཕྱིན་པ་རང་བཞིན་གྱིས་སྟོང་པའོ། །དེ་ནི་ཆོས་ཐམས་ཅད་ཀྱང་ཆོས་ཐམས་ཅད་ཀྱིས་སྟོང་ལ། བྱང་ཆུབ་སེམས་དཔའ་སེམས་དཔའ་ཆེན་པོ་རྣམས་ཀྱང་། ཤེས་རབ་ཀྱི་ཕ་རོལ་ཏུ་ཕྱིན་པ་ལ་གནས་ཤིང་། བླ་ན་མེད་པ་ཡང་དག་པར་རྫོགས་པའི་བྱང་ཆུབ་ཏུ་མངོན་པར་རྫོགས་པར་འཚང་རྒྱ་ཡང་། ཆོས་གང་ཡང་མངོན་པར་རྫོགས་པར་འཚང་རྒྱ་བར་⑦མ་མཆིས། ཆོས་ཀྱི་འཁོར་ལོ་ཡང་བསྐོར་③ལ་ཆོས་གང་ཡང་འཁོར་བའམ་མི་འཁོར་བའམ་རབ་ཏུ་འཁོར་བར་བགྱིད་པ་མ་མཆིས་ཏེ། དེ་དག་གིས་ཆོས་གང་ཡང་ཡོངས་སུ་མཐོང་བའམ་ཡོངས་སུ་མ་མཐོང་བ་མ་མཆིས་སོ། །དེ་ཅིའི་སླད་དུ་ཞེ་ན། དེ་ནི་འདི་ལྟར་གང་འཁོར་བར་བགྱི་བའམ་མི་འཁོར་བར་བགྱི་བའམ་རབ་ཏུ་འཁོར་བར་བགྱི་བའི་ཆོས་དེ་ལྟ་བུ་དམིགས་སུ་མ་མཆིས་ཏེ། དེ་ནི་འདི་ལྟར་ཆོས་ཐམས་ཅད་ཀྱང་ཤིན་ཏུ་མངོན་པར་མ་གྲུབ་པའོ། །དེ་ཅིའི་སླད་དུ་ཞེ་ན། སྟོང་པ་ཉིད་ནི་འཁོར་བར་བགྱིད་པའམ། མི་འཁོར་བར་བགྱིད་པ་མ་ལགས་སོ། །མཚན་མ་མ་མཆིས་པ་ནི་འཁོར་བར་བགྱིད་པའམ་མི་འཁོར་བར་བགྱིད་པ་མ་ལགས་སོ། །སྨོན་པ་མ་མཆིས་པ་ནི་འཁོར་བར་བགྱིད་པའམ་མི་འཁོར་བར་བགྱིད་པ་མ་ལགས་སོ། །དེ་ལྟར་ན་ཤེས་རབ་ཀྱི་ཕ་རོལ་ཏུ་ཕྱིན་པ་བསྟན་པ་དང་། རབ་ཏུ་བསྟན་པ་དང་། བསྒྲགས་པ་དང་རབ་ཏུ་དགོད་པ་དང་གཞག་པ་དང་། རྣམ་པར་དབྱེ་བ་དང་། རྣམ་པར་དགྲོལ་③བ་དང་སྟོན་པ་དང་། གསལ་བར་བགྱི་བ་དང་ཡང་དག་པར་བསྟན་པ་འདི་ནི་ཤེས་རབ་ཀྱི་ཕ་རོལ་ཏུ་ཕྱིན་པ་བསྟན་

པ་ཡོངས་སུ་དག་པའོ། །ཤེས་རབ་ཀྱི་ཕ་རོལ་ཏུ་ཕྱིན་པ་བསྟན་པ་དེ་ཡང་སུས་ཀྱང་མ་བསྟན་སུས་ཀྱང་མ་བཟུང་ངོ་། །གང་སུས་ཀྱང་མ་བསྟན་སུས་ཀྱང་མ་བཟུང་བ་དེ་ནི་སུས་ཀྱང་མངོན་དུ་མ་བགྱིས་སོ། །གང་སུས་ཀྱང་མངོན་དུ་མ་བགྱིས་པ་དེ་ལ་ནི་ཡོངས་སུ་མྱ་ངན་ལས་འདའ་བ་མ་མཆིས་ཏེ། ཆོས་བསྟན་པ་འདི་ལ་གང་སུ་ཡང་སྦྱིན་པའི་གནས་སུ་འགྱུར་བ་མ་མཆིས་སོ། །ཤེས་རབ་ཀྱི་ཕ་རོལ་ཏུ་ཕྱིན་པ་སྟོང་ཕྲག་ཉི་ཤུ་ལྔ་པ་ལས་ལེའུ་ཉི་ཤུ་བརྒྱད་པའོ།། ||

དེ་ནས་ཚེ་དང་ལྡན་པ་རབ་འབྱོར་གྱིས་བཅོམ་ལྡན་འདས་ལ་འདི་སྐད་ཅེས་གསོལ་ཏོ། །བཅོམ་ལྡན་འདས་འདི་ལྟ་སྟེ། ཤེས་རབ་ཀྱི་ཕ་རོལ་ཏུ་ཕྱིན་པ་འདི་ནི་མ་མཆིས་པའི་ཕ་རོལ་ཏུ་ཕྱིན་པའོ། །བཅོམ་ལྡན་འདས་ཀྱིས་བཀའ་སྩལ་པ། ནམ་མཁའ་མེད་པའི་ཕྱིར་རོ། །གསོལ་པ། བཅོམ་ལྡན་འདས་འདི་ལྟ་སྟེ། ཤེས་རབ་ཀྱི་ཕ་རོལ་ཏུ་ཕྱིན་པ་འདི་ནི་མཉམ་པ་ཉིད་ཀྱི་ཕ་རོལ་ཏུ་ཕྱིན་པའོ། །བཅོམ་ལྡན་འདས་ཀྱིས་བཀའ་སྩལ་པ། ཆོས་ཐམས་ཅད་མཉམ་པ་ཉིད་ཀྱི་ཕྱིར་རོ། །གསོལ་པ། བཅོམ་ལྡན་འདས་འདི་ལྟ་སྟེ། ཤེས་རབ་ཀྱི་ཕ་རོལ་ཏུ་ཕྱིན་པ་འདི་ནི་རྣམ་པར་དབེན་པའི་ཕ་རོལ་ཏུ་ཕྱིན་པའོ། །བཅོམ་ལྡན་འདས་ཀྱིས་བཀའ་སྩལ་པ། མཐའ་ལས་འདས་པ་སྟོང་པ་ཉིད་ཀྱི་ཕྱིར་རོ། །གསོལ་པ། བཅོམ་ལྡན་འདས་འདི་ལྟ་སྟེ། ཤེས་རབ་ཀྱི་ཕ་རོལ་ཏུ་ཕྱིན་པ་འདི་ནི་ཐུབ་པ་མེད་པའི་ཕ་རོལ་ཏུ་ཕྱིན་པའོ། །བཅོམ་ལྡན་འདས་ཀྱིས་བཀའ་སྩལ་པ། ཆོས་ཐམས་ཅད་དམིགས་སུ་མེད་པའི་ཕྱིར་རོ། །གསོལ་པ། བཅོམ་ལྡན་འདས་འདི་ལྟ་སྟེ། ཤེས་རབ་ཀྱི་ཕ་རོལ་ཏུ་ཕྱིན་པ་འདི་ནི་གནས་མ་མཆིས་པའི་ཕ་རོལ་ཏུ་ཕྱིན་པའོ། །བཅོམ་ལྡན་འདས་ཀྱིས་བཀའ་སྩལ་པ། མིང་དང་ལུས་མེད་པའི་ཕྱིར་རོ། །

གསོལ་པ། བཅོམ་ལྡན་འདས་འདི་ལྟ་སྟེ། ཤེས་རབ་ཀྱི་ཕ་རོལ་ཏུ་ཕྱིན་པ་འདི་
ནི་ནམ་མཁའི་ཕ་རོལ་ཏུ་ཕྱིན་པའོ། །བཅོམ་ལྡན་འདས་ཀྱིས་བཀའ་སྩལ་པ།
དབུགས་ཕྱི་ནང་དུ་རྒྱུ་བ་མེད་པའི་ཕྱིར་རོ། །གསོལ་པ། བཅོམ་ལྡན་འདས···
འདི་ལྟ་སྟེ། ཤེས་རབ་ཀྱི་ཕ་རོལ་ཏུ་ཕྱིན་པ་འདི་ནི་བརྗོད་དུ་མ་མཆིས་པའི་ཕ···
རོལ་ཏུ་ཕྱིན་པའོ། །བཅོམ་ལྡན་འདས་ཀྱིས་བཀའ་སྩལ་པ། རྣམ་པར་རྟོག་པ་
དང་། རྣམ་པར་དཔྱོད་པ་དམིགས་སུ་མེད་པའི་ཕྱིར་རོ། །གསོལ་པ།
བཅོམ་ལྡན་འདས་འདི་ལྟ་སྟེ་ཤེས་རབ་ཀྱི་ཕ་རོལ་ཏུ་ཕྱིན་པ་འདི་ནི་མིང་མ་མཆིས་
པའི་ཕ་རོལ་ཏུ་ཕྱིན་པའོ། །བཅོམ་ལྡན་འདས་ཀྱིས་བཀའ་སྩལ་པ། ཚོར་བ···
དང་། འདུ་ཤེས་དང་། འདུ་བྱེད་དང་། རྣམ་པར་ཤེས་པ་དམིགས་སུ་མེད་
པའི་ཕྱིར་རོ། །གསོལ་པ། བཅོམ་ལྡན་འདས་འདི་ལྟ་སྟེ། ཤེས་རབ་ཀྱི་ཕ···
རོལ་ཏུ་ཕྱིན་པ་འདི་ནི་འགྲོ་བ་མ་མཆིས་པའི་ཕ་རོལ་ཏུ་ཕྱིན་པའོ། །བཅོམ་ལྡན་
འདས་ཀྱིས་བཀའ་སྩལ་པ། ཆོས་ཐམས་ཅད་འགྲོ་བ་མེད་པའི་ཕྱིར་རོ། །
གསོལ་པ། བཅོམ་ལྡན་འདས་འདི་ལྟ་སྟེ། ཤེས་རབ་ཀྱི་ཕ་རོལ་ཏུ་ཕྱིན་པ་འདི་
ནི་མི་འཕྲོགས་པའི་ཕ་རོལ་ཏུ་ཕྱིན་པའོ། །བཅོམ་ལྡན་འདས་ཀྱིས་བཀའ་སྩལ་པ།
ཆོས་ཐམས་ཅད་གཟུང་དུ་མེད་པའི་ཕྱིར་རོ། །གསོལ་པ། བཅོམ་ལྡན་འདས་
འདི་ལྟ་སྟེ། ཤེས་རབ་ཀྱི་ཕ་རོལ་ཏུ་ཕྱིན་པ་འདི་ནི་སྐད་ཅིག་པ་མ་མཆིས་པའི་ཕ་
རོལ་ཏུ་ཕྱིན་པའོ། །བཅོམ་ལྡན་འདས་ཀྱིས་བཀའ་སྩལ་པ། ཆོས་ཐམས་ཅད་
བྱང་ཞིང་ཟད་པའི་ཕྱིར་རོ། །གསོལ་པ། བཅོམ་ལྡན་འདས་འདི་ལྟ་སྟེ།
ཤེས་རབ་ཀྱི་ཕ་རོལ་ཏུ་ཕྱིན་པ་འདི་ནི་སྐྱེ་བ་མ་མཆིས་པའི་ཕ་རོལ་ཏུ་ཕྱིན་པའོ། །
བཅོམ་ལྡན་འདས་ཀྱིས་བཀའ་སྩལ་པ། ཆོས་ཐམས་ཅད་སྐྱེ་བ་དང་འགག་པ་
མེད་པའི་ཕྱིར་རོ། །གསོལ་པ། བཅོམ་ལྡན་འདས་འདི་ལྟ་སྟེ། ཤེས་རབ་ཀྱི་

པ་རོལ་ཏུ་ཕྱིན་པ་འདི་ནི་བྱེད་པ་པོ་མ་མཆིས་པའི་ཕ་རོལ་ཏུ་ཕྱིན་པའོ། །བཅོམ་ལྡན་འདས་ཀྱིས་བཀའ་སྩལ་པ། བྱེད་པ་པོ་དམིགས་སུ་མེད་པའི་ཕྱིར་རོ། །གསོལ་པ། བཅོམ་ལྡན་འདས་འདི་ལྟ་སྟེ། ཤེས་རབ་ཀྱི་ཕ་རོལ་ཏུ་ཕྱིན་པ་འདི་ནི་ཤེས་པ་པོ་མ་མཆིས་པའི་ཕ་རོལ་ཏུ་ཕྱིན་པའོ། །བཅོམ་ལྡན་འདས་ཀྱིས་བཀའ་སྩལ་པ། ཤེས་པ་པོ་དམིགས་སུ་མེད་པའི་ཕྱིར་རོ། །གསོལ་པ། བཅོམ་ལྡན་འདས་འདི་ལྟ་སྟེ། ཤེས་རབ་ཀྱི་ཕ་རོལ་ཏུ་ཕྱིན་པ་འདི་ནི་འཕོ་བ་མ་མཆིས་པའི་ཕ་རོལ་ཏུ་ཕྱིན་པའོ། །བཅོམ་ལྡན་འདས་ཀྱིས་བཀའ་སྩལ་པ། འཆི་བ་དང་སྐྱེ་བ་དམིགས་སུ་མེད་པའི་ཕྱིར་རོ། །གསོལ་པ། བཅོམ་ལྡན་འདས་འདི་ལྟ་སྟེ། ཤེས་རབ་ཀྱི་ཕ་རོལ་ཏུ་ཕྱིན་པ་འདི་ནི་འཇིག་པ་མ་མཆིས་པའི་ཕ་རོལ་ཏུ་ཕྱིན་པའོ། །བཅོམ་ལྡན་འདས་ཀྱིས་བཀའ་སྩལ་པ། ཆོས་ཐམས་ཅད་འཇིག་⑦པ་མེད་པའི་ཕྱིར་རོ། །གསོལ་པ། བཅོམ་ལྡན་འདས་འདི་ལྟ་སྟེ། ཤེས་རབ་ཀྱི་ཕ་རོལ་ཏུ་ཕྱིན་པ་འདི་ནི་རྗེ་ལམ་གྱི་ཕ་རོལ་ཏུ་ཕྱིན་པའོ། །བཅོམ་ལྡན་འདས་ཀྱིས་བཀའ་སྩལ་པ། རྗེ་ལམ་མཐོང་བ་དམིགས་སུ་མེད་པའི་ཕྱིར་རོ། །གསོལ་པ། བཅོམ་ལྡན་འདས་འདི་ལྟ་སྟེ། ཤེས་རབ་ཀྱི་ཕ་རོལ་ཏུ་ཕྱིན་པ་འདི་ནི་སྒྲ་བརྙན་གྱི་ཕ་རོལ་ཏུ་ཕྱིན་པའོ། །བཅོམ་ལྡན་འདས་ཀྱིས་བཀའ་སྩལ་པ། ཉན་པ་དང་། སྒྲར་བརྗོད་པ་དམིགས་སུ་མེད་པའི་ཕྱིར་རོ། །གསོལ་པ། བཅོམ་ལྡན་འདས་འདི་ལྟ་སྟེ། ཤེས་རབ་ཀྱི་ཕ་རོལ་ཏུ་ཕྱིན་པ་འདི་ནི་མིག་ཡོར་གྱི་ཕ་རོལ་ཏུ་ཕྱིན་པའོ། །བཅོམ་ལྡན་འདས་ཀྱིས་བཀའ་སྩལ་པ། མེ་ལོང་གི་བཞིན་དམིགས་སུ་མེད་པའི་ཕྱིར་རོ། །གསོལ་པ། བཅོམ་ལྡན་འདས་འདི་ལྟ་སྟེ། ཤེས་རབ་ཀྱི་ཕ་རོལ་ཏུ་ཕྱིན་པ་འདི་ནི་སྨིག་རྒྱུའི་ཕ་རོལ་ཏུ་ཕྱིན་པའོ། །བཅོམ་ལྡན་འདས་ཀྱིས་བཀའ་སྩལ་པ། ཆུ་འབབ་པ་དམིགས་སུ་མེད་པའི་ཕྱིར་རོ། །གསོལ་པ།

བཅོམ་ལྡན་འདས་འདི་ལྟ་སྟེ། ཤེས་རབ་ཀྱི་ཕ་རོལ་ཏུ་ཕྱིན་པ་འདི་ནི་སྒྱུ་མའི་ཕ་རོལ་ཏུ་ཕྱིན་པའོ། །བཅོམ་ལྡན་འདས་ཀྱིས་བཀའ་སྩལ་པ། །མཚན་མ་དམིགས་སུ་མེད་པའི་ཕྱིར་རོ། །གསོལ་པ། བཅོམ་ལྡན་འདས་འདི་ལྟ་སྟེ། ཤེས་རབ་ཀྱི་ཕ་རོལ་ཏུ་ཕྱིན་པ་འདི་ནི་རྨོངས་པ་མ་མཆིས་པའི་ཕ་རོལ་ཏུ་ཕྱིན་པའོ།། བཅོམ་ལྡན་འདས་ཀྱིས་བཀའ་སྩལ་པ། མ་རིག་པའི་མུན་པ་དམིགས་སུ་མེད་པའི་ཕྱིར་རོ། །གསོལ་པ། བཅོམ་ལྡན་འདས་འདི་ལྟ་སྟེ། ཤེས་རབ་ཀྱི་ཕ་རོལ་ཏུ་ཕྱིན་པ་འདི་ནི་ཀུན་ནས་ཉོན་མོངས་པ་མ་མཆིས་པའི་ཕ་རོལ་ཏུ་ཕྱིན་པའོ། །བཅོམ་ལྡན་འདས་ཀྱིས་བཀའ་སྩལ་པ། ཀུན་ནས་ཉོན་མོངས་པ་དམིགས་སུ་མེད་པའི་ཕྱིར་རོ། །གསོལ་པ། བཅོམ་ལྡན་འདས་འདི་ལྟ་སྟེ། ཤེས་རབ་ཀྱི་ཕ་རོལ་ཏུ་ཕྱིན་པ་འདི་ནི་རྣམ་པར་བྱང་བ་མ་མཆིས་པའི་ཕ་རོལ་ཏུ་ཕྱིན་པའོ། །བཅོམ་ལྡན་འདས་ཀྱིས་བཀའ་སྩལ་པ། ཉོན་མོངས་པ་⑦མེད་པའི་ཕྱིར་རོ། །གསོལ་པ། བཅོམ་ལྡན་འདས་འདི་ལྟ་སྟེ། ཤེས་རབ་ཀྱི་ཕ་རོལ་ཏུ་ཕྱིན་པ་འདི་ནི་དམིགས་སུ་མ་མཆིས་པའི་ཕ་རོལ་ཏུ་ཕྱིན་པའོ། །བཅོམ་ལྡན་འདས་ཀྱིས་བཀའ་སྩལ་པ། གནས་དམིགས་སུ་མེད་པའི་ཕྱིར་རོ། །གསོལ་པ། བཅོམ་ལྡན་འདས་འདི་ལྟ་སྟེ། ཤེས་རབ་ཀྱི་ཕ་རོལ་ཏུ་ཕྱིན་པ་འདི་ནི་སྤྲོས་པ་མ་མཆིས་པའི་ཕ་རོལ་ཏུ་ཕྱིན་པའོ། །བཅོམ་ལྡན་འདས་ཀྱིས་བཀའ་སྩལ་པ། སྤྲོས་པ་ཐམས་ཅད་ཡང་དག་པར་བཅོམ་པའི་ཕྱིར་རོ། །གསོལ་པ། བཅོམ་ལྡན་འདས་འདི་ལྟ་སྟེ། ཤེས་རབ་ཀྱི་ཕ་རོལ་ཏུ་ཕྱིན་པ་འདི་ནི་རློམ་སེམས་མ་མཆིས་པའི་ཕ་རོལ་ཏུ་ཕྱིན་པའོ། །བཅོམ་ལྡན་འདས་ཀྱིས་བཀའ་སྩལ་པ། རློམ་སེམས་ཐམས་ཅད་ཡང་དག་པར་བཅོམ་པའི་ཕྱིར་རོ། །གསོལ་པ། བཅོམ་ལྡན་འདས་འདི་ལྟ་སྟེ། ཤེས་རབ་ཀྱི་ཕ་རོལ་ཏུ་ཕྱིན་པ་འདི་ནི་མི་གཡོ་བའི་ཕ་

རོལ་དུ་ཕྱིན་པའོ། །བཅོམ་ལྡན་འདས་ཀྱིས་བཀའ་སྩལ་པ། ཆོས་ཀྱི་དབྱིངས་གནས་པ་ཉིད་[1]ཀྱི་ཕྱིར་རོ། །གསོལ་པ། བཅོམ་ལྡན་འདས་འདི་ལྟ་སྟེ། ཤེས་རབ་ཀྱི་ཕ་རོལ་དུ་ཕྱིན་པ་འདི་ནི་འདོད་ཆགས་དང་བྲལ་བའི་ཕ་རོལ་དུ་ཕྱིན་པའོ། །བཅོམ་ལྡན་འདས་ཀྱིས་བཀའ་སྩལ་པ། ཆོས་ཐམས་ཅད་མ་ནོར་བ་ཡང་དག་པ་ཉིད་དུ་མངོན་པར་འཚང་རྒྱ་བར་བྱེད་པའི་ཕྱིར་རོ། །གསོལ་པ། བཅོམ་ལྡན་འདས་འདི་ལྟ་སྟེ། ཤེས་རབ་ཀྱི་ཕ་རོལ་དུ་ཕྱིན་པ་འདི་ནི་ཀུན་ནས་ལྡང་བ་མ་མཆིས་པའི་ཕ་རོལ་དུ་ཕྱིན་པའོ། །བཅོམ་ལྡན་འདས་ཀྱིས་[2]བཀའ་སྩལ་པ། ཆོས་ཐམས་ཅད་རྣམ་པར་རྟོག་པ་མེད་པའི་ཕྱིར་རོ། །གསོལ་པ། བཅོམ་ལྡན་འདས་འདི་ལྟ་སྟེ། ཤེས་རབ་ཀྱི་ཕ་རོལ་དུ་ཕྱིན་པ་འདི་ནི་ཞི་བའི་ཕ་རོལ་དུ་ཕྱིན་པའོ། །བཅོམ་ལྡན་འདས་ཀྱིས་བཀའ་སྩལ་པ། ཆོས་ཐམས་ཅད་མཚན་མ་མེད་ཅིང་དམིགས་སུ་མེད་པའི་ཕྱིར་རོ། །གསོལ་པ། བཅོམ་ལྡན་འདས་འདི་ལྟ་སྟེ། ཤེས་རབ་ཀྱི་ཕ་རོལ་དུ་ཕྱིན་པ་འདི་ནི་འདོད་ཆགས་མ་མཆིས་པའི་ཕ་རོལ་དུ་ཕྱིན་པའོ། །བཅོམ་ལྡན་འདས་ཀྱིས་བཀའ་སྩལ་པ། འདོད་ཆགས་དམིགས་སུ་མེད་པའི་ཕྱིར་རོ། །གསོལ་པ། བཅོམ་ལྡན་འདས་འདི་ལྟ་སྟེ། ཤེས་རབ་ཀྱི་ཕ་རོལ་དུ་ཕྱིན་པ་འདི་ནི་ཞེ་སྡང་མ་མཆིས་པའི་ཕ་རོལ་དུ་ཕྱིན་པའོ། །བཅོམ་ལྡན་འདས་ཀྱིས་བཀའ་སྩལ་པ། ཞེ་སྡང་ཡོད་པ་མ་ཡིན་པའི་ཕྱིར་རོ། །གསོལ་པ། བཅོམ་ལྡན་འདས་འདི་ལྟ་སྟེ། ཤེས་རབ་ཀྱི་ཕ་རོལ་དུ་ཕྱིན་པ་འདི་ནི་གཏི་མུག་མ་མཆིས་པའི་ཕ་རོལ་དུ་ཕྱིན་པའོ། །བཅོམ་ལྡན་འདས་ཀྱིས་བཀའ་སྩལ་པ། མི་ཤེས་པའི་མུན་པ་ཐམས་ཅད་སེལ་བའི་ཕྱིར་རོ། །གསོལ་པ། བཅོམ་ལྡན་འདས་འདི་ལྟ་སྟེ། ཤེས་རབ་ཀྱི་ཕ་རོལ་དུ་ཕྱིན་པ་འདི་ནི་ཉོན་མོངས་པ་མ་མཆིས་པའི་ཕ་རོལ་དུ་ཕྱིན་པའོ། །བཅོམ་ལྡན་

འདས་ཀྱིས་བཀའ་སྩལ་པ། ཡོངས་སུ་རྟོག་པ་མེད་པའི་ཕྱིར་རོ། །གསོལ་པ། བཅོམ་ལྡན་འདས་འདི་ལྟ་སྟེ། ཤེས་རབ་ཀྱི་ཕ་རོལ་ཏུ་ཕྱིན་པ་འདི་ནི་སེམས་ཅན་མ་མཆིས་པའི་ཕ་རོལ་ཏུ་ཕྱིན་པའོ། །བཅོམ་ལྡན་འདས་ཀྱིས་བཀའ་སྩལ་པ། སེམས་ཅན་མེད་པའི་ཕྱིར་རོ། །གསོལ་པ། བཅོམ་ལྡན་འདས་འདི་ལྟ་སྟེ། ཤེས་རབ་ཀྱི་ཕ་རོལ་ཏུ་ཕྱིན་པ་འདི་ནི་རབ་ཏུ་སྤྱངས་པའི་ཕ་རོལ་ཏུ་ཕྱིན་པའོ། །བཅོམ་ལྡན་འདས་ཀྱིས་བཀའ་སྩལ་པ། ཆོས་ཐམས་ཅད་ཀུན་ནས་ལྡང་བ་མེད་པའི་ཕྱིར་རོ། །གསོལ་པ། བཅོམ་ལྡན་འདས་འདི་ལྟ་སྟེ། ཤེས་རབ་ཀྱི་ཕ་རོལ་ཏུ་ཕྱིན་པ་འདི་ནི་མཐའ་གཉིས་སུ་མི་འགྱུར་བའི་ཕ་རོལ་ཏུ་ཕྱིན་པའོ། །བཅོམ་ལྡན་འདས་ཀྱིས་བཀའ་སྩལ་པ། མཐའ་རྣམ་པར་སྤྱོང་བའི་ཕྱིར་རོ། །གསོལ་པ། བཅོམ་ལྡན་འདས་འདི་ལྟ་སྟེ། ཤེས་རབ་①ཀྱི་ཕ་རོལ་ཏུ་ཕྱིན་པ་འདི་ནི་ཐ་མི་དད་པའི་ཕ་རོལ་ཏུ་ཕྱིན་པའོ། །བཅོམ་ལྡན་འདས་ཀྱིས་བཀའ་སྩལ་པ། ཆོས་ཐམས་ཅད་འདྲེས་པ་མེད་པའི་ཕྱིར་རོ། །གསོལ་པ། བཅོམ་ལྡན་འདས་འདི་ལྟ་སྟེ། ཤེས་རབ་ཀྱི་ཕ་རོལ་ཏུ་ཕྱིན་པ་འདི་ནི་ཉམས་པ་མ་མཆིས་པའི་ཕ་རོལ་ཏུ་ཕྱིན་པའོ། །བཅོམ་ལྡན་འདས་ཀྱིས་བཀའ་སྩལ་པ། ཉན་ཐོས་དང་། རང་སངས་རྒྱས་ཀྱི་ས་ལས་②འདའ་བར་བྱེད་པའི་ཕྱིར་རོ། །གསོལ་པ། བཅོམ་ལྡན་འདས་འདི་ལྟ་སྟེ། ཤེས་རབ་ཀྱི་ཕ་རོལ་ཏུ་ཕྱིན་པ་འདི་ནི་རྣམ་པར་རྟོག་པ་མ་མཆིས་པའི་ཕ་རོལ་ཏུ་ཕྱིན་པའོ། །བཅོམ་ལྡན་འདས་ཀྱིས་བཀའ་སྩལ་པ། རྣམ་པར་རྟོག་པ་ཐམས་ཅད་དམིགས་སུ་མེད་པའི་ཕྱིར་རོ། །གསོལ་པ། བཅོམ་ལྡན་འདས་འདི་ལྟ་སྟེ། ཤེས་རབ་ཀྱི་ཕ་རོལ་ཏུ་ཕྱིན་པ་འདི་ནི་མིང་③མ་མཆིས་པའི་ཕ་རོལ་ཏུ་ཕྱིན་པའོ། །བཅོམ་ལྡན་འདས་ཀྱིས་བཀའ་སྩལ་པ། ཆོས་ཐམས་ཅད་ཀྱི་ཚད་དམིགས་སུ་མེད་པའི་ཕྱིར་རོ། །གསོལ་པ། བཅོམ་

ལྡན་འདས་འདི་ལྟ་སྟེ། ཤེས་རབ་ཀྱི་ཕ་རོལ་ཏུ་ཕྱིན་པ་འདི་ནི་ནམ་མཁའི་ཕ····རོལ་ཏུ་ཕྱིན་པའོ། །བཅོམ་ལྡན་འདས་ཀྱིས་བཀའ་སྩལ་པ། ཆོས་ཐམས་ཅད་ལ་ཆགས་པ་མེད་པའི་ཕྱིར་རོ། །གསོལ་པ། བཅོམ་ལྡན་འདས་འདི་ལྟ་སྟེ། ཤེས་རབ་ཀྱི་ཕ་རོལ་ཏུ་ཕྱིན་པ་འདི་ནི་མི་རྟག་པའི་ཕ་རོལ་ཏུ་ཕྱིན་པའོ། །བཅོམ་ལྡན་འདས་ཀྱིས་བཀའ་སྩལ་པ། ཆོས་ཐམས་ཅད་འཇིག་པ་མེད་པའི་ཕྱིར་རོ། །གསོལ་པ། བཅོམ་ལྡན་འདས་འདི་ལྟ་སྟེ། ཤེས་རབ་ཀྱི་ཕ་རོལ་ཏུ་ཕྱིན་པ་འདི་ནི་སྡུག་བསྔལ་གྱི་ཕ་རོལ་ཏུ་ཕྱིན་པའོ། །བཅོམ་ལྡན་འདས་ཀྱིས་བཀའ་སྩལ་པ། ཆོས་ཐམས་ཅད་ཆོལ་①བར་སྤྱོར་བ་མེད་པའི་ཕྱིར་རོ། །གསོལ་པ། བཅོམ་ལྡན་འདས་འདི་ལྟ་སྟེ། ཤེས་རབ་ཀྱི་ཕ་རོལ་ཏུ་ཕྱིན་པ་འདི་ནི་བདག་མ་མཆིས··པའི་ཕ་རོལ་ཏུ་ཕྱིན་པའོ། །བཅོམ་ལྡན་འདས་ཀྱིས་བཀའ་སྩལ་པ། ཆོས་ཐམས་ཅད་ལ་མངོན་པར་ཆགས་པ་མེད་པའི་ཕྱིར་རོ། །གསོལ་པ། བཅོམ་ལྡན་འདས་འདི་ལྟ་སྟེ། ཤེས་རབ་ཀྱི་ཕ་རོལ་ཏུ་ཕྱིན་པ་འདི་ནི་སྟོང་པ་ཉིད་ཀྱི་ཕ་རོལ་ཏུ་ཕྱིན་པའོ། །བཅོམ་ལྡན་འདས་ཀྱིས་བཀའ་སྩལ་པ། ཆོས་ཐམས་ཅད་དམིགས་སུ་མེད་པའི་ཕྱིར་རོ། །གསོལ་པ། བཅོམ་ལྡན་འདས་འདི་ལྟ་སྟེ། ཤེས་རབ་ཀྱི་ཕ་རོལ་ཏུ་ཕྱིན་པ་འདི་ནི་མཚན་ཉིད་མ་མཆིས་པའི་ཕ་རོལ་ཏུ་ཕྱིན་པའོ༑ །བཅོམ་ལྡན་འདས་ཀྱིས་བཀའ་སྩལ་པ། ཆོས་ཐམས་ཅད་མངོན་པར་གྲུབ་②པ་མེད་པའི་ཕྱིར་རོ། །གསོལ་པ། བཅོམ་ལྡན་འདས་འདི་ལྟ་སྟེ། ཤེས་རབ་ཀྱི་ཕ་རོལ་ཏུ་ཕྱིན་པ་འདི་ནི་ནང་སྟོང་པ་ཉིད་ཀྱི་ཕ་རོལ་ཏུ་ཕྱིན་པའོ། །བཅོམ་ལྡན་འདས་ཀྱིས་བཀའ་སྩལ་པ། ནང་གི་ཆོས་དམིགས་སུ་མེད་པའི་ཕྱིར་རོ། །གསོལ་པ། བཅོམ་ལྡན་འདས་འདི་ལྟ་སྟེ། ཤེས་རབ་ཀྱི་ཕ་རོལ་ཏུ་ཕྱིན་པ་འདི་ནི་ཕྱི་སྟོང་པ་ཉིད་ཀྱི་ཕ་རོལ་ཏུ་ཕྱིན་པའོ། །བཅོམ་ལྡན་འདས་ཀྱིས་བཀའ་སྩལ་པ།

ཕྱིའི་ཆོས་དམིགས་སུ་མེད་པའི་ཕྱིར་རོ། །གསོལ་པ། བཅོམ་ལྡན་འདས་འདི་ལྟ་སྟེ། ཤེས་རབ་ཀྱི་ཕ་རོལ་ཏུ་ཕྱིན་པ་འདི་ནི་ཕྱི་ནང་སྟོང་པ་ཉིད་ཀྱི་ཕ་རོལ་ཏུ་ཕྱིན་པའོ། །བཅོམ་ལྡན་འདས་ཀྱིས་བཀའ་སྩལ་པ། ཕྱི་ནང་གི་ཆོས་དམིགས་སུ་མེད་པའི་ཕྱིར་རོ། །གསོལ་པ། བཅོམ་ལྡན་འདས་འདི་ལྟ་སྟེ། ཤེས་རབ་ཀྱི་ཕ་རོལ་ཏུ་ཕྱིན་པ་འདི་ནི་སྟོང་པ་ཉིད་སྟོང་པ་ཉིད་ཀྱི་ཕ་རོལ་ཏུ་ཕྱིན་པའོ། །བཅོམ་ལྡན་འདས་ཀྱིས་བཀའ་སྩལ་པ། སྟོང་པ་ཉིད་སྟོང་པ་ཉིད་དམིགས་སུ་མེད་པའི་ཕྱིར་རོ། །གསོལ་པ། བཅོམ་ལྡན་འདས་འདི་ལྟ་སྟེ། ཤེས་རབ་ཀྱི་ཕ་རོལ་ཏུ་ཕྱིན་པ་འདི་ནི་ཆེན་པོ་སྟོང་པ་ཉིད་ཀྱི་ཕ་རོལ་ཏུ་ཕྱིན་པའོ། །བཅོམ་ལྡན་འདས་ཀྱིས་བཀའ་སྩལ་པ། ཆེན་པོ་སྟོང་པ་ཉིད་དམིགས་སུ་མེད་པའི་ཕྱིར་རོ། །གསོལ་པ། བཅོམ་ལྡན་འདས་འདི་ལྟ་སྟེ། ཤེས་རབ་ཀྱི་ཕ་རོལ་ཏུ་ཕྱིན་པ་འདི་ནི་དོན་དམ་པ་སྟོང་པ་ཉིད་ཀྱི་ཕ་རོལ་ཏུ་ཕྱིན་པའོ། །བཅོམ་ལྡན་འདས་ཀྱིས་བཀའ་སྩལ་པ། དོན་དམ་པ་སྟོང་པ་ཉིད་དམིགས་སུ་མེད་པའི་ཕྱིར་རོ། །གསོལ་པ། བཅོམ་ལྡན་འདས་འདི་ལྟ་སྟེ། ཤེས་རབ་ཀྱི་ཕ་རོལ་ཏུ་ཕྱིན་པ་འདི་ནི་འདུས་བྱས་སྟོང་པ་ཉིད་ཀྱི་ཕ་རོལ་ཏུ་ཕྱིན་པའོ། །བཅོམ་ལྡན་འདས་ཀྱིས་བཀའ་སྩལ་པ། འདུས་བྱས་སྟོང་པ་ཉིད་དམིགས་སུ་མེད་པའི་ཕྱིར་རོ། །གསོལ་པ། བཅོམ་ལྡན་འདས་འདི་ལྟ་སྟེ། ཤེས་རབ་ཀྱི་ཕ་རོལ་ཏུ་ཕྱིན་པ་འདི་ནི་འདུས་མ་བྱས་སྟོང་པ་ཉིད་ཀྱི་ཕ་རོལ་ཏུ་ཕྱིན་པའོ། །བཅོམ་ལྡན་འདས་ཀྱིས་བཀའ་སྩལ་པ། འདུས་མ་བྱས་སྟོང་པ་ཉིད་དམིགས་སུ་མེད་པའི་ཕྱིར་རོ། །གསོལ་པ། བཅོམ་ལྡན་འདས་འདི་ལྟ་སྟེ། ཤེས་རབ་ཀྱི་ཕ་རོལ་ཏུ་ཕྱིན་པ་འདི་ནི་མཐའ་ལས་འདས་པ་སྟོང་པ་ཉིད་ཀྱི་ཕ་རོལ་ཏུ་ཕྱིན་པའོ། །བཅོམ་ལྡན་འདས་ཀྱིས་བཀའ་སྩལ་པ། མཐའ་ལས་འདས་པ་སྟོང་པ་ཉིད་དམིགས་སུ་མེད་པའི་

ཕྱིར་རོ། །གསོལ་པ། བཅོམ་ལྡན་འདས་འདི་ལྟ་སྟེ། ཤེས་རབ་ཀྱི་ཕ་རོལ་ཏུ་ཕྱིན་པ་འདི་ནི་ཐོག་མ་དང་ཐ་མ་མེད་པ་སྟོང་པ་ཉིད་ཀྱི་ཕ་རོལ་ཏུ་ཕྱིན་པའོ། །བཅོམ་ལྡན་འདས་ཀྱིས་བཀའ་སྩལ་པ། ཐོག་མ་དང་ཐ་མ་མེད་པ་སྟོང་པ་ཉིད་དམིགས་སུ་མེད་པའི་ཕྱིར་རོ། །གསོལ་པ། བཅོམ་ལྡན་འདས་འདི་ལྟ་སྟེ། ཤེས་རབ་ཀྱི་ཕ་རོལ་ཏུ་ཕྱིན་པ་འདི་ནི་དོར་བ་མེད་པ་སྟོང་པ་ཉིད་ཀྱི་ཕ་རོལ་ཏུ་ཕྱིན་པའོ། །བཅོམ་ལྡན་འདས་ཀྱིས་བཀའ་སྩལ་པ། དོར་བ་མེད་པ་སྟོང་པ་ཉིད་དམིགས་སུ་མེད་པའི་ཕྱིར་རོ། །གསོལ་པ། བཅོམ་ལྡན་འདས་འདི་ལྟ་སྟེ། ཤེས་རབ་ཀྱི་ཕ་རོལ་ཏུ་ཕྱིན་པ་འདི་ནི་རང་བཞིན་སྟོང་པ་ཉིད་ཀྱི་ཕ་རོལ་ཏུ་ཕྱིན་པའོ། །བཅོམ་ལྡན་འདས་ཀྱིས་བཀའ་སྩལ་པ། འདུས་བྱས་དང་འདུས་མ་བྱས་ཀྱི་ཆོས་དམིགས་སུ་མེད་པའི་ཕྱིར་རོ། །གསོལ་པ། བཅོམ་ལྡན་འདས་འདི་ལྟ་སྟེ། ཤེས་རབ་ཀྱི་ཕ་རོལ་ཏུ་ཕྱིན་པ་འདི་ནི་ཆོས་ཐམས་ཅད་སྟོང་པ་ཉིད་ཀྱི་ཕ་རོལ་ཏུ་ཕྱིན་པའོ། །བཅོམ་ལྡན་འདས་ཀྱིས་བཀའ་སྩལ་པ། ཕྱི་ནང་གི་ཆོས་དམིགས་སུ་མེད་པའི་ཕྱིར་རོ། །གསོལ་པ། བཅོམ་ལྡན་འདས་འདི་ལྟ་སྟེ། ཤེས་རབ་ཀྱི་ཕ་རོལ་ཏུ་ཕྱིན་པ་འདི་ནི་རང་གི་མཚན་ཉིད་སྟོང་པ་ཉིད་ཀྱི་ཕ་རོལ་ཏུ་ཕྱིན་པའོ། །བཅོམ་ལྡན་འདས་ཀྱིས་བཀའ་སྩལ་པ། རང་གི་མཚན་ཉིད་སྟོང་པ་ཉིད་དབེན་པའི་ཕྱིར་རོ། །གསོལ་པ། བཅོམ་ལྡན་འདས་འདི་ལྟ་སྟེ། ཤེས་རབ་ཀྱི་ཕ་རོལ་ཏུ་ཕྱིན་པ་འདི་ནི་མི་དམིགས་པ་སྟོང་པ་ཉིད་ཀྱི་ཕ་རོལ་ཏུ་ཕྱིན་པའོ། །བཅོམ་ལྡན་འདས་ཀྱིས་བཀའ་སྩལ་པ། མི་དམིགས་པ་སྟོང་པ་ཉིད་དབེན་པའི་ཕྱིར་རོ། །གསོལ་པ། བཅོམ་ལྡན་འདས་འདི་ལྟ་སྟེ། ཤེས་རབ་ཀྱི་ཕ་རོལ་ཏུ་ཕྱིན་པ་འདི་ནི་དངོས་པོ་མེད་པ་སྟོང་པ་ཉིད་ཀྱི་ཕ་རོལ་ཏུ་ཕྱིན་པའོ། །བཅོམ་ལྡན་འདས་ཀྱིས་བཀའ་སྩལ་པ། དངོས་པོ་མེད་པའི་ཆོས་ཉིད་ཀྱི་ཕྱིར་རོ། །

གསོལ་པ། བཅོམ་ལྡན་འདས་འདི་ལྟ་སྟེ། ཤེས་རབ་ཀྱི་ཕ་རོལ་ཏུ་ཕྱིན་པ་འདི་ནི་ངོ་བོ་ཉིད་སྟོང་པ་ཉིད་ཀྱི་ཕ་རོལ་ཏུ་ཕྱིན་པའོ། །བཅོམ་ལྡན་འདས་ཀྱིས་བཀའ་སྩལ་པ། ཆོས་རྣམས་ངོ་བོ་ཉིད་ཀྱིས་དབེན་པའི་ཕྱིར་རོ། །གསོལ་པ། བཅོམ་ལྡན་འདས་འདི་ལྟ་སྟེ། ཤེས་རབ་ཀྱི་ཕ་རོལ་ཏུ་ཕྱིན་པ་འདི་ནི་དངོས་པོ་མེད་པའི་ངོ་བོ་ཉིད་སྟོང་པ་ཉིད་ཀྱི་ཕ་རོལ་ཏུ་ཕྱིན་པའོ། །བཅོམ་ལྡན་འདས་ཀྱིས་བཀའ་སྩལ་པ། དངོས་པོ་མེད་པའི་ངོ་བོ་ཉིད་སྟོང་པ་ཉིད་དམིགས་སུ་མེད་པའི་ཕྱིར་རོ། །གསོལ་པ། བཅོམ་ལྡན་འདས་འདི་ལྟ་སྟེ། ཤེས་རབ་ཀྱི་ཕ་རོལ་ཏུ་ཕྱིན་པ་འདི་ནི་དྲན་པ་ཉེ་བར་གཞག་པའི་ཕ་རོལ་ཏུ་ཕྱིན་པའོ། །བཅོམ་ལྡན་འདས་ཀྱིས་བཀའ་སྩལ་པ། ལུས་དང་ཚོར་བ་དང་སེམས་དང་ཆོས་དམིགས་སུ་མེད་པའི་ཕྱིར་རོ། །གསོལ་པ། བཅོམ་ལྡན་འདས་འདི་ལྟ་སྟེ། ཤེས་རབ་ཀྱི་ཕ་རོལ་ཏུ་ཕྱིན་པ་འདི་ནི་ཡང་དག་པར་སྤོང་བའི་ཕ་རོལ་ཏུ་ཕྱིན་པའོ། །བཅོམ་ལྡན་འདས་ཀྱིས་བཀའ་སྩལ་པ། དགེ་བ་དང་། མི་དགེ་བའི་ཆོས་དམིགས་སུ་མེད་པའི་ཕྱིར་རོ། །གསོལ་པ། བཅོམ་ལྡན་འདས་འདི་ལྟ་སྟེ། ཤེས་རབ་ཀྱི་ཕ་རོལ་ཏུ་ཕྱིན་པ་འདི་ནི་རྫུ་འཕྲུལ་གྱི་རྐང་པའི་ཕ་རོལ་ཏུ་ཕྱིན་པའོ། །བཅོམ་ལྡན་འདས་ཀྱིས་བཀའ་སྩལ་པ། རྫུ་འཕྲུལ་གྱི་རྐང་པ་བཞི་དམིགས་སུ་མེད་པའི་ཕྱིར་རོ། །གསོལ་པ། བཅོམ་ལྡན་འདས་འདི་ལྟ་སྟེ། ཤེས་རབ་ཀྱི་ཕ་རོལ་ཏུ་ཕྱིན་པ་འདི་ནི་དབང་པོའི་ཕ་རོལ་ཏུ་ཕྱིན་པའོ། །བཅོམ་ལྡན་འདས་ཀྱིས་བཀའ་སྩལ་པ། དབང་པོ་ལྔ་དམིགས་སུ་མེད་པའི་ཕྱིར་རོ། །གསོལ་པ། བཅོམ་ལྡན་འདས་འདི་ལྟ་སྟེ། ཤེས་རབ་ཀྱི་ཕ་རོལ་ཏུ་ཕྱིན་པ་འདི་ནི་སྟོབས་ཀྱི་ཕ་རོལ་ཏུ་ཕྱིན་པའོ། །བཅོམ་ལྡན་འདས་ཀྱིས་བཀའ་སྩལ་པ། སྟོབས་ལྔ་དམིགས་སུ་མེད་པའི་ཕྱིར་རོ། །གསོལ་པ། བཅོམ་ལྡན་འདས་འདི་ལྟ་སྟེ། ཤེས་རབ་ཀྱི་

ཕ་རོལ་ཏུ་ཕྱིན་པ་འདི་ནི་བྱང་ཆུབ་ཀྱི་ཡན་ལག་གི་ཕ་རོལ་ཏུ་ཕྱིན་པའོ། །བཅོམ་ལྡན་འདས་ཀྱིས་བཀའ་སྩལ་པ། བྱང་ཆུབ་ཀྱི་ཡན་ལག་བདུན་དམིགས་སུ་མེད་པའི་ཕྱིར་རོ། །གསོལ་པ། བཅོམ་ལྡན་འདས་འདི་ལྟ་སྟེ། ཤེས་རབ་ཀྱི་ཕ་རོལ་ཏུ་ཕྱིན་པ་འདི་ནི་ལམ་གྱི་ཕ་རོལ་ཏུ་ཕྱིན་པའོ། །བཅོམ་ལྡན་འདས་ཀྱིས་བཀའ་སྩལ་པ། འཕགས་པའི་ལམ་ཡན་ལག་བརྒྱད་པ་དམིགས་སུ་མེད་པའི་ཕྱིར་རོ། །གསོལ་པ། བཅོམ་ལྡན་འདས་འདི་ལྟ་སྟེ། ཤེས་རབ་ཀྱི་ཕ་རོལ་ཏུ་ཕྱིན་པ་འདི་ནི་སྟོང་པ་ཉིད་ཀྱི་ཕ་རོལ་ཏུ་ཕྱིན་པའོ། །བཅོམ་ལྡན་འདས་ཀྱིས་བཀའ་སྩལ་པ། སྟོང་པ་ཉིད་ཀྱི་རྣམ་པ་དང་། རྣམ་པར་དབེན་པའི་རྣམ་པ་དམིགས་སུ་མེད་པའི་ཕྱིར་རོ། །གསོལ་པ། བཅོམ་ལྡན་འདས་⑦འདི་ལྟ་སྟེ། ཤེས་རབ་ཀྱི་ཕ་རོལ་ཏུ་ཕྱིན་པ་འདི་ནི་མཚན་མ་མ་མཆིས་པའི་ཕ་རོལ་ཏུ་ཕྱིན་པའོ།། བཅོམ་ལྡན་འདས་ཀྱིས་བཀའ་སྩལ་པ། ཞི་བའི་རྣམ་པ་དམིགས་སུ་མེད་པའི་ཕྱིར་རོ། །གསོལ་པ། བཅོམ་ལྡན་འདས་འདི་ལྟ་སྟེ། ཤེས་རབ་ཀྱི་ཕ་རོལ་ཏུ་ཕྱིན་པ་འདི་ནི། སྨོན་པ་མེད་པའི་ཕ་རོལ་ཏུ་ཕྱིན་པའོ། །བཅོམ་ལྡན་འདས་ཀྱིས་བཀའ་སྩལ་པ། སྨོན་པ་མེད་པ་དམིགས་སུ་མེད་པའི་ཕྱིར་རོ། །གསོལ་པ། བཅོམ་ལྡན་འདས་འདི་ལྟ་སྟེ། ཤེས་རབ་ཀྱི་ཕ་རོལ་ཏུ་ཕྱིན་པ་འདི་ནི་རྣམ་པར་ཐར་པའི་ཕ་རོལ་ཏུ་ཕྱིན་པའོ། །བཅོམ་ལྡན་འདས་ཀྱིས་བཀའ་སྩལ་པ། རྣམ་པར་ཐར་པ་བརྒྱད་དམིགས་སུ་མེད་པའི་ཕྱིར་རོ། །གསོལ་པ། བཅོམ་ལྡན་འདས་འདི་ལྟ་སྟེ། ཤེས་རབ་ཀྱི་ཕ་རོལ་ཏུ་ཕྱིན་པ་འདི་ནི་མཐར་གྱིས་གནས་པའི་སྙོམས་པར་འཇུག་པའི་ཕ་རོལ་ཏུ་ཕྱིན་པའོ། །བཅོམ་ལྡན་འདས་ཀྱིས་བཀའ་སྩལ་པ། མཐར་གྱིས་གནས་པའི་སྙོམས་པར་འཇུག་པ་དགུ་དམིགས་སུ་མེད་པའི་ཕྱིར་རོ། །གསོལ་པ། བཅོམ་ལྡན་འདས་འདི་ལྟ་སྟེ། ཤེས་རབ་ཀྱི་ཕ་རོལ་ཏུ་

ཕྱིན་པ་འདི་ནི་སྦྱིན་པའི་ཕ་རོལ་ཏུ་ཕྱིན་པའོ། །བཅོམ་ལྡན་འདས་ཀྱིས་བཀའ་སྩལ་པ། སྦྱིན་པ་དང་། སེར་སྣ་དམིགས་སུ་མེད་པའི་ཕྱིར་རོ། །གསོལ་པ། བཅོམ་ལྡན་འདས་འདི་ལྟ་སྟེ། ཤེས་རབ་ཀྱི་ཕ་རོལ་ཏུ་ཕྱིན་པ་འདི་ནི་ཚུལ་ཁྲིམས་ཀྱི་ཕ་རོལ་ཏུ་ཕྱིན་པའོ། །བཅོམ་ལྡན་འདས་ཀྱིས་བཀའ་སྩལ་པ། ཚུལ་ཁྲིམས་དང་། ཚུལ་ཁྲིམས་ངན་པ་དམིགས་སུ་མེད་པའི་ཕྱིར་རོ། །གསོལ་པ། བཅོམ་ལྡན་འདས་འདི་ལྟ་སྟེ། ཤེས་རབ་ཀྱི་ཕ་རོལ་ཏུ་ཕྱིན་པ་འདི་ནི་བཟོད་པའི་ཕ་རོལ་ཏུ་ཕྱིན་པའོ། །བཅོམ་ལྡན་འདས་ཀྱིས་བཀའ་སྩལ་པ། གནོད་སེམས་དང་བཟོད་པ་དམིགས་སུ་མེད་པའི་ཕྱིར་རོ། །གསོལ་པ། བཅོམ་ལྡན་འདས་འདི་ལྟ་སྟེ། ཤེས་རབ་ཀྱི་ཕ་རོལ་ཏུ་ཕྱིན་པ་འདི་ནི་བརྩོན་འགྲུས་ཀྱི་ཕ་རོལ་ཏུ་ཕྱིན་པའོ། །བཅོམ་ལྡན་འདས་ཀྱིས་བཀའ་སྩལ་པ། ལེ་ལོ་དང་བརྩོན་འགྲུས་དམིགས་སུ་མེད་པའི་ཕྱིར་རོ། །གསོལ་པ། བཅོམ་ལྡན་འདས་འདི་ལྟ་སྟེ། ཤེས་རབ་ཀྱི་ཕ་རོལ་ཏུ་ཕྱིན་པ་འདི་ནི་བསམ་གཏན་གྱི་ཕ་རོལ་ཏུ་ཕྱིན་པའོ། །བཅོམ་ལྡན་འདས་ཀྱིས་བཀའ་སྩལ་པ། བསམ་གཏན་དང་འཁྲུག་པ་དམིགས་སུ་མེད་པའི་ཕྱིར་རོ། །གསོལ་པ། བཅོམ་ལྡན་འདས་འདི་ལྟ་སྟེ། ཤེས་རབ་ཀྱི་ཕ་རོལ་ཏུ་ཕྱིན་པ་འདི་ནི་ཤེས་རབ་ཀྱི་ཕ་རོལ་ཏུ་ཕྱིན་པའོ། །བཅོམ་ལྡན་འདས་ཀྱིས་བཀའ་སྩལ་པ། ཤེས་རབ་དང་འཆལ་པའི་ཤེས་རབ་དམིགས་སུ་མེད་པའི་ཕྱིར་རོ། །གསོལ་པ། བཅོམ་ལྡན་འདས་འདི་ལྟ་སྟེ། ཤེས་རབ་ཀྱི་ཕ་རོལ་ཏུ་ཕྱིན་པ་འདི་ནི་སྟོབས་བཅུའི་ཕ་རོལ་ཏུ་ཕྱིན་པའོ། །བཅོམ་ལྡན་འདས་ཀྱིས་བཀའ་སྩལ་པ། ཆོས་ཐམས་ཅད་ཐུབ་པ་མེད་པའི་ཕྱིར་རོ། །གསོལ་པ། བཅོམ་ལྡན་འདས་འདི་ལྟ་སྟེ། ཤེས་རབ་ཀྱི་ཕ་རོལ་ཏུ་ཕྱིན་པ་འདི་ནི་མི་འཇིགས་པ་བཞིའི་ཕ་རོལ་ཏུ་ཕྱིན་པའོ། །བཅོམ་ལྡན་འདས་ཀྱིས་བཀའ་སྩལ་པ། ལམ་

གྱི་རྣམ་པ་ཤེས་པ་ཉིད་ཀྱི་ཡེ་ཤེས་ཞུམ་པ་མེད་པའི་ཕྱིར་རོ། །གསོལ་པ། བཅོམ་ལྡན་འདས་འདི་ལྟ་སྟེ། ཤེས་རབ་ཀྱི་ཕ་རོལ་དུ་ཕྱིན་པ་འདི་ནི་སོ་སོ་ཡང་དག་པར་རིག་པ་བཞིའི་ཕ་རོལ་དུ་ཕྱིན་པའོ། །བཅོམ་ལྡན་འདས་ཀྱིས་བཀའ་སྩལ་པ། རྣམ་པ་ཐམས་ཅད་མཁྱེན་པ་ཉིད་ཆགས་པ་མེད་པ་དང་། ཐོགས་པ་མེད་པའི་ཕྱིར་རོ། །གསོལ་པ། བཅོམ་ལྡན་འདས་འདི་ལྟ་སྟེ། ཤེས་རབ་ཀྱི་ཕ་རོལ་དུ་ཕྱིན་པ་འདི་ནི་སངས་རྒྱས་ཀྱི་ཆོས་མ་འདྲེས་པ་བཅོ་བརྒྱད་ཀྱི་ཕ་རོལ་དུ་ཕྱིན་པའོ། །བཅོམ་ལྡན་འདས་ཀྱིས་བཀའ་སྩལ་པ། ཉན་ཐོས་དང་། རང་སངས་རྒྱས་ཀྱི་ཆོས་ཐམས་ཅད་ལས་ཡང་དག་པར་འདས་པའི་ཕྱིར་རོ། །གསོལ་པ། བཅོམ་ལྡན་འདས་འདི་ལྟ་སྟེ། ཤེས་རབ་ཀྱི་ཕ་རོལ་དུ་ཕྱིན་པ་འདི་ནི་དེ་བཞིན་གཤེགས་པའི་ཕ་རོལ་དུ་ཕྱིན་པའོ། །བཅོམ་ལྡན་འདས་ཀྱིས་བཀའ་སྩལ་པ། བརྗོད་པ་ཐམས་ཅད་ཀྱི་དེ་བཞིན་ཉིད་ཀྱི་ཕྱིར་རོ། །གསོལ་པ། བཅོམ་ལྡན་འདས་འདི་ལྟ་སྟེ། ཤེས་རབ་ཀྱི་ཕ་རོལ་དུ་ཕྱིན་པ་འདི་ནི་རང་བྱུང་གི་ཕ་རོལ་དུ་ཕྱིན་པའོ། །བཅོམ་ལྡན་འདས་ཀྱིས་བཀའ་སྩལ་པ། ཆོས་ཐམས་ཅད་ལ་དབང་བསྒྱུར་བའི་ཕྱིར་རོ། །གསོལ་པ། བཅོམ་ལྡན་འདས་འདི་ལྟ་སྟེ། ཤེས་རབ་ཀྱི་ཕ་རོལ་དུ་ཕྱིན་པ་འདི་ནི་སངས་རྒྱས་ཀྱི་ཕ་རོལ་དུ་ཕྱིན་[7]པའོ། །བཅོམ་ལྡན་འདས་ཀྱིས་བཀའ་སྩལ་པ། ཆོས་ཐམས་ཅད་རྣམ་པ་ཐམས་ཅད་དུ་མངོན་པར་རྫོགས་པར་འཚང་རྒྱ་བའི་ཕྱིར་རོ། །ཤེས་རབ་ཀྱི་ཕ་རོལ་ཏུ་ཕྱིན་པ་སྟོང་ཕྲག་ཉི་ཤུ་ལྔ་པ་ལས། ལེའུ་ཉི་ཤུ་དགུ་པའོ།། །།

དེ་ནས་ལྷའི་དབང་པོ་བརྒྱ་བྱིན་འདི་སྙམ་དུ་གྱུར་ཏེ། ཤེས་རབ་ཀྱི་ཕ་རོལ་དུ་ཕྱིན་པ་འདི་རིགས་ཀྱི་བུ་དང་། རིགས་ཀྱི་བུ་མོ་གང་གི་རྣ་ལམ་དུ་གྲག་པ་དེ་

དག་ནི་སྟོན་གྱི་རྒྱལ་བ་ལ་བསྙེན་བཀུར་བྱས་པའོ། །ཤེས་རབ་ཀྱི་ཕ་རོལ་དུ་ཕྱིན་པ་འདི་སེམས་ཅན་གང་གི་རྣ་ལམ་དུ་གྲག་པ་དེ་དག་ནི་དེ་བཞིན་གཤེགས་པ་ལ···· དགེ་བའི་རྩ་བ་བསྐྱེད་པའོ། །ཤེས་རབ་ཀྱི་ཕ་རོལ་དུ་ཕྱིན་པ་འདི་སེམས་ཅན་གང་གི་རྣ་ལམ་དུ་གྲག་པ་དེ་དག་ནི་དགེ་བའི་བཤེས་གཉེན་གྱིས་ཡོངས་སུ་བཟུང་བའོ། །གང་འཛིན་ཅིང་འཆང་བ་དང་། ཀློག་ཅིང་ཀུན་ཆུབ་པར་བྱེད་པ་དང་། ཚུལ་བཞིན་དུ་ཡིད་ལ་བྱེད་ཅིང་གཟུང་བ་དང་། བཅང་བ་དང་། ཀླག་[1]པ་དང་། ཀུན་ཆུབ་པར་བྱས་ནས་ཀྱང་། དེ་བཞིན་ཉིད་དུ་ཤེས་རབ་ཀྱི་[2]ཕ་རོལ་དུ་ཕྱིན་པ་ལ་ནན་ཏན་དུ་བྱེད་པ་ལྟ་ཅི་སྨོས་ཏེ། རིགས་ཀྱི་བུའམ་རིགས་ཀྱི་བུ་མོ་གང་ཤེས་རབ་ཀྱི་ཕ་རོལ་དུ་ཕྱིན་པ་འདི་ཐོས་ནས་མི་འཇིགས་མི་སྔང་[3]སྐྲག་པར་མི་འགྱུར་བ་དེ་དག་གིས། སྔོན་གྱི་དེ་བཞིན་གཤེགས་པ་དགྲ་བཅོམ་པ་ཡང་དག་པར་རྫོགས་པའི་སངས་རྒྱས་རྣམས་ལ་ཡོངས་སུ་དྲིས་སོ། །ཡོངས་སུ་ཞུས་སོ། །རིགས་ཀྱི་བུའམ་རིགས་ཀྱི་བུ་མོ་གང་གིས་[4]ཤེས་རབ་ཀྱི་ཕ་རོལ་དུ་ཕྱིན་པ་འདི་ཐོས་ནས་མི་འཇིགས་མི་སྔང་[5]སྐྲག་པར་མི་འགྱུར་ལ་འཛིན་ཅིང་འཆང་བ་དང་ཀློག་ཅིང་ཀུན་ཆུབ་པར་བྱེད་པ་དང་། ཚུལ་བཞིན་དུ་ཡིད་ལ་བྱེད་པ་དེ་དག་གིས་ནི་བསྐལ་པ་བྱེ་བ་མང་པོར་སྦྱིན་པའི་ཕ་རོལ་དུ་ཕྱིན་པ་ལ་སྤྱོད་དོ། །ཚུལ་ཁྲིམས་དང་བཟོད་པ་དང་བརྩོན་འགྲུས་དང་བསམ་གཏན་དང་ཤེས་རབ་ཀྱི་ཕ་རོལ་དུ་ཕྱིན་པ་ལ་སྤྱོད་དོ་སྙམ་པ་དང་། དེ་ནས་ཚེ་དང་ལྡན་པ་ཤཱ་ར་དྭ་ཏིའི་བུས། བཅོམ་ལྡན་འདས་ལ་འདི་སྐད་ཅེས་གསོལ་ཏོ། །བཅོམ་ལྡན་འདས··· རིགས་ཀྱི་བུའམ་རིགས་ཀྱི་བུ་མོ་གང་ཤེས་རབ་ཀྱི་ཕ་རོལ་དུ་ཕྱིན་པ་ཟབ་མོ་འདི···· ཐོས་ནས། མི་འཇིགས་མི་སྔང་[6]སྐྲག་པར་མི་འགྱུར་ལ། འཛིན་ཅིང་འཆང་བ་དང་། ཀློག་ཅིང་ཀུན་ཆུབ་པར་བགྱིད་པ་དང་། ཚུལ་བཞིན་དུ་ཡིད་ལ་བགྱིད་

པ་དེ་དག་ནི་ཕྱིར་མི་ལྡོག་པའི་བྱང་ཆུབ་སེམས་དཔའ་སེམས་དཔའ་ཆེན་པོ་དང་འདྲ་བར་གཟུང་བར་བགྱིའོ། །དེ་ཅིའི་སླད་དུ་ཞེ་ན། བཅོམ་ལྡན་འདས་ཤེས་རབ་ཀྱི་ཕ་རོལ་ཏུ་ཕྱིན་པ་འདི་ནི་ཟབ་པ་སྟེ། སྔོན་ཕ་རོལ་ཏུ་ཕྱིན་པ་དྲུག་ལ་མ་སྤྱད་པས་ནི། ཤེས་རབ་ཀྱི་ཕ་རོལ་ཏུ་ཕྱིན་པ་ཟབ་མོ་འདི་ཐོས་ནས་ཀྱང་མོས་པར་བགྱི་བར་མི་ནུས་སོ། །བཅོམ་ལྡན་འདས་རིགས་ཀྱི་བུའམ་རིགས་ཀྱི་བུ་མོ་གང་ཤེས་རབ་ཀྱི་ཕ་རོལ་ཏུ་ཕྱིན་པ་ཟབ་མོ་འདི་ཐོས་ནས་སྤྱང་བར་སེམས་པ་དག་གིས་ནི་སྔོན་གྱི་མཐར་ཡང་ཤེས་རབ་ཀྱི་ཕ་རོལ་ཏུ་ཕྱིན་པ་ཟབ་མོ་འདི་སྤྱངས་པར་གྱུར་ཏོ། །དེ་ཅིའི་སླད་དུ་ཞེ་ན། དེ་ནི་འདི་ལྟར་རིགས་ཀྱི་བུའམ་རིགས་ཀྱི་བུ་མོ་དེ་དག་ཤེས་རབ་ཀྱི་ཕ་རོལ་ཏུ་ཕྱིན་པ་ཟབ་མོ་འདི་བཤད་པའི་ཚེ། དད་པ་དང་མོས་པ་མ་མཆིས་པའི་སླད་དུ་སྟེ། རིགས་ཀྱི་བུའམ་རིགས་ཀྱི་བུ་མོ་དེ་དག་གིས་སྔོན་གྱི་མཐར་ཡང་སངས་རྒྱས་བཅོམ་ལྡན་འདས་རྣམས་དང་། བྱང་ཆུབ་སེམས་དཔའ་སེམས་དཔའ་ཆེན་པོ་རྣམས་དང་། ཉན་ཐོས་རྣམས་ལ་བསླེན་བཀུར་མ་བགྱིས་ཏེ། སྦྱིན་པའི་ཕ་རོལ་ཏུ་ཕྱིན་པ་ལ་ནི་ཇི་ལྟར་སྤྱད་པར་བགྱི། ཚུལ་ཁྲིམས་ཀྱི་ཕ་རོལ་ཏུ་ཕྱིན་པ་དང་། བཟོད་པའི་ཕ་རོལ་ཏུ་ཕྱིན་པ་དང་། བརྩོན་འགྲུས་ཀྱི་ཕ་རོལ་ཏུ་ཕྱིན་པ་དང་། བསམ་གཏན་གྱི་ཕ་རོལ་ཏུ་ཕྱིན་པ་དང་། ཤེས་རབ་ཀྱི་ཕ་རོལ་ཏུ་ཕྱིན་པ་ལ་ནི་ཇི་ལྟར་སྤྱད་པར་བགྱི། ནང་སྟོང་པ་ཉིད་ནི་ཇི་ལྟར་བསྒོམ་པར་བགྱི། དངོས་པོ་མེད་པའི་ངོ་བོ་ཉིད་སྟོང་པ་ཉིད་ཀྱི་བར་ནི་ཇི་ལྟར་བསྒོམ་པར་བགྱི། དྲན་པ་ཉེ་བར་གཞག་པ་རྣམས་ནི་ཇི་ལྟར་བསྒོམ་པར་བགྱི། ཡང་དག་པར་སྤོང་བ་རྣམས་དང་། རྫུ་འཕྲུལ་གྱི་རྐང་པ་རྣམས་དང་། དབང་པོ་རྣམས་དང་། སྟོབས་རྣམས་དང་། བྱང་ཆུབ་ཀྱི་ཡན་ལག་རྣམས་དང་། འཕགས་པའི་ལམ་ཡན་ལག་བརྒྱད་པ་ནི་ཇི་ལྟར་བསྒོམ

པར་བགྱི། འཕགས་པའི་བདེན་པ་རྣམས་དང་། བསམ་གཏན་རྣམས་དང་། ཚད་མེད་པ་རྣམས་དང་། གཟུགས་མེད་པའི་སྙོམས་པར་འཇུག་པ་རྣམས་དང་། རྣམ་པར་ཐར་པ་བརྒྱད་དང་། མཐར་གྱིས་གནས་པའི་སྙོམས་པར་འཇུག་པ་དགུ་དང་། སྟོང་པ་ཉིད་དང་། མཚན་མ་མེད་པ་དང་། སྨོན་པ་མེད་པ་དང་། མངོན་པར་ཤེས་པ་རྣམས་ནི་ཇི་ལྟར་བསྒོམ་པར་བགྱི། ཏིང་ངེ་འཛིན་རྣམས་དང་། གཟུངས་ཀྱི་སྒོ་རྣམས་ནི་ཇི་ལྟར་བསྒོམ་པར་བགྱི། དེ་བཞིན་གཤེགས་པའི་སྟོབས་རྣམས་དང་། མི་འཇིགས་པ་རྣམས་དང་། སོ་སོ་ཡང་དག་པར་རིག་པ་རྣམས་དང་། སངས་རྒྱས་ཀྱི་ཆོས་མ་འདྲེས་པ་བཅོ་བརྒྱད་ནི་ཇི་ལྟར་བསྒོམ་པར་བགྱི་ཞེས་ཡོངས་སུ་ཞུས། ཡོངས་སུ་དྲིས་སོ། །དེ་ནས་ལྷའི་དབང་པོ་བརྒྱ་བྱིན་གྱིས། ཚེ་དང་ལྡན་པ་ཤ་ར་དྭ་ཏིའི་བུ་ལ་འདི་སྐད་ཅེས་སྨྲས་སོ། །བཙུན་པ་ཤ་ར་དྭ་ཏིའི་བུ་ཤེས་རབ་ཀྱི་ཕ་རོལ་ཏུ་ཕྱིན་པ་འདི་ནི་ཤིན་ཏུ་ཟབ་ན། ཤེས་རབ་ཀྱི་ཕ་རོལ་ཏུ་ཕྱིན་པ་ཟབ་མོ་འདི་བསྟན་པའི་ཚེ། སྔོན་མ་སྦྱད་པའི་བྱང་ཆུབ་སེམས་དཔའ་སེམས་དཔའ་ཆེན་པོ་སོས་པར་མི་འགྱུར་བ་ལྟ་ངོ་མཚར་ཀྱང་ཅི་ཆེ། སྦྱིན་པའི་ཕ་རོལ་ཏུ་ཕྱིན་པ་དང་། ཚུལ་ཁྲིམས་ཀྱི་ཕ་རོལ་ཏུ་ཕྱིན་པ་དང་། བཟོད་པའི་ཕ་རོལ་ཏུ་ཕྱིན་པ་དང་། བརྩོན་འགྲུས་ཀྱི་ཕ་རོལ་ཏུ་ཕྱིན་པ་དང་། བསམ་གཏན་གྱི་ཕ་རོལ་ཏུ་ཕྱིན་པ་དང་། ཤེས་རབ་ཀྱི་ཕ་རོལ་ཏུ་ཕྱིན་པ་དང་། ནང་སྟོང་པ་ཉིད་དང་། ཕྱི་སྟོང་པ་ཉིད་དང་། ཕྱི་ནང་སྟོང་པ་ཉིད་དང་། དངོས་པོ་མེད་པའི་ངོ་བོ་ཉིད་སྟོང་པ་ཉིད་ཀྱི་བར་དང་། བྱང་ཆུབ་ཀྱི་ཕྱོགས་ཀྱི་ཆོས་སུམ་ཅུ་རྩ་བདུན་དང་། འཕགས་པའི་བདེན་པ་རྣམས་དང་། བསམ་གཏན་རྣམས་དང་། ཚད་མེད་པ་རྣམས་དང་། གཟུགས་མེད་པའི་སྙོམས་པར་འཇུག་པ་རྣམས་དང་། རྣམ་པར་ཐར་པ་བརྒྱད་

དང་། མཐར་གྱིས་གནས་པའི་སྙོམས་པར་འཇུག་པ་དགུ་དང་། སྟོང་པ་ཉིད་དང་མཚན་མ་མེད་པ་དང་། སྨོན་པ་མེད་པ་དང་། མངོན་པར་ཤེས་པ་རྣམས་དང་། ཏིང་ངེ་འཛིན་རྣམས་དང་། གཟུངས་ཀྱི་སྒོ་རྣམས་དང་། དེ་བཞིན་གཤེགས་པའི་སྟོབས་བཅུ་དང་། མི་འཇིགས་པ་བཞི་དང་། སོ་སོ་ཡང་དག་པར་རིག་པ་བཞི་དང་། སངས་རྒྱས་ཀྱི་ཆོས་མ་འདྲེས་པ་བཅོ་བརྒྱད་དང་། རྣམ་པ་ཐམས་ཅད་མཁྱེན་པ་ཉིད་ཀྱི་བར་ལ་སོགས་པར་མི་འགྱུར་བ་ལྷ་ངོ་མཚར་ཀྱང་ཅི་ཆེ། བཙུན་པ་ཤཱ་ར་དྭ་ཏིའི་བུ་ཤེས་རབ་ཀྱི་ཕ་རོལ་ཏུ་ཕྱིན་པ་ལ་ཕྱག་འཚལ་ལོ། །གང་ཤེས་རབ་ཀྱི་ཕ་རོལ་ཏུ་ཕྱིན་པ་ལ་ཕྱག་འཚལ་བ་དེ་ནི་ཐམས···ཅད་མཁྱེན་པའི་ཡེ་ཤེས་ལ་ཕྱག་འཚལ་བའོ། །དེ་ནས་བཅོམ་ལྡན་འདས་ཀྱིས····ལྷའི་དབང་པོ་བརྒྱ་བྱིན་ལ་བཀའ་སྩལ་པ། དེ་དེ་བཞིན་ནོ། །ཀཽ་ཤི་ཀ་དེ་དེ···བཞིན་ཏེ། གང་ཤེས་རབ་ཀྱི་ཕ་རོལ་ཏུ་ཕྱིན་པ་ལ་ཕྱག་འཚལ་བ་ནི་ཐམས་ཅད··མཁྱེན་པའི་ཡེ་ཤེས་ལ་ཕྱག་འཚལ་བའོ། །དེ་ཅིའི་ཕྱིར་ཞེ་ན། ཀཽ་ཤི་ཀ་འདི་ལས་བྱུང་བ་ནི་སངས་རྒྱས་བཅོམ་ལྡན་འདས་རྣམས་ཀྱི་རྣམ་པ་ཐམས་ཅད་མཁྱེན་པ་ཉིད་དོ། །རྣམ་པ་ཐམས་ཅད་མཁྱེན་པ་ཉིད་ཀྱི་ཡེ་ཤེས་ལས་ནི་ཤེས་རབ་ཀྱི་ཕ་རོལ་ཏུ་ཕྱིན་པ་བཟློད་དོ། །ཀཽ་ཤི་ཀ་ཐམས་ཅད་མཁྱེན་པ་ཉིད་ལ་གནས་པར····འདོད་པའི་རིགས་ཀྱི་བུའམ་རིགས་ཀྱི་བུ་མོས་ཤེས་རབ་ཀྱི་ཕ་རོལ་ཏུ་ཕྱིན་པ་ལ་གནས་པར་བྱའོ། །ལམ་གྱི་རྣམ་པ[7]ཤེས་པ་ཉིད་ཀྱི་ཡེ་ཤེས་བསྐྱུབ་པར་འདོད་པ··དང་། བག་ཆགས་ཀྱི་མཚམས་སྦྱོར་བའི་ཉོན་མོངས་པ་ཐམས་ཅད་སྤང་བར་འདོད་པ་དང་། ཆོས་ཀྱི་འཁོར་ལོ་བསྐོར་བར་འདོད་པའི་རིགས་ཀྱི་བུའམ་རིགས་ཀྱི་བུ་མོས་ཤེས་རབ་ཀྱི་ཕ་རོལ་ཏུ་ཕྱིན་པ་ལ་བརྩོན་པར་བྱའོ། །སེམས་ཅན་རྣམས་རྒྱུན་དུ་ཞུགས་པའི་འབྲས་བུ་ལ་དགོད་པར་འདོད་པ་དང་། ལན་

ཅིག་ཕྱིར་འོང་བའི་འབྲས་བུ་དང་། ཕྱིར་མི་འོང་བའི་འབྲས་བུ་དང་། དགྲ་བཅོམ་པ་ཉིད་ལ་དགོད་པར་འདོད་པ་དང་། རང་བྱང་ཆུབ་ལ་དགོད་པར་འདོད་པ་དང་། བླ་ན་མེད་པ་ཡང་དག་པར་རྫོགས་པའི་བྱང་ཆུབ་ལ་དགོད་པར་འདོད་པའི་རིགས་ཀྱི་བུའམ་རིགས་ཀྱི་[1]བུ་མོས་ཤེས་རབ་ཀྱི་ཕ་རོལ་ཏུ་ཕྱིན་པ་ལ་བརྟོན[2]པར་བྱའོ། །སེམས་ཅན་རྣམས་འཚང་རྒྱ་བ་ཉིད་ལ་དགོད་པར་འདོད་པའི་རིགས་ཀྱི་བུའམ་རིགས་ཀྱི་བུ་མོས་ཤེས་རབ་ཀྱི་ཕ་རོལ་ཏུ་ཕྱིན་པ་ལ་བརྟོན་པར་བྱའོ། །ཁམས་གསུམ་གྱི་ཞུལ་དུ་འགྱུར[3]བར་འདོད་པའི་རིགས་ཀྱི་བུའམ་རིགས་ཀྱི་བུ་མོས་ཤེས་རབ་ཀྱི་ཕ་རོལ་ཏུ་ཕྱིན་པ་ལ་བརྟོན་པར་བྱའོ། །བདུད་ཐམས་ཅད་ཕམ་པར་བྱ་བར་འདོད་པའི་རིགས་ཀྱི་བུའམ་རིགས་ཀྱི་བུ་མོས་ཤེས་རབ་ཀྱི་ཕ་རོལ་ཏུ་ཕྱིན་པ་ལ་བརྟོན་པར་བྱའོ། །དགེ་སློང་གི་དགེ་འདུན་བསྡུ་བར་འདོད་པའི་རིགས་ཀྱི་བུའམ་རིགས་ཀྱི་བུ་མོས་ཤེས་རབ་ཀྱི་ཕ་རོལ་ཏུ་ཕྱིན་པ་ལ་བརྟོན་པར་བྱའོ། །དེ་སྐད་ཅེས་བཀའ་སྩལ་པ་དང་། ལྷའི་དབང་པོ་བརྒྱ་བྱིན་གྱིས། བཅོམ་ལྡན་འདས་ལ་འདི་སྐད་ཅེས་གསོལ་ཏོ། །བཅོམ་ལྡན་འདས་ཇི་ལྟར་ན་བྱང་ཆུབ་སེམས་དཔའ་སེམས་དཔའ་ཆེན་པོ་ཤེས་རབ་ཀྱི་ཕ་རོལ་ཏུ་ཕྱིན་པ་ལ་གནས་པ་ལགས། ཇི་ལྟར་ན་བསམ་གཏན་གྱི་ཕ་རོལ་ཏུ་ཕྱིན་པ་དང་། བརྩོན་འགྲུས་ཀྱི་ཕ་རོལ་ཏུ་ཕྱིན་པ་དང་། བཟོད་པའི་ཕ་རོལ་ཏུ་ཕྱིན་པ་དང་། ཚུལ་ཁྲིམས་ཀྱི་ཕ་རོལ་ཏུ་ཕྱིན་པ་དང་། སྦྱིན་པའི་ཕ་རོལ་ཏུ་ཕྱིན་པ་ལ་གནས་པ་ལགས། བཅོམ་ལྡན་འདས་ཇི་ལྟར་ན་བྱང་ཆུབ་སེམས་དཔའ་སེམས་དཔའ་ཆེན་པོ་ཤེས་རབ་ཀྱི་ཕ་རོལ་ཏུ་ཕྱིན་པ་ལ་སྤྱོད་པའི་ཚེ། སྦྱིན་པའི་ཕ་རོལ་ཏུ་ཕྱིན་པ་ལ་བརྟོན་པར་བགྱིད་པ་ལགས། ཚུལ་ཁྲིམས་ཀྱི་ཕ་རོལ་ཏུ་ཕྱིན་པ་དང་། བཟོད་པའི་ཕ་རོལ་ཏུ་ཕྱིན་པ་དང་། བརྩོན་འགྲུས་ཀྱི་ཕ་རོལ་ཏུ་ཕྱིན་པ་དང་།

བསམ་གཏན་གྱི་ཕ་རོལ་ཏུ་ཕྱིན་པ་དང་། ཤེས་རབ་ཀྱི་ཕ་རོལ་ཏུ་ཕྱིན་པ་ལ་བསྟོན་པར་བགྱིད་པ་ལགས། ཇི་ལྟར་ན་ནང་སྟོང་པ་ཉིད་ལ་བསྟོན་པར་བགྱིད་པ་ལགས། ཇི་ལྟར་ན་དངོས་པོ་མེད་པའི་ངོ་བོ་ཉིད་སྟོང་པ་ཉིད་ཀྱི་བར་ལ་བསྟོན་པར་བགྱིད་པ་ལགས། ཇི་ལྟར་ན་བྱང་ཆུབ་ཀྱི་ཕྱོགས་ཀྱི་ཆོས་སུམ་ཅུ་རྩ་བདུན་ལ་བསྟོན་པར་བགྱིད་པ་ལགས། ཇི་ལྟར་ན་འཕགས་པའི་བདེན་པ་རྣམས་དང་། བསམ་གཏན་རྣམས་དང་། ཚད་མེད་པ་རྣམས་དང་། གཟུགས་མེད་པའི་སྙོམས་པར་འཇུག་པ་རྣམས་དང་རྣམ་པར་ཐར་པ་བརྒྱད་དང་། མཐར་གྱིས་གནས་པའི་སྙོམས་པར་འཇུག་པ་དགུ་དང་། སྟོང་པ་ཉིད་དང་མཚན་མ་མེད་པ་དང་། སྨོན་པ་མེད་པ་དང་མངོན་པར་ཤེས་པ་རྣམས་ལ་བསྟོན་པར་བགྱིད་པ་ལགས། ཇི་ལྟར་ན་ཏིང་ངེ་འཛིན་རྣམས་དང་། གཟུངས་ཀྱི་སྒོ་རྣམས་ལ་བསྟོན་པར་བགྱིད་པ་ལགས། ཇི་ལྟར་ན་དེ་བཞིན་གཤེགས་པའི་སྟོབས་བཅུ་དང་། མི་འཇིགས་པ་བཞི་དང་། སོ་སོ་ཡང་དག་པར་རིག་པ་བཞི་དང་། བྱམས་པ་ཆེན་པོ་དང་། སྙིང་རྗེ་ཆེན་པོ་དང་། སངས་རྒྱས་ཀྱི་ཆོས་མ་འདྲེས་པ་བཅོ་བརྒྱད་ལ་བསྟོན་པར་བགྱིད་པ་ལགས། བཅོམ་ལྡན་འདས་ཀྱིས་བཀའ་སྩལ་པ། ཀཽ་ཤི་ཀ་དེ་ལྟར་ཁྱོད་དེ་བཞིན་གཤེགས་པ་དགྲ་བཅོམ་པ་ཡང་དག་པར་རྫོགས་པའི་སངས་རྒྱས་ལ་དོན་འདི་ཡོངས་སུ་ཞུ་བར་སེམས་པ་ལེགས་སོ་ལེགས་སོ།། ཀཽ་ཤི་ཀ་ཁྱོད་ཀྱི་སྤོབས་པ་འདི་ཡང་སངས་རྒྱས་ཀྱི་བྱིན་གྱིས་བརླབས[1]ཀྱིས་བྱུང་ངོ་།། ཀཽ་ཤི་ཀ་འདི་ལ་བྱང་ཆུབ་སེམས་དཔའ་སེམས་དཔའ་ཆེན་པོ་ཤེས་རབ་ཀྱི་ཕ་རོལ་ཏུ་ཕྱིན་པ་ལ་སྤྱོད་པའི་ཚེ། གཟུགས་ལ་མི་གནས་ཏེ། །གང་གི་ཚེ་གཟུགས་ལ་མི་གནས་པ་དེའི་ཚེ། གཟུགས་ལ་བསྟོན་པར་བྱེད་པ་ཡིན་ནོ། །ཚོར་བ་དང་འདུ་ཤེས་དང་འདུ་བྱེད་དང་། རྣམ་པར་ཤེས་པ་ལ་མི་གནས་ཏེ། གང་གི་ཚེ་

རྣམ་པར་ཤེས་པ་ལ་མི་གནས་པ་དེའི་ཚེ། རྣམ་པར་ཤེས་པ་ལ་བརྩོན་པར་བྱེད་པ་ཡིན་ནོ། །མིག་ལ་མི་གནས་ཏེ། གང་གི་ཚེ་མིག་ལ་མི་གནས་པ་དེའི་ཚེ། མིག་ལ་བརྩོན་པར་བྱེད་པ་ཡིན་ནོ། །རྣ་བ་དང་སྣ་དང་ལྗེ་དང་ལུས་དང་ཡིད་ལ་མི་གནས་ཏེ། གང་གི་ཚེ་ཡིད་ལ་མི་གནས་པ་དེའི་ཚེ། ཡིད་ལ་བརྩོན་པར་བྱེད་པ་ཡིན་ནོ། །གཟུགས་ལ་མི་གནས་ཏེ། གང་གི་ཚེ་གཟུགས་ལ་མི་གནས་པ་དེའི་ཚེ། གཟུགས་ལ་བརྩོན་པར་བྱེད་པ་ཡིན་ནོ། །སྒྲ་དང་དྲི་དང་རོ་དང་རེག་དང་ཆོས་ལ་མི་གནས་ཏེ། གང་གི་ཚེ་ཆོས་ལ་མི་གནས་པ་དེའི་ཚེ། ཆོས་ལ་བརྩོན་པར་བྱེད་པ་ཡིན་ནོ། །མིག་གི་རྣམ་པར་ཤེས་པ་ལ་མི་གནས། མིག་གི་འདུས་ཏེ་རེག་པ་ལ་མི་གནས། མིག་གི་འདུས་ཏེ་རེག་པའི་རྐྱེན་གྱིས་ཚོར་བ་ལ་མི་གནས། རྣ་བ་དང་སྣ་དང་ལྗེ་དང་ལུས་དང་ཡིད་ཀྱི་རྣམ་པར་ཤེས་པ་ལ་མི་གནས། ཡིད་ཀྱི་འདུས་ཏེ་རེག་པ་ལ་མི་གནས། ཡིད་ཀྱི་འདུས་ཏེ་རེག་པའི་རྐྱེན་གྱིས་ཚོར་བ་ལ་མི་གནས་ཏེ། གང་གི་ཚེ་ཡིད་ཀྱི་འདུས་ཏེ་རེག་པའི་རྐྱེན་གྱིས་ཚོར་བ་ལ་མི་གནས་པ་དེའི་ཚེ། ཡིད་ཀྱི་འདུས་ཏེ་རེག་པའི་རྐྱེན་གྱིས་ཚོར་བ་ལ་བརྩོན་པར་བྱེད་པ་ཡིན་ནོ། །སའི་ཁམས་ལ་མི་གནས་ཏེ། གང་གི་ཚེ་སའི་ཁམས་ལ་མི་གནས་པ་དེའི་ཚེ། སའི་ཁམས་ལ་བརྩོན་པར་བྱེད་པ་ཡིན་ནོ། །ཆུའི་ཁམས་དང་མེའི་ཁམས་དང་། རླུང་གི་ཁམས་དང་ནམ་མཁའི་ཁམས་དང་རྣམ་པར་ཤེས་པའི་ཁམས་ལ་མི་གནས་ཏེ། གང་གི་ཚེ་རྣམ་པར་ཤེས་པའི་[7] ཁམས་ལ་མི་གནས་པ་དེའི་ཚེ། རྣམ་པར་ཤེས་པའི་ཁམས་ལ་བརྩོན་པར་བྱེད་པ་ཡིན་ནོ། །མ་རིག་པ་ལ་མི་གནས་ཏེ། གང་གི་ཚེ་མ་རིག་པ་ལ་མི་གནས་པ་དེའི་ཚེ། མ་རིག་པ་ལ་བརྩོན་པར་བྱེད་པ་ཡིན་ནོ། །འདུ་བྱེད་དང་། རྣམ་པར་ཤེས་པ་དང་མིང་དང་གཟུགས་དང་སྐྱེ་མཆེད་དྲུག་དང་རེག་པ་དང་ཚོར་བ་

དང་། སྲེད་པ་དང་ལེན་པ་དང་སྲིད་པ་དང་སྐྱེ་བ་དང་རྒ་ཤི་ལ་མི་གནས་ཏེ། གང་གི་ཚེ་རྒ་ཤི་ལ་མི་གནས་པ་དེའི་ཚེ། རྒ་ཤི་ལ་བརྩོན་པར་བྱེད་པ་ཡིན་ནོ། །སྦྱིན་པའི་ཕ་རོལ་ཏུ་ཕྱིན་པ་ལ་མི་གནས་ཏེ། གང་གི་ཚེ་སྦྱིན་པའི་ཕ་རོལ་ཏུ་ཕྱིན་པ་ལ་མི་གནས་པ་དེའི་ཚེ། སྦྱིན་པའི་ཕ་རོལ་ཏུ་ཕྱིན་པ་ལ་བརྩོན་པར་བྱེད་པ་ཡིན་ནོ། །ཚུལ་ཁྲིམས་ཀྱི་ཕ་རོལ་ཏུ་ཕྱིན་པ་དང་། བཟོད་པའི་ཕ་རོལ་ཏུ་ཕྱིན་པ་དང་། བརྩོན་འགྲུས་ཀྱི་ཕ་རོལ་ཏུ་ཕྱིན་པ་དང་། བསམ་གཏན་གྱི་ཕ་རོལ་ཏུ་ཕྱིན་པ་དང་། ཤེས་རབ་ཀྱི་ཕ་རོལ་ཏུ་ཕྱིན་པ་ལ་མི་གནས་ཏེ། གང་གི་ཚེ་ཤེས་རབ་ཀྱི་ཕ་རོལ་ཏུ་ཕྱིན་པ་ལ་མི་གནས་པ་དེའི་ཚེ། ཤེས་རབ་ཀྱི་ཕ་རོལ་ཏུ་ཕྱིན་པ་ལ་བརྩོན་པར་བྱེད་པ་ཡིན་ནོ། །ནང་སྟོང་པ་ཉིད་ལ་མི་གནས་ཏེ། གང་གི་ཚེ་ནང་སྟོང་པ་ཉིད་ལ་མི་གནས་པ་དེའི་ཚེ། ནང་སྟོང་པ་ཉིད་ལ་བརྩོན་པར་བྱེད་པ་ཡིན་ནོ། །དངོས་པོ་མེད་པའི་ངོ་བོ་ཉིད་[1]སྟོང་པ་ཉིད་ཀྱི་བར་ལ་མི་གནས་ཏེ། གང་གི་ཚེ་དངོས་པོ་མེད་པའི་ངོ་བོ་ཉིད་སྟོང་པ་ཉིད་ལ་མི་གནས་པ་དེའི་ཚེ། དངོས་པོ་མེད་པའི་ངོ་བོ་ཉིད་སྟོང་པ་ཉིད་ལ་བརྩོན་པར་བྱེད་པ་ཡིན་ནོ། །དྲན་པ་ཉེ་བར་གཞག་པ་རྣམས་ལ་མི་གནས་ཏེ། གང་གི་ཚེ་དྲན་པ་ཉེ་བར་གཞག་པ་རྣམས་ལ་མི་གནས་པ་དེའི་ཚེ། དྲན་པ་ཉེ་བར་གཞག་པ་རྣམས་ལ་བརྩོན་པར་བྱེད་པ་ཡིན་ནོ། །ཡང་དག་པར་སྤོང་བ་རྣམས་དང་། རྫུ་འཕྲུལ་གྱི་རྐང་པ་རྣམས་དང་། དབང་པོ་རྣམས་དང་། སྟོབས་རྣམས་དང་། བྱང་ཆུབ་ཀྱི་ཡན་ལག་རྣམས་དང་། འཕགས་པའི་ལམ་ཡན་ལག་བརྒྱད་པ་ལ་མི་གནས་ཏེ། གང་གི་ཚེ་འཕགས་པའི་ལམ་ཡན་ལག་བརྒྱད་པ་ལ་མི་གནས་པ་དེའི་ཚེ༑ འཕགས་པའི་ལམ་ཡན་ལག་བརྒྱད་པ་ལ་བརྩོན་པར་བྱེད་པ་ཡིན་ནོ། །འཕགས་པའི་བདེན་པ་རྣམས་དང་། བསམ་གཏན་རྣམས་དང་། ཚད་མེད་

པ་རྣམས་དང་། གཟུགས་མེད་པའི་སྙོམས་པར་འཇུག་པ་རྣམས་ལ་མི་གནས་ཏེ། གང་གི་ཚེ་གཟུགས་མེད་པའི་སྙོམས་པར་འཇུག་པ་རྣམས་ལ་མི་གནས་པ་དེའི་ཚེ། གཟུགས་མེད་པའི་སྙོམས་པར་འཇུག་པ་རྣམས་ལ་བསྒོམ་པར་བྱེད་པ་ཡིན་ནོ། །རྣམ་པར་ཐར་པ་བརྒྱད་དང་། མཐར་གྱིས་གནས་པའི་སྙོམས་པར་འཇུག་པ་དགུ་དང་། སྟོང་པ་ཉིད་དང་། མཚན་མ་མེད་པ་དང་། སྨོན་པ་མེད་པ་དང་། མངོན་པར་ཤེས་པ་རྣམས་ལ་མི་གནས་ཏེ། གང་གི་ཚེ་མངོན་པར་ཤེས་པ་རྣམས་ལ་མི་གནས་པ་དེའི་ཚེ། མངོན་པར་ཤེས་པ་རྣམས་ལ་བསྒོམ་པར་བྱེད་པ་ཡིན་ནོ། །ཏིང་ངེ་འཛིན་རྣམས་དང་། གཟུངས①ཀྱི་སྒོ་རྣམས་ལ་མི་གནས་ཏེ། གང་གི་ཚེ་གཟུངས་ཀྱི་སྒོ་རྣམས་ལ་མི་གནས་པ་དེའི་ཚེ། གཟུངས་ཀྱི་སྒོ་རྣམས་ལ་བསྒོམ་པར་བྱེད་པ་ཡིན་ནོ། །དེ་བཞིན་གཤེགས་པའི་སྟོབས་བཅུ་དང་། མི་འཇིགས་པ་བཞི་དང་། སོ་སོ་ཡང་དག་པར་རིག་པ་བཞི་དང་། སངས་རྒྱས་ཀྱི་ཆོས་མ་འདྲེས་པ་བཅོ་བརྒྱད་ལ་མི་གནས་ཏེ། གང་གི་ཚེ་སངས་རྒྱས་ཀྱི་ཆོས་མ་འདྲེས་པ་བཅོ་བརྒྱད་ལ་མི་གནས་པ་དེའི་ཚེ། སངས་རྒྱས་ཀྱི་ཆོས་མ་འདྲེས་པ་བཅོ་བརྒྱད་ལ་བསྒོམ་པར་བྱེད་པ་ཡིན་ནོ། །རྒྱུན་དུ་ཞུགས་པའི་འབྲས་བུ་དང་། ལན་ཅིག་ཕྱིར་འོང་བའི་འབྲས་བུ་དང་། ཕྱིར་མི་འོང་བའི་འབྲས་བུ་དང་། དགྲ་བཅོམ་པ་ཉིད་དང་། རང་བྱང་ཆུབ་ལ་མི་གནས་ཏེ། གང་གི་ཚེ་རང་བྱང་ཆུབ་ལ་མི་གནས་པ་དེའི་ཚེ། རང་བྱང་ཆུབ་ལ་བསྒོམ་པར་བྱེད་པ་ཡིན་ནོ། །ལམ་གྱི་རྣམ་པ་ཤེས་པ་ཉིད་དང་། རྣམ་པ་ཐམས་ཅད་མཁྱེན་པ་ཉིད་ལ་མི་གནས་ཏེ། གང་གི་ཚེ་རྣམ་པ་ཐམས་ཅད་མཁྱེན་པ་ཉིད་ལ་མི་གནས་པ་དེའི་ཚེ། རྣམ་པ་ཐམས་ཅད་མཁྱེན་པ་ཉིད་ལ་བསྒོམ་པར་བྱེད་པ་ཡིན་ནོ། །དེ་ཅིའི་ཕྱིར་ཞེ་ན། ཀཽ་ཤི་ཀ་དེ་ནི་འདི་ལྟར་གང་ལ་གནས་པར་བྱ་བ་དང་།

གང་ལ་བསྟོན་པར་བྱ་བ་དེ་ལྷ་བུའི་གཟུགས་མི་དམིགས་སོ། །གང་ལ་གནས་པར་བྱ་བ་དང་། གང་ལ་བསྟོན་པར་བྱ་བ་དེ་ལྷ་བུའི་ཚོར་བ་དང་། འདུ་ཤེས་དང་འདུ་བྱེད་དང་། རྣམ་པར་ཤེས་པ་མི་དམིགས་སོ། །གང་ལ་གནས་པར་བྱ་བ་དང་། གང་ལ་བསྟོན་པར་བྱ་བ་དེ་⑦ལྷ་བུའི་སྐྱེ་མཆེད་དང་། ཁམས་དང་རྟེན་ཅིང་འབྲེལ་པར་འབྱུང་བ་མི་དམིགས་སོ། །གང་ལ་གནས་པར་བྱ་བ་དང་། གང་③ལ་བསྟོན་པར་བྱ་བ་དེ་ལྷ་བུའི་ཕ་རོལ་ཏུ་ཕྱིན་པ་ཐམས་ཅད་དང་། སྟོང་པ་ཉིད་ཐམས་ཅད་དང་། བྱང་ཆུབ་ཀྱི་ཕྱོགས་ཀྱི་ཆོས་སུམ་ཅུ་རྩ་བདུན་མི་དམིགས་སོ། །གང་ལ་གནས་པར་བྱ་བ་དང་། གང་ལ་བསྟོན་པར་བྱ་བ་དེ་ལྷ་བུའི་འཕགས་པའི་བདེན་པ་རྣམས་དང་། བསམ་གཏན་རྣམས་དང་། ཚད་མེད་པ་རྣམས་དང་། གཟུགས་མེད་པའི་སྙོམས་པར་འཇུག་པ་རྣམས་དང་། རྣམ་པར་ཐར་③པ་བརྒྱད་དང་། མཐར་གྱིས་གནས་པའི་སྙོམས་པར་འཇུག་པ་དགུ་དང་། སྟོང་པ་ཉིད་དང་། མཚན་མ་མེད་པ་དང་། སྨོན་པ་མེད་པ་དང་། མངོན་པར་ཤེས་པ་རྣམས་མི་དམིགས་སོ། །ཏིང་ངེ་འཛིན་རྣམས་དང་། གཟུངས་ཀྱི་སྒོ་རྣམས་མི་དམིགས་སོ། །དེ་བཞིན་གཤེགས་པའི་སྟོབས་བཅུ་དང་། མི་འཇིགས་པ་བཞི་དང་། སོ་སོ་ཡང་དག་པར་རིག་པ་བཞི་དང་། བྱམས་པ་ཆེན་པོ་དང་། སྙིང་རྗེ་ཆེན་པོ་དང་། སངས་རྒྱས་ཀྱི་ཆོས་མ་འདྲེས་པ་བཅོ་བརྒྱད་མི་དམིགས་སོ། །རྒྱུན་དུ་ཞུགས་པའི་འབྲས་བུ་དང་། ལན་ཅིག་ཕྱིར་འོང་བའི་འབྲས་བུ་དང་། ཕྱིར་མི་འོང་བའི་འབྲས་བུ་དང་། དགྲ་བཅོམ་པ་ཉིད་དང་། རང་བྱང་ཆུབ་མི་དམིགས་སོ། །ལམ་གྱི་རྣམ་པ་ཤེས་པ་ཉིད་དང་། རྣམ་པ་ཐམས་ཅད་མཁྱེན་པ་ཉིད་མི་དམིགས་སོ། །རབ་འབྱོར་གཞན་ཡང་བྱང་ཆུབ་སེམས་དཔའ་སེམས་དཔའ་ཆེན་པོ་ཤེས་རབ་ཀྱི་ཕ་རོལ་ཏུ་ཕྱིན་པ་ལ་སྤྱོད་པའི་ཚེ།

གཟུགས་ལ་མི་སྦྱོར་མི་འབྱེད་དེ། གང་གི་ཚེ་གཟུགས་ལ་མི་སྦྱོར་མི་འབྱེད་པ་དེའི་ཚེ། གཟུགས་ལ་བརྩོན་པར་བྱེད་པ་ཡིན་ནོ། །ཚོར་བ་དང་འདུ་ཤེས་དང་འདུ་བྱེད་དང་རྣམ་པར་ཤེས་པ་ལ་མི་སྦྱོར་མི་འབྱེད་དེ①། གང་གི་ཚེ་རྣམ་པར་ཤེས་པ་ལ་མི་སྦྱོར་མི་འབྱེད་པ་དེའི་ཚེ། རྣམ་པར་ཤེས་པ་ལ་བརྩོན་པར་བྱེད་པ་ཡིན་ནོ། །སྐྱེ་མཆེད་དང་ཁམས་དང་རྟེན་ཅིང་འབྲེལ་བར་འབྱུང་བ་ལ་མི་སྦྱོར་མི་འབྱེད་དེ②། གང་གི་ཚེ་རྟེན་ཅིང་འབྲེལ་པར་འབྱུང་བ་ལ་མི་སྦྱོར་མི་འབྱེད་པ་དེའི་ཚེ། རྟེན་ཅིང་འབྲེལ་པར་འབྱུང་བ་ལ་བརྩོན་པར་བྱེད་པ་ཡིན་ནོ། །ཕ་རོལ་ཏུ་ཕྱིན་པ་ཐམས་ཅད་དང་། སྟོང་པ་ཉིད་ཐམས་ཅད་དང་། བྱང་ཆུབ་ཀྱི་ཕྱོགས་ཀྱི་ཆོས་སུམ་ཅུ་རྩ་བདུན་ལ་མི་སྦྱོར་མི་འབྱེད་དེ། གང་གི་ཚེ་བྱང་ཆུབ་ཀྱི་ཕྱོགས་ཀྱི་ཆོས་སུམ་ཅུ་རྩ་བདུན་ལ་མི་སྦྱོར་མི་འབྱེད་པ་དེའི་ཚེ། བྱང་ཆུབ་ཀྱི་ཕྱོགས་ཀྱི་ཆོས་སུམ་ཅུ་རྩ་བདུན་ལ་བརྩོན་པར་བྱེད་པ་ཡིན་ནོ། །འཕགས་པའི་བདེན་པ་རྣམས་དང་། བསམ་གཏན་རྣམས་དང་། ཚད་མེད་པ་རྣམས་དང་། གཟུགས་མེད་པའི་སྙོམས་པར་འཇུག་པ་རྣམས་དང་། རྣམ་པར་ཐར་པ་བརྒྱད་དང་། མཐར་གྱིས་གནས་པའི་སྙོམས་པར་འཇུག་པ་དགུ་དང་། སྟོང་པ་ཉིད་དང་། མཚན་མ་མེད་པ་དང་། སྨོན་③པ་མེད་པ་དང་། མངོན་པར་ཤེས་པ་རྣམས་ལ་མི་སྦྱོར་མི་འབྱེད་དེ། གང་གི་ཚེ་མངོན་པར་ཤེས་པ་རྣམས་ལ་མི་སྦྱོར་མི་འབྱེད་པ་དེའི་ཚེ། མངོན་པར་ཤེས་པ་རྣམས་ལ་བརྩོན་པར་བྱེད་པ་ཡིན་ནོ། །ཏིང་ངེ་འཛིན་རྣམས་དང་། གཟུངས་ཀྱི་སྒོ་རྣམས་ལ་མི་སྦྱོར་མི་འབྱེད་དེ④། གང་གི་ཚེ་གཟུངས་ཀྱི་སྒོ་⑤རྣམས་ལ་མི་སྦྱོར་མི་འབྱེད་པ་དེའི་ཚེ། གཟུངས་ཀྱི་སྒོ་རྣམས་ལ་བརྩོན་པར་བྱེད་པ་ཡིན་ནོ། །དེ་བཞིན་གཤེགས་པའི་སྟོབས་བཅུ་དང་། མི་འཇིགས་པ་བཞི་དང་། སོ་སོ་ཡང་དག་པར་རིག་པ་བཞི་དང་། བྱམས་པ་

ཆེན་པོ་དང་། སྙིང་རྗེ་ཆེན་པོ་དང་། སངས་རྒྱས་ཀྱི་ཆོས་མ་འདྲེས་པ་བཅོ་བརྒྱད་ལ་མི་སྦྱོར་མི་འབྱེད་དེ[༡]། གང་གི་ཚེ་སངས་རྒྱས་ཀྱི་ཆོས་མ་འདྲེས་པ་བཅོ་བརྒྱད་ལ་མི་སྦྱོར་མི་འབྱེད་[༢]པ་དེའི་ཚེ། སངས་རྒྱས་ཀྱི་ཆོས་མ་འདྲེས་པ་བཅོ་བརྒྱད་ལ་བརྩོན་པར་བྱེད་པ་ཡིན་ནོ། །རྣམ་པ་ཐམས་ཅད་མཁྱེན་པ་ཉིད་ཀྱི་བར་ལ་མི་སྦྱོར་མི་འབྱེད་[༣]དེ། གང་གི་ཚེ་རྣམ་པ་ཐམས་ཅད་མཁྱེན་པ་ཉིད་ལ་མི་སྦྱོར་མི་འབྱེད་པ་དེའི་ཚེ། རྣམ་པ་ཐམས་ཅད་མཁྱེན་པ་ཉིད་ལ་བརྩོན་པར་བྱེད་པ་ཡིན་ནོ། །དེ་ཅིའི་ཕྱིར་ཞེ་ན། དེ་ནི་འདི་ལྟར་བྱང་ཆུབ་སེམས་དཔའ་སེམས་དཔའ་ཆེན་པོ་དེ་ཤེས་རབ་ཀྱི་ཕ་རོལ་ཏུ་ཕྱིན་པ་ལ་སྤྱོད་པའི་ཚེ། གཟུགས་སྔོན་གྱི་མཐར་མི་དམིགས་སོ། །གཟུགས་ཕྱི་མའི་མཐར་མི་དམིགས་སོ། །གཟུགས་དབུས་སུ་མི་དམིགས་སོ། །ཚོར་བ་དང་འདུ་ཤེས་དང་འདུ་བྱེད་དང་། རྣམ་པར་ཤེས་པ་སྔོན་གྱི་མཐར་མི་དམིགས་སོ། །རྣམ་པར་ཤེས་པ་ཕྱི་མའི་མཐར་མི་དམིགས་སོ། །རྣམ་པར་ཤེས་པ་དབུས་སུ་མི་དམིགས་སོ། །སྐྱེ་མཆེད་དང་ཁམས་དང་རྟེན་ཅིང་འབྲེལ་པར་འབྱུང་བ་སྔོན་གྱི་མཐར་མི་དམིགས་སོ། །རྟེན་ཅིང་འབྲེལ་པར་འབྱུང་བ་ཕྱི་མའི་མཐར་མི་དམིགས་སོ། །རྟེན་ཅིང་འབྲེལ་པར་འབྱུང་བ་དབུས་སུ་མི་དམིགས་སོ། །ཕ་རོལ་ཏུ་ཕྱིན་པ་ཐམས་ཅད་དང་། སྟོང་པ་ཉིད་ཐམས་ཅད་དང་། བྱང་ཆུབ་ཀྱི་ཕྱོགས་ཀྱི་ཆོས་སུམ་ཅུ་རྩ་བདུན་སྔོན་གྱི་མཐར་[༤]མི་དམིགས་སོ། །བྱང་ཆུབ་ཀྱི་ཕྱོགས་ཀྱི་ཆོས་སུམ་ཅུ་རྩ་བདུན་ཕྱི་མའི་མཐར་མི་དམིགས་སོ། །བྱང་ཆུབ་ཀྱི་ཕྱོགས་ཀྱི་ཆོས་སུམ་ཅུ་རྩ་བདུན་དབུས་སུ་མི་དམིགས་སོ། །འཕགས་པའི་བདེན་པ་རྣམས་དང་། བསམ་གཏན་རྣམས་དང་། ཚད་མེད་པ་རྣམས་དང་། གཟུགས་མེད་པའི་སྙོམས་པར་འཇུག་པ་རྣམས་དང་། རྣམ་པར་ཐར་པ་བརྒྱད་དང་། མཐར་གྱིས་གནས་པའི་སྙོམས་པར་འཇུག་པ་

དགུ་དང་། སྟོང་པ་ཉིད་དང་མཚན་མ་མེད་པ་དང་སྨོན་པ་མེད་པ་དང་། མངོན་པར་ཤེས་པ་རྣམས་སྔོན་གྱི་མཐར་མི་དམིགས་སོ། །མངོན་པར་ཤེས་པ་རྣམས་ཕྱི་མའི་མཐར་མི་དམིགས་སོ། །མངོན་པར་[7]ཤེས་པ་རྣམས་དབུས་སུ་མི་དམིགས་སོ། །ཏིང་ངེ་འཛིན་རྣམས་དང་། གཟུངས་ཀྱི་སྒོ་རྣམས་སྔོན་གྱི་མཐར་མི་དམིགས་སོ། །གཟུངས་ཀྱི་སྒོ་རྣམས་ཕྱི་མའི་མཐར་མི་དམིགས་སོ། །གཟུངས་ཀྱི་སྒོ་རྣམས་དབུས་སུ་མི་དམིགས་སོ། །དེ་བཞིན་གཤེགས་པའི་སྟོབས་བཅུ་དང་། མི་འཇིགས་པ་བཞི་དང་། སོ་སོ་ཡང་དག་པར་རིག་པ་བཞི་དང་། བྱམས་པ་ཆེན་པོ་དང་། སྙིང་རྗེ་ཆེན་པོ་དང་། སངས་རྒྱས་ཀྱི་ཆོས་མ་འདྲེས་པ་བཅོ་བརྒྱད་སྔོན་གྱི་མཐར་མི་དམིགས་སོ། །སངས་རྒྱས་ཀྱི་ཆོས་མ་འདྲེས་པ་བཅོ་བརྒྱད་ཕྱི་མའི་མཐར་མི་དམིགས་སོ། །སངས་རྒྱས་ཀྱི་ཆོས་མ་འདྲེས་པ་བཅོ་བརྒྱད་དབུས་སུ་མི་དམིགས་སོ། །རྣམ་པ་ཐམས་ཅད་མཁྱེན་པ་ཉིད་ཀྱི་བར་དུ་སྔོན་གྱི་མཐར་མི་དམིགས་སོ། །རྣམ་པ་ཐམས་ཅད་མཁྱེན་པ་ཉིད་ཕྱི་མའི་མཐར་མི་དམིགས་སོ། །རྣམ་པ་ཐམས་ཅད་མཁྱེན་པ་ཉིད་དབུས་སུ་མི་དམིགས་སོ། །

དེ་ནས་ཚེ་དང་ལྡན་པ་ཤ་ར་དྭ་ཏིའི་བུས། བཅོམ་ལྡན་འདས་ལ་འདི་སྐད་ཅེས་གསོལ་ཏོ། །བཅོམ་ལྡན་འདས་ཤེས་རབ་ཀྱི་ཕ་རོལ་ཏུ་ཕྱིན་པ་ནི་ཟབ་བོ། །

བཅོམ་ལྡན་འདས་ཀྱིས་བཀའ་སྩལ་པ། ཤ་ར་དྭ་ཏིའི་བུ་གཟུགས་ཀྱི་དེ་བཞིན་ཉིད་ཟབ་པའི་ཕྱིར། ཤེས་རབ་ཀྱི་ཕ་རོལ་ཏུ་ཕྱིན་པ་ཟབ་བོ། །ཤ་ར་དྭ་ཏིའི་བུ་ཚོར་བ་དང་། འདུ་ཤེས་དང་འདུ་བྱེད་དང་རྣམ་པར་ཤེས་པའི་དེ་བཞིན་ཉིད་ཟབ་པའི་ཕྱིར། ཤེས་རབ་ཀྱི་ཕ་རོལ་ཏུ་ཕྱིན་པ་ཟབ་བོ། །ཤ་ར་དྭ་ཏིའི་བུ་སྐྱེ་མཆེད་དང་ཁམས་དང་རྟེན་ཅིང་འབྲེལ་པར་འབྱུང་བའི་དེ་བཞིན་ཉིད་ཟབ་པའི་ཕྱིར། ཤེས་རབ་ཀྱི་ཕ་རོལ་ཏུ་ཕྱིན་པ་ཟབ་བོ། །ཕ་རོལ་ཏུ་ཕྱིན་པ་ཐམས་

ཅད་དང་། སྟོང་པ་ཉིད་ཐམས་ཅད་དང་། བྱང་ཆུབ་ཀྱི་ཕྱོགས་ཀྱི་ཆོས་སུམ་ཅུ་རྩ་བདུན་གྱི་དེ་བཞིན་ཉིད་ཟབ་པའི་ཕྱིར། ཤེས་རབ་ཀྱི་ཕ་རོལ་ཏུ་ཕྱིན་པ་ཟབ་བོ། །འཕགས་པའི་བདེན་པ་དང་། བསམ་གཏན་དང་ཚད་མེད་པ་དང་གཟུགས་མེད་པའི་སྙོམས་པར་འཇུག་པ་དང་། རྣམ་པར་ཐར་པ་བརྒྱད་དང་། མཐར་གྱིས་གནས་པའི་སྙོམས་པར་འཇུག་པ་དགུ་དང་། སྟོང་པ་ཉིད་དང་མཚན་མ་མེད་པ་དང་། སྨོན་པ་མེད་པ་དང་། མངོན་པར་ཤེས་པ་དང་ཏིང་ངེ་འཛིན་དང་། གཟུངས་ཀྱི་སྒོ་རྣམས་ཀྱི་དེ་བཞིན་ཉིད་ཟབ་པའི་ཕྱིར། ཤེས་རབ་ཀྱི་ཕ་རོལ་ཏུ་ཕྱིན་པ་ཟབ་བོ། །དེ་བཞིན་གཤེགས་པའི་སྟོབས་བཅུ་དང་། མི་འཇིགས་པ་བཞི་དང་སོ་སོ་ཡང་དག་པར་རིག་པ་བཞི་དང་། སངས་རྒྱས་ཀྱི་ཆོས་མ་འདྲེས་པ་བཅོ་བརྒྱད་ཀྱི་དེ་བཞིན་ཉིད་ཟབ་པའི་ཕྱིར་ཤེས་རབ་ཀྱི་ཕ་རོལ་ཏུ་ཕྱིན་པ་ཟབ་བོ། །རྣམ་པ་ཐམས་ཅད་མཁྱེན་པ་ཉིད་ཀྱི་བར་གྱི་དེ་བཞིན་ཉིད་ཟབ་པའི་ཕྱིར། ཤེས་རབ་ཀྱི་ཕ་རོལ་ཏུ་ཕྱིན་པ་ཟབ་བོ། །གསོལ་པ། བཅོམ་ལྡན་འདས་ཤེས་རབ་ཀྱི་ཕ་རོལ་ཏུ་ཕྱིན་པ་འདི་ནི་གཏིང་དཔག་དཀའོ། །བཅོམ་ལྡན་འདས་ཀྱིས་བཀའ་སྩལ་པ། ཤ་ར་དྭ་ཏིའི་བུ་གཟུགས་གཏིང་དཔག་དཀའ་བའི་ཕྱིར། ཤེས་རབ་ཀྱི་ཕ་རོལ་ཏུ་ཕྱིན་པ་གཏིང་དཔག་དཀའོ། །ཚོར་བ་དང་འདུ་ཤེས་དང་འདུ་བྱེད་དང་། རྣམ་པར་ཤེས་པ་གཏིང་དཔག་དཀའ་བའི་ཕྱིར། ཤེས་རབ་ཀྱི་ཕ་རོལ་ཏུ་ཕྱིན་པ་གཏིང་དཔག་དཀའོ། །སྐྱེ་མཆེད་དང་ཁམས་དང་རྟེན་ཅིང་འབྲེལ་པར་འབྱུང་བ་གཏིང་དཔག་དཀའ་བའི་ཕྱིར། ཤེས་རབ་ཀྱི་ཕ་རོལ་ཏུ་ཕྱིན་པ་གཏིང་དཔག་དཀའོ། །ཕ་རོལ་ཏུ་ཕྱིན་པ་ཐམས་ཅད་དང་སྟོང་པ་ཉིད་ཐམས་ཅད་དང་། བྱང་ཆུབ་ཀྱི་ཕྱོགས་ཀྱི་ཆོས་སུམ་ཅུ་རྩ་བདུན་གཏིང་དཔག་དཀའ་བའི་ཕྱིར། ཤེས་རབ་ཀྱི་ཕ་རོལ་ཏུ་ཕྱིན་པ་གཏིང་དཔག་དཀའོ། །

འཕགས་པའི་བདེན་པ་དང་བསམ་གཏན་དང་ཚད་མེད་པ་དང་གཟུགས་མེད་པའི་སྙོམས་པར་འཇུག་པ་དང་། རྣམ་པར་ཐར་པ་བརྒྱད་དང་། མཐར་གྱིས་གནས་པའི་སྙོམས་པར་འཇུག་པ་དགུ་དང་། སྟོང་པ་ཉིད་དང་། མཚན་མ་མེད་པ་དང་། སྨོན་པ་མེད་པ་དང་། མངོན་པར་ཤེས་པ་རྣམས་གཏིང་དཔག་དཀའ་བའི་ཕྱིར། ཤེས་རབ་ཀྱི་ཕ་རོལ་ཏུ་ཕྱིན་པ་གཏིང་དཔག་དཀའོ། །ཏིང་ངེ་འཛིན་དང་གཟུངས་ཀྱི་སྒོ་རྣམས་གཏིང་དཔག་དཀའ་བའི་ཕྱིར། ཤེས་རབ་ཀྱི་ཕ་རོལ་ཏུ་ཕྱིན་པ་གཏིང་དཔག་དཀའོ། །དེ་བཞིན་གཤེགས་པའི་སྟོབས་བཅུ་དང་། མི་འཇིགས་པ་བཞི་དང་སོ་སོ་ཡང་དག་པར་རིག་པ་བཞི་དང་། སངས་རྒྱས་ཀྱི་ཆོས་མ་འདྲེས་པ་བཅོ་བརྒྱད་གཏིང་དཔག་དཀའ་བའི་ཕྱིར། ཤེས་རབ་ཀྱི་ཕ་རོལ་ཏུ་ཕྱིན་པ་གཏིང་དཔག་དཀའོ། །རྣམ་པ་ཐམས་ཅད་མཁྱེན་པ་ཉིད་ཀྱི་བར་དུ་གཏིང་དཔག་དཀའ་བའི་ཕྱིར། ཤེས་རབ་ཀྱི་ཕ་རོལ་ཏུ་ཕྱིན་པ་གཏིང་དཔག་དཀའོ། །གསོལ་པ། བཅོམ་ལྡན་འདས་ཤེས་རབ་ཀྱི་ཕ་རོལ་ཏུ་ཕྱིན་པ་ནི་ཚད་མ་མཆིས་པའོ། །བཅོམ་ལྡན་འདས་ཀྱིས་བཀའ་སྩལ་པ། ཤ་ར་དྭ་ཏིའི་བུ་གཟུགས་ཚད་མེད་པའི་ཕྱིར། ཤེས་རབ་ཀྱི་ཕ་རོལ་ཏུ་ཕྱིན་པ་ཚད་མེད་དོ། །ཤ་ར་དྭ་ཏིའི་བུ་ཚོར་བ་དང་། འདུ་ཤེས་དང་འདུ་བྱེད་དང་། རྣམ་པར་ཤེས་པ་ཚད་མེད་པའི་ཕྱིར། ཤེས་རབ་ཀྱི་ཕ་རོལ་ཏུ་ཕྱིན་པ་ཚད་མེད་དོ། །ཤ་ར་དྭ་ཏིའི་བུ་སྐྱེ་མཆེད་དང་ཁམས་དང་རྟེན་ཅིང་འབྲེལ་པར་འབྱུང་བ་ཚད་མེད་པའི་ཕྱིར། ཤེས་རབ་ཀྱི་ཕ་རོལ་ཏུ་ཕྱིན་པ་ཚད་མེད་དོ། །ཕ་རོལ་ཏུ་ཕྱིན་པ་ཐམས་ཅད་དང་སྟོང་པ་ཉིད་ཐམས་ཅད་དང་། བྱང་ཆུབ་ཀྱི་ཕྱོགས་ཀྱི་ཆོས་སུམ་ཅུ་རྩ་བདུན་ཚད་མེད་པའི་ཕྱིར། ཤེས་རབ་ཀྱི་ཕ་རོལ་ཏུ་ཕྱིན་པ་ཚད་མེད་དོ། །འཕགས་པའི་བདེན་པ་དང་། བསམ་གཏན་དང་། ཚད་མེད་པ་དང་།

གཟུགས་[༡]མེད་པའི་སྙོམས་པར་འཇུག་པ་དང་། རྣམ་པར་ཐར་པ་བརྒྱད་དང་། མཐར་གྱིས་གནས་པའི་སྙོམས་པར་འཇུག་པ་དགུ་དང་སྟོང་པ་ཉིད་དང་མཚན་མ་མེད་པ་དང་སྨོན་པ་མེད་པ་དང་། མངོན་པར་ཤེས་པ་ཚད་མེད་པའི་ཕྱིར། ཤེས་རབ་ཀྱི་ཕ་རོལ་ཏུ་ཕྱིན་པ་ཚད་མེད་དོ། །ཏིང་ངེ་འཛིན་དང་གཟུངས་ཀྱི་སྒོ་ཚད་མེད་པའི་ཕྱིར། ཤེས་རབ་ཀྱི་ཕ་རོལ་ཏུ་ཕྱིན་པ་ཚད་མེད་དོ། །དེ་བཞིན་གཤེགས་པའི་སྟོབས་བཅུ་དང་། མི་འཇིགས་པ་བཞི་དང་། སོ་སོ་ཡང་དག་པར་རིག་པ་བཞི་དང་། སངས་རྒྱས་ཀྱི་ཆོས་མ་འདྲེས་པ་བཅོ་བརྒྱད་ཚད་མེད་པའི་ཕྱིར། ཤེས་རབ་ཀྱི་ཕ་རོལ་ཏུ་ཕྱིན་པ་ཚད་མེད་དོ། །རྣམ་པ་ཐམས་ཅད་མཁྱེན་པ་ཉིད་ཀྱི་བར་དུ་ཚད་མེད་པའི་ཕྱིར། ཤེས་རབ་ཀྱི་ཕ་རོལ་ཏུ་ཕྱིན་པ་ཚད་མེད་དོ། །གསོལ་པ། བཅོམ་ལྡན་འདས་ཇི་ལྟར་ན་བྱང་ཆུབ་སེམས་དཔའ་སེམས་དཔའ་ཆེན་པོ་ཤེས་རབ་ཀྱི་ཕ་རོལ་ཏུ་ཕྱིན་པ་ལ་སྤྱོད་པ་ལགས། བཅོམ་ལྡན་འདས་ཀྱིས་བཀའ་སྩལ་པ། ཤ་ར་དྭ་ཏིའི་བུ་བྱང་ཆུབ་སེམས་དཔའ་སེམས་དཔའ་ཆེན་པོ་ཤེས་རབ་ཀྱི་ཕ་རོལ་ཏུ་ཕྱིན་པ་ལ་སྤྱོད་པའི་ཚེ། གལ་ཏེ་གཟུགས་ཟབ་ཅེས་བྱ་བར་མི་སྤྱོད་ན། ཤེས་རབ་ཀྱི་ཕ་རོལ་ཏུ་ཕྱིན་པ་ལ་སྤྱོད་དོ། །གལ་ཏེ་ཚོར་བ་དང་འདུ་ཤེས་དང་འདུ་བྱེད་དང་རྣམ་པར་ཤེས་པ་ཟབ་ཅེས་བྱ་བར་མི་སྤྱོད་ན། ཤེས་རབ་ཀྱི་ཕ་རོལ་ཏུ་ཕྱིན་པ་ལ་སྤྱོད་དོ། །སྐྱེ་མཆེད་དང་། ཁམས་དང་རྟེན་ཅིང་འབྲེལ་པར་འབྱུང་བ་ཟབ་ཅེས་བྱ་བར་མི་སྤྱོད་ན། ཤེས་རབ་ཀྱི་ཕ་རོལ་ཏུ་ཕྱིན་པ་ལ་སྤྱོད་དོ། །ཕ་རོལ་ཏུ་ཕྱིན་པ་ཐམས་ཅད་དང་། སྟོང་པ་ཉིད་ཐམས་ཅད་དང་། བྱང་ཆུབ་ཀྱི་ཕྱོགས་ཀྱི་ཆོས་སུམ་ཅུ་རྩ་བདུན་ཟབ་ཅེས་བྱ་བར་མི་སྤྱོད་ན། ཤེས་རབ་ཀྱི་ཕ་རོལ་ཏུ་ཕྱིན་པ་ལ་[༢]སྤྱོད་དོ། །འཕགས་པའི་བདེན་པ་རྣམས་དང་། བསམ་གཏན་རྣམས་དང་། ཚད་མེད་

པ་རྣམས་དང་། གཟུགས་མེད་པའི་སྙོམས་པར་འཇུག་པ་རྣམས་དང་། རྣམ་པར་ཐར་པ་བརྒྱད་དང་། མཐར་གྱིས་གནས་པའི་སྙོམས་པར་འཇུག་པ་དགུ་དང་། སྟོང་པ་ཉིད་དང་། མཚན་མ་མེད་པ་དང་། སྨོན་པ་མེད་པ་དང་། མངོན་པར་ཤེས་པ་རྣམས་ཟབ་ཅེས་བྱ་བར་མི་སྤྱོད་ན། ཤེས་རབ་ཀྱི་ཕ་རོལ་ཏུ་ཕྱིན་པ་ལ་སྤྱོད་དོ། །ཏིང་ངེ་འཛིན་རྣམས་དང་། གཟུངས་ཀྱི་སྒོ་རྣམས་ཟབ་ཅེས་བྱ་བར་མི་སྤྱོད་ན། ཤེས་རབ་ཀྱི་ཕ་རོལ་ཏུ་ཕྱིན་པ་ལ་སྤྱོད་དོ། །དེ་བཞིན་གཤེགས་པའི་སྟོབས་བཅུ་དང་། མི་འཇིགས་པ་བཞི་དང་། སོ་སོ་ཡང་དག་པར་རིག་པ་བཞི་དང་། སངས་རྒྱས་ཀྱི་ཆོས་མ་འདྲེས་[7]པ་བཅོ་བརྒྱད་ཟབ་ཅེས་བྱ་བར་མི་སྤྱོད་ན། ཤེས་རབ་ཀྱི་ཕ་རོལ་ཏུ་ཕྱིན་པ་ལ་སྤྱོད་དོ། །རྣམ་པ་ཐམས་ཅད་མཁྱེན་པ་ཉིད་ཀྱི་བར་དུ་ཟབ་ཅེས་བྱ་བར་མི་སྤྱོད་ན། ཤེས་རབ་ཀྱི་ཕ་རོལ་ཏུ་ཕྱིན་པ་ལ་སྤྱོད་དོ།། ||

ཤེས་རབ་ཀྱི་ཕ་རོལ་ཏུ་ཕྱིན་པ་སྟོང་ཕྲག་ཉི་ཤུ་ལྔ་པ། བམ་པོ་བཞི་བཅུ་གཉིས་པ། དེ་ཅིའི་ཕྱིར་ཞེ་ན། ཤ་ར་དྭ་ཏིའི་བུ་གཟུགས་ཀྱི་ཟབ་པ་ཉིད་གང་ཡིན་པ་དེ་ནི། གཟུགས་མ་ཡིན་ནོ། །ཚོར་བ་དང་འདུ་ཤེས་དང་འདུ་བྱེད་དང་། རྣམ་པར་ཤེས་པའི་ཟབ་པ་ཉིད་གང་ཡིན་པ་དེ་ནི། རྣམ་པར་ཤེས་པ་མ་ཡིན་ནོ། །སྐྱེ་མཆེད་དང་ཁམས་དང་རྟེན་ཅིང་འབྲེལ་པར་འབྱུང་བའི་ཟབ་པ་ཉིད་གང་ཡིན་པ་དེ་ནི། རྟེན་ཅིང་འབྲེལ་བར་འབྱུང་བ་མ་ཡིན་ནོ། །ཕ་རོལ་ཏུ་ཕྱིན་པ་ཐམས་ཅད་དང་། སྟོང་པ་ཉིད་ཐམས་ཅད་དང་། བྱང་ཆུབ་ཀྱི་ཕྱོགས་ཀྱི་ཆོས་སུམ་ཅུ་རྩ་བདུན་གྱི་ཟབ་པ་ཉིད་གང་ཡིན་པ་དེ་ནི། བྱང་ཆུབ་ཀྱི་ཕྱོགས་ཀྱི་ཆོས་སུམ་ཅུ་རྩ་བདུན་མ་ཡིན་ནོ། །འཕགས་པའི་བདེན་པ་རྣམས་དང་། བསམ་གཏན་རྣམས་དང་། ཚད་མེད་པ་རྣམས་དང་། གཟུགས་མེད་པའི་

སྙོམས་པར་འཇུག་པ་རྣམས་དང་། རྣམ་པར་ཐར་པ་བརྒྱད་དང་། མཐར་གྱིས་གནས་པའི་སྙོམས་པར་འཇུག་པ་དགུ་དང་། སྟོང་པ་ཉིད་དང་། མཚན་མ་མེད་པ་དང་། སྨོན་པ་མེད་པ་དང་། མངོན་པར་ཤེས་པ་རྣམས་ཀྱི་ཟབ་པ་ཉིད་གང་ཡིན་པ་དེ་ནི། མངོན་པར་ཤེས་པ་རྣམས་མ་ཡིན་ནོ། །ཏིང་ངེ་འཛིན་རྣམས་དང་། གཟུངས་ཀྱི་སྒོ་རྣམས་ཀྱི་ཟབ་པ་ཉིད་གང་ཡིན་པ་དེ་ནི། གཟུངས་ཀྱི་སྒོ་རྣམས་མ་ཡིན་ནོ། །དེ་བཞིན་གཤེགས་པའི་སྟོབས་བཅུ་དང་། མི་འཇིགས་པ་བཞི་དང་། སོ་སོ་ཡང་དག་པར་རིག་པ་བཞི་དང་། སངས་རྒྱས་ཀྱི་ཆོས་མ་འདྲེས་པ་བཅོ་བརྒྱད་ཀྱི་ཟབ་པ་ཉིད་གང་ཡིན་པ་དེ་ནི། སངས་རྒྱས་ཀྱི་ཆོས་མ་འདྲེས་པ་བཅོ་བརྒྱད་མ་ཡིན་ནོ། །རྣམ་པ་ཐམས་ཅད་མཁྱེན་པ་ཉིད་ཀྱི་བར་གྱི་ཟབ་པ་ཉིད་གང་ཡིན་པ་དེ་ནི། རྣམ་པ་ཐམས་ཅད་མཁྱེན་པ་ཉིད་མ་ཡིན་ནོ། །ཤཱ་ར་དྭ་ཏིའི་བུ་བྱང་ཆུབ་སེམས་དཔའ་སེམས་དཔའ་ཆེན་པོ་ཤེས་རབ་ཀྱི་ཕ་རོལ་ཏུ་ཕྱིན་པ་ལ་སྤྱོད་པའི་ཚེ། གལ་ཏེ་གཟུགས་གཏིང་དཔག་དཀའོ་ཞེས་བྱ་བར་མི་སྤྱོད་ན། ཤེས་རབ་ཀྱི་[༡]ཕ་རོལ་ཏུ་ཕྱིན་པ་ལ་སྤྱོད་དོ། །གལ་ཏེ་ཚོར་བ་དང་འདུ་ཤེས་དང་འདུ་བྱེད་དང་རྣམ་པར་ཤེས་པ་གཏིང་དཔག་དཀའོ་ཞེས་བྱ་བར་མི་སྤྱོད་ན། ཤེས་རབ་ཀྱི་ཕ་རོལ་ཏུ་ཕྱིན་པ་ལ་སྤྱོད་དོ། །སྐྱེ་མཆེད་དང་ཁམས་དང་རྟེན་ཅིང་འབྲེལ་བར་འབྱུང་བ་གཏིང་[༣]དཔག་དཀའོ་ཞེས་བྱ་བར་མི་སྤྱོད་ན། ཤེས་རབ་ཀྱི་ཕ་རོལ་ཏུ་ཕྱིན་པ་ལ་སྤྱོད་དོ། །ཕ་རོལ་ཏུ་ཕྱིན་པ་ཐམས་ཅད་དང་སྟོང་པ་ཉིད་ཐམས་ཅད་དང་། བྱང་ཆུབ་ཀྱི་ཕྱོགས་ཀྱི་ཆོས་སུམ་ཅུ་རྩ་བདུན་གཏིང་དཔག་དཀའོ་ཞེས་བྱ་བར་མི་སྤྱོད་ན། ཤེས་རབ་ཀྱི་ཕ་རོལ་ཏུ་ཕྱིན་པ་ལ་སྤྱོད་དོ། །འཕགས་པའི་བདེན་པ་རྣམས་དང་། བསམ་གཏན་རྣམས་དང་། ཚད་མེད་པ་རྣམས་དང་། གཟུགས་མེད་པའི་སྙོམས་

པར་འཇུག་པ་རྣམས་དང་། རྣམ་པར་ཐར་པ་བརྒྱད་དང་། མཐར་གྱིས་གནས་པའི་སྙོམས་པར་འཇུག་པ་དགུ་དང་། སྟོང་པ་ཉིད་དང་། མཚན་མ་མེད་པ་དང་། སྨོན་པ་མེད་པ་དང་། མངོན་པར་ཤེས་པ་རྣམས་གཏིང་དཔག་དཀའོ་ཞེས་བྱ་བར་མི་སྤྱོད་ན། ཤེས་རབ་ཀྱི་ཕ་རོལ་ཏུ་ཕྱིན་པ་ལ་སྤྱོད་དོ། །ཏིང་ངེ་འཛིན་རྣམས་དང་གཟུངས་ཀྱི་སྒོ་རྣམས་གཏིང་དཔག་དཀའོ་ཞེས་བྱ་བར་མི་སྤྱོད་ན། ཤེས་རབ་ཀྱི་ཕ་རོལ་ཏུ་ཕྱིན་པ་ལ་སྤྱོད་དོ། །དེ་བཞིན་གཤེགས་པའི་སྟོབས་བཅུ་དང་། མི་འཇིགས་པ་བཞི་དང་། སོ་སོ་ཡང་དག་པར་རིག་པ་བཞི་དང་། སངས་རྒྱས་ཀྱི་ཆོས་མ་འདྲེས་པ་བཅོ་བརྒྱད་གཏིང་དཔག་དཀའོ་ཞེས་བྱ་བར་མི་སྤྱོད་ན། ཤེས་རབ་ཀྱི་ཕ་རོལ་ཏུ་ཕྱིན་པ་ལ་སྤྱོད་དོ། །རྣམ་པ་ཐམས་ཅད་མཁྱེན་པ་ཉིད་ཀྱི་བར་དུ་གཏིང་དཔག་དཀའོ་ཞེས་བྱ་བར་མི་སྤྱོད་ན། ཤེས་རབ་ཀྱི་ཕ་རོལ་ཏུ་ཕྱིན་པ་ལ་སྤྱོད་དོ། །དེ་ཅིའི་ཕྱིར་ཞེ་ན། ཤཱ་ར་དྭ་ཏིའི་བུ་གཟུགས་ཀྱི་གཏིང་དཔག་དཀའ་བ་གང་ཡིན་པ་དེ་ནི། གཟུགས་མ་ཡིན་ནོ། །ཚོར་བ་དང་། འདུ་ཤེས་དང་། འདུ་བྱེད་དང་། རྣམ་པར་ཤེས་པའི་གཏིང་དཔག་དཀའ་བ་གང་ཡིན་པ་དེ་ནི། རྣམ་པར་ཤེས་པ་མ་ཡིན་ནོ། །རྣམ་པ་ཐམས་ཅད་མཁྱེན་པ་ཉིད་ཀྱི་བར་གྱི་གཏིང་དཔག་དཀའ་བ་གང་ཡིན་པ་དེ་ནི། རྣམ་པ་ཐམས་ཅད་མཁྱེན་པ་ཉིད་མ་ཡིན་ནོ། །ཤཱ་ར་དྭ་ཏིའི་བུ་གཞན་ཡང་བྱང་ཆུབ་སེམས་དཔའ་སེམས་དཔའ་ཆེན་པོ་ཤེས་རབ་ཀྱི་ཕ་རོལ་ཏུ་ཕྱིན་པ་ལ་སྤྱོད་པའི་ཚེ། གལ་ཏེ་གཟུགས་ཚད་མེད་དོ་ཞེས་བྱ་བར་མི་སྤྱོད་ན། ཤེས་རབ་ཀྱི་ཕ་རོལ་ཏུ་ཕྱིན་པ་ལ་སྤྱོད་དོ། །གལ་ཏེ་ཚོར་བ་དང་འདུ་ཤེས་དང་འདུ་བྱེད་དང་རྣམ་པར་ཤེས་པ་ཚད་མེད་དོ་ཞེས་བྱ་བར་མི་སྤྱོད་ན། ཤེས་རབ་ཀྱི་ཕ་རོལ་ཏུ་ཕྱིན་པ་ལ་སྤྱོད་དོ། །སྐྱེ་མཆེད་དང་ཁམས་དང་རྟེན་ཅིང་འབྲེལ་པར་འབྱུང་བ་

ཚད་མེད་དོ་ཞེས་བྱ་བར་མི་སྤྱོད་ན། ཤེས་རབ་ཀྱི་ཕ་རོལ་ཏུ་ཕྱིན་པ་ལ་སྤྱོད་དོ། །ཕ་རོལ་ཏུ་ཕྱིན་པ་ཐམས་ཅད་དང་སྟོང་པ་ཉིད་ཐམས་ཅད་དང་། བྱང་ཆུབ་ཀྱི་ཕྱོགས་ཀྱི་ཆོས་སུམ་ཅུ་རྩ་བདུན་ཚད་མེད་དོ་ཞེས་བྱ་བར་མི་སྤྱོད་ན། ཤེས་རབ་ཀྱི་ཕ་རོལ་ཏུ་ཕྱིན་པ་ལ་སྤྱོད་དོ། །འཕགས་པའི་བདེན་པ་རྣམས་དང་། བསམ་གཏན་རྣམས་དང་། ཚད་མེད་པ་རྣམས་དང་། གཟུགས་མེད་པའི་སྙོམས་པར་འཇུག་པ་རྣམས་དང་། རྣམ་པར་ཐར་པ་བརྒྱད་དང་། མཐར་གྱིས་གནས་པའི་སྙོམས་པར་འཇུག་པ་དགུ་དང་། སྟོང་པ་ཉིད་དང་མཚན་མ་མེད་པ་དང་སྨོན་པ་མེད་པ་དང་། མངོན་པར་ཤེས་པ་རྣམས་ཚད་མེད་དོ་ཞེས་བྱ་བར་མི་སྤྱོད་ན། ཤེས་རབ་ཀྱི་ཕ་རོལ་ཏུ་ཕྱིན་པ་ལ་སྤྱོད་དོ། །ཏིང་ངེ་འཛིན་རྣམས་དང་གཟུངས་ཀྱི་སྒོ་རྣམས་ཚད་མེད་དོ་ཞེས་བྱ་བར་མི་སྤྱོད་ན། ཤེས་རབ་ཀྱི་ཕ་རོལ་ཏུ་ཕྱིན་པ་ལ་སྤྱོད་དོ། །དེ་བཞིན་གཤེགས་པའི་སྟོབས་བཅུ་དང་། མི་འཇིགས་པ་བཞི་དང་། སོ་སོ་ཡང་དག་པར་རིག་པ་བཞི་དང་། སངས་རྒྱས་ཀྱི་ཆོས་མ་འདྲེས་པ་བཅོ་བརྒྱད་ཚད་མེད་དོ་ཞེས་བྱ་བར་མི་སྤྱོད་ན། ཤེས་རབ་ཀྱི་ཕ་རོལ་ཏུ་ཕྱིན་པ་ལ་སྤྱོད་དོ། །རྣམ་པ་ཐམས་ཅད་མཁྱེན་པ་ཉིད་ཀྱི་བར་དུ་ཚད་མེད་དོ་ཞེས་བྱ་བར་མི་སྤྱོད་ན། ཤེས་རབ་ཀྱི་ཕ་རོལ་ཏུ་ཕྱིན་པ་ལ་སྤྱོད་དོ། །དེ་ཅིའི་ཕྱིར་ཞེ་ན། ཤཱ་ར་དྭ་ཏིའི་བུ་གཟུགས་ཀྱི་ཚད་མེད་པ་གང་ཡིན་པ་དེ་ནི། གཟུགས་མ་ཡིན་ནོ། །ཚོར་བ་དང་འདུ་ཤེས་དང་། འདུ་བྱེད་དང་རྣམ་པར་ཤེས་པའི་ཚད་མེད་པ་གང་ཡིན་པ་དེ་ནི། རྣམ་པར་ཤེས་པ་མ་ཡིན་ནོ། །རྣམ་པ་ཐམས་ཅད་མཁྱེན་པ་ཉིད་ཀྱི་བར་དུ་ཚད་མེད་པ་གང་ཡིན་པ་དེ་ནི། རྣམ་པ་ཐམས་ཅད་མཁྱེན་པ་ཉིད་མ་ཡིན་ནོ། །ཤཱ་ར་དྭ་ཏིའི་བུས་གསོལ་པ། ཀྱེ་མ་བཅོམ་ལྡན་འདས་ཤེས་རབ་ཀྱི་ཕ་རོལ་ཏུ་ཕྱིན་པ་འདི་ནི་དེ་ལྟར་ཟབ་པོ། །དེ་

ལྟར་གཏིང་དཔག་དཀའོ། །དེ་ལྟར༔ རྟོགས་པར་[1]དཀའོ། །བཅོམ་ལྡན་འདས་དེ་ལྟར་ཤེས་རབ་ཀྱི་ཕ་རོལ་ཏུ་ཕྱིན་པ་འདི་ནི་དེ་ལྟར་ཚད་མ་མཆིས་པའོ། །བཅོམ་ལྡན་འདས་འདི་ནི་བྱང་ཆུབ་སེམས་དཔའ་སེམས་དཔའ་ཆེན་པོ་ཐེག་པ་ལ་གསར་དུ་ཞུགས་པའི་མདུན་དུ་བཤད་[2]པར་མི་བགྱི་སྟེ། ཤེས་རབ་ཀྱི་ཕ་རོལ་ཏུ་ཕྱིན་པ་ཟབ་མོ་འདི་ཐོས་ནས། འཇིགས་སྟང་[3]ཤིང་སྐྲག་པར་འགྱུར་དུ་མཆིའོ། །ཐེ་ཚོམ་དང་ནེམ་ནུར་འཚལ་དུ་མཆིའོ། །མོས་པ་མ་མཆིས་པར་འགྱུར་[4]དུ་མཆིའོ། །བཅོམ་ལྡན་འདས་ཕྱིར་མི་ལྡོག་པའི་བྱང་ཆུབ་སེམས་དཔའ་སེམས་དཔའ་ཆེན་པོའི་མདུན་དུ་ཤེས་རབ་ཀྱི་ཕ་རོལ་ཏུ་ཕྱིན་པ་ཟབ་མོ་འདི་བསྟན་པར་བགྱི་སྟེ། དེས་ནི་ཤེས་རབ་ཀྱི་ཕ་རོལ་ཏུ་ཕྱིན་པ་ཟབ་མོ་འདི་ཐོས་ནས་མི་འཇིགས་མི་སྟང་[5]སྐྲག་པར་མི་འགྱུར་རོ། །ཐེ་ཚོམ་དང་ནེམ་ནུར་འཚལ་བར་མི་འགྱུར་ཏེ། ཐོས་ནས་ཀྱང་གོང་ནས་གོང་དུ་མོས་པ་དང་འཛིན་པ་དང་། འཆང་བ་དང་། ཀློག་པ་དང་ཀུན་ཆུབ་པར་བགྱིད་པ་དང་། ཚུལ་བཞིན་དུ་ཡིད་ལ་བགྱིད་པར་འགྱུར་རོ། །དེ་ནས་ལྷའི་དབང་པོ་བརྒྱ་བྱིན་གྱིས། ཚེ་དང་ལྡན་པ་ཤ་ར་དྭ་ཏིའི་བུ་ལ་འདི་སྐད་ཅེས་སྨྲས་སོ། །བཙུན་པ་ཤ་ར་དྭ་ཏིའི་བུ་གལ་ཏེ···· ཐེག་པ་ལ་གསར་དུ་ཞུགས་པའི་བྱང་ཆུབ་སེམས་དཔའ་སེམས་དཔའ་ཆེན་པོའི་མདུན་དུ་ཤེས་རབ་ཀྱི་ཕ་རོལ་ཏུ་ཕྱིན་པ་ཟབ་མོ་འདི་བཤད་ན་ཉེས་པ་ཅིར་འགྱུར། ཤ་ར་དྭ་ཏིའི་བུས་སྨྲས་པ། ཀཽ་ཤི་ཀ་གལ་ཏེ་ཐེག་པ་ལ་གསར་དུ་ཞུགས་པའི་བྱང་ཆུབ་སེམས་དཔའ་སེམས་དཔའ་ཆེན་པོའི་མདུན་དུ་ཤེས་རབ་ཀྱི་ཕ་རོལ་ཏུ་ཕྱིན་པ་ཟབ་མོ་འདི་བཤད་ན། དེ་ཤེས་རབ་ཀྱི་ཕ་རོལ་ཏུ་ཕྱིན་པ་ཟབ་མོ་འདི་ཐོས་ནས། འཇིགས་པར་འགྱུར། ༔སྟང་བར་[6]འགྱུར། སྐྲག་པར་འགྱུར་ཏེ། ཕྱིར་ལྡོག་པར་འགྱུར་རོ། །སྤོང་བར་འགྱུར་རོ། །དེ་ནི་མོས་པར་ཡང་མི་འགྱུར་ཏེ།

ཀཽ་ཤི་[༡]ཀ་ཐེག་པ་ལ་གསར་དུ་ཞུགས་པའི་བྱང་ཆུབ་སེམས་དཔའ་སེམས་དཔའ་ཆེན་པོ་དེས་ཤེས་རབ་ཀྱི་ཕ་རོལ་ཏུ་ཕྱིན་པ་འདི་ཐོས་ནས། སྤྱངས་པའི་ཕྱིར་དེ་ལོག་པར་ལྟུང་བར་འགྱུར་བའི་ལས་མངོན་པར་འདུ་བྱེད་ཅིང་སོགས་[༢]པར་འགྱུར་ཏེ། ལས་བྱས་པ་དང་བསགས་པ་དེས་ཀྱང་། བླ་ན་མེད་པ་ཡང་དག་པར་རྫོགས་པའི་བྱང་ཆུབ་ཏུ་མངོན་པར་རྫོགས་པར་འཚང་རྒྱ་བར་ཡང་དཀའ་བ་དེ་ལྟ་བུའི་གནས་ཡོད་དོ། །བརྒྱ་བྱིན་གྱིས་སྨྲས་པ། བཙུན་པ་ཤཱ་རདྭ་ཏིའི་བུ་བྱང་ཆུབ་སེམས་དཔའ་སེམས་དཔའ་ཆེན་པོ་ལུང་མ་བསྟན་པ། ཤེས་རབ་ཀྱི་ཕ་རོལ་ཏུ་ཕྱིན་པ་ཟབ་མོ་འདི་ཐོས་ནས། མི་འཇིགས་མི་སྐྲག་[༣]སྐྲག་པར་མི་འགྱུར་བ་ལྟ་ཡོད་དམ། སྨྲས་པ། ཀཽ་ཤི་ཀ་བྱང་ཆུབ་སེམས་དཔའ་སེམས་དཔའ་ཆེན་པོ་གང་ཤེས་རབ་ཀྱི་ཕ་རོལ་ཏུ་ཕྱིན་པ་ཟབ་མོ་འདི་ཐོས་ནས་མི་འཇིགས་མི་སྐྲག་[༤]སྐྲག་པར་མི་འགྱུར་བ་དེ་དག་ནི་རིང་པོར་[༥]མི་ཐོགས་པར་བླ་ན་མེད་པ་ཡང་དག་པར་རྫོགས་པའི་བྱང་ཆུབ་ཏུ་ལུང་བསྟན་པར་འགྱུར་ཏེ། དེ་བཞིན་གཤེགས་པ་དགྲ་བཅོམ་པ་ཡང་དག་པར་རྫོགས་པའི་སངས་རྒྱས་གཅིག་གམ། གཉིས་ལས་མི་འདའ་བར་བླ་ན་མེད་པ་ཡང་དག་པར་རྫོགས་པའི་བྱང་ཆུབ་ཀྱི་བར་དུ་ལུང་བསྟན་པར་འགྱུར་རོ། །དེ་ནས་བཅོམ་ལྡན་འདས་ཀྱིས་ཚེ་དང་ལྡན་པ་ཤཱ་རདྭ་ཏིའི་བུ་ལ་བཀའ་སྩལ་པ། ཤཱ་རདྭ་ཏིའི་བུ་དེ་དེ་བཞིན་ནོ། །དེ་དེ་བཞིན་ཏེ། ཤཱ་རདྭ་ཏིའི་བུ་བྱང་ཆུབ་སེམས་དཔའ་སེམས་དཔའ་ཆེན་པོ་གང་ཤེས་རབ་ཀྱི་ཕ་རོལ་ཏུ་ཕྱིན་པ་ཟབ་མོ་འདི་ཐོས་ནས། མི་འཇིགས་[༦]མི་སྐྲག་[༧]སྐྲག་པར་མི་འགྱུར་ཞིང་ཐོས་ནས་ཀྱང་གོང་ནས་གོང་དུ་འཛིན་པ་དང་། འཆང་བ་དང་ཀློག་པ་དང་ཀུན་ཆུབ་པར་བྱེད་པ་དང་། ཇི་ལྟར་བསྟན་པའི་ཤེས་རབ་ཀྱི་ཕ་རོལ་ཏུ་ཕྱིན་པ་ལ་གནས་པ་དེ་དག་ནི་ཡུན་རིང་པོ་ནས་ཐེག་པ་ལ་ཡང་དག་པར་ཞུགས་པའོ། །ཕ་

རོལ་ཏུ་ཕྱིན་པ་དྲུག་ལ་སྦྱྱད་པའོ། །སངས་རྒྱས་མང་པོ་ལ་བསྙེན་བཀུར་བྱས་པའོ།།
ཤ་ར་དྭ་ཏིའི་བུས་གསོལ་པ། བཅོམ་ལྡན་འདས་དེའི་དཔེ་གསལ་བར་བདག་
གིས་སྤོབས་སོ། །བདེ་བར་གཤེགས་པ་དེའི་དཔེ་གསལ་བར་བདག་གིས་སྤོབས་སོ།།
བཅོམ་ལྡན་འདས་ཀྱིས་བཀའ་སྩལ་པ། ཤ་ར་དྭ་ཏིའི་བུ་ཁྱོད་ཀྱིས་སྤོབས་པ་སྐྱིད་
ཅིག །ཤ་ར་དྭ་ཏིའི་བུས་གསོལ་པ། བཅོམ་ལྡན་འདས་འདི་ལྟ་སྟེ་དཔེར་ན།
བྱང་ཆུབ་སེམས་དཔའི་ཐེག་པ་པའི་རིགས་ཀྱི་བུའམ་རིགས་ཀྱི་བུ་མོའི་རྨི་ལམ་ན
ཤེས་རབ་ཀྱི་ཕ་རོལ་ཏུ་ཕྱིན་པ་བསྒོམ་ཞིང་བསམ་གཏན་ལ་སྙོམས་པར་འཇུག་པ
དང་། བརྩོན་འགྲུས་རྩོམ་[༡]པ་དང་། བཟོད་པ་བསྒྲུབས་[༢]པ་དང་། ཚུལ
ཁྲིམས་བསྲུང་བ་དང་། སྦྱིན་པ་ཡོངས་སུ་གཏོང་བ་ནས། སྙིང་པོ་བྱང་ཆུབ་ལ
མཆིས་པའི་བར་དུ་གྱུར་ན་ཡང་བཅོམ་ལྡན་འདས་རིགས་ཀྱི་བུའམ་རིགས་ཀྱི་བུ་མོ་
དེ་ནི་བླ་ན་མེད་པ་ཡང་དག་པར་རྫོགས་པའི་[༣]བྱང་ཆུབ་ཏུ་ཉེ་བར་གྱུར་པར་རིག་
པར་བགྱི་ན། བཅོམ་ལྡན་འདས་བྱང་ཆུབ་སེམས་དཔའ་སེམས་དཔའ་ཆེན་པོ
གཉིད་ཀྱིས་མ་ལོག་པ་ཞིག་གིས། ཤེས་རབ་ཀྱི་ཕ་རོལ་ཏུ་ཕྱིན་པ་བསྒོམས་པ་དང་།
བསམ་གཏན་ལ་མཉམ་པར་བཞག་པ་དང་། བརྩོན་འགྲུས་བརྩམས་པ་དང་།
བཟོད་པ་བསྒྲུབས་[༤]པ་དང་། ཚུལ་ཁྲིམས་བསྲུངས་པ་དང་། སྦྱིན་པ་ཡོངས
སུ་བཏང་[༥]བ་ལྟ་སྨོས་ཀྱང་ཅི་འཚལ་ཏེ། བཅོམ་ལྡན་འདས་རིགས་ཀྱི་བུའམ
རིགས་ཀྱི་བུ་མོ་དེ་ནི་བླ་ན་མེད་པ་ཡང་དག་པར་རྫོགས་པའི་བྱང་ཆུབ་ཏུ་ཉེ་བར
གྱུར་པར་རིག་པར་བགྱིའོ། །བཅོམ་ལྡན་འདས་གང་གིས་ཤེས་རབ་ཀྱི་ཕ་རོལ་ཏུ་
ཕྱིན་པ་ཟབ་མོ་འདི་ཐོས་པར་གྱུར་ཏེ། ཐོས་ནས་ཀྱང་འཛིན་ཅིང་དེ་བཞིན་ཉིད་[༦]
ཏུ་ནན་ཏན་དུ་བགྱིད་པ་དེ་དག་ནི། དགེ་བའི་རྩ་བ་ཡོངས་སུ་སྨིན་པ་སྟེ།
བཅོམ་ལྡན་འདས་བྱང་ཆུབ་སེམས་དཔའ་གང་ཤེས་རབ་ཀྱི་ཕ་རོལ་ཏུ་ཕྱིན་པ་ཟབ་

སོ་འདི་འཛིན་ཅིང་འཆང་བ་དང་། ཀློག་ཅིང་ཀུན་ཆུབ་པར་བགྱིད་པ་དང་།
ཚུལ་བཞིན་དུ་ཡིད་ལ་བགྱིད་པ་དེ་དག་ནི་ཡུན་རིང་པོ་ནས། ཐེག་པ་ལ་ཡང་
དག་པར་ཞུགས་ཤིང་དགེ་བའི་རྩ་བ་[1]བསྐྱེད་པའོ། །སངས་རྒྱས་མང་པོ་བསྙེན་
བཀུར་བའོ། །དགེ་བའི་བཤེས་གཉེན་གྱིས་ཡོངས་སུ་བཟུང་བའོ། །བཅོམ་
ལྡན་འདས་རིགས་ཀྱི་བུ་དང་རིགས་ཀྱི་བུ་མོ་དེ་དག་ནི་བླ་ན་མེད་པ་ཡང་དག་པར་
རྫོགས་པའི་བྱང་ཆུབ་ཏུ་ལུང་བསྟན་པ་དང་ཉེ་བར་གྱུར་པ་སྟེ། བླ་ན་མེད་པ···
ཡང་དག་པར་རྫོགས་པའི་བྱང་ཆུབ་ཏུ་ལུང་བསྟན་པར་འགྱུར་རོ། །བཅོམ་ལྡན་
འདས་རིགས་ཀྱི་བུ་དང་། རིགས་ཀྱི་བུ་མོ་གང་ཤེས་རབ་ཀྱི་ཕ་རོལ་ཏུ་ཕྱིན་པ···
ཟབ་མོ་འདི་འཐད་ཅིང་འཐད་པར་གྱུར་ནས་ཀྱང་འཛིན་པ་དང་འཆང་བ་དང····
ཀློག་པ་དང་ཀུན་ཆུབ་པར་བགྱིད་པ་དང་། ཚུལ་བཞིན་དུ་ཡིད་ལ་བགྱིད་པའི···
རིགས་ཀྱི་བུ་དང་། རིགས་ཀྱི་བུ་མོ་དེ་དག་ནི་བླ་ན་མེད་པ་ཡང་དག་པར་རྫོགས་
པའི་བྱང་ཆུབ་ལས་ཕྱིར་མི་ལྡོག་པར་རིག་པར་བགྱི་བ་དག་གོ། །བཅོམ་ལྡན་
འདས་འདི་ལྟ་སྟེ་དཔེར་ན། སྐྱེས་བུ་ལ་ལ་འབྲོག་དགོན་པ་དཔག་ཚད་བརྒྱ་པ···
ཞིག་ནས་འབྱུང་ངམ། འབྲོག་དགོན་པ་དཔག་ཚད་ཉིས་བརྒྱ་པ་དང་། སུམ་
བརྒྱ་པ་དང་བཞི་བརྒྱ་པ་དང་། ལྔ་བརྒྱ་པ་ནས་འབྱུང་བ་ཞིག་མཆིས་ལ། དེ་
འབྱུང་བའི་ཚེ་གྲོང་དང་། གྲོང་ཁྱེར་དང་གྲོང་རྡལ་དང་ཁམས་དང་རྒྱལ་པོའི་ཕོ་
བྲང་འཁོར་གྱི་སྔ་ལྟས་བ་ལང་རྫིའམ། ཕྱུགས་རྫིའམ། ས་མཚམས་སམ།
བཟའ་ཤིང་གི་ར་བ་ཕུན་སུམ་ཚོགས་[3]པའམ། ནགས་ཚལ་ཕུན་སུམ་ཚོགས་པ··
མཐོང་ངམ། དེ་མ་ལགས་པ་གཞན་ཡང་མཚན་མ་གང་གིས་གྲོང་ངམ་གྲོང་ཁྱེར་
རམ་གྲོང་རྡལ་ལམ་ཁམས་སམ། རྒྱལ་པོའི་ཕོ་བྲང་འཁོར་མཆིས་པར་མངོན་པའི་
སྔ་ལྟས་དེ་ལྟ་བུ་དག་མཐོང་ན། དེ་འདི་སྙམ་དུ་གྱུར་ཏེ། སྔ་ལྟས་འདི་དག

སྣང་བ་ལགས་[༡]ན། འདི་ནས་གྲོང་ངམ། གྲོང་ཁྱེར་རམ། གྲོང་རྡལ་ལམ།
ཁམས་སམ། རྒྱལ་པོའི་ཕོ་བྲང་འཁོར་ནི་ཉེའོ་སྙམ་སྟེ། དབུགས་ཕྱིན་པར་
འགྱུར་ཞིང་། དེ་ལ་དེ་སླན་ཆད་རྐུན་པོའི་འཇིགས་པའམ། ཆོམ་པོའི་
འཇིགས་པའམ། གཅན་ཟན་[༢]ཁྲོ་བོའི་འཇིགས་པའམ། བཀྲེས་པ་དང་།
སྐོམ་པའི་འཇིགས་པ་མ་མཆིས་སོ། །བཅོམ་ལྡན་འདས་དེ་བཞིན་དུ་བྱང་ཆུབ་
སེམས་དཔའ་སེམས་དཔའ་ཆེན་པོ་ལ་གང་གི་ཚེ། ཤེས་རབ་ཀྱི་ཕ་རོལ་དུ་ཕྱིན་པ་
ཟབ་མོ་འདི་འཐད་པར་གྱུར་ཏེ། འཐད་པར་གྱུར་ནས་ཀྱང་འཛིན་པ་དང་།
འཆང་བ་དང་ཀློག་པ་དང་། ཀུན་ཆུབ་པར་བགྱིད་པ་དང་། ཚུལ་བཞིན་
དུ་ཡིད་ལ་བགྱིད་ན། བཅོམ་ལྡན་འདས་དེའི་ཚེ་བྱང་ཆུབ་སེམས་དཔའ་སེམས་
དཔའ་ཆེན་པོ་དེ་ནི་ལུང་བསྟན་པ་ལ་ཉེ་བར་གྱུར་པར་རིག་པར་བགྱི་བ་སྟེ།
རིང་པོར་[༣]མི་ཐོགས་པར་བླ་ན་མེད་པ་ཡང་དག་པར་རྫོགས་པའི་བྱང་ཆུབ་ཏུ་
མངོན་པར་རྫོགས་པར་འཚང་རྒྱ་བར་འགྱུར་རོ། །བྱང་ཆུབ་སེམས་དཔའ་སེམས་
དཔའ་ཆེན་པོ་དེས། དེ་སླན་ཆད་ཉན་ཐོས་ཀྱི་སའམ། རང་སངས་རྒྱས་ཀྱི་
སས་འཇིགས་པར་མི་བགྱིའོ། །དེ་ཅིའི་སླད་དུ་ཞེ་ན། འདི་ལྟ་སྟེ་ཤེས་རབ་ཀྱི་
ཕ་རོལ་དུ་ཕྱིན་པ་ཟབ་མོ་འདི་བལྟ་བ་དང་། ཕྱག་བགྱི་བ་དང་། མཉན་དུ་
མཆིས་པ་དེ་ཉིད་བླ་ན་མེད་པ་ཡང་དག་པར་རྫོགས་པའི་བྱང་ཆུབ་ཀྱི་སྔ་ལྟས་སོ། །
བཅོམ་ལྡན་འདས་ཀྱིས་བཀའ་སྩལ་པ། ཤཱ་ར་དྭ་ཏིའི་བུ་དེ་དེ་བཞིན་ནོ། །དེ་
དེ་བཞིན་ཏེ། ཤཱ་ར་དྭ་ཏིའི་བུ་ཁྱོད་ཀྱིས་ད་དུང་[༤]ཡང་སངས་རྒྱས་ཀྱི་མཐུས་
སྤོབས་པ་བསྐྱེད་[༥]ཅིག །གསོལ་པ། བཅོམ་ལྡན་འདས་འདི་ལྟ་སྟེ་དཔེར་ན།
སྐྱེས་བུ་ལ་ལ་ཞིག་རྒྱ་མཚོ་མཆིང་རྣམས་ཆེན་པོ་བལྟ་བར་འཚལ་ནས། དེ་རྒྱ་མཚོ་
ཆེན་པོ་བལྟ་བའི་སླད་དུ། དེ་ཇི་ལྟ་ཇི་ལྟར་རྒྱ་མཚོ་ཆེན་པོ་དང་ཉེ་བར་མཆིས་པ་

དེ་ལྟ་དེ་ལྟར་ལྷུམ་བུའམ་ལྷུམ་བུའི་མཚན་མའམ། རིའམ། རིའི་མཚན་[༡]མ་མཐོང་ན། དེས་འདི་ནས་རྒྱ་མཚོ་ཆེན་པོ་ཐག་ཉེ་སྟེ། འདི་ནས་རྒྱ་མཚོ་ཆེན་པོ་རིང་པོ་མེད་དོ། །དེ་ཅིའི་ཕྱིར་ཞེ་ན། རྒྱ་མཚོ་ཆེན་པོ་ནི་[༢]བགས་ཀྱིས་གཞོལ་བ་སྟེ། འདི་ནས་རྒྱ་མཚོ་ཆེན་པོའི་དྲུང་དུ་ད་ནི་རིང་པོ་མེད་དོ། །དེ་དང་ཉེ་བ་ན་ནི་ལྷུམ་[༣]བུའམ། ལྷུམ་[༤]བུའི་མཚན་མའམ། རིའམ་རིའི་མཚན་མ་གང་ཡང་མེད་དོ་ཞེས་བགྱི་བར་རིག་གོ། །དེ་ལྟར་སྐྱེས་བུ་དེའི་མིག་གི་[༥]རྒྱ་མཚོ་ཆེན་པོ་མ་མཐོང་དུ་ལགས་ཀྱང་། དེས་བདག་ནི་རྒྱ་མཚོ་ཆེན་པོ་དང་ཉེ་བར་གྱུར་ཏོ། །རྒྱ་མཚོ་ཆེན་པོ་ནི་འདི་ན་ཡོད་དོ། །རྒྱ་མཚོ་ཆེན་པོ་ནི་འདི་ཕན་ཆད་མི་རིང་ངོ་ཞེས་བགྱི་བར་རྟོགས་པར་འཚལ་ཏོ། །བཅོམ་ལྡན་འདས་དེ་བཞིན་དུ་ཤེས་རབ་ཀྱི་ཕ་རོལ་ཏུ་ཕྱིན་པ་ཟབ་མོ་འདི་ཉན་ཅིང་འཛིན་པ་དང་། འཆང་ཞིང་ཀློག་པ་དང་། ཀུན་ཆུབ་པར་བགྱིད་པ་དང་། ཚུལ་བཞིན་དུ་ཡིད་ལ་བགྱིད་པའི་བྱང་ཆུབ་སེམས་དཔའ་སེམས་དཔའ་ཆེན་པོས་ཀྱང་། བདག་དེ་བཞིན་གཤེགས་པ་དགྲ་བཅོམ་པ་ཡང་དག་པར་རྫོགས་པའི་སངས་རྒྱས་ཀྱིས་ཁྱོད་བསྐལ་པ་ནི་འདི་སྙེད་ཅིག །བསྐལ་པ་བརྒྱ་ཕྲག་ནི་འདི་སྙེད་ཅིག །བསྐལ་པ་སྟོང་ཕྲག་ནི་འདི་སྙེད་ཅིག །བསྐལ་པ་བརྒྱ་སྟོང་གི་ཕྲག་ནི་འདི་སྙེད་ཅིག །བསྐལ་པ་བྱེ་བ་ཁྲག་ཁྲིག་བརྒྱ་སྟོང་གི་ཕྲག་ནི་འདི་སྙེད་ཅིག་ན། བླ་ན་མེད་པ་ཡང་དག་པར་རྫོགས་པའི་བྱང་ཆུབ་ཏུ་མངོན་པར་[༦]འཚང་[༧]རྒྱ་བར་འགྱུར་རོ་ཞེས་[༨]བླ་ན་མེད་པ་ཡང་དག་པར་རྫོགས་པའི་བྱང་ཆུབ་ཏུ་མངོན་སུམ་དུ་ལུང་བསྟན་པས་ད་དུང་ལུང་མ་བསྟན་ཀྱིས་ཀྱང་། བདག་ནི་བླ་ན་མེད་པ་ཡང་དག་པར་རྫོགས་པའི་བྱང་ཆུབ་ཏུ་ལུང་བསྟན་པ་དང་ཉེ་བར་གནས་པར་བལྟའོ། །དེ་ཅིའི་སླད་དུ་ཞེ་ན། དེ་ནི་འདི་ལྟར་བདག་གིས་ཤེས་རབ་ཀྱི་ཕ་རོལ་ཏུ་ཕྱིན་པ་ཟབ་མོ་འདི

བཟླ་བ་དང་། ཕྱག་བྱ་བ་དང་། བསྙེན་བཀུར་དུ་ཡོད་ལ་མཉན་[1]དུ་ཡོད་དོ། །
ཐོས་ནས་ཀྱང་གཟུང་དུ་ཡོད་དོ། །བཅད་དུ་ཡོད། ཀློག་[2]དུ་ཡོད། ཀུན་
ཆུབ་པར་བྱར་ཡོད་ཚུལ་བཞིན་དུ་ཡིད་ལ་བྱར་ཡོད་དོ་ཞེས་བགྱི་བར་རིག་པར་
བགྱིའོ། །བཅོམ་ལྡན་འདས་འདི་ལྟ་སྟེ་དཔེར་ན། དཔྱིད་ཀྱི་དུས་ལ་བབ་སྟེ།
རྩི་ཤིང་གི་ལོ་མ་དང་འདབ་མ་ལྷགས་ནས་ཁ་དོག་གྱུར་པའི་ཚེ། འཛམ་བུའི་གླིང་[3]
གི་མི་རྣམས་ཀྱིས། རིང་པོ་མི་ཐོགས་པར་ལོ་མ་དང་མེ་ཏོག་དང་འབྲས་བུ་འབྱུང་
བར་འགྱུར་རོ། །དེ་ཅིའི་སླད་དུ་ཞེ་ན། དེ་ནི་འདི་ལྟར་སྔ་ལྟས་འདི་དག་རྩི་
ཤིང་ལས་སྣང་ངོ་ཞེས་བགྱི་བར་འཚལ་བར་བགྱི་སྟེ། གང་གི་ཚེ་རྩི་ཤིང་རྣམས་ལོ་
མ་དང་མེ་ཏོག་དང་། འབྲས་བུ་ཕུན་སུམ་ཚོགས་པར་གྱུར་པ་དེའི་ཚེ་ཡང་བུད་
མེད་དང་སྐྱེས་པ་དང་ཁྱེའུ་དང་། བུ་མོ་དག་གིས་རྩི་ཤིང་གི་ལོ་མ་དང་མེ་ཏོག་
དང་། འབྲས་བུ་ཕུན་སུམ་ཚོགས་པ་དེ་དག་མཐོང་ནས། ཉམས་བདེ་བར་
འགྱུར་རོ། །བཅོམ་ལྡན་འདས་དེ་བཞིན་དུ་བྱང་ཆུབ་སེམས་དཔའ་སེམས་དཔའ་
ཆེན་པོ་ཡང་གང་གི་ཚེ། ཤེས་རབ་ཀྱི་ཕ་རོལ་ཏུ་ཕྱིན་པ་ཟབ་མོ་འདི་བཟླ་བ་དང་།
ཕྱག་བགྱི་བ་དང་། བསྙེན་བཀུར་བ་དང་། མཉན་དུ་མཆིས་ཏེ། ཐོས་ནས་
ཀྱང་འཛིན་ཅིང་འཆང་བ་དང་། ཀློག་ཅིང་ཀུན་ཆུབ་པར་བགྱིད་པ་དང་།
ཚུལ་བཞིན་དུ་ཡིད་ལ་བགྱིད་པ་དེའི་ཚེ། །བཅོམ་ལྡན་འདས་བྱང་ཆུབ་སེམས་
དཔའ་སེམས་དཔའ་ཆེན་པོ་དེ་ནི་དགེ་བའི་རྩ་བ་ཡོངས་སུ་སྨིན་པར་རིག་པར་
བགྱིའོ། །བཅོམ་ལྡན་འདས་བྱང་ཆུབ་སེམས་དཔའ་སེམས་དཔའ་ཆེན་པོ་དེ་ནི་
སངས་རྒྱས་མང་པོ་ལ་བསྙེན་བཀུར་བགྱིས་པར་རིག་པར་བགྱིའོ། །བཅོམ་ལྡན་
འདས་བྱང་ཆུབ་སེམས་དཔའ་སེམས་དཔའ་ཆེན་པོ་དེས་ཀྱང་འདི་ལྟར་བདག་གིས་
ཤེས་རབ་ཀྱི་ཕ་རོལ་ཏུ་ཕྱིན་པ་ཟབ་མོ་འདི་བཟླ་བ་དང་། ཕྱག་བྱ་བ་དང་།

བསྙེན་བཀུར་བ་དང་། མཉན་དུ་ཡོད་པ་དང་། ཇི་སྐད་དུ་བསྟན་པའི་ཤེས་རབ་ཀྱི་ཕ་རོལ་དུ་ཕྱིན་པ་ལ་ནན་ཏན་བྱར་ཡོད་པ་ནི། སྔོན་གྱི་དགེ་བའི་རྩ་བས་བླ་ན་མེད་པ་ཡང་དག་པར་རྫོགས་པའི་བྱང་ཆུབ་ཏུ་ཉེ་བར་གྱུར་ཏོ་ཞེས་བགྱི་བར་འཚལ་བར་བགྱིའོ། །དེ་ན་[1]ལྷའི་བུ་སྔོན་སངས་རྒྱས་མཐོང་བ་ཇི་སྙེད་ཅིག་མཆིས་པ་དེ་དག་ཀྱང་། བྱང་ཆུབ་སེམས་དཔའ་སེམས་དཔའ་ཆེན་པོ་དེའི་སྟ་ལྟས་དེ་དག་མཐོང་ནས། སྔོན་གྱི་བྱང་ཆུབ་སེམས་དཔའ་སེམས་དཔའ་ཆེན་པོ་རྣམས་ལུང་བསྟན་པར་འགྱུར་བ་ལ་ཡང་སྟ་ལྟས་འདི་དག་བྱུང་གིས། བྱང་ཆུབ་སེམས་དཔའ་སེམས་དཔའ་ཆེན་པོ་འདིའང་རིང་པོར་[2]མི་ཐོགས་པར་བླ་ན་མེད་པ་ཡང་དག་པར་རྫོགས་པའི་བྱང་ཆུབ་ཏུ་ལུང་བསྟན་པར་འགྱུར་རོ་ཞེས་དགའ་ཞིང་སྤྲོ་ལ། ཡིད་བདེ་ཞིང་ཉམས་བདེ་བར་འགྱུར་རོ། །བཅོམ་ལྡན་འདས་འདི་ལྟ་སྟེ་དཔེར་ན། བུད་མེད་སྦྲུམ་པ་[3]ནི་ཇི་ལྟ་ཇི་ལྟར་བཙར་ཉེ་བ་དེ་ལྟ་དེ་ལྟར་ལུས་འགྱུར་ཏེ། དེ་ལྟ་དེ་ལྟར་སྐྱར་[4]ཞིང་ལུས་ངལ་ལ་རྒྱུད་[5]ཞན་ཞིང་མི་དགའ་ལ་ཁ་ཟས་ཡི་གར་མི་མཆི་ཞིང་རྨུགས་པ་དང་། གཉིད་ཀྱང་ཆུང་དུ་འགྱུར་ཏེ། ཉམས་མི་བདེ་བ་དེས་སྨྲ་བ་ཉུང་ཞིང་། བསྟེན་པའི་ངང་ཚུལ་མ་མཆིས་ལ། སྔོན་གྱི་ཚུལ་བཞིན་མ་ལགས་པའི་ཡིད་ལ་བགྱིད་པ་བསྟེན་པ་དང་བསྙེན་པ་དེས་ཉམ་པ་དེ་ལྟ་བུའི་ཚོར་བ་མྱོང་བར་འགྱུར་ཏེ། བུད་མེད་གཞན་དག་གིས་བུད་མེད་དེའི་མཚན་མ་ཇི་ལྟ་ཇི་ལྟར་མཐོང་བ་ལས་བུད་མེད་འདི་ནི་རིང་པོར་[6]མི་ཐོགས་པར་བཙའ་[7]བར་འགྱུར་རོ་ཞེས་བགྱི་བར་འཚལ་ཏོ། །བཅོམ་ལྡན་འདས་དེ་བཞིན་དུ་བྱང་ཆུབ་སེམས་དཔའ་སེམས་དཔའ་ཆེན་པོ་དགེ་བའི་རྩ་བ་བསྐྱེད་[8]པ། སངས་རྒྱས་མང་པོ་ལ་བསྙེན་བཀུར་བ། ལེགས་པའི་སྤྱོད་པ་སྤྱད་པ། དགེ་བའི་བཤེས་གཉེན་གྱིས་ཡོངས་སུ་བཟུང་བ། དགེ་བའི་རྩ་བ་ཡོངས་སུ་སྨིན་པ་

རྣམས་ལ་ཡང་། ཤེས་རབ་ཀྱི་ཕ་རོལ་ཏུ་ཕྱིན་པ་ཟབ་མོ་འདི་འཐད་པར་འགྱུར་ཏེ།
འཐད་པར་གྱུར་ནས་ཀྱང་འཛིན་ཅིང་འཆང་བ་དང་། ཀློག་ཅིང་ཀུན་ཆུབ་པར་
བགྱིད་པ་དང་། ཚུལ་བཞིན་དུ་ཡིད་ལ་བགྱིད་ན། བཅོམ་ལྡན་འདས་བྱང་····
ཆུབ་སེམས་དཔའ་སེམས་དཔའ་ཆེན་པོ་དེ་དག་རིང་པོར་①མི་ཐོགས་པར་བླ་ན་
མེད་པ་ཡང་དག་པར་རྫོགས་པའི་བྱང་ཆུབ་ཏུ་ལུང་བསྟན་པར་འགྱུར་བར་རིག····
པར་བགྱིའོ། །བཅོམ་ལྡན་འདས་ཀྱིས་བཀའ་སྩལ་པ། ཤ་ར་དྭ་ཏིའི་བུ་ལེགས་
སོ་ལེགས་སོ། །ཤ་ར་དྭ་ཏིའི་བུ་ཁྱོད་ཀྱིས་སྤོབས་པ་དེ་ནི་སངས་རྒྱས་ཀྱི་མཐུས···
སྐྱེས་སོ། །དེ་ནས་ཚེ་དང་ལྡན་པ་རབ་འབྱོར་གྱིས། བཅོམ་ལྡན་འདས་ལ་འདི་
སྐད་ཅེས་གསོལ་ཏོ། །བཅོམ་ལྡན་འདས་དེ་བཞིན་གཤེགས་པ་དགྲ་བཅོམ་པ་
ཡང་དག་པར་རྫོགས་པའི་སངས་རྒྱས་རྣམས་ཀྱིས་བྱང་ཆུབ་སེམས་དཔའ་སེམས···
དཔའ་ཆེན་པོ་དེ་དག་དེ་ལྟར་ལེགས་པར་ཡོངས་སུ་གཟུང་བ་ནི་ངོ་མཚར་ཆེའོ། །
བཅོམ་ལྡན་འདས་ཀྱིས་བཀའ་སྩལ་པ། རབ་འབྱོར་འདི་ལྟར་བྱང་ཆུབ་སེམས···
དཔའ་སེམས་དཔའ་ཆེན་པོ་དེ་དག་ནི་སྐྱེ་བོ་མང་པོ་ལ་ཕན་པ་དང་། སྐྱེ་བོ་མང་
པོ་ལ་བདེ་བ་དང་། འཇིག་རྟེན་ལ་སྙིང་བརྩེ་བ་དང་། ལྷ་དང་མིའི་ཚོགས་སྐྱེ་
བོ་ཕལ་པོ་ཆེའི་དོན་དང་། ཕན་པ་དང་བདེ་བའི་ཕྱིར། བླ་ན་མེད་པ་ཡང་
དག་པར་རྫོགས་པའི་བྱང་ཆུབ་ཏུ་ཡང་དག་པར་འཇུག་སྟེ། དེ་དག་བྱང་ཆུབ····
སེམས་དཔའི་སྤྱོད་པ་སྤྱོད་པའི་ཚེ། བསྡུ་བའི་དངོས་པོ་བཞིས་སེམས་ཅན་བརྒྱ··
སྟོང་མང་པོ་ལ་ཕན་འདོགས་ཏེ། བཞི་གང་ཞེ་ན། སྦྱིན་པ་དང་། སྙན་པར་
སྨྲ་བ་དང་། དོན་དུ་སྤྱོད་པ་དང་། དོན་འཐུན་པར་སྤྱོད་པ་སྟེ། དེ་དག་
གིས་སེམས་ཅན་རྣམས་དགེ་བ་བཅུའི་ལས་ཀྱི་ལམ་ལ་ཡང་དག་པར་བསྐུལ་ལོ། །
བདག་ཀྱང་བསམ་གཏན་བཞི་དང་། ཚད་མེད་པ་བཞི་དང་། གཟུགས་མེད་

པའི་སྙོམས་པར་འཇུག་པ་བཞི་ལ་སྙོམས་པར་འཇུག་ལ་གཞན་ཡང་བསམ་གཏན་བཞི་དང་། ཚད་མེད་པ་བཞི་དང་། གཟུགས་མེད་པའི་སྙོམས་པར་འཇུག་པ་བཞི་ལ་ཡང་དག་པར་བསྐུལ་[༡]ལོ། །བདག་ཀྱང་སྦྱིན་པ་ཡོངས་སུ་གཏོང་ལ། གཞན་ཡང་སྦྱིན་པ་ལ་ཡང་དག་པར་བསྐུལ་[༢]ལོ། །བདག་ཀྱང་ཚུལ་ཁྲིམས་སྲུང་ལ། གཞན་ཡང་ཚུལ་ཁྲིམས་ལ་ཡང་དག་པར་བསྐུལ་[༣]ལོ། །བདག་ཀྱང་བཟོད་པ་བསྒོམ་ལ། གཞན་ཡང་བཟོད་པ་ལ་ཡང་དག་པར་བསྐུལ་[༤]ལོ། །བདག་ཀྱང་བརྩོན་འགྲུས་རྩོམ་ལ། གཞན་ཡང་བརྩོན་འགྲུས་ལ་ཡང་དག་པར་བསྐུལ་[༥]ལོ། །བདག་ཀྱང་བསམ་གཏན་ལ་སྙོམས་པར་འཇུག་ལ། གཞན་ཡང་བསམ་གཏན་ལ་ཡང་དག་པར་བསྐུལ་[༦]ལོ། །བདག་ཀྱང་ཤེས་རབ་སྒོམ་ལ། གཞན་ཡང་ཤེས་རབ་སྒོམ་པ་ལ་ཡང་དག་པར་བསྐུལ་[༧]ལོ། །དེ་དག་ཤེས་རབ་ཀྱི་ཕ་རོལ་ཏུ་ཕྱིན་པ་ལ་གནས་ཤིང་། ཐབས་མཁས་པས་སེམས་ཅན་རྣམས་རྒྱུན་དུ་ཞུགས་པའི་འབྲས་བུ་ལ་རབ་ཏུ་འགོད་ཀྱང་བདག་རྒྱུན་དུ་ཞུགས་པའི་འབྲས་བུ་ཐོབ་པར་མི་བྱེད་དོ། །གཞན་ལན་ཅིག་ཕྱིར་འོང་བའི་འབྲས་བུ་དང་། ཕྱིར་མི་འོང་བའི་འབྲས་བུ་དང་། དགྲ་བཅོམ་པ་ཉིད་དང་། རང་བྱང་ཆུབ་ལ་རབ་ཏུ་འགོད་ཀྱང་། བདག་རང་བྱང་ཆུབ་མངོན་དུ་མི་བྱེད་དོ། །བདག་ཀྱང་སྦྱིན་པའི་ཕ་རོལ་ཏུ་ཕྱིན་པ་ལ་སྤྱོད་ལ། བྱང་ཆུབ་སེམས་དཔའ་གཞན་སྟོང་ཕྲག་དུ་མ་དག་ཀྱང་། སྦྱིན་པའི་ཕ་རོལ་ཏུ་ཕྱིན་པ་ལ་ཡང་དག་པར་བསྐུལ་[༨]ལོ། །བདག་ཀྱང་ཚུལ་ཁྲིམས་ཀྱི་ཕ་རོལ་ཏུ་ཕྱིན་པ་དང་། བཟོད་པའི་ཕ་རོལ་ཏུ་ཕྱིན་པ་དང་། བརྩོན་འགྲུས་ཀྱི་ཕ་རོལ་ཏུ་ཕྱིན་པ་དང་། བསམ་གཏན་གྱི་ཕ་རོལ་ཏུ་ཕྱིན་པ་དང་། ཤེས་རབ་ཀྱི་ཕ་རོལ་ཏུ་ཕྱིན་པ་ལ་སྤྱོད་ལ། བྱང་ཆུབ་སེམས་དཔའ་གཞན་སྟོང་ཕྲག་དུ་མ་དག་ཀྱང་། ཚུལ་ཁྲིམས་དང་བཟོད་པ་དང་བརྩོན་

འགྲུས་དང་བསམ་གཏན་དང་། ཤེས་རབ་ཀྱི་ཕ་རོལ་ཏུ་ཕྱིན་པ་ལ་ཡང་དག་པར་
བསྔུལ་[༡]ལོ། །བདག་ཀྱང་ཕྱིར་མི་ལྡོག་པའི་ས་ཡོངས་སུ་གནོན་ལ། གཞན་
ཡང་ཕྱིར་མི་ལྡོག་པའི་ས་ལ་རབ་ཏུ་འགོད་དོ། །བདག་ཀྱང་སངས་རྒྱས་ཀྱི་ཞིང་
ཡོངས་སུ་དག་པར་བྱེད་ལ། གཞན་ཡང་སངས་རྒྱས་ཀྱི་ཞིང་ཡོངས་སུ་དག་པར་
བྱ་བ་ལ་ཡང་དག་པར་བསྔུལ་[༢]ལོ། །བདག་ཀྱང་སེམས་ཅན་ཡོངས་སུ་སྨིན་པར་
བྱེད་ལ། གཞན་ཡང་སེམས་ཅན་ཡོངས་སུ་སྨིན་པར་བྱ་བ་ལ་ཡང་དག་པར་
བསྔུལ་[༣]ལོ། །བདག་ཀྱང་བྱང་ཆུབ་སེམས་དཔའི་མངོན་པར་ཤེས་པ་སྐྱེད་[༤]ལ།
གཞན་ཡང་བྱང་ཆུབ་སེམས་དཔའི་མངོན་པར་ཤེས་པ་ལ་ཡང་དག་པར་བསྔུལ་[༥]ལོ།།
བདག་ཀྱང་གཟུངས་ཀྱི་སྒོ་ཡོངས་སུ་སྦྱོང་ལ། གཞན་ཡང་གཟུངས་ཀྱི་སྒོ་ཡོངས་
སུ་སྦྱོང་བ་ལ་ཡང་དག་པར་བསྔུལ་[༦]ལོ། །བདག་ཀྱང་སྟོབས་པ་ཕུན་སུམ་ཚོགས་
པ་ཐོབ་པར་བྱེད་ལ། གཞན་ཡང་སྟོབས་པ་ཕུན་སུམ་ཚོགས་པ་ལ་ཡང་དག་པར་
བསྔུལ་[༧]ལོ། །བདག་ཀྱང་གཟུགས་ཕུན་སུམ་ཚོགས་པ་ཡོངས་སུ་འཛིན་ལ།
གཞན་ཡང་གཟུགས་ཕུན་སུམ་ཚོགས་པ་ཐོབ་པར་བྱ་བ་ལ་ཡང་དག་པར་བསྔུལ་[༨]ལོ།།
བདག་ཀྱང་མཚན་ཕུན་སུམ་ཚོགས་པ་ཡོངས་སུ་འཛིན་ལ། གཞན་ཡང་མཚན་
ཕུན་སུམ་ཚོགས་པ་ཐོབ་པར་བྱ་བ་ལ་ཡང་དག་པར་བསྔུལ་[༩]ལོ། །བདག་ཀྱང་
གཞོན་ནུའི་ས་ཕུན་སུམ་ཚོགས་པ་ཡོངས་སུ་འཛིན་ལ་གཞན་ཡང་གཞོན་ནུའི་ས
ཕུན་སུམ་ཚོགས་པ་ལ་ཡང་དག་པར་བསྔུལ་[༡༠]ལོ། །བདག་ཀྱང་བྱང་ཆུབ་ཀྱི་
ཕྱོགས་ཀྱི་ཆོས་སུམ་ཅུ་རྩ་བདུན་སྒོམ་ལ། གཞན་ཡང་བྱང་ཆུབ་ཀྱི་ཕྱོགས་ཀྱི་ཆོས་
སུམ་ཅུ་རྩ་བདུན་ལ་ཡང་དག་པར་བསྔུལ་ལོ། །བདག་ཀྱང་འཕགས་པའི་བདེན་
པ་བཞི་དང་། བསམ་གཏན་བཞི་དང་། ཚད་མེད་པ་བཞི་དང་། གཟུགས་
མེད་པའི་སྙོམས་པར་འཇུག་པ་བཞི་དང་། རྣམ་པར་ཐར་པ་བརྒྱད་དང་།

མཐར་གྱིས་གནས་པའི་སྙོམས་པར་འཇུག་པ་དགུ་དང་། སྟོང་པ་ཉིད་དང་། མཚན་མ་མེད་པ་དང་། སྨོན་པ་མེད་པ་དང་། མངོན་པར་ཤེས་པ་ལྔ་སྒོམ་ལ། གཞན་ཡང་མངོན་པར་ཤེས་པ་ལྔ་ལ་ཡང་དག་པར་བསྒྲུབ་(༡)ཡོ། །བདག་ཀྱང་ཏིང་ངེ་འཛིན་ཐམས་ཅད་དང་། གཟུངས་ཀྱི་སྒོ་ཐམས་ཅད་སྒོམ་ལ། གཞན་ཡང་གཟུངས་(༢)ཀྱི་སྒོ་ཐམས་ཅད་ལ་ཡང་དག་པར་བསྒྲུབ་(༣)ཡོ། །བདག་ཀྱང་དེ་བཞིན་གཤེགས་པའི་སྟོབས་བཅུ་དང་། མི་འཇིགས་པ་བཞི་དང་། སོ་སོ་ཡང་དག་པར་རིག་པ་བཞི་དང་། བྱམས་པ་ཆེན་པོ་དང་། སྙིང་རྗེ་ཆེན་པོ་དང་། སངས་རྒྱས་ཀྱི་ཆོས་མ་འདྲེས་པ་བཅོ་བརྒྱད་སྒྲུབ་ལ། གཞན་ཡང་སངས་རྒྱས་ཀྱི་ཆོས་མ་འདྲེས་པ་བཅོ་བརྒྱད་ལ་ཡང་དག་པར་བསྒྲུབ་(༤)ཡོ། །བདག་ཀྱང་རྣམ་པ་ཐམས་ཅད་མཁྱེན་པ་ཉིད་ཐོབ་པར་བྱེད་ལ། གཞན་ཡང་རྣམ་པ་ཐམས་ཅད་མཁྱེན་པ་ཉིད་ལ་ཡང་དག་པར་བསྒྲུབ་(༥)ཡོ། །བདག་ཀྱང་བག་ཆགས་ཀྱི་མཚམས་སྦྱོར་བའི་ཉོན་མོངས་པ་ཐམས་ཅད་རབ་ཏུ་སྤོང་ལ། གཞན་ཡང་བག་ཆགས་ཀྱི་མཚམས་སྦྱོར་བའི་ཉོན་མོངས་པ་ཐམས་ཅད་སྤོང་བ་ལ་ཡང་དག་པར་བསྒྲུབ་(༦)ཡོ། །བདག་ཀྱང་ཆོས་ཀྱི་འཁོར་ལོ་སྐོར་(༧)ལ། གཞན་ཡང་ཆོས་ཀྱི་འཁོར་ལོ་བསྐོར་(༨)བ་ལ་ཡང་དག་པར་བསྒྲུབ་(༩)ཡོ། །དེ་སྐད་ཅེས་བཀའ་སྩལ་པ་དང་། །ཚེ་དང་ལྡན་པ་རབ་འབྱོར་གྱིས། བཅོམ་ལྡན་འདས་ལ་འདི་སྐད་ཅེས་གསོལ་ཏོ། །དེ་ལྟར་བྱང་ཆུབ་སེམས་དཔའ་སེམས་དཔའ་ཆེན་པོ་ཡོན་ཏན་མང་པོ་དང་ལྡན་པ་དེ་དག་སེམས་ཅན་ཐམས་ཅད་ཀྱི་སླད་དུ། ཤེས་རབ་ཀྱི་ཕ་རོལ་དུ་ཕྱིན་པ་ལ་སྤྱོད་ཅིང་། བླ་ན་མེད་པ་ཡང་དག་པར་རྫོགས་པའི་བྱང་ཆུབ་ཏུ་མངོན་པར་རྫོགས་པར་འཚང་རྒྱ་བ་ནི། བཅོམ་ལྡན་འདས་ངོ་མཚར་(༡༠)ཏོ་བདེ་བར་གཤེགས་པ་ངོ་མཚར་(༡༡)ཏོ། །བཅོམ་ལྡན་འདས་ཇི་ལྟར་ན

བྱང་ཆུབ་སེམས་དཔའ་སེམས་དཔའ་ཆེན་པོ་རྣམས་ཀྱི་ཤེས་རབ་ཀྱི་ཕ་རོལ་ཏུ་ཕྱིན་པ་སྒོམ་པ་ཡོངས་སུ་རྫོགས་པར་འགྱུར་བ་ལགས། བཅོམ་ལྡན་འདས་ཀྱིས་བཀའ་སྩལ་པ། རབ་འབྱོར་བྱང་ཆུབ་སེམས་དཔའ་སེམས་དཔའ་ཆེན་པོ་ཤེས་རབ་ཀྱི་ཕ་རོལ་ཏུ་ཕྱིན་པ་ལ་སྤྱོད་པའི་ཚེ། ནམ་གཟུགས་ཀྱི་འཕེལ་བ་ཡང་དག་པར་རྗེས་སུ་མ་མཐོང་བ་དང་། ཚོར་བ་དང་འདུ་ཤེས་དང་འདུ་བྱེད་དང་། རྣམ་པར་ཤེས་པའི་འཕེལ་བ་ཡང་དག་པར་རྗེས་སུ་མ་མཐོང་བ་དེའི་ཚེ། བྱང་ཆུབ་སེམས་དཔའ་སེམས་དཔའ་ཆེན་པོའི་⑦ཤེས་རབ་ཀྱི་ཕ་རོལ་ཏུ་ཕྱིན་པ་བསྒོམ་པ་ཡོངས་སུ་རྫོགས་པར་འགྱུར་རོ། །རབ་འབྱོར་བྱང་ཆུབ་སེམས་དཔའ་སེམས་དཔའ་ཆེན་པོ་ཤེས་རབ་ཀྱི་ཕ་རོལ་ཏུ་ཕྱིན་པ་ལ་སྤྱོད་པའི་ཚེ། ནམ་སྐྱེ་མཆེད་དང་ཁམས་དང་། རྟེན་ཅིང་འབྲེལ་པར་འབྱུང་བའི་འཕེལ་བ་ཡང་དག་པར་རྗེས་སུ་མ་མཐོང་བ་དང་། ཕ་རོལ་ཏུ་ཕྱིན་པ་ཐམས་ཅད་དང་། སྟོང་པ་ཉིད་ཐམས་ཅད་དང་། བྱང་ཆུབ་ཀྱི་ཕྱོགས་ཀྱི་ཆོས་སུམ་ཅུ་རྩ་བདུན་གྱི་འཕེལ་བ་ཡང་དག་པར་རྗེས་སུ་མ་མཐོང་བ་དེའི་ཚེ། བྱང་ཆུབ་སེམས་དཔའ་སེམས་དཔའ་ཆེན་པོའི་ཤེས་རབ་ཀྱི་ཕ་རོལ་ཏུ་ཕྱིན་པ་བསྒོམ་པ་ཡོངས་སུ་རྫོགས་པར་འགྱུར་རོ། །ནམ་འཕགས་པའི་བདེན་པ་རྣམས་དང་། བསམ་གཏན་རྣམས་དང་། ཚད་མེད་པ་རྣམས་དང་། གཟུགས་མེད་པའི་སྙོམས་པར་འཇུག་པ་རྣམས་དང་། རྣམ་པར་ཐར་པ་བརྒྱད་དང་། མཐར་གྱིས་གནས་པའི་སྙོམས་པར་འཇུག་པ་དགུ་དང་། སྟོང་པ་ཉིད་དང་། མཚན་མ་མེད་པ་དང་། སྨོན་པ་མེད་པ་དང་། མངོན་པར་ཤེས་པ་རྣམས་ཀྱི་འཕེལ་བ་ཡང་དག་པར་རྗེས་སུ་མ་མཐོང་བ་དེའི་ཚེ། བྱང་ཆུབ་སེམས་དཔའ་སེམས་དཔའ་ཆེན་པོའི་ཤེས་རབ་ཀྱི་ཕ་རོལ་ཏུ་ཕྱིན་པ་བསྒོམ་པ་ཡོངས་སུ་རྫོགས་པར་འགྱུར་རོ། །ནམ་ཏིང་ངེ་འཛིན་རྣམས་དང་། གཟུངས་

ཀྱི་སྒོ་རྣམས་ཀྱི་འཕེལ་བ་ཡང་དག་པར་རྗེས་སུ་མ་མཐོང་བ་དེའི་ཚེ། བྱང་ཆུབ་
སེམས་དཔའ་སེམས་དཔའ་ཆེན་པོའི་ཤེས་རབ་ཀྱི་ཕ་རོལ་ཏུ་ཕྱིན་པ་བསྒོམ་པ་
ཡོངས་སུ་རྫོགས་པར་འགྱུར་རོ། །ནམ་དེ་བཞིན་གཤེགས་པའི་སྟོབས་བཅུ་དང་།
མི་འཇིགས་པ་བཞི་དང་། སོ་སོ་ཡང་དག་པར་རིག་པ་བཞི་དང་། སངས་
རྒྱས་ཀྱི་ཆོས་མ་འདྲེས་པ་བཅོ་བརྒྱད་ཀྱི་འཕེལ་བ་ཡང་དག་པར་རྗེས་སུ་མ་མཐོང་
བ་དེའི་ཚེ། བྱང་ཆུབ་སེམས་དཔའ་སེམས་དཔའ་ཆེན་པོའི་ཤེས་རབ་ཀྱི་ཕ་རོལ་
ཏུ་ཕྱིན་པ་བསྒོམ་པ་ཡོངས་སུ་རྫོགས་པར་འགྱུར་རོ། །རབ་འབྱོར་བྱང་ཆུབ་
སེམས་དཔའ་སེམས་དཔའ་ཆེན་པོ་ཤེས་རབ་ཀྱི་ཕ་རོལ་ཏུ་ཕྱིན་པ་ལ་སྤྱོད་པའི་ཚེ།
རྣམ་པ་ཐམས་ཅད་མཁྱེན་པ་ཉིད་ཀྱི་བར་གྱི་འཕེལ་བ[7]ཡང་དག་པར་རྗེས་སུ་མ་
མཐོང་བ་དེའི་ཚེ། བྱང་ཆུབ་སེམས་དཔའ་སེམས་དཔའ་ཆེན་པོའི་ཤེས་རབ་ཀྱི་
ཕ་རོལ་ཏུ་ཕྱིན་པ་བསྒོམ་པ་ཡོངས་སུ་རྫོགས་པར་འགྱུར་རོ། །རབ་འབྱོར་བྱང་
ཆུབ་སེམས་དཔའ་སེམས་དཔའ་ཆེན་པོ་ཤེས་རབ་ཀྱི་ཕ་རོལ་ཏུ་ཕྱིན་པ་ལ་སྤྱོད[8]
པའི་ཚེ། ནམ་གཟུགས་ཀྱི་འགྲིབ་པ་ཡང་དག་པར་རྗེས་སུ་མ་མཐོང་བ་དང་།
ཚོར་བ་དང་། འདུ་ཤེས་དང་འདུ་བྱེད་དང་། རྣམ་པར་ཤེས་པའི་འགྲིབ་པ་
ཡང་དག་པར་རྗེས་སུ་མ་མཐོང་བ་དེའི་ཚེ། བྱང་ཆུབ་སེམས་དཔའ་སེམས་
དཔའ་ཆེན་པོའི་ཤེས་རབ་ཀྱི་ཕ་རོལ་ཏུ་ཕྱིན་པ་བསྒོམ་པ་ཡོངས་སུ་རྫོགས་པར་
འགྱུར་རོ། །ནམ་སྐྱེ་མཆེད་དང་ཁམས་དང་རྟེན་ཅིང་འབྲེལ་པར་འབྱུང་བའི་
འགྲིབ་པ་ཡང་དག་པར་རྗེས་སུ་མ་མཐོང་བ་དེའི་ཚེ། བྱང་ཆུབ་སེམས་དཔའ་
སེམས་དཔའ་ཆེན་པོའི་ཤེས་རབ་ཀྱི་ཕ་རོལ་ཏུ་ཕྱིན་པ་བསྒོམ་པ་ཡོངས་སུ་རྫོགས་
པར་འགྱུར་རོ། །ནམ་ཕ་རོལ་ཏུ་ཕྱིན་པ་ཐམས་ཅད་དང་སྟོང་པ་ཉིད་ཐམས་ཅད་
དང་བྱང་ཆུབ་ཀྱི་ཕྱོགས་ཀྱི་ཆོས་སུམ་ཅུ་རྩ་བདུན་གྱི་འགྲིབ་པ་ཡང་དག་པར་རྗེས་

སུ་མ་མཐོང་བ་དེའི་ཚེ། བྱང་ཆུབ་སེམས་དཔའ་སེམས་དཔའ་ཆེན་པོའི་ཤེས་རབ་ཀྱི་ཕ་རོལ་ཏུ་ཕྱིན་པ་བསྒོམ་པ་ཡོངས་སུ་རྫོགས་པར་འགྱུར་རོ། །རྣམ་འཕགས་པའི་བདེན་པ་རྣམས་དང་། བསམ་གཏན་རྣམས་དང་། ཚད་མེད་པ་རྣམས་དང་། གཟུགས་མེད་པའི་སྙོམས་པར་འཇུག་པ་རྣམས་དང་། རྣམ་པར་ཐར་པ་བརྒྱད་དང་། མཐར་གྱིས་གནས་པའི་སྙོམས་པར་འཇུག་པ་དགུ་དང་། སྟོང་པ་ཉིད་དང་། མཚན་མ་མེད་པ་དང་། སྨོན་པ་མེད་པ་དང་། མངོན་པར་ཤེས་པ་རྣམས་ཀྱི་འགྲིབ་པ་ཡང་དག་པར་རྗེས་སུ་མ་མཐོང་བ་དེའི་ཚེ། བྱང་ཆུབ་སེམས་དཔའ་སེམས་དཔའ་ཆེན་པོའི་ཤེས་རབ་ཀྱི་ཕ་རོལ་ཏུ་ཕྱིན་པ་བསྒོམ་པ་ཡོངས་སུ་རྫོགས་པར་འགྱུར་རོ། །རྣམ་ཏིང་ངེ་འཛིན་རྣམས་དང་། གཟུངས་ཀྱི་སྒོ་རྣམས་ཀྱི་འགྲིབ་པ་ཡང་དག་པར་རྗེས་སུ་མ་མཐོང་བ་དེའི་ཚེ། བྱང་ཆུབ་སེམས་དཔའ་སེམས་དཔའ་ཆེན་པོའི་ཤེས་རབ་ཀྱི་ཕ་རོལ་ཏུ་ཕྱིན་པ་བསྒོམ་པ་ཡོངས་སུ་རྫོགས་པར་འགྱུར་རོ། །རྣམ་དེ་བཞིན་གཤེགས་པའི་སྟོབས་བཅུ་དང་། མི་འཇིགས་པ་བཞི་དང་། སོ་སོ་ཡང་དག་པར་རིག་པ་བཞི་དང་། སངས་རྒྱས་ཀྱི་ཆོས་མ་འདྲེས་པ་བཅོ་བརྒྱད་ཀྱི་འགྲིབ་པ་ཡང་དག་པར་རྗེས་སུ་མ་མཐོང་བ་དེའི་ཚེ། བྱང་ཆུབ་སེམས་དཔའ་སེམས་དཔའ་ཆེན་པོའི་ཤེས་རབ་ཀྱི་ཕ་རོལ་ཏུ་ཕྱིན་པ་བསྒོམ་པ་ཡོངས་སུ་རྫོགས་པར་འགྱུར་རོ། །རྣམ་རྣམ་པ་ཐམས་ཅད་མཁྱེན་པ་ཉིད་ཀྱི་བར་གྱི་འགྲིབ་པ་ཡང་དག་པར་རྗེས་སུ་མ་མཐོང་བ་དེའི་ཚེ། བྱང་ཆུབ་སེམས་དཔའ་སེམས་དཔའ་ཆེན་པོའི་ཤེས་རབ་ཀྱི་ཕ་རོལ་ཏུ་ཕྱིན་པ་བསྒོམ་པ་ཡོངས་སུ་རྫོགས་པར་འགྱུར་རོ། །རབ་འབྱོར་གཞན་ཡང་བྱང་ཆུབ་སེམས་དཔའ་སེམས་དཔའ་ཆེན་པོ་ཤེས་རབ་ཀྱི་ཕ་རོལ་ཏུ་ཕྱིན་པ་ལ་སྤྱོད་པའི་ཚེ། ཆོས་ཤེས་བྱ་བར་ཡང་དག་པར་རྗེས་སུ་མི་མཐོང་། ཆོས་མ་ཡིན་ཞེས་བྱ་བར····

ཡང་དག་པར་རྗེས་སུ་མི་མཐོང་། འདས་ཤེས་བྱ་བར་ཡང་དག་པར་རྗེས་སུ་མི་[༡]མཐོང་། མ་འོངས་ཤེས་བྱ་བར་ཡང་དག་པར་རྗེས་སུ་མི་མཐོང་[༢]། ད་ལྟར་བྱུང་[༣]ཞེས་བྱ་བར་ཡང་དག་པར་རྗེས་སུ་མི་མཐོང་། དགེ་ཞེས་བྱ་བ་དང་མི་དགེ་ཞེས་བྱ་བ་དང་། ལུང་དུ་སྟོན་ཞེས་བྱ་བ་དང་། ལུང་དུ་མི་སྟོན་ཅེས་བྱ་བར་ཡང་དག་པར་རྗེས་སུ་མི་མཐོང་། འདུས་བྱས་ཞེས་བྱ་བ་དང་འདུས་མ་བྱས་ཤེས་བྱ་བར་ཡང་དག་པར་རྗེས་སུ་མི་མཐོང་། འདོད་པའི་ཁམས་ཤེས་བྱ་བར་ཡང་དག་པར་རྗེས་སུ་མི་མཐོང་། གཟུགས་ཀྱི་ཁམས་ཤེས་བྱ་བར་ཡང་དག་པར་རྗེས་སུ་མི་མཐོང་། གཟུགས་མེད་པའི་ཁམས་ཤེས་བྱ་བར་ཡང་དག་པར་རྗེས་སུ་མི་མཐོང་། སྦྱིན་པའི་ཕ་རོལ་ཏུ་ཕྱིན་པ་ཞེས་བྱ་བར་ཡང་དག་པར་རྗེས་སུ་མི་མཐོང་། ཚུལ་ཁྲིམས་ཀྱི་ཕ་རོལ་ཏུ་ཕྱིན་པ་དང་། བཟོད་པའི་ཕ་རོལ་ཏུ་ཕྱིན་པ་དང་། བརྩོན་འགྲུས་ཀྱི་ཕ་རོལ་ཏུ་ཕྱིན་པ་དང་། བསམ་གཏན་གྱི་ཕ་རོལ་ཏུ་ཕྱིན་པ་དང་། ཤེས་རབ་ཀྱི་ཕ་རོལ་ཏུ་ཕྱིན་པ་ཞེས་བྱ་བར་ཡང་དག་པར་རྗེས་སུ་མི་མཐོང་། རྣམ་པ་ཐམས་ཅད་མཁྱེན་པ་ཉིད་ཀྱི་བར་ཞེས་བྱ་བར་ཡང་དག་པར་རྗེས་སུ་མི་མཐོང་བ་དེའི་ཚེ། བྱང་ཆུབ་སེམས་དཔའ་སེམས་དཔའ་ཆེན་པོའི་ཤེས་རབ་ཀྱི་ཕ་རོལ་ཏུ་ཕྱིན་པ་བསྒོམ་པ་ཡོངས་སུ་རྫོགས་པར་འགྱུར་རོ། །དེ་ཅིའི་ཕྱིར་ཞེ་ན། རབ་འབྱོར་དེ་ནི་འདི་ལྟར་ཆོས་རྣམས་ཀྱི་ཆོས་ཀྱི་མཚན་ཉིད་དང་། ཕྱིར་ལྡོག་པ་མེད་པ་དང་གསོག་དང་གསོབ་དང་སྙིང་པོ་མེད་པ་དང་། དབང་དུ་གྱུར་པ་དང་བྱེད་པ་མེད་པ་དང་སྲོག་མེད་པའི་ཕྱིར་རོ། །གསོལ་པ། བཅོམ་ལྡན་འདས་བསམ་གྱིས་མི་ཁྱབ་པ་[༤]བསྟན་ཏོ[༥]། །བཅོམ་ལྡན་འདས་ཀྱིས་བཀའ་སྩལ་པ། རབ་འབྱོར་གཟུགས་བསམ་གྱིས་མི་ཁྱབ་པའི་ཕྱིར། བསམ་གྱིས་མི་ཁྱབ་པ་བསྟན་ཏོ། །ཚོར་བ་དང་འདུ་ཤེས་དང་འདུ་བྱེད་དང་། རྣམ་

པར་ཤེས་པ་བསམ་གྱིས་མི་ཁྱབ་པའི་ཕྱིར། བསམ་གྱིས་མི་ཁྱབ་པ་བསྟན་ཏོ⑦། །རབ་འབྱོར་སྐྱེ་མཆེད་དང་ཁམས་དང་རྟེན་ཅིང་འབྲེལ་པར་འབྱུང་བ་བསམ་གྱིས་མི་ཁྱབ་པའི་ཕྱིར་བསམ་གྱིས་མི་ཁྱབ་པ་བསྟན་ཏོ། །རབ་འབྱོར་སྦྱིན་པའི་ཕ་རོལ་ཏུ་ཕྱིན་པ་བསམ་གྱིས་མི་ཁྱབ་པའི་ཕྱིར། བསམ་གྱིས་མི་ཁྱབ་པ་བསྟན་ཏོ། །ཚུལ་ཁྲིམས་ཀྱི་ཕ་རོལ་ཏུ་ཕྱིན་པ་དང་། བཟོད་པའི་ཕ་རོལ་ཏུ་ཕྱིན་པ་དང་། བརྩོན་འགྲུས་ཀྱི་ཕ་རོལ་ཏུ་ཕྱིན་པ་དང་། བསམ་གཏན་གྱི་ཕ་རོལ་ཏུ་ཕྱིན་པ་དང་། ཤེས་རབ་ཀྱི་ཕ་རོལ་ཏུ་ཕྱིན་པ་བསམ་གྱིས་མི་ཁྱབ་པའི་ཕྱིར། བསམ་གྱིས་མི་ཁྱབ་པ་བསྟན་ཏོ། །རབ་འབྱོར་ནང་སྟོང་པ་ཉིད་བསམ་གྱིས་མི་ཁྱབ་པའི་ཕྱིར་བསམ་གྱིས་མི་ཁྱབ་པ་བསྟན་ཏོ། །དངོས་པོ་མེད་པའི་ངོ་བོ་ཉིད་སྟོང་པ་ཉིད་ཀྱི་བར་དུ་བསམ་གྱིས་མི་ཁྱབ་པའི་ཕྱིར། བསམ་གྱིས་མི་ཁྱབ་པ་བསྟན་ཏོ། །རབ་འབྱོར་བྱང་ཆུབ་ཀྱི་ཕྱོགས་ཀྱི་ཆོས་སུམ་ཅུ་རྩ་བདུན་བསམ་གྱིས་མི་ཁྱབ་པའི་ཕྱིར། བསམ་གྱིས་མི་ཁྱབ་པ་བསྟན་ཏོ། །འཕགས་པའི་བདེན་པ་དང་། བསམ་གཏན་དང་། ཚད་མེད་པ་དང་། གཟུགས་མེད་པའི་སྙོམས་པར་འཇུག་པ་དང་། རྣམ་པར་ཐར་པ་བརྒྱད་དང་། མཐར་གྱིས་གནས་པའི་སྙོམས་པར་འཇུག་པ་དགུ་དང་སྟོང་པ་ཉིད་དང་མཚན་མ་མེད་པ་དང་། སྨོན་པ་མེད་པ་དང་། མངོན་པར་ཤེས་པ་རྣམས་བསམ་གྱིས་མི་ཁྱབ་པའི་ཕྱིར། བསམ་གྱིས་མི་ཁྱབ་པ་བསྟན་ཏོ། །ཏིང་ངེ་འཛིན་དང་། གཟུངས་ཀྱི་སྒོ་བསམ་གྱིས་མི་ཁྱབ་པའི་ཕྱིར། བསམ་གྱིས་མི་ཁྱབ་པ་བསྟན་ཏོ། །དེ་བཞིན་གཤེགས་པའི་སྟོབས་བཅུ་དང་། མི་འཇིགས་པ་བཞི་དང་། སོ་སོ་ཡང་དག་པར་རིག་པ་བཞི་དང་། སངས་རྒྱས་ཀྱི་ཆོས་མ་འདྲེས་པ་བཅོ་བརྒྱད་བསམ་གྱིས་མི་ཁྱབ་པའི་ཕྱིར། བསམ་གྱིས་མི་ཁྱབ་པ་བསྟན་ཏོ། །རབ་འབྱོར་རྣམ་པ་ཐམས་ཅད་

མཁྱེན་པ་ཉིད་ཀྱི་བར་དུ་བསམ་གྱིས་མི་ཁྱབ་པའི་ཕྱིར། བསམ་གྱིས་མི་ཁྱབ་པ་བསྟན་ཏོ། །རབ་འབྱོར་བྱང་ཆུབ་སེམས་དཔའ་སེམས་དཔའ་ཆེན་པོ་ཤེས་རབ་ཀྱི་ཕ་རོལ་ཏུ་ཕྱིན་པ་ལ་སྤྱོད་པའི་ཚེ། གལ་ཏེ་གཟུགས་བསམ་གྱིས་མི་ཁྱབ་ཅེས་བྱ་བར་འདུ་ཤེས་པ་མེད། ཚོར་བ་དང་འདུ་ཤེས་དང་འདུ་བྱེད་དང་། རྣམ་པར་ཤེས་པ་བསམ་གྱིས་[༡]མི་ཁྱབ་ཅེས་བྱ་བར་འདུ་ཤེས་པ་མེད་ན། ཤེས་རབ་ཀྱི་ཕ་རོལ་ཏུ་ཕྱིན་པ་ཡོངས་སུ་རྫོགས་པར་བྱེད་པའོ། །བྱང་ཆུབ་སེམས་དཔའ་སེམས་དཔའ་ཆེན་པོ་ཤེས་རབ་ཀྱི་ཕ་རོལ་ཏུ་ཕྱིན་པ་ལ་སྤྱོད་པའི་ཚེ། གལ་ཏེ་སྐྱེ་མཆེད་དང་། ཁམས་དང་རྟེན་ཅིང་འབྲེལ་པར་འབྱུང་བ་བསམ་གྱིས་མི་ཁྱབ་ཅེས་བྱ་བར་འདུ་ཤེས་པ་མེད་ན། ཤེས་རབ་ཀྱི་ཕ་རོལ་ཏུ་ཕྱིན་པ་ཡོངས་སུ་རྫོགས་པར་བྱེད་པའོ། །ཕ་རོལ་ཏུ་ཕྱིན་པ་ཐམས་ཅད་དང་། སྟོང་པ་ཉིད་ཐམས་ཅད་དང་། བྱང་ཆུབ་ཀྱི་ཕྱོགས་ཀྱི་ཆོས་སུམ་ཅུ་རྩ་བདུན་བསམ་གྱིས་མི་ཁྱབ་ཅེས་བྱ་བར་འདུ་ཤེས་པ་མེད་ན། ཤེས་རབ་ཀྱི་ཕ་རོལ་ཏུ་ཕྱིན་པ་ཡོངས་སུ་རྫོགས་པར་བྱེད་པའོ། །གལ་ཏེ་འཕགས་པའི་བདེན་པ་རྣམས་དང་། བསམ་གཏན་རྣམས་དང་། ཚད་མེད་པ་རྣམས་དང་། གཟུགས་མེད་པའི་སྙོམས་པར་འཇུག་པ་རྣམས་དང་། རྣམ་པར་ཐར་པ་བརྒྱད་དང་། མཐར་གྱིས་གནས་པའི་སྙོམས་པར་འཇུག་པ་དགུ་དང་། སྟོང་པ་ཉིད་དང་མཚན་མ་མེད་པ་དང་། སྨོན་[༢]པ་མེད་པ་དང་། མངོན་པར་ཤེས་པ་རྣམས་བསམ་གྱིས་མི་ཁྱབ་ཅེས་བྱ་བར་འདུ་ཤེས་པ་མེད་ན། ཤེས་རབ་ཀྱི་ཕ་རོལ་ཏུ་ཕྱིན་པ་ཡོངས་སུ་རྫོགས་པར་བྱེད་པའོ། །གལ་ཏེ་ཏིང་ངེ་འཛིན་རྣམས་དང་། གཟུངས་ཀྱི་སྒོ་རྣམས་བསམ་གྱིས་མི་ཁྱབ་ཅེས་བྱ་བར་འདུ་ཤེས་པ་མེད་ན། ཤེས་རབ་ཀྱི་ཕ་རོལ་ཏུ་ཕྱིན་པ་ཡོངས་སུ་རྫོགས་པར་བྱེད་པའོ། །གལ་ཏེ་དེ་བཞིན་གཤེགས་པའི་

སྟོབས་བཅུ་དང་། མི་འཇིགས་པ་བཞི་དང་། སོ་སོ་ཡང་དག་པར་རིག་པ་བཞི་དང་། སངས་རྒྱས་ཀྱི་ཆོས་མ་འདྲེས་པ་བཅོ་བརྒྱད་བསམ་གྱིས་མི་ཁྱབ་ཅེས་བྱ་བར་འདུ་ཤེས་པ་མེད་ན། ཤེས་རབ་ཀྱི་ཕ་རོལ་ཏུ་ཕྱིན་པ་ཡོངས་སུ་རྫོགས་པར་བྱེད་པའོ། །གལ་ཏེ་རྣམ་པ་ཐམས་ཅད་མཁྱེན་པ་ཉིད་ཀྱི་བར་དུ་བསམ་གྱིས་མི་ཁྱབ་ཅེས་བྱ་བར་འདུ་ཤེས་པ་མེད་ན། ཤེས་རབ་ཀྱི་ཕ་རོལ་ཏུ་ཕྱིན་པ་ཡོངས་སུ་རྫོགས་པར་བྱེད་པའོ། །གསོལ་པ། བཅོམ་ལྡན་འདས་ཤེས་རབ་ཀྱི་ཕ་རོལ་ཏུ་ཕྱིན་པ་ཟབ་མོ་འདི་ལ་སུ་ཞིག་མོས་པར་འགྱུར་བ་ལགས། བཅོམ་ལྡན་འདས་ཀྱིས་བཀའ་སྩལ་པ། བྱང་ཆུབ་སེམས་དཔའ་སེམས་དཔའ་ཆེན་པོ་གང་ཕ་རོལ་ཏུ་ཕྱིན་པ་དྲུག་ལ་སྤྱད་པ། དགེ་བའི་རྩ་བ་བསྐྱེད་པར་གྱུར་པ། སངས་རྒྱས་མང་པོ་ལ་བསྙེན་བཀུར་བ། དགེ་བའི་བཤེས་གཉེན་གྱིས་ཡོངས་སུ་བཟུང་བ་དེ་དག་ནི། ཤེས་རབ་ཀྱི་ཕ་རོལ་ཏུ་ཕྱིན་པ་ཟབ་མོ་འདི་ལ་མོས་པར་འགྱུར་རོ། །གསོལ་པ། བཅོམ་ལྡན་འདས་ཇི་ཙམ་གྱིས་ན། བྱང་ཆུབ་སེམས་དཔའ་སེམས་དཔའ་ཆེན་པོ་ཕ་རོལ་ཏུ་ཕྱིན་པ་དྲུག་ལ་སྤྱད་པ་དང་དགེ་བའི་རྩ་བ་བསྐྱེད་པ་དང་། སངས་རྒྱས་མང་པོ་བསྙེན་བཀུར་བ་དང་། དགེ་བའི་བཤེས་གཉེན་གྱིས་ཡོངས་སུ་བཟུང་བ་ལགས། བཅོམ་ལྡན་འདས་ཀྱིས་བཀའ་སྩལ་པ། རབ་འབྱོར་འདི་ལ་བྱང་ཆུབ་སེམས་དཔའ་སེམས་དཔའ་ཆེན་པོ་ཤེས་རབ་ཀྱི་ཕ་རོལ་ཏུ་ཕྱིན་པ་ལ་སྤྱོད་པའི་ཚེ། གཟུགས་སུ་མི་རྟོག་རྣམ་པར་མི་རྟོག་གོ། །གཟུགས་ཀྱི་མཚན་མར་མི་རྟོག་རྣམ་པར་མི་རྟོག་གོ། །གཟུགས་ཀྱི་རང་བཞིན་དུ་མི་རྟོག་རྣམ་པར་མི་རྟོག་གོ། །ཚོར་བ་དང་འདུ་ཤེས་དང་འདུ་བྱེད་དང་རྣམ་པར་ཤེས་པར་མི་རྟོག་རྣམ་པར་མི་རྟོག་གོ། །རྣམ་པར་ཤེས་པའི་མཚན་མར་མི་རྟོག་རྣམ་པར་མི་རྟོག་གོ། །རྣམ་པར་ཤེས་པའི་རང་བཞིན་དུ་མི་རྟོག་རྣམ་པར་མི་རྟོག་གོ། །

སྐྱེ་མཆེད་དང་། ཁམས་དང་རྟེན་ཅིང་འབྲེལ་པར་འབྱུང་བར་མི་རྟོག་རྣམ་པར་མི་རྟོག་གོ། །རྟེན་ཅིང་འབྲེལ་པར་འབྱུང་བའི་མཚན་མར་མི་རྟོག་རྣམ་པར་མི་རྟོག་གོ། །རྟེན་ཅིང་འབྲེལ་པར་འབྱུང་བའི་རང་བཞིན་དུ་མི་རྟོག་རྣམ་པར་མི་རྟོག་གོ། །འདོད་པའི་ཁམས་སུ་མི་རྟོག་རྣམ་པར་མི་རྟོག་གོ། །འདོད་པའི་ཁམས་ཀྱི་མཚན་མར་མི་རྟོག་རྣམ་པར་མི་རྟོག་གོ། །འདོད་པའི་ཁམས་ཀྱི་རང་བཞིན་དུ་མི་རྟོག་རྣམ་པར་མི་རྟོག་གོ། །གཟུགས་ཀྱི་ཁམས་སུ་མི་རྟོག་རྣམ་པར་མི་རྟོག་གོ། །གཟུགས་ཀྱི་ཁམས་ཀྱི་མཚན་མར་མི་རྟོག་རྣམ་པར་མི་རྟོག་གོ། །གཟུགས་ཀྱི་ཁམས་ཀྱི་རང་བཞིན་དུ་མི་རྟོག་རྣམ་པར་མི་རྟོག་གོ། །གཟུགས་མེད་པའི་ཁམས་སུ་མི་རྟོག་རྣམ་པར་མི་རྟོག་གོ། །གཟུགས་མེད་པའི་ཁམས་ཀྱི་མཚན་མར་མི་རྟོག་རྣམ་པར་མི་རྟོག་གོ། །གཟུགས་མེད་པའི་ཁམས་ཀྱི་རང་བཞིན་དུ་མི་རྟོག་རྣམ་པར་མི་རྟོག་གོ། །སྦྱིན་པའི་ཕ་རོལ་ཏུ་ཕྱིན་པར་མི་རྟོག་རྣམ་པར་མི་རྟོག་གོ། །སྦྱིན་པའི་ཕ་རོལ་ཏུ་ཕྱིན་པའི་མཚན་མར་མི་རྟོག་རྣམ་པར་མི་རྟོག་གོ། །སྦྱིན་པའི་ཕ་རོལ་ཏུ་ཕྱིན་པའི་རང་བཞིན་དུ་མི་རྟོག་རྣམ་པར་མི་རྟོག་གོ། །ཚུལ་ཁྲིམས་ཀྱི་ཕ་རོལ་ཏུ་ཕྱིན་པ་དང་། བཟོད་པའི་ཕ་རོལ་ཏུ་ཕྱིན་པ་དང་། བརྩོན་འགྲུས་ཀྱི་ཕ་རོལ་ཏུ་ཕྱིན་པ་དང་། བསམ་གཏན་གྱི་ཕ་རོལ་ཏུ་ཕྱིན་པ་དང་། །ཤེས་རབ་ཀྱི་ཕ་རོལ་ཏུ་ཕྱིན་པར་མི་རྟོག་རྣམ་པར་མི་རྟོག་གོ། །ཤེས་རབ་ཀྱི་ཕ་རོལ་ཏུ་ཕྱིན་པའི་མཚན་མར་མི་རྟོག་རྣམ་པར་མི་རྟོག་གོ། །ཤེས་རབ་ཀྱི་ཕ་རོལ་ཏུ་ཕྱིན་པའི་རང་བཞིན་དུ་མི་རྟོག་རྣམ་པར་མི་རྟོག་གོ། །ནང་སྟོང་པ་ཉིད་དུ་མི་རྟོག་རྣམ་པར་མི་རྟོག་གོ། །ནང་སྟོང་པ་ཉིད་ཀྱི་མཚན་མར་མི་རྟོག་རྣམ་པར་མི་རྟོག་གོ། །ནང་སྟོང་པ་ཉིད་ཀྱི་རང་བཞིན་དུ་མི་རྟོག་རྣམ་པར་མི་རྟོག་གོ། །དངོས་པོ་མེད་པའི་ངོ་བོ་ཉིད་སྟོང་པ་ཉིད་ཀྱི་བར་དུ་མི་རྟོག་རྣམ་པར་

མི་རྟོག་གོ། །དངོས་པོ་མེད་པའི་ངོ་བོ་ཉིད་སྟོང་པ་ཉིད་ཀྱི་མཚན་མར་མི་རྟོག་
རྣམ་པར་མི་རྟོག་གོ། །དངོས་པོ་མེད་པའི་ངོ་བོ་ཉིད་སྟོང་པ་ཉིད་ཀྱི་རང་བཞིན་
དུ་མི་རྟོག་རྣམ་པར་མི་རྟོག་གོ། །བྱང་ཆུབ་ཀྱི་ཕྱོགས་ཀྱི་ཆོས་སུམ་ཅུ་རྩ་བདུན་དུ་
མི་རྟོག་རྣམ་པར་མི་རྟོག་གོ། །བྱང་ཆུབ་ཀྱི་ཕྱོགས་ཀྱི་ཆོས་སུམ་ཅུ་རྩ་བདུན་གྱི་
མཚན་མར་མི་རྟོག་རྣམ་པར་མི་རྟོག་གོ། །བྱང་ཆུབ་ཀྱི་ཕྱོགས་ཀྱི་ཆོས་སུམ་ཅུ་རྩ་
བདུན་གྱི་རང་བཞིན་དུ་མི་རྟོག་རྣམ་པར་མི་རྟོག་གོ། །འཕགས་པའི་བདེན་པ་
རྣམས་དང་། བསམ་གཏན་རྣམས་དང་། ཚད་མེད་པ་རྣམས་དང་།
གཟུགས་མེད་པའི་སྙོམས་པར་འཇུག་པ་རྣམས་དང་། རྣམ་པར་ཐར་པ་བརྒྱད་
དང་། མཐར་གྱིས་གནས་པའི་སྙོམས་པར་འཇུག་པ་དགུ་དང་། སྟོང་པ་ཉིད་
དང་། མཚན་མ་མེད་པ་དང་། སྨོན་པ་མེད་པ་དང་། མངོན་པར་ཤེས་པ་
རྣམས་སུ་མི་རྟོག་རྣམ་པར་མི་རྟོག་གོ། །མངོན་པར་ཤེས་པ་རྣམས་ཀྱི་མཚན་མར་
མི་རྟོག་རྣམ་པར་མི་རྟོག་གོ། །མངོན་པར་ཤེས་པ་རྣམས་ཀྱི་རང་བཞིན་དུ་མི་
རྟོག་རྣམ་པར་མི་རྟོག་གོ། །ཏིང་ངེ་འཛིན་རྣམས་དང་། གཟུངས་ཀྱི་སྒོ་རྣམས་
སུ་མི་རྟོག་རྣམ་པར་མི་རྟོག་གོ། །གཟུངས་ཀྱི་སྒོ་རྣམས་ཀྱི་མཚན་མར་མི་རྟོག་
རྣམ་པར་མི་རྟོག་གོ། །གཟུངས་ཀྱི་སྒོ་རྣམས་ཀྱི་རང་བཞིན་དུ་མི་རྟོག་རྣམ་པར་
མི་རྟོག་གོ། །དེ་བཞིན་གཤེགས་པའི་སྟོབས་བཅུ་དང་། མི་འཇིགས་པ་བཞི་
དང་། སོ་སོ་ཡང་དག་པར་རིག་པ་བཞི་དང་། སངས་རྒྱས་ཀྱི་ཆོས་མ་འདྲེས་
པ་བཅོ་བརྒྱད་དུ་མི་རྟོག་རྣམ་པར་མི་རྟོག་གོ། །སངས་རྒྱས་ཀྱི་ཆོས་མ་འདྲེས་
པའི་མཚན་མར་མི་རྟོག་རྣམ་པར་མི་རྟོག་གོ། །སངས་རྒྱས་ཀྱི་ཆོས་མ་འདྲེས་པའི་
རང་བཞིན་དུ་མི་རྟོག་རྣམ་པར་མི་རྟོག་གོ། །རྣམ་པ་ཐམས་ཅད་མཁྱེན་པ་ཉིད་
ཀྱི་བར་དུ་མི་རྟོག་རྣམ་པར་མི་རྟོག་གོ། །རྣམ་པ་ཐམས་ཅད་མཁྱེན་པ་ཉིད་ཀྱི་

མཚན་མར་མི་རྟོག་རྣམ་པར་མི་རྟོག་གོ། །རྣམ་པ་ཐམས་ཅད་མཁྱེན་པ་ཉིད་ཀྱི་རང་བཞིན་དུ་མི་རྟོག་རྣམ་པར་མི་རྟོག་གོ། །དེ་ཅིའི་ཕྱིར་ཞེ་ན། རབ་འབྱོར་དེ་ནི་འདི་ལྟར་གཟུགས་བསམ་གྱིས་མི་ཁྱབ་བོ། །ཚོར་བ་དང་འདུ་ཤེས་དང་འདུ་བྱེད་དང་རྣམ་པར་ཤེས་པ་བསམ་གྱིས་མི་ཁྱབ་བོ། །སྐྱེ་མཆེད་དང་། ཁམས་དང་རྟེན་ཅིང་འབྲེལ་པར་འབྱུང་བ་བསམ་གྱིས་མི་ཁྱབ་བོ། །ཕ་རོལ་ཏུ་ཕྱིན་པ་ཐམས་ཅད་དང་། སྟོང་པ་ཉིད་ཐམས་ཅད་དང་། བྱང་ཆུབ་ཀྱི་ཕྱོགས་ཀྱི་ཆོས་སུམ་ཅུ་རྩ་བདུན་བསམ་གྱིས་མི་ཁྱབ་བོ། འཕགས་པའི་བདེན་པ་རྣམས་དང་། བསམ་གཏན་རྣམས་དང་། ཚད་མེད་པ་རྣམས་དང་། གཟུགས་མེད་པའི་སྙོམས་པར་འཇུག་པ་རྣམས་དང་། རྣམ་པར་ཐར་པ་བརྒྱད་དང་། མཐར་གྱིས་གནས་པའི་སྙོམས་པར་འཇུག་པ་དགུ་དང་། སྟོང་པ་ཉིད་དང་། མཚན་མ་མེད་པ་དང་། སྨོན་པ་མེད་པ་དང་། མངོན་པར་ཤེས་པ་རྣམས་བསམ་གྱིས་མི་ཁྱབ་བོ། །ཏིང་ངེ་འཛིན་རྣམས་དང་གཟུངས་[༧]ཀྱི་སྒོ་རྣམས་བསམ་གྱིས་མི་ཁྱབ་བོ། །དེ་བཞིན་གཤེགས་པའི་སྟོབས་བཅུ་དང་། མི་འཇིགས་པ་བཞི་དང་། སོ་སོ་ཡང་དག་པར་རིག་པ་བཞི་དང་། སངས་རྒྱས་ཀྱི་ཆོས་མ་འདྲེས་པ་བཅོ་བརྒྱད་བསམ་གྱིས་མི་ཁྱབ་བོ། །རྣམ་པ་ཐམས་ཅད་མཁྱེན་པ་ཉིད་ཀྱི་བར་དུ་བསམ་གྱིས་མི་ཁྱབ་བོ། །རབ་འབྱོར་དེ་[༨]ལྟར་ན་[༩]བྱང་ཆུབ་སེམས་དཔའ་སེམས་དཔའ་ཆེན་པོ་ཕ་རོལ་ཏུ་ཕྱིན་པ་དྲུག་ལ་སྤྱོད་པ་དང་། དགེ་བའི་རྩ་བ་བསྐྱེད་པ་དང་། སངས་རྒྱས་མང་པོ་བསྙེན་བཀུར་བ་དང་། དགེ་བའི་བཤེས་གཉེན་གྱིས་ཡོངས་སུ་བཟུང་བ་ཡིན་ནོ། །རབ་འབྱོར་གྱིས་གསོལ་པ། བཅོམ་ལྡན་འདས་ཤེས་རབ་ཀྱི་ཕ་རོལ་ཏུ་ཕྱིན་པ་ནི་ཟབ་བོ། །བཅོམ་ལྡན་འདས་ཀྱིས་བཀའ་སྩལ་པ། རབ་འབྱོར་གཟུགས་ཟབ་པའི་ཕྱིར། ཤེས་རབ་ཀྱི་ཕ་རོལ་ཏུ་

ཕྱིན་པ་ཟབ་བོ། །ཚོར་བ་དང་འདུ་ཤེས་དང་འདུ་བྱེད་དང་། རྣམ་པར་ཤེས་པ་ཟབ་པའི་ཕྱིར། ཤེས་རབ་ཀྱི་ཕ་རོལ་ཏུ་ཕྱིན་པ་ཟབ་བོ། །སྐྱེ་མཆེད་དང་། ཁམས་དང་། རྟེན་ཅིང་འབྲེལ་པར་འབྱུང་བ་ཟབ་པའི་ཕྱིར། ཤེས་རབ་ཀྱི་ཕ་རོལ་ཏུ་ཕྱིན་པ་ཟབ་བོ། །ཕ་རོལ་ཏུ་ཕྱིན་པ་ཐམས་ཅད་དང་། སྟོང་པ་ཉིད་ཐམས་ཅད་དང་། བྱང་ཆུབ་ཀྱི་ཕྱོགས་ཀྱི་ཆོས་སུམ་ཅུ་རྩ་བདུན་ཟབ་པའི་ཕྱིར། ཤེས་རབ་ཀྱི་ཕ་རོལ་ཏུ་ཕྱིན་པ་ཟབ་བོ། །འཕགས་པའི་བདེན་པ་དང་། བསམ་གཏན་དང་། ཚད་མེད་པ་དང་། གཟུགས་མེད་པའི་སྙོམས་པར་འཇུག་པ་དང་། རྣམ་པར་ཐར་པ་བརྒྱད་དང་། མཐར་གྱིས་གནས་པའི་སྙོམས་པར་འཇུག་པ་དགུ་དང་། སྟོང་པ་ཉིད་དང་། མཚན་མ་མེད་པ་དང་། སྨོན་པ་མེད་པ་དང་མངོན་པར་ཤེས་པ་རྣམས་ཟབ་པའི་ཕྱིར། ཤེས་རབ་ཀྱི་ཕ་རོལ་ཏུ་ཕྱིན་པ་ཟབ་བོ། །ཏིང་ངེ་འཛིན་དང་། གཟུངས་ཀྱི་སྒོ་རྣམས་ཟབ་པའི་ཕྱིར། ཤེས་རབ་ཀྱི་ཕ་རོལ་ཏུ་ཕྱིན་པ་ཟབ་བོ། །དེ་བཞིན་གཤེགས་པའི་སྟོབས་དང་མི་འཇིགས་པ་དང་། སོ་སོ་ཡང་དག་པར་རིག་པ་དང་། སངས་རྒྱས་ཀྱི་ཆོས་མ་འདྲེས་པ་རྣམས་ཟབ་པའི་ཕྱིར། ཤེས་རབ་ཀྱི་ཕ་རོལ་ཏུ་ཕྱིན་པ་ཟབ་བོ། །རྣམ་པ་ཐམས་ཅད་མཁྱེན་པ་ཉིད་ཀྱི་བར་དུ་ཟབ་པའི་ཕྱིར། ཤེས་རབ་ཀྱི་ཕ་རོལ་ཏུ་ཕྱིན་པ་ཟབ་བོ། །གསོལ་པ། བཅོམ་ལྡན་འདས་ཤེས་རབ་ཀྱི་ཕ་རོལ་ཏུ་ཕྱིན་པ་ནི་རིན་པོ་ཆེའི་ཕུང་པོ་སྟེ། ཆོས་རིན་པོ་ཆེའི་ཕུང་པོ་རྣམས་སྐྱབ་པའོ། །དེ་ནི་འདི་ལྟ་སྟེ། དགེ་བ་བཅུའི་ལས་ཀྱི་ལམ་དང་བསམ་གཏན་བཞི་དང་། ཚད་མེད་པ་བཞི་དང་། གཟུགས་མེད་པའི་སྙོམས་པར་འཇུག་པ་བཞི་དང་། མངོན་པར་ཤེས་པ་ལྔ་བསྐྱབ་[7]པའོ། །དྲན་པ་ཉེ་བར་གཞག་པ་བཞི་དང་། ཡང་དག་པར་སྤོང་བ་བཞི་དང་། རྫུ་འཕྲུལ་གྱི་རྐང་པ་བཞི་དང་། དབང་པོ་

ལྷ་དང་། སྟོབས་ལྔ་དང་། བྱང་ཆུབ་ཀྱི་ཡན་ལག་བདུན་དང་། འཕགས···
པའི་ལམ་ཡན་ལག་བརྒྱད་པ་སྤྲུབ་པའོ། །འཕགས་པའི་བདེན་པ་བཞི་དང་།
རྣམ་པར་ཐར་པ་བརྒྱད་དང་། མཐར་གྱིས་གནས་པའི་སྙོམས་པར་འཇུག་པ་
དགུ་དང་། སྟོང་པ་ཉིད་དང་། མཚན་མ་མེད་པ་དང་། སྨོན་པ་མེད་པ····
དང་། མངོན་པར་ཤེས་པ་རྣམས་དང་། ཏིང་ངེ་འཛིན་རྣམས་དང་།
གཟུངས་ཀྱི་སྒོ་རྣམས་སྤྲུབ་པའོ། །དེ་བཞིན་གཤེགས་པའི་སྟོབས་བཅུ་དང་།
མི་འཇིགས་པ་བཞི་དང་། སོ་སོ་ཡང་དག་པར་རིག་པ་བཞི་དང་། སངས···
རྒྱས་ཀྱི་ཆོས་མ་འདྲེས་པ་བཅོ་བརྒྱད་སྤྲུབ་པའོ། །རྒྱུན་དུ་ཞུགས་པའི་འབྲས་བུ···
དང་། ལན་ཅིག་ཕྱིར་འོང་བའི་འབྲས་བུ་དང་ཕྱིར་མི་འོང་བའི་འབྲས་བུ་དང་།
དགྲ་བཅོམ་པ་ཉིད་དང་། རང་བྱང་ཆུབ་སྤྲུབ་པོ[༧]། །རྣམ་པ་ཐམས་ཅད་
མཁྱེན་པ་ཉིད་ཀྱི་བར་དུ་སྤྲུབ་པའོ། །གསོལ་བ། བཅོམ་ལྡན་འདས་ཤེས་རབ་
ཀྱི་ཕ་རོལ་དུ་ཕྱིན་པ་ནི་ཆོས་ཀྱི་འཁོར་ལོ་སྐོར་[༣]བའོ། །བཅོམ་ལྡན་འདས་
གཟུགས་དག་པ་དང་ཚོར་བ་དང་འདུ་ཤེས་དང་འདུ་བྱེད་དང་རྣམ་པར་ཤེས་པ···
དག་པ་དང་། སྐྱེ་མཆེད་དང་ཁམས་དང་རྟེན་ཅིང་འབྲེལ་པར་འབྱུང་བ་[༡]དག་
པ་དང་། ཕ་རོལ་དུ་ཕྱིན་པ་ཐམས་ཅད་དང་། སྟོང་པ་ཉིད་ཐམས་ཅད་དང་།
བྱང་ཆུབ་ཀྱི་ཕྱོགས་ཀྱི་ཆོས་སུམ་ཅུ་རྩ་བདུན་དག་པ་དང་། འཕགས་པའི་བདེན་
པ་དང་། བསམ་གཏན་དང་། ཚད་མེད་པ་དང་། གཟུགས་མེད་པའི་
སྙོམས་པར་འཇུག་པ་དང་། རྣམ་པར་ཐར་པ་བརྒྱད་དང་། མཐར་གྱིས་
གནས་པའི་སྙོམས་པར་འཇུག་པ་དགུ་དང་། སྟོང་པ་ཉིད་དང་། མཚན་མ···
མེད་པ་དང་། སྨོན་པ་མེད་པ་དང་། མངོན་པར་ཤེས་པ་དག་པ་དང་།
ཏིང་ངེ་འཛིན་དང་། གཟུངས་ཀྱི་སྒོ་དག་པ་དང་། དེ་བཞིན་གཤེགས་པའི···

སྟོབས་བཅུ་དང་། མི་འཇིགས་པ་བཞི་དང་སོ་སོ་ཡང་དག་པར་རིག་པ་བཞི་དང་། སངས་རྒྱས་ཀྱི་ཆོས་མ་འདྲེས་པ་བཅོ་བརྒྱད་དག་པ་དང་། རྣམ་པ་ཐམས་ཅད་མཁྱེན་པ་ཉིད་ཀྱི་བར་དུ་དག་པའི་སླད་དུ། ཤེས་རབ་ཀྱི་ཕ་རོལ་ཏུ་ཕྱིན་པ་ནི་དག་པའི་ཕུང་པོའོ། །བཅོམ་ལྡན་འདས་ཤེས་རབ་ཀྱི་ཕ་རོལ་ཏུ་ཕྱིན་པ་ཟབ་མོ་དེ་ལྟ་བུ་བསྟན་པའི་ཚེ། བར་ཆད་མང་དུ་མི་འབྱུང་བ་ནི་ངོ་མཚར་ཆེའོ། །བཅོམ་ལྡན་འདས་ཀྱིས་བཀའ་སྩལ་པ། རབ་འབྱོར་དེ་དེ་བཞིན་ནོ། །རབ་འབྱོར[༡]དེ་དེ་བཞིན་ཏེ། རབ་འབྱོར་ཤེས་རབ་ཀྱི་ཕ་རོལ་ཏུ་ཕྱིན་པ་ཟབ་མོ་འདི་ལ་བར་ཆད་མང་པོ་འབྱུང་སྟེ། དེ་བས་ན་རིགས་ཀྱི་བུ་དང་རིགས་ཀྱི་བུ་མོས་ཤེས་རབ་ཀྱི་ཕ་རོལ་ཏུ་ཕྱིན་པ་ཟབ་མོ་འདི་འདྲི[༢]བ་དང་ཀླག[༣]པ་དང་བསྟན་པ་དང་། ཚུལ་བཞིན་དུ་ཡིད་ལ་བྱ་ཞིང་བསྒོམ་པར་བྱ་བ་ལ་བར་ཆད་དུ་མི་འགྱུར་བར་བྲི་ན་ཡང་མྱུར་དུ་བྲི་བར་བྱའོ། །ཀླག[༤]པ་དང་བསྟན་པ་དང་། ཚུལ་བཞིན་དུ་ཡིད་ལ་བྱ་ཞིང་བསྒོམ་ན་ཡང་མྱུར་དུ་བསྒོམ་མོ། །རབ་འབྱོར་དེ་བས་ན་གལ་ཏེ་རིགས་ཀྱི་བུ་དང་རིགས་ཀྱི་བུ་མོས་ཤེས་རབ་ཀྱི་ཕ་རོལ་ཏུ་ཕྱིན་པ་ཟབ་མོ་འདི་ཟླ་བ་གཅིག་གིས༔བྲིས་པར[༥]བྱས་ན་ཡང་། དེས་དེ་བཞིན་དུ་བྲི་བར་བྱའོ། །གལ་ཏེ་ཟླ་བ་གཉིས་སམ། གལ་ཏེ་ཟླ་བ་གསུམ་འམ[༦]། གལ་ཏེ་ཟླ་བ་བཞིའམ། གལ་ཏེ་ཟླ་བ་ལྔའམ། གལ་ཏེ་ཟླ་བ་དྲུག་གམ། གལ་ཏེ་ལོའི་བར་གྱིས་བྲི་བར་བྱས་ན་ཡང་དེ་བཞིན་དུ་བྲི་བར་བྱའོ། །གལ་ཏེ་ཟླ་བ་གཅིག་གིས་བསྟན་པ་དང་། ལུང་དབོག་པ་དང་། ཁ་ཏོན་བྱ་བ་དང་། ཚུལ་བཞིན་དུ་ཡིད་ལ་བྱ་བ་དང་། བསྒོམ་པར་བྱས[༧]ན་ཡང་དེ་བཞིན་དུ་བསྒོམ་པར་བྱའོ། །གལ་ཏེ་ལོའི་བར་གྱིས་བསྒོམ་པར་བྱས་ན་ཡང་དེ་བཞིན་དུ་བསྒོམ་པར་བྱའོ། །དེ་ཅིའི་ཕྱིར་ཞེ་ན། རབ་འབྱོར་དེ་ནི་འདི་ལྟར་རིན་པོ་ཆེ་ཆེན་པོ་ལ་བར་ཆད་མང་དུ་འབྱུང་ངོ་། །

གསོལ་པ། བཅོམ་ལྡན་འདས་ཤེས་རབ་ཀྱི་ཕ་རོལ་ཏུ་ཕྱིན་པ་ཟབ་མོ་འདི་ཅི་ནས་ཀྱང་མི་བྲི[1]་བ་དང་། མི་ཀླག[2]་པ་དང་། མི་བསྟན[3]་པ་དང་། ཁ་ཏོན་མི་བགྱི་བ་དང་། ཡིད་ལ་མི་བགྱིད་པ་དང་། མི་བསྒོམ་པའི་སླད་དུ་བདུད་སྡིག་ཏོ་ཅན་དག་བར་ཆད་མི་བགྱིད་པ་ངོ་མཚར་ཆེའོ། །བཅོམ་ལྡན་འདས་ཀྱིས་བཀའ་སྩལ་པ། རབ་འབྱོར་ཤེས་རབ་ཀྱི་ཕ་རོལ་ཏུ་ཕྱིན་པ་ཟབ་མོ་འདི་ལ་ཅི་ནས་ཀྱང་མི་བྲི་བ་དང་། མི་ཀླག[4]་པ་དང་། མི་བསྟན་པ་དང་། ཚུལ་བཞིན་དུ་ཡིད་ལ་མི་བྱ་བ་དང་། མི་བསྒོམ་པའི་ཕྱིར། བདུད་སྡིག་ཏོ་ཅན་དག་བར་ཆད་མི་བྱེད་པ་ཡང་མ་ཡིན་མོད་ཀྱི། བྱང་ཆུབ་སེམས་དཔའ་སེམས་དཔའ་ཆེན་པོ་ཤེས་རབ་ཀྱི་ཕ་རོལ་ཏུ་ཕྱིན་པ་ཟབ་མོ་འདི་འདྲི་བ་དང་། ཀློག་པ་དང་ཁ་ཏོན[5]་བྱེད་པ་དང་། སྒོམ་པ་རྣམས་ལ་བར་ཆད་བྱ་བར་མི་ནུས་སོ། །དེ་ནས་ཚེ་དང་ལྡན་པ་ཤཱ་ར་དྭ་ཏིའི་བུས། བཅོམ་ལྡན་འདས་ལ་འདི་སྐད་ཅེས་གསོལ་ཏོ། །བཅོམ་ལྡན་འདས་ཅིའི་མཐུས་ན། བྱང་ཆུབ་སེམས་དཔའ་སེམས་དཔའ་ཆེན་པོས་ཤེས་རབ་ཀྱི་ཕ་རོལ་ཏུ་ཕྱིན་པ་ཟབ་མོ་འདི་འདྲི[6]་བ་དང་། ཀློག[7]་པ་དང་ཁ་ཏོན་དུ་བགྱི་བ་དང་། ཚུལ་བཞིན་དུ་ཡིད་ལ་བགྱི་བ་དང་། བསྒོམ་པ་ལ་བདུད་སྡིག་ཏོ་ཅན་བགེགས་བགྱིད་པར་མི་འགྱུར། བཅོམ་ལྡན་འདས་ཀྱིས་བཀའ་སྩལ་པ། ཤཱ་ར་དྭ་ཏིའི་བུ་སངས་རྒྱས་ཀྱི་མཐུས་བྱང་ཆུབ་སེམས་དཔའ་སེམས་དཔའ་ཆེན་པོ་ཤེས་རབ་ཀྱི་ཕ་རོལ་ཏུ་ཕྱིན་པ་ཟབ་མོ་འདི་འདྲི[1]་བ་དང་། ཀློག་པ་དང་ཁ་ཏོན་དུ་བྱེད་པ་དང་། ཚུལ་བཞིན་དུ་ཡིད་ལ་བྱེད་པ་དང་། སྒོམ་པ་དག་ལ་བདུད་སྡིག་ཏོ་ཅན་གྱིས་བར་ཆད་བྱ་བར་མི་ནུས་སོ། །ཤཱ་ར་དྭ་ཏིའི་བུ་ཕྱོགས་བཅུ་ཀུན་གྱི་འཇིག་རྟེན་གྱི་ཁམས་དག་ན། སངས་རྒྱས་བཅོམ་ལྡན་འདས་གང་དེ་སྙེད་ཅིག་བཞུགས་ཤིང་འཚོ་སྐྱོང་བ་དང་། ཆོས་སྟོན་

པ་དེ་དག་གི་①མཐུས་ཀྱང་། བྱང་ཆུབ་སེམས་དཔའ་སེམས་དཔའ་ཆེན་པོ་ཤེས་རབ་ཀྱི་ཕ་རོལ་ཏུ་ཕྱིན་པ་ཟབ་མོ་འདི་འདྲི་②བ་དང་། ཀློག་པ་དང་སྟོན་པ་དང་ཁ་ཏོན་དུ་བྱེད་པ་དང་། ཚུལ་བཞིན་དུ་ཡིད་ལ་བྱེད་པ་དང་། སྒོམ་པ་དེ་དག་ལ་བདུད་སྡིག་ཏོ་ཅན་གྱིས་བར་ཆད་བྱ་བར་མི་ནུས་སོ། །སངས་རྒྱས་བཅོམ་ལྡན་འདས་དེ་དག་ཀྱང་བྱང་ཆུབ་སེམས་དཔའ་སེམས་དཔའ་ཆེན་པོ་དེ་དག་ལ་དགོངས་ཤིང་ཡོངས་སུ་འཛིན་པ་མཛད་དེ། སངས་རྒྱས་བཅོམ་ལྡན་འདས་དེ་དག་གིས་ཡོངས་སུ་བཟུང་བའི་བྱང་ཆུབ་སེམས་དཔའ་སེམས་དཔའ་ཆེན་པོ་དེ་དག་ཤེས་རབ་ཀྱི་ཕ་རོལ་ཏུ་ཕྱིན་པ་ཟབ་མོ་འདི་འདྲི་③བ་དང་། ཀློག་པ་དང་། སྟོན་པ་དང་ཁ་ཏོན་དུ་བྱེད་པ་དང་ཚུལ་བཞིན་དུ་ཡིད་ལ་བྱེད་པ་དང་། སྒོམ་པ་དེ་དག་ལ་བདུད་སྡིག་ཏོ་ཅན་གྱིས་བར་ཆད་བྱ་བར་མི་ནུས་སོ། །དེ་ཅིའི་ཕྱིར་ཞེ་ན། ཤ་ར་དྭ་ཏིའི་བུ་སངས་རྒྱས་ཀྱིས་ཡོངས་སུ་ཟིན་པའི་བྱང་ཆུབ་སེམས་དཔའ་སེམས་དཔའ་ཆེན་པོ་རྣམས་ཀྱི་དགེ་བའི་ཆོས་ཡོངས་སུ་བཅོལ་བ་ལ་བདུད་སྡིག་ཏོ་ཅན་གྱིས་བར་ཆད་བྱ་བར་མི་ནུས་སོ། །ཤ་ར་དྭ་ཏིའི་བུ་དེ་ནི་གང་དེ་ལྟར་ཕྱོགས་བཅུ་ཀུན་གྱི་འཇིག་རྟེན་གྱི་ཁམས་ཚད་མེད་གྲངས་མེད་པ་དག་ན། དེ་བཞིན་གཤེགས་པ་དགྲ་བཅོམ་པ་ཡང་དག་པར་རྫོགས་པའི་སངས་རྒྱས་ཚད་མེད་གྲངས་མེད་པ་བཞུགས་ཤིང་འཚོ་སྐྱོང་བ་དང་། ཆོས་སྟོན་པ་དེ་དག་བྱང་ཆུབ་སེམས་དཔའ་སེམས་དཔའ་ཆེན་པོ་ཤེས་རབ་ཀྱི་ཕ་རོལ་ཏུ་ཕྱིན་པ་ཟབ་མོ་འདི་འདྲི་④བ་ལ་དགོངས་པ་མཛད་པ་དང་། ཀློག་ཅིང་སྟོན་པ་དང་། ཁ་ཏོན་དུ་བྱེད་པ་དང་། ཚུལ་བཞིན་དུ་ཡིད་ལ་བྱེད་པ་དང་། སྒོམ་པ་ལ་དགོངས་པ་མཛད་པ་ནི་ཆོས་ཉིད་ཀྱིས་དེ་བཞིན་ཏེ། ཤ་ར་དྭ་ཏིའི་བུ་རིགས་ཀྱི་བུ་དང་རིགས་ཀྱི་⑤བུ་མོ་ཤེས་རབ་ཀྱི་ཕ་རོལ་ཏུ་ཕྱིན་པ་ཟབ་མོ་འདི་འདྲི་⑥ཞིང་ཀློག་པ་

དང་། སྟོན་ཅིང་ཚུལ་བཞིན་དུ་ཡིད་ལ་བྱེད་པ་དང་། སྒོམ་པ་དེས་ཀྱང་བདག་ནི་སངས་རྒྱས་ཀྱི་མཐུས། ཤེས་རབ་ཀྱི་ཕ་རོལ་ཏུ་ཕྱིན་པ་ཟབ་མོ་འདི་འདྲི་འོ། །ཀློག་གོ། །སྟོན་ཏོ། །ཁ་ཏོན་དུ་བྱེད་དོ། །ཚུལ་བཞིན་དུ་ཡིད་ལ་བྱེད་དོ། །སྒོམ་མོ་ཞེས་བྱ་བར་ཁོང་དུ་ཆུད་པར་བྱའོ། །གསོལ་པ། བཅོམ་ལྡན་འདས་རིགས་ཀྱི་བུའམ་རིགས་ཀྱི་བུ་མོ་གང་སུ་ཡང་རུང་སྟེ། ཤེས་རབ་ཀྱི་ཕ་རོལ་དུ་ཕྱིན་པ་ཟབ་མོ་འདི་འདྲི་བ་དང་ཀློག་པ་དང་སྟོན་པ་དང་ཁ་ཏོན་དུ་བགྱིད་པ་དང་། ཚུལ་བཞིན་དུ་ཡིད་ལ་བགྱིད་པ་དང་། སྒོམ་མོ་འཚལ་ཀུན་ཀྱང་སངས་རྒྱས་ཀྱི་མཐུ་ལགས་སམ། ཀུན་ཀྱང་སངས་རྒྱས་ཀྱི་གཟུངས་ལགས་སམ། བཅོམ་ལྡན་འདས་ཀྱིས་བཀའ་སྩལ་པ། ཤ་ར་དྭ་ཏིའི་བུ་དེ་དེ་བཞིན་ནོ། །དེ་དེ་བཞིན་ཏེ། ཇི་སྐད་དུ་སྨྲས་པ་བཞིན་ཏེ། རིགས་ཀྱི་བུའམ་རིགས་ཀྱི་བུ་མོ་གང་སུའང་རུང་སྟེ། ཤེས་རབ་ཀྱི་ཕ་རོལ་དུ་ཕྱིན་པ་ཟབ་མོ་འདི་འདྲི[༧]ཞིང་ཀློག་པ་དང་། སྟོན་ཅིང་ཁ་ཏོན་དུ་བྱེད་པ་དང་། ཚུལ་བཞིན་དུ་ཡིད་ལ་བྱེད་ཅིང་སྒོམ་པ་དེ་ཐམས་ཅད་ཀྱང་སངས་རྒྱས་ཀྱི་མཐུ་ཡིན་པར་རིག་པར་བྱའོ། །དེ་ཐམས་ཅད་ཀྱང་སངས་རྒྱས་ཀྱི་གཟུངས་ཡིན་པར་རིག་པར་བྱའོ། །གསོལ་པ། བཅོམ་ལྡན་འདས་རིགས་ཀྱི་བུའམ་རིགས་ཀྱི་བུ་མོ་གང་ཤེས་རབ་ཀྱི་ཕ་རོལ་དུ་ཕྱིན་པ་ཟབ་མོ་འདི་འདྲི[༩]ཞིང་ཀློག་པ་དང་། སྟོན་ཅིང་ཁ་ཏོན་དུ་བགྱིད་པ་དང་། ཚུལ་བཞིན་དུ་ཡིད་ལ་བགྱིད་ཅིང་སྒོམ་པ་དེ་དག་ནི་ཤར་ཕྱོགས་ནས་ཕྱོགས་བཅུ་ཀུན་གྱི་བར་གྱི་འཇིག་རྟེན་གྱི་ཁམས་ཚད་དང་[༡]གྲངས་མ་མཆིས་པ་ན། སངས་རྒྱས་བཅོམ་ལྡན་འདས་ཚད་དང་གྲངས་མ་མཆིས་པ་བཞུགས་ཤིང་འཚོ་སྐྱོང་བ་དང་ཆོས་སྟོན་པ་དེ་དག་གིས་མཁྱེན་ཏེ། གང་ཤེས་རབ་ཀྱི་ཕ་རོལ་དུ་ཕྱིན་པ་ཟབ་མོ་འདི་འདྲི[༨]ཞིང་ཀློག་པ་དང་། སྟོན་ཅིང་ཁ་

ཏོན་(༧)བགྱིད་པ་དང་། ཚུལ་བཞིན་དུ་ཡིད་ལ་བགྱིད་ཅིང་སྒོམ་པ་དེ་དག་ནི།
སངས་རྒྱས་བཅོམ་ལྡན་འདས་དེ་དག་གིས་སངས་རྒྱས་ཀྱི་སྤྱན་གྱིས་གཟིགས་སོ། །
ཐུགས་སུ་ཆུད་དོ། །བཅོམ་ལྡན་འདས་ཀྱིས་བཀའ་སྩལ་པ། ཤ་ར་དྭ་ཏིའི་བུ
དེ་དེ་བཞིན་ནོ། །དེ་དེ་བཞིན་ཏེ། རིགས་ཀྱི་བུའམ་རིགས་ཀྱི་བུ་མོ་གང་ཤེས་
རབ་ཀྱི་ཕ་རོལ་དུ་ཕྱིན་པ་ཟབ་མོ་འདི་འདྲི་(༣)ཞིང་ཀློག་པ་དང་། སྟོན་ཅིང་ཁ
ཏོན་དུ་བྱེད་པ་དང་། ཚུལ་བཞིན་དུ་ཡིད་ལ་བྱེད་ཅིང་སྒོམ་པ་དེ་དག་ནི་ཤར
ཕྱོགས་ནས་ཕྱོགས་བཅུ་ཀུན་གྱི་བར་གྱི་འཇིག་རྟེན་གྱི་ཁམས་ཚད་དང་གྲངས་མེད་
པ་ན། སངས་རྒྱས་བཅོམ་ལྡན་འདས་ཚད་མེད་གྲངས་མེད་པ་བཞུགས་ཤིང་འཚོ་
སྐྱོང་བ་དང་། ཆོས་སྟོན་པ་དེ་དག་གིས་མཁྱེན་ཏེ། སངས་རྒྱས་ཀྱི་སྤྱན་གྱིས
གཟིགས་སོ། །ཐུགས་སུ་ཆུད་དོ།། །།

ཤེས་རབ་ཀྱི་ཕ་རོལ་ཏུ་ཕྱིན་པ་སྟོང་ཕྲག་ཉི་ཤུ་ལྔ་པ། བམ་པོ་བཞི་(༡)བཅུ་
གསུམ་པ། ཤ་ར་དྭ་ཏིའི་བུ་དེ་ལ་བྱང་ཆུབ་སེམས་དཔའི་ཐེག་པ་པའི་རིགས་ཀྱི
བུའམ་རིགས་ཀྱི་བུ་མོ་དེ་དག་ཤེས་རབ་ཀྱི་ཕ་རོལ་དུ་ཕྱིན་པ་ཟབ་མོ་འདི་འཛིན་པ་
དང་། འཆང་བ་དང་ཀློག་པ་དང་ཀུན་ཆུབ་པར་བྱེད་པ་དང་ཚུལ་བཞིན་དུ་ཡིད་
ལ་བྱེད་པ་དང་། སྒོམ་པ་དང་། དེ་བཞིན་(༢)དུ་ནན་ཏན་བྱེད་པ་དེ་དག་གིས་
ཀྱང་འདི་ལྟར་བདག་ཅག་ནི་བླ་ན་མེད་པ་ཡང་དག་པར་རྫོགས་པའི་བྱང་ཆུབ་ཏུ
ཉེ་བར་གྱུར་ཏོ་ཞེས་བྱ་བར་རིག་པར་བྱའོ། །ཤ་ར་དྭ་ཏིའི་བུ་གང་ཡང་བྱང་ཆུབ་
སེམས་དཔའི་ཐེག་པ་པའི་རིགས་ཀྱི་བུའམ་རིགས་ཀྱི་བུ་མོ་ཤེས་རབ་ཀྱི་ཕ་རོལ་དུ
ཕྱིན་པ་ཟབ་མོ་འདི་བྲིས་ཤིང་གླེགས་བམ་དུ་བྱས་ཏེ་འཆང་བ་དེ་དག་ཀྱང་ཤེས་
རབ་ཀྱི་ཕ་རོལ་དུ་ཕྱིན་པ་ཟབ་མོ་འདི་ལ་མོས་པ༔མང་བར་(༥)འགྱུར་ཏེ། དེ་དག་
ཤེས་རབ་ཀྱི་ཕ་རོལ་དུ་ཕྱིན་པ་ཟབ་མོ་འདི་ལ་མེ་ཏོག་དང་ཕྲེང་བ་དང་སྤོས་དང

བྱུག་པ་དང་ཕྱེ་མ་དང་ན་བཟའ་དང་གདུགས་དང་རྒྱལ་མཚན་དང་བ་དན་མང་པོས་རིམ་གྲོར་བྱེད། བཀུར་སྟིར་བྱེད་བསྟི་སྟང་དུ་བྱེད། མཆོད་པར་བྱེད་དོ། །དེ་ལྟར་རིགས་ཀྱི་བུ་དང་རིགས་ཀྱི་བུ་མོ་གང་ཤེས་རབ་ཀྱི་ཕ་རོལ་ཏུ་ཕྱིན་པ་ཟབ་མོ་འདི་བྲིས་ཤིང་འཆང་བ་དེ་དག་ཀྱང་དོན་⑦ཆེ་བ་དང་ལེགས་པ་ཆེ་བ་དང་འབྲས་བུ་ཆེ་བ་དང་། རྣམ་པར་སྨིན་པ་ཆེ་བར་འགྱུར་ཏེ། ཤཱ་ར་དྭ་ཏིའི་བུ་རིགས་ཀྱི་བུ་དང་རིགས་ཀྱི་བུ་མོ་དེ་དག་ནི་ཕྱིར་མི་ལྡོག་པའི་ས་ཡོངས་སུ་ནོན་གྱི་བར་དུ་དགེ་བའི་རྩ་བ་དེས་ནམ་ཡང་ངན་སོང་དུ་སྐྱེ་བར་མི་འགྱུར་རོ། །ནམ་ཡང་སངས་རྒྱས་བཅོམ་ལྡན་འདས་རྣམས་དང་བྲལ་བར་མི་འགྱུར་རོ། །ཤཱ་ར་དྭ་ཏིའི་བུ་རིགས་ཀྱི་བུ་དང་རིགས་ཀྱི་བུ་མོ་དེ་དག་བླ་ན་མེད་པ་ཡང་དག་པར་རྫོགས་པའི་བྱང་ཆུབ་ཏུ་མངོན་པར་རྫོགས་པར་སངས་རྒྱས་ཀྱི་བར་དུ་དགེ་བའི་རྩ་བ་དེ་ཉིད་ཀྱིས་ཕ་རོལ་ཏུ་ཕྱིན་པ་དྲུག་དང་ནམ་ཡང་བྲལ་བར་མི་འགྱུར་རོ། །ནང་སྟོང་པ་ཉིད་དང་ནམ་ཡང་བྲལ་བར་མི་འགྱུར་རོ། །དངོས་པོ་མེད་པའི་ངོ་བོ་ཉིད་སྟོང་པ་ཉིད་ཀྱི་བར་དང་ནམ་ཡང་བྲལ་བར་མི་འགྱུར་རོ། །དྲན་པ་ཉེ་བར་གཞག་པ་རྣམས་དང་། ཡང་དག་པར་སྤོང་བ་རྣམས་དང་། རྫུ་འཕྲུལ་གྱི་རྐང་པ་རྣམས་དང་། དབང་པོ་རྣམས་དང་། སྟོབས་རྣམས་དང་། བྱང་ཆུབ་ཀྱི་ཡན་ལག་རྣམས་དང་། འཕགས་པའི་ལམ་ཡན་ལག་བརྒྱད་པ་དང་ནམ་ཡང་བྲལ་བར་མི་འགྱུར་རོ། །འཕགས་པའི་བདེན་པ་རྣམས་དང་། བསམ་གཏན་རྣམས་དང་ཚད་མེད་པ་རྣམས་དང་། གཟུགས་མེད་པའི་སྙོམས་པར་འཇུག་པ་རྣམས་དང་། རྣམ་པར་ཐར་པ་བརྒྱད་དང་། མཐར་གྱིས་གནས་པའི་སྙོམས་པར་འཇུག་པ་དགུ་དང་། སྟོང་པ་ཉིད་དང་མཚན་མ་མེད་པ་དང་སྨོན་པ་མེད་པ་དང་མངོན་པར་ཤེས་པ་རྣམས་དང་ནམ་ཡང་བྲལ་བར་མི་འགྱུར་རོ། །ཏིང་ངེ་འཛིན་རྣམས་

དང་གཟུངས་ཀྱི་སྒོ་རྣམས་དང་ནམ་ཡང་བྲལ་བར་མི་འགྱུར་རོ། །དེ་བཞིན་གཤེགས་པའི་སྟོབས་བཅུ་དང་། མི་འཇིགས་པ་བཞི་དང་། སོ་སོ་ཡང་དག་པར་རིག་པ་བཞི་དང་། སངས་རྒྱས་ཀྱི་ཆོས་མ་འདྲེས་པ་བཅོ་བརྒྱད་དང་ནམ་ཡང་བྲལ་བར་མི་འགྱུར་རོ། །ཤ་ར་དྭ་ཏིའི་བུ་ཤེས་རབ་ཀྱི་ཕ་རོལ་ཏུ་ཕྱིན་པ་འདི་དེ་བཞིན་གཤེགས་པ་མྱ་ངན་ལས་འདས་ནས། ལྷོ་ཕྱོགས་ཀྱི་རྒྱུད་ན་སྤྱོད་པར་འགྱུར་ཏེ། དེ་ན་བྱང་ཆུབ་སེམས་དཔའི་ཐེག་པ་པའི་དགེ་སློང་དང་དགེ་སློང་མ་དང་དགེ་བསྙེན་དང་དགེ་བསྙེན་མ[1]དག་མོས་པ་དམ་པས་ཤེས་རབ་ཀྱི་ཕ་རོལ་ཏུ་ཕྱིན་པ་ཟབ་མོ་འདི་འདྲི[2]བར་འགྱུར་འཛིན་པར་འགྱུར་འཆང་བར་འགྱུར་ཀློག་པར་འགྱུར་ཀུན་ཆུབ་པར་བྱེད་པར་འགྱུར་ཚུལ་བཞིན་དུ་ཡིད་ལ་བྱེད་པར་འགྱུར་ཏེ་མེ་ཏོག་དང་ཕྲེང[3]བ་དང་སྤོས་དང་བྱུག་པ་དང་ཕྱེ་མ་དང་ན་བཟའ་དང་གདུགས་དང་རྒྱལ་མཚན་དང་བ་དན་མང་པོས་རིམ་གྲོར་བྱེད། བཀུར་སྟིར་བྱེད། བསྟི་སྟང་དུ་བྱེད། མཆོད་པར་བྱེད་པར་འགྱུར་རོ། །དེ་དག་དགེ་བའི་རྩ་བ་དེས་ནམ་ཡང་ངན་སོང་ལོག་པར་ལྷུང་བར་མི་འདོང་སྟེ། དེ་དག་གིས་ལྷ་དང་མིའི་ཕུན་སུམ་ཚོགས་པ་མྱོང་ཞིང་ཕ་རོལ་ཏུ་ཕྱིན་པ་དྲུག་གིས་མངོན་པར་འཕགས་པར་འགྱུར་རོ། །དེ་དག་ཕ་རོལ་ཏུ་ཕྱིན་པ་དྲུག་པོ་དེ་དག་གིས་མངོན་པར་འཕགས་པར་གྱུར་ནས། སངས་རྒྱས་བཅོམ་ལྡན་འདས་རྣམས་ལ་རིམ་གྲོ་དང་བཀུར་སྟི་དང་བསྟི་སྟང་དང་མཆོད་པ་བྱེད་ཅིང་། ཉན་ཐོས་ཀྱི་ཐེག་པའམ། རང་སངས་རྒྱས་ཀྱི་ཐེག་པའམ། བླ་ན་མེད་པ་ཡང་དག་པར་རྫོགས་པའི་སངས་རྒྱས་ཀྱི་ཐེག་པའམ། ཐེག་པ་གསུམ་པོས་རིམ་གྱིས་མྱ་ངན་ལས་འདའ་བར[4]འགྱུར་རོ། །ཤ་ར་དྭ་ཏིའི་བུ་དེ་ལྟར་ཤེས་རབ་ཀྱི་ཕ་རོལ་ཏུ་ཕྱིན་པ་ཟབ་མོ་འདི་ལྷོ་ཕྱོགས་ཀྱི་རྒྱུད་ནས། ཡུལ་བརྟ་ཉི[5]ན་སྤྱོད་པར་འགྱུར་ཏེ། དེ་ན་ཡང་བྱང་

ཆུབ་སེམས་དཔའི་ཐེག་པ་པའི་དགེ་སློང་དང་། དགེ་སློང་མ་དང་། དགེ་བསྙེན་དང་། དགེ་བསྙེན་མ་དག་མོས་པ་དམ་པས་ཤེས་རབ་ཀྱི་ཕ་རོལ་ཏུ་ཕྱིན་པ་ཟབ་མོ་འདི་འདྲི་[༡]བར་འགྱུར། འཛིན་པར་འགྱུར། འཆང་བར་འགྱུར། ཀློག་པར་འགྱུར། ཀུན་ཆུབ་པར་བྱེད་པར་འགྱུར། ཚུལ་བཞིན་དུ་ཡིད་ལ་བྱེད་པར་འགྱུར། མེ་ཏོག་དང་། ཕྲེང་བ་དང་། སྤོས་དང་། བྱུག་པ་དང་ཕྱེ་མ་དང་ན་བཟའ་དང་གདུགས་དང་རྒྱལ་མཚན་དང་བ་དན་མང་པོས་རིམ་གྲོར་བྱེད། བཀུར་སྟིར་བྱེད་བསྟི་སྟང་དུ་བྱེད་མཆོད་པར་བྱེད་པར་འགྱུར་ཏེ། དེ་དག་དགེ་བའི་རྩ་བ་དེས་ནམ་ཡང་ངན་སོང་ལོག་པར་ལྟུང་བར་མི་འདོང་སྟེ། དེ་དག་གིས་ལྷ་དང་མིའི་ཕུན་སུམ་ཚོགས་པ་མྱོང་ཞིང་ཕ་རོལ་ཏུ་ཕྱིན་པ་དྲུག་གིས་མངོན་པར་འཕགས་པར་འགྱུར་རོ། །དེ་དག་ཕ་རོལ་ཏུ་ཕྱིན་པ་དྲུག་པོ་དེ་དག་[༢]གིས་མངོན་པར་འཕགས་པར་གྱུར་ནས། སངས་རྒྱས་བཅོམ་ལྡན་འདས་རྣམས་ལ་རིམ་གྲོ་དང་བཀུར་སྟི་དང་བསྟི་སྟང་དང་མཆོད་པ་བྱེད་ཅིང་ཉན་ཐོས་ཀྱི་ཐེག་པའམ། རང་སངས་རྒྱས་ཀྱི་ཐེག་པའམ། བླ་ན་མེད་པ་ཡང་དག་པར་རྫོགས་པའི་སངས་རྒྱས་ཀྱི་ཐེག་པའམ། ཐེག་པ་གསུམ་པོས་རིམ་གྱིས་མྱ་ངན་ལས་འདའ་བར་འགྱུར་རོ། །ཤ་ར་དྭ་ཏིའི་བུ་དེ་ལྟར་ཤེས་རབ་ཀྱི་ཕ་རོལ་ཏུ་ཕྱིན་པ་ཟབ་མོ་འདི་ཡུལ༔བཏྭ་ནི་[༣]ནས་བྱང་ཕྱོགས་ཀྱི་རྒྱུད་ན་སྤྱོད་པར་འགྱུར་ཏེ། དེ་ན་ཡང་བྱང་ཆུབ་སེམས་དཔའི་ཐེག་པ་པའི་དགེ་སློང་དང་དགེ་སློང་མ་དང་དགེ་བསྙེན་དང་དགེ་བསྙེན་མ་དག་མོས་པ་དམ་པས་ཤེས་རབ་ཀྱི་ཕ་རོལ་ཏུ་ཕྱིན་པ་ཟབ་མོ་འདི་འདྲི་[༤]བར་འགྱུར། འཛིན་པར་འགྱུར། འཆང་བར་འགྱུར། ཀློག་པར་འགྱུར། ཀུན་ཆུབ་པར་བྱེད་པར་འགྱུར། ཚུལ་བཞིན་དུ་ཡིད་ལ་བྱེད་པར་འགྱུར། མེ་ཏོག་དང་ཕྲེང་བ་དང་སྤོས་དང་བྱུག་པ་དང་ཕྱེ་མ་དང་ན་

བཟའ་དང་གདུགས་དང་རྒྱལ་མཚན་དང་བ་དན་མང་པོ་དག་གིས་རིམ་གྲོར་[1]བྱེད། བཀུར་སྟིར་བྱེད། བསྙི་སྟང་དུ་བྱེད། མཆོད་པར་བྱེད་པར་འགྱུར་ཏེ། དེ་དག་དགེ་བའི་རྩ་བ་དེས་ནམ་ཡང་ངན་སོང་ལོག་པར་ལྟུང་བར་མི་འདོང་སྟེ། དེ་དག་གིས་ལྷ་དང་མིའི་ཕུན་སུམ་ཚོགས་པ་སྤྱོད་ཞིང་ཕ་རོལ་དུ་ཕྱིན་པ་དྲུག་གིས་མངོན་པར་འཕགས་པར་འགྱུར་རོ། །དེ་དག་ཕ་རོལ་དུ་ཕྱིན་པ་དྲུག་པོ་དེ་དག་གིས་མངོན་པར་འཕགས་པར་གྱུར་ནས། སངས་རྒྱས་བཅོམ་ལྡན་འདས་རྣམས་ལ་རིམ་གྲོ་དང་། བཀུར་སྟི་དང་བསྙི་སྟང་དང་མཆོད་པ་བྱེད་ཅིང་། ཉན་ཐོས་ཀྱི་ཐེག་པའམ། རང་སངས་རྒྱས་ཀྱི་ཐེག་པའམ། བླ་ན་མེད་པ་ཡང་དག་པར་རྫོགས་པའི་སངས་རྒྱས་ཀྱི་ཐེག་པའམ། ཐེག་པ་གསུམ་པོས་རིམ་གྱིས་མྱ་ངན་ལས་འདའ་བར་འགྱུར་རོ། །ཤ་ར་དྭ་ཏིའི་བུ་དེ་ལྟར་ཤེས་རབ་ཀྱི་ཕ་རོལ་དུ་ཕྱིན་པ་ཟབ་མོ་འདི་ལྷོ་ཕྱོགས་ཀྱི་རྒྱུད་དང་། བྱང་ཕྱོགས་ཀྱི་རྒྱུད་ན། ཕྱི་མའི་དུས་ཕྱི་མའི་ཚེ། ལྔ་བརྒྱ་ཐ་མ་ལ། སངས་རྒྱས་ཀྱི་བྱ་བ་བྱེད་པར་འགྱུར་རོ། །དེ་ཅིའི་ཕྱིར་ཞེ་ན། ཤ་ར་དྭ་ཏིའི་བུ་དེ་ནི་འདི་ལྟར་དེ་བཞིན་གཤེགས་པའི་དགོངས་པ་གང་ཡིན་པ་དེ་[2]ནི་ཤེས་རབ་ཀྱི་ཕ་རོལ་དུ་ཕྱིན་པའོ། །ཤེས་རབ་ཀྱི་ཕ་རོལ་དུ་ཕྱིན་པ་གང་ཡིན་པ་དེ་ནི་དེ་བཞིན་གཤེགས་པའི་དགོངས་པའོ། །ཤ་ར་དྭ་ཏིའི་བུ་ཆོས་དང་འདུལ་བ་དར་ལ་བབ་པའི་ཚེ། དམ་པའི་ཆོས་ནུབ་པར་མི་འགྱུར་ཏེ། ཆོས་དེ་ཡང་གང་ཞེ་ན་འདི་ལྟ་སྟེ། ཤེས་རབ་ཀྱི་ཕ་རོལ་དུ་ཕྱིན་པ་འདི་འོ། །ཤ་ར་དྭ་ཏིའི་བུ་རིགས་ཀྱི་བུའམ་རིགས་ཀྱི་བུ་མོ་གང་ཤེས་རབ་ཀྱི་ཕ་རོལ་དུ་ཕྱིན་པ་ཟབ་མོ་འདི་འཛིན་པ་དང་། འཆང་བ་དང་ཀློག་པ་དང་ཀུན་ཆུབ་པར་བྱེད་པ་དང་། ཚུལ་བཞིན་དུ་ཡིད་ལ་བྱེད་པ་དང་། དེ་བཞིན་ཉིད་དུ་ནན་ཏན་དུ་བྱེད་པ་དེ་དག་ལ་ནི་ངས་དགོངས་སོ། །ཤ་ར་དྭ་ཏིའི་བུ་རིགས་ཀྱི་

བུའམ་རིགས་ཀྱི་བུ་མོ་གང་ཞེས་རབ་ཀྱི་ཕ་རོལ་ཏུ་ཕྱིན་པ་ཟབ་མོ་འདི་འདྲི[1]ཞིང་ཁྲིས་ནས་ཀྱང་། མེ་ཏོག་དང་ཕྲེང་བ་དང་སྤོས་དང་བྱུག་པ་དང་ཕྱེ་མ་དང་ན་བཟའ་དང་གདུགས་དང་རྒྱལ་མཚན་དང་བ་དན་མང་པོས་རིམ་གྲོར་བྱེད། བཀུར་སྟིར་བྱེད། བསྟི་སྟང་དུ་བྱེད། མཆོད་པར་བྱེད་པ་དེ་དག་ཀྱང་ངས་དགོངས་ཏེ། ཤ་ར་དྭ་ཏིའི་བུ་རིགས་ཀྱི་བུའམ་རིགས་ཀྱི་བུ་མོ་དེ་དག་ནི་དགེ་བའི་རྩ་བ་དེས་ནམ་ཡང་ངན་སོང་ལོག་པར་ལྟུང་བར་མི་འདོང་སྟེ། དེ་དག་ལྷ་དང་མིའི་བདེ་བ་ཕུན་སུམ་ཚོགས་པ་སྤྱོད་ཞིང་[3]ཕ་རོལ་ཏུ་ཕྱིན་པ་དྲུག་གིས་མངོན་པར་འཕགས་པར་འགྱུར་རོ། །དེ་དག་ཕ་རོལ་ཏུ་ཕྱིན་པ་དྲུག་པོ་དེ་དག་གིས་མངོན་པར་འཕགས་པར་གྱུར་ནས། སངས་རྒྱས་བཅོམ་ལྡན་འདས་རྣམས་ལ་རིམ་གྲོ་དང་། བཀུར་སྟི་དང་བསྟི་སྟང་དང་མཆོད་པ་བྱེད་ཅིང་། ཉན་ཐོས་ཀྱི་ཐེག་པའམ། རང་སངས་རྒྱས་ཀྱི་ཐེག་པའམ། བླ་ན་མེད་པ་ཡང་དག་པར་རྫོགས་པའི་སངས་རྒྱས་ཀྱི་ཐེག་པའམ། ཐེག་པ་གསུམ་པོས་རིམ་གྱིས་མྱ་ངན་ལས་འདའ་བར་འགྱུར་རོ། །དེ་ཅིའི་ཕྱིར་ཞེ་ན། ཤ་ར་དྭ་ཏིའི་བུ་རིགས་ཀྱི་བུ་དང་རིགས་ཀྱི་བུ་མོ་དེ་དག་ནི་དེ་བཞིན་གཤེགས་པས་སངས་རྒྱས་ཀྱི་སྤྱན་གྱིས་གཟིགས་སོ། །ཤ་ར་དྭ་ཏིའི་བུ་རིགས་ཀྱི་བུ་དང་རིགས་ཀྱི་བུ་མོ་དེ་དག་ནི་དེ་བཞིན་གཤེགས་པས་བརྫོད་དོ། །ཤ་ར་དྭ་ཏིའི་བུ་རིགས་ཀྱི་བུ་དང་རིགས་ཀྱི་བུ་མོ་དེ་དག་ནི་དེ་བཞིན་གཤེགས་པས་བསྔོད་དོ། །བསྔགས་སོ། །ཤ་ར་དྭ་ཏིའི་བུ་རིགས་ཀྱི་བུ་དང་རིགས་ཀྱི་བུ་མོ་དེ་དག་ནི་ཕྱོགས་བཅུའི་དེ་བཞིན་གཤེགས་པ་དགྲ་བཅོམ་པ་ཡང་དག་པར་རྫོགས་པའི་སངས་རྒྱས་བཞུགས་ཤིང་འཚོ་སྐྱོང་བ་དང་། ཆོས་སྟོན་པའི་དེ་བཞིན་གཤེགས་པ་དགྲ་བཅོམ་པ་ཡང་དག་པར་རྫོགས་པའི་སངས་རྒྱས་དེ་དག་གིས་ཀྱང་སངས་རྒྱས་ཀྱི་སྤྱན་གྱིས་གཟིགས་སོ། །རིགས་

ཀྱི་བུ་དང་རིགས་ཀྱི་བུ་མོ་དེ་དག་ནི་དེ་བཞིན་གཤེགས་པ་དགྲ་བཅོམ་པ་ཡང་དག་པར་རྫོགས་པའི་སངས་རྒྱས་དེ་དག་གིས་བརྗོད་དོ། །བསྟོད་དོ། །བསྔགས་སོ།། གསོལ་པ། བཅོམ་ལྡན་འདས་ཤེས་རབ་ཀྱི་ཕ་རོལ་ཏུ་ཕྱིན་པ་ཟབ་མོ་འདི་སྣང་མའི་དུས་སྣང་མའི་ཚེ་ན། བྱང་ཕྱོགས་སུ་རྒྱས་པར་འགྱུར་རོ། །བཅོམ་ལྡན་འདས་ཀྱིས་བཀའ་སྩལ་པ། ཤཱ་ར་དྭ་ཏིའི་བུ་དེ་དེ་བཞིན་ནོ་དེ་དེ་བཞིན་ཏེ། ཤཱ་ར་དྭ་ཏིའི་བུ་ཤེས་རབ་ཀྱི་ཕ་རོལ་ཏུ་ཕྱིན་པ་ཟབ་མོ་འདི་ཕྱི་མའི་དུས་ཕྱི་མའི་ཚེ་ན། བྱང་ཕྱོགས་སུ་རྒྱས་པར་འགྱུར་ཏེ། དེ་ལ་ཤཱ་ར་དྭ་ཏིའི་བུ་ཕྱི་མའི་དུས་ཕྱི་མའི་ཚེ་ན་རིགས་ཀྱི་བུ་དང་རིགས་ཀྱི་བུ་མོ་དེ་དག་ཤེས་རབ་ཀྱི་ཕ་རོལ་ཏུ་ཕྱིན་པ་ཟབ་མོ་འདི་ཉན་པར་འགྱུར་ཏེ། ཐོས་ནས་ཀྱང་མོས་པར་འགྱུར་རོ། །མོས་པར་བྱས་ནས་ཀྱང་འདྲི[༡]བ་དང་། འཛིན་པ་དང་འཆང་བ་དང་ཀློག་པ་དང་ཀུན་ཆུབ་པར་བྱེད་པ་དང་། ཚུལ་བཞིན་དུ་ཡིད་ལ་བྱེད་ཅིང་དེ་བཞིན་ཉིད་དུ་ནན་ཏན་དུ་བྱེད་པར་འགྱུར་རོ། །ཤཱ་ར་དྭ་ཏིའི་བུ་བྱང་ཆུབ་སེམས་དཔའ་སེམས་དཔའ་ཆེན་པོ་གང་ཤེས་རབ་ཀྱི་ཕ་རོལ་ཏུ་ཕྱིན་པ་ཟབ་མོ་འདི་ཉན་ཅིང་། ཐོས་ནས་ཀྱང་མོས་པར་བྱེད་པ་དང་། མོས་པར་བྱས་ནས་འདྲི[༢]ཞིང་འཛིན་པ་དང་འཆང་ཞིང་ཀློག་པ་དང་ཀུན་ཆུབ་པར་བྱེད་ཅིང་ཚུལ་བཞིན་དུ་ཡིད་ལ་བྱེད་པ་དང་། དེ་བཞིན་ཉིད་དུ་ནན་ཏན་དུ་བྱེད་པ་དེ་དག་ནི་ཡུན་རིང་པོ་ནས་ཐེག་པ་[༣]ལ་ཡང་དག་པར་ཞུགས་པ་དང་། སངས་རྒྱས་མང་པོ་ལ་བསྙེན་བཀུར་བ་དང་། དགེ་བའི་བཤེས་གཉེན་གྱིས་ཡོངས་སུ་བཟུང་བ་དང་། དགེ་བའི་རྩ་བ་བསྐྱེད་པར་རིག་པར་བྱའོ། །གསོལ་པ། བཅོམ་ལྡན་འདས་སྣང་མའི་དུས་སྣང་མའི་ཚེ་ན། བྱང་གི་ཕྱོགས་ཆ་དེར་བྱང་ཆུབ་སེམས་དཔའི་ཐེག་པ་པའི་རིགས་ཀྱི་བུ་དང་རིགས་ཀྱི་བུ་མོ་གང་ཤེས་རབ་ཀྱི་ཕ་རོལ་ཏུ་ཕྱིན་པ་ཟབ་མོ་འདི་ཉན་ཅིང་ཐོས་ནས་མོས་

པར་བགྱིད་པ་དང་། མོས་པར་བགྱིས་ནས་འདྲི་[1]ཞིང་འཛིན་པ་དང་འཆང་ཞིང་ཀློག་པ་དང་ཀུན་ཆུབ་པར་བགྱིད་ཅིང་ཚུལ་བཞིན་དུ་ཡིད་ལ་བགྱིད་པ་དང་། དེ་བཞིན་ཉིད་དུ་ནན་ཏན་དུ་བགྱིད་པ་དེ་ལྟ་བུ་ཇི་སྙེད་ཅིག་འབྱུང་བར་འགྱུར། བཅོམ་ལྡན་འདས་ཀྱིས་བཀའ་སྩལ་པ། ཤཱ་ར་དྭ་ཏིའི་བུ་ཕྱི་མའི་དུས་ཕྱི་མའི་ཚེ་ན། བྱང་གི་ཕྱོགས་ཆ་དེར་བྱང་ཆུབ་སེམས་དཔའི་ཐེག་པ་པའི་རིགས་ཀྱི་བུ་དང་རིགས་ཀྱི་བུ་མོ་ནི་མང་དུ་འབྱུང་སྟེ། ཤཱ་ར་དྭ་ཏིའི་བུ་བྱང་ཆུབ་སེམས་དཔའི་ཐེག་པ་པའི་རིགས་ཀྱི་བུ་དང་རིགས་ཀྱི་བུ་མོ་ཤེས་རབ་ཀྱི་ཕ་རོལ་དུ་ཕྱིན་པ་ཟབ་མོ་འདི་བསྟན་པའི་ཚེ། མི་འཇུམ་ཡོངས་སུ་མི་འཇུམ་མི་འཇིགས་མི་སྣང་[2]སྐྲག་པར་མི་འགྱུར་བ་དེ་ལྟ་བུ་ནི་[3]མང་ངོ་། །དེ་ཅིའི་ཕྱིར་ཞེ་ན། རིགས་ཀྱི་བུ་དང་རིགས་ཀྱི་བུ་མོ་དེ་དག་གིས་དེ་བཞིན་གཤེགས་པ་དགྲ་བཅོམ་པ་ཡང་དག་པར་རྫོགས་པའི་སངས་རྒྱས་མང་པོའི་རྗེས་སུ་འབྲངས་པ་དང་། རིགས་ཀྱི་བུ་དང་རིགས་ཀྱི་བུ་མོ་དེ་དག་གིས་དེ་བཞིན་གཤེགས་པ་དགྲ་བཅོམ་པ་ཡང་[4]དག་པར་རྫོགས་པའི་སངས་རྒྱས་མང་པོ་ལ་ཡོངས་སུ་ཞུས། ཡོངས་སུ་དྲིས་པའི་ཕྱིར་ཏེ། དེ་ཡང་ཅིའི་ཕྱིར་ཞེ་ན། རིགས་ཀྱི་བུ་[5]དང་རིགས་ཀྱི་བུ་མོ་དེ་དག་ནི་ཤེས་རབ་ཀྱི་ཕ་རོལ་དུ་ཕྱིན་པ་ཡོངས་སུ་རྫོགས་པར་འགྱུར་རོ། །རིགས་ཀྱི་བུ་དང་རིགས་ཀྱི་བུ་མོ་དེ་དག་ནི་བསམ་གཏན་གྱི་ཕ་རོལ་དུ་ཕྱིན་པ་དང་། བརྩོན་འགྲུས་ཀྱི་ཕ་རོལ་དུ་ཕྱིན་པ་དང་། བཟོད་པའི་ཕ་རོལ་དུ་ཕྱིན་པ་དང་། ཚུལ་ཁྲིམས་ཀྱི་ཕ་རོལ་དུ་ཕྱིན་པ་དང་། སྦྱིན་པའི་ཕ་རོལ་དུ་ཕྱིན་པ་ཡོངས་སུ་རྫོགས་པར་འགྱུར་རོ། །རིགས་ཀྱི་བུ་དང་རིགས་ཀྱི་བུ་མོ་དེ་དག་ནི་ནང་སྟོང་པ་ཉིད་ཡོངས་སུ་རྫོགས་པར་འགྱུར་རོ༑ །རིགས་ཀྱི་བུ་དང་རིགས་ཀྱི་བུ་མོ་དེ་དག་ནི་དངོས་པོ་མེད་པའི་ངོ་བོ་ཉིད་སྟོང་པ་ཉིད་ཀྱི་བར་དུ་ཡོངས་སུ་རྫོགས་པར་འགྱུར་རོ། །རིགས་ཀྱི་བུ་དང་རིགས་

ཀྱི་བུ་མོ་དེ་དག་ནི་དྲན་པ་ཉེ་བར་བཞག་པ་ཡོངས་སུ་རྫོགས་པར་འགྱུར་རོ། །རིགས་ཀྱི་བུ་དང་རིགས་ཀྱི་བུ་མོ་དེ་དག་ནི་ཡང་དག་པར་སྤོང་བ་དང་། རྫུ་འཕྲུལ་གྱི་རྐང་པ་དང་། དབང་པོ་དང་སྟོབས་དང་བྱང་ཆུབ་ཀྱི་ཡན་ལག་དང་འཕགས་པའི་ལམ་ཡན་ལག་བརྒྱད་པ་ཡོངས་སུ་རྫོགས་པར་འགྱུར་རོ། །རིགས་ཀྱི་བུ་དང་རིགས་ཀྱི་བུ་མོ་དེ་དག་ནི་(༧)འཕགས་པའི་བདེན་པ་དང་བསམ་གཏན་དང་ཚད་མེད་པ་དང་གཟུགས་མེད་པའི་སྙོམས་པར་འཇུག་པ་དང་རྣམ་པར་ཐར་པ་བརྒྱད་དང་མཐར་གྱིས་གནས་པའི་(༣)སྙོམས་པར་འཇུག་པ་དགུ་དང་སྟོང་པ་ཉིད་དང་། མཚན་མ་མེད་པ་དང་སྨོན་པ་མེད་པ་དང་མངོན་པར་ཤེས་པ་ཡོངས་སུ་རྫོགས་པར་འགྱུར་རོ། །རིགས་ཀྱི་བུ་དང་རིགས་ཀྱི་བུ་མོ་དེ་དག་ནི་ཏིང་ངེ་འཛིན་དང་གཟུངས་ཀྱི་སྒོ་ཡོངས་སུ་རྫོགས་པར་འགྱུར་རོ། །རིགས་ཀྱི་བུ་དང་རིགས་ཀྱི་བུ་མོ་དེ་དག་ནི་དེ་བཞིན་གཤེགས་པའི་སྟོབས་བཅུ་དང་མི་འཇིགས་པ་བཞི་དང་སོ་སོ་ཡང་དག་པར་རིག་པ་བཞི་དང་། སངས་རྒྱས་ཀྱི་ཆོས་མ་འདྲེས་པ་བཅོ་བརྒྱད་ཡོངས་སུ་རྫོགས་པར་འགྱུར་རོ། །ཤ་ར་དྭ་ཏིའི་བུ་རིགས་ཀྱི་བུ་དང་རིགས་ཀྱི་བུ་མོ་དེ་དག་ནི་དགེ་བའི་རྩ་བས་ཉེ་བར་བརྟན་པར་འགྱུར་ཏེ། བླ་ན་མེད་པ་ཡང་དག་པར་རྫོགས་པའི་བྱང་ཆུབ་ཀྱི་དོན་དུ་སྐྱེ་བོ་མང་པོའི་དོན་བྱེད་པར་འགྱུར་རོ། །དེ་ཅིའི་ཕྱིར་ཞེ་ན། དེ་ནི་འདི་ལྟར་ཤ་ར་དྭ་ཏིའི་བུ། རིགས་ཀྱི་བུ་དང་རིགས་ཀྱི་བུ་མོ་དེ་དག་ལ་ནི་ངས་རྣམ་པ་ཐམས་ཅད་མཁྱེན་པ་ཉིད་དང་ལྡན་པའི་གཏམ་བརྗོད་དོ། །འདས་པའི་དུས་ན་དེ་བཞིན་གཤེགས་པ་དགྲ་བཅོམ་པ་ཡང་དག་པར་རྫོགས་པའི་སངས་རྒྱས་གང་ཇི་སྙེད་ཅིག་བྱུང་བའི་སངས་རྒྱས་བཅོམ་ལྡན་འདས་དེ་དག་གིས་ཀྱང་། རིགས་ཀྱི་བུ་དང་རིགས་ཀྱི་བུ་མོ་དེ་དག་ལ་རྣམ་པ་ཐམས་ཅད་མཁྱེན་པ་ཉིད་དང་ལྡན་པའི་གཏམ་བརྗོད་དེ(༣)།

དེ་དག་ཚེ་འདས་ནས་ཀྱང་འདི་ལྟ་སྟེ། བླ་ན་མེད་པ་ཡང་དག་པར་རྫོགས་པའི་
བྱང་ཆུབ་ཉིད་ཀྱི་དོན་དུ་སྤྱོད་པ་ཉིད་དུ་འགྱུར་ཏེ་དེ་དག་གཞན་ལ་ཡང་འདི་ལྟ་སྟེ།
བླ་ན་མེད་པ་ཡང་དག་པར་རྫོགས་པའི་བྱང་ཆུབ་ཀྱི་དོན་དུ་རྣམ་པ་དེ་ལྟ་བུ་ཉིད་
བརྗོད་པར་འགྱུར་རོ། །ཤ་ར་དྭ་ཏིའི་བུ་རིགས་ཀྱི་བུ་དང་རིགས་ཀྱི་བུ་མོ་དེ་དག་
ནི་[1]མཉམ་པར་བཞག་པར་འགྱུར་ཏེ། དེ་དག་ནི་བདུད་དམ་བདུད་ཀྱི་རིགས་
ཀྱི་ལྷ་རྣམས་ཀྱིས་ཀྱང་། བླ་ན་མེད་པ་ཡང་དག་པར་རྫོགས་པའི་བྱང་ཆུབ་ལས་
བཟློག་[2]པར་མི་ནུས་ན། སྡིག་ཏོ་ལ་སོགས་པ་དང་། སྡིག་ཏོའི་སྤྱོད་པ་ཅན་ཤེས་
རབ་ཀྱི་ཕ་རོལ་ཏུ་ཕྱིན་པ་ཟབ་མོ་འདི་ལཿ སྤོང་བ་[3]གཞན་གྱིས་ལྟ་ཅི་སྨོས། ཤ་ར་
དྭ་ཏིའི་བུ་བྱང་ཆུབ་སེམས་དཔའི་ཐེག་པ་པའི་རིགས་ཀྱི་བུ་དང་རིགས་ཀྱི་བུ་མོ་དེ་
དག་ནི་ཤེས་རབ་ཀྱི་ཕ་རོལ་ཏུ་ཕྱིན་པ་ཟབ་མོ་འདི་ཐོས་ནས། དགའ་ཞིང་ཉམས་
བདེ་བ་རྒྱ་ཆེན་པོ་སྐྱེ་བར་འགྱུར་རོ། །བླ་ན་མེད་པ་ཡང་དག་པར་རྫོགས་པའི་
བྱང་ཆུབ་ཀྱི་དོན་དུ་སྐྱེ་བོ་མང་པོ་ཡང་དགེ་བའི་ཚོས་ལ་འགོད་པར་འགྱུར་རོ། །
རིགས་ཀྱི་བུ་དང་རིགས་ཀྱི་བུ་མོ་དེ་དག་གིས་ནི་ངའི་མདུན་དུ་འདི་སྐད་དུ།
བཅོམ་ལྡན་འདས་བདག་ཅག་བྱང་ཆུབ་སེམས་དཔའི་སྤྱོད་པ་སྤྱོད་པའི་ཚེ། སྲོག་
ཆགས་བརྒྱ་ཕྲག་མང་པོ་དང་སྲོག་ཆགས་སྟོང་ཕྲག་མང་པོ་དང་། སྲོག་ཆགས་
བརྒྱ་སྟོང་ཕྲག་མང་པོ་བྱང་ཆུབ་ཏུ་རབ་ཏུ་དགོད་པར་བགྱིའོ། །ཡང་དག་པར་
བསྟན་པར་བགྱིའོ། །ཡང་དག་པར་བསྐུལ་[4]བར་བགྱིའོ། །ཡང་དག་པར་
གཟེང་[5]བསྟོད་པར་བགྱིའོ། །ཡང་དག་པར་དགའ་བར་བགྱིའོ། །ཕྱིར་མི་ལྡོག་
པར་ལུང་བསྟན་པར་བགྱིའོ་ཞེས་བྱ་བའི་ཚིག་སྨྲས་སོ། །དེ་ཅིའི་ཕྱིར་ཞེ་ན།
ཤ་ར་དྭ་ཏིའི་བུ་རིགས་ཀྱི་བུ་དང་རིགས་ཀྱི་བུ་མོ་དེ་དག་གི་ཚིག་ནི། སེམས་ལ་
སེམས་ཀྱིས་རྣམ་པར་བལྟས་ཏེ་ངས་རྗེས་སུ་དགྱེས་པ་མཛད་དོ། །ཤ་ར་དྭ་ཏིའི་

བུ་འདས་པའི་དེ་བཞིན་གཤེགས་པ་དགྲ་བཅོམ་པ་ཡང་དག་པར་རྫོགས་པའི་སངས་རྒྱས་རྣམས་ཀྱི་སྤྱན་སྔར་ཡང་། རིགས་ཀྱི་བུ་དང་རིགས་ཀྱི་བུ་མོ་དེ་དག་གིས་འདི་སྐད་དུ། བདག་ཅག་བྱང་ཆུབ་སེམས་དཔའི་སྤྱད་པ་སྤྱོད་པའི་ཚེ། སྤྲག་ཆགས་བརྒྱ་ཕྲག་མང་པོ་དང་། སྤྲག་ཆགས་སྟོང་ཕྲག་མང་པོ་དང་། སྤྲག་ཆགས་བརྒྱ་སྟོང་ཕྲག་མང་པོ་བྱང་ཆུབ་ཏུ་དགོད་པར་བགྱིའོ། །ཡང་དག་པར་བསྟན་པར་བགྱིའོ། །ཡང་དག་པར་བསྐུལ་[༡]བར་བགྱིའོ། །ཡང་དག་པར་གཟེང་[༢]བསྟོད་པར་བགྱིའོ། །ཡང་དག་པར་དགའ་བར་བགྱིའོ། །ཕྱིར་མི་ལྡོག་པར་ལུང་བསྟན་པར་བགྱིའོ་ཞེས་བྱ་བའི་ཚིག་སྨྲས་སོ། །དེ་ཅིའི་ཕྱིར་ཞེ་ན། འདས་པའི་དེ་བཞིན་གཤེགས་པ་དགྲ་བཅོམ་པ་ཡང་དག་པར་རྫོགས་པའི་སངས་རྒྱས་དེ་དག་གིས་ཀྱང་རིགས་ཀྱི་བུ་དང་རིགས་ཀྱི་བུ་མོ་དེ་དག་གི་ཚིག་ནི། སེམས་ལ་ཐུགས་ཀྱིས་རྣམ་པར་གཟིགས་ཏེ། རྗེས་སུ་དགྱེས་པར་[༣]མཛད་དོ། །ཤ་ར་དྭ་ཏིའི་བུ་རིགས་ཀྱི་བུ་དང་རིགས་ཀྱི་བུ་མོ་དེ་དག་བྱང་ཆུབ་སེམས་དཔའི་སྤྱད་པ་སྤྱོད་པའི་ཚེ། སྤྲག་ཆགས་བརྒྱ་ཕྲག་མང་པོ་དང་། སྤྲག་ཆགས་སྟོང་ཕྲག་མང་པོ་དང་། སྤྲག་ཆགས་བརྒྱ་སྟོང་ཕྲག་མང་པོ་བླ་ན་མེད་པ་ཡང་དག་པར་རྫོགས་པའི་བྱང་ཆུབ་ཏུ་རབ་ཏུ་འགོད་[༤]པར་འགྱུར། ཡང་དག་པར་སྟོན་པར་འགྱུར། ཡང་དག་པར་སྐུལ་[༥]བར་འགྱུར། ཡང་དག་པར་གཟེང་[༦]བསྟོད་པར་འགྱུར། ཡང་དག་པར་དགའ་བར་བྱེད་པར་འགྱུར། ཕྱིར་མི་ལྡོག་པར་ལུང་སྟོན་པར་འགྱུར་རོ། །ཤ་ར་དྭ་ཏིའི་བུ་རིགས་ཀྱི་བུ་དང་རིགས་ཀྱི་བུ་མོ་དེ་དག་ནི་གཟུགས་དང་སྒྲ་དང་དྲི་དང་རོ་དང་རེག་ལ་མོས་པ་ རླབས་པོ་ཆེར་འགྱུར་ཏེ། དེ་དག་སྦྱིན་པ་རླབས་པོ་ཆེ་གཏོང་བར་འགྱུར། སྦྱིན་པ་རླབས་པོ་ཆེ་གཏོང་ཞིང་དགེ་བའི་རྩ་བ་རླབས་པོ་ཆེ་མངོན་པར་འདུ་བྱེད་པར་འགྱུར་རོ། །དེ་དག་དགེ་

བའི་རྩ་བ་རླབས་པོ་ཆེ་མངོན་པར་འདུ་བྱས་ནས། རྣམ་པར་སྨིན་པ་རླབས་པོ་ཆེ་ཡོངས་སུ་འཛིན་པར་འགྱུར་རོ། །དེ་དག་རྣམ་པར་སྨིན་པ་རླབས་པོ་ཆེ་ཡོངས་སུ་བཟུང་ནས། སེམས་ཅན་དེ་དག་ཉིད་ཀྱི་དོན་དུ་རྣམ་པར་སྨིན་པ་རླབས་པོ་ཆེ་ལས་དེ་བས་ཀྱང་ཆེས་རླབས་ཆེ་བའི་རྣམ་པར་སྨིན་པ་ཡོངས་སུ་འཛིན་པར་འགྱུར་རོ། །དེ་ལྟར་ཕྱིའམ་ནང་གི་[༡]དངོས་པོ་དེ་དག་ཀྱང་སེམས་ཅན་དེ་དག་ཉིད་ལ་ཡོངས་སུ་གཏོང་བར་འགྱུར་ཏེ། དེ་དག་དགེ་བའི་རྩ་བ་དེ་ཉིད་ཀྱིས། སངས་རྒྱས་ཀྱི་ཞིང་གཞན་གང་ན་དེ་བཞིན་གཤེགས་པ་དགྲ་བཅོམ་པ་ཡང་དག་པར་རྫོགས་པའི་སངས་རྒྱས་བཞུགས་ཤིང་འཚོ་སྐྱོང་བ་དང་། འདི་ལྟ་སྟེ། ཤེས་རབ་ཀྱི་ཕ་རོལ་ཏུ་ཕྱིན་པ་ཟབ་[༢]མོ་འདི་ཉིད་ཀྱི་ཆོས་སྟོན་པ་མངོན་དུ་གྱུར་པ་དེ་ལྟ་བུའི་སངས་རྒྱས་ཀྱི་ཞིང་དག་པ་ལ་བརྟེན་[༣]པར་འགྱུར་རོ། །དེ་དག་གི་[༤]དེ་བཞིན་གཤེགས་པ་དགྲ་བཅོམ་པ་ཡང་དག་པར་རྫོགས་པའི་སངས་རྒྱས་དེ་རྣམས་ལས་ཤེས་རབ་ཀྱི་ཕ་རོལ་ཏུ་ཕྱིན་པ་ཟབ་མོ་འདི་མངོན་སུམ་དུ་ཐོས་ནས། སངས་རྒྱས་ཀྱི་ཞིང་དེ་དག་དུའང་སྒྲིག་ཆགས་བརྒྱ་ཕྲག་མང་པོ་དང་། སྒྲིག་ཆགས་སྟོང་ཕྲག་མང་པོ་དང་། སྒྲིག་ཆགས་བརྒྱ་སྟོང་ཕྲག་མང་པོ་བླ་ན་མེད་པ་ཡང་དག་པར་རྫོགས་པའི་བྱང་ཆུབ་ཏུ་ཡང་དག་པར་སྟོན་པར་འགྱུར་རོ། །ཡང་དག་པར་སྐྱིལ་[༥]བར་འགྱུར་རོ། །ཡང་དག་པརཿ གཟེང་བསྟོད་[༦]པར་འགྱུར་རོ། །ཡང་དག་པར་དགའ་བར་བྱེད་པར་[༧]འགྱུར་རོ། །གསོལ་པ། བཅོམ་ལྡན་འདས་དེ་བཞིན་གཤེགས་པ་དགྲ་བཅོམ་པ་ཡང་དག་པར་རྫོགས་པའི་སངས་རྒྱས་ཀྱིས་[༨]འདས་པ་དང་མ་འོངས་པ་དང་ད་ལྟར་བྱུང་བའི་ཆོས་རྣམས་ལས། ཆོས་གང་ཐུགས་སུ་མ་ཆུད་པ་དེ་ལྟ་བུ་གང་ཡང་མ་མཆིས་ལ། དེ་བཞིན་ཉིད་དང་། ཆོས་ཉིད་གང་ཐུགས་སུ་མ་ཆུད་པ་དེ་ལྟ་བུ་གང་ཡང་མ་མཆིས་ཏེ། སེམས་ཅན་

རྣམས་ཀྱི་སེམས་ཐུགས་སུ་མ་ཆུད་པ་དེ་ལྟ་བུ་གང་ཡང་མ་མཆིས་པ་ནི་ངོ་མཚར་ཆེ་སྟེ། འདི་ལྟར་འདས་པའི་དེ་བཞིན་གཤེགས་པ་རྣམས་ཀྱི་བྱང་ཆུབ་སེམས་དཔའ་རྣམས་ཀུང་ཡོངས་སུ་མཁྱེན་ཏོ། །འདས་པའི་དེ་བཞིན་གཤེགས་པ་རྣམས་ཀུང་ཡོངས་སུ་མཁྱེན་ཏོ། །འདས་པའི་དེ་བཞིན་གཤེགས་པ་རྣམས་ཀྱི་སངས་རྒྱས་ཀྱི་ཞིང་དང་། ཉན་ཐོས་རྣམས་ཀུང་ཡོངས་སུ་མཁྱེན་ཏོ། །མ་བྱོན་པའི་དེ་བཞིན་གཤེགས་པ་རྣམས་ཀྱི་བྱང་ཆུབ་སེམས་དཔའ་རྣམས་ཀུང་ཡོངས་སུ་མཁྱེན་ཏོ། །མ་བྱོན་པའི་དེ་བཞིན་གཤེགས་པ་རྣམས་ཀྱི་སངས་རྒྱས་ཀྱི་ཞིང་དང་། ཉན་ཐོས་རྣམས་ཀུང་ཡོངས་སུ་མཁྱེན་ཏོ། །ད་ལྟར་བྱུང་བའི་དེ་བཞིན་གཤེགས་པ་རྣམས་ཀྱི་བྱང་ཆུབ་སེམས་དཔའ་རྣམས་ཀུང་ཡོངས་སུ་མཁྱེན་ཏོ། །ད་ལྟར་བྱུང་བའི་དེ་བཞིན་གཤེགས་པ་རྣམས་ཀྱི་སངས་རྒྱས་ཀྱི་ཞིང་དང་། ཉན་ཐོས་རྣམས་ཀུང་ཡོངས་སུ་མཁྱེན་ཏོ། །ཕྱོགས་བཅུའི་འཇིག་རྟེན་གྱི་ཁམས་ན་དེ་བཞིན་གཤེགས་པ་[༡]དགྲ་བཅོམ་པ་ཡང་དག་པར་རྫོགས་པའི་སངས་རྒྱས་གང་ཇི་སྙེད་ཅིག་བཞུགས་ཤིང་འཚོ་སྐྱོང་བ་དང་། ཆོས་སྟོན་པའི་དེ་བཞིན་གཤེགས་པ་དགྲ་བཅོམ་པ་ཡང་དག་པར་རྫོགས་པའི་སངས་རྒྱས་དེ་དག་གི་བྱང་ཆུབ་སེམས་དཔའ་རྣམས་ཀུང་ཡོངས་སུ་མཁྱེན་ཏོ། །སངས་རྒྱས་ཀྱི་ཞིང་དང་། ཉན་ཐོས་རྣམས་ཀུང་ཡོངས་སུ་མཁྱེན་ཏོ། །བཅོམ་ལྡན་འདས་གང་ཡང་བྱང་ཆུབ་སེམས་དཔའ་[༢]སེམས་དཔའ་ཆེན་པོ་ཕ་རོལ་ཏུ་ཕྱིན་པ་དྲུག་པོ་འདི་དག་གི་སྐད་དུ་བསྟོན་པར་བགྱིད་ཅིང་། ཕ་རོལ་ཏུ་ཕྱིན་པ་དྲུག་པོ་འདི་དག་ཚོལ་[༣]བ་དང་། ཡོངས་སུ་ཚོལ་[༤]བའི་ཚེ། རིགས་ཀྱི་བུ་དང་རིགས་ཀྱི་བུ་མོ་ཕ་རོལ་ཏུ་ཕྱིན་པ་དྲུག་པོ་འདི་དག་ཚོལ་[༥]བ་དང་། ཡོངས་སུ་ཚོལ་[༦]བ་ལས་ཀུང་། ལ་ལས་ནི་བཙལ་བ་ལས་ཕ་རོལ་ཏུ་ཕྱིན་པ་དྲུག་པོ་འདི་དག་ཐོབ་པར་འགྱུར། ལ་ལས་ནི་ཐོབ་པར་

མི་འགྱུར་རོ། །བཅོམ་ལྡན་འདས་ཀྱིས་བཀའ་སྩལ་པ། ཤཱ་ར་དྭ་ཏིའི་བུ་དེ་ནི་དེ་ལྟ་མ་ཡིན་ཏེ[༡]། རིགས་ཀྱི་བུ་དང་རིགས་ཀྱི་བུ་མོ་བརྩོན་འགྲུས་མི་གཏོང་བ་དེ་དག་ཀུན་གྱིས་ཀྱང་ཕ་རོལ་ཏུ་ཕྱིན་པ་དྲུག་པོ་འདི་དག་ཐམས་ཅད་འགྲུབ་པར་འགྱུར་རོ། །དེ་ཅིའི་ཕྱིར་ཞེ་ན། ཤཱ་ར་དྭ་ཏིའི་བུ་དེ་ནི་འདི་ལྟར་རིགས་ཀྱི་བུ་དང་རིགས་ཀྱི་བུ་མོ་དེ་དག་ཕ་རོལ་ཏུ་ཕྱིན་པ་དྲུག་པོ་འདི་དག་གི་དོན་དུ་བརྩོན་པར་བྱེད་པའི་ཕྱིར་རོ། །གསོལ་པ། ཅི་ལགས་བཅོམ་ལྡན་འདས་རིགས་ཀྱི་བུ་དང་རིགས་ཀྱི་བུ་མོ་དེ་དག་གིས་མདོ་སྡེ་ཟབ་མོ་ཟབ་མོ་ཕ་རོལ་ཏུ་ཕྱིན་པ་དྲུག་དང་ལྡན་པ་འདི་དག་ཀུན་ཀྱང་འགྲུབ་པར་འགྱུར་རམ། བཅོམ་ལྡན་འདས་ཀྱིས་བཀའ་སྩལ་པ། ཤཱ་ར་དྭ་ཏིའི་བུ་རིགས་ཀྱི་བུ་དང་རིགས་ཀྱི་བུ་མོ་དེ་དག་གིས་མདོ་སྡེ་ཟབ་མོ་ཟབ་མོ་ཕ་རོལ་ཏུ་ཕྱིན་པ་དྲུག་དང་ལྡན་པ་འདི་དག་མི་འགྲུབ་པར་འགྱུར་བ་དེ་ལྟ་བུའི་གནས་མེད། སྐབས་མེད་དོ་དེ་ཅིའི་ཕྱིར་ཞེ་ན། ཤཱ་ར་དྭ་ཏིའི་བུ་དེ་ལྟར་བླ་ན་མེད་པ་ཡང་དག་པར་རྫོགས་པའི་བྱང་ཆུབ་ཏུ་སེམས་ཅན་རྣམས་ཡང་དག་པར་སྟོན་ཅིང་ཡང་དག་པར་སྐྱུལ[༢]་བ་དང་། ཡང་དག་པར་：གཟེང་བསྟོད[༣]་པ་དང་། ཡང་དག་པར་དགའ་བར་བྱེད་པ་དང་། འགོད་ཅིང་རབ་ཏུ་གཞོག་པ་ལས་ཀྱང་དེ་བཞིན་དུ་འགྱུར་ཏེ། ཤཱ་ར་དྭ་ཏིའི་བུ་རིགས་ཀྱི་བུ་དང་རིགས་ཀྱི་བུ་མོ་དེ་དག་ཚེ་འདས་ནས་ཀྱང་ཕ་རོལ་ཏུ་ཕྱིན་པ་དྲུག་པོ་འདི་དག་འགྲུབ་པར་འགྱུར་རོ། །དེ་དག་ནི་ནམ་ཡང་སངས་རྒྱས་ཀྱི་ཞིང་ཡོངས་སུ་དག་པར་མ་བྱས། སེམས་ཅན་ཡོངས་སུ་སྨིན་པར་མ་བྱས། བླ་ན་མེད་པ་ཡང་དག་པར་རྫོགས་པའི་བྱང་ཆུབ་ཏུ་མངོན་པར་རྫོགས་པར་སངས་རྒྱས་པར་མ་གྱུར་གྱི་བར་དུ་ཇི་སྐད་དུ་བསྟན་པའི་ཕ་རོལ་ཏུ་ཕྱིན་པ་དྲུག་པོ་དེ་དག་ལས་བརྩོན་འགྲུས་ཉམས་པར་མི་བྱེད་དོ། །ཤེས་རབ་ཀྱི་ཕ་རོལ་ཏུ་ཕྱིན་པ་སྟོང་ཕྲག་ཉི་ཤུ་

ལྔ་པ་ལས། ལེའུ་སུམ་ཅུ་པའོ།། ||

དེ་ནས་ཚེ་དང་ལྡན་པ་རབ་འབྱོར་གྱིས། བཅོམ་ལྡན་འདས་ལ་འདི་སྐད་ཅེས་གསོལ་ཏོ། །བཅོམ་ལྡན་འདས་རིགས་ཀྱི་བུ་དང་རིགས་ཀྱི་བུ་མོ་གང་བླ་ན་མེད་པ་ཡང་དག་པར་རྫོགས་པའི་བྱང་ཆུབ་ཏུ་ཞུགས་པ། ཕ་རོལ་ཏུ་ཕྱིན་པ་དྲུག་ལ་སྤྱོད་པ། སེམས་ཅན་ཡོངས་སུ་སྨིན་པར་བགྱིད་པ། སངས་རྒྱས་ཀྱི་ཞིང་ཡོངས་སུ་འཛིན་པ་དེ་དག་གི་⑦ཡོན་ཏན་ཡོངས་སུ་བརྗོད་པ་ནི་འདི་དག་ལགས་ན། བཅོམ་ལྡན་འདས་རིགས་ཀྱི་བུ་དང་རིགས་ཀྱི་བུ་མོ་བླ་ན་མེད་པ་ཡང་དག་པར་རྫོགས་པའི་བྱང་ཆུབ་ཏུ་སྤྱོད་པ་དེ་དག་ལ་བར་ཆད་དུ་འགྱུར་བ་ཇི་ལྟ་བུ་དག་མཆིས། བཅོམ་ལྡན་འདས་ཀྱིས་བཀའ་སྩལ་པ། རབ་འབྱོར་སྤོབས་པ་ཏ་ཅང་འཕྱི་སྟེ་སྐྱེ་ན། རབ་འབྱོར་དེ་ནི་བྱང་ཆུབ་སེམས་དཔའ་སེམས་དཔའ་ཆེན་པོས་བདུད་ཀྱི་ལས་སུ་རིག་པར་བྱའོ། །གསོལ་པ། བཅོམ་ལྡན་འདས་ཅིའི་སླད་དུ་སྤོབས་པ་ཏ་ཅང་འཕྱི་སྟེ་སྐྱེ་བར་འགྱུར། དེ་ནི་ཅིའི་སླད་དུ་བྱང་ཆུབ་སེམས་དཔའ་སེམས་དཔའ་ཆེན་པོས་བདུད་ཀྱི་ལས་སུ་རིག་པར་བགྱི། བཅོམ་ལྡན་འདས་ཀྱིས་བཀའ་སྩལ་པ། རབ་འབྱོར་འདི་ལ་བྱང་ཆུབ་སེམས་དཔའ་སེམས་དཔའ་ཆེན་པོ་ཤེས་རབ་ཀྱི་ཕ་རོལ་ཏུ་ཕྱིན་པ་ལ་སྤྱོད་པའི་ཚེ། ཤེས་རབ་ཀྱི་ཕ་རོལ་ཏུ་ཕྱིན་པ་དཀའ་བར་ཡོངས་སུ་རྫོགས་པར་བྱེད། བསམ་གཏན་གྱི་ཕ་རོལ་ཏུ་ཕྱིན་པ་དང་། བརྩོན་འགྲུས་ཀྱི་ཕ་རོལ་ཏུ་ཕྱིན་པ་དང་། བཟོད་པའི་ཕ་རོལ་ཏུ་ཕྱིན་པ་དང་། ཚུལ་ཁྲིམས་ཀྱི་ཕ་རོལ་ཏུ་ཕྱིན་པ་དང་། སྦྱིན་པའི་ཕ་རོལ་ཏུ་ཕྱིན་པ་དཀའ་བར་ཡོངས་སུ་རྫོགས་པར་བྱེད་ན། རབ་འབྱོར་རྣམ་གྲངས་དེས་ཤིན་ཏུ་འཕྱི་སྟེ་སྤོབས་པ་སྐྱེ་བར་འགྱུར་རོ། །དེ་ནི་བྱང་ཆུབ་སེམས་

དཔའ་སེམས་དཔའ་ཆེན་པོས་བདུད་ཀྱི་ལས་སུ་རིག་པར་བྱའོ། །རབ་འབྱོར་
གཞན་ཡང་ཤིན་ཏུ་མྱུར་བར་སྤོབས་པ་སྐྱེ་ན། དེ་ནི་བྱང་ཆུབ་སེམས་དཔའ་
སེམས་དཔའ་ཆེན་པོས་བདུད་ཀྱི་ལས་སུ་རིག་པར་བྱའོ། །གསོལ་པ། བཅོམ་
ལྡན་འདས་ཅིའི་སླད་དུ་ཤིན་ཏུ་མྱུར་བར་སྤོབས་པ་སྐྱེ་བར་འགྱུར། དེ་ནི་ཅིའི་
སླད་དུ་བྱང་ཆུབ་སེམས་དཔའ་སེམས་དཔའ་ཆེན་པོས་བདུད་ཀྱི་ལས་སུ་རིག་པར་
བགྱི། བཅོམ་ལྡན་འདས་ཀྱིས་བཀའ་སྩལ་པ། རབ་འབྱོར་འདི་ལ་བྱང་ཆུབ་
སེམས་དཔའ་སེམས་དཔའ་ཆེན་པོ་སྦྱིན་པའི་ཕ་རོལ་ཏུ་ཕྱིན་པ་ལ་སྤྱོད་པ་དང་།
ཚུལ་ཁྲིམས་ཀྱི་ཕ་རོལ་ཏུ་ཕྱིན་པ་དང་། བཟོད་པའི་ཕ་རོལ་ཏུ་ཕྱིན་པ་དང་།
བརྩོན་འགྲུས་ཀྱི་ཕ་རོལ་ཏུ་ཕྱིན་པ་དང་། བསམ་གཏན་གྱི་ཕ་རོལ་ཏུ་ཕྱིན་པ་
དང་། ཤེས་རབ་ཀྱི་ཕ་རོལ་ཏུ་ཕྱིན་པ་ལ་སྤྱོད་པའི་ཚེ། ཐབས་མི་མཁས་པས་
ཧ་ཅང་མྱུར་བར་སྤོབས་པ་སྐྱེ་ལ། དེས་ཀློམ་སེམས་སུ་བྱེད་ན། རབ་འབྱོར་
རྣམ་གྲངས་དེས་སྤོབས་པ་ཧ་ཅང་མྱུར་བར་སྐྱེ་བ་སྟེ། བྱང་ཆུབ་སེམས་དཔའ་
སེམས་དཔའ་ཆེན་པོས་བདུད་ཀྱི་ལས་སུ་རིག་པར་བྱའོ། །རབ་འབྱོར་གཞན་
ཡང་སྒྲལ་ཞིང་ཤེས་རབ་ཀྱི་ཕ་རོལ་ཏུ་ཕྱིན་པ་འདི་འདྲི་ན། དེ་ཡང་བྱང་ཆུབ་
སེམས་དཔའ་སེམས་དཔའ་ཆེན་པོས་བདུད་ཀྱི་ལས་སུ་རིག་པར་བྱའོ། །རབ་
འབྱོར་གཞན་ཡང་དགོད་ཅིང་འདྲི་ན། དེ་ཡང་བྱང་ཆུབ་སེམས་དཔའ་སེམས་
དཔའ་ཆེན་པོས་བདུད་ཀྱི་ལས་སུ་རིག་པར་བྱའོ། །རབ་འབྱོར་ཕན་ཚུན་སྡིག་
ཅིང་འདྲི་ན། དེ་ཡང་བྱང་ཆུབ་སེམས་དཔའ་སེམས་དཔའ་ཆེན་པོས་བདུད་ཀྱི་
ལས་སུ་རིག་པར་བྱའོ། །སེམས་གཡེངས་ཤིང་འདྲི་ན། དེ་ཡང་བྱང་ཆུབ་
སེམས་དཔའ་སེམས་དཔའ་ཆེན་པོས་བདུད་ཀྱི་ལས་སུ་རིག་པར་བྱའོ། །ཡི་གེ་
གཞན་ལ་ཆགས་ཤིང་ཚིག་གི་དོན་མི་ཤེས་པར་འདྲི་ན། དེ་ཡང་བྱང་ཆུབ་སེམས་

དཔའ་སེམས་དཔའ་ཆེན་པོས་བདུད་ཀྱི་ལས་སུ་རིག་པར་བྱའོ། །འདིའི་རོ་མ····
མྱོང་ནས་སྟན་ལས་ལངས་ཏེ་འགྲོ་ན། དེ་ཡང་བྱང་ཆུབ་སེམས་དཔའ་སེམས་
དཔའ་ཆེན་པོས་བདུད་ཀྱི་ལས་སུ་རིག་པར་བྱའོ། །རབ་འབྱོར་གཞན་ཡང་གླལ་
ཞིང་ལུང་འདོག་ན། དེ་ཡང་བྱང་ཆུབ་སེམས་དཔའ་སེམས་དཔའ་ཆེན་པོས་
བདུད་ཀྱི་ལས་སུ་རིག་པར་བྱའོ། །གླལ་ཞིང་ཁ་ཏོན་བྱེད་དམ་འཛིན་ཏམ་ཀློག···
གམ་སྟོན་ཏམ་གླལ་ཞིང་ཚུལ་བཞིན་དུ་ཡིད་ལ་བྱེད་ན། དེ་ཡང་བྱང་ཆུབ་སེམས་
དཔའ་སེམས་དཔའ་ཆེན་པོས་བདུད་ཀྱི་ལས་སུ་རིག་པར་བྱའོ། །རབ་འབྱོར་
གཞན་ཡང་ཕན་ཚུན་དགོད་ཅིང་འཛིན་ཏམ། འཆང་ངམ་ཀློག་གམ་ཀུན་ཆུབ···
པར་བྱེད་དམ། ཚུལ་བཞིན་དུ་ཡིད་ལ་བྱེད་ན། དེ་ཡང་བྱང་ཆུབ་སེམས་
དཔའ་སེམས་དཔའ་ཆེན་པོས་བདུད་ཀྱི་ལས་སུ་རིག་པར་བྱའོ། །རབ་འབྱོར་
གཞན་ཡང་ཕན་ཚུན་སྟིག་ཅིང་འཛིན་ཏམ། འཆང་ངམ་ཀློག་གམ་ཀུན་ཆུབ་པར་
བྱེད་དམ། ཚུལ་བཞིན་དུ་ཡིད་ལ་བྱེད་ན། དེ་ཡང་བྱང་ཆུབ་སེམས་དཔའ····
སེམས་དཔའ་ཆེན་པོས་བདུད་ཀྱི་ལས་སུ་རིག་①པར་བྱའོ། །རབ་འབྱོར་གཞན···
ཡང་སེམས་གཡེང་བས་འཛིན་ཏམ་འཆང་ངམ་ཀློག་གམ་ཀུན་ཆུབ་པར་བྱེད་དམ།
ཚུལ་བཞིན་དུ་ཡིད་ལ་བྱེད་ན། དེ་ཡང་བྱང་ཆུབ་སེམས་དཔའ་སེམས་དཔའ·····
ཆེན་པོས་བདུད་ཀྱི་ལས་སུ་རིག་པར་བྱའོ། །རབ་འབྱོར་གཞན་ཡང་ཡི་གེ་གཞན་
དང་གཞན་ལ་ཆགས་ཤིང་འཛིན་ཏམ། འཆང་ངམ་ཀློག་གམ་ཀུན་ཆུབ་པར···
བྱེད་དམ། ཚུལ་བཞིན་དུ་ཡིད་ལ་བྱེད་ན། དེ་ཡང་བྱང་ཆུབ་སེམས་དཔའ····
སེམས་དཔའ་ཆེན་པོས་བདུད་ཀྱི་ལས་སུ་རིག་པར་བྱའོ། །དེ་སྐད་ཅེས་བཀའ····
སྩལ་པ་དང་། ཚེ་དང་ལྡན་པ་རབ་འབྱོར་གྱིས། བཅོམ་ལྡན་འདས་ལ་འདི···
སྐད་ཅེས③གསོལ་ཏོ། །བཅོམ་ལྡན་འདས་ཀྱིས་གང་འདི་སྐད་དུ། འདིའི་རོ···

མ་སྨྱོང་ནས་སྟན་ལས་ལངས་ཏེ་འགྲོ་ན། དེ་ཡང་བྱང་ཆུབ་སེམས་དཔའ་སེམས་དཔའ་ཆེན་པོས་བདུད་ཀྱི་①ལས་སུ་རིག་པར་བྱའོ། །ཞེས་བཀའ་སྩལ་ན། བཅོམ་ལྡན་འདས་ཅིའི་སླད་དུ་འདིའི་རོ་མི་མྱོང་བར་འགྱུར། བཅོམ་ལྡན་འདས་ཀྱིས་བཀའ་སྩལ་པ། རབ་འབྱོར་དེ་ནི་འདི་ལྟར་བྱང་ཆུབ་སེམས་དཔའ་སེམས་དཔའ་ཆེན་པོ་སྔོན་ཤེས་རབ་ཀྱི་ཕ་རོལ་ཏུ་ཕྱིན་པ་དང་། བསམ་གཏན་གྱི་ཕ་རོལ་ཏུ་ཕྱིན་པ་དང་། བརྩོན་འགྲུས་ཀྱི་ཕ་རོལ་ཏུ་ཕྱིན་པ་དང་། བཟོད་པའི་ཕ་རོལ་ཏུ་ཕྱིན་པ་དང་། ཚུལ་ཁྲིམས་ཀྱི་ཕ་རོལ་ཏུ་ཕྱིན་པ་དང་། སྦྱིན་པའི་ཕ་རོལ་ཏུ་ཕྱིན་པ་ལ་②མ་སྤྱད་པ་དེ་དག་ཤེས་རབ་ཀྱི་ཕ་རོལ་ཏུ་ཕྱིན་པ་ཟབ་མོ་འདི་བསྟན་③པའི་ཚེ། ཤེས་རབ་ཀྱི་ཕ་རོལ་ཏུ་ཕྱིན་པ་འདི་ལས་བདག་ཅག་ལུང་མ་བསྟན་ཏོ་ཞེས་མ་དད་པའི་ཡིད་ཀྱིས་སྟན་ལས་ལངས་ཤིང་འདོང་སྟེ། རབ་འབྱོར་དེ་ཡང་བྱང་ཆུབ་སེམས་དཔའ་སེམས་དཔའ་ཆེན་པོས་བདུད་ཀྱི་ལས་སུ་རིག་པར་བྱའོ། །གསོལ་པ། བཅོམ་ལྡན་འདས་ཅིའི་སླད་དུ། ཤེས་རབ་ཀྱི་ཕ་རོལ་ཏུ་ཕྱིན་པ་ལས་ལུང་མ་བསྟན་པ་དེ་དག་སྟན་ལས་ལངས་ཤིང་མཆི་བར་འགྱུར་བཅོམ་ལྡན་འདས་ཀྱིས་བཀའ་སྩལ་པ། རབ་འབྱོར་བྱང་ཆུབ་སེམས་དཔའ་སེམས་དཔའ་ཆེན་པོ་སྐྱོན་མེད་པར་མ་ཆུད་པ་ནི། བླ་ན་མེད་པ་ཡང་དག་པར་རྫོགས་པའི་བྱང་ཆུབ་ཏུ་ལུང་མི་བསྟན་ཏེ། དེ་ལ་བདག་ནི་ཤེས་རབ་ཀྱི་ཕ་རོལ་ཏུ་ཕྱིན་པ་འདི་ལས་མི་འབྱུང་ངོ་བདག་གི་མིང་ཡང་ཡོངས་སུ་མ་བརྗོད་དོ། །ཞེས་དད་པར་མི་འགྱུར་ན། རབ་འབྱོར་དེ་ཡང་བྱང་ཆུབ་སེམས་དཔའ་སེམས་དཔའ་ཆེན་པོས་བདུད་ཀྱི་ལས་སུ་རིག་པར་བྱའོ། །གསོལ་པ། བཅོམ་ལྡན་འདས་ཅིའི་སླད་དུ། ཤེས་རབ་ཀྱི་ཕ་རོལ་ཏུ་ཕྱིན་པ་ཟབ་མོ་འདི་ལས། བྱང་ཆུབ་སེམས་དཔའ་སེམས་དཔའ་ཆེན་པོ་དེ་དག་གི་མིང་ཡོངས་སུ་མ་བརྗོད་པ་

ལགས། བཅོམ་ལྡན་འདས་ཀྱིས་བཀའ་སྩལ་པ། རབ་འབྱོར་བྱང་ཆུབ་སེམས་དཔའ་སེམས་དཔའ་ཆེན་པོ་ལུང་མ་བསྟན་པ་རྣམས་ཀྱི་མིང་ནི་ཡོངས་སུ་མི་བརྗོད་དེ། དེ་ལ་བདག་གི་མིང་ཡང་འདི་ལས་མི་འབྱུང་། བདག་གང་དུ་སྐྱེས་པའི་གྲོང་ངམ། གྲོང་ཁྱེར་རམ། གྲོང་རྡལ་གྱི་མིང་ཡང་མི་འབྱུང་ངོ་ཞེས། དེ་ཤེས་རབ་ཀྱི་ཕ་རོལ་དུ་ཕྱིན་པ་མི་མཉན་ཏོ་སྙམ་བྱེད་ཅིང་། འཁོར་དེ་ནས་འགྲོ་བར་སེམས་ན། སེམས་བསྐྱེད་པ་དེས༔ཇི་ལྟ[༡]ཇི་ལྟར་འགྲོ་བར་སེམས་ཤིང་། གོམ་པ་ཇི་སྙེད་གཅིག་བོར་བ་དེ་སྙེད་ཀྱི་བསྐལ་པ་ཡོངས[༢]སུ་འཛིན་པར་འགྱུར་ཏེ། དེ་དག་ལ་གཟོད་བརྩོན་པར་བྱ་དགོས་སོ། །དེ་ཤེས་རབ་ཀྱི་ཕ་རོལ་དུ་ཕྱིན་པ་བོར་ཞིང་། མདོ་སྡེ་གང་རྣམ་པ་ཐམས་ཅད་མཁྱེན་པ་ཉིད་ཀྱི་ཡེ་ཤེས་ཡོངས་སུ་མི་སྨྲུབ་པ་དེ་དག་ཀུན་ཆུབ་པར་བྱ་བར་སེམས་ཏེ། དེས་ན་བྱང་ཆུབ་སེམས་དཔའི་ཐེག་པ་པའི་རིགས་ཀྱི་བུ་དང་རིགས་ཀྱི་བུ་མོ་དེ་དག་རྣམ[༣]པ་ཐམས་ཅད་མཁྱེན་པ་ཉིད་ཀྱི་ཤིང་གི་རྩ་བ་སྤངས་ཏེ། དེ་ཉིད་ཀྱི་ཡལ་ག་དང་འདབ་མ་དང་ལོ་མ་ལ་འཇུ་བར་སེམས་པར་གྱུར་པ་དག་སྟེ། རབ་འབྱོར་དེ་ཡང་བྱང་ཆུབ་སེམས་དཔའ་སེམས་དཔའ་ཆེན་པོས་བདུད་ཀྱི་ལས་སུ་རིག་པར་བྱའོ། །གསོལ་པ། བཅོམ་ལྡན་འདས་རྣམ་པ་ཐམས་ཅད་མཁྱེན་པ་ཉིད་ཀྱི་ཡེ་ཤེས་ཡོངས་སུ་མི་སྒྲུབ་པའི་མདོ་སྡེ་ཀུན་ཆུབ་པར་བགྱི་བར་སེམས་པར་འགྱུར་བ་དེ་དག་གང་ལགས། བཅོམ་ལྡན་འདས་ཀྱིས་བཀའ་སྩལ་པ། མདོ་སྡེ་གང་ཉན་ཐོས་དང་ལྡན་པའམ། རང་སངས་རྒྱས་དང་ལྡན་པ་དེ་དག་སྟེ། འདི་ལྟར་དྲན་པ་ཉེ་བར་བཞག་པ་བཞི་དང་། ཡང་དག་པར་སྤོང་བ་བཞི་དང་། རྫུ་འཕྲུལ་གྱི་རྐང་པ་བཞི་དང་། དབང་པོ་ལྔ་དང་སྟོབས་ལྔ་དང་། བྱང་ཆུབ་ཀྱི་ཡན་ལག་བདུན་དང་། འཕགས་པའི་ལམ་ཡན་ལག་བརྒྱད་པ་དང་། རྣམ་པར་ཐར་པའི་སྒོ་སྟོང་པ་ཉིད་

དང་མཚན་མ་མེད་པ་དང་སྨོན་པ་མེད་པ་སྟེ། དེ་དག་ལ་གནས་ཤིང་རིགས་ཀྱི་བུ་དང་རིགས་ཀྱི་བུ་མོ་དག་རྒྱུན་དུ་ཞུགས་པའི་འབྲས་བུ་འཐོབ་པ་དང་། ལན་ཅིག་ཕྱིར་འོང་བའི་འབྲས་བུ་དང་ཕྱིར་མི་འོང་བའི་འབྲས་བུ་དང་། དགྲ་བཅོམ་པ་ཉིད་འཐོབ་པ་དང་། རང་བྱང་ཆུབ་འཐོབ་པར་འགྱུར་གྱི། བླ་ན་མེད་པ་ཡང་དག་པར་རྫོགས་པའི་བྱང་ཆུབ་འཐོབ་པར་མི་འགྱུར་བ་སྟེ། རབ་འབྱོར་དེ་དག་ནི་ཉན་ཐོས་དང་། རང་སངས་རྒྱས་དང་ལྡན་པའི་མདོ་སྡེ་གང་ལ་ཤེས་རབ་ཀྱི་ཕ་རོལ་དུ་ཕྱིན་པ་བོར་ཞིང་། ཀུན་ཆུབ་པར་བྱ་བར་སེམས་པ་སྟེ། རྣམ་པ་ཐམས་ཅད་མཁྱེན་པ་ཉིད་ཀྱི་ཡེ་ཤེས་ཡོངས་སུ་མི་སྒྲུབ་པའོ། །དེ་ཅིའི་ཕྱིར་ཞེ་ན། རབ་འབྱོར་བྱང་ཆུབ་སེམས་དཔའ་སེམས་དཔའ་ཆེན་པོ་ཤེས་རབ་ཀྱི་ཕ་རོལ་དུ་ཕྱིན་པ་[༧]ལས་བྱུང་བ་ནི། འཇིག་རྟེན་པ་དང་འཇིག་རྟེན་ལས་འདས་པའི་ཆོས་ཀྱིས་འབྱུང་བར་འགྱུར་ཏེ། རབ་འབྱོར་ཤེས་རབ་ཀྱི་ཕ་རོལ་དུ་ཕྱིན་པ་ལ་སློབ་པའི་བྱང་ཆུབ་སེམས་དཔའ་སེམས་དཔའ་ཆེན་པོ་རྣམས་ནི་འཇིག་རྟེན་པ་དང་། འཇིག་རྟེན་ལས་འདས་པའི་ཆོས་རྣམས་ལ་སློབ་པ་ཡིན་ནོ། །རབ་འབྱོར་འདི་ལྟ་སྟེ་དཔེར་ན། ཁྱི་ལ་ལ་ཞིག་ཇོ་[༣]བོའི་ཟན་ནར་མ་བོར་ཏེ། ལས་མི་ལས་ཟན་བཅལ་བར་སེམས་པ་དང་འདྲ་བར་དེ་བཞིན་དུ། རབ་འབྱོར་མ་འོངས་པའི་དུས་ན་བྱང་ཆུབ་སེམས་དཔའི་ཐེག་པ་པའི་རིགས་ཀྱི་བུ་དང་རིགས་ཀྱི་བུ་མོ་ཤེས་རབ་ཀྱི་ཕ་རོལ་དུ་ཕྱིན་པ་ཟབ་མོ་སངས་རྒྱས་ཀྱི་ཆོས་ཐམས་ཅད་ཀྱི་རྩ་བར་གྱུར་པ་འདི་བོར་ཏེ། ཡལ་ག་དང་ལོ་མ་དང་། འདབ་མ་ལྟ་བུའི་མདོ་སྡེ་ཉན་ཐོས་དང་། རང་སངས་རྒྱས་དང་ལྡན་པ་དག་ལ་བརྟེན་པར་སེམས་པ་འབྱུང་སྟེ། རབ་འབྱོར་དེ་ཡང་བྱང་ཆུབ་སེམས་དཔའ་སེམས་དཔའ་ཆེན་པོས་བདུད་ཀྱི་ལས་སུ་རིག་པར་བྱའོ། །རབ་འབྱོར་གཞན་ཡང་མ་འོངས་པའི་དུས་ན་བྱང་ཆུབ་

སེམས་དཔའི་ཐེག་པ་པའི་རིགས་ཀྱི་བུ་དང་རིགས་ཀྱི་བུ་མོ་གང་ཤེས་རབ་ཀྱི་ཕ་རོལ་ཏུ་ཕྱིན་པ་ཟབ་མོ་འདི་ཐོར་ནས། ཁ་དང་བཀུར་སྟིའི་ཕྱིར་ཉན་ཐོས་དང་། རང་སངས་རྒྱས་དང་ལྡན་པའི་མདོ་སྡེ་རྣམས་ཀུན་ཆུབ་པར་བྱ་བར་སེམས་པ་འབྱུང་སྟེ། རབ་འབྱོར་དེ་ཡང་བྱང་ཆུབ་སེམས་དཔའ་སེམས་དཔའ་ཆེན་པོས་བདུད་ཀྱི་ལས་སུ་རིག་པར་བྱའོ། །རབ་འབྱོར་འདི་ལྟ་སྟེ་དཔེར་ན། མི་ལ་ལ་ཞིག་གླང་པོ་འདོད་ལ། དེས་གླང་པོ་རྙེད་ཀྱང་། གླང་པོའི་རྗེས་བཙལ་བར་སེམས་པ་ཡོད་ན། རབ་འབྱོར་དེ་ཇི་སྙམ་དུ་སེམས། སྐྱེས་བུ་དེ་མཁས་པའི་ངང་ཚུལ་ཅན་ཡིན་ནམ། གསོལ་པ། བཅོམ་ལྡན་འདས་དེ་ནི་མ་ལགས་སོ། ། བཅོམ་ལྡན་འདས་ཀྱིས་བཀའ་སྩལ་པ། རབ་འབྱོར་དེ་བཞིན་དུ། བྱང་ཆུབ་སེམས་དཔའི་ཐེག་པ་པའི་གང་ཟག་གང་ཤེས་རབ་ཀྱི་ཕ་རོལ་ཏུ་ཕྱིན་པ་ཟབ་མོ་འདི་ཐོར་ཞིང་མདོ་སྡེ་གང་ཉན་ཐོས་དང་། རང་སངས་རྒྱས་དང་ལྡན་པ་དེ་དག་བཙལ་བར་སེམས་པ་དག་ཀྱང་དཔེ་དེ་དང་འདྲ་བར་རིག་པར་བྱ་སྟེ། རབ་འབྱོར་དེ་ཡང་བྱང་ཆུབ་སེམས་དཔའ་སེམས་དཔའ་ཆེན་པོས་བདུད་ཀྱི་ལས་སུ་རིག་པར་བྱའོ། །རབ་འབྱོར་འདི་ལྟ་སྟེ་དཔེར་ན། མི་ཞིག་རྒྱ་མཚོ་ཆེན་པོ་བལྟ་བར་འདོད་ལ། བ་ལང་གི་རྗེས་བཙལ་བར་སེམས་ཤིང་། དེས་བ་ལང་གི་རྨིག་རྗེས་མཐོང་ནས་ཀྱང་འདི་སྙམ་དུ། རྒྱ་མཚོ་ཆེན་པོའི་ཚད་འདི་དང་མཉམ་འམ[7]། མི་མཉམ་སྙམ་ན། རབ་འབྱོར་དེ་ཇི་སྙམ་དུ་སེམས། སྐྱེས་བུ་དེ་མཁས་པའི་ངང་ཚུལ་ཅན་ཡིན་ནམ། གསོལ་པ། བཅོམ་ལྡན་འདས་དེ་ནི་མ་ལགས་སོ། །བདེ་བར་གཤེགས་པ་དེ་ནི་མ་ལགས་སོ། །བཅོམ་ལྡན་འདས་ཀྱིས་བཀའ་སྩལ་པ། རབ་འབྱོར་དེ་བཞིན་དུ་བྱང་ཆུབ་སེམས་དཔའི་ཐེག་པ་པའི་རིགས་ཀྱི་བུ་དང་རིགས་ཀྱི་བུ་མོ་གང་གིས་ཤེས་རབ་ཀྱི་ཕ་རོལ་ཏུ་ཕྱིན་པ་ཟབ་

མོ་འདི་ཐོས་ཤིང་རྟེད་ཀྱང་། ཤེས་རབ་ཀྱི་ཕ་རོལ་ཏུ་ཕྱིན་པ་ཟབ་མོ་འདི་པོར་
ཞིང་སྤངས་ཏེ། ཉན་ཐོས་དང་། རང་སངས་རྒྱས་དང་ལྡན་པའི་མདོ་སྡེ་དག་
གཟུང་བ་དང་། ཀུན་ཆུབ་པར་བྱ་བར་སེམས་པ་དེ་དག་ཀྱང་རྣམ་པ་དེ་ལྟར་
རིག་པར་བྱ་སྟེ། རབ་འབྱོར་དེ་ཡང་བྱང་ཆུབ་སེམས་དཔའ་སེམས་དཔའ་ཆེན་
པོས་བདུད་ཀྱི་ལས་སུ་རིག་པར་བྱའོ། །རབ་འབྱོར་འདི་ལྟ་སྟེ་དཔེར་ན། སྦྱ་[༧]
མཁན་ནམ་སྦྱ་[༣]མཁན་གྱི་སློབ་མ་རྣམ་པར་རྒྱལ་བའི་ཁང་པའི་ཚད་དུ་ཁང་པ་ཞིག་
དབུབ་ཅིང་བསླང་བར་འདོད་དེ། ཉི་མ་དང་ཟླ་བའི་གཞལ་མེད་ཁང་ཡོངས་སུ་
བཙལ་བར་སེམས་ཤིང་། ཉི་མ་དང་ཟླ་བའི་གཞལ་མེད་ཁང་ལས་ཚད་བླང་བར་
སེམས་ན། རབ་འབྱོར་དེ་ཇི་སྙམ་དུ་སེམས། སྐྱེས་བུ་དེས་ཉི་མ་དང་ཟླ་བའི་
གཞལ་མེད་ཁང་གི་ཚད་ཀྱིས་རྣམ་པར་རྒྱལ་བའི་ཁང་པའི་ཚད་དང་དཔེ་ཚུལ་
བཟུང་སྟེ། དེ་དང་འདྲ་བའི་ཁང་པ་དབུབ་པར་ནུས་སམ། གསོལ་པ།
བཅོམ་ལྡན་འདས་དེ་ནི་མ་ལགས་སོ། །བཅོམ་ལྡན་འདས་ཀྱིས་བཀའ་སྩལ་པ།
རབ་འབྱོར་དེ་ཇི་སྙམ་དུ་སེམས། སྦྱ་[༣]མཁན་ནམ་སྦྱ་[༨]མཁན་གྱི་སློབ་མ་དེ་
མཁས་པའི་ངང་ཚུལ་ཅན་ཡིན་ནམ། གསོལ་པ། བཅོམ་ལྡན་འདས་སྐྱེས་བུ་
དེ་ནི་བྱིས་པའི་ངང་ཚུལ་ཅན་དུ་རིག་པར་བགྱི་སྟེ། མཁས་པའི་ངང་ཚུལ་ཅན་མ་
ལགས་སོ། །བཅོམ་ལྡན་འདས་ཀྱིས་བཀའ་སྩལ་པ། རབ་འབྱོར་དེ་བཞིན་དུ་
མ་འོངས་པའི་དུས་ན། བྱང་ཆུབ་སེམས་དཔའི་ཐེག་པ་པའི་རིགས་ཀྱི་བུ་དང་
རིགས་ཀྱི་བུ་མོ་ལ་ལ་ཤེས་རབ་ཀྱི་ཕ་རོལ་ཏུ་ཕྱིན་པ་ཟབ་མོ་འདི་ཐོས་ཤིང་རྟེད་ནས་
ཀྱང་། ཤེས་རབ་ཀྱི་ཕ་རོལ་ཏུ་ཕྱིན་པ་ཟབ་མོ་འདི་པོར་ཞིང་སྤངས་ཏེ། ཉན་
ཐོས་དང་། རང་སངས་རྒྱས་དང་ལྡན་པའི་མདོ་སྡེ་དག་ལས་རྣམ་པ་ཐམས་ཅད་
མཁྱེན་པ་ཉིད་ཡོངས་སུ་བཙལ་བར་སེམས་པ་འབྱུང་[༥]ན། རབ་འབྱོར་དེ་ལ་ཇི་

སྙམ་དུ་སེམས། བྱང་ཆུབ་སེམས་དཔའི་ཐེག་པ་པའི་རིགས་ཀྱི་བུ་དང་། རིགས་ཀྱི་བུ་མོ་དེ་དག་མཁས་པའི་ངང་ཚུལ་ཅན་ཡིན་ནམ། གསོལ་པ། བཅོམ་ལྡན་འདས་དེ་ནི་མ་ལགས་སོ། །བདེ་བར་གཤེགས་པ་དེ་ནི་མ་ལགས་སོ། །བཅོམ་ལྡན་འདས་ཀྱིས་བཀའ་སྩལ་པ། རབ་འབྱོར་དེ་ཡང་བྱང་ཆུབ་སེམས་དཔའ་སེམས་དཔའ་ཆེན་པོས་བདུད་ཀྱི་ལས་སུ་རིག་པར་བྱའོ། །རབ་འབྱོར་འདི་ལྟ་སྟེ་དཔེར་ན། སྐྱེས་བུ་ལ་ལ་ཞིག་འཁོར་ལོས་བསྒྱུར[7]བའི་རྒྱལ་པོ་མཐོང་···བར་འདོད་ལ། དེས་ཁམས་ཀྱི་རྒྱལ་ཕྲན་མཐོང་ནས་འདི་སྙམ་དུ་འཁོར་ལོས་བསྒྱུར[8]བའི་རྒྱལ་པོ་ཁ་དོག་དང་དབྱིབས་ཅི་འདྲ་བ་ཞིག་ཡོད་ཅེས། དེས་ཁམས་ཀྱི་རྒྱལ་ཕྲན་མཐོང་བའི་ཁ་དོག་དང་། དབྱིབས་ཀྱི་མཚན་མ་གཟུང་བར་བསམས་ཏེ། འདི་སྐད་དུ་འཁོར་ལོས་བསྒྱུར[9]བའི་རྒྱལ་པོ་དེའི་ཁ་དོག་དང་། དབྱིབས་དང་ཚུལ་དང་མཚན་མ་ཡང་། སའི་བདག་པོ་འདི་འདྲ་བ་ཞིག་ཡོད····གྲང་ཞེས་ཟེར་ན། རབ་འབྱོར་དེ་ཇི་སྙམ་དུ་སེམས། སྐྱེས་བུ་དེ་མཁས་པའི···ངང་ཚུལ་ཅན་ཡིན་ནམ། གསོལ་པ། བཅོམ་ལྡན་འདས་དེ་ནི་མ་ལགས་སོ། །བདེ་བར་གཤེགས[10]པ་དེ་ནི་མ་ལགས་སོ། །བཅོམ་ལྡན་འདས་ཀྱིས་བཀའ་སྩལ་པ། རབ་འབྱོར་དེ་བཞིན་དུ་མ་འོངས་པའི་དུས་ན། བྱང་ཆུབ་སེམས་དཔའི་ཐེག་པ་པའི་རིགས་ཀྱི་བུའམ་རིགས་ཀྱི་བུ་མོ་གང་ལ་ལ་ཤེས་རབ་ཀྱི་ཕ་རོལ་དུ་ཕྱིན་པ་ཟབ་མོ་འདི་ཐོས་ཤིང་རྙེད་ནས་ཀྱང་། ཤེས་རབ་ཀྱི་ཕ་རོལ་དུ་ཕྱིན་པ་ཟབ་མོ་འདི་པོར་ཞིང་སྤངས་ཏེ། ཉན་ཐོས་དང་། རང་སངས་རྒྱས་དང་ལྡན་པའི····མདོ་སྡེ་དག་ལས། རྣམ་པ་ཐམས་ཅད་མཁྱེན་པ་ཉིད་ཡོངས་སུ་བཙལ་བར་སེམས་པ་འབྱུང་ན། རབ་འབྱོར་དེ་ཇི་སྙམ་དུ་སེམས། བྱང་ཆུབ་སེམས་དཔའི་ཐེག་པ་པའི་རིགས་ཀྱི་བུ་དང་། རིགས་ཀྱི་བུ་མོ་དེ་དག་མཁས་པའི་ངང་··

ཚུལ་ཅན་ཡིན་ནམ། གསོལ་པ། བཅོམ་ལྡན་འདས་དེ་ནི་མ་ལགས་སོ། །བཅོམ་ལྡན་འདས་ཀྱིས་[7]བཀའ་སྩལ་པ། རབ་འབྱོར་དེ་ཡང་བྱང་ཆུབ་སེམས་དཔའ་སེམས་དཔའ་ཆེན་པོས་བདུད་ཀྱི་ལས་སུ་རིག་པར་བྱའོ། །རབ་འབྱོར་འདི་ལྟ་སྟེ་དཔེར་ན། སྐྱེས་བུ་ཤིན་ཏུ་བཀྲེས་པ་ལ་ལ་ཞིག་གིས། རོ་བརྒྱ་དང་ལྡན་པའི་ཁ་ཟས་རྙེད་ཀྱང་། དྲུག་ཅུ་པའི་ཁ་ཟས་བཙལ་བར་སེམས་ཤིང་། དེས་ཁ་ཟས་རོ་བརྒྱ་དང་ལྡན་པ་དེ་བོར་ནས། དྲུག་ཅུ་པའི་ཁ་ཟས་ལ་བཟའ་བར་བསམས་ན། རབ་འབྱོར་དེ་ཇི་སྙམ་དུ་སེམས། སྐྱེས་བུ་དེ་མཁས་པའི་ངང་ཚུལ་ཅན་ཡིན་ནམ། གསོལ་པ། བཅོམ་ལྡན་འདས་དེ་ནི་མ་ལགས་སོ། །བཅོམ་ལྡན་འདས་ཀྱིས་བཀའ་སྩལ་པ། རབ་འབྱོར་དེ་བཞིན་དུ་མ་འོངས་པའི་དུས་ན། བྱང་ཆུབ་སེམས་དཔའི་ཐེག་པ་པའི་རིགས་ཀྱི་བུའམ་རིགས་ཀྱི་བུ་མོ་དེ་དག་ཤེས་རབ་ཀྱི་ཕ་རོལ་ཏུ་ཕྱིན་པ་ཟབ་མོ་འདི་ཐོས་ཤིང་རྙེད་ནས་ཀྱང་། ཤེས་རབ་ཀྱི་ཕ་རོལ་ཏུ་ཕྱིན་པ་ཟབ་མོ་འདི་བོར་ཞིང་སྤངས་ཏེ། ཉན་ཐོས་དང་། རང་སངས་རྒྱས་དང་ལྡན་པའི་མདོ་སྡེ་དག་ལས། རྣམ་པ་ཐམས་ཅད་མཁྱེན་པ་ཉིད་ཡོངས་སུ་བཙལ་བར་སེམས་པ་བྱུང་[3]ན། རབ་འབྱོར་དེ་ཇི་སྙམ་དུ་སེམས། བྱང་ཆུབ་སེམས་དཔའི་ཐེག་པ་པའི་རིགས་ཀྱི་བུ་དང་རིགས་ཀྱི་བུ་མོ་དེ་དག་མཁས་པའི་ངང་ཚུལ་ཅན་ཡིན་ནམ། གསོལ་པ། བཅོམ་ལྡན་འདས་དེ་ནི་མ་ལགས་སོ། །བཅོམ་ལྡན་འདས་ཀྱིས་བཀའ་སྩལ་པ། རབ་འབྱོར་དེ་ཡང་བྱང་ཆུབ་སེམས་དཔའ་སེམས་དཔའ་ཆེན་པོས་བདུད་ཀྱི་ལས་སུ་རིག་པར་བྱའོ། །རབ་འབྱོར་འདི་ལྟ་སྟེ་དཔེར་ན། སྐྱེས་བུ་ལ་ལ་ཞིག་གིས་ནོར་བུ་རིན་པོ་ཆེ་རིན་ཐང་མེད་པ་རྙེད་ནས། ནོར་བུ་མཆིང་བུ་དང་བསྡུན་པར་བསམས་ན། རབ་འབྱོར་དེ་ཇི་སྙམ་དུ་སེམས། སྐྱེས་བུ་དེ་མཁས་པའི་ངང་ཚུལ་ཅན་ཡིན་ནམ།

གསོལ་པ། བཅོམ་ལྡན་འདས་དེ་ནི་མ་ལགས་སོ། །①བཅོམ་ལྡན་འདས་ཀྱིས་བཀའ་སྩལ་པ། རབ་འབྱོར་དེ་བཞིན་དུ། མ་འོངས་པའི་དུས་ན། བྱང་ཆུབ་སེམས་དཔའི་ཐེག་པ་པའི་རིགས་ཀྱི་བུ་དང་རིགས་ཀྱི་བུ་མོ་གང་ལ་ལ་ཤེས་རབ་ཀྱི་ཕ་རོལ་ཏུ་ཕྱིན་པ་ཟབ་མོ་འདི་ཐོས་ཤིང་རྙེད་ནས་ཀྱང་། ཤེས་རབ་ཀྱི་ཕ་རོལ་ཏུ་ཕྱིན་པ་ཟབ་མོ་②བོར་ཞིང་སྤངས་ཏེ། ཉན་ཐོས་དང་། རང་སངས་རྒྱས་དང་ལྡན་པའི་མདོ་སྡེ་དག་ལས། རྣམ་པ་ཐམས་ཅད་མཁྱེན་པ་ཉིད་ཡོངས་སུ་བཙལ་བར་སེམས་པ་འབྱུང་ན③། རབ་འབྱོར་དེ་ཇི་སྙམ་དུ་སེམས། བྱང་ཆུབ་སེམས་དཔའི་ཐེག་པ་པའི་རིགས་ཀྱི་བུ་དང་རིགས་ཀྱི་བུ་མོ་དེ་དག་མཁས་པའི་ངང་ཚུལ་ཅན་ཡིན་ནམ། གསོལ་པ། བཅོམ་ལྡན་འདས་དེ་ནི་མ་ལགས་སོ། །④བཅོམ་ལྡན་འདས་ཀྱིས་བཀའ་སྩལ་པ། རབ་འབྱོར་དེ་ཡང་། བྱང་ཆུབ་སེམས་དཔའ་སེམས་དཔའ་ཆེན་པོས་བདུད་ཀྱི་ལས་སུ་རིག་པར་བྱའོ། །རབ་འབྱོར་གཞན་ཡང་རིགས་ཀྱི་བུ་དང་རིགས་ཀྱི་བུ་མོ་དེ་དག་ཤེས་རབ་ཀྱི་ཕ་རོལ་ཏུ་ཕྱིན་པ་ཟབ་མོ་འདི་འདྲི་བའི་ཚེ། སྤོབས་པ་མང་པོ་གང་གིས་ཤེས་རབ་ཀྱི་ཕ་རོལ་ཏུ་ཕྱིན་པ་ཟབ་མོ་འདི་འདྲི་བའི་དཀྲུགས་མར་འགྱུར་བ་དེ་ལྟ་བུ་སྐྱེ་བར་འགྱུར་བ་འདི་ལྟར། གཟུགས་ཀྱི་སྤོབས་པ་དང་། སྒྲ་དང་དྲི་དང་རོ་དང་རེག་དང་ཆོས་ཀྱི་སྤོབས་པ་དང་། སྦྱིན་པའི་སྤོབས་པ་དང་། ཚུལ་ཁྲིམས་དང་བཟོད་པ་དང་བརྩོན་འགྲུས་དང་བསམ་གཏན་དང་ཤེས་རབ་ཀྱི་སྤོབས་པ་དང་། འདོད་པའི་ཁམས་ཀྱི་སྤོབས་པ་དང་། གཟུགས་ཀྱི་ཁམས་ཀྱི་སྤོབས་པ་དང་། གཟུགས་མེད་⑤པའི་ཁམས་ཀྱི་སྤོབས་པ་དང་། ལུང་དབོག་⑥པ་དང་། ཁ་ཏོན་དུ་⑦བྱ་བའི་སྤོབས་པ་དང་། རིམ་གྲོར་བྱ་བའི་སྤོབས་པ་དང་། དྲན་པ་ཉེ་བར་གཞག་པའི་སྤོབས་པ་དང་། ཡང་དག་པརཿསྤོང་བ་⑧དང་། རྫུ་འཕྲུལ་གྱི་

རྐང་པ་དང་། དབང་པོ་དང་སྟོབས་དང་། བྱང་ཆུབ་ཀྱི་ཡན་ལག་དང་ལམ་གྱི་སྤོབས་པ་དང་བསམ་གཏན་དང་རྣམ་པར་ཐར་པ་དང་ཏིང་ངེ་འཛིན་དང་སྙོམས་པར་འཇུག་པའི་སྤོབས་པ་དང་། ནང་སྟོང་པ་ཉིད་ཀྱི་སྤོབས་པ་དང་། དངོས་པོ་མེད་པའི་ངོ་བོ་ཉིད་སྟོང་པ་ཉིད་ཀྱི་བར་གྱི་སྤོབས་པ་དང་། སྦྱིན་པའི་ཕ་རོལ་ཏུ་ཕྱིན་པའི་སྤོབས་པ་དང་། ཚུལ་ཁྲིམས་ཀྱི་ཕ་རོལ་ཏུ་ཕྱིན་པ་དང་། བཟོད་པའི་ཕ་རོལ་ཏུ་ཕྱིན་པ་དང་། བརྩོན་འགྲུས་ཀྱི་ཕ་རོལ་ཏུ་ཕྱིན་པ་དང་། བསམ་གཏན་གྱི་ཕ་རོལ་ཏུ་ཕྱིན་པ་དང་། ཤེས་རབ་[1]ཀྱི་ཕ་རོལ་ཏུ་ཕྱིན་པའི་སྤོབས་པ་དང་། སྟོབས་དང་མི་འཇིགས་པ་དང་སོ་སོ་ཡང་དག་པར་རིག་པ་དང་། སངས་རྒྱས་ཀྱི་ཆོས་མ་འདྲེས་པའི་སྤོབས་པ་དང་། བླ་ན་མེད་པ་ཡང་དག་པར་རྫོགས་པའི་བྱང་ཆུབ་ཀྱི་བར་གྱི་སྤོབས་པ་སྐྱེ་བར་འགྱུར་རོ། །དེ་ཅིའི་ཕྱིར་ཞེ་ན། རབ་འབྱོར་ཤེས་རབ་ཀྱི་ཕ་རོལ་ཏུ་ཕྱིན་པ་ནི་སྤོབས་པ་མེད་པས་རྣམ་པར་བྱང་བའོ། །རབ་འབྱོར་ཤེས་རབ་ཀྱི་ཕ་རོལ་ཏུ་ཕྱིན་པ་ནི་བསམ་གྱིས་མི་ཁྱབ་པའོ། །རབ་འབྱོར་ཤེས་རབ་ཀྱི་ཕ་རོལ་ཏུ་ཕྱིན་པ་ནི་སེམས་མེད་པའོ། །རབ་འབྱོར་ཤེས་རབ་ཀྱི་ཕ་རོལ་ཏུ་ཕྱིན་པ་ནི་སྐྱེ་བ་མེད་ཅིང་འགག་པ་མེད་པའོ། །རབ་འབྱོར་ཤེས་རབ་ཀྱི་ཕ་རོལ་ཏུ་ཕྱིན་པ་ནི་ཀུན་ནས་ཉོན་མོངས་པ་མེད་ཅིང་རྣམ་པར་བྱང་བ་མེད་པའོ། །རབ་འབྱོར་ཤེས་རབ་ཀྱི་ཕ་རོལ་ཏུ་ཕྱིན་པ་ནི་འཁྲུག་པ་མེད་པའོ། །རབ་འབྱོར་ཤེས་རབ་ཀྱི་ཕ་རོལ་ཏུ་ཕྱིན་པ་ནི་བརྗོད་དུ་མེད་པའོ། །རབ་འབྱོར་ཤེས་རབ་ཀྱི་ཕ་རོལ་ཏུ་ཕྱིན་པ་ནི་རྣམ་པར་བྱང་བ་མེད་པའོ། །རབ་འབྱོར་ཤེས་རབ་ཀྱི་ཕ་རོལ་ཏུ་ཕྱིན་པ་ནི་དམིགས་པ་མེད་པའོ། །དེ་ཅིའི་ཕྱིར་ཞེ་ན། རབ་འབྱོར་ཆོས་དེ་དག་ནི་ཤེས་རབ་ཀྱི་ཕ་རོལ་ཏུ་ཕྱིན་པ་ཟབ་མོ་འདི་ལ་མེད་ཅིང་མི་དམིགས་ཏེ། རབ་འབྱོར་གལ་ཏེ་བྱང་ཆུབ་སེམས་དཔའི་ཐེག་པ་པའི་རིགས་ཀྱི་

བུའམ་རིགས་ཀྱི་བུ་མོ་ཤེས་རབ་ཀྱི་ཕ་རོལ་ཏུ་ཕྱིན་པ་ཟབ་མོ་འདི་འདྲི་བའི་ཚེ། ཆོས་དེ་དག་གིས་འཁྲུག་པར་གྱུར་ན། རབ་འབྱོར་དེ་ཡང་བྱང་ཆུབ་སེམས་དཔའི་ཐེག་པ་པའི་རིགས་ཀྱི་བུའམ་རིགས་ཀྱི་བུ་མོ་དེ་དག་གི་⑦བདུད་ཀྱི་ལས་སུ་རིག་པར་བྱའོ། །དེ་སྐད་ཅེས་བཀའ་སྩལ་པ་དང་། ཚེ་དང་ལྡན་པ་རབ་འབྱོར་གྱིས་བཅོམ་ལྡན་འདས་ལ་འདི་སྐད་ཅེས་གསོལ་ཏོ། །བཅོམ་ལྡན་འདས་ཤེས་རབ་ཀྱི་ཕ་རོལ་ཏུ་ཕྱིན་པ་བྲི་བར་ནུས་ལགས་སམ། བཅོམ་ལྡན་འདས་ཀྱིས་བཀའ་སྩལ་པ། རབ་འབྱོར་དེ་ལྟ་མ་ཡིན་ནོ། །རབ་འབྱོར་དེ་ཅིའི་ཕྱིར་ཞེ་ན། ཤེས་རབ་ཀྱི་ཕ་རོལ་ཏུ་ཕྱིན་པའི་ངོ་བོ་ཉིད་ཡོད་པ་མ་ཡིན་ཏེ་མི་དམིགས་སོ། །བསམ་གཏན་གྱི་ཕ་རོལ་ཏུ་ཕྱིན་པ་དང་། བརྩོན་འགྲུས་ཀྱི་ཕ་རོལ་ཏུ་ཕྱིན་པ་དང་། བཟོད་པའི་ཕ་རོལ་ཏུ་ཕྱིན་པ་དང་། ཚུལ་ཁྲིམས་ཀྱི་ཕ་རོལ་ཏུ་ཕྱིན་པ་དང་། སྦྱིན་པའི་ཕ་རོལ་ཏུ་ཕྱིན་པའི་ངོ་བོ་ཉིད་ཡོད་པ་མ་ཡིན་ཏེ་མི་དམིགས་སོ།། སྟོང་པ་ཉིད་ཐམས་ཅད་དང་། བྱང་ཆུབ་ཀྱི་ཕྱོགས་ཀྱི་ཆོས་སུམ་ཅུ་རྩ་བདུན་གྱི་ངོ་བོ་ཉིད་ཡོད་པ་མ་ཡིན་ཏེ། མི་དམིགས་སོ། །འཕགས་པའི་བདེན་པ་རྣམས་དང་། བསམ་གཏན་རྣམས་དང་ཚད་མེད་པ་རྣམས་དང་གཟུགས་མེད་པའི་སྙོམས་པར་འཇུག་པ་རྣམས་དང་། རྣམ་པར་ཐར་པ་བརྒྱད་དང་མཐར་གྱིས་གནས་པའི་སྙོམས་པར་འཇུག་པ་དགུ་དང་། སྟོང་པ་ཉིད་དང་། མཚན་མ་མེད་པ་དང་སྨོན་པ་མེད་པ་དང་མངོན་པར་ཤེས་པ་རྣམས་ཀྱི་ངོ་བོ་ཉིད་ཡོད་པ་མ་ཡིན་ཏེ་མི་དམིགས་སོ། །ཏིང་ངེ་འཛིན་རྣམས་དང་། གཟུངས་ཀྱི་སྒོ་རྣམས་ཀྱི་ངོ་བོ་ཉིད་ཡོད་པ་མ་ཡིན་ཏེ་མི་དམིགས་སོ། །དེ་བཞིན་གཤེགས་པའི་སྟོབས་རྣམས་དང་མི་འཇིགས་པ་རྣམས་དང་། སོ་སོ་ཡང་དག་པར་རིག་པ་རྣམས་དང་། སངས་རྒྱས་ཀྱི་ཆོས་མ་འདྲེས་པ་རྣམས་ཀྱི་ངོ་བོ་ཉིད་ཡོད་པ་མ་ཡིན་ཏེ་མི་དམིགས་

སོ། །རྣམ་པ་ཐམས་ཅད་མཁྱེན་པ་ཉིད་ཀྱི་བར་གྱི་ངོ་བོ་ཉིད་ཡོད་པ་མ་ཡིན་ཏེ་
མི་དམིགས་སོ། །ངོ་བོ་ཉིད་མི་དམིགས་པ་གང་ཡིན་པ་དེ་ནི་དངོས་པོ་མེད་པའོ། །
དངོས་པོ་མེད་པ་གང་ཡིན་པ་དེ་ནི་ཤེས་རབ་ཀྱི་ཕ་རོལ་ཏུ་ཕྱིན་པ་སྟེ། དངོས་པོ་
མེད་པས་དངོས་པོ་མེད་པ་བྲི་བར་མི་ནུས་སོ། །རབ་འབྱོར་གཞལ་ཏེ་བྱང་ཆུབ་···
སེམས་དཔའི་ཐེག་པ་པའི་རིགས་ཀྱི་བུ་དང་རིགས་ཀྱི་བུ་མོ་གང་ལ་ལས་ཤེས་རབ་··
ཀྱི་ཕ་རོལ་ཏུ་ཕྱིན་པ་ཟབ་མོ་འདི་དངོས་པོ་མེད་ཅེས་བྱ་བར་འདུ་ཤེས་ན། དེ···
ཡང་བདུད་ཀྱི་ལས་སུ་རིག་པར་བྱའོ། །གསོལ་པ། བཅོམ་ལྡན་འདས་བྱང···
ཆུབ་སེམས་དཔའི་ཐེག་པ་པའི་རིགས་[7]ཀྱི་བུའམ་རིགས་ཀྱི་བུ་མོ་གང་ལ་ལ་ཤེས···
རབ་ཀྱི་ཕ་རོལ་ཏུ་ཕྱིན་པ་ཟབ་མོ་འདི་ཡི་གེར་བྲིས་ནས། ཤེས་རབ་ཀྱི་ཕ་རོལ་ཏུ་
ཕྱིན་པ་ཟབ་མོ་འདི་བདག་གིས་བྲིས་སོ་ཞེས་མཆི་ན། དེ་ནི་ཤེས་རབ་ཀྱི་ཕ་རོལ་
ཏུ་ཕྱིན་པ་ཟབ་མོ་འདི་ལ་ཡི་གེར་མངོན་པར་ཆགས་པ་ལགས་ཏེ། བཅོམ་ལྡན···
འདས་ཤེས་རབ་ཀྱི་ཕ་རོལ་ཏུ་ཕྱིན་པ་[3]ནི་ཡི་གེ་མ་མཆིས་པའོ། །བསམ་གཏན··
གྱི་ཕ་རོལ་ཏུ་ཕྱིན་པ་ནི་ཡི་གེ་མ་མཆིས་པའོ། །བརྩོན་འགྲུས་ཀྱི་ཕ་རོལ་ཏུ་ཕྱིན་པ་
ནི་ཡི་གེ་མ་མཆིས་པའོ། །བཟོད་པའི་ཕ་རོལ་ཏུ་ཕྱིན་པ་ནི་ཡི་གེ་མ་མཆིས་པའོ། །
ཚུལ་ཁྲིམས་ཀྱི་ཕ་རོལ་ཏུ་ཕྱིན་པ་ནི་ཡི་གེ་མ་མཆིས་པའོ། །སྦྱིན་པའི་ཕ་རོལ་ཏུ··
ཕྱིན་པ་ནི་ཡི་གེ་མ་མཆིས་པའོ། །གསོལ་པ། བཅོམ་ལྡན་འདས་གཟུགས་ནི་ཡི་
གེ་མ་མཆིས་པའོ། །ཚོར་བ་དང་འདུ་ཤེས་དང་འདུ་བྱེད་དང་རྣམ་པར་ཤེས་པ··
ནི་ཡི་གེ་མ་མཆིས་པའོ། །སྐྱེ་མཆེད་དང་ཁམས་དང་རྟེན་ཅིང་འབྲེལ་པར་
འབྱུང་བ་ནི་ཡི་གེ་མ་མཆིས་པའོ། །ནང་སྟོང་པ་ཉིད་ནི་ཡི་གེ་མ་མཆིས་པའོ། །
དངོས་པོ་མེད་པའི་ངོ་བོ་ཉིད་སྟོང་པ་ཉིད་ཀྱི་བར་དུ་ནི་ཡི་གེ་མ་མཆིས་པའོ། །
བྱང་ཆུབ་ཀྱི་ཕྱོགས་ཀྱི་ཆོས་སུམ་ཅུ་རྩ་བདུན་ནི་ཡི་གེ་མ་མཆིས་པའོ། །འཕགས··

པའི་བདེན་པ་རྣམས་དང་བསམ་གཏན་རྣམས་དང་ཚད་མེད་པ་རྣམས་དང་། གཟུགས་མེད་པའི་སྙོམས་པར་འཇུག་པ་རྣམས་དང་། རྣམ་པར་ཐར་པ་བརྒྱད་དང་། མཐར་གྱིས་གནས་པའི་སྙོམས་པར་འཇུག་པ་དགུ་དང་སྟོང་པ་ཉིད་དང་མཚན་མ་མེད་པ་དང་། སྨོན་པ་མེད་པ་དང་། མངོན་པར་ཤེས་པ་རྣམས་ནི་ཡི་གེ་མ་མཆིས་པའོ། །ཏིང་ངེ་འཛིན་རྣམས་དང་། གཟུངས་ཀྱི་སྒོ་རྣམས་ནི་ཡི་གེ་མ་མཆིས་པའོ། །དེ་བཞིན་གཤེགས་པའི་སྟོབས་རྣམས་དང་མི་འཇིགས་པ་རྣམས་དང་སོ་སོ་ཡང་དག་པར་རིག་པ་རྣམས་དང་། སངས་རྒྱས་ཀྱི་ཆོས་མ་འདྲེས་པ་རྣམས་ནི་ཡི་གེ་མ་མཆིས་པའོ། །རྣམ་པ་ཐམས་ཅད་མཁྱེན་པ་ཉིད་ཀྱི་བར་ནི་ཡི་གེ་མ་མཆིས་པའོ། །བཅོམ་ལྡན་འདས་གལ་ཏེ་བྱང་ཆུབ་སེམས་དཔའི་ཐེག་པ་པའི་རིགས་ཀྱི་བུ་དང་རིགས་ཀྱི་བུ་མོ་ཡི་གེ་མ་མཆིས་པའི་ཤེས་རབ་ཀྱི་ཕ་རོལ་ཏུ་ཕྱིན་པ་ལ་མངོན་པར་ཆགས་པར་བགྱིད་ལ། ཡི་གེ་མ་མཆིས་པའི་བསམ་གཏན་གྱི་ཕ་རོལ་ཏུ་ཕྱིན་པ་དང་། བརྩོན་འགྲུས་ཀྱི་ཕ་རོལ་ཏུ་ཕྱིན་པ་དང་། བཟོད་པའི་ཕ་རོལ་ཏུ་ཕྱིན་པ་དང་། ཚུལ་ཁྲིམས་ཀྱི་ཕ་རོལ་ཏུ་ཕྱིན་པ་དང་། སྦྱིན་པའི་ཕ་རོལ་ཏུ་ཕྱིན་པ་ལ་མངོན་པར་ཆགས་པར་བགྱིད་པ་དང་། ཡི་གེ་མ་མཆིས་པའི་ནང་སྟོང་པ་ཉིད་ལ་མངོན་པར་ཆགས་པར་བགྱིད་པ་དང་། དངོས་པོ་མེད་པའི་ངོ་བོ་ཉིད་སྟོང་པ་ཉིད་ཀྱི་བར་ལ་མངོན་པར་ཆགས་པར་བགྱིད་པ་དང་། ཡི་གེ་མ་མཆིས་པའི་བྱང་ཆུབ་ཀྱི་ཕྱོགས་ཀྱི་ཆོས་སུམ་ཅུ་རྩ་བདུན་ལ་མངོན་པར་ཆགས་པར་བགྱིད་པ་དང་། འཕགས་པའི་བདེན་པ་རྣམས་དང་བསམ་གཏན་རྣམས་དང་། ཚད་མེད་པ་རྣམས་དང་། གཟུགས་མེད་པའི་སྙོམས་པར་འཇུག་པ་རྣམས་དང་། རྣམ་པར་ཐར་པ་བརྒྱད་དང་། མཐར་གྱིས་གནས་པའི་སྙོམས་པར་འཇུག་པ་དགུ་དང་། སྟོང་པ་ཉིད་དང་མཚན་མ་

མེད་པ་དང་སྨོན་པ་མེད་པ་དང་། མངོན་པར་ཤེས་པ་རྣམས་ལ་མངོན་པར་ཆགས་པར་བགྱིད་པ་དང་། ཏིང་ངེ་འཛིན་རྣམས་དང་། གཟུངས་ཀྱི་སྒོ་རྣམས་ལ་མངོན་པར་ཆགས་པར་བགྱིད་པ་དང་། དེ་བཞིན་གཤེགས་པའི་སྟོབས་རྣམས་དང་། མི་འཇིགས་པ་རྣམས་དང་། སོ་སོ་ཡང་དག་པར་རིག་པ་རྣམས་དང་། སངས་རྒྱས་ཀྱི་ཆོས་མ་འདྲེས་པ་རྣམས་ལ་མངོན་པར་ཆགས་པར་བགྱིད་པ་དང་། ཡི་གེ་མ་མཆིས་པའི་རྣམ་པ་ཐམས་ཅད་མཁྱེན་པ་ཉིད་ཀྱི་བར་ལ་མངོན་པར་ཆགས་པར་བགྱིད་ན། དེ་ཡང་བྱང་ཆུབ་སེམས་དཔའ་སེམས་དཔའ་ཆེན་པོས་བདུད་ཀྱི་[2]ལས་སུ་རིག་པར་བགྱིའོ། །བཅོམ་ལྡན་འདས་ཀྱིས་བཀའ་སྩལ་པ། རབ་འབྱོར་དེ་དེ་བཞིན་ཏེ། དེ་དེ་བཞིན་ནོ། །རབ་འབྱོར་གཞན་ཡང་བྱང་ཆུབ་སེམས་དཔའི་ཐེག་པ་པའི་རིགས་ཀྱི་བུའམ་རིགས་ཀྱི་བུ་མོས་ཤེས་རབ་ཀྱི་ཕ་རོལ་ཏུ་ཕྱིན་པ་ཟབ་མོ་འདི་འདྲི་བ་དང་། [1]ཁ་ཏོན་བྱེད་པ་དང་། ཞུ་བ་དང་འཛིན་པ་དང་ཀློག་པ་དང་། ཀུན་ཆུབ་པར་བྱེད་པ་དང་། ཚུལ་བཞིན་དུ་[1]ཡིད་ལ་བྱེད་པ་དང་། སྒོམ་པའི་ཚེ་ཡུལ་གྱི་ཡིད་ལ་བྱ་བ་མང་པོ་སྐྱེད་ན། རབ་འབྱོར་དེ་ཡང་བྱང་ཆུབ་སེམས་དཔའ་སེམས་དཔའ་ཆེན་པོས་བདུད་ཀྱི་ལས་སུ་རིག་པར་བྱའོ།། ||

ཤེས་རབ་ཀྱི་ཕ་རོལ་ཏུ་ཕྱིན་པ་སྟོང་ཕྲག་ཉི་ཤུ་ལྔ་པ། བམ་པོ་བཞི་བཅུ་བཞི་པ། རབ་འབྱོར་གཞན་ཡང་བྱང་ཆུབ་སེམས་དཔའི་ཐེག་པ་པའི་རིགས་ཀྱི་བུའམ་རིགས་ཀྱི་བུ་མོ་ཤེས་རབ་ཀྱི་ཕ་རོལ་ཏུ་ཕྱིན་པ་ཟབ་མོ་འདི་འདྲི་བ་དང་ཁ་ཏོན་བྱ་བ་དང་། ཞུ་བ་དང་འཛིན་པ་དང་ཀློག་པ་དང་ཀུན་ཆུབ་པར་བྱེད་པ་དང་ཚུལ་བཞིན་དུ་ཡིད་ལ་བྱེད་པ་དང་། སྒོམ་པའི་ཚེ་གྲོང་གི་ཡིད་ལ་བྱ་བ་དང་། གྲོང་རྡལ་གྱི་ཡིད་ལ་བྱ་བ་དང་ཁམས་ཀྱི་ཡིད་ལ་བྱ་བ་དང་། རྒྱལ་པོའི་ཕོ་བྲང་

འཁོར་གྱི་ཡིད་ལ་བྱ་བ་དང་ཁྱིམ་གྱི་ཡིད་ལ་བྱ་བ་དང་། མཁན་པོའི་ཡིད་ལ་བྱ་བ་དང་། ཕ་དང་མ་དང་ཕུ་ནུ་དང་སྲིང་མོ་དང་། གཉེན་བཤེས་དང་ལྡན་པའི་ཡིད་ལ་བྱ་བ་དང་། རྒྱན་པོ་དང་ལྡན་པའི་ཡིད་ལ་བྱ་བ་དང་། ཕྲུག་དར་[7]པ་དང་ལྡན་པའི་ཡིད་ལ་བྱ་བ་དང་། འཇིག་རྟེན་དང་ལྡན་པའི་ཡིད་ལ་བྱ་བ་དང་། སྐྱ་འཚོང་མ་དང་ལྡན་པ་དང་། བུད་མེད་དང་ལྡན་པའི་ཡིད་ལ་བྱ་བ་དང་། ཡིད་ལ་བྱ་བ་གཞན་མང་པོ་སྐྱེ་ན། རབ་འབྱོར་ཤེས་རབ་ཀྱི་ཕ་རོལ་ཏུ་ཕྱིན་པ··· ཟབ་མོ་འདི་འདྲི་བ་དང་འཆང་བ་དང་ཀློག་པ་དང་ལུང་འབོག་པ་དང་ཁ་ཏོན་བྱེད་པ་དང་ཚུལ་བཞིན་དུ་ཡིད་ལ་བྱེད་པའི་ཚེ། བར་ཆད་བྱ་བའི་ཕྱིར་བདུད··· སྡིག་ཏོ་ཅན་འཁྲུག་པར་འགྱུར་བ་ཉེ་བར་སྦྱོར་ཏེ། དེ་དག་ཀྱང་བྱང་ཆུབ་སེམས་དཔའ་སེམས་དཔའ་ཆེན་པོས་བདུད་ཀྱི་ལས་སུ་རིག་པར་བྱའོ། །རབ་འབྱོར་གཞན་ཡང་བྱང་ཆུབ་སེམས་དཔའི་ཐེག་པ་པའི་རིགས་ཀྱི་བུ་དང་རིགས་ཀྱི་བུ་མོ··· ཤེས་རབ་ཀྱི་ཕ་རོལ་ཏུ་ཕྱིན་པ་ཟབ་མོ་འདི་འདྲི་བའི་ཚེ། ཁེ་དང་བཀུར་བསྟི···· དང་། ཚིགས་སུ་བཅད་པ་དང་ཚོས་གོས་དང་ཟས་དང་མལ་ཆ་དང་། ནད··· ཀྱི་རྐྱེན་སྨན་དང་ཡོ་བྱད་མང་པོ་བྱུང་ལ། བྱང་ཆུབ་སེམས་དཔའི་ཐེག་པ་པའི་རིགས་ཀྱི་བུའམ་རིགས་ཀྱི་བུ་མོ་ཤེས་རབ་ཀྱི་ཕ་རོལ་ཏུ་ཕྱིན་པ་ཟབ་མོ་འདི་འདྲི་བ་དང་། ལུང་འབོག་པ་དང་ཁ་ཏོན་བྱེད་པ་དང་ཚུལ་བཞིན་དུ་ཡིད་ལ་བྱེད་པའི་ཚེ། དེ་དག་གི་རོ་མྱོང་བར་བྱེད་ན། རབ་འབྱོར་དེ་ཡང་བྱང་ཆུབ་སེམས་དཔའ་སེམས་དཔའ་ཆེན་པོས་བདུད་ཀྱི་ལས་སུ་རིག་པར་བྱ་སྟེ། ཤེས་རབ་ཀྱི་ཕ་རོལ་ཏུ་ཕྱིན་པ་ཟབ་མོ་འདི་འདྲི་བ་དང་ལུང་འབོག་པ་དང་ཁ་ཏོན་བྱེད་པ་དང་། ཚུལ་བཞིན་དུ་ཡིད་ལ་བྱེད་པའི་ཚེ། བར་ཆད་དེ་ལྟ་བུ་དག་འབྱུང་བར་འགྱུར་རོ།། རབ་འབྱོར་གཞན་ཡང་བྱང་ཆུབ་སེམས་དཔའི་ཐེག་པ་པའི་རིགས་ཀྱི་བུ་དང་

རིགས་ཀྱི་བུ་མོ་ཤེས་རབ་ཀྱི་ཕ་རོལ་ཏུ་ཕྱིན་པ་ཟབ་མོ་འདི་འདྲི་བ་དང་ལུང་འབོག་པ་དང་ཁ་ཏོན་བྱེད་པ་དང་ཚུལ་བཞིན་དུ་ཡིད་ལ་བྱེད་པ་དང་སྒོམ་པའི་ཚེ། བདུད་སྡིག་ཏོ་ཅན་དག་མདོ་སྡེ་ཟབ་མོ་[1]གང་ཉན་ཐོས་དང་། རང་སངས་རྒྱས་དང་ལྡན་པ་དྲན་པ་ཉེ་བར་བཞག་པ་རྣམས་དང་། འཕགས་པའི་ལམ་ཡན་ལག་བརྒྱད་པའི་བར་དང་། རྣམ་པར་ཐར་པའི་སྒོ་སྟོང་པ་ཉིད་དང་མཚན་མ་མེད་པ་དང་སྨོན་པ་མེད་པ་དག་ཉེ་བར་བསྟན་པར་བྱེད་དེ། དེ་ལ་བྱང་ཆུབ་སེམས་དཔའི་ཐེག་པ་པའི་རིགས་ཀྱི་བུ་དང་རིགས་ཀྱི་བུ་མོས་ཐབས་མཁས་པས་བདུད་ཀྱིས་བསྟན་པའི་མདོ་སྡེ་ཟབ་མོ་[3]དེ་དག་ལ་འདོད་པ་མི་བསྐྱེད་དོ། །རབ་འབྱོར་དེ་ཅིའི་ཕྱིར་ཞེ་ན། དེ་དག་ནི་རྣམ་པ་ཐམས་ཅད་མཁྱེན་པ་ཉིད་ཐོབ་པར་བྱེད་པ་མ་ཡིན་ནོ། །རབ་འབྱོར་དེ་ལ་བྱང་ཆུབ་སེམས་དཔའ་ཐབས་མི་མཁས་པ་དག་ནི། ཤེས་རབ་ཀྱི་ཕ་རོལ་ཏུ་ཕྱིན་པ་ཟབ་མོ་འདི་ཐོས་ནས་སྤང་བར་སེམས་ཏེ། དེ་ལ་ངས་བྱང་ཆུབ་སེམས་དཔའ་སེམས་དཔའ་ཆེན་པོ་རྣམས་ལ་ཐབས་མཁས་པ་ཡང་རྒྱ་ཆེར་བསྟན་ཏེ། ཤེས་རབ་ཀྱི་ཕ་རོལ་ཏུ་ཕྱིན་པ་ཟབ་མོ་འདི་ལས་ཀྱང་། ཐབས་མཁས་པ་རྒྱ་ཆེར་བཙལ་བར་བྱའོ། །རབ་འབྱོར་དེ་ལྟར་བྱང་ཆུབ་སེམས་དཔའི་ཐེག་པ་པའི་རིགས་ཀྱི་བུ་དང་རིགས་ཀྱི་བུ་མོ་ཤེས་རབ་ཀྱི་ཕ་རོལ་ཏུ་ཕྱིན་པ་ཟབ་མོ་འདི་བོར་ཞིང་ཉན་ཐོས་དང་། རང་སངས་རྒྱས་དང་ལྡན་པའི་མདོ་སྡེ་དག་ལས་ཐབས་མཁས་པས་བཙལ་བར་སེམས་པ་ཡོད་ན། རབ་འབྱོར་དེ་ཡང་བྱང་ཆུབ་སེམས་དཔའ་སེམས་དཔའ་ཆེན་པོས་བདུད་ཀྱི་ལས་སུ་རིག་པར་བྱའོ། །ཤེས་རབ་ཀྱི་ཕ་རོལ་ཏུ་ཕྱིན་པ་སྟོང་ཕྲག་ཉི་ཤུ་ལྔ་པ་ལས་ལེའུ་སུམ་ཅུ་གཅིག་པའོ།། ||

རབ་འབྱོར་གཞན་ཡང་ཆོས་ཉན་པ་ནི་ཤེས་རབ་ཀྱི་ཕ་རོལ་ཏུ་ཕྱིན་པ་ཟབ་མོ་འདི་འདྲི[1]བ་དང་། ལུང་འབོག་པ་དང་། ཁ་ཏོན་བྱ་བར་དགའ་ལ། ཆོས་སྨྲ་བ་ནི་ཕྱི་ཤོལ[2]བྱེད་ན། རབ་འབྱོར་དེ་ཡང་བྱང་ཆུབ་སེམས་དཔའ་སེམས་དཔའ་ཆེན་པོས་བདུད་ཀྱི་ལས་སུ་རིག་པར་བྱའོ། །རབ་འབྱོར་གཞན་ཡང་ཆོས་སྨྲ་བ་ནི། ཤེས་རབ་ཀྱི་ཕ་རོལ་ཏུ་ཕྱིན་པ་ཟབ་མོ་འདི་འདྲི[3]བ་དང་ལུང་འབོག་པ་དང་ཁ་ཏོན་བྱ་བར་ཕྱི་ཤོལ[4]མི་བྱེད་ལ་ཆོས་ཉན་པ་ནི་ཡུལ་གཞན་དུ་འགྲོ་ན། རབ་འབྱོར་དེ་ཡང་བྱང་ཆུབ་སེམས་དཔའ་སེམས་དཔའ་ཆེན་པོས་བདུད་ཀྱི་ལས་སུ་རིག་པར་བྱའོ། །རབ་འབྱོར་གཞན་ཡང་ཆོས་ཉན་པ་ནི། ཤེས་རབ་ཀྱི་ཕ་རོལ་ཏུ་ཕྱིན་པ་ཟབ་མོ་འདི་འདྲི[5]བ་དང་ལུང་འབོག་པ་དང་ཁ་ཏོན་བྱ་བར་འདོད་ལ། ཆོས་སྨྲ་བ་ནི་ཡུལ་གཞན་དུ་འགྲོ་ན། རབ་འབྱོར་དེ་ཡང་བྱང་ཆུབ་སེམས་དཔའ་སེམས་དཔའ་ཆེན་པོས་བདུད་ཀྱི་ལས་སུ་རིག་པར་བྱའོ། །རབ་འབྱོར་གཞན་ཡང་ཆོས་སྨྲ་བ་ནི། ཁེ་དང་བཀུར་སྟི་དང་ཚིགས་སུ་བཅད་པ་ལྷུར་ལེན་ཅིང་གོས་དང་ཟས་དང་མལ་ཆ་དང་ནད་ཀྱི་རྐྱེན་སྨན་དང་། ཡོ་བྱད་ལྷུར་ལེན་ལ། ཆོས་ཉན་པ་ནི་འདོད་པ་ཆུང་ཞིང་ཆོག་ཤེས་ལ། རབ་ཏུ་དབེན་ཞིང་བརྩོན་འགྲུས་བརྩམས་པ། དྲན་པ་ཉེ་བར་གཞག་པ། མི་གཡེང་བ། སེམས་རྩེ་གཅིག་ཏུ་འདུས་པ། ཤེས་རབ་དང་ལྡན་པ་ཞིག་སྟེ། ཁེ་དང་བཀུར་སྟིས་འཛིགས་ན། རབ་འབྱོར་དེ་ཡང་ཤེས་རབ་ཀྱི་ཕ་རོལ་ཏུ་ཕྱིན་པ་ཟབ་མོ་འདི་འདྲི་བ་དང་ལུང་འབོག་པ་དང་ཁ་ཏོན་བྱེད་པའི་རྐྱེན་མི་ལྡན་པ་སྟེ། རབ་འབྱོར་དེ་ཡང་བྱང་ཆུབ་སེམས་དཔའ་སེམས་དཔའ[6]ཆེན་པོས་བདུད་ཀྱི་ལས་སུ་རིག་པར་བྱའོ། །རབ་འབྱོར་གཞན་ཡང་ཆོས་སྨྲ་བ་ནི་འདོད་པ་ཆུང་ཞིང་ཆོག[7]ཤེས་ལ་རབ་ཏུ་དབེན་ཞིང་། བརྩོན་འགྲུས་བརྩམས་པ། དྲན་པ་ཉེ་བར་

གཞག་པ། མི་གཡེང་བ། སེམས་རྩེ་གཅིག་ཏུ་འདུས་པ་ཤེས་རབ་དང་ལྡན་པ་ཞིག་སྟེ། ཁེ་དང་བཀུར་སྟིས་འཇིགས་ལ། ཆོས་ཉན་པ་ནི་འདོད་པ་ཆེ་ཞིང་སྡིག་ཏོ་འདོད་ལ། ཁེ་དང་བཀུར་སྟི་དང་ཚིགས་སུ་བཅད་པ་ལྷུར་ལེན་ཅིང་། གོས་དང་ཟས་དང་མལ་ཆ་དང་ནད་ཀྱི་རྐྱེན་རྫི་དང་། ཡོ་བྱད་ལྷུར་ལེན་ན། རབ་འབྱོར་དེ་ཡང་ཤེས་རབ་ཀྱི་ཕ་རོལ་ཏུ་ཕྱིན་པ་ཟབ་མོ་འདི་འདྲི་བ་དང་ལུང་འབོག་པ་དང་ཁ་ཏོན་བྱེད་པའི་རྒྱུ་རྐྱེན་མི་ལྡན་པ་སྟེ། རབ་འབྱོར་དེ་ཡང་བྱང་ཆུབ་སེམས་དཔའ་སེམས་དཔའ་ཆེན་པོས་བདུད་ཀྱི་ལས་སུ་རིག་པར་བྱའོ། །རབ་འབྱོར་གཞན་ཡང་ཆོས་སྨྲ་བ་ནི་དགོན་པ་པ། བསོད་སྙོམས་པ། ཕྱག་དར་[༡]ཁྲོད་པ། ཟས་ཕྱིས་མི་ལེན་པ། སྟན་གཅིག་པ། ཅི་ཐོབ་པའི་བསོད་སྙོམས་ལེན་པ། དུར་ཁྲོད་པ། བླ་གབ་མེད་པ། ཤིང་དྲུང་པ། ཅོག་[༢]བུ་པ། གཞི་ཇི་བཞིན་པ། ཆོས་གོས་གསུམ་[༣]པར་གྱུར་ལ། ཆོས་ཉན་པ་ནི་དགོན་པ་པ་མ་ཡིན། བསོད་སྙོམས་པ་མ་ཡིན། ཕྱག་དར་[༤]ཁྲོད་པ་མ་ཡིན། ཟས་ཕྱིས་མི་ལེན་པ་མ་ཡིན། སྟན་གཅིག་པ་མ་ཡིན། ཅི་ཐོབ་པའི་བསོད་སྙོམས་ལེན་པ་མ་ཡིན། དུར་ཁྲོད་པ་མ་ཡིན། བླ་གབ་མེད་པ་མ་ཡིན། ཤིང་དྲུང་པ་མ་ཡིན། ཅོག་[༥]བུ་པ་མ་ཡིན། གཞི་ཇི་བཞིན་པ་མ་ཡིན། ཆོས་གོས་གསུམ་[༦]པ་མ་ཡིན[༧]། རབ་འབྱོར་དེ་ཡང་ཤེས་རབ་ཀྱི་ཕ་རོལ་ཏུ་ཕྱིན་པ་ཟབ་[༨]མོ་འདི་འདྲི་བ་དང་། ལུང་འབོག་པ་དང་། ཁ་ཏོན་བྱེད་པའི་རྒྱུ་རྐྱེན་མི་ལྡན་པ་སྟེ། རབ་འབྱོར་དེ་ཡང་བྱང་ཆུབ་སེམས་དཔའ་སེམས་དཔའ་ཆེན་པོས་བདུད་ཀྱི་ལས་སུ་རིག་པར་བྱའོ། །རབ་འབྱོར་གཞན་ཡང་ཆོས་ཉན་པ་ནི་[༩]དགོན་པ་པ་དང་། ཆོས་གོས་གསུམ་པའི་བར་དུ་གྱུར་ལ། ཆོས་སྨྲ་བ་ནི་དགོན་པ་པ་མ་ཡིན[༡༠]། ཆོས་གོས་གསུམ་པའི་བར་དུ་མ་ཡིན[༡༡]། རབ་འབྱོར་དེ་ཡང་ཤེས་

རབ་ཀྱི་ཕ་རོལ་ཏུ་ཕྱིན་པ་ཟབ་མོ་འདི་འདྲི་བ་དང་། ལུང་འབོག་པ་དང་ཁ་ཏོན་བྱེད་པའི་རྒྱུ་རྐྱེན་མི་ལྡན་པ་སྟེ། རབ་འབྱོར་དེ་ཡང་བྱང་ཆུབ་སེམས་དཔའ་སེམས་དཔའ་ཆེན་པོས་བདུད་ཀྱི་ལས་སུ་རིག་པར་བྱའོ། །རབ་འབྱོར་གཞན་ཡང་ཆོས་ཉན་པ་ནི་དད་ཅིང་བསམ་པ་དགེ་ལ། ཤེས་རབ་ཀྱི་ཕ་རོལ་ཏུ་ཕྱིན་པ་ཟབ་མོ་འདི་འདྲི་(༡)བར་འདོད། ལུང་འབོག་པར་འདོད། ཁ་ཏོན་(༢)བྱ་བར་འདོད་ལ། ཆོས་སྨྲ་བ་ནི་མ་དད་པ། ཚུལ་ཁྲིམས་ངན་པ་ཅན། སྡིག་པའི་ཆོས་ཅན་ཞིག་སྟེ། ཤེས་རབ་ཀྱི་ཕ་རོལ་ཏུ་ཕྱིན་པ་ཟབ་མོ་འདི་འདྲི་(༣)བར་མི་འདོད། ལུང་འབོག་པར་མི་འདོད། ཁ་ཏོན་བྱེད་པར་མི་འདོད་ན། རབ་འབྱོར་དེ་ཡང་ཤེས་རབ་ཀྱི་ཕ་རོལ་ཏུ་ཕྱིན་པ་ཟབ་མོ་འདི་འདྲི་བ་དང་། ལུང་འབོག་པ་དང་། ཁ་ཏོན་བྱེད་པའི་རྒྱུ་རྐྱེན་མི་ལྡན་པ་སྟེ། རབ་འབྱོར་དེ་ཡང་བྱང་ཆུབ་སེམས་དཔའ་སེམས་དཔའ་ཆེན་པོས་བདུད་ཀྱི་ལས་སུ་རིག་པར་བྱའོ། །རབ་འབྱོར་གཞན་ཡང་ཆོས་སྨྲ་བ་ནི་དད་ཅིང་བསམ་པ་དགེ་ལ། ཤེས་རབ་ཀྱི་ཕ་རོལ་ཏུ་ཕྱིན་པ་ཟབ་མོ་འདི་འདྲི་(༤)བ་དང་། ཁ་ཏོན་བྱེད་པའི་བར་དུ་འདོད་ལ། ཆོས་ཉན་པ་ནི་མ་དད་ན། རབ་འབྱོར་དེ་ཡང་ཤེས་རབ་ཀྱི་ཕ་རོལ་ཏུ་ཕྱིན་པ་ཟབ་མོ་འདི་འདྲི་བ་དང་། ལུང་འབོག་པ་དང་། ཁ་ཏོན་བྱེད་པའི་རྒྱུ་རྐྱེན་མི་ལྡན་པ་སྟེ། རབ་འབྱོར་དེ་ཡང་བྱང་ཆུབ་སེམས་དཔའ་སེམས་དཔའ་ཆེན་པོས་བདུད་ཀྱི་ལས་སུ་རིག་པར་བྱའོ། །རབ་འབྱོར་གཞན་ཡང་ཆོས་སྨྲ་བ་ནི་བདོག་པ་ཐམས་ཅད་ཡོངས་སུ་གཏོང་ཞིང་སེམས་ལ་ཆགས་པ་མེད་ལ། ཆོས་ཉན་པ་ནི་སེར་སྣ་ཅན་ཆགས་པའི་སེམས་དང་ལྡན་ཞིང་འཇུངས་པར་གྱུར་ན། རབ་འབྱོར་དེ་ཡང་ཤེས་རབ་ཀྱི་ཕ་རོལ་ཏུ་ཕྱིན་པ་ཟབ་མོ་འདི་འདྲི་བ་དང་། ལུང་འབོག་(༥)པ་དང་། ཁ་ཏོན་བྱེད་པའི་རྒྱུ་རྐྱེན་མི་ལྡན་པ་སྟེ། རབ་འབྱོར་དེ་ཡང་བྱང་

ཆུབ་སེམས་དཔའ་སེམས་དཔའ་ཆེན་པོས་བདུད་ཀྱི་ལས་སུ་རིག་པར་བྱའོ། །རབ་འབྱོར་གཞན་ཡང་ཆོས་ཉན་པ་ནི་བདོག་པ་ཐམས་ཅད་ཡོངས་སུ་གཏོང་ཞིང་སེམས་ལ་ཆགས་པ་མེད་ལ། ཆོས་སྨྲ་བ་ནི་སེར་སྣ་ཅན་ཆགས་པའི་སེམས་དང་ལྡན་ཞིང་འཇུངས་པར་གྱུར་ན། རབ་འབྱོར་དེ་ཡང་ཤེས་རབ་ཀྱི་ཕ་རོལ་ཏུ་ཕྱིན་པ་ཟབ་མོ་འདི་འདྲི་བ་དང་། ལུང་འབོག་པ་དང་། ཁ་ཏོན་བྱེད་པའི་རྐྱེན་མི་ལྡན་པ་སྟེ། རབ་འབྱོར་དེ་ཡང་བྱང་ཆུབ་སེམས་དཔའ་སེམས་དཔའ་ཆེན་པོས་བདུད་ཀྱི་ལས་སུ་རིག་པར་བྱའོ། །རབ་འབྱོར་གཞན་ཡང་ཆོས་ཉན་པ་ནི། ཆོས་སྨྲ་བ་ལ་གོས་དང་། ཟས་དང་། མལ་ཆ་དང་། ནད་ཀྱི་རྐྱེན་སྨན་དང་། ཡོ་བྱད་ཡོངས་སུ་གཏོང་བར་འདོད་ལ། ཆོས་སྨྲ་བ་ནི་ལེན་པར་མི་འདོད་ན། རབ་འབྱོར་དེ་ཡང་ཤེས་རབ་ཀྱི་ཕ་རོལ་ཏུ་ཕྱིན་པ་ཟབ་མོ་འདི་འདྲི་བ་དང་ལུང་འབོག་པ་དང་། ཁ་ཏོན་བྱེད་པའི་རྐྱེན་མི་ལྡན་པ་སྟེ། རབ་འབྱོར་དེ་ཡང་བྱང་ཆུབ་སེམས་དཔའ་སེམས་དཔའ་ཆེན་པོས་བདུད་ཀྱི་ལས་སུ་རིག་པར་བྱའོ། །རབ་འབྱོར་གཞན་ཡང་ཆོས་སྨྲ་བ་ནི་གླིངས་པ་ཙམ་གྱིས་ཤེས་ལ། ཆོས་ཉན་པ་ནི་བཀྱི་①དགོས་ཤིང་ཚིག་ལྷུར་ལེན་པར་གྱུར་ན། རབ་འབྱོར་དེ་ཡང་ཤེས་རབ་ཀྱི་ཕ་རོལ་ཏུ་ཕྱིན་པ་ཟབ་མོ་འདི་འདྲི་བ་དང་། ལུང་འབོག་པ་དང་། ཁ་ཏོན་བྱེད་པའི་རྐྱེན་མི་ལྡན་པ་སྟེ། རབ་འབྱོར་དེ་ཡང་བྱང་ཆུབ་སེམས་དཔའ་སེམས་དཔའ་ཆེན་པོས་②བདུད་ཀྱི་ལས་སུ་རིག་པར་བྱའོ། །རབ་འབྱོར་གཞན་ཡང་ཆོས་ཉན་པ་ནི་གླིངས་པ་ཙམ་གྱིས་ཤེས་ལ། ཆོས་སྨྲ་བ་ནི་བཀྱི་③དགོས་ཤིང་ཚིག་ལྷུར་ལེན་པར་གྱུར་ན། རབ་འབྱོར་དེ་ཡང་ཤེས་རབ་ཀྱི་ཕ་རོལ་ཏུ་ཕྱིན་པ་ཟབ་མོ་འདི་འདྲི་བ་དང་། ལུང་འབོག་པ་དང་ཁ་ཏོན་བྱེད་པའི་རྐྱེན་མི་ལྡན་པ་སྟེ། རབ་འབྱོར་དེ་ཡང་བྱང་ཆུབ་སེམས་དཔའ་སེམས་དཔའ་ཆེན་པོས་④

བདུད་ཀྱི་ལས་སུ་རིག་པར་བྱའོ། །རབ་འབྱོར་གཞན་ཡང་ཆོས་སྨྲ་བ་ནི་མདོ་དང་དབྱངས་ཀྱིས་བསྙད་པ་དང་། ལུང་བསྟན་པ་དང་། ཚིགས་སུ་བཅད་པ་དང་ཆེད་དུ་བརྗོད་པ་དང་། གླེང་གཞི་དང་། འདི་ལྟར་འདས་པ་དང་། སྐྱེས་པའི་རབས་དང་། ཤིན་ཏུ་རྒྱས་པ་དང་། ཆོས་རྨད་དུ་བྱུང་བ་དང་། རྟོགས་[1]པ་བརྗོད་པ་དང་གཏན་ལ་ཕབ་པ་[2]བསྟན་པའི་ཆོས་ཀྱི་ཁྱད་པར་ཤེས་ལ། ཆོས་ཉན་པ་ནི་མདོ་དང་དབྱངས་ཀྱིས་བསྙད་པ་དང་ལུང་བསྟན་པ་དང་། ཚིགས་སུ་བཅད་པ་དང་། ཆེད་དུ་བརྗོད་པ་དང་། གླེང་[3]གཞི་དང་འདི་ལྟར་འདས་པ་དང་། སྐྱེས་པའི་རབས་དང་ཤིན་ཏུ་རྒྱས་པ་དང་། ཆོས་རྨད་དུ་བྱུང་བ་དང་། རྟོགས་པ་བརྗོད་པ་དང་། གཏན་ལ་ཕབ་[4]པ་བསྟན་པའི་ཆོས་ཀྱི་ཁྱད་པར་མི་ཤེས་ན། རབ་འབྱོར་དེ་ཡང་ཤེས་རབ་ཀྱི་ཕ་རོལ་ཏུ་ཕྱིན་པ་ཟབ་མོ་འདི་འདྲི་བ་དང་། ལུང་འབོག་པ་དང་ཁ་ཏོན་བྱེད་པའི་རྒྱུ་རྐྱེན་མི་ལྡན་པ་སྟེ། རབ་འབྱོར་དེ་ཡང་བྱང་ཆུབ་སེམས་དཔའ་སེམས་དཔའ་ཆེན་པོས་བདུད་ཀྱི་ལས་སུ་རིག་པར་བྱའོ། །རབ་འབྱོར་གཞན་ཡང་ཆོས་ཉན་པ་ནི་མདོ་དང་། དབྱངས་ཀྱིས་བསྙད་པ་དང་། ལུང་བསྟན་པ་དང་གཏན་ལ་ཕབ་[5]པར་བསྟན་པའི་ཆོས་ཀྱི་བར་གྱི་ཁྱད་པར་ཤེས་ལ། ཆོས་སྨྲ་བ་ནི་མདོ་དང་དབྱངས་ཀྱིས་བསྙད་པ་དང་ལུང་བསྟན་པ་དང་གཏན་ལ་ཕབ་[6]པར་བསྟན་པའི་ཆོས་ཀྱི་བར་གྱི་ཁྱད་པར་མི་ཤེས་ན། རབ་འབྱོར་དེ་ཡང་ཤེས་རབ་ཀྱི་ཕ་རོལ་ཏུ་ཕྱིན་པ་ཟབ་མོ་འདི་འདྲི་བ་དང་། ལུང་[7]འབོག་པ་དང་ཁ་ཏོན་བྱེད་པའི་རྒྱུ་རྐྱེན་མི་ལྡན་པ་སྟེ། རབ་འབྱོར་དེ་ཡང་བྱང་ཆུབ་སེམས་དཔའ་སེམས་དཔའ་ཆེན་པོས་བདུད་ཀྱི་ལས་སུ་རིག་པར་བྱའོ། །རབ་འབྱོར་གཞན་ཡང་ཆོས་སྨྲ་བ་ནི་ཕ་རོལ་ཏུ་ཕྱིན་པ་དྲུག་དང་ལྡན་ལ། ཆོས་ཉན་པ་ནི་ཕ་རོལ་ཏུ་ཕྱིན་པ་དྲུག་དང་མི་ལྡན་ན། རབ་…

འབྱོར་དེའང་ཤེས་རབ་ཀྱི་ཕ་རོལ་ཏུ་ཕྱིན་པ་ཟབ་མོ་འདི་འདྲི་བ་དང་ལྷུང་འདོག་
པ་དང་། ཁ་ཏོན་བྱེད་པའི་རྒྱུ་རྐྱེན་མི་ལྡན་པ་སྟེ། རབ་འབྱོར་དེ་ཡང་བྱང་
ཆུབ་སེམས་དཔའ་སེམས་དཔའ་ཆེན་པོས་བདུད་ཀྱི་ལས་སུ་རིག་པར་བྱའོ། །
རབ་འབྱོར་གཞན་ཡང་ཆོས་ཉན་པ་ནི་ཕ་རོལ་ཏུ་ཕྱིན་པ་དྲུག་དང་ལྡན་ལ། ཆོས་
སྨྲ་བ་ནི་ཕ་རོལ་ཏུ་ཕྱིན་པ་དྲུག་དང་མི་ལྡན་ན། རབ་འབྱོར་དེའང་ཤེས་རབ་ཀྱི་
ཕ་རོལ་ཏུ་ཕྱིན་པ་ཟབ་མོ་འདི་འདྲི་བ་དང་། ལྷུང་འདོག་པ་དང་ཁ་ཏོན་བྱེད་
པའི་རྒྱུ་རྐྱེན་མི་ལྡན་པ་སྟེ། རབ་འབྱོར་དེ་ཡང་བྱང་ཆུབ་སེམས་དཔའ་སེམས་
དཔའ་ཆེན་པོས་བདུད་ཀྱི་ལས་སུ་རིག་པར་བྱའོ། །རབ་འབྱོར་གཞན་ཡང་ཆོས་
སྨྲ་བ་ནི་ཕ་རོལ་ཏུ་ཕྱིན་པ་དྲུག་ལ་ཐབས་མཁས་ལ་ཆོས་ཉན་པ་ནི་ཕ་རོལ་ཏུ་ཕྱིན་
པ་དྲུག་ལ་ཐབས་མི་མཁས་ན། རབ་འབྱོར་དེ་ཡང་ཤེས་རབ་ཀྱི་ཕ་རོལ་ཏུ་ཕྱིན་
པ་ཟབ་མོ་འདི་འདྲི་བ་དང་། ལྷུང་འདོག་པ་དང་། ཁ་ཏོན་བྱེད་པའི་རྒྱུ་རྐྱེན་
མི་ལྡན་པ་སྟེ། རབ་འབྱོར་དེ་ཡང་བྱང་ཆུབ་སེམས་དཔའ་སེམས་དཔའ་ཆེན་
པོས་བདུད་ཀྱི་ལས་སུ་རིག་པར་བྱའོ། །རབ་འབྱོར་གཞན་ཡང་ཆོས་ཉན་པ་ནི་ཕ་
རོལ་ཏུ་ཕྱིན་པ་དྲུག་ལ་ཐབས་མཁས་ལ། ཆོས་སྨྲ་བ་ནི་ཕ་རོལ་ཏུ་ཕྱིན་པ་དྲུག་ལ་
ཐབས་མི་མཁས་ན། རབ་འབྱོར་དེ་ཡང་ཤེས་རབ་ཀྱི་ཕ་རོལ་ཏུ་ཕྱིན་པ་ཟབ་མོ་
འདི་འདྲི་བ་དང་། ལྷུང་འདོག་པ་དང་། ཁ་ཏོན་བྱེད་པའི་རྒྱུ་རྐྱེན་མི་ལྡན་པ་
སྟེ། རབ་འབྱོར་དེ་ཡང་བྱང་ཆུབ་སེམས་དཔའ་སེམས་དཔའ་ཆེན་པོས་བདུད་
ཀྱི་ལས་སུ་རིག་པར་བྱའོ། །རབ་འབྱོར་གཞན་ཡང་ཆོས་སྨྲ་བ་ནི་གཟུངས་ཐོབ་
པར་གྱུར་ལ། ཆོས་ཉན་པ་ནི་གཟུངས་མ་ཐོབ་ན། རབ་འབྱོར་དེ་ཡང་ཤེས་
རབ་ཀྱི་ཕ་རོལ་ཏུ་ཕྱིན་པ་ཟབ་མོ་འདི་འདྲི་བ་དང་། ལྷུང་འདོག་པ་དང་། ཁ་
ཏོན་⑦བྱེད་པའི་རྒྱུ་རྐྱེན་མི་ལྡན་པ་སྟེ། རབ་འབྱོར་དེ་ཡང་བྱང་ཆུབ་སེམས་

དཔའ་སེམས་དཔའ་ཆེན་པོས་བདུད་ཀྱི་ལས་སུ་རིག་པར་བྱའོ། །རབ་འབྱོར་གཞན་ཡང་ཆོས་ཉན་པ་ནི་གཟུངས་ཐོབ་པར་གྱུར་ལ། ཆོས་སྨྲ་བ་ནི་གཟུངས་མ་ཐོབ་ན། རབ་འབྱོར་དེ་ཡང་ཤེས་རབ་ཀྱི་ཕ་རོལ་ཏུ་ཕྱིན་པ་ཟབ་མོ་འདི་འདྲི་བ་དང་། ལུང་འབོག་པ་དང་། ཁ་ཏོན་བྱེད་པའི་རྒྱུ་རྐྱེན་མི་ལྡན་པ་སྟེ། རབ་འབྱོར་དེ་ཡང་བྱང་ཆུབ་སེམས་དཔའ་སེམས་དཔའ་ཆེན་པོས་བདུད་ཀྱི་ལས་སུ་རིག་པར་བྱའོ། །རབ་འབྱོར་གཞན་ཡང་ཆོས་སྨྲ་བ་ནི་འདྲི་[1]བར་འདོད། ཀླག་[2]པར་འདོད། ལུང་འབོག་པར་འདོད། ཁ་ཏོན་བྱ་བར་འདོད། བསྒོམ་པར་བྱ་བར་འདོད་ལ། ཆོས་ཉན་པ་ནི་འདྲི་[3]བར་མི་འདོད། ཀླག་[4]པར་མི་འདོད། ལུང་འབོག་[5]པར་མི་འདོད། ཁ་ཏོན་བྱ་བར་མི་འདོད། མཉན་པར་མི་འདོད་ན། རབ་འབྱོར་དེ་ཡང་ཤེས་རབ་ཀྱི་ཕ་རོལ་ཏུ་ཕྱིན་པ་ཟབ་མོ་འདི་འདྲི་བ་དང་། ལུང་འབོག་པ་དང་། ཁ་ཏོན་བྱེད་པའི་རྒྱུ་རྐྱེན་མི་ལྡན་པ་སྟེ། རབ་འབྱོར་དེ་ཡང་བྱང་ཆུབ་སེམས་དཔའ་སེམས་དཔའ་ཆེན་པོས་བདུད་ཀྱི་ལས་སུ་རིག་[6]པར་བྱའོ། །རབ་འབྱོར་གཞན་ཡང་ཆོས་ཉན་པ་ནི་འདྲི་[7]བར་འདོད། མཉན་པའི་བར་དུ་འདོད་ལ། ཆོས་སྨྲ་བ་ནི་འདྲི་[8]བར་མི་འདོད། བསྒོམ་པའི་བར་དུ་མི་འདོད་པར་གྱུར་ན། རབ་འབྱོར་དེ་ཡང་ཤེས་རབ་ཀྱི་ཕ་···རོལ་ཏུ་ཕྱིན་པ་ཟབ་མོ་འདི་འདྲི་བ་དང་། ལུང་འབོག་པ་དང་། ཁ་ཏོན་བྱེད་པའི་རྒྱུ་རྐྱེན་མི་ལྡན་པ་སྟེ། རབ་འབྱོར་དེ་ཡང་བྱང་ཆུབ་སེམས་དཔའ་སེམས་····དཔའ་ཆེན་པོས་བདུད་ཀྱི་ལས་སུ་རིག་པར་བྱའོ། །རབ་འབྱོར་གཞན་ཡང་ཆོས་སྨྲ་བ་ནི་འདོད་པའི་སྲིད་[9]པ་དང་བྲལ། གནོད་སེམས་དང་། རྨུགས་[10]པ་དང་། གཉིད་དང་འགྱོད་པ་དང་བྲལ། ཐེ་ཚོམ་དང་བྲལ་ལ། ཆོས་ཉན་པ་ནི་འདོད་པའི་སྲིད་པ་དང་བཅས། གནོད་སེམས་དང་། རྨུགས་[11]པ་དང་། གཉིད་···

དང་། འགྱོད་པ་དང་བཅས། ཐེ་ཚོམ་དང་བཅས་པར་གྱུར་ན། རབ་འཁོར་དེ་ཡང་ཤེས་རབ་ཀྱི་ཕ་རོལ་ཏུ་ཕྱིན་པ་ཟབ་མོ་འདི་འདྲི་བ་དང་། ལུང་འབོག་པ་དང་ཁ་ཏོན་བྱེད་པའི་རྒྱུ་རྐྱེན་མི་ལྡན་པ་སྟེ། རབ་འཁོར་དེ་ཡང་བྱང་ཆུབ་སེམས་དཔའ་སེམས་དཔའ་ཆེན་པོས་བདུད་ཀྱི་ལས་སུ་རིག་པར་བྱའོ། །རབ་འཁོར་གཞན་ཡང་ཆོས་ཉན་པ་ནི་འདོད་པའི་སྲེད་①པ་དང་བྲལ། གནོད་སེམས་དང་། སྙོམ་②པ་དང་། གཉིད་དང་འགྱོད་པ་དང་བྲལ། ཐེ་ཚོམ་དང་བྲལ་ལ། ཆོས་སྨྲ་བ་ནི་འདོད་པའི་སྲེད་③པ་དང་བཅས། གནོད་སེམས་དང་། སྙོམ་④པ་དང་གཉིད་དང་འགྱོད་པ་དང་བཅས། ཐེ་ཚོམ་དང་བཅས་པར་གྱུར་ན། རབ་འཁོར་དེ་ཡང་ཤེས་རབ་ཀྱི་ཕ་རོལ་ཏུ་ཕྱིན་པ་ཟབ་མོ་འདི་འདྲི་བ་དང་། ལུང་འབོག་པ་དང་ཁ་ཏོན་བྱེད་པའི་རྒྱུ་རྐྱེན་མི་ལྡན་པ་སྟེ། རབ་འཁོར་དེ་ཡང་བྱང་ཆུབ་སེམས་དཔའ་སེམས་དཔའ་ཆེན་པོས་བདུད་ཀྱི་ལས་སུ་རིག་པར་བྱའོ། །རབ་འཁོར་གཞན་ཡང་ཤེས་རབ་ཀྱི་ཕ་རོལ་ཏུ་ཕྱིན་པ་ཟབ་མོ་འདི་འདྲི་བ་དང་། ཀློག་པ་དང་ལུང་འབོག་པ་དང་ཁ་ཏོན་བྱེད་པ་དང་། ཿའཆང་བ་⑤དང་ཚུལ་བཞིན་དུ་ཡིད་ལ་བྱེད་པ་དེའི་ཚེ། ལ་ལ་ཞིག་དེར་འོངས་ཏེ་སེམས་ཅན་དམྱལ་བའི་མི་སྙན་པ་བརྗོད། བྱོལ་སོང་གི་སྐྱེ་གནས་པ་དང་། གཤིན་རྗེའི་འཇིག་རྟེན་དང་། ཡི་དྭགས་ཀྱི་ཡུལ་གྱི་མི་སྙན་པ་བརྗོད་ཅིང་། སེམས་ཅན་དམྱལ་བ་ནི་འདི་ལྟ་བུར་སྡུག་བསྔལ་ལོ། །བྱོལ་སོང་གི་སྐྱེ་གནས་ནི་འདི་⑥ལྟ་བུར་⑦སྡུག་བསྔལ་ལོ། །ཡི་དྭགས་ཀྱི་ཡུལ་ནི་འདི་ལྟ་བུར་སྡུག་བསྔལ་ལོ།། ཁྱོད་ཀྱི་⑧སྡུག་བསྔལ་འདི་ཉིད་དུ་མཐར་ཕྱིན་པར་གྱིས་ཤིག །གང་ལ་སྡུག་བསྔལ་སྟོང་ཕྲག་མང་པོ་ཉམས་སུ་མྱོང་བར་འགྱུར་བའི་བླ་ན་མེད་པ་ཡང་དག་པར་རྫོགས་པའི་བྱང་ཆུབ་⑨ཀྱིས་ཁྱོད་ལ་ཅི་ཞིག་བྱ། ཁྱོད་ཡུན་རིང་པོས་⑩འཁོར་བ་

ན་འཁོར་བར་གྱུར་ཏ་རེ་ཞེས་ཟེར་ན། རབ་འབྱོར་དེའང་ཤེས་རབ་ཀྱི་ཕ་རོལ་ཏུ་
ཕྱིན་པ་ཟབ་མོ་འདི་འདྲི་བ་དང་། ལུང་འབོག་པ་དང་། ཁ་ཏོན་བྱེད་པའི་རྒྱུ་
རྐྱེན་མི་ལྡན་པ་སྟེ། རབ་འབྱོར་དེ་ཡང་བྱང་ཆུབ་སེམས་དཔའ་སེམས་དཔའ·····
ཆེན་པོས་བདུད་ཀྱི་ལས་སུ་རིག་པར་བྱའོ། །རབ་འབྱོར་གཞན་ཡང་ཤེས་རབ་ཀྱི་
ཕ་རོལ་ཏུ་ཕྱིན་པ་ཟབ་མོ་འདི་འདྲི་བ་དང་། ཀློག་པ་དང་ལུང་འབོག་པ་དང་།
ཁ་ཏོན་བྱེད་པ་དང༌འཆང་བ་[༡]དང་ཚུལ་བཞིན་དུ་ཡིད་ལ་བྱེད་པའི་ཚེ། ལ···
ལ་ཞིག་དེར་འོངས་ཏེ་རྒྱལ་ཆེན་བཞིའི་རིས་ཀྱི་ལྷ་རྣམས་ཀྱི་ལེགས་པ་བརྗོད།
སུམ་ཅུ་རྩ་གསུམ་དང་མཚེ་མ་དང་། དགའ་ལྡན་དང་འཕྲུལ་དགའ་དང་།
གཞན་འཕྲུལ་དབང་བྱེད་ཀྱི་ལྷ་རྣམས་ཀྱི་ལེགས་པ་བརྗོད། འདུ་[༢]ཤེས་མེད་འདུ་[༣]
ཤེས་མེད་མིན་སྐྱེ་མཆེད་ཀྱི་བར་གྱི་ལྷ་རྣམས་ཀྱི་ལེགས་པ་བརྗོད་ཅིང་། འདོད···
པའི་ཁམས་ནི་འདོད་པ་ལ་ལོངས་སྤྱོད་པས་འདི་ལྟར་བདེའོ། །གཟུགས་ཀྱི་
ཁམས་ནི་བསམ་གཏན་དང་སྙོམས་པར་འཇུག་པ་རྣམས་ཀྱིས་འདི་ལྟར་བདེའོ། །
གཟུགས་མེད་པའི་ཁམས་ནི་སྙོམས་པར་འཇུག་པ་རྣམས་ཀྱིས་འདི་ལྟར་བདེ་སྟེ།
དེ་དག་ཀྱང་མི་རྟག་ཅིང་སྡུག་བསྔལ་ལ་བདག་མེད་དོ། །རྣམ་པར་འགྱུར་བའི···
ཆོས་ཅན། ཟད་པའི་ཆོས་ཅན། འཇིག་པའི་ཆོས་ཅན། སྐྱེ་བའི་ཆོས་ཅན།
འགག་པའི་ཆོས་ཅན་ཡིན༔གྱིས། ཁྱོད་ཀྱི་[༤]འདི་ཉིད་དུ་རྒྱུན་དུ་ཞུགས་པའི་
འབྲས་བུ་ཐོབ་པར་གྱིས་ཤིག །ལན་ཅིག་ཕྱིར༔འོང་བའི་[༥]འབྲས་བུ་དང་།
ཕྱིར་མི་འོང་བའི་འབྲས་བུ་དང་། དགྲ་བཅོམ་པ་ཉིད་ཐོབ་པར་གྱིས་ཤིག །
འདི་ཉིད་དུ་རང་བྱང་ཆུབ་ཐོབ་པར་གྱིས་ཤིག །ཕྱིན་ཆད་འཁོར་བ་ན་མ་[༦]
འཁོར་བར་གྱིས་ཤིག་ཅེས་ཟེར་ན། རབ་འབྱོར་དེ་ཡང་ཤེས་རབ་ཀྱི་ཕ་རོལ་ཏུ···
ཕྱིན་པ་ཟབ་མོ་འདི་འདྲི་བ་དང་། ལུང་འབོག་པ་དང་ཁ་ཏོན་[༧]བྱེད་པའི་རྒྱུ་

རྐྱེན་མི་ལྡན་པ་སྟེ། རབ་འབྱོར་དེ་ཡང་བྱང་ཆུབ་སེམས་དཔའ་སེམས་དཔའ་ཆེན་པོས་བདུད་ཀྱི་ལས་སུ་རིག་པར་བྱའོ། །རབ་འབྱོར་གཞན་ཡང་ཆོས་སྨྲ་བ་ནི་གཅིག་པུ་སྟེ། བླ་མེད་ཅིང་བདག་གིས་བྱེད་པ་ཡིན་ལ། ཆོས་ཉན་པ་ནི་འཁོར་གྱི་ནང་ན་གནས་ན། རབ་འབྱོར་དེའང་ཤེས་རབ་ཀྱི་ཕ་རོལ་ཏུ་ཕྱིན་པ་ཟབ་མོ་འདི་འདྲི་བ་དང་། ལུང་འབོག་པ་དང་ཁ་ཏོན་བྱེད་པའི་རྒྱུ་རྐྱེན་མི་ལྡན་པ་སྟེ། རབ་འབྱོར་དེ་ཡང་བྱང་ཆུབ་སེམས་དཔའ་སེམས་དཔའ་ཆེན་པོས་བདུད་ཀྱི་ལས་སུ་རིག་པར་བྱའོ། །རབ་འབྱོར་གཞན་ཡང་ཆོས་ཉན་པ་ནི་གཅིག་པུ་སྟེ། བླ་མེད་ཅིང་བདག་གིས་བྱེད་པ་ཡིན་ལ། ཆོས་སྨྲ་བ་ནི་འཁོར་གྱི་ནང་ན་གནས་ན། རབ་འབྱོར་དེ་ཡང་ཤེས་རབ་ཀྱི་ཕ་རོལ་ཏུ་ཕྱིན་པ་ཟབ་མོ་འདི་འདྲི་བ་དང་། ལུང་འབོག་པ་དང་། ཁ་ཏོན་བྱེད་པའི་རྒྱུ་རྐྱེན་མི་ལྡན་པ་སྟེ། རབ་འབྱོར་དེ་ཡང་བྱང་ཆུབ་སེམས་དཔའ་སེམས་དཔའ་ཆེན་པོས་བདུད་ཀྱི་ལས་སུ་རིག་པར་བྱའོ། །རབ་འབྱོར་གཞན་ཡང་ཆོས་སྨྲ་བ་ནི་གཅིག་པུ་སྟེ། བླ་མེད་ཅིང་བདག་གིས་བྱེད་པ་ཡིན་ལ། ཆོས་ཉན་པ་ནི་ཚོགས་ཡོངས་སུ་སྡུད་ན། རབ་འབྱོར་དེའང་ཤེས་རབ་ཀྱི་ཕ་རོལ་ཏུ་ཕྱིན་པ་ཟབ་མོ་འདི་འདྲི་བ་དང་། ལུང་འབོག་པ་དང་①ཁ་ཏོན་བྱེད་པའི་རྒྱུ་རྐྱེན་མི་ལྡན་པ་སྟེ། རབ་འབྱོར་དེ་ཡང་བྱང་ཆུབ་སེམས་དཔའ་སེམས་དཔའ་ཆེན་པོས་བདུད་ཀྱི་ལས་སུ་རིག་པར་བྱའོ། །རབ་འབྱོར་གཞན་ཡང་ཆོས་ཉན་པ་ནི་གཅིག་པུ་སྟེ། བླ་མེད་ཅིང་བདག་གིས་བྱེད་པ་ཡིན་ལ། ཆོས་སྨྲ་བ་ནི་ཚོགས་ཡོངས་སུ་སྡུད་ན། རབ་འབྱོར་དེ་ཡང་ཤེས་རབ་ཀྱི་ཕ་རོལ་ཏུ་ཕྱིན་པ་ཟབ་མོ་འདི་འདྲི་བ་དང་། ལུང་འབོག་པ་དང་། ཁ་ཏོན་བྱེད་པའི་རྒྱུ་རྐྱེན་མི་ལྡན་པ་སྟེ། རབ་འབྱོར་དེ་ཡང་བྱང་ཆུབ་སེམས་དཔའ་སེམས་དཔའ་ཆེན་པོས་བདུད་ཀྱི་ལས་སུ་རིག་པར་བྱའོ། །རབ་འབྱོར་གཞན་ཡང་ཆོས་སྨྲ་བ་ནི་

འདི་སྐད་དུ་སྒྱུའམ་ཕྱི་བཞིན་དུ་འབྱུང་བ་དེ་ཤེས་རབ་ཀྱི་ཕ་རོལ་དུ་ཕྱིན་པ་འདིར་སྙིན་ནོ་ཞེས་ཟེར་ལ། ཆོས་ཉན་པ་ནི་ཕྱི་བཞིན་མི་འབྱུང་ན། རབ་འབྱོར་དེ་ཡང་ཤེས་རབ་ཀྱི་ཕ་རོལ་དུ་ཕྱིན་པ་ཟབ་མོ་འདི་འདྲི་བ་དང་། ལུང་འབོག་པ་དང་། ཁ་ཏོན་བྱེད་པའི་རྒྱུ་རྐྱེན་མི་ལྡན་པ་སྟེ། རབ་འབྱོར་དེ་ཡང་བྱང་ཆུབ་སེམས་དཔའ་སེམས་དཔའ་ཆེན་པོས་བདུད་ཀྱི་ལས་སུ་རིག་པར་བྱའོ། །རབ་འབྱོར་གཞན་ཡང་ཆོས་ཉན་པ་ནི། ཆོས་སྨྲ་བའི་ཕྱི་བཞིན་འབྲང་བར་འདོད་ལ། ཆོས་སྨྲ་བ་ནི་དྲུང་དུ་འགྲོ་བའི་སྐབས་མི་འབྱེད་ན། རབ་འབྱོར་དེ་ཡང་ཤེས་རབ་ཀྱི་ཕ་རོལ་དུ་ཕྱིན་པ་ཟབ་མོ་འདི་འདྲི་བ་དང་ལུང་འབོག་པ་དང་ཁ་ཏོན་བྱེད་པའི་རྒྱུ་རྐྱེན་མི་ལྡན་པ་སྟེ། རབ་འབྱོར་དེ་ཡང་བྱང་ཆུབ་སེམས་དཔའ་སེམས་དཔའ་ཆེན་པོས་བདུད་ཀྱི་ལས་སུ་རིག་པར་བྱའོ། །རབ་འབྱོར་གཞན་ཡང་ཆོས་སྨྲ་བ་ནི་ཟང་ཟིང་ཅུང་ཟད་ཀྱི་ཕྱིར། ཤེས་རབ་ཀྱི་ཕ་རོལ་དུ་ཕྱིན་པ་ཟབ་མོ་འདི་འདྲིར་གཞུག་པར་འདོད། ཀློག་ཏུ་གཞུག་པར་འདོད། ལུང་འབོག་པར་འདོད། ཁ་ཏོན་བྱེད་དུ་གཞུག་པར་འདོད། སྨྲ་བར་འདོད་ལ། ཆོས་ཉན་པ་ནི་ཟང་ཟིང་ཅུང་ཟད་ཀྱི་ཕྱིར་དྲུང་དུ་འགྲོ་བར་མ་མོས་ན། རབ་འབྱོར་དེའང་ཤེས་རབ་ཀྱི་ཕ་རོལ་དུ་ཕྱིན་པ་ཟབ་མོ་འདི་འདྲི་བ་དང་། ལུང་འབོག་པ་དང་། ཁ་ཏོན་བྱེད་པའི་རྒྱུ་རྐྱེན་མི་ལྡན་པ་སྟེ། རབ་འབྱོར་དེ་ཡང་བྱང་ཆུབ་སེམས་དཔའ་སེམས་དཔའ་ཆེན་པོས་བདུད་ཀྱི་ལས་སུ་རིག་པར་བྱའོ། །རབ་འབྱོར་གཞན་ཡང་ཆོས་ཉན་པ་ནི་ཟང་ཟིང་ཅུང་ཟད་ཀྱི་ཕྱིར། ཤེས་རབ་ཀྱི་ཕ་རོལ་དུ་ཕྱིན་པ་ཟབ་མོ་འདི་འདྲི[༡]བར་འདོད། ཉན[༢]པའི་བར་དུ་འདོད་ལ། ཆོས་སྨྲ་བ་ནི་ཟང་ཟིང་ཅུང་ཟད་ཀྱི་ཕྱིར། ཤེས་རབ་ཀྱི་ཕ་རོལ་དུ་ཕྱིན་པ་སྦྱིན་པར་མི་འདོད། ཉན་པར་གཞུག་པའི་བར་དུ་མི་འདོད་ན། རབ་འབྱོར་དེ་ཡང་ཤེས་རབ་ཀྱི་ཕ་

རོལ་དུ་ཕྱིན་པ་ཟབ་མོ་འདི་འདྲི་བ་དང་། ལུང་འབོག་པ་དང་ཁ་ཏོན་བྱེད་པའི་རྒྱུ་རྐྱེན་མི་ལྡན་པ་སྟེ། རབ་འབྱོར་དེ་ཡང་བྱང་ཆུབ་སེམས་དཔའ་སེམས་དཔའ་ཆེན་པོས་བདུད་ཀྱི་ལས་སུ་རིག་པར་བྱའོ། །རབ་འབྱོར་གཞན་ཡང་ཆོས་སྨྲ་བ་ནི་སྲོག་གི་བར་ཆད་དུ་འགྱུར་བའི་ཕྱོགས་དེར་འགྲོ་བར་འདོད་ལ། ཆོས་ཉན་པ་ནི་དེར་འགྲོ་བར་མི་འདོད་ན། རབ་འབྱོར་དེ་ཡང་ཤེས་རབ་ཀྱི་ཕ་རོལ་དུ་ཕྱིན་པ་ཟབ་མོ་འདི་འདྲི་བ་དང་། ལུང་འབོག་པ་དང་། ཁ་ཏོན་བྱེད་པའི་རྒྱུ་རྐྱེན་མི་ལྡན་པ་སྟེ། རབ་འབྱོར་དེ་ཡང་བྱང་ཆུབ་སེམས་དཔའ་སེམས་དཔའ་ཆེན་པོས་བདུད་ཀྱི་ལས་སུ་རིག་པར་བྱའོ། །རབ་འབྱོར་གཞན་ཡང་ཆོས་ཉན་པ་ནི་གང་དུ་སྲོག་གི་བར་ཆད་དུ་འགྱུར་བའི་ཕྱོགས་དེར་འགྲོ་བར་འདོད་ལ། ཆོས་སྨྲ་བ་ནི་དེར་འགྲོ་བར་མི་འདོད་ན། རབ་འབྱོར་དེ་ཡང་ཤེས་རབ་ཀྱི་ཕ་རོལ་དུ་ཕྱིན་པ་ཟབ་མོ་འདི་འདྲི་བ་དང་། ལུང་འབོག་པ་དང་ཁ་ཏོན་བྱེད་པའི་རྒྱུ་རྐྱེན་མི་ལྡན་པ་སྟེ། རབ་འབྱོར་དེ་ཡང་བྱང་ཆུབ་སེམས་དཔའ་སེམས་དཔའ་ཆེན་པོས་བདུད་ཀྱི་ལས་སུ་རིག་པར་བྱའོ། །རབ་འབྱོར་གཞན་ཡང་ཆོས་སྨྲ་བ་ནི་གང་ན་ཟས་དཀོན་པ་དང་། ཆུ་དཀོན་པའི་ཕྱོགས་དེར་འགྲོ་བར་འདོད་ལ་ཆོས་ཉན་པ་ནི་འགྲོ་བར་མི་འདོད་ན། རབ་འབྱོར་དེ་ཡང་ཤེས་རབ་ཀྱི་ཕ་རོལ་དུ་ཕྱིན་པ་ཟབ་མོ་འདི་འདྲི་བ་དང་། ལུང་འབོག་པ་དང་། ཁ་ཏོན་བྱེད་པའི་རྒྱུ་རྐྱེན་མི་ལྡན་པ་སྟེ། རབ་འབྱོར་དེ་ཡང་བྱང་ཆུབ་སེམས་དཔའ་སེམས་དཔའ་ཆེན་པོས་བདུད་ཀྱི་ལས་སུ་རིག་པར་བྱའོ། །རབ་འབྱོར་གཞན་ཡང་ཆོས་ཉན་པ་ནི་གང་ན་ཟས་དཀོན་པ་དང་། ཆུ་དཀོན་པའི་ཕྱོགས་དེར་འགྲོ་བར་འདོད་ལ། ཆོས་སྨྲ་བ་ནི་དེར་འགྲོ་[1]བར་མི་འདོད་ན། རབ་འབྱོར་དེ་ཡང་ཤེས་རབ་ཀྱི་ཕ་རོལ་དུ་ཕྱིན་པ་ཟབ་མོ་འདི་འདྲི་བ་དང་། ལུང་འབོག་པ་དང་། ཁ་ཏོན་བྱེད་པའི་རྒྱུ་[2]རྐྱེན་

མི་ལྡན་པ་སྟེ། རབ་འབྱོར་དེ་ཡང་བྱང་ཆུབ་སེམས་དཔའ་སེམས་དཔའ་ཆེན་པོས་བདུད་ཀྱི་ལས་སུ་རིག་པར་བྱའོ། །རབ་འབྱོར་གཞན་ཡང་ཆོས་སྨྲ་བ་ནི་གང་ན་ཟས་མོད་པ་དང་། ཆུ་མོད་པའི་ཕྱོགས་དེར་འགྲོ་བར་འདོད་ལ། ཆོས་ཉན་པ་ཡང་རྗེས་སུ་འབྲང་ན། དེས་དེ་ལ་འདི་སྐད་དུ་རིགས་ཀྱི་བུ་ཁྱོད་ཟང་ཟིང་གི་དོན་དུ་སོང་སྟེ་ཅི་ཙུང་ལེགས་པར་བསམ་པ་སེམས་པར་གྱིས་ཤིག །ཟས་ཐོབ་མ་ཐོབ་དང་བསོད་མི་བསོད་ཀྱིས་འགྱོད་པར་གྱུར་ཏ་རེ་ཞེས་ཟེར་ན། དེའི་ཕྱིར་···ཆོས་སྟོན་པ་དེས་ཀྱང་། ཐབས་ཕྲ་མོས་ཆོས་ལ་སྤྱང་བ་བྱས་པར་འགྱུར་ཏེ། དེ་ཡང་མི་དགའ་ཞིང་འདི་སྙམ་དུ་འདུ་ཤེས་ཏེ། འདི་ནི་སྦྱིན་པར་འདོད་པའི···མཚན་མ་མ་ཡིན་གྱི། སྤོང་བའི་མཚན་མ་ཡིན་ནོ་སྙམ་ན། རབ་འབྱོར་དེ་ཡང་ཤེས་རབ་ཀྱི་ཕ་རོལ་ཏུ་ཕྱིན་པ་ཟབ་མོ་འདི༔འདྲི་བ[༡]དང་། ལུང་འབོག་པ་དང་། ཁ་ཏོན་བྱེད་པའི་རྒྱུ་རྐྱེན་མི་ལྡན་པ་སྟེ། རབ་འབྱོར་དེ་ཡང་བྱང་ཆུབ་སེམས་དཔའ་སེམས་དཔའ་ཆེན་པོས་བདུད་ཀྱི་ལས་སུ་རིག་པར་བྱའོ། །རབ་འབྱོར་གཞན་ཡང་དགེ་སློང་ཆོས་སྨྲ་བ་ནི་གང་ན་རྐུན་པོའི་འཇིགས་པ་དང་། ཆོམ་པོའི་འཇིགས་པ་དང་། རྫོན་པའི་འཇིགས་པ་དང་། གཅན༔ཟན་ཁྲོ་[༢]བོའི་འཇིགས་པ་དང་། སྦྲུལ་གྱི་འཇིགས་པ་དང་། འབྲོག་དགོན་པའི་འཇིགས་པ་ཡོད་པ་དེར་འགྲོ་བར་འདོད་ལ། ཆོས་ཉན་པ་དག་ཀྱང་ཆོས་ཀྱི་དོན་དུ་ཆོས་ཀྱིས་སྐོམ་ཞིང་རྗེས་སུ་འབྲང་ན། དགེ་སློང་ཆོས་སྨྲ་བས་ཆོས་ཉན་པ་དེ་དག་ལ་འདི···སྐད་སྨྲས་ཏེ། རིགས་ཀྱི་བུ་དག་ཁྱེད་གང་ན་རྐུན་པོའི་འཇིགས་པ་དང་། ཆོམ་པོའི་འཇིགས་པ་དང་། རྫོན་པའི་འཇིགས་[༣]པ་དང་། གཅན་ཟན་[༤]ཁྲོ་བོའི···འཇིགས་པ་དང་། སྦྲུལ་གྱི་[༥]འཇིགས་པ་དང་། འབྲོག་དགོན་པའི་འཇིགས་པ་ཡོད་པ་དེར་དོང་སྟེ་ཅི་ཙུང་ཞེས། དེ་ལྟར་དགེ་སློང་ཆོས་སྨྲ་བ་དེས་ཆོས་མི་

བསྟན་པའི་ཕྱིར། ཤེས་རབ་ཀྱི་ཕ་རོལ་ཏུ་ཕྱིན་པ་ཟབ་མོ་འདི་འདྲིར་གཞུག་པར་མི་འདོད། ཀློག་ཏུ་གཞུག་པར་མི་འདོད། ལུང་འབོག་པར་མི་འདོད། ཁ་ཏོན་བྱེད་[༡]དུ་གཞུག་པར་མི་འདོད། ཉན་དུ་གཞུག་[༢]པར་མི་འདོད་པར་གྱུར་ལ། དེ་དག་གིས་དགེ་སློང་ཆོས་སྨྲ་བའི་ཚིག་དེ་ཐོས་ནས། མི་དགའ་ཞིང་མི་དགའ་བའི་ཚུལ་ཅན་དུ་གྱུར་ཏེ། དགེ་སློང་ཆོས་སྨྲ་བ་གང་ན་བ་དེར་འགྲོ་བར་མི་འདོད་ན། རབ་འབྱོར་དེའང་ཤེས་རབ་ཀྱི་ཕ་རོལ་ཏུ་ཕྱིན་པ་ཟབ་མོ་འདི་འདྲི་བ་དང་། ལུང་འབོག་པ་དང་། ཁ་ཏོན་བྱེད་པའི་རྒྱུ་རྐྱེན་མི་ལྡན་པ་སྟེ། རབ་འབྱོར་དེ་ཡང་བྱང་ཆུབ་སེམས་དཔའ་སེམས་དཔའ་ཆེན་པོས་བདུད་ཀྱི་ལས་སུ་རིག་པར་བྱའོ། །རབ་འབྱོར་གཞན་ཡང་དགེ་སློང་ཆོས་སྨྲ་བ་བསོད་སྙོམས་གཏོང་བའི་གྲོང་ཁྱེར་གཙོ་བོར་བྱེད་པར་གྱུར་ཏེ། དེ་བསོད་སྙོམས་གཏོང་བའི་གྲོང་ཁྱེར་གཙོ་བོར་གྱུར་པས། བསོད་སྙོམས་གཏོང་བའི་གྲོང་ཁྱེར་དེ་དག་ཡང་དང་ཡང་བལྟ་[༣]བར་སེམས་ཤིང་། དེར་ཡང་དང་ཡང་བལྟ་[༤]བས་ཆོས་ཉན་པ་ཕྱིར་ཟློག་[༥]ཅིང་། ཚེ་དང་ལྡན་པ་དག་ངས་ནི་བསོད་སྙོམས་གཏོང་བའི་གྲོང་བལྟ་དགོས་ཏེ། བསོད་སྙོམས་གཏོང་བའི་གྲོང་དུ་འགྲོ་དགོས་སོ་ཞེས་ནས། དེས་ཆོས་ཉན་པ་དེ་དག་ཕྱིར་ཟློག་པས་ཕྱིར་དོང་ན། རབ་འབྱོར་དེའང་ཤེས་རབ་ཀྱི་ཕ་རོལ་ཏུ་ཕྱིན་པ་ཟབ་མོ་འདི་འདྲི་བ་དང་། ལུང་འབོག་པ་དང་ཁ་ཏོན་བྱེད་པའི་རྒྱུ་རྐྱེན་མི་ལྡན་པ་སྟེ། རབ་འབྱོར་དེ་ཡང་བྱང་ཆུབ་སེམས་དཔའ་སེམས་དཔའ་ཆེན་པོས་བདུད་ཀྱི་ལས་སུ་རིག་པར་བྱའོ། །རབ་འབྱོར་གཞན་ཡང་བདུད་སྡིག་ཏོ་ཅན་དགེ་སློང་གི་ཆ་བྱད་དུ་བྱས་ཤིང་ཅི་ནས་ཀྱང་ཤེས་རབ་ཀྱི་ཕ་རོལ་ཏུ་ཕྱིན་པ་ཟབ་མོ་འདི་སུ་ཡང་འདྲི་བར་མི་འགྱུར་བ་དང་། ལུང་འབོག་པར་མི་འགྱུར་བ་དང་། ཁ་ཏོན་བྱེད་པར་མི་འགྱུར་བ་དང་། ཚུལ་བཞིན་དུ་

ཡོད་ལ་བྱེད་པར་མི་འགྱུར་བ་དེ་ལྟ་དེ་ལྟར་ཐབས་སྦྱོར་རོ། །དེ་སྐད་ཅེས་བཀའ་སྩལ་པ་དང་། ཚེ་དང་ལྡན་(༧)པ་རབ་འབྱོར་གྱིས་བཅོམ་ལྡན་འདས་ལ་འདི་སྐད་ཅེས་གསོལ་ཏོ། །བཅོམ་ལྡན་འདས་ཅིའི་སླད་དུ་བདུད་སྡིག་ཏོ་ཅན་དག་དགེ···སློང་གི་ཆ་བྱད་དུ་བགྱིས་ཤིང་། ཅི་ནས་ཀྱང་ཤེས་རབ་ཀྱི་ཕ་རོལ་དུ་ཕྱིན་པ་ཟབ་མོ་འདི་སུ་ཡང་འདྲི་བར་མི་འགྱུར་བ་དང་། ལུང་འབོག་པར་མི་འགྱུར་བ་དང་། ཁ་ཏོན་བགྱིད་པར་མི་འགྱུར་བ་དང་། ཚུལ་བཞིན་དུ་ཡིད་ལ་བགྱིད་པར་མི་འགྱུར་བ་དེ་ལྟ་དེ་ལྟར་ཐབས་སྦྱོར་བ་ལགས། བཅོམ་ལྡན་འདས་ཀྱིས་བཀའ་སྩལ་པ། རབ་འབྱོར་འདི་ལ་བདུད་སྡིག་ཏོ་ཅན་དག་དགེ་སློང་གི་ཆ་བྱད་དུ་བྱས་ཤིང་འདི་སྐད་དུ་དེད་ཀྱིས་ཇི་ལྟར་ཁོང་དུ་ཆུད་པ་འདི་ནི། ཤེས་རབ་ཀྱི་ཕ་རོལ་དུ་ཕྱིན་པ་འདི་ཡིན་ཏེ། ཇི་སྐད་དུ་ཁྱོད་(༨)ཀློག་པ་དེ་ནི་ཤེས་རབ་ཀྱི་ཕ་རོལ་དུ···ཕྱིན་པ་མ་ཡིན་ནོ། །ཞེས་དབྱེན་བྱེད་ཅིང་ཟློག་ལ་སོས་པ་མེད་པར་བྱེད་དོ། །རབ་འབྱོར་དེ་ལ་བདུད་སྡིག་ཏོ་ཅན་གྱིས་དེ་ལྟར་དབྱེན་བྱས་པའི་ཚེ། བྱང་ཆུབ་སེམས་དཔའ་གང་ལུང་མ་བསྟན་པ་དེ་དག་ནི་ཐེ་ཚོམ་སྐྱེ་བར་འགྱུར་ཏེ། དེ་དག་ཐེཿཚོམ་དུ་གྱུར་(༩)ནས། ཤེས་རབ་ཀྱི་ཕ་རོལ་དུ་ཕྱིན་པ་ཟབ་མོ་འདི་མི་འདྲི་བར་འགྱུར། མི་ཀློག་པར་འགྱུར་ལུང་མི་འབོག་པར་འགྱུར། ཁ་ཏོན་མི་བྱེད་པར་འགྱུར། མི་སྒོམ་པར་འགྱུར། ཚུལ་བཞིན་དུ་ཡིད་ལ་མི་བྱེད་པར་འགྱུར་ཏེ། རབ་འབྱོར་དེ་ཡང་ཤེས་རབ་ཀྱི་ཕ་རོལ་དུ་ཕྱིན་པ་ཟབ་མོ་འདི་འདྲི་བ་དང་། ལུང་འབོག་པ་དང་། ཁ་ཏོན་བྱེད་པའི་རྒྱུ་རྐྱེན་མི་ལྡན་པ་སྟེ། རབ་འབྱོར་དེ་ཡང་བྱང་ཆུབ་སེམས་དཔའ་སེམས་དཔའ་ཆེན་པོས་བདུད་ཀྱི་ལས་སུ་རིག་པར་བྱའོ། །རབ་འབྱོར་གཞན་ཡང་བདུད་སྡིག་ཏོ་ཅན་དག་དགེ་སློང་གི་ཆ་བྱད་(༡༠)དུ་བྱས་ནས། བྱང་ཆུབ་སེམས་དཔའ་སེམས་དཔའ་ཆེན་པོའི་དྲུང་དུ་འོངས་ཤིང་། འདི་སྐད་···

ཏུ་བྱང་ཆུབ་སེམས་དཔའ་སེམས་དཔའ་ཆེན་པོ་གང་ཤེས་རབ་ཀྱི་ཕ་རོལ་ཏུ་ཕྱིན་པ་ཟབ་མོ་འདི་ལ་སྤྱོད་པ་དེ་ནི་ཡང་དག་པའི་མཐའ་མངོན་དུ་བྱེད་པར་འགྱུར་ཏེ། རྒྱུན་དུ་ཞུགས་པའི་འབྲས་བུ་ཐོབ་པར་འགྱུར་རོ། །དེ་ནི་ལན་གཅིག་ཕྱིར་འོང་བའི་འབྲས་བུ་དང་། ཕྱིར་མི་འོང་བའི་འབྲས་བུ་དང་། དགྲ་བཅོམ་པ་ཉིད་ཐོབ་པར་འགྱུར་རོ། །དེ་ནི་རང་བྱང་ཆུབ་ཐོབ་པར་འགྱུར་རོ། །ཞེས་ཟེར་ན། དེས་ཚིག་དེ་ཐོས་ནས་ཤེས་རབ་ཀྱི་ཕ་རོལ་ཏུ་ཕྱིན་པ་ལ་མི་སྤྱོད་ན། རབ་འབྱོར་དེ་ཡང་ཤེས་རབ་ཀྱི་ཕ་རོལ་ཏུ་ཕྱིན་པ་ཟབ་མོ་འདི་འདྲི་བ་དང་། ལུང་འབོག་པ་དང་། ཁ་ཏོན་བྱེད་པའི་རྒྱུ་རྐྱེན་མི་ལྡན་པ་སྟེ། རབ་འབྱོར་དེ་ཡང་བྱང་ཆུབ་སེམས་དཔའ་སེམས་དཔའ་ཆེན་པོས་བདུད་ཀྱི་ལས་སུ་རིག་པར་བྱའོ། །རབ་འབྱོར་གཞན་ཡང་ཤེས་རབ་ཀྱི་ཕ་རོལ་ཏུ་ཕྱིན་པ་ཟབ་མོ་འདི་སྟོན་པའི་ཚེ། བར་ཆད་དུ་འགྱུར་བའི་བདུད་ཀྱི་ལས་མང་དུ་འབྱུང་སྟེ། བདུད་ཀྱི་ལས་དེ་དག་[1] བྱང་ཆུབ་སེམས་དཔའ་སེམས་དཔའ་ཆེན་པོས་བདུད་ཀྱི་ལས་སུ་རིག་པར་བྱའོ། །རིག་པར་བྱས་ནས་རྣམ་པར་སྤང་བར་བྱའོ། །དེ་སྐད་ཅེས་བཀའ་སྩལ་པ་དང་། ཚེ་དང་ལྡན་པ་རབ་འབྱོར་གྱིས་བཅོམ་ལྡན་འདས་ལ་འདི་སྐད་ཅེས་[2] གསོལ་ཏོ། །བཅོམ་ལྡན་འདས་བདུད་ཀྱི་ལས་བྱང་ཆུབ་སེམས་དཔའ་སེམས་དཔའ་ཆེན་པོས་རིག་པར་བགྱི་སྟེ། སྤང་བར་བགྱི་བ་དེ་དག་གང་ལགས། བཅོམ་ལྡན་འདས་ཀྱིས་བཀའ་སྩལ་པ། རབ་འབྱོར་ཤེས་རབ་ཀྱི་ཕ་རོལ་ཏུ་ཕྱིན་པའི་གཟུགས་བརྙན་ནི་བདུད་ཀྱི་ལས། བསམ་གཏན་གྱི་ཕ་རོལ་ཏུ་ཕྱིན་པ་དང་། བརྩོན་འགྲུས་ཀྱི་ཕ་རོལ་ཏུ་ཕྱིན་པ་དང་། བཟོད་པའི་ཕ་རོལ་ཏུ་ཕྱིན་པ་དང་། ཚུལ་ཁྲིམས་ཀྱི་ཕ་རོལ་ཏུ་ཕྱིན་པ་དང་། སྦྱིན་པའི་ཕ་རོལ་ཏུ་ཕྱིན་པའི་གཟུགས་བརྙན་ནི་བདུད་ཀྱི་ལས་ཏེ། དེ་དག་བྱང་ཆུབ་སེམས་དཔའ་སེམས་དཔའ་ཆེན་པོས་[3]

རིག་པར་བྱ་སྟེ། རྣམ་པར་སྤྱང་བར་བྱའོ། །རབ་འབྱོར་གཞན་ཡང་ཉན་ཐོས་
ཀྱི་ཐེག་པ་དང་ལྡན་པ་དང་། རང་སངས་རྒྱས་དང་ལྡན་པའི་མདོ་སྡེ་དག་ཀྱང་།
བྱང་ཆུབ་སེམས་དཔའ་སེམས་དཔའ་ཆེན་པོས་བདུད་ཀྱི་ལས་སུ་རིག་པར་བྱ་སྟེ།
རྣམ་པར་སྤྱང་བར་བྱའོ། །རབ་འབྱོར་གཞན་ཡང་ནང་སྟོང་པ་ཉིད་དང་། ཕྱི་
སྟོང་པ་ཉིད་དང་། ཕྱི་ནང་སྟོང་པ་ཉིད་དང་། དངོས་པོ་མེད་པའི་ངོ་བོ་ཉིད་
སྟོང་པ་ཉིད་ཀྱི་བར་དང་། དྲན་པ་ཉེ་བར་གཞག་པ་བཞི་དང་། ཡང་དག····
པར་སྤོང་བ་བཞི་དང་། རྫུ་འཕྲུལ་གྱི་རྐང་པ་བཞི་དང་། དབང་པོ་ལྔ་དང་།
སྟོབས་ལྔ་དང་། བྱང་ཆུབ་ཀྱི་ཡན་ལག་བདུན་དང་། འཕགས་པའི་ལམ་ཡན་
ལག་བརྒྱད་པ་དང་། འཕགས་པའི་བདེན་པ་བཞི་དང་། རྣམ་པར་ཐར་པའི་
སྒོ་སྟོང་པ་ཉིད་དང་། མཚན་མ་མེད་པ་དང་། སྨོན་པ་མེད་པ་གང་གིས་རྒྱུན་
དུ་ཞུགས་པའི་འབྲས་བུ་འཐོབ་པར་འགྱུར་བ་དང་། ལན་ཅིག་ཕྱིར་འོང་བའི····
འབྲས་བུ་དང་། ཕྱིར་མི་འོང་བའི་འབྲས་བུ་དང་། དགྲ་བཅོམ་པ་ཉིད་དང་།
རང་བྱང་ཆུབ་འཐོབ་པར་འགྱུར་བ་དེ་དག་ཀྱང་། བདུད་སྡིག་ཏོ་ཅན་དག་དགེ་
སློང་གི་ཆ་བྱད་དུ་བྱས་ཤིང་། བྱང་ཆུབ་སེམས་དཔའ་སེམས་དཔའ་ཆེན་པོ་ལ་ཉེ་
བར་བསྙེན་[7]ཏེ། དེ་ཡང་དེ་ལ་དགའ་བ་སྐྱེད་ན། རབ་འབྱོར་དེ་ཡང་ཤེས····
རབ་ཀྱི་ཕ་རོལ་དུ་ཕྱིན་པ་ཟབ་མོ་འདི་འདྲི་བ་དང་། ལུང་འབོག་པ་དང་། ཁ་
ཏོན་བྱེད་པའི་རྒྱུ་རྐྱེན་མི་ལྡན་པ་སྟེ། རབ་འབྱོར་དེ་ཡང་བྱང་ཆུབ་སེམས་དཔའ་
སེམས་དཔའ་ཆེན་པོས་བདུད་ཀྱི་ལས་སུ་རིག་པར་བྱའོ། །རབ་འབྱོར་གཞན་
ཡང་བདུད་སྡིག་ཏོ་ཅན་དག་སངས་རྒྱས་ཀྱི་ཆ་བྱད་དུ་ལུས་གསེར་གྱི་ཁ་དོག་དང་།
མི་ཆེན་པོའི་མཚན་སུམ་ཅུ་རྩ་གཉིས་དང་། འོད་འདོམ་གང་བར་ལྡན་པར་བྱས་
ཤིང་། བྱང་ཆུབ་སེམས་དཔའ་སེམས་དཔའ་ཆེན་པོའི་དྲུང་དུ་འོངས་ཏེ། དེ་

ལ་བྱང་ཆུབ་སེམས་དཔའ་སེམས་དཔའ་ཆེན་པོའི་མོས་པ་སྐྱེད་དོ། །དེས་མོས་པ་བསྐྱེད་ནས་རྣམ་པ་ཐམས་ཅད་མཁྱེན་པ་ཉིད་ལས་ཡོངས་སུ་ཉམ་[1]པར་འགྱུར་ཏེ། རབ་འབྱོར་དེ་ཡང་ཤེས་རབ་ཀྱི་ཕ་རོལ་ཏུ་ཕྱིན་པ་ཟབ་མོ་འདི་འདྲི་བ་དང་། ལྷུང་འཚོག་པ་དང་། ཁ་ཏོན་བྱེད་པའི་རྒྱུ་རྐྱེན་མི་ལྡན་པ་སྟེ། རབ་འབྱོར་དེ་ཡང་བྱང་ཆུབ་སེམས་དཔའ་སེམས་དཔའ་ཆེན་པོས་བདུད་ཀྱི་ལས་སུ་རིག་པར་བྱའོ། །རབ་འབྱོར་གཞན་ཡང་བདུད་སྡིག་ཏོ་ཅན་དག་རིགས་ཀྱི་བུའམ་རིགས་ཀྱི་བུ་མོ···· དེའི་མདུན་དུ་སངས་རྒྱས་ལ་སྨོགས་[2]པ་དགེ་སློང་གི་དགེ་འདུན་ཉེ་བར་སྟོན་ཏོ[3]། །དེས་དེ་ལ་འདོད་པ་བསྐྱེད་ཅིང་བདག་ཀྱང་མ་འོངས་པའི་དུས་ན་དེ་དེ་[4]བཞིན···· གཤེགས་པ་དགྲ་བཅོམ་པ་ཡང་དག་པར་རྫོགས་པའི་སངས་རྒྱས་འདི་ལྟ་བུར་ཤོག་ཤིག[5] །ཇི་ལྟར་དེ་བཞིན་གཤེགས་པ་འདིས་ཚོགས་ཡོངས་སུ་བསྡུས་པ་དེ་བཞིན་དུ་བདག་གིས་ཀྱང་། ཚོགས་ཡོངས་སུ་བསྡུ་བར་བྱའོ། །དེ་བཞིན་གཤེགས་པ་འདིས་[6]ཆོས་ཇི་ལྟར་སྟོན་པ་དེ་བཞིན་དུ་བདག་གིས་ཀྱང་ཆོས་བསྟན་པར་བགྱིའོ[7]། །ཞེས་དེ་དེ་ལ་འདོད་པ་བསྐྱེད་[8]པས། རྣམ་པ་ཐམས་ཅད་མཁྱེན་པ་ཉིད་ལས···· ཡོངས་སུ་ཉམ་[9]པར་འགྱུར་ཏེ། རབ་འབྱོར་དེ་ཡང་ཤེས་རབ་ཀྱི་ཕ་རོལ་ཏུ་ཕྱིན་པ་ཟབ་མོ་འདི་འདྲི་བ་དང་། ལྷུང་འཚོག་པ་དང་། ཁ་ཏོན་བྱེད་པའི་རྒྱུ་རྐྱེན་མི་ལྡན་པ་སྟེ། རབ་འབྱོར་དེ་ཡང་བྱང་ཆུབ་སེམས་དཔའ་སེམས་དཔའ་ཆེན་པོས་བདུད་ཀྱི་ལས་སུ་རིག་པར་བྱའོ། །རབ་འབྱོར་གཞན་ཡང་བདུད་སྡིག་ཏོ་ཅན་དག་བྱང་ཆུབ་སེམས་དཔའ་བརྒྱ་ཕྲག་དུ་མ། བྱང་ཆུབ་སེམས་དཔའ་སྟོང་ཕྲག་དུ་མ། བྱང་ཆུབ་སེམས་དཔའ་བརྒྱ་སྟོང་ཕྲག་དུ་མ། སྦྱིན་པའི་ཕ་རོལ་ཏུ་ཕྱིན་པ་ལ་སྤྱོད་པ་དང་། ཚུལ་ཁྲིམས་ཀྱི་ཕ་རོལ་ཏུ་ཕྱིན་པ་དང་། བཟོད་པའི་ཕ་རོལ་ཏུ་ཕྱིན་པ་དང་། བརྩོན་འགྲུས་ཀྱི་ཕ་རོལ་ཏུ་ཕྱིན་པ་དང་། བསམ་

གཏན་གྱི་ཕ་རོལ་ཏུ་ཕྱིན་པ་དང་། ཤེས་རབ་ཀྱི་ཕ་རོལ་ཏུ་ཕྱིན་པ་ལ་སྤྱོད་པ་དེ་ལྟ་བུ་དག་ཉེ་བར་སྟོན་ཏེ། དེ་ཡང་བྱང་ཆུབ་སེམས་དཔའི་ཐེག་པ་པ་དེ་དག་ལ་འདོད་པ་བསྐྱེད་⑦པར་འགྱུར་རོ། །དེས་དེ་དག་ལ་འདོད་པ་བསྐྱེད་ནས་རྣམ་པ་ཐམས་ཅད་མཁྱེན་པ་ཉིད་ལས་ཡོངས་སུ་ཉམས་②པར་འགྱུར་ཏེ། རབ་འབྱོར་དེ་ཡང་ཤེས་རབ་ཀྱི་ཕ་རོལ་ཏུ་ཕྱིན་པ་ཟབ་མོ་འདི་འདྲི་བ་དང་། ཀློག་པ་དང་། ལུང་འབོག་པ་དང་། ཁ་ཏོན་བྱེད་པ་དང་། སྒོམ་པ་དང་། ཚུལ་བཞིན་དུ་ཡིད་ལ་བྱེད་པའི་རྒྱུ་རྐྱེན་མི་ལྡན་པ་སྟེ། རབ་འབྱོར་དེ་ཡང་བྱང་ཆུབ་སེམས་དཔའ་སེམས་དཔའ་ཆེན་པོས་བདུད་ཀྱི་ལས་སུ་རིག་པར་བྱའོ། །རབ་འབྱོར་དེ་ཅིའི་ཕྱིར་ཞེ་ན། ཤེས་རབ་ཀྱི་ཕ་རོལ་ཏུ་ཕྱིན་པ་ཟབ་མོ་འདི་ལ་གཟུགས་མེད་དོ། །ཚོར་བ་དང་འདུ་ཤེས་དང་འདུ་བྱེད་དང་རྣམ་པར་ཤེས་པ་མེད་དོ། །སྐྱེ་མཆེད་དང་ཁམས་དང་། རྟེན་ཅིང་འབྲེལ་བར་འབྱུང་བ་མེད་དོ། །ཕ་རོལ་ཏུ་ཕྱིན་པ་རྣམས་མེད་དོ། །སྟོང་པ་ཉིད་རྣམས་མེད་དོ། །བྱང་ཆུབ་ཀྱི་ཕྱོགས་ཀྱི་ཆོས་རྣམས་མེད་དོ། །འཕགས་པའི་བདེན་པ་རྣམས་མེད་དོ། །བསམ་གཏན་རྣམས་མེད་དོ། །ཚད་མེད་པ་རྣམས་མེད་དོ། །གཟུགས་མེད་པའི་སྙོམས་པར་འཇུག་པ་རྣམས་མེད་དོ། །རྣམ་པར་ཐར་པ་བརྒྱད་མེད་དོ། །མཐར་གྱིས་གནས་པའི་སྙོམས་པར་འཇུག་པ་དགུ་མེད་དོ། །རྣམ་པར་ཐར་པའི་སྒོ་སྟོང་པ་ཉིད་དང་། མཚན་མ་མེད་པ་དང་། སྨོན་པ་མེད་པ་མེད་དོ། །མངོན་པར་ཤེས་པ་རྣམས་མེད་དོ། །ཏིང་ངེ་འཛིན་རྣམས་མེད་དོ། །གཟུངས་ཀྱི་སྒོ་རྣམས་མེད་དོ། །དེ་བཞིན་གཤེགས་པའི་སྟོབས་བཅུ་མེད་དོ། །མི་འཇིགས་པ་བཞི་མེད་དོ། །སོ་སོ་ཡང་དག་པར་རིག་པ་བཞི་མེད་དོ། །བྱམས་པ་ཆེན་པོ་མེད་དོ། །སྙིང་རྗེ་ཆེན་པོ་མེད་དོ། །སངས་རྒྱས་ཀྱི་ཆོས་མ་འདྲེས་པ་བཅོ་

བརྒྱད་མེད་དོ། །རྒྱུན་དུ་ཞུགས་པའི་འབྲས་བུ་མེད་དོ། །ལན་ཅིག་ཕྱིར་འོང་བའི་འབྲས་བུ་དང་། ཕྱིར་མི་འོང་བའི་འབྲས་བུ་དང་། དགྲ་བཅོམ་པ་ཉིད་དང་། རང་བྱང་ཆུབ་མེད་དོ། །བླ་ན་མེད་པ་ཡང་དག་པར་རྫོགས་པའི་བྱང་ཆུབ་མེད་དོ། །རབ་འབྱོར་གང་ལ་གཟུགས་མེད་པ་དང་ཚོར་བ་དང་འདུ་ཤེས་དང་། འདུ་བྱེད་དང་རྣམ་པར་ཤེས་པ་མེད་པ་དང་། སྐྱེ་མཆེད་མེད་པ་དང་ཁམས་མེད་པ་དང་། རྟེན་ཅིང་འབྲེལ་བར་འབྱུང་བ་མེད་པ་དང་། ཕ་རོལ་ཏུ་ཕྱིན་པ་རྣམས་མེད་པ་དང་། སྟོང་པ་ཉིད་རྣམས་མེད་པ་དང་། བྱང་ཆུབ་ཀྱི་ཕྱོགས་ཀྱི་ཆོས་རྣམས་མེད་པ་དང་། འཕགས་པའི་བདེན་པ་རྣམས་མེད་པ་དང་། བསམ་གཏན་རྣམས་མེད་པ་དང་། ཚད་མེད་པ་རྣམས་མེད་པ་དང་། གཟུགས་མེད་པའི་སྙོམས་པར་འཇུག་པ་རྣམས་མེད་པ་དང་། རྣམ་པར་ཐར་པ་བརྒྱད་མེད་པ་དང་། མཐར་གྱིས་གནས་པའི་སྙོམས་པར་འཇུག་པ་དགུ་མེད་པ་དང་། རྣམ་པར་ཐར་པའི་སྒོ་སྟོང་པ་ཉིད་དང་། མཚན་མ་མེད་པ་དང་། སྨོན་པ་མེད་པ་མེད་པ་དང་། མངོན་པར་ཤེས་པ་[༡]རྣམས་མེད་པ་དང་ཏིང་ངེ་འཛིན་རྣམས་མེད་པ་དང་། གཟུངས་ཀྱི་སྒོ་རྣམས་མེད་པ་དང་། དེ་བཞིན་གཤེགས་པའི་སྟོབས་རྣམས་མེད་པ་དང་། མི་འཇིགས་པ་རྣམས་མེད་པ་དང་། སོ་སོ་ཡང་དག་པར་རིག་པ་རྣམས་མེད་པ་དང་། སྙིང་རྗེ་ཆེན་པོ་མེད་པ་དང་། སངས་རྒྱས་ཀྱི་ཆོས་མ་འདྲེས་པ་རྣམས་མེད་པ་དང་། རྒྱུན་དུ་ཞུགས་པའི་འབྲས་བུ་མེད་པ་དང་། ལན་ཅིག་ཕྱིར་འོང་བའི་འབྲས་བུ་དང་། ཕྱིར་མི་འོང་བའི་འབྲས་བུ་དང་། དགྲ་བཅོམ་པ་ཉིད་དང་། རང་བྱང་ཆུབ་མེད་པ་དང་། བླ་ན་མེད་པ་ཡང་དག་པར་རྫོགས་པའི་བྱང་ཆུབ་མེད་པ་དེ་ལ་སངས་རྒྱས་མེད་དོ། །བྱང་ཆུབ་སེམས་དཔའ་མེད་དོ། །རང་སངས་རྒྱས་མེད་དོ། །ཉན་ཐོས་མེད་དོ། །

དེ་ཅིའི་ཕྱིར་ཞེ་ན། རབ་འབྱོར་ཆོས་ཐམས་ཅད་ནི་རང་བཞིན་གྱིས་སྟོང་ངོ་། །རབ་འབྱོར་གཞན་ཡང་ཤེས་རབ་ཀྱི་ཕ་རོལ་ཏུ་ཕྱིན་པ་འདི་ནི་བར་ཆད་དུ་འགྱུར་བ་མང་བ་སྟེ། རིགས་ཀྱི་བུའམ་རིགས་ཀྱི་བུ་མོ་ཤེས་རབ་ཀྱི་ཕ་རོལ་ཏུ་ཕྱིན་པ་ཟབ་མོ་འདི་འདྲི་བ་དང་། ཀློག་པ་དང་ལུང་འབོག་པ་དང་། ཁ་ཏོན་བྱེད་པ་དང་སྟོན་པ་དང་། ཚུལ་བཞིན་དུ་ཡིད་ལ་བྱེད་པ་དེ་དག་ལ་ཡང་བར་ཆད་དུ་འགྱུར་བ་མེད་དོ། །རབ་འབྱོར་འདི་ལྟ་སྟེ་དཔེར་ན། འཛམ་བུའི་གླིང་འདིའི་རིན་པོ་ཆེ་གསེར་དང་ནོར་བུ་དང་མུ་ཏིག་དང་བཻ་ཌཱུ་[1]དང་། དུང་དང་མན་ཤེལ་དང་བྱི་རུ་དང་དངུལ་དང་ས་ལེ་སྦྲམ་གང་ཇི་སྙེད་ཅིག་ཡོད་པ་དེ་[2]དག་ནི་བར་ཆད་དུ་འགྱུར་བ་མང་ཞིང་། ཕྱིར་རྒོལ་བ་མང་བ་དག་གོ། །རབ་འབྱོར་དེ་བཞིན་དུ་རིགས་ཀྱི་བུའམ་རིགས་ཀྱི་བུ་མོ་ཤེས་རབ་ཀྱི་ཕ་རོལ་ཏུ་ཕྱིན་པ་ཟབ་མོ་འདི་འདྲི་བ་དང་། ཀློག་[3]པ་དང་ལུང་འབོག་པ་དང་། ཁ་ཏོན་བྱེད་པ་དང་། སྟོན་པ་དང་། ཚུལ་བཞིན་དུ་ཡིད་ལ་བྱེད་པ་དེ་དག་ལ་ཡང་བདུད་ཀྱི་ལས་མང་པོ་འབྱུང་བར་འགྱུར་རོ། །བར་ཆད་མང་པོ་འབྱུང་བར་འགྱུར་རོ། །ཕྱིར་རྒོལ་བ་མང་པོ་འབྱུང་བར་འགྱུར་རོ། །རབ་འབྱོར་གྱིས་གསོལ་པ། བཅོམ་ལྡན་འདས་དེ་ནི་དེ་བཞིན་ནོ། །བདེ་བར་གཤེགས་པ་དེ་ནི་དེ་བཞིན་ཏེ། འཛམ་བུའི་གླིང་འདིའི་རིན་པོ་ཆེ་གསེར་དང་ནོར་བུ་དང་མུ་ཏིག་དང་བཻ་ཌཱུ་[4]དང་དུང་དང་མན་ཤེལ་དང་བྱི་རུ་དང་དངུལ་དང་། ས་ལེ་སྦྲམ་གང་ཇི་སྙེད་ཅིག་མཆིས་པ་དེ་དག་ནི་བར་ཆད་དུ་འགྱུར་བ་མང་ཞིང་སླར་རྒོལ་བ་མང་བ་[5]ལགས་སོ། །བཅོམ་ལྡན་འདས་དེ་བཞིན་དུ་རིགས་ཀྱི་བུའམ་རིགས་ཀྱི་བུ་མོ་ཤེས་རབ་ཀྱི་ཕ་རོལ་ཏུ་ཕྱིན་པ་ཟབ་མོ་འདི་འདྲི་བ་དང་། ཀློག་པ་དང་ལུང་འབོག་པ་དང་། ཁ་ཏོན་བགྱིད་པ་དང་། སྟོན་པ་དང་ཚུལ་བཞིན་དུ་ཡིད་ལ་བགྱིད་པ་དེ་དག་ལ་

ཡང་བདུད་ཀྱི་ལས་མང་པོ་འབྱུང་བར་འགྱུར་རོ། །བར་ཆད་མང་པོ་འབྱུང་བར་འགྱུར་རོ། །སླར་རྒོལ་བ་མང་པོ་འབྱུང་བར་འགྱུར་རོ། །དེ་ཅིའི་སླད་དུ་ཞེ་ན། བཅོམ་ལྡན་འདས་སྐྱེས་བུ་གླེན་པ་གང་རིགས་ཀྱི་བུ་དང་རིགས་ཀྱི་བུ་མོ་ཤེས་རབ་ཀྱི་ཕ་རོལ་ཏུ་ཕྱིན་པ་ཟབ་མོ་འདི་འདྲི་བ་དང་། ཀློག་པ་དང་། ལུང་འབོག་པ་དང་ཁ་ཏོན་བགྱིད་པ་དང་སྟོན་པ་དང་། ཚུལ་བཞིན་དུ་ཡིད་ལ་བགྱིད་པ་དག་གིས་[༡]བར་ཆད་བགྱིད་པ་ནི་བདུད་ཀྱིས་བྱིན་གྱིས་བརླབས་པ་སྟེ། བཅོམ་ལྡན་འདས་སྐྱེས་བུ་གླེན་པ་དེ་དག་ནི་བློ་ཆུང་ཞིང་བློ་ཞན་པར་འགྱུར་རོ། །བཅོམ་ལྡན་འདས་སྐྱེས་བུ་གླེན་པ་གང་རིགས་ཀྱི་བུ་དང་རིགས་ཀྱི་བུ་མོ་ཤེས་རབ་ཀྱི་ཕ་རོལ་ཏུ་ཕྱིན་པ་ཟབ་མོ་འདི་འདྲི་བ་དང་། ཀློག་པ་དང་ལུང་འབོག་པ་དང་། ཁ་ཏོན་བགྱིད་པ་དང་སྟོན་པ་དང་། ཚུལ་བཞིན་དུ་ཡིད་ལ་བགྱིད་པ་དེ་དག་གི་བར་ཆད་བགྱིད་པ་དེ་དག་ནི། བློ་རྒྱ་ཤིན་ཏུ་ཆུང་བར་འགྱུར་ཏེ། སངས་རྒྱས་ཀྱི་ཆོས་རླབས་པོ་ཆེ་དག་ལ་དེ་དག་གི་སེམས་མི་འཇུག་གོ། །དེ་དག་ནི་ཤེས་རབ་ཀྱི་ཕ་རོལ་ཏུ་ཕྱིན་པ་ཟབ་མོ་འདི་མི་འདྲི། མི་ཀློག་ལུང་མི་འབོག །ཁ་ཏོན་མི་བགྱིད། མི་སྒོམ་ཚུལ་བཞིན་དུ་ཡིད་ལ་མི་བགྱིད་དེ། གཞན་འདྲི་ཞིང་ཀློག་པ་དང་ཁ་ཏོན་བགྱིད་པ་དང་། སྟོན་པ་དང་ཚུལ་བཞིན་དུ་ཡིད་ལ་བགྱིད་པ་དག་ལ་ཡང་བར་ཆད་བགྱིད་པར་འགྱུར་རོ། །བཅོམ་ལྡན་འདས་ཀྱིས་བཀའ་སྩལ་པ། རབ་འབྱོར་དེ་དེ་བཞིན་ནོ། །དེ་དེ་བཞིན་ཏེ། རིགས་ཀྱི་བུའམ་རིགས་ཀྱི་བུ་མོ་གང་ཤེས་རབ་ཀྱི་ཕ་རོལ་ཏུ་ཕྱིན་པ་ཟབ་མོ་འདི་མི་འདྲི། མི་ཀློག་ལུང་མི་འབོག །ཁ་ཏོན་མི་བྱེད། མི་སྒོམ་ཚུལ་བཞིན་དུ་ཡིད་ལ་མི་བྱེད་ཅིང་། གཞན་འདྲི་བ་དང་ཀློག་པ་དང་། ལུང་འབོག་པ་དང་། ཁ་ཏོན་བྱེད་པ་དང་། སྟོན་[༢]པ་དང་ཚུལ་བཞིན་དུ་ཡིད་ལ་བྱེད་པ་དེ་དག་གི་བར་ཆད་བྱེད་པ་དེ་དག་ནི་

བདུད་ཀྱིས་བྱིན་གྱིས་བརླབས་པ། ཐེག་པ་ལ་གསར་དུ་ཞུགས་པ། དགེ་བའི་རྩ་བ་མ་བསྐྱེད[༧]པ། དགེ་བའི་རྩ་བ་ཤིན་ཏུ་ཆུང་བ། སྔོན་གྱི་རྒྱལ་བ་ལ་དགེ་བའི་རྩ་བ་མ་བསྐྲུབས་པ། དགེ་བའི་བཤེས་གཉེན་གྱིས་ཡོངས་སུ་མ་ཟིན་པ་དག་སྟེ། རིགས་ཀྱི་བུ་དང་རིགས་ཀྱི་བུ་མོ་དེ་དག་ནི་བློ་ཆུང་ཞིང་བློ་ཞན་པར་འགྱུར་རོ། །རིགས་ཀྱི་བུ་དང་རིགས་ཀྱི་བུ་མོ་གང་ཤེས་རབ་ཀྱི་ཕ་རོལ་ཏུ་ཕྱིན་པ་འདི་མི་འདྲི་མི་ཀློག །ལུང་མི་འདོག །ཁ་ཏོན་མི་བྱེད། མི་སྟོམ། ཚུལ་བཞིན་དུ་ཡིད་ལ་མི་བྱེད་ཅིང་། གཞན་འདྲི་བ་དང་། ཀློག་པ་དང་ལུང་འདོག་པ་དང་ཁ་ཏོན་བྱེད་པ་དང་། སྟོན[༣]པ་དང་ཚུལ་བཞིན་དུ་ཡིད་ལ་བྱེད་པ་དེ་དག་གི་བར་ཆད་བྱེད་པ་དེ་དག་ནི་བློ་རྒྱ་ཤིན་ཏུ་ཆུང་བར་འགྱུར་ཏེ། སངས་རྒྱས་ཀྱི་ཆོས་རླབས་པོ་ཆེ་དག་ལ་དེ་དག་གི་སེམས་མི་འཇུག་གོ། །རབ་འབྱོར་ཤེས་རབ་ཀྱི་ཕ་རོལ་ཏུ་ཕྱིན་པ་ཟབ་མོ་འདི་འདྲི་བ་དང་། ཀློག་པ་དང་། ལུང་འདོག་པ་དང་། ཁ་ཏོན་བྱེད་པ་དང་། སྟོན་པ་དང་། ཚུལ་བཞིན་དུ་ཡིད་ལ་བྱེད་པ་དག་ལ་བདུད་ཀྱི་ལས་འདི་དག་འབྱུང་སྲིད་ཀྱི། འོན་ཀྱང་རབ་འབྱོར་རིགས་ཀྱི་བུ་དང་རིགས་ཀྱི་བུ་མོ་དག་ཤེས་རབ་ཀྱི་ཕ་རོལ་ཏུ་ཕྱིན་པ་ཟབ་མོ་འདི་འདྲི་ཞིང་ཀློག་པ་དང་། ལུང་འདོག་ཅིང་ཁ་ཏོན་བྱེད་པ་དང་། ཚུལ་བཞིན་དུ་ཡིད་ལ་བྱེད་ཅིང་། གོང་དུ་བསམ་གཏན་གྱི་ཕ་རོལ་ཏུ་ཕྱིན་པ་ཡོངས་སུ་རྫོགས་པར་བྱེད་པ་དང་། བརྩོན་འགྲུས་ཀྱི་ཕ་རོལ་ཏུ་ཕྱིན་པ་དང་། བཟོད་པའི་ཕ་རོལ་ཏུ་ཕྱིན་པ་དང་། ཚུལ་ཁྲིམས་ཀྱི་ཕ་རོལ་ཏུ་ཕྱིན་པ་དང་། སྦྱིན་པའི་ཕ་རོལ་ཏུ་ཕྱིན་པ་ཡོངས་སུ་རྫོགས་པར་བྱེད་པ་དང་། སྟོང་པ་ཉིད་ཐམས་ཅད་ཡོངས་སུ་རྫོགས་པར་བྱེད་པ་དང་། བྱང་ཆུབ་ཀྱི་ཕྱོགས་ཀྱི་ཆོས་སུམ་ཅུ་རྩ་བདུན་ཡོངས་སུ་རྫོགས་པར་བྱེད་པ་དང་། འཕགས་པའི་བདེན་པ་རྣམས་

དང་། བསམ་གཏན་རྣམས་དང་། ཚད་མེད་པ་རྣམས་དང་། གཟུགས་
མེད་པའི་སྙོམས་པར་འཇུག་པ་རྣམས་དང་། རྣམ་པར་ཐར་པ་བརྒྱད་དང་།
མཐར་གྱིས་གནས་པའི་སྙོམས་པར་འཇུག་པ་དགུ་དང་སྟོང་པ་ཉིད་དང་མཚན་མ་
མེད་པ་དང་། སྨོན་པ་མེད་པ་དང་། མངོན་པར་ཤེས་པ་རྣམས་དང་།
ཏིང་ངེ་འཛིན་རྣམས་དང་གཟུངས་ཀྱི་སྒོ་རྣམས་དང་། དེ་བཞིན་གཤེགས་པའི་
སྟོབས་རྣམས་དང་། མི་འཇིགས་པ་རྣམས་དང་། སོ་སོ་ཡང་དག་པར་རིག་པ་
རྣམས་དང་། སྙིང་རྗེ་ཆེན་པོ་དང་། སངས་རྒྱས་ཀྱི་ཆོས་མ་འདྲེས་པ་རྣམས་
ཡོངས་སུ་རྫོགས་པར་བྱེད་པ་དང་། ཐམས་ཅད་ཤེས་པ་ཉིད་ཡོངས་སུ་[1]རྫོགས་
པར་བྱེད་པ་དང་། ལམ་གྱི་རྣམ་པ་[3]ཤེས་པ་ཉིད་དང་། རྣམ་པ་ཐམས་ཅད་
མཁྱེན་པ་ཉིད་ཡོངས་སུ་རྫོགས་པར་བྱེད་ན། རབ་འབྱོར་དེ་ནི་སངས་རྒྱས་ཀྱི་
མཐུ་ཡིན་པར་ཤེས་པར་བྱ་སྟེ། དེས་རིགས་ཀྱི་བུ་དང་རིགས་ཀྱི་བུ་མོ་དེ་དག་
ཤེས་རབ་ཀྱི་ཕ་རོལ་ཏུ་ཕྱིན་པ་ཟབ་མོ་འདི་འདྲིའོ། །ཀློག་གོ། །ལུང་འབོག་གོ། །
ཁ་ཏོན་བྱེད་དོ། །ཚུལ་བཞིན་དུ་ཡིད་ལ་བྱེད་དོ། །ཤེས་རབ་ཀྱི་ཕ་རོལ་ཏུ་ཕྱིན་
པ་ཟབ་མོ་འདི་ཉིད་ཡོངས་སུ་རྫོགས་པར་བྱེད་དོ། །གོང་དུ་ཕ་རོལ་ཏུ་ཕྱིན་པ་
ཐམས་ཅད་ཡོངས་སུ་རྫོགས་པར་བྱེད་དོ། །སྟོང་པ་ཉིད་ཐམས་ཅད་དང་།
བྱང་ཆུབ་ཀྱི་ཕྱོགས་ཀྱི་ཆོས་སུམ་ཅུ་རྩ་བདུན་དང་། འཕགས་པའི་བདེན་པ་
རྣམས་དང་། བསམ་གཏན་རྣམས་དང་། ཚད་མེད་པ་རྣམས་དང་།
གཟུགས་མེད་པའི་སྙོམས་པར་འཇུག་པ་རྣམས་དང་། རྣམ་པར་ཐར་པ་བརྒྱད་
དང་། མཐར་གྱིས་གནས་པའི་སྙོམས་པར་འཇུག་པ་དགུ་དང་། རྣམ་པར་
ཐར་པའི་སྒོ་སྟོང་པ་ཉིད་དང་། མཚན་མ་མེད་པ་དང་། སྨོན་པ་མེད་པ་དང་
མངོན་པར་ཤེས་པ་རྣམས་དང་། ཏིང་ངེ་འཛིན་རྣམས་དང་། གཟུངས་ཀྱི་སྒོ་

རྣམས་དང་། དེ་བཞིན་གཤེགས་པའི་སྟོབས་རྣམས་དང་། མི་འཇིགས་པ་རྣམས་དང་། སོ་སོ་ཡང་དག་པར་རིག་པ་རྣམས་དང་། སྙིང་རྗེ་ཆེན་པོ་དང་སངས་རྒྱས་ཀྱི་ཆོས་མ་འདྲེས་པ་བཅོ་བརྒྱད་ཡོངས་སུ་རྫོགས་པར་བྱེད་དོ། །རྣམ་པ་ཐམས་ཅད་མཁྱེན་པ་ཉིད་ཀྱི་བར་དུ་ཡོངས་སུ་རྫོགས་པར་བྱེད་དོ། །ཕྱོགས་བཅུའི་སངས་རྒྱས་བཅོམ་ལྡན་འདས་གང་ཇི་སྙེད་ཅིག་བཞུགས་ཤིང་འཚོ་སྐྱོང་བ་དེ་དག་ཀྱང་། རིགས་ཀྱི་བུ་དང་རིགས་ཀྱི་བུ་མོ་དེ་དག་གིས་ཤེས་རབ་ཀྱི་ཕ་རོལ་ཏུ་ཕྱིན་པ་འདི་འདྲི[1]བ་དང་། ཀློག[2]པ་དང་ལུང་འབོག་པ་དང་། ཁ་ཏོན་བྱ་བ་དང་། བསྟན་པ་དང་། ཚུལ་བཞིན་དུ་ཡིད་ལ་བྱ་བའི་ཕྱིར་དགོངས་པ་མཛད་དོ། །ཕྱོགས་བཅུའི་བྱང་ཆུབ་སེམས་དཔའ་སེམས་དཔའ་ཆེན་པོ་ཕྱིར་མི་ལྡོག་པ་གང་ཇི་སྙེད་པ་དེ་དག་ཀྱང་རིགས་ཀྱི་བུ་དང་རིགས་ཀྱི་བུ་མོ་ཤེས་རབ་ཀྱི་ཕ་རོལ་ཏུ་ཕྱིན་པ་འདི་འདྲི་ཞིང་ཀློག་པ་དང་། ལུང་འབོག་པ་དང་ཁ་ཏོན་བྱེད་པ་དང་སྟོན་པ་དང་། ཚུལ་བཞིན་དུ་ཡིད་ལ་བྱེད་པ་དེ་དག་གི་དོན་དུ་བསྟོན་པར་བྱེད་ཅིང་། ཡོངས་སུ་འཛིན་པར་བྱེད་དོ༎ ༎

ཤེས་རབ་ཀྱི་ཕ་རོལ་ཏུ་ཕྱིན་པ་སྟོང་ཕྲག་ཉི་ཤུ་ལྔ་པ། བམ་པོ་བཞི་བཅུ་ལྔ་པ༑ རབ་འབྱོར་འདི་ལྟ་སྟེ། དཔེར་ན། བུད་མེད་ལ་ལ་ཞིག་ལ། བུ་ལྔའམ༑ བཅུའམ། ཉི་ཤུའམ། སུམ་ཅུའམ། བཞི་བཅུའམ། ལྔ་བཅུའམ༑ བརྒྱའམ། སྟོང་ཞིག་ཡོད་ན། དེ་དག་ནི་མ་དེ་ཅི་ནས་ཀྱང་མི་ན་བར་བྱ་བའི་ཕྱིར་བརྩོན་པར་བྱེད་ཅིང་བདག་ཅག་གི་མ་འདི[3]ཇི་ལྟར་ན་ནད་མེད་པར་འགྱུར། བདག་ཅག་གི་མ་འདི་ལ་ཇི་ལྟར་ན་བར་ཆད་དུ[4]མི་འགྱུར། བདག་ཅག་གི་མ་འདི་ཇི་ལྟར༔ན་ཡུན[5]རིང་དུ་འཚོ་བར་འགྱུར། བདག་ཅག་གི་མ་འདི་རིང་དུ་འཚོ་བར་བྱེད་ན་ཇི་ལྟར་བྱ། བདག་ཅག་གི་མ་འདི་ལུས་ལ་མི་

བདེ་བའི་ཉམས་མེད་པར་བྱ་ན་ཇི་ལྟར་བྱ། འདི་ནི་བདག་ཅག་[1]སྙེད་སྙེད་[2]པ་སྟེ༑ སྲོག་གི་སྲིན་བདག་གོ། །ཞེས་དེ་དག་མ་དེ་ལ་རིམ་གྲོ་ལེགས་པར་བྱ་བས་རིམ་གྲོ་བྱེད་དོ། །དེ་དག་ནི་འདིའི་སྲོག་གི་བར་ཆད་དུ་འགྱུར་དུ་འོང་ངོ་། །ལུས་ཉམ་ཆུང་བར་འགྱུར་དུ་འོང་ངོ་། །ལུས་ལ་[3]ཤ་སྦྲང་དང་། སྦྲང་བུ་དང་། སྦྲུལ་གྱིས་གཙེ་བའི་མི་བདེ་བས་བབ་དུ་འོང་ངོ་། །ཚ་བ་དང་། གྲང་བ་དང་། བཀྲེས་པ་དང་། སྐོམ་པས་མི་བདེ་བར་འགྱུར་[4]དུ་འོང་ངོ་། །ཞེས་བསྙི་སྣང་ལེགས་པར་བྱ་བས་བསྙི་སྣང་དུ་བྱེད་དོ། །དེ་ལྟར་བུ་[5]དེ་དག་མ་དེ་ལ་འདི་ནི་བདག་ཅག་སྙེད་སྙེད་[6]པའོ། །འདི་ནི་འཇིག་རྟེན་འདི་སྟོན་པའོ། །ཞེས་བདེ་བའི་ཡོ་བྱད་ཐམས་ཅད་ཀྱིས་རྒྱུན་དུ་རིམ་གྲོ་བྱེད་ཅིང་བསྙི་སྣང་དང་བཀུར་བསྟི་ཆེར་བྱེད་དོ། །རབ་འབྱོར་དེ་བཞིན་དུ་དེ་བཞིན་གཤེགས་པ་དགྲ་བཅོམ་པ་ཡང་དག་པར་རྫོགས་པའི་སངས་རྒྱས་རྣམས་ཀྱང་། ཤེས་རབ་ཀྱི་ཕ་རོལ་དུ་ཕྱིན་པ་ཟབ་མོ་འདི་ལ་སངས་རྒྱས་ཀྱི་སྤྱན་གྱིས་རྟག་ཏུ་རྒྱུན་མི་ཆད་[7]པར་གཟིགས་ཤིང་དགོངས་ཏེ། དེ་ཅིའི་ཕྱིར་ཞེ་ན། ཤེས་རབ་ཀྱི་ཕ་རོལ་དུ་ཕྱིན་པ་འདི་ནི་བདག་ཅག་གི་སངས་རྒྱས་ཀྱི་ཆོས་ཐམས་ཅད་སྙེད་སྙེད་[8]པའོ། །འཇིག་རྟེན་འདི་སྟོན་སྟོན་པའོ། །ཞེས་རྒྱུན་དུ་གཟིགས་ཤིང་དགོངས་སོ། །ཕྱོགས་བཅུའི་འཇིག་རྟེན་གྱི་ཁམས་གང་གཱའི་[9]ཀླུང་གི་བྱེ་མ་སྙེད་དག་ན། དེ་བཞིན་གཤེགས་པ་དགྲ་བཅོམ་པ་ཡང་དག་པར་རྫོགས་པའི་སངས་རྒྱས་རྣམས་གང་ཇི་སྙེད་ཅིག་བཞུགས་ཤིང་འཚོ་སྐྱོང་བ་དང་། ཆོས་སྟོན་[10]པའི་སངས་རྒྱས་བཅོམ་ལྡན་འདས་དེ་དག་ཀྱང་ཤེས་རབ་ཀྱི་ཕ་རོལ་དུ་ཕྱིན་པ་ཟབ་མོ་འདི་ལ་སངས་རྒྱས་ཀྱི་སྤྱན་གྱིས་རྟག་ཏུ་རྒྱུན་མི་ཆད་པར་གཟིགས་ཤིང་དགོངས་སོ། །དེ་ཅིའི་ཕྱིར་ཞེ་ན། འདི་ནི་དེ་བཞིན་གཤེགས་པ་དགྲ་བཅོམ་པ་ཡང་དག་པར་རྫོགས་པའི་སངས་རྒྱས་

རྣམས་སྐྱེད་སྐྱེད་[༧]པའོ། །རྣམ་པ་ཐམས་ཅད་མཁྱེན་པ་ཉིད་ཀྱི་ཡེ་ཤེས་འདི་ཡང་སྟོན་སྟོན་པའོ། །དེ་བས་ན་དེ་བཞིན་གཤེགས་པ་དགྲ་བཅོམ་པ་ཡང་དག་པར་རྫོགས་པའི་སངས་རྒྱས་རྣམས་ཤེས་རབ་ཀྱི་ཕ་རོལ་ཏུ་ཕྱིན་པ་ཟབ་མོ་འདི་ལ་སངས་རྒྱས་ཀྱི་སྤྱན་གྱིས་རྟག་ཏུ་རྒྱུན་མི་ཆད་པར་གཟིགས་ཤིང་དགོངས་སོ[༣]། །དེ་ཅིའི་ཕྱིར་ཞེ་ན། འདི་ལས་བྱུང་བ་ནི། དེ་བཞིན་གཤེགས་པ་དགྲ་བཅོམ་པ་ཡང་དག་པར་རྫོགས་པའི་སངས་རྒྱས་རྣམས་ཀྱི་བསམ་གཏན་གྱི་ཕ་རོལ་ཏུ་ཕྱིན་པ་དང་། བརྩོན་འགྲུས་ཀྱི་ཕ་རོལ་ཏུ་ཕྱིན་པ་དང་། བཟོད་པའི་ཕ་རོལ་ཏུ་ཕྱིན་པ་དང་། ཚུལ་ཁྲིམས་ཀྱི་ཕ་རོལ་ཏུ་ཕྱིན་པ་དང་། སྦྱིན་པའི་ཕ་རོལ་ཏུ་ཕྱིན་པའོ། །འདི་ལས་བྱུང་བ་ནི་ནང་སྟོང་པ་ཉིད་དང་། ཕྱི་སྟོང་པ་ཉིད་དང་། ཕྱི་ནང་སྟོང་པ་ཉིད་དང་། དངོས་པོ་མེད་པའི་ངོ་བོ་ཉིད་སྟོང་པ་ཉིད་ཀྱི་བར་རོ། །འདི་ལས་བྱུང་བ་ནི་དྲན་པ་ཉེ་བར་[༤]གཞག་པ་བཞི་དང་། ཡང་དག་པར་སྤོང་བ་བཞི་དང་། རྫུ་འཕྲུལ་གྱི་རྐང་པ་བཞི་དང་། དབང་པོ་ལྔ་དང་སྟོབས་ལྔ་དང་བྱང་ཆུབ་ཀྱི་ཡན་ལག་བདུན་དང་། འཕགས་པའི་ལམ་ཡན་ལག་བརྒྱད་པའོ། །འདི་ལས་བྱུང་བ་ནི་འཕགས་པའི་བདེན་པ་རྣམས་དང་། བསམ་གཏན་རྣམས་དང་། ཚད་མེད་པ་རྣམས་དང་། གཟུགས་མེད་པའི་སྙོམས་པར་འཇུག་པ་རྣམས་དང་། རྣམ་པར་ཐར་པ་བརྒྱད་དོ། །འདི་ལས་བྱུང་བ་ནི་མཐར་གྱིས་གནས་པའི་སྙོམས་པར་འཇུག་པ་དགུ་དང་། རྣམ་པར་ཐར་པའི་སྒོ་སྟོང་པ་ཉིད་དང་མཚན་མ་མེད་པ་དང་། སྨོན་པ་མེད་པ་དང་མངོན་པར་ཤེས་པ་རྣམས་དང་། ཏིང་ངེ་འཛིན་རྣམས་དང་། གཟུངས་ཀྱི་སྒོ་རྣམས་དང་། དེ་བཞིན་གཤེགས་པའི་སྟོབས་བཅུ་དང་མི་འཇིགས་པ་བཞི་དང་། སོ་སོ་ཡང་དག་པར་རིག་པ་བཞི་དང་སྙིང་རྗེ་ཆེན་པོ་དང་། སངས་རྒྱས་ཀྱི་ཆོས་མ་འདྲེས་པ་བཅོ་བརྒྱད་དང་།

རྣམ་པ་ཐམས་ཅད་མཁྱེན་པ་ཉིད་ཀྱི་བར་རོ། །འདི་ལས་བྱུང་བ་ནི་རྒྱུན་དུ་ཞུགས་པ་རྣམས་དང་། ལན་ཅིག་ཕྱིར་འོང་བ་རྣམས་དང་ཕྱིར་མི་འོང་བ་རྣམས་[༡]དང་། དགྲ་བཅོམ་པ་རྣམས་དང་རང་སངས་རྒྱས་རྣམས་དང་། བྱང་ཆུབ་སེམས་དཔའ་རྣམས་དང་། དེ་བཞིན་གཤེགས་པ་དགྲ་བཅོམ་པ་ཡང་དག་པར་རྫོགས་པའི་སངས་རྒྱས་རྣམས་ཏེ། རབ་འབྱོར་དེ་བཞིན་གཤེགས་པ་དགྲ་བཅོམ་པ་ཡང་དག་པར་རྫོགས་པའི་སངས་རྒྱས་གང་ཇི་སྙེད་ཅིག་བླ་ན་མེད་པ་ཡང་དག་པར་རྫོགས་པའི་བྱང་ཆུབ་ཏུ་མངོན་པར་རྫོགས་པར་སངས་རྒྱས་པ་དང་། མངོན་པར་རྫོགས་པར་འཚང་རྒྱ་བ་དང་། མངོན་པར་རྫོགས་པར་འཚང་རྒྱ་བར་འགྱུར་བ་དེ་དག་ཐམས་ཅད་ནི་ཤེས་རབ་ཀྱི་ཕ་རོལ་ཏུ་ཕྱིན་པ་ཟབ་མོ་འདི་ལ་རྟེན་[༣]ཏེ། བླ་ན་མེད་པ་ཡང་དག་པར་རྫོགས་པའི་བྱང་ཆུབ་ཏུ་མངོན་པར་རྫོགས་པར་སངས་རྒྱས་སོ། །མངོན་པར་རྫོགས་པར་འཚང་རྒྱའོ། །མངོན་པར་རྫོགས་པར་འཚང་རྒྱ་བར་འགྱུར་རོ། །རབ་འབྱོར་བྱང་ཆུབ་སེམས་དཔའི་ཐེག་པ་པའི་རིགས་ཀྱི་བུའམ་རིགས་ཀྱི་བུ་མོ་ཤེས་རབ་ཀྱི་ཕ་རོལ་ཏུ་ཕྱིན་པ་ཟབ་མོ་འདི་འདྲི་ཞིང་ཀློག་པ་དང་ལུང་འབོག་པ་དང་ཁ་ཏོན་བྱེད་པ་དང་སྒོམ་པ་དང་ཚུལ་བཞིན་དུ་ཡིད་ལ་བྱེད་པ་དེ་དག་ཐམས་ཅད་ཀྱང་། དེ་བཞིན་གཤེགས་པ་དགྲ་བཅོམ་པ་ཡང་དག་པར་རྫོགས་པའི་སངས་རྒྱས་ཀྱིས། སངས་རྒྱས་ཀྱི་སྤྱན་གྱིས་རྟག་ཏུ་རྒྱུན་མི་ཆད་པར་གཟིགས་ཤིང་དགོངས་སོ། །རབ་འབྱོར་བྱང་ཆུབ་སེམས་དཔའི་ཐེག་པ་པའི་རིགས་ཀྱི་བུ་དང་རིགས་ཀྱི་བུ་མོ་དེ་དག་ལ་ནི་དེ་བཞིན་གཤེགས་པ་དགྲ་བཅོམ་པ་ཡང་དག་པར་རྫོགས་པའི་སངས་རྒྱས་རྣམས་ཅི་ནས་ཀྱང་། བླ་ན་མེད་པ་ཡང་དག་པར་རྫོགས་པའི་བྱང་ཆུབ་ལས་ཡོངས་སུ་ཉམས་[༣]པར་མི་འགྱུར་བར་རྟག་ཏུ་རྒྱུན་མི་འཆད་[༨]པར་སྲུང་བ་མཛད་དོ། །རབ་འབྱོར་

གྱིས་གསོལ་པ། བཅོམ་ལྡན་འདས་ཀྱིས་གང་འདི་སྐད་དུ། ཤེས་རབ་ཀྱི་ཕ་རོལ་དུ་ཕྱིན་པ་ནི་དེ་བཞིན་གཤེགས་པ་དགྲ་བཅོམ་པ་ཡང་དག་པར་རྫོགས་པའི་སངས་རྒྱས་རྣམས་བསྐྱེད[༡]པའོ། །ཤེས་རབ་ཀྱི་ཕ་རོལ་དུ་ཕྱིན་པ་ནི་འཇིག་རྟེན་སྟོན་པའོ། །ཞེས་བཀའ་སྩལ་པ། བཅོམ་ལྡན་འདས་ཇི་ལྟར་ན་ཤེས་རབ་ཀྱི་ཕ་རོལ་དུ་ཕྱིན་པ་དེ་བཞིན་གཤེགས་པ་དགྲ་བཅོམ་པ་ཡང་དག་པར་རྫོགས་པའི་སངས་རྒྱས་རྣམས་བསྐྱེད[༢]པ་ལགས། བཅོམ་ལྡན་འདས་ཇི་ལྟར་ན་ཤེས་རབ་ཀྱི་ཕ་རོལ་དུ་ཕྱིན་པ་འཇིག་རྟེན་སྟོན་པ་ལགས། བཅོམ་ལྡན་འདས་ཇི་ལྟར་ན་ཤེས་རབ་ཀྱི་ཕ་རོལ་དུ[༣]ཕྱིན་པས་དེ་བཞིན་གཤེགས་པ་བསྐྱུན་པ་ལགས། འཇིག་རྟེན་ནི་དེ་བཞིན་གཤེགས་པས་གང་ལ་གསུངས། བཅོམ་ལྡན་འདས་ཀྱིས་བཀའ་སྩལ་པ། རབ་འབྱོར་ཤེས་རབ་ཀྱི་ཕ་རོལ་དུ་ཕྱིན་པ་འདིས་དེ་བཞིན་གཤེགས་པའི་སྟོབས་བཅུ་བསྐྱེད་དོ། །མི་འཇིགས་པ་བཞི་དང་། སོ་སོ་ཡང་དག་པར་རིག་པ་བཞི་དང་། བྱམས་པ་ཆེན་པོ་དང་སྙིང་རྗེ་ཆེན་པོ་དང་། སངས་རྒྱས་ཀྱི་ཆོས་མ་འདྲེས་པ[༤]བཅོ་བརྒྱད་དང་། རྣམ་པ་ཐམས་ཅད་མཁྱེན་པ་ཉིད་ཀྱི་བར་དུ་བསྐྱེད་དོ། །རབ་འབྱོར་ཆོས་དེ་དག་གིས་ནི་དེ་བཞིན་གཤེགས་པར་བརྗོད་དེ། རབ་འབྱོར་དེ་བས་ན་ཤེས་རབ་ཀྱི་ཕ་རོལ་དུ་ཕྱིན་པ་ཟབ་མོ་འདིས་དེ་བཞིན་གཤེགས་པ་བསྐྱེད་དོ། །གསོལ་པ། བཅོམ་ལྡན་འདས་དེ་བཞིན་གཤེགས་པས་གསུངས་པའི་འཇིག་རྟེན་གང་ལགས། བཅོམ་ལྡན་འདས་ཀྱིས་བཀའ་སྩལ་པ། རབ་འབྱོར་ཕུང་པོ་ལྔ་ནི་དེ་བཞིན་གཤེགས་པས་འཇིག་རྟེན་དུ་གསུངས་སོ། །གསོལ་པ། བཅོམ་ལྡན་འདས་ཤེས་རབ་ཀྱི་ཕ་རོལ་དུ་ཕྱིན་པ་ཟབ་མོས་ཕུང་པོ་ལྔ་ནི་ཇི་ལྟར་བསྟན་པ་ལགས། བཅོམ་ལྡན་འདས་ཤེས་རབ་ཀྱི་ཕ་རོལ་དུ་ཕྱིན་པ་ནི་ཇི་ལྟར་ཕུང་པོ་ལྔ་སྟོན་པ་ལགས། བཅོམ་ལྡན་འདས་ཀྱིས་

བཀའ་སྩལ་པ། ཤེས་རབ་ཀྱི་ཕ་རོལ་དུ་ཕྱིན་པ་ནི་ཕུང་པོ་ལྔ་པོ་འདི་དག་འཇིག་པར་སྟོན་པ་མ་ཡིན། རབ་ཏུ་འཇིག་པར་སྟོན་པ་མ་ཡིན་ཏེ། སྐྱེ་ཞེས་བྱ་བར་མི་སྟོན་ཏོ། །འགག་ཅེས་བྱ་བར་མི་སྟོན་ཏོ། །ཀུན་ནས་ཉོན་མོངས་ཞེས་བྱ་བ་དང་། རྣམ་པར་བྱང་ཞེས་བྱ་བ་དང་། འཕེལ་ཞེས་བྱ་བ་དང་། འགྲིབ་ཅེས་བྱ་བ་དང་། བླང་ཞེས་བྱ་བ་དང་། དོར་ཞེས་བྱ་བ་དང་། འདས་ཞེས་བྱ་བ་དང་། མ་འོངས་ཤེས་བྱ་བ་དང་། ད་ལྟར་བྱུང་⑦ཞེས་བྱ་བར་མི་སྟོན་ཏོ།། དེ་ཅིའི་ཕྱིར་ཞེ་ན། སྟོང་པ་ཉིད་ལ་འཇིག་པའམ། རབ་ཏུ་འཇིག་པ་མེད་དོ། །མཚན་མ་མེད་པ་ལ་འཇིག་པའམ། རབ་ཏུ་འཇིག་པ་མེད་དོ། །སྨོན་པ་མེད་པ་ལ་འཇིག་པའམ། རབ་ཏུ་འཇིག་པ་མེད་དོ། །མངོན་པར་འདུ་བྱ་བ་མེད་པ་ལ་འཇིག་པའམ། རབ་ཏུ་འཇིག་པ་མེད་དོ། །སྐྱེ་བ་མེད་པ་ལ་འཇིག་པའམ། རབ་ཏུ་འཇིག་པ་མེད་དོ། །དངོས་པོ་མེད་པ་ལ་འཇིག་པའམ། རབ་ཏུ་འཇིག་པ་མེད་དོ། །རང་བཞིན་མེད་པ་ལ་འཇིག་པའམ། རབ་ཏུ་འཇིག་པ་མེད་དོ། །རབ་འབྱོར་དེ་ལྟར་དེ་བཞིན་གཤེགས་པས་ཤེས་རབ་ཀྱི་ཕ་རོལ་དུ་ཕྱིན་པ་འཇིག་རྟེན་སྟོན་པར་གསུངས་ཏེ། རབ་འབྱོར་སེམས་ཅན་ཚད་མེད་གྲངས་མེད་དཔག་ཏུ་མེད་པའི་སེམས་དང་སྤྱོད་པ་མཁྱེན་པ་དེ་དག་ཀྱང་། ཤེས་རབ་ཀྱི་ཕ་རོལ་དུ་ཕྱིན་པ་ཉིད་ལ་བརྟེན་ཅིང་རབ་ཏུ་མཁྱེན་ཏེ། རབ་འབྱོར་ཤེས་རབ་ཀྱི་ཕ་རོལ་དུ་ཕྱིན་པ་ཟབ་མོ་འདི་ལ་ནི་སེམས་ཅན་མེད་དོ། །སེམས་ཅན་དུ་གདགས་པ་མི་དམིགས་སོ། །གཟུགས་མེད་དོ། །གཟུགས་སུ་གདགས་པ་མི་དམིགས་སོ།། ཚོར་བ་དང་འདུ་ཤེས་དང་འདུ་བྱེད་དང་རྣམ་པར་ཤེས་པ་མེད་དོ། །རྣམ་པར་ཤེས་པར་གདགས་པ་མི་དམིགས་སོ། །མིག་མེད་དོ། །གཟུགས་མེད་དོ། །མིག་གི་རྣམ་པར་ཤེས་པ་མེད་དོ། །མིག་གི་འདུས་ཏེ་རེག་པ་མེད་དོ། །མིག་གི་

འདུས་ཏེ་རེག་པའི་རྐྱེན་གྱིས་[༡]ཚོར་བ་མེད་དོ། །མིག་ཏུ་གདགས་པ་མི་དམིགས་སོ༏ །གཟུགས་སུ་གདགས་པ་མི་དམིགས་སོ། །མིག་གི་རྣམ་པར་ཤེས་པར་……གདགས་པ་མི་དམིགས་སོ། །མིག་གི་འདུས་ཏེ་རེག་པར་གདགས་པ་མི་དམིགས་སོ༏ །མིག་གི་འདུས་ཏེ་རེག་པའི་རྐྱེན་གྱིས་ཚོར་བར་གདགས་པ་མི་དམིགས་སོ། །རྣ་བ་མེད་དོ། །སྣ་མེད་དོ། །ལྕེ་མེད་དོ། །དྲི་མེད་དོ། །ལྕེ་མེད་དོ། །རོ་མེད་དོ། །ལུས་མེད་དོ། །རེག་བྱ་མེད་དོ། །ཡིད་མེད་དོ། །ཆོས་མེད་དོ། །ཡིད་ཀྱི་རྣམ་པར་ཤེས་པ་མེད་དོ། །ཡིད་ཀྱི་འདུས་ཏེ་རེག་པ་མེད་དོ། །ཡིད་ཀྱི་འདུས་ཏེ་རེག་པའི་རྐྱེན་གྱིས་ཚོར་བ་མེད་དོ། །ཡིད་དུ་གདགས་པ་མི་དམིགས་སོ། །ཆོས་སུ་གདགས་པ་མི་དམིགས་སོ། །ཡིད་ཀྱི་རྣམ་པར་ཤེས་པར་གདགས་པ་མི་དམིགས་སོ། །ཡིད་ཀྱི་འདུས་ཏེ་རེག་པར་གདགས་པ་མི་དམིགས་སོ་ཡིད་ཀྱི་འདུས་ཏེ་རེག་པའི་རྐྱེན་གྱིས་ཚོར་བར་གདགས་པ་མི་དམིགས་སོ། །རྟེན་ཅིང་འབྲེལ་བར་འབྱུང་བ་རྣམས་མེད་དོ། །ཕ་རོལ་ཏུ་ཕྱིན་པ་རྣམས་མེད་དོ། །སྟོང་པ་ཉིད་ཐམས་ཅད་མེད་དོ། །བྱང་ཆུབ་ཀྱི་ཕྱོགས་ཀྱི་ཆོས་རྣམས་མེད་དོ། །འཕགས་པའི་བདེན་པ་རྣམས་མེད་དོ། །བསམ་གཏན་རྣམས་མེད་དོ། །ཚད་མེད་པ་རྣམས་མེད་དོ། །གཟུགས་མེད་པའི་སྙོམས་པར་འཇུག་པ་རྣམས་མེད་དོ། །རྣམ་པར་ཐར་པ་བརྒྱད་མེད་དོ། །མཐར་གྱིས་གནས་པའི་སྙོམས་པར་འཇུག་པ་དགུ་མེད་དོ། །རྣམ་པར་ཐར་པའི་སྒོ་སྟོང་པ་ཉིད་དང་མཚན་མ་མེད་པ་དང……སྨོན་པ་མེད་པ་མེད་དོ། །མངོན་པར་ཤེས་པ་རྣམས་མེད་དོ། །ཏིང་ངེ་འཛིན་རྣམས་མེད་དོ། །གཟུངས་ཀྱི་སྒོ་རྣམས་མེད་དོ། །དེ་བཞིན་གཤེགས་པའི་སྟོབས་རྣམས་མེད་དོ། །མི་འཇིགས་པ་རྣམས་མེད་དོ། །སོ་སོ་ཡང་དག་པར་རིག་པ་རྣམས་མེད་དོ། །སྙིང་རྗེ་ཆེན་པོ་མེད་དོ། །སངས་རྒྱས་ཀྱི་ཆོས་མ་

འདྲེས་པ་རྣམས་མེད་དོ། །རྣམ་པ་ཐམས་ཅད་མཁྱེན་པ་ཉིད་ཀྱི་བར་དུ་མེད་དོ། །རྣམ་པ་ཐམས་ཅད་མཁྱེན་པ་ཉིད་[༡]དུ་གདགས་པ་མི་དམིགས་སོ། །རབ་འབྱོར་དེ་[༢]ལྟར་ན་ཤེས་རབ་ཀྱི་ཕ་རོལ་ཏུ་ཕྱིན་པ་ཟབ་མོ་འདི་ནི། དེ་བཞིན་གཤེགས་པ་རྣམས་ཀྱི་འཇིག་རྟེན་སྟོན་པ་ཡིན་ཏེ། ཤེས་རབ་ཀྱི་ཕ་རོལ་ཏུ་ཕྱིན་པ་ཟབ་མོ་འདི་ནི་གཟུགས་སྟོན་པར་བྱེད་པ་མ་ཡིན་ནོ། །ཚོར་བ་དང་འདུ་ཤེས་དང་། འདུ་བྱེད་དང་རྣམ་པར་ཤེས་པ་སྟོན་པར་བྱེད་པ་མ་ཡིན་ནོ། །རྣམ་པ་ཐམས་ཅད་མཁྱེན་པ་ཉིད་ཀྱི་བར་དུ་སྟོན་པར་བྱེད་པ་མ་ཡིན་ནོ། །དེ་ཅིའི་ཕྱིར་ཞེ་ན། རབ་འབྱོར་ཤེས་རབ་ཀྱི་ཕ་རོལ་ཏུ་ཕྱིན་པ་ཉིད་ཀྱང་། ཤེས་རབ་ཀྱི་ཕ་རོལ་ཏུ་ཕྱིན་པ་ཟབ་མོ་འདི་ཉིད་[༣]ལ་མེད་ཅིང་མི་དམིགས་ན། གཟུགས་དང་། ཚོར་[༤]བ་དང་། འདུ་ཤེས་དང་འདུ་བྱེད་དང་། རྣམ་པར་ཤེས་པ་ཡོད་པའམ། དམིགས་པར་ལྟ་ག་ལ་འགྱུར། རྣམ་པ་ཐམས་ཅད་མཁྱེན་པ་ཉིད་ཀྱི་བར་དུ་ཡོད་པའམ༑ དམིགས་པར་ལྟ་ག་ལ་འགྱུར། རབ་འབྱོར་གཞན་ཡང་སེམས་ཅན་ཇི་སྙེད་ཅིག་གདགས་སུ་ཡོད་པ། གཟུགས་ཡོད་པའམ། གཟུགས་མེད་པའམ། འདུ་ཤེས་ཡོད་པའམ། འདུ་ཤེས་མེད་པའམ། འདུ་ཤེས་ཡོད་པ་ཡང་མ་ཡིན། འདུ་ཤེས་མེད་པ་ཡང་མ་ཡིན་པ། འཇིག་རྟེན་གྱི་ཁམས་འདི་དང་། ཕྱོགས་བཅུ་ཀུན་གྱི་འཇིག་རྟེན་གྱི་ཁམས་དག་གི་ཡང་ རུང་སྟེ། དེ་དག་གི་སེམས་བསྡུས་པ་དང་། སྤྲོས་པ་དེ་དག་ཀྱང་དེ་བཞིན་གཤེགས་པས་སེམས་བསྡུས་པ་དང་། སྤྲོས་པར་ཡང་དག་པ་ཇི་ལྟ་བ་བཞིན་དུ་རབ་ཏུ་མཁྱེན་ཏོ། །རབ་འབྱོར་ཇི་ལྟར་ན་དེ་བཞིན་གཤེགས་པས་སེམས་ཅན་དེ་དག་གི་སེམས་བསྡུས་པ་དང་། སྤྲོས་པ་ཡང་དག་པར་ཅི་[༥]ལྟ་བ་བཞིན་དུ་རབ་ཏུ་མཁྱེན་ཅེ་[༦]ན། རབ་འབྱོར་དེ་བཞིན་གཤེགས་པས་སེམས་ཅན་དེ་དག་གི་སེམས་བསྡུས་པ་དང་། སྤྲོས་པ་ནི་ཆོས་ཉིད་

ཀྱིས་ཡང་དག་པར་[༡]ཇི་ལྟ་བ་བཞིན་དུ་རབ་ཏུ་མཁྱེན་ཏོ། །གསོལ་པ། བཅོམ་ལྡན་འདས་དེ་བཞིན་གཤེགས་པས་སེམས་ཅན་དེ་དག་གི་སེམས་བསྡུས་པ་དང་། སྤྲོས་པ་ཆོས་ཉིད་གང་གིས་ཡང་དག་པ་ཇི་ལྟ་བ་བཞིན་དུ་རབ་ཏུ་མཁྱེན་ཏེ་པ་ལགས[༣]། བཅོམ་ལྡན་འདས་ཀྱིས་བཀའ་སྩལ་པ། རབ་འབྱོར་དེ་ནི་ཆོས་ཉིད་གང་ལ་ཆོས་ཉིད་ཀྱང་མི་དམིགས་ན། སེམས་བསྡུས་པ་དང་། སྤྲོས་པ་ལྟ་སྨོས་ཀྱང་མི་སྨོས་པའི་ཆོས་ཉིད་དེས། དེ་བཞིན་གཤེགས་པས་སེམས་ཅན་དེ་དག་གི་སེམས་བསྡུས་པ་དང་། སྤྲོས་པ་ཡང་དག་པ་ཇི་ལྟ་བ་བཞིན་དུ་རབ་ཏུ་མཁྱེན་ཏོ། །རབ་འབྱོར་གཞན་ཡང་དེ་བཞིན་གཤེགས་པ་དགྲ་བཅོམ་པ་ཡང་དག་པར་རྫོགས་པའི་སངས་རྒྱས་ཀྱིས། སེམས་ཅན་དེ་དག་གི་སེམས་བསྡུས་པ་དང་། སྤྲོས་པ་ཡང་དག་པ་ཇི་ལྟ་བ་བཞིན་དུ་རབ་ཏུ་མཁྱེན་ཏོ[༤]། །རབ་འབྱོར་དེ་བཞིན་གཤེགས་པ་དགྲ་བཅོམ་པ་ཡང་དག་པར་རྫོགས་པའི་སངས་རྒྱས་ཀྱིས། སེམས་ཅན་དེ་དག་གི་སེམས་བསྡུས་པ་དང་། སྤྲོས་པ་དེ་[༥]ལྟར་ཡང་དག་པ་ཇི་ལྟ་བ་བཞིན་དུ་རབ་ཏུ་མཁྱེན་ཅེ་ན། རབ་འབྱོར་དེ་བཞིན་གཤེགས་པ་དགྲ་བཅོམ་པ་ཡང་དག་པར་རྫོགས་པའི་སངས་རྒྱས་ཀྱིས། སེམས་ཅན་དེ་དག་གི་སེམས་བསྡུས་པ་དང་། སྤྲོས་པ་ནི་ཟད་པའི་རྣམ་པར་ཡང་དག་པ་ཇི་ལྟ་བ་བཞིན་དུ་རབ་ཏུ་མཁྱེན་ཏོ། །རབ་འབྱོར་དེ་བཞིན་གཤེགས་པ་དགྲ་བཅོམ་པ་ཡང་དག་པར་རྫོགས་པའི་སངས་རྒྱས་ཀྱིས། སེམས་ཅན་དེ་དག་གི་སེམས་བསྡུས་པ་དང་། སྤྲོས་པ་ནི་འདོད་ཆགས་དང་བྲལ་བ་དང་། འགག་པ་དང་། སྤོང་བའི་རྣམ་པར་ཡང་དག་པ་ཇི་ལྟ་བ་བཞིན་དུ་རབ་ཏུ་མཁྱེན་ཏོ། །རབ་འབྱོར་དེ་བཞིན་གཤེགས་པ་དགྲ་བཅོམ་པ་ཡང་དག་པར་རྫོགས་པའི་སངས་རྒྱས་ཀྱིས། སེམས་ཅན་དེ་དག་གི་སེམས་བསྡུས་པ་དང་། སྤྲོས་པ་ནི་ཞི་བ་དང་། དབེན་པའི་རྣམ་པར་ཡང་

དག་པ་ཇི་ལྟ་བ་བཞིན་དུ་རབ་ཏུ་མཁྱེན་ཏོ། །རབ་འབྱོར་དེ་ལྟར་ན་དེ་བཞིན་གཤེགས་པ་དགྲ་བཅོམ་པ་ཡང་དག་པར་རྫོགས་པའི་སངས་རྒྱས་ནི་སེམས་ཅན་དེ་དག་གི་སེམས་བསྡུས་པ་དང་། སྤྲོས་པ་ཡང་དག་པ་ཇི་ལྟ་བ་བཞིན་དུ་རབ་ཏུ་མཁྱེན་ཏོ། །རབ་འབྱོར་གཞན་ཡང་དེ་བཞིན་གཤེགས་པ་དགྲ་བཅོམ་པ་ཡང་དག་པར་རྫོགས་པའི་སངས་རྒྱས་ཀྱིས། སེམས་ཅན་དེ་དག་གི་སེམས་འདོད་ཆགས་དང་བཅས་པ་ལ། འདོད་ཆགས་དང་བཅས་པའི་སེམས་ཤེས་བྱ་བར་ཡང་དག་པ་ཇི་ལྟ་བ་བཞིན་དུ་རབ་ཏུ་མཁྱེན་ཏོ། །འདོད་ཆགས་དང་བྲལ་བའི་སེམས་ལ། འདོད་ཆགས་དང་བྲལ་བའི་སེམས་ཤེས་བྱ་བར་ཡང་དག་པ་ཇི་ལྟ་བ་བཞིན་དུ་རབ་ཏུ་①མཁྱེན་ཏོ། །ཞེ་སྡང་དང་བཅས་པའི་སེམས་ལ། ཞེ་སྡང་དང་བཅས་པའི་སེམས་ཤེས་བྱ་བར་ཡང་དག་པ་ཇི་ལྟ་བ་བཞིན་དུ་རབ་ཏུ་མཁྱེན་ཏོ། །ཞེ་སྡང་དང་བྲལ་བའི་སེམས་ལ། ཞེ་སྡང་དང་②བྲལ་བའི་སེམས་ཤེས་བྱ་བར་ཡང་དག་པ་ཇི་ལྟ་བ་བཞིན་དུ་རབ་ཏུ་མཁྱེན་ཏོ། །གཏི་མུག་དང་བཅས་པའི་སེམས་ལ། གཏི་མུག་དང་བཅས་པའི་སེམས་ཤེས་བྱ་བར་ཡང་དག་པ་③ཇི་ལྟ་བ་བཞིན་དུ་རབ་ཏུ་མཁྱེན་ཏོ། །གཏི་མུག་དང་བྲལ་བའི་སེམས་ལ། གཏི་མུག་དང་བྲལ་བའི་སེམས་ཤེས་བྱ་བར་ཡང་དག་པ་ཇི་ལྟ་བ་བཞིན་དུ་རབ་ཏུ་མཁྱེན་ཏོ། །གསོལ་པ། བཅོམ་ལྡན་འདས་ཇི་ལྟར་ན་དེ་བཞིན་གཤེགས་པ་དགྲ་བཅོམ་པ་ཡང་དག་པར་རྫོགས་པའི་སངས་རྒྱས་ཀྱིས། སེམས་ཅན་དེ་དག་གི་སེམས་འདོད་ཆགས་དང་བཅས་པ་ལ། འདོད་ཆགས་དང་བཅས་པའི་སེམས་ཤེས་བགྱི་བར་ཡང་དག་པ་ཇི་ལྟ་བ་བཞིན་དུ་རབ་ཏུ་མཁྱེན་པ་ལགས། ཇི་ལྟར་ན་ཞེ་སྡང་དང་བཅས་པ་དང་། གཏི་མུག་དང་བཅས་པ་ལ་གཏི་མུག་དང་བཅས་པའི་སེམས་ཤེས་བགྱི་བར་ཡང་དག་པ་ཇི་ལྟ་བ་བཞིན་དུ་རབ་ཏུ་མཁྱེན་པ་ལགས། བཅོམ་ལྡན་འདས་

ཀྱིས་བཀའ་སྩལ་པ། རབ་འབྱོར་སེམས་[1]འདོད་ཆགས་དང་བཅས་པ་གང་ཡིན་པ་དེ་ནི་སེམས་ཀྱི་ཡང་དག་པ་ཇི་ལྟ་བ་ཉིད་མ་ཡིན་ནོ། །དེ་ཅིའི་ཕྱིར་ཞེ་ན། རབ་འབྱོར་སེམས་ནི་ཡང་དག་པ་ཇི་ལྟ་བ་བཞིན་དུ་དམིགས་སུ་མེད་དོ[2]། །སེམས་ལས་བྱུང་བའི་ཆོས་རྣམས་ཀྱང་དམིགས་སུ་མེད་ན། འདོད་ཆགས་དང་བཅས་པའམ། འདོད་ཆགས་དང་བྲལ་བའི་སེམས་དམིགས་པ་ལྟ་ཅི་ཞིག་སྨོས། རབ་འབྱོར་སེམས་ཞེ་སྡང་དང་བཅས་པ་གང་ཡིན་པ་དེ་ནི། སེམས་ཀྱི་ཡང་དག་པ་ཇི་ལྟ་བ་ཉིད་མ་ཡིན་ནོ། །དེ་ཅིའི་ཕྱིར་ཞེ་ན། རབ་འབྱོར་སེམས་ནི་ཡང་དག་པ་ཇི་ལྟ་བ་བཞིན་དུ་དམིགས་སུ་མེད་དེ[3]། སེམས་ལས་བྱུང་བའི་ཆོས་རྣམས་ཀྱང་དམིགས་སུ་མེད་ན། ཞེ་སྡང་དང་བཅས་པའམ། ཞེ་སྡང་དང་བྲལ་བའི་སེམས་དམིགས་པ་ལྟ་ཅི་ཞིག་སྨོས། རབ་འབྱོར་སེམས་གཏི་མུག་དང་བཅས་པ་གང་ཡིན་པ་དེ་ནི། སེམས་ཀྱི་ཡང་དག་པ་ཇི་ལྟ་བ་ཉིད་མ་ཡིན་ནོ[4]། །དེ་ཅིའི་ཕྱིར་ཞེ་ན། རབ་འབྱོར་སེམས་ནི་ཡང་དག་པ་ཇི་ལྟ་བ་བཞིན་དུ་དམིགས་སུ་མེད་དེ། སེམས་ལས་བྱུང་བའི་ཆོས་རྣམས་ཀྱང་དམིགས་སུ་མེད་ན། གཏི་མུག་དང་བཅས་པའམ། གཏི་མུག་དང་བྲལ་བའི་སེམས་དམིགས་པ་ལྟ་ཅི་ཞིག་སྨོས། རབ་འབྱོར་དེ་ལྟར་ན་དེ་བཞིན་གཤེགས་པས་ཤེས་རབ་ཀྱི་ཕ་རོལ་ཏུ་ཕྱིན་པ་འདི་ལ་བརྟེན་ཏེ། སེམས་ཅན་དེ་དག་གི་སེམས་འདོད་ཆགས་དང་བཅས་པ་ལ་འདོད་ཆགས་དང་བཅས་པའི་སེམས་ཤེས་བྱ་བར་ཡང་དག་པ་ཇི་ལྟ་བ་བཞིན་དུ་རབ་ཏུ་མཁྱེན་ཏོ། །ཞེ་སྡང་དང་བཅས་པའི་སེམས་ལ། ཞེ་སྡང་དང་བཅས་པའི་སེམས་ཤེས་བྱ་བར་ཡང་དག་པ་ཇི་ལྟ་བ་བཞིན་དུ་རབ་ཏུ་མཁྱེན་ཏོ། །གཏི་མུག་དང་བཅས་པའི་སེམས་ལ། གཏི་མུག་དང་བཅས་པའི་སེམས་ཤེས་བྱ་བར་ཡང་དག་པ་ཇི་ལྟ་བ་བཞིན་དུ་རབ་ཏུ་མཁྱེན་ཏོ། །རབ་འབྱོར་ཇི་ལྟར་ན་དེ་

བཞིན་གཤེགས་པས་སེམས་ཅན་དེ་དག་གི་སེམས་འདོད་ཆགས་དང་བྲལ་བ་ལ་འདོད་ཆགས་དང་བྲལ་བའི་སེམས་ཤེས་བྱ་བར་ཡང་དག་པ་ཇི་ལྟ་བ་བཞིན་དུ་རབ་ཏུ་མཁྱེན་ཅེ་ན། རབ་འབྱོར་སེམས་འདོད་ཆགས་དང་བྲལ་བ་གང་ཡིན་པ་དེ་ནི། སེམས་ཀྱི་འདོད་ཆགས་དང་བཅས་པ་ཉིད་མ་ཡིན། འདོད་ཆགས་དང་བྲལ་བ་ཉིད་མ་ཡིན་ནོ། །དེ་ཅིའི་ཕྱིར་ཞེ་ན། རབ་འབྱོར་སེམས་གཉིས་འགྲོགས་ཤིང་སྤྲད་པ་མེད་དེ། རབ་འབྱོར་དེ་ལྟར་ན་དེ་བཞིན་གཤེགས་པས་སེམས་ཅན་དེ་དག་གི་སེམས་འདོད་ཆགས་དང་བྲལ་བ་ལ། འདོད་ཆགས་དང་བྲལ་བའི་སེམས་ཤེས་བྱ་བར་ཡང་དག་པ་ཇི་ལྟ་བ་བཞིན་དུ་རབ་ཏུ་མཁྱེན་ཏོ། །རབ་འབྱོར་ཇི་ལྟར་ན་སེམས་ཅན་དེ་དག་གི་སེམས་ཞེ་སྡང་དང་བྲལ་བ་ལ། ཞེ་སྡང་དང་བྲལ་བའི་སེམས་ཤེས་བྱ་བར་ཡང་དག་པ་ཇི་ལྟ་བ་བཞིན་དུ་རབ་ཏུ་མཁྱེན་ཅེ་[7]ན། རབ་འབྱོར་སེམས་ཞེ་སྡང་དང་བྲལ་བ་གང་ཡིན་པ་དེ་ནི། སེམས་ཀྱི་ཞེ་སྡང་དང་བཅས་པ་ཉིད་མ་ཡིན་ཏེ། ཞེ་སྡང་དང་བྲལ་བ་ཉིད་མ་ཡིན་ནོ། །དེ་ཅིའི་ཕྱིར་ཞེ་ན། རབ་འབྱོར་སེམས་གཉིས་འགྲོགས་ཤིང་སྤྲད་པ་མེད་དེ། རབ་འབྱོར་དེ་ལྟར་ན་དེ་བཞིན་གཤེགས་པས་སེམས་ཅན་དེ་དག་གི་སེམས་ཞེ་སྡང་དང་བྲལ་བ་ལ༑ ཞེ་སྡང་དང་བྲལ་བའི་སེམས་ཤེས་བྱ་བར་ཡང་དག་པ་ཇི་ལྟ་བ་བཞིན་དུ་རབ་ཏུ་མཁྱེན་ཏོ། །རབ་འབྱོར་ཇི་ལྟར་ན་དེ་བཞིན་གཤེགས་པས་སེམས་ཅན་དེ་དག་གི་སེམས་གཏི་མུག་དང་བྲལ་བ་ལ། གཏི་མུག་དང་བྲལ་བའི་སེམས་ཤེས་བྱ་བར་ཡང་དག་པར་ཇི་ལྟ་བ་བཞིན་དུ་རབ་ཏུ་མཁྱེན་ཅེ་ན། རབ་འབྱོར་སེམས་གཏི་མུག་དང་བྲལ་བ་དེ་ནི། སེམས་ཀྱི་གཏི་མུག་དང་བཅས་པ་ཉིད་མ་ཡིན། གཏི་མུག་དང་བྲལ་བ་ཉིད་མ་ཡིན་ནོ། །དེ་ཅིའི་ཕྱིར་ཞེ་ན། རབ་འབྱོར་སེམས་གཉིས་འགྲོགས་ཤིང་སྤྲད་པ་མེད་དེ། རབ་འབྱོར་དེ་ལྟར་ན་དེ་བཞིན་

གཤེགས་པས་སེམས་ཅན་དེ་དག་གི་སེམས་གཉིད་སྨུག་དང་བྲལ་བ་ལ། གཉིད་སྨུག་དང་བྲལ་བའི་སེམས་ཞེས་བྱ་བར་ཡང་དག་པ་ཇི་ལྟ་བ་བཞིན་དུ་རབ་ཏུ་མཁྱེན་ཏོ།། རབ་འབྱོར་གཞན་ཡང་དེ་བཞིན་གཤེགས་པས་ཤེས་རབ་ཀྱི་ཕ་རོལ་ཏུ་ཕྱིན་པ་ཟབ་མོ་འདི་ལ་བརྟེན་ཏེ། སེམས་ཅན་ཕ་རོལ་དང་། གང་ཟག་ཕ་རོལ་གྱི་སེམས་རྒྱ་ཆེ་བ་ལ། སེམས་རྒྱ་ཆེ་ཞེས་བྱ་བར་ཡང་དག་པ་ཇི་ལྟ་བ་བཞིན་དུ་རབ་ཏུ་མཁྱེན་ཏོ། །རབ་འབྱོར་དེ་བཞིན་གཤེགས་པས་ཤེས་རབ་ཀྱི་ཕ་རོལ་ཏུ་ཕྱིན་པ་ཟབ་མོ་འདི་ལ་བརྟེན་ཏེ། སེམས་ཅན་ཕ་རོལ་དང་། གང་ཟག་ཕ་རོལ་གྱི་སེམས་རྒྱ་ཆེ་བ་ལ། སེམས་རྒྱ་ཆེ་ཞེས་བྱ་བར་ཡང་དག་པ་ཇི་ལྟ་བ་བཞིན་དུ་རབ་ཏུ་མཁྱེན་ཅེ་ན། རབ་འབྱོར་འདི་ལ་དེ་བཞིན་གཤེགས་པ་དགྲ་བཅོམ་པ་ཡང་དག་པར་རྫོགས་པའི་སངས་རྒྱས་ཀྱིས། སེམས་ཅན་ཕ་རོལ་དང་། གང་ཟག་ཕ་རོལ་གྱི་སེམས་དེ་རྒྱ་ཆེ་བར་མི་འགྱུར། སེམས་དེ་རྒྱ་ཆུང་བར་མི་འགྱུར། སེམས་དེ་འཕེལ་བར་མི་འགྱུར། སེམས་དེ་འགྲིབ་པར་མི་འགྱུར། སེམས་དེ་འོང་བར་མི་འགྱུར། སེམས་དེ་འགྲོ་བར་མི་འགྱུར་ཏེ། སེམས་དེ་དངོས་པོ་མེད་པས་རྒྱ་ཆེ་བར་འགྱུར་བ་མ་ཡིན། རྒྱ་ཆུང་བར་འགྱུར་བ་མ་ཡིན། འཕེལ་བར་འགྱུར་བ་མ་ཡིན། འགྲིབ་པར་འགྱུར་བ་མ་ཡིན། འོང་བར་འགྱུར་བ་མ་ཡིན། འགྲོ་བར་འགྱུར་བ་མ་ཡིན་ནོ། །ཞེས་བྱ་བར་རབ་ཏུ་མཁྱེན་ཏོ། །དེ་ཅིའི་ཕྱིར་ཞེ་ན། དེ་ནི་འདི་ལྟར་སེམས་ལ་གང་གིས་རྒྱ་ཆེན་པོར་འགྱུར་བའམ། རྒྱ་ཆུང་ངུར་འགྱུར་བའམ། འཕེལ་བར་འགྱུར་བའམ། འགྲིབ་པར་འགྱུར་བའམ། འོང་བར་འགྱུར་བའམ། འགྲོ་བར་འགྱུར་བའི་ངོ་བོ་ཉིད་མེད་པའི་ཕྱིར་ཏེ། རབ་འབྱོར་དེ་ལྟར་ན་དེ་བཞིན་གཤེགས་པ་དགྲ་བཅོམ་པ་ཡང་དག་པར་རྫོགས་པའི་སངས་རྒྱས་ཀྱིས། ཤེས་རབ་ཀྱི་ཕ་རོལ་ཏུ་ཕྱིན་པ་ཟབ་མོ་འདི་ལ་

བརྟེན་ཏེ། སེམས་ཅན་ཕ་རོལ་དང་། གང་ཟག་ཕ་རོལ་གྱི་སེམས་རྒྱ་ཆེ་བ་ལ། སེམས་རྒྱ་ཆེ་ཞེས་བྱ་བར་ཡང་དག་པ་ཇི་ལྟ་བ་བཞིན་དུ་རབ་ཏུ་མཁྱེན་ཏོ། །རབ་འབྱོར་གཞན་ཡང་དེ་བཞིན་གཤེགས་པ་དགྲ་བཅོམ་པ་ཡང་དག་པར་རྫོགས་པའི་སངས་རྒྱས་ཀྱིས། ཤེས་རབ་ཀྱི་ཕ་རོལ་ཏུ་ཕྱིན་པ་འདི་ལ་བརྟེན་ཏེ། སེམས་ཅན་ཕ་རོལ་དང་། གང་ཟག་ཕ་རོལ་གྱི་སེམས་ཡངས་པ་ལ། སེམས་ཡངས་ཤེས་བྱ་བར་ཡང་དག་པ་ཇི་ལྟ་བ་བཞིན་དུ་རབ་ཏུ་མཁྱེན་ཏོ། །རབ་འབྱོར་ཇི་ལྟར་ན་དེ་བཞིན་གཤེགས་པ་དགྲ་བཅོམ་པ་ཡང་དག་པར་རྫོགས་པའི་སངས་རྒྱས་ཀྱིས། ཤེས་རབ་ཀྱི་ཕ་རོལ་ཏུ་ཕྱིན་པ་འདི་ལ་བརྟེན་ཏེ། སེམས་ཅན་ཕ་རོལ་དང་། གང་ཟག་ཕ་རོལ་གྱི་སེམས་ཡངས་པ་ལ་སེམས་ཡངས་ཤེས་བྱ་བར་ཡང་དག་པ་ཇི་ལྟ་བ་བཞིན་དུ་རབ་ཏུ་མཁྱེན་ཅེ་ན། རབ་འབྱོར་འདི་ལ་དེ་བཞིན་གཤེགས་པ་དགྲ་བཅོམ་པ་ཡང་དག་པར་རྫོགས་པའི་སངས་རྒྱས་ཀྱིས། སེམས་ཅན་ཕ་རོལ་དང་། གང་ཟག་ཕ་རོལ་གྱི་སེམས་དེ་ལ་འོང་བ་དང་། འགྲོ་བ་མི་གཟིགས་སོ། །སྐྱེ་བ་དང་འགག་པ་དང་གནས་པ་དང་གནས་པ་ལས་གཞན་དུ་འགྱུར་བ་མི་གཟིགས་སོ། །དེ་ཅིའི་ཕྱིར་ཞེ་ན། རབ་འབྱོར་སེམས་དེ་ལ་གང་འོང་བར་འགྱུར་བའམ། འགྲོ་བར་འགྱུར་བའམ། སྐྱེ་བར་འགྱུར་བའམ། འགག་པར་འགྱུར་བའམ། གནས་པར་འགྱུར་བའམ། གནས་པ་ལས་གཞན་དུ་འགྱུར་བ་དེ་ལྟ་བུའི་ངོ་བོ་ཉིད་མེད་དེ། རབ་འབྱོར་དེ་ལྟར་ན་དེ་བཞིན་གཤེགས་པ་དགྲ་བཅོམ་པ་ཡང་དག་པར་རྫོགས་པའི་སངས་རྒྱས་ཀྱིས། ཤེས་རབ་ཀྱི་ཕ་རོལ་ཏུ་ཕྱིན་པ་འདི་ལ་བརྟེན་ཏེ། སེམས་ཅན་ཕ་རོལ་དང་། གང་ཟག་ཕ་རོལ་གྱི་སེམས་ཡངས་པ་ལ། སེམས་ཡངས་ཤེས་བྱ་བར་ཡང་དག་པ་ཇི་ལྟ་བ་བཞིན་དུ་རབ་ཏུ་མཁྱེན་ཏོ། །རབ་འབྱོར་གཞན་ཡང་དེ་བཞིན་གཤེགས་པ་

དགྲ་བཅོམ་པ་ཡང་དག་པར་རྫོགས་པའི་སངས་རྒྱས་ཀྱིས། ཤེས་རབ་ཀྱི་ཕ་རོལ་ཏུ་ཕྱིན་པ་འདི་ལ་བརྟེན་ཏེ། སེམས་ཅན་ཕ་རོལ་དང་། གང་ཟག་ཕ་རོལ་གྱི་སེམས་ཚད་མེད་པ་ལ། སེམས་ཚད་མེད་ཅེས་བྱ་བར་ཡང་དག་པ་ཇི་ལྟ་བ་བཞིན་དུ་རབ་ཏུ་མཁྱེན་ཏོ། །རབ་འབྱོར་ཇི་ལྟར་ན་དེ་བཞིན་གཤེགས་པ་དགྲ་བཅོམ་པ་ཡང་དག་པར་རྫོགས་པའི་སངས་རྒྱས་ཀྱིས། ཤེས་རབ་ཀྱི་ཕ་རོལ་ཏུ་ཕྱིན་པ་འདི་ལ་བརྟེན་ཏེ། སེམས་ཅན་ཕ་རོལ་དང་། གང་ཟག་ཕ་རོལ་གྱི་སེམས་ཚད་མེད་པ་ལ། སེམས་ཚད་མེད་ཅེས་བྱ་བར་ཡང་དག་པ་ཇི་ལྟ་བ་བཞིན་དུ་རབ་ཏུ་མཁྱེན་ཅེ་ན། རབ་འབྱོར་འདི་ལ་དེ་བཞིན་གཤེགས་པ་དགྲ་བཅོམ་པ་ཡང་དག་པར་རྫོགས་པའི་སངས་རྒྱས་ཀྱིས། སེམས་ཅན་ཕ་རོལ་དང་། གང་ཟག་ཕ་རོལ་གྱི་སེམས་གནས་པར་ཡང་དག་པར་རྗེས་སུ་མི་གཟིགས། རྣམ་པར་གནས་པ་དང་། ཡོངས་སུ་གནས་པ་དང་། ཉེ་བར་གནས་པར་ཡང་དག་པར་རྗེས་སུ་མི་གཟིགས་སོ། །དེ་ཅིའི་ཕྱིར་ཞེ་ན། རབ་འབྱོར་སེམས་ཀྱི་རྒྱུད་ནི་རྟེན་མེད་ཅིང་ཚད་མེད་པ་སྟེ། སེམས་ཀྱི་རྒྱུད་དེ་དག་ལ་གང་ལ་གནས་པར་བྱ་བའི་རྟེན་མེད་པའི་ཕྱིར་ཏེ། རབ་འབྱོར་དེ་ལྟར་ན་དེ་བཞིན་གཤེགས་པ་དགྲ་བཅོམ་པ་ཡང་དག་པར་རྫོགས་པའི་སངས་རྒྱས་ཀྱིས། ཤེས་རབ་ཀྱི་ཕ་རོལ་ཏུ་ཕྱིན་པ་འདི་ལ་བརྟེན་ཏེ། སེམས་ཅན་ཕ་རོལ་དང་། གང་ཟག་ཕ་རོལ་གྱི་སེམས་ཚད་མེད་པ་ལ། སེམས་ཚད་མེད་ཅེས་བྱ་བར་ཡང་དག་པ་ཇི་ལྟ་བ་བཞིན་དུ་རབ་ཏུ་མཁྱེན་ཏོ། །རབ་འབྱོར་གཞན་ཡང་དེ་བཞིན་གཤེགས་པ་དགྲ་བཅོམ་པ་ཡང་དག་པར་རྫོགས་པའི་སངས་རྒྱས་ཀྱིས། ཤེས་རབ་ཀྱི་ཕ་རོལ་ཏུ་ཕྱིན་པ་འདི་ལ་བརྟེན་ཏེ། སེམས་ཅན་ཕ་རོལ་དང་། གང་ཟག་ཕ་རོལ་གྱི་སེམས་བསྟན་དུ་མེད་པ་ལ། སེམས་བསྟན་དུ་མེད་ཅེས་བྱ་བར་ཡང་དག་པ་ཇི་ལྟ་བ་བཞིན་དུ

རབ་ཏུ་མཁྱེན་ཏོ། །རབ་འབྱོར་ཇི་ལྟར་ན་དེ་བཞིན་གཤེགས་པ་དགྲ་བཅོམ་པ་
ཡང་དག་པར་རྫོགས་པའི་སངས་རྒྱས་ཀྱིས། ཤེས་རབ་ཀྱི་ཕ་རོལ་ཏུ་ཕྱིན་པ་ཟབ་
མོ་འདི་ལ་བརྟེན་ཏེ། སེམས་ཅན་ཕ་རོལ་དང་། གང་ཟག་ཕ་རོལ་གྱི་སེམས་
བསྟན་དུ་མེད་པ་ལ། སེམས་བསྟན་དུ་མེད་ཅེས་བྱ་བར་ཡང་དག་པ་ཇི་ལྟ་བ་
བཞིན་དུ་རབ་ཏུ་མཁྱེན་ཅེ་ན། རབ་འབྱོར་འདི་ལ་དེ་བཞིན་གཤེགས་པ་དགྲ་
བཅོམ་པ་ཡང་དག་པར་རྫོགས་པའི་སངས་རྒྱས་ཀྱིས། མཚན་ཉིད་མེད་པའི་
སེམས་ལ། རང་གི་མཚན་ཉིད་སྟོང་པ་ཉིད་ཀྱི་ཕྱིར། མཚན་ཉིད་མེད་པའི་
སེམས་ཞེས་བྱ་བར་ཡང་དག་པ་[༧]ཇི་ལྟ་བ་བཞིན་དུ་རབ་ཏུ་མཁྱེན་ཏེ། རབ་
འབྱོར་དེ་ལྟར་ན་དེ་བཞིན་གཤེགས་པ་དགྲ་བཅོམ་པ་ཡང་དག་པར་རྫོགས་པའི་
སངས་རྒྱས་ཀྱིས། ཤེས་རབ་ཀྱི་ཕ་རོལ་ཏུ་ཕྱིན་པ་ཟབ་མོ་འདི་ལ་བརྟེན་ཏེ།
སེམས་ཅན་ཕ་རོལ་དང་། གང་ཟག་ཕ་རོལ་གྱི་སེམས་བསྟན་དུ་མེད་པ་ལ་བསྟན་
དུ་མེད་པའི་སེམས་ཞེས་བྱ་བར་ཡང་དག་པ་ཇི་ལྟ་བ་བཞིན་དུ་རབ་ཏུ་མཁྱེན་ཏོ། །
རབ་འབྱོར་གཞན་ཡང་དེ་བཞིན་གཤེགས་པ་དགྲ་བཅོམ་པ་ཡང་དག་པར་རྫོགས་
པའི་སངས་རྒྱས་ཀྱིས། ཤེས་རབ་ཀྱི་ཕ་རོལ་ཏུ་ཕྱིན་པ་ཟབ་མོ་འདི་ལ་བརྟེན་ཏེ།
སེམས་ཅན་ཕ་རོལ་དང་། གང་ཟག་ཕ་རོལ་གྱི་སེམས་བལྟར་[༢]མེད་པ་ལ་བལྟར་
མེད་པའི་སེམས་ཞེས་བྱ་བར་ཡང་དག་པ་[༣]ཇི་ལྟ་བ་བཞིན་དུ་རབ་ཏུ་མཁྱེན་ཏོ། །
རབ་འབྱོར་ཇི་ལྟར་ན་དེ་བཞིན་གཤེགས་པ་དགྲ་བཅོམ་པ་ཡང་དག་པར་རྫོགས
པའི་སངས་རྒྱས་ཀྱིས། ཤེས་རབ་ཀྱི་ཕ་རོལ་ཏུ་ཕྱིན་པ་ཟབ་མོ་འདི་ལ་བརྟེན་ཏེ།
སེམས་ཅན་ཕ་རོལ་དང་། གང་ཟག་ཕ་རོལ་གྱི་སེམས་བལྟར་མེད་པ་ལ།
བལྟར་མེད་པའི་སེམས་ཞེས་བྱ་བར་ཡང་དག་པ་ཇི་ལྟ་བ་བཞིན་དུ་རབ་ཏུ་མཁྱེན་
ཅེ་ན། རབ་འབྱོར་འདི་ལ་དེ་བཞིན་གཤེགས་པའི་སྤྱན་ལྷ་ལ། སེམས་ཅན་ཕ་

རོལ་དང་། གང་ཟག་ཕ་རོལ་གྱི་སེམས་དེ་དག་སྣང་བར་མི་འགྱུར་ཏེ། རབ་འབྱོར་དེ་ལྟར་ན་དེ་བཞིན་གཤེགས་པ་དགྲ་བཅོམ་པ་ཡང་དག་པར་རྫོགས་པའི་སངས་རྒྱས་ཀྱིས། ཤེས་རབ་ཀྱི་ཕ་རོལ་ཏུ་ཕྱིན་པ་ཟབ་མོ་འདི་ལ་བརྟེན་ཏེ། སེམས་ཅན་ཕ་རོལ་དང་གང་ཟག་ཕ་རོལ་གྱི་སེམས་བལྟར་མེད་པ་ལ། བལྟར་མེད་པའི་སེམས་ཤེས་བྱ་བར་ཡང་དག་པ་ཇི་ལྟ་བ་བཞིན་དུ་རབ་ཏུ་མཁྱེན་ཏོ། །རབ་འབྱོར་གཞན་ཡང་དེ་བཞིན་གཤེགས་པ་དགྲ་བཅོམ་པ་ཡང་དག་པར་རྫོགས་པའི་སངས་རྒྱས་ཀྱིས། ཤེས་རབ་ཀྱི་ཕ་རོལ་ཏུ་ཕྱིན་པ་ཟབ་མོ་འདི་ལ་བརྟེན་ཏེ། སེམས་ཅན་ཕ་རོལ་དང་། གང་ཟག་ཕ་རོལ་གྱི་སེམས༔འཕྲོ་བ[༡]དང་། འདུ་བ་དང་། བཀྲམ་པ་དང་། བཙུམ[༢]པ་ཡང་དག་པ་ཇི་ལྟ་བ་བཞིན་དུ་རབ་ཏུ་མཁྱེན་ཏོ། །རབ་འབྱོར་ཇི་ལྟར་ན་དེ་བཞིན་གཤེགས་པ་དགྲ་བཅོམ་པ་ཡང་དག་པར་རྫོགས་པའི་སངས་རྒྱས་ཀྱིས། ཤེས་རབ་ཀྱི་ཕ་རོལ་ཏུ་ཕྱིན་པ་ཟབ་མོ་འདི་ལ་བརྟེན་ཏེ། སེམས་ཅན་ཕ་རོལ་དང་། གང་ཟག་ཕ་རོལ་གྱི་སེམས་འཕྲོ་བ་དང་། འདུ་བ་དང་། བཀྲམ་པ་དང་། བཙུམ་པ་ཡང་དག་པ་ཇི་ལྟ་བ་བཞིན་དུ་རབ་ཏུ་མཁྱེན་ཅེ་ན། རབ་འབྱོར་འདི་ལ་དེ་བཞིན་གཤེགས་པ་དགྲ་བཅོམ་པ་ཡང་དག་པར་རྫོགས་པའི་སངས་རྒྱས་ཀྱིས། སེམས་ཅན་ཕ་རོལ་དང་། གང་ཟག་ཕ་རོལ་གྱི་སེམས༔འཕྲོ་བ[༣]དང་། འདུ་བ་དང་། བཀྲམ་པ་དང་། བཙུམ་པ་གང་ཇི་སྙེད་ཅིག་སྐྱེ་ཞིང་འབྱུང་བ་དེ་དག་ཐམས་ཅད་ཀྱང་གཟུགས་ལ་བརྟེན། ཚོར་བ་དང་འདུ་ཤེས་དང་འདུ་བྱེད་དང་། རྣམ་པར་ཤེས་པ་ལ་བརྟེན་པས་སྐྱེ་ཞིང་འབྱུང་བར་འགྱུར་རོ་ཞེས་བྱ་བར། སེམས་ཅན་ཕ་རོལ་དང་། གང་ཟག་ཕ་རོལ་གྱི་སེམས་དེ་དག་རབ་ཏུ་མཁྱེན་ཏོ། །རབ་འབྱོར་དེ་ལྟར་ན་དེ་བཞིན་གཤེགས་པ་དགྲ་བཅོམ་པ་ཡང་དག་པར་རྫོགས་པའི་སངས་རྒྱས་ཀྱིས། ཤེས་རབ་

ཀྱི་ཕ་རོལ་ཏུ་ཕྱིན་པ་ཟབ་མོ་འདི་ལ་བརྟེན་ཏེ། སེམས་ཅན་ཕ་རོལ་དང་། གང་ཟག་ཕ་རོལ་གྱི་སེམས་འཕྲོ་བ་དང་། འདུ་བ་དང་། བཀྲམ་པ་དང་། བཅུམ་པ་ཡང་དག་པ་ཇི་ལྟ་བ་བཞིན་དུ་རབ་ཏུ་མཁྱེན་ཏོ། །དེ་ལ་དེ་བཞིན་གཤེགས་པ་དགྲ་བཅོམ་པ་ཡང་དག་པར་རྫོགས་པའི་སངས་རྒྱས་ཀྱིས། སེམས་ཅན་ཕ་རོལ་དང་། གང་ཟག་ཕ་རོལ་གྱི་སེམས་འཕྲོ་བ་དང་། འདུ་བ་དང་། བཀྲམ་པ་དང་། བཅུམ་པ་རྣམ་པ་འདི་ལྟར་རབ་ཏུ་མཁྱེན་ཏེ། བདག་དང་འཇིག་རྟེན་རྟག་ཅེས་བྱ་བ་དེ་ཉིད་བདེན་གྱི། གཞན་ནི་དོན་མེད་དོ་ཅེས་བྱ་བ་དེ་ནི། གཟུགས་ལ་གནས་པའོ། །དེ་ནི་ཚོར་བ་དང་འདུ་ཤེས་དང་འདུ་བྱེད་དང་། རྣམ་པར་ཤེས་པ་ལ་གནས་པའོ། །བདག་དང་འཇིག་རྟེན་མི་རྟག་ཅེས་བྱ་བ་དེ་ཉིད་བདེན་གྱི། གཞན་ནི་དོན་མེད་དོ་ཞེས་བྱ་བ་དེ་[1]ནི་གཟུགས་ལ་གནས་པའོ། །དེ་ནི་ཚོར་བ་དང་འདུ་ཤེས་དང་འདུ་བྱེད་དང་། རྣམ་པར་ཤེས་པ་ལ་གནས་པའོ། །བདག་དང་འཇིག་རྟེན་རྟག་ཀྱང་རྟག་ལ། མི་རྟག་ཀྱང་མི་རྟག་ཅེས་བྱ་བ་དེ་ཉིད་བདེན་གྱི། གཞན་ནི་དོན་མེད་དོ། །ཞེས་བྱ་བ་དེ་ནི་གཟུགས་ལ་གནས་པའོ། །དེ་ནི་ཚོར་བ་དང་འདུ་ཤེས་དང་འདུ་བྱེད་དང་། རྣམ་པར་ཤེས་པ་ལ་གནས་པའོ། །བདག་དང་འཇིག་རྟེན་ནི་རྟག་པའང་མ་ཡིན། མི་རྟག་པའང་མ་ཡིན། ཞེས་བྱ་བ་དེ་ཉིད་བདེན་གྱི། གཞན་ནི་དོན་མེད་པའོ་[2]ཞེས་བྱ་བ་དེ་ནི་གཟུགས་ལ་གནས་པའོ། །དེ་ནི་ཚོར་བ་དང་འདུ་ཤེས་དང་འདུ་བྱེད་དང་། རྣམ་པར་ཤེས་པ་ལ་གནས་པའོ། །བདག་དང་འཇིག་རྟེན་ནི་མཐའ་དང་ལྡན་པ་ཞེས་བྱ་བ་དེ་ཉིད་བདེན་གྱི། གཞན་ནི་དོན་མེད་དོ། །ཞེས་བྱ་བ་དེ་ནི་གཟུགས་ལ་གནས་པའོ། །དེ་ནི་ཚོར་བ་དང་འདུ་ཤེས་དང་འདུ་བྱེད་དང་། རྣམ་པར་ཤེས་པ་ལ་གནས་པའོ། །བདག་དང་འཇིག་རྟེན་ནི་

མཐའ་དང་མི་ལྡན་པ་ཞེས་བྱ་བ་[1]དེ་ཉིད་[2]བདེན་གྱི། གཞན་ནི་དོན་མེད་དོ་····
ཞེས་བྱ་བ་དེ་ནི་གཟུགས་ལ་གནས་པའོ། །དེ་ནི་ཚོར་བ་དང་འདུ་ཤེས་དང་འདུ་
བྱེད་དང་། རྣམ་པར་ཤེས་པ་ལ་གནས་པའོ། །བདག་དང་འཇིག་[3]རྟེན་ནི་
མཐའ་དང་ལྡན་པ་ཡང་ཡིན་ལ། མཐའ་དང་མི་ལྡན་པ་ཡང་ཡིན་ཞེས་བྱ་བ་དེ་··
ཉིད་བདེན་གྱི། གཞན་ནི་དོན་མེད་དོ་ཞེས་བྱ་བ་དེ་ནི་གཟུགས་ལ་གནས་པའོ། །
དེ་ནི་ཚོར་བ་དང་འདུ་ཤེས་དང་འདུ་བྱེད་དང་། རྣམ་པར་ཤེས་པ་ལ་གནས་པའོ། །
བདག་དང་འཇིག་རྟེན་ནི་མཐའ་དང་ལྡན་པ་ཡང་མ་ཡིན། མཐའ་དང་མི་ལྡན་
པ་ཡང་མ་ཡིན་ཞེས་བྱ་བ་དེ་ཉིད་བདེན་གྱི། གཞན་ནི་དོན་མེད་དོ་ཞེས་བྱ་བ་[4]
དེ་ནི་གཟུགས་ལ་གནས་པའོ། །དེ་ནི་ཚོར་བ་དང་འདུ་ཤེས་དང་འདུ་བྱེད་དང་།
རྣམ་པར་ཤེས་པ་ལ་གནས་པའོ། །ལུས་དེ་སྲོག་དང་ལྡན་ཞེས་བྱ་བ་དེ་ཉིད་
བདེན་གྱི། གཞན་ནི་དོན་མེད་དོ་ཞེས་བྱ་བ་དེ་ནི་གཟུགས་ལ་གནས་པའོ། །
དེ་ནི་ཚོར་བ་དང་འདུ་ཤེས་དང་འདུ་བྱེད་དང་། རྣམ་པར་ཤེས་པ་ལ་གནས་པའོ། །
སྲོག་ཀྱང་གཞན་ལ་ལུས་ཀྱང་གཞན་ཞེས་བྱ་བ་དེ་ཉིད་བདེན་གྱི། གཞན་ནི་དོན་
མེད་དོ་ཞེས་བྱ་བ་དེ་ནི་གཟུགས་ལ་གནས་པའོ། །དེ་ནི་ཚོར་བ་[5]དང་འདུ་ཤེས····
དང་འདུ་བྱེད་དང་། རྣམ་པར་ཤེས་པ་ལ་གནས་པའོ། །དེ་བཞིན་གཤེགས་པ་
གྲོངས་ནས་ཡོད་ཅེས་བྱ་བ་དེ་ཉིད་བདེན་གྱི། གཞན་ནི་དོན་མེད་དོ་ཞེས་བྱ་བ··
དེ་ནི་གཟུགས་ལ་གནས་པའོ། །དེ་ནི་ཚོར་བ་དང་འདུ་ཤེས་དང་འདུ་བྱེད་དང་།
རྣམ་པར་ཤེས་པ་ལ་གནས་པའོ། །དེ་ལྟར་དེ་བཞིན་གཤེགས་པ་གྲོངས་ནས་མེད་
ཅེས་བྱ་བ་དང་། དེ་བཞིན་གཤེགས་པ་གྲོངས་[6]ནས་ཡོད་ཀྱང་ཡོད་ལ་མེད་ཀྱང་···
མེད་ཅེས་བྱ་བ་དང་། དེ་བཞིན་གཤེགས་པ་གྲོངས་ནས་ཡོད་པར་འགྱུར་བ་ཡང་
མ་ཡིན། མེད་པར་འགྱུར་བ་ཡང་མ་ཡིན་ཞེས་བྱ་བ་དེ་ཉིད་བདེན་གྱི། གཞན་

ཞི་དོན་མེད་དོ་ཞེས་བྱ་བ་དེ་ནི་གཟུགས་ལ་གནས་པའོ། །དེ་ནི་ཚོར་བ་དང་འདུ་ཤེས་དང་འདུ་བྱེད་དང་། རྣམ་པར་ཤེས་པ་ལ་གནས་པའོ། །ཞེས་བྱ་བར་རབ་ཏུ་མཁྱེན་ཏེ། རབ་འབྱོར་དེ་ལྟར་ན་དེ་བཞིན་གཤེགས་པ་དགྲ་བཅོམ་པ་ཡང་དག་པར་རྫོགས་པའི་སངས་རྒྱས་ཀྱིས། ཤེས་རབ་ཀྱི་ཕ་རོལ་ཏུ་ཕྱིན་པ་ཟབ་མོ་འདི་ལ་བརྟེན་ཏེ། སེམས་ཅན་ཕ་རོལ་དང་། གང་ཟག་ཕ་རོལ་གྱི་སེམས་འཕྲོ་བ་དང་། འདུ་བ་དང་། བཀྲམ་པ་དང་། བཅུམ་པ་ཡང་དག་པ་ཇི་ལྟ་བ་བཞིན་དུ་རབ་ཏུ་མཁྱེན་ཏོ། །རབ་འབྱོར་གཞན་ཡང་དེ་བཞིན་གཤེགས་པས། ཤེས་རབ་ཀྱི་ཕ་རོལ་ཏུ་ཕྱིན་པ་ཟབ་མོ་འདི་ལ་བརྟེན་ཏེ། གཟུགས་མཁྱེན་ཏོ། །གཟུགས་ཇི་ལྟར་མཁྱེན་ཅེ་ན། དེ་བཞིན་ཉིད་དང་། མ་ནོར་བ་དེ་བཞིན་ཉིད་འགྱུར་བ་མེད་ཅིང་རྣམ་པར་རྟོག་པ་མེད་ལ། མཚན་མ་མེད་ཅིང་བྱེད་པ་མེད་དེ། སྤྲོས་པ་མེད་ཅིང་དམིགས་སུ་མེད་པ་དེ་ལྟར་མཁྱེན་ཏོ། །ཚོར་བ་དང་འདུ་ཤེས་དང་འདུ་བྱེད་དང་རྣམ་པར་ཤེས་པ་མཁྱེན་ཏོ། །རྣམ་པར་ཤེས་པ་ཇི་ལྟར་མཁྱེན་ཅེ[1]ན། དེ་བཞིན་ཉིད་དང་མ་ནོར་བ་དེ་བཞིན་ཉིད་འགྱུར་བ་མེད་ཅིང་རྣམ་པར་རྟོག་པ་མེད་ལ། མཚན་མ་མེད་ཅིང་བྱེད་པ་མེད་དེ། སྤྲོས་པ་མེད་ཅིང་དམིགས་སུ་མེད་པ་དེ་ལྟར་མཁྱེན་ཏོ། །རབ་འབྱོར་དེ་བཞིན་དུ་དེ་བཞིན་གཤེགས་པས་ཤེས་རབ་ཀྱི་ཕ་རོལ་ཏུ་ཕྱིན་པ་ཟབ་མོ་འདི་ལ་བརྟེན་ཏེ། སེམས་ཅན་ཕ་རོལ་དང་། གང་ཟག་ཕ་རོལ་གྱི་སེམས་འཕྲོ་བ་དང་། འདུ་བ་དང་། བཀྲམ་པ་དང་། བཅུམ་པ་རྣམས་ཀྱང་དེ་བཞིན་ཉིད་ཇི་ལྟ་བ་དེ་བཞིན་དུ་རབ་ཏུ[3]མཁྱེན་ཏོ། །མ་ནོར་བ་དེ་བཞིན་ཉིད་དང་། འགྱུར་བ་མེད་པ་དང་། རྣམ་པར་རྟོག་པ་མེད་པ་དང་། མཚན་མ་མེད་པ་དང་། བྱེད་པ་མེད་པ་དང་། སྤྲོས་པ་མེད་པ་དང་། དམིགས་སུ་མེད་པ་ཇི་ལྟ་བ་དེ་བཞིན་དུ་མཁྱེན་ཏོ། །དེ་

ལྔར་ན་འཕྲོ་བ་དང་འདུ་བ་དང་བགྲམ་པ་དང་བཅུམ་པའི་དེ་བཞིན་ཉིད་གང་ཡིན་པ་དེ་ནི། ཕུང་པོའི་དེ་བཞིན་ཉིད་དོ། །ཕུང་པོའི་དེ་བཞིན་ཉིད་གང་ཡིན་པ་དེ་ནི། སྐྱེ་མཆེད་ཀྱི་དེ་བཞིན་ཉིད་དོ། །སྐྱེ་མཆེད་ཀྱི་དེ་བཞིན་ཉིད་གང་ཡིན་པ་དེ་ནི། ཁམས་ཀྱི་དེ་བཞིན་ཉིད་དོ། །ཁམས་ཀྱི་དེ་བཞིན་ཉིད་གང་ཡིན་པ་དེ་ནི། རྟེན་ཅིང་འབྲེལ་བར་འབྱུང་བའི་དེ་བཞིན་ཉིད་དོ། །རྟེན་ཅིང་འབྲེལ་བར་འབྱུང་བའི་དེ་བཞིན་ཉིད་གང་ཡིན་པ་དེ་ནི། ཆོས་ཐམས་ཅད་ཀྱི་དེ་བཞིན་ཉིད་དོ། །ཆོས་ཐམས་ཅད་ཀྱི་དེ་བཞིན་ཉིད་གང་ཡིན་པ་དེ་ནི། ཕ་རོལ་ཏུ་ཕྱིན་པ་དྲུག་གི་དེ་བཞིན་ཉིད་དོ། །ཕ་རོལ་ཏུ་ཕྱིན་པ་དྲུག་གི་དེ་བཞིན་ཉིད་གང་ཡིན་པ་དེ་ནི། སྟོང་པ་ཉིད་ཐམས་ཅད་ཀྱི་དེ་བཞིན་ཉིད་དོ། །སྟོང་པ་ཉིད་ཐམས་ཅད་ཀྱི་དེ་བཞིན་ཉིད་གང་ཡིན་པ་དེ་ནི། བྱང་ཆུབ་ཀྱི་ཕྱོགས་ཀྱི་ཆོས་སུམ་ཅུ་རྩ་བདུན་གྱི་དེ་བཞིན་ཉིད་དོ། །བྱང་ཆུབ་ཀྱི་ཕྱོགས་ཀྱི་ཆོས་སུམ་ཅུ་རྩ་བདུན་གྱི་དེ་བཞིན་ཉིད་གང་ཡིན་པ་དེ་ནི། བསམ་གཏན་བཞིའི་དེ་བཞིན་ཉིད་དོ། །བསམ་གཏན་བཞིའི་དེ་བཞིན་ཉིད་གང་ཡིན་པ་དེ་ནི། ཚད་མེད་པ་བཞིའི་དེ་བཞིན་ཉིད་དོ། །ཚད་མེད་པ་བཞིའི་དེ་བཞིན་ཉིད་གང་ཡིན་པ་དེ་ནི། གཟུགས་མེད་པའི་སྙོམས་པར་འཇུག་པ་བཞིའི་དེ་བཞིན་ཉིད་དོ། །གཟུགས་མེད་པའི་སྙོམས་པར་འཇུག་པ་བཞིའི་དེ་བཞིན་ཉིད་གང་ཡིན་པ་དེ་ནི། མངོན་པར་ཤེས་པ་ལྔའི་དེ་བཞིན་ཉིད་དོ། །མངོན་པར་ཤེས་པ་ལྔའི་དེ་བཞིན་ཉིད་གང་ཡིན་པ་དེ་ནི། རྣམ་པར་ཐར་པ་བརྒྱད་ཀྱི་དེ་བཞིན་ཉིད་དོ། །རྣམ་པར་ཐར་པ་བརྒྱད་ཀྱི་དེ་བཞིན་ཉིད་གང་ཡིན་པ་དེ་ནི། མཐར་གྱིས་གནས་པའི་སྙོམས་པར་འཇུག་པ་དགུའི་དེ་བཞིན་ཉིད་དོ། །མཐར་གྱིས་གནས་པའི་སྙོམས་པར་འཇུག་པ་དགུའི་དེ་བཞིན་ཉིད་གང་ཡིན་པ་དེ་ནི། རྣམ་པར་ཐར་པའི་སྒོ་སྟོང་པ་ཉིད་

དང་། མཚན་མ་མེད་པ་དང་། སྨོན་པ་མེད་པའི་དེ་བཞིན་ཉིད་དོ། །རྣམ་པར་ཐར་པའི་སྒོ་སྟོང་པ་ཉིད་དང་། མཚན་མ་མེད་པ་དང་། སྨོན་པ་མེད་པའི་དེ་བཞིན་ཉིད་གང་ཡིན་པ་དེ་ནི། དེ་བཞིན་གཤེགས་པའི་སྟོབས་བཅུའི་དེ་བཞིན་ཉིད་དོ། །དེ་བཞིན་གཤེགས་པའི་སྟོབས་བཅུའི་དེ་བཞིན་ཉིད་གང་ཡིན་པ་དེ་ནི། མི་འཇིགས་པ་བཞིའི་དེ་བཞིན་ཉིད་དོ། །མི་འཇིགས་པ་བཞིའི་དེ་བཞིན་ཉིད་གང་ཡིན་པ་དེ་ནི། སོ་སོ་ཡང་དག་པར་རིག་པ་བཞིའི་དེ་བཞིན་ཉིད་དོ། །སོ་སོ་ཡང་དག་པར་རིག་པ་བཞིའི་དེ་བཞིན་ཉིད་གང་ཡིན་པ་དེ་ནི། བྱམས་པ་ཆེན་པོའི་དེ་བཞིན་ཉིད་དོ། །བྱམས་པ་ཆེན་པོའི་དེ་བཞིན་ཉིད་གང་ཡིན་པ་དེ་ནི། སྙིང་རྗེ་ཆེན་པོའི་དེ་བཞིན་ཉིད་དོ། །སྙིང་རྗེ་ཆེན་པོའི་དེ་བཞིན་ཉིད་གང་ཡིན་པ་དེ་ནི། སངས་རྒྱས་ཀྱི་ཆོས་མ་འདྲེས་པ་བཅོ་བརྒྱད་ཀྱི་དེ་བཞིན་ཉིད་དོ། །སངས་རྒྱས་ཀྱི་ཆོས་མ་འདྲེས་པ་བཅོ་བརྒྱད་ཀྱི་དེ་བཞིན་ཉིད་གང་ཡིན་པ་དེ་ནི། རྣམ་པ་ཐམས་ཅད་མཁྱེན་པ་ཉིད་ཀྱི་དེ་བཞིན་ཉིད་དོ། །རྣམ་པ་ཐམས་ཅད་མཁྱེན་པ་ཉིད་ཀྱི་དེ་བཞིན་ཉིད་གང་ཡིན་པ་དེ་ནི། དགེ་བའི་ཆོས་རྣམས་ཀྱི་དེ་བཞིན་ཉིད་དོ། །དགེ་བའི་ཆོས་རྣམས་ཀྱི་དེ་བཞིན་ཉིད་གང་ཡིན་པ་དེ་ནི། མི་དགེ་བའི་ཆོས་རྣམས་ཀྱི་དེ་བཞིན་ཉིད་དོ། །མི་དགེ་བའི་ཆོས་རྣམས་ཀྱི་དེ་བཞིན་ཉིད་གང་ཡིན་པ་དེ་ནི། འཇིག་རྟེན་པའི་ཆོས་རྣམས་ཀྱི་དེ་བཞིན་ཉིད་དོ། །འཇིག་རྟེན་པའི་ཆོས་རྣམས་ཀྱི་དེ་བཞིན་ཉིད་གང་ཡིན་པ་དེ་ནི། འཇིག་རྟེན་ལས་འདས་པའི་ཆོས་རྣམས་ཀྱི་དེ་བཞིན་ཉིད་དོ། །འཇིག་རྟེན་ལས་འདས་པའི་ཆོས་རྣམས་ཀྱི་དེ་བཞིན་ཉིད་གང་ཡིན་པ་དེ་ནི། ཟག་པ་དང་བཅས་པའི་ཆོས་རྣམས་ཀྱི་དེ་བཞིན་ཉིད་དོ། །ཟག་པ་དང་བཅས་པའི་ཆོས་རྣམས་ཀྱི་དེ་བཞིན་ཉིད་གང་ཡིན་པ་དེ་ནི། ཟག་པ་མེད་པའི་ཆོས་རྣམས་ཀྱི་དེ་

བཞིན་ཉིད་དོ། །ཟག་པ་མེད་པའི་ཆོས་རྣམས་ཀྱི་དེ་བཞིན་ཉིད་གང་ཡིན་པ་དེ་ནི། འདས་པ་དང་། མ་འོངས་པ་དང་། ད་ལྟར་བྱུང་①བའི་ཆོས་རྣམས་ཀྱི་དེ་བཞིན་ཉིད་དོ། །འདས་②པ་དང་། མ་འོངས་པ་དང་། ད་ལྟར་བྱུང་བའི་ཆོས་རྣམས་ཀྱི་དེ་བཞིན་ཉིད་གང་ཡིན་པ་དེ་ནི། འདུས་བྱས་དང་། འདུས་མ་བྱས་ཀྱི་ཆོས་རྣམས་ཀྱི་དེ་བཞིན་ཉིད་དོ། །འདུས་བྱས་དང་། འདུས་མ་བྱས་ཀྱི་ཆོས་རྣམས་ཀྱི་དེ་བཞིན་ཉིད་གང་ཡིན་པ་དེ་ནི། རྒྱུན་དུ་ཞུགས་པའི་འབྲས་བུའི་དེ་བཞིན་ཉིད་དོ། །རྒྱུན་དུ་ཞུགས་པའི་འབྲས་བུའི་དེ་བཞིན་ཉིད་གང་ཡིན་པ་དེ་ནི། ལན་ཅིག་ཕྱིར་འོང་བའི་འབྲས་བུའི་དེ་བཞིན་ཉིད་དོ། །ལན་ཅིག་ཕྱིར་འོང་བའི་འབྲས་བུའི་དེ་བཞིན་ཉིད་གང་ཡིན་པ་དེ་ནི། ཕྱིར་མི་འོང་བའི་འབྲས་བུའི་དེ་བཞིན་ཉིད་དོ། །ཕྱིར་མི་འོང་བའི་འབྲས་བུའི་དེ་བཞིན་ཉིད་གང་ཡིན་པ་དེ་ནི། དགྲ་བཅོམ་པ་ཉིད་ཀྱི་དེ་བཞིན་ཉིད་དོ། །དགྲ་བཅོམ་པ་ཉིད་ཀྱི་དེ་བཞིན་ཉིད་གང་ཡིན་པ་དེ་ནི། རང་བྱང་ཆུབ་ཀྱི་དེ་བཞིན་ཉིད་དོ། །རང་བྱང་ཆུབ་ཀྱི་དེ་བཞིན་ཉིད་གང་ཡིན་པ་དེ་ནི། བླ་ན་མེད་པ་ཡང་དག་པར་རྫོགས་པའི་བྱང་ཆུབ་ཀྱི་དེ་བཞིན་ཉིད་དོ། །བླ་ན་མེད་པ་ཡང་དག་པར་རྫོགས་པའི་བྱང་ཆུབ་ཀྱི་དེ་བཞིན་ཉིད་གང་ཡིན་པ་དེ་ནི། དེ་བཞིན་གཤེགས་པའི་དེ་བཞིན་ཉིད་དོ③། །དེ་བཞིན་གཤེགས་པའི་དེ་བཞིན་ཉིད་གང་ཡིན་པ་དེ་ནི། དེ་བཞིན་ཉིད་གཅིག་པ་ཉིད་དེ་ཐ་མི་དད་པའི་དེ་བཞིན་ཉིད་དོ། །ཐ་མི་དད་པའི་དེ་བཞིན་ཉིད་གང་ཡིན་པ་དེ་ནི། མི་ཟད་པ་སྟེ་མི་ཟད་པའི་ཕྱིར་གཉིས་སུ་མེད་དེ། གཉིས་སུ་བྱར་མེད་དོ། །རབ་འབྱོར་དེ་ནི་ཆོས་ཐམས་ཅད་ཀྱི་དེ་བཞིན་ཉིད་དེ། དེ་བཞིན་གཤེགས་པས④ཤེས་རབ་ཀྱི་ཕ་རོལ་ཏུ་ཕྱིན་པ་འདི་ལ་བརྟེན་ཏེ། མངོན་པར་རྫོགས་པར་སངས་རྒྱས་སོ། །རབ་འབྱོར་དེ་ལྟ་བས⑤

ན་ཤེས་རབ་ཀྱི་ཕ་རོལ་ཏུ་ཕྱིན་པ་ཟབ་མོ་འདི་ནི། དེ་བཞིན་གཤེགས་པ་བསྐྱེད་[༧]
པའོ༎ །འཇིག་རྟེན་འདི་སྟོན་པའོ། །རབ་འབྱོར་དེ་ལྟར་ན་དེ་བཞིན་
གཤེགས་པ་དགྲ་བཅོམ་པ་ཡང་དག་པར་རྫོགས་པའི་སངས་རྒྱས་ཀྱིས། ཆོས་
ཐམས་ཅད་ཀྱི་དེ་བཞིན་ཉིད་ཐུགས་སུ་ཆུད་དོ། །མ་ནོར་བ་དེ་བཞིན་ཉིད་དང་།
གཞན་མ་ཡིན་པ་དེ་བཞིན་ཉིད་ཐུགས་སུ་ཆུད་དོ། །དེ་བཞིན་ཉིད་དེས་ན་དེ་
བཞིན་གཤེགས་པ་དགྲ་བཅོམ་པ་ཡང་དག་པར་རྫོགས་པའི་སངས་རྒྱས་ཤེས་བྱའོ། །
རབ་འབྱོར་གྱིས་གསོལ་པ། བཅོམ་ལྡན་འདས་འདི་ལྟ་སྟེ། ཆོས་ཐམས་ཅད་
ཀྱི་དེ་བཞིན་ཉིད་དང་། མ་ནོར་བ་དེ་བཞིན་ཉིད་དང་། གཞན་མ་ལགས་[༣]པ་
དེ་བཞིན་ཉིད་འདི་ནི་ཟབ་པ་སྟེ། བཅོམ་ལྡན་འདས་ཆོས་ཐམས་ཅད་ཀྱི་དེ་
བཞིན་ཉིད་དང་། མ་ནོར་བ་དེ་བཞིན་ཉིད་དང་། གཞན་མ་ལགས་པ་དེ་
བཞིན་ཉིད་དེས་ན[༡]། སངས་རྒྱས་བཅོམ་ལྡན་འདས་རྣམས་ཀྱི་བྱང་ཆུབ་བརྗོད་
ཅིང་སྨྲས་སོ། །བཅོམ་ལྡན་འདས་སླར་མི་ལྡོག་པའི་བྱང་ཆུབ་སེམས་དཔའ་
སེམས་དཔའ་ཆེན་པོ་རྣམས་དང་། གང་ཟག་ལྟ་བ་ཕུན་སུམ་ཚོགས་པ་རྣམས
དང་། དགྲ་བཅོམ་པ་ཟག་པ་ཟད་པ་རྣམས་མ་གཏོགས་པར་སུ་ཞིག་འདི་ལ་མོས་
པར་འགྱུར[༨]། བཅོམ་ལྡན་འདས་དེ་བཞིན་གཤེགས་པས་ཆོས་དེ་དག་མངོན
པར་[༥]སངས་རྒྱས་ནས། སེམས་ཅན་རྣམས་ལ་གསུངས་པ་ནི་ཤིན་ཏུ་ཟབ་པོ། །
བཅོམ་ལྡན་འདས་ཀྱིས་བཀའ་སྩལ་པ། རབ་འབྱོར་དེ་ནི་འདི་ལྟར་དེ་བཞིན་
ཉིད་མི་ཟད་པ་སྟེ། ཅིའི་ཕྱིར་མི་ཟད་ཅེ་ན། ཆོས་ཐམས་ཅད་ནི་མི་ཟད་པའི་
ཕྱིར་ཏེ། དེ་བཞིན་ཉིད་དེ་ནི་དེ་བཞིན་གཤེགས་པ་དགྲ་བཅོམ་པ་ཡང་དག་པར་
རྫོགས་པའི་སངས་རྒྱས་ཀྱིས། བླ་ན་མེད་པ་ཡང་དག་པར་རྫོགས་པའི་བྱང་ཆུབ་
ཏུ་མངོན་པར་རྫོགས་པར་སངས་རྒྱས་ནས། སེམས་ཅན་རྣམས་ལ་གསུངས་ཏེ།

འདི་ལྟར་ཆོས་ཐམས་ཅད་ཀྱི་དེ་བཞིན་ཉིད་དོ། །ཤེས་རབ་ཀྱི་ཕ་རོལ་ཏུ་ཕྱིན་པ་སྟོང་ཕྲག་ཉི་ཤུ་ལྔ་པ་ལས། ལེའུ་སུམ་ཅུ་གཉིས་པའོ།། ||

དེ་ནས་སྟོང་གསུམ་གྱི་སྟོང་ཆེན་པོའི་འཇིག་རྟེན་གྱི་ཁམས་འདིའི་འདོད་པ་ན་སྤྱོད་པ་དང་། གཟུགས་ཡོད་པ་ན་སྤྱོད་པའི་ལྷའི་བུ་གང་ཇི་སྙེད་པ་དེ་དག་ལྷ་རྫས་ཀྱི་ཙན་དན་གྱི་ཕྱེ་མས་མངོན་པར་འཐོར་ཞིང་། བཅོམ་ལྡན་འདས་གང་ན[༡]་བ་དེར་དོང་སྟེ་ཕྱིན་ནས། བཅོམ་ལྡན་འདས་ཀྱི་ཞབས་གཉིས་ལ་མགོ་བོས་ཕྱག་འཚལ་ཏེ་ཕྱོགས་གཅིག་ཏུ་འཁོད་དོ། །ཕྱོགས་གཅིག་ཏུ་འཁོད་ནས། འདོད་པ་ན་སྤྱོད་པ་དང་། གཟུགས་ཡོད་པ་ན་སྤྱོད་པའི་ལྷའི་བུ་གང་ཇི་སྙེད་པ་དེ་དག་གིས། བཅོམ་ལྡན་འདས་ལ་འདི་སྐད་ཅེས་གསོལ་ཏོ། །བཅོམ་ལྡན་འདས་ཤེས་རབ་ཀྱི་ཕ་རོལ་ཏུ་ཕྱིན་པ་ཟབ་མོ་བཤད་ན། བཅོམ་ལྡན་འདས་ཤེས་རབ་ཀྱི་ཕ་རོལ་ཏུ་ཕྱིན་པ་ཟབ་མོའི་མཚན་ཉིད་ཇི་ལྟ་བུ་ལགས། བཅོམ་ལྡན་འདས་ཀྱིས་བཀའ་སྩལ་པ། ལྷའི་བུ་དག་ཤེས་རབ་ཀྱི་ཕ་རོལ་ཏུ་ཕྱིན་པ་ཟབ་མོ་འདི་ནི་སྟོང་པ་ཉིད་ཀྱི་མཚན་ཉིད་དོ། །ལྷའི་བུ་དག་ཤེས་རབ་ཀྱི་ཕ་རོལ་ཏུ་ཕྱིན་པ་ཟབ་མོ་འདི་ནི་མཚན་མ་མེད་པའི་མཚན་ཉིད་དོ། །ལྷའི་བུ་དག་ཤེས་རབ་ཀྱི་ཕ་རོལ་ཏུ་ཕྱིན་པ་ཟབ་མོ་འདི་ནི། སྨོན་པ་མེད་པའི་མཚན་ཉིད་དོ། །ལྷའི་བུ་དག་ཤེས་རབ་ཀྱི་ཕ་རོལ་ཏུ་ཕྱིན་པ་ཟབ་མོ་འདི་ནི། མངོན་པར་འདུ་བྱ་བ་མེད་པའི་མཚན་ཉིད་དོ། །ལྷའི་བུ་དག་ཤེས་རབ་ཀྱི་ཕ་རོལ་ཏུ་ཕྱིན་པ་ཟབ་མོ་འདི་ནི། སྐྱེ་བ་མེད་པའི་མཚན་ཉིད་དོ། །ལྷའི་བུ་དག་ཤེས་རབ་ཀྱི་ཕ་རོལ་ཏུ་ཕྱིན་པ་ཟབ་མོ་འདི་ནི། འགག་པ་མེད་པའི་མཚན་ཉིད་དོ། །ལྷའི་བུ་དག་ཤེས་རབ་ཀྱི་ཕ་རོལ[༣]་ཏུ་ཕྱིན་པ་ཟབ་མོ་འདི་ནི། ཉོན་མོངས་པ་མེད་པའི་མཚན་ཉིད་དོ། །

ལྷའི་བུ་དག་ཤེས་རབ་ཀྱི་ཕ་རོལ་ཏུ་ཕྱིན་པ་ཟབ་མོ་འདི་ནི། རྣམ་པར་བྱང་བ་
མེད་པའི་མཚན་ཉིད་དོ། །ལྷའི་བུ་དག་ཤེས་རབ་ཀྱི་ཕ་རོལ་ཏུ་ཕྱིན་པ་ཟབ་མོ་
འདི་ནི། དངོས་པོ་མེད་པའི་མཚན་ཉིད་དོ། །ལྷའི་བུ་དག་ཤེས་རབ་ཀྱི་ཕ་
རོལ་ཏུ་ཕྱིན་པ་ཟབ་མོ་འདི་ནི། ངོ་བོ་ཉིད་མེད་པའི་མཚན་ཉིད་དོ། །ལྷའི་བུ་
དག་ཤེས་རབ་ཀྱི་ཕ་རོལ་ཏུ་ཕྱིན་པ་ཟབ་མོ་འདི་ནི། དངོས་པོ་མེད་པའི་ངོ་བོ་
ཉིད་ཀྱི་མཚན་ཉིད་དོ། །ལྷའི་བུ་དག་ཤེས་རབ་ཀྱི་ཕ་རོལ་ཏུ་ཕྱིན་པ་ཟབ་མོ་འདི་
ནི། མི་གནས་པའི་མཚན་ཉིད་དོ། །ལྷའི་བུ་དག་ཤེས་རབ་ཀྱི་ཕ་རོལ་ཏུ་ཕྱིན་
པ་ཟབ་མོ་འདི་ནི། ནམ་མཁའི་མཚན་ཉིད་དོ། །ལྷའི་བུ་དག་ཤེས་རབ་ཀྱི་ཕ་
རོལ་ཏུ་ཕྱིན་པ་ཟབ་མོ་འདི་ནི། མཚན་ཉིད་དེ་ལྟ་བུ་ཡིན་ཡང་། དེ་བཞིན་
གཤེགས་པས་འཇིག་རྟེན་གྱི་བརྗོད་བཀའ་སྐུལ་ཏེ། དོན་དམ་པར་ནི་མ་ཡིན་ནོ། །
ལྷའི་བུ་དག་མཚན་ཉིད་དེ་དག་ནི་ལྷ་དང་། མི་དང་། ལྷ་མ་ཡིན་དུ་བཅས་
པའི་འཇིག་རྟེན་གྱིས་གཞན་དུ་བྱ་བར་མི་ནུས་སོ། །དེ་ཅིའི་ཕྱིར་ཞེ་ན། ལྷ་
དང་། མི་དང་། ལྷ་མ་ཡིན་དུ་བཅས་པའི་འཇིག་རྟེན་ཡང་མཚན་ཉིད་དེར་
ཟད་དེ། ལྷའི་བུ་དག་མཚན་ཉིད་ནི་མཚན་ཉིད་གཞན་དུ་མི་བྱེད་དོ། །མཚན་
ཉིད་ནི་མཚན་ཉིད་ཤེས་པར་མི་བྱེད་དོ། །མཚན་ཉིད་ནི་མཚན་ཉིད་མེད་པ་ཤེས་
པར་མི་བྱེད་དོ། །མཚན་ཉིད་མེད་པ་ནི་མཚན་ཉིད་མེད་པ་ཤེས་པར་མི་བྱེད་དོ། །
དེ་ལྟར་ན་མཚན་ཉིད་དང་། མཚན་ཉིད་མེད་པ་དང་། མཚན་ཉིད་ཡོད་པ་
དང་། མཚན་ཉིད་མེད་པ་དེ་གཉིས་ཀ་ལ་ཡང་གང་གིས་ཤེས་པར་བྱ་བ་དང་།
གང་ཤེས་པར་བྱ་བ་དང་། གང་ཤེས་པར་བྱེད་པ་དེ་ལྟ་བུ་མི་སྲིད་དོ། །ལྷའི་
བུ་དག་མཚན་ཉིད་དེ་དག་ནི་གཟུགས་ཀྱིས་འདུས་[1]བྱས་པ་མ་ཡིན་ནོ། །ཚོར་བ་
དང་། འདུ་ཤེས་དང་། འདུ་བྱེད་དང་། རྣམ་པར་ཤེས་པས་འདུས་[3]བྱས་

པ་མ་ཡིན་ནོ། །སྐྱེ་མཆེད་དང་ཁམས་དང་། རྟེན་ཅིང་འབྲེལ་བར་འབྱུང་བས་འདུས་[༡]བྱས་པ་མ་ཡིན་ནོ། །སྦྱིན་པའི་ཕ་རོལ་ཏུ་[༢]ཕྱིན་པས་འདུས་[༣]བྱས་པ་མ་ཡིན་ནོ། །ཚུལ་ཁྲིམས་ཀྱི་ཕ་རོལ་ཏུ་ཕྱིན་པ་དང་། བཟོད་པའི་ཕ་རོལ་ཏུ་ཕྱིན་པ་དང་། བརྩོན་འགྲུས་ཀྱི་ཕ་རོལ་ཏུ་ཕྱིན་པ་དང་། བསམ་གཏན་གྱི་ཕ་རོལ་ཏུ་ཕྱིན་པ་དང་། ཤེས་རབ་ཀྱི་ཕ་རོལ་ཏུ་ཕྱིན་པས་འདུས་[༤]བྱས་པ་མ་ཡིན་ནོ། །སྟོང་པ་ཉིད་ཐམས་ཅད་ཀྱིས་འདུས་[༥]བྱས་པ་མ་ཡིན་ནོ། །བྱང་ཆུབ་ཀྱི་ཕྱོགས་ཀྱི་ཆོས་རྣམས་ཀྱིས་འདུས་[༦]བྱས་པ་མ་ཡིན་ནོ། །འཕགས་པའི་བདེན་པ་རྣམས་ཀྱིས་འདུས་[༧]བྱས་པ་མ་ཡིན་ནོ། །བསམ་གཏན་དང་། ཚད་མེད་པ་དང་། གཟུགས་མེད་པའི་སྙོམས་པར་འཇུག་པ་དང་། རྣམ་པར་ཐར་པ་བརྒྱད་དང་། མཐར་གྱིས་གནས་པའི་སྙོམས་པར་འཇུག་པ་དགུ་དང་། སྟོང་པ་ཉིད་དང་། མཚན་མ་མེད་པ་དང་། སྨོན་པ་མེད་པ་དང་། མངོན་པར་ཤེས་པ་དང་། ཏིང་ངེ་འཛིན་དང་། གཟུངས་ཀྱི་སྒོ་དང་དེ་བཞིན་གཤེགས་པའི་སྟོབས་བཅུ་དང་། མི་འཇིགས་པ་བཞི་དང་། སོ་སོ་ཡང་དག་པར་རིག་པ་བཞི་དང་། སངས་རྒྱས་ཀྱི་ཆོས་མ་འདྲེས་པ་བཅོ་བརྒྱད་ཀྱིས་འདུས་[༨]བྱས་པ་མ་ཡིན་ནོ། །རྣམ་པ་ཐམས་ཅད་མཁྱེན་པ་ཉིད་ཀྱི་བར་གྱིས་འདུས་[༩]བྱས་པ་མ་ཡིན་ནོ། །ལྷའི་བུ་དག་མཚན་ཉིད་དེ་དག་ནི་མིའམ། མི་མ་ཡིན་པའམ། ཟག་པ་དང་བཅས་པའམ། ཟག་པ་མེད་པའམ། འཇིག་རྟེན་པའམ། འཇིག་རྟེན་ལས་འདས་པའམ། འདུས་[༡༠]བྱས་སམ། འདུས་[༡༡]མ་བྱས་ཀྱིས་[༡༢]མ་ཡིན་ཏེ། ལྷའི་བུ་དག་ལ་ལ་ཞིག་འདི་སྐད་དུ་ནམ་མཁའི་མཚན་ཉིད་གང་ཡིན་ཞེས་ཟེར་ན། ཅི་དེ་ཡང་དག་པར་སྨྲ་བས། ཡང་དག་པར་སྨྲ་བ་ཡིན་ནམ། གསོལ་པ། བཅོམ་ལྡན་འདས་དེ་ནི་མ་ལགས་ཏེ། ཡང་དག་པར་སྨྲ་བས། ཡང་དག་པར་སྨྲ་བ

མ་ལགས་སོ། །དེ་ཅིའི་སླད་དུ་ཞེ་ན། བཅོམ་ལྡན་འདས་འདུས་མ་བགྱིས་པའི་
སླད་དུ་ནམ་མཁའ་ལ་ནི་མཚན་ཉིད་གང་ཡང་མ་མཆིས་སོ། །བཅོམ་ལྡན་འདས་
ཀྱིས་བཀའ་སྩལ་པ། ལྷའི་བུ་དག་དེ་བཞིན་གཤེགས་པ་རྣམས་བྱུང་ཡང་རུང་།
དེ་བཞིན་གཤེགས་པ་རྣམས་མ་བྱུང་ཡང་རུང་སྟེ། མཚན་ཉིད་མེད་པའི་དབྱིངས་
དེ་ནི་དེ་བཞིན་དུ་གནས་སོ། །མཚན་ཉིད་མེད་པའི་དབྱིངས་ཇི་ལྟ་བ་བཞིན་དུ་
གནས་པ་དེ་ནི། དེ་བཞིན་གཤེགས་པས་མ་ནོར་བར་མངོན་པར་སངས་རྒྱས་ཏེ།
དེའི་ཕྱིར་དེ་བཞིན་གཤེགས་པ་ཞེས་བྱའོ། །དེ་ནས་འདོད་པ་ན་སྤྱོད་པ་དང་།
གཟུགས་ཡོད་པ་ན་སྤྱོད་པའི་ལྷའི་བུ་དེ་དག་གིས་བཅོམ་ལྡན་འདས་ལ་འདི་སྐད་
ཅེས་གསོལ་ཏོ། །བཅོམ་ལྡན་འདས་མཚན་ཉིད་དེ་དག་མངོན་པར་རྫོགས་པར་
སངས་རྒྱས་པས། དེ་བཞིན་གཤེགས་པའི་ཡེ་ཤེས་གཟིགས་པ་ཆོས་ཐམས་ཅད་ལ་
ཐོགས་པ་མ་མཆིས་པར་འཇུག་ཅིང་མཚན་ཉིད་དེ་དག་ལ་ཞུགས་པས། དེ་
བཞིན་གཤེགས་པ་དགྲ་བཅོམ་པ་ཡང་དག་པར་རྫོགས་པའི་སངས་རྒྱས་ཀྱིས།
ཤེས་རབ་ཀྱི་ཕ་རོལ་དུ་ཕྱིན་པ་མཚན་ཉིད་ཐམས་ཅད་ཀྱི་ཆགས་པ་ལས་འདས་པ་
འདི་མངོན་པར་རྫོགས་པར་སངས་རྒྱས་ཏེ། མངོན་པར་རྫོགས་པར་སངས་རྒྱས་
ནས་ཀྱང་། ཤེས་རབ་ཀྱི་ཕ་རོལ་དུ་ཕྱིན་པ་ཡང་དག་པར་བསྟན་པས། མཚན་
ཉིད་རྣམས་རབ་ཏུ་བསྟན་པ་ནི། དེ་བཞིན་གཤེགས་པས། མཚན་ཉིད་ཟབ་
མོ་མངོན་པར་རྫོགས་པར་སངས་རྒྱས་སོ། །བཅོམ་ལྡན་འདས་དེ་ལྟར་ཤེས་རབ་
ཀྱི་ཕ་རོལ་དུ་ཕྱིན་པ་ཟབ་མོ་དེ་བཞིན་གཤེགས་པ་དགྲ་བཅོམ་པ་ཡང་དག་པར་
རྫོགས་པའི་སངས་རྒྱས་རྣམས་ཀྱི་སྤྱོད་ཡུལ་དུ་གྱུར་ཏེ། དེ་ལ་སྤྱད་པས་དེ་བཞིན་
གཤེགས་པ་དགྲ་བཅོམ་པ་ཡང་དག་པར་རྫོགས་པའི་སངས་རྒྱས་ཀྱིས། བླ་ན་
མེད་པ་ཡང་དག་པར་རྫོགས་པའི་བྱང་ཆུབ་ཏུ་མངོན་པར་རྫོགས་པར་སངས་རྒྱས་

ཏེ། །བླ་ན་མེད་པ་ཡང་དག་པར་རྫོགས་པའི་བྱང་ཆུབ་ཏུ་མངོན་པར་རྫོགས་པར་སངས་རྒྱས་ནས་ཀྱང་། མཚན་ཉིད་ཐམས་ཅད་རབ་ཏུ་དབྱེ་བར་(༡)མཛད་དེ། འདི་ལྟར་གཟུགས་ཀྱི་མཚན་ཉིད་དང་ཚོར་བ་དང་འདུ་ཤེས་དང་འདུ་བྱེད་དང་རྣམ་པར་ཤེས་པའི་མཚན་ཉིད་དང་། སྐྱེ་མཆེད་ཀྱི་མཚན་ཉིད་དང་ཁམས་ཀྱི་མཚན་ཉིད་དང་རྟེན་ཅིང་འབྲེལ་བར་འབྱུང་བའི་མཚན་ཉིད་དང་། རྣམ་པ་ཐམས་ཅད་མཁྱེན་པ་ཉིད་ཀྱི་བར་གྱི་མཚན་ཉིད་རབ་ཏུ་དབྱེ་བ་མཛད་པ་ངོ་མཚར་ཆེའོ། །དེ་སྐད་ཅེས་གསོལ་པ་དང་། བཅོམ་ལྡན་འདས་ཀྱིས་འདོད་པ་ན་སྤྱོད་པ་དང་། གཟུགས་ཡོད་པ་ན་སྤྱོད་པའི་ལྷའི་བུ་རྣམས་ལ་བཀའ་སྩལ་པ། ལྷའི་བུ་དག་གཟུགས་ནི་གཞིག་ཏུ་རུང་བའི་མཚན་ཉིད་དེ། དེ་ནི་དེ་བཞིན་གཤེགས་པས་མཚན་ཉིད་མེད་པར་མངོན་པར་རྫོགས་པར་སངས་རྒྱས་སོ། །དེ་བཞིན་དུ་ཚོར་བ་ནི་མྱོང་བའི་མཚན་ཉིད། འདུ་ཤེས་ནི་འཛིན་པའི་མཚན་ཉིད། འདུ་བྱེད་ནི་མངོན་པར་འདུ་བྱེད་པའི་མཚན་ཉིད། རྣམ་པར་ཤེས་པ་ནི་སོ་སོའི་བྱེ་བྲག་ཤེས་པའི་མཚན་ཉིད་དེ། དེ་ནི་དེ་བཞིན་གཤེགས་པས་མཚན་ཉིད་མེད་པར་མངོན་པར་རྫོགས་པར་སངས་རྒྱས་སོ། །ཕུང་པོ་རྣམས་ནི་སྡུག་བསྔལ་གྱི་མཚན་ཉིད། ཁམས་རྣམས་ནི་གདུག་པའི་མཚན་ཉིད་དེ། དེ་དག་ནི་དེ་བཞིན་གཤེགས་པས་མཚན་ཉིད་མེད་པར་མངོན་པར་རྫོགས་པར་སངས་རྒྱས་སོ། །སྐྱེ་མཆེད་རྣམས་ནི་འབྱུང་བའི་སྒོའི་མཚན་ཉིད་དེ། དེ་དག་ནི་དེ་བཞིན་གཤེགས་པས་མཚན་ཉིད་མེད་པར་མངོན་པར་རྫོགས་པར་སངས་རྒྱས་སོ། །རྟེན་ཅིང་འབྲེལ་བར་འབྱུང་བ་ནི་འདུ་འཕྲོད་ཀྱི་མཚན་ཉིད་དེ། དེ་དག་ནི་དེ་བཞིན་གཤེགས་པས་མཚན་ཉིད་མེད་པར་མངོན་པར་རྫོགས་པར་སངས་རྒྱས་སོ། །ལྷའི་བུ་དག་སྦྱིན་པའི་ཕ་རོལ་ཏུ་ཕྱིན་པ་ནི་ཡོངས་སུ་གཏོང་བའི་མཚན་ཉིད་དེ།

དེ་ནི་དེ་བཞིན་གཤེགས་པས་མཚན་ཉིད་མེད་པར་མངོན་པར་རྫོགས་པར་སངས་རྒྱས་སོ། །ཚུལ་ཁྲིམས་ཀྱི་ཕ་རོལ་ཏུ་ཕྱིན་པ་ནི་གདུང་བ་མེད་པའི་མཚན་ཉིད། བཟོད་པའི་ཕ་རོལ་ཏུ་ཕྱིན་པ་ནི་འཁྲུག་པ་མེད་པའི་མཚན་ཉིད། བརྩོན་འགྲུས་ཀྱི་ཕ་རོལ་ཏུ་ཕྱིན་པ་ནི་ཐུབ་པ་མེད་པའི་མཚན་ཉིད། བསམ་གཏན་གྱི་ཕ་རོལ་ཏུ་ཕྱིན་པ་ནི་ཡང་དག་པར་སྡུད་པའི་མཚན་ཉིད། ཤེས་རབ་ཀྱི་ཕ་རོལ་ཏུ་ཕྱིན་པ་ནི་ཆགས་པ་མེད་པའི་མཚན་ཉིད་དེ། དེ་དག་ནི་དེ་བཞིན་གཤེགས་པས་མཚན་ཉིད་མེད་པར་མངོན་པར་རྫོགས་པར་སངས་རྒྱས་སོ། །བསམ་གཏན་བཞི་དང་ཚད་མེད་པ་བཞི་དང་གཟུགས་མེད་པའི་སྙོམས་པར་འཇུག་པ་བཞི་དག་ནི་མི་འཁྲུགས་པའི་མཚན་ཉིད་དེ། དེ་དག་ནི་དེ་བཞིན་གཤེགས་པས་མཚན་ཉིད་མེད་པར་མངོན་པར་རྫོགས་པར་སངས་རྒྱས་སོ། །བྱང་ཆུབ་ཀྱི་ཕྱོགས་ཀྱི་ཆོས་སུམ་ཅུ་རྩ་བདུན་ནི་འབྱུང་བའི་མཚན་ཉིད་དེ། དེ་དག་ནི་དེ་བཞིན་གཤེགས་པས་མཚན་ཉིད་མེད་པར་མངོན་པར་རྫོགས་པར་སངས་རྒྱས་སོ། །རྣམ་པར་ཐར་པའི་སྒོ་སྟོང་པ་ཉིད་ནི་དབེན་པའི་མཚན་ཉིད་དེ། དེ་དག་[༡]ནི་དེ་བཞིན་གཤེགས་པས་མཚན་ཉིད་མེད་པར་མངོན་པར་རྫོགས་པར་སངས་རྒྱས་སོ། །རྣམ་པར་ཐར་པའི་སྒོ་མཚན་མ་མེད་པ་ནི་ཞི་བའི་མཚན་ཉིད་དེ། དེ་ནི་དེ་བཞིན་གཤེགས་པས་མཚན་ཉིད་མེད་པར་མངོན་པར་རྫོགས་པར་སངས་རྒྱས་སོ། །རྣམ་པར་ཐར་པའི་སྒོ་སྨོན་པ་མེད་པ་ནི་སྡུག་བསྔལ་སེལ་བའི་མཚན་ཉིད་དེ། དེ་ནི་དེ་བཞིན་གཤེགས་པས་མཚན་ཉིད་མེད་པར་མངོན་པར་རྫོགས་པར་སངས་རྒྱས་སོ། །རྣམ་པར་ཐར་པ་རྣམས་ནི་འགྲོལ་བའི་མཚན་ཉིད་དེ། དེ་དག་ནི་དེ་བཞིན་གཤེགས་པས་མཚན་ཉིད་མེད་པར་མངོན་པར་རྫོགས་པར་སངས་རྒྱས་སོ། །སྟོབས་རྣམས་ནི་ཤིན་ཏུ་རྣམ་པར་གདོན་མི་ཟ་བའི་མཚན་ཉིད། མི་འཇིགས་པ་

རྣམས་ནི་ཤིན་ཏུ་བརྟན་པའི་མཚན་ཉིད། སོ་སོ་ཡང་དག་པར་རིག་པ་རྣམས་ནི་
ཡོངས་སུ་མི་ཆད་པའི་མཚན་ཉིད། བྱམས་པ་ཆེན་པོ་ནི་ཕན་པར་སྒྲུབ་པའི་
མཚན་ཉིད། སྙིང་རྗེ་ཆེན་པོ་ནི་སྐྱོབ་པའི་མཚན་ཉིད། དགའ་བ་ཆེན་པོ་ནི་
རབ་ཏུ་དགའ་བའི་མཚན་ཉིད། བཏང་སྙོམས་ཆེན་པོ་ནི་མ་འདྲེས་པའི་མཚན་
ཉིད། སངས་རྒྱས་ཀྱི་ཆོས་མ་འདྲེས་པ་བཅོ་བརྒྱད་ནི་མི་འཕྲོགས་པའི་མཚན་
ཉིད་དེ། དེ་དག་ནི་དེ་བཞིན་གཤེགས་པས་མཚན་ཉིད་མེད་པར་མངོན་པར་
རྫོགས་པར་སངས་རྒྱས་སོ། །རྣམ་པ་ཐམས་ཅད་མཁྱེན་པ་ཉིད་ཀྱི་ཡེ་ཤེས་ནི་
མངོན་སུམ་གྱི་མཚན་ཉིད་དེ། དེ་ནི་དེ་[7]བཞིན་གཤེགས་པས་མཚན་ཉིད་མེད་
པར་མངོན་པར་རྫོགས་པར་སངས་རྒྱས་སོ། །ལྷའི་བུ་དག་དེ་ལྟར་དེ་བཞིན་
གཤེགས་པས་ཆོས་ཐམས་ཅད་མཚན་ཉིད་མེད་པར་མངོན་པར་རྫོགས་པར་སངས་
རྒྱས་པས། དེའི་ཕྱིར་ན་དེ་བཞིན་གཤེགས་པ་ནི་ཆགས་པ་མི་མངའ་བའི་ཡེ་ཤེས་
ཅན་ཞེས་བྱའོ། །དེ་ནས་བཅོམ་ལྡན་འདས་ཀྱིས་ཚེ་དང་ལྡན་པ་རབ་འབྱོར་ལ་
འདི་སྐད་ཅེས་བཀའ་སྩལ་ཏོ། །རབ་འབྱོར་ཤེས་རབ་ཀྱི་ཕ་རོལ་ཏུ་ཕྱིན་པ་ནི་དེ་
བཞིན་གཤེགས་པ་སྐྱེད་པ་སྟེ། ཤེས་རབ་ཀྱི་ཕ་རོལ་ཏུ་ཕྱིན་པ་ནི་འཇིག་རྟེན་སྟོན་
པའོ། །དེའི་ཕྱིར་དེ་བཞིན་གཤེགས་པ་དགྲ་བཅོམ་པ་ཡང་དག་པར་རྫོགས་པའི་
སངས་རྒྱས་ནི་འདི་ལྟ་སྟེ། ཤེས་རབ་ཀྱི་ཕ་རོལ་ཏུ་ཕྱིན་པའི་ཆོས་འདི་ལ་བརྟེན་
ཅིང་རྣམ་པར་སྤྱོད་དོ། །ཆོས་དེ་ལ་རིམ་གྲོར་མཛད་ཅིང་མཆོད་པ་མཛད་དོ། །
ཤེས་རབ་ཀྱི་ཕ་རོལ་ཏུ་ཕྱིན་པ་ལ་དེ་བཞིན་གཤེགས་པ་རིམ་གྲོ་མཛད་པ་དང་
བཀུར་བསྟི་མཛད་པ་དང་བསྟི་སྟང་མཛད་པ་དང་། མཆོད་པ་མཛད་པ་དེ་ནི་
ཆོས་དང་ལྡན་པ་སྟེ། དེ་ཅིའི་ཕྱིར་ཞེ་ན། རབ་འབྱོར་སངས་རྒྱས་བཅོམ་ལྡན་
འདས་རྣམས་ནི། ཤེས་རབ་ཀྱི་ཕ་རོལ་ཏུ་ཕྱིན་པ་འདི་ལས་བྱུང་སྟེ། རབ་

འཁོར་དེ་བཞིན་གཤེགས་པ་དགྲ་བཅོམ་པ་ཡང་དག་པར་རྫོགས་པའི་སངས་རྒྱས་ནི་བྱས་པ་མཁྱེན་པའོ། །དེ་བཞིན་གཤེགས་པ་དགྲ་བཅོམ་པ་ཡང་དག་པར་རྫོགས་པའི་སངས་རྒྱས་ནི་བྱས་པ་དགོངས་པའོ། །རབ་འབྱོར་གང་ལ་ལ་ཞིག་ཡང་དག་པར་སྨྲ་བས་བྱས་པ་ཤེས་ཤིང་བྱས་པ་དྲན་པའོ་ཞེས་སྨྲ་ན། དེ་བཞིན་གཤེགས་པ་ལ་བྱས་པ་མཁྱེན་ཅིང་བྱས་པ་དགོངས་པའོ་ཞེས་ཡང་དག་པར་སྨྲ་བས། ཡང་དག་པར་སྨྲའོ། །རབ་འབྱོར་ཇི་ལྟར་ན་དེ་བཞིན་གཤེགས་པས་[༡] བྱས་པ་མཁྱེན་ཅིང་བྱས་པ་དགོངས་པ་ཡིན་ཞེ་ན། རབ་འབྱོར་དེ་ནི་དེ་བཞིན་གཤེགས་པ་དགྲ་བཅོམ་པ་ཡང་དག་པར་རྫོགས་པའི་སངས་རྒྱས་ཐེག་པ་གང་གིས་བྱོན་པ་དང་། ལམ་གང་གིས་བླ་ན་མེད་པ་ཡང་དག་པར་རྫོགས་པའི་བྱང་ཆུབ་ཏུ་མངོན་པར་རྫོགས་པར་སངས་རྒྱས་པར་གྱུར་པའི་ཐེག་པ་དེ་ཉིད་དང་ལམ་དེ་ཉིད་ལ། དེ་བཞིན་གཤེགས་པ་རིམ་གྱི་མཛད་པ་དང་། བཀུར་བསྟི་མཛད་པ་དང་བསྟི་སྟང་མཛད་པ་དང་མཆོད་པ་མཛད་པ་དང་། ཡོངས་སུ་བསྲུང་བ་མཛད་པའི་ཕྱིར་ཏེ། རབ་འབྱོར་དེ་ནི་དེ་བཞིན་གཤེགས་པའི་བྱས་པ་མཁྱེན་པ་དང་། བྱས་པ་དགོངས་པར་བལྟའོ། །རབ་འབྱོར་གཞན་ཡང་དེ་བཞིན་གཤེགས་པས་ཆོས་ཐམས་ཅད་མཚན་མ་མེད་པ་ལ་བརྟེན་ཏེ། བྱེད་པ་པོ་མེད་པའི་ཕྱིར། ཆོས་ཐམས་ཅད་མ་བྱས་པར་མངོན་པར་རྫོགས་པར་སངས་རྒྱས་སོ། །ལུས་མེད་པའི་ཕྱིར་མ་བྱས་པར་མངོན་པར་རྫོགས་པར་སངས་རྒྱས་སོ། །རབ་འབྱོར་དེ་ལྟར་དེ་བཞིན་གཤེགས་པས་ཤེས་རབ་ཀྱི་ཕ་རོལ་ཏུ་ཕྱིན་པ་ལ་བརྟེན་ཏེ། ཆོས་ཐམས་ཅད་ལ་བྱ་བ་མེད་པར་མངོན་པར་རྫོགས་པར་སངས་རྒྱས་པ་དེ་ནི། དེ་བཞིན་གཤེགས་པའི་བྱས་པ་མཁྱེན་པ་དང་བྱས་པ་དགོངས་པའོ། །རབ་འབྱོར་གཞན་ཡང་ཤེས་རབ་ཀྱི་ཕ་རོལ་ཏུ་ཕྱིན་པ་ལ་བརྟེན་ཏེ། དེ་བཞིན་གཤེགས་པ་

དགྲ་བཅོམ་པ་ཡང་དག་པར་རྫོགས་པའི་སངས་རྒྱས་ཀྱི་ཡེ་ཤེས་བྱས་པ་མེད་པ། ཆོས་ཐམས་ཅད་ལ་འཇུག་པ་མེད་པའི་བརྡས་འཇུག་སྟེ། རབ་འབྱོར་རྣམ་གྲངས་དེས་ན། ཤེས་རབ་ཀྱི་ཕ་རོལ་ཏུ་ཕྱིན་པ་ནི་དེ་བཞིན་གཤེགས་པ་བསྐྱེད་[༧]པའོ། །འཇིག་རྟེན་འདི་སྟོན་པའོ། །རབ་འབྱོར་གྱིས་གསོལ་པ། བཅོམ་ལྡན་འདས་དེ་ལྟར་ཆོས་ཐམས་ཅད་ལ་ཤེས་པ་པོ་མ་མཆིས་ཤིང་། མཐོང་བ་པོ་མ་མཆིས་ན། ཇི་ལྟར་ན་ཤེས་རབ་ཀྱི་ཕ་རོལ་ཏུ་ཕྱིན་པ་དེ་བཞིན་གཤེགས་པ་བསྐྱེད་[༣]ཅིང་འཇིག་རྟེན་འདི་སྟོན་པ་ལགས། བཅོམ་ལྡན་འདས་ཀྱིས་བཀའ་སྩལ་པ། རབ་འབྱོར་དེ་དེ་བཞིན་ནོ། །དེ་དེ་བཞིན་ཏེ། ཆོས་ཐམས་ཅད་ནི་ཤེས་པ་པོ་མེད་ཅིང་མཐོང་བ་པོ་མེད་པའོ། །རབ་འབྱོར་ཆོས་ཐམས་ཅད་ནི་སྟོང་པ་གསོག་གསོབ་དབང་མེད་པ། སྙིང་པོ་མེད་པ་སྟེ། རབ་འབྱོར་རྣམ་གྲངས་དེས་ན་ཆོས་ཐམས་ཅད་ནི་ཤེས་པ་པོ་མེད་ཅིང་མཐོང་བ་པོ་མེད་པའོ། །རབ་འབྱོར་གཞན་ཡང་ཆོས་ཐམས་ཅད་ནི་ཤེས་པ་པོ་མེད་ཅིང་མཐོང་བ་པོ་མེད་པ་སྟེ། རབ་འབྱོར་ཇི་ལྟར་ན་ཆོས་ཐམས་ཅད་ཤེས་པ་པོ་མེད་ཅིང་མཐོང་བ་པོ་མེད་པ་ཡིན་ཞེ་ན། རབ་འབྱོར་ཆོས་ཐམས་ཅད་ནི་མི་གནས་ཤིང་ཡོངས་སུ་ཆུད་པ་མ་ཡིན་པ་སྟེ། རབ་འབྱོར་རྣམ་གྲངས་དེས་ན་ཆོས་ཐམས་ཅད་ཤེས་པ་པོ་མེད་ཅིང་མཐོང་བ་པོ་མེད་པ་སྟེ། རབ་འབྱོར་དེ་ལྟར་ན་ཤེས་རབ་ཀྱི་ཕ་རོལ་ཏུ་ཕྱིན་པ་དེ་བཞིན་གཤེགས་པ་བསྐྱེད་ཅིང་འཇིག་རྟེན་འདི་སྟོན་པའོ། །དེ་ཡང་གཟུགས་མཐོང་བ་མེད་པའི་ཕྱིར་སྟོན་པའོ། །ཚོར་བ་དང་འདུ་ཤེས་དང་འདུ་བྱེད་དང་། རྣམ་པར་ཤེས་པ་མཐོང་བ་པོ་[༣]མེད་པའི་ཕྱིར་སྟོན་པའོ། །སྐྱེ་མཆེད་དང་ཁམས་དང་རྟེན་ཅིང་འབྲེལ་བར་འབྱུང་བ་མཐོང་བ་མེད་པའི་ཕྱིར་སྟོན་པའོ། །རྣམ་པ་ཐམས་ཅད་མཁྱེན་པ་ཉིད་ཀྱི་བར་དུ་མཐོང་བ་མེད་པའི་ཕྱིར་སྟོན་པའོ། །རབ་

འཁོར་དེ་ལྟར་ན་ཤེས་རབ་ཀྱི་ཕ་རོལ་ཏུ་ཕྱིན་པ་དེ་བཞིན་གཤེགས་པ་སྐྱེད་ཅིང་འཇིག་རྟེན་སྟོན་པའོ། །གསོལ་པ། བཅོམ་ལྡན་འདས་ཇི་ལྟར་ན་གཟུགས་མཐོང་བ་མ་མཆིས་པའི་སླད་དུ་སྟོན་པ་ལགས། ཇི་ལྟར་ན་ཚོར་བ་དང་འདུ་ཤེས་དང་འདུ་བྱེད་དང་། རྣམ་པར་ཤེས་པ་མཐོང་བ་མ་མཆིས་པའི་སླད་དུ་སྟོན་པ་ལགས། ཇི་ལྟར་ན་སྐྱེ་མཆེད་དང་ཁམས་དང་རྟེན་ཅིང་འབྲེལ་བར་འབྱུང་བ་མཐོང་བ་མ་མཆིས་པའི་སླད་དུ་སྟོན་པ་ལགས། ཇི་ལྟར་ན་རྣམ་པ་ཐམས་ཅད་མཁྱེན་པ་ཉིད་ཀྱི་བར་དུ་མཐོང་བ་མ་མཆིས་པའི་སླད་དུ་སྟོན་པ་ལགས།། ། ཤེས་རབ་ཀྱི་ཕ་རོལ་ཏུ་ཕྱིན་པ་སྟོང་ཕྲག་ཉི་ཤུ་ལྔ་པ། བམ་པོ་བཞི་བཅུ་དྲུག་པ། བཅོམ་ལྡན་འདས་ཀྱིས་བཀའ་སྩལ་པ། རབ་འབྱོར་ནམ་གཟུགས་ལ་དམིགས་པའི་རྣམ་པར་ཤེས་པ་མི་འབྱུང་བའི་ཚེ། གཟུགས་མཐོང་བ་མེད་པའི་ཕྱིར་སྟོན་པའོ། །ནམ་ཚོར་བ་དང་འདུ་ཤེས་དང་འདུ་བྱེད་དང་། རྣམ་པར་ཤེས་པ་ལ་དམིགས་པའི་རྣམ་པར་ཤེས་པ་མི་འབྱུང་བའི་ཚེ། རྣམ་པར་ཤེས་པ་མཐོང་བ་མེད་པའི་ཕྱིར་སྟོན་པའོ། །ནམ་སྐྱེ་མཆེད་དང་ཁམས་དང་རྟེན་ཅིང་འབྲེལ་བར་འབྱུང་བ་ལ་དམིགས་པའི་རྣམ་པར་ཤེས་པ་མི་འབྱུང་བའི་ཚེ། རྟེན་ཅིང་འབྲེལ་བར་འབྱུང་བ་མཐོང་བ་མེད་པའི་ཕྱིར་སྟོན་པའོ། །ནམ་ཕ་རོལ་ཏུ་ཕྱིན་པ་རྣམས་ལ་དམིགས་པའི་རྣམ་པར་ཤེས་པ་མི་འབྱུང་བའི་ཚེ། ཕ་རོལ་ཏུ་ཕྱིན་པ་རྣམས་མཐོང་བ་མེད་པའི་ཕྱིར་སྟོན་པའོ། །ནམ་[7]སྟོང་པ་ཉིད་ཐམས་ཅད་དང་། བྱང་ཆུབ་ཀྱི་ཕྱོགས་ཀྱི་ཆོས་སུམ་ཅུ་རྩ་བདུན་དང་། འཕགས་པའི་བདེན་པ་དང་། བསམ་གཏན་དང་། ཚད་མེད་པ་དང་། གཟུགས་མེད་པའི་སྙོམས་པར་འཇུག་པ་དང་། རྣམ་པར་ཐར་པ་བརྒྱད་དང་། [3]མཐར་གྱིས་གནས་པའི་སྙོམས་པར་འཇུག་པ་དགུ་དང་། རྣམ་པར་ཐར་པའི་སྒོ་སྟོང་པ་

ཉིད་དང་། མཚན་མ་མེད་པ་དང་། སྨོན་པ་མེད་པ་དང་། མངོན་པར་
ཤེས་པ་དང་། ཏིང་ངེ་འཛིན་དང་གཟུངས་ཀྱི་སྒོ་དང་། དེ་བཞིན་གཤེགས་
པའི་སྟོབས་བཅུ་དང་། མི་འཇིགས་པ་བཞི་དང་། སོ་སོ་ཡང་དག་པར་རིག་
པ་བཞི་དང་། སྙིང་རྗེ་ཆེན་པོ་དང་། སངས་རྒྱས་ཀྱི་ཆོས་མ་འདྲེས་པ་བཅོ་
བརྒྱད་ལ་དམིགས་པའི་རྣམ་པར་ཤེས་པ་མི་འབྱུང་བའི་ཚེ། སངས་རྒྱས་ཀྱི་ཆོས་
མ་འདྲེས་པ་བཅོ་བརྒྱད་མཐོང་བ་མེད་པའི་ཕྱིར་སྟོན་པའོ། །ནམ་རྣམ་པ་ཐམས་
ཅད་མཁྱེན་པ་ཉིད་ཀྱི་བར་ལ་དམིགས་པའི་རྣམ་པར་ཤེས་པ་མི་འབྱུང་བའི་ཚེ།
རྣམ་པ་ཐམས་ཅད་མཁྱེན་པ་ཉིད་མཐོང་བ་མེད་པའི་ཕྱིར་སྟོན་པའོ། །རབ་
འབྱོར་དེ་ལྟར་ན་ཤེས་རབ་ཀྱི་ཕ་རོལ་ཏུ་ཕྱིན་པ་ཟབ་མོ་འདི་དེ་བཞིན་གཤེགས་པ་
སྐྱེད་ཅིང་འཇིག་རྟེན་སྟོན་པའོ། །རབ་འབྱོར་གཞན་ཡང་ཇི་ལྟར་ན་ཤེས་རབ་ཀྱི་[1]
ཕ་རོལ་ཏུ་ཕྱིན་པ་དེ་བཞིན་གཤེགས་པ་སྐྱེད་ཅིང་འཇིག་རྟེན་སྟོན་པ་ཡིན་ཞེ་ན།
རབ་འབྱོར་འདི་ལ་ཤེས་རབ་ཀྱི་ཕ་རོལ་ཏུ་ཕྱིན་པ་ནི་འཇིག་རྟེན་དུ་སྟོང་པ་ཞེས་
ཟེར་དེ། འཇིག་རྟེན་དུ་ཅི་སྟོང་པ་ཞེས་ཟེར་ཅེ་ན། ཕུང་པོ་ལྔ་སྟོང་ངོ་ཞེས་བྱ་
བར་འཇིག་རྟེན་དུ་ཟེར་རོ། །སྐྱེ་མཆེད་བཅུ་གཉིས་སྟོང་ངོ་ཞེས་བྱ་བར་འཇིག་
རྟེན་དུ་ཟེར་རོ། །ཁམས་བཅོ་བརྒྱད་སྟོང་ངོ་ཞེས་བྱ་བར་འཇིག་རྟེན་དུ་ཟེར་རོ།།
རྟེན་ཅིང་འབྲེལ་བར་འབྱུང་བའི་ཡན་ལག་བཅུ་གཉིས་སྟོང་ངོ་ཞེས་བྱ་བར་འཇིག་
རྟེན་དུ་ཟེར་རོ། །ཕ་རོལ་ཏུ་ཕྱིན་པ་དྲུག་སྟོང་ངོ་ཞེས་བྱ་བར་འཇིག་རྟེན་དུ་
ཟེར་རོ། །ནང་སྟོང་པ་ཉིད་སྟོང་ངོ་ཞེས་བྱ་བར་འཇིག་རྟེན་དུ་ཟེར་རོ། །
དངོས་པོ་མེད་པའི་ངོ་བོ་ཉིད་སྟོང་པ་ཉིད་ཀྱི་བར་དུ་སྟོང་ངོ་ཞེས་བྱ་བར་འཇིག་
རྟེན་དུ་ཟེར་རོ། །བྱང་ཆུབ་ཀྱི་ཕྱོགས་ཀྱི་ཆོས་སུམ་ཅུ་རྩ་བདུན་སྟོང་ངོ་ཞེས་བྱ་
བར་འཇིག་རྟེན་དུ་ཟེར་རོ། །འཕགས་པའི་བདེན་པ་རྣམས་དང་། བསམ་

གཏན་རྣམས་དང་། ཚད་མེད་པ་རྣམས་དང་། གཟུགས་མེད་པའི་སྙོམས་པར་འཇུག་པ་རྣམས་དང་། རྣམ་པར་ཐར་པ་བརྒྱད་དང་། མཐར་གྱིས་གནས་པའི་སྙོམས་པར་འཇུག་པ་དགུ་དང་། རྣམ་པར་ཐར་པའི་སྒོ་སྟོང་པ་ཉིད་དང་། མཚན་མ་མེད་པ་དང་། སྨོན་པ་མེད་པ་དང་། མངོན་པར་ཤེས་པ་རྣམས་དང་། ཏིང་ངེ་འཛིན་རྣམས་དང་། གཟུངས་ཀྱི་སྒོ་རྣམས་དང་། དེ་བཞིན་གཤེགས་པའི་སྟོབས་བཅུ་དང་། མི་འཇིགས་པ་བཞི་དང་། སོ་སོ་ཡང་དག་པར་རིག་པ་བཞི་དང་། བྱམས་པ་ཆེན་པོ་དང་། སྙིང་རྗེ་ཆེན་པོ་དང་། སངས་རྒྱས་ཀྱི་ཆོས་མ་འདྲེས་པ་བཅོ་བརྒྱད་སྟོང་ངོ་ཞེས་བྱ་བར་འཇིག་རྟེན་དུ་རྗོད་དོ། །རྣམ་པ་ཐམས་ཅད་མཁྱེན་པ་ཉིད་ཀྱི་བར་དུ་སྟོང་ངོ་ཞེས་བྱ་བར་འཇིག་རྟེན་དུ་རྗོད་དོ། །རབ་འབྱོར་དེ་ལྟར་ན་ཤེས་རབ་ཀྱི་ཕ་རོལ་དུ་ཕྱིན་པ་དེ་བཞིན་གཤེགས་པ་སྐྱེད་[༡]ཅིང་འཇིག་རྟེན་སྟོན་པའོ། །རབ་འབྱོར་གཞན་ཡང་ཤེས་རབ་ཀྱི་ཕ་རོལ་དུ་ཕྱིན་པ་ནི་དེ་བཞིན་གཤེགས་པ་ལ་འཇིག་རྟེན་སྟོང་ཞེས་བྱ་བར་སྟོན་ན[༢]། འཇིག་རྟེན་སྟོང་ཞེས་བྱ་བར་རྗོད། འཇིག་རྟེན་སྟོང་ཞེས་བྱ་བར་ཤེས་པར་བྱེད་དེ། རབ་འབྱོར་དེ་ལྟར་ན་ཤེས་རབ་ཀྱི་ཕ་རོལ་དུ་ཕྱིན་པ་ནི་དེ་བཞིན་གཤེགས་པ་སྐྱེད་ཅིང་འཇིག་རྟེན་སྟོན་པའོ། །རབ་འབྱོར་གཞན་ཡང་ཤེས་རབ[༣]ཀྱི་ཕ་རོལ་དུ་ཕྱིན་པ་ནི་དེ་བཞིན་གཤེགས་པ་ལ་འཇིག་རྟེན་སྟོང་ཞེས་བྱ་བར་སྟོན་ཏེ[༤]། འཇིག་རྟེན་ཇི་ལྟར་སྟོང་ཞེས་བྱ་བར་སྟོན་ཅེ་ན། འཇིག་རྟེན་ན་ཕུང་པོ་སྟོང་ཞེས་བྱ་བར་སྟོན་ཏོ། །འཇིག་རྟེན་ན་སྐྱེ་མཆེད་དང་། ཁམས་དང་། རྟེན་ཅིང་འབྲེལ་[༥]བར་འབྱུང་བ་སྟོང་ངོ་ཞེས་བྱ་བར་སྟོན་ཏོ། །འཇིག་རྟེན་ན་ཕ་རོལ་དུ་ཕྱིན་པ་དྲུག་དང་། ནང་སྟོང་པ་ཉིད་དང་། ཕྱི་སྟོང་པ་ཉིད་དང་། ཕྱི་ནང་སྟོང་པ་ཉིད་དང་། དངོས་པོ་མེད་པའི་ངོ་བོ་ཉིད་སྟོང་པ་ཉིད་ཀྱི་བར་

དང་། བྱང་ཆུབ་ཀྱི་ཕྱོགས་ཀྱི་ཆོས་སུམ་ཅུ་རྩ་བདུན་སྟོང་ཞེས་བྱ་བར་སྟོན་ཏོ། །འཇིག་རྟེན་ན་འཕགས་པའི་བདེན་པ་རྣམས་དང་། བསམ་གཏན་རྣམས་དང་། ཚད་མེད་པ་རྣམས་དང་། གཟུགས་མེད་པའི་སྙོམས་པར་འཇུག་པ་རྣམས་དང་། རྣམ་པར་ཐར་པ་བརྒྱད་དང་། མཐར་གྱིས་གནས་པའི་སྙོམས་པར་འཇུག་པ་དགུ་དང་། རྣམ་པར་ཐར་པའི་སྒོ་སྟོང་པ་ཉིད་དང་། མཚན་མ་མེད་པ་དང་། སྨོན་པ་མེད་པ་དང་། མངོན་པར་ཤེས་པ་རྣམས་དང་། ཏིང་ངེ་འཛིན་རྣམས་དང་། གཟུངས་ཀྱི་སྒོ་རྣམས་སྟོང་ཞེས་བྱ་བར་སྟོན་ཏོ། །འཇིག་རྟེན་ན་དེ་བཞིན་གཤེགས་པའི་སྟོབས་བཅུ་དང་། མི་འཇིགས་པ་བཞི་དང་། སོ་སོ་ཡང་དག་པར་རིག་པ་བཞི་དང་། བྱམས་པ་ཆེན་པོ་དང་སྙིང་རྗེ་ཆེན་པོ་དང་། སངས་རྒྱས་ཀྱི་ཆོས་མ་འདྲེས་པ་བཅོ་བརྒྱད་སྟོང་ཞེས་བྱ་བར་སྟོན་ཏོ། །འཇིག་རྟེན་ན་རྣམ་པ་ཐམས་ཅད་མཁྱེན་པ་ཉིད་ཀྱི་བར་དུ་སྟོང་ཞེས་བྱ་བར་སྟོན་ཏོ། །རབ་འབྱོར་དེ་ལྟར་ན་ཤེས་རབ་ཀྱི་ཕ་རོལ་ཏུ་ཕྱིན་པ་དེ་བཞིན་གཤེགས་པ་སྐྱེད་ཅིང་འཇིག་རྟེན་སྟོན་ཏོ། །རབ་འབྱོར་གཞན་ཡང་ཤེས་རབ་ཀྱི་ཕ་རོལ་ཏུ་ཕྱིན་པ་ནི་དེ་བཞིན་གཤེགས་པ་ལ་འཇིག་རྟེན་བསམ་གྱིས་མི་ཁྱབ་ཅེས་བྱ་བར་སྟོན་ཏེ[1]། ཇི་ལྟར་[2]འཇིག་རྟེན་བསམ་གྱིས་མི་ཁྱབ་ཅེས་བྱ་བར་སྟོན་ཅེ་ན། ཕུང་པོའི་འཇིག་རྟེན་བསམ་གྱིས་མི་ཁྱབ་ཅེས་བྱ་བར་སྟོན་ཏོ། །སྐྱེ་མཆེད་དང་ཁམས་དང་རྟེན་ཅིང་འབྲེལ་པར་འབྱུང་བའི་འཇིག་རྟེན་བསམ་གྱིས་མི་ཁྱབ་ཅེས་བྱ་བར་སྟོན་ཏོ། །རྣམ་པ་ཐམས་ཅད་མཁྱེན་པ་ཉིད་ཀྱི་བར་གྱི་འཇིག་རྟེན་བསམ་གྱིས་མི་ཁྱབ་ཅེས་བྱ་བར་སྟོན་ཏོ། །རབ་འབྱོར་གཞན་ཡང་ཤེས་རབ་ཀྱི་ཕ་རོལ་ཏུ་ཕྱིན་པ་ཟབ་མོ་འདི་ནི། དེ་བཞིན་གཤེགས་པ་ལ་འཇིག་རྟེན་དབེན་ཞེས་བྱ་བར་སྟོན་ཏེ[3]། འཇིག་རྟེན་ཇི་ལྟར་དབེན་ཞེས་བྱ་བར་སྟོན་ཅེ་ན། ཕུང་པོའི་འཇིག

ཧེན་དབེན་ཞེས་བྱ་བར་སྟོན་ཏོ། །སྐྱེ་མཆེད་དང་ཁམས་དང་ཧེན་ཅིང་འབྲེལ་བར་འབྱུང་བའི་འཇིག་ཧེན་དབེན་ཞེས་བྱ་བར་སྟོན་ཏོ། །རྣམ་པ་ཐམས་ཅད་མཁྱེན་པ་ཉིད་ཀྱི་བར་གྱི་འཇིག་ཧེན་དབེན་ཞེས་བྱ་བར་སྟོན་ཏོ། །རབ་འབྱོར་དེ་ལྟར་ན་ཤེས་རབ་ཀྱི་ཕ་རོལ་ཏུ་ཕྱིན་པ་དེ་བཞིན་གཤེགས་པ་སྐྱེད་ཅིང་འཇིག་ཧེན་སྟོན་ཏོ། །རབ་འབྱོར་གཞན་ཡང་ཤེས་རབ་ཀྱི་ཕ་རོལ་ཏུ་ཕྱིན་པ་ནི། དེ་བཞིན་གཤེགས་པ་ལ་འཇིག་ཧེན་མཐའ་ལས་འདས་པ་སྟོང་པ་ཞེས་བྱ་བར་སྟོན་ཏེ[༧]། ཇི་ལྟར་འཇིག་ཧེན་མཐའ་ལས་འདས་པ་སྟོང་པ་ཞེས་བྱ་བར་སྟོན་ཅེ་ན། ཕུང་པོའི་འཇིག་ཧེན་མཐའ་ལས་འདས་པ་སྟོང་པ་ཞེས་བྱ་བར་སྟོན་ཏོ། །སྐྱེ་མཆེད་དང་ཁམས་དང་ཧེན་ཅིང་འབྲེལ་བར་འབྱུང་བའི་འཇིག་ཧེན་མཐའ་ལས་འདས་པ་སྟོང་པ་ཞེས་བྱ་བར་[༢]སྟོན་ཏོ། །རྣམ་པ་ཐམས་ཅད་མཁྱེན་པ་ཉིད་ཀྱི་བར་གྱི་འཇིག་ཧེན་མཐའ་ལས་འདས་པ་སྟོང་པ་ཞེས་བྱ་བར་སྟོན་ཏོ། །རབ་འབྱོར་གཞན་ཡང་ཤེས་རབ་ཀྱི་ཕ་རོལ་ཏུ་ཕྱིན་པ་ནི། དེ་བཞིན་གཤེགས་པ་ལ་འཇིག་ཧེན་ངོ་བོ་ཉིད་ཀྱིས་སྟོང་པ་ཞེས་བྱ་བར་སྟོན་ཏེ[༣]། ཇི་ལྟར་འཇིག་ཧེན་ངོ་བོ་ཉིད་ཀྱིས་སྟོང་པ་ཞེས་བྱ་བར་སྟོན་ཅེ་ན། ཕུང་པོའི་འཇིག་ཧེན་ངོ་བོ་ཉིད་ཀྱིས་སྟོང་པ་ཞེས་བྱ་བར་སྟོན་ཏོ། །སྐྱེ་མཆེད་དང་ཁམས་དང་ཧེན་ཅིང་འབྲེལ་བར་འབྱུང་བའི་འཇིག་ཧེན་ངོ་བོ་ཉིད་ཀྱིས་སྟོང་པ་ཞེས་བྱ་བར་སྟོན་ཏོ། །རྣམ་པ་ཐམས་ཅད་མཁྱེན་པ་ཉིད་ཀྱི་བར་གྱི་འཇིག་ཧེན་ངོ་བོ་ཉིད་ཀྱིས་སྟོང་པ་ཞེས་བྱ་བར་[༤]སྟོན་ཏོ། །རབ་འབྱོར་དེ་ལྟར་ན་ཤེས་རབ་ཀྱི་ཕ་རོལ་ཏུ་ཕྱིན་པ་ནི། དེ་བཞིན་གཤེགས་པ་སྐྱེད་ཅིང་འཇིག་ཧེན་སྟོན་པའོ། །རབ་འབྱོར་གཞན་ཡང་ཤེས་རབ་ཀྱི་ཕ་རོལ་ཏུ་ཕྱིན་པ་ནི། དེ་བཞིན་གཤེགས་པ་ལ་འཇིག་ཧེན་དངོས་པོ་མེད་པའི་ངོ་བོ་ཉིད་སྟོང་པ་ཞེས་བྱ་བར་སྟོན་ཏེ། ཇི་ལྟར་འཇིག་ཧེན་དངོས་པོ་མེད་

པའི་ངོ་བོ་ཉིད་སྟོང་པ་ཞེས་བྱ་བར་སྟོན་ཅེ་ན། ཕུང་པོའི་འཇིག་རྟེན་དངོས་པོ་མེད་པའི་ངོ་བོ་ཉིད་སྟོང་པ་ཞེས་བྱ་བར་སྟོན་ཏོ། །སྐྱེ་མཆེད་དང་ཁམས་དང་རྟེན་ཅིང་འབྲེལ་པར་འབྱུང་[༡]བའི་འཇིག་རྟེན་དངོས་པོ་མེད་པའི་ངོ་བོ་ཉིད་སྟོང་པ་ཞེས་བྱ་བར་སྟོན་ཏོ། །རྣམ་པ་ཐམས་ཅད་མཁྱེན་པ་ཉིད་ཀྱི་བར་གྱི་འཇིག་རྟེན་དངོས་པོ་མེད་པའི་ངོ་བོ་ཉིད་སྟོང་པ་ཞེས་བྱ་བར་སྟོན་ཏོ། །རབ་འབྱོར་གཞན་ཡང་ཤེས་རབ་ཀྱི་ཕ་རོལ་ཏུ་ཕྱིན་པ་ནི། དེ་བཞིན་གཤེགས་པ་ལ་འཇིག་རྟེན་ཞི་ཞེས་བྱ་བར་སྟོན་ཏེ[༢]། ཇི་ལྟར་འཇིག་རྟེན་ཞི་ཞེས་བྱ་བར་སྟོན་ཅེ་ན། ཕུང་པོའི་འཇིག་རྟེན་ཞི་[༣]ཞེས་བྱ་བར་སྟོན་ཏོ། །སྐྱེ་མཆེད་དང་ཁམས་དང་རྟེན་ཅིང་འབྲེལ་བར་འབྱུང་བའི་འཇིག་རྟེན་ཞི་ཞེས་བྱ་བར་སྟོན་ཏོ། །རྣམ་པ་ཐམས་ཅད་མཁྱེན་པ་ཉིད་ཀྱི་བར་གྱི་འཇིག་རྟེན་ཞི་ཞེས་བྱ་བར་སྟོན་ཏོ། །རབ་འབྱོར་གཞན་ཡང་ཤེས་རབ་ཀྱི་ཕ་རོལ་ཏུ་ཕྱིན་པ་ནི། དེ་བཞིན་གཤེགས་པ་ལ་འཇིག་རྟེན་སྟོང་པ་ཉིད་ཅེས་བྱ་བར་སྟོན་ཏེ[༤]། ཇི་ལྟར་འཇིག་རྟེན་སྟོང་པ་ཉིད་ཅེས་བྱ་བར་སྟོན་ཅེ་ན། ཕུང་པོའི་འཇིག་རྟེན་སྟོང་པ་ཉིད་ཅེས་བྱ་བར་སྟོན་ཏོ། །སྐྱེ་མཆེད་དང་ཁམས་དང་རྟེན་ཅིང་འབྲེལ་བར་འབྱུང་བའི་འཇིག་རྟེན་སྟོང་པ་ཉིད་ཅེས་བྱ་བར་སྟོན་ཏོ། །རྣམ་པ་ཐམས་ཅད་མཁྱེན་པ་ཉིད་ཀྱི་བར་གྱི་འཇིག་རྟེན་སྟོང་པ་ཉིད་ཅེས་བྱ་བར་སྟོན་ཏོ[༥]། །རབ་འབྱོར་དེ་ལྟར་ན་ཤེས་རབ་ཀྱི་ཕ་རོལ་ཏུ་ཕྱིན་པ་ནི། དེ་བཞིན་གཤེགས་པ་སྐྱེད་ཅིང་འཇིག་རྟེན་སྟོན་པའོ། །རབ་འབྱོར་ཤེས་རབ་ཀྱི་ཕ་རོལ་ཏུ་ཕྱིན་པ་ཟབ་མོ་འདི་འཇིག་རྟེན་ཇི་ལྟར་སྟོན་ཅེ་ན། ཅི་ནས་ཀྱང་འཇིག་རྟེན་འདིའི་འདུ་ཤེས་སུའང་མི་འགྱུར་ལ། འཇིག་རྟེན་ཕ་རོལ་གྱི་འདུ་ཤེས་སུའང་མི་འགྱུར་བ་དེ་ལྟར་སྟོན་ཏེ། དེ་ཅིའི་ཕྱིར་ཞེ་ན། དེ་ནི་འདི་ལྟར་གང་གིས་འཇིག་རྟེན་འདིའི་འདུ་ཤེས་སུ་འགྱུར་བའམ། འཇིག་རྟེན་

ཕ་རོལ་ཀྱི་འདུ་ཤེས་སུ་འགྱུར་བའི་ཆོས་དེ་ལྟ་བུ་མེད་དོ། །གསོལ་པ། བཅོམ་ལྡན་འདས་ཤེས་རབ་ཀྱི་ཕ་རོལ་ཏུ་ཕྱིན་པ་འདི་ནི་དོན་ཆེན་པོའི་སླད་དུ་ཉེ་བར་གནས་སོ། །བཅོམ་ལྡན་འདས་ཤེས་རབ་ཀྱི་ཕ་རོལ་ཏུ་ཕྱིན་པ་འདི་ནི་དོན་བསམ་གྱིས་མི་ཁྱབ་པའི་སླད་དུ་ཉེ་བར་གནས་སོ། །བཅོམ་ལྡན་འདས་ཤེས་རབ་ཀྱི་ཕ་རོལ་ཏུ་ཕྱིན་པ་འདི་ནི་དོན་དཔག་ཏུ་མ་མཆིས་པའི་སླད་དུ་ཉེ་བར་གནས་སོ། །བཅོམ་ལྡན་འདས་ཤེས་རབ་ཀྱི་ཕ་རོལ་ཏུ་ཕྱིན་པ་འདི་ནི་དོན་གཞལ་དུ་མ་མཆིས་པའི་སླད་དུ་ཉེ་བར་གནས་སོ། །བཅོམ་ལྡན་འདས་ཤེས་རབ་ཀྱི་ཕ་རོལ་ཏུ་ཕྱིན་པ་འདི་ནི་དོན་མི་མཉམ་པ་དང་མཉམ་པའི་སླད་དུ་ཉེ་བར་གནས་སོ། །བཅོམ་ལྡན་འདས་ཀྱིས་བཀའ་སྩལ་པ། རབ་འབྱོར་དེ་དེ་བཞིན་ནོ། །དེ་དེ་བཞིན་ཏེ། ཤེས་རབ་ཀྱི་ཕ་རོལ་ཏུ་ཕྱིན་པ་འདི་ནི་དོན་ཆེན་པོའི་ཕྱིར་ཉེ་བར་གནས་སོ། །རབ་འབྱོར་ཤེས་རབ་ཀྱི་ཕ་རོལ་ཏུ་ཕྱིན་པ་འདི་ནི་དོན་བསམ་གྱིས་མི་ཁྱབ་པ་དང་། དོན་དཔག་ཏུ་མེད་པ་དང་། དོན་གཞལ་དུ་མེད་པ་དང་། དོན་མི་མཉམ་པ་དང་མཉམ་པའི་ཕྱིར་ཉེ་བར་གནས་སོ། །རབ་འབྱོར་ཇི་ལྟར་ན་ཤེས་རབ་ཀྱི་ཕ་རོལ་ཏུ་ཕྱིན་པ་དོན་ཆེན་པོའི་ཕྱིར་ཉེ་བར་གནས་པ་ཡིན་ཞེ་ན། རབ་འབྱོར་འདི་ནི་དེ་བཞིན་གཤེགས་པ་དགྲ་བཅོམ་པ་ཡང་དག་པར་རྫོགས་པའི་སངས་རྒྱས་རྣམས་ཀྱི་དོན་ཆེན་པོ་སྟེ། འདི་ལྟར་སེམས་ཅན་ཐམས་ཅད་བསྐྱབ་པའི་དོན་དང་། སེམས་ཅན་ཐམས་ཅད་ཡོངས་སུ་མི་གཏང་བའི་དོན་ཏོ། །རབ་འབྱོར་ཇི་ལྟར་ན་ཤེས་རབ་ཀྱི་ཕ་རོལ་ཏུ་ཕྱིན་པ་དོན་བསམ་གྱིས་མི་ཁྱབ་པའི་ཕྱིར་ཉེ་བར་གནས་པ་ཡིན་ཞེ་ན། རབ་འབྱོར་སངས་རྒྱས་ཉིད་དང་། དེ་བཞིན་གཤེགས་པ་ཉིད་དང་། རང་བྱུང་ཉིད་དང་། ཐམས་ཅད་མཁྱེན་པ་ཉིད་ནི་བསམ་གྱིས་མི་ཁྱབ་སྟེ། རབ་འབྱོར་རྣམ་གྲངས་དེས་ན། ཤེས་རབ་ཀྱི་ཕ་རོལ་ཏུ་ཕྱིན་པ་

དེ་བཞིན་གཤེགས་པ་དགྲ་བཅོམ་པ་ཡང་དག་པར་རྫོགས་པའི་སངས་རྒྱས་རྣམས་ཀྱི་དོན་བསམ་གྱིས་མི་ཁྱབ་པའི་ཕྱིར་ཉེ་བར་གནས་སོ། །རབ་འབྱོར་ཇི་ལྟར་ན་ཤེས་རབ་ཀྱི་ཕ་རོལ་ཏུ་ཕྱིན་པ་དོན་དཔག་ཏུ་མེད་པའི་ཕྱིར་ཉེ་བར་གནས་པ་ཡིན་ཞེ་ན། རབ་འབྱོར་སེམས་ཅན་དུ་བསྟུ་བས་བསྟུས་པ་ལ། གང་གིས་སངས་རྒྱས་ཉིད་དང་དེ་བཞིན་གཤེགས་པ་ཉིད་དང་རང་བྱུང་ཉིད་དང་། ཐམས་ཅད་མཁྱེན་པ་ཉིད་ལ་བསམ་པ་དང་། དཔག་པར་ནུས་པ་དེ་ལྟ་བུ་གང་ཡང་མེད་དེ། རབ་འབྱོར་རྣམ་གྲངས་དེས་ན། ཤེས་རབ་ཀྱི་ཕ་རོལ་ཏུ་ཕྱིན་པ་དེ་བཞིན་གཤེགས་པ་དགྲ་བཅོམ་པ་ཡང་དག་པར་རྫོགས་པའི་སངས་རྒྱས་རྣམས་ཀྱི་དོན་དཔག་ཏུ་མེད་པའི་ཕྱིར་ཉེ་བར་གནས་སོ། །རབ་འབྱོར་ཇི་ལྟར་ན་ཤེས་རབ་ཀྱི་ཕ་རོལ་ཏུ་ཕྱིན་པ་དོན་གཞལ་དུ་མེད་པའི་ཕྱིར་ཉེ་བར་གནས་པ་ཡིན་ཞེ་ན། རབ་འབྱོར་སངས་རྒྱས་ཉིད་དང་དེ་བཞིན་གཤེགས་པ་ཉིད་དང་རང་བྱུང་ཉིད་དང་། ཐམས་ཅད་མཁྱེན་པ་ཉིད་ནི་གཞལ་དུ་མེད་དེ། སུས་ཀྱང་གཞལ་བར་མི་ནུས་སོ། །རབ་འབྱོར་རྣམ་གྲངས་དེས་ན། ཤེས་རབ་ཀྱི་ཕ་རོལ་ཏུ་ཕྱིན་པ་ནི་དེ་བཞིན་གཤེགས་པ་དགྲ་བཅོམ་པ་ཡང་དག་པར་རྫོགས་པའི་སངས་རྒྱས་རྣམས་ཀྱི་དོན་གཞལ་དུ་མེད་པའི་ཕྱིར་ཉེ་བར་གནས་སོ། །རབ་འབྱོར་ཇི་ལྟར་ན་ཤེས་རབ་ཀྱི་ཕ་རོལ་ཏུ་ཕྱིན་པ་ནི་དོན་མི་མཉམ་པ་དང་མཉམ་པའི་ཕྱིར་ཉེ་བར་གནས་པ་ཡིན་ཞེ་ན། རབ་འབྱོར་དེ་བཞིན་གཤེགས་པ་དགྲ་བཅོམ་པ་ཡང་དག་པར་རྫོགས་པའི་སངས་རྒྱས་རྣམས་ལ་མཉམ་པས་མཉམ་པ་ཡང་སུ་ཡང་མེད་ན། ལྷག་པ་ལྟ་ཅི་སྨོས་ཏེ། རབ་འབྱོར་རྣམ་གྲངས་དེས་ན། ཤེས་རབ་ཀྱི་ཕ་རོལ་ཏུ་ཕྱིན་པ་ནི་དེ་བཞིན་གཤེགས་པ་དགྲ་བཅོམ་པ་ཡང་དག་པར་རྫོགས་པའི་སངས་རྒྱས་རྣམས་ཀྱི་དོན་མི་མཉམ་པ་དང་མཉམ་པའི་ཕྱིར་ཉེ་བར་གནས་སོ། །གསོལ་

པ། བཅོམ་ལྡན་འདས་སངས་རྒྱས་ཉིད་དང་དེ་བཞིན་གཤེགས་པ་ཉིད་དང་རང་བྱུང་ཉིད་དང་། ཐམས་ཅད་མཁྱེན་པ་ཉིད་ནི་བསམ་གྱིས་མི་ཁྱབ་ལ་དཔག་ཏུ་མ་མཆིས་གཞལ་དུ་མ་མཆིས་ཤིང་། མི་མཉམ་པ་དང་མཉམ་པ་ལགས་སམ། བཅོམ་ལྡན་འདས་ཀྱིས་བཀའ་སྩལ་པ། རབ་འབྱོར་དེ་དེ་བཞིན་ནོ། །དེ་དེ་བཞིན་ཏེ། རབ་འབྱོར་སངས་རྒྱས་ཉིད་དང་དེ་བཞིན་གཤེགས་པ་ཉིད་དང་རང་བྱུང་ཉིད་དང་། ཐམས་ཅད་མཁྱེན་པ་ཉིད་ནི་བསམ་གྱིས་མི་ཁྱབ་པོ། །རབ་འབྱོར་སངས་རྒྱས་ཉིད་དང་དེ་བཞིན་གཤེགས་པ་ཉིད་དང་རང་བྱུང་ཉིད་དང་། ཐམས་ཅད་མཁྱེན་པ་ཉིད་ནི་དཔག་ཏུ་མེད་གཞལ་དུ་མེད་དེ་མི་མཉམ་པ་དང་མཉམ་པའོ། །རབ་འབྱོར་གཟུགས་ཀྱང་བསམ་གྱིས་མི་ཁྱབ། དཔག་ཏུ་མེད་གཞལ་དུ་མེད་པ་སྟེ། མི་མཉམ་པ་དང་མཉམ་པའོ། །རབ་འབྱོར་ཚོར་བ་དང་འདུ་ཤེས་དང་འདུ་བྱེད་དང་། རྣམ་པར་ཤེས་པ་ཡང་བསམ་གྱིས་མི་ཁྱབ། དཔག་ཏུ་མེད་གཞལ་དུ་མེད་པ་སྟེ། མི་མཉམ་པ་དང་མཉམ་པའོ། །སྐྱེ་མཆེད་རྣམས་དང་ཁམས་རྣམས་དང་རྟེན་ཅིང་འབྲེལ་བར་འབྱུང་བ་རྣམས་ཀྱང་བསམ་གྱིས་མི་ཁྱབ། དཔག་ཏུ་མེད་གཞལ་དུ་མེད་པ་སྟེ། མི་མཉམ་པ་དང་མཉམ་པའོ། །རྣམ་པ་ཐམས་ཅད་མཁྱེན་པ་ཉིད་ཀྱི་བར་ཡང་བསམ་གྱིས་མི་ཁྱབ་དཔག་ཏུ་མེད་གཞལ་དུ་མེད་པ་སྟེ། མི་མཉམ་པ་དང་མཉམ་པའོ། །རབ་འབྱོར་ཆོས་ཐམས་ཅད་ཀྱང་བསམ་གྱིས་མི་ཁྱབ་དཔག་ཏུ་མེད་གཞལ་དུ་མེད་པ་སྟེ། མི་མཉམ་པ་དང་མཉམ་པའོ། །རབ་འབྱོར་ཆོས་ཐམས་ཅད་ཀྱི་ཆོས་ཉིད་གང་ཡིན་པ་དེ་ལ་ནི་སེམས་མི་དམིགས་སོ། །སེམས་ལས་བྱུང་བའི་ཆོས་རྣམས་ཀྱང་མི་དམིགས་སོ། །རབ་འབྱོར་གཟུགས་བསམ་གྱིས་མི་ཁྱབ་དཔག་ཏུ་མེད་གཞལ་དུ་མེད་པ་སྟེ། མི་མཉམ་པ་དང་མཉམ་པ་ཡང་མི་དམིགས་སོ། །རབ་འབྱོར་ཚོར་

བ་དང་འདུ་ཤེས་དང་འདུ་བྱེད་དང་། རྣམ་པར་ཤེས་པ་བསམ་གྱིས་མི་ཁྱབ་དཔག་ཏུ་མེད་⑦གཞལ་དུ་མེད་པ་སྟེ། མི་མཉམ་པ་དང་མཉམ་པ་ཡང་མི་དམིགས་སོ། །རབ་འབྱོར་སྐྱེ་མཆེད་དང་། ཁམས་དང་རྟེན་ཅིང་འབྲེལ་བར་འབྱུང་བ་བསམ་གྱིས་མི་ཁྱབ་དཔག་ཏུ་མེད་གཞལ་དུ་མེད་པ་སྟེ། མི་མཉམ་པ་དང་མཉམ་པ་ཡང་མི་དམིགས་སོ། །རབ་འབྱོར་རྣམ་པ་ཐམས་ཅད་མཁྱེན་པ་ཉིད་ཀྱི་བར་དུ་བསམ་གྱིས་མི་ཁྱབ་དཔག་ཏུ་མེད་གཞལ་དུ་མེད་པ་སྟེ། མི་མཉམ་པ་དང་མཉམ་པ་ཡང་མི་དམིགས་སོ། །གསོལ་པ། བཅོམ་ལྡན་འདས་ཅིའི་སླད་དུ་གཟུགས་བསམ་གྱིས་མི་ཁྱབ། དཔག་ཏུ་མ་མཆིས་གཞལ་དུ་མ་མཆིས་ཤིང་། མི་མཉམ་པ་དང་མཉམ་པ་མི་དམིགས་པ་ལགས། ཅིའི་སླད་དུ་ཚོར་བ་དང་འདུ་ཤེས་དང་འདུ་བྱེད་དང་རྣམ་པར་ཤེས་པ་བསམ་གྱིས་མི་ཁྱབ་དཔག་ཏུ་མ་མཆིས་གཞལ་དུ་མ་མཆིས་ཤིང་། མི་མཉམ་པ་དང་མཉམ་པ་མི་དམིགས་པ་ལགས། ཅིའི་སླད་དུ་སྐྱེ་མཆེད་དང་ཁམས་དང་རྟེན་ཅིང་འབྲེལ་བར་འབྱུང་བ་བསམ་གྱིས་མི་ཁྱབ་དཔག་ཏུ་མ་མཆིས། གཞལ་དུ་མ་མཆིས་ཤིང་། མི་མཉམ་པ་དང་མཉམ་པ་མི་དམིགས་པ་ལགས། ཅིའི་སླད་དུ་རྣམ་པ་ཐམས་ཅད་མཁྱེན་པ་ཉིད་ཀྱི་བར་དུ་བསམ་གྱིས་མི་ཁྱབ། དཔག་ཏུ་མ་མཆིས་གཞལ་དུ་མ་མཆིས་ཤིང་། མི་མཉམ་པ་དང་མཉམ་པ་མི་དམིགས་པ་ལགས། བཅོམ་ལྡན་འདས་ཀྱིས་བཀའ་སྩལ་པ། རབ་འབྱོར་གཟུགས་ལ་ཡང་བསམ་པ་དང་དཔག་པ་དང་ཚད་དང་མཉམ་པ་དང་མི་མཉམ་པ་མི་དམིགས་སོ། །རབ་འབྱོར་ཚོར་བ་དང་འདུ་ཤེས་དང་འདུ་བྱེད་དང་རྣམ་པར་ཤེས་པ་ལ་ཡང་བསམ་པ་དང་དཔག་པ་དང་ཚད་དང་མཉམ་པ་དང་མི་མཉམ་པ་མི་དམིགས་སོ། །སྐྱེ་མཆེད་དང་ཁམས་དང་རྟེན་ཅིང་འབྲེལ་པར་འབྱུང་བ་ལ་ཡང་བསམ་པ་དང་དཔག་པ་དང་ཚད་དང་

མཉམ་པ་དང་མི་མཉམ་པ་མི་དམིགས་སོ་རྣམ་པ་ཐམས་ཅད་མཁྱེན་པ་ཉིད་ཀྱི་བར་ལ་ཡང་བསམ་པ་དང་དཔག་པ་དང་ཚད་དང་མཉམ་པ་དང་མི་མཉམ་པ་མི་དམིགས་སོ། །གསོལ་པ། བཅོམ་ལྡན་འདས་ཅིའི་སླད་དུ་གཟུགས་ལ་བསམ་པ་དང་དཔག་པ་དང་ཚད་དང་མཉམ་པ་དང་མི་མཉམ་པ་མི་དམིགས་པ་ལགས། ཅིའི་སླད་དུ་ཚོར་བ་དང་འདུ་ཤེས་དང་འདུ་བྱེད་དང་རྣམ་པར་ཤེས་པ་ལ་བསམ་པ་དང་དཔག་པ་དང་ཚད་དང་མཉམ་པ་དང་མི་མཉམ་པ་མི་དམིགས་པ་ལགས། ཅིའི་སླད་དུ་སྐྱེ་མཆེད་དང་ཁམས་དང་རྟེན་ཅིང་འབྲེལ་བར་འབྱུང་བ་ལ་བསམ་པ་དང་དཔག་པ་དང་ཚད་དང་མཉམ་པ་དང་མི་མཉམ་པ་མི་དམིགས་པ་[7]ལགས། ཅིའི་སླད་དུ་རྣམ་པ་ཐམས་ཅད་མཁྱེན་པ་ཉིད་ཀྱི་བར་ལ་བསམ་པ་དང་དཔག་པ་དང་ཚད་དང་མཉམ་པ་དང་མི་མཉམ་པ་མི་དམིགས་པ་ལགས། བཅོམ་ལྡན་འདས་ཀྱིས་བཀའ་སྩལ་པ། རབ་འབྱོར་གཟུགས་ཀྱི་ངོ་བོ་ཉིད་བསམ་གྱིས་མི་ཁྱབ། དཔག་ཏུ་མེད་ཚད་མེད་གཞལ་དུ་མེད་ལ། མི་མཉམ་པ་དང་མཉམ་པ་སྟེ། དེའི་ཕྱིར་གཟུགས་ལ་བསམ་པ་དང་དཔག་པ་དང་ཚད་དང་མཉམ་པ་དང་མི་མཉམ་པ་མི་དམིགས་སོ། །རབ་འབྱོར་ཚོར་བ་དང་འདུ་ཤེས་དང་འདུ་བྱེད་དང་རྣམ་པར་ཤེས་པའི་ངོ་བོ་ཉིད་བསམ་གྱིས་མི་ཁྱབ། དཔག་ཏུ་མེད་ཚད་མེད་གཞལ་དུ་མེད་ལ། མི་མཉམ་པ་དང་མཉམ་པ་སྟེ། དེའི་ཕྱིར་རྣམ་པར་ཤེས་པ་ལ་བསམ་པ་དང་དཔག་པ་དང་ཚད་དང་མཉམ་པ་དང་མི་མཉམ་པ་མི་དམིགས་སོ། ། སྐྱེ་མཆེད་དང་ཁམས་དང་རྟེན་ཅིང་འབྲེལ་བར་འབྱུང་བའི་ངོ་བོ་ཉིད་བསམ་གྱིས་མི་ཁྱབ་དཔག་ཏུ་མེད་ཚད་མེད། གཞལ་དུ་མེད་ལ། མི་མཉམ་པ་དང་མཉམ་པ་སྟེ། དེའི་ཕྱིར་རྟེན་ཅིང་འབྲེལ་བར་འབྱུང་བ་ལ་བསམ་པ་དང་དཔག་པ་དང་ཚད་དང་མི་མཉམ་པ་དང་མཉམ་པ་མི་དམིགས་སོ། །རྣམ་པ་ཐམས་ཅད་མཁྱེན་

པ་ཉིད་ཀྱི་བར་གྱི་ངོ་བོ་ཉིད་བསམ་གྱིས་མི་ཁྱབ་དཔག་ཏུ་མེད༔ ཚད་མེད[༧]། གཞལ་དུ་མེད་ལ། མི་མཉམ་པ་དང་མཉམ་པ་སྟེ། དེའི་ཕྱིར་རྣམ་པ་ཐམས་ཅད་མཁྱེན་པ་ཉིད་ཀྱི་བར་ལ་བསམ་པ་དང་དཔག་པ་དང་ཚད་དང་མི་མཉམ་པ་དང་མཉམ་པ་མི་དམིགས་སོ། །རབ་འབྱོར་དེ་ཇི་སྐམས་[༣]དུ་སེམས། གཟུགས་གང་བསམ་གྱིས་མི་ཁྱབ་དཔག་ཏུ་མེད་གཞལ་དུ་མེད་པ་སྟེ། མི་མཉམ་པ་དང་མཉམ་པ་དེ་ལ་གཟུགས་དམིགས་སུ་ཡོད་དམ། ཚོར་བ་དང་འདུ་ཤེས་དང་འདུ་བྱེད་དང་རྣམ་པར་ཤེས་པ་གང་བསམ་གྱིས་མི་ཁྱབ། དཔག་ཏུ་མེད་གཞལ་དུ་མེད་པ་སྟེ། མི་མཉམ་པ་དང་མཉམ་པ་དེ་ལ་ཚོར་བ་དང་འདུ་ཤེས་དང་འདུ་བྱེད་དང་རྣམ་པར་ཤེས་པ་དམིགས་སུ་ཡོད་དམ། སྐྱེ་མཆེད་དང་ཁམས་དང་རྟེན་ཅིང་འབྲེལ་བར་འབྱུང་བ་གང་བསམ་གྱིས་མི་ཁྱབ། དཔག་ཏུ་མེད་གཞལ་དུ་མེད་པ་སྟེ། མི་མཉམ་པ་དང་མཉམ་པ་དེ་ལ་རྟེན་ཅིང་འབྲེལ་བར་འབྱུང་བ་དམིགས་སུ་ཡོད་དམ། རྣམ་པ་ཐམས་ཅད་མཁྱེན་པ་ཉིད་ཀྱི་བར་དུ་གང་བསམ་གྱིས་མི་ཁྱབ། དཔག་ཏུ་མེད་གཞལ་དུ་མེད་པ་སྟེ། མི་མཉམ་པ་དང་མཉམ་པ་དེ་ལ། རྣམ་པ་ཐམས་ཅད་མཁྱེན་པ་ཉིད་དམིགས་སུ་ཡོད་དམ། གསོལ་པ། བཅོམ་ལྡན་འདས་དེ་ནི་མ་མཆིས་སོ། །བཅོམ་ལྡན་འདས་ཀྱིས་བཀའ་སྩལ་པ། རབ་འབྱོར་དེ་བས་ན་རྣམ་གྲངས་འདིས་ཆོས་ཐམས་ཅད་བསམ་གྱིས་མི་ཁྱབ་དཔག་ཏུ་མེད་གཞལ་དུ་མེད་པ་སྟེ། མི་མཉམ་པ་དང་མཉམ་པའོ། །རབ་འབྱོར་དེ་བཞིན་གཤེགས་པའི་དེ་བཞིན་གཤེགས་པའི་ཆོས་འདི་དག་ནི་བསམ་པ་དང་བྲལ་བའི་ཕྱིར་བསམ་གྱིས་མི་ཁྱབ་པའོ། །དཔག་པ་དང་བྲལ་བའི་ཕྱིར་དཔག་ཏུ་མེད་པའོ། །ཚད་དང་བྲལ་བའི་ཕྱིར་གཞལ་དུ་མེད་པའོ། །མཉམ་པ་དང་མི་མཉམ་པ་དང་བྲལ་བའི་ཕྱིར། མི་མཉམ་པ་དང་མཉམ་པ་སྟེ། རབ་

འབྱོར་རྣམ་གྲངས་དེས་ན་ཆོས་ཐམས་ཅད་བསམ་གྱིས་མི་ཁྱབ། དཔག་ཏུ་མེད། གཞལ་དུ་མེད་པ་སྟེ། མི་མཉམ་པ་དང་མཉམ་པའོ། །རབ་འབྱོར་དེ་བཞིན་གཤེགས་པའི་དེ་བཞིན་གཤེགས་པའི་ཆོས་འདི་དག་ནི་བསམ་པ་ལས་ཡོངས་སུ་འདས་པས་ན། བསམ་གྱིས་མི་ཁྱབ་པའོ། །དཔག་པ་ལས་ཡོངས་སུ་འདས་པས་ན། དཔག་ཏུ་མེད་པའོ། །ཚད་ལས་ཡོངས་སུ་འདས་པས་ན། གཞལ་དུ་མེད་པའོ། །མཉམ་པ་དང་མི་མཉམ་པ་ལས་ཡོངས་སུ་འདས་པས་ན། མི་མཉམ་པ་དང་མཉམ་པའོ། །རབ་འབྱོར་བསམ་གྱིས་མི་ཁྱབ་ཅེས་བྱ་བ་འདི་ནི་བསམ་དུ་མེད་པའི་ཚིག་བླ་དགས་སོ། །རབ་འབྱོར་དཔག་ཏུ་མེད་ཅེས་བྱ་བ་འདི་ནི་དཔག་ཏུ་མི་རུང་བའི་ཚིག་བླ་དགས་སོ། །རབ་འབྱོར་གཞལ་དུ་མེད་པ་ཞེས་བྱ་བ་འདི་ནི་ཚད་མེད་པའི་ཚིག་བླ་དགས་སོ། །རབ་འབྱོར་མི་མཉམ་པ་དང་མཉམ་པ་ཞེས་བྱ་བ་འདི་ནི་མཉམ་པས་མཉམ་པ་མེད་པའི་ཚིག་བླ་དགས་ཏེ། རབ་འབྱོར་དེ་བཞིན་གཤེགས་པའི་དེ་བཞིན་གཤེགས་པའི་ཆོས་འདི་དག་ནི་བསམ་གྱིས་མི་ཁྱབ། དཔག་ཏུ་མེད་གཞལ་དུ་མེད་པ་སྟེ། མི་མཉམ་པ་དང་མཉམ་པའོ། །རབ་འབྱོར་བསམ་གྱིས་མི་ཁྱབ་ཅེས་བྱ་བ་ནི་ནམ་མཁའ་བསམ་གྱིས་མི་ཁྱབ་པའི་ཕྱིར་རོ། །དཔག་ཏུ་མེད་ཅེས་བྱ་བ་ནི་ནམ་མཁའ་དཔག་ཏུ་མེད་པའི་ཕྱིར་རོ། །གཞལ་དུ་མེད་ཅེས་བྱ་བ་ནི་ནམ་མཁའ་ཚད་མེད་པའི་ཕྱིར་རོ། །མི་མཉམ་པ་དང་མཉམ་པ་ཞེས་བྱ་བ་ནི་ནམ་མཁའ་མི་མཉམ་པ་དང་མཉམ་པའི་ཕྱིར་ཏེ། རབ་འབྱོར་དེ་བཞིན་གཤེགས་པའི་དེ་བཞིན་གཤེགས་པའི་ཆོས་དེ་དག་ནི་བསམ་གྱིས་མི་ཁྱབ་[༧]དཔག་ཏུ་མེད[༨]། གཞལ་དུ་མེད་པ། མི་མཉམ་པ་དང་མཉམ་པ་སྟེ། དེ་དག་ནི་ལྷ་དང་མི་དང་ལྷ་མ་ཡིན་དུ་བཅས་པའི་འཇིག་རྟེན་གྱིས། བསམ་པའམ་དཔག་པར་མི་ནུས་ཏེ། དེ་ལྟར་ན་སངས་རྒྱས་རྣམས་ནི་གཞལ་དུ་

མེད་དོ། །སངས་རྒྱས་ཀྱི་ཆོས་རྣམས་ནི་གཞལ་དུ་མེད་དོ། །དེ་ལྟར་བཅོམ་ལྡན་འདས་ཀྱིས་དེ་བཞིན་གཤེགས་པ་བསམ་གྱིས་མི་①ཁྱབ་པ་དང་། དཔག་ཏུ་མེད་པ་དང་གཞལ་དུ་མེད་པ་དང་མི་མཉམ་པ་དང་མཉམ་པའི་ལེའུ་འདི་བསྟན་པའི་ཚེ། དགེ་སློང་ལྔ་བརྒྱ་ཉི་བར་ལེན་པ་མེད་པར་ཟག་པ་རྣམས་ལས་སེམས་རྣམ་པར་གྲོལ་ལོ༔ །དགེ་སློང་མ་བརྒྱ་ཕྲག་ཉི་ཤུ་ཉེ་བར་ལེན་པ་མེད་པར་ཟག་པ་རྣམས་ལས་སེམས་རྣམ་པར་གྲོལ་ལོ། །དགེ་བསྙེན་སྟོང་ཕྲག་དྲུག་ཅུ་དང་། དགེ་བསྙེན་མ་སྟོང་ཕྲག་སུམ་ཅུ་ནི། ཆོས་རྣམས་ལ་རྡུལ་དང་བྲལ་ཞིང་དྲི་མ་དང་བྲལ་བའི་ཆོས་ཀྱི་མིག་རྣམ་པར་དག་གོ། །བྱང་ཆུབ་སེམས་དཔའ་སྟོང་ཕྲག་ཉི་ཤུ་②ནི་མི་སྐྱེ་བའི་ཆོས་ལ་བཟོད་པ་ཐོབ་སྟེ། དེ་དག་བཅོམ་ལྡན་འདས་ཀྱིས་བསྐལ་པ་བཟང་པོ་འདི་ཉིད་ལ་སངས་རྒྱས་སུ་འགྱུར་རོ་ཞེས་ལུང་བསྟན་ཏོ། །ཤེས་རབ་ཀྱི་ཕ་རོལ་ཏུ་ཕྱིན་པ་སྟོང་ཕྲག་ཉི་ཤུ་ལྔ་པ་ལས། ལེའུ་སུམ་ཅུ་གསུམ་མོ།། ||

དེ་ནས་ཚེ་དང་ལྡན་པ་རབ་འབྱོར་གྱིས། བཅོམ་ལྡན་འདས་ལ་འདི་སྐད་ཅེས་གསོལ་ཏོ། །བཅོམ་ལྡན་འདས་ཤེས་རབ་ཀྱི་ཕ་རོལ་དུ་ཕྱིན་པ་འདི་ནི་ཟབ་པ་①སྟེ། བཅོམ་ལྡན་འདས་ཤེས་རབ་ཀྱི་ཕ་རོལ་དུ་ཕྱིན་པ་འདི་ནི་དོན་ཆེན་པོའི་སླད་དུ་ཉེ་བར་གནས་པའོ། །དོན་ཚད་མ་མཆིས་པ་དང་། དོན་དཔག་ཏུ་མ་མཆིས་པ་དང་། དོན་གཞལ་དུ་མ་མཆིས་པའི་སླད་དུ་ཉེ་བར་གནས་པའོ། །བཅོམ་ལྡན་འདས་ཤེས་རབ་ཀྱི་ཕ་རོལ་དུ་ཕྱིན་པ་འདི་ནི། དོན་མི་མཉམ་པ་དང་མཉམ་པའི་སླད་དུ་ཉེ་བར་གནས་པའོ། །བཅོམ་ལྡན་འདས་ཀྱིས་བཀའ་སྩལ་པ། རབ་འབྱོར་དེ་དེ་བཞིན་ནོ། །དེ་དེ་བཞིན་ཏེ། རབ་འབྱོར་ཤེས་རབ་ཀྱི་ཕ་རོལ་དུ་ཕྱིན་པ་འདི་ནི། དོན་ཆེན་པོའི་ཕྱིར་ཉེ་བར་གནས་པའོ། །ཤེས་རབ

ཀྱི་ཕ་རོལ་ཏུ་ཕྱིན་པ་འདི་ནི། དོན་ཚད་མེད་པ་དང་། དོན་དཔག་ཏུ་མེད་པ་དང་། དོན་གཞལ་དུ་མེད་པ་དང་། དོན་མི་མཉམ་པ་དང་མཉམ་པའི་ཕྱིར་ཉེ་བར་གནས་པའོ། །དེ་ཅིའི་ཕྱིར་ཞེ་ན། རབ་འབྱོར་ཤེས་རབ་ཀྱི་ཕ་རོལ་ཏུ་ཕྱིན་པ་འདིར་ནི་ཕ་རོལ་ཏུ་ཕྱིན་པ་ལྔ་འདུས་སོ། །རབ་འབྱོར་ཤེས་རབ་ཀྱི་ཕ་རོལ་ཏུ་ཕྱིན་པ་འདིར་ནི། ནང་སྟོང་པ་ཉིད་འདུས་སོ། །དངོས་པོ་མེད་པའི་ངོ་བོ་ཉིད་སྟོང་པ་ཉིད་ཀྱི་བར་དུ་འདུས་སོ། །དྲན་པ་ཉེ་བར་གཞག་པ་བཞི་འདུས་སོ། །ཡང་དག་པར་སྤོང་བ་བཞི་དང་། རྫུ་འཕྲུལ་གྱི་རྐང་པ་བཞི་དང་། དབང་པོ་ལྔ་དང་། སྟོབས་ལྔ་དང་། བྱང་ཆུབ་ཀྱི་ཡན་ལག་བདུན་དང་། འཕགས་པའི་ལམ་ཡན་ལག་བརྒྱད་པ་འདུས་སོ། །རབ་འབྱོར་ཤེས་རབ་ཀྱི་ཕ་རོལ་⑦ཏུ་ཕྱིན་པ་ཟབ་མོ་འདིར་ནི་འཕགས་པའི་བདེན་པ་བཞི་དང་། བསམ་གཏན་བཞི་དང་། ཚད་མེད་པ་བཞི་དང་། གཟུགས་མེད་པའི་སྙོམས་པར་འཇུག་པ་བཞི་དང་། རྣམ་པར་ཐར་པ་བརྒྱད་དང་། མཐར་གྱིས་གནས་པའི་སྙོམས་པར་འཇུག་པ་དགུ་དང་། རྣམ་པར་ཐར་པའི་སྒོ་སྟོང་པ་ཉིད་དང་། མཚན་མ་མེད་པ་དང་། སྨོན་པ་མེད་པ་དང་། མངོན་པར་ཤེས་པ་རྣམས་དང་། ཏིང་ངེ་འཛིན་རྣམས་དང་། གཟུངས་ཀྱི་སྒོ་རྣམས་དང་། དེ་བཞིན་གཤེགས་པའི་སྟོབས་བཅུ་དང་། མི་འཇིགས་པ་བཞི་དང་། སོ་སོ་ཡང་དག་པར་རིག་པ་བཞི་དང་། བྱམས་པ་ཆེན་པོ་དང་། སྙིང་རྗེ་ཆེན་པོ་དང་། སངས་རྒྱས་ཀྱི་ཆོས་མ་འདྲེས་པ་བཅོ་བརྒྱད་འདུས་སོ། །རབ་འབྱོར་ཤེས་རབ་ཀྱི་ཕ་རོལ་ཏུ་ཕྱིན་པ་འདིར་ནི། རྣམ་པ་ཐམས་ཅད་མཁྱེན་པ་ཉིད་ཀྱི་བར་དུ་འདུས་སོ༑ །རབ་འབྱོར་འདི་ལྟ་སྟེ་དཔེར་ན། རྒྱལ་པོ་རྒྱལ་རིགས་སྤྱི་བོ་ནས་དབང་བསྐུར་བ་སྲིད་བརྟན་པར་གྱུར་པའི་རྒྱལ་པོའི་དགོས་པའམ། ཡུལ་གྱི་དགོས་པ

གང་ཅི་ཡང་རུང་སྟེ། དེ་དག་ཐམས་ཅད་ལ་བློན་པོ་ལས་སུ་བཙུག་ན། དེའི་ཚེ་རྒྱལ་པོ་ནི་རྒྱལ་པོའི་དགོས་པ་དང་། ཡུལ་གྱི་དགོས་པ་ལ་སྙིང་ལས་ཆུང་ཞིང་ཁུར་བོར་བ་ཡིན། རབ་འབྱོར་དེ་བཞིན་དུ་ཉན་ཐོས་ཀྱི་ཆོས་སམ། རང་སངས་རྒྱས་ཀྱི་ཆོས་སམ། བྱང་ཆུབ་སེམས་དཔའི་ཆོས་སམ། སངས་རྒྱས་ཀྱི་ཆོས་གང་ཡང་རུང་སྟེ། དེ་དག་ཐམས་ཅད་ཤེས་རབ་ཀྱི་ཕ་རོལ་ཏུ་ཕྱིན་པར་འདུས་ཏེ། ཤེས་རབ་ཀྱི་ཕ་རོལ་ཏུ་ཕྱིན་པ་ནི་དེ་དག་གི་བྱ་བ་བྱེད་དོ། །རབ་འབྱོར་དེ་ལྟ་བས་ན་ཤེས་རབ་ཀྱི་ཕ་རོལ་ཏུ་ཕྱིན་པ་འདི་ནི། བྱ་བ་ཆེན་པོའི་ཕྱིར་ཉེ་བར་གནས་པའོ། །ཤེས་རབ་ཀྱི་ཕ་རོལ་ཏུ་ཕྱིན་པ་འདི་ནི། བྱ་བ་བསམ་གྱིས་མི་ཁྱབ་པའི་ཕྱིར་ཉེ་བར་གནས་པའོ། །ཤེས་རབ་ཀྱི་ཕ་རོལ་ཏུ་ཕྱིན་པ་འདི་ནི་བྱ་བ་དཔག་ཏུ་མེད་པའི་ཕྱིར་ཉེ་བར་གནས་པའོ། །ཤེས་རབ་ཀྱི་ཕ་རོལ་ཏུ་ཕྱིན་པ་འདི་ནི་བྱ་བ་གཞལ་དུ་མེད་པའི་ཕྱིར་ཉེ་བར་གནས་པའོ། །ཤེས་རབ་ཀྱི་ཕ་རོལ་ཏུ་ཕྱིན་པ་འདི་ནི་བྱ་བ་མི་མཉམ་པ་དང་མཉམ་པའི་ཕྱིར་ཉེ་བར་གནས་པའོ། །དེ་ཅིའི་ཕྱིར་ཞེ་ན། རབ་འབྱོར་དེ་ནི་འདི་ལྟར་ཤེས་རབ་ཀྱི་ཕ་རོལ་ཏུ་ཕྱིན་པ་ཟབ་མོ་འདི་ནི། གཟུགས་ལ་ཡོངས་སུ་འཛིན་པ་མེད་པ་དང་། མངོན་པར་ཆགས་པ་མེད་པར་ཉེ་བར་གནས་པའོ། །ཚོར་བ་དང་འདུ་ཤེས་དང་འདུ་བྱེད་དང་། རྣམ་པར་ཤེས་པ་ལ་ཡོངས་སུ་འཛིན་པ་མེད་པ་དང་། མངོན་པར་ཆགས་པ་མེད་པར་ཉེ་བར་གནས་པའོ། །སངས་རྒྱས་ཀྱི་ཆོས་མ་འདྲེས་པ་བཅོ་བརྒྱད་ཀྱི་བར་ལ་ཡོངས་སུ་འཛིན་པ་མེད་པ་དང་། མངོན་པར་ཆགས་པ་མེད་པར་ཉེ་བར་གནས་པའོ། །བླ་ན་མེད་པ་ཡང་དག་པར་རྫོགས་པའི་བྱང་ཆུབ་ཀྱི་བར་ལ་ཡོངས་སུ་འཛིན་པ་མེད་པ་དང་། མངོན་པར་ཆགས་པ་མེད་པར་ཉེ་བར་གནས་པའོ། །གསོལ་པ། བཅོམ་ལྡན་འདས་ཇི་ལྟར་ན་ཤེས་རབ་

ཀྱི་ཕ་རོལ་ཏུ་ཕྱིན་པ་འདི་གཟུགས་ལ་ཡོངས་སུ་འཛིན་པ་མ་མཆིས་པ་དང་། མངོན་པར་ཆགས་པ་མ་མཆིས་པར་ཉེ་བར་གནས་པ་ལགས། ཇི་ལྟར་ན་ཚོར་བ་དང་། འདུ་ཤེས་དང་། འདུ་བྱེད་དང་། རྣམ་པར་ཤེས་པ་ལ་ཡོངས་སུ་འཛིན་པ་མ་མཆིས་པ་དང་། མངོན་པར་ཆགས་པ་མ་མཆིས་པར་ཉེ་བར་གནས་པ་ལགས། ཇི་ལྟར་ན་བླ་ན་མེད་པ་ཡང་དག་པར་རྫོགས་པའི་བྱང་ཆུབ་ཀྱི་བར་ལ་ཡོངས་སུ་འཛིན་པ་མ་མཆིས་པ་དང་། མངོན་པར་ཆགས་པ་མ་མཆིས་པར་ཉེ་བར་གནས་པ་ལགས། བཅོམ་ལྡན་འདས་ཀྱིས་བཀའ་སྩལ་པ། རབ་འབྱོར་དེ་ཇི་སྙམ་དུ་སེམས། ཁྱོད་ཀྱིས་གཟུགས་གང་ཡོངས་སུ་གཟུང་བར་བྱ་བའམ། མངོན་པར་ཆགས་པར་བྱ་བ་དེ་ལྟ་བུ་མཐོང་ངམ། ཆོས་གང་ཡོངས་སུ་འཛིན་པར་བྱེད་པ་དང་། མངོན་པར་ཆགས་པར་བྱེད་པའམ། གང་གིས་ཡོངས་སུ་གཟུང་བར་བྱ་བའམ། མངོན་པར་ཆགས་པར་བྱ་བ་དེ་ལྟ་བུ་ཡང་མཐོང་ངམ། གསོལ་པ། བཅོམ་ལྡན་འདས་དེ་ནི་མ་ལགས་སོ། །བཅོམ་ལྡན་འདས་ཀྱིས་བཀའ་སྩལ་པ། རབ་འབྱོར་དེ་ཇི་སྙམ་དུ་སེམས། ཁྱོད་ཀྱིས་ཚོར་བ་དང་། འདུ་ཤེས་དང་། འདུ་བྱེད་དང་། རྣམ་པར་ཤེས་པ་གང་ཡོངས་སུ་གཟུང་བར་བྱ་བའམ། མངོན་པར་ཆགས་པར་བྱ་བ་དེ་ལྟ་བུ་མཐོང་ངམ། ཆོས་གང་ཡོངས་སུ་འཛིན་པར་བྱེད་པ་དང་། མངོན་པར་ཆགས་པར་བྱེད་པའམ། གང་གིས་ཡོངས་སུ་གཟུང་བར་བྱ་བའམ། མངོན་པར་ཆགས་པར་བྱ་བ་དེ་ལྟ་བུ་ཡང་མཐོང་ངམ། གསོལ་པ། བཅོམ་ལྡན་འདས་དེ་ནི་མ་ལགས་སོ། །བཅོམ་ལྡན་འདས་ཀྱིས་བཀའ་སྩལ་པ། རབ་འབྱོར་དེ་ཇི་སྙམ་དུ་སེམས། ཁྱོད་ཀྱིས་རྣམ་པ་ཐམས་ཅད་མཁྱེན་པ་ཉིད་ཀྱི་བར་དུ་གང་ཡོངས་སུ་གཟུང་བར་བྱ་བའམ། མངོན་པར་ཆགས་པར་བྱ་བ་དེ་ལྟ་བུ་ཡང་མཐོང་ངམ། ཆོས་གང་

ཡོངས་སུ་འཛིན་པར་བྱེད་པ་དང་། མངོན་པར་ཆགས་པར་བྱེད་པའམ།
གང་གིས་ཡོངས་སུ་གཟུང་བར་བྱ་བའམ། མངོན་པར་ཆགས་པར་བྱ་བ་དེ་ལྟ་བུ་
ཡང་མཐོང་ངམ། གསོལ་པ། བཅོམ་ལྡན་འདས་དེ་ནི་མ་ལགས་སོ། །
བཅོམ་ལྡན་འདས་ཀྱིས་བཀའ་སྩལ་པ། རབ་འབྱོར་དེ་ཇི་སྙམ་དུ་སེམས།
ཁྱོད་ཀྱིས་རྒྱུན་དུ་ཞུགས་པའི་འབྲས་བུ་གང་ཡོངས་སུ་གཟུང་བར་བྱ་བའམ།
མངོན་པར་ཆགས་པར་བྱ་བ་དེ་ལྟ་བུ་མཐོང་ངམ། ཆོས་གང་ཡོངས་སུ་འཛིན···
པར་བྱེད་པ་དང་། མངོན་པར་ཆགས་པར་བྱེད་པའམ། གང་གིས་ཡོངས་སུ་
གཟུང་བར་བྱ་བའམ། མངོན་པར་ཆགས་པར་བྱ་བ་དེ་ལྟ་བུ་ཡང་མཐོང་ངམ།
གསོལ་པ། བཅོམ་ལྡན་འདས་དེ་ནི་མ་ལགས་སོ། །བཅོམ་ལྡན་འདས་ཀྱིས···
བཀའ་སྩལ་པ། རབ་འབྱོར་དེ་ཇི་སྙམ་དུ་སེམས། ཁྱོད་ཀྱིས་བླ་ན་མེད་པ་ཡང་
དག་པར་རྫོགས་པའི་བྱང་ཆུབ་གང་ཡོངས་སུ་གཟུང་བར་བྱ་བའམ། མངོན་པར་
ཆགས་པར་བྱ་བ་དེ་ལྟ་བུ་མཐོང་ངམ། ཆོས་གང་ཡོངས་སུ་འཛིན་པར་བྱེད་པ···
དང་། མངོན་པར་ཆགས་པར་བྱེད་པའམ། གང་གིས་ཡོངས་སུ་གཟུང་བར···
བྱ་བའམ། མངོན་པར་ཆགས་པར་བྱ་བ་དེ་ལྟ་བུ་ཡང་མཐོང་ངམ། གསོལ་པ།
བཅོམ་ལྡན་འདས་དེ་ནི་མ་ལགས་སོ། །བཅོམ་ལྡན་འདས་ཀྱིས་བཀའ་སྩལ་པ།
རབ་འབྱོར་ལེགས་སོ་ལེགས་སོ། །རབ་འབྱོར་ངས་ཀྱང་གཟུགས་ཡང་དག་པར···
རྗེས་སུ་མ་མཐོང་སྟེ། ཡང་དག་པར་རྗེས་སུ་མ་མཐོང་བས་ཡོངས་སུ་མི་འཛིན།
ཡོངས་སུ་མི་འཛིན་པས་ཉེ་བར་མི་ལེན་ཏོ། །རབ་འབྱོར་ངས་ཀྱང་ཚོར་བ་དང་།
འདུ་ཤེས་དང་། འདུ་བྱེད་དང་། རྣམ་པར་ཤེས་པ་ཡང་དག་པར་རྗེས་སུ་མ་
མཐོང་སྟེ། ཡང་དག་པར་རྗེས་སུ་མ་མཐོང་བས་ཡོངས་སུ་མི་འཛིན། ཡོངས་
སུ་མི་འཛིན་པས་ཉེ་བར་མི་ལེན་ཏོ། །རབ་འབྱོར་ངས་ཀྱང་བླ་ན་མེད་པ་ཡང···

དག་པར་རྫོགས་པའི་བྱང་ཆུབ་ཀྱི་བར་དུ་ཡང་དག་པར་རྗེས་སུ་མ་མཐོང་སྟེ། ཡང་དག་པར་རྗེས་སུ་མ་མཐོང་བས་ཡོངས་སུ་མི་འཛིན། ཡོངས་སུ་མི་འཛིན་པས་ཉེ་བར་མི་ལེན་ཏོ། །རབ་འབྱོར་ངས་ཀྱང་སངས་རྒྱས་ཀྱི་ས་དང་། ཐམས་ཅད་ཤེས་པ་ཉིད་དང་། རྣམ་པ་ཐམས་ཅད་མཁྱེན་པ་ཉིད་དང་། དེ་བཞིན་གཤེགས་པ་ཉིད་ཡང་དག་པར་རྗེས་སུ་མ་མཐོང་སྟེ། ཡང་དག་པར་རྗེས་སུ་མ་མཐོང་བས་ཡོངས་སུ་མི་འཛིན། ཡོངས་སུ་མི་འཛིན་པས་ཉེ་བར་མི་ལེན་ཏོ། །རབ་འབྱོར་དེ་ལྟ་བས་ན་བྱང་ཆུབ་སེམས་དཔའ་སེམས་དཔའ་ཆེན་པོས། གཟུགས་ལ་མངོན་པར་ཆགས་པར་མི་བྱའོ། །ཡོངས་སུ་གཟུང་བར་མི་བྱའོ། །ཚོར་བ་དང་། འདུ་ཤེས་དང་། འདུ་བྱེད་དང་། རྣམ་པར་ཤེས་པ་ལ་མངོན་པར་ཆགས་པར་མི་བྱའོ། །ཡོངས་སུ་གཟུང་བར་མི་བྱའོ། །སྐྱེ་མཆེད་དང་ཁམས་དང་རྟེན་ཅིང་འབྲེལ་བར་འབྱུང་བ་ལ་མངོན་པར་ཆགས་པར་མི་བྱའོ། །ཡོངས་སུ་གཟུང་བར་མི་བྱའོ། །ཕ་རོལ་ཏུ་ཕྱིན་པ་ཐམས་ཅད་དང་། སྟོང་པ་ཉིད་ཐམས་ཅད་དང་། བྱང་ཆུབ་ཀྱི་ཕྱོགས་ཀྱི་ཆོས་སུམ་ཅུ་རྩ་བདུན་དང་། འཕགས་པའི་བདེན་པ་རྣམས་དང་། བསམ་གཏན་རྣམས་དང་། ཚད་མེད་པ་རྣམས་དང་། གཟུགས་མེད་པའི་སྙོམས་པར་འཇུག་པ་རྣམས་དང་། རྣམ་པར་ཐར་པ་བརྒྱད་དང་། མཐར་གྱིས་གནས་པའི་སྙོམས་པར་འཇུག་པ་དགུ་དང་། རྣམ་པར་ཐར་པའི་སྒོ་སྟོང་པ་ཉིད་དང་། མཚན་མ་མེད་པ་དང་[1]། སྨོན་པ་མེད་པ་དང་། མངོན་པར་ཤེས་པ་རྣམས་དང་། ཏིང་ངེ་འཛིན་རྣམས་དང་། གཟུངས་ཀྱི་སྒོ་རྣམས་དང་། དེ་བཞིན་གཤེགས་པའི་སྟོབས་བཅུ་དང་། མི་འཇིགས་པ་བཞི་དང་། སོ་སོ་ཡང་དག་པར་རིག་པ་བཞི་དང་། བྱམས་པ་ཆེན་པོ་དང་། སྙིང་རྗེ་ཆེན་པོ་དང་། སངས་རྒྱས་ཀྱི་ཆོས་མ་འདྲེས་པ་བཅོ་

བརྒྱད་ལ་མངོན་པར་ཆགས་པར་མི་བྱའོ། །ཡོངས་སུ་གཟུང་བར་མི་བྱའོ། །བླ་ན་མེད་པ་ཡང་དག་པར་རྫོགས་པའི་བྱང་ཆུབ་ཀྱི་བར་ལ་མངོན་པར་ཆགས་པར་མི་བྱའོ༏ །ཡོངས་སུ་གཟུང་བར་མི་བྱའོ། །སངས་རྒྱས་ཉིད་དང་། ཐམས་ཅད་ཤེས་པ་ཉིད་དང་། རྣམ་པ་ཐམས་ཅད་མཁྱེན་པ་ཉིད་དང་། དེ་བཞིན་གཤེགས་པ་ཉིད་ལ་མངོན་པར་ཆགས་པར་མི་བྱའོ། །ཡོངས་སུ་གཟུང་བར་མི་བྱའོ༏ །དེ་ནས་འདོད་པ་ན་སྤྱོད་པ་དང་། གཟུགས་ཡོད་པ་ན་སྤྱོད་པའི་ལྷའི་བུ་དག་གིས། བཅོམ་ལྡན་འདས་ལ་འདི་སྐད་ཅེས་གསོལ་ཏོ། །བཅོམ་ལྡན་འདས་ཤེས་རབ་ཀྱི་ཕ་རོལ་ཏུ་ཕྱིན་པ་འདི་ནི། ཟབ་ཅིང་བལྟ་[༧]དཀའ་ལ། རྟོགས་པར་དཀའ་བ་སྟེ། མི༔རྟག་པ་བརྟག་[༣]པའི་སྤྱོད་ཡུལ་མ་ལགས་པ་ཞི་ཞིང་ཕྲ་ལ། མཁས་པ་དང་། བྱང་བ་དང་། ཡིད་གསལ་བས་འཚལ་བར་བགྱི་བའོ༏ །བཅོམ་ལྡན་འདས་སེམས་ཅན་གང་ཤེས་རབ་ཀྱི་ཕ་རོལ་དུ་ཕྱིན་པ་ཟབ་མོ་འདི་ལ། མོས་པ་དེ་དག་ནི། སྔོན་གྱི་རྒྱལ་བ་ལ་བགྱི་བ་བགྱིས་པའོ་བཅོམ་ལྡན་འདས་སེམས་ཅན་གང་ཤེས་རབ་ཀྱི་ཕ་རོལ་དུ་ཕྱིན་པ་ཟབ་མོ་འདི་ལ་མོས་པ་དེ་དག་ནི་དགེ་བའི་བཤེས་གཉེན་གྱིས་ཡོངས་སུ་བཟུང་བའོ། །དགེ་བའི་རྩ་བ་བསྐྱེད་པའོ། །བཅོམ་ལྡན་འདས་གལ་ཏེ་སྟོང་གསུམ་གྱི་སྟོང་ཆེན་པོའི་འཇིག་རྟེན་གྱི་ཁམས་ཀྱི་སེམས་ཅན་གང་ཇི་སྙེད་པ་དེ་དག་ཐམས་ཅད་དད་པའི་རྗེས་སུ་འབྲང་བ་དང་། ཆོས་ཀྱི་རྗེས་སུ་འབྲང་བ་དང་། བརྒྱད་པ་དང་། རྒྱུན་དུ་ཞུགས་པ་དང་། ལན་ཅིག་ཕྱིར་འོང་བ་དང་། ཕྱིར་མི་འོང་བ་དང་། དགྲ་བཅོམ་པ་དང་། རང་སངས་རྒྱས་སུ་གྱུར་ཏེ། དེ་དག་ཐམས་ཅད་ལ་ཡེ་ཤེས་དང་། སྤོང་བ་གང་ཇི་སྙེད་ཅིག་མཆིས་པ་དང་། ཤེས་རབ་ཀྱི་ཕ་རོལ་དུ་ཕྱིན་པ་ཟབ་མོ་འདི་ལ་གདུགས་གཅིག་ཏུ་མོས་ཤིང་བསམས་ཏེ། གཞལ་བ་དང་།

བརྟག་པ་དང་། དཔྱད་པ་ཉིད་ལ་[༡]གང་ཤེས་རབ་ཀྱི་ཕ་རོལ་ཏུ་ཕྱིན་པ་ཟབ་མོ་འདི་ལ་གདུགས་གཅིག་ཏུ་མོས་པ་དེ་ཉིད་ཆེས་ལེགས་པའི་མཆོག་ཏུ་འགྱུར་རོ། །དེ་ཅིའི་སླད་དུ་ཞེ་ན། དེ་ནི་འདི་ལྟར་དད་པའི་རྗེས་སུ་འབྲང་བ་དང་། ཆོས་ཀྱི་རྗེས་སུ་འབྲང་བ་དང་། བརྒྱད་པ་དང་། རྒྱུན་དུ་ཞུགས་པ་[༣]དང་། ལན་ཅིག་ཕྱིར་འོང་བ་དང་། ཕྱིར་མི་འོང་བ་དང་། དགྲ་བཅོམ་པ་དང་། རང་སངས་རྒྱས་ཀྱི་ཡེ་ཤེས་གང་ཇི་ཙམ་པ་དང་། སྤོང་བ་གང་ཇི་ཙམ་པ་དེ་ནི། བྱང་ཆུབ་སེམས་དཔའ་སེམས་དཔའ་ཆེན་པོའི་མི་སྐྱེ་བའི་ཆོས་ལ་བཟོད་པ་ཐོབ་པའི་བཟོད་པར་འདུས་སོ། །དེ་ནས་བཅོམ་ལྡན་འདས་ཀྱིས་འདོད་པ་ན་སྤྱོད་པ་དང་། གཟུགས་ཡོད་པ་ན་སྤྱོད་པའི་ལྷའི་བུ་དེ་དག་ལ་བཀའ་སྩལ་པ། ལྷའི་བུ་དག་དེ་དེ་བཞིན་ནོ། །དེ་དེ་བཞིན་ཏེ། དད་པའི་རྗེས་སུ་འབྲང་བ་དང་། ཆོས་ཀྱི་རྗེས་སུ་འབྲང་བ་དང་། བརྒྱད་པ་དང་། རྒྱུན་དུ་ཞུགས་པ་དང་། ལན་ཅིག་ཕྱིར་འོང་བ་དང་། ཕྱིར་མི་འོང་བ་དང་། དགྲ་བཅོམ་པ་ཉིད་དང་། རང་སངས་རྒྱས་ཀྱི་ཡེ་ཤེས་གང་ཇི་ཙམ་པ་དང་། སྤོང་བ་གང་ཇི་ཙམ་པ་དེ་ནི། བྱང་ཆུབ་སེམས་དཔའ་སེམས་དཔའ་ཆེན་པོ་མི་སྐྱེ་བའི་ཆོས་ལ་བཟོད་པ་ཐོབ་པའི་བཟོད་པར་འདུས་སོ། །ལྷའི་བུ་དག་རིགས་ཀྱི་བུའམ། རིགས་ཀྱི་བུ་མོ་གང་སུ་ཡང་རུང་སྟེ། ཤེས་རབ་ཀྱི་ཕ་རོལ་ཏུ་ཕྱིན་པ་ཟབ་མོ་འདི་ཉན་ཅིང་ཐོས་ནས་འདྲི་བ་དང་། བྲིས་ནས་ལུང་འབོག་པ་དང་། ཁ་ཏོན་བྱེད་པ་དང་། ཚུལ་བཞིན་དུ་ཡིད་ལ་བྱེད་པ་དེ་དག་ནི་མྱུར་དུ་འབྱུང་བར་ཤེས་པར་བྱའི[༣]། ཉན་ཐོས་དང་རང་སངས་རྒྱས་ཀྱི་ཐེག་པ་པའི་རིགས་ཀྱི་བུ་དང་། རིགས་ཀྱི་བུ་མོ་ཤེས་རབ་ཀྱི་ཕ་རོལ་ཏུ་ཕྱིན་པ་དང་བྲལ་བ། མདོ་སྡེ་གཞན་ལ་བསླབ་པའམ། བསླབ་པའི་ལྷག་མར་སྤྱོད་པ་[༢]དག་ནི་མ་ཡིན་ནོ། །དེ་ཅིའི་ཕྱིར་ཞེ་ན། དེ་ནི་

འདི་ལྟར་ཤེས་རབ་ཀྱི་ཕ་རོལ་ཏུ་ཕྱིན་པ་ཟབ་མོ་འདི་ལས་ཕྱུང་བ་སྐྱེས་བུ་དམ་པའི་ཆོས་གང་ལ༔ དད་པའི་རྗེས་སུ་འབྲང་བ་དང་། ཆོས་ཀྱི་རྗེས་སུ་འབྲང་བ་དང་། བརྒྱད་པ་དང་། རྒྱུན་ཏུ་ཞུགས་པ་དང་། ལན་ཅིག་ཕྱིར་འོང་བ་དང་། ཕྱིར་མི་འོང་བ་དང་། དགྲ་བཅོམ་པ་དང་། རང་སངས་རྒྱས་རྣམས་ཀྱིས་བསླབ་པར་བྱ་བ་དང་། གང་ལ་བྱང་ཆུབ་སེམས་དཔའ་སེམས་དཔའ་ཆེན་པོ་རྣམས་ཀྱིས་བསླབ་པར་བྱ་བ་དང་། གང་ལ་དེ་བཞིན་གཤེགས་པ་དགྲ་བཅོམ་པ་ཡང་དག་པར་རྫོགས་པའི་སངས་རྒྱས་རྣམས་ཀྱིས་བསླབས་ཏེ། བླ་ན་མེད་པ་ཡང་དག་པར་རྫོགས་པའི་བྱང་ཆུབ་ཏུ་མངོན་པར་རྫོགས་པར་སངས་རྒྱས་པ་དང་། མངོན་པར་རྫོགས་པར་འཚང་རྒྱ་བ་དང་། མངོན་པར་རྫོགས་པར་འཚང་རྒྱ་བར་འགྱུར་བ་དེ་དག་རྒྱ་ཆེར་བསྟན་ཏོ། །དེ་ནས་འདོད་པ་ན་སྤྱོད་པ་དང་། གཟུགས་ཡོད་པ་ན་སྤྱོད་པའི་ལྷའི་བུ་དེ་དག་གིས་ཆེད་དུ་བརྗོད་པ་ཆེད་དུ་བརྗོད་དེ། བཅོམ་ལྡན་འདས་འདི་ལྟ་སྟེ། ཤེས་རབ་ཀྱི་ཕ་རོལ་ཏུ་ཕྱིན་པ་འདི་ནི། ཕ་རོལ་ཏུ་ཕྱིན་པ་ཆེན་མོ[༧]སྟེ། བཅོམ་ལྡན་འདས་འདི་ལྟར་ཤེས་རབ་ཀྱི་ཕ་རོལ་ཏུ་ཕྱིན་པ་འདི་ནི། དཔག་ཏུ་མ་མཆིས་པའི་ཕ་རོལ་ཏུ་ཕྱིན་པའོ། །འདི་ནི་གཞལ་དུ་མ་མཆིས་པའི་ཕ་རོལ་ཏུ་ཕྱིན་པའོ། །འདི་ནི་མི་མཉམ་པ་དང་མཉམ་པའི་ཕ་རོལ་ཏུ་ཕྱིན་པ་སྟེ། བཅོམ་ལྡན་འདས་ཤེས་རབ་ཀྱི་ཕ་རོལ་ཏུ་ཕྱིན་པ་ཟབ་མོ་དེ་ལ་བསླབས་ཤིང་། དད་པའི་རྗེས་སུ་འབྲང་བ་རྣམས་བྱུང་བར་གྱུར་ཏེ། འབྱུང་[༡]ཞིང་འབྱུང་བར་འགྱུར། ཆོས་ཀྱི་རྗེས་སུ་འབྲང་བ་དང་། བརྒྱད་པ་དང་། རྒྱུན་ཏུ་ཞུགས་པ་དང་། ལན་ཅིག་ཕྱིར་འོང་བ་དང་། ཕྱིར་མི་འོང་བ་དང་། དགྲ་བཅོམ་པ་རྣམས་བྱུང་བར་གྱུར་ཏེ། འབྱུང་[༡]ཞིང་འབྱུང་བར་[༨]འགྱུར༔ དེ་ལ་བསླབས་ཤིང་རང་སངས་རྒྱས་རྣམས་བྱུང་བར་གྱུར་ཏེ།

འབྱུང་[༡]ཞིང་འབྱུང་བར་འགྱུར། དེ་ལ་བསླབས་ཤིང་བྱང་ཆུབ་སེམས་དཔའ་སེམས་དཔའ་ཆེན་པོ་རྣམས་བླ་ན་མེད་པ་ཡང་དག་པར་རྫོགས་པའི་བྱང་ཆུབ་ཏུ་བྱུང་བར་གྱུར་ཏེ། འབྱུང་[༢]ཞིང་འབྱུང་བར་འགྱུར། ཡང་ཤེས་རབ་ཀྱི་ཕ་རོལ་དུ་ཕྱིན་པ་ཟབ་མོ་འདི་འགྲིབ་པའམ། འཕེལ་བར་[༣]ཡང་མི་གདའོ་ཞེས་ནས་འདོད་པ་ན་སྤྱོད་པ་དང་། གཟུགས་ཡོད་པ་ན་སྤྱོད་པའི་ལྷའི་བུ་དེ་དག་གིས་བཅོམ་ལྡན་འདས་ཀྱི་ཞབས་གཉིས་ལ་སྤྱི་བོས་ཕྱག་འཚལ་[༤]ཏེ། བཅོམ་ལྡན་འདས་ལ་ལན་གསུམ་དུ་གཡས་ཕྱོགས་ནས་བསྐོར་ནས། བཅོམ་ལྡན་འདས་ཀྱི་སྤྱན་སྔ་ནས་དོང་སྟེ། དེ་དག་ཤིན་ཏུ་ཡང་མི་རིང་བ་ཞིག་ཏུ་ཕྱིན་ནས་མི་སྣང་བར་གྱུར་ཏེ། འདོད་པ་ན་སྤྱོད་པའི་ལྷའི་བུ་དག་ནི་འདོད་པའི་ཁམས་སུ་འཁོད་དོ། །གཟུགས་ཡོད་པ་ན་སྤྱོད་པའི་ལྷའི་བུ་དག་ནི་གཟུགས་ཡོད་པའི་ཁམས་སུ་འཁོད་དོ། །དེ་ནས་ཚེ་དང་ལྡན་པ་རབ་འབྱོར་གྱིས། བཅོམ་ལྡན་འདས་ལ་འདི་སྐད་ཅེས་གསོལ་ཏོ། །བཅོམ་ལྡན་འདས་བྱང་ཆུབ་སེམས་དཔའ་སེམས་དཔའ་ཆེན་པོ་གང་ཤེས་རབ་ཀྱི་ཕ་རོལ་དུ་ཕྱིན་པ་ཟབ་མོ་འདི་ཐོས་མ་ཐག་ཏུ་མོས་པར་འགྱུར་ཞིང་། གོང་དུ་འདྲི་བ་དང་། འཛིན་པ་དང་། འཆང་བ་དང་། ཀློག་པ་དང་། ཀུན་ཆུབ་པར་བགྱིད་ཅིང་། ཚུལ་བཞིན་དུ་ཡིད་ལ་བགྱིད་ན། དེ་གང་ནས་ཤི་འཕོས་ཏེ་འདིར་སྐྱེས་པར་གྱུར་པ་ལགས། བཅོམ་ལྡན་འདས་ཀྱིས་བཀའ་སྩལ་པ། རབ་འབྱོར་བྱང་ཆུབ་སེམས་དཔའ་སེམས་དཔའ་ཆེན་པོ་གང་ཤེས་རབ་ཀྱི་ཕ་རོལ་ཏུ་ཕྱིན་པ༔ཟབ་མོ་[༥]འདི་ཐོས་མ་ཐག་ཏུ་མོས་ཤིང་ཞུམ་པར་མི་འགྱུར། ཡོངས་སུ་ཞུམ་པར་མི་འགྱུར་ལ། རྫོངས་[༦]པར་མི་འགྱུར་ཞིང་ཐེ་ཙོམ་མི་ཟ། ནེམ་[༧]នུར་མི་བྱེད་ལ། ཤེས་རབ་ཀྱི་ཕ་རོལ་དུ་ཕྱིན་པ་ཟབ་མོ་འདི་ཉན་པར་མངོན་པར་དགའ་ཞིང་། ཤེས་རབ་ཀྱི་ཕ་རོལ་དུ་ཕྱིན་པ་ཟབ་མོ་

འདི་ཐོས་ནས་ཀྱང་ཡིད་ལ་བྱ་བ་དེ་དག་དང་བྲལ་བར་མི་བྱེད་ལ། ཡིད་ལ་བྱ་བ་དེ་དག་འགྲོའམ། འོང་འམ[༧]། འགྲེང་ངམ། འདུག་གམ། ཉལ་ཀྱང་རུང་སྟེ། རྟག་ཏུ་རྒྱུན་མི་ཆད་པར༔བསྲུང་འཛིག་པར་མི[༣]བྱེད་ཅིང་། ཆོས་སྨྲ་བའི་གང་ཟག་དེ་ལ་ཡང་རྟག་ཏུ་རྒྱུན་མི་ཆད་པར་འབྲང་སྟེ། རབ་འབྱོར་དཔེར་ན། བ་དྲུས་མ་བེའུ་མི་འདོར་བ་ལྟར། བྱང་ཆུབ་སེམས་དཔའ་སེམས་དཔའ་ཆེན་པོས་ཤེས་རབ་ཀྱི་ཕ་རོལ་ཏུ་ཕྱིན་པ་ཟབ་མོ་འདིའི་དོན་དུ། ནམ་ཤེས་རབ་ཀྱི་ཕ་རོལ་ཏུ་ཕྱིན་པ་འདི་ནི་མངོན་དུ་མ་བྱས་དྲན་པས་འདྲིས་པར་མ་བྱས། ཡིད་ཀྱིས་རྟོགས་པར་མ་བྱས། ལྟ་བས་ཡོང་དུ་ཆུད་པར་མ་བྱས་ཀྱི་བར་དུ་ཆོས་སྨྲ་བ་དེ་མི་གཏོང་ངོ། རབ་འབྱོར་བྱང་ཆུབ་སེམས་དཔའི་ཐེག་པ་པའི་གང་ཟག་དེ་ནི་མིའི་ནང་ནས་ཤི་འཕོས་ནས། མིའི་ནང་དུ་སྐྱེས་པའོ། །དེ་ཅིའི་ཕྱིར་ཞེ་ན། དེ་ནི་འདི་ལྟར་བྱང་ཆུབ་སེམས་དཔའི་ཐེག་པ་པའི་རིགས་ཀྱི་བུ་དེས་སྔོན་ཡང་ཤེས་རབ་ཀྱི་ཕ་རོལ་ཏུ་ཕྱིན་པ་འདི་ཐོས་ནས་བཟུང་བ་དང་། བཅངས་པ་དང་། བསྔགས[༤]པ་དང་། ཀུན་ཆུབ་པར་བྱས་པ་དང་། ཚུལ་བཞིན་དུ་ཡིད་ལ་བྱས་པར་གྱུར་ཏོ། །གོང་དུ་ཡང་བྲིས་ཤིང་གླེགས་བམ་དུ་བྱས་ཏེ། མེ་ཏོག་དང་། ཕྲེང་བ་དང་། སྤོས་དང་། བྱུག་པ་དང་། ཕྱེ་མ་དང་། ན་བཟའ་དང་གདུགས་དང་། རྒྱལ་མཚན་དང་། བ་དན་མང་པོས་རིམ་གྲོར་བྱས་པར་གྱུར་ཏོ། །བཀུར་བསྟི་དང་། བསྟི་སྟང་དང་། མཆོད་པ་བྱས་པར་གྱུར་ཏོ། །དགེ་བའི་རྩ་བ་དེ་ཉིད་ཀྱིས་མིའི་ནང་ནས་ཤི་འཕོས་ནས་མིའི་ནང་དུ་སྐྱེས་ཏེ། ཤེས་རབ་ཀྱི་ཕ་རོལ་ཏུ་ཕྱིན་པ་ཟབ་མོ་འདི་ལ་ཡང་ཐོས་མ་ཐག་ཏུ་མོས་པར༔འགྱུར་བར[༦]བལྟའོ་གསོལ་པ་བཅོམ་ལྡན་འདས་བྱང་ཆུབ་སེམས་དཔའ་སེམས་དཔའ་ཆེན་པོ་ཤེས་རབ་ཀྱི་ཕ་རོལ་ཏུ་ཕྱིན་པ་ཟབ་མོ་འདི་ཐོས་མ་ཐག་ཏུ

སོས་ཤིང་སོས་པར་གྱུར་ནས་ཀྱང་འདྲི[༡]བ་དང་། བྲིས་ནས་ཀྱང་ལུང་འབོག་པ་དང་། ཁ་ཏོན་བགྱིད་ཅིང་ཚུལ་བཞིན་དུ་ཡིད་ལ་བགྱིད་བགྱིད་པ་ལས་ཡོན་ཏན་འདི་དག་ཉིད་དང་ལྡན་ཞིང་། སངས་རྒྱས་བཅོམ་ལྡན་འདས་གཞན་དག་ལ་བསྙེན་བཀུར་བགྱིད་བགྱིད་པ་ལས་ཤི་འཕོས་ཏེ། འདིར་སྐྱེས་པ་དེ་ལྷ་བུའི་རྣམ་གྲངས་མཆིས་སམ། བཅོམ་ལྡན་འདས་ཀྱིས་བཀའ་སྩལ་པ། རབ་འབྱོར་དེ་དེ་བཞིན་ནོ། །དེ་དེ་བཞིན་ཏེ། བྱང་ཆུབ་སེམས་དཔའ་སེམས་དཔའ་ཆེན་པོ་གང་སངས་རྒྱས་བཅོམ་ལྡན་འདས་གཞན་དག་ལ་བསྙེན་བཀུར་བྱེད་བྱེད་པ་ལས། དེ་ནས་ཤི་འཕོས་ཏེ་འདིར་སྐྱེས་པ་དེ་ནི། ཤེས་རབ་ཀྱི་ཕ་རོལ་ཏུ་ཕྱིན་པ་ཟབ་མོ་འདི་ཐོས་མ་ཐག་ཏུ་སོས་པར་འགྱུར་རོ། །སོས་པར་གྱུར་ནས་ཀྱང་འདྲིའོ[༢]། །བྲིས་ནས་ཀྱང་ལུང་འབོག་གོ། །ཁ་ཏོན[༣]བྱེད་དོ། །ཚུལ་བཞིན་དུ་ཡིད་ལ་བྱེད་དོ༔ །དེ་ཅིའི་ཕྱིར་ཞེ་ན། དེ་ནི་འདི་ལྟར་བྱང་ཆུབ་སེམས་དཔའ་སེམས་དཔའ་ཆེན་པོ་དེས་སངས་རྒྱས་བཅོམ་ལྡན་འདས་དེ་དག་ལས། ཤེས་རབ་ཀྱི་ཕ་རོལ་ཏུ་ཕྱིན་པ་ཟབ་མོ་འདི་ཐོས་སོ་ཐོས་ནས་ཀྱང་བཟུང་ངོ་བཅངས་སོ་ཡོངས་སུ་བཅངས་སོ། །བཀླགས[༤]སོ་ཀུན་ཆུབ་པར་བྱས་སོ། །ཁ་ཏོན་དུ་བྱས་སོ། །ཚུལ་བཞིན་དུ་ཡིད་ལ་བྱས་སོ། །དེ་ནི་དགེ་བའི་རྩ་བ་དེ་ཉིད་དང་། ཡིད་ལ་བྱེད་པ་དེ་ཉིད་ཀྱིས་འདིར་སྐྱེས་པའོ། །རབ་འབྱོར་གཞན་ཡང་བྱང་ཆུབ་སེམས་དཔའ་སེམས་དཔའ་ཆེན་པོ་དགའ་ལྡན་གྱི་ལྷ་རྣམས་དང་། སྐལ་བ་མཉམ་པ་ལས་ཤི་འཕོས་ནས་མིའི་ནང་དུ་སྐལ་བ་མཉམ་པར་སྐྱེས་ན་ཡང་། དེ་ནི་ཡོན་ཏན་དེ་དག་ཉིད་དང་ལྡན་པར་རིག་པར་བྱའོ། །དེ་ཅིའི་ཕྱིར་ཞེ་ན། རབ་འབྱོར་དེ་ནི་འདི་ལྟར་བྱང་ཆུབ་སེམས་དཔའ་སེམས་དཔའ་ཆེན་པོ་དེས་ནི། བྱང་ཆུབ་སེམས་དཔའ་སེམས་དཔའ་ཆེན་པོ་བྱམས་པ་ལ་ཤེས་རབ་ཀྱི་ཕ་རོལ་ཏུ་

ཕྱིན་པ་ཟབ་མོ་འདི་ཡོངས་སུ་དྲི་བ་དང་། ཡོངས་སུ་བརྟག་པ་བྱས་པས་དེ་ནི་དགེ་བའི་རྩ་བ་དེས་འདིར་སྐྱེས་པར་རིག་པར་བྱའོ། །རབ་འབྱོར་གཞན་ཡང་གང་ཟག་བྱང་ཆུབ་སེམས་དཔའི་ཐེག་པ་པ་གང་གིས། སྔོན་གྱི་མཐར་ཤེས་རབ་ཀྱི་ཕ་རོལ་ཏུ་ཕྱིན་པ་ཐོས་ཀྱང་ཡོངས་སུ་མ་དྲིས། ཡོངས་སུ་བརྟག་པ་མ་བྱས་པ་དེ་ནི་ཤེས་རབ་ཀྱི་ཕ་རོལ་ཏུ་ཕྱིན་པ་ཟབ་མོ་འདི་བསྟན་པའི་ཚེ། ནེམ་ནུར་དུ་འགྱུར། སྫོངས་པར་འགྱུར་སེམས་ཞུམ་པར་འགྱུར། སེམས་ཀྱི་རྣམ་པ་གཞན་དུ་འགྱུར་རོ། །རབ་འབྱོར་གཞན་ཡང་གང་ཟག་བྱང་ཆུབ་སེམས་དཔའི་ཐེག་པ་པ་གང་གིས། སྔོན་གྱི་མཐར་བསམ་གཏན་གྱི་ཕ་རོལ་ཏུ་ཕྱིན་པ་དང་། བརྩོན་འགྲུས་ཀྱི་ཕ་རོལ་ཏུ་ཕྱིན་པ་དང་། བཟོད་པའི་ཕ་རོལ་ཏུ་ཕྱིན་པ་དང་། ཚུལ་ཁྲིམས་ཀྱི་ཕ་རོལ་ཏུ་ཕྱིན་པ་དང་། སྦྱིན་པའི་ཕ་རོལ་ཏུ་ཕྱིན་པ་ཐོས་ནས་ཀྱང་ཡོངས་སུ་མ་དྲིས། ཡོངས་སུ་བརྟག་པ་མ་བྱས་པ་དེ་ནི་ཤེས་རབ་ཀྱི་ཕ་རོལ་ཏུ་ཕྱིན་པ་ཟབ་མོ་འདི་བསྟན་པའི་ཚེ། ནེམ་ནུར་དུ་འགྱུར། སྫོངས་པར་འགྱུར། སེམས་ཞུམ་པར་འགྱུར་སེམས་ཀྱི་རྣམ་པ་གཞན་དུ་འགྱུར་རོ། །རབ་འབྱོར་གཞན་ཡང་གང་ཟག་བྱང་ཆུབ་སེམས་དཔའི་ཐེག་པ་པ་གང་གིས། སྔོན་གྱི་མཐར་ནང་སྟོང་པ་ཉིད་དང་། ཕྱི་སྟོང་པ་ཉིད་དང་། ཕྱི་ནང་སྟོང་པ་ཉིད་ཐོས་ནས་ཀྱང་ཡོངས་སུ་མ་དྲིས། ཡོངས་སུ་བརྟག་པ་མ་བྱས་པ་དེ་ནི་ཤེས་རབ་ཀྱི་ཕ་རོལ་ཏུ་ཕྱིན་པ་ཟབ་མོ་འདི་བསྟན་པའི་ཚེ། ནེམ་ནུར་དུ་འགྱུར། སྫོངས་པར་འགྱུར། སེམས་ཞུམ་པར་འགྱུར། སེམས་ཀྱི་རྣམ་པ་གཞན་དུ་འགྱུར[7]། རབ་འབྱོར་གཞན་ཡང་གང་ཟག་བྱང་ཆུབ་སེམས་དཔའི་ཐེག་པ་པ་གང་གིས། སྔོན་གྱི་མཐར་དངོས་པོ་མེད་པའི་ངོ་བོ་ཉིད་སྟོང་པ་ཉིད་ཀྱི་བར་དུ་ཐོས་ཀྱང་ཡོངས་སུ་མ་དྲིས། ཡོངས་སུ་བརྟག་པ་མ་བྱས་པ་དེ་ནི། ཤེས་རབ་ཀྱི་ཕ་རོལ་

དུ་ཕྱིན་པ་ཟབ་མོ་འདི་བསྟན་པའི་ཚེ། ཉམ་ཉུར་དུ་འགྱུར། རྫོངས་པར་འགྱུར། སེམས་ཞུམ་པར་འགྱུར། སེམས་ཀྱི་རྣམ་པ་གཞན་དུ་འགྱུར་རོ། །རབ་འབྱོར་གཞན་ཡང་གང་ཟག་བྱང་ཆུབ་སེམས་དཔའི་ཐེག་པ་པ་གང་གིས། སྟོན་གྱི་མཐར་དྲན་པ་ཉེ་བར་གཞག་པ་བཞི་ཐོས་ཀྱང་ཡོངས་སུ་མ་དྲིས། ཡོངས་སུ་བརྟག་པ་མ་བྱས་པ་དེ་ནི། ཤེས་རབ་ཀྱི་ཕ་རོལ་དུ་ཕྱིན་པ་ཟབ་མོ་འདི་བསྟན་པའི་ཚེ། ཉམ་ཉུར་དུ་འགྱུར། རྫོངས་པར་འགྱུར། སེམས་ཞུམ་པར་འགྱུར། སེམས་ཀྱི་རྣམ་པ་གཞན་དུ་འགྱུར་རོ། །རབ་འབྱོར་གཞན་ཡང་གང་ཟག་བྱང་ཆུབ་སེམས་དཔའི་ཐེག་པ་པ་གང་གིས། སྟོན་གྱི་མཐར་ཡང་དག་པར་སྤོང་བ་བཞི་དང་། རྫུ་འཕྲུལ་གྱི་རྐང་པ་བཞི་དང་། དབང་པོ་ལྔ་དང་། སྟོབས་ལྔ་དང་། བྱང་ཆུབ་ཀྱི་ཡན་ལག་བདུན་དང་། འཕགས་པའི་ལམ་ཡན་ལག་བརྒྱད་པ་ཐོས་ཀྱང་ཡོངས་སུ་མ་དྲིས། ཡོངས་སུ་བརྟག་པ་མ་བྱས་པ་དེ་ནི། ཤེས་རབ་ཀྱི་ཕ་རོལ་དུ་ཕྱིན་པ་ཟབ་མོ་འདི་བསྟན་པའི་ཚེ། ཉམ་ཉུར་དུ་འགྱུར། རྫོངས་པར་འགྱུར། སེམས་ཞུམ་པར་འགྱུར། སེམས་ཀྱི་རྣམ་པ་གཞན་དུ་འགྱུར་རོ། །རབ་འབྱོར་གཞན་ཡང་གང་ཟག་བྱང་ཆུབ་སེམས་དཔའི་ཐེག་པ་པ་གང་གིས། སྟོན་གྱི་མཐར་འཕགས་པའི་བདེན་པ་བཞི་དང་། བསམ་གཏན་བཞི་དང་། ཚད་མེད་པ་བཞི་དང་། གཟུགས་མེད་པའི་སྙོམས་པར་འཇུག་པ་བཞི་དང་། རྣམ་པར་ཐར་པ་བརྒྱད་དང་། མཐར་གྱིས་གནས་པའི་སྙོམས་པར་འཇུག་པ་དགུ་དང་། རྣམ་པར་ཐར་པའི་སྒོ་སྟོང་པ་ཉིད་དང་། མཚན་མ་མེད་པ་དང་། སྨོན་པ་མེད་པ་དང་། མངོན་པར་ཤེས་པ་རྣམས་དང་། ཏིང་ངེ་འཛིན་རྣམས་དང་། གཟུངས་ཀྱི་སྒོ་རྣམས་དང་། དེ་བཞིན་གཤེགས་པའི་སྟོབས་བཅུ་དང་། མི་འཇིགས་པ་བཞི་དང་། སོ་སོ་ཡང་དག་པར་རིག་

པ་བཞི་དང་། བྱམས་པ་ཆེན་པོ་དང་། སྙིང་རྗེ་ཆེན་པོ་དང་། སངས་རྒྱས་ཀྱི་ཆོས་མ་འདྲེས་པ་བཅོ་བརྒྱད་ཐོས་ཀྱང་ཡོངས་སུ་མ་དྲིས། ཡོངས་སུ་བརྟག་པ་མ་བྱས་པ་དེ་ནི། ཤེས་རབ་ཀྱི་ཕ་རོལ་ཏུ་ཕྱིན་པ་ཟབ་མོ་འདི་བསྟན་པའི་ཚེ། ཉེམ་ནུར་དུ་འགྱུར། སྔངས་པར་འགྱུར། སེམས་ཞུམ་པར་འགྱུར། སེམས་ཀྱི་རྣམ་པ་གཞན་དུ་འགྱུར་རོ། །རབ་འབྱོར་གཞན་ཡང་གང་ཟག་བྱང་ཆུབ་སེམས་དཔའི་ཐེག་པ་པ་གང་གིས། སྔོན་གྱི་མཐར་བླ་ན་མེད་པ་ཡང་དག་པར་རྫོགས་པའི་བྱང་ཆུབ་ཀྱི་བར་དུ་ཐོས་ཀྱང་ཡོངས་སུ་མ་དྲིས། ཡོངས་སུ་བརྟག་པ་མ་བྱས་པ་དེ་ནི། ཤེས་རབ་ཀྱི་ཕ་རོལ་ཏུ་ཕྱིན་པ་ཟབ་མོ་འདི་བསྟན་པའི་ཚེ། ཉེམ་ནུར་དུ་འགྱུར། སྔངས་པར་འགྱུར། སེམས་ཞུམ་པར་འགྱུར། སེམས་ཀྱི་རྣམ་པ་གཞན་དུ་འགྱུར་རོ། །རབ་འབྱོར་གཞན་ཡང་གང་ཟག་བྱང་ཆུབ་སེམས་དཔའི་ཐེག་པ་པ་གང་གིས། སྔོན་གྱི་མཐར་ཤེས་རབ་ཀྱི་ཕ་རོལ་ཏུ་ཕྱིན་པ་ཟབ་མོ་འདི་ཐོས་ནས་ཡོངས་སུ་མ་དྲིས། ཡོངས་སུ་བརྟག་པ་མ་བྱས་ཏེ། ཉི་མ་གཅིག་གམ་གཉིས་སམ་གསུམ་འམ་[༡]བཞིའམ། ལྷུར་རྗེས་སུ་མ་འབྲངས་ན། གང་ཟག་བྱང་ཆུབ་སེམས་དཔའི་ཐེག་པ་པ་དེ། ཤེས་རབ་ཀྱི་ཕ་རོལ་ཏུ་ཕྱིན་པ་ཟབ་མོ་འདི་འདྲི་ཞིང་རྟོག་པ་དང་། ཉི་མ་གཅིག་གམ། གཉིས་སམ། གསུམ་འམ[༢]། བཞིའམ། ཉི་མ་ལྷུར་རྗེས་སུ་འབྲང་བར་བྱེད་པའི་ཚེ། ཤེས་རབ་ཀྱི་ཕ་རོལ་ཏུ་ཕྱིན་པ་ཟབ་མོ་འདི་མི་འཕྲོགས་པར་མི་འགྱུར་ཏེ། ཡོངས་སུ་དྲི་བ་དང་ཡང་མི་ལྡན་པར་འགྱུར་རོ། །དེ་ཅིའི་ཕྱིར་ཞེ་ན། རབ་འབྱོར་དེ་ནི་དེ་ལྟར་ཡང་འགྱུར་ཏེ། གང་གིས་ཤེས་རབ་ཀྱི་ཕ་རོལ་ཏུ་ཕྱིན་པ་ཟབ་མོ་འདི་ཡོངས་སུ་མ་དྲིས། ཡོངས་སུ་མ་བརྟགས། རྗེས་སུ་འབྲང་བ་མ་བྱས་པ་དེ་ནི། ཤེས་རབ་ཀྱི་ཕ་རོལ་ཏུ་ཕྱིན་པ་ཟབ་མོ་འདི་མཉན་པ་ལ། དེ་ཙམ་གྱི་དགེ་བའི་

བསམ་པ་དང་། སོས་པ་སྐྱེ་བར་[1]འགྱུར་ཏེ། དེ་ནི་བར་བར་སོས་ཤིང་བར་
བར་སོས་པ་མེད་པར་འགྱུར་ཏེ། དེ་ནི་ལྷམ་ལྷེམ་གྱི་སྣོ་དེས་འཕྲོགས་ཤིང་།
ཤིང་བལ་གྱི་གཟེགས་མ་བཞིན་དུ་འགྱུར་རོ། །རབ་འབྱོར་གང་ཟག་བྱང་ཆུབ་
སེམས་དཔའི་ཐེག་པ་པ་དེ་ནི། ཡུན་རིང་པོ་ནས་ཐེག་པ་ལ་[3]ཞུགས་པ་མ་ཡིན་
པར་རིག་པར་བྱ་སྟེ། དགེ་བའི་བཤེས་གཉེན་གྱིས་ཡོངས་སུ་མ་བཟུང་བའོ། །
ཡང་དག་པར་རྫོགས་པའི་སངས་རྒྱས་ལ་བསྙེན་བཀུར་མ་བྱས་པའོ། །རབ་
འབྱོར་གང་ཟག་བྱང་ཆུབ་སེམས་དཔའི་ཐེག་པ་པ་དེས་ནི། ཤེས་རབ་ཀྱི་ཕ་རོལ་
དུ་ཕྱིན་པ་ཟབ་མོ་འདིའི་ལུང་མ་མནོས། ཁ་ཏོན་དུ་མ་བྱས་ལ། ཚུལ་བཞིན་
དུ་ཡིད་ལ་མ་བྱས་ཏེ། དེས་ནི་ཤེས་རབ་ཀྱི་ཕ་རོལ་དུ་ཕྱིན་པ་ལ་མ་བསླབས་སོ། །
བསམ་གཏན་གྱི་ཕ་རོལ་དུ་ཕྱིན་པ་དང་། བརྩོན་འགྲུས་ཀྱི་ཕ་རོལ་དུ་ཕྱིན་པ་
དང་། བཟོད་པའི་ཕ་རོལ་དུ་ཕྱིན་པ་དང་། ཚུལ་ཁྲིམས་ཀྱི་ཕ་རོལ་དུ་ཕྱིན་པ་
དང་། སྦྱིན་པའི་ཕ་རོལ་དུ་ཕྱིན་པ་ལ་མ་བསླབས་སོ། །ནང་སྟོང་པ་ཉིད་ལ་མ་
བསླབས་སོ། །དངོས་པོ་མེད་པའི་ངོ་བོ་ཉིད་སྟོང་པ་ཉིད་ཀྱི་བར་ལ་མ་བསླབས་སོ། །
དྲན་པ་ཉེ་བར་གཞག་པ་རྣམས་ལ་མ་བསླབས་སོ། །ཡང་དག་པར་སྤོང་བ་བཞི་
དང་། རྫུ་འཕྲུལ་གྱི་རྐང་པ་བཞི་དང་། དབང་པོ་ལྔ་དང་། སྟོབས་ལྔ་དང་།
བྱང་ཆུབ་ཀྱི་ཡན་ལག་བདུན་དང་། འཕགས་པའི་ལམ་ཡན་ལག་བརྒྱད་པ་ལ་མ་
བསླབས་སོ། །འཕགས་པའི་བདེན་པ་རྣམས་དང་། བསམ་གཏན་རྣམས་དང་།
ཚད་མེད་པ་རྣམས་དང་། གཟུགས་མེད་པའི་སྙོམས་པར་འཇུག་པ་རྣམས་དང་།
རྣམ་པར་ཐར་པ་བརྒྱད་དང་། མཐར་གྱིས་གནས་པའི་སྙོམས་པར་འཇུག་པ་
དགུ་དང་། རྣམ་པར་ཐར་པའི་སྒོ་སྟོང་པ་ཉིད་དང་། མཚན་མ་མེད་པ་དང་།
སྨོན་པ་མེད་པ་དང་། མངོན་པར་ཤེས་པ་རྣམས་དང་། ཏིང་ངེ་འཛིན་རྣམས་

དང་། གཟུངས་ཀྱི་སྒོ་རྣམས་དང་། དེ་བཞིན་གཤེགས་པའི་སྟོབས་བཅུ་དང་། མི་འཇིགས་པ་བཞི་དང་། སོ་སོ་ཡང་དག་པར་རིག་པ་བཞི་དང་། བྱམས་པ་ཆེན་པོ་དང་། སྙིང་རྗེ་ཆེན་པོ་དང་། [1]སངས་རྒྱས་ཀྱི་ཆོས་མ་འདྲེས་པ་བཅོ་བརྒྱད་ལ་མ་བསླབས་སོ། །རྣམ་པ་ཐམས་ཅད་མཁྱེན་པ་ཉིད་ཀྱི་བར་ལ་མ་བསླབས་སོ།། ||

ཤེས་རབ་ཀྱི་ཕ་རོལ་ཏུ་ཕྱིན་པ་སྟོང་ཕྲག་ཉི་ཤུ་ལྔ་པ། བམ་པོ་བཞི་བཅུ་བདུན་པ། རབ་འབྱོར་གང་ཟག་བྱང་ཆུབ་སེམས་དཔའི་ཐེག་པ་པ་དེ་ནི། ཐེག་པ་ལ་གསར་དུ་ཞུགས་པར་རིག་པར་བྱ་སྟེ། དེ་ནི་དད་པ་ཙམ་དང་། དགའ་བ་ཙམ་དང་། མོས་པ་ཙམ་དང་ལྡན་པར་ཟད་དེ། ཤེས་རབ་ཀྱི་ཕ་རོལ་ཏུ་ཕྱིན་པ་ཟབ་མོ་འདི་བྲི་བའམ། ཀླག་[2]པའམ། ལུང་འབོག་པའམ། ཁ་ཧོན་[3]དུ་བྱ་བའམ། ཚུལ་བཞིན་དུ་ཡིད་ལ་བྱ་བར་མི་ནུས་སོ། །རབ་འབྱོར་བྱང་ཆུབ་སེམས་དཔའི་ཐེག་པ་པའི་རིགས་ཀྱི་བུའམ། རིགས་ཀྱི་བུ་མོ་ཤེས་རབ་ཀྱི་ཕ་རོལ་ཏུ་ཕྱིན་པ་ཟབ་མོ་འདི་མི་འདྲི་ཞིང་ལུང་མི་འབོག་པ་དང་། ཁ་ཏོན་མི་བྱེད་ཅིང་ཚུལ་བཞིན་དུ་ཡིད་ལ་མི་བྱེད་ལ། ཤེས་རབ་ཀྱི་ཕ་རོལ་ཏུ་ཕྱིན་པ་ཟབ་མོ་འདིས་གཞན་ལ་ཕན་མི་འདོགས་པ་དང་། བསམ་གཏན་གྱི་ཕ་རོལ་ཏུ་ཕྱིན་པ་དང་། བརྩོན་འགྲུས་ཀྱི་[4]ཕ་རོལ་ཏུ་ཕྱིན་པ་དང་། བཟོད་པའི་ཕ་རོལ་ཏུ་ཕྱིན་པ་དང་། ཚུལ་ཁྲིམས་ཀྱི་ཕ་རོལ་ཏུ་ཕྱིན་པ་དང་། སྦྱིན་པའི་ཕ་རོལ་ཏུ་ཕྱིན་པས་གཞན་ལ་ཕན་མི་འདོགས་པ་དང་། ནང་སྟོང་པ་ཉིད་ཀྱིས་གཞན་ལ་ཕན་མི་འདོགས་པ་དང་། དངོས་པོ་མེད་པའི་ངོ་བོ་ཉིད་སྟོང་པ་ཉིད་ཀྱི་བར་གྱིས་གཞན་ལ་ཕན་མི་འདོགས་པ་དང་། དྲན་པ་ཉེ་བར་གཞག་པ་རྣམས་ཀྱིས་གཞན་ལ་ཕན་མི་འདོགས་པ་དང་། འཕགས་པའི་ལམ་[5]ཡན་ལག་བརྒྱད་པའི་བར་གྱིས་གཞན་

ལ་ཕན་མི་འདོགས་པ་དང་། རྣམ་པ་ཐམས་ཅད་མཁྱེན་པ་ཉིད་ཀྱི་བར་གྱིས་
གཞན་ལ་ཕན་མི་འདོགས་པ་དང་། ཤེས་རབ་ཀྱི་ཕ་རོལ་ཏུ་ཕྱིན་པ་དང་མཐུན་
པར་མི་སྤྱོད། བསམ་གཏན་གྱི་ཕ་རོལ་ཏུ་ཕྱིན་པ་དང་། བརྩོན་འགྲུས་ཀྱི་ཕ་
རོལ་ཏུ་ཕྱིན་པ་དང་། བཟོད་པའི་ཕ་རོལ་ཏུ་ཕྱིན་པ་དང་། ཚུལ་ཁྲིམས་ཀྱི་ཕ་
རོལ་ཏུ་ཕྱིན་པ་དང་། སྦྱིན་པའི་ཕ་རོལ་ཏུ་ཕྱིན་པ་དང་མཐུན་པར་མི་སྤྱོད།
ནང་སྟོང་པ་ཉིད་དང་མཐུན་པར་མི་སྤྱོད། དངོས་པོ་མེད་པའི་ངོ་བོ་ཉིད་སྟོང་པ་
ཉིད་ཀྱི་བར་དང་མཐུན་པར་མི་སྤྱོད། དྲན་པ་ཉེ་བར་གཞག་པ་རྣམས་དང་
མཐུན་པར་མི་སྤྱོད། འཕགས་པའི་ལམ་ཡན་ལག་བརྒྱད་པའི་བར་དང་མཐུན་
པར་མི་སྤྱོད། རྣམ་པ་ཐམས་ཅད་མཁྱེན་པ་ཉིད་ཀྱི་བར་དང་མཐུན་པར་མི་སྤྱོད་
ན༔ དེ་ནི་གནས་གཉིས་དང་། ས་གཉིས་པོ་ལས་གཅིག་ལ་གནས་པར་
འགྱུར་ཏེ། དེ་ནི་འདི་ལྟར་ཉན་ཐོས་ཀྱི་སའམ། རང་སངས་རྒྱས་ཀྱི་སའོ། །
དེ་ཅིའི་ཕྱིར་ཞེ་ན། དེ་ནི་འདི་ལྟར་རིགས་ཀྱི་བུའམ། རིགས་ཀྱི་བུ་མོ་དེ་དག་གིས་
སྔོན་གྱི་མཐར་ཡང་ཤེས་རབ་ཀྱི་ཕ་རོལ་ཏུ་ཕྱིན་པ་ཟབ་མོ་འདི་མ་ཐོས་མ་བསྙན།
ཁ་ཏོན་དུ་མ་བྱས། ཚུལ་བཞིན་དུ་ཡིད་ལ་མ་བྱས་ལ། ཤེས་རབ་ཀྱི་ཕ་རོལ་ཏུ་ཕྱིན་
པ་འདིས་ཀྱང་ཕ་རོལ་ལ་ཕན་མ་བཏགས། ཤེས་རབ་ཀྱི་ཕ་རོལ་ཏུ་ཕྱིན་པ་འདི་
ཡང་མཐུན་པར་མ་སྤྱད་པས། དེའི་ཕྱིར་བྱང་ཆུབ་སེམས་དཔའི་ཐེག་པ་པའི་
རིགས་ཀྱི་བུའམ། རིགས་ཀྱི་བུ་མོ་དེས་གནས་གཉིས་དང་། ས་གཉིས་པོ་དེ་[1]
ལས་གཅིག་ལ་གནས་པར་འགྱུར་བར་རིག་པར་བྱའོ། །ཤེས་རབ་ཀྱི་ཕ་རོལ་ཏུ་
ཕྱིན་པ་སྟོང་ཕྲག་ཉི་ཤུ་ལྔ་པ་ལས། ལེའུ་སུམ་ཅུ་བཞི་པའོ།། ||

རབ་འབྱོར་འདི་ལྟ་སྟེ་དཔེར་ན། རྒྱ་མཚོའི་དབུས་སུ་གྲུ་ཞིག་[3]པར་གྱུར་

ལ༑ དེའི་མི་རྣམས་ཤིང་ངམ། ཤིང་དུམ་འམ[༡]། ཤིང་ལེབ་བམ། རྐྱལ་པའམ༑ རོ་ལ་མི་འཇུ[༢]མི་འཛིན་ན། རབ་འབྱོར་མི་དེ་དག་ནི་རྒྱ་མཚོ་ཆེན་པོའི་ཕ་རོལ་གྱི་འགྲམ་དུ་མ[༣]ཕྱིན་པར་དུས་བྱེད་པར་རིག་པར་བྱའོ། །རབ་འབྱོར་མི་གང་རྒྱ་མཚོའི་དབུས་སུ་གྲུ་ཞིག་པའི་ཚེ། ཤིང་ངམ། ཤིང་དུམ་འམ[༤]། ཤིང་ལེབ་བམ། རྐྱལ་པའམ། རོ་ལ་འཇུ་ཞིང་འཛིན་པ་དེ་དག་ནི་རྒྱ་མཚོར་དུས་བྱེད་པར་མི་འགྱུར་ཏེ། བདེ་ཞིང་ཉམ[༥]ཉེས་མེད་པར་རྒྱ་མཚོ་ཆེན་པོ་ནས་ཕ་རོལ་གྱི་འགྲམ་དུ་ཕྱིན་པར་འགྱུར་ཏེ། མ་ཉེས་མ་ཉམས་པར་ཐང་ལ་ཕྱིན་པར་འགྱུར་རོ། །རབ་འབྱོར་དེ་བཞིན་དུ་བྱང་ཆུབ་སེམས་དཔའི་ཐེག་པ་པའི་རིགས་ཀྱི་བུ་དང་རིགས་ཀྱི་བུ་མོ་དད་པ་ཙམ་དང་། དགའ་བ་ཙམ་དང་། མོས་པ་ཙམ་དང་ལྡན་པ་གང་ཤེས་རབ་ཀྱི་ཕ་རོལ་ཏུ་ཕྱིན་པ་ཟབ་མོ་འདི་མི་འདྲི་མི་སྟོན། ཁ་ཏོན་དུ་མི་བྱེད། ཚུལ་བཞིན་དུ་ཡིད་ལ་མི་བྱེད་ཅིང་མི་རྟེན[༦]པ་དང་། བསམ་གཏན་གྱི་ཕ་རོལ་ཏུ་ཕྱིན་པ་དང་། བརྩོན་འགྲུས་ཀྱི་ཕ་རོལ་ཏུ་ཕྱིན་པ་དང་། བཟོད་པའི་ཕ་རོལ་ཏུ་ཕྱིན་པ་དང་། ཚུལ་ཁྲིམས་ཀྱི་ཕ་རོལ་ཏུ་ཕྱིན་པ་དང་། སྦྱིན་པའི་ཕ་རོལ་ཏུ་ཕྱིན་པ་མི་འདྲི་མི་སྟོན། ཁ་ཏོན་དུ་མི་བྱེད། ཚུལ་བཞིན་དུ་ཡིད་ལ་མི་བྱེད་ཅིང་མི་རྟེན་པ་དང་། ནང་སྟོང་པ་ཉིད་དང་། ཕྱི་སྟོང་པ་ཉིད་དང་། ཕྱི་ནང་སྟོང་པ་ཉིད་དང་། དངོས་པོ་མེད་པའི་ངོ་བོ་ཉིད་སྟོང་པ་ཉིད་ཀྱི་བར་དང་། བྱང་ཆུབ་ཀྱི་ཕྱོགས་ཀྱི་ཆོས་སུམ་ཅུ་རྩ་བདུན་དང་། འཕགས་པའི་བདེན་པ་རྣམས་དང་། བསམ་གཏན་རྣམས་དང་། ཚད་མེད་པ་རྣམས་དང་། གཟུགས་མེད་པའི་སྙོམས་པར་འཇུག་པ་རྣམས་དང་། རྣམ་པར་ཐར་པ་རྣམས་དང་། མཐར་གྱིས་གནས་པའི་སྙོམས་པར་འཇུག་པ་དགུ་དང་། རྣམ་པར་ཐར་པའི་སྒོ་སྟོང་པ་ཉིད་དང་། མཚན་མ་མེད་པ་དང་།

སྨོན་པ་མེད་པ་དང་། མངོན་པར་ཤེས་པ་རྣམས་དང་། ཏིང་ངེ་འཛིན་རྣམས་དང་། གཟུངས་ཀྱི་སྒོ་རྣམས་དང་། དེ་བཞིན་གཤེགས་པའི་སྟོབས་བཅུ་དང་། མི་འཇིགས་པ་བཞི་དང་། སོ་སོ་ཡང་དག་པར་རིག་པ་བཞི་དང་། བྱམས་པ་ཆེན་པོ་དང་། སྙིང་རྗེ་ཆེན་པོ་དང་། སངས་རྒྱས་ཀྱི་ཆོས་མ་འདྲེས་པ་བཅོ་བརྒྱད་དང་། རྣམ་པ་ཐམས་ཅད་མཁྱེན་པ་ཉིད་ཀྱི་བར་དུ་མི་འདྲི་མི་སྟོན། ཁ་ཏོན་དུ་མི་བྱེད། ཚུལ་བཞིན་དུ་ཡིད་ལ་མི་བྱེད་ཅིང་། མི་རྟེན་པ་དེ་དག་ནི་བར་མ་དོར་བྱང་ཆུབ་ལས་ཉམས་པར་འགྱུར་ཏེ། རྣམ་པ་ཐམས་ཅད་མཁྱེན་པ་ཉིད་མ་ཐོབ་པར། ཉན་ཐོས་ཀྱི་སའམ། རང་སངས་རྒྱས་ཀྱི་ས་མངོན་དུ་བྱེད་པར་འགྱུར་རོ། །རབ་འབྱོར་གང་ཟག་བྱང་ཆུབ་སེམས་དཔའི་ཐེག་པ་པ་གང་བླ་ན་མེད་པ་ཡང་དག་པར་རྫོགས་པའི་བྱང་ཆུབ་ཏུ་མངོན་པར་རྫོགས་པར་འཚང་རྒྱ་བའི་དོན་དུ་དད་པ་ཡོད་ཅིང་། བཟོད་པ་དང་མོས་པ་དང་། ལྷག་པའི་བསམ་པ་དང་། དགའ་བ་དང་། སྤྲོ་བ་དང་། མི་གཏོང་བ་ཡོད་ཅིང་། བརྩོན་འགྲུས་མི་གཏོང་བ་དེ་ནི་ཤེས་རབ་ཀྱི་ཕ་རོལ་ཏུ་ཕྱིན་པ་ཟབ་མོ་འདི་འདྲིའོ། །ལུང་འབོག་གོ། །ཁ་ཏོན་བྱེད་དོ། །ཚུལ་བཞིན་དུ་ཡིད་ལ་བྱེད་དོ། །རྟེན་ཏོ།། དེ་ལྟར་ན་རིགས་ཀྱི་བུའམ་རིགས་ཀྱི་བུ་མོ་དེ་དག་བླ་ན་མེད་པ་ཡང་དག་པར་རྫོགས་པའི་བྱང་ཆུབ་ཏུ་དད་པ་ཡོད་དེ། བཟོད་པ་ཡོད། མོས་པ་ཡོད། ལྷག་པའི་བསམ་པ་ཡོད། སྤྲོ་བ་ཡོད། མི་གཏོང་བ་ཡོད། བརྩོན་འགྲུས་མི་འདོར་བ་ཡོད་པ་ཡིན་ཏེ། དེའི་ཕྱིར་ཤེས་རབ་ཀྱི་ཕ་རོལ་ཏུ་ཕྱིན་པས་ཡོངས་སུ་བཟུང་བ་དང་། བསམ་གཏན་གྱི་ཕ་རོལ་ཏུ་ཕྱིན་པ་དང་། བརྩོན་འགྲུས་ཀྱི་ཕ་རོལ་ཏུ་ཕྱིན་པ་དང་། བཟོད་པའི་ཕ་རོལ་ཏུ་ཕྱིན་པ་དང་། ཚུལ་ཁྲིམས་ཀྱི་ཕ་རོལ་ཏུ་ཕྱིན་པ་དང་། སྦྱིན་པའི་ཕ་རོལ་ཏུ་ཕྱིན་པས་ཡོངས་སུ་བཟུང་བ་དང་།

ནང་སྟོང་པ་ཉིད་དང་། ཕྱི་སྟོང་པ་ཉིད་དང་། ཕྱི་ནང་སྟོང་པ་ཉིད་དང་།
དངོས་པོ་མེད་པའི་ངོ་བོ་ཉིད་སྟོང་པ་ཉིད་ཀྱི་བར་དང་། བྱང་ཆུབ་ཀྱི་ཕྱོགས་ཀྱི་
ཆོས་སུམ་ཅུ་རྩ་བདུན་དང་། འཕགས་པའི་བདེན་པ་དང་། བསམ་གཏན་┈
དང་། ཚད་མེད་པ་དང་། གཟུགས་མེད་པའི་སྙོམས་པར་འཇུག་པ་དང་།
རྣམ་པར་ཐར་པ་བརྒྱད་དང་། མཐར་གྱིས་གནས་པའི་སྙོམས་པར་འཇུག་པ་
དགུ་དང་། རྣམ་པར་ཐར་པའི་སྒོ་སྟོང་པ་ཉིད་དང་། མཚན་མ་མེད་པ་དང་།
སྨོན་པ་མེད་པ་དང་། མངོན་པར་ཤེས་པ་དང་། ཏིང་ངེ་འཛིན་དང་།
གཟུངས་ཀྱི་སྒོ་དང་། དེ་བཞིན་གཤེགས་པའི་སྟོབས་བཅུ་དང་། མི་འཇིགས་
པ་བཞི་དང་། སོ་སོ་ཡང་དག་པར་རིག་པ་བཞི་དང་། བྱམས་པ་ཆེན་པོ་དང་།
སྙིང་རྗེ་ཆེན་པོ་དང་། སངས་རྒྱས་ཀྱི་ཆོས་མ་འདྲེས་པ་བཅོ་བརྒྱད་ཀྱིས་ཡོངས་སུ་
བཟུང་བ་དང་། རྣམ་པ་ཐམས་ཅད་མཁྱེན་པ་ཉིད་ཀྱི་བར་གྱིས་ཡོངས་སུ་བཟུང་
བས་བར་མ་དོར་ཉེ་ཚེ་མེད་པར་ཉན་ཐོས་ཀྱི་ས་ལས་འདས། རང་སངས་རྒྱས་ཀྱི་
ས་ལས་འདས་ཏེ། སེམས་ཅན་ཡོངས་སུ་སྨིན་པར་བྱས་ནས། སངས་རྒྱས་ཀྱི་
ཞིང་ཡོངས་སུ་དག་པར་བྱས་ཏེ། བླ་ན་མེད་པ་ཡང་དག་པར་རྫོགས་པའི་བྱང┈
ཆུབ་ཏུ་མངོན་པར་རྫོགས་པར་འཚང་རྒྱ་བར་འགྱུར་རོ། །རབ་འབྱོར་འདི་ལྟ་སྟེ་
དཔེར་ན། བུད་མེད་དམ་སྐྱེས་པ་ལ་ལ་ཞིག །བུམ་པ་མ་བསྲེགས་ཤིང་། སོ་
མ་བཏང་བས་ཆུ་བཅུ་བར་སེམས་ན། རབ་འབྱོར་བུམ་པ་དེ་ནི་རིང་པོར་མི་
གནས་ཏེ། མྱུར་དུ་འགྱེས་ཤིང་འཇིག་པར་རིག་པར་བྱའོ། །དེ་ཅིའི་ཕྱིར་ཞེ་ན།
དེ་ནི་བུམ་པ་དེ་སོ་མ་བཏང་བའི་ཕྱིར་ཏེ། དེ་ནི་ཐ་མར་ས་ཉིད་དུ་འགྱུར་རོ། །
རབ་འབྱོར་དེ་བཞིན་དུ་བྱང་ཆུབ་སེམས་དཔའི་ཐེག་པ་པའི་རིགས་ཀྱི་བུའམ་
རིགས་ཀྱི་བུ་མོ་དག་ལ་ཡང་། བླ་ན་མེད་པ་ཡང་དག་པར་རྫོགས་པའི་བྱང་ཆུབ་

ཏུ་མངོན་པར་རྫོགས་པར་འཚང་རྒྱ་བའི་ཕྱིར། དད་པ་ཡང་ཡོད། བཟོད་པ་ཡང་ཡོད། མོས་པ་ཡང་ཡོད། ལྷག་པའི་བསམ་པ་ཡང་ཡོད། དགའ་བ་ཡང་ཡོད། སྤྲོ་བ་ཡང་ཡོད། མི་གཏོང་བ་ཡང་ཡོད། བརྩོན་འགྲུས་མི་འདོར་བ་ཡང་ཡོད་མོད་ཀྱི། དེ་དག་ཤེས་རབ་ཀྱི་ཕ་རོལ་ཏུ་ཕྱིན་པས་ཡོངས་སུ་མ་བཟུང་། ཐབས་མཁས་པས་ཡོངས་སུ་མ་བཟུང་། བསམ་གཏན་གྱི་ཕ་རོལ་ཏུ་ཕྱིན་པ་དང་། བརྩོན་འགྲུས་ཀྱི་ཕ་རོལ་ཏུ་ཕྱིན་པ་དང་། བཟོད་པའི་ཕ་རོལ་ཏུ་ཕྱིན་པ་དང་། ཚུལ་ཁྲིམས་ཀྱི་ཕ་རོལ་ཏུ་ཕྱིན་པ་དང་། སྦྱིན་པའི་ཕ་རོལ་ཏུ་ཕྱིན་པས་ཡོངས་སུ་མ་བཟུང་། ནང་སྟོང་པ་ཉིད་དང་། ཕྱི་སྟོང་པ་ཉིད་དང་། ཕྱི་ནང་སྟོང་པ་ཉིད་དང་། དངོས་པོ་མེད་པའི་ངོ་བོ་ཉིད་སྟོང་པ་ཉིད་ཀྱི་བར་གྱིས་ཡོངས་སུ་མ་བཟུང་། དྲན་པ་ཉེ་བར་གཞག་པ་དང་། ཡང་དག་པར༔སྤོང་བ་[1]དང་། རྫུ་འཕྲུལ་གྱི་རྐང་པ་དང་། དབང་པོ་དང་། སྟོབས་དང་། བྱང་ཆུབ་ཀྱི་ཡན་ལག་དང་། ལམ་གྱིས་ཡོངས་སུ་མ་བཟུང་། འཕགས་པའི་བདེན་པ་དང་། བསམ་གཏན་དང་། ཚད་མེད་པ་དང་། གཟུགས་མེད་པའི་སྙོམས་པར་འཇུག་པ་དང་། རྣམ་པར་ཐར་པ་བརྒྱད་དང་། མཐར་གྱིས་གནས་པའི་སྙོམས་པར་འཇུག་པ་དགུ་དང་། རྣམ་པར་ཐར་པའི་སྒོ་སྟོང་པ་ཉིད་དང་། མཚན་མ་མེད་པ་དང་། སྨོན་པ་མེད་པ་དང་། མངོན་པར་ཤེས་པ་དང་། ཏིང་ངེ་འཛིན་དང་། གཟུངས་ཀྱི་སྒོ་དང་། དེ་བཞིན་གཤེགས་པའི་སྟོབས་བཅུ་དང་། མི་འཇིགས་པ་བཞི་དང་། སོ་སོ་ཡང་དག་པར་རིག་པ་བཞི་དང་། བྱམས་པ་ཆེན་པོ་དང་། སྙིང་རྗེ་ཆེན་པོ་དང་། སངས་རྒྱས་ཀྱི་ཆོས་མ་འདྲེས་པ་བཅོ་བརྒྱད་ཀྱིས་ཡོངས་སུ་མ་བཟུང་། རྣམ་པ་ཐམས་ཅད་མཁྱེན་པ་ཉིད་ཀྱི་བར་གྱིས་ཡོངས་སུ་མ་བཟུང་ན། བྱང་ཆུབ་སེམས་

དཔའི་ཐེག་པ་པའི་རིགས་ཀྱི་བུ་དང་། རིགས་ཀྱི་བུ་མོ་དེ་དག་ནི་བར་མ་དོར་ཉེ་ཚོར་འགྱུར་བར་ཤེས་པར་བྱའོ། །རབ་འབྱོར་བྱང་ཆུབ་སེམས་དཔའི་ཐེག་པ་པའི་རིགས་ཀྱི་བུའམ། རིགས་ཀྱི་བུ་མོ། དེ་དག་གི་བར་མ་དོར་ཉེ་ཚེ་འབྱུང་བ་གང་ཞེ་ན། འདི་ལྟ་སྟེ། ཉན་ཐོས་ཀྱི་སའམ། རང་སངས་རྒྱས་ཀྱི་སའོ། ། རབ་འབྱོར་འདི་ལྟ་སྟེ་དཔེར་ན། སྐྱེས་པའམ། བུད་མེད་ལ་ལ་ཞིག་བུམ་པ་སོ་ལེགས་པར་བཏང་བས་ཆུ་ཀླུང་ངམ། མཚོའམ[༡]། མཚེའུ་འམ། ཁྲོན་པ་ནས་ཆུ་འཚུ[༢]ན། རབ་འབྱོར་ཆུ་འཚུ[༣]བ་དེའི་བུམ་པ་དེས་ནི་བདེ་བར་ཁྱིམ་དུ་ཕྱིན་པར་རིག་པར་བྱའོ། །རབ་འབྱོར་དེ་བཞིན་དུ་བྱང་ཆུབ་སེམས་དཔའ་སེམས་དཔའ་ཆེན་པོ་གང་ལ། བླ་ན་མེད་པ་ཡང་དག་པར་རྫོགས་པའི་བྱང་ཆུབ་ཀྱི་ཕྱིར། དད་པ་ཡང་ཡོད། བཟོད་པ་ཡང་ཡོད། མོས་པ་ཡང་ཡོད། ལྷག་པའི་བསམ་པ་ཡང་ཡོད། དགའ་བ་ཡང་ཡོད། སྤྲོ་བ་ཡང་ཡོད། མི་གཏོང་བ་ཡང་ཡོད། བརྩོན་འགྲུས་མི་འདོར་བ་ཡང་ཡོད་ལ། དེ་ཡང་ཤེས་རབ་ཀྱི་ཕ་རོལ་ཏུ་ཕྱིན་པས་ཡོངས་སུ་བཟུང་ཐབས་མཁས་པས་ཡོངས་སུ་བཟུང་། བསམ་གཏན་གྱི་ཕ་རོལ་ཏུ་ཕྱིན་པས་ཡོངས་སུ་བཟུང་། བརྩོན་འགྲུས་ཀྱི་ཕ་རོལ་ཏུ་ཕྱིན་པ་དང་། བཟོད་པའི་ཕ་རོལ་ཏུ་ཕྱིན་པ་དང་། ཚུལ་ཁྲིམས་ཀྱི་ཕ་རོལ་ཏུ་ཕྱིན་པ་དང་། སྦྱིན་པའི་ཕ་རོལ་ཏུ་ཕྱིན་པས་ཡོངས་སུ་བཟུང་། རྣམ་པ་ཐམས་ཅད་མཁྱེན་པ་ཉིད་ཀྱི་བར་གྱིས་ཡོངས་སུ་བཟུང་ན། རབ་འབྱོར་བྱང་ཆུབ་སེམས་དཔའ་སེམས་དཔའ་ཆེན་པོ་དེ་ནི་འདི་ལྟ་སྟེ། ཉན་ཐོས་ཀྱི་སའམ། རང་སངས་རྒྱས་ཀྱི་སར་བར་མ་དོར་ཉེ་ཚོར་མི་འགྱུར་ཏེ། མ་ཉེས་མ་ཉམས་པར་བླ་ན་མེད་པ[༤]ཡང་དག་པར་རྫོགས་པའི་བྱང་ཆུབ་ཏུ་མངོན་པར་རྫོགས་པར་འཚང་རྒྱ་བར་འགྱུར་རོ། །རབ་འབྱོར་འདི་ལྟ་སྟེ་དཔེར་ན། རྒྱ་མཚོའི་གྲུ་མ

བསྐམས་ཤིང་ཟག་ལྡན་མ་བྱས་པར་རྫས་བཅུག་སྟེ་ཆུ་ལ་བཏང་ན། རབ་འབྱོར་གྱི་དེ་ནི་ཞིག་པར་འགྱུར་ཏེ། གྱི་ཡང་ཡོགས་[1]ཤིག །རྫས་ཀྱང་ཡོགས་[2]ཤིག་ཏུ་སོང་ནས་དེ་ལྟར་ཚོང་པ་དེ་ཐབས་ལ་མི་མཁས་པས། གནོད་པ་ཆེན་པོ་དང་ལྡན་པར་འགྱུར་ཞིང་། རིན་པོ་ཆེ་ཆེན་པོ་ལས་ཡོངས་སུ་ཕང་བར་[3]རིག་པར་བྱའོ། ། རབ་འབྱོར་དེ་བཞིན་དུ་བྱང་ཆུབ་སེམས་དཔའ་སེམས་དཔའ་ཆེན་པོ་ཡང་བླ་ན་མེད་པ་ཡང་དག་པར་རྫོགས་པའི་བྱང་ཆུབ་ཀྱི་ཕྱིར། དད་པ་ཡང་ཡོད། བཟོད་པ་ཡང་ཡོད། སོས་[4]པ་ཡང་ཡོད། ལྷག་པའི་བསམ་པ་ཡང་ཡོད། དགའ་བ་ཡང་ཡོད། སྤྲོ་བ་ཡང་ཡོད། མི་གཏོང་[5]བ་ཡང་ཡོད། བརྩོན་འགྲུས་མི་འདོར་བ་ཡང་ཡོད་མོད་ཀྱི། དེ་ཤེས་རབ་ཀྱི་ཕ་རོལ་ཏུ་ཕྱིན་པས་ཡོངས་སུ་མ་བཟུང་། ཐབས་མཁས་པས་ཡོངས་སུ་མ་བཟུང་། བསམ་གཏན་གྱི་ཕ་རོལ་ཏུ་ཕྱིན་པ་དང་། བརྩོན་འགྲུས་ཀྱི་ཕ་རོལ་ཏུ་ཕྱིན་པ་དང་། བཟོད་པའི་ཕ་རོལ་ཏུ་ཕྱིན་པ་དང་། ཚུལ་ཁྲིམས་ཀྱི་ཕ་རོལ་ཏུ་ཕྱིན་པ་དང་། སྦྱིན་པའི་ཕ་རོལ་ཏུ་ཕྱིན་པས་ཡོངས་སུ་མ་བཟུང་། སྟོང་པ་ཉིད་ཐམས་ཅད་ཀྱིས་ཡོངས་སུ་མ་བཟུང་། བྱང་ཆུབ་ཀྱི་ཕྱོགས་ཀྱི་ཆོས་རྣམས་ཀྱིས་ཡོངས་སུ་མ་བཟུང་། འཕགས་པའི་བདེན་པ་རྣམས་དང་། བསམ་གཏན་རྣམས་དང་། ཚད་མེད་པ་རྣམས་དང་། གཟུགས་མེད་པའི་སྙོམས་པར་འཇུག་པ་རྣམས་དང་། རྣམ་པར་ཐར་པ་བརྒྱད་དང་། མཐར་གྱིས་གནས་པའི་སྙོམས་པར་འཇུག་པ་དགུ་དང་། རྣམ་པར་ཐར་པའི་སྒོ་སྟོང་པ་ཉིད་དང་། མཚན་མ་མེད་པ་དང་། སྨོན་པ་མེད་པ་དང་། མངོན་པར་ཤེས་པ་རྣམས་དང་། ཏིང་ངེ་འཛིན་རྣམས་དང་། གཟུངས་ཀྱི་སྒོ་རྣམས་དང་། དེ་བཞིན་གཤེགས་པའི་སྟོབས་བཅུ་དང་། མི་འཇིགས་པ་བཞི་དང་། སོ་སོ་ཡང་དག་པར་རིག་པ་བཞི་དང་། བྱམས་པ་

ཆེན་པོ་དང་། སྙིང་རྗེ་ཆེན་པོ་དང་། སངས་རྒྱས་ཀྱི་ཆོས་མ་འདྲེས་པ་བཅོ་
བརྒྱད་ཀྱིས་ཡོངས་སུ་མ་བཟུང་། རྣམ་པ་ཐམས་ཅད་མཁྱེན་པ་ཉིད་ཀྱི[༧]བར་
གྱིས་ཡོངས་སུ་མ་བཟུང་ན། རབ་འབྱོར་བྱང་ཆུབ་སེམས་དཔའ་སེམས་དཔའ་
ཆེན་པོ་དེ་ནི་བར་མ་དོར་ཉེ་ཉོར་འགྱུར་ཏེ། འདི་ལྟར་ཐམས་ཅད་མཁྱེན་པ་ཉིད་
ཀྱི་རིན་པོ་ཆེའི་དོན་ཆེན་པོ་དང་བྲལ་ཞིང་། རིན་པོ་ཆེ་ཆེན་པོ་ལས༔ཕང་བར་[༨]
རིག་པར་བྱའོ། །རབ་འབྱོར་བྱང་ཆུབ་སེམས་དཔའ་སེམས་དཔའ་ཆེན་པོ་རྣམས་
ཀྱི་བར་མ་དོར་ཉེ་ཉོ་གང་ཞེ་ན། འདི་ལྟ་སྟེ། ཉན་ཐོས་ཀྱི་སའམ། རང་
སངས་རྒྱས་ཀྱི་སའོ། །རབ་འབྱོར་འདི་ལྟ་སྟེ་དཔེར་ན། སྐྱེས་བུ་མཁས་པའི་
ངང་ཚུལ་ཅན་གང་ལ་ལ་ཞིག་རྒྱ་མཚོ་ཆེན་པོའི་གྲུ་ཤིན་ཏུ་བསྣམས་ཤིང་ཤིན་ཏུ་
བསྐུར་བ་ཆུ་ལ་གཏོང་ཞིང་རྫས་འཇུག་ན། རབ་འབྱོར་རྒྱ་མཚོའི་གྲུ་དེ་ནི་བར་མ་
དོར་ཞིག་པར་མི་འགྱུར་ཏེ། གྲུ་དེས་ཕྱོགས་གང་དུ་བགྲོད་པ་དེར་ཕྱིན་པར་
འགྱུར་བར་རིག་པར་བྱའོ། །རབ་འབྱོར་དེ་བཞིན་དུ་བྱང་ཆུབ་སེམས་དཔའ་
སེམས་དཔའ་ཆེན་པོ་གང་ལ་ལ་བླ་ན་མེད་པ་ཡང་དག་པར་རྫོགས་པའི་བྱང་ཆུབ་
ཀྱི་ཕྱིར། དད་པ་ཡང་ཡོད། བཟོད་པ་ཡང་ཡོད། མོས་པ་ཡང་ཡོད།
ལྷག[༩]པའི་བསམ་པ་ཡང་ཡོད། དགའ་བ་ཡང་ཡོད། སྤྲོ་བ་ཡང་ཡོད། མི་
གཏོང་བ་ཡང་ཡོད། བརྩོན་འགྲུས་མི་འདོར་བ་ཡང་ཡོད་ལ། ཤེས་རབ་ཀྱི་ཕ་
རོལ་ཏུ་ཕྱིན་པས་ཡོངས་སུ་བཟུང་། ཐབས་མཁས་པས་ཡོངས་སུ་བཟུང་།
བསམ་གཏན་གྱི་ཕ་རོལ་ཏུ་ཕྱིན་པ་དང་། བརྩོན་འགྲུས་ཀྱི་ཕ་རོལ་ཏུ་ཕྱིན་པ་
དང་། བཟོད་པའི་ཕ་རོལ་ཏུ་ཕྱིན་པ་དང་། ཚུལ་ཁྲིམས་ཀྱི་ཕ་རོལ་ཏུ་ཕྱིན་པ་
དང་། སྦྱིན་པའི་ཕ་རོལ་ཏུ་ཕྱིན་པས་ཡོངས་སུ་བཟུང་། སྟོང་པ་ཉིད་ཐམས་
ཅད་དང་། བྱང་ཆུབ་ཀྱི་ཕྱོགས་ཀྱི་ཆོས་རྣམས་དང་། འཕགས་པའི་བདེན་པ་

རྣམས་དང་། བསམ་གཏན་རྣམས་དང་། ཚད་མེད་པ་རྣམས་དང་། གཟུགས་མེད་པའི་སྙོམས་པར་འཇུག་པ་རྣམས་དང་། རྣམ་པར་ཐར་པ་བརྒྱད་དང་། མཐར་གྱིས་གནས་པའི་སྙོམས་པར་འཇུག་པ་དགུ་དང་། རྣམ་པར་ཐར་པའི་སྒོ་སྟོང་པ་ཉིད་དང་། མཚན་མ་མེད་པ་དང་། སྨོན་པ་མེད་པ་དང་། མངོན་པར་ཤེས་པ་རྣམས་དང་། ཏིང་ངེ་འཛིན་རྣམས་དང་། གཟུངས་ཀྱི་སྒོ་རྣམས་དང་། དེ་བཞིན་གཤེགས་པའི་སྟོབས་བཅུ་དང་། མི་འཇིགས་པ་བཞི་དང་། སོ་སོ་ཡང་དག་པར་རིག་པ་བཞི་དང་། བྱམས་པ་ཆེན་པོ་དང་། སྙིང་རྗེ་ཆེན་པོ་དང་། སངས་རྒྱས་ཀྱི་ཆོས་མ་འདྲེས་པ་བཅོ་བརྒྱད་ཀྱིས་ཡོངས་སུ་བཟུང་། རྣམ་པ་ཐམས་ཅད་མཁྱེན་པ་ཉིད་ཀྱི་བར་གྱིས་ཡོངས་སུ་བཟུང་ན། རབ་འབྱོར་བྱང་ཆུབ་སེམས་དཔའ་སེམས་དཔའ་[༡]ཆེན་པོ་དེ་ནི། བླ་ན་མེད་པ་ཡང་དག་པར་རྫོགས་པའི་བྱང་ཆུབ་ཏུ་བར་མ་དོར་ཉེ་ཝོར་མི་འགྱུར་བར་རིག་པར་བྱའོ། །རབ་འབྱོར་དེ་ནི་དེ་ལྟར་ཡང་འགྱུར་ཏེ། བྱང་ཆུབ་སེམས་དཔའ་སེམས་དཔའ་ཆེན་པོ་གང་ལ་ལ་བླ་ན་མེད་པ་ཡང་དག་པར་རྫོགས་པའི་བྱང་ཆུབ་ཀྱི་ཕྱིར། དད་པ་ཡང་ཡོད། བཟོད་པ་ཡང་ཡོད། མོས་པ་ཡང་ཡོད། ལྷག་པའི་བསམ་པ་ཡང་ཡོད། དགའ་བ་ཡང་ཡོད། སྤྲོ་བ་ཡང་ཡོད། མི་གཏོང་བ་ཡང་ཡོད། བརྩོན་འགྲུས་མི་འདོར་བ་ཡང་ཡོད་ལ། དེ་ཡང་ཤེས་རབ་ཀྱི་ཕ་རོལ་ཏུ་ཕྱིན་པས་ཡོངས་སུ་ཟིན་པར་གྱུར། ཐབས་མཁས་པས་ཡོངས་སུ་ཟིན་པར་གྱུར། བསམ་གཏན་གྱི་ཕ་རོལ་ཏུ་ཕྱིན་པ་དང་། བརྩོན་འགྲུས་ཀྱི་ཕ་རོལ་ཏུ་ཕྱིན་པ་དང་། བཟོད་པའི་ཕ་རོལ་ཏུ་ཕྱིན་པ་དང་། ཚུལ་ཁྲིམས་ཀྱི་ཕ་རོལ་ཏུ་ཕྱིན་པ་དང་། སྦྱིན་པའི་ཕ་རོལ་ཏུ་ཕྱིན་པས་ཡོངས་སུ་ཟིན་པར་གྱུར། རྣམ་པ་ཐམས་ཅད་མཁྱེན་པ་ཉིད་ཀྱི་བར་གྱིས་ཡོངས་སུ་ཟིན་པར་གྱུར་ན། བྱང་

ཆུབ་སེམས་དཔའ་སེམས་དཔའ་ཆེན་པོ་དེ་ནི་ཉན་ཐོས་ཀྱི་ས་དང་། རང་སངས་རྒྱས་ཀྱི་སར་མི་ལྟུང་[༧]ངོ་། །རབ་འབྱོར་འདི་ལྟ་སྟེ་དཔེར་ན། མི་ན་ཚོད་ཀྱིས་ལོ་བརྒྱ་ཉི་ཤུ་ལོན་པ། རྒས་པ། རྒོག་[༣]ཏུ་གྱུར་པ། འཁོགས་པ་ཞིག་ཡོད་ལ། དེའི་ལུས་ལ་རླུང་དམ། མཁྲིས་པའམ། བད་ཀན་ནམ། འདུས་པའི་ནད་ཀྱིས་བཏབ་ན། རབ་འབྱོར་དེ་ལ་ཇི་སྙམ་དུ་སེམས། མི་དེ་གཅིག་པུ་ཉམ་ངས་སུ་ཁྲི་ལས་ལྡང་ནུས་སམ། གསོལ་པ། བཅོམ་ལྡན་འདས་དེ་ནི་མ་ལགས་སོ། །བཅོམ་ལྡན་འདས་དེ་ནི་ཁྲི་དེ་ལས་ལྡང་ནུས་སུ་ལགས་ཀྱང་། རྒྱང་གྲགས་གཅིག་གམ། རྒྱང་གྲགས་གཉིས་སུ་ཡང་མཆི་བར་མི་ནུས་ཏེ། དེ་རྒས་པ་དང་། ན་འཚལ་བས་ཉམས་[༣]དམས་པའི་སླད་དུ་ཁྲི་ལས་ལྡང་ནུས་སུ་ལགས་ཀྱང་མཆི་མི་ནུས་སོ། །བཅོམ་ལྡན་འདས་ཀྱིས་བཀའ་སྩལ་པ། རབ་འབྱོར་དེ་བཞིན་དུ་བྱང་ཆུབ་སེམས་དཔའ་སེམས་དཔའ་ཆེན་པོ་ལ། བླ་ན་མེད་པ་ཡང་དག་པར་རྫོགས་པའི་བྱང་ཆུབ་ཀྱི་ཕྱིར། དད་པ་ཡང་ཡོད། བཟོད་པ་ཡང་ཡོད། མོས་པ་ཡང་ཡོད། ལྷག་པའི་བསམ་པ་ཡང་ཡོད། དགའ་བ་ཡང་ཡོད། སྤྲོ་བ་ཡང་ཡོད། མི་གཏོང་བ་ཡང་ཡོད། བརྩོན་འགྲུས་མི་འདོར་བ་ཡང་ཡོད་མོད་ཀྱི། དེ་ཤེས་རབ་ཀྱི་ཕ་རོལ་ཏུ་ཕྱིན་པས་ཡོངས་སུ་མ་བཟུང་། ཐབས་མཁས་པས་ཡོངས་སུ་མ་བཟུང་། བསམ་གཏན་གྱི་ཕ་རོལ་ཏུ་ཕྱིན་པ་དང་། བརྩོན་འགྲུས་ཀྱི་ཕ་རོལ་ཏུ་ཕྱིན་པ་དང་། བཟོད་པའི་ཕ་རོལ་ཏུ་ཕྱིན་པ་དང་། ཚུལ་ཁྲིམས་ཀྱི་ཕ་རོལ་ཏུ་ཕྱིན་པ་དང་། སྦྱིན་པའི་ཕ་རོལ་ཏུ་ཕྱིན་པས་ཡོངས་སུ་མ་བཟུང་། ནང་སྟོང་པ་ཉིད་དང་། ཕྱི་སྟོང་པ་ཉིད་དང་། ཕྱི་ནང་སྟོང་པ་ཉིད་དང་། དངོས་པོ་མེད་པའི་ངོ་བོ་ཉིད་སྟོང་པ་ཉིད་ཀྱི་བར་གྱིས་ཡོངས་སུ་མ་བཟུང་། དྲན་པ་ཉེ་བར་གཞག་པས་ཡོངས་སུ་མ་བཟུང་། ཡང་དག་པར་སྤོང་

བ་དང་། རྫུ་འཕྲུལ་གྱི་རྐང་པ་དང་། དབང་པོ་དང་། སྟོབས་དང་། བྱང་ཆུབ་ཀྱི་ཡན་ལག་དང་། ལམ་གྱིས་ཡོངས་སུ་མ་བཟུང་། འཕགས་པའི་བདེན་པ་དང་། བསམ་གཏན་དང་། ཚད་མེད་པ་དང་། གཟུགས་མེད་པའི་སྙོམས་པར་འཇུག་པ་དང་། རྣམ་པར་ཐར་པ་བརྒྱད་དང་། མཐར་གྱིས་གནས་པའི་སྙོམས་པར་འཇུག་པ་དགུ་དང་། རྣམ་པར་ཐར་པའི་སྒོ་སྟོང་པ་ཉིད་དང་། མཚན་མ་མེད་པ་དང་། སྨོན་པ་མེད་པ་དང་། མངོན་པར་ཤེས་པ་དང་། ཏིང་ངེ་འཛིན་དང་། གཟུངས་ཀྱི་སྒོ་དང་། དེ་བཞིན་གཤེགས་པའི་སྟོབས་བཅུ་དང་། མི་འཇིགས་པ་བཞི་དང་། སོ་སོ་ཡང་དག་པར་རིག་པ་བཞི་དང་། བྱམས་པ་ཆེན་པོ་དང་། སྙིང་རྗེ་ཆེན་པོ་དང་། སངས་རྒྱས་ཀྱི་ཆོས་མ་འདྲེས་པ་བཅོ་བརྒྱད་ཀྱིས་ཡོངས་སུ་མ་བཟུང་། རྣམ་པ་ཐམས་ཅད་མཁྱེན་པ་ཉིད་ཀྱི་བར་གྱིས་ཡོངས་སུ་མ་བཟུང་ན། རབ་འབྱོར་བྱང་ཆུབ་སེམས་དཔའ་སེམས་དཔའ་ཆེན་པོ་དེ་ནི་བར་མ་དོར་ཉན་ཐོས་ཀྱི་སའམ། རང་སངས་རྒྱས་ཀྱི་སར་ལྟུང་བར་འགྱུར་རོ། །དེ་ཅིའི་ཕྱིར་ཞེ་ན། དེ་ནི་འདི་ལྟར་ཤེས་རབ་ཀྱི་ཕ་རོལ་ཏུ་ཕྱིན་པས་ཡོངས་སུ་མ་བཟུང་བ་དང་། ཐབས་མཁས་པས་ཡོངས་སུ་མ་བཟུང་བ་དང་། རྣམ་པ་ཐམས་ཅད་མཁྱེན་པ་ཉིད་ཀྱི་བར་གྱིས་ཡོངས་སུ་མ་བཟུང་བའི་ཕྱིར་རོ། །རབ་འབྱོར་འདི་ལྟ་སྟེ་དཔེར་ན། མི་ན་ཚོད་ཀྱིས་ལོ་བརྒྱ་ཉི་ཤུ་ལོན་པ། རྒས་པ། རྒོག[1]ཏུ་གྱུར་པ། འཁོགས་པ་དེ་ཉིད་ཀྱི་ལུས་ལ་རླུང་ངམ། མཁྲིས་པའམ། བད་ཀན་ནམ། འདུས་པའི་ནད་ཀྱིས་བཏབ་པར་གྱུར་ལ། དེ་ཁྲི་ལས[2]ལྡང་བར་འདོད་ན། དེ་ལ་སྐྱེས་བུ་སྟོབས་དང་ལྡན་པ་གཉིས་ཀྱིས་གློ་གཡས་གཡོན་ནས་བཟུང་སྟེ། བརྟེན་ནས་འདི་སྐད་དུ། ཀྱེ་སྐྱེས་བུ་ཁྱོད་ཅི་དགའ་བའི་དོན་དུ་གར་འདོད་པ[3]འདོང་ངོ་། །ཁྱོད་ནི་བདག

ཅག་གིས་བཟུང་གི་[༡]གནས་དེར་མ་ཕྱིན་གྱི་[༢]བར་དུ་ལམ་དུ་བར་མ་དོར་རྗེག་[༣]འཆའ་བས་འཛིགས་པར་མི་འགྱུར་རོ། །ཞེས་བསྒོ་[༤]བ་དེ་བཞིན་དུ། རབ་འབྱོར་བྱང་ཆུབ་སེམས་དཔའ་སེམས་དཔའ་ཆེན་པོ་གང་ལ་ལ་ བླ་ན་མེད་པ་ཡང་དག་པར་[༥]རྫོགས་པའི་བྱང་ཆུབ་ཀྱི་ཕྱིར། དད་པ་ཡང་ཡོད། བཟོད་པ་ཡང་ཡོད་མོས་པ་ཡང་ཡོད། ལྷག་པའི་བསམ་པ་ཡང་ཡོད། དགའ་བ་ཡང་ཡོད། སྤྲོ་བ་ཡང་ཡོད། མི་[༦]གཏོང་བ་ཡང་ཡོད། བརྩོན་འགྲུས་མི་འདོར་བ་ཡང་ཡོད་ལ། དེ་ཤེས་རབ་ཀྱི་ཕ་རོལ་ཏུ་ཕྱིན་པས་ཡོངས་སུ་བཟུང་། ཐབས་མཁས་པས་ཡོངས་སུ་བཟུང་། བསམ་གཏན་གྱི་ཕ་རོལ་ཏུ་ཕྱིན་པ་དང་། བརྩོན་འགྲུས་ཀྱི་ཕ་རོལ་ཏུ་ཕྱིན་པ་དང་། བཟོད་པའི་ཕ་རོལ་ཏུ་ཕྱིན་པ་དང་། ཚུལ་ཁྲིམས་ཀྱི་ཕ་རོལ་ཏུ་ཕྱིན་པ་དང་། སྦྱིན་པའི་ཕ་རོལ་ཏུ་ཕྱིན་པས་ཡོངས་སུ་བཟུང་། ནང་སྟོང་པ་ཉིད་དང་། ཕྱི་སྟོང་པ་ཉིད་དང་། ཕྱི་ནང་སྟོང་པ་ཉིད་དང་། དངོས་པོ་མེད་པའི་ངོ་བོ་ཉིད་སྟོང་པ་ཉིད་ཀྱི་བར་གྱིས་ཡོངས་སུ་བཟུང་། དྲན་པ་ཉེ་བར་བཞག་པས་ཡོངས་སུ་བཟུང་། ཡང་དག་པར་སྤོང་བ་དང་། རྫུ་འཕྲུལ་གྱི་རྐང་པ་དང་། དབང་པོ་དང་། སྟོབས་དང་། བྱང་ཆུབ་ཀྱི་ཡན་ལག་དང་། ལམ་གྱིས་ཡོངས་སུ་བཟུང་། འཕགས་པའི་བདེན་པ་དང་། བསམ་གཏན་དང་། ཚད་མེད་པ་དང་། གཟུགས་མེད་པའི་སྙོམས་པར་འཇུག་པ་དང་། རྣམ་པར་ཐར་པ་བརྒྱད་དང་། མཐར་གྱིས་གནས་པའི་སྙོམས་པར་འཇུག་པ་དགུ་དང་། རྣམ་པར་ཐར་པའི་སྒོ་སྟོང་པ་ཉིད་དང་། མཚན་མ་མེད་པ་དང་། སྨོན་པ་མེད་པ་དང་། མངོན་པར་ཤེས་པ་དང་། ཏིང་ངེ་འཛིན་དང་། གཟུངས་ཀྱི་སྒོ་དང་། དེ་བཞིན་གཤེགས་པའི་སྟོབས་བཅུ་དང་། མི་འཇིགས་པ་བཞི་དང་། སོ་སོ་ཡང་དག་པར་རིག་པ་བཞི་དང་།

བྱམས་པ་ཆེན་པོ་དང་། སྙིང་རྗེ་ཆེན་པོ་དང་སངས་རྒྱས་ཀྱི་ཆོས་མ་འདྲེས་པ་བཅོ་བརྒྱད་ཀྱིས་ཡོངས་སུ་བཟུང་། རྣམ་པ་ཐམས་ཅད་མཁྱེན་པ་ཉིད་ཀྱི་བར་གྱིས་ཡོངས་སུ་བཟུང་ན[1]། རབ་འབྱོར་བྱང་ཆུབ་སེམས་དཔའ་སེམས་དཔའ་ཆེན་པོ་དེ་ནི་བར་མ་དོར་ཉེ་ཐོར་མི་འགྱུར་ཏེ། བྱང་ཆུབ་སེམས་དཔའ་སེམས་དཔའ་ཆེན་པོ་དེས་ནི་འདི་ལྟ་སྟེ། བླ་ན་མེད་པ་ཡང་དག་པར་རྫོགས་པའི་བྱང་ཆུབ་ཀྱི་གནས་དེར་ཕྱིན་པ་[2]ནུས་སོ། །དེ་ཅིའི་ཕྱིར་ཞེ་ན། དེ་ལྟར་དེ་ཤེས་རབ་ཀྱི་ཕ་རོལ་ཏུ་ཕྱིན་པ་དང་། ཐབས་མཁས་པ་དང་མ་བྲལ་བའི་ཕྱིར་རོ། །གསོལ་པ། བཅོམ་ལྡན་འདས་ཇི་ལྟར་ན། གང་ཟག་བྱང་ཆུབ་སེམས་དཔའི་ཐེག་པ་པ། ཤེས་རབ་ཀྱི་ཕ་རོལ་ཏུ་ཕྱིན་པ་དང་། ཐབས་མཁས་པ་དང་། མ་བྲལ་བས་ཉན་ཐོས་ཀྱི་སའམ། རང་སངས་རྒྱས་ཀྱི་སར་མི་ལྟུང་བ་ལགས། བཅོམ་ལྡན་འདས་ཀྱིས་བཀའ་སྩལ་པ། རབ་འབྱོར་ཁྱོད་དེ་ལྟར་གང་ཟག་བྱང་ཆུབ་སེམས་དཔའི་ཐེག་པ་པ་རྣམས་ཀྱི་དོན་དུ། དེ་བཞིན་གཤེགས་པ་ལ་དོན་འདི་འདྲི་བར་སེམས་པ་ལེགས་སོ། །ལེགས་སོ། །རབ་འབྱོར་འདི་ལ་གང་ཟག་བྱང་ཆུབ་སེམས་དཔའི་ཐེག་པ་པ། ཐོག་མར་སྦྱིན་པ་ཡོངས་སུ་གཏོང་ན། དེ་བདག་དང་བདག་གིར་ལྷུང་བའི་སེམས་ཀྱིས་སྦྱིན་པ་ཡོངས་སུ་གཏོང་ཞིང་། ཚུལ་ཁྲིམས་སྲུང་[3]བ་དང་། བཟོད་པ་བསྒོམ་པ་དང་། བརྩོན་འགྲུས་རྩོམ་[4]པ་དང་། བསམ་གཏན་ལ་སྙོམས་པར་འཇུག་པ་དང་། ཤེས་རབ་སྒོམ་ན། དེ་ཡང་བདག་དང་བདག་གིར་ལྟུང་[5]བའི་སེམས་ཀྱིས་ཤེས་རབ་སྒོམ་སྟེ[6]། དེ་སྦྱིན་པ་ཡོངས་སུ་གཏོང་བའི་ཚེ། འདི་སྙམ་དུ་སེམས་ཏེ། བདག་ནི་སྦྱིན་པ་ཡོངས་སུ་གཏོང་ངོ་། །འདི་ལ་སྦྱིན་པ་ཡོངས་སུ་གཏོང་ངོ་། །བདག་ནི་སྦྱིན་པ་བྱེད་པའོ། །བདག་ནི་ཚུལ་ཁྲིམས་སྲུང་ངོ་། །ཚུལ་ཁྲིམས་ནི་འདི་སྲུང་ངོ་། །བདག་ནི་ཚུལ་

ཁྲིམས་དང་ལྡན་པའོ། །བདག་ནི་བཟོད་པ་སྒོམ་མོ། །བཟོད་པ་ནི་འདི་སྒོམ་མོ། །བདག་ནི་བཟོད་པ་དང་ལྡན་པའོ། །བདག་ནི་བརྩོན་འགྲུས་རྩོམ་མོ། །བརྩོན་འགྲུས་ནི་འདི་རྩོམ་མོ། །བདག་ནི་བརྩོན་[7]འགྲུས་དང་ལྡན་པའོ། །བདག་ནི་བསམ་གཏན་དག་ལ་སྙོམས་པར་འཇུག་གོ། །བསམ་གཏན་ནི་འདི་དག་ལ་སྙོམས་པར་འཇུག་གོ། །བདག་ནི་བསམ་གཏན་པའོ། །བདག་ནི་ཤེས་རབ་སྒོམ་མོ། །ཤེས་རབ་ནི་འདི་སྒོམ་མོ། །བདག་ནི་ཤེས་རབ་དང་ལྡན་པའོ། །སྙམ་ནས། དེ་སྦྱིན་པ་རློམ་སེམས་སུ་བྱེད། སྦྱིན་པས་རློམ་སེམས་སུ་བྱེད། བདག་ནི་སྦྱིན་པ་བྱེད་པའོ། །ཞེས་རློམ་སེམས་སུ་བྱེད། ཚུལ་ཁྲིམས་རློམ་སེམས་སུ་བྱེད། ཚུལ་ཁྲིམས་ཀྱིས་རློམ་སེམས་སུ་བྱེད། བདག་ནི་ཚུལ་ཁྲིམས་དང་ལྡན་པའོ། །ཞེས་རློམ་སེམས་སུ་བྱེད། བཟོད་པ་རློམ་སེམས་སུ་བྱེད། བཟོད་པས་རློམ་སེམས་སུ་བྱེད། བདག་ནི་བཟོད་པ་དང་ལྡན་པའོ། །ཞེས་རློམ་སེམས་སུ་བྱེད། བརྩོན་འགྲུས་རློམ་སེམས་སུ་བྱེད། བརྩོན་འགྲུས་ཀྱིས་རློམ་སེམས་སུ་བྱེད། བདག་ནི་བརྩོན་འགྲུས་དང་ལྡན་པའོ། །ཞེས་རློམ་སེམས་སུ་བྱེད། བསམ་གཏན་རྣམས་རློམ་སེམས་སུ་བྱེད། བསམ་གཏན་རྣམས་ཀྱིས་རློམ་སེམས་སུ་བྱེད། བདག་ནི་བསམ་གཏན་པའོ། །ཞེས་རློམ་སེམས་སུ་བྱེད། ཤེས་རབ་རློམ་སེམས་སུ་བྱེད། ཤེས་རབ་ཀྱིས་རློམ་སེམས་སུ་བྱེད། བདག་ནི་ཤེས་རབ་དང་ལྡན་པའོ། །ཞེས་རློམ་སེམས་སུ་བྱེད་དོ། །དེ་ཅིའི་ཕྱིར་ཞེ་ན། སྦྱིན་པའི་ཕ་རོལ་ཏུ་ཕྱིན་པ་ལ་རྟོག་པ་དེ་དག་མེད་དེ། རིང་དུ་སོང་བ་ནི་སྦྱིན་པའི་ཕ་རོལ་ཏུ་ཕྱིན་པའོ། །ཚུལ་ཁྲིམས་ཀྱི་ཕ་རོལ་ཏུ་ཕྱིན་པ་ལ་རྟོག་པ་དེ་དག་མེད་དེ། རིང་དུ་སོང་བ་ནི་ཚུལ་ཁྲིམས་ཀྱི་ཕ་རོལ་ཏུ་ཕྱིན་པའོ། །བཟོད་པའི་ཕ་རོལ་ཏུ་ཕྱིན་པ་ལ་རྟོག་པ་དེ་དག་མེད་དེ། རིང་དུ་

སོང་བ་ནི་བཟོད་པའི་ཕ་རོལ་ཏུ་ཕྱིན་པའོ། །བརྩོན་འགྲུས་ཀྱི་ཕ་རོལ་ཏུ་ཕྱིན་པ་ལ་རྟོག་པ་དེ་དག་མེད་དེ། རིང་དུ་སོང་བ་ནི་བརྩོན་འགྲུས་ཀྱི་ཕ་རོལ་ཏུ་ཕྱིན་པའོ༎ །བསམ་གཏན་གྱི་ཕ་རོལ་ཏུ་ཕྱིན་པ་ལ་རྟོག་པ་དེ་དག་མེད་དེ། རིང་དུ་སོང་བ་ནི་བསམ་གཏན་གྱི་ཕ་རོལ་ཏུ་ཕྱིན་པའོ། །ཤེས་རབ་ཀྱི་ཕ་རོལ་ཏུ་ཕྱིན་པ་ལ་རྟོག་པ་དེ་དག་མེད་དེ། རིང་དུ་སོང་བ་ནི་ཤེས་རབ་ཀྱི་ཕ་རོལ་ཏུ་ཕྱིན་པའོ།། དེ་ལྟ་⑦ཡིན་ཡང་གང་ཟག་བྱང་ཆུབ་སེམས་དཔའི་ཐེག་པ་པ་དེ་རིང་དུ་སོང་བ་ཡང་མི་ཤེས། ཕ་རོལ་ཡང་མི་ཤེས་ཏེ། དེ་སྦྱིན་པའི་ཕ་རོལ་ཏུ་ཕྱིན་པས་ཡོངས་སུ་མ་བཟུང་། ཚུལ་ཁྲིམས་ཀྱི་ཕ་རོལ་ཏུ་ཕྱིན་པ་དང་། བཟོད་པའི་ཕ་རོལ་ཏུ་ཕྱིན་པ་དང་། བརྩོན་འགྲུས་ཀྱི་ཕ་རོལ་ཏུ་ཕྱིན་པ་དང་། བསམ་གཏན་གྱི་ཕ་རོལ་ཏུ་ཕྱིན་པ་དང་། ཤེས་རབ་ཀྱི་ཕ་རོལ་ཏུ་ཕྱིན་པས་ཡོངས་སུ་མ་བཟུང་། རྣམ་པ་ཐམས་ཅད་མཁྱེན་པ་ཉིད་ཀྱི་བར་གྱིས་ཡོངས་སུ་མ་བཟུང་བས། ཉན་ཐོས་ཀྱི་སའམ། རང་སངས་རྒྱས་ཀྱི་སར་ལྷུང་③སྟེ། རྣམ་པ་ཐམས་ཅད་མཁྱེན་པ་ཉིད་དུ་མི་འབྱུང་①ངོ་། །རབ་འབྱོར་ཇི་ལྟར་ན་གང་ཟག་བྱང་ཆུབ་སེམས་དཔའི་ཐེག་པ་པ་ཐབས་མི་མཁས་པ་ཡིན་ཞེ་ན། རབ་འབྱོར་འདི་ལ་གང་ཟག་བྱང་ཆུབ་སེམས་དཔའི་ཐེག་པ་པ་ཐོག་མར་ཐབས་མེད་པར་སྦྱིན་པ་ཡོངས་སུ་གཏོང་། ཐབས་མེད་པར་ཚུལ་ཁྲིམས་སྲུང་། ཐབས་མེད་པར་བཟོད་པ་སྒོམ། ཐབས་མེད་པར་བརྩོན་འགྲུས་རྩོམ། ཐབས་མེད་པར་བསམ་གཏན་ལ་སྙོམས་པར་འཇུག །ཐབས་མེད་པར་ཤེས་རབ་སྒོམ་ཞིང་དེ་འདི་སྙམ་དུ་སེམས་ཏེ། བདག་ནི་སྦྱིན་པ་ཡོངས་སུ་གཏོང་ངོ་། །སྦྱིན་པ་ནི་འདི་ཡོངས་སུ་གཏོང་ངོ་། །འདི་ལ་ནི་སྦྱིན་པ་ཡོངས་སུ་གཏོང་ངོ་། །བདག་ནི་ཚུལ་ཁྲིམས་སྲུང་ངོ་། །ཚུལ་ཁྲིམས་ནི་འདི་སྲུང་ངོ་། །བདག་ནི་བཟོད་པ་སྒོམ་མོ། །བཟོད་པ་ནི་འདི་སྒོམ་

མོ། །བདག་ནི་བརྩོན་འགྲུས་རྩོམ་མོ། །བརྩོན་འགྲུས་ནི་འདི་རྩོམ་མོ། །བདག་ནི་བསམ་གཏན་རྣམས་ལ་སྙོམས་པར་འཇུག་གོ། །བསམ་གཏན་ནི་འདི་དག་ལ་སྙོམས་པར་འཇུག་གོ། །བདག་ནི་ཤེས་རབ་སྒོམ་མོ། །ཤེས་རབ་ནི་འདི་སྒོམ་མོ་ཞེས་དེ་སྦྱིན་པ་རློམ་སེམས་སུ་བྱེད། སྦྱིན་པས་རློམ་སེམས་སུ་བྱེད། བདག་ནི་སྦྱིན་པ་བྱེད་པའོ་ཞེས་རློམ་སེམས་སུ་བྱེད། ཚུལ་ཁྲིམས་རློམ་སེམས་སུ་བྱེད། ཚུལ་ཁྲིམས་ཀྱིས་རློམ་སེམས་སུ་བྱེད། བདག་ནི་ཚུལ་ཁྲིམས་དང་ལྡན་པའོ་ཞེས་རློམ་སེམས་སུ་བྱེད། བཟོད་པ་རློམ་སེམས་སུ་བྱེད། བཟོད་པས་རློམ་⑦སེམས་སུ་བྱེད། བདག་ནི་བཟོད་པ་དང་ལྡན་པའོ་ཞེས་རློམ་སེམས་སུ་བྱེད། བརྩོན་འགྲུས་རློམ་སེམས་སུ་བྱེད། བརྩོན་འགྲུས་ཀྱིས་རློམ་སེམས་སུ་བྱེད། བདག་ནི་བརྩོན་འགྲུས་དང་ལྡན་པའོ་ཞེས་རློམ་སེམས་སུ་བྱེད། བསམ་གཏན་རློམ་སེམས་སུ་བྱེད། བསམ་གཏན་གྱིས་རློམ་སེམས་སུ་བྱེད། བདག་ནི་བསམ་གཏན་པའོ་ཞེས་རློམ་སེམས་སུ་བྱེད། ཤེས་རབ་རློམ་སེམས་སུ་བྱེད། ཤེས་རབ་ཀྱིས་རློམ་སེམས་སུ་བྱེད། བདག་ནི་ཤེས་རབ་དང་ལྡན་པའོ་ཞེས་རློམ་སེམས་སུ་བྱེད་པ་སྟེ། དེ་ཅིའི་ཕྱིར་ཞེ་ན། ཇི་ལྟར་དེ་རྣམ་པར་རྟོག་པའི་རྣམ་པར་རྟོག་པ་དེ་དག་③སྦྱིན་པའི་ཕ་རོལ་ཏུ་ཕྱིན་པ་ལ་མེད་དོ། །དེ་ཅིའི་ཕྱིར་ཞེ་ན། དེ་ནི་འདི་ལྟར་འདི་ལྟ་སྟེ། སྦྱིན་པའི་ཕ་རོལ་ཏུ་ཕྱིན་པ་དེ་ནི་ཕ་རོལ་ཏུ་ཕྱིན་པ་མེད་པའོ། །ཚུལ་ཁྲིམས་ཀྱི་ཕ་རོལ་ཏུ་ཕྱིན་པ་དེ་ནི་ཕ་རོལ་ཏུ་ཕྱིན་པ་མེད་པའོ། །བཟོད་པའི་ཕ་རོལ་ཏུ་ཕྱིན་པ་དེ་ནི་ཕ་རོལ་ཏུ་ཕྱིན་པ་མེད་པའོ། །བརྩོན་འགྲུས་ཀྱི་ཕ་རོལ་ཏུ་ཕྱིན་པ་དེ་ནི་ཕ་རོལ་ཏུ་ཕྱིན་པ་མེད་པའོ། །བསམ་གཏན་གྱི་ཕ་རོལ་ཏུ་ཕྱིན་པ་དེ་ནི་ཕ་རོལ་ཏུ་ཕྱིན་པ་མེད་པའོ། །ཤེས་རབ་ཀྱི་ཕ་རོལ་ཏུ་ཕྱིན་པ་དེ་ནི་ཕ་རོལ་ཏུ་ཕྱིན་པ་མེད་པའོ། །དེ་ལྟ་ཡིན་ཡང་བྱང་ཆུབ་སེམས་དཔའི་ཐེག་པ་

པ་དེ་ནི་རིང་དུ་སོང་[༡]བ་ཡང་མི་ཤེས། ཕ་རོལ་ཡང་མི་ཤེས་ཏེ། དེ་སྦྱིན་པའི་ཕ་རོལ་དུ་ཕྱིན་པས་ཡོངས་སུ་མ་བཟུང་། ཚུལ་ཁྲིམས་ཀྱི་ཕ་རོལ་དུ་ཕྱིན་པ་དང་། བཟོད་པའི་ཕ་རོལ་དུ་ཕྱིན་པ་དང་། བརྩོན་འགྲུས་ཀྱི་ཕ་རོལ་དུ་ཕྱིན་པ་དང་། བསམ་གཏན་གྱི་ཕ་རོལ་དུ་ཕྱིན་པས་ཡོངས་སུ་མ་བཟུང་། ཤེས་རབ་ཀྱི་ཕ་རོལ་དུ་ཕྱིན་པས་ཡོངས་སུ་མ་བཟུང་། ཐབས་མཁས་པས་ཡོངས་སུ་མ་བཟུང་། རྣམ་པ་ཐམས་ཅད་མཁྱེན་པ་ཉིད་ཀྱི་བར་གྱིས་ཡོངས་སུ་མ་བཟུང་བས། ཉན་ཐོས་ཀྱི་ས་འམ། རང་སངས་རྒྱས་ཀྱི་སར་ལྷུང་[༢]སྟེ། རྣམ་པ་ཐམས་ཅད་མཁྱེན་པ་ཉིད་དུ་མི་འབྱུང་ངོ་། །རབ་འབྱོར་ཇི་ལྟར་གང་ཟག་བྱང་ཆུབ་སེམས་དཔའི་ཐེག་པ་པ་ཤེས་རབ་ཀྱི་ཕ་རོལ་དུ་ཕྱིན་པ་དང་། ཐབས་མཁས་པས་ཡོངས་སུ་བཟུང་བ། ཉན་ཐོས་ཀྱི་སའམ། རང་སངས་རྒྱས་ཀྱི་སར་མི་ལྷུང་ཞིང་། བླ་ན་མེད་པ་ཡང་དག་པར་རྫོགས་པའི་བྱང་ཆུབ་འགྲུབ་པར་འགྱུར་བ་ཡིན་ཞེ་ན། རབ་འབྱོར་འདི་ལ་གང་ཟག་བྱང་ཆུབ་སེམས་དཔའི་ཐེག་པ་པ་ཐོག་མར་སྦྱིན་པ་ཡོངས་སུ་གཏོང་ན། བདག་དང་བདག་གིར་བྱ་བར་མ་ལྷུང་[༣]བའི་སེམས་ཀྱིས་སྦྱིན་པ་ཡོངས་སུ་གཏོང་ངོ་། །ཚུལ་ཁྲིམས་སྲུང་ན། བདག་དང་བདག་གིར་བྱ་བར་མ་ལྷུང་[༤]བའི་སེམས་ཀྱིས་ཚུལ་ཁྲིམས་སྲུང་ངོ་། །བཟོད་པ་སྒོམ་ན། བདག་དང་བདག་གིར་བྱ་བར་མ་ལྷུང་[༥]བའི་སེམས་ཀྱིས་བཟོད་པ་སྒོམ་མོ། །བརྩོན་འགྲུས་རྩོམ་ན། བདག་དང་བདག་གིར་བྱ་བར་མ་ལྷུང་[༦]བའི་སེམས་ཀྱིས་བརྩོན་འགྲུས་རྩོམ་མོ། །བསམ་གཏན་སྒོམ་ན། བདག་དང་བདག་གིར་[༧]བྱ་བར་མ་ལྷུང་[༨]བའི་སེམས་ཀྱིས་བསམ་གཏན་སྒོམ་མོ། །ཤེས་རབ་སྒོམ་ན། བདག་དང་བདག་གིར་བྱ་བར་མ་ལྷུང་[༩]བའི་སེམས་ཀྱིས་ཤེས་རབ་སྒོམ་སྟེ། དེ་འདི་སྐམ་དུ་བདག་ནི་སྦྱིན་པ་ཡོངས་སུ་གཏོང་ངོ་། །འདི་ལ་སྦྱིན་པ་གཏོང་ངོ་[༡༠]

ཞེས་བྱ་བར་མི་སེམས་སོ། །བདག་ནི་ཚུལ་ཁྲིམས་སྲུང་ངོ་། །ཚུལ་ཁྲིམས་ནི་འདི་སྲུང་ངོ་། །བདག་ནི་བཟོད་པ་སྒོམ་མོ། །བཟོད་པ་ནི་འདི་སྒོམ་མོ། བདག་ནི་བརྩོན་འགྲུས་རྩོམ་མོ། །བརྩོན་འགྲུས་ནི་འདི་རྩོམ་མོ། །བདག་ནི་བསམ་གཏན་རྣམས་ལ་སྙོམས་པར་འཇུག་གོ། །བསམ་གཏན་ནི་འདི་དག་ལ་སྙོམས་པར་འཇུག་གོ། །བདག་ནི་ཤེས་རབ་སྒོམ་མོ། །ཤེས་རབ་ནི་འདི་སྒོམ་མོ།། ཞེས་བྱ་བར་མི་སེམས་ཏེ། དེ་སྦྱིན་པ་རློམ་སེམས་སུ་མི་བྱེད། སྦྱིན་པས་རློམ་སེམས་སུ་མི་བྱེད། བདག་ནི་སྦྱིན་པ་བྱེད་པའོ། །ཞེས་བྱ་བར་རློམ་སེམས་སུ་མི་བྱེད་དོ། །ཚུལ་ཁྲིམས་རློམ་སེམས་སུ་མི་བྱེད། ཚུལ་ཁྲིམས་ཀྱིས་རློམ་སེམས་སུ་མི་བྱེད། བདག་ནི་ཚུལ་ཁྲིམས་དང་ལྡན་པའོ་ཞེས་བྱ་བར་རློམ་སེམས་སུ་མི་བྱེད་དོ། །བཟོད་པ་རློམ་སེམས་སུ་མི་བྱེད། བཟོད་པས་རློམ་སེམས་སུ་མི་བྱེད། བདག་ནི་བཟོད་པ་དང་ལྡན་པའོ་ཞེས་བྱ་བར་རློམ་སེམས་སུ་མི་བྱེད་དོ། །བརྩོན་འགྲུས་རློམ་སེམས་སུ་མི་བྱེད། བརྩོན་འགྲུས་ཀྱིས་རློམ་སེམས་སུ་མི་བྱེད། བདག་ནི་བརྩོན་འགྲུས་དང་ལྡན་པའོ། །ཞེས་བྱ་བར་རློམ་སེམས་སུ་མི་བྱེད་དོ། ། བསམ་གཏན་རྣམས་རློམ་སེམས་སུ་མི་བྱེད། བསམ་གཏན་རྣམས་ཀྱིས་རློམ་སེམས་སུ་མི་བྱེད། བདག་ནི་བསམ་གཏན་པའོ། །ཞེས་བྱ་བར་རློམ་སེམས་སུ་མི་བྱེད་དོ། །ཤེས་རབ་རློམ་སེམས་སུ་མི་བྱེད། ཤེས་རབ་ཀྱིས་རློམ་སེམས་སུ་མི་བྱེད། བདག་ནི་ཤེས་རབ་དང་ལྡན་པའོ། །ཞེས་བྱ་བར་རློམ་སེམས་སུ་མི་བྱེད་དོ། །དེ་ཅིའི་ཕྱིར་ཞེ་ན་དེ་ནི་འདི་ལྟར་གང་གིས་དེ་རློམ་སེམས་སུ་བྱེད་པའི་རྣམ་པར་རྟོག་པ་དེ་དག་ནི་སྦྱིན་པའི་ཕ་རོལ་ཏུ་ཕྱིན་པ་ལ་མེད་དེ། འདི་ལྟར་སྦྱིན་པའི་ཕ་རོལ་ཏུ་ཕྱིན་པ་ནི་ཕ་རོལ་ཏུ་ཕྱིན་པ་མེད་པའོ། །གང་གིས་རློམ་སེམས་སུ་བྱེད་པའི་རྣམ་པར་རྟོག་པ་དེ་དག་ནི་ཚུལ་ཁྲིམས་ཀྱི་[2]ཕ་རོལ་ཏུ་ཕྱིན་པ་

དང་། བཟོད་པའི་ཕ་རོལ་ཏུ་ཕྱིན་པ་དང་། བརྩོན་འགྲུས་ཀྱི་ཕ་རོལ་ཏུ་ཕྱིན་པ་དང་། བསམ་གཏན་གྱི་ཕ་རོལ་ཏུ་ཕྱིན་པ་དང་། ཤེས་རབ་ཀྱི་ཕ་རོལ་ཏུ་ཕྱིན་པ་ལ་མེད་དེ། འདི་ལྟར་ཤེས་རབ་ཀྱི་ཕ་རོལ་ཏུ་ཕྱིན་པ་ནི་ཕ་རོལ་ཏུ་ཕྱིན་པ་མེད་པའོ། །དེ་ལྟ་ཡིན་ལ་གང་ཟག་བྱང་ཆུབ་སེམས་དཔའི་ཐེག་པ་པ་དེ་ཡང་རིང་དུ་སོང་བ་ཤེས་ཤིང་ཕ་རོལ་ཤེས་ཏེ། དེས་ཀྱང་རློམ་སེམས་སུ་མི་བྱེད་ཅིང་། དེ་སྦྱིན་པའི་ཕ་རོལ་ཏུ་ཕྱིན་པས་ཡོངས་སུ་བཟུང་། ཚུལ་ཁྲིམས་ཀྱི་ཕ་རོལ་ཏུ་ཕྱིན་པ་དང་། བཟོད་པའི་ཕ་རོལ་ཏུ་ཕྱིན་པ་དང་། བརྩོན་འགྲུས་ཀྱི་ཕ་རོལ་ཏུ་ཕྱིན་པ་དང་། བསམ་གཏན་གྱི་ཕ་རོལ་ཏུ་ཕྱིན་པ་དང་། ཤེས་རབ་ཀྱི་ཕ་རོལ་ཏུ་ཕྱིན་པས་ཡོངས་སུ་བཟུང་བ་དང་། རྣམ་པ་ཐམས་ཅད་མཁྱེན་པ་ཉིད་ཀྱི་བར་གྱིས་ཡོངས་སུ་བཟུང་བས། ཉན་ཐོས་ཀྱི་སའམ། རང་སངས་རྒྱས་ཀྱི་སར་མི་ལྟུང་སྟེ། རྣམ་པ་ཐམས་ཅད་མཁྱེན་པ་ཉིད་ཀྱང་འགྲུབ་པར་འགྱུར་རོ། །རབ་འབྱོར་དེ་ལྟར་ན་གང་ཟག་བྱང་ཆུབ་སེམས་དཔའི་ཐེག་པ་པ་ཤེས་རབ་ཀྱི་ཕ་རོལ་ཏུ་ཕྱིན་པས་ཡོངས་སུ་བཟུང་བ། ཐབས་མཁས་པས་ཡོངས་སུ་བཟུང་བ། རྣམ་པ་ཐམས་ཅད་མཁྱེན་པ་ཉིད་ཀྱི་བར་གྱིས་ཡོངས་སུ་བཟུང་བ། དེ་ཉན་ཐོས་ཀྱི་སའམ། རང་སངས་རྒྱས་ཀྱི་སར་མི་ལྟུང་ངོ་། །རབ་འབྱོར་ཇི་ལྟར་ན་གང་ཟག་[༡]བྱང་ཆུབ་སེམས་དཔའི་ཐེག་པ་པ་ཐབས་མཁས་པས་ཡོངས་སུ་བཟུང་བ་ཡིན་ཞེ་ན། རབ་འབྱོར་འདི་ལ་གང་ཟག་བྱང་ཆུབ་སེམས་དཔའི་ཐེག་པ་པ་ཐོག་མར་ཐབས་དང་ལྡན་པར་སྦྱིན་པ་ཡོངས་སུ་གཏོང་། ཐབས་དང་ལྡན་པར་ཚུལ་ཁྲིམས་སྲུང་། ཐབས་དང་ལྡན་པར་བཟོད་པ་སྒོམ། ཐབས་དང་ལྡན་པར་བརྩོན་འགྲུས་རྩོམ། ཐབས་དང་ལྡན་པར་བསམ་གཏན་རྣམས་ལ་སྙོམས་པར་འཇུག །ཐབས་དང་ལྡན་པར་ཤེས་རབ་སྒོམ་ཞིང་། འདི་ལྟར་དེ་[༢]བདག་ནི་

སྦྱིན་པ་ཡོངས་སུ་གཏོང་ངོ་། །སྦྱིན་པ་འདི་ཡོངས་སུ་གཏོང་ངོ་། །འདི་ལ་སྦྱིན་པ་ཡོངས་སུ་གཏོང་⑦ངོ་སྙམ་དུ་མི་སེམས་སོ། །འདི་ལྟར་བདག་ནི་ཚུལ་ཁྲིམས་སྲུང་ངོ་། །ཚུལ་ཁྲིམས་ནི་འདི་སྲུང་ངོ་སྙམ་དུ་མི་སེམས་སོ། །འདི་ལྟར་བདག་ནི་བཟོད་པ་སྒོམ་མོ། །བཟོད་པ་ནི་འདི་སྒོམ་མོ། །སྙམ་③དུ་མི་སེམས་སོ། །འདི་ལྟར་བདག་ནི་བརྩོན་འགྲུས་རྩོམ་མོ། །བརྩོན་འགྲུས་ནི་འདི་རྩོམ་མོ། །སྙམ་དུ་མི་སེམས་སོ། །འདི་ལྟར་བདག་ནི་བསམ་གཏན་དག་ལ་སྙོམས་པར་འཇུག་གོ། །བསམ་གཏན་ནི་འདི་དག་ལ་སྙོམས་པར་འཇུག་གོ་སྙམ་དུ་མི་སེམས་སོ། །འདི་ལྟར་བདག་ནི་ཤེས་རབ་སྒོམ་མོ། །ཤེས་རབ་ནི་འདི་སྒོམ་མོ་སྙམ་དུ་མི་སེམས་སོ། །དེ་སྦྱིན་པ་རློམ་སེམས་སུ་མི་བྱེད། སྦྱིན་པས་རློམ་སེམས་སུ་མི་བྱེད། བདག་ནི་སྦྱིན་པ་བྱེད་པའོ། །ཞེས་རློམ་སེམས་སུ་མི་བྱེད་དོ། །དེ་ཚུལ་ཁྲིམས་རློམ་སེམས་སུ་མི་བྱེད། ཚུལ་ཁྲིམས་ཀྱིས་རློམ་སེམས་སུ་མི་བྱེད། བདག་ནི་ཚུལ་ཁྲིམས་དང་ལྡན་པའོ། །ཞེས་རློམ་སེམས་སུ་མི་བྱེད་དོ། །དེ་བཟོད་པ་རློམ་སེམས་སུ་མི་བྱེད། བཟོད་པས་རློམ་སེམས་སུ་མི་བྱེད། བདག་ནི་བཟོད་པ་དང་ལྡན་པའོ། །ཞེས་རློམ་སེམས་སུ་མི་བྱེད་དོ། །དེ་བརྩོན་འགྲུས་རློམ་སེམས་སུ་མི་བྱེད། བརྩོན་འགྲུས་ཀྱིས་རློམ་སེམས་སུ་མི་བྱེད། བདག་ནི་བརྩོན་འགྲུས་དང་ལྡན་པའོ། །ཞེས་རློམ་སེམས་སུ་མི་བྱེད་དོ། །དེ་བསམ་གཏན་རློམ་སེམས་སུ་མི་བྱེད། བསམ་གཏན་གྱིས་རློམ་སེམས་སུ་མི་བྱེད། བདག་ནི་བསམ་གཏན་པའོ་ཞེས་རློམ་སེམས་སུ་མི་བྱེད་དོ། །དེ་ཤེས་རབ་རློམ་སེམས་སུ་མི་བྱེད། ཤེས་རབ་ཀྱིས་རློམ་སེམས་སུ་མི་བྱེད། བདག་ནི་ཤེས་རབ་དང་ལྡན་པའོ། །ཞེས་རློམ་སེམས་སུ་མི་བྱེད་དོ། །དེ་ཅིའི་ཕྱིར་ཞེ་ན། དེ་ལྟར་དེ་རྣམ་པར་མི་རྟོག་པས། སྦྱིན་པའི་ཕ་རོལ་ཏུ་ཕྱིན་པ་ལ་རྣམ་པར་རྟོག་པ་

དེ་དག་མེད་དེ། དེ་ཅིའི་ཕྱིར་ཞེ་ན། དེ་ནི་འདི་ལྟ་སྟེ། སྦྱིན་པའི་ཕ་རོལ་ཏུ་ཕྱིན་པ་དེ་ནི་ཕ་རོལ་ཏུ་ཕྱིན་པ་མེད་པའོ། །དེ་ལྟར་དེ་རྣམ་པར་མི་རྟོག་པས། ཚུལ་ཁྲིམས་ཀྱི་ཕ་རོལ་ཏུ་ཕྱིན་པ་དང་། བཟོད་པའི་ཕ་རོལ་ཏུ་ཕྱིན་པ་དང་། བརྩོན་འགྲུས་ཀྱི་ཕ་རོལ་ཏུ་ཕྱིན་པ་དང་། བསམ་གཏན་གྱི་ཕ་རོལ་ཏུ་ཕྱིན་པ་དང་། ཤེས་རབ་ཀྱི་ཕ་རོལ་ཏུ་ཕྱིན་པ་ལ་རྣམ་པར་རྟོག་པ་དེ་དག་མེད་དེ། དེ་ཅིའི་ཕྱིར་ཞེ་ན། དེ་ནི་འདི་ལྟར་འདི་ལྟ་སྟེ། ཤེས་རབ་ཀྱི་ཕ་རོལ་ཏུ་ཕྱིན་པ་དེ་ནི་ཕ་རོལ་ཏུ་ཕྱིན་པ་མེད་པའོ། །དེ་ལྟ་ཡང་ཡིན་ལ་གང་ཟག་བྱང་ཆུབ་སེམས་དཔའི་ཐེག་པ་པ[༧]དེ་ཡང་རིང་དུ་སོང་བ་ཞེས་ཤིང་། ཕ་རོལ་ཤེས་ཀྱང་དེ་རློམ་སེམས་མེད་དེ། སྦྱིན་པའི་ཕ་རོལ་ཏུ་ཕྱིན་པས་ཡོངས་སུ་བཟུང་བ་དང་། ཚུལ་ཁྲིམས་ཀྱི་ཕ་རོལ་ཏུ་ཕྱིན་པ་དང་། བཟོད་པའི་ཕ་རོལ་ཏུ་ཕྱིན་པ་དང་། བརྩོན་འགྲུས་ཀྱི་ཕ་རོལ་ཏུ་ཕྱིན་པ་དང་། བསམ་གཏན་གྱི་ཕ་རོལ་ཏུ་ཕྱིན་པ་དང་། ཤེས་རབ་ཀྱི་ཕ་རོལ་ཏུ་ཕྱིན་པས་ཡོངས་སུ་བཟུང་ཞིང་། ཐབས་མཁས་པས་ཡོངས་སུ་བཟུང་བ་དང་། རྣམ་པ་ཐམས་ཅད་མཁྱེན་པ་ཉིད་ཀྱི་བར་གྱིས་ཡོངས་སུ་བཟུང་བས། ཉན་ཐོས་ཀྱི་སའམ། རང་སངས་རྒྱས[༣]ཀྱི་སར་མི་ལྟུང་སྟེ། རྣམ་པ་ཐམས་ཅད་མཁྱེན་པ་ཉིད་དུ་འགྱུར་རོ། །ཤེས་རབ་ཀྱི་ཕ་རོལ་ཏུ་ཕྱིན་པ་སྟོང་ཕྲག་ཉི་ཤུ་ལྔ་པ་ལས། ལེའུ་སུམ་ཅུ་ལྔ་པའོ།། ||

དེ་ནས་ཚེ་དང་ལྡན་པ་རབ་འབྱོར་གྱིས་བཅོམ་ལྡན་འདས་ལ་འདི་སྐད་ཅེས་གསོལ་ཏོ། །བཅོམ་ལྡན་འདས་ལས་དང་པོ་པའི་བྱང་ཆུབ་སེམས་དཔའ་སེམས་དཔའ་ཆེན་པོས་ཇི་ལྟར་ཤེས་རབ་ཀྱི་ཕ་རོལ་ཏུ་ཕྱིན་པ་ལ་བསླབ་པར་བགྱི། ཇི་ལྟར་བསམ་གཏན་གྱི་ཕ་རོལ་ཏུ་ཕྱིན་པ་དང་། བརྩོན་འགྲུས་ཀྱི་ཕ་རོལ་ཏུ་ཕྱིན་

པ་དང་། བཟོད་པའི་ཕ་རོལ་ཏུ་ཕྱིན་པ་དང་། ཚུལ་ཁྲིམས་ཀྱི་ཕ་རོལ་ཏུ་[༡]ཕྱིན་པ་དང་། སྦྱིན་པའི་ཕ་རོལ་ཏུ་ཕྱིན་པ་ལ་བསླབ་པར་བགྱི། བཅོམ་ལྡན་འདས་ཀྱིས་བཀའ་སྩལ་པ། རབ་འབྱོར་འདི་ལ་ལས་དང་པོ་པའི་བྱང་ཆུབ་སེམས་དཔའ་སེམས་དཔའ་ཆེན་པོ་ཤེས་རབ་ཀྱི་ཕ་རོལ་ཏུ་ཕྱིན་པ་ལ་བསླབ་པར་འདོད་པ་དང་། བསམ་གཏན་གྱི་ཕ་རོལ་ཏུ་ཕྱིན་པ་དང་། བརྩོན་འགྲུས་ཀྱི་ཕ་རོལ་ཏུ་ཕྱིན་པ་དང་། བཟོད་པའི་ཕ་རོལ་ཏུ་ཕྱིན་པ་དང་། ཚུལ་ཁྲིམས་ཀྱི་ཕ་རོལ་ཏུ་ཕྱིན་པ་དང་། སྦྱིན་པའི་ཕ་རོལ་ཏུ་ཕྱིན་པ་ལ་བསླབ་པར་འདོད་པས། དགེ་བའི་བཤེས་གཉེན་གང་ཤེས་རབ་ཀྱི་ཕ་རོལ་ཏུ་ཕྱིན་པ་སྟོན་པ་དང་། བསམ་གཏན་གྱི་ཕ་རོལ་ཏུ་ཕྱིན་པ་དང་། བརྩོན་འགྲུས་ཀྱི་ཕ་རོལ་ཏུ་ཕྱིན་པ་དང་། བཟོད་པའི་ཕ་རོལ་ཏུ་ཕྱིན་པ་དང་། ཚུལ་[༢]ཁྲིམས་ཀྱི་ཕ་རོལ་ཏུ་ཕྱིན་པ་དང་། སྦྱིན་པའི་ཕ་རོལ་ཏུ་ཕྱིན་པ་སྟོན་པ་དེ་དག་ལ་བསྟེན་པར་བྱའོ་བསྙེན་བཀུར་བྱའོ་དེ་དག་དེ་ལ་ཤེས་རབ་ཀྱི་ཕ་རོལ་ཏུ་ཕྱིན་པ་འདི་ལྟར་སྟོན་ཏེ་ཚུར་རིགས་ཀྱི་བུ་སྦྱིན་པ་གང་དང་གང་སྦྱིན་པ་དེ་ཐམས་ཅད་བླ་ན་མེད་པ་ཡང་དག་པར་རྫོགས་པའི་བྱང་ཆུབ་ཏུ་ཡོངས་སུ་བསྔོས[༣]ཤིག །ཚུར་རིགས་ཀྱི་བུ་ཚུལ་ཁྲིམས་གང་དང་གང་སྲུང་བ་དང་། བཟོད་པ་གང་དང་གང་སྒྲུབ་པ་དང་། བརྩོན་འགྲུས་གང་དང་གང་རྩོམ་པ་དང་། བསམ་གཏན་གང་དང་གང་ལ་སྙོམས་པར་འཇུག་པ་དང་། ཤེས་རབ་གང་དང་གང་སྒོམ་པ་དེ་ཐམས་ཅད་བླ་ན་མེད་པ་ཡང་དག་པར་རྫོགས་པའི་བྱང་ཆུབ་ཏུ་ཡོངས་སུ་སྔོས[༤]ཤིག །རིགས་ཀྱི་བུ་ཁྱོད་བླ་ན་མེད་པ་ཡང་དག་པར་རྫོགས་པའི་བྱང་ཆུབ་གཟུགས་སུ་རྟོག་པར་མ་བྱེད་ཅིག །ཚོར་བ་དང་འདུ་ཤེས་དང་འདུ་བྱེད་དང་རྣམ་པར་ཤེས་པར་རྟོག་པར་མ་བྱེད་ཅིག །སྐྱེ་མཆེད་དང་ཁམས་དང་། རྟེན་ཅིང་འབྲེལ་བར་འབྱུང་བར་རྟོག་པར་མ་བྱེད་ཅིག །

རིགས་ཀྱི་བུ་ཁྱོད་བླ་ན་མེད་པ་ཡང་དག་པར་རྫོགས་པའི་བྱང་ཆུབ་སྦྱིན་པའི་ཕ་རོལ་ཏུ་ཕྱིན་པ་དང་། ཚུལ་ཁྲིམས་ཀྱི་ཕ་རོལ་ཏུ་ཕྱིན་པ་དང་། བཟོད་པའི་ཕ་རོལ་ཏུ་ཕྱིན་པ་དང་། བརྩོན་འགྲུས་ཀྱི་ཕ་རོལ་ཏུ་ཕྱིན་པ་དང་། བསམ་གཏན་གྱི་ཕ་རོལ་ཏུ་ཕྱིན་པ་དང་། ཤེས་རབ་ཀྱི་ཕ་རོལ་ཏུ་ཕྱིན་པར་རྟོག་པར་མ་བྱེད་ཅིག །རིགས་ཀྱི་བུ་ཁྱོད་བླ་ན་མེད་པ་ཡང་དག་པར་རྫོགས་པའི་བྱང་ཆུབ་ནང་སྟོང་པ་ཉིད་དུ་རྟོག་པར་མ་བྱེད་ཅིག །དངོས་པོ་མེད་པའི་ངོ་བོ་ཉིད་སྟོང་པ་ཉིད་ཀྱི་བར་དུ་རྟོག་པར་མ་བྱེད་ཅིག །རིགས་ཀྱི་བུ་ཁྱོད་བླ་ན་མེད་པ་ཡང་དག་པར་རྫོགས་པའི་བྱང་ཆུབ༔ དྲན་པ་[1]ཉེ་བར་གཞག་པ་རྣམས་སུ་རྟོག་པར་མ་བྱེད་ཅིག །ཡང་དག་པར་སྤོང་བ་རྣམས་དང་། རྫུ་འཕྲུལ་གྱི་རྐང་པ་རྣམས་དང་། དབང་པོ་རྣམས་དང་། སྟོབས་རྣམས་དང་། བྱང་ཆུབ་ཀྱི་ཡན་ལག་རྣམས་དང་། འཕགས་པའི་ལམ་ཡན་ལག་བརྒྱད་པ་དང་། འཕགས་པའི་བདེན་པ་རྣམས་དང་། བསམ་གཏན་རྣམས་དང་། ཚད་མེད་པ་རྣམས་དང་། གཟུགས་མེད་པའི་སྙོམས་པར་འཇུག་པ་རྣམས་དང་། རྣམ་པར་ཐར་པ་བརྒྱད་དང་། མཐར་གྱིས་གནས་པའི་སྙོམས་པར་འཇུག་པ་དགུ་དང་། རྣམ་པར་ཐར་པའི་སྒོ་སྟོང་པ་ཉིད་དང་། མཚན་མ་མེད་པ་དང་། སྨོན་པ་མེད་པ་དང་། མངོན་པར་ཤེས་པ་རྣམས་དང་། ཏིང་ངེ་འཛིན་རྣམས་དང་། གཟུངས་ཀྱི་སྒོ་རྣམས་དང་། དེ་བཞིན་གཤེགས་པའི་སྟོབས་བཅུ་དང་། མི་འཇིགས་པ་བཞི་དང་། སོ་སོ་ཡང་དག་པར་རིག་པ་བཞི་དང་། བྱམས་པ་ཆེན་པོ་དང་། སྙིང་རྗེ་ཆེན་པོ་དང་། སངས་རྒྱས་ཀྱི་ཆོས་མ་འདྲེས་པ་བཅོ་བརྒྱད་དུ་རྟོག་པར་མ་བྱེད་ཅིག །བླ་ན་མེད་པ་ཡང་དག་པར་རྫོགས་པའི་བྱང་ཆུབ་རྣམ་པ་ཐམས་ཅད་མཁྱེན་པ་ཉིད་ཀྱི་བར་དུ་རྟོག་པར་མ་བྱེད་ཅིག །དེ་ཅིའི་ཕྱིར་ཞེ་ན།

ཡོངས་སུ་མ་བཏགས་པའི་གཟུགས་ནི་རྣམ་པ་ཐམས་ཅད་མཁྱེན་པ་ཉིད་ཐོབ་པར་བྱེད་དོ། །ཡོངས་སུ་མ་བཏགས་པའི་ཚོར་བ་དང་། འདུ་ཤེས་དང་འདུ་བྱེད་དང་རྣམ་པར་ཤེས་པ་ནི་རྣམ་པ་ཐམས་ཅད་མཁྱེན་པ་ཉིད་ཐོབ་པར་བྱེད་དོ། །ཡོངས་སུ་མ་བཏགས་པའི་སྐྱེ་མཆེད་དང་། ཁམས་དང་རྟེན་ཅིང་འབྲེལ་བར་འབྱུང་བ་ནི། རྣམ་པ་ཐམས་ཅད་མཁྱེན་པ་ཉིད་ཐོབ་པར་བྱེད་དོ། །ཡོངས་སུ་མ་བཏགས་པའི་སྦྱིན་པའི་ཕ་རོལ་ཏུ་ཕྱིན་པ་ནི་རྣམ་པ་ཐམས་ཅད་མཁྱེན་པ་ཉིད་ཐོབ་པར་བྱེད་དོ། །ཡོངས་སུ་མ་བཏགས་པའི་ཚུལ་ཁྲིམས་ཀྱི་ཕ་རོལ་ཏུ་ཕྱིན་པ་དང་། བཟོད་པའི་ཕ་རོལ་ཏུ་ཕྱིན་པ་དང་། བརྩོན་འགྲུས་ཀྱི་ཕ་རོལ་ཏུ་ཕྱིན་པ་དང་། བསམ་གཏན་གྱི་ཕ་རོལ་ཏུ་ཕྱིན་པ་དང་། ཤེས་རབ་ཀྱི་ཕ་རོལ་ཏུ་ཕྱིན་པ་ནི་རྣམ་པ་ཐམས་ཅད་མཁྱེན་པ་ཉིད་ཐོབ་པར་བྱེད་དོ། །ཡོངས་སུ་མ་བཏགས་པའི་ནང་སྟོང་པ་ཉིད་ནི་རྣམ་པ་ཐམས་ཅད་མཁྱེན་པ་ཉིད་ཐོབ་པར་བྱེད་དོ། །ཡོངས་སུ་མ་བཏགས་པའི་དངོས་པོ་མེད་པའི་ངོ་བོ་ཉིད་སྟོང་པ་ཉིད་ཀྱི་བར་ནི་རྣམ་པ་ཐམས་ཅད་མཁྱེན་པ་ཉིད་ཐོབ་པར་བྱེད་དོ། །ཡོངས་སུ་མ་བཏགས་པའི་དྲན་པ་ཉེ་བར་གཞག་པ་རྣམས་ནི་རྣམ་པ་ཐམས་ཅད་མཁྱེན་པ་ཉིད་ཐོབ་པར་བྱེད་དོ། །ཡོངས་སུ་མ་བཏགས་པའི་ཡང་དག་པར་སྤོང་བ་རྣམས་དང་། རྫུ་འཕྲུལ་གྱི་རྐང་པ་རྣམས་དང་། དབང་པོ་རྣམས་དང་། སྟོབས་རྣམས་དང་། བྱང་ཆུབ་ཀྱི་ཡན་ལག་རྣམས་དང་། ལམ་རྣམས་ནི་རྣམ་པ་ཐམས་ཅད་མཁྱེན་པ་ཉིད་ཐོབ་པར་བྱེད་དོ། །ཡོངས་སུ་མ་བཏགས་པའི་འཕགས་པའི་བདེན་པ་རྣམས་དང་། བསམ་གཏན་རྣམས་དང་། ཚད་མེད་པ་རྣམས་དང་། གཟུགས་མེད་པའི་སྙོམས་པར་འཇུག་པ་རྣམས་དང་། རྣམ་པར་ཐར་པ་བརྒྱད་དང་། མཐར་གྱིས་གནས་པའི་སྙོམས་པར་འཇུག་པ་དགུ་དང་། རྣམ་པར་

ཐར་པའི་སྒོ་སྟོང་པ་ཉིད་དང་། མཚན་མ་མེད་པ་དང་། སྨོན་པ་མེད་པ་དང་།
མངོན་པར་ཤེས་པ་རྣམས་དང་། ཏིང་ངེ་འཛིན་རྣམས་དང་། གཟུངས་ཀྱི་སྒོ་
རྣམས་དང་། དེ་བཞིན་གཤེགས་པའི་སྟོབས་བཅུ་དང་། མི་འཇིགས་པ་བཞི་
དང་། སོ་སོ་ཡང་དག་པར་རིག་པ་བཞི་དང་། བྱམས་པ་ཆེན་པོ་དང་།
སྙིང་རྗེ་ཆེན་པོ་དང་། སངས་རྒྱས་ཀྱི་ཆོས་མ་འདྲེས་པ་བཅོ་བརྒྱད་ནི་རྣམ་པ···
ཐམས་ཅད་མཁྱེན་པ་ཉིད་ཐོབ་པར་བྱེད་དོ། །ཡོངས་སུ་མ་བཏགས་པའི་ལམ་གྱི་
རྣམ་པ་བྱེད[༧]པ་ཉིད་ཀྱི་བར་ནི་རྣམ[༣]པ་ཐམས་ཅད་མཁྱེན་པ་ཉིད་ཐོབ་པར་བྱེད་
དོ། །རིགས་ཀྱི་བུ་ཁྱོད་གཟུགས་ལ་འདོད་པ་མ་སྐྱེད་ཅིག །དེ་ཅིའི་ཕྱིར་ཞེ་ན།
རིགས་ཀྱི་བུ་འདོད་པ་མེད་པ་ནི་གཟུགས་སོ། །ཚོར་བ་དང་། འདུ་ཤེས་དང་།
འདུ་བྱེད་དང་། རྣམ་པར་ཤེས་པ་ལ་འདོད་པ་མ་སྐྱེད་ཅིག །དེ་ཅིའི་ཕྱིར་ཞེ་
ན། རིགས་ཀྱི་བུ་འདོད་པ་མེད་པ་ནི་རྣམ་པར་ཤེས་པའོ། །སྐྱེ་མཆེད་དང་།
ཁམས་དང་། རྟེན་ཅིང་འབྲེལ་བར་འབྱུང་བ་ལ་འདོད་པ་མ་སྐྱེད་ཅིག །དེ་
ཅིའི་ཕྱིར་ཞེ་ན། རིགས་ཀྱི་བུ་འདོད་པ་མེད་པ་ནི་རྟེན་ཅིང་འབྲེལ་བར་འབྱུང···
བའོ། །རིགས་ཀྱི་བུ་ཁྱོད་སྦྱིན་པའི་ཕ་རོལ་དུ་ཕྱིན་པ་ལ་འདོད་པ་མ་སྐྱེད་ཅིག །
དེ་ཅིའི་ཕྱིར་ཞེ་ན། རིགས་ཀྱི་བུ་འདོད་པ་མེད་པ་ནི་སྦྱིན་པའི་ཕ་རོལ་དུ་ཕྱིན···
པའོ། །ཚུལ་ཁྲིམས་ཀྱི་ཕ་རོལ་དུ་ཕྱིན་པ་དང་། བཟོད་པའི་ཕ་རོལ་དུ་ཕྱིན···
པ་དང་། བརྩོན་འགྲུས་ཀྱི་ཕ་རོལ་དུ་ཕྱིན་པ་དང་། བསམ་གཏན་གྱི་ཕ་རོལ་
དུ་ཕྱིན་པ་དང་། ཤེས་རབ་ཀྱི་ཕ་རོལ་དུ་ཕྱིན་པ་ལ་འདོད་པ་མ་སྐྱེད་ཅིག །དེ་
ཅིའི་ཕྱིར་ཞེ་ན། རིགས་ཀྱི་བུ་འདོད་པ་མེད་པ་ནི་ཤེས་རབ་ཀྱི་ཕ་རོལ་དུ་ཕྱིན···
པའོ། །ནང་སྟོང་པ་ཉིད་དང་། ཕྱི་སྟོང་པ་ཉིད་དང་། ཕྱི་ནང་སྟོང་པ་
ཉིད་དང་། དངོས་པོ་མེད་པའི་ངོ་བོ་ཉིད་སྟོང་པ་ཉིད་ཀྱི་བར་ལ་འདོད་པ་མ···

སྐྱེད་ཅིག །དེ་ཅིའི་ཕྱིར་ཞེ་ན། རིགས་ཀྱི་བུ་འདོད་པ་མེད་པ་ནི་དངོས་པོ་
མེད་པའི་ངོ་བོ་ཉིད་སྟོང་པ་ཉིད་དོ། །དྲན་པ་ཉེ་བར་གཞག་པ་རྣམས་དང་།
ཡང་དག་པར་སྤོང་བ་རྣམས་དང་། རྫུ་འཕྲུལ་གྱི་རྐང་པ་རྣམས་དང་། དབང་
པོ་རྣམས་དང་། སྟོབས་རྣམས་དང་། བྱང་ཆུབ་ཀྱི་ཡན་ལག་རྣམས་དང་།
ལམ་ལ་འདོད་པ་མ་སྐྱེད་ཅིག །དེ་ཅིའི་ཕྱིར་ཞེ་ན། རིགས་ཀྱི་བུ་འདོད་པ་
མེད་པ་ནི། འཕགས་པའི་ལམ་ཡན་ལག་བརྒྱད་པའོ། །འཕགས་པའི་བདེན་
པ་རྣམས་དང་། བསམ་གཏན་རྣམས་དང་། ཚད་མེད་པ་རྣམས་དང་།
གཟུགས་མེད་པའི་སྙོམས་པར་འཇུག་པ་རྣམས་དང་། རྣམ་པར་ཐར་པ་བརྒྱད་
དང་། མཐར་གྱིས་གནས་པའི་སྙོམས་པར་འཇུག་པ་དགུ་དང་། རྣམ་པར་
ཐར་པའི་སྒོ་སྟོང་པ་ཉིད་དང་། མཚན་མ་མེད་པ་དང་། སྨོན་པ་མེད་པ་དང་།
མངོན་པར་ཤེས་པ་རྣམས་དང་། ཏིང་ངེ་འཛིན་རྣམས་དང་། གཟུངས་ཀྱི་སྒོ་
རྣམས་དང་། དེ་བཞིན་གཤེགས་པའི་སྟོབས་བཅུ་དང་། མི་འཇིགས་པ་བཞི་
དང་། སོ་སོ་ཡང་དག་པར་རིག་པ་བཞི་དང་། བྱམས་པ་ཆེན་པོ་དང་།
སྙིང་རྗེ་ཆེན་པོ་དང་། སངས་རྒྱས་ཀྱི་ཆོས་མ་འདྲེས་པ་བཅོ་བརྒྱད་དང་།
རྣམ་པ་ཐམས་ཅད་མཁྱེན་པ་ཉིད་ཀྱི་བར་ལ་འདོད་པ་མ་སྐྱེད་ཅིག །དེ་ཅིའི་ཕྱིར་
ཞེ་ན། རིགས་ཀྱི་བུ་འདོད་པ་མེད་པ་ནི་རྣམ་པ་ཐམས་ཅད་མཁྱེན་པ་ཉིད་དོ། །
རིགས་ཀྱི་བུ་ཁྱོད་རྒྱུན་དུ་ཞུགས་པའི་འབྲས་བུ་ལ་འདོད་པ་མ་སྐྱེད་ཅིག །ལན་
ཅིག་ཕྱིར་འོང་བ་དང་། ཕྱིར་མི་འོང་བ་དང་། དགྲ་བཅོམ་པ་ཉིད་དང་།
རང་བྱང་ཆུབ་ལ་འདོད་པ་མ་སྐྱེད་ཅིག །བླ་ན་མེད་པ་ཡང་དག་པར་རྫོགས་པའི་
བྱང་ཆུབ་ལ་འདོད་པ་མ་སྐྱེད་ཅིག །དེ་ཅིའི་ཕྱིར་ཞེ་ན། རིགས་ཀྱི་བུ་འདོད་
པ་མེད་པ་ནི་[༡]བྱང་ཆུབ་བོ། །དེ་ཅིའི་ཕྱིར་ཞེ་ན། རིགས་ཀྱི་བུ་ཆོས་ཐམས་

ཅད་ནི་ངོ་བོ་ཉིད་ཀྱིས་སྟོང་ངོ་ཞེས་བྱ་བར་འགྱུར་རོ། །དེ་སྐད་ཅེས་བཀའ་སྩལ་པ་དང་། ཚེ་དང་ལྡན་པ་རབ་འབྱོར་གྱིས། བཅོམ་ལྡན་འདས་ལ་འདི་སྐད་ཅེས་གསོལ་ཏོ། །བཅོམ་ལྡན་འདས་དེ་ལྟར་ཆོས་རྣམས་རང་གི་མཚན་ཉིད་ཀྱིས་སྟོང་པ་ལ་བྱང་ཆུབ་སེམས་དཔའ་སེམས་དཔའ་ཆེན་པོ་རྣམས་བླ་ན་མེད་པ་ཡང་དག་པར་རྫོགས་པའི་བྱང་ཆུབ་ཏུ་སྨོན་ཅིང་། བླ་ན་མེད་པ་ཡང་དག་པར་རྫོགས་པའི་བྱང་ཆུབ་ཏུ་མངོན་པར་རྫོགས་པར་འཚང་རྒྱ་བར་འཚལ་བ་ནི་དཀའ་བ་བགྱིད་པའོ། །བཅོམ་ལྡན་འདས་ཀྱིས་བཀའ་སྩལ་པ། རབ་འབྱོར་དེ་དེ་བཞིན་ནོ། །དེ་དེ་བཞིན་ཏེ། རབ་འབྱོར་དེ་ལྟར་ཆོས་རྣམས་རང་གི་མཚན་ཉིད་ཀྱིས་སྟོང་པ་ལ། བྱང་ཆུབ་སེམས་དཔའ་སེམས་དཔའ་ཆེན་པོ་རྣམས་བླ་ན་མེད་པ་ཡང་དག་པར་རྫོགས་པའི་བྱང་ཆུབ་ཏུ་སྨོན་ཅིང་། བླ་ན་མེད་པ་ཡང་དག་པར་རྫོགས་པའི་བྱང་ཆུབ་ཏུ་འདོད་པ་ནི་དཀའ་བ་བྱེད་པའོ། །རབ་འབྱོར་འོན་ཀྱང་བྱང་ཆུབ་སེམས་དཔའ་སེམས་དཔའ་ཆེན་པོ་རྣམས་ནི་ཆོས་ཐམས་ཅད་སྒྱུ་མ་ལྟ་བུ་དང་རྨི་ལམ་ལྟ་བུར་རིག་ནས་བླ་ན་མེད་པ་ཡང་དག་པར་རྫོགས་པའི་བྱང་ཆུབ་ཏུ་ཡང་དག་པར་ཞུགས་པ་སྟེ། བྱང་ཆུབ་སེམས་དཔའ་སེམས་དཔའ་ཆེན་པོ་རྣམས་ནི་འཇིག་རྟེན་གྱི་དོན་དང་། ཕན་པ་དང་བདེ་བའི་ཕྱིར། བླ་ན་མེད་པ་ཡང་དག་པར་རྫོགས་པའི་བྱང་ཆུབ་ཏུ་ཡང་དག་པར་ཞུགས་སོ། །འཇིག་རྟེན་གྱི་མགོན་དུ་འགྱུར་བར་བྱའོ། །ཞེས་བླ་ན་མེད་པ་ཡང་དག་པར་རྫོགས་པའི་བྱང་ཆུབ་ཏུ་ཡང་དག་པར་ཞུགས་སོ། །འཇིག་རྟེན་གྱི་སྐྱབས་སུ་འགྱུར་བར་བྱའོ། །ཞེས་བླ་ན་མེད་པ་ཡང་དག་པར་རྫོགས་པའི་བྱང་ཆུབ་ཏུ་ཡང་དག་པར་ཞུགས་སོ། །འཇིག་རྟེན་གྱི་རྟེན་དུ་འགྱུར་བར་བྱའོ། །ཞེས་བླ་ན་མེད་པ་ཡང་དག་པར་རྫོགས་པའི་བྱང་ཆུབ་ཏུ་ཡང་དག་པར་ཞུགས་སོ། །འཇིག་

རྟེན་གྱི་དཔུང་གཉེན་དུ་འགྱུར་བར་བྱའོ་ཞེས་བླ་ན་མེད་པ་ཡང་དག་པར་རྫོགས་པའི་བྱང་ཆུབ་ཏུ་ཡང་དག་པར་ཞུགས་སོ། །འཇིག་རྟེན་གྱི་གླིང་དུ་འགྱུར་བར་བྱའོ་ཞེས་བླ་ན་མེད་པ་ཡང་དག་པར་རྫོགས་པའི་བྱང་ཆུབ་ཏུ་ཡང་དག་པར་ཞུགས་སོ། །འཇིག་རྟེན་གྱི་སྣང་བར་འགྱུར་བར་བྱའོ་ཞེས་བླ་ན་མེད་པ་ཡང་དག་པར་རྫོགས་པའི་བྱང་ཆུབ་ཏུ་ཡང་དག་པར་ཞུགས་སོ། །འཇིག་རྟེན་གྱི་སྒྲོན་མ་འཛིན་ཅིང་འོད་འབྱིན་པ་དང་། དེད་དཔོན་དང་ཡོངས་སུ་འདྲེན་པར་འགྱུར་བར་བྱའོ་ཞེས་བླ་ན་མེད་པ་ཡང་དག་པར་རྫོགས་པའི་བྱང་ཆུབ་ཏུ་ཡང་དག་པར་ཞུགས་སོ། །འཇིག་རྟེན་གྱི་ལམ་དུ་འགྱུར་བར་བྱའོ་ཞེས་བླ་ན་མེད་པ་ཡང་དག་པར་རྫོགས་པའི་བྱང་ཆུབ་ཏུ་ཡང་དག་པར་ཞུགས་སོ། །རབ་འབྱོར་ཇི་ལྟར་ན་བྱང་ཆུབ་སེམས་དཔའ་སེམས་དཔའ་ཆེན་པོ་བླ་ན་མེད་པ་ཡང་དག་པར་རྫོགས་པའི་བྱང་ཆུབ་ཏུ་མངོན་པར་རྫོགས་པར་འཚང་རྒྱ་བར་འདོད་ཅིང་། འཇིག་རྟེན་གྱི་དོན་གྱི་ཕྱིར་ཡང་དག་པར་ཞུགས་པ་ཡིན་ཞེ་ན། རབ་འབྱོར་འདི་ལ་བྱང་ཆུབ་སེམས་དཔའ་སེམས་དཔའ་ཆེན་པོ་སྦྱིན་པ་ཅི་གཏོང་བ་དེ་ཐམས་ཅད་ཀྱང་སེམས་ཅན་རྣམས་ཀྱི་སྡུག་བསྔལ་ཡོངས་སུ་དགྲོལ་བའི་ཕྱིར་རོ། །ཚུལ་ཁྲིམས་ཅི་སྲུང་བ་དང་། བཟོད་པ་ཅི་སྒོམ་པ་དང་། བརྩོན་འགྲུས་ཅི་རྩོམ་པ་དང་། གང་བསམ་གཏན་ལ་མཉམ་པར་གཞོག་པ་དང་། ཤེས་རབ་ཅི་སྒོམ་པ་དེ་ཐམས་ཅད་ཀྱང་སེམས་ཅན་རྣམས་ཀྱི་སྡུག་བསྔལ་ཡོངས་སུ་དགྲོལ་བའི་ཕྱིར་ཏེ། རབ་འབྱོར་དེ་ལྟར་ན་བྱང་ཆུབ་སེམས་དཔའ་སེམས་དཔའ་ཆེན་པོ་བླ་ན་མེད་པ་ཡང་དག་པར་རྫོགས་པའི་བྱང་ཆུབ་ཏུ་མངོན་པར་རྫོགས་པར་འཚང་རྒྱ་བར་འདོད་ཅིང་། འཇིག་རྟེན་གྱི་དོན་གྱི་ཕྱིར་ཡང་དག་པར་ཞུགས་པ་ཡིན་ནོ། །རབ་འབྱོར་ཇི་ལྟར་ན་བྱང་ཆུབ་སེམས་དཔའ་སེམས་དཔའ་ཆེན་པོ་འཇིག་རྟེན་ལ་ཕན་པའི་ཕྱིར་ཡང་

དག་པར་ཞུགས་པ་ཡིན་ཞེ་ན། རབ་འབྱོར་འདི་ལ་བྱང་ཆུབ་སེམས་དཔའ་སེམས་དཔའ་ཆེན་པོ་སེམས་ཅན་རྣམས་འགྲོ་བའི་རྒྱུད་ལྔ་ནས་ཡོངས་སུ་བཏོན་ཅིང་མི་འཇིགས་པའི་ཐང་བདེ་བ་མྱ་ངན་ལས་འདས་པ་ལ་རབ་ཏུ་འགོད་དེ། རབ་འབྱོར་དེ་ལྟར་ན་བྱང་ཆུབ་སེམས་དཔའ་སེམས་དཔའ་ཆེན་པོ་བླ་ན་མེད་པ་ཡང་དག་པར་རྫོགས་པའི་བྱང་ཆུབ་ཏུ་མངོན་པར་རྫོགས་པར་འཚང་རྒྱ་བར་འདོད་[༡]ཅིང་། འཇིག་རྟེན་ལ་ཕན་པའི་ཕྱིར་ཡང་དག་པར་ཞུགས་པ་ཡིན་ནོ། ། རབ་འབྱོར་ཇི་ལྟར་ན་བྱང་ཆུབ་སེམས་དཔའ་སེམས་དཔའ་ཆེན་པོ་འཇིག་རྟེན་ལ་བདེ་བའི་ཕྱིར་ཡང་དག་པར་ཞུགས་པ་ཡིན་ཞེ་ན། རབ་འབྱོར་འདི་ལ་བྱང་ཆུབ་སེམས་དཔའ་སེམས་དཔའ་ཆེན་པོ་བླ་ན་མེད་པ་ཡང་དག་པར་རྫོགས་པའི་བྱང་ཆུབ་ཏུ་མངོན་པར་རྫོགས་པར་འཚང་རྒྱ་བར་འདོད་པས། སེམས་ཅན་རྣམས་སྡུག་བསྔལ་བ་དང་། ཡིད་མི་བདེ་བ་དང་། འཁྲུག་པ་རྣམས་ལས་ཡོངས་སུ་བཀྲོལ་ཞིང་མི་འཇིགས་པའི་ཐང་[༢]བདེ་བ་མྱ་ངན་ལས་འདས་པ་ལ་རབ་ཏུ་འགོད་དེ[༣]༔། རབ་འབྱོར་དེ་ལྟར་ན་བྱང་ཆུབ་སེམས་དཔའ་སེམས་དཔའ་ཆེན་པོ་བླ་ན་མེད་པ་ཡང་དག་པར་རྫོགས་པའི་བྱང་ཆུབ་ཏུ་མངོན་པར་རྫོགས་པར་འཚང་རྒྱ་བར་འདོད་ཅིང་། འཇིག་རྟེན་ལ་བདེ་བའི་ཕྱིར་ཡང་དག་པར་ཞུགས་པ་ཡིན་ནོ།། རབ་འབྱོར་ཇི་ལྟར་ན་བྱང་ཆུབ་སེམས་དཔའ་སེམས་དཔའ་ཆེན་པོ་བླ་ན་མེད་པ་ཡང་དག་པར་རྫོགས་པའི་བྱང་ཆུབ་ཏུ་མངོན་པར་རྫོགས་པར་འཚང་རྒྱ་བར་འདོད་ཅིང་། འཇིག་རྟེན་གྱི་མགོན་བྱེད་པ་ཡིན་ཞེ་ན། རབ་འབྱོར་འདི་ལ་བྱང་ཆུབ་སེམས་དཔའ་སེམས་དཔའ་ཆེན་པོ་བླ་ན་མེད་པ་ཡང་དག་པར་རྫོགས་པའི་བྱང་ཆུབ་ཏུ་མངོན་པར་རྫོགས་པར་འཚང་རྒྱ་བར་འདོད་པ། འཁོར་བ་ན་ཡོད་པའི་སྡུག་བསྔལ་གང་ཅི་ཡང་རུང་སྟེ། དེ་དག་ལས་སེམས་ཅན་རྣམས་

ཡོངས་སུ་སྐྱོབ་[1]ཅིང་དེ་དག་སྤོང་[2]བའི་ཕྱིར་ཆོས་སྟོན་ཏེ[3]། སེམས་ཅན་དེ་དག་ཀྱང་ཆོས་དེ་ཐོས་ནས༔ རིམ་གྱིས་[4]ཐེག་པ་གསུམ་གྱིས་ཡོངས་སུ་མྱ་ངན་ལས་འདའ་བར་འགྱུར་ཏེ། རབ་འབྱོར་དེ་ལྟར་ན་བྱང་ཆུབ་སེམས་དཔའ་སེམས་དཔའ་ཆེན་པོ་བླ་ན་མེད་པ་ཡང་དག་པར་རྫོགས་པའི་བྱང་ཆུབ་ཏུ་མངོན་པར་རྫོགས་པར་འཚང་རྒྱ་བར་འདོད་པས། འཇིག་རྟེན་གྱི་མགོན་བྱེད་པ་ཡིན་ནོ།། ||

ཤེས་རབ་ཀྱི་[5]ཕ་རོལ་ཏུ་ཕྱིན་པ་སྟོང་ཕྲག་ཉི་ཤུ་ལྔ་པ། བམ་པོ་བཞི་བཅུ་བརྒྱད་པ། རབ་འབྱོར་ཇི་ལྟར་ན་བྱང་ཆུབ་སེམས་དཔའ་སེམས་དཔའ་ཆེན་པོ་བླ་ན་མེད་པ་ཡང་དག་པར་རྫོགས་པའི་བྱང་ཆུབ་ཏུ་མངོན་པར་རྫོགས་པར་འཚང་རྒྱ་བར་འདོད་པ། འཇིག་རྟེན་གྱི་སྐྱབས་སུ་གྱུར་པ་ཡིན་ཞེ་ན། རབ་འབྱོར་འདི་ལ་བྱང་ཆུབ་སེམས་དཔའ་སེམས་དཔའ་ཆེན་པོ་བླ་ན་མེད་པ་ཡང་དག་པར་རྫོགས་པའི་བྱང་ཆུབ་ཏུ་མངོན་པར་རྫོགས་པར་འཚང་རྒྱ་བར་འདོད་པ། སེམས་ཅན་སྐྱེ་བའི་ཆོས་ཅན་དང་། སེམས་ཅན་རྒ་[6]བའི་ཆོས་ཅན་དང་། སེམས་ཅན་ན་བའི་ཆོས་ཅན་དང་། སེམས་ཅན་འཆི་བའི་ཆོས་ཅན་དང་། སེམས་ཅན་མྱ་ངན་དང་། སྨྲེ་སྔགས་འདོན་པ་དང་། སྡུག་བསྔལ་བ་དང་། ཡིད་མི་བདེ་བ་དང་། འཁྲུག་པའི་ཆོས་ཅན་རྣམས་སྐྱེ་བ་དང་། རྒ་[7]བ་དང་། ན་བ་དང་། འཆི་བ་དང་། མྱ་ངན་དང་། སྨྲེ་སྔགས་འདོན་པ་དང་། སྡུག་བསྔལ་བ་དང་ཡིད་མི་བདེ་བ་དང་། འཁྲུག་[8]པ་ལས་ཡོངས་སུ་བཀྲོལ་ཞིང་ཕུང་པོ་མ་ལུས་པའི་མྱ་ངན་ལས་འདས་པའི་དབྱིངས་སུ་ཡོངས་སུ་མྱ་ངན་ལས་བཟློ་སྟེ། རབ་འབྱོར་དེ་ལྟར་ན་བྱང་ཆུབ་སེམས་དཔའ་སེམས་དཔའ་ཆེན་པོ་བླ་ན་མེད་པ་ཡང་དག་པར་རྫོགས་པའི་བྱང་ཆུབ་ཏུ་མངོན་པར་རྫོགས་པར་འཚང་རྒྱ་བར་འདོད་པ། འཇིག་རྟེན་གྱི་སྐྱབས་སུ་གྱུར་པ་ཡིན་ནོ། །རབ་འབྱོར་ཇི་ལྟར་ན

བྱང་ཆུབ་སེམས་དཔའ་སེམས་དཔའ་ཆེན་པོ་བླ་ན་མེད་པ་ཡང་དག་པར་རྫོགས་པའི་བྱང་ཆུབ་ཏུ་མངོན་པར་རྫོགས་པར་འཚང་རྒྱ་བར་འདོད་པས། སེམས་ཅན་རྣམས་ཀྱི་རྟེན་དུ་གྱུར་པ་ཡིན་ཞེ་ན། རབ་འབྱོར་འདི་ལ་བྱང་ཆུབ་སེམས་དཔའ་སེམས་དཔའ་ཆེན་པོ་བླ་ན་མེད་པ་ཡང་དག་པར་རྫོགས་པའི་བྱང་ཆུབ་ཏུ་མངོན་པར་རྫོགས་པར་འཚང་རྒྱ་བར་འདོད་པས། ཆོས་ཐམས་ཅད་འདྲེ་བ་མེད་པར་ཆོས་སྟོན་ཏེ⑦། རབ་འབྱོར་དེ་ལྟར་ན་བྱང་ཆུབ་སེམས་དཔའ་སེམས་དཔའ་ཆེན་པོ་བླ་ན་མེད་པ་ཡང་དག་པར་རྫོགས་པའི་བྱང་ཆུབ་ཏུ་མངོན་པར་རྫོགས་པར་འཚང་རྒྱ་བར་འདོད་པ། སེམས་ཅན་རྣམས་ཀྱི་རྟེན་དུ་གྱུར་པ་ཡིན་ནོ། །གསོལ་པ། བཅོམ་ལྡན་འདས་ཇི་ལྟར་ན་ཆོས་ཐམས་ཅད་འདྲེ་བ་མ་མཆིས་པ་ལགས༑ བཅོམ་ལྡན་འདས་ཀྱིས་བཀའ་སྩལ་པ། རབ་འབྱོར་གཟུགས་ཀྱི་འདྲེ་བ་མེད་པ་གང་ཡིན་པ་དེ་ནི། གཟུགས་ཀྱི་འབྲེལ་པ་མེད་པའོ། །གཟུགས་ཀྱི་འབྲེལ་པ་མེད་པ་གང་ཡིན་པ་དེ་ནི། གཟུགས་ཀྱི་སྐྱེ་བ་མེད་པའོ། །གཟུགས་ཀྱི་སྐྱེ་བ་མེད་པ་གང་ཡིན་པ་དེ་ནི། གཟུགས་ཀྱི་འགག་པ་མེད་པའོ། །གཟུགས་ཀྱི་འགག་པ་མེད་པ་གང་ཡིན་པ་དེ་ནི། གཟུགས་ཀྱི་འདྲེ་བ་མེད་པའོ། །ཚོར་བ་དང་འདུ་ཤེས་དང་འདུ་བྱེད་དང་། རྣམ་པར་ཤེས་པའི་འདྲེ་བ་མེད་པ་གང་ཡིན་པ་དེ་ནི་རྣམ་པར་ཤེས་པའི་འབྲེལ་བ་མེད་པའོ། །རྣམ་པར་ཤེས་པའི་འབྲེལ་པ་མེད་པ་གང་ཡིན་པ་དེ་ནི་རྣམ་པར་ཤེས་པའི་སྐྱེ་བ་མེད་པའོ། །རྣམ་པར་ཤེས་པའི་སྐྱེ་བ་མེད་པ་གང་ཡིན་པ་དེ་ནི་རྣམ་པར་ཤེས་པའི་འགག་པ་མེད་པའོ༑ །རྣམ་པར་ཤེས་པའི་འགག་པ་མེད་པ་གང་ཡིན་པ་དེ་ནི་རྣམ་པར་ཤེས་པའི་འདྲེ་བ་མེད་པའོ། །སྐྱེ་མཆེད་དང་། ཁམས་དང་རྟེན་ཅིང་འབྲེལ་བར་འབྱུང་བ་དང་། ཕ་རོལ་ཏུ་ཕྱིན་པ་ཐམས་ཅད་དང་། སྟོང་པ་ཉིད་ཐམས་

ཅད་དང་། བྱང་ཆུབ་ཀྱི་ཕྱོགས་ཀྱི་ཆོས་སུམ་ཅུ་རྩ་བདུན་དང་། འཕགས་པའི་བདེན་པ་བཞི་དང་། བསམ་གཏན་བཞི་དང་། ཚད་མེད་པ་བཞི་དང་། གཟུགས་མེད་པའི་སྙོམས་པར་འཇུག་པ་བཞི་དང་། རྣམ་པར་ཐར་པ་བརྒྱད་དང་། མཐར་གྱིས་གནས་པའི་སྙོམས་པར་འཇུག་པ་དགུ་དང་། རྣམ་པར་ཐར་པའི་སྒོ་སྟོང་པ་ཉིད་དང་། མཚན་མ་མེད་པ་དང་། སྨོན་པ་མེད་པ་དང་། མངོན་པར་ཤེས་པ་རྣམས་དང་། ཏིང་ངེ་འཛིན་རྣམས་དང་། གཟུངས་ཀྱི་སྒོ་རྣམས་དང་། དེ་བཞིན་གཤེགས་པའི་སྟོབས་བཅུ་དང་། མི་འཇིགས་པ་བཞི་དང་། སོ་སོ་ཡང་དག་པར་རིག་པ་བཞི་དང་། བྱམས་པ་ཆེན་པོ་དང་། སྙིང་རྗེ་ཆེན་པོ་དང་། སངས་རྒྱས་ཀྱི་ཆོས་མ་འདྲེས་པ་བཅོ་བརྒྱད་དང་། རྣམ་པ་ཐམས་ཅད་མཁྱེན་པ་ཉིད་ཀྱི་བར་གྱི་འདྲེ་བ་མེད་པ་གང་ཡིན་པ་དེ་ནི། རྣམ་པ་ཐམས་ཅད་མཁྱེན་པ་ཉིད་ཀྱི་འབྲེལ་པ་མེད་པའོ། །རྣམ་པ་ཐམས་ཅད་མཁྱེན་པ་ཉིད་ཀྱི་འབྲེལ་པ་མེད་པ་གང་ཡིན་པ་དེ་ནི། རྣམ་པ་ཐམས་ཅད་མཁྱེན་པ་ཉིད་ཀྱི་སྐྱེ་བ་མེད་པའོ། །རྣམ་པ་ཐམས་ཅད་མཁྱེན་པ་ཉིད་ཀྱི་སྐྱེ་བ་མེད་པ་གང་ཡིན་པ་དེ་ནི། རྣམ་པ་ཐམས་ཅད་མཁྱེན་པ་ཉིད་ཀྱི་འགག་པ་མེད་པའོ། །རྣམ་པ་ཐམས་ཅད་མཁྱེན་པ་ཉིད་ཀྱི་འགག་པ་མེད་པ་གང་ཡིན་པ་དེ་ནི་རྣམ་པ་ཐམས་ཅད་མཁྱེན་པ་ཉིད་ཀྱི་འདྲེ་བ་མེད་པའོ། །རབ་འབྱོར་དེ་ལྟར་བྱང་ཆུབ་སེམས་དཔའ་སེམས་དཔའ་ཆེན་པོ་བླ་ན་མེད་པ་ཡང་དག་པར་རྫོགས་པའི་བྱང་ཆུབ་ཏུ་མངོན་པར་རྫོགས་པར་འཚང་རྒྱ་བར་འདོད་པ། ཆོས་ཐམས་ཅད་འདྲེ་བ་མེད་པར་ཆོས་སྟོན་ཏོ། །རབ་འབྱོར་ཇི་ལྟར་ན་བྱང་ཆུབ་སེམས་དཔའ་སེམས་དཔའ་ཆེན་པོ་བླ་ན་མེད་པ་ཡང་དག་པར་རྫོགས་པའི་བྱང་ཆུབ་[7]མངོན་པར་རྫོགས་པར་འཚང་རྒྱ་བར་འདོད་པ། སེམས་ཅན་རྣམས་ཀྱི་དཔུང་གཉེན་[3]དུ

གྱུར་པ་ཡིན་ཞེ་ན། རབ་འབྱོར་འདི་ལ་བྱང་ཆུབ་སེམས་དཔའ་སེམས་དཔའ་ཆེན་པོ་བླ་ན་མེད་པ་ཡང་དག་པར་རྫོགས་པའི་བྱང་ཆུབ་ཏུ་མངོན་པར་རྫོགས་པར་སངས་རྒྱས་ནས། སེམས་ཅན་རྣམས་ལ་འདི་ལྟར་ཆོས་སྟོན་ཏེ། གཟུགས་ཀྱི་ཕ་རོལ་གང་ཡིན་པ་དེ་ནི། གཟུགས་མ་ཡིན་ནོ། །ཚོར་བ་དང་འདུ་ཤེས་དང་འདུ་བྱེད་དང་། རྣམ་པར་ཤེས་པའི་ཕ་རོལ་གང་ཡིན་པ་དེ་ནི། རྣམ་པར་ཤེས་པ་མ་ཡིན་ནོ། །སྐྱེ་མཆེད་དང་། ཁམས་དང་། རྟེན་ཅིང་འབྲེལ་བར་འབྱུང་བའི་ཕ་རོལ་གང་ཡིན་པ་དེ་ནི། རྟེན་ཅིང་འབྲེལ་པར་འབྱུང་བ་མ་ཡིན་ནོ།། ཕ་རོལ་དུ་ཕྱིན་པ་ཐམས་ཅད་ཀྱི་ཕ་རོལ་གང་ཡིན་པ་དེ་ནི། ཕ་རོལ་དུ་ཕྱིན་པ་མ་ཡིན་ནོ། །སྟོང་པ་ཉིད་ཐམས་ཅད་ཀྱི་ཕ་རོལ་གང་ཡིན་པ་དེ་ནི། སྟོང་པ་ཉིད་མ་ཡིན་ནོ། །བྱང་ཆུབ་ཀྱི་ཕྱོགས་ཀྱི་ཆོས་སུམ་ཅུ་རྩ་བདུན་གྱི་ཕ་རོལ་གང་ཡིན་པ་དེ་ནི། བྱང་ཆུབ་ཀྱི་ཕྱོགས་ཀྱི་ཆོས་མ་ཡིན་ནོ། །འཕགས་པའི་བདེན་པ་རྣམས་དང་། བསམ་གཏན་རྣམས་དང་། ཚད་མེད་པ་རྣམས་དང་། གཟུགས་མེད་པའི་སྙོམས་པར་འཇུག་པ་རྣམས་དང་། རྣམ་པར་ཐར་པ་བརྒྱད་དང་། མཐར་གྱིས་གནས་པའི་སྙོམས་པར་འཇུག་པ་དགུ་དང་། རྣམ་པར་ཐར་པའི་སྒོ་སྟོང་པ་ཉིད་དང་། མཚན་མ་མེད་པ་དང་། སྨོན་པ་མེད་པ་དང་། མངོན་པར་ཤེས་པ་རྣམས་དང་། ཏིང་ངེ་འཛིན་རྣམས་དང་། གཟུངས་ཀྱི་སྒོ་རྣམས་དང་། དེ་བཞིན་གཤེགས་པའི་སྟོབས་བཅུ་དང་། མི་འཇིགས་པ་བཞི་དང་། སོ་སོ་ཡང་དག་པར་རིག་པ་བཞི་དང་། བྱམས་པ་ཆེན་པོ་དང་། སྙིང་རྗེ་ཆེན་པོ་དང་། སངས་རྒྱས་ཀྱི་ཆོས་མ་འདྲེས་པ་བཅོ་བརྒྱད་ཀྱི་ཕ་རོལ་གང་ཡིན་པ་དེ་ནི༑ སངས་རྒྱས་ཀྱི་ཆོས་མ་འདྲེས་པ་མ་ཡིན་ནོ། །རྣམ་པ་ཐམས་ཅད་མཁྱེན་པ་ཉིད་ཀྱི་བར་གྱི་ཕ་རོལ་གང་ཡིན་པ་དེ་ནི། རྣམ་པ་ཐམས་ཅད་མཁྱེན་པ་ཉིད་

མ་ཡིན་ནོ། །རབ་འབྱོར་གཟུགས་ཇི་ལྟ་བར་ཆོས་ཐམས་ཅད་ཀྱང་དེ་བཞིན་ནོ། །གསོལ་པ། བཅོམ་ལྡན་འདས་ཀྱིས་གཟུགས་ཇི་ལྟ་བར་ཆོས་ཐམས་ཅད་ཀྱང་དེ་བཞིན་ནོ། །ཞེས་བཀའ་སྩལ་ན། བཅོམ་ལྡན་འདས་དེ་ལྟ་ལགས་ན་ནི། བྱང་ཆུབ་སེམས་དཔའ་སེམས་དཔའ་ཆེན་པོས་ཆོས་ཐམས་ཅད་མངོན་པར་རྫོགས་པར་སངས་རྒྱས་པར་འགྱུར་རོ། །དེ་ཅིའི་སླད་དུ་ཞེ་ན། བཅོམ་ལྡན་འདས་གཟུགས་ཀྱི་ཕ་རོལ་ན་རྣམ་པར་རྟོག་པ་གང་ཡང་མ་མཆིས་སོ། །ཚོར་བ་དང་འདུ་ཤེས་དང་འདུ་བྱེད་དང་། རྣམ་པར་ཤེས་པའི་ཕ་རོལ་ན་རྣམ་པར་རྟོག་པ་གང་ཡང་མ་མཆིས་སོ། །སྐྱེ་མཆེད་དང་ཁམས་དང་། རྟེན་ཅིང་འབྲེལ་བར་འབྱུང་བའི་ཕ་རོལ་ན་རྣམ་པར་རྟོག་པ་གང་ཡང་མ་མཆིས་སོ། །ཕ་རོལ་ཏུ་ཕྱིན་པ་ཐམས་ཅད་དང་སྟོང་པ་ཉིད་ཐམས་ཅད་དང་། བྱང་ཆུབ་ཀྱི་ཕྱོགས་ཀྱི་ཆོས་སུམ་ཅུ་རྩ་བདུན་དང་། འཕགས་པའི་བདེན་པ་རྣམས་དང་། བསམ་གཏན་རྣམས་དང་། ཚད་མེད་པ་རྣམས་དང་། གཟུགས་མེད་པའི་སྙོམས་པར་འཇུག་པ་རྣམས་དང་། རྣམ་པར་ཐར་པ་བརྒྱད་དང་། མཐར་གྱིས་གནས་པའི་སྙོམས་པར་འཇུག་པ་དགུ་དང་། རྣམ་པར་ཐར་པའི་སྒོ་སྟོང་པ་ཉིད་དང་། མཚན་མ་མེད་པ་དང་། སྨོན་པ་མེད་པ་དང་། མངོན་པར་ཤེས་པ་རྣམས་དང་། ཏིང་ངེ་འཛིན་རྣམས་དང་། གཟུངས་ཀྱི་སྒོ་རྣམས་དང་། དེ་བཞིན་གཤེགས་པའི་སྟོབས་བཅུ་དང་། མི་འཇིགས་པ་བཞི་དང་། སོ་སོ་ཡང་དག་པར་རིག་པ་བཞི་དང་། བྱམས་པ་ཆེན་པོ་དང་། སྙིང་རྗེ་ཆེན་པོ་དང་། སངས་རྒྱས་ཀྱི་ཆོས་མ་འདྲེས་པ་བཅོ་བརྒྱད་ཀྱི་ཕ་རོལ་ན་རྣམ་པར་རྟོག་པ་གང་ཡང་མ་མཆིས་སོ། །རྣམ་པ་ཐམས་ཅད་མཁྱེན་པ་ཉིད་ཀྱི་བར་གྱི་ཕ་རོལ་ན་རྣམ་པར་རྟོག་པ་གང་ཡང་མ་མཆིས་སྟེ[7]། འདི་ནི་གཟུགས་སོ། །འདི་ནི་ཚོར་བའོ།།

འདི་ནི་འདུ་ཤེས་སོ། །འདི་ནི་འདུ་བྱེད་དོ། །འདི་ནི་རྣམ་པར་ཤེས་པའོ། །འདི་ནི་སྐྱེ་མཆེད་དོ། །འདི་ནི་ཁམས་སོ། །འདི་ནི་རྟེན་ཅིང་འབྲེལ་བར་འབྱུང་བའོ། །འདི་ནི་ཕ་རོལ་ཏུ་ཕྱིན་པ་ཐམས་ཅད་དོ། །འདི་ནི་སྟོང་པ་ཉིད་ཐམས་ཅད་དོ། །འདི་ནི་བྱང་ཆུབ་ཀྱི་ཕྱོགས་ཀྱི་ཆོས་སུམ་ཅུ་རྩ་བདུན་ནོ། །འདི་ནི་འཕགས་པའི་བདེན་པ་རྣམས་སོ། །འདི་ནི་བསམ་གཏན་རྣམས་སོ། །འདི་ནི་ཚད་མེད་པ་རྣམས་སོ། །འདི་ནི་གཟུགས་མེད་པའི་སྙོམས་པར་འཇུག་པ་རྣམས་སོ། །འདི་ནི་རྣམ་པར་ཐར་པ་བརྒྱད་དོ། །འདི་ནི་མཐར་གྱིས་གནས་པའི་སྙོམས་པར་འཇུག་པ་དགུའོ། །འདི་ནི་རྣམ་པར་ཐར་པའི་སྒོ་སྟོང་པ་ཉིད་དང་། མཚན་མ་མེད་པ་དང་། སྨོན་པ་མེད་པའོ། །འདི་ནི་མངོན་པར་ཤེས་པ་རྣམས་སོ། །འདི་ནི་ཏིང་ངེ་འཛིན་རྣམས་སོ། །འདི་ནི་གཟུངས་ཀྱི་སྒོ་རྣམས་སོ། །འདི་ནི་དེ་བཞིན་གཤེགས་པའི་སྟོབས་བཅུའོ། །འདི་ནི་མི་འཇིགས་པ་བཞིའོ། །འདི་ནི་སོ་སོ་ཡང་དག་པར་རིག་པ་བཞིའོ། །འདི་ནི་བྱམས་པ་ཆེན་པོའོ། །འདི་ནི་སྙིང་རྗེ་ཆེན་པོའོ། །འདི་ནི་སངས་རྒྱས་ཀྱི་ཆོས་མ་འདྲེས་པ་བཅོ་བརྒྱད་དོ། །འདི་ནི་རྣམ་པ་ཐམས་ཅད་མཁྱེན་པ་ཉིད་ཀྱི་བར་རོ་ཞེས་བགྱི་བའི་[7]རྣམ་པར་རྟོག་པ་གང་ཡང་མ་མཆིས་སོ། །བཅོམ་ལྡན་འདས་ཀྱིས་བཀའ་སྩལ་པ། རབ་འབྱོར་དེ་དེ་བཞིན་ནོ། །དེ་དེ་བཞིན་ཏེ། གཟུགས་ཀྱི་ཕ་རོལ་ན་རྣམ་པར་རྟོག་པ་གང་ཡང་མེད་དོ། །ཚོར་བ་དང་འདུ་ཤེས་དང་འདུ་བྱེད་དང་། རྣམ་པར་ཤེས་པའི་ཕ་རོལ་ན་རྣམ་པར་རྟོག་པ་གང་ཡང་མེད་དོ། །སྐྱེ་མཆེད་དང་ཁམས་དང་རྟེན་ཅིང་འབྲེལ་[2]བར་འབྱུང་བའི་ཕ་[3]རོལ་ན་རྣམ་པར་རྟོག་པ་གང་ཡང་མེད་དོ། །ཕ་རོལ་ཏུ་ཕྱིན་པ་ཐམས་ཅད་དང་སྟོང་པ་ཉིད་ཐམས་ཅད་དང་། བྱང་ཆུབ་ཀྱི་ཕྱོགས་ཀྱི་ཆོས་སུམ་ཅུ་རྩ་བདུན་དང་།

འཕགས་པའི་བདེན་པ་རྣམས་དང་། བསམ་གཏན་རྣམས་དང་། ཚད་མེད་
པ་རྣམས་དང་། གཟུགས་མེད་པའི་སྙོམས་པར་འཇུག་པ་རྣམས་དང་། རྣམ་
པར་ཐར་པ་བརྒྱད་དང་། མཐར་གྱིས་གནས་པའི་སྙོམས་པར་འཇུག་པ་དགུ་
དང་། རྣམ་པར་ཐར་པའི་སྒོ་སྟོང་པ་ཉིད་དང་། མཚན་མ་མེད་པ་དང་།
སྨོན་པ་མེད་པ་དང་། མངོན་པར་ཤེས་པ་རྣམས་དང་། ཏིང་ངེ་འཛིན་རྣམས་
དང་། གཟུངས་ཀྱི་སྒོ་རྣམས་དང་། དེ་བཞིན་གཤེགས་པའི་སྟོབས་བཅུ་དང་།
མི་འཇིགས་པ་བཞི་དང་། སོ་སོ་ཡང་དག་པར་རིག་པ་བཞི་དང་། བྱམས་པ་
ཆེན་པོ་དང་། སྙིང་རྗེ་ཆེན་པོ་དང་། སངས་རྒྱས་ཀྱི་ཆོས་མ་འདྲེས་པ་བཅོ་
བརྒྱད་ཀྱི་ཕ་རོལ་ན་རྣམ་པར་རྟོག་པ་གང་ཡང་མེད་དོ། །རྣམ་པ་ཐམས་ཅད་
མཁྱེན་པ་ཉིད་ཀྱི་བར་གྱི་ཕ་[༡]རོལ་ན་རྣམ་པར་རྟོག་[༢]པ་གང་ཡང་མེད་དེ[༣]།
འདི་ནི་གཟུགས་སོ། །འདི་ནི་ཚོར་བ་དང་འདུ་ཤེས་དང་འདུ་བྱེད་དང་།
རྣམ་པར་ཤེས་པའོ[༤]། །འདི་ནི་སྐྱེ་མཆེད་དང་ཁམས་དང་རྟེན་ཅིང་འབྲེལ་བར་
འབྱུང་བའོ། །འདི་ནི་ཕ་རོལ་དུ་ཕྱིན་པ་ཐམས་ཅད་དོ། །འདི་ནི་སྟོང་པ་ཉིད་
ཐམས་ཅད་དོ། །འདི་ནི་བྱང་ཆུབ་ཀྱི་ཕྱོགས་ཀྱི་ཆོས་སུམ་ཅུ་རྩ་བདུན་ནོ། །
འདི་ནི་འཕགས་པའི་བདེན་པ་རྣམས་སོ། །འདི་ནི་བསམ་གཏན་རྣམས་སོ། །
འདི་ནི་ཚད་མེད་པ་རྣམས་སོ། །འདི་ནི་གཟུགས་མེད་པའི་སྙོམས་པར་འཇུག་པ་
རྣམས་སོ། །འདི་ནི་རྣམ་པར་ཐར་པ་བརྒྱད་དོ། །འདི་ནི་མཐར་གྱིས་གནས་
པའི་སྙོམས་པར་འཇུག་པ་དགུའོ། །འདི་ནི་རྣམ་པར་ཐར་པའི་སྒོ་སྟོང་པ་ཉིད་
དང་། མཚན་མ་མེད་པ་དང་སྨོན་པ་མེད་པའོ། །འདི་ནི་མངོན་པར་ཤེས་པ་
རྣམས་སོ། །འདི་ནི་ཏིང་ངེ་འཛིན་རྣམས་སོ། །འདི་ནི་གཟུངས་ཀྱི་སྒོ་རྣམས་སོ།།
འདི་ནི་དེ་བཞིན་གཤེགས་པའི་སྟོབས་བཅུའོ། །འདི་ནི་མི་འཇིགས་པ་བཞིའོ། །

འདི་ནི་སོ་སོ་ཡང་དག་པར་རིག་པ་བཞིའོ། །འདི་ནི་བྱམས་པ་ཆེན་པོའོ། །འདི་ནི་སྙིང་རྗེ་ཆེན་པོའོ། །འདི་ནི་སངས་རྒྱས་ཀྱི་ཆོས་མ་འདྲེས་པ་བཅོ་བརྒྱད་དོ། །འདི་ནི་རྣམ་པ་ཐམས་ཅད་མཁྱེན་པ་ཉིད་ཀྱི་བར་ཏེ་ཞེས་བྱ་བར་རྣམ་པར་རྟོག་པ་གང་ཡང་མེད་དེ[༡]། རབ་འབྱོར་བྱང་ཆུབ་སེམས་དཔའ་སེམས་དཔའ་ཆེན་པོ་རྣམས་ཆོས་དེ་ལྟར་ཞི་བ་དག་ལ་རྟོག་ཀྱང་ཞུམ་པར་མི་འགྱུར་ཞིང་བདག་གིས་ཆོས་དེ་དག་ནི་འདི་ལྟར་མངོན་པར་རྫོགས་པར་སངས་རྒྱས་པར་བྱའོ། །བླ་ན་མེད་པ་ཡང་དག་པར་རྫོགས་པའི་བྱང་ཆུབ་ཏུ་ནི་འདི་ལྟར་མངོན་པར་རྫོགས་པར་སངས་རྒྱས་ནས། ཆོས་དེ་ལྟར་ཞི་བ་དང་། དེ་ལྟར་བཟང་བ་དེ་དག་བཤད་པར་བྱའོ་སྙམ་དུ་སེམས་པ་ནི་དཀའ་བ་བྱེད་པ་སྟེ། རབ་འབྱོར་དེ་ལྟར་ན་བྱང་ཆུབ་སེམས་དཔའ་སེམས་དཔའ་ཆེན་པོ་བླ་ན་མེད་པ་ཡང་དག་པར་རྫོགས་པའི་བྱང་ཆུབ་ཏུ་མངོན་པར་རྫོགས་པར་སངས་རྒྱས་ནས། འཇིག་རྟེན་གྱི་དཔུང་གཉེན[༣]དུ་འགྱུར་པ་ཡིན་ནོ། །རབ་འབྱོར་ཇི་ལྟར་ན་བྱང་ཆུབ་སེམས་དཔའ་སེམས་དཔའ་ཆེན་པོ་བླ་ན་མེད་པ་ཡང་དག་པར་རྫོགས་པའི་བྱང་ཆུབ་ཏུ་མངོན་པར་རྫོགས་པར་སངས་རྒྱས་ནས། འཇིག་རྟེན་གྱི་གླིང་དུ་འགྱུར་པ་ཡིན་ཞེ་ན། རབ་འབྱོར་འདི་ལྟ་སྟེ་དཔེར་ན། ཆུ་ཀླུང་ངམ། ཆུ་བྲན་ནམ། རྒྱ་མཚོ་ཆེན་པོའི་ནང་ན་ཆུས་ཡོངས་སུ་བཅད་པའི་གནས་གང་ཇི་སྙེད་ཅིག་ཡོད་པ་དེ་དག་ནི་གླིང་ཞེས་བྱ་སྟེ། རབ་འབྱོར་དེ་བཞིན་དུ་གཟུགས་ནི་སྔོན་གྱི་མཐའ་དང་། ཕྱི་མའི་མཐའ་ཡོངས་སུ་ཆད་པའོ། །ཚོར་བ་དང་འདུ་ཤེས་དང་འདུ་བྱེད་དང་། རྣམ་པར་ཤེས་པ་ནི་སྔོན་གྱི་མཐའ་དང་། ཕྱི་མའི་མཐའ་ཡོངས་སུ་ཆད་པའོ། །སྐྱེ་མཆེད་དང་ཁམས་དང་རྟེན་ཅིང་འབྲེལ་བར་འབྱུང་བ་ནི་སྔོན་གྱི་མཐའ་དང་། ཕྱི་མའི་མཐའ་ཡོངས་སུ་ཆད་པའོ། །སྦྱིན་པའི་ཕ་རོལ་ཏུ་ཕྱིན་པ་ནི་སྔོན་གྱི་མཐའ་དང་།

ཕྱི་མའི་མཐའ་ཡོངས་སུ་ཆད་པའོ། །ཚུལ་ཁྲིམས་ཀྱི་ཕ་རོལ་ཏུ་ཕྱིན་པ་དང་། བཟོད་པའི་ཕ་རོལ་ཏུ་ཕྱིན་པ་དང་། བརྩོན་འགྲུས་ཀྱི་ཕ་རོལ་ཏུ་ཕྱིན་པ་དང་། བསམ་གཏན་གྱི་ཕ་རོལ་ཏུ་ཕྱིན་པ་དང་། ཤེས་རབ་ཀྱི་ཕ་རོལ་ཏུ་ཕྱིན་པ་ནི་སྔོན་གྱི་མཐའ་དང་། ཕྱི་མའི་མཐའ་ཡོངས་སུ་ཆད་པའོ། །ནང་སྟོང་པ་ཉིད་དང་། ཕྱི་སྟོང་པ་ཉིད་དང་། ཕྱི་ནང་སྟོང་པ་ཉིད་ནི་སྔོན་གྱི་མཐའ་དང་། ཕྱི་མའི་མཐའ་ཡོངས་སུ་ཆད་པའོ། །དངོས་པོ་མེད་པའི་ངོ་བོ་ཉིད་སྟོང་པ་ཉིད་ཀྱི་བར་ནི་སྔོན་གྱི་མཐའ་དང་། ཕྱི་མའི་མཐའ་ཡོངས་སུ་ཆད་པའོ། །བྱང་ཆུབ་ཀྱི་ཕྱོགས་ཀྱི་ཆོས་སུམ་ཅུ་རྩ་བདུན་ནི་སྔོན་གྱི་མཐའ་དང་། ཕྱི་མའི་མཐའ་ཡོངས་སུ་ཆད་པའོ། །འཕགས་པའི་བདེན་པ་རྣམས་དང་། བསམ་གཏན་རྣམས་དང་། ཚད་མེད་པ་རྣམས་དང་། གཟུགས་མེད་པའི་སྙོམས་པར་འཇུག་པ་རྣམས་དང་། རྣམ་པར་ཐར་པ་རྣམས་དང་། མཐར་གྱིས་གནས་པའི་སྙོམས་པར་འཇུག་པ་དགུ་དང་། རྣམ་པར་ཐར་པའི་སྒོ་སྟོང་པ་ཉིད་དང་། མཚན་མ་མེད་པ་དང་། སྨོན་པ་མེད་པ་དང་། མངོན་པར་ཤེས་པ་རྣམས་དང་། ཏིང་ངེ་འཛིན་རྣམས་དང་། གཟུངས་ཀྱི་སྒོ་རྣམས་དང་། དེ་བཞིན་གཤེགས་པའི་སྟོབས་རྣམས་དང་། མི་འཇིགས་པ་རྣམས་དང་། སོ་སོ་ཡང་དག་པར་རིག་པ་རྣམས་དང་། བྱམས་པ་ཆེན་པོ་དང་། སྙིང་རྗེ་ཆེན་པོ་དང་། སངས་རྒྱས་ཀྱི་ཆོས་མ་འདྲེས་པ་རྣམས་ནི་སྔོན་གྱི་མཐའ་དང་། ཕྱི་མའི་མཐའ་ཡོངས་སུ་ཆད་པའོ། །རྣམ་པ་ཐམས་ཅད་མཁྱེན་པ་ཉིད་ཀྱི་བར་ནི་སྔོན་གྱི་མཐའ་དང་། ཕྱི་མའི་མཐའ་ཡོངས་སུ་ཆད་པའོ། །རབ་འབྱོར་སྔོན་གྱི་མཐའ་དང་ཕྱི་མའི་མཐའ་ཡོངས་སུ་ཆད་པ་འདིས་ཆོས་ཐམས་ཅད་ཡོངས་སུ་ཆད་པ་སྟེ། རབ་འབྱོར་ཆོས་ཐམས་ཅད་ཀྱི་སྔོན་གྱི་མཐའ་དང་། ཕྱི་མའི་མཐའ་ཡོངས་སུ་ཆད་པ་གང་ཡིན་པ་དེ་ནི་ཞི་བའོ། །

དེ་ནི་བཟང་པོའོ། །དེ་ནི་ཡང་དག་པ་སྟེ། འདི་ལྟར་སྟོང་པ་ཉིད་དང་། དམིགས་སུ་མེད་པ་དང་། ལམ་གྱི་རྒྱུན་ཆད་པ་དང་། སྲིད་པ་ཟད་པ་དང་། འདྲེ་བ་མེད་པ་དང་། འདོད་ཆགས་དང་བྲལ་བ་དང་། འགོག་པ་དང་། མྱ་ངན་ལས་འདས་པ་སྟེ། རབ་འབྱོར་དེ་ལྟར་བྱང་ཆུབ་སེམས་དཔའ་སེམས་དཔའ་ཆེན་པོ་[༡]བླ་ན་མེད་པ་ཡང་དག་པར་རྫོགས་པའི་བྱང་ཆུབ་ཏུ་མངོན་པར་རྫོགས་པར་སངས་རྒྱས་ནས། དེ་ལྟར་ཞི་བ་དང་། དེ་ལྟར་བཟང་པོའི་[༣]ཆོས་དེ་དག་སྟོན་ཏེ། རབ་འབྱོར་དེ་ལྟར་ན་བྱང་ཆུབ་སེམས་དཔའ་སེམས་དཔའ་ཆེན་པོ་བླ་ན་མེད་པ་ཡང་དག་པར་རྫོགས་པའི་བྱང་ཆུབ་ཏུ་མངོན་པར་རྫོགས་པར་སངས་རྒྱས་ནས་སེམས་ཅན་རྣམས་ཀྱི་གླིང་དུ་གྱུར་པ་ཡིན་ནོ། །རབ་འབྱོར་ཇི···ལྟར་ན་བྱང་ཆུབ་སེམས་དཔའ་སེམས་དཔའ་ཆེན་པོ་བླ་ན་མེད་པ་ཡང་དག་པར···རྫོགས་པའི་བྱང་ཆུབ་ཏུ་མངོན་པར་རྫོགས་པར་སངས་རྒྱས་ནས། འཇིག་རྟེན་གྱི་སྣང་བར་གྱུར་པ་ཡིན་ཞེ་ན། རབ་འབྱོར་འདི་ལ་བྱང་ཆུབ་སེམས་དཔའ་སེམས་དཔའ་ཆེན་པོ་ཡུན་རིང་དུ་མ་རིག་པའི་སྒོ་ངའི་སྦུབས་ཀྱི་རབ་རིབ་ཀྱིས་ཀུན་ནས··འཁྲིས་ཤིང་མུན་པས་ཟིལ་གྱིས་ནོན་པའི་སེམས་ཅན་རྣམས་ལ་ཤེས་རབ་ཀྱིས་སྣང་བར་བྱེད་ཅིང་། གཏི་མུག་གི་མུན་པ་དང་། མ་རིག་པའི་མུན་གནག་དང་། མི་ཤེས་པའི་རབ་རིབ་སེལ་ཏེ། རབ་འབྱོར་དེ་ལྟར་ན་བྱང་ཆུབ་སེམས་དཔའ····སེམས་དཔའ་ཆེན་པོ་བླ་ན་མེད་པ་ཡང་དག་པར་རྫོགས་པའི་བྱང་ཆུབ་ཏུ་མངོན···པར་རྫོགས་པར་སངས་རྒྱས་ནས། འཇིག་རྟེན་གྱི་སྣང་བར་གྱུར་པ་ཡིན་ནོ། །རབ་འབྱོར་ཇི་ལྟར་ན་བྱང་ཆུབ་སེམས་དཔའ་སེམས་དཔའ་ཆེན་པོ་བླ་ན་མེད་པ···ཡང་དག་པར་རྫོགས་པའི་བྱང་ཆུབ་ཏུ་མངོན་པར་རྫོགས་པར་སངས་རྒྱས་ནས། སེམས་ཅན་རྣམས་ཀྱི་སྒྲོན་མ་འཛིན་ཅིང་འོད་འབྱིན་པ་ཡིན་ཞེ་ན། རབ་འབྱོར་

འདི་ལ་བྱང་ཆུབ་སེམས་དཔའ་སེམས་དཔའ་ཆེན་པོ་བླ་ན་མེད་པ་ཡང་དག་པར་རྫོགས་པའི་བྱང་ཆུབ་ཏུ་མངོན་པར་རྫོགས་པར་སངས་རྒྱས་ནས། མདོ་སྡེ་ཕ་རོལ་དུ་ཕྱིན་པ་དྲུག་དང་ལྡན་པ། བྱིན་གྱི་①རླབས་བཞི་དང་ལྡན་པ། བསྡུ་བའི་དངོས་པོ་བཞི་དང་ལྡན་པ་དེ་དག་གི་དོན་མ་ནོར་བར། སེམས་ཅན་རྣམས་ལ་ཡང་དག་པར་སྟོན་སྟེ②། སེམས་ཅན་རྣམས་ཀྱང་དེ་ལ་ཡང་དག་པར་སྐྱེལ་③ཞིང་སྦྱོར་ལ། གཞོག་ཅིང་རབ་ཏུ་འགོད་དེ། རབ་འབྱོར་དེ་ལྟར་ན་བྱང་ཆུབ་སེམས་དཔའ་སེམས་དཔའ་ཆེན་པོ་བླ་ན་མེད་པ་ཡང་དག་པར་རྫོགས་པའི་བྱང་ཆུབ་ཏུ་མངོན་པར་རྫོགས་པར་སངས་རྒྱས་ནས། སེམས་ཅན་རྣམས་ཀྱི་སྒྲོན་མ་འཛིན་ཅིང་འོད་འབྱིན་པ་ཡིན་ནོ། །རབ་འབྱོར་ཇི་ལྟར་ན་བྱང་ཆུབ་སེམས་དཔའ་སེམས་དཔའ་ཆེན་པོ་བླ་ན་མེད་པ་ཡང་དག་པར་རྫོགས་པའི་བྱང་ཆུབ་ཏུ་མངོན་པར་རྫོགས་པར་སངས་རྒྱས་ནས། སེམས་ཅན་རྣམས་ཀྱི་དེད་དཔོན་དུ་གྱུར་པ་ཡིན་ཞེ་ན། རབ་འབྱོར་འདི་ལ་བྱང་ཆུབ་སེམས་དཔའ་སེམས་དཔའ་ཆེན་པོ་བླ་ན་མེད་པ་ཡང་དག་པར་རྫོགས་པའི་བྱང་ཆུབ་ཏུ་མངོན་པར་རྫོགས་པར་སངས་རྒྱས་ནས། སེམས་ཅན༔ལམ་ངན④པར་ཞུགས་ཤིང་ཚུལ་མ་ཡིན་པ་བཞི་ལ་ཞེན་པ་རྣམས་ལ། སེམས་ཅན་རྣམ་པར་དག་པར་བྱ་བའི་དོན་དུ་མྱ་ངན་དང་གནོད་པ་ལས་ཡང་དག་པར་བཟླ⑤བ་དང་། སྡུག་བསྔལ་དང་། ཡིད་མི་བདེ་བ་ནུབ་པར་བྱ་བ་དང་། རིག⑥པ་དང་ལྡན་པའི་ཆོས་ཐོབ་པར་བྱ་བ་དང་། མྱ་ངན་ལས་འདས་པ་མངོན་དུ་བྱ་བའི་ཕྱིར་གཅིག་ལ་རྟེན⑦པའི་ལམ་སྟོན་ཏོ། །རབ་འབྱོར་དེ་ལྟར་ན་བྱང་ཆུབ་སེམས་དཔའ་སེམས་དཔའ་ཆེན་པོ་བླ་ན་མེད་པ་ཡང་དག་པར་རྫོགས་པའི་བྱང་ཆུབ་ཏུ་མངོན་པར་རྫོགས་པར་སངས་རྒྱས་ནས། སེམས་ཅན་རྣམས་ཀྱི་དེད་དཔོན་དུ་གྱུར་པ་ཡིན་ནོ། །རབ་འབྱོར་ཇི་ལྟར་ན་བྱང་

ཆུབ་སེམས་དཔའ་སེམས་དཔའ་ཆེན་པོ་བླ་ན་མེད་པ་ཡང་དག་པར་རྫོགས་པའི་བྱང་ཆུབ་ཏུ་མངོན་པར་རྫོགས་པར་སངས་རྒྱས་ནས། སེམས་ཅན་རྣམས་ཀྱི་[1] ཡོངས་སུ་འདྲེན་པར་གྱུར་པ་ཡིན་ཞེ་ན། རབ་འབྱོར་འདི་ལ་བྱང་ཆུབ་སེམས་དཔའ་སེམས་དཔའ་ཆེན་པོ་བླ་ན་མེད་པ་ཡང་དག་པར་རྫོགས་པའི་བྱང་ཆུབ་ཏུ་མངོན་པར་རྫོགས་པར་སངས་རྒྱས་ནས། གཟུགས་སྐྱེ་བ་མེད་པ་དང་། འགག་པ་མེད་པ་དང་། ཀུན་ནས་ཉོན་མོངས་པ་མེད་པ་དང་། རྣམ་པར་བྱང་བ་མེད་པའི་ཕྱིར་ཆོས་སྟོན་ཏོ། །ཚོར་བ་དང་འདུ་ཤེས་དང་འདུ་བྱེད་དང་། རྣམ་པར་ཤེས་པ་སྐྱེ་བ་མེད་པ་དང་། འགག་པ་མེད་པ་དང་། ཀུན་ནས་ཉོན་མོངས་པ་མེད་པ་དང་། རྣམ་པར་བྱང་བ་མེད་པའི་ཕྱིར་ཆོས་སྟོན་ཏོ། །སྐྱེ་མཆེད་དང་ཁམས་དང་། རྟེན་ཅིང་འབྲེལ་བར་འབྱུང་བ་སྐྱེ་བ་མེད་པ་དང་། འགག་པ་མེད་པ་དང་། ཀུན་ནས་ཉོན་མོངས་པ་མེད་པ་དང་། རྣམ་པར་བྱང་བ་མེད་པའི་ཕྱིར་ཆོས་སྟོན་ཏོ། །སྦྱིན་པའི་ཕ་རོལ་ཏུ་ཕྱིན་པ་སྐྱེ་བ་མེད་པ་དང་། འགག་པ་མེད་པ་དང་། ཀུན་ནས་ཉོན་མོངས་པ་མེད་པ་དང་། རྣམ་པར་བྱང་བ་མེད་པའི་ཕྱིར་ཆོས་སྟོན་ཏོ། །ཚུལ་ཁྲིམས་ཀྱི་ཕ་རོལ་ཏུ་ཕྱིན་པ་དང་། བཟོད་པའི་ཕ་རོལ་ཏུ་ཕྱིན་པ་དང་། བརྩོན་འགྲུས་ཀྱི་ཕ་རོལ་ཏུ་ཕྱིན་པ་དང་། བསམ་གཏན་གྱི་ཕ་རོལ་ཏུ་ཕྱིན་པ་དང་། ཤེས་རབ་ཀྱི་ཕ་རོལ་ཏུ་ཕྱིན་པ་སྐྱེ་བ་མེད་པ་དང་། འགག་པ་མེད་པ་དང་། ཀུན་ནས་ཉོན་མོངས་པ་མེད་པ་དང་། རྣམ་པར་བྱང་བ་མེད་པའི་ཕྱིར་ཆོས་སྟོན་ཏོ། །ནང་སྟོང་པ་ཉིད་སྐྱེ་བ་མེད་པ་དང་། འགག་པ་མེད་པ་དང་། ཀུན་ནས་ཉོན་མོངས་པ་མེད་པ་དང་། རྣམ་པར་བྱང་བ་མེད་པའི་ཕྱིར་ཆོས་སྟོན་ཏོ། །དངོས་པོ་མེད་པའི་ངོ་བོ་ཉིད་སྟོང་པ་ཉིད་ཀྱི་བར་དུ་སྐྱེ་བ་མེད་པ་དང་། འགག་པ་མེད་པ་དང་།

ཀུན་ནས་ཉོན་མོངས་པ་མེད་པ་དང་། རྣམ་པར་བྱང་བ་མེད་པའི་ཕྱིར་ཆོས་སྟོན་ཏོ༑ །དྲན་པ་ཉེ་བར་གཞག་པ་རྣམས་སྐྱེ་བ་མེད་པ་དང་། འགག་པ་མེད་པ་དང་། ཀུན་ནས་ཉོན་མོངས་པ་མེད་པ་དང་། རྣམ་པར་བྱང་བ་མེད་པའི་ཕྱིར་ཆོས་སྟོན་ཏོ། །འཕགས་པའི་ལམ་ཡན་ལག་བརྒྱད་པའི་བར་དུ་སྐྱེ་བ་མེད་པ་དང་། འགག་པ་མེད་པ་དང་། ཀུན་ནས་ཉོན་མོངས་པ་མེད་པ་དང་། རྣམ་པར་བྱང་བ་མེད་པའི་ཕྱིར་ཆོས་སྟོན་ཏོ། །འཕགས་པའི་བདེན་པ་རྣམས་དང་། བསམ་གཏན་རྣམས་དང་། ཚད་མེད་པ་རྣམས་དང་། གཟུགས་མེད་པའི་སྙོམས་པར་འཇུག་པ་རྣམས་དང་། རྣམ་པར་ཐར་པ་བརྒྱད་དང་། མཐར་གྱིས་གནས་པའི་སྙོམས་པར་འཇུག་པ་དགུ་དང་། རྣམ་པར་ཐར་པའི་སྒོ་སྟོང་པ་ཉིད་དང་། མཚན་མ་མེད་པ་དང་། སྨོན་པ་མེད་པ་དང་། མངོན་པར་ཤེས་པ་རྣམས་དང་། ཏིང་ངེ་འཛིན་རྣམས་དང་། གཟུངས་ཀྱི་སྒོ་རྣམས་དང་། དེ་བཞིན་གཤེགས་པའི་སྟོབས་བཅུ་དང་། མི་འཇིགས་པ་བཞི་དང་། སོ་སོ་ཡང་དག་པར་རིག་པ་བཞི་དང་། བྱམས་པ་ཆེན་པོ་དང་། སྙིང་རྗེ་ཆེན་པོ་དང་། སངས་རྒྱས་ཀྱི་ཆོས་མ་འདྲེས་པ་བཅོ་བརྒྱད་སྐྱེ་བ་མེད་པ་དང་། འགག་པ་མེད་པ་དང་། ཀུན་ནས་ཉོན་མོངས་པ་མེད་པ་དང་། རྣམ་པར་བྱང་བ་མེད་པའི་ཕྱིར་ཆོས་སྟོན་ཏོ། །རྒྱུན་དུ་ཞུགས་པའི་འབྲས་བུ་སྐྱེ་བ་མེད་པ་དང་། འགག་པ་མེད་པ་དང་། ཀུན་ནས་ཉོན་མོངས་པ་མེད་པ་དང་། རྣམ་པར་བྱང་བ་མེད་པའི་ཕྱིར་ཆོས་སྟོན་ཏོ། །ལན་ཅིག་ཕྱིར་འོང་[1]བའི་འབྲས་བུ་དང་། ཕྱིར་མི་འོང་བའི་འབྲས་བུ་དང་། དགྲ་བཅོམ་པ་ཉིད་དང་། རང་བྱང་ཆུབ་དང་། བླ་ན་མེད་པ་ཡང་དག་པར་རྫོགས་པའི་བྱང་ཆུབ་ཀྱི་བར་དུ་སྐྱེ་བ་མེད་པ་དང་། འགག་པ་མེད་པ་དང་། ཀུན་ནས་ཉོན་མོངས་པ་མེད་པ་དང་།

རྣམ་པར་བྱང་བ་མེད་པའི་ཕྱིར་ཆོས་སྟོན་ཏེ[1]། རབ་འབྱོར་དེ་ལྟར་ན་བྱང་ཆུབ་སེམས་དཔའ་སེམས་དཔའ་ཆེན་པོ་བླ་ན་མེད་པ་ཡང་དག་པར་རྫོགས་པའི་བྱང་ཆུབ་ཏུ་མངོན་པར་རྫོགས་པར་སངས་རྒྱས་ནས། སེམས་ཅན་རྣམས་ཀྱི་ཡོངས་སུ་འདྲེན་པར་གྱུར་པ་ཡིན་ནོ། །རབ་འབྱོར་ཇི་ལྟར་ན་བྱང་ཆུབ་སེམས་དཔའ་སེམས་དཔའ་ཆེན་པོ་བླ་ན་མེད་པ་ཡང་དག་པར་རྫོགས་པའི་བྱང་ཆུབ་ཏུ་མངོན་པར་རྫོགས་པར་སངས་རྒྱས་ནས། སེམས་ཅན་རྣམས་ཀྱི་ལམ་དུ་གྱུར་པ་ཡིན་ཞེ་ན། རབ་འབྱོར་འདི་ལ་བྱང་ཆུབ་སེམས་དཔའ་སེམས་དཔའ་ཆེན་པོ་བླ་ན་མེད་པ་ཡང་དག་པར་རྫོགས་པའི་བྱང་ཆུབ་ཏུ་མངོན་པར་རྫོགས་པར་སངས་རྒྱས་ནས། གཟུགས་ནི་ནམ་མཁའི་ངང་ཚུལ་ཅན་ཞེས་བྱ་བར་སེམས་ཅན་རྣམས་ལ་ཆོས་སྟོན་ཏོ། །ཚོར་བ་དང་། འདུ་ཤེས་དང་། འདུ་བྱེད་དང་། རྣམ་པར་ཤེས་པ་ནི་ནམ་མཁའི་ངང་ཚུལ་ཅན་ཞེས་བྱ་བར་སེམས་ཅན་རྣམས་ལ་ཆོས་སྟོན་ཏོ། །སྐྱེ་མཆེད་དང་། ཁམས་དང་། རྟེན་ཅིང་འབྲེལ་པར་འབྱུང་བ་ནི་ནམ་མཁའི་ངང་ཚུལ་ཅན་ཞེས་བྱ་བར་སེམས་ཅན་རྣམས་ལ་ཆོས་སྟོན་ཏོ། །ཕ་རོལ་ཏུ་ཕྱིན་པ་ཐམས་ཅད་དང་། སྟོང་པ་ཉིད་ཐམས་ཅད་དང་། བྱང་ཆུབ་ཀྱི་ཕྱོགས་ཀྱི་ཆོས་སུམ་ཅུ་རྩ་བདུན་དང་། འཕགས་པའི་བདེན་པ་རྣམས་དང་། བསམ་གཏན་རྣམས་དང་། ཚད་མེད་པ་རྣམས་དང་། གཟུགས་མེད་པའི་སྙོམས་པར་འཇུག་པ་རྣམས་དང་། རྣམ་པར་ཐར་པ་བརྒྱད་དང་། མཐར་གྱིས་གནས་པའི་སྙོམས་པར་འཇུག་པ་དགུ་དང་། རྣམ་པར་ཐར་པའི་སྒོ་སྟོང་པ་ཉིད་དང་། མཚན་མ་མེད་པ་དང་། སྨོན་པ་མེད་པ་དང་། མངོན་པར་ཤེས་པ་རྣམས་དང་། ཏིང་ངེ་འཛིན་རྣམས་དང་། གཟུངས་ཀྱི་སྒོ་རྣམས་དང་། དེ་བཞིན་གཤེགས་པའི་སྟོབས་རྣམས་དང་། མི་འཇིགས་པ་རྣམས་དང་། སོ་སོ་

ཡང་དག་པར་རིག་པ་རྣམས་དང་། བྱམས་པ་ཆེན་པོ་དང་། སྙིང་རྗེ་ཆེན་པོ་དང་། སངས་རྒྱས་ཀྱི་ཆོས་མ་འདྲེས་པ་བཅོ་བརྒྱད་ནི་ནམ་མཁའི་ངང་ཚུལ་ཅན་ཞེས་བྱ་བར་སེམས་ཅན་རྣམས་ལ་ཆོས་སྟོན་ཏོ། །རྣམ་པ་ཐམས་ཅད་མཁྱེན་པ་ཉིད་ཀྱི་བར་དུ་ནམ་མཁའི་ངང་ཚུལ་ཅན་ཞེས་བྱ་བར་སེམས་ཅན་རྣམས་ལ་ཆོས་སྟོན་ཏོ། །གཟུགས་ཀྱི་སྟོང་པ་ཉིད་ནི་འགྲོ་བ་མེད་པ་སྟེ། དེ་ནི་མི་འགྲོ་མི་འོང་ངོ་ཞེས་བྱ་བར་སེམས་ཅན་རྣམས་ལ་ཆོས་སྟོན་ཏོ། །ཚོར་བ་དང་། འདུ་ཤེས་དང་། འདུ་བྱེད་དང་། རྣམ་པར་ཤེས་པའི་སྟོང་པ་ཉིད་ནི་འགྲོ་བ་མེད་པ་སྟེ། དེ་ནི་མི་འགྲོ་མི་འོང་ངོ་ཞེས་བྱ་བར་སེམས་ཅན་རྣམས་ལ་ཆོས་སྟོན་ཏོ། །སྐྱེ་མཆེད་དང་། ཁམས་དང་། རྟེན་ཅིང་འབྲེལ་བར་འབྱུང་བའི་སྟོང་པ་ཉིད་ནི་འགྲོ་བ་མེད་པ་སྟེ། དེ་ནི་མི་འགྲོ་མི་འོང་ངོ་ཞེས་བྱ་བར་སེམས་ཅན་རྣམས་ལ་ཆོས་སྟོན་ཏོ། །ཕ་རོལ་ཏུ་ཕྱིན་པ་ཐམས་ཅད་དང་། སྟོང་པ་ཉིད་ཐམས་ཅད་དང་། བྱང་ཆུབ་ཀྱི་ཕྱོགས་ཀྱི་ཆོས་སུམ་ཅུ་རྩ་བདུན་དང་། འཕགས་པའི་བདེན་པ་རྣམས་དང་། བསམ་གཏན་རྣམས་དང་། ཚད་མེད་པ་རྣམས་དང་། གཟུགས་མེད་པའི་སྙོམས་པར་འཇུག་པ་རྣམས་དང་། རྣམ་པར་ཐར་པ་བརྒྱད་དང་། མཐར་གྱིས་གནས་པའི་སྙོམས་པར་འཇུག་པ་དགུ་དང་། རྣམ་པར་ཐར་པའི་སྒོ་སྟོང་པ་ཉིད་དང་། མཚན་མ་མེད་པ་དང་། སྨོན་པ་མེད་པ་དང་། མངོན་པར་ཤེས་པ་རྣམས་དང་། ཏིང་ངེ་འཛིན་རྣམས་དང་། གཟུངས་ཀྱི་སྒོ་རྣམས་དང་། དེ་བཞིན་གཤེགས་པའི་སྟོབས་བཅུ་དང་། མི་འཇིགས་པ་བཞི་དང་། སོ་སོ་ཡང་དག་པར་རིག་པ་བཞི་དང་། བྱམས་པ་ཆེན་པོ་དང་། སྙིང་རྗེ་ཆེན་པོ་དང་། སངས་རྒྱས་ཀྱི་ཆོས་མ་འདྲེས་པ་བཅོ་བརྒྱད་ཀྱི་སྟོང་པ་ཉིད་ནི་འགྲོ་བ་མེད་པ་སྟེ། དེ་ནི་མི་འགྲོ་མི་འོང་ངོ་ཞེས་བྱ་བར་སེམས་ཅན་

རྣམས་ལ་ཆོས་སྟོན་ཏོ། །རྣམ་པ་ཐམས་ཅད་མཁྱེན་པ་ཉིད་ཀྱི་བར་གྱི་སྟོང་པ་ཉིད་ནི་འགྲོ་བ་མེད་པ་སྟེ། དེ་ནི་མི་འགྲོ་མི་འོང་ངོ་ཞེས་བྱ་བར་སེམས་ཅན་རྣམས་ལ་ཆོས་སྟོན་ཏོ། །རབ་འབྱོར་དེ་ལྟར་ན་བྱང་ཆུབ་སེམས་དཔའ་སེམས་དཔའ་ཆེན་པོ་བླ་ན་མེད་པ་ཡང་དག་པར་རྫོགས་པའི་བྱང་ཆུབ་ཏུ་མངོན་པར་རྫོགས་པར་སངས་རྒྱས་ནས། སེམས་ཅན་རྣམས་ཀྱི་ལམ་དུ་གྱུར་པ་ཡིན་ནོ། །དེ་ཅིའི་ཕྱིར་ཞེ་ན། རབ་འབྱོར་ཆོས་ཐམས་ཅད་ནི་སྟོང་པ་ཉིད་ཀྱི་ངང་ཚུལ་ཅན་ཏེ[༡]༏ དེ་དག་ནི་ངང་ཚུལ་དེ་ལས་མི་འདའོ། །དེ་ཅིའི་ཕྱིར་ཞེ་ན། སྟོང་པ་ཉིད་ལ་འགྲོ་བའམ་འོང་བ་མི་དམིགས་སོ། །རབ་འབྱོར་ཆོས་ཐམས་ཅད་ནི་མཚན་མ་མེད་པའི་ངང་ཚུལ་ཅན་ཏེ། དེ་དག་ནི་ངང་ཚུལ་དེ་ལས་མི་འདའོ། །དེ་ཅིའི་ཕྱིར་ཞེ་ན། མཚན་མ་མེད་པ་ལ་འགྲོ་བའམ་འོང་བ་མི་དམིགས་སོ། །རབ་འབྱོར་ཆོས་ཐམས་ཅད་ནི་སྨོན་པ་མེད་པའི་ངང་ཚུལ་ཅན་ཏེ། དེ་དག་ནི་ངང་ཚུལ་དེ་ལས་མི་འདའོ། །རབ་འབྱོར་དེ་ཅིའི་ཕྱིར་ཞེ་ན། སྨོན་པ་མེད་པ་ལ་འགྲོ་བའམ་འོང་བ་མི་དམིགས་སོ། །རབ་འབྱོར་ཆོས་ཐམས་ཅད་ནི་མངོན་པར་འདུ་བྱ་བ་མེད་པའི་ངང་ཚུལ་ཅན་ཏེ། དེ་དག་ནི་ངང་ཚུལ་དེ་ལས་མི་འདའོ། །དེ་ཅིའི་ཕྱིར་ཞེ་ན། མངོན་པར་འདུ་བྱ་བ་མེད་པ་ལ་འགྲོ་བའམ་འོང་བ་མི་དམིགས་སོ། །རབ་འབྱོར་ཆོས་ཐམས་ཅད་ནི་མི་སྐྱེ་མི་འགག་པའི་ངང་ཚུལ་ཅན་ཏེ༏ དེ་དག་ནི་ངང་ཚུལ་དེ་ལས་མི་འདའོ། །དེ་ཅིའི་ཕྱིར་ཞེ་ན། མི་སྐྱེ་མི་འགག་པ་ལ་འགྲོ་བའམ་འོང་བ་མི་དམིགས་སོ། །རབ་འབྱོར་ཆོས་ཐམས་ཅད་ནི་ཀུན་ནས་ཉོན་མོངས་པ་མེད་པ་དང་། རྣམ་པར་བྱང་བ་མེད་པའི་ངང་ཚུལ་ཅན་ཏེ༏ དེ་དག་ནི་ངང་ཚུལ་དེ་ལས་མི་འདའོ། །དེ་ཅིའི་ཕྱིར་ཞེ་ན། དེ་ཀུན་ནས་ཉོན་མོངས་པ་མེད་པ་དང་། རྣམ་པར་བྱང་བ་མེད་པ་ལ་འགྲོ་བའམ་འོང་

བ་མི་དམིགས་སོ། །རབ་འབྱོར་ཆོས་ཐམས་ཅད་ནི་རྨི་ལམ་གྱི་ངང་ཚུལ་ཅན་ཏེ། དེ་དག་ནི་ངང་ཚུལ་དེ་ལས་མི་འདའོ། །དེ་ཅིའི་ཕྱིར་ཞེ་ན། རྨི་ལམ་ལ་འགྲོ་བའམ་འོང་བ་མི་དམིགས་སོ། །རབ་འབྱོར་ཆོས་ཐམས་ཅད་ནི་སྒྱུ་མའི་ངང་ཚུལ་ཅན་ཏེ། དེ་དག་ནི་ངང་ཚུལ་དེ་ལས་མི་འདའོ། །དེ་ཅིའི་ཕྱིར་ཞེ་ན། སྒྱུ་མ་ལ་འགྲོ་བའམ་འོང་བ་མི་དམིགས་སོ། །རབ་འབྱོར་ཆོས་ཐམས་ཅད་ནི་སྒྲ་བརྙན་གྱི་ངང་ཚུལ་ཅན་ཏེ། དེ་དག་ནི་ངང་ཚུལ་དེ་ལས་མི་འདའོ། །དེ་ཅིའི་ཕྱིར་ཞེ་ན༑ སྒྲ་བརྙན་ལཿའགྲོ་བའམ་འོང་⑦བ་མི་དམིགས་སོ། །རབ་འབྱོར་ཆོས་ཐམས་ཅད་ནི་མིག་ཡོར་གྱི་ངང་ཚུལ་ཅན་ཏེ། དེ་དག་ནི་ངང་ཚུལ་དེ་ལས་མི་འདའོ༑ །དེ་ཅིའི་ཕྱིར་ཞེ་ན། མིག་ཡོར་ལ་འགྲོ་བའམ་འོང་བ་མི་དམིགས་སོ།། རབ་འབྱོར་ཆོས་ཐམས་ཅད་ནི་གཟུགས་བརྙན་གྱི་ངང་ཚུལ་ཅན་ཏེ། དེ་དག་ནི་ངང་ཚུལ་དེ་ལས་མི་འདའོ། །དེ་ཅིའི་ཕྱིར་ཞེ་ན། གཟུགས་བརྙན་ལ་འགྲོ་བའམ་འོང་བ་མི་དམིགས་སོ། །རབ་འབྱོར་ཆོས་ཐམས་ཅད་ནི་སྨིག་རྒྱུའི་ངང་ཚུལ་ཅན་ཏེ། དེ་དག་ནི་ངང་ཚུལ་དེ་ལས་མི་འདའོ། །དེ་ཅིའི་ཕྱིར་ཞེ་ན། སྨིག་རྒྱུ་ལ་འགྲོ་བའམ་འོང་བ་མི་དམིགས་སོ། །རབ་འབྱོར་ཆོས་ཐམས་ཅད་ནི་ཆུ་ཟླའི་ངང་ཚུལ་ཅན་ཏེ། དེ་དག་ནི་ངང་ཚུལ་དེ་ལས་མི་འདའོ། །དེ་ཅིའི་ཕྱིར་ཞེ་ན། ཆུ་ཟླ་ལ་འགྲོ་བའམ་འོང་བ་མི་དམིགས་སོ། །རབ་འབྱོར་ཆོས་ཐམས་ཅད་ནི་སྤྲུལ་པའི་ངང་ཚུལ་ཅན་ཏེ། དེ་དག་ནི་ངང་ཚུལ་དེ་ལས་མི་འདའོ། །དེ་ཅིའི་ཕྱིར་ཞེ་ན། སྤྲུལ་པ་ལ་འགྲོ་བའམ་འོང་བ་མི་དམིགས་སོ། །རབ་འབྱོར་ཆོས་ཐམས་ཅད་ནི་མཐའ་ཡས་ཀུན་དུ་མཐའ་ཡས་པའི་ངང་ཚུལ་ཅན་ཏེ། དེ་དག་ནི་ངང་ཚུལ་དེ་ལས་མི་འདའོ། །དེ་ཅིའི་ཕྱིར་ཞེ་ན། མཐའ་ཡས་ཀུན་དུ་མཐའ་ཡས་པ་ལ་འགྲོ་བའམ་འོང་བ་མི་དམིགས་སོ། །རབ་འབྱོར་ཆོས་ཐམས་

ཅན་ནི་དབྱུང་བ་དང་མི་དབྱུང་བ་མེད་པའི་ངང་ཚུལ་ཅན་ཏེ། དེ་དག་ནི་ངང་ཚུལ་དེ་ལས་མི་འདའོ། །དེ་ཅིའི་ཕྱིར་ཞེ་ན། དབྱུང་བ་དང་མི་དབྱུང་བ་མེད་པ་ལ་འགྲོ་བའམ་འོང་བ་མི་དམིགས་སོ། །རབ་འབྱོར་ཆོས་ཐམས་ཅད་ནི་དབྱེ་བ་དང་བསྡུན་པ་མེད་པའི་ངང་ཚུལ་ཅན་ཏེ། དེ་དག་ནི་ངང་ཚུལ་དེ་ལས་མི་འདའོ། །དེ་ཅིའི་ཕྱིར་ཞེ་ན། དབྱེ་བ་དང་བསྡུན་པ་མེད་པ་ལ་འགྲོ་བའམ་འོང་བ་མི་དམིགས་སོ། །རབ་འབྱོར་ཆོས་ཐམས་ཅད་ནི་འོང་བ་མེད་པའི་ངང་ཚུལ་ཅན་ཏེ། དེ་དག་ནི་ངང་ཚུལ་དེ་ལས་མི་འདའོ། །དེ་ཅིའི་ཕྱིར་ཞེ་ན། འོང་བ་མེད་པ་ལ་འགྲོ་བའམ་འོང་བ་མི་དམིགས་སོ། །རབ་འབྱོར་ཆོས་ཐམས་ཅད་ནི་བླང་བ་དང་དོར་བ་མེད་པའི་ངང་ཚུལ་ཅན་ཏེ། དེ་དག་ནི་ངང་ཚུལ་དེ་ལས་མི་འདའོ། །དེ་ཅིའི་ཕྱིར་ཞེ་ན། བླང་བ་དང་དོར་བ་མེད་པ་ལ་འགྲོ་བའམ་འོང་བ་མི་དམིགས་སོ། །རབ་འབྱོར་ཆོས་ཐམས་ཅད་ནི་ཕྲད་པ་མེད་པ་དང་། འབྲལ་བ་མེད་པ་དང་། འདྲེ་བ་མེད་པ་དང་། མི་འདྲེ་བ་མེད་པའི་ངང་ཚུལ་ཅན་ཏེ། དེ་དག་ནི་ངང་ཚུལ་དེ་ལས་མི་འདའོ། །དེ་ཅིའི་ཕྱིར་ཞེ་ན། ཕྲད་པ་མེད་པ་དང་། འབྲལ་བ་མེད་པ་དང་། འདྲེ་བ་མེད་པ་དང་། མི་འདྲེ་བ་མེད་པ་ལ་འགྲོ་བའམ་འོང་བ་མི་དམིགས་སོ། །རབ་འབྱོར་ཆོས་ཐམས་ཅད་ནི་བདག་གི་ངང་ཚུལ་ཅན་ཏེ། དེ་དག་ནི་ངང་ཚུལ་དེ་ལས་མི་འདའོ། །དེ་ཅིའི་ཕྱིར་ཞེ་ན། རབ་འབྱོར་བདག་ཉིད་ཀྱང་ཤིན་ཏུ་མེད་ན་དེ་ལ་འགྲོ་བའམ། འོང་བ་ལྟ་ག་ལ་ཡོད། རབ་འབྱོར་ཆོས་ཐམས་ཅད་ནི་སེམས་ཅན་དང་། སྲོག་དང་། འགྲོ་བ་དང་། གསོ་བ་དང་། སྐྱེས་བུ་དང་། གང་ཟག་དང་། ཤེད་ཅན་དང་། ཤེད་བདག་དང་། བྱེད་པ་པོ་དང་། བྱེད་དུ་འཇུག་པ་པོ་དང་། སློང་བ་པོ་དང་། ཡོངས་སུ་སློང་བ་པོ་དང་། ཚོར་བ་པོ་དང་། ཚོར་བར་བྱེད་པ་པོ་

དང་། ཤེས་པ་པོ་དང་། མཐོང་བ་པོའི་ངང་ཚུལ་ཅན་ཏེ། དེ་དག་ནི་ངང་ཚུལ་དེ་ལས་མི་འདའོ། །དེ་ཅིའི་ཕྱིར་ཞེ་ན། རབ་འབྱོར་མཐོང་བ་པོ་ཉིད་ཀྱང་ཤིན་ཏུ་མེད་ན་དེ་ལ་འགྲོ་བའམ་འོང་བ་ལྟ་ག་ལ་ཡོད། །རབ་འབྱོར་ཆོས་ཐམས་ཅད་ནི་རྟག་པའི་ངང་ཚུལ་ཅན་ཏེ། དེ་དག་ནི་ངང་ཚུལ་དེ་ལས་མི་འདའོ།། དེ་ཅིའི་ཕྱིར་ཞེ་ན། རབ་འབྱོར་རྟག་པ་ཉིད་ཀྱང་ཤིན་ཏུ་མེད་ན་དེ་ལ་འགྲོ་བའམ་འོང་བ་ལྟ་ག་ལ་ཡོད། རབ་འབྱོར་ཆོས་ཐམས་ཅད་ནི་བདེ་བ་དང་། བདག་དང་སྡུག་པའི་ངང་ཚུལ་ཅན་ཏེ། དེ་དག་ནི་ངང་ཚུལ་དེ་ལས་མི་འདའོ། ། དེ་ཅིའི་ཕྱིར་ཞེ་ན། སྡུག་པ་ཉིད་ཀྱང་ཤིན་ཏུ་མེད་ན་དེ་ལ་འགྲོ་བའམ་འོང་བ་ལྟ་ག་ལ་ཡོད། རབ་འབྱོར་ཆོས་ཐམས་ཅད་ནི་མི་རྟག་པའི་ངང་ཚུལ་ཅན་ཏེ། དེ་དག་ནི་ངང་ཚུལ་དེ་ལས་མི་འདའོ། །དེ་ཅིའི་ཕྱིར་ཞེ་ན། རབ་འབྱོར་མི་རྟག་པ་ཉིད་ཀྱང་ཤིན་ཏུ་མེད་ན། དེ་ལ་འགྲོ་བའམ་འོང་བ་ལྟ་ག་ལ་ཡོད། རབ་འབྱོར་ཆོས་ཐམས་ཅད་ནི་སྡུག་བསྔལ་བ་དང་། བདག་མེད་པ་དང་། མི་སྡུག་པའི་ངང་ཚུལ་ཅན་ཏེ། དེ་དག་ནི་ངང་ཚུལ་དེ་ལས་མི་འདའོ། །དེ་ཅིའི་ཕྱིར་ཞེ་ན། རབ་འབྱོར་མི་སྡུག་པ་ཉིད་ཀྱང་། ཤིན་ཏུ་མེད་ན་དེ་ལ་འགྲོ་བའམ་འོང་བ་ལྟ་ག་ལ་ཡོད། རབ་འབྱོར་ཆོས་ཐམས་ཅད་ནི་འདོད་ཆགས་ཀྱི་ངང་ཚུལ་ཅན་ཏེ། དེ་དག་ནི་ངང་ཚུལ་དེ་ལས་མི་འདའོ། །དེ་ཅིའི་ཕྱིར་ཞེ་ན། རབ་འབྱོར་འདོད་ཆགས་ཀྱི་དངོས་པོ་ཉིད་ཀྱང་ཤིན་ཏུ་མེད་ན། དེ་ལ་འགྲོ་བའམ་འོང་བ་ལྟ་ག་ལ་ཡོད། རབ་འབྱོར་ཆོས་ཐམས་ཅད་ནི་ཞེ་སྡང་གི་ངང་ཚུལ་ཅན་ཏེ། དེ་དག་ནི་ངང་ཚུལ་དེ་ལས་མི་འདའོ། །དེ་ཅིའི་ཕྱིར་ཞེ་ན། རབ་འབྱོར་ཞེ་སྡང་གི་དངོས་པོ་ཉིད་ཀྱང་ཤིན་ཏུ་མེད་ན་དེ་ལ་འགྲོ་བའམ་འོང་བ་ལྟ་ག་ལ་ཡོད། རབ་འབྱོར་ཆོས་ཐམས་ཅད་ནི་གཏི་མུག་གི་ངང་ཚུལ་ཅན་ཏེ། དེ་དག་ནི་ངང་

ཚུལ་དེ་ལས་མི་འདའོ། །དེ་ཅིའི་ཕྱིར་ཞེ་ན། རབ་འབྱོར་གཏི་མུག་གི་དངོས་པོ་ཉིད་ཀྱང་ཤིན་ཏུ་མེད་ན། དེ་ལ་འགྲོ་བའམ་འོང་བ་ལྟ་ག་ལ་ཡོད། རབ་འབྱོར་ཆོས་ཐམས་ཅད་ནི་ལྟ་བའི་རྣམ་པའི་དང་ཚུལ་ཅན་ཏེ། དེ་དག་ནི་དང་ཚུལ་དེ་ལས་མི་འདའོ། །དེ་ཅིའི་ཕྱིར་ཞེ་ན། ①ལྟ་བའི་རྣམ་པའི་དངོས་པོ་ཉིད་ཀྱང་ཤིན་ཏུ་མེད་ན་དེ་ལ་འགྲོ་བའམ་འོང་བ་ལྟ་ག་ལ་ཡོད། རབ་འབྱོར་ཆོས་ཐམས་ཅད་ནི་དེ་བཞིན་ཉིད་ཀྱི་དང་ཚུལ་ཅན་ཏེ། དེ་དག་ནི་དང་ཚུལ་དེ་ལས་མི་འདའོ། །དེ་ཅིའི་ཕྱིར་ཞེ་ན། རབ་འབྱོར་དེ་བཞིན་ཉིད་ལ་འགྲོ་བའམ་འོང་བ་མི་དམིགས་སོ། །རབ་འབྱོར་ཆོས་ཐམས་ཅད་ནི་ཆོས་ཀྱི་དབྱིངས་དང་། ཡང་དག་པའི་མཐའ་དང་། མཉམ་པ་ཉིད་དང་། བསམ་གྱིས་མི་ཁྱབ་པའི་དང་ཚུལ་ཅན་ཏེ། དེ་དག་ནི་དང་ཚུལ་དེ་ལས་མི་འདའོ། །དེ་ཅིའི་ཕྱིར་ཞེ་ན། རབ་འབྱོར་བསམ་གྱིས་མི་ཁྱབ་པའི་དབྱིངས་ལ་འགྲོ་བའམ་འོང་བ་མི་དམིགས་སོ། །རབ་འབྱོར་ཆོས་ཐམས་ཅད་ནི་མི་གཡོ་བའི་དང་ཚུལ་ཅན་ཏེ། དེ་དག་ནི་དང་ཚུལ་དེ་ལས་མི་འདའོ། །དེ་ཅིའི་ཕྱིར་ཞེ་ན། ཆོས་གང་ལ་ཡང་གཡོ་བ་མེད་དེ་འགྲོ་བའམ་འོང་བ་མི་དམིགས་སོ། །རབ་འབྱོར་ཆོས་ཐམས་ཅད་ནི་གཟུགས་ཀྱི་དང་ཚུལ་ཅན་ཏེ། དེ་དག་ནི་དང་ཚུལ་དེ་ལས་མི་འདའོ། །དེ་ཅིའི་ཕྱིར་ཞེ་ན། རབ་འབྱོར་གཟུགས་ཉིད་ཀྱང་ཤིན་ཏུ་མེད་ན་དེ་ལ་འགྲོ་བའམ་འོང་བ་ལྟ་ག་ལ་ཡོད། རབ་འབྱོར་ཆོས་ཐམས་ཅད་ནི་ཚོར་བ་དང་། འདུ་ཤེས་དང་། འདུ་བྱེད་དང་། རྣམ་པར་ཤེས་པའི་དང་ཚུལ་ཅན་ཏེ། དེ་དག་ནི་དང་ཚུལ་དེ་ལས་མི་འདའོ། །དེ་ཅིའི་ཕྱིར་ཞེ་ན། རབ་འབྱོར་རྣམ་པར་ཤེས་པ་ཉིད་ཀྱང་ཤིན་ཏུ་མེད་ན་དེ་ལ་འགྲོ་བའམ་འོང་བ་ལྟ་ག་ལ་ཡོད། རབ་འབྱོར་ཆོས་ཐམས་ཅད་ནི་སྦྱིན་པའི་ཕ་རོལ་ཏུ་ཕྱིན་པའི་དང་ཚུལ་ཅན་ཏེ། དེ་དག་ནི་དང་ཚུལ་དེ་ལས་མི་འདའོ། །

དེ་ཅིའི་ཕྱིར་ཞེ་ན། རབ་འབྱོར་སྦྱིན་པའི་ཕ་རོལ་ཏུ་ཕྱིན་པ་ཉིད་ཀྱང་ཤིན་ཏུ་མེད་ན་དེ་ལ་འགྲོ་བའམ་འོང་བ་ལྟ་ག་ལ་ཡོད། རབ་འབྱོར་ཆོས་ཐམས་ཅད་ནི་ཚུལ་ཁྲིམས་ཀྱི་ཕ་རོལ་ཏུ་ཕྱིན་པ་དང་། བཟོད་པའི་ཕ་རོལ་ཏུ་ཕྱིན་པ་དང་། བརྩོན་འགྲུས་ཀྱི་ཕ་རོལ་ཏུ་ཕྱིན་པ་དང་། བསམ་གཏན་གྱི་ཕ་རོལ་ཏུ་ཕྱིན་པ་དང་། ཤེས་རབ་ཀྱི་ཕ་རོལ་ཏུ་ཕྱིན་པའི་ངང་ཚུལ་ཅན་ཏེ། དེ་དག་ནི་ངང་ཚུལ་དེ་ལས་མི་འདའོ། །དེ་ཅིའི་ཕྱིར་ཞེ་ན། རབ་འབྱོར་ཤེས་རབ་ཀྱི་ཕ་རོལ་ཏུ་ཕྱིན་པ་ཉིད་ཀྱང་ཤིན་ཏུ་མེད་ན་དེ་ལ་འགྲོ་བའམ་འོང་བ་ལྟ་ག་ལ་ཡོད། རབ་འབྱོར་ཆོས་ཐམས་ཅད་ནི་ནང་སྟོང་པ་ཉིད་ཀྱི་ངང་ཚུལ་ཅན་ཏེ། དེ་དག་ནི་ངང་ཚུལ་དེ་ལས་མི་འདའོ། །དེ་ཅིའི་ཕྱིར་ཞེ་ན། རབ་འབྱོར་ནང་སྟོང་པ་ཉིད་ཀྱང་ཤིན་ཏུ་མི་དམིགས་ན་དེ་ལ་འགྲོ་བའམ་འོང་བ་ལྟ་ག་ལ་ཡོད། རབ་འབྱོར་ཆོས་ཐམས་ཅད་ནི་དངོས་པོ་མེད་པའི་ངོ་བོ་ཉིད་སྟོང་པ་ཉིད་ཀྱི་བར་གྱི་ངང་ཚུལ་ཅན་ཏེ། དེ་དག་ནི་ངང་ཚུལ་དེ་ལས་མི་འདའོ། །དེ་ཅིའི་ཕྱིར་ཞེ་ན། རབ་འབྱོར་དངོས་པོ་མེད་པའི་ངོ་བོ་ཉིད་སྟོང་པ་ཉིད་ཀྱང་ཤིན་ཏུ་མི་དམིགས་ན། དེ་ལ་འགྲོ་བའམ་འོང་བ་ལྟ་ག་ལ་ཡོད། རབ་འབྱོར་ཆོས་ཐམས་ཅད་ནི་དྲན་པ་ཉེ་བར་གཞག་པའི་ངང་ཚུལ་ཅན་ཏེ། དེ་དག་ནི་ངང་ཚུལ་དེ་ལས་མི་འདའོ། །དེ་ཅིའི་ཕྱིར་ཞེ་ན། རབ་འབྱོར་དྲན་པ་ཉེ་བར་གཞག་པ་ཉིད་ཀྱང་ཤིན་ཏུ་མི་དམིགས་ན། དེ་ལ་འགྲོ་བའམ་འོང་བ་ལྟ་ག་ལ་[༡]ཡོད། རབ་འབྱོར་ཆོས་ཐམས་ཅད་ནི་ཡང་དག་པར་སྤོང་བ་དང་། རྫུ་འཕྲུལ་གྱི་རྐང་པ་དང་། དབང་པོ་དང་། སྟོབས་དང་། བྱང་ཆུབ་ཀྱི་ཡན་ལག་དང་། ལམ་གྱི་ངང་ཚུལ་ཅན་ཏེ། དེ་དག་ནི་ངང་ཚུལ་དེ་ལས་མི་འདའོ། །དེ་ཅིའི་ཕྱིར་ཞེ་ན། རབ་འབྱོར་ལམ་ཉིད་ཀྱང་ཤིན་ཏུ་མི་དམིགས་ན་དེ་ལ་འགྲོ་བའམ་འོང་བ་ལྟ་ག་ལ་

ཡོད། རབ་འབྱོར་ཆོས་ཐམས་ཅད་ནི་འཕགས་པའི་བདེན་པ་དང་། བསམ་གཏན་དང་། ཚད་མེད་པ་དང་། གཟུགས་མེད་པའི་སྙོམས་པར་འཇུག་པ་དང་། རྣམ་པར་ཐར་པ་དང་། མཐར་གྱིས་གནས་པའི་སྙོམས་པར་འཇུག་པ་དང་། རྣམ་པར་ཐར་པའི་སྒོ་སྟོང་པ་ཉིད་དང་། མཚན་མ་མེད་པ་དང་། སྨོན་པ་མེད་པ་དང་། མངོན་པར་ཤེས་པ་དང་། ཏིང་ངེ་འཛིན་དང་། གཟུངས་ཀྱི་སྒོ་དང་། དེ་བཞིན་གཤེགས་པའི་སྟོབས་དང་། མི་འཇིགས་པ་དང་། སོ་སོ་ཡང་དག་པར་རིག་པ་དང་། བྱམས་པ་ཆེན་པོ་དང་། སྙིང་རྗེ་ཆེན་པོ་དང་། སངས་རྒྱས་ཀྱི་ཆོས་མ་འདྲེས་པའི་ངང་ཚུལ་ཅན་ཏེ། དེ་དག་ནི་ངང་ཚུལ་དེ་ལས་མི་འདའོ① །དེ་ཅིའི་ཕྱིར་ཞེ་ན། རབ་འབྱོར་སངས་རྒྱས་ཀྱི་ཆོས་མ་འདྲེས་པ་ཉིད་ཀྱང་ཤིན་ཏུ་མི་དམིགས་ན། དེ་ལ་འགྲོ་བའམ་འོང་བ་ལྟ་ག་ལ་ཡོད། རབ་འབྱོར་ཆོས་ཐམས་ཅད་ནི་རྒྱུན་དུ་ཞུགས་པའི་འབྲས་བུའི་ངང་ཚུལ་ཅན་ཏེ། དེ་དག་ནི་ངང་ཚུལ་དེ་ལས་མི་འདའོ། །དེ་ཅིའི་ཕྱིར་ཞེ་ན། རབ་འབྱོར་རྒྱུན་དུ་ཞུགས་པའི་འབྲས་བུ་ཉིད་ཀྱང་ཤིན་ཏུ་མི་དམིགས་ན། དེ་ལ་འགྲོ་བའམ་འོང་བ་ལྟ་ག་ལ་ཡོད། རབ་འབྱོར་ཆོས་ཐམས་ཅད་ནི། ལན་ཅིག་ཕྱིར་འོང་བའི་འབྲས་བུ་དང་། ཕྱིར་མི་འོང་བའི་འབྲས་བུ་དང་། དགྲ་བཅོམ་པ་ཉིད་དང་། རང་བྱང་ཆུབ་ཀྱི་ངང་ཚུལ་ཅན་ཏེ། དེ་དག་ནི་ངང་ཚུལ་དེ་ལས་མི་འདའོ། །དེ་ཅིའི་ཕྱིར་ཞེ་ན། རབ་འབྱོར་རང་བྱང་ཆུབ་ཉིད་ཀྱང་ཤིན་ཏུ་མི་དམིགས་ན་དེ་ལ་འགྲོ་བའམ་འོང་བ་ལྟ་ག་ལ་ཡོད། རབ་འབྱོར་ཆོས་ཐམས་ཅད་ནི་བླ་ན་མེད་པ་ཡང་དག་པར་རྫོགས་པའི་བྱང་ཆུབ་ཀྱི་ངང་ཚུལ་ཅན་ཏེ། དེ་དག་ནི་ངང་ཚུལ་དེ་ལས་མི་འདའོ། །དེ་ཅིའི་ཕྱིར་ཞེ་ན། རབ་འབྱོར་བླ་ན་མེད་པ་ཡང་དག་པར་རྫོགས་པའི་བྱང་ཆུབ་ཉིད་ཀྱང་ཤིན་ཏུ་མི་དམིགས་ན③ དེ་ལ་

འགྲོ་བའམ་འོང་བ་མི་དམིགས་སོ[7]། །གསོལ་པ། བཅོམ་ལྡན་འདས་དེ་ལྟར་ཟབ་པའི་ཤེས་རབ་ཀྱི་ཕ་རོལ་ཏུ་ཕྱིན་པ་ལ་སུ་ཞིག་མོས་པར་འགྱུར། བཅོམ་ལྡན་འདས་ཀྱིས་བཀའ་སྩལ་པ། རབ་འབྱོར་བྱང་ཆུབ་སེམས་དཔའ་སེམས་དཔའ་ཆེན་པོ་གང་བླ་ན་མེད་པ་ཡང་དག་པར་རྫོགས་པའི་བྱང་ཆུབ་ཏུ་སྔོན་གྱི་སངས་རྒྱས་བཅོམ་ལྡན་འདས་རྣམས་ཀྱི་དྲུང་དུ་སྤྱད་པར་གྱུར་པ་དགེ་བའི་རྩ་བ་ཡོངས་སུ་སྨིན་པ། སངས་རྒྱས་མང་པོ་ལ་བསྙེན་བཀུར་བ། དགེ་བའི་བཤེས་གཉེན་གྱིས་ཡོངས་སུ་བཟུང་བ་དེ་དག་ཤེས་རབ་ཀྱི་ཕ་རོལ་ཏུ་ཕྱིན་པ་ཟབ་མོ་འདི་ལ་མོས་པར་འགྱུར་རོ། །ཤེས་རབ་ཀྱི་ཕ་རོལ་ཏུ་ཕྱིན་པ་སྟོང་ཕྲག་ཉི་ཤུ་ལྔ་པ་ལས། ལེའུ་སུམ་ཅུ་དྲུག་པའོ།། །།

གསོལ་པ། བཅོམ་ལྡན་འདས་བྱང་ཆུབ་སེམས་དཔའ་སེམས་དཔའ་ཆེན་པོ་གང་ཤེས་རབ་ཀྱི་ཕ་རོལ་ཏུ་ཕྱིན་པ་ཟབ་མོ་འདི་ལ་མོས་པར་འགྱུར་བ་དེ་དག་གི་རང་བཞིན་ཇི་ལྟ་བུ་ཞིག་ཏུ་འགྱུར། བྱང་ཆུབ་སེམས་དཔའ་སེམས་དཔའ་ཆེན་པོ་དེ་དག་གི་ཚུལ་དང་། མཚན་མ་དང་། རྣམ་པ་ཇི་ལྟ་བུ་ཞིག་ཏུ་འགྱུར། བཅོམ་ལྡན་འདས་ཀྱིས་བཀའ་སྩལ་པ། རབ་འབྱོར་བྱང་ཆུབ་སེམས་དཔའ་སེམས་དཔའ་ཆེན་པོ་གང་ཤེས་རབ་ཀྱི་ཕ་རོལ་ཏུ་ཕྱིན་པ་ཟབ་མོ་འདི་ལ་མོས་པར་འགྱུར་བ་དེ་དག་ནི་འདོད་ཆགས་རྣམ་པར་བསལ་བས། དབེན་པའི་རང་བཞིན་དུ་འགྱུར་རོ། །བྱང་ཆུབ་སེམས་དཔའ་སེམས་དཔའ་ཆེན་པོ་དེ་དག་ནི་ཞེ་སྡང་དང་། གཏི་མུག་རྣམ་པར་བསལ་བས། དབེན་པའི་རང་བཞིན་དུ་འགྱུར་རོ། །རབ་འབྱོར་བྱང་ཆུབ་སེམས་དཔའ་སེམས་དཔའ་ཆེན་པོ་དེ་དག་ནི་འདོད་ཆགས་ཀྱི་ཚུལ་གྱིས་དབེན་པའི་རང་བཞིན་དུ་འགྱུར་རོ། །རབ་འབྱོར་བྱང་ཆུབ་སེམས་

དཔའ་སེམས་དཔའ་ཆེན་པོ་དེ་དག་ནི་ཞེ་སྡང་དང་། གཏི་མུག་གི་ཚུལ་གྱིས་དབེན་པའི་རང་བཞིན་དུ་འགྱུར་རོ། །རབ་འབྱོར་བྱང་ཆུབ་སེམས་དཔའ་སེམས་དཔའ་ཆེན་པོ་དེ་དག་ནི་འདོད་ཆགས་ཀྱི་མཚན་མས་དབེན་པའི་རང་བཞིན་དུ་འགྱུར་རོ། །རབ་འབྱོར་བྱང་ཆུབ་སེམས་དཔའ་སེམས་དཔའ་ཆེན་པོ་དེ་དག་ནི་ཞེ་སྡང་དང་། གཏི་མུག་གི་མཚན་མས་དབེན་པའི་རང་བཞིན་དུ་འགྱུར་རོ། །རབ་འབྱོར་བྱང་ཆུབ་སེམས་དཔའ་སེམས་དཔའ་ཆེན་པོ་དེ་དག་ནི་འདོད་ཆགས་ཀྱི་རྣམ་པས་དབེན་པའི་རང་བཞིན་དུ་འགྱུར་རོ། །རབ་འབྱོར་བྱང་ཆུབ་སེམས་དཔའ་སེམས་དཔའ་ཆེན་པོ་དེ་དག་ནི་ཞེ་སྡང་དང་། གཏི་མུག་གི་རྣམ་པས་དབེན་པའི་རང་བཞིན་དུ་འགྱུར་རོ། །གསོལ་པ། བཅོམ་ལྡན་འདས་བྱང་ཆུབ་སེམས་དཔའ་སེམས་དཔའ་ཆེན་པོ་གང་གིས་ཤེས་རབ་ཀྱི་ཕ་རོལ་ཏུ་ཕྱིན་པ་ཟབ་མོ་འདི་ཡོངས་སུ་འཚོལ་བར་འགྱུར་བ་དེ་དག་གི་དང་ཚུལ་ཇི་ལྟ་བུར་འགྱུར། བཅོམ་ལྡན་འདས་ཀྱིས་བཀའ་སྩལ་པ། རབ་འབྱོར་བྱང་ཆུབ་སེམས་དཔའ་སེམས་དཔའ་ཆེན་པོ་གང་ཤེས་རབ་ཀྱི་ཕ་རོལ་ཏུ་ཕྱིན་པ་ཟབ་མོ་འདི་ཡོངས་སུ་ཤེས་པར་འགྱུར་བ་དེ་དག་ནི། རྣམ་པ་ཐམས་ཅད་མཁྱེན་པ་ཉིད་ཀྱི་དང་ཚུལ་ཅན་དུ་འགྱུར་རོ། །གསོལ་པ། བཅོམ་ལྡན་འདས་བྱང་ཆུབ་སེམས་དཔའ་སེམས་དཔའ་ཆེན་པོ་རྣམ་པ་ཐམས་ཅད་མཁྱེན་པ་ཉིད་ཀྱི་དང་ཚུལ་ཅན་ཏེ། སེམས་ཅན་རྣམས་ཀྱི་རྟེན་དུ་འགྱུར་བ་ལགས་སམ། བཅོམ་ལྡན་འདས་ཀྱིས་བཀའ་སྩལ་པ། རབ་འབྱོར་དེ་དེ་བཞིན་ནོ། །དེ་དེ་བཞིན་ཏེ། བྱང་ཆུབ་སེམས་དཔའ་སེམས་དཔའ་ཆེན་པོ་རྣམ་པ་ཐམས་ཅད་མཁྱེན་པ་ཉིད་ཀྱི་དང་ཚུལ་ཅན་ནི་སེམས་ཅན་རྣམས་ཀྱི་རྟེན་དུ་འགྱུར་བ་ཡིན་ནོ། །གསོལ་པ། བཅོམ་ལྡན་འདས་བྱང་ཆུབ་སེམས་དཔའ་སེམས་དཔའ་ཆེན་པོ་གང་གིས་སེམས་ཅན་

ཐམས་ཅད་ཡོངས་སུ་མྱ་ངན་ལས་བཟླ①བར་བྱའོ་ཞེས་གོ་ཆ་འདི་འཚལ་ཀྱང་། དེ་ལ་སེམས་ཅན་དང་སེམས་ཅན་དུ་གདགས་པ་མི་དམིགས་པ་དེ་དག་ནི་དཀའ②བ་བགྱིད་པའོ། །བཅོམ་ལྡན་འདས་ཀྱིས་བཀའ་སྩལ་པ། རབ་འབྱོར་དེ་དེ་བཞིན་ནོ། །དེ་དེ་བཞིན་ཏེ། བྱང་ཆུབ་སེམས་དཔའ་སེམས་དཔའ་ཆེན་པོ་གང་གིས་③སེམས་ཅན་ཐམས་ཅད་ཡོངས་སུ་མྱ་ངན་ལས་བཟླ④བར་བྱའོ་ཞེས་གོ་ཆ་འདི་བགོས་པ་དེ་དག་ནི་དཀའ་བ་བྱེད་པའོ། །རབ་འབྱོར་བྱང་ཆུབ་སེམས་དཔའ་སེམས་དཔའ་ཆེན་པོའི་གོ་ཆ་དེ་ནི་གཟུགས་དང་འབྲེལ་པ་མ་ཡིན་ཏེ། དེ་ཅིའི་ཕྱིར་ཞེ་ན། རབ་འབྱོར་གཟུགས་ཀྱང་ཤིན་ཏུ་མེད་ལ་བྱང་ཆུབ་སེམས་དཔའི་གོ་ཆ་ཡང་མེད་པས། དེའི་ཕྱིར་གོ་ཆ་དེ་ནི་གཟུགས་དང་འབྲེལ་པ་མ་ཡིན་ཞེས་བྱའོ། །རབ་འབྱོར་བྱང་ཆུབ་སེམས་དཔའ་སེམས་དཔའ་ཆེན་པོའི་གོ་ཆ་དེ་ནི་ཚོར་བ་དང་། འདུ་ཤེས་དང་། འདུ་བྱེད་དང་། རྣམ་པར་ཤེས་པ་དང་། འབྲེལ་པ་མ་ཡིན་ཏེ། དེ་ཅིའི་ཕྱིར་ཞེ་ན། རབ་འབྱོར་རྣམ་པར་ཤེས་པ་ཡང་ཤིན་ཏུ་མེད་ལ། བྱང་ཆུབ་སེམས་དཔའི་གོ་ཆ་ཡང་མེད་པས་དེའི་ཕྱིར་གོ་ཆ་དེ་ནི་རྣམ་པར་ཤེས་པ་དང་། འབྲེལ་པ་མ་ཡིན་ཞེས་བྱའོ། །རབ་འབྱོར་བྱང་ཆུབ་སེམས་དཔའ་སེམས་དཔའ་ཆེན་པོའི་གོ་ཆ་དེ་ནི་སྐྱེ་མཆེད་དང་། ཁམས་དང་། རྟེན་ཅིང་འབྲེལ་བར་འབྱུང་བ་དང་འབྲེལ་བ་མ་ཡིན་ཏེ། དེ་ཅིའི་ཕྱིར་ཞེ་ན། རབ་འབྱོར་རྟེན་ཅིང་འབྲེལ་བར་འབྱུང་བ་ཡང་ཤིན་ཏུ་མེད་ལ། བྱང་ཆུབ་སེམས་དཔའི་གོ་ཆ་ཡང་མེད་པས། དེའི་ཕྱིར་གོ་ཆ་དེ་ནི་རྟེན་ཅིང་འབྲེལ་བར་འབྱུང་བ་དང་འབྲེལ⑤པ་མ་ཡིན་ཞེས་བྱའོ། །རབ་འབྱོར་གོ་ཆ་དེ་ནི་བདག་དང་འབྲེལ་པ་མ་ཡིན། སེམས་ཅན་དང་འབྲེལ་པ་མ་ཡིན། སྲོག་དང་འབྲེལ་པ་མ་ཡིན། སྐྱེ་བ་དང་འབྲེལ་པ་མ་ཡིན། གསོ་བ་དང་འབྲེལ་པ་མ་ཡིན།

སྐྱེས་བུ་དང་འབྲེལ་པ་མ་ཡིན། གང་ཟག་དང་འབྲེལ་པ་མ་ཡིན། ཤེད་ཅན་དང་འབྲེལ་པ་མ་ཡིན། ཤེད་བདག་དང་འབྲེལ་པ་མ་ཡིན། བྱེད་པ་པོ་དང་འབྲེལ་པ་མ་ཡིན། ཚོར་བ་པོ་དང་འབྲེལ་པ་མ་ཡིན། ཤེས་པ་པོ་དང་འབྲེལ་པ་མ་ཡིན། མཐོང་བ་པོ་དང་འབྲེལ་པ་མ་ཡིན་ཏེ། དེ་ཅིའི་ཕྱིར་ཞེ་ན། རབ་འབྱོར་མཐོང་བ་པོ་ཡང་ཤིན་ཏུ་མེད་ལ། བྱང་ཆུབ་སེམས་དཔའི་གོ་ཆ་དེ་ཡང་མེད་པས། དེའི་ཕྱིར་གོ་ཆ་དེ་ནི་མཐོང་བ་པོ་དང་འབྲེལ་པ་མ་ཡིན་ཞེས་བྱའོ། །རབ་འབྱོར་བྱང་ཆུབ་སེམས་དཔའ་སེམས་དཔའ་ཆེན་པོའི་གོ་ཆ་དེ་ནི་སྦྱིན་པའི་ཕ་རོལ་ཏུ་ཕྱིན་པ་དང་འབྲེལ་པ་མ་ཡིན་ཏེ། དེ་ཅིའི་ཕྱིར་ཞེ་ན། རབ་འབྱོར་སྦྱིན་པའི་ཕ་རོལ་ཏུ་ཕྱིན་པ་ཡང་ཤིན་ཏུ་མེད་ལ། བྱང་ཆུབ་སེམས་དཔའི་གོ་ཆ་ཡང་མེད་པས། དེའི་ཕྱིར་གོ་ཆ་དེ་ནི་སྦྱིན་པའི་ཕ་རོལ་ཏུ་ཕྱིན་པ་དང་འབྲེལ་པ་མ་ཡིན་ཞེས་བྱའོ། །རབ་འབྱོར་བྱང་ཆུབ་སེམས་དཔའ་སེམས་དཔའ་ཆེན་པོའི་གོ་ཆ་དེ་ནི་ཚུལ་ཁྲིམས་ཀྱི་ཕ་རོལ་ཏུ་ཕྱིན་པ་དང་། བཟོད་པའི་ཕ་རོལ་ཏུ་ཕྱིན་པ་དང་། བརྩོན་འགྲུས་ཀྱི་ཕ་རོལ་ཏུ་ཕྱིན་པ་དང་། བསམ་གཏན་གྱི་ཕ་རོལ་ཏུ་ཕྱིན་པ་དང་། ཤེས་རབ་ཀྱི་ཕ་རོལ་ཏུ་ཕྱིན་པ་དང་འབྲེལ་པ་མ་ཡིན་ཏེ། དེ་ཅིའི་ཕྱིར་ཞེ་ན། རབ་འབྱོར་ཤེས་རབ་ཀྱི་ཕ་རོལ་ཏུ་ཕྱིན་པ་ཡང་ཤིན་ཏུ་མེད་ལ། བྱང་ཆུབ་སེམས་དཔའི་གོ་ཆ་ཡང་མེད་པས། དེའི་ཕྱིར་གོ་ཆ་དེ་ནི་ཤེས་རབ་ཀྱི་ཕ་རོལ་ཏུ་ཕྱིན་པ་དང་འབྲེལ་བ་མ་ཡིན་ཞེས་བྱའོ། །རབ་འབྱོར་བྱང་ཆུབ་སེམས་དཔའ་སེམས་དཔའ་ཆེན་པོའི་གོ་ཆ་དེ་ནི་ནང་སྟོང་པ་ཉིད་དང་འབྲེལ་བ་མ་ཡིན་ཏེ། དེ་ཅིའི་ཕྱིར་ཞེ་ན། རབ་འབྱོར་ནང་སྟོང་པ་ཉིད་ཀྱང་ཤིན་ཏུ་མེད་ལ། བྱང་ཆུབ་སེམས་དཔའི་གོ་ཆ་དེ་ཡང་མེད་པས། དེའི་ཕྱིར་གོ་ཆ་དེ་ནི་ནང་སྟོང་པ་ཉིད་དང་འབྲེལ་བ་མ་ཡིན་ཞེས་བྱའོ། །རབ་འབྱོར་བྱང་ཆུབ་སེམས་དཔའ་

སེམས་དཔའ་ཆེན་པོའི་གོ་ཆ་དེ་ནི་དངོས་པོ་མེད་པའི་ངོ་བོ་ཉིད་སྟོང་པ་ཉིད་ཀྱི་བར་དང་འབྲེལ་བ་མ་ཡིན་ཏེ། དེ་ཅིའི་ཕྱིར་ཞེ་ན། རབ་འབྱོར་དངོས་པོ་མེད་པའི་ངོ་བོ་ཉིད་སྟོང་པ་ཉིད་ཀྱང་ཤིན་ཏུ་མེད་ལ། བྱང་ཆུབ་སེམས་དཔའི་གོ་ཆ་ཡང་མེད་པས། དེའི་ཕྱིར་གོ་ཆ་དེ་ནི་དངོས་པོ་མེད་པའི་ངོ་བོ་ཉིད་སྟོང་པ་ཉིད་དང་འབྲེལ་བ་མ་ཡིན་ཞེས་བྱའོ། །རབ་འབྱོར་བྱང་ཆུབ་སེམས་དཔའ་སེམས་དཔའ་ཆེན་པོའི་གོ་ཆ་དེ་ནི་དྲན་པ་ཉེ་བར་གཞག་པ་དང་འབྲེལ་བ་མ་ཡིན་ཏེ། དེ་ཅིའི་ཕྱིར་ཞེ་ན། རབ་འབྱོར་དྲན་པ་ཉེ་བར་གཞག་པ་ཉིད་ཀྱང་ཤིན་ཏུ་མེད་ལ། བྱང་ཆུབ་སེམས་དཔའི་གོ་ཆ་ཡང་མེད་པས། དེའི་ཕྱིར་གོ་ཆ་དེ་ནི་དྲན་པ་ཉེ་བར་གཞག་པ་དང་འབྲེལ་བ་མ་ཡིན་ཞེས་བྱའོ། །རབ་འབྱོར་བྱང་ཆུབ་སེམས་དཔའ་སེམས་དཔའ་ཆེན་པོའི་གོ་ཆ་དེ་ནི་ཡང་དག་པར་སྤོང་བ་དང་། རྫུ་འཕྲུལ་གྱི་རྐང་པ་དང་། དབང་པོ་དང་། སྟོབས་དང་། བྱང་ཆུབ་ཀྱི་ཡན་ལག་དང་། འཕགས་པའི་ལམ་ཡན་ལག་བརྒྱད་པ་དང་འབྲེལ་པ་མ་ཡིན་ཏེ། དེ་ཅིའི་ཕྱིར་ཞེ་ན། རབ་འབྱོར་འཕགས་པའི་ལམ་ཡན་ལག་བརྒྱད་པ་ཡང་ཤིན་ཏུ་མེད་ལ། བྱང་ཆུབ་སེམས་དཔའི་གོ་ཆ་ཡང་མེད་པས། དེའི་ཕྱིར་གོ་ཆ་དེ་ནི་འཕགས་པའི་ལམ་ཡན་ལག་བརྒྱད་པ་དང་འབྲེལ་བ་མ་ཡིན་ཞེས་བྱའོ། །རབ་འབྱོར་བྱང་ཆུབ་སེམས་དཔའ་སེམས་དཔའ་ཆེན་པོའི་གོ་ཆ་དེ་ནི་རྣམ་པ་ཐམས་ཅད་མཁྱེན་པ་ཉིད་ཀྱི་བར་དང་འབྲེལ་པ་མ་ཡིན་ཏེ། དེ་ཅིའི་ཕྱིར་ཞེ་ན། རབ་འབྱོར་རྣམ་པ་ཐམས་ཅད་མཁྱེན་པ་ཉིད་ཀྱང་ཤིན་ཏུ་མེད་ལ། བྱང་ཆུབ་སེམས་དཔའི་གོ་ཆ་ཡང་མེད་པས། དེའི་ཕྱིར་གོ་ཆ་དེ་ནི་རྣམ་པ་ཐམས་ཅད་མཁྱེན་པ་ཉིད་དང་འབྲེལ་པ་མ་ཡིན་ཞེས་བྱའོ། །རབ་འབྱོར་བྱང་ཆུབ་སེམས་དཔའ་སེམས་དཔའ་ཆེན་པོ་ཤེས་རབ་ཀྱི་ཕ་རོལ་ཏུ་ཕྱིན་པ་ཟབ་མོ་འདི་ལ་སྤྱོད་པ་

གང་དག་སེམས་ཅན་ཐམས་ཅད་བདག་ཅག་གིས་ཡོངས་སུ་མྱ་ངན་ལས་བཟླ[1]བར་བྱའོ་ཞེས་གོ་ཆ་བགོས་པ་དེ་དག་གི་གོ་ཆ་ནི་ཆོས་ཐམས་ཅད་དང་འབྲེལ་པ་མ་ཡིན་ནོ༔ །གསོལ་པ། བཅོམ་ལྡན་འདས་བྱང་ཆུབ་སེམས་དཔའ་སེམས་དཔའ་ཆེན་པོ་སེམས་ཅན་ཐམས་ཅད་ཡོངས་སུ་མྱ་ངན་ལས་བཟླ[2]བར་བྱའོ་ཞེས་གོ་ཆ་འཚལ་བ་དེས། ཉན་ཐོས་ཀྱི་སའམ། རང་སངས་རྒྱས་ཀྱི་སའི་གནས་གཉིས་སུ་ངོགས་པར་མི་བགྱི་སྟེ། བཅོམ་ལྡན་འདས་སེམས་ཅན་ཐམས་ཅད་ཡོངས་སུ་མྱ་ངན་ལས་བཟླ[3]བར་བྱའོ་ཞེས་གོ་ཆ་འཚལ་བའི་བྱང་ཆུབ་སེམས་དཔའ་སེམས་དཔའ་ཆེན་པོ་དེ་ཉན་ཐོས་ཀྱི་སའམ། རང་སངས་རྒྱས་ཀྱི་སར་ལྟུང་བའི་གནས་དང་སྐབས་མ་མཆིས་ཏེ། དེ་ནི་གནས་མ་མཆིས་སོ། །དེ་ཅིའི་སླད་དུ་ཞེ་ན། བྱང་ཆུབ་སེམས་དཔའ་སེམས་དཔའ་ཆེན་པོས་ས་མཚམས་བཅད་དེ། སེམས་ཅན་གྱི་དོན་དུ་གོ་ཆ་འཚལ་བ་མ་ལགས་སོ། །བཅོམ་ལྡན་འདས་ཀྱིས་བཀའ་སྩལ་པ༔ རབ་འབྱོར་ཁྱོད་ཀྱིས་དོན་གྱི་དབང་གང་ཞིག་མཐོང་ན། དེ་སྐད་དུ་བྱང་ཆུབ་སེམས་དཔའ་སེམས་དཔའ་ཆེན་པོ་དེ་ལྟར་གོ་ཆ་བགོས་ཤིང་ཤེས་རབ་ཀྱི་ཕ་རོལ་དུ་ཕྱིན་པ་ཟབ་མོ་འདི་ལ་སྤྱོད་པ་དེས། ཉན་ཐོས་ཀྱི་སའམ། རང་སངས་རྒྱས་ཀྱི་སའི་གནས་གཉིས་སུ་ངོགས་པར་མི་བྱའོ་ཞེས་སྨྲས[4]། གསོལ་པ། བཅོམ་ལྡན་འདས་དེ་ནི་བྱང་ཆུབ་སེམས་དཔའ་སེམས་དཔའ་ཆེན་པོ་སེམས་ཅན་ཉི་ཚེ་ཉུང་ཟད་ཅིག་གི་སླད་དུ་གོ་ཆ་འཚལ་བ་མ་ལགས། ཡེ་ཤེས་ཆུང[5]ཟད་ཉི་ཚེ་ཞིག་གི་སླད་དུ་གོ་ཆ[6]འཚལ་བ་མ་ལགས་ཏེ། དེ་ཅིའི་སླད་དུ་ཞེ་ན། བཅོམ་ལྡན་འདས་བྱང་ཆུབ་སེམས་དཔའ་སེམས་དཔའ་ཆེན་པོས་ནི་སེམས་ཅན་ཐམས་ཅད་ཡོངས་སུ་མྱ་ངན་ལས་བཟླ[7]བའི་སླད་དུ་གོ་ཆ་འཚལ་ཏོ། །བཅོམ་ལྡན་འདས་བྱང་ཆུབ་སེམས་དཔའ་སེམས་དཔའ་ཆེན་པོས་ནི་རྣམ་པ་ཐམས་ཅད་

མཁྱེན་པ་ཉིད་ཀྱི་ཡེ་ཤེས་ཀྱི་སླད་དུ་གོ་ཆ་འཚལ་ཏོ། །བཅོམ་ལྡན་འདས་ཀྱིས····
བཀའ་སྩལ་པ། རབ་འབྱོར་དེ་དེ་བཞིན་ནོ། །དེ་དེ་བཞིན་ཏེ། བྱང་ཆུབ···
སེམས་དཔའ་སེམས་དཔའ་ཆེན་པོས་ནི་སེམས་ཅན་ཉུང་ཟད་ཀྱི་ཆེད་དུ་གོ་ཆ་
བགོས་པ་མ་ཡིན་ཏེ། ཡེ་ཤེས་ཆུང་[༡]ཟད་ཀྱི་ཆེད་དུ་གོ་ཆ་བགོས་པ་མ་ཡིན་
གྱི། རབ་འབྱོར་བྱང་ཆུབ་སེམས་དཔའ་སེམས་དཔའ་ཆེན་པོས་ནི་སེམས་ཅན་
ཐམས་ཅད་ཡོངས་སུ་མྱ་ངན་ལས་བཟླས་པ[༢]དང་། རྣམ་པ་ཐམས་ཅད་མཁྱེན་
པའི་ཡེ་ཤེས་ཀྱི་དོན་དུ་གོ་ཆ་བགོས་སོ། །གསོལ་པ། བཅོམ་ལྡན་འདས་ཤེས··
རབ་ཀྱི་ཕ་རོལ་དུ་ཕྱིན་པ་འདི་ནི་ཤིན་དུ་ཟབ་པ་སྟེ། དེ་ནི་སུས་ཀྱང་བསྒོམ་པར་
མི་བགྱི། ཅི་ཡང་བསྒོམ་པར་མི་བགྱི། གང་དུ་ཡང་བསྒོམ་པར་མི་བགྱིའོ། །
དེ་ཅིའི་སླད་དུ་ཞེ་ན། བཅོམ་ལྡན་འདས་ཤེས་རབ་ཀྱི་ཕ་རོལ་ཏུ་ཕྱིན་པ་ཟབ་མོ་
འདི་ལ་གང་བསྒོམ་པའམ། གང་བསྒོམ་པར་བགྱི་བའམ། གང་གིས་བསྒོམ···
པར་བགྱི་བའི་ཆོས་གང་ཡང་ཡོངས་སུ་གྲུབ་པ་དམིགས་སུ་མ་མཆིས་ཏེ། བཅོམ་
ལྡན་འདས་ཤེས་རབ་ཀྱི་ཕ་རོལ་ཏུ་ཕྱིན་པ་བསྒོམ་པ་དེ་ནི་ནམ་མཁའ་བསྒོམ་པའོ། །
བཅོམ་ལྡན་འདས་འདི་ལྟ་སྟེ། ཤེས་རབ་ཀྱི་ཕ་རོལ་ཏུ་ཕྱིན་པ་བསྒོམ་པ་དེ་ནི····
ཆོས་ཐམས་ཅད་བསྒོམ་པའོ། །བཅོམ་ལྡན་འདས་འདི་ལྟ་སྟེ། ཤེས་རབ་ཀྱི་ཕ་
རོལ་དུ་ཕྱིན་པ་བསྒོམ་པ་དེ་ནི་མ་མཆིས་པ་བསྒོམ་པའོ། །བཅོམ་ལྡན་འདས་འདི་
ལྟ་སྟེ། ཤེས་རབ་ཀྱི་ཕ་རོལ་ཏུ་ཕྱིན་པ་བསྒོམ་པ་དེ་ནི་ཡོངས་སུ་འཛིན་པ་མ་
མཆིས་པ་བསྒོམ་པའོ། །བཅོམ་ལྡན་འདས་འདི་ལྟ་སྟེ། ཤེས་རབ་ཀྱི་ཕ་རོལ་དུ་
ཕྱིན་པ་བསྒོམ་པ་དེ་ནི་བསྒོམ་པ་རྣམ་པར་བསྒོམ་པའོ། །བཅོམ་ལྡན་འདས་ཀྱིས་
བཀའ་སྩལ་པ། རབ་འབྱོར་དེ་ལྟར་ཤེས་རབ་ཀྱི་ཕ་རོལ་ཏུ་ཕྱིན་པ་བསྒོམ་པ་དེ··
གང་བསྒོམ་པ་རྣམ་པར་བསྒོམ་པ་ཡིན། གསོལ་པ། བཅོམ་ལྡན་འདས་འདི··

ལྷ་སྟེ། ཤེས་རབ་ཀྱི་ཕ་རོལ་ཏུ་ཕྱིན་པ་བསྒོམ་པ་འདི་ནི་གཟུགས་བསྒོམ་པ་རྣམ་པར་བསྒོམ་པའོ། །བཅོམ་ལྡན་འདས་འདི་ལྟ་སྟེ། ཤེས་རབ་ཀྱི་ཕ་རོལ་ཏུ་ཕྱིན་པ་བསྒོམ་པ་འདི་ནི་ཚོར་བ་དང་། འདུ་ཤེས་དང་། འདུ་བྱེད་དང་། རྣམ་པར་ཤེས་པ་བསྒོམ་པ་རྣམ་པར་བསྒོམ་པའོ། །བཅོམ་ལྡན་འདས་འདི་ལྟ་སྟེ། ཤེས་རབ་ཀྱི་ཕ་རོལ་ཏུ་ཕྱིན་པ་བསྒོམ་པ་འདི་ནི་སྐྱེ་མཆེད་དང་། ཁམས་དང་། རྟེན་ཅིང་འབྲེལ་བར་འབྱུང་བ་བསྒོམ་པ་[7]རྣམ་པར་བསྒོམ་པའོ། །བཅོམ་ལྡན་འདས་འདི་ལྟ་སྟེ། ཤེས་རབ་ཀྱི་ཕ་རོལ་ཏུ་ཕྱིན་པ་བསྒོམ་པ་འདི་ནི་བདག་བསྒོམ་པ་རྣམ་པར་བསྒོམ་པའོ། །བཅོམ་ལྡན་འདས་འདི་ལྟ་སྟེ། ཤེས་རབ་ཀྱི་ཕ་རོལ་ཏུ་ཕྱིན་པ་བསྒོམ་པ་འདི་ནི་སེམས་ཅན་དང་། སྲོག་དང་། འགྲོ་བ་དང་། གསོ་བ་དང་། སྐྱེས་བུ་དང་། གང་ཟག་དང་། ཤེད་ཅན་དང་། ཤེད་བདག་དང་། བྱེད་པ་པོ་དང་། ཚོར་བ་པོ་དང་། ཤེས་པ་པོ་དང་། མཐོང་བ་པོ་བསྒོམ་པ་རྣམ་པར་བསྒོམ་པའོ། །བཅོམ་ལྡན་འདས་འདི་ལྟ་སྟེ། ཤེས་རབ་ཀྱི་ཕ་རོལ་ཏུ་ཕྱིན་པ་བསྒོམ་པ་འདི་ནི་སྦྱིན་པའི་ཕ་རོལ་ཏུ་ཕྱིན་པ་བསྒོམ་པ་རྣམ་པར་བསྒོམ་པའོ། །བཅོམ་ལྡན་འདས་འདི་ལྟ་སྟེ། ཤེས་རབ་ཀྱི་ཕ་རོལ་ཏུ་ཕྱིན་པ་བསྒོམ་པ་འདི་ནི་ཚུལ་ཁྲིམས་ཀྱི་ཕ་རོལ་ཏུ་ཕྱིན་པ་དང་། བཟོད་པའི་ཕ་རོལ་ཏུ་ཕྱིན་པ་དང་། བརྩོན་འགྲུས་ཀྱི་ཕ་རོལ་ཏུ་ཕྱིན་པ་དང་། བསམ་གཏན་གྱི་ཕ་རོལ་ཏུ་ཕྱིན་པ་དང་། ཤེས་རབ་ཀྱི་ཕ་རོལ་ཏུ་ཕྱིན་པ་བསྒོམ་པ་རྣམ་པར་བསྒོམ་པའོ། །བཅོམ་ལྡན་འདས་འདི་ལྟ་སྟེ། ཤེས་རབ་ཀྱི་ཕ་རོལ་ཏུ་ཕྱིན་པ་བསྒོམ་པ་འདི་ནི་ནང་སྟོང་པ་ཉིད་བསྒོམ་པ་རྣམ་པར་བསྒོམ་པའོ། །བཅོམ་ལྡན་འདས་འདི་ལྟ་སྟེ། ཤེས་རབ་ཀྱི་ཕ་རོལ་ཏུ་ཕྱིན་པ་བསྒོམ་པ་འདི་ནི་དངོས་པོ་མེད་པའི་ངོ་བོ་ཉིད་སྟོང་པ་ཉིད་ཀྱི་བར་དུ་བསྒོམ་པ་རྣམ་པར་བསྒོམ་པའོ། །

བཅོམ་ལྡན་འདས་འདི་ལྟ་སྟེ། ཤེས་རབ་ཀྱི་ཕ་རོལ་ཏུ་ཕྱིན་པ་བསྒོམ་པ་འདི་ནི་དྲན་པ་ཉེ་བར་གཞག་པ་བསྒོམ་པ་རྣམ་པར་བསྒོམ་པའོ། །བཅོམ་ལྡན་འདས་འདི་ལྟ་སྟེ། ཤེས་རབ་ཀྱི་ཕ་རོལ་ཏུ་ཕྱིན་པ་བསྒོམ་པ་འདི་ནི་ཡང་དག་པར་སྤོང་བ་དང་། རྫུ་འཕྲུལ་གྱི་རྐང་པ་དང་། དབང་པོ་དང་། སྟོབས་དང་། བྱང་ཆུབ་ཀྱི་ཡན་ལག་དང་། ལམ་བསྒོམ་པ་རྣམ་པར་བསྒོམ་པའོ། །བཅོམ་ལྡན་འདས་འདི་ལྟ་སྟེ། ཤེས་རབ་ཀྱི་ཕ་རོལ་ཏུ་ཕྱིན་པ་བསྒོམ་པ་འདི་ནི་འཕགས་པའི་བདེན་པ་རྣམས་དང་། བསམ་གཏན་རྣམས་དང་། ཚད་མེད་པ་རྣམས་དང་། གཟུགས་མེད་པའི་སྙོམས་པར་འཇུག་པ་རྣམས་དང་། རྣམ་པར་ཐར་པ་བརྒྱད་དང་། མཐར་གྱིས་གནས་པའི་སྙོམས་པར་འཇུག་པ་དགུ་དང་། རྣམ་པར་ཐར་པའི་སྒོ་སྟོང་པ་ཉིད་དང་། མཚན་མ་མེད་པ་དང་། སྨོན་པ་མེད་པ་དང་། མངོན་པར་ཤེས་པ་རྣམས་དང་། ཏིང་ངེ་འཛིན་རྣམས་དང་། གཟུངས་ཀྱི་སྒོ་རྣམས་བསྒོམ་པ་རྣམ་པར་བསྒོམ་པའོ། །བཅོམ་ལྡན་འདས་འདི་ལྟ་སྟེ། ཤེས་རབ་ཀྱི་ཕ་རོལ་ཏུ་ཕྱིན་པ་བསྒོམ་པ་འདི་ནི་དེ་བཞིན་གཤེགས་པའི་སྟོབས་བཅུ་དང་། མི་འཇིགས་པ་བཞི་དང་། སོ་སོ་ཡང་དག་པར་རིག་པ་བཞི་དང་། བྱམས་པ་ཆེན་པོ་དང་། སྙིང་རྗེ་ཆེན་པོ་དང་། སངས་རྒྱས་ཀྱི་ཆོས་མ་འདྲེས་པ་བཅོ་བརྒྱད་བསྒོམ་པ་རྣམ་པར་བསྒོམ་པའོ། །བཅོམ་ལྡན་འདས་འདི་ལྟ་སྟེ། ཤེས་རབ་ཀྱི་ཕ་རོལ་ཏུ་ཕྱིན་པ་བསྒོམ་པ་འདི་ནི་རྒྱུན་དུ་ཞུགས་པའི་འབྲས་བུ་བསྒོམ་པ་རྣམ་པར་བསྒོམ་པའོ། །བཅོམ་ལྡན་འདས་འདི་ལྟ་སྟེ། ཤེས་རབ་ཀྱི་ཕ་རོལ་ཏུ་ཕྱིན་པ་བསྒོམ་པ་འདི་ནི། ལན་ཅིག་ཕྱིར་འོང་བའི་འབྲས་བུ་དང་། ཕྱིར་མི་འོང་བའི་འབྲས་བུ་དང་། དགྲ་བཅོམ་པ་ཉིད་དང་། རང་བྱང་ཆུབ་བསྒོམ་པ་རྣམ་པར་བསྒོམ་པའོ། །བཅོམ་ལྡན་འདས་

འདི་ལྟ་སྟེ། ཤེས་རབ་ཀྱི་ཕ་རོལ་ཏུ་ཕྱིན་པ་བསྒོམ་པ་འདི་ནི་རྣམ་པ་ཐམས་ཅད་མཁྱེན་པ་ཉིད་བསྒོམ་པ་རྣམ་པར་བསྒོམ་པའོ། །བཅོམ་ལྡན་འདས་ཀྱིས་བཀའ་སྩལ་པ། རབ་འབྱོར་དེ་དེ་བཞིན་ནོ། །དེ་དེ་བཞིན་ཏེ། རབ་འབྱོར་འདི་ལྟ་སྟེ༑ ཤེས་རབ་ཀྱི་ཕ་རོལ་ཏུ་ཕྱིན་པ་བསྒོམ་པ་འདི་ནི་གཟུགས་བསྒོམ་པ་རྣམ་པར་བསྒོམ་པའོ། །རབ་འབྱོར་འདི་ལྟ་སྟེ། ཤེས་རབ་ཀྱི་ཕ་རོལ་ཏུ་ཕྱིན་པ་བསྒོམ་པ་འདི་ནི་ཚོར་བ་དང་། འདུ་ཤེས་དང་། འདུ་བྱེད་དང་། རྣམ་པར་ཤེས་པ་བསྒོམ་པ་རྣམ་པར་བསྒོམ་པའོ། །རབ་འབྱོར་འདི་ལྟ་སྟེ། ཤེས་རབ་ཀྱི་ཕ་རོལ་ཏུ་ཕྱིན་པ་བསྒོམ་པ་འདི་ནི་སྐྱེ་མཆེད་དང་། ཁམས་དང་། རྟེན་ཅིང་འབྲེལ་བར་འབྱུང་བ་བསྒོམ་པ་རྣམ་པར་བསྒོམ་པའོ། །རབ་འབྱོར་འདི་ལྟ་སྟེ། ཤེས་རབ་ཀྱི་ཕ་རོལ་ཏུ་ཕྱིན་པ་བསྒོམ་པ་འདི་ནི་བདག་བསྒོམ་པ་རྣམ་པར་བསྒོམ་པའོ། །རབ་འབྱོར་འདི་ལྟ་སྟེ། ཤེས་རབ་ཀྱི་ཕ་རོལ་ཏུ་ཕྱིན་པ་བསྒོམ་པ་འདི་ནི། སེམས་ཅན་དང་། སྲོག་དང་། འགྲོ་བ་དང་། གསོ་བ་དང་། སྐྱེས་བུ་དང་། གང་ཟག་དང་། ཤེད་ཅན་དང་། ཤེད་བདག་དང་། བྱེད་པ་པོ་དང་། ཚོར་བ་པོ་དང་། ཤེས་པ་པོ་དང་། མཐོང་བ་པོ་བསྒོམ་པ་རྣམ་པར་བསྒོམ་པའོ། །རབ་འབྱོར་འདི་ལྟ་སྟེ། ཤེས་རབ་ཀྱི་ཕ་རོལ་ཏུ་ཕྱིན་པ་བསྒོམ་པ་འདི་ནི་ཕ་རོལ་ཏུ་ཕྱིན་པ་ཐམས་ཅད་བསྒོམ་པ་རྣམ་པར་བསྒོམ་པའོ། །རབ་འབྱོར་འདི་ལྟ་སྟེ། ཤེས་རབ་ཀྱི་ཕ་རོལ་ཏུ་ཕྱིན་པ་བསྒོམ་པ་འདི་ནི། སྟོང་པ་ཉིད་ཐམས་ཅད་བསྒོམ་པ་རྣམ་པར་བསྒོམ་པའོ། །རབ་འབྱོར་འདི་ལྟ་སྟེ། ཤེས་རབ་ཀྱི་ཕ་རོལ་ཏུ་ཕྱིན་པ་བསྒོམ་པ་འདི་ནི། བྱང་ཆུབ་ཀྱི་ཕྱོགས་ཀྱི་ཆོས་རྣམས་བསྒོམ་པ་རྣམ་པར་བསྒོམ་པའོ། །རབ་འབྱོར་འདི་ལྟ་སྟེ། ཤེས་རབ་ཀྱི་ཕ་རོལ་ཏུ་ཕྱིན་པ་བསྒོམ་པ་འདི་ནི། འཕགས་པའི་བདེན་

པ་དང་། བསམ་གཏན་དང་། ཚད་མེད་པ་དང་། གཟུགས་མེད་པའི་སྙོམས་པར་འཇུག་པ་དང་། རྣམ་པར་ཐར་པ་དང་། མཐར་གྱིས་གནས་པའི་སྙོམས་པར་འཇུག་པ་དང་། རྣམ་པར་ཐར་པའི་སྒོ་སྟོང་པ་ཉིད་དང་། མཚན་མ་མེད་པ་དང་། སྨོན་པ་མེད་པ་དང་། མངོན་པར་ཤེས་པ་དང་། ཏིང་ངེ་འཛིན་དང་། གཟུངས་ཀྱི་སྒོ་བསྒོམ་པ་རྣམ་པར་བསྒོམ་པའོ། །རབ་འབྱོར་འདི་ལྟ་སྟེ། ཤེས་རབ་ཀྱི་ཕ་རོལ་ཏུ་ཕྱིན་པ་བསྒོམ་པ་འདི་ནི་དེ་བཞིན་གཤེགས་པའི་སྟོབས་དང་། མི་འཇིགས་པ་དང་། སོ་སོ་ཡང་དག་པར་རིག་པ་དང་། བྱམས་པ་ཆེན་པོ་དང་། སྙིང་རྗེ་ཆེན་པོ་དང་། སངས་རྒྱས་ཀྱི་ཆོས་མ་འདྲེས་པ་བསྒོམ་པ་རྣམ་པར་བསྒོམ་པའོ། །རབ་འབྱོར་འདི་ལྟ་སྟེ། ཤེས་རབ་ཀྱི་ཕ་རོལ་ཏུ་ཕྱིན་པ་བསྒོམ་པ་འདི་ནི་རྣམ་པ་ཐམས་ཅད་མཁྱེན་པ་ཉིད་ཀྱི་བར་དུ་བསྒོམ་པ་རྣམ་པར་བསྒོམ་པའོ། །དེ་ནས་ཡང་བཅོམ་ལྡན་འདས་ཀྱིས་ཚེ་དང་ལྡན་པ་རབ་འབྱོར་ལ་འདི་སྐད་ཅེས་བཀའ་སྩལ་ཏོ། །རབ་འབྱོར་འདི་ལ་བྱང་ཆུབ་སེམས་དཔའ་སེམས་དཔའ་ཆེན་པོ་ཤེས་རབ་ཀྱི་ཕ་རོལ་ཏུ་ཕྱིན་པ་ཟབ་མོ་འདི་ལ་མངོན་པར་ཆགས་པ་མེད་དམ་ཞེས། རབ་འབྱོར་ཤེས་རབ་ཀྱི་ཕ་རོལ་ཏུ་ཕྱིན་པ་ཟབ་མོ་འདི་ལ་ཕྱིར་མི་ལྡོག་པའི་བྱང་ཆུབ་སེམས་དཔའ་སེམས་དཔའ་ཆེན་པོ་ཡོངས་སུ་བརྟག་པར་བྱའོ། །རབ་འབྱོར་བྱང་ཆུབ་སེམས་དཔའ་སེམས་དཔའ་ཆེན་པོ་བསམ་གཏན་གྱི་ཕ་རོལ་ཏུ་ཕྱིན་པ་དང་། བརྩོན་འགྲུས་ཀྱི་ཕ་རོལ་ཏུ་ཕྱིན་པ་དང་། བཟོད་པའི་ཕ་རོལ་ཏུ་ཕྱིན་པ་དང་། ཚུལ་ཁྲིམས་ཀྱི་ཕ་རོལ་ཏུ་ཕྱིན་པ་དང་། སྦྱིན་པའི་ཕ་རོལ་ཏུ་ཕྱིན་པ་ལ་མངོན་པར་ཆགས་པ་མེད་དམ་ཞེས། བསམ་གཏན་གྱི་ཕ་རོལ་ཏུ་ཕྱིན་པ་དང་། བརྩོན་འགྲུས་ཀྱི་ཕ་རོལ་ཏུ་ཕྱིན་པ་དང་། བཟོད་པའི་ཕ་རོལ་ཏུ་ཕྱིན་པ་དང་། ཚུལ་ཁྲིམས་ཀྱི་ཕ་རོལ་ཏུ་ཕྱིན་པ་

དང་། སྦྱིན་པའི་ཕ་རོལ་ཏུ་ཕྱིན་པ་ལ་བྱང་ཆུབ་སེམས་དཔའ་སེམས་དཔའ་ཆེན་པོ་ཡོངས་སུ་བཏག་པར་བྱའོ། །རབ་འབྱོར་བྱང་ཆུབ་སེམས་དཔའ་སེམས་དཔའ་ཆེན་པོ་ནང་སྟོང་པ་ཉིད་དང་། ཕྱི་སྟོང་པ་ཉིད་དང་། ཕྱི་ནང་སྟོང་པ་ཉིད་དང་། དངོས་པོ་མེད་པའི་ངོ་བོ་ཉིད་སྟོང་པ་ཉིད་ཀྱི་བར་ལ་མངོན་པར་ཆགས་པ་མེད་དམ་ཞེས་དངོས་པོ་མེད་པའི་ངོ་བོ་ཉིད་སྟོང་པ་ཉིད་ལ་བྱང་ཆུབ་སེམས་དཔའ་སེམས་དཔའ་ཆེན་པོ་ཡོངས་སུ་བཏག་པར་བྱའོ། །བྱང་ཆུབ་ཀྱི་ཕྱོགས་ཀྱི་ཆོས་སུམ་ཅུ་རྩ་བདུན་ལ་མངོན་པར་ཆགས་པ་མེད་དམ་ཞེས། བྱང་ཆུབ་ཀྱི་ཕྱོགས་ཀྱི་ཆོས་རྣམས་ལ་བྱང་ཆུབ་སེམས་དཔའ་སེམས་དཔའ་ཆེན་པོ་ཡོངས་སུ་བཏག་པར་བྱའོ། །འཕགས་པའི་བདེན་པ་དང་། བསམ་གཏན་དང་། ཚད་མེད་པ་དང་། གཟུགས་མེད་པའི་སྙོམས་པར་འཇུག་པ་དགུ་[1]དང་། རྣམ་པར་ཐར་པ་དང་། མཐར་གྱིས་གནས་པའི་སྙོམས་པར་འཇུག་པ་དང་། རྣམ་པར་ཐར་པའི་སྒོ་སྟོང་པ་ཉིད་དང་། མཚན་མ་མེད་པ་དང་། སྨོན་པ་མེད་པ་དང་། མངོན་པར་ཤེས་པ་དང་། ཏིང་ངེ་འཛིན་དང་། གཟུངས་ཀྱི་སྒོ་རྣམས་ལ་མངོན་པར་ཆགས་པ་མེད་དམ་ཞེས་གཟུངས་ཀྱི་སྒོ་རྣམས་ལ་བྱང་ཆུབ་སེམས་དཔའ་སེམས་དཔའ་ཆེན་པོ་ཡོངས་སུ་བཏག་པར་བྱའོ། །དེ་བཞིན་གཤེགས་པའི་སྟོབས་བཅུ་དང་། མི་འཇིགས་པ་བཞི་དང་། སོ་སོ་ཡང་དག་པར་རིག་པ་བཞི་དང་། བྱམས་པ་ཆེན་པོ་དང་། སྙིང་རྗེ་ཆེན་པོ་དང་། སངས་རྒྱས་ཀྱི་ཆོས་མ་འདྲེས་པ་བཅོ་བརྒྱད་ལ་མངོན་པར་ཆགས་པ་མེད་དམ་ཞེས་སངས་རྒྱས་ཀྱི་ཆོས་མ་འདྲེས་པ་རྣམས་ལ་བྱང་ཆུབ་སེམས་དཔའ་སེམས་དཔའ་ཆེན་པོ་ཡོངས་སུ་བཏག་པར་བྱའོ། །རྣམ་པ་ཐམས་ཅད་མཁྱེན་པ་ཉིད་ཀྱི་བར་ལ་མངོན་པར་ཆགས་པ་མེད་དམ་ཞེས་རྣམ་པ་ཐམས་ཅད་མཁྱེན་པ་ཉིད་ལ་བྱང་ཆུབ་

སེམས་དཔའ་སེམས་དཔའ་ཆེན་པོ་ཡོངས་སུ་བརྟག་པར་བྱའོ། །ཕྱིར་མི་ལྡོག་པའི་བྱང་ཆུབ་སེམས་དཔའ་སེམས་དཔའ་ཆེན་པོ་དེ་ཤེས་རབ་ཀྱི་ཕ་རོལ་ཏུ་ཕྱིན་པ་ཟབ་མོ་འདི་ལ་སྤྱོད་པའི་ཚེ། ཕ་རོལ་གྱིས་སྨྲས་པ་དང་ཕ་རོལ་གྱིས་བསྟན་པ་ལ་སྙིང་པོར་མི་བལྟའམ་ཕྱིར་མི་ལྡོག་པའི་བྱང་ཆུབ་སེམས་དཔའ་སེམས་དཔའ་ཆེན་པོ་དེ་ཤེས་རབ་ཀྱི་ཕ་རོལ་ཏུ་ཕྱིན་པ་ཟབ་མོ་འདི་ལ་སྤྱོད་པའི་ཚེ། ཕ་རོལ་གྱི་དྲང་པས་མི་འགྲོའམ། ཕྱིར་མི་ལྡོག་པའི་བྱང་ཆུབ་སེམས་དཔའ་སེམས་དཔའ་ཆེན་པོ་དེ་ཤེས་རབ་ཀྱི་ཕ་རོལ་ཏུ་ཕྱིན་པ་ཟབ་མོ་འདི་ལ་སྤྱོད་པའི་ཚེ། འདོད་ཆགས་དང་བཅས་པའི་སེམས་བསྐྱེད་པས་འཕྲོགས་པ་མ་ཡིན་ནམ་ཞེ་སྡང་དང་བཅས་པ་དང་། གཏི་མུག་དང་བཅས་པའི་སེམས་བསྐྱེད་པའི་འཕྲོགས་པ་མ་ཡིན་ནམ། ཕྱིར་མི་ལྡོག་པའི་བྱང་ཆུབ་སེམས་དཔའ་སེམས་དཔའ་ཆེན་པོ་དེ་ཤེས་རབ་ཀྱི་ཕ་རོལ་ཏུ་ཕྱིན་པ་ཟབ་མོ་འདི་ལ་སྤྱོད་པའི་ཚེ། སྦྱིན་པའི་ཕ་རོལ་ཏུ་ཕྱིན་པ་དང་བྲལ་བར་མ་གྱུར་ཏམ། ཚུལ་ཁྲིམས་ཀྱི་ཕ་རོལ་ཏུ་ཕྱིན་པ་དང་བྲལ་བར་མ་གྱུར་ཏམ་། བཟོད་པའི་ཕ་རོལ་ཏུ་ཕྱིན་པ་དང་བྲལ་བར་མ་གྱུར་ཏམ། བརྩོན་འགྲུས་ཀྱི་ཕ་རོལ་ཏུ་ཕྱིན་པ་དང་བྲལ་བར་མ་གྱུར་ཏམ། བསམ་གཏན་གྱི་ཕ་རོལ་ཏུ་ཕྱིན་པ་དང་བྲལ་བར་མ་གྱུར་ཏམ། ཤེས་རབ་ཀྱི་ཕ་རོལ་ཏུ་ཕྱིན་པ་དང་བྲལ་བར་མ་གྱུར་ཏམ། ཞེས་ཡོངས་སུ་བརྟག་པར་བྱ་སྟེ། གལ་ཏེ་ཕྱིར་མི་ལྡོག་པའི་བྱང་ཆུབ་སེམས་དཔའ་སེམས་དཔའ་ཆེན་པོ་དེ་ཤེས་རབ་ཀྱི་ཕ་རོལ་ཏུ་ཕྱིན་པ་ཟབ་མོ་འདི་འཆད་པའི་ཚེ། མི་འཇིགས་མི་དངང་[7]སྐྲག་པར་མི་འགྱུར་ལ་ཞུམ་པ་དང་། ཡོངས་སུ་ཞུམ་པར་མི་འགྱུར་ཞིང་། དེའི་ཡིད་ཕྱིར་ནུར་པར་མི་འགྱུར་ཏེ་། ཤེས་རབ་ཀྱི་ཕ་རོལ་ཏུ་ཕྱིན་པ་ཟབ་མོ་འདི་ཐོས་པར་དགའ་ལ། ཐོས་ནས་ཀྱང་འཛིན་ཅིང་འཆང་ལ། ཀློག་ཅིང་ཀུན་ཆུབ་པར་བྱེད་དེ། ཚུལ་

བཞིན་དུ་ཡིད་ལ་བྱེད་ལ། དེ་བཞིན་ཉིད་དུ་ནན་ཏན་དུ་བྱེད་ན། རབ་འབྱོར་བྱང་ཆུབ་སེམས་དཔའ་སེམས་དཔའ་ཆེན་པོ་དེས་ནི་སྔོན་གྱི་མཐར་ཡང་ཤེས་རབ་ཀྱི་ཕ་རོལ་ཏུ་ཕྱིན་པ་ཟབ་མོ་འདི་ཡོངས་སུ་དྲིས་ཤིང་ཡོངས་སུ་བརྟག་པ་བྱས་པ་དང་། གཟུང་[7]ཞིང་བཅངས་ཏེ་ཀུན་ཆུབ་པར་བྱས་པ་དང་། ཚུལ་བཞིན་དུ་ཡིད་ལ་བྱས་པར་རིག་པར་བྱའོ། །དེ་ཅིའི་ཕྱིར་ཞེ་ན། དེ་ནི་འདི་ལྟར་ཕྱིར་མི་ལྡོག་པའི་བྱང་ཆུབ་སེམས་དཔའ་སེམས་དཔའ་ཆེན་པོ་དེ་ཤེས་རབ་ཀྱི་ཕ་རོལ་ཏུ་ཕྱིན་པ་ཟབ་མོ་འདི་འཆད་པའི་ཚེ། མི་འཇིགས་མི་སྐྲང་[3]སྐྲག་པར་མི་འགྱུར་ལ་ཞུམ་པར་མི་འགྱུར་ཡོངས་སུ་ཞུམ་པར་མི་འགྱུར་ཞིང་དེའི་ཡིད་ཕྱིར་མི་ལྡོག་ལ། ཐོས་ནས་ཀྱང་ཆེད་དུ་འཛིན་ཅིང་འཆང་ལ་ཀློག་ཅིང་ཀུན་ཆུབ་པར་བྱེད་དེ། ཚུལ་བཞིན་དུ་ཡིད་ལ་བྱེད་པའི་ཕྱིར་རོ། །གསོལ་པ། བཅོམ་ལྡན་འདས་བྱང་ཆུབ་སེམས་དཔའ་སེམས་དཔའ་ཆེན་པོ་གང་ཤེས་རབ་ཀྱི་ཕ་རོལ་ཏུ་ཕྱིན་པ་ཟབ་མོ་འདི་བསྟན་པའི་ཚེ་མི་འཇིགས་མི་དངང་[1]སྐྲག་པར་མི་འགྱུར་ཞིང་། ཞུམ་པར་མི་འགྱུར་ཡོངས་སུ་ཞུམ་པར་མི་འགྱུར་ན། བཅོམ་ལྡན་འདས་བྱང་ཆུབ་སེམས་དཔའ་སེམས་དཔའ་ཆེན་པོ་དེས་ཤེས་རབ་ཀྱི་ཕ་རོལ་ཏུ་ཕྱིན་པ་ཟབ་མོ་འདི་ཇི་ལྟར་བརྟག་པར་བགྱི། བཅོམ་ལྡན་འདས་ཀྱིས་བཀའ་སྩལ་པ། རབ་འབྱོར་བྱང་ཆུབ་སེམས་དཔའ་སེམས་དཔའ་ཆེན་པོ་དེས་རྣམ་པ་ཐམས་ཅད་མཁྱེན་པ་ཉིད་ལ་གཞོལ་བའི་བསམ་པས་ཤེས་རབ་ཀྱི་ཕ་རོལ་ཏུ་ཕྱིན་པ་ཟབ་མོ་འདི་བརྟག་པར་བྱའོ། །གསོལ་པ། བཅོམ་ལྡན་འདས་ཇི་ལྟར་ན་རྣམ་པ་ཐམས་ཅད་མཁྱེན་པ་ཉིད་ལ་གཞོལ་བའི་བསམ་པས་བྱང་ཆུབ་སེམས་དཔའ་སེམས་དཔའ་ཆེན་པོ་ཤེས་རབ་ཀྱི་ཕ་རོལ་ཏུ་ཕྱིན་པ་ཟབ་མོ་འདི་ལ་རྟོག་པ་ལགས། བཅོམ་ལྡན་འདས་ཀྱིས་བཀའ་སྩལ་པ། རབ་འབྱོར་སྟོང་པ་ཉིད་ལ་གཞོལ་བའི་བསམ་པས་

བྱང་ཆུབ་སེམས་དཔའ་སེམས་དཔའ་ཆེན་པོ་ཤེས་རབ་ཀྱི་ཕ་རོལ་ཏུ་ཕྱིན་པ་ཟབ་མོ་འདི་ལ་རྟོག་པ་ཡིན། རབ་འབྱོར་མཚན་མ་མེད་པ་དང་། སྨོན་པ་མེད་པ་ལ་གཞོལ་བའི་བསམ་པ་དང་། ནམ་མཁའ་ལ་གཞོལ་བའི་བསམ་པ་དང་། སྐྱེ་བ་མེད་པ་དང་། འགག་པ་མེད་པ་ལ་གཞོལ་བའི་བསམ་པ་དང་། ཀུན་ནས་ཉོན་མོངས་པ་མེད་པ་དང་། རྣམ་པར་བྱང་བ་མེད་པ་ལ་གཞོལ་བའི་བསམ་པ་དང་། དེ་བཞིན་ཉིད་ལ་གཞོལ་བའི་བསམ་པ་དང་། ཆོས་ཀྱི་དབྱིངས་ལ་གཞོལ་བའི་བསམ་པ་དང་། ཡང་དག་པའི་མཐའ་ལ་གཞོལ་བའི་བསམ་པ་དང་། བསམ་གྱིས་མི་ཁྱབ་པའི་དབྱིངས་ལ་གཞོལ་བའི་བསམ་པ་དང་། མངོན་པར་འདུ་བྱ་བ་མེད་པ་ལ་གཞོལ་བའི་བསམ་པས་བྱང་ཆུབ་སེམས་དཔའ་སེམས་དཔའ་ཆེན་པོ་ཤེས་རབ་ཀྱི་ཕ་རོལ་ཏུ་ཕྱིན་པ་ཟབ་མོ་འདི་ལ་རྟོག་པ་ཡིན། རྨི་ལམ་དང་གཟུགས་བརྙན་ལ་གཞོལ་བའི་བསམ་པ་དང་། སྒྲ་བརྙན་དང་། སྨིག་རྒྱུ་དང་སྒྱུ་མ་དང་སྤྲུལ་པ་ལ་གཞོལ་བའི་བསམ་པས་བྱང་ཆུབ་སེམས་དཔའ་སེམས་དཔའ་ཆེན་པོ་ཤེས་རབ་ཀྱི་ཕ་རོལ་ཏུ་ཕྱིན་པ་ཟབ་མོ་འདི་ལ་རྟོག་པ་ཡིན་ནོ།། །།

ཤེས་རབ་ཀྱི་ཕ་རོལ་ཏུ་ཕྱིན་པ་སྟོང་ཕྲག་ཉི་ཤུ་ལྔ་པ། བམ་པོ་བཞི་བཅུ་དགུ་པ། གསོལ་པ། བཅོམ་ལྡན་འདས་དེ་ལྟར་སྟོང་པ་ཉིད་ལ་གཞོལ་བའི་བསམ་པས་བྱང་ཆུབ་སེམས་དཔའ་སེམས་དཔའ་ཆེན་པོ་ཤེས་རབ་ཀྱི་ཕ་རོལ་ཏུ་ཕྱིན་པ་ཟབ་མོ་འདི་ལ་རྟོག་པར་འགྱུར་ཞིང་མཚན་མ་མ་མཆིས་པ་དང་། སྨོན་པ་མ་མཆིས་པ་དང་། ནམ་མཁའ་དང་སྐྱེ་བ་མ་མཆིས་པ་དང་། འགག་[7]པ་མ་མཆིས་པ་དང་། ཀུན་ནས་ཉོན་མོངས་པ་མ་མཆིས་པ་དང་། རྣམ་པར་བྱང་བ་མ་མཆིས་པ་དང་། དེ་བཞིན་ཉིད་དང་། ཆོས་ཀྱི་དབྱིངས་དང་ཡང་དག་པའི་མཐའ་དང་མཉམ་པ་ཉིད་དང་། བསམ་གྱིས་མི་ཁྱབ་པའི་དབྱིངས་དང་

མངོན་པར་འདུ་བགྱི་བ་མ་མཆིས་པ་དང་། ཟློ་ལམ་དང་གཟུགས་བརྙན་དང་སྒྲ་བརྙན་དང་སྨིག་རྒྱུ་དང་སྒྱུ་མ་དང་སྤྲུལ་པ་ལ་གཞོལ་བའི་བསམ་པས། ཤེས་རབ་ཀྱི་ཕ་རོལ་དུ་ཕྱིན་པ་ཟབ་མོ་འདི་ལ་རྟོག་པར་འགྱུར་ན་བཅོམ་ལྡན་འདས་བྱང་ཆུབ་སེམས་དཔའ་སེམས་དཔའ་ཆེན་པོ་གཟུགས་ལ་རྟོག་པ་ལགས་སམ། ཚོར་བ་དང་འདུ་ཤེས་དང་འདུ་བྱེད་དང་། རྣམ་པར་ཤེས་པ་ལ་རྟོག་པ་ལགས་སམ། སྐྱེ་མཆེད་དང་ཁམས་དང་རྟེན་ཅིང་འབྲེལ་བར་འབྱུང་བ་ལ་རྟོག་པ་ལགས་སམ། ཕ་རོལ་དུ་ཕྱིན་པ་ཐམས་ཅད་དང་སྟོང་པ་ཉིད་ཐམས་ཅད་དང་། བྱང་ཆུབ་ཀྱི་ཕྱོགས་ཀྱི་ཆོས་སུམ་ཅུ་རྩ་བདུན་ལ་རྟོག་པ་ལགས་སམ། འཕགས་པའི་བདེན་པ་རྣམས་དང་། བསམ་གཏན་རྣམས་དང་། ཚད་མེད་པ་རྣམས་དང་། གཟུགས་མེད་པའི་སྙོམས་པར་འཇུག་པ་རྣམས་དང་། རྣམ་པར་ཐར་པ་བརྒྱད་དང་། མཐར་གྱིས་གནས་པའི་སྙོམས་པར་འཇུག་པ་དགུ་དང་། རྣམ་པར་ཐར་པའི་སྒོ་སྟོང་པ་ཉིད་དང་། མཚན་མ་མེད་པ་དང་། སྨོན་པ་མེད་པ་དང་། མངོན་པར་ཤེས་པ་རྣམས་དང་། ཏིང་ངེ་འཛིན་རྣམས་དང་། གཟུངས་ཀྱི་སྒོ་རྣམས་ལ་རྟོག་པ་ལགས་སམ། དེ་བཞིན་གཤེགས་པའི་སྟོབས་རྣམས་དང་། མི་འཇིགས་པ་རྣམས་དང་། སོ་སོ་ཡང་དག་པར་རིག་པ་རྣམས་དང་། བྱམས་པ་ཆེན་པོ་དང་། སྙིང་རྗེ་ཆེན་པོ་དང་། སངས་རྒྱས་ཀྱི་ཆོས་མ་འདྲེས་པ་རྣམས་ལ་རྟོག་པ་ལགས་སམ། རྣམ་པ་ཐམས་ཅད་མཁྱེན་པ་ཉིད་ཀྱི་བར་ལ་རྟོག་པ་ལགས་སམ། བཅོམ་ལྡན་འདས་ཀྱིས་བཀའ་སྩལ་པ། རབ་འབྱོར་བྱང་ཆུབ་སེམས་དཔའ་སེམས་དཔའ་ཆེན་པོ་ནི་གཟུགས་ལ་རྟོག་[7]པ་མ་ཡིན་ནོ། །ཚོར་བ་དང་། འདུ་ཤེས་དང་། འདུ་བྱེད་དང་། རྣམ་པར་ཤེས་པ་ལ་རྟོག་པ་མ་ཡིན་ནོ། །སྐྱེ་མཆེད་དང་ཁམས་དང་། རྟེན་ཅིང་འབྲེལ་བར་འབྱུང་བ་ལ་རྟོག

པ་མ་ཡིན་ནོ། །ཕ་རོལ་ཏུ་ཕྱིན་པ་རྣམས་དང་སྟོང་པ་ཉིད་ཐམས་ཅད་དང་། བྱང་ཆུབ་ཀྱི་ཕྱོགས་ཀྱི་ཆོས་སུམ་ཅུ་རྩ་བདུན་ལ་རྟོག་པ་མ་ཡིན་ནོ། །འཕགས་པའི་བདེན་པ་རྣམས་དང་། བསམ་གཏན་རྣམས་དང་། ཚད་མེད་པ་རྣམས་དང་། གཟུགས་མེད་པའི་སྙོམས་པར་འཇུག་པ་རྣམས་དང་། རྣམ་པར་ཐར་པ་བརྒྱད་དང་། མཐར་གྱིས་གནས་པའི་སྙོམས་པར་འཇུག་པ་དགུ་དང་། རྣམ་པར་ཐར་པའི་སྒོ་སྟོང་པ་ཉིད་དང་། མཚན་མ་མེད་པ་དང་། སྨོན་པ་མེད་པ་དང་། མངོན་པར་ཤེས་པ་རྣམས་དང་། ཏིང་ངེ་འཛིན་རྣམས་དང་། གཟུངས་ཀྱི་སྒོ་རྣམས་ལ་རྟོག་པ་མ་ཡིན་ནོ། །དེ་བཞིན་གཤེགས་པའི་སྟོབས་རྣམས་དང་། མི་འཇིགས་པ་རྣམས་དང་། སོ་སོ་ཡང་དག་པར་རིག་པ་རྣམས་དང་། བྱམས་པ་ཆེན་པོ་དང་། སྙིང་རྗེ་ཆེན་པོ་དང་། སངས་རྒྱས་ཀྱི་ཆོས་མ་འདྲེས་པ་རྣམས་ལ་རྟོག་པ་མ་ཡིན་ནོ། །རྣམ་པ་ཐམས་ཅད་མཁྱེན་པ་ཉིད་ཀྱི་བར་ལ་རྟོག་པ་མ་ཡིན་ནོ། །དེ་ཅིའི་ཕྱིར་ཞེ་ན། རབ་འབྱོར་དེ་ནི་འདི་ལྟར་རྣམ་པ་ཐམས་ཅད་མཁྱེན་པ་ཉིད་གང་ཡིན་པ་དེ་ནི་སུས་ཀྱང་མ་བྱས་རྣམ་པར་མ་བྱས། མངོན་པར་མ་བྱས། གང་ནས་ཀྱང་མ་འོངས། གང་དུ་ཡང་མ་སོང་། ཕྱོགས་ན་ཡང་མི་གནས། ཡུལ་ན་ཡང་མི་གནས་གང་ན་ཡང་མི་གནས་པ་སྟེ། དེ་ལ་གྲངས་མི་དམིགས་སོ། །འགྲོ་བ་དང་འོང་བ་ཡང་མི་དམིགས་སོ། །གང་ལ་གྲངས་མི་དམིགས་ཤིང་འགྲོ་བ་དང་འོང་བ་མི་དམིགས་པ་དེ་ལ་ནི་གང་གིས་ཀྱང་མངོན་པར་རྫོགས་པར་འཚང་རྒྱ་བར་མི་ནུས་ཏེ། གཟུགས་ཀྱིས་མ་ཡིན་ནོ། །ཚོར་བ་དང་འདུ་ཤེས་དང་འདུ་བྱེད་དང་། རྣམ་པར་ཤེས་པས་མ་ཡིན་ནོ། །སྐྱེ་མཆེད་དང་ཁམས་དང་རྟེན་ཅིང་འབྲེལ་བར་འབྱུང་བས་མ་ཡིན་ནོ། །སྦྱིན་པའི་ཕ་རོལ་ཏུ་ཕྱིན་པས་མ་ཡིན་ནོ། །ཚུལ་ཁྲིམས་ཀྱི་ཕ་རོལ་ཏུ་ཕྱིན་པ་དང་།

བཟོད་པའི་ཕ་རོལ་ཏུ་ཕྱིན་པ་དང་། བརྩོན་འགྲུས་ཀྱི་ཕ་རོལ་ཏུ་ཕྱིན་པ་དང་། བསམ་གཏན་གྱི་ཕ་རོལ་ཏུ་ཕྱིན་པ་དང་། ཤེས་རབ་ཀྱི་ཕ་རོལ་ཏུ་ཕྱིན་པས་མ་ཡིན་ནོ། །ནང་སྟོང་པ་ཉིད་ཀྱིས་མ་ཡིན་ནོ། །དངོས་པོ་མེད་པའི་ངོ་བོ་ཉིད་སྟོང་པ་ཉིད་ཀྱི་བར་གྱིས་མ་ཡིན་ནོ། །དྲན་པ་ཉེ་བར་གཞག་པ་རྣམས་ཀྱིས་མ་ཡིན་ནོ། །ཡང་དག་པར་སྤོང་བ་རྣམས་དང་། རྫུ་འཕྲུལ་གྱི་རྐང་པ་རྣམས་དང་། དབང་པོ་རྣམས་དང་། སྟོབས་རྣམས་དང་། བྱང་ཆུབ་ཀྱི་ཡན་ལག་རྣམས་དང་། འཕགས་པའི་ལམ་ཡན་ལག་བརྒྱད་པས་མ་ཡིན་ནོ། །རྣམ་པ་ཐམས་ཅད་མཁྱེན་པ་ཉིད་ཀྱི་བར་གྱིས་མ་ཡིན་ནོ། །དེ་ཅིའི་ཕྱིར་ཞེ་ན། གཟུགས་ཉིད་ཀྱང་རྣམ་པ་ཐམས་ཅད་མཁྱེན་པ་ཉིད་དོ། །ཚོར་བ་ཉིད་དང་། འདུ་ཤེས་ཉིད་དང་། འདུ་བྱེད་ཉིད་དང་། རྣམ་པར་ཤེས་པ་ཉིད་ཀྱང་རྣམ་པ་ཐམས་ཅད་མཁྱེན་པ་ཉིད་དོ། །སངས་རྒྱས་ཀྱི་ཆོས་མ་འདྲེས་པ་བཅོ་བརྒྱད་ཉིད་ཀྱི་བར་ཡང་རྣམ་པ་ཐམས་ཅད་མཁྱེན་པ་ཉིད་དོ། །དེ་ཅིའི་ཕྱིར་ཞེ་ན། དེ་ནི་འདི་ལྟར་གཟུགས་ཀྱི་དེ་བཞིན་ཉིད་གང་ཡིན་པ་དང་། རྣམ་པ་ཐམས་ཅད་མཁྱེན་པ་ཉིད་ཀྱི་དེ་བཞིན་ཉིད་གང་ཡིན་པ་དེ་ནི་དེ་བཞིན་ཉིད་གཅིག་པའོ། །ཚོར་བ་དང་འདུ་ཤེས་དང་འདུ་བྱེད་དང་། རྣམ་པར་ཤེས་པའི་དེ་བཞིན་ཉིད་གང་ཡིན་པ་དང་། རྣམ་པ་ཐམས་ཅད་མཁྱེན་པ་ཉིད་ཀྱི་དེ་བཞིན་ཉིད་གང་ཡིན་པ་དེ་ནི་དེ་བཞིན་ཉིད་གཅིག་པའོ། །སྐྱེ་མཆེད་དང་ཁམས་དང་རྟེན་ཅིང་འབྲེལ་བར་འབྱུང་བའི་དེ་བཞིན་ཉིད་གང་ཡིན་པ་དང་། རྣམ་པ་ཐམས་ཅད་མཁྱེན་པ་ཉིད་ཀྱི་དེ་བཞིན་ཉིད་གང་ཡིན་པ་དེ་ནི་དེ་བཞིན་ཉིད་གཅིག་པའོ། །ཕ་རོལ་ཏུ་ཕྱིན་པ་ཐམས་ཅད་ཀྱི་དེ་བཞིན་ཉིད་གང་ཡིན་པ་དང་། སྟོང་པ་ཉིད་ཐམས་ཅད་ཀྱི་དེ་བཞིན་ཉིད་གང་ཡིན་པ་དང་། བྱང་ཆུབ་ཀྱི་ཕྱོགས་ཀྱི་ཆོས་རྣམས་ཀྱི་དེ་

བཞིན་ཉིད་གང་ཡིན་པ་དང་། འཕགས་པའི་བདེན་པ་རྣམས་དང་། བསམ་གཏན་རྣམས་དང་། ཚད་མེད་པ་རྣམས་དང་། གཟུགས་མེད་པའི་སྙོམས་པར་འཇུག་པ་རྣམས་དང་། རྣམ་པར་ཐར་པ་བརྒྱད་དང་། མཐར་གྱིས་གནས་པའི་སྙོམས་པར་འཇུག་པ་དགུ་དང་། རྣམ་པར་ཐར་པའི་སྒོ་སྟོང་པ་ཉིད་དང་། མཚན་མ་མེད་པ་དང་། སྨོན་པ་མེད་པ་དང་། མངོན་པར་ཤེས་པ་རྣམས་དང་། ཏིང་ངེ་འཛིན་རྣམས་དང་། གཟུངས་ཀྱི་སྒོ་རྣམས་ཀྱི་དེ་བཞིན་ཉིད་གང་ཡིན་པ་དང་། རྣམ་པ་ཐམས་ཅད་མཁྱེན་པ་ཉིད་ཀྱི་དེ་བཞིན་ཉིད་གང་ཡིན་པ་དེ་ནི་དེ་བཞིན་ཉིད་གཅིག་པའོ། །དེ་བཞིན་གཤེགས་པའི་སྟོབས་བཅུ་དང་། མི་འཇིགས་པ་བཞི་དང་། སོ་སོ་ཡང་དག་པར་རིག་པ་བཞི་དང་། བྱམས་པ་ཆེན་པོ་དང་། སྙིང་རྗེ་ཆེན་པོ་དང་། སངས་རྒྱས་ཀྱི་ཆོས་མ་འདྲེས་པ་བཅོ་བརྒྱད་ཀྱི་དེ་བཞིན་ཉིད་གང་ཡིན་པ་དང་། རྣམ་པ་ཐམས་ཅད་མཁྱེན་པ་ཉིད་ཀྱི་དེ་བཞིན་ཉིད་གང་ཡིན་པ་དེ་ནི་དེ་བཞིན་ཉིད་གཅིག་པའོ། །ཤེས་རབ་ཀྱི་ཕ་རོལ་དུ་ཕྱིན་པ་སྟོང་ཕྲག་ཉི་ཤུ་ལྔ་པ་ལས། ལེའུ་སུམ་ཅུ་བདུན་པའོ།། །།

དེ་ནས་འདོད་པ་ན་སྤྱོད་པ་དང་། གཟུགས་ཡོད་པ་ན་སྤྱོད་པའི་ལྷའི་བུ་རྣམས་ལྷ་རྫས་ཀྱི་ཙན་དན་གྱི་ཕྱེ་མ་དང་། ལྷ་རྫས་ཀྱི་མེ་ཏོག་ཨུཏྤ་ལ་དང་། པད་མོ་དང་། ཀུ་མུ་ད་དང་། ཿཔུན་ད་[༧]རི་ཀ་མང་པོ་ཁྱེར་ཏེ་བཅོམ་ལྡན་འདས་གང་ནཿབ་དེ་[༨]ཡོགས་སུ་འཁོར་བར་གྱུར་ཏོ། །གཏོར་ནས་བཅོམ་ལྡན་འདས་གང་ན་བ་དེར་དོང་སྟེ། བཅོམ་ལྡན་[༩]འདས་ཀྱི་ཞབས་གཉིས་ལ་སྤྱི་བོས་ཕྱག་འཚལ་[༡༠]ནས་ཕྱོགས་གཅིག་ཏུ་འཁོད་དོ། །འཁོད་ནས་འདོད་པ་ན་སྤྱོད་པ་དང་། གཟུགས་ཡོད་པ་ན་སྤྱོད་པའི་ལྷའི་བུ་དེ་དག་གིས་བཅོམ་ལྡན་འདས་ལ་

འདི་སྐད་ཅེས་གསོལ་ཏོ། །བཅོམ་ལྡན་འདས་ཇི་ལྟར་དེ་བཞིན་གཤེགས་པ་དགྲ་
བཅོམ་པ་ཡང་དག་པར་རྫོགས་པའི་སངས་རྒྱས་རྣམས་ཤེས་རབ་ཀྱི་ཕ་རོལ་དུ་ཕྱིན་
པ་ཟབ་མོ་འདི་ལས་འདི་སྐད་དུ་གཟུགས་ཉིད་རྣམ་པ་ཐམས་ཅད་མཁྱེན་པ་སྟེ།
རྣམ་པ་ཐམས་ཅད་མཁྱེན་པ་ཉིད་ཀྱང་གཟུགས་སོ། །ཚོར་བ་དང་། འདུ་ཤེས་
དང་། འདུ་བྱེད་དང་། རྣམ་པར་ཤེས་པ་ཉིད་རྣམ་པ་ཐམས་ཅད་མཁྱེན་པ་སྟེ།
རྣམ་པ་ཐམས་ཅད་མཁྱེན་པ་ཉིད་ཀྱང་རྣམ་པར་ཤེས་པའོ། །སྐྱེ་མཆེད་དང་
ཁམས་དང་རྟེན་ཅིང་འབྲེལ་བར་འབྱུང་བ་ཉིད་རྣམ་པ་ཐམས་ཅད་མཁྱེན་པ་སྟེ།
རྣམ་པ་ཐམས་ཅད་མཁྱེན་པ་ཉིད་ཀྱང་རྟེན་ཅིང་འབྲེལ་པར་འབྱུང་བའོ། །སྦྱིན་
པའི་ཕ་རོལ་དུ་ཕྱིན་པ་ཉིད་རྣམ་པ་ཐམས་ཅད་མཁྱེན་པ་སྟེ། རྣམ་པ་ཐམས་ཅད་
མཁྱེན་པ་ཉིད་ཀྱང་སྦྱིན་པའི་ཕ་རོལ་དུ་ཕྱིན་པའོ། ཚུལ་ཁྲིམས་ཀྱི་ཕ་རོལ་དུ་ཕྱིན་
པ་དང་། བཟོད་པའི་ཕ་རོལ་དུ་ཕྱིན་པ་དང་། བརྩོན་འགྲུས་ཀྱི་ཕ་རོལ་དུ····
ཕྱིན་པ་དང་། བསམ་གཏན་གྱི་ཕ་རོལ་དུ་ཕྱིན་པ་དང་། ཤེས་རབ་ཀྱི་ཕ་རོལ་
དུ་ཕྱིན་པ་ཉིད་རྣམ་པ་ཐམས་ཅད་མཁྱེན་པ་སྟེ། རྣམ་པ་ཐམས་ཅད་མཁྱེན་པ···
ཉིད་ཀྱང་ཤེས་རབ་ཀྱི་ཕ་རོལ་དུ་ཕྱིན་པའོ། །ནང་སྟོང་པ་ཉིད་རྣམ་པ་ཐམས····
ཅད་མཁྱེན་པ་སྟེ། རྣམ་པ་ཐམས་ཅད་མཁྱེན་པ་ཉིད་ཀྱང་ནང་སྟོང་པ་ཉིད་དོ། །
དངོས་པོ་མེད་པའི་ངོ་བོ་ཉིད་སྟོང་པ་ཉིད་ཀྱི་བར་དུ་རྣམ་པ་ཐམས་ཅད་མཁྱེན་པ་
སྟེ། རྣམ་པ་ཐམས་ཅད་མཁྱེན་པ་ཉིད་ཀྱང་དངོས་པོ་མེད་པའི་ངོ་བོ་ཉིད་སྟོང་
པ་ཉིད་དོ། །དྲན་པ་ཉེ་བར་གཞག་པ་ཉིད་རྣམ་པ་ཐམས་ཅད་མཁྱེན་པ་སྟེ།
རྣམ་པ་ཐམས་ཅད་མཁྱེན་པ་ཉིད་ཀྱང་དྲན་པ་ཉེ་བར་གཞག་པའོ། །ཡང་དག···
པར་སྤོང་བ་དང་། རྫུ་འཕྲུལ་གྱི་རྐང་པ་དང་། དབང་པོ་དང་སྟོབས་དང་
བྱང་ཆུབ་ཀྱི་ཡན་ལག་དང་། འཕགས་པའི་ལམ་ཡན་ལག་བརྒྱད་པ་ཉིད་རྣམ་པ་

ཐམས་ཅད་མཁྱེན་པ་སྟེ། རྣམ་པ་ཐམས་ཅད་མཁྱེན་པ་ཉིད་ཀྱང་འཕགས་པའི་ལམ་ཡན་ལག་བརྒྱད་པའོ། །འཕགས་པའི་བདེན་པ་དང་བསམ་གཏན་དང་ཚད་མེད་པ་དང་། གཟུགས་མེད་པའི་སྙོམས་པར་འཇུག་པ་ཉིད་རྣམ་པ་ཐམས་ཅད་མཁྱེན་པ་སྟེ། རྣམ་པ་ཐམས་ཅད་མཁྱེན་པ་ཉིད་ཀྱང་གཟུགས་མེད་པའི་སྙོམས་པར་འཇུག་པའོ། །རྣམ་པར་ཐར་པ་དང་། མཐར་གྱིས་གནས་པའི་སྙོམས་པར་འཇུག་པ་དང་། རྣམ་པར་ཐར་པའི་སྒོ་སྟོང་པ་ཉིད་དང་། མཚན་མ་མེད་པ་དང་། སྨོན་པ་མེད་པ་དང་། མངོན་པར་ཤེས་པ་དང་། ཏིང་ངེ་འཛིན་དང་། གཟུངས་ཀྱི་སྒོ་དང་དེ་བཞིན་གཤེགས་པའི་སྟོབས་དང་མི་འཇིགས་པ་དང་སོ་སོ་ཡང་དག་པར་རིག་པ་དང་། བྱམས་པ་ཆེན་པོ་དང་སྙིང་རྗེ་ཆེན་པོ་དང་། སངས་རྒྱས་ཀྱི་ཆོས་མ་འདྲེས་པ་ཉིད་རྣམ་པ་ཐམས་ཅད་མཁྱེན་པ་སྟེ། རྣམ་པ་ཐམས་ཅད་མཁྱེན་པ་ཉིད་ཀྱང་སངས་རྒྱས་ཀྱི་ཆོས་མ་འདྲེས་པའོ། །གཟུགས་ཀྱི་དེ་བཞིན་ཉིད་གང་ཡིན་པ་དང་། རྣམ་པ་ཐམས་ཅད་མཁྱེན་པ་ཉིད་ཀྱི་དེ་བཞིན་ཉིད་གང་ཡིན་པ་དེ་ནི་དེ་བཞིན་ཉིད་གཅིག་པ་སྟེ། གཉིས་སུ་མེད་ཅིང་གཉིས་སུ་བྱར་མེད་དོ། །ཚོར་བ་དང་འདུ་ཤེས་དང་འདུ་བྱེད་དང་། རྣམ་པར་ཤེས་པའི་དེ་བཞིན་ཉིད་གང་ཡིན་པ་དང་། རྣམ་པ་ཐམས་ཅད་མཁྱེན་པ་ཉིད་ཀྱི་དེ་བཞིན་ཉིད་གང་ཡིན་པ་དེ་ནི་དེ་བཞིན་ཉིད་གཅིག་པ་སྟེ། གཉིས་སུ་མེད་ཅིང་གཉིས་སུ་བྱར་མེད་དོ། །སྐྱེ་མཆེད་དང་ཁམས་དང་རྟེན་ཅིང་འབྲེལ་བར་འབྱུང་བའི་དེ་བཞིན་ཉིད་གང་ཡིན་པ་དང་། རྣམ་པ་ཐམས་ཅད་མཁྱེན་པ་ཉིད་ཀྱི་དེ་བཞིན་ཉིད་གང་ཡིན་པ་དེ་ནི་དེ་བཞིན་ཉིད་གཅིག་པ་སྟེ། གཉིས་སུ་མེད་ཅིང་གཉིས་སུ་བྱར་མེད་དོ། །སྦྱིན་པའི་ཕ་རོལ་ཏུ་ཕྱིན་པའི་དེ་བཞིན་ཉིད་གང་ཡིན་པ་དང་རྣམ་པ་ཐམས་ཅད་མཁྱེན་པ་ཉིད་ཀྱི་དེ་བཞིན་ཉིད་གང་ཡིན་པ་

དེ་ནི་དེ་བཞིན་ཉིད་གཅིག་པ་སྟེ། གཉིས་སུ་མེད་ཅིང་གཉིས་སུ་བྱར་མེད་དོ། །ཚུལ་ཁྲིམས་ཀྱི་ཕ་རོལ་དུ་ཕྱིན་པ་དང་། བཟོད་པའི་ཕ་རོལ་དུ་ཕྱིན་པ་དང་། བརྩོན་འགྲུས་ཀྱི་ཕ་རོལ་དུ་ཕྱིན་པ་དང་། བསམ་གཏན་གྱི་ཕ་རོལ་དུ་ཕྱིན་པ་དང་། ཤེས་རབ་ཀྱི་ཕ་རོལ་དུ་ཕྱིན་པའི་དེ་བཞིན་ཉིད་གང་ཡིན་པ་དང་། རྣམ་པ་ཐམས་ཅད་མཁྱེན་པ་ཉིད་ཀྱི་དེ་བཞིན་ཉིད་གང་ཡིན་པ་དེ་ནི་དེ་བཞིན་ཉིད་གཅིག་པ་སྟེ། གཉིས་སུ་མེད་ཅིང་གཉིས་སུ་བྱར་མེད་དོ། །ནང་སྟོང་པ་ཉིད་ཀྱི་དེ་བཞིན་ཉིད་གང་ཡིན་པ་དང་། རྣམ་པ་ཐམས་ཅད་མཁྱེན་པ་ཉིད་ཀྱི་དེ་བཞིན་ཉིད་གང་ཡིན་པ་དེ་ནི་དེ་བཞིན་ཉིད་གཅིག་པ་སྟེ། གཉིས་སུ་མེད་ཅིང་གཉིས་སུ་བྱར་མེད་དོ། །དངོས་པོ་མེད་པའི་ངོ་བོ་ཉིད་སྟོང་པ་ཉིད་ཀྱི་བར་གྱི་དེ་བཞིན་ཉིད་གང་ཡིན་པ་དང་། རྣམ་པ་ཐམས་ཅད་མཁྱེན་པ་ཉིད་ཀྱི་དེ་བཞིན་ཉིད་གང་ཡིན་པ་དེ་ནི་དེ་བཞིན་ཉིད་གཅིག་པ་སྟེ། གཉིས་སུ་མེད་ཅིང་གཉིས་སུ་བྱར་མེད་དོ། །དྲན་པ་ཉེ་བར་གཞག་པའི་དེ་བཞིན་ཉིད་གང་ཡིན་པ་དང་། རྣམ་པ་ཐམས་ཅད་མཁྱེན་པ་ཉིད་ཀྱི་དེ་བཞིན་ཉིད་གང་ཡིན་པ་དེ་ནི་དེ་བཞིན་ཉིད་གཅིག་པ་སྟེ། གཉིས་སུ་མེད་ཅིང་གཉིས་སུ་བྱར་མེད་དོ། །ཡང་དག་པར་སྤོང་བ་དང་། རྫུ་འཕྲུལ་གྱི་རྐང་པ་དང་། དབང་པོ་དང་། སྟོབས་དང་། བྱང་ཆུབ་ཀྱི་ཡན་ལག་དང་། འཕགས་པའི་ལམ་ཡན་ལག་བརྒྱད་པའི་དེ་བཞིན་ཉིད་གང་ཡིན་པ་དང་། རྣམ་པ་ཐམས་ཅད་མཁྱེན་པ་ཉིད་ཀྱི་དེ་བཞིན་ཉིད་གང་ཡིན་པ་དེ་ནི་དེ་བཞིན་ཉིད་གཅིག་པ་སྟེ། གཉིས་སུ་མེད་ཅིང་གཉིས་སུ་བྱར་མེད་དོ། །འཕགས་པའི་བདེན་པ་དང་། བསམ་གཏན་དང་། ཚད་མེད་པ་དང་། གཟུགས་མེད་པའི་སྙོམས་པར་འཇུག་པའི་དེ་བཞིན་ཉིད་གང་ཡིན་པ་དང་། རྣམ་པ་ཐམས་ཅད་མཁྱེན་པ་ཉིད་ཀྱི་དེ་བཞིན་ཉིད་གང་ཡིན་པ་དེ་ནི་དེ་

བཞིན་ཉིད་གཅིག་པ་སྟེ། གཉིས་སུ་མེད་ཅིང་གཉིས་སུ་བྱར་མེད་དོ། །རྣམ་པར་ཐར་པ་དང་། མཐར་གྱིས་གནས་པའི་སྙོམས་པར་འཇུག་པ་དང་། རྣམ་པར་ཐར་པའི་སྒོ་སྟོང་པ་ཉིད་དང་། མཚན་མ་མེད་པ་དང་། སྨོན་པ་མེད་པ་དང་། མངོན་པར་ཤེས་པ་དང་། ཏིང་ངེ་འཛིན་དང་གཟུངས་ཀྱི་སྒོ་དང་དེ་བཞིན་གཤེགས་པའི་སྟོབས་བཅུ་དང་། མི་འཇིགས་པ་བཞི་དང་། སོ་སོ་ཡང་དག་པར་རིག་པ་བཞི་དང་། བྱམས་པ་ཆེན་པོ་དང་། སྙིང་རྗེ་ཆེན་པོ་དང་། སངས་རྒྱས་ཀྱི་ཆོས་མ་འདྲེས་པའི་དེ་བཞིན་ཉིད་གང་ཡིན་པ་དང་། རྣམ་པ་ཐམས་ཅད་མཁྱེན་པ་ཉིད་ཀྱི་དེ་བཞིན་ཉིད་གང་ཡིན་པ་དེ་ནི་དེ་བཞིན་ཉིད་གཅིག་པ་སྟེ། གཉིས་སུ་མེད་ཅིང་གཉིས་སུ་བྱར་མེད་དོ། །རྒྱུན་དུ་ཞུགས་པའི་འབྲས་བུ་དང་། ལན་ཅིག་ཕྱིར་འོང་བའི་འབྲས་བུ་དང་། ཕྱིར་མི་འོང་བའི་འབྲས་བུ་དང་། དགྲ་བཅོམ་པ་ཉིད་དང་། རང་སངས་རྒྱས་དང་། བྱང་ཆུབ་སེམས་དཔའ་དང་། སངས་རྒྱས་ཀྱི་དེ་བཞིན་ཉིད་གང་ཡིན་པ་དང་། རྣམ་པ་ཐམས་ཅད་མཁྱེན་པ་ཉིད་ཀྱི་དེ་བཞིན་ཉིད་གང་ཡིན་པ་དེ་ནི་དེ་བཞིན་ཉིད་གཅིག་པ་སྟེ། གཉིས་སུ་མེད་ཅིང་གཉིས་སུ་བྱར་མེད་དོ། །ཞེས་སྟོན་པ་ནི་འདི་ལྟ་སྟེ། དེ་བཞིན་གཤེགས་པ་རྣམས་ཀྱི་བྱང་ཆུབ་ཤེས་རབ་ཀྱི་ཕ་རོལ་དུ་ཕྱིན་པ་འདི་ཟབ་ཅིང་བལྟ་དཀའ་ལ་ཁོང་དུ་ཆུད་པར[1]དཀའ་ཞིང་བརྟག་ཏུ་མ་མཆིས་ལ་རྟོག་གེའི[2]སྤྱོད་ཡུལ་མ་ལགས་པ་སྟེ། ཞི་ཞིང་ཕྲ་བ་ཞིབ་མོ་མཁས་ཤིང་རྟོགས་པས་རིག་པར་བགྱི་བ་སྟེ། འཇིག་རྟེན་ཐམས་ཅད་ཀྱིས་ཡིད་ཆེས་པར་དཀའ་བའོ། །དེ་ནས་བཅོམ་ལྡན་འདས་ཀྱིས་འདོད་པ་ན་སྤྱོད་པ་དང་། གཟུགས་ཡོད་པ་ན་སྤྱོད་པའི་ལྷའི་བུ་དེ་དག་ལ་འདི་སྐད་ཅེས་བཀའ་སྩལ་ཏོ། །ལྷའི་བུ་དག་དེ་དེ་བཞིན་ནོ། །དེ་དེ་བཞིན་ཏེ། ལྷའི་བུ་དག་གཟུགས་ཉིད་རྣམ་པ་ཐམས་ཅད་མཁྱེན་པ་སྟེ།

རྣམ་པ་ཐམས་ཅད་མཁྱེན་པ་ཉིད་ཀྱང་གཟུགས་སོ། །ཚོར་བ་དང་འདུ་ཤེས་དང་འདུ་བྱེད་དང་། རྣམ་པར་ཤེས་པ་ཉིད་རྣམ་པ་ཐམས་ཅད་མཁྱེན་པ་སྟེ། རྣམ་པ་ཐམས་ཅད་མཁྱེན་པ་ཉིད་ཀྱང་རྣམ་པར་ཤེས་པའོ། །སྐྱེ་མཆེད་དང་ཁམས་དང་རྟེན་ཅིང་འབྲེལ་བར་འབྱུང་བ་ཉིད་རྣམ་པ་ཐམས་ཅད་མཁྱེན་པ་སྟེ། རྣམ་པ་ཐམས་ཅད་མཁྱེན་པ་ཉིད་ཀྱང་རྟེན་ཅིང་འབྲེལ་བར་འབྱུང་བའོ། །སྦྱིན་པའི་ཕ་རོལ་ཏུ་ཕྱིན་པ་ཉིད་རྣམ་པ་ཐམས་ཅད་མཁྱེན་པ་སྟེ། རྣམ་པ་ཐམས་ཅད་མཁྱེན་པ་ཉིད་ཀྱང་སྦྱིན་པའི་ཕ་རོལ་ཏུ་ཕྱིན་པའོ། །ཚུལ་ཁྲིམས་ཀྱི་ཕ་རོལ་ཏུ་ཕྱིན་པ་དང་། བཟོད་པའི་ཕ་རོལ་ཏུ་ཕྱིན་པ་དང་། བརྩོན་འགྲུས་ཀྱི་ཕ་རོལ་ཏུ་ཕྱིན་པ་དང་། བསམ་གཏན་གྱི་ཕ་རོལ་ཏུ་ཕྱིན་པ་དང་། ཤེས་རབ་ཀྱི་ཕ་རོལ་ཏུ་ཕྱིན་པ་ཉིད་རྣམ་པ་ཐམས་ཅད་མཁྱེན་པ་སྟེ། རྣམ་པ་ཐམས་ཅད་མཁྱེན་པ་ཉིད་ཀྱང་ཤེས་རབ་ཀྱི་ཕ་རོལ་ཏུ་ཕྱིན་པའོ། །ནང་སྟོང་པ་ཉིད་རྣམ་པ་ཐམས་ཅད་མཁྱེན་པ་སྟེ། རྣམ་པ་ཐམས་ཅད་མཁྱེན་པ་ཉིད་ཀྱང་ནང་སྟོང་པ་ཉིད་དོ། །དངོས་པོ་མེད་པའི་ངོ་བོ་ཉིད་སྟོང་པ་ཉིད་ཀྱི་བར་དུ་རྣམ་པ་ཐམས་ཅད་མཁྱེན་པ་སྟེ། རྣམ་པ་ཐམས་ཅད་མཁྱེན་པ་ཉིད་ཀྱང་དངོས་པོ་མེད་པའི་ངོ་བོ་ཉིད་སྟོང་པ་ཉིད་དོ། །དྲན་པ་ཉེ་བར་གཞག་པ་ཉིད་རྣམ་པ་ཐམས་ཅད་མཁྱེན་པ་སྟེ། རྣམ་པ་ཐམས་ཅད་མཁྱེན་པ་ཉིད་ཀྱང་དྲན་པ་ཉེ་བར་གཞག་པའོ། །ཡང་དག་པར་སྤོང་བ་དང་། རྫུ་འཕྲུལ་གྱི་རྐང་པ་དང་། དབང་པོ་དང་སྟོབས་དང་། བྱང་ཆུབ་ཀྱི་ཡན་ལག་དང་འཕགས་པའི་ལམ་ཡན་ལག་བརྒྱད་པ་ཉིད་རྣམ་པ་ཐམས་ཅད་མཁྱེན་པ་སྟེ། རྣམ་པ་ཐམས་ཅད་མཁྱེན་པ་ཉིད་ཀྱང་འཕགས་པའི་ལམ་ཡན་ལག་བརྒྱད་པའོ། །འཕགས་པའི་བདེན་པ་དང་། བསམ་གཏན་དང་། ཚད་མེད་པ་དང་གཟུགས་མེད་པའི་སྙོམས་པར་འཇུག་[7]པ་ཉིད་རྣམ་པ་

ཐམས་ཅད་མཁྱེན་པ་སྟེ། རྣམ་པ་ཐམས་ཅད་མཁྱེན་པ་ཉིད་ཀྱང་གཟུགས་མེད་པའི་སྙོམས་པར་འཇུག་པའོ། །རྣམ་པར་ཐར་པ་བརྒྱད་དང་། མཐར་གྱིས་གནས་པའི་སྙོམས་པར་འཇུག་པ་དང་། རྣམ་པར་ཐར་པའི་སྒོ་སྟོང་པ་ཉིད་དང་། མཚན་མ་མེད་པ་དང་། སྨོན་པ་མེད་པ་དང་། མངོན་པར་ཤེས་པ་དང་། ཏིང་ངེ་འཛིན་དང་། གཟུངས་ཀྱི་སྒོ་དང་། དེ་བཞིན་གཤེགས་པའི་སྟོབས་དང་། མི་འཇིགས་པ་དང་། སོ་སོ་ཡང་དག་པར་རིག་པ་དང་། བྱམས་པ་ཆེན་པོ་དང་། སྙིང་རྗེ་ཆེན་པོ་དང་། སངས་རྒྱས་ཀྱི་ཆོས་མ་འདྲེས་པ་ཉིད་རྣམ་པ་ཐམས་ཅད་མཁྱེན་པ་སྟེ། རྣམ་པ་ཐམས་ཅད་མཁྱེན་པ་ཉིད་ཀྱང་སངས་རྒྱས་ཀྱི་ཆོས་མ་འདྲེས་པའོ། །གཟུགས་ཀྱི་དེ་བཞིན་ཉིད་གང་ཡིན་པ་དང་། རྣམ་པ་ཐམས་ཅད་མཁྱེན་པ་ཉིད་ཀྱི་དེ་བཞིན་ཉིད་གང་ཡིན་པ་དེ་ནི་དེ་བཞིན་ཉིད་གཅིག་པ་སྟེ། གཉིས་སུ་མེད་ཅིང་གཉིས་སུ་བྱར་མེད་དོ[1]། །ཚོར་བ་དང་འདུ་ཤེས་དང་འདུ་བྱེད་དང་། རྣམ་པར་ཤེས་པའི་དེ་བཞིན་ཉིད་གང་ཡིན་པ་དང་། རྣམ་པ་ཐམས་ཅད་མཁྱེན་པ་ཉིད་ཀྱི་དེ་བཞིན་ཉིད་གང་ཡིན་པ་དེ་ནི་དེ་བཞིན་ཉིད་གཅིག་པ་སྟེ། གཉིས་སུ་མེད་ཅིང་གཉིས་སུ་བྱར་མེད་དོ། །སྐྱེ་མཆེད་དང་ཁམས་དང་རྟེན་ཅིང་འབྲེལ་བར་འབྱུང་བའི་དེ་བཞིན་ཉིད་གང་ཡིན་པ་དང་། རྣམ་པ་ཐམས་ཅད་མཁྱེན་པ་ཉིད་ཀྱི་དེ་བཞིན་ཉིད་གང་ཡིན་པ་དེ་ནི་དེ་བཞིན་ཉིད་གཅིག་པ་སྟེ། གཉིས་སུ་མེད་ཅིང་གཉིས་སུ་བྱར་མེད་དོ། །སྦྱིན་པའི་ཕ་རོལ་ཏུ་ཕྱིན་པའི་དེ་བཞིན་ཉིད་གང་ཡིན་པ་དང་། རྣམ་པ་ཐམས་ཅད་མཁྱེན་པ་ཉིད་ཀྱི་དེ་བཞིན་ཉིད་གང་ཡིན་པ་དེ་ནི་དེ་བཞིན་ཉིད་གཅིག་པ་སྟེ། གཉིས་སུ་མེད་ཅིང་གཉིས་སུ་བྱར་མེད་དོ། །ཚུལ་ཁྲིམས་ཀྱི་ཕ་རོལ་ཏུ་ཕྱིན་པ་དང་། བཟོད་པའི་ཕ་རོལ་ཏུ་ཕྱིན་པ་དང་། བརྩོན་འགྲུས་ཀྱི་ཕ་རོལ་ཏུ་ཕྱིན་

པ་དང་། བསམ་གཏན་གྱི་ཕ་རོལ་ཏུ་ཕྱིན་པ་དང་། ཤེས་རབ་ཀྱི་ཕ་རོལ་ཏུ་ཕྱིན་པའི་དེ་བཞིན་ཉིད་གང་ཡིན་པ་དང་། རྣམ་པ་ཐམས་ཅད་མཁྱེན་པ་ཉིད་ཀྱི་དེ་བཞིན་ཉིད་གང་ཡིན་པ་དེ་ནི་དེ་བཞིན་ཉིད་གཅིག་པ་སྟེ། གཉིས་སུ་མེད་ཅིང་གཉིས་སུ་བྱར་མེད་དོ། །ནང་སྟོང་པ་ཉིད་ཀྱི་དེ་བཞིན་ཉིད་གང་ཡིན་པ་དང་། རྣམ་པ་ཐམས་ཅད་མཁྱེན་པ་ཉིད་ཀྱི་དེ་བཞིན་ཉིད་གང་ཡིན་པ་དེ་ནི་དེ་བཞིན་ཉིད་གཅིག་པ་སྟེ། གཉིས་སུ་མེད་ཅིང་གཉིས་སུ་བྱར་མེད་དོ། །དངོས་པོ་མེད་པའི་ངོ་བོ་ཉིད་སྟོང་པ་ཉིད་ཀྱི་བར་གྱི་དེ་བཞིན་ཉིད་གང་ཡིན་པ་དང་། རྣམ་པ་ཐམས་ཅད་མཁྱེན་པ་ཉིད་ཀྱི་དེ་བཞིན་ཉིད་གང་ཡིན་པ་དེ་ནི་དེ་བཞིན་ཉིད་གཅིག་པ་སྟེ། གཉིས་སུ་མེད་ཅིང་གཉིས་སུ་བྱར་མེད་དོ། །དྲན་པ་ཉེ་བར་གཞག་པའི་དེ་བཞིན་ཉིད་གང་ཡིན་པ་དང་། རྣམ་པ་ཐམས་ཅད་མཁྱེན་པ་ཉིད་ཀྱི་དེ་བཞིན་ཉིད་གང་ཡིན་པ་དེ་ནི་དེ་བཞིན་ཉིད་གཅིག་པ་སྟེ། གཉིས་སུ་མེད་ཅིང་གཉིས་སུ་བྱར་མེད་དོ། །ཡང་དག་པར་སྤོང་བ་དང་། རྫུ་འཕྲུལ་གྱི་རྐང་པ་དང་། དབང་པོ་དང་སྟོབས་དང་། བྱང་ཆུབ་ཀྱི་ཡན་ལག་དང་། འཕགས་པའི་ལམ་ཡན་ལག་བརྒྱད་པའི་དེ་བཞིན་ཉིད་གང་ཡིན་པ་དང་། རྣམ་པ་ཐམས་ཅད་མཁྱེན་པ་ཉིད་ཀྱི་དེ་བཞིན་ཉིད་གང་ཡིན་པ་དེ་ནི་དེ་བཞིན་ཉིད་གཅིག་པ་སྟེ། གཉིས་སུ་མེད་ཅིང་གཉིས་སུ་བྱར་མེད་དོ། །འཕགས་པའི་བདེན་པ་དང་། བསམ་གཏན་དང་། ཚད་མེད་པ་དང་། གཟུགས་མེད་པའི་སྙོམས་པར་འཇུག་པའི་དེ་བཞིན་ཉིད་གང་ཡིན་པ་དང་། རྣམ་པ་ཐམས་ཅད་མཁྱེན་པ་ཉིད་ཀྱི་དེ་བཞིན་ཉིད་གང་ཡིན་པ་དེ་ནི་དེ་བཞིན་ཉིད་གཅིག་པ་སྟེ། གཉིས་སུ་མེད་ཅིང་གཉིས་སུ་བྱར་མེད་དོ། །རྣམ་པར་ཐར་པ་དང་། མཐར་གྱིས་གནས་པའི་སྙོམས་པར་འཇུག་པ་དང་། རྣམ་པར་ཐར་པའི་སྒོ་སྟོང་པ་ཉིད་དང་། མཚན་

མ་མེད་པ་དང་། སྨོན་པ་མེད་པ་དང་། མངོན་པར་ཤེས་པ་དང་། ཏིང་ངེ་འཛིན་དང་། གཟུངས་ཀྱི་སྒོ་དང་དེ་བཞིན་གཤེགས་པའི་སྟོབས་དང་། མི་འཇིགས་པ་དང་སོ་སོ་ཡང་དག་པར་རིག་པ་དང་། བྱམས་པ་ཆེན་པོ་དང་། སྙིང་རྗེ་ཆེན་པོ་དང་། སངས་རྒྱས་ཀྱི་ཆོས་མ་འདྲེས་པའི་དེ་བཞིན་ཉིད་གང་ཡིན་པ་དང་། རྣམ་པ་ཐམས་ཅད་མཁྱེན་པ་ཉིད་ཀྱི་དེ་བཞིན་ཉིད་གང་ཡིན་པ་དེ་ནི་དེ་བཞིན་ཉིད་གཅིག་པ་སྟེ། གཉིས་སུ་མེད་ཅིང་གཉིས་སུ་བྱར་མེད་དོ། །རྒྱུན་དུ་ཞུགས་པའི་འབྲས་བུ་དང་། ལན་ཅིག་ཕྱིར་འོང་བའི་འབྲས་བུ་དང་། ཕྱིར་མི་འོང་བའི་འབྲས་བུ་དང་། དགྲ་བཅོམ་པ་ཉིད་དང་རང་སངས་རྒྱས་དང་བྱང་ཆུབ་སེམས་དཔའ་དང་སངས་རྒྱས་ཀྱི་དེ་བཞིན་ཉིད་གང་ཡིན་པ་དང་། རྣམ་པ་ཐམས་ཅད་མཁྱེན་པ་ཉིད་ཀྱི་དེ་བཞིན་ཉིད་གང་ཡིན་པ་དེ་ནི་དེ་བཞིན་ཉིད་གཅིག་པ་སྟེ། གཉིས་སུ་མེད་ཅིང་གཉིས་སུ་བྱར་མེད་དོ། །ལྷའི་བུ་དག་དོན་གྱི་དབང་དེ་གཟིགས་པས་དེ་བཞིན་གཤེགས་པ་ཕྲིན་[༢]ལས་ཆུང་བ་ལ་ཐུགས་གཞོལ་ཏེ་ཆོས་བསྟན་[༣]པ་ལ་གཞོལ་བ་མ་ཡིན་ནོ། །དེ་ཅིའི་ཕྱིར་ཞེ་ན། འདི་ལྟར་འདི་ལྟ་སྟེ། དེ་བཞིན་གཤེགས་པ་རྣམས་ཀྱི་ཆོས་བྱང་ཆུབ་འདི་ནི་ཟབ་ཅིང་བལྟ་དཀའ་ལ་ཡོངས་སུ་ཆུད་པར་དཀའ་ཞིང་བརྟག་ཏུ་མེད་ལ་རྟོག་གེའི་སྤྱོད་ཡུལ་མ་ཡིན་ཏེ། ཞི་ཞིང་ཕྲ་བ་ཞིབ་མོ་མཁས་ཤིང་རྟོགས་པས་རིག་པར་བྱ་བ་འཇིག་རྟེན་ཐམས་ཅད་ཀྱིས་ཡིད་ཆེས་པར་དཀའ་བ་སྟེ། དེ་ནི་སུས་ཀྱང་མངོན་པར་སངས་མ་རྒྱས་ནམ་ཡང་མངོན་པར་སངས་མ་རྒྱས། གར་ཡང་མངོན་པར་སངས་མ་རྒྱས་ཏེ། གང་ལ་གཉིས་སུ་ཀུན་ནས་རྒྱུ་བ་མེད་པ་དེ་ནི་ཆོས་རྣམས་ཀྱི་ཟབ་པ་ཉིད་དོ། །ལྷའི་བུ་དག་ནམ་མཁའ་ཟབ་པའི་ཕྱིར་ཆོས་འདི་ཟབ་བོ། །ལྷའི་བུ་དག་དེ་བཞིན་ཉིད་ཟབ་པའི་ཕྱིར་ཆོས་འདི་ཟབ་བོ། །ལྷའི་བུ་དག་ཆོས་ཀྱི་

དབྱིངས་ཟབ་པའི་ཕྱིར་ཆོས་འདི་ཟབ་བོ། །ལྷའི་བུ་དག་ཡང་དག་པའི་མཐའ····
ཟབ་པའི་ཕྱིར་ཆོས་འདི་ཟབ་བོ། །ལྷའི་བུ་དག་བསམ་གྱིས་མི་ཁྱབ་པའི་དབྱིངས་
ཟབ་པའི་ཕྱིར་ཆོས་འདི་ཟབ་བོ། །ལྷའི་བུ་དག་མཐའ་ཡས་སྒྲུ་མེད་པ་ཟབ་པའི··
ཕྱིར་ཆོས་འདི་ཟབ་བོ། །ལྷའི་བུ་དག་འོང་བ་དང་འགྲོ་བ་མེད་པ་ཟབ་པའི་ཕྱིར་
ཆོས་འདི་ཟབ་བོ། །ལྷའི་བུ་དག་མི་སྐྱེ་མི་འགག་པ་དང་། མངོན་པར་རྫོགས་
པར་བྱང་ཆུབ་པ་མེད་པ་ཟབ་པའི་ཕྱིར་ཆོས་འདི་ཟབ་བོ། །ཀུན་ནས་ཉོན་མོངས་
པ་མེད་པ་དང་། རྣམ་པར་བྱང་བ་མེད་པ་དང་། མངོན་པར་རྫོགས་པར་
བྱང་ཆུབ་པ་མེད་པ་ཟབ་པའི་ཕྱིར་ཆོས་འདི་ཟབ་བོ། །ལྷའི་བུ་དག་མངོན་པར··
འདུ་བྱ་བ་མེད་པ་དང་མངོན་པར་རྫོགས་པར་བྱང་ཆུབ་པ་མེད་པ་ཟབ་པའི་ཕྱིར··
ཆོས་འདི་ཟབ་བོ། །ལྷའི་བུ་དག་བདག་ཟབ་པའི་ཕྱིར་ཆོས་འདི་ཟབ་བོ། །
སེམས་ཅན་དང་སྲོག་དང་འགྲོ་བ་དང་གསོ་བ་དང་། སྐྱེས་བུ་དང་གང་ཟག་དང་
ཤེད་ཅན་དང་ཤེད་བདག་དང་བྱེད་པ་པོ་དང་། ཚོར་བ་པོ་དང་། ཤེས་པ་པོ་
དང་མཐོང་བ་པོ་ཟབ་པའི་ཕྱིར་ཆོས་འདི་ཟབ་བོ། །ལྷའི་བུ་དག་གཟུགས་ཟབ···
པའི་ཕྱིར་ཆོས་འདི་ཟབ་བོ། །ཚོར་བ་དང་འདུ་ཤེས་དང་འདུ་བྱེད་དང་རྣམ་པར་
ཤེས་པ་ཟབ་པའི་ཕྱིར་ཆོས་འདི་ཟབ་བོ། །ལྷའི་བུ་དག་སྐྱེ་མཆེད་དང་ཁམས་དང་
རྟེན་ཅིང་འབྲེལ་བར་འབྱུང་བ་ཟབ་པའི་ཕྱིར་ཆོས་འདི་ཟབ་བོ། །ལྷའི་བུ་དག···
སྦྱིན་པའི་ཕ་རོལ་ཏུ་ཕྱིན་པ་ཟབ་པའི་ཕྱིར་ཆོས་འདི་ཟབ་བོ། །ཚུལ་ཁྲིམས་ཀྱི་ཕ་
རོལ་ཏུ་ཕྱིན་པ་དང་། བཟོད་པའི་ཕ་རོལ་ཏུ་ཕྱིན་པ་དང་། བརྩོན་འགྲུས་ཀྱི་
ཕ་རོལ་ཏུ་ཕྱིན་པ་དང་། བསམ་གཏན་གྱི་ཕ་རོལ་ཏུ་ཕྱིན་པ་དང་། ཤེས་རབ་
ཀྱི་ཕ་རོལ་ཏུ་ཕྱིན་པ་ཟབ་པའི་ཕྱིར་ཆོས་འདི་ཟབ་བོ། །ལྷའི་བུ་དག་ནང་སྟོང་པ་
ཉིད་ཟབ་པའི་ཕྱིར་ཆོས་འདི་ཟབ་བོ། །དངོས་པོ་མེད་པའི་ངོ་བོ་ཉིད་སྟོང་པ····

ཉིད་ཀྱི་བར་དུ་ཟབ་པའི་ཕྱིར་ཆོས་འདི་ཟབ་བོ། །ལྷའི་བུ་དག་དྲན་པ་ཉེ་བར་གཞག་པ་ཟབ་པའི་ཕྱིར་ཆོས་འདི་ཟབ་བོ། །ཡང་དག་པར་སྤོང་བ་དང་། རྫུ་འཕྲུལ་གྱི་རྐང་པ་དང་། དབང་པོ་དང་སྟོབས་དང་། བྱང་ཆུབ་ཀྱི་ཡན་ལག་དང་། འཕགས་པའི་ལམ་ཡན་ལག་བརྒྱད་པ་ཟབ་པའི་ཕྱིར་ཆོས་འདི་ཟབ་བོ། །ལྷའི་བུ་དག་འཕགས་པའི་བདེན་པ་དང་། བསམ་གཏན་དང་ཚད་མེད་པ་དང་། གཟུགས་མེད་པའི་སྙོམས་པར་འཇུག་པ་ཟབ་པའི་ཕྱིར་ཆོས་འདི་ཟབ་བོ། །ལྷའི་བུ་དག་རྣམ་པར་ཐར་པ་དང་མཐར་གྱིས་གནས་པའི་སྙོམས་པར་འཇུག་པ་དང་རྣམ་པར་ཐར་པའི་སྒོ་སྟོང་པ་ཉིད་དང་། མཚན་མ་མེད་པ་དང་། སྨོན་པ་མེད་པ་དང་། མངོན་པར་ཤེས་པ་དང་། ཏིང་ངེ་འཛིན་དང་གཟུངས་ཀྱི་སྒོ་དང་དེ་བཞིན་གཤེགས་པའི་སྟོབས་དང་། མི་འཇིགས་པ་དང་སོ་སོ་ཡང་དག་པར་རིག་པ་དང་། བྱམས་པ་ཆེན་པོ་དང་སྙིང་རྗེ་ཆེན་པོ་དང་སངས་རྒྱས་ཀྱི་ཆོས་མ[1]འདྲེས་པ་ཟབ་པའི་ཕྱིར་ཆོས་འདི་ཟབ་བོ། །ལྷའི་བུ་དག་རྣམ་པ་ཐམས་ཅད་མཁྱེན་པ་ཉིད་ཀྱི་བར་དུ་ཟབ་པའི་ཕྱིར་ཆོས་འདི་ཟབ་བོ། །ལྷའི་བུ་རྣམས་ཀྱིས་གསོལ་པ། བཅོམ་ལྡན་འདས་འཇིག་རྟེན་ཐམས་ཅད་ཀྱིས་ཡིད་ཆེས[3]པར་དཀའ་བའི་ཆོས་བསྟན་པ་ནི་ངོ་མཚར་ཏོ། །དེ་ཅིའི་སླད་དུ་ཞེ་ན། བཅོམ་ལྡན་འདས་ཆོས་འདི་ནི་གཟུགས་གཟུང་བའི་སླད་དུ་བསྟན་པ་མ་ལགས། མི་གཟུང་བའི་སླད་དུ་མ་ལགས། ཚོར་བ་དང་འདུ་ཤེས་དང་འདུ་བྱེད་དང་རྣམ་པར་ཤེས་པ་གཟུང་བའི་སླད་དུ་བསྟན་པ་མ་ལགས་མི་གཟུང་བའི་སླད་དུ་མ་ལགས། སྐྱེ་མཆེད་དང་ཁམས་དང་རྟེན་ཅིང་འབྲེལ་བར་འབྱུང་བ་གཟུང་བའི་སླད་དུ་བསྟན་པ་མ་ལགས། མི་གཟུང་བའི་སླད་དུ་མ་ལགས། ཕ་རོལ་དུ་ཕྱིན་པ་ཐམས་ཅད་དང་སྟོང་པ་ཉིད་ཐམས་ཅད་དང་། བྱང་ཆུབ་ཀྱི་ཕྱོགས་ཀྱི་ཆོས་སུམ་

ཅུ་རྩ་བདུན་དང་། འཕགས་པའི་བདེན་པ་དང་། བསམ་གཏན་དང་ཚད་མེད་པ་དང་གཟུགས་མེད་པའི་སྙོམས་པར་འཇུག་པ་དང་རྣམ་པར་ཐར་པ་བརྒྱད་དང་མཐར་གྱིས་གནས་པའི་སྙོམས་པར་འཇུག་པ་དགུ་དང་། སྟོང་པ་ཉིད་དང་མཚན་མ་མེད་པ་དང་། སྨོན་པ་མེད་པ་དང་མངོན་པར་ཤེས་པ་དང་། ཏིང་ངེ་འཛིན་དང་གཟུངས་ཀྱི་སྒོ་དང་དེ་བཞིན་གཤེགས་པའི་སྟོབས་བཅུ་དང་། མི་འཇིགས་པ་བཞི་དང་སོ་སོ་ཡང་དག་པར་རིག་པ་བཞི་དང་། བྱམས་པ་ཆེན་པོ་དང་སྙིང་རྗེ་ཆེན་པོ་དང་། སངས་རྒྱས་ཀྱི་ཆོས་མ་འདྲེས་པ་བཅོ་བརྒྱད་གཟུང་བའི་སླད་དུ་བསྟན་པ་མ་ལགས། མི་གཟུང་བའི་སླད་དུ་མ་ལགས། ཆོས་ཟབ་མོ་འདི་ནི་རྒྱུན་དུ་ཞུགས་པའི་འབྲས་བུ་གཟུང་བའི་སླད་དུ་བསྟན་པ་མ་ལགས། མི་གཟུང་བའི་སླད་དུ་མ་ལགས། ལན་ཅིག་ཕྱིར་འོང་བའི་འབྲས་བུ་དང་། ཕྱིར་མི་འོང་བའི་འབྲས་བུ་དང་། དགྲ་བཅོམ་པ་ཉིད་དང་རང་བྱང་ཆུབ་དང་ལམ་གྱི་རྣམ་པ་ཤེས་པ་ཉིད་དང་། རྣམ་པ་ཐམས་ཅད་མཁྱེན་པ་ཉིད་གཟུང་བའི་སླད་དུ་བསྟན་པ་མ་ལགས། མི་གཟུང་བའི་སླད་དུ་མ་ལགས་སོ། །བཅོམ་ལྡན་འདས་འཇིག་རྟེན་ནི་བདག་གི་གཟུགས་སོ། །བདག་ནི་གཟུགས་ཅན་ནོ། །བདག་ནི་ཚོར་བའོ། །བདག་གིས་ཚོར་བར་བྱའོ། །བདག་གི་འདུ་ཤེས་སོ། །བདག་ནི་འདུ་ཤེས་ཅན་ནོ། །བདག་གི་འདུ་བྱེད་དོ། །བདག་གིས་མངོན་པར་འདུ་བྱའོ། །བདག་གི་རྣམ་པར་ཤེས་པའོ། །བདག་གིས་རྣམ་པར་ཤེས་པར་བྱའོ། །བདག་གི་སྐྱེ་མཆེད་དང་ཁམས་དང་རྟེན་ཅིང་འབྲེལ་བར་འབྱུང་བའོ། །བདག་ནི་རྟེན་ཅིང་འབྲེལ་བར་འབྱུང་བའི་ཆོས་ཅན་ནོ། །བདག་གི་སྦྱིན་པའི་ཕ་རོལ་ཏུ་ཕྱིན་པའོ། །བདག་གིས་⑦སྦྱིན་པའི་ཕ་རོལ་ཏུ་ཕྱིན་པ་ཡོངས་སུ་རྫོགས་པར་བྱའོ། །བདག་གི་ཚུལ་ཁྲིམས་ཀྱི་ཕ་རོལ་ཏུ་ཕྱིན་པའོ། །བདག་གིས་ཚུལ་

ཁྲིམས་ཀྱི་ཕ་རོལ་ཏུ་ཕྱིན་པ་ཡོངས་སུ་རྫོགས་པར་བྱའོ། །བདག་གི་བཟོད་པའི་ཕ་རོལ་ཏུ་ཕྱིན་པའོ། །བདག་གིས་བཟོད་པའི་ཕ་རོལ་ཏུ་ཕྱིན་པ་ཡོངས་སུ་རྫོགས་པར་བྱའོ། །བདག་གི་བརྩོན་འགྲུས་ཀྱི་ཕ་རོལ་དུ་ཕྱིན་པའོ། །བདག་གིས་བརྩོན་འགྲུས་ཀྱི་ཕ་རོལ་ཏུ་ཕྱིན་པ་ཡོངས་སུ་རྫོགས་པར་བྱའོ། །བདག་གི་བསམ་གཏན་གྱི་ཕ་རོལ་ཏུ་ཕྱིན་པའོ། །བདག་གིས་བསམ་གཏན་གྱི་ཕ་རོལ་ཏུ་ཕྱིན་པ་ཡོངས་སུ་རྫོགས་པར་བྱའོ། །བདག་གི་ཤེས་རབ་ཀྱི་ཕ་རོལ་ཏུ་ཕྱིན་པའོ། །བདག་གིས་ཤེས་རབ་ཀྱི་ཕ་རོལ་ཏུ་ཕྱིན་པ་ཡོངས་སུ་རྫོགས་པར་བྱའོ། །བདག་གི་ནང་སྟོང་པ་ཉིད་དོ། །བདག་གིས་ནང་སྟོང་པ་ཉིད་ལ་གོམས་པར་བྱའོ། །བདག་གི་དངོས་པོ་མེད་པའི་ངོ་བོ་ཉིད་སྟོང་པ་ཉིད་ཀྱི་བར་རོ། །བདག་གིས་དངོས་པོ་མེད་པའི་ངོ་བོ་ཉིད་སྟོང་པ་ཉིད་ལ་གོམས་པར་བྱའོ། །བདག་གི་དྲན་པ་ཉེ་བར་གཞག་པའོ། །བདག་གིས་དྲན་པ་ཉེ་བར་གཞག་པ་ལ་སྤྱད་པར་བྱའོ། །བདག་གི་ཡང་དག་པར་སྤོང་བ་དང་། རྫུ་འཕྲུལ་གྱི་རྐང་པ་དང་། དབང་པོ་དང་སྟོབས་དང་། བྱང་ཆུབ་ཀྱི་ཡན་ལག་དང་། འཕགས་པའི་ལམ་ཡན་ལག་བརྒྱད་པའོ། །བདག་གིས་འཕགས་པའི་ལམ་ཡན་ལག་བརྒྱད་པ་ལ་སྤྱད་པར་བྱའོ། །བདག་གི་འཕགས་པའི་བདེན་པ་དང་། བསམ་གཏན་དང་ཚད་མེད་པ་དང་། གཟུགས་མེད་པའི་སྙོམས་པར་འཇུག་པ་དང་། རྣམ་པར་ཐར་པ་དང་། མཐར་གྱིས་གནས་པའི་སྙོམས་པར་འཇུག་པ་དང་། སྟོང་པ་ཉིད་དང་མཚན་མ་མེད་པ་དང་། སྨོན་པ་མེད་པ་དང་མངོན་པར་ཤེས་པ་དང་ཏིང་ངེ་འཛིན་དང་གཟུངས་ཀྱི་སྒོའོ། །བདག་གིས་གཟུངས་ཀྱི་སྒོ་ལ་སྤྱད་པར་བྱའོ། །བདག་གི་དེ་བཞིན་གཤེགས་པའི་སྟོབས་དང་མི་འཇིགས་པ་དང་། སོ་སོ་ཡང་དག་པར་རིག་པ་དང་བྱམས་པ་ཆེན་པོ་དང་སྙིང་རྗེ་ཆེན་པོ་དང་སངས་རྒྱས་ཀྱི་ཆོས་མ་འདྲེས་པའོ། །

བདག་གིས་སངས་རྒྱས་ཀྱི་ཆོས་མ་འདྲིས་པ་ལ་སྦྱོད་པར་བྱའོ། །བདག་གི་རྒྱུན་དུ་ཞུགས་པའི་འབྲས་བུའོ། །བདག་ནི་རྒྱུན་དུ་ཞུགས་པར་འགྱུར་རོ། །བདག་གི་ལན་ཅིག་ཕྱིར་འོང་བའི་འབྲས་བུའོ། །བདག་ནི་ལན་ཅིག་ཕྱིར་འོང་བར་འགྱུར་རོ། །བདག་གི་ཕྱིར་མི་འོང་བའི་འབྲས་བུའོ། །བདག་ནི་ཕྱིར་མི་འོང་བར་འགྱུར་རོ། །བདག་གི་དགྲ་བཅོམ་པ་ཉིད་དོ། །བདག་ནི་དགྲ་བཅོམ་པར་འགྱུར་རོ། །བདག་གི་རང་བྱང་ཆུབ་པོ་བདག་ནི་རང་སངས་རྒྱས་སུ་འགྱུར་རོ། །བདག་གི་རྣམ་པ་ཐམས་ཅད་མཁྱེན་པ་ཉིད་དོ། །བདག་ནི་རྣམ་པ་ཐམས་ཅད་མཁྱེན་པར་འགྱུར་རོ་ཞེས་བགྱི་བར་འཛིན་པ་ལ་སྦྱོད་དོ། །བཅོམ་ལྡན་འདས་ཀྱིས་བཀའ་སྩལ་པ། ལྷའི་བུ་དག་དེ་དེ་བཞིན་ནོ། །དེ་དེ་བཞིན་ཏེ། ལྷའི་བུ་དག་ཆོས་འདི་ནི་གཟུགས་གཟུང་བའི་ཕྱིར་བསྟན་པ་མ་ཡིན་མི་གཟུང་བའི་ཕྱིར་མ་ཡིན། ཚོར་བ་དང་འདུ་ཤེས་དང་འདུ་བྱེད་དང་། རྣམ་པར་ཤེས་པ་གཟུང་བའི་ཕྱིར་བསྟན་པ་མ་ཡིན། མི་གཟུང་བའི་ཕྱིར་[༡]མ་ཡིན་སྐྱེ་མཆེད་དང་ཁམས་དང་རྟེན་ཅིང་འབྲེལ་བར་འབྱུང་བ་གཟུང་བའི་ཕྱིར་བསྟན་པ་མ་ཡིན་མི་གཟུང་བའི་ཕྱིར་མ་ཡིན་ཕ་རོལ་དུ་ཕྱིན་པ་ཐམས་ཅད་དང་སྟོང་པ་ཉིད་ཐམས་ཅད་དང་། བྱང་ཆུབ་ཀྱི་ཕྱོགས་ཀྱི་ཆོས་སུམ་ཅུ་རྩ་བདུན་གཟུང་བའི་ཕྱིར་བསྟན་པ་མ་ཡིན་མི་གཟུང་བའི་ཕྱིར་མ་ཡིན། འཕགས་པའི་བདེན་པ་དང་། བསམ་གཏན་དང་ཚད་[༣]མེད་པ་དང་། གཟུགས་མེད་པའི་སྙོམས་པར་འཇུག་པ་དང་རྣམ་པར་ཐར་པ་དང་མཐར་གྱིས་གནས་པའི་སྙོམས་པར་འཇུག་པ་དང་སྟོང་པ་ཉིད་དང་མཚན་མ་མེད་པ་དང་། སྨོན་པ་མེད་པ་གཟུང་བའི་ཕྱིར་བསྟན་པ་མ་ཡིན་མི་གཟུང་བའི་ཕྱིར་མ་ཡིན་མངོན་པར་ཤེས་པ་དང་། ཏིང་ངེ་འཛིན་དང་གཟུངས་ཀྱི་སྒོ་དང་དེ་བཞིན་གཤེགས་པའི་སྟོབས་དང་མི་འཇིགས་པ་དང་། སོ་སོ་ཡང་

དག་པར་རིག་པ་དང་བྱམས་པ་ཆེན་པོ་དང་སྙིང་རྗེ་ཆེན་པོ་དང་། སངས་རྒྱས་ཀྱི་ཆོས་མ་འདྲེས་པ་གཟུང་བའི་ཕྱིར་བསྟན་པ་མ་ཡིན། མི་གཟུང་བའི་ཕྱིར་མ་ཡིན། རྣམ་པ་ཐམས་ཅད་མཁྱེན་པ་ཉིད་ཀྱི་བར་དུ་གཟུང་བའི་ཕྱིར་བསྟན་པ་མ་ཡིན་མི་གཟུང་བའི་ཕྱིར་མ་ཡིན་ནོ། །ལྷའི་བུ་དག་གང་ཡང་གཟུགས་གཟུང་བའི་ཕྱིར་རམ། མི་གཟུང་བའི་ཕྱིར་སྟོན་པ་དང་། ཚོར་བ་དང་འདུ་ཤེས་དང་འདུ་བྱེད་དང་རྣམ་པར་ཤེས་པ་གཟུང་བའི་ཕྱིར་རམ་མི་གཟུང་བའི་ཕྱིར་སྟོན་པ་དང་སྐྱེ་མཆེད་དང་ཁམས་དང་། རྟེན་ཅིང་འབྲེལ་བར་འབྱུང་བ་གཟུང་བའི་ཕྱིར་རམ་མི་གཟུང་བའི་ཕྱིར་སྟོན་པ་དང་། ཕ་རོལ་ཏུ་ཕྱིན་པ་ཐམས་ཅད་དང་སྟོང་པ་ཉིད་ཐམས་ཅད་དང་། བྱང་ཆུབ་ཀྱི་ཕྱོགས་ཀྱི་ཆོས་སུམ་ཅུ་རྩ་བདུན་གཟུང་བའི་ཕྱིར་རམ་མི་གཟུང་བའི་ཕྱིར་སྟོན་པ་དང་། འཕགས་པའི་བདེན་པ་དང་བསམ་གཏན་དང་ཚད་མེད་པ་དང་། གཟུགས་མེད་པའི་སྙོམས་པར་འཇུག་པ་དང་རྣམ་པར་ཐར་པ་དང་། མཐར་གྱིས་གནས་པའི་སྙོམས་པར་འཇུག་པ་དང་། སྟོང་པ་ཉིད་དང་མཚན་མ་མེད་པ་དང་། སྨོན་པ་མེད་པ་གཟུང་བའི་ཕྱིར་རམ། མི་གཟུང་བའི་ཕྱིར་སྟོན་པ་དང་མངོན་པར་ཤེས་པ་དང་ཏིང་ངེ་འཛིན་དང་གཟུངས་ཀྱི་སྒོ་དང་། དེ་བཞིན་གཤེགས་པའི་སྟོབས་དང་མི་འཇིགས་པ་དང་སོ་སོ་ཡང་དག་པར་རིག་པ་དང་། བྱམས་པ་ཆེན་པོ་དང་། སྙིང་རྗེ་ཆེན་པོ་དང་། སངས་རྒྱས་ཀྱི་ཆོས་མ་འདྲེས་པ་རྣམས་གཟུང་བའི་ཕྱིར་རམ་མི་གཟུང་བའི་ཕྱིར་སྟོན་པ་དང་། རྣམ་པ་ཐམས་ཅད་མཁྱེན་པ་ཉིད་ཀྱི་བར་དུ་གཟུང་བའི་ཕྱིར་རམ་མི་གཟུང་བའི་ཕྱིར་སྟོན་པ་དེ་དག་གིས་ནི་སྦྱིན་པའི་ཕ་རོལ་ཏུ་ཕྱིན་པ་བསྒོམ་པར་མི་ནུས་སོ། །ཚུལ་ཁྲིམས་ཀྱི་ཕ་རོལ་ཏུ་ཕྱིན་པ་དང་། བཟོད་པའི་ཕ་རོལ་ཏུ་ཕྱིན་པ་དང་། བརྩོན་འགྲུས་ཀྱི་ཕ་རོལ་ཏུ་ཕྱིན་པ་དང་།

བསམ་གཏན་གྱི་ཕ་རོལ་ཏུ་ཕྱིན་པ་དང་། ཤེས་རབ་ཀྱི་ཕ་རོལ་ཏུ་ཕྱིན་པ་བསྒོམ་པར་མི་ནུས་སོ། །ནང་སྟོང་པ་ཉིད་བསྒོམ་པར་མི་ནུས་སོ། །དངོས་པོ་མེད་པའི་ངོ་བོ་ཉིད་སྟོང་པ་ཉིད་ཀྱི་བར་དུ་བསྒོམ་པར་མི་ནུས་སོ། །དྲན་པ་ཉེ་བར་གཞག་པ་རྣམས་བསྒོམ་པར་མི་ནུས་སོ། །ཡང་དག་པར་སྤོང་བ་རྣམས་དང་རྫུ་འཕྲུལ་གྱི་རྐང་པ་རྣམས་དང་དབང་པོ་རྣམས་དང་། སྟོབས་རྣམས་དང་བྱང་ཆུབ་ཀྱི་ཡན་ལག་རྣམས་དང་། འཕགས་པའི་ལམ་ཡན་ལག་བརྒྱད་པ་བསྒོམ་པར་མི་ནུས་སོ། །རྣམ་པ་ཐམས་ཅད་མཁྱེན་པ་ཉིད་ཀྱི་བར་དུ་བསྒོམ་པར་མི་ནུས་སོ། །དེ་ནས་ཚེ་དང་ལྡན་པ་རབ་འབྱོར་གྱིས་བཅོམ་ལྡན་འདས་ལ་འདི་སྐད་ཅེས་གསོལ་ཏོ། །བཅོམ་ལྡན་འདས་ཆོས་འདི་ནི་ཆོས་ཐམས་ཅད་དང་རྗེས་སུ་མཐུན་པ་སྟེ་ཆོས་འདི་ནི་ཆོས་གང་རྣམས་དང་རྗེས་སུ་འཐུན་པ་ལགས་ཤེ་ན། ཆོས་འདི་ནི་ཤེས་རབ་ཀྱི་ཕ་རོལ་ཏུ་ཕྱིན་པ་དང་རྗེས་སུ་འཐུན་པའོ། །ཆོས་འདི་ནི་བསམ་གཏན་གྱི་ཕ་རོལ་ཏུ་ཕྱིན་པ་དང་། བརྩོན་འགྲུས་ཀྱི་ཕ་རོལ་ཏུ་ཕྱིན་པ་དང་། བཟོད་པའི་ཕ་རོལ་ཏུ་ཕྱིན་པ་དང་། ཚུལ་ཁྲིམས་ཀྱི་ཕ་རོལ་ཏུ་ཕྱིན་པ་དང་། སྦྱིན་པའི་ཕ་རོལ་ཏུ་ཕྱིན་པ་དང་རྗེས་སུ་འཐུན་པའོ། །ཆོས་འདི་ནི་ནང་སྟོང་པ་ཉིད་དང་རྗེས་སུ་འཐུན་པའོ། །ཆོས་འདི་ནི་དངོས་པོ་མེད་པའི་ངོ་བོ་ཉིད་སྟོང་པ་ཉིད་ཀྱི་བར་དང་རྗེས་སུ་འཐུན་པའོ། །ཆོས་འདི་ནི་དྲན་པ་ཉེ་བར་གཞག་པ་རྣམས་དང་རྗེས་སུ་མཐུན་པའོ། །ཆོས་འདི་ནི་ཡང་དག་པར་སྤོང་བ་རྣམས་དང་། རྫུ་འཕྲུལ་གྱི་རྐང་པ་རྣམས་དང་། དབང་པོ་རྣམས་དང་། སྟོབས་རྣམས་དང་བྱང་ཆུབ་ཀྱི་ཡན་ལག་རྣམས་དང་འཕགས་པའི་ལམ་ཡན་ལག་བརྒྱད་པ་དང་རྗེས་སུ་འཐུན་པའོ། །ཆོས་འདི་ནི་འཕགས་པའི་བདེན་པ་དང་བསམ་གཏན་དང་ཚད་མེད་པ་དང་གཟུགས་མེད་པའི་སྙོམས་པར་འཇུག་པ་དང་།

རྣམ་པར་ཐར་པ་བརྒྱད་དང་མཐར་གྱིས་གནས་པའི་སྙོམས་པར་འཇུག་པ་དགུ་
དང་སྟོང་པ་ཉིད་དང་མཚན་མ་མེད་པ་དང་སྨོན་པ་མེད་པ་དང་རྗེས་སུ་འཐུན་པའོ། །
ཆོས་འདི་ནི་མངོན་པར་ཤེས་པ་རྣམས་དང་། ཏིང་ངེ་འཛིན་རྣམས་དང་
གཟུངས་ཀྱི་སྒོ་རྣམས་དང་དེ་བཞིན་གཤེགས་པའི་སྟོབས་རྣམས་དང་མི་འཇིགས་པ་
རྣམས[༧]དང་སོ་སོ་ཡང་དག་པར་རིག་པ་རྣམས་དང་། བྱམས་པ་ཆེན་པོ་དང་་་
སྙིང་རྗེ་ཆེན་པོ་དང་སངས་རྒྱས་ཀྱི་ཆོས་མ་འདྲེས་པ་རྣམས་དང་རྗེས་སུ་འཐུན་པའོ། །
ཆོས་འདི་ནི་རྣམ་པ་ཐམས་ཅད་མཁྱེན་པ་ཉིད་ཀྱི་བར་དང་རྗེས་སུ་འཐུན་པའོ། །
ཆོས་འདི་ནི་གང་ལ་ཡང་ཐོགས[༣]པ་མ་མཆིས་པ་སྟེ། ཅི་ལ་ཐོགས་པ་མ་མཆིས་་
ཤེ་ན། གཟུགས་ལ་ཐོགས་པ་མ་མཆིས་སོ། །ཚོར་བ་དང་འདུ་ཤེས་དང་འདུ་་
བྱེད་དང་རྣམ་པར་ཤེས་པ་ལ་ཐོགས་པ་མ་མཆིས་སོ། །སྐྱེ་མཆེད་དང་ཁམས་དང་
རྟེན་ཅིང་འབྲེལ་བར་འབྱུང་བ་ལ་ཐོགས་པ་མ་མཆིས་སོ། །ཕ་རོལ་ཏུ་ཕྱིན་པ་་་་
ཐམས་ཅད་དང་སྟོང་པ་ཉིད་ཐམས་ཅད་དང་། བྱང་ཆུབ་ཀྱི་ཕྱོགས་ཀྱི་ཆོས་སུམ་
ཅུ་རྩ་བདུན་ལ་ཐོགས་པ་མ་མཆིས་སོ། །འཕགས་པའི་བདེན་པ་དང་བསམ་
གཏན་དང་། ཚད་མེད་པ་དང་གཟུགས་མེད་པའི་སྙོམས་པར་འཇུག་པ་དང་།
རྣམ་པར་ཐར་པ་བརྒྱད་དང་མཐར་གྱིས་གནས་པའི་སྙོམས་པར་འཇུག་པ་དགུ་
དང་སྟོང་པ་ཉིད་དང་མཚན་མ་མེད་པ་དང་། སྨོན་པ་མེད་པ་ལ་ཐོགས་པ་མ་་་
མཆིས་སོ། །མངོན་པར་ཤེས་པ་རྣམས་དང་། ཏིང་ངེ་འཛིན་རྣམས་དང་།
གཟུངས་ཀྱི་སྒོ་རྣམས་དང་། དེ་བཞིན་གཤེགས་པའི་སྟོབས་རྣམས་དང་། མི་
འཇིགས་པ་རྣམས་དང་སོ་སོ་ཡང་དག་པར་རིག་པ་རྣམས་དང་། བྱམས་པ་ཆེན་
པོ་དང་སྙིང་རྗེ་ཆེན་པོ་དང་། སངས་རྒྱས་ཀྱི་ཆོས་མ་འདྲེས་པ་རྣམས་ལ་ཐོགས་་
པ་མ་མཆིས་སོ། །རྣམ་པ་ཐམས་ཅད་མཁྱེན་པ་ཉིད་ཀྱི་བར་ལ་ཐོགས་པ་མ་

མཆིས་སོ། །ཆོས་འདི་ནི་ནམ་མཁའ་མཉམ་པ་ཉིད་དང་དེ་བཞིན་ཉིད་མཉམ་པ་ཉིད་དང་ཆོས་ཀྱི་དབྱིངས་གནས་པ་[1]མཉམ་པ་ཉིད་དང་། ཡང་དག་པའི་མཐའ་མཉམ་པ་ཉིད་དང་བསམ་གྱིས་མི་ཁྱབ་པའི་དབྱིངས་མཉམ་པ་ཉིད་དང་སྟོང་པ་ཉིད་དང་། མཚན་མ་མེད་པ་དང་། སྨོན་པ་མེད་པ་མཉམ་པ་ཉིད་དང་། སྐྱེ་བ་མ་མཆིས་པ་དང་། འགག་པ་མ་མཆིས་པ་མཉམ་པ་ཉིད་དང་། ཀུན་ནས་ཉོན་མོངས་པ་མ་མཆིས་པ་དང་། རྣམ་[3]པར་བྱང་བ་མ་མཆིས་པ་མཉམ་པ་ཉིད་ཀྱི་སླད་དུ་ཐོགས་པ་མ་མཆིས་པའི་མཚན་ཉིད་དོ། །ཆོས་འདི་ནི་གཟུགས་ཀྱི་སྐྱེ་བ་མི་དམིགས་པ་དང་ཚོར་བ་དང་། འདུ་ཤེས་དང་འདུ་བྱེད་དང་རྣམ་པར་ཤེས་པའི་སྐྱེ་བ་མི་དམིགས་པ་དང་། སྐྱེ་མཆེད་དང་ཁམས་དང་རྟེན་ཅིང་འབྲེལ་བར་འབྱུང་བའི་སྐྱེ་བ་མི་དམིགས་པ་དང་ཕ་རོལ་དུ་ཕྱིན་པ་ཐམས་ཅད་དང་སྟོང་པ་ཉིད་ཐམས་ཅད་དང་བྱང་ཆུབ་ཀྱི་ཕྱོགས་ཀྱི་ཆོས་སུམ་ཅུ་རྩ་བདུན་གྱི་སྐྱེ་བ་མི་དམིགས་པ་དང་། འཕགས་པའི་བདེན་པ་དང་། བསམ་གཏན་དང་ཚད་མེད་པ་དང་གཟུགས་མེད་པའི་སྙོམས་པར་འཇུག་པ་དང་། རྣམ་[3]པར་ཐར་པ་བརྒྱད་དང་མཐར་གྱིས་གནས་པའི་སྙོམས་པར་འཇུག་པ་དགུ་དང་། སྟོང་པ་ཉིད་དང་མཚན་མ་མེད་པ་དང་། སྨོན་པ་མེད་པའི་སྐྱེ་བ་མི་དམིགས་པ་དང་། མངོན་པར་ཤེས་པ་དང་ཏིང་ངེ་འཛིན་དང་གཟུངས་ཀྱི་སྒོ་དང་དེ་བཞིན་གཤེགས་པའི་སྟོབས་དང་། མི་འཇིགས་པ་དང་སོ་སོ་ཡང་དག་པར་རིག་པ་དང་། བྱམས་པ་ཆེན་པོ་དང་སྙིང་རྗེ་ཆེན་པོ་དང་། སངས་རྒྱས་ཀྱི་ཆོས་མ་འདྲེས་པའི་སྐྱེ་བ་མི་དམིགས་པ་དང་། རྣམ་པ་ཐམས་ཅད་མཁྱེན་པ་ཉིད་ཀྱི་བར་གྱི་སྐྱེ་བ་མི་དམིགས་པའི་སླད་དུ་སྐྱེ་བ་མ་མཆིས་པའོ། །ཆོས་འདི་ནི་གཟུགས་ཀྱི་རྟེན་མི་[8]དམིགས་པ་དང་ཚོར་བ་དང་འདུ་ཤེས་དང་འདུ་བྱེད་དང་རྣམ་པར་ཤེས་པའི་རྟེན་

མི་དམིགས་པ་དང་སྐྱེ་མཆེད་དང་ཁམས་དང་རྟེན་ཅིང་འབྲེལ་བར་འབྱུང་བའི་རྟེན་མི་དམིགས་པ་དང་། ཕ་རོལ་ཏུ་ཕྱིན་པ་ཐམས་ཅད་དང་སྟོང་པ་ཉིད་ཐམས་ཅད་དང་བྱང་ཆུབ་ཀྱི་ཕྱོགས་ཀྱི་ཆོས་སུམ་ཅུ་རྩ་བདུན་གྱི་རྟེན་མི་དམིགས་པ་དང་འཕགས་པའི་བདེན་པ་དང་བསམ་གཏན་དང་ཚད་མེད་པ་དང་གཟུགས་མེད་པའི་སྙོམས་པར་འཇུག་པ་དང་། རྣམ་པར་ཐར་པ་བརྒྱད་དང་མཐར་གྱིས་གནས་པའི་སྙོམས་པར་འཇུག་པ་དགུ་དང་། སྟོང་པ་ཉིད་དང་མཚན་མ་མེད་པ་དང་། སྨོན་པ་མེད་པའི་རྟེན་མི་དམིགས་པ་དང་། མངོན་པར་ཤེས་པ་དང་ཏིང་ངེ་འཛིན་དང་གཟུངས་ཀྱི་སྒོ་དང་། དེ་བཞིན་གཤེགས་པའི་སྟོབས་དང་མི་འཇིགས་པ་དང་སོ་སོ་ཡང་དག་པར་རིག་པ་དང་། བྱམས་པ་ཆེན་པོ་དང་སྙིང་རྗེ་ཆེན་པོ་དང་སངས་རྒྱས་ཀྱི་ཆོས་མ་འདྲེས་པའི་རྟེན་མི་དམིགས་པ་དང་། རྣམ་པ་ཐམས་ཅད་མཁྱེན་པ་ཉིད་ཀྱི་བར་གྱི་རྟེན་མི་དམིགས་པའི་སླད་དུ་རྟེན་མ་མཆིས་པའོ། །དེ་ནས་འདོད་པ་ན་སྤྱོད་པ་དང་། གཟུགས་ཡོད་པ་ན་སྤྱོད་པའི་ལྷའི་བུ་རྣམས་ཀྱིས༔ བཅོམ་ལྡན་འདས་ལ་འདི་སྐད་ཅེས་གསོལ་ཏོ། །གནས་བརྟན་རབ་འབྱོར་འདི་ནི་བཅོམ་ལྡན་འདས་ཀྱི་རྗེས་སུ་སྐྱེས་སོ། །དེ་ཅིའི་སླད་དུ་ཞེ་ན། འདི་[༡]ལྟར་གནས་བརྟན་རབ་འབྱོར་ནི་ཅི་དང་ཅི་སྟོན་པ་དེ་ཐམས་ཅད་སྟོང་པ་ཉིད་བརྩམས་ཤིང་སྟོན་ཏོ[༣]། །མཚན་མ་མ་མཆིས་པ་དང་། སྨོན་པ་མ་མཆིས་པ་ཉིད་བརྩམས་ཤིང་སྟོན་ཏོ། །དེ་ནས་ཚེ་དང་ལྡན་པ་རབ་འབྱོར་གྱིས་འདོད་པ་ན་སྤྱོད་པ་དང་། གཟུགས་ཡོད་པ་ན་སྤྱོད་པའི་ལྷའི་བུ་དེ་དག་ལ་འདི་སྐད་ཅེས་སྨྲས་སོ། །ལྷའི་བུ་དག་གང་འདི་སྐད་དུ་བཅོམ་ལྡན་འདས་གནས་བརྟན་རབ་འབྱོར་འདི་ནི་དེ་བཞིན་གཤེགས་པའི་རྗེས་སུ་སྐྱེས་སོ། །ཞེས་ཟེར་བ་ནི་ཇི་ལྟར་རྗེས་སུ་སྐྱེས་པས་གནས་བརྟན་རབ་འབྱོར་དེ་བཞིན་གཤེགས་པའི་རྗེས་སུ་སྐྱེས་པ་

ཡིན་ཞེ་ན། གནས་བརྟན་རབ་འབྱོར་ནི་དེ་བཞིན་གཤེགས་པའི་དེ་བཞིན་ཉིད་ཀྱི་རྗེས་སུ་སྐྱེས་པ་སྟེ། ཇི[1]ལྟར་དེ་བཞིན་གཤེགས་པའི་དེ་བཞིན་ཉིད་མ་འོངས་མ་སོང་བ་དེ་བཞིན་དུ། གནས་བརྟན་རབ་འབྱོར་གྱི་དེ་བཞིན་ཉིད་ཀྱང་མ་འོངས་མ་སོང་[3]བས་ན། ཐོག་མ་ནས་གནས་བརྟན་རབ་འབྱོར་དེ་བཞིན་གཤེགས་པའི་རྗེས་སུ་སྐྱེས་སོ། །དེ་བཞིན་གཤེགས་པའི་དེ་བཞིན་ཉིད་གང་ཡིན་པ་དེ་ནི་ཆོས་ཐམས་ཅད་ཀྱི་དེ་བཞིན་ཉིད་ཀྱང་དེའོ། །ཆོས་ཐམས་ཅད་ཀྱི་དེ་བཞིན་ཉིད་གང་ཡིན་པ་དེ་ནི་དེ་བཞིན་གཤེགས་པའི་དེ་བཞིན་ཉིད་ཀྱང་དེ་སྟེ། དེ་བཞིན་གཤེགས་པའི་དེ་བཞིན་ཉིད་དེ་ཡང་དེ་བཞིན་ཉིད་མ་ཡིན་ནོ། །དེ་ལྟར་ན་གནས་བརྟན་རབ་འབྱོར་ནི་དེ་བཞིན་གཤེགས་པའི་རྗེས་སུ་སྐྱེས་སོ། །དེ་བཞིན་གཤེགས་པའི་དེ་བཞིན་ཉིད་ཇི་ལྟ་བ་དེ་བཞིན་དུ། གནས་བརྟན་རབ་འབྱོར་གནས་པས་དེ་བཞིན་གཤེགས་པའི་རྗེས་སུ་སྐྱེས་སོ། །ཇི་ལྟར་དེ་བཞིན་གཤེགས་པའི་དེ་བཞིན་ཉིད་འགྱུར་བ་མེད་ཅིང་རྣམ་པར་རྟོག་པ་མེད་པ་དེ་བཞིན་དུ་གནས་བརྟན་རབ་འབྱོར་གྱི་དེ་བཞིན་ཉིད་ཀྱང་འགྱུར་བ་མེད་ཅིང་རྣམ་པར་རྟོག་པ་མེད་ལ། ཇི་ལྟར་དེ་བཞིན་གཤེགས་པའི་དེ་བཞིན་ཉིད་ཅི་ལ་ཡང་ཐོགས་པ་མེད་པ་དེ་བཞིན་དུ་ཆོས་ཐམས་ཅད་ཀྱི་དེ་བཞིན་ཉིད་ཀྱང་ཅི་ལ་ཡང་ཐོགས་པ་མེད་དེ། དེ་བཞིན་གཤེགས་པའི་དེ་བཞིན་ཉིད་གང་ཡིན་པ་དང་། ཆོས་ཐམས་ཅད་ཀྱི་དེ་བཞིན་ཉིད་གང་ཡིན་པ་དེ་ནི་དེ་བཞིན་ཉིད་གཅིག་ཅིང་གཉིས་སུ་མེད་དེ་གཉིས་སུ་བྱར་མེད་ལ་དེ་བཞིན་ཉིད་དེ་ཡང་མ་བྱས་པ་སྟེ། དེ་བཞིན་ཉིད་དེ་ནི་གང་གི་དེ་བཞིན་ཉིད་དུ་མ་གྱུར་པ་ཡང་མེད་དེ་དེ་བཞིན་ཉིད་དེ་ནི་གང་གི་དེ་བཞིན་ཉིད་དུ་མ་གྱུར་པ་ཡང་མེད་པ་དེའི་ཕྱིར་དེ་བཞིན་ཉིད་དེ་ནི་གཉིས་སུ་མེད་ཅིང་གཉིས་སུ་བྱར་མེད་པ་སྟེ། དེ་ལྟར་ན་གནས་བརྟན་རབ་འབྱོར་ནི་དེ་

བཞིན་གཤེགས་པའི་རྗེས་སུ་སྐྱེས་སོ། །དེ་བཞིན་གཤེགས་པའི་དེ་བཞིན་ཉིད་གང་ཡིན་པ་དེ་ནི་ཐམས་ཅད་དུ་འགྱུར་བ་མེད་ཅིང་རྣམ་པར་རྟོག་པ་མེད་པ་སྟེ། དེ་བཞིན་དུ་གནས་བརྟན་རབ་འབྱོར་གྱི་དེ་བཞིན་ཉིད་ཀྱང་ཐམས་ཅད་དུ་འགྱུར་བ་མེད་ཅིང་རྣམ་པར་རྟོག་པ་མེད་ལ། ཇི་ལྟར་དེ་བཞིན་གཤེགས་པའི་དེ་བཞིན་ཉིད་ཐ་མི་དད་པ། དབྱེར་མེད་པ་འབྱེད་པ་མ་ཡིན་པ་དམིགས་སུ་མེད་པ་དེ་བཞིན་དུ་གནས་བརྟན་རབ་འབྱོར་གྱི་དེ་བཞིན་ཉིད་ཀྱང་ཐ་མི་དད་པ་དབྱེར་མེད་པ། འབྱེད་པ་མ་ཡིན་པ་དམིགས་སུ་མེད་པ་སྟེ། དེ་ལྟར་ན་གནས་བརྟན་རབ་འབྱོར་ནི་དེ་བཞིན་གཤེགས་པའི་རྗེས་སུ་སྐྱེས་སོ། །ཇི་ལྟར་དེ་བཞིན་གཤེགས་པའི་དེ་བཞིན་ཉིད་དེ་ཆོས་ཐམས་ཅད་ཀྱི་དེ་བཞིན་ཉིད་ལས་གུད་ན་ཡོད་པ་མ་ཡིན་ཏེ། དེ་ཡང་དེ་བཞིན་ཉིད་མ་ཡིན་པ་མ་ཡིན་ཞིང་རྟག་ཏུ་དེ་བཞིན་ཉིད་ཡིན་པ་དེ་བཞིན་དུ་གནས་བརྟན་རབ་འབྱོར་ཀྱང་རྣམ་པ་གཞན་མ་ཡིན་པར་དེ་བཞིན་གཤེགས་པའི་རྗེས་སུ་སྐྱེས་ཀྱང་གར་ཡང་རྗེས་སུ་སྐྱེས་པ་མེད་པ་སྟེ། དེ་ལྟར་ན་གནས་བརྟན་རབ་འབྱོར་ནི་དེ་བཞིན་གཤེགས་པའི་རྗེས་སུ་སྐྱེས་སོ། །དེ་བཞིན་གཤེགས་པའི་རྗེས་སུ་སྐྱེས་སོ་ཞེས་བྱ་སྟེ། འདས་པའི་དེ་བཞིན་ཉིད་ཀྱི་མཉམ་པ་ཉིད་ཀྱིས། དེ་བཞིན་གཤེགས་པའི་དེ་བཞིན་ཉིད་མཉམ་པ་ཉིད་དོ། །དེ་བཞིན་གཤེགས་པའི་དེ་བཞིན་ཉིད་ཀྱི་མཉམ་པ་ཉིད་ཀྱིས་འདས་པའི་དེ་བཞིན་ཉིད་མཉམ་པ་ཉིད་དོ། །མ་འོངས་པའི་དེ་བཞིན་ཉིད་ཀྱི་མཉམ་པ་ཉིད་ཀྱིས་དེ་བཞིན་གཤེགས་པའི་དེ་བཞིན་ཉིད་མཉམ་པ་ཉིད་དོ། །དེ་བཞིན་གཤེགས་པའི་དེ་བཞིན་ཉིད་ཀྱི་མཉམ་པ་ཉིད་ཀྱིས་མ་འོངས་པའི་དེ་བཞིན་ཉིད་མཉམ་པ་ཉིད་དོ། །ད་[2]ལྟར་བྱུང་བའི་དེ་བཞིན་ཉིད་ཀྱི་མཉམ་པ་ཉིད་ཀྱིས་དེ་བཞིན་གཤེགས་པའི་དེ་བཞིན་ཉིད་མཉམ་པ་ཉིད་དོ། །དེ་བཞིན་གཤེགས་པའི་དེ་བཞིན་ཉིད་ཀྱིས[3]

མཉམ་པ་ཉིད་ཀྱིས། ད་ལྟར་བྱུང་བའི་དེ་བཞིན་ཉིད་མཉམ་པ་ཉིད་དོ། །དེ་ལྟར་ན་འདས་པ་དང་མ་འོངས་པ་དང་ད་ལྟར་བྱུང་བའི་དེ་བཞིན་ཉིད་དང་དེ་བཞིན་གཤེགས་པའི་དེ་བཞིན་ཉིད་དེ་ལ་གཉིས་སུ་མེད་དེ་གཉིས་སུ་བྱར་མེད་དོ[1]། །གཟུགས་ཀྱི་དེ་བཞིན་ཉིད་ཀྱིས་དེ་བཞིན་གཤེགས་པའི་དེ་བཞིན་ཉིད་དོ། །དེ་བཞིན་གཤེགས་པའི་དེ་བཞིན་ཉིད་ཀྱིས་གཟུགས་ཀྱི་དེ་བཞིན་ཉིད་དོ། །དེ་ལྟར་ན་གཟུགས་ཀྱི་དེ་བཞིན་ཉིད་དང་དེ་བཞིན་གཤེགས་པའི་དེ་བཞིན་ཉིད་དེ་ལ་གཉིས་སུ་མེད་དེ་གཉིས་སུ་བྱར་མེད་དོ། །ཚོར་བ་དང་འདུ་ཤེས་དང་འདུ་བྱེད་དང་། རྣམ་པར་ཤེས་པའི་དེ་བཞིན་ཉིད་ཀྱིས་དེ་བཞིན་གཤེགས་པའི་དེ་བཞིན་ཉིད་དོ། །དེ་བཞིན་གཤེགས་པའི་དེ་བཞིན་ཉིད་ཀྱིས་རྣམ་པར་ཤེས་པའི་དེ་བཞིན་ཉིད་དོ[2]། །དེ་ལྟར་ན་རྣམ་པར་ཤེས་པའི་དེ་བཞིན་ཉིད་དང་དེ་བཞིན་གཤེགས་པའི་དེ་བཞིན་ཉིད་དེ་ལཿགཉིས་སུ་མེད་དེ[3]གཉིས་སུ་བྱར་མེད་དོ། །སྐྱེ་མཆེད་དང་ཁམས་དང་རྟེན་ཅིང་འབྲེལ་པར་འབྱུང་བའི་དེ་བཞིན་ཉིད་ཀྱིས་དེ་བཞིན་གཤེགས་པའི་དེ་བཞིན[4]ཉིད་དོ། །དེ་བཞིན་གཤེགས་པའི་དེ་བཞིན་ཉིད་ཀྱིས་རྟེན་ཅིང་འབྲེལ་བར་འབྱུང་བའི་དེ་བཞིན་ཉིད་དེ[5]དེ་ལྟར་ན་རྟེན་ཅིང་འབྲེལ་བར་འབྱུང་བའི་དེ་བཞིན་ཉིད་དང་དེ་བཞིན་གཤེགས་པའི་དེ་བཞིན་ཉིད་དེ་ལ་གཉིས་སུ་མེད་དེ་གཉིས་སུ་བྱར་མེད་དོ། །སྦྱིན་པའི་ཕ་རོལ་ཏུ་ཕྱིན་པའི་དེ་བཞིན་ཉིད་ཀྱིས་དེ་བཞིན་གཤེགས་པའི་དེ་བཞིན་ཉིད་དོ[6]། །དེ་བཞིན་གཤེགས་པའི་དེ་བཞིན་ཉིད་ཀྱིས་སྦྱིན་པའི་ཕ་རོལ་ཏུ་ཕྱིན་པའི་དེ་བཞིན་ཉིད་དེ་དེ་ལྟར་ན་སྦྱིན་པའི་ཕ་རོལ་ཏུ་ཕྱིན་པའི་དེ་བཞིན་ཉིད་དང་དེ་བཞིན་གཤེགས་པའི་དེ་བཞིན་ཉིད་དེ་ལ་གཉིས་སུ་མེད་དེ་གཉིས་སུ་བྱར་མེད་དོ། །ཚུལ་ཁྲིམས་ཀྱི་ཕ་རོལ་ཏུ་ཕྱིན་པ་དང་། བཟོད་པའི་ཕ་རོལ་ཏུ་ཕྱིན་པ་དང་། བརྩོན་འགྲུས་ཀྱི་ཕ་རོལ་

ཏུ་ཕྱིན་པ་དང་། བསམ་གཏན་གྱི་ཕ་རོལ་ཏུ་ཕྱིན་པ་དང་། ཤེས་རབ་ཀྱི་ཕ་རོལ་ཏུ་ཕྱིན་པའི་དེ་བཞིན་ཉིད་ཀྱིས་དེ་བཞིན་གཤེགས་པའི་དེ་བཞིན་ཉིད་དོ། །དེ་བཞིན་གཤེགས་པའི་དེ་བཞིན་ཉིད་ཀྱིས་ཤེས་རབ་ཀྱི་ཕ་རོལ་ཏུ་ཕྱིན་པའི་དེ་བཞིན་ཉིད་དེ་དེ་ལྟར་ན་ཤེས་རབ་ཀྱི་ཕ་རོལ་ཏུ་ཕྱིན་པའི་དེ་བཞིན་ཉིད་དང་དེ་བཞིན་གཤེགས་པའི་དེ་བཞིན་ཉིད་དེ་ལ་གཉིས་སུ་མེད་དེ་གཉིས་སུ་བྱར་མེད་དོ། །ནང་སྟོང་པ་ཉིད་ཀྱི་དེ་བཞིན་ཉིད་ཀྱིས་དེ་བཞིན་གཤེགས་པའི་དེ་བཞིན་ཉིད་དོ། །དེ་བཞིན་གཤེགས་པའི་དེ་བཞིན་ཉིད་ཀྱིས་ནང་སྟོང་པ་ཉིད་ཀྱི་དེ་བཞིན་ཉིད་དེ་དེ་ལྟར་ན་ནང་སྟོང་པ་ཉིད་ཀྱི་དེ་བཞིན་ཉིད་དང་དེ་བཞིན་གཤེགས་པའི་དེ་བཞིན་ཉིད་དེ་ལ་གཉིས་སུ་མེད་དེ་གཉིས་སུ་བྱར་མེད་དོ། །དངོས་པོ་མེད་པའི་ངོ་བོ་ཉིད་སྟོང་པ་ཉིད་ཀྱི་བར་གྱི་དེ་བཞིན་ཉིད་ཀྱིས་དེ་བཞིན་གཤེགས་པའི་དེ་བཞིན་ཉིད་དོ། །དེ་བཞིན་གཤེགས་པའི་དེ་བཞིན་ཉིད་ཀྱིས་དངོས་པོ་མེད་པའི་ངོ་བོ་ཉིད་སྟོང་པ་[༧]ཉིད་ཀྱི་དེ་བཞིན་ཉིད་དེ་དེ་ལྟར་ན་དངོས་པོ་མེད་པའི་ངོ་བོ་ཉིད་སྟོང་པ་ཉིད་ཀྱི་དེ་བཞིན་ཉིད་དང་། དེ་བཞིན་གཤེགས་པའི་དེ་བཞིན་ཉིད་དེ་ལ་གཉིས་སུ་མེད་དེ་གཉིས་སུ་བྱར་མེད་དོ། །དྲན་པ་ཉེ་བར་གཞག་པ་རྣམས་ཀྱི་དེ་བཞིན་ཉིད་ཀྱིས་དེ་བཞིན་གཤེགས་པའི་དེ་བཞིན་ཉིད་དོ། །དེ་བཞིན་གཤེགས་པའི་དེ་བཞིན་ཉིད་ཀྱིས་དྲན་པ་ཉེ་བར་གཞག་པ་རྣམས་ཀྱི་དེ་བཞིན་ཉིད་དེ། དེ་ལྟར་ན་དྲན་པ་ཉེ་བར་གཞག་པ་རྣམས་ཀྱི་དེ་བཞིན་ཉིད་དང་། དེ་བཞིན་གཤེགས་པའི་དེ་བཞིན་ཉིད་དེ་ལ་གཉིས་སུ་མེད་དེ་གཉིས་སུ་བྱར་མེད་དོ། །ཡང་དག་པར་སྤོང་བ་རྣམས་དང་། རྫུ་འཕྲུལ་གྱི་རྐང་པ་རྣམས་དང་། དབང་པོ་རྣམས་དང་། སྟོབས་རྣམས་དང་བྱང་ཆུབ་ཀྱི་ཡན་ལག་རྣམས་དང་འཕགས་པའི་ལམ་ཡན་ལག་བརྒྱད་པའི་དེ་བཞིན་ཉིད་ཀྱིས་དེ་བཞིན་གཤེགས་པའི་དེ་བཞིན་

ཉིད་དོ། །དེ་བཞིན་གཤེགས་པའི་དེ་བཞིན་ཉིད་ཀྱིས་འཕགས་པའི་ལམ་ཡན་ལག་བརྒྱད་པའི་དེ་བཞིན་ཉིད་དེ་དེ་ལྟར་ན་འཕགས་པའི་ལམ་ཡན་ལག་བརྒྱད་པའི་དེ་བཞིན་ཉིད་དང་དེ་བཞིན་གཤེགས་པའི་དེ་བཞིན་ཉིད་དེ་ལ་གཉིས་སུ་མེད་དེ་གཉིས་སུ་བྱར་མེད་དོ། །འཕགས་པའི་བདེན་པ་རྣམས་དང་བསམ་གཏན་རྣམས་དང་ཚད་མེད་པ་རྣམས་དང་། གཟུགས་མེད་པའི་སྙོམས་པར་འཇུག་པ་རྣམས་དང་། རྣམ་པར་ཐར་པ་བརྒྱད་དང་། མཐར་གྱིས་གནས་པའི་སྙོམས་པར་འཇུག་པ་དགུ་དང་། སྟོང་པ་ཉིད་དང་མཚན་མ་མེད་པ་དང་སྨོན་པ་མེད་པ་དང་མངོན་པར་ཤེས་པ་རྣམས་ཀྱི་དེ་བཞིན་ཉིད་ཀྱིས་དེ་བཞིན་གཤེགས་པའི་དེ་བཞིན་ཉིད་དོ། །དེ་བཞིན་གཤེགས་པའི་དེ་བཞིན་ཉིད་ཀྱིས་མངོན་པར་ཤེས་པ་རྣམས་ཀྱི་དེ་བཞིན་ཉིད་དེ། དེ་ལྟར་ན་མངོན་པར་ཤེས་པ་རྣམས་ཀྱི་དེ་བཞིན་ཉིད་དང་། དེ་བཞིན་གཤེགས་པའི་དེ་བཞིན་ཉིད་དེ་ལ་གཉིས་སུ་མེད་དེ་གཉིས་སུ་བྱར་མེད་དོ། །ཏིང་ངེ་འཛིན་རྣམས་དང་གཟུངས་ཀྱི་སྒོ་རྣམས་དང་། དེ་བཞིན་གཤེགས་པའི་སྟོབས་རྣམས་དང་། མི་འཇིགས་པ་རྣམས་དང་། སོ་སོ་ཡང་དག་པར་རིག་པ་རྣམས་དང་། སངས་རྒྱས་ཀྱི་ཆོས་མ་འདྲེས་པ་རྣམས་ཀྱི[༡]། དེ་བཞིན་ཉིད་ཀྱིས་དེ་བཞིན་གཤེགས་པའི་དེ་བཞིན་ཉིད་དོ། །དེ་བཞིན་གཤེགས་པའི་དེ་བཞིན་ཉིད་ཀྱིས་སངས་རྒྱས་ཀྱི་ཆོས་མ་འདྲེས་པ་རྣམས་ཀྱི་དེ་བཞིན་ཉིད་དེ། དེ་ལྟར་ན་སངས་རྒྱས་ཀྱི་ཆོས་མ་འདྲེས་པ་རྣམས་ཀྱི་དེ་བཞིན་ཉིད་དང་། དེ་བཞིན་གཤེགས་པའི་དེ་བཞིན་ཉིད་དེ་ལ་གཉིས་སུ་མེད་དེ་གཉིས་སུ་བྱར་མེད་དོ། །རྣམ་པ་ཐམས་ཅད་མཁྱེན་པ་ཉིད་ཀྱི་བར་གྱི་དེ་བཞིན་ཉིད་ཀྱིས་དེ་བཞིན་གཤེགས་པའི་དེ་བཞིན་ཉིད་དོ། །དེ་བཞིན་གཤེགས་པའི་དེ་བཞིན་ཉིད་ཀྱིས་རྣམ་པ་ཐམས་ཅད་མཁྱེན་པ་ཉིད་ཀྱི[༢]དེ་བཞིན་ཉིད་དེ། དེ····

ལྟར་ན་རྣམ་པ་ཐམས་ཅད་མཁྱེན་པ་ཉིད་ཀྱི་དེ་བཞིན་ཉིད་དང་དེ་བཞིན་གཤེགས་
པའི་དེ་བཞིན་ཉིད་དེ་ལ་གཉིས་སུ་མེད་དེ་གཉིས་སུ་བྱར་མེད་དོ། །འདི་ནི་རབ་
འབྱོར་[༧]དེ་བཞིན་གཤེགས་པའི་དེ་བཞིན་ཉིད་དེ། བྱང་ཆུབ་སེམས་དཔའ་
སེམས་དཔའ་ཆེན་པོས་དེ་བཞིན་ཉིད་དེ་མངོན་པར་རྫོགས་པར་སངས་རྒྱས་ནས།
དེ་བཞིན་གཤེགས་པ་ཞེས་བྱ་བའི་མིང་ཐོབ་པར་འགྱུར་རོ། །དེ་བཞིན་ཉིད་ཀྱི
ལེའུ་འདི་བཤད་པའི་ཚེ། སྟོང་གསུམ་གྱི་སྟོང་ཆེན་པོའི་འཇིག་རྟེན་གྱི་ཁམས་
འདི་རྣམ་པ་དྲུག་ཏུ་གཡོས་ཏེ། གཡོས་སོ་རབ་ཏུ་གཡོས་སོ། །ཀུན་ཏུ་གཡོས་སོ།།
འཁྲུལ་ཏོ་རབ་ཏུ་འཁྲུལ་ཏོ་ཀུན་ཏུ་འཁྲུལ་ཏོ། །ལྡིག་གོ་རབ་ཏུ་ལྡིག་གོ་ཀུན་ཏུ
ལྡིག་གོ། །ཆེམ་ཆེམ་རབ་ཏུ་ཆེམ་ཆེམ་ཀུན་ཏུ་ཆེམ་ཆེམ་མོ། །ཙུར་ཙུར་རབ་ཏུ་
ཙུར་ཙུར་ཀུན་ཏུ་ཙུར་ཙུར་རོ། །ཤིག་ཤིག་རབ་ཏུ་ཤིག་ཤིག་ཀུན་ཏུ་[༣]ཤིག་ཤིག་གོ།།
ཤར་ཕྱོགས་མཐོ་ན་ནི་ནུབ་ཕྱོགས་དམའ། ཤར་ཕྱོགས་དམའ་ན་ནི་ནུབ་ཕྱོགས
མཐོ། བྱང་ཕྱོགས་མཐོ་ན་ནི་ལྷོ་ཕྱོགས་དམའ། བྱང་ཕྱོགས་དམའ་ན་ནི་ལྷོ
ཕྱོགས་མཐོ། དབུས་མཐོ་ན་ནི་མཐའ་དམའ། དབུས་དམའ་ན་ནི་མཐའ་མཐོ་
བར་གྱུར་ཏོ། །དེ་ནས་འདོད་པ་ན་སྤྱོད་པ་དང་། གཟུགས་ཡོད་པ་ན་སྤྱོད་
པའི་ལྷའི་བུ་དེ་དག་གིས་བཅོམ་ལྡན་འདས་དང་གནས་བརྟན་རབ་འབྱོར་ལ་ལྷ
རྫས་ཀྱི་ཙན་དན་གྱི་ཕྱེ་མས་གཏོར། མངོན་པར་གཏོར་རབ་ཏུ་གཏོར་ནས།
འདི་སྐད་དུ་བཅོམ་ལྡན་འདས་དེ་ལྟར་གནས་བརྟན་རབ་འབྱོར་འདི་[༡]དེ་བཞིན
གཤེགས་པའི་དེ་བཞིན་ཉིད་ཀྱིས་དེ་བཞིན་གཤེགས་པའི་རྗེས་སུ་སྐྱེས་པ་ངོ་མཚར་
ཏོ་ཞེས་ཚིག་ཏུ་བརྗོད་དོ། །དེ་ནས་གནས་བརྟན་རབ་འབྱོར་གྱིས་ལྷའི་བུ་དེ་དག་
གི་གཏམ་དེ་ཉིད་ཀྱི་རྒྱུད་ནས་བཟུང་སྟེ། ལྷའི་བུ་དེ་དག་ལ་འདི་སྐད་ཅེས་སྨྲས་སོ། །
དེ་ལྟར་ལྷའི་བུ་དག་གནས་བརྟན་རབ་འབྱོར་ནི་གཟུགས་ཀྱི་རྗེས་སུ་མ་སྐྱེས།

གཟུགས་ལས་གཞན་གྱི་རྗེས་སུ་མ་སྐྱེས་སོ། །གཟུགས་ཀྱི་དེ་བཞིན་ཉིད་ཀྱི་རྗེས་སུ་མ་སྐྱེས། གཟུགས་ཀྱི་དེ་བཞིན་ཉིད་ལས་གཞན་གྱི་རྗེས་སུ་མ་སྐྱེས་སོ། །ཚོར་བ་དང་འདུ་ཤེས་དང་འདུ་བྱེད་དང་རྣམ་པར་ཤེས་པའི་རྗེས་སུ་མ་སྐྱེས། རྣམ་པར་ཤེས་པ་ལས་གཞན་གྱི་རྗེས་སུ་མ་སྐྱེས་སོ། །རྣམ་པར་ཤེས་པའི་དེ་བཞིན་ཉིད་ཀྱི་རྗེས་སུ་མ་སྐྱེས། རྣམ་པར་ཤེས་པའི་དེ་བཞིན་ཉིད་ལས་གཞན་གྱི་རྗེས་སུ་མ་སྐྱེས་སོ། །སྐྱེ་མཆེད་དང་ཁམས་དང་རྟེན་ཅིང་འབྲེལ་བར་འབྱུང་བའི་རྗེས་སུ་མ་སྐྱེས་རྟེན་ཅིང་འབྲེལ་བར་འབྱུང་བ་ལས་གཞན་གྱི་རྗེས་སུ་མ་སྐྱེས་སོ། །རྟེན་ཅིང་འབྲེལ་བར་འབྱུང་བའི་དེ་བཞིན་ཉིད་ཀྱི་རྗེས་སུ་མ་སྐྱེས། རྟེན་ཅིང་འབྲེལ་བར་འབྱུང་བའི་དེ་བཞིན་ཉིད་ལས་གཞན་གྱི་རྗེས་སུ་མ་སྐྱེས་སོ། །ཕ་རོལ་ཏུ་ཕྱིན་པ་ཐམས་ཅད་དང་། སྟོང་པ་ཉིད་ཐམས་ཅད་དང་བྱང་ཆུབ་ཀྱི་ཕྱོགས་ཀྱི་ཆོས་སུམ་ཅུ་རྩ་བདུན་དང་འཕགས་པའི་བདེན་པ་དང་། བསམ་གཏན་དང་། ཚད་མེད་པ་དང་། གཟུགས་མེད་པའི་སྙོམས་པར་འཇུག་པ་དང་། རྣམ་པར་ཐར་པ་བརྒྱད་དང་། མཐར་གྱིས་གནས་པའི་སྙོམས་པར་འཇུག་པ་དགུ་དང་སྟོང་པ་ཉིད་དང་། མཚན་མ་མེད་པ་དང་། སྨོན་པ་མེད་པ་དང་། མངོན་པར་ཤེས་པ་དང་ཏིང་ངེ་འཛིན་དང་གཟུངས་ཀྱི་སྒོ་དང་། དེ་བཞིན་གཤེགས་པའི་སྟོབས་བཅུ་དང་མི་འཇིགས་པ་བཞི་དང་། སོ་སོ་ཡང་དག་པར་རིག་པ་བཞི་དང་བྱམས་པ་ཆེན་པོ་དང་། སྙིང་རྗེ་ཆེན་པོ་དང་སངས་རྒྱས་ཀྱི་ཆོས་མ་འདྲེས་པ་བཅོ་བརྒྱད་ཀྱི་རྗེས་སུ་མ་སྐྱེས། སངས་རྒྱས་ཀྱི་ཆོས་མ་འདྲེས་པ་རྣམས་ལས་གཞན་གྱི་རྗེས་སུ་མ་སྐྱེས་སོ། །སངས་རྒྱས་ཀྱི་ཆོས་མ་འདྲེས་པ་རྣམས་ཀྱི་དེ་བཞིན་ཉིད་ཀྱི་རྗེས་སུ་མ་སྐྱེས། སངས་རྒྱས་ཀྱི་ཆོས་མ་འདྲེས་པ་རྣམས་ཀྱི་དེ་བཞིན་ཉིད་ལས་གཞན་གྱི་རྗེས་སུ་མ་སྐྱེས་སོ། །རྣམ་པ་ཐམས་ཅད་མཁྱེན་པ་ཉིད་

ཀྱི་བར་གྱི་རྗེས་སུ་མ་སྐྱེས་རྣམ་པ་ཐམས་ཅད་མཁྱེན་པ་ཉིད་ལས་གཞན་གྱི་རྗེས་སུ་མ་སྐྱེས་སོ། །རྣམ་པ་ཐམས་ཅད་མཁྱེན་པ་ཉིད་ཀྱི་དེ་བཞིན་ཉིད་ཀྱི་རྗེས་སུ་མ་སྐྱེས་རྣམ་⑦པ་ཐམས་ཅད་མཁྱེན་པ་ཉིད་ཀྱི་དེ་བཞིན་ཉིད་ལས་གཞན་གྱི་རྗེས་སུ་མ་སྐྱེས་སོ། །འདུས་བྱས་ཀྱི་རྗེས་སུ་མ་སྐྱེས། འདུས་བྱས་ལས་གཞན་གྱི་རྗེས་སུ་མ་སྐྱེས་སོ། །འདུས་བྱས་ཀྱི་③དེ་བཞིན་ཉིད་ཀྱི་རྗེས་སུ་མ་སྐྱེས། འདུས་བྱས་ཀྱི་དེ་བཞིན་ཉིད་ལས་གཞན་གྱི་རྗེས་སུ་མ་སྐྱེས་སོ། །འདུས་མ་བྱས་ཀྱི་རྗེས་སུ་མ་སྐྱེས། འདུས་མ་བྱས་ལས་གཞན་གྱི་རྗེས་སུ་མ་སྐྱེས་སོ། །འདུས་མ་བྱས་ཀྱི་དེ་བཞིན་ཉིད་ཀྱི་རྗེས་སུ་མ་སྐྱེས། འདུས་མ་བྱས་ཀྱི་དེ་བཞིན་ཉིད་ལས་གཞན་གྱི་རྗེས་སུ་མ་སྐྱེས་སོ། །དེ་ཅིའི་ཕྱིར་ཞེ་ན། དེ་ནི་འདི་ལྟར་གང་རྗེས་སུ་སྐྱེས་པ་དང་གང་གིས་རྗེས་སུ་སྐྱེས་པ་དང་། གང་རྗེས་སུ་བསྐྱེད་པ་དང་། གང་གིས་རྗེས་སུ་བསྐྱེད་པ་དང་། གང་རྗེས་སུ་སྐྱེ་བར་འགྱུར་བའམ། གང་གིས་རྗེས་སུ་སྐྱེ་བར་འགྱུར་བའི་ཆོས་དེ་དག་ཐམས་ཅད་མེད་ཅིང་མི་དམིགས་སོ། །དེ་ནས་ཚེ་དང་ལྡན་པ་ཤཱ་ར་དྭ་ཏིའི་བུས་བཅོམ་ལྡན་འདས་ལ་འདི་སྐད་ཅེས་གསོལ་ཏོ། །བཅོམ་ལྡན་འདས་དེ་བཞིན་ཉིད་དང་། མ་ནོར་བ་དེ་བཞིན་ཉིད་དང་། གཞན་མ་ཡིན་པ་དེ་བཞིན་ཉིད་དང་། ཆོས་ཉིད་དང་ཆོས་ཀྱི་དབྱིངས་དང་། ཆོས་ཀྱི་གནས་ཉིད་དང་། ཆོས་སྐྱོན་མེད་པ་དང་། ཡང་དག་པའི་མཐའ་ནི་ཟབ་པ་སྟེ། དེ་ལ་གཟུགས་མི་དམིགས། གཟུགས་ཀྱི་དེ་བཞིན་ཉིད་མི་དམིགས་ཏེ་གཟུགས་ཉིད་ཀྱང་མི་དམིགས་ན། གཟུགས་ཀྱི་དེ་བཞིན་ཉིད་ལྟ་དམིགས་པར་ག་ལ་འགྱུར། དེ་ལ་ཚོར་བ་དང་འདུ་ཤེས་དང་འདུ་བྱེད་དང་། རྣམ་པར་ཤེས་པ་མི་དམིགས། རྣམ་པར་ཤེས་པའི་དེ་བཞིན་ཉིད་མི་དམིགས་ཏེ། རྣམ་པར་ཤེས་པ་ཉིད་ཀྱང་མི་དམིགས་ན། རྣམ་པར་ཤེས་པའི་དེ་བཞིན་ཉིད་ལྟ་

དམིགས་པར་ག་ལ་འགྱུར། སྐྱེ་མཆེད་དང་ཁམས་དང་རྟེན་ཅིང་འབྲེལ་བར་འབྱུང་བ་མི་དམིགས། རྟེན་ཅིང་འབྲེལ་བར་འབྱུང་བའི་དེ་བཞིན་ཉིད་མི་དམིགས་ཏེ། རྟེན་ཅིང་འབྲེལ་བར་འབྱུང་བ་ཉིད་ཀྱང་མི་དམིགས་ན། རྟེན་ཅིང་འབྲེལ་བར་འབྱུང་བའི་དེ་བཞིན་ཉིད་ལྟ་དམིགས་པར་ག་ལ་འགྱུར། ཕ་རོལ་ཏུ་ཕྱིན་པ་ཐམས་ཅད་དང་། སྟོང་པ་ཉིད་ཐམས་ཅད་དང་། བྱང་ཆུབ་ཀྱི་ཕྱོགས་ཀྱི་ཆོས་སུམ་ཅུ་རྩ་བདུན་དང་འཕགས་པའི་བདེན་པ་དང་། བསམ་གཏན་དང་ཚད་མེད་པ་དང་། གཟུགས་མེད་པའི་སྙོམས་པར་འཇུག་པ་དང་། རྣམ་པར་ཐར་པ་བརྒྱད་དང་མཐར་གྱིས་གནས་པའི་སྙོམས་པར་འཇུག་པ་དགུ་དང་། སྟོང་པ་ཉིད་དང་མཚན་མ་མེད་པ་དང་སྨོན་པ་མེད་པ་དང་། མངོན་པར་ཤེས་པ་དང་ཏིང་ངེ་འཛིན་དང་གཟུངས་ཀྱི་སྒོ་དང་། དེ་བཞིན་གཤེགས་པའི་སྟོབས་བཅུ་དང་མི་འཇིགས་པ་བཞི་དང་སོ་སོ་ཡང་དག་པར་རིག་པ་བཞི་དང་། སངས་རྒྱས་ཀྱི་ཆོས་མ་འདྲེས་པ་བཅོ་བརྒྱད་མི་དམིགས། སངས་རྒྱས་ཀྱི་ཆོས་མ་འདྲེས་པའི་དེ་བཞིན་ཉིད་མི་དམིགས་ཏེ། སངས་རྒྱས་ཀྱི་ཆོས་མ་འདྲེས་པ་ཉིད་ཀྱང་མི་དམིགས་ན། སངས་རྒྱས་ཀྱི་ཆོས་མ་འདྲེས་པའི་དེ་བཞིན་ཉིད་ལྟ་དམིགས་པར་ག་ལ་འགྱུར། རྣམ་པ་ཐམས་ཅད་མཁྱེན་པ་ཉིད་ཀྱི་བར་དུ་མི་དམིགས། རྣམ་པ་ཐམས་ཅད་མཁྱེན་པ་ཉིད་ཀྱི་དེ་བཞིན་ཉིད་མི་དམིགས་ཏེ། རྣམ་པ་ཐམས་ཅད་མཁྱེན་པ་ཉིད་ཀྱང་མི་དམིགས་ན་རྣམ་པ་ཐམས་ཅད་མཁྱེན་པ་ཉིད་ཀྱི་དེ་བཞིན་ཉིད་ལྟ་དམིགས་པར་①ག་ལ་འགྱུར། བཅོམ་ལྡན་འདས་ཀྱིས་བཀའ་སྩལ་པ། ཤ་ར་དྭ་ཏི་②བུ་དེ་དེ་བཞིན་ནོ། །དེ་དེ་བཞིན་ཏེ་དེ་བཞིན་ཉིད་འདི་ནི་ཟབ་པ་སྟེ། དེ་ལ་གཟུགས་མི་དམིགས་གཟུགས་ཀྱི་དེ་བཞིན་ཉིད་མི་དམིགས་ཏེ། གཟུགས་ཉིད་ཀྱང་མི་དམིགས་ན། གཟུགས་ཀྱི་དེ་བཞིན་ཉིད་ལྟ་

དམིགས་པར་ག་ལ་འགྱུར། དེ་ལ་ཚོར་བ་དང་འདུ་ཤེས་དང་འདུ་བྱེད་དང་། རྣམ་པར་ཤེས་པ་རྣམས་མི་དམིགས། རྣམ་པར་ཤེས་པའི་དེ་བཞིན་ཉིད་མི་དམིགས་ཏེ། རྣམ་པར་ཤེས་པ་ཉིད་ཀྱང་མི་དམིགས་ན། རྣམ་པར་ཤེས་པའི་དེ་བཞིན་ཉིད་ལྟ་དམིགས་པར་ག་ལ་འགྱུར། སྐྱེ་མཆེད་དང་ཁམས་དང་རྟེན་ཅིང་འབྲེལ་བར་འབྱུང་བ་མི་དམིགས་རྟེན་ཅིང་འབྲེལ་བར་འབྱུང་བའི་དེ་བཞིན་ཉིད་མི་དམིགས་ཏེ། རྟེན་ཅིང་འབྲེལ་བར་འབྱུང་བ་ཉིད་ཀྱང་མི་དམིགས་ན། རྟེན་ཅིང་འབྲེལ་བར་འབྱུང་བའི་དེ་བཞིན་ཉིད་ལྟ་དམིགས་པར་ག་ལ་འགྱུར། ཕ་རོལ་ཏུ་ཕྱིན་པ་ཐམས་ཅད་དང་སྟོང་པ་ཉིད་ཐམས་ཅད་དང་། བྱང་ཆུབ་ཀྱི་ཕྱོགས་ཀྱི་ཆོས་སུམ་ཅུ་རྩ་བདུན་མི་དམིགས། བྱང་ཆུབ་ཀྱི་ཕྱོགས་ཀྱི་ཆོས་ཀྱི་དེ་བཞིན་ཉིད་མི་དམིགས་ཏེ། བྱང་ཆུབ་ཀྱི་ཕྱོགས་ཀྱི་ཆོས་ཉིད་ཀྱང་མི་དམིགས་ན། བྱང་ཆུབ་ཀྱི་ཕྱོགས་ཀྱི་ཆོས་ཉིད་ཀྱི་དེ་བཞིན་ཉིད་ལྟ་དམིགས་པར་ག་ལ་འགྱུར། རྣམ་པ་ཐམས་ཅད་མཁྱེན་པ་ཉིད་ཀྱི་བར་དུ་མི་དམིགས། རྣམ་པ་ཐམས་ཅད་མཁྱེན་པ་ཉིད་ཀྱི་བར་གྱི་དེ་བཞིན་ཉིད་མི་དམིགས་ཏེ། རྣམ་པ་ཐམས་ཅད་མཁྱེན་པ་ཉིད་ཀྱང་མི་དམིགས་ན། རྣམ་པ་ཐམས་ཅད་མཁྱེན་པ་ཉིད་ཀྱི་དེ་བཞིན་ཉིད་ལྟ་དམིགས་པར་ག་ལ་འགྱུར། དེ་བཞིན་ཉིད་དང་མ་ནོར་བ་དེ་བཞིན་ཉིད་དང་གཞན་མ་ཡིན་པ་དེ་བཞིན་ཉིད་ཀྱི་ལེའུ་འདི་བཤད་པའི་ཚེ། དགེ་སློང་ཉིས་བརྒྱ་ཉེ་བར་ལེན་པ་མེད་པར་ཟག་པ་ལས་སེམས་རྣམ་པར་གྲོལ་ལོ། ། དགེ་སློང་མ་ལྔ་བརྒྱ་ནི་ཆོས་རྣམས་ལ་ཆོས་ཀྱི་མིག་རྡུལ་མེད་ཅིང་དྲི་མ་དང་བྲལ་བ་སྐྱེས་སོ། །བྱང་ཆུབ་སེམས་དཔའ་ལྔ་སྟོང་དང་། ལྷ་དང་མི་རྣམས་ཀྱིས་མི་སྐྱེ་བའི་ཆོས་ལ་བཟོད་པ་རབ་ཏུ་ཐོབ་བོ། །བྱང་ཆུབ་སེམས་དཔའ་ཡོངས་སུ་ཉམས་[7] པའི་ཆོས་ཅན་དྲུག་ཅུ་ནི་ཉེ་བར་ལེན་པ་མེད་པར་ཟག་པ་ལས་སེམས་རྣམ་པར་

གྲོལ་ཏེ། ཤཱ་ར་དྭ་ཏིའི་བུ་བྱང་ཆུབ་སེམས་དཔའ་སེམས་དཔའ་ཆེན་པོ་དེ་དག་གིས་ནི་སངས་རྒྱས་ལྔ་བརྒྱ་བསྙེན་བཀུར་ཏེ། ཐམས་ཅད་དུ་ཡང་སྦྱིན་པ་བྱིན། ཚུལ་ཁྲིམས་བསྲུངས་བཟོད་པ་བསྒོམས། བརྩོན་འགྲུས་བརྩམས། བསམ་གཏན་བསྐྱེད་བས། ཤེས་རབ་བསྒོམས་ཀྱང་དེ་དག་ཤེས་རབ་ཀྱི་ཕ་རོལ་དུ་ཕྱིན་པས་ཡོངས་སུ་མ་བཟུང་ཞིང་ཐབས་མཁས་པས་ཡོངས་སུ་མ་བཟུང་བས་སྦྱིན་པ་བྱིན་ཏོ[༡]། །འདི་ནི་སྦྱིན་པའོ། །འདི་ལ་བདག་གིས་སྦྱིན་པར་བྱའོ། །འདི་ནི་ཚུལ་ཁྲིམས་སོ། །བདག་གིས་ནི་བསྲུང་བར་བྱའོ། །འདི་ནི་བཟོད་པའོ། །བདག་གིས་ནི་བསྒོམ[༢]པར་བྱའོ། །འདི་ནི་བརྩོན་འགྲུས་སོ། །བདག་གིས་ནི་བརྩམ[༣]པར་བྱའོ། །འདི་ནི་བསམ་གཏན་ནོ། །བདག་གིས་ནི་མཉམ་པར་གཞག་པར་བྱའོ་འདི་ནི་ཤེས་རབ་བོ་བདག་གིས་ནི་བསྒོམ་པར་བྱའོ། །ཞེས་ཐ་དད་པར་སྤྱོད་པས་དེ་དག་ཤེས་རབ་ཀྱི་ཕ་རོལ་དུ་ཕྱིན་པ་དང་བྲལ་ཞིང་ཐབས་མཁས་པས་ཡོངས་སུ་མ་བཟུང་བར་སྦྱིན་པ་གཏོང་། ཚུལ་ཁྲིམས་སྲུང་[༤]། བཟོད་པ་སྒོམ། བརྩོན་འགྲུས་རྩོམ[༥]། བསམ་གཏན་ལ་མཉམ་པར་གཞོག[༦] ཤེས་རབ་ལ་གོམས་པར་བྱེད་ཅིང་། དེ་དག་འདུ་ཤེས་སྣ་ཚོགས་ཀྱིས་སྤྱོད་པས་ཐ་མི་དད་པས་མ[༧]དམིགས་པའི་ཕྱིར། བྱང་ཆུབ་སེམས་དཔའི་སྐྱོན་མེད་པར་མ་ཞུགས་སོ། །དེ་དག་བྱང་ཆུབ་སེམས་དཔའི་སྐྱོན་མེད་པར་མ་ཞུགས་པས་རྒྱུན་དུ་ཞུགས་པའི་འབྲས་བུ་ཐོབ། དགྲ་བཅོམ་པ་ཉིད་ཀྱི་བར་དུ་ཐོབ་བོ། །ཤཱ་ར་དྭ་ཏིའི་བུ་བྱང་ཆུབ་སེམས་དཔའ་སེམས་དཔའ་ཆེན་པོ་རྣམས་ཀྱི་ལམ་སྟོང་པ་ཉིད་དམ་མཚན་མ་མེད་པའམ་སྨོན་པ་མེད་པ་ཡོད་མོད་ཀྱི། དེ་དག་ཤེས་རབ་ཀྱི་ཕ་རོལ་དུ་ཕྱིན་པ་དང་བྲལ་ཞིང་ཐབས་མཁས་པས་ཡོངས་སུ་མ་བཟུང་ན་ཡང་དག་པའི་མཐའ་མངོན་དུ་བྱས་ནས། ཉན་ཐོས་སམ། རང་སངས་རྒྱས་སུ་འགྱུར་རོ།།

གསོལ་པ། བཅོམ་ལྡན་འདས་ཅིའི་སླད་དུ་སྟོང་པ་ཉིད་དང་མཚན་མ་མ་མཆིས་པ་དང་། སྨོན་པ་མ་མཆིས་པའི་ཆོས་དེ་དག་ཉིད་ལ་བསྒོམ་དུ་འདྲ་ཡང་ཤེས་རབ་ཀྱི་ཕ་རོལ་དུ་ཕྱིན་པ་དང་བྲལ་ཞིང་ཐབས་མཁས་པ་དང་བྲལ་བ་རྣམས་ནི་ཡང་དག་པའི་མཐའ་སྟོན་[༡]དུ་བགྱིས་ཤིང་ཉན་ཐོས་དང་། རང་སངས་རྒྱས་སུ་འགྱུར་ལ། བྱང་ཆུབ་སེམས་དཔའ་ཐབས་མཁས་པས་ཡོངས་སུ་བཟུང་བ་དག་ནི། སྟོང་པ་ཉིད་དང་མཚན་མ་མ་མཆིས་པ་དང་སྨོན་པ་མ་མཆིས་པའི་ཆོས་དེ་དག་ཉིད་ལ་བསྒོམ་དུ་བས་ཀྱང་། ཐབས་མཁས་པ་ལ་རྟེན་[༢]ཅིང་བླ་ན་མེད་པ་ཡང་དག་པར་རྫོགས་པའི་བྱང་ཆུབ་ཏུ་མངོན་པར་རྫོགས་པར་འཚང་རྒྱ་བར་འགྱུར། བཅོམ་ལྡན་འདས་ཀྱིས་བཀའ་སྩལ་པ། ཤ་ར་དྭ་ཏིའི་བུ་འདི་ལ་ཁ་ཅིག་རྣམ་པ་ཐམས་ཅད་མཁྱེན་པའི་སེམས་དང་བྲལ་བ། སྟོང་པ་ཉིད་དང་མཚན་མ་མེད་པ་དང་། སྨོན་པ་མེད་པའི་ཆོས་འབའ་ཞིག་བསྒོམ་པ་ནི་ཐབས་མཁས་པ་མ་ཐོབ་པས་ཉན་ཐོས་དང་། རང་སངས་རྒྱས་སུ་འགྱུར་རོ། །ཤ་ར་དྭ་ཏིའི་བུ་འདི་ལ་བྱང་ཆུབ་སེམས་དཔའ་སེམས་དཔའ་ཆེན་པོ་རྣམ་པ་ཐམས་ཅད་མཁྱེན་པ་ཉིད་ཀྱི་སེམས་དང་མ་བྲལ་བ་རྣམས་ནི་སྟོང་པ་ཉིད་དང་མཚན་མ་མེད་པ་དང་། སྨོན་པ་མེད་པའི་ཆོས་རྣམས་ལ་སྒོམ་ཞིང་ཐབས་མཁས་པ་ཐོབ་པས་བྱང་ཆུབ་སེམས་དཔའི་སྐྱོན་མེད་པར་འཇུག་ཅིང་བླ་ན་མེད་པ་ཡང་དག་པར་རྫོགས་པའི་བྱང་ཆུབ་ཏུ་མངོན་པར་རྫོགས་པར་འཚང་རྒྱའོ། །ཤ་ར་དྭ་ཏིའི་བུ་འདི་ལྟ་སྟེ་དཔེར་ན། བྱ་ཞིག་ལ་ལུས་དཔག་ཚད་བརྒྱ་པའམ། དཔག་ཚད་ཉིས་བརྒྱ་པའམ་དཔག་ཚད་སུམ་བརྒྱ་པའམ། དཔག་ཚད་བཞི་བརྒྱ་པའམ། དཔག་ཚད་ལྔ་བརྒྱ་པ་ཞིག་ཡོད་ལ། དེ་སུམ་ཅུ་རྩ་གསུམ་གྱི་ལྷའི་རིས་ནས་འདིར་འོང་བར་འདོད་ལ། བྱ་དེ་ལ་ཡང་འདབ་མ་མེད་པ་ཞིག་སྟེ། དེ་འཛམ་བུའི་གླིང་དུ་གནས་སོ་སྙམ་ནས།

སུམ་ཅུ་རྩ་གསུམ་གྱི་ལྷའི་རིས་ནས་བདག་ཉིད་མཆོངས་ཏེ། གལ་ཏེ་བྱ་དེས་ལམ་ནས༔ ག་རེ་[1]བདག་གིས་སུམ་ཅུ་རྩ་གསུམ་གྱི་ལྷའི་རིས་སུ་གནས་པར་བྱའོ་སྙམ་དུ་བསམས་ན། ཤ་ར་དྭ་ཏིའི་བུ་དེ་ལ་ཇི་སྙམ་དུ་སེམས། བྱ་དེས་ཕྱིར་སུམ་ཅུ་རྩ་གསུམ་གྱི་ལྷའི་རིས་སུ་གནས་པར་ནུས་སམ་གསོལ་པ། བཅོམ་ལྡན་འདས་དེ་ནི་མ་ལགས་སོ། །བཅོམ་ལྡན་འདས་ཀྱིས་བཀའ་སྩལ་པ། གལ་ཏེ་ལམ་ནས་འདི་སྙམ་དུ་མ་ལ་བདག་གིས་ཅི་ནས་ཀྱང་མ་སྨས་[2]མ་སྣད་པར་འཛམ་བུའི་གླིང་དུ་འདུག་པར་བྱའོ་སྙམ་ན། ཤ་ར་དྭ་ཏིའི་བུ་དེ་ལ་ཇི་སྙམ་དུ་སེམས། བྱ་དེ་འཛམ་བུའི་གླིང་དུ་མ་སྨས་མ་སྣད་པར་འདུག་པར་འགྱུར་རམ། གསོལ་པ། བཅོམ་ལྡན་འདས་དེ་ནི་མ་ལགས་སོ། །བཅོམ་ལྡན་འདས་དེ་ནི་འཛམ་བུའི་གླིང་དུ་ལྷུང་ནས་སྨས་པའམ་སྣད་པར་ཡང་འགྱུར། འགུམ་པའམ། གུམ་ལ་ཐུག་པར་སྡུག་བསྔལ་བར་ཡང་འགྱུར་རོ། །དེ་ཅིའི་སླད་དུ་ཞེ་ན། བཅོམ་ལྡན་འདས་དེ་ལྟར་ལུས་ཆེ་ལ་འདབ་མ་མ་མཆིས་པ་དེ་ནི་དེ་ལྟར་འགྱུར་དུ་གདོན་མི་འཚལ་ལོ། །བཅོམ་ལྡན་འདས་ཀྱིས་བཀའ་སྩལ་པ། ཤ་ར་དྭ་ཏིའི་བུ་དེ་བཞིན་དུ་བྱང་ཆུབ་སེམས་དཔའ་བསྐལ་པ་གང་གཱའི་ཀླུང་གི་བྱེ་མ་སྙེད་དུ་སྦྱིན་པ་གཏོང་ཞིང་ཚུལ་ཁྲིམས་སྲུང་[3]། བཟོད་པ་བསྒོམ། བརྩོན་འགྲུས་རྩོམ[4]། བསམ་གཏན་ལ་མཉམ་པར་གཞོག་ཅིང་། བླ་ན་མེད་པ་ཡང་དག་པར་རྫོགས་པའི་བྱང་ཆུབ་ཏུ་མངོན་པར་རྫོགས་པར་འཚང་རྒྱ་བར་བྱ་བའི་ཕྱིར་དེའི་སྨོན་པ་ཡང་ཆེ། དེའི་སེམས་བསྐྱེད་པ་ཡང་ཆེ། ཡོངས་སུ་འཛིན་པ་ཡང་ཚད་མེད་དུ་ཟིན་ཀྱང་། ཤེས་རབ་ཀྱི་ཕ་རོལ་དུ་ཕྱིན་པ་དང་བྲལ་ཞིང་ཐབས་མཁས་པས་ཡོངས་སུ་མ་བཟུང་ན་ཉན་ཐོས་ཀྱི་སའམ་རང་སངས་རྒྱས་ཀྱི་སར་ལྟུང་ངོ་། །དེ་ཅིའི་ཕྱིར་ཞེ་ན། དེ་ནི་འདི་ལྟར་བྱང་ཆུབ་སེམས་དཔའ་དེས་རྣམ་པ་ཐམས་ཅད་མཁྱེན་པ་ཉིད་ཀྱི་

སེམས་དང་མི་ལྡན་པར་སྦྱིན་པ་བྱིན། ཚུལ་ཁྲིམས་བསྲུངས། བཟོད་པ་བསྒོམས། བརྩོན་འགྲུས་བརྩམས②། བསམ་གཏན་བསྒྲུབས་པས། བྱང་ཆུབ་སེམས་དཔའ་དེ་ཤེས་རབ་ཀྱི་ཕ་རོལ་ཏུ་ཕྱིན་པ་དང་བྲལ་ཞིང་ཐབས་མཁས་པས་ཡོངས་སུ་མ་བཟུང་བའི་ཕྱིར། ཉན་ཐོས་ཀྱི་སའམ། རང་སངས་རྒྱས་ཀྱི་སར་ལྟུང་ངོ་། །ཤ་ར་དྭ་ཏིའི་བུ་བྱང་ཆུབ་སེམས་དཔའ་འདས་པ་དང་། མ་འོངས་པ་དང་ད་ལྟར་བྱུང་བའི་དེ་བཞིན་གཤེགས་པ་རྣམས་ཀྱི་ཚུལ་ཁྲིམས་དང་ཏིང་ངེ་འཛིན་དང་ཤེས་རབ་དང་རྣམ་པར་གྲོལ་བ་དང་། རྣམ་པར་གྲོལ་བའི་ཡེ་ཤེས་གཟིགས་པ་སེམས་ཤིང་འཛིན་ལ་མཚན་མར་བྱེད་ཀྱང་། དེ་བཞིན་གཤེགས་པ་རྣམས་ཀྱི་ཚུལ་ཁྲིམས་མི་ཤེས། ཏིང་ངེ་འཛིན་དང་ཤེས་རབ་དང་རྣམ་པར་གྲོལ་བ་དང་། རྣམ་པར་གྲོལ་བའི་ཡེ་ཤེས་གཟིགས་པ་མི་ཤེས་ན། དེ་མི་ཤེས་ཁོང་དུ་མ་ཆུད་པས་སྟོང་པ་ཉིད་དང་། མཚན་མ་མེད་པ་དང་། སྨོན་པ་མེད་པའི་སྒྲ་ཐོས་ནས་དེ་ནི་དེ་དག་ལ་ཞི་བར་མཚན་མར་འཛིན་ཏེ། དེ་དག་ལ་ཞི་བར་མཚན་མར་བཟུང་ཞིང་བླ་ན་མེད་པ་ཡང་དག་པར་རྫོགས་པའི་བྱང་ཆུབ་ཏུ་ཡོངས་སུ་བསྔོའོ། །དེ་ལྟར་ཡོངས་སུ་བསྔོ་བའི་③བྱང་ཆུབ་སེམས་དཔའ་ནི་ཉན་ཐོས་ཀྱི་སའམ་རང་སངས་རྒྱས་ཀྱི་ས་ལ་གནས་པར་འགྱུར་རོ། །ཤ་ར་དྭ་ཏིའི་བུ་དེ་ཅིའི་ཕྱིར་ཞེ་ན། དེ་ལྟར་ཤེས་རབ་ཀྱི་ཕ་རོལ་ཏུ་ཕྱིན་པ་དང་ཐབས་མཁས་པ་དང་བྲལ་བས་དགེ་བའི་རྩ་བ་དེ་དག་བླ་ན་མེད་པ་ཡང་དག་པར་རྫོགས་པའི་བྱང་ཆུབ་ཏུ་ཡོངས་སུ་བསྔོ་བ་ནི་དེ་ལྟར་འགྱུར་དུ་གདོན་མི་ཟའོ། །ཤ་ར་དྭ་ཏིའི་བུ་འདི་ལ་བྱང་ཆུབ་སེམས་དཔའ་སེམས་དཔའ་ཆེན་པོ་ཐོག་མ་སེམས་བསྐྱེད་པ་ནས་ཉེ་བར་བཟུང་སྟེ་རྣམ་པ་ཐམས་ཅད་མཁྱེན་པའི་སེམས་དང་མ་བྲལ་བར་སྦྱིན་པ་གཏོང་ཞིང་ཚུལ་ཁྲིམས་སྲུང་④བ་དང་བཟོད་པ་སྒྲུབ་⑤པ་དང་། བརྩོན་འགྲུས་

རྩོམ་(༧)པ་དང་བསམ་གཏན་ལ་མཉམ་པར་གཞོག་པ་ནི་ཤེས་རབ་ཀྱི་ཕ་རོལ་དུ་ཕྱིན་པ་དང་ཐབས་མཁས་པ་དང་མ་བྲལ་བ་སྟེ། འདས་པ་དང་། མ་བྱོན་པ་དང་ད་ལྟར་བྱུང་བའི་སངས་རྒྱས་བཅོམ་ལྡན་འདས་རྣམས་ཀྱི་ཚུལ་ཁྲིམས་དང་ཏིང་ངེ་འཛིན་དང་ཤེས་རབ་དང་རྣམ་པར་གྲོལ་བ་དང་། རྣམ་པར་གྲོལ་བའི་ཡེ་ཤེས་གཟིགས་པ་དེ་ལ་མཚན་མར་མི་བྱེད་དེ། སྟོང་པ་ཉིད་ཀྱི་ཏིང་ངེ་འཛིན་ལ་མཚན་མར་མི་འཛིན། མཚན་མ་མེད་པའི་ཏིང་ངེ་འཛིན་ལ་མཚན་མར་མི་འཛིན། སྨོན་པ་མེད་པའི་ཏིང་ངེ་འཛིན་ལ་མཚན་མར་མི་འཛིན་ན། ཤཱ་ར་དྭ་ཏིའི་བུ་བྱང་ཆུབ་སེམས་དཔའ་སེམས་དཔའ་ཆེན་པོ་དེ་ནི་ཉན་ཐོས་དང་། རང་སངས་རྒྱས་ཀྱི་ས་ལ་གནས་པར་མི་འགྱུར་བར་རིག་པར་བྱའོ། །དེ་ཅིའི་ཕྱིར་ཞེ་ན། དེ་ནི་འདི་ལྟར་བྱང་ཆུབ་སེམས་དཔའ་སེམས་དཔའ་ཆེན་པོ་དེས་ཐོག་མ་སེམས་བསྐྱེད་པ་ནས་ཉེ་བར་བཟུང་སྟེ། སྦྱིན་པ་བྱིན་ཡང་མཚན་མར་མ་བཟུང་། ཚུལ་ཁྲིམས་བསྲུངས་ཀྱང་མཚན་མར་མ་བཟུང་། བཟོད་པས་(༨)བསྒྲུབས་ཀྱང་མཚན་མར་མ་བཟུང་། བརྩོན་འགྲུས་བརྩམས་ཀྱང་མཚན་མར་མ་བཟུང་། བསམ་གཏན་ལ་མཉམ་པར་གཞག་ཀྱང་མཚན་མར་མ་བཟུང་། ཤེས་རབ་བསྒོམས་ཀྱང་མཚན་མར་མ་བཟུང་། འདས་པ་དང་མ་བྱོན་པ་དང་ད་ལྟར་བྱུང་བའི་སངས་རྒྱས་བཅོམ་ལྡན་འདས་རྣམས་ཀྱི་ཚུལ་ཁྲིམས་དང་ཏིང་ངེ་འཛིན་དང་ཤེས་རབ་དང་རྣམ་པར་གྲོལ་བ་དང་། རྣམ་པར་གྲོལ་བའི་ཡེ་ཤེས་གཟིགས་པ་མཚན་མར་མ་བཟུང་། སྟོང་པ་ཉིད་དང་། མཚན་མ་མེད་པ་དང་སྨོན་པ་མེད་པའི་ཏིང་ངེ་འཛིན་བསྒོམས་ཀྱང་མཚན་མར་མ་བཟུང་ངོ་། །ཤཱ་ར་དྭ་ཏིའི་བུ་དེ་ལྟར་ན་(༩)མཚན་མ་དང་བྲལ་བའི་སེམས་ཀྱིས། སྦྱིན་པ་ཡོངས་སུ་གཏོང་བ་དང་ཚུལ་ཁྲིམས་སྲུང་བ་དང་བཟོད་པ་སྒྲུབ་པ་དང་། བརྩོན་འགྲུས་རྩོམ་(༡༠)པ་དང་།

བསམ་གཏན་ལ་མཉམ་པར་གཞོག་པ་དང་། ཤེས་རབ་བསྒོམ་པ་དང་། ནང་སྟོང་པ་ཉིད་སྒོམ་པ་དང་། དངོས་པོ་མེད་པའི་ངོ་བོ་ཉིད་སྟོང་པ་ཉིད་ཀྱི་བར་དུ་སྒོམ་པ་དང་། དྲན་པ་ཉེ་བར་གཞག་པ་སྒོམ་པ་དང་། ཡང་དག་པར་སྤོང་བ་དང་། རྫུ་འཕྲུལ་གྱི་རྐང་པ་དང་། དབང་པོ་དང་སྟོབས་དང་། བྱང་ཆུབ་ཀྱི་ཡན་ལག་དང་། འཕགས་པའི་ལམ་ཡན་ལག་བརྒྱད་པ་སྒོམ་པ་དང་། འཕགས་པའི་བདེན་པ་དང་། བསམ་གཏན་དང་ཚད་མེད་པ་དང་། གཟུགས་མེད་པའི་…སྙོམས་པར་འཇུག་པ་སྒོམ་པ་དང་། རྣམ་པར་ཐར་པ་བརྒྱད་དང་། མཐར་…གྱིས་གནས་པའི་སྙོམས་པར་འཇུག་པ་དགུ་དང་སྟོང་པ་ཉིད་དང་མཚན་མ་མེད་པ་དང་། སྨོན་པ་མེད་པ་སྒོམ་པ་དང་མངོན་པར་ཤེས་པ་དང་། ཏིང་ངེ་འཛིན་དང་གཟུངས་ཀྱི་སྒོ་དང་། དེ་བཞིན་གཤེགས་པའི་སྟོབས་དང་། མི་འཇིགས་པ་དང་། སོ་སོ་ཡང་དག་པར་རིག་པ་དང་། སངས་རྒྱས་ཀྱི་ཆོས་མ་འདྲེས་པ་སྒོམ་པ་དང་། རྣམ་པ་ཐམས་ཅད་མཁྱེན་པ་ཉིད་ཀྱི་བར་དུ་སྒོམ་པ་འདི་ནི་བྱང་ཆུབ་སེམས་དཔའ་སེམས་དཔའ་ཆེན་པོའི་ཐབས་མཁས་པའོ།། ||

ཤེས་རབ་ཀྱི་ཕ་རོལ་ཏུ་ཕྱིན་པ་སྟོང་ཕྲག་ཉི་ཤུ་ལྔ་པ། བམ་པོ་ལྔ་བཅུ་པ། གསོལ་པ། བཅོམ་ལྡན་འདས་བདག་གིས་བཅོམ་ལྡན་འདས་ཀྱིས་གསུངས་པའི་དོན་འཚལ་བ་ལྟར་ན། བྱང་ཆུབ་སེམས་དཔའ་སེམས་དཔའ་ཆེན་པོ་སེམས་དང་པོ་བསྐྱེད་པ་ནས་ཉེ་བར་བཟུང་སྟེ། ཤེས་རབ་ཀྱི་ཕ་རོལ་ཏུ་ཕྱིན་པ་དང་། ཐབས་མཁས་པ་དང་མ་བྲལ་ན། དེའི་བླ་ན་མེད་པ་ཡང་དག་པར་རྫོགས་པའི་བྱང་ཆུབ་ནི་ཐེ་ཚོམ་མ་མཆིས་སོ། །དེ་ཅིའི་སླད་དུ་ཞེ་ན། བཅོམ་ལྡན་འདས་དེ་ནི་འདི་ལྟར་བྱང་ཆུབ་སེམས་དཔའ་སེམས་དཔའ་ཆེན་པོ་དེས་སེམས་དང་པོ་བསྐྱེད་པ་ནས་ཉེ་བར་བཟུང་སྟེ། གང་མངོན་པར་རྫོགས་པར་འཚང་རྒྱ་བ་དང་།

[༧]གང་མངོན་པར་རྫོགས་པར་འཚང་རྒྱ་བར་བགྱི་བའི་གཟུགས་སམ། ཚོར་བའམ། འདུ་ཤེས་སམ། འདུ་བྱེད་དམ། རྣམ་པར་ཤེས་པའམ། སྐྱེ་མཆེད་དམ། ཁམས་སམ། རྟེན་ཅིང་འབྲེལ་བར་འབྱུང་བའམ། ཕ་རོལ་ཏུ་ཕྱིན་པ་རྣམས་སམ། སྟོང་པ་ཉིད་རྣམས་སམ། བྱང་ཆུབ་ཀྱི་ཕྱོགས་ཀྱི་ཆོས་རྣམས་སམ། འཕགས་པའི་བདེན་པའམ། བསམ་གཏན་ནམ། ཚད་མེད་པའམ། གཟུགས་མེད་པའི་སྙོམས་པར་འཇུག་པའམ། རྣམ་པར་ཐར་པའམ། མཐར་གྱིས་གནས་པའི་སྙོམས་པར་འཇུག་པའམ། སྟོང་པ་ཉིད་དང་། མཚན་མ་མེད་པ་དང་། སྨོན་པ་མེད་པའམ། མངོན་པར་ཤེས་པའམ། ཏིང་ངེ་འཛིན་ཏམ[༩]། གཟུངས་ཀྱི་སྒོའམ། དེ་བཞིན་གཤེགས་པའི་སྟོབས་སམ། མི་འཇིགས་པའམ། སོ་སོ་ཡང་དག་པར་རིག་པའམ། བྱམས་པ་ཆེན་པོའམ། སྙིང་རྗེ་ཆེན་པོའམ། སངས་རྒྱས་ཀྱི་ཆོས་མ་འདྲེས་པའམ། རྣམ་པ་ཐམས་ཅད་མཁྱེན་པ་ཉིད་དམ། ཆོས་གང་ཡང་དམིགས་སུ[༡]མ་མཆིས་སོ། །བཅོམ་ལྡན་འདས་བྱང་ཆུབ་སེམས་དཔའི་ཐེག་པ་པའི་རིགས་ཀྱི་བུའམ་རིགས་ཀྱི་བུ་མོ་གང་ཤེས་རབ་ཀྱི་ཕ་རོལ་ཏུ་ཕྱིན་པ་དང་། ཐབས་མཁས་པ་དང་བྲལ་བ་དེ་དག་གི་བླ་ན་མེད་པ་ཡང་དག་པར་རྫོགས་པའི་བྱང་ཆུབ་ནི་ཐེ་ཚོམ་མ[༢]མཆིས་པ་ལགས། དེ་ཅིའི་སླད་དུ་ཞེ་ན། བཅོམ་ལྡན་འདས་དེ་ནི་འདི་ལྟར་བྱང་ཆུབ་སེམས་དཔའི་ཐེག་པ་པའི་རིགས་ཀྱི་བུའམ། རིགས་ཀྱི་བུ་མོ་དེ་དག་གིས་སྦྱིན་པ་ཅི་དང་ཅི་བཏང་[༤]བ་དེ་དག་ཐམས་ཅད་མཚན་མར་བཟུང་སྟེ་བཏང་། དེ་བཞིན་དུ་ཚུལ་ཁྲིམས་གང་དང་གང་བསྲུངས་པ་དང་། བཟོད་པས་[༦]ཅི་དང་ཅི་བསྒྲུབས་པ་དང་། བརྩོན་འགྲུས་གང་དང་གང་བརྩམས་[༧]པ་དང་། བསམ་གཏན་གང་དང་གང་ལ་མཉམ་པར་བཞག་པ་དང་། ཤེས་རབ་གང་དང་གང་ལ་བསྒོམས་[༨]

པ་དེ་དག་ཐམས་ཅད་མཚན་མར་བཟུང་སྟེ་བསྒོམས་པས། དེའི་སླད་དུ་བྱང་ཆུབ་སེམས་དཔའི་ཐེག་པ་པའི་རིགས་ཀྱི་བུའམ། རིགས་ཀྱི་བུ་མོ་དེ་དག་གི་བླ་ན་མེད་པ་ཡང་དག་པར་རྫོགས་པའི་བྱང་ཆུབ་ནི་ཐེ་ཚོམ་མཆིས་པར་རིག་པ་ལགས་སོ།། བཅོམ་ལྡན་འདས་དེའི་སླད་དུ་བྱང་ཆུབ་སེམས་དཔའ་སེམས་དཔའ་ཆེན་པོ་བླ་ན་མེད་པ་ཡང་དག་པར་རྫོགས་པའི་བྱང་ཆུབ་ཏུ་མངོན་པར་རྫོགས་པར་འཚང་རྒྱ་བར་འཚལ་བས། ཤེས་རབ་ཀྱི་ཕ་རོལ་དུ་ཕྱིན་པ་དང་ཐབས་མཁས་པ་དང་མ་བྲལ་བར་བགྱིའོ། །ཤེས་རབ་ཀྱི་ཕ་རོལ་དུ་ཕྱིན་པ་དང་ཐབས་①མཁས་པ་ལ་གནས་ཏེ། མི་དམིགས་པའི་ཚུལ་གྱིས་མཚན་མ་མེད་པ་དང་ལྡན་པའི་སེམས་ཀྱིས་སྦྱིན་པ་ཡོངས་སུ་གཏང་བར་བགྱིའོ། །ཚུལ་ཁྲིམས་བསྲུང་བར་བགྱིའོ། །བཟོད་པ་བསྒྲུབ་པར་བགྱིའོ། །བརྩོན་འགྲུས་བརྩམ་②པར་བགྱིའོ། །བསམ་གཏན་ལ་མཉམ་པར་གཞག་པར་བགྱིའོ། །ཤེས་རབ་བསྒོམ་པར་བགྱིའོ། །ནང་སྟོང་པ་ཉིད་ལ་སྤྱད་③པར་བགྱིའོ། །དངོས་པོ་མེད་པའི་ངོ་བོ་ཉིད་སྟོང་པ་ཉིད་ཀྱི་བར་ལ་སྤྱད་པར་བགྱིའོ། །དྲན་པ་ཉེ་བར་གཞག་པ་རྣམས་ལ་སྤྱད་པར་བགྱིའོ། །ཡང་དག་པར་སྤོང་བ་དང་། རྫུ་འཕྲུལ་གྱི་རྐང་པ་དང་། དབང་པོ་དང་སྟོབས་དང་། བྱང་ཆུབ་ཀྱི་ཡན་ལག་དང་། འཕགས་པའི་ལམ་ཡན་ལག་བརྒྱད་པ་ལ་སྤྱད་པར་བགྱིའོ། །འཕགས་པའི་བདེན་པ་དང་། བསམ་གཏན་དང་ཚད་མེད་པ་དང་། གཟུགས་མེད་པའི་སྙོམས་པར་འཇུག་པ་ལ་སྤྱད་པར་བགྱིའོ། །རྣམ་པར་ཐར་པ་བརྒྱད་དང་། མཐར་གྱིས་གནས་པའི་སྙོམས་པར་འཇུག་པ་དགུ་དང་། སྟོང་པ་ཉིད་དང་མཚན་མ་མེད་པ་དང་། སྨོན་པ་མེད་པ་དང་། མངོན་པར་ཤེས་པ་དང་། ཏིང་ངེ་འཛིན་དང་། གཟུངས་ཀྱི་སྒོ་ལ་སྤྱད་པར་བགྱིའོ④། །དེ་བཞིན་གཤེགས་པའི་སྟོབས་དང་། མི་འཇིགས་

པ་དང་སོ་སོ་ཡང་དག་པར་རིག་པ་དང་།   སངས་རྒྱས་ཀྱི་ཆོས་མ་འདྲེས་པ་ལ···
སྤྱོད་པར་བགྱིའོ།   །རྣམ་པ་ཐམས་ཅད་མཁྱེན་པ་ཉིད་ཀྱི་བར་ལ་སྤྱོད་པར་བགྱིའོ།།
དེ་ནས་འདོད་པ་ན་སྤྱོད་པ་དང་།   གཟུགས་ཡོད་པ་ན་སྤྱོད་པའི་ལྷའི་བུ་དེ་དག་
གིས་བཅོམ་ལྡན་འདས་ལ་འདི་སྐད་ཅེས་གསོལ་ཏོ།   །བཅོམ་ལྡན་འདས་དེ་ལྟར་
བྱང་ཆུབ་སེམས་དཔའ་སེམས་དཔའ་ཆེན་པོ་ཆོས་ཐམས་ཅད་མངོན་པར་རྫོགས···
པར་འཚང་རྒྱ་བར་བགྱིད་ལ[1]།   ཆོས་དེ་དག་ཀྱང་མ་མཆིས་ཤིང་མི་དམིགས་པས།
བླ་ན་མེད་པ་ཡང་དག་པར་རྫོགས་པའི་བྱང་ཆུབ་ནི་འབྱུང་བར་དཀའོ།   །བཅོམ་
ལྡན་འདས་ཀྱིས་བཀའ་སྩལ་པ།   ལྷའི་བུ་དག་དེ་དེ་བཞིན་ནོ།   །དེ་དེ་བཞིན་ཏེ།
ལྷའི་བུ་དག་བླ་ན་མེད་པ་ཡང་དག་པར་རྫོགས་པའི་བྱང་ཆུབ་ནི་འབྱུང་བར་དཀའོ།།
ལྷའི་བུ་དག་ངས་ཀྱང་ཆོས་ཐམས་ཅད་རྣམ་པ་ཐམས་ཅད་དུ་མངོན་པར་རྫོགས····
པར་སངས་རྒྱས་ཏེ།   དོན་དམ་པར་ན་གང་མངོན་པར་རྫོགས་པར་འཚང་རྒྱ་
བའམ།   གང་གིས་མངོན་པར་རྫོགས་པར་འཚང་རྒྱ་བའམ།   གང་མངོན་པར་
རྫོགས་པར་འཚང་རྒྱ་བར་བྱ་བའི་ཆོས་གང་ཡང་མི་དམིགས་སོ།   །དེ་ཅིའི་ཕྱིར་ཞེ་
ན།   ལྷའི་བུ་དག་ཆོས་ཐམས་ཅད་ཤིན་དུ་རྣམ་པར་དག་པའི་ཕྱིར་རོ།   །དེ···
ནས་ཚེ་དང་ལྡན་པ་རབ་འབྱོར་གྱིས་བཅོམ་ལྡན་འདས་ལ་འདི་སྐད་ཅེས་གསོལ་ཏོ།།
བཅོམ་ལྡན་འདས་ཀྱིས་གང་འདི་སྐད་དུ་བླ་ན་མེད་པ་ཡང་དག་པར་རྫོགས་པའི···
བྱང་ཆུབ་ནི་འབྱུང་བར་དཀའོ་ཞེས་གསུངས་པ།   བཅོམ་ལྡན་འདས་ཀྱིས་ཇི་ལྟར་
གསུངས་པའི་དོན་བདག་གིས་འཚལ་བ་དང་།   བདག་སེམས་པ་ལྟར་ན་བཅོམ··
ལྡན་འདས་བླ་ན་མེད་པ་ཡང་དག་པར་རྫོགས་པའི་བྱང་ཆུབ་ཏུ་མངོན་པར་རྫོགས་
པར་འཚང་རྒྱ་བར་བགྱི[2]བར་ནི་མི་དཀའོ།   །དེ་ཅིའི་སླད་དུ་ཞེ་ན།   བཅོམ···
ལྡན་འདས་དེ་ནི་འདི་ལྟར་གང་ཡང་མངོན་པར་རྫོགས་པར་འཚང་རྒྱ་བ་མ་མཆིས།

གང་གིས་ཀྱང་མངོན་པར་རྫོགས་པར་འཚང་རྒྱ་བ་མ་མཆིས། གང་ཡང་མངོན་པར་རྫོགས་པར་འཚང་རྒྱ་བར་བགྱི་བ་མ་མཆིས་ཏེ། ཆོས་ཐམས་ཅད་ནི་སྟོང་པའོ།། ཆོས་ཐམས་ཅད་སྟོང་པ་ལ་ནི་གང་མངོན་པར་རྫོགས་པར་འཚང་རྒྱ་བ་དང་། གང་གིས་མངོན་པར་རྫོགས་པར་འཚང་རྒྱ་བ་དང་། གང་མངོན་པར་རྫོགས་པར་འཚང་རྒྱ་བར་བགྱི་བའི་ཆོས་དེ་ལྟ་བུ་མ་མཆིས་སོ། །དེ་ཅིའི་སླད་དུ་ཞེ་ན། བཅོམ་ལྡན་འདས་དེ་ནི་འདི་ལྟར་ཆོས་ཐམས་ཅད་ནི་སྟོང་པ་སྟེ། ཆོས་གང་འཕེལ་བར་བགྱི་བའམ། ཡོངས་སུ་འགྲིབ་པར་བགྱི་བའི་སླད་དུ་སྦྱིན་པ་ཡོངས་སུ་གཏང་[1]བའམ། ཚུལ་ཁྲིམས་བསྲུང་བའམ། བཟོད་པ་བསྒོམ་པའམ། བརྩོན་འགྲུས་བརྩམ་[3]པའམ། བསམ་གཏན་ལ་མཉམ་པར་གཞག་པའམ། ཤེས་རབ་བསྒོམ་པའམ། ནང་སྟོང་པ་ཉིད་བསྒོམ་པའམ། དངོས་པོ་མེད་པའི་ངོ་བོ་ཉིད་སྟོང་པ་ཉིད་ཀྱི་བར་དུ་བསྒོམ་པའམ། དྲན་པ་ཉེ་བར་གཞག་པ་རྣམས་བསྒོམ་པའམ། ཡང་དག་པར་སྤོང་བ་རྣམས་དང་། རྫུ་འཕྲུལ་གྱི་རྐང་པ་རྣམས་དང་། དབང་པོ་རྣམས་དང་། སྟོབས་རྣམས་དང་། བྱང་ཆུབ་ཀྱི་ཡན་ལག་རྣམས་དང་། འཕགས་པའི་ལམ་ཡན་ལག་བརྒྱད་པ་བསྒོམ་པའམ། སངས་རྒྱས་ཀྱི་ཆོས་མ་འདྲེས་པ་བཅོ་བརྒྱད་ཀྱི་བར་དུ་བསྒོམ་པའམ། རྣམ་པ་ཐམས་ཅད་མཁྱེན་པ་ཉིད་ཀྱི་བར་གྱི་དོན་དུ་བསླབ་པར་བགྱི་བའི་ཆོས་དེ་དག་ཀྱང་མ་མཆིས་པ་སྟེ། གང་མངོན་པར་རྫོགས་པར་འཚང་རྒྱ་བའམ། གང་གིས་མངོན་པར་རྫོགས་པར་འཚང་རྒྱ་བའམ། གང་མངོན་པར་རྫོགས་པར་འཚང་རྒྱ་བར་བགྱི་བའི་ཆོས་དེ་དག་ཐམས་ཅད་ཀྱང་སྟོང་པ་སྟེ། བཅོམ་ལྡན་འདས་རྣམ་གྲངས་དེས་ན། བྱང་ཆུབ་སེམས་དཔའ་སེམས་དཔའ་ཆེན་པོས་བླ་ན་མེད་པ་ཡང་དག་པར་རྫོགས་པའི་བྱང་ཆུབ་ཏུ་མངོན་པར་རྫོགས་པར་འཚང་རྒྱ་བར་སླའོ། །

དེ་ཅིའི་སླད་དུ་ཞེ་ན། བཅོམ་ལྡན་འདས་དེ་ནི་འདི་ལྟར་གཟུགས་ནི་གཟུགས་ཀྱི་རང་བཞིན་གྱིས་སྟོང་ངོ་། །ཚོར་བ་དང་འདུ་ཤེས་དང་འདུ་བྱེད་དང་། རྣམ་པར་ཤེས་པ་ནི་རྣམ་པར་ཤེས་པའི་རང་བཞིན་གྱིས་སྟོང་ངོ་། །སྐྱེ་མཆེད་དང་ཁམས་དང་རྟེན་ཅིང་འབྲེལ་པར་འབྱུང་བ་ནི། རྟེན་ཅིང་འབྲེལ་པར་འབྱུང་བའི་རང་བཞིན་གྱིས་སྟོང་ངོ་། །ཕ་རོལ་ཏུ་ཕྱིན་པ་ཐམས་ཅད་དང་། སྟོང་པ་ཉིད་ཐམས་ཅད་དང་། བྱང་ཆུབ་ཀྱི་ཕྱོགས་ཀྱི་ཆོས་སུམ་ཅུ་རྩ་བདུན་ནི་བྱང་ཆུབ་ཀྱི་ཕྱོགས་ཀྱི་ཆོས་རྣམས་ཀྱི་རང་བཞིན་གྱིས་སྟོང་ངོ་། །འཕགས་པའི་བདེན་པ་དང་བསམ་གཏན་དང་། ཚད་མེད་པ་དང་གཟུགས་མེད་པའི་སྙོམས་པར་འཇུག་པ་དང་། རྣམ་པར་ཐར་པ་བརྒྱད་དང་མཐར་གྱིས་གནས་པའི་སྙོམས་པར་འཇུག་པ་དགུ་དང་། སྟོང་པ་ཉིད་དང་མཚན་མ་མེད་པ་དང་། སྨོན་པ་མེད་པ་དང་མངོན་པར་ཤེས་པ་དང་། ཏིང་ངེ་འཛིན་དང་གཟུངས་ཀྱི་སྒོ་དང་། དེ་བཞིན་གཤེགས་པའི་སྟོབས་དང་། མི་འཇིགས་པ་དང་། སོ་སོ་ཡང་དག་པར་རིག་པ་དང་། སངས་རྒྱས་ཀྱི་ཆོས་མ་འདྲེས་པ་ནི་སངས་རྒྱས་ཀྱི་ཆོས་མ་འདྲེས་པའི་རང་བཞིན་གྱིས་སྟོང་ངོ་། །རྣམ་པ་ཐམས་ཅད་མཁྱེན་པ་ཉིད་ཀྱི་བར་ནི་རྣམ་པ་ཐམས་ཅད་མཁྱེན་པ་ཉིད་ཀྱི་བར་གྱིས་[7]རང་བཞིན་གྱིས་སྟོང་ངོ་། །དེ་ནས་ཚེ་དང་ལྡན་པ་ཤཱ་རིའི་བུས་ཚེ་དང་ལྡན་པ་རབ་འབྱོར་ལ་འདི་སྐད་ཅེས་སྨྲས་སོ།། ཚེ་དང་ལྡན་པ་རབ་འབྱོར་རྣམ་གྲངས་དེས་ན། བླ་ན་མེད་པ་ཡང་དག་པར་རྫོགས་པའི་བྱང་ཆུབ་ཏུ་མངོན་པར་རྫོགས་པར་འཚང་རྒྱ་བར་དཀའ་སྟེ། དེ་ཅིའི་ཕྱིར་ཞེ་ན། ཚེ་དང་ལྡན་པ་རབ་འབྱོར་དེ་ནི་འདི་ལྟར་ནམ་མཁའ་ནི་འདི་སྙམ་དུ་བདག་གིས་བླ་ན་མེད་པ་ཡང་དག་པར་རྫོགས་པའི་བྱང་ཆུབ་ཏུ་མངོན་པར་རྫོགས་པར་འཚང་རྒྱ་བར་བྱའོ་སྙམ་དུ་མི་སེམས་སོ། །ཚེ་དང་ལྡན་པ་རབ་འབྱོར་

དེ་བཞིན་དུ་བྱང་ཆུབ་སེམས་དཔའ་སེམས་དཔའ་ཆེན་པོ་ཡང་འདི་སྙམ་དུ་བདག་གིས་བླ་ན་མེད་པ་ཡང་དག་པར་རྫོགས་པའི་བྱང་ཆུབ་ཏུ་མངོན་པར་རྫོགས་པར་···འཚང་རྒྱ་བར་བྱའོ་སྙམ་དུ་མི་སེམས་སོ། །དེ་ཅིའི་ཕྱིར་ཞེ་ན། དེ་ནི་འདི་ལྟར་ཆོས་ཐམས་ཅད་ནམ་མཁའ་དང་མཉམ་པའི་ཕྱིར་ཏེ། འོན་ཀྱང་བྱང་ཆུབ་སེམས་དཔའ་སེམས་དཔའ་ཆེན་པོ་ནི་ཆོས་ཐམས་ཅད་ནམ་མཁའ་ལྟ་བུར་མོས་ནས་བླ་ན་མེད་པ་ཡང་དག་པར་རྫོགས་པའི་བྱང་ཆུབ་ཏུ་མངོན་པར་རྫོགས་པར་འཚང་རྒྱའོ། །གལ་ཏེ་བྱང་ཆུབ་སེམས་དཔའ་སེམས་དཔའ་ཆེན་པོ་ཆོས་ཐམས་ཅད་ནམ་མཁའ་··ལྟ་བུར་མོས་པར་མི་བྱེད་ཀྱང་། བླ་ན་མེད་པ་ཡང་དག་པར་རྫོགས་པའི་བྱང་···ཆུབ་ཏུ་མངོན་པར་རྫོགས་པར་འཚང་རྒྱ་བར་སླ་སྟེ། མངོན་པར་རྫོགས་པར་འཚང་རྒྱ་བར་དཀའ་བ་མེད་ན་ནི། བྱང་ཆུབ་སེམས་དཔའ་གང་གཱའི་ཀླུང་གི་བྱེ་མ་སྙེད་བླ་ན་མེད་པ་ཡང་དག་པར་རྫོགས་པའི་བྱང་ཆུབ་ལས་ཕྱིར་ལྡོག་པར་ཡང་··མི་འགྱུར་རོ། །ཚེ་དང་ལྡན་པ་རབ་འབྱོར་རྣམ་གྲངས་དེས་ན། བླ་ན་མེད་པ་ཡང་དག་པར་རྫོགས་པའི་བྱང་ཆུབ་ཏུ་མངོན་པར་རྫོགས་པར་འཚང་རྒྱ་བར་ནི···དཀའ་སྟེ། མངོན་པར་རྫོགས་པར་འཚང་རྒྱ་བར་སླ་བ་མ་ཡིན་པར་ཤེས་སོ། །

རབ་འབྱོར་གྱིས་སྨྲས་པ། ཚེ་དང་ལྡན་པ་ཤཱ་ར་དྭ་ཏིའི་བུ་དེ་ཇི་སྙམ་དུ་སེམས། གཟུགས་བླ་ན་མེད་པ་ཡང་དག་པར་རྫོགས་པའི་བྱང་ཆུབ་ལས་ལྡོག་གམ། སྨྲས་པ་ཚེ་དང་ལྡན་པ་རབ་འབྱོར་དེ་ནི་མ་ཡིན་ནོ། །སྨྲས་པ་འོ་ན་ཅི་ཚོར་བ་དང་། འདུ་ཤེས་དང་འདུ་བྱེད་དང་། རྣམ་པར་ཤེས་པ་བླ་ན་མེད་པ་ཡང་དག་པར···རྫོགས་པའི་བྱང་ཆུབ་ལས་ལྡོག་གམ། སྨྲས་པ་ཚེ་དང་ལྡན་པ་རབ་འབྱོར་དེ་ནི་མ་ཡིན་ནོ། །སྨྲས་པ། འོ་ན་ཅི་ཚེ་དང་ལྡན་པ་ཤཱ་ར་དྭ་ཏིའི་བུ་དེ་ཇི་སྙམ་དུ་སེམས། སྐྱེ་མཆེད་དང་། ཁམས་དང་རྟེན་ཅིང་འབྲེལ་པར་འབྱུང་བ་དང་།

ཕ་རོལ་ཏུ་ཕྱིན་པ་ཐམས་ཅད་དང་། སྟོང་པ་ཉིད་ཐམས་ཅད་དང་། བྱང་ཆུབ་ཀྱི་ཕྱོགས་ཀྱི་ཆོས་སུམ་ཅུ་རྩ་བདུན་དང་། འཕགས་པའི་བདེན་པ་དང་། བསམ་གཏན་དང་ཚད་མེད་པ་དང་། གཟུགས་མེད་པའི་སྙོམས་པར་འཇུག་པ་དང་། རྣམ་པར་ཐར་པ་བརྒྱད་དང་། མཐར་གྱིས་གནས་པའི་སྙོམས་པར་འཇུག་པ་དགུ་དང་། སྟོང་པ་ཉིད་དང་། མཚན་མ་མེད་པ་དང་། སྨོན་པ་མེད་པ་དང་། མངོན་པར་ཤེས་པ་དང་། ཏིང་ངེ་འཛིན་དང་། གཟུངས་ཀྱི་སྒོ་དང་། དེ་བཞིན་གཤེགས་པའི་སྟོབས་བཅུ་དང་། མི་འཇིགས་པ་བཞི་དང་། སོ་སོ་ཡང་དག་པར་(༧)རིག་པ་བཞི་དང་། བྱམས་པ་ཆེན་པོ་དང་། སྙིང་རྗེ་ཆེན་པོ་དང་། སངས་རྒྱས་ཀྱི་ཆོས་མ་འདྲེས་པ་བཅོ་བརྒྱད་བླ་ན་མེད་པ་ཡང་དག་པར་རྫོགས་པའི་བྱང་ཆུབ་ལས་ཕྱོག་གམ། རྣམ་པ་ཐམས་ཅད་མཁྱེན་པ་ཉིད་ཀྱི་བར་དུ་བླ་ན་མེད་པ་ཡང་དག་པར་རྫོགས་པའི་བྱང་ཆུབ་ལས་ཕྱོག་གམ། སྨྲས་པ། ཚེ་དང་ལྡན་པ་རབ་འབྱོར་དེ་ནི་མ་ཡིན་ནོ། །སྨྲས་པ། ཚེ་དང་ལྡན་པ་ཤཱ་རིའི་བུ་དེ་ཇི་སྙམ་དུ་སེམས། གཟུགས་ལས་གུད་ན་གང་བླ་ན་མེད་པ་ཡང་དག་པར་རྫོགས་པའི་བྱང་ཆུབ་ལས་ཕྱོག་པའི་ཆོས་དེ་ལྟ་བུ་དམིགས་སམ། སྨྲས་པ། ཚེ་དང་ལྡན་པ་རབ་འབྱོར་དེ་ནི་མ་ཡིན་ནོ། །སྨྲས་པ། འོ་ན་ཅི་ཚོར་བ་དང་། འདུ་ཤེས་དང་། འདུ་བྱེད་དང་། རྣམ་པར་ཤེས་པ་ལས་གུད་ན། གང་བླ་ན་མེད་པ་ཡང་དག་པར་རྫོགས་པའི་བྱང་ཆུབ་ལས་ཕྱིར་ཕྱོག་པའི་ཆོས་དེ་ལྟ་བུ་དམིགས་སམ། སྨྲས་པ། ཚེ་དང་ལྡན་པ་རབ་འབྱོར་དེ་ནི་མ་ཡིན་ནོ། །སྨྲས་པ། འོ་ན་ཅི་(༢)སྐྱེ་མཆེད་དང་ཁམས་དང་རྟེན་ཅིང་འབྲེལ་བར་འབྱུང་བ་དང་། ཕ་རོལ་ཏུ་ཕྱིན་པ་ཐམས་ཅད་དང་། སྟོང་པ་ཉིད་ཐམས་ཅད་དང་། བྱང་ཆུབ་ཀྱི་ཕྱོགས་ཀྱི་ཆོས་སུམ་ཅུ་རྩ་བདུན་དང་།

འཕགས་པའི་བདེན་པ་དང་། བསམ་གཏན་དང་ཚད་མེད་པ་དང་།
གཟུགས་མེད་པའི་སྙོམས་པར་འཇུག་པ་དང་། རྣམ་པར་ཐར་པ་བརྒྱད་དང་།
མཐར་གྱིས་གནས་པའི་སྙོམས་པར་འཇུག་པ་དགུ་དང་། སྟོང་པ་ཉིད་དང་
མཚན་མ་མེད་པ་དང་། སྨོན་པ་མེད་པ་དང་། མངོན་པར་ཤེས་པ་དང་།
ཏིང་ངེ་འཛིན་དང་། གཟུངས་[7]ཀྱི་སྒོ་དང་། དེ་བཞིན་གཤེགས་པའི་སྟོབས་
བཅུ་དང་། མི་འཇིགས་པ་བཞི་དང་། སོ་སོ་ཡང་དག་པར་རིག་པ་བཞི་དང་།
བྱམས་པ་ཆེན་པོ་དང་། སྙིང་རྗེ་ཆེན་པོ་དང་། སངས་རྒྱས་ཀྱི་ཆོས་མ་འདྲེས་
པ་བཅོ་བརྒྱད་དང་རྣམ་པ་ཐམས་ཅད་མཁྱེན་པ་ཉིད་ཀྱི་བར་ལས་ཀུད་ན་གང་བླ་
ན་མེད་པ་ཡང་དག་པར་རྫོགས་པའི་བྱང་ཆུབ་ལས་ཕྱོག་པའི་ཆོས་དེ་ལྟ་བུ་དམིགས་
སམ། སྨྲས་པ་ཚེ་དང་ལྡན་པ་རབ་འབྱོར་དེ་ནི་མ་ཡིན་ནོ། །སྨྲས་པ་ཚེ་དང་
ལྡན་པ་ཤ་ར་དྭ་ཏིའི་བུ་དེ་ཇི་སྙམ་དུ་སེམས། གཟུགས་ཀྱི་དེ་བཞིན་ཉིད་གང་
ཡིན་པ་དེ་བླ་ན་མེད་པ་ཡང་དག་པར་རྫོགས་པའི་བྱང་ཆུབ་ལས་ཕྱོག་གམ། ཚོར་
བ་དང་འདུ་ཤེས་དང་འདུ་བྱེད་དང་། རྣམ་པར་ཤེས་པའི་དེ་བཞིན་ཉིད་གང་
ཡིན་པ་དེ་བླ་ན་མེད་པ་ཡང་དག་པར་རྫོགས་པའི་བྱང་ཆུབ་ལས་ཕྱོག་གམ། སྐྱེ་
མཆེད་དང་ཁམས་དང་། རྟེན་ཅིང་འབྲེལ་བར་འབྱུང་བའི་དེ་བཞིན་ཉིད་གང་
ཡིན་པ་དེ་བླ་ན་མེད་པ་ཡང་དག་པར་རྫོགས་པའི་བྱང་ཆུབ་ལས་ཕྱོག་གམ། ཕ་
རོལ་ཏུ་ཕྱིན་པ་ཐམས་ཅད་དང་། སྟོང་པ་ཉིད་ཐམས་ཅད་དང་། བྱང་ཆུབ་
ཀྱི་ཕྱོགས་ཀྱི་ཆོས་སུམ་ཅུ་རྩ་བདུན་དང་། འཕགས་པའི་བདེན་པ་དང་།
བསམ་གཏན་དང་། ཚད་མེད་པ་དང་། གཟུགས་མེད་པའི་སྙོམས་པར་
འཇུག་པ་དང་། རྣམ་པར་ཐར་པ་བརྒྱད་དང་། མཐར་གྱིས་གནས་པའི་
སྙོམས་པར་འཇུག་པ་དགུ་དང་། སྟོང་པ་ཉིད་དང་མཚན་མ་མེད་པ་དང་།

སྨོན་པ་མེད་པ་དང་མངོན་པར་ཤེས་པ་དང་། ཏིང་ངེ་འཛིན་དང་གཟུངས་ཀྱི་སྒོ་དང་། དེ་བཞིན་གཤེགས་པའི་སྟོབས་བཅུ་དང་། མི་འཇིགས་པ་བཞི་དང་། སོ་སོ་ཡང་དག་པར་རིག་པ་བཞི་དང་། སངས་རྒྱས་ཀྱི་ཆོས་མ་འདྲེས་པ་བཅོ་བརྒྱད་ཀྱི་དེ་བཞིན་ཉིད་གང་ཡིན་པ་དེ་བླ་ན་མེད་པ་ཡང་དག་པར་རྫོགས་པའི་བྱང་ཆུབ་ལས་ལོག་གམ། རྣམ་པ་ཐམས་ཅད་མཁྱེན་པ་ཉིད་ཀྱི་བར་གྱི་དེ་བཞིན་ཉིད་གང་ཡིན་པ་དེ་བླ་ན་མེད་པ་ཡང་དག་པར་རྫོགས་པའི་བྱང་ཆུབ་ལས་ལོག་གམ། སྨྲས་པ་ཆེ་དང་ལྡན་པ་རབ་འབྱོར་དེ་ནི་མ་ཡིན་ནོ། །སྨྲས་པ་ཆེ་དང་ལྡན་པ་ཤ་ར་དྭ་ཏིའི་བུ་དེ་ཇི་སྙམ་དུ་སེམས། གཟུགས་ཀྱི་དེ་བཞིན་ཉིད་ལས་གུད་ན་གང་བླ་ན་མེད་པ་ཡང་དག་པར་རྫོགས་པའི་བྱང་ཆུབ་ལས་ལོག་པའི་ཆོས་དེ་ལྟ་བུ་ཡོད་དམ། ཚོར་བ་དང་འདུ་ཤེས་དང་འདུ་བྱེད་དང་། རྣམ་པར་ཤེས་པའི་དེ་བཞིན་ཉིད་ལས་གུད་ན་གང་བླ་ན་མེད་པ་ཡང་དག་པར་རྫོགས་པའི་བྱང་ཆུབ་ལས་ལོག་པའི་ཆོས་དེ་ལྟ་བུ་ཡོད་དམ། སྐྱེ་མཆེད་དང་ཁམས་དང་། རྟེན་ཅིང་འབྲེལ་བར་འབྱུང་བའི་དེ་བཞིན་ཉིད་ལས་གུད་ན་གང་བླ་ན་མེད་པ་ཡང་དག་པར་རྫོགས་པའི་བྱང་ཆུབ་ལས་ལོག་པའི་ཆོས་དེ་ལྟ་བུ་ཡོད་དམ། ཕ་རོལ་ཏུ་ཕྱིན་པ་ཐམས་ཅད་དང་། སྟོང་པ་ཉིད་ཐམས་ཅད་དང་། བྱང་ཆུབ་ཀྱི་ཕྱོགས་ཀྱི་ཆོས་སུམ་ཅུ་རྩ་བདུན་དང་། འཕགས་པའི་བདེན་པ་དང་བསམ་གཏན་དང་ཚད་མེད་པ་དང་། གཟུགས་མེད་པའི་སྙོམས་པར་འཇུག་པ་དང་། རྣམ་པར་ཐར་པ་བརྒྱད་དང་། མཐར་གྱིས་གནས་པའི་སྙོམས་པར་འཇུག་པ་དགུ་དང་། སྟོང་པ་ཉིད་དང་མཚན་མ་མེད་པ་དང་། སྨོན་པ་མེད་པ་དང་མངོན་པར་ཤེས་པ་དང་། ཏིང་ངེ་འཛིན་དང་གཟུངས་ཀྱི་སྒོ་དང་། དེ་བཞིན་གཤེགས་པའི་སྟོབས་བཅུ་དང་། མི་འཇིགས་པ་བཞི་དང་། སོ་སོ་ཡང་དག་པར་རིག་པ་

བཞི་དང་། བྱམས་པ་ཆེན་པོ་དང་། སྙིང་རྗེ་ཆེན་པོ་དང་། སངས་རྒྱས་ཀྱི་ཆོས་མ་འདྲེས་པ་བཅོ་བརྒྱད་ཀྱི་དེ་བཞིན་ཉིད་ལས་གུད་ན་གང་བླ་ན་མེད་པ་ཡང་དག་པར་རྫོགས་པའི་བྱང་ཆུབ་ལས་ལྡོག་པའི་ཆོས་དེ་ལྟ་བུ་ཡོད་དམ། རྣམ་པ་ཐམས་ཅད་མཁྱེན་པ་ཉིད་ཀྱི་བར་གྱི་དེ་བཞིན་ཉིད་ལས་གུད་ན་གང་བླ་ན་མེད་པ་ཡང་དག་པར་རྫོགས་པའི་བྱང་ཆུབ་ལས་ལྡོག་པའི་ཆོས་དེ་ལྟ་བུ་ཡོད་དམ། སླུས་པ་ཚེ་དང་ལྡན་པ་རབ་འབྱོར་དེ་ནི་མ་ཡིན་ནོ། །སླུས་པ་ཚེ་དང་ལྡན་པ་ཤ་ར་དྭ་ཏིའི་བུ་དེ་ཇི་སྙམ་དུ་སེམས། དེ་བཞིན་ཉིད་བླ་ན་མེད་པ་ཡང་དག་པར་རྫོགས་པའི་བྱང་ཆུབ་ལས་ལྡོག་གམ། སླུས་པ་ཚེ་དང་ལྡན་པ་རབ་འབྱོར་དེ་ནི་མ་ཡིན་ནོ། །སླུས་པ་ཚེ་དང་ལྡན་པ་ཤ་ར་དྭ་ཏིའི་བུ་དེ་ཇི་སྙམ་དུ་སེམས། ཆོས་ཉིད་བླ་ན་མེད་པ་ཡང་དག་པར་རྫོགས་པའི་བྱང་ཆུབ་ལས་ལྡོག་གམ། ཆོས་ཀྱི་དབྱིངས་དང་ཆོས་ཀྱི་གནས་ཉིད་དང་། ཆོས་སྐྱོན་མེད་པ་ཉིད་དང་། ཡང་དག་པའི་མཐའ་དང་། བསམ་གྱིས་མི་ཁྱབ་པའི་དབྱིངས་བླ་ན་མེད་པ་ཡང་དག་པར་རྫོགས་པའི་བྱང་ཆུབ་ལས་ལྡོག་གམ། སླུས་པ་ཚེ་དང་ལྡན་པ་རབ་འབྱོར་དེ་ནི་མ་ཡིན་ནོ། །སླུས་པ་ཚེ་དང་ལྡན་པ་ཤ་ར་དྭ་ཏིའི་བུ་དེ་ཇི་སྙམ་དུ་སེམས། དེ་བཞིན་ཉིད་ལས་གུད་ན་གང་བླ་ན་མེད་པ་ཡང་དག་པར་རྫོགས་པའི་བྱང་ཆུབ་ལས་ལྡོག་པའི་ཆོས་དེ་ལྟ་བུ་ཡོད་དམ། སླུས་པ་ཚེ་དང་ལྡན་པ་རབ་འབྱོར་དེ་ནི་མ་ཡིན་ནོ། །སླུས་པ། ཚེ་དང་ལྡན་པ་ཤ་ར་དྭ་ཏིའི་བུ་དེ་ཇི་སྙམ་དུ་སེམས། ཆོས་ཉིད་དང་ཆོས་ཀྱི་དབྱིངས་དང་། ཆོས་ཀྱི་གནས་ཉིད་དང་། ཆོས་སྐྱོན་མེད་པ་ཉིད་དང་ཡང་དག་པའི་མཐའ་དང་། བསམ་གྱིས་མི་ཁྱབ་པའི་དབྱིངས་ལས་གུད་ན་གང་བླ་ན་མེད་པ་ཡང་དག་པར་རྫོགས་པའི་བྱང་ཆུབ་ལས་ལྡོག་པའི་ཆོས་དེ་ལྟ་བུ་ཡོད་དམ། སླུས་པ་ཚེ་དང་ལྡན་པ་རབ་འབྱོར་དེ་ནི་མ་ཡིན་ནོ། །སླུས་པ་དེ་ལྟར་

བདེན་པའི་ཚུལ་བཞིན་དུ་ཆོས་དེ་དག་མི་དམིགས་ན། གང་བླ་ན་མེད་པ་ཡང་དག་པར་རྫོགས་པའི་བྱང་ཆུབ་ལས་ལྡོག་པའི་ཆོས་དེ་ལྟ་བུ་གང་ཞིག་ཡོད། སྨྲས་པ་གནས་བརྟན་རབ་འབྱོར་གྱིས་ཆོས་ཀྱི་ཚུལ་དང་རྣམ་པ་དེས་བསྟན་པ་ལྟར་ན། བྱང་ཆུབ་སེམས་དཔའ་གང་ཡང་བླ་ན་མེད་པ་ཡང་དག་པར་རྫོགས་པའི་བྱང་ཆུབ་ལས་ལྡོག་པ་མེད་དེ། དེ་ལྟར་ན་གང་ཟག་བྱང་ཆུབ་སེམས་དཔའི་ཐེག་པ་པ་གསུམ་དེ་བཞིན་གཤེགས་པས་བསྟན་པའི་བྱང་ཆུབ་སེམས་དཔའི་ཐེག་པ་པའི་གང་ཟག་གསུམ་པོ་དེ་དག་གི་བྱང་ཆུབ་རྣམ་པར་དགོད་པར་ཡང་མི་འགྱུར་ཏེ་ཚེ་དང་ལྡན་པ་རབ་འབྱོར་འདིས་བྱང་ཆུབ་སེམས་དཔའི་ཐེག་པ་བསྟན་པ་ལྟར་ན། འདི་ལྟ་སྟེ། བྱང་ཆུབ་སེམས་དཔའ་སེམས་དཔའ་ཆེན་པོ་ནི་སངས་རྒྱས་ཀྱི་ཐེག་པ་པ་གཅིག་པུར་འགྱུར་རོ། །དེ་ནས་ཚེ་དང་ལྡན་པ་བྱམས་གང་གི་བུས། ཚེ་དང་ལྡན་པ་ཤཱ་ར་དྭ་ཏིའི་བུ་ལ་འདི་སྐད་ཅེས་སྨྲས་སོ། །ཚེ་དང་ལྡན་པ་ཤཱ་ར་དྭ་ཏིའི་བུ་གནས་བརྟན་རབ་འབྱོར་འདི་བྱང་ཆུབ་སེམས་དཔའ་གཅིག་ཏུ་ཡང་འདོད་དམ། གནས་བརྟན་རབ་འབྱོར་འདི་ལ་དྲི་དགོས་སོ། །དེ་ནས་ཚེ་དང་ལྡན་པ་ཤཱ་ར་དྭ་ཏིའི་བུས། ཚེ་དང་ལྡན་པ་རབ་འབྱོར་ལ་འདི་སྐད་ཅེས་སྨྲས་སོ། །ཚེ་དང་ལྡན་པ་རབ་འབྱོར་བྱང་ཆུབ་སེམས་དཔའ་སངས་རྒྱས་ཀྱི་ཐེག་པ་པ་འདོད་དམ། རབ་འབྱོར་གྱིས་སྨྲས་པ། ཚེ་དང་ལྡན་པ་ཤཱ་ར་དྭ་ཏིའི་བུ་དེ་བཞིན་ཉིད་ལ་བྱང་ཆུབ་སེམས་དཔའ་ཉན་ཐོས་ཀྱི་ཐེག་པ་པ་དང་། རང་སངས་རྒྱས་ཀྱི་ཐེག་པ་པ་དང་། སངས་རྒྱས་ཀྱི་ཐེག་པ་པ་དང་། བྱང་ཆུབ་སེམས་དཔའ་གསུམ་དུ་འདོད་དམ། སྨྲས་པ། ཚེ་དང་ལྡན་པ་རབ་འབྱོར་དེ་ནི་མ་ཡིན་ནོ། །སྨྲས་པ་ཚེ་དང་ལྡན་པ་ཤཱ་ར་དྭ་ཏིའི་བུ་དེ་བཞིན་ཉིད་ལ་བྱང་ཆུབ་སེམས་དཔའ་གསུམ་དུ་དམིགས་སམ་སྨྲས་པ་ཚེ་དང་ལྡན་པ་རབ་འབྱོར་དེ་ནི་མ་ཡིན་ནོ། །

སྨྲས་པ་ཚེ་དང་ལྡན་པ་ཤཱ་ར་དྭ་ཏིའི་བུ་རྒྱུ་གཅིག་གམ། རྒྱུ་གཉིས་སམ། རྒྱུ····
གསུམ་གྱིས་དེ་བཞིན་ཉིད་དམིགས་སམ། སྨྲས་པ་ཚེ་དང་ལྡན་པ་རབ་འབྱོར་དེ་
ནི་མ་ཡིན་ནོ། །སྨྲས་པ་ཚེ་དང་ལྡན་པ་ཤཱ་ར་དྭ་ཏིའི་བུ་དེ་བཞིན་ཉིད་ལ་བྱང····
ཆུབ་སེམས་དཔའ་གཅིག་ཀྱང་ཡང་དག་པར་རྗེས་སུ་མཐོང་ངམ། སྨྲས་པ་ཚེ་
དང་ལྡན་པ་རབ་འབྱོར་དེ་ནི་མ་ཡིན་ནོ། །དེ་ལྟར་བདེན་པའི་ཚུལ་བཞིན་དུ་
ཆོས་དེ་དག་མི་དམིགས་ན། ཅི་ལས་ཚེ་དང་ལྡན་པ་ཤཱ་ར་དྭ་ཏིའི་བུ་འདི་སྙམ་དུ་
བྱང་ཆུབ་སེམས་དཔའ་འདི་ནི་ཉན་ཐོས་ཀྱི་ཐེག་པ་པའོ། །བྱང་ཆུབ་སེམས་
དཔའ་འདི་ནི་རང་སངས་རྒྱས་ཀྱི་ཐེག་པ་པའོ[༧]། །བྱང་ཆུབ་སེམས་དཔའ་འདི་
ནི་སངས་རྒྱས་ཀྱི་ཐེག་པ་པའོ། །ཞེས་བྱ་བར་སེམས་པར་གྱུར། ཚེ་དང་ལྡན··
པ་ཤཱ་ར་དྭ་ཏིའི་བུ་དེ་ལྟར་བྱང་ཆུབ་སེམས་དཔའ་སེམས་དཔའ་ཆེན་པོ་ཆོས་ཐམས་
ཅད་ཀྱི་དེ་བཞིན་ཉིད་ཀྱིས་བྱེ་བྲག་མེད་པར་རབ་ཏུ་ཕྱེ་བ་ལ། བྱང་ཆུབ་སེམས··
དཔའ་སེམས་དཔའ་ཆེན་པོ་སེམས་མི་འཇུམ་ཞིང་། འགོང་བ་མེད་ལ། ཡིད་
ལ་འགྱོད་པ་མེད་ན། བྱང་ཆུབ་སེམས་དཔའ་སེམས་དཔའ་ཆེན་པོ་དེ་ནི། བླ་
ན་མེད་པ་ཡང་དག་པར་རྫོགས་པའི་བྱང་ཆུབ་ཏུ་འབྱུང་བར་འགྱུར་རོ། །དེ་ནས་
བཅོམ་ལྡན་འདས་ཀྱིས་ཚེ་དང་ལྡན་པ་རབ་འབྱོར་ལ་བཀའ་སྩལ་པ། རབ་
འབྱོར་ལེགས་སོ་ལེགས་སོ། །འདི་ལྟར་སངས་རྒྱས་ཀྱི་མཐུས་བྱང་ཆུབ་སེམས་
དཔའ་སེམས་དཔའ་ཆེན་པོ་རྣམས་ཀྱི་ཕྱིར་ཁྱོད་ཀྱི་ཚིག་བརྗོད་པ་ལེགས་པར་
སྤོབས་སོ། །རབ་འབྱོར་དེ་ལྟར་བྱང་ཆུབ་སེམས་དཔའ་སེམས་དཔའ་ཆེན་པོ་
ཆོས་ཐམས་ཅད་ཀྱི་དེ་བཞིན་ཉིད་ཀྱི་བྱེ་བྲག་མེད་པར་རབ་ཏུ་ཕྱེ་བ་ལ། བྱང····
ཆུབ་སེམས་དཔའ་སེམས་དཔའ་ཆེན་པོའི་སེམས་མི་འཇུམ་ཞིང་འགོང་བ་མེད་ལ།
ཡིད་ལ་འགྱོད་པ་མེད་ཅིང་། མི་འཇིགས་མི་སྐྲག[༣]སྐྲག་པར་མི་འགྱུར་ན།

བྱང་ཆུབ་སེམས་དཔའ་སེམས་དཔའ་ཆེན་པོ་དེ་ནི་བླ་ན་མེད་པ་ཡང་དག་པར་
རྫོགས་པའི་བྱང་ཆུབ་ཏུ་འབྱུང་བར་འགྱུར་རོ། །རབ་འབྱོར་གྱིས་གསོལ་པ།
བཅོམ་ལྡན་འདས་དེ་ལྟ་བུའི་ཆོས་དང་ལྡན་པའི་བྱང་ཆུབ་སེམས་དཔའ་སེམས་
དཔའ་ཆེན་པོ་བྱང་ཆུབ་གང་གིས་འབྱུང་བར་འགྱུར། བཅོམ་ལྡན་འདས་ཀྱིས···
བཀའ་སྩལ་པ། རབ་འབྱོར་བླ་ན་མེད་པ་ཡང་དག་པར་རྫོགས་པའི་བྱང་ཆུབ····
ཀྱིས༑ བྱང་ཆུབ་སེམས་དཔའ་སེམས་དཔའ་ཆེན་པོ་དེ་འབྱུང་བར་འགྱུར་རོ། །
རབ་འབྱོར་གྱིས་གསོལ་པ། བཅོམ་ལྡན་འདས་འབྱུང་བར་འཚལ་བའི་བྱང་ཆུབ་
སེམས་དཔའ་སེམས་དཔའ་ཆེན་པོས་བླ་ན་མེད་པ་ཡང་དག་པར་རྫོགས་པའི་བྱང་
ཆུབ་ལ་ཇི་ལྟར་གནས་པར་བགྱི། བཅོམ་ལྡན་འདས་ཀྱིས་བཀའ་སྩལ་པ།
སེམས་ཅན་ཐམས་ཅད་ལ་སེམས་མཉམ་པ་ཉིད་དུ་གནས་པར་བྱའོ། །སེམས་
ཅན་ཐམས་ཅད་ལ་མཉམ་པའི་སེམས་[7]བསྐྱེད་པར་བྱ་སྟེ། མི་མཉམ་པའི་སེམས་
བསྐྱེད་པར་མི་བྱའོ། །སེམས་ཅན་ཐམས་ཅད་ལ་མཉམ་པའི་སེམས་ཀྱིས་དམིགས་
པར་བྱ་སྟེ། མི་མཉམ་པའི་སེམས་ཀྱིས་དམིགས་པར་མི་བྱའོ། །སེམས་ཅན····
ཐམས་ཅད་ལ་བྱམས་པ་ཆེན་པོ་དང་། སྙིང་རྗེ་ཆེན་པོ་བསྐྱེད་པར་བྱའོ། །
སེམས་ཅན་ཐམས་ཅད་ལ་བྱམས་པའི་སེམས་ཀྱིས་དམིགས་པར་བྱ་སྟེ། བརླང···
བའི་སེམས་ཀྱིས་དམིགས་པར་མི་བྱའོ། །སེམས་ཅན་ཐམས་ཅད་ལ་ང་རྒྱལ་མེད་
པར་བྱའོ། །སེམས་ཅན་ཐམས་ཅད་ལ། གཡོ་མེད་པར་བྱའོ། །སེམས་ཅན་
ཐམས་ཅད་ལ་ཕན་པའི་སེམས་བསྐྱེད་པར་བྱ་སྟེ། གནོད་པའི་སེམས་བསྐྱེད་པར་
མི་བྱའོ། །སེམས་ཅན་ཐམས་ཅད་ལ་ཕན་པའི་སེམས་ཀྱིས་དམིགས་པར་བྱ་སྟེ།
གནོད་པའི་སེམས་ཀྱིས་དམིགས་པར་མི་བྱའོ། །སེམས་ཅན་ཐམས་ཅད་ལ་ཁོང··
ཁྲོ་བ་མེད་པའི་སེམས་བསྐྱེད་པར་བྱ་སྟེ། ཁོང་ཁྲོ་བའི་སེམས་མི་བསྐྱེད་དོ། །

སེམས་ཅན་ཐམས་ཅད་ལ་མི་འཆེ་བའི་སེམས་བསྐྱེད་པར་བྱ་སྟེ། འཆེ་བའི་སེམས་མི་བསྐྱེད་དོ། །སེམས་ཅན་ཐམས་ཅད་ལ་མི་འཆེ་བའི་སེམས་ཀྱིས་དམིགས་པར་བྱ་སྟེ། འཆེ་བའི་སེམས་ཀྱིས་དམིགས་པར་མི་བྱའོ། །སེམས་ཅན་ཐམས་ཅད་ལ་མའི་སེམས་དང་། ཕའི་སེམས་དང་། ཕུ་ནུའི་སེམས་དང་། སྲིང་མོའི་སེམས་དང་། གྲོགས་པོ་དང་། གཉེན་པ་(༡)དང་ནུས་གཅིག་པའི་སེམས་བསྐྱེད་(༢)པར་བྱའོ། །སེམས་ཅན་ཐམས་ཅད་ལ་མ་དང་ཕའི་སེམས་དང་། ཕུ་ནུ་(༣)དང་སྲིང་མོའི་སེམས་དང་། གྲོགས་པོ་དང་གཉེན་པ་(༤)དང་། ནུས་གཅིག་པའི་སེམས་ཀྱིས་དམིགས་པར་བྱའོ། །བདག་གིས་ཀྱང་སྲོག་གཅོད་པ་སྤང་བར་བྱ། གཞན་ཡང་སྲོག་གཅོད་པ་སྤང་བ་ལ་ཡང་དག་པར་བསྐུལ་བར་བྱ། སྲོག་གཅོད་པ་སྤངས་པའི་(༥)ལེགས་པ་བརྗོད་པར་བྱ། གཞན་གང་གིས་སྲོག་གཅོད་པ་སྤངས་པ་དེ་དག་གི་ལེགས་པ་བརྗོད་ཅིང་འཐུན་པས་དགའ་བར་བྱའོ། །བདག་གིས་ཀྱང་མ་བྱིན་པར་ལེན་པ་སྤང་བར་བྱ། གཞན་ཡང་མ་བྱིན་པར་ལེན་པ་སྤང་བ་ལ་ཡང་དག་པར་བསྐུལ་བར་བྱ། མ་བྱིན་པར་ལེན་པ་སྤང་(༦)བའི་ལེགས་པ་བརྗོད་པར་བྱ། གཞན་གང་གིས་མ་བྱིན་པར་ལེན་པ་སྤངས་པ་དེ་དག་གི་(༧)ལེགས་པ་བརྗོད་ཅིང་འཐུན་པས་དགའ་བར་བྱའོ། །བདག་གིས་ཀྱང་འདོད་པས་ལོག་པར་གཡེམ་པ་སྤང་བར་བྱ། གཞན་ཡང་འདོད་པས་ལོག་པར་གཡེམ་པ་སྤང་བ་ལ་ཡང་དག་པར་བསྐུལ་བར་བྱ། འདོད་པས་ལོག་པར་གཡེམ་པ་སྤང་(༨)བའི་ལེགས་པ་བརྗོད་པར་བྱ། གཞན་གང་གིས་འདོད་པས་ལོག་པར་གཡེམ་པ་སྤངས་པ་དེ་དག་གིས་(༩)ལེགས་པ་བརྗོད་ཅིང་། འཐུན་པས་དགའ་བར་བྱའོ། །བདག་གིས་ཀྱང་བརྫུན་(༡༠)དུ་སྨྲ་བ་དང་། ཕྲ་མ་དང་། ཞེ་གཅོད་པ་དང་། ཚིག་ཀྱལ་པ་དང་། ཆགས་སེམས་དང་གནོད་སེམས་དང་། ལོག་པར་ལྟ་བ

སྤང་བར་བྱ། གཞན་ཡང་ལོག་པར་ལྟ་བ་སྤང་བ་ལ་ཡང་དག་པ་བསྐུལ་བར་བྱ། ལོག་པར་ལྟ་བ་སྤོང་བའི་ལེགས་པ་བརྗོད་པར་བྱ། གཞན་གང་གིས་ལོག་པར་ལྟ་བ་སྤངས་པ་དེ་དག་གི་ལེགས་པ་བརྗོད་ཅིང་འཐུན་པས་དགའ་བར་བྱ་སྟེ། དེ་ལྟར་བྱང་ཆུབ་སེམས་དཔའ་སེམས་དཔའ་ཆེན་པོ་བླ་ན་མེད་པ་ཡང་དག་པར་རྫོགས་པའི་བྱང་ཆུབ་ཏུ་མངོན་པར་རྫོགས་པར་འཚང་རྒྱ་བར་འདོད་པས་མི་དམིགས་པའི་ཚུལ་གྱིས་གནས་པར་བྱའོ། །རབ་འབྱོར་གཞན་ཡང་བྱང་ཆུབ་སེམས་དཔའ་སེམས་དཔའ་ཆེན་པོས་བདག་གིས་ཀྱང་བསམ་གཏན་དང་པོ་ལ་མཉམ་པར་གཞག་པར་བྱ། གཞན་ཡང་བསམ་གཏན་དང་པོ་ལ་ཡང་དག་པར་བསྐུལ་བར་བྱ། བསམ་གཏན་དང་པོ་ལ་སྙོམས་པར་འཇུག་པའི་ལེགས་པ་བརྗོད་པར་བྱ། གཞན་གང་[༧]བསམ་གཏན་དང་པོ་ལ་སྙོམས་པར་འཇུག་པ་དེ་དག་གི་ལེགས་པ་བརྗོད་ཅིང་འཐུན་པས་དགའ་བར་བྱའོ། །བདག་གིས་ཀྱང་བསམ་གཏན་གཉིས་པ་དང་། བསམ་གཏན་གསུམ་པ་དང་། བསམ་གཏན་བཞི་པ་ལ་སྙོམས་པར་འཇུག་པར་བྱ། གཞན་ཡང་བསམ་གཏན་བཞི་པ་ལ་ཡང་དག་པར་བསྐུལ་བར་བྱ། བསམ་གཏན་བཞི་པ་ལ་སྙོམས་པར་འཇུག་པའི་ལེགས་པ་བརྗོད་པར་བྱ། གཞན་གང་བསམ་གཏན་བཞི་པ་ལ་སྙོམས་པར་འཇུག་པ་དེ་དག་གི་ལེགས་པ་བརྗོད་ཅིང་འཐུན་པས་དགའ་བར་བྱ་སྟེ། དེ་ལྟར་བྱང་ཆུབ་སེམས་དཔའ་སེམས་དཔའ་ཆེན་པོ་བླ་ན་མེད་པ་ཡང་དག་པར་རྫོགས་པའི་བྱང་ཆུབ་ཏུ་མངོན་པར་རྫོགས་པར་འཚང་རྒྱ་བར་འདོད་པས། དེ་མི་དམིགས་པའི་ཚུལ་གྱིས་གནས་པར་བྱའོ། །བདག་གིས་ཀྱང་བྱམས་པ་ལ་མཉམ་པར་གཞག་པར་བྱ། གཞན་ཡང་བྱམས་པ་ལ་ཡང་དག་པར་བསྐུལ་བར་བྱ། བྱམས་པའི་ལེགས་པ་བརྗོད་པར་བྱ། གཞན་གང་བྱམས་པ་ལ་སྙོམས་པར་འཇུག་པ་དེ་དག་

གི་ལེགས་པ་བརྗོད་ཅིང་འཐུན་པས་དགའ་བར་བྱའོ། །བདག་གིས་ཀྱང་སྙིང་རྗེ་དང་། དགའ་བ་དང་། བཏང་སྙོམས་ལ་མཉམ་པར་གཞག་པར་བྱ། གཞན་ཡང་བཏང་⑦སྙོམས་ལ་ཡང་དག་པར་བསྐུལ་བར་བྱ། བཏང་སྙོམས་ཀྱི་ལེགས་པ་བརྗོད་པར་བྱ། གཞན་གང་བཏང་སྙོམས་ལ་སྙོམས་པར་འཇུག་པ་དེ་དག་གི་ལེགས་པ་བརྗོད་ཅིང་འཐུན་པས་དགའ་བར་བྱའོ། །བདག་གིས་ཀྱང་གཟུགས་མེད་པའི་སྙོམས་པར་འཇུག་པ་ལ་མཉམ་པར་གཞག་པར་བྱ། གཞན་ཡང་གཟུགས་མེད་པའི་སྙོམས་པར་འཇུག་པ་ལ་ཡང་དག་པར་བསྐུལ་བར་བྱ། གཟུགས་མེད་པའི་སྙོམས་པར་འཇུག་པའི་ལེགས་པ་བརྗོད་པར་བྱ། གཞན་གང་གཟུགས་མེད་པའི་སྙོམས་པར་འཇུག་པ་དེ་དག་གི་ལེགས་པ་བརྗོད་ཅིང་འཐུན་པས་དགའ་བར་བྱའོ། །བདག་གིས་ཀྱང་སྦྱིན་པའི་ཕ་རོལ་ཏུ་ཕྱིན་པ་ཡོངས་སུ་རྫོགས་པར་བྱ། གཞན་ཡང་སྦྱིན་པའི་ཕ་རོལ་ཏུ་ཕྱིན་པ་ལ་ཡང་དག་པར་བསྐུལ་བར་བྱ། སྦྱིན་པའི་ཕ་རོལ་ཏུ་ཕྱིན་པའི་ལེགས་པ་བརྗོད་པར་བྱ། སེམས་ཅན་གཞན་གང་སྦྱིན་པའི་ཕ་རོལ་ཏུ་ཕྱིན་པ་ཡོངས་སུ་རྫོགས་པར་བྱེད་པ་དེ་དག་གི་ལེགས་པ་བརྗོད་ཅིང་འཐུན་པས་དགའ་བར་བྱའོ། །བདག་གིས་ཀྱང་ཚུལ་ཁྲིམས་ཀྱི་ཕ་རོལ་ཏུ་ཕྱིན་པ་དང་། བཟོད་པའི་ཕ་རོལ་ཏུ་ཕྱིན་པ་དང་། བརྩོན་འགྲུས་ཀྱི་ཕ་རོལ་ཏུ་ཕྱིན་པ་དང་། བསམ་གཏན་གྱི་ཕ་རོལ་ཏུ་ཕྱིན་པ་དང་། ཤེས་རབ་ཀྱི་ཕ་རོལ་ཏུ་ཕྱིན་པ་ཡོངས་སུ་རྫོགས་པར་བྱ། གཞན་ཡང་ཤེས་རབ་ཀྱི་ཕ་རོལ་ཏུ་ཕྱིན་པ་ལ་ཡང་དག་པར་བསྐུལ་བར་བྱ། ཤེས་རབ་ཀྱི་ཕ་རོལ་ཏུ་ཕྱིན་པའི་ལེགས་པ་བརྗོད་པར་བྱ། སེམས་ཅན་གཞན་གང་ཤེས་རབ་ཀྱི་ཕ་རོལ་ཏུ་ཕྱིན་པ་ཡོངས་སུ་རྫོགས་པར་བྱེད་པ་དེ་དག་གི་ལེགས་པ་བརྗོད་ཅིང་འཐུན་པས་དགའ་བར་བྱ་སྟེ། དེ་ལྟར་བྱང་ཆུབ་སེམས་དཔའ་སེམས་དཔའ་ཆེན་པོ་ཟླ་ན

མེད་པ་ཡང་དག་པར་རྫོགས་པའི་བྱང་ཆུབ་ཏུ་མངོན་པར་རྫོགས་པར་འཚང་རྒྱ་བར་འདོད་པས། དེ་མི་དམིགས་པའི་ཚུལ་གྱིས་གནས་པར་བྱའོ། །བདག་གིས་ཀྱང་ནང་སྟོང་པ་ཉིད་ལ་མཉམ་པར་གཞག་པར་བྱ། གཞན་ཡང་ནང་སྟོང་པ་ཉིད་ལ་ཡང་དག་པར་བསྐུལ་བར་བྱ། ནང་སྟོང་པ་ཉིད་ཀྱི་ལེགས་པ་བརྗོད་པར་བྱ། སེམས་ཅན་གཞན་གང་ནང་སྟོང་པ་ཉིད་ལ་སྙོམས་པར་འཇུག་པ་དེ་དག་གི་ལེགས་པ་བརྗོད་ཅིང་འཐུན་པས་དགའ་བར་བྱའོ། །བདག་གིས་ཀྱང་དངོས་པོ་མེད་པའི་ངོ་བོ་ཉིད་སྟོང་པ་ཉིད་ཀྱི་བར་ལ་མཉམ་པར་གཞག་པར་བྱ། གཞན་ཡང་དངོས་པོ་མེད་པའི་ངོ་བོ་ཉིད་སྟོང་པ་ཉིད་ཀྱི་བར་ལ་ཡང་དག་པར་བསྐུལ་བར་བྱ། དངོས་པོ་མེད་པའི་ངོ་བོ་ཉིད་སྟོང་པ་ཉིད་ཀྱི་ལེགས་པ་བརྗོད་པར་བྱ། སེམས་ཅན་གཞན་གང་དངོས་པོ་མེད་པའི་ངོ་བོ་ཉིད་སྟོང་པ་ཉིད་ལ་སྙོམས་པར་འཇུག་པ་དེ་དག་གི་ལེགས་པ་བརྗོད་ཅིང་འཐུན་པས་དགའ་བར་བྱའོ། །བདག་གིས་ཀྱང་དྲན་པ་ཉེ་བར་གཞག་པ་བཞི་བསྒོམ་པར་བྱ། གཞན་ཡང་དྲན་པ་ཉེ་བར་གཞག་པ་བཞི་ལ་ཡང་དག་པར་བསྐུལ་བར་བྱ། དྲན་པ་ཉེ་བར་གཞག་པ་རྣམས་ཀྱི་ལེགས་པ་བརྗོད་པར་བྱ། སེམས་ཅན་གཞན་གང་དྲན་པ་ཉེ་བར་གཞག་པ་བཞི་བསྒོམ་པ་དེ་དག་གི་ལེགས་པ་བརྗོད་ཅིང་འཐུན་པས་དགའ་བར་བྱའོ། །བདག་གིས་ཀྱང་ཡང་དག་པར་སྤོང་བ་དང་། རྫུ་འཕྲུལ་གྱི་རྐང་པ་དང་དབང་པོ་དང་སྟོབས་དང་། བྱང་ཆུབ་ཀྱི་ཡན་ལག་དང་། འཕགས་པའི་ལམ་ཡན་ལག་བརྒྱད་པ་བསྒོམ་པར་བྱ། གཞན་ཡང་འཕགས་པའི་ལམ་ཡན་ལག་བརྒྱད་པ་ལ་ཡང་དག་པར་བསྐུལ་བར་བྱ། འཕགས་པའི་ལམ་ཡན་ལག་བརྒྱད་པའི་ལེགས་པ་བརྗོད་པར་བྱ། སེམས་ཅན་གཞན་གང་འཕགས་པའི་ལམ་ཡན་ལག་བརྒྱད་པ་བསྒོམ་པ་དེ་དག་གི་ལེགས་པ་བརྗོད་ཅིང་འཐུན་པས་དགའ་བར་

བྱའོ། །བདག་གིས་ཀྱང་འཕགས་པའི་བདེན་པ་དང་བསམ་གཏན་དང་ཚད་མེད་པ་དང་། གཟུགས་མེད་པའི་སྙོམས་པར་འཇུག་པ་དང་། རྣམ་པར་ཐར་པ་བརྒྱད་དང་། མཐར་གྱིས་གནས་པའི་སྙོམས་པར་འཇུག་པ་དགུ་བསྒོམ་པར་བྱ། གཞན་ཡང་མཐར་གྱིས་གནས་པའི་སྙོམས་པར་འཇུག་པ་དགུ་ལ་ཡང་དག་པར་བསྐུལ་བར་བྱ། མཐར་གྱིས་གནས་པའི་སྙོམས་པར་འཇུག་པ་དགུའི་ལེགས་པ་བརྗོད་པར་བྱ། སེམས་ཅན་གཞན་གང་མཐར་གྱིས་གནས་པའི་སྙོམས་པར་འཇུག་པ་དགུ་བསྒོམ་པ་དེ་དག་གི་ལེགས་པ་བརྗོད་ཅིང་འཐུན་པས་དགའ་བར་བྱའོ། །བདག་གིས་ཀྱང་སྟོང་པ་ཉིད་དང་མཚན་མ་མེད་པ་དང་། སྨོན་པ་མེད་པ་བསྒོམ་པར་བྱ། གཞན་ཡང་སྟོང་པ་ཉིད་དང་། མཚན་མ་མེད་པ་དང་། སྨོན་པ་མེད་པ་ལ་ཡང་དག་པར་བསྐུལ་བར་བྱ། སྟོང་པ་ཉིད་དང་མཚན་མ་མེད་པ་དང་། སྨོན་པ་མེད་པའི་ལེགས་པ་[7]བརྗོད་པར་བྱ། སེམས་ཅན་གཞན་གང་སྟོང་པ་ཉིད་དང་མཚན་མ་མེད་པ་དང་། སྨོན་པ་མེད་པ་བསྒོམ་པ་དེ་དག་གི་ལེགས་པ་བརྗོད་ཅིང་འཐུན་པས་དགའ་བར་བྱའོ། །བདག་གིས་ཀྱང་མངོན་པར་ཤེས་པ་རྣམས་དང་། ཏིང་ངེ་འཛིན་རྣམས་དང་། གཟུངས་ཀྱི་སྒོ་རྣམས་ཡོངས་སུ་རྫོགས་པར་བྱ་གཞན་ཡང་གཟུངས་ཀྱི་སྒོ་རྣམས་ལ་ཡང་དག་པར་བསྐུལ་བར་བྱ། གཟུངས་ཀྱི་སྒོ་རྣམས་ཀྱི་ལེགས་པ་བརྗོད་པར་བྱ། སེམས་ཅན་གཞན་གང་གཟུངས་ཀྱི་སྒོ་རྣམས་ཡོངས་སུ་རྫོགས་པར་བྱེད་པ་དེ་དག་གི་ལེགས་པ་བརྗོད་ཅིང་འཐུན་པས་དགའ་བར་བྱའོ། །བདག་གིས་ཀྱང་དེ་བཞིན་གཤེགས་པའི་སྟོབས་བཅུ་དང་། མི་འཇིགས་པ་བཞི་དང་། སོ་སོ་ཡང་དག་པར་རིག་པ་བཞི་དང་། བྱམས་པ་ཆེན་པོ་དང་། སྙིང་རྗེ་ཆེན་པོ་ཡོངས་སུ་རྫོགས་པར་བྱ། གཞན་ཡང་བྱམས་པ་ཆེན་པོ་དང་། སྙིང་རྗེ་ཆེན་པོ་ལ་ཡང་དག་པར་

བསྐུལ་བར་བྱ། བྱམས་པ་ཆེན་པོ་དང་། སྙིང་རྗེ་ཆེན་པོའི་ལེགས་པ་བརྗོད་
པར་བྱ། སེམས་ཅན་གཞན་གང་བྱམས་པ་ཆེན་པོ་དང་། སྙིང་རྗེ་ཆེན་པོ་
ཡོངས་སུ་རྫོགས་པར་བྱེད་པ་དེ་དག་གི་ལེགས་པ་བརྗོད་ཅིང་འཐུན་པས་དགའ་
བར་བྱའོ། །བདག་གིས་ཀྱང་སངས་རྒྱས་ཀྱི་ཆོས་མ་འདྲེས་པ་བཅོ་བརྒྱད་ཡོངས་
སུ་རྫོགས་པར་བྱ། གཞན་ཡང་སངས་རྒྱས་ཀྱི་ཆོས་མ་འདྲེས་པ་རྣམས་ལ་ཡང་
དག་པར་བསྐུལ་བར་བྱ། སངས་རྒྱས་ཀྱི་ཆོས་མ་འདྲེས་པ་རྣམས་ཀྱི་ལེགས་པ་
བརྗོད་པར་བྱ། སེམས་ཅན་གཞན་གང་སངས་རྒྱས་ཀྱི་ཆོས་མ་འདྲེས་པ་རྣམས་
ཡོངས་སུ་རྫོགས་པར་བྱེད་པ་དེ་དག་གི་[༡]ལེགས་པ་བརྗོད་ཅིང་འཐུན་པས་དགའ་
བར་བྱའོ། །བདག་གིས་ཀྱང་རྟེན་ཅིང་འབྲེལ་བར་འབྱུང་བ་ལུགས་དང་ལུགས་
མ་ཡིན་པ་ལ་མཉམ་པར་གཞག་པར་བྱ། གཞན་ཡང་རྟེན་ཅིང་འབྲེལ་བར་
འབྱུང་བ་ལུགས་དང་ལུགས་མ་ཡིན་པའི་སྒོམས་པར་འཇུག་པ་ལ་ཡང་དག་པར་
བསྐུལ་བར་བྱ། རྟེན་ཅིང་འབྲེལ་བར་འབྱུང་བ་ལ་སྒོམས་པར་འཇུག་པའི་ལེགས་
པ་བརྗོད་པར་བྱ། སེམས་ཅན་གཞན་གང་རྟེན་ཅིང་འབྲེལ་བར་འབྱུང་བ་ལ་
སྒོམས་པར་འཇུག་པ་དེ་དག་གི་ལེགས་པ་བརྗོད་ཅིང་འཐུན་པས་དགའ་བར་བྱ་སྟེ།
དེ་ལྟར་བྱང་ཆུབ་སེམས་དཔའ་སེམས་དཔའ་ཆེན་པོ་བླ་ན་མེད་པ་ཡང་དག་པར་
རྫོགས་པའི་བྱང་ཆུབ་ཏུ་མངོན་པར་རྫོགས་པར་འཚང་རྒྱ་བར་འདོད་པས། དེ་
མི་དམིགས་པའི་ཚུལ་གྱིས་གནས་པར་བྱའོ། །བདག་གིས་ཀྱང་སྡུག་བསྔལ་ཡོངས་
སུ་ཤེས་པར་བྱ། ཀུན་འབྱུང་བ་རབ་ཏུ་སྤོང་[༢]བར་བྱ། འགོག་པ་མངོན་དུ་བྱ་
ལམ་བསྒོམ་པར་བྱ། གཞན་ཡང་སྡུག་བསྔལ་ཡོངས་སུ་ཤེས་པར་བྱ་བ་དང་།
ཀུན་འབྱུང་བ་རབ་ཏུ་སྤོང་[༣]བ་དང་། འགོག་པ་མངོན་དུ་བྱ་བ་དང་། ལམ་
བསྒོམ་པ་ལ་ཡང་དག་པར་བསྐུལ་བར་བྱ། སྡུག་བསྔལ་ཡོངས་སུ་ཤེས་པ་དང་།

ཀུན་འབྱུང་བ་རབ་ཏུ་སྤོང་བ་དང་། འགོག་པ་མངོན་དུ་བྱེད་པ་དང་། ལམ་སྒོམ་པའི་ལེགས་པ་བརྗོད་པར་བྱ། སེམས་ཅན་གཞན་གང་སྡུག་བསྔལ་ཡོངས་སུ་ཤེས་པར་བྱེད་པ་དང་། ཀུན་འབྱུང་བ་རབ་ཏུ་སྤོང་བ་དང་། འགོག་པ་མངོན་དུ་བྱེད་པ་དང་། ལམ་བསྒོམ་པ་དེ་དག་གི་①ལེགས་པ་བརྗོད་ཅིང་འཐུན་པས་དགའ་བར་བྱའོ། །བདག་གིས་ཀྱང་རྒྱུན་དུ་ཞུགས་པའི་འབྲས་བུ་ཤེས་པ་མངོན་དུ་བྱ་བའི་ཕྱིར། ཤེས་པ་བསྐྱེད་དེ་ཡང་དག་པའི་མཐའ་མངོན་དུ་མི་བྱ། གཞན་ཡང་རྒྱུན་དུ་ཞུགས་པའི་འབྲས་བུ་ཤེས་པ་མངོན་དུ་བྱ་བ་ལ་ཡང་དག་པར་བསྐུལ་བར་བྱ། རྒྱུན་དུ་ཞུགས་པའི་འབྲས་བུ་ཤེས་པ་མངོན་དུ་བྱ་བའི་ལེགས་པ་བརྗོད་པར་བྱ། སེམས་ཅན་གཞན་གང་རྒྱུན་དུ་ཞུགས་པའི་འབྲས་བུ་ཤེས་པ་མངོན་དུ་བྱེད་པ་དེ་དག་གི་ལེགས་པ་བརྗོད་ཅིང་འཐུན་པས་དགའ་བར་བྱའོ། །བདག་གིས་ཀྱང་ལན་ཅིག་ཕྱིར་འོང་བའི་འབྲས་བུ་དང་། ཕྱིར་མི་འོང་བའི་འབྲས་བུ་དང་། དགྲ་བཅོམ་པའི་འབྲས་བུ་ཤེས་པ་མངོན་དུ་བྱ་བའི་ཕྱིར་ཤེས་པ་བསྐྱེད་དེ། ཡང་དག་པའི་མཐའ་མངོན་དུ་མི་བྱ། གཞན་ཡང་དགྲ་བཅོམ་པའི་འབྲས་བུ་ཤེས་པ་མངོན་དུ་བྱ་བ་ལ་ཡང་དག་པར་བསྐུལ་བར་བྱ། དགྲ་བཅོམ་པའི་འབྲས་བུ་ཤེས་པ་མངོན་དུ་བྱ་བའི་ལེགས་པ་བརྗོད་པར་བྱ། སེམས་ཅན་གཞན་གང་དགྲ་བཅོམ་པའི་འབྲས་བུ་ཤེས་པ་མངོན་དུ་བྱེད་པ་དེ་དག་གི་ལེགས་པ་བརྗོད་ཅིང་འཐུན་པས་དགའ་བར་བྱའོ། །བདག་གིས་ཀྱང་རང་བྱང་ཆུབ་ཤེས་པ་མངོན་དུ་བྱ་བའི་ཕྱིར་ཤེས་པ་བསྐྱེད་དེ། རང་བྱང་ཆུབ་ཤེས་པ་མངོན་དུ་བྱ་བས་ཡང་དག་པའི་མཐའ་མངོན་དུ་མི་བྱ། གཞན་ཡང་རང་བྱང་ཆུབ་ཤེས་པ་མངོན་དུ་བྱ་བ་ལ་ཡང་དག་པར་བསྐུལ་བར་③བྱ། རང་བྱང་ཆུབ་ཤེས་པ་མངོན་དུ་བྱ་བའི་ལེགས་པ་བརྗོད་པར་བྱ། སེམས་ཅན་གཞན་གང་རང་

བྱང་ཆུབ་ཤེས་པ་མངོན་དུ་བྱེད་པ་དེ་དག་གི་(༡)ལེགས་པ་བརྗོད་ཅིང་འཐུན་པས་
དགའ་བར་བྱའོ། །བདག་གིས་ཀྱང་བྱང་ཆུབ་སེམས་དཔའི་སྐྱོན་མེད་པར་འཇུག་
པར་བྱ། གཞན་ཡང་བྱང་ཆུབ་སེམས་དཔའི་སྐྱོན་མེད་པར་འཇུག་པ་ལ་ཡང་
དག་པར་བསྐུལ་བར་བྱ། བྱང་ཆུབ་སེམས་དཔའི་སྐྱོན་མེད་པར་འཇུག་པའི་
ལེགས་པ་བརྗོད་པར་བྱ། སེམས་ཅན་གཞན་གང་བྱང་ཆུབ་སེམས་དཔའི་སྐྱོན་
མེད་པར་འཇུག་པ་དེ་དག་གི་ལེགས་པ་བརྗོད་ཅིང་འཐུན་པས་དགའ་བར་བྱ་(༢)སྟེ།
དེ་ལྟར་བྱང་ཆུབ་སེམས་དཔའ་སེམས་དཔའ་ཆེན་པོ་བླ་ན་མེད་པ་ཡང་དག་པར་
རྫོགས་པའི་བྱང་ཆུབ་ཏུ་འབྱུང་བར་འདོད་པས། དེ་མི་དམིགས་པའི་ཚུལ་གྱིས་
གནས་པར་བྱའོ། །བདག་གིས་ཀྱང་སེམས་ཅན་རྣམས་ཡོངས་སུ་སྨིན་པར་བྱ།
གཞན་ཡང་སེམས་ཅན་ཡོངས་སུ་སྨིན་པར་བྱ་བ་ལ་ཡང་དག་པར་བསྐུལ་བར་བྱ།
སེམས་ཅན་ཡོངས་སུ་སྨིན་པར་བྱ་བའི་ལེགས་པ་བརྗོད་པར་བྱ། སེམས་ཅན་
གཞན་གང་སེམས་ཅན་རྣམས་ཡོངས་སུ་སྨིན་པར་བྱེད་པ་དེ་དག་གི་ལེགས་པ་
བརྗོད་ཅིང་འཐུན་པས་དགའ་བར་བྱའོ། །བདག་གིས་ཀྱང་སངས་རྒྱས་ཀྱི་ཞིང་
ཡོངས་སུ་སྦྱང་བར་བྱ། གཞན་ཡང་སངས་རྒྱས་ཀྱི་ཞིང་ཡོངས་སུ་སྦྱང་བ་ལ་ཡང་
དག་པར་བསྐུལ་བར་བྱ། སངས་རྒྱས་ཀྱི་ཞིང་ཡོངས་སུ་སྦྱང་བའི་ལེགས་པ་
བརྗོད་པར་བྱ། སེམས་ཅན་གཞན་གང་སངས་རྒྱས་ཀྱི་ཞིང་ཡོངས་སུ་སྦྱོང་བ་དེ་
དག་གི་ལེགས་པ་བརྗོད་ཅིང་འཐུན་པས་དགའ་བར་བྱའོ། །བདག་གིས་ཀྱང་
བྱང་ཆུབ་སེམས་དཔའི་མངོན་པར་ཤེས་པ་བསྐྱེད་པར་བྱ། གཞན་ཡང་བྱང་ཆུབ་
སེམས་དཔའི་མངོན་པར་ཤེས་པ་བསྐྱེད་པ་ལ་ཡང་དག་པར་བསྐུལ་བར་བྱ།
མངོན་པར་ཤེས་པའི་ལེགས་པ་བརྗོད་པར་བྱ། སེམས་ཅན་གཞན་གང་བྱང་ཆུབ་
སེམས་དཔའི་མངོན་པར་ཤེས་པ་བསྐྱེད་(༣)པ་དེ་དག་གི་ལེགས་པ་བརྗོད་ཅིང་འཐུན་

པས་དགའ་བར་བྱའོ། །བདག་གིས་ཀྱང་རྣམ་པ་ཐམས་ཅད་མཁྱེན་པ་ཉིད་ཀྱི་ཡེ་ཤེས་བསྐྱེད་པར་བྱ། གཞན་ཡང་རྣམ་པ་ཐམས་ཅད་མཁྱེན་པ་ཉིད་ཀྱི་ཡེ་ཤེས་ལ་ཡང་དག་པར་བསྐུལ་བར་བྱ། རྣམ་པ་ཐམས་ཅད་མཁྱེན་པ་ཉིད་ཀྱི་ཡེ་ཤེས་ཀྱི་ལེགས་པ་བརྗོད་པར་བྱ། སེམས་ཅན་གཞན་གང་རྣམ་པ་ཐམས་ཅད་མཁྱེན་པ་ཉིད་ཀྱི་ཡེ་ཤེས་བསྐྱེད་པ་དེ་དག་གི་ལེགས་པ་བརྗོད་ཅིང་འཐུན་པས་[༧]དགའ་བར་བྱའོ། །བདག་གིས་ཀྱང་བག་ཆགས་ཀྱི་མཚམས་སྦྱོར་བའི་ཉོན་མོངས་པ་ཐམས་ཅད་སྤང་བར་བྱ། གཞན་ཡང་བག་ཆགས་ཀྱི་མཚམས་སྦྱོར་བའི་ཉོན་མོངས་པ་ཐམས་ཅད་སྤང་བ་ལ་ཡང་དག་པར་བསྐུལ་བར་བྱ། བག་ཆགས་ཀྱི་མཚམས་སྦྱོར་བའི་ཉོན་མོངས་པ་ཐམས་ཅད་སྤང་བའི་ལེགས་པ་བརྗོད་པར་བྱ། སེམས་ཅན་གཞན་གང་བག་ཆགས་ཀྱི་མཚམས་སྦྱོར་བའི་ཉོན་མོངས་པ་ཐམས་ཅད་སྤོང་བ་དེ་དག་གི་ལེགས་པ་བརྗོད་ཅིང་འཐུན་པས་དགའ་བར་བྱ་སྟེ། དེ་ལྟར་བྱང་ཆུབ་སེམས་དཔའ་སེམས་དཔའ་ཆེན་པོ་བླ་ན་མེད་པ་ཡང་དག་པར་རྫོགས་པའི་བྱང་ཆུབ་ཏུ་འབྱུང་བར་འདོད་པས། དེ་མི་དམིགས་པའི་ཚུལ་གྱིས་གནས་པར་བྱའོ། །བདག་གིས་ཀྱང་ཚེ་ཕུན་སུམ་ཚོགས་པ་ཡོངས་སུ་གཟུང་བར་བྱ། གཞན་ཡང་ཚེ་ཕུན་སུམ་ཚོགས་པ་ལ་ཡང་དག་པར་བསྐུལ་བར་བྱ། ཚེ་ཕུན་སུམ་ཚོགས་པའི་ལེགས་པ་བརྗོད་པར་བྱ། སེམས་ཅན་གཞན་གང་ཚེ་ཕུན་སུམ་ཚོགས་པ་ཡོངས་སུ་འཛིན་པ་དེ་དག་གི་ལེགས་པ་བརྗོད་ཅིང་འཐུན་པས་དགའ་བར་བྱའོ།། བདག་གིས་ཀྱང་དམ་པའི་ཆོས་གནས་པ་ཡོངས་སུ་གཟུང་བར་བྱ། གཞན་ཡང་དམ་པའི་ཆོས་གནས་པ་ཡོངས་སུ་གཟུང་བ་ལ་ཡང་དག་པར་བསྐུལ་བར་བྱ། དམ་པའི་ཆོས་གནས་པ་ཡོངས་སུ་གཟུང་བའི་ལེགས་པ་བརྗོད་པར་བྱ། སེམས་ཅན་གཞན་གང་དམ་པའི་ཆོས་གནས་པ་ཡོངས་སུ་འཛིན་པ་དེ་དག་གི་ལེགས་པ་

བརྗོད་ཅིང་འཐུན་པས་དགའ་བར་བྱ་སྟེ། རབ་འབྱོར་དེ་ལྟར་བྱང་ཆུབ་སེམས་དཔའ་སེམས་དཔའ་ཆེན་པོ་བླ་ན་མེད་པ་ཡང་དག་པར་རྫོགས་པའི་བྱང་ཆུབ་ཏུ་འབྱུང་བར་འདོད་པས། དེ་མི་དམིགས་པའི་ཚུལ་གྱིས་གནས་པར་བྱའོ། །དེ་ལྟར་བྱང་ཆུབ་སེམས་དཔའ་སེམས་དཔའ་ཆེན་པོས་ཤེས་རབ་ཀྱི་ཕ་རོལ་ཏུ་ཕྱིན་པ་དང་ཐབས་མཁས་པ་ལ་བསླབ་པར་བྱའོ། །དེ་དེ་ལྟར་སློབ་ཅིང་དེ་དེ་ལྟར་གནས་པས། དེའི་གཟུགས་སྒྲིབ་པ་མེད་པར་འགྱུར་རོ། །ཚོར་བ་དང་འདུ་ཤེས་དང་འདུ་བྱེད་དང་རྣམ་པར་ཤེས་པ་སྒྲིབ་པ་མེད་པར་འགྱུར་རོ། །སྐྱེ་མཆེད་དང་ཁམས་དང་རྟེན་ཅིང་འབྲེལ་བར་འབྱུང་བ་སྒྲིབ་པ་མེད་པར་འགྱུར་རོ། །ཕ་རོལ་ཏུ་ཕྱིན་པ་ཐམས་ཅད་དང་། སྟོང་པ་ཉིད་ཐམས་ཅད་དང་། བྱང་ཆུབ་ཀྱི་ཕྱོགས་ཀྱི་ཆོས་སུམ་ཅུ་རྩ་བདུན་སྒྲིབ་པ་མེད་པར་འགྱུར་རོ། །སངས་རྒྱས་ཀྱི་ཆོས་མ་འདྲེས་པ་བཅོ་བརྒྱད་ཀྱི་བར་དུ་སྒྲིབ་པ་མེད་པར་འགྱུར་རོ། །རྒྱུན་དུ་ཞུགས་པའི་འབྲས་བུ་ཤེས་པ་སྒྲིབ་པ་མེད་པར་འགྱུར་རོ། །ལན་ཅིག་ཕྱིར་འོང་བའི་འབྲས་བུ་ཤེས་པ་དང་། ཕྱིར་མི་འོང་བའི་འབྲས་བུ་ཤེས་པ་དང་། དགྲ་བཅོམ་པ་ཉིད་ཤེས་པ་སྒྲིབ་པ་མེད་པར་འགྱུར་རོ། །རང་བྱང་ཆུབ་ཤེས་པ་སྒྲིབ་པ་མེད་པར་འགྱུར་རོ། །བྱང་ཆུབ་སེམས་དཔའི་སྐྱོན་མེད་པར་འཇུག་པ་སྒྲིབ་པ་མེད་པར་འགྱུར་རོ། །སེམས་ཅན་ཡོངས་སུ་སྨིན་པར་བྱ་བ་དང་། སངས་རྒྱས་ཀྱི་ཞིང་ཡོངས་སུ་དག་པར་བྱ་བ་སྒྲིབ་པ་མེད་པར་འགྱུར་རོ། །རྣམ་པ་ཐམས་ཅད་མཁྱེན་པ་ཉིད་ཀྱི་ཡེ་ཤེས་སྒྲིབ་པ་མེད་པར་འགྱུར་རོ། །བག་ཆགས་ཀྱི་མཚམས་སྦྱོར་བའི་ཉོན་མོངས་པ་ཐམས་ཅད་སྤོང་བ་སྒྲིབ་པ་མེད་པར་འགྱུར་རོ། །ཚེ་ཕུན་སུམ་ཚོགས་པ་སྒྲིབ་པ་མེད་པར་འགྱུར་རོ། །དམ་པའི་ཆོས་གནས་པ་སྒྲིབ་པ་མེད་པར་འགྱུར་རོ། །དེ་ཅིའི་ཕྱིར་ཞེ་ན། དེ་ནི་འདི་ལྟར་བྱང་ཆུབ་སེམས་

དཔའ་སེམས་དཔའ་ཆེན་པོ་དེས་སྟོན་གྱི་མཐའ་ནས་ཀྱང་གཟུགས་ཡོངས་སུ་མ་བཟུང་། ཚོར་བ་དང་འདུ་ཤེས་དང་འདུ་བྱེད་དང་། རྣམ་པར་ཤེས་པ་ཡོངས་སུ་མ་བཟུང་། སྐྱེ་མཆེད་དང་ཁམས་དང་རྟེན་ཅིང་འབྲེལ་བར་འབྱུང་བ་ཡོངས་སུ་མ་བཟུང་ངོ་། །ཕ་རོལ་ཏུ་ཕྱིན་པ་ཐམས་ཅད་དང་། སྟོང་པ་ཉིད་ཐམས་ཅད་དང་། བྱང་ཆུབ་ཀྱི་ཕྱོགས་ཀྱི་ཆོས་སུམ་ཅུ་རྩ་བདུན་ཡོངས་སུ་མ་བཟུང་ངོ་། ། སངས་རྒྱས་ཀྱི་ཆོས་མ་འདྲེས་པ་བཅོ་བརྒྱད་ཀྱི་བར་དུ་ཡོངས་སུ་མ་བཟུང་ངོ་། ། རྣམ་པ་ཐམས་ཅད་མཁྱེན་པ་ཉིད་ཀྱི་བར་དུ་ཡོངས་སུ་མ་བཟུང་ངོ་། །དེ་ཅིའི་ཕྱིར་ཞེ་ན། འདི་ལྟར་གཟུགས་ཡོངས་སུ་གཟུང་དུ་མེད་པ་གང་ཡིན་པ་དེ་ནི་གཟུགས་མ་ཡིན། ཚོར་བ་དང་འདུ་ཤེས་དང་འདུ་བྱེད་དང་རྣམ་པར་ཤེས་པ་ཡོངས་སུ་གཟུང་དུ་མེད་པ་གང་ཡིན་པ་དེ་ནི་རྣམ་པར་ཤེས་པ་མ་ཡིན། སྐྱེ་མཆེད་དང་། ཁམས་དང་རྟེན་ཅིང་འབྲེལ་བར་འབྱུང་བ་ཡོངས་སུ་གཟུང་དུ་མེད་པ་གང་ཡིན་པ་དེ་ནི། རྟེན་ཅིང་འབྲེལ་བར་འབྱུང་བ་མ་ཡིན། ཕ་རོལ་ཏུ་ཕྱིན་པ་ཐམས་ཅད་དང་། སྟོང་པ་ཉིད་ཐམས་ཅད་དང་། བྱང་ཆུབ་ཀྱི་ཕྱོགས་ཀྱི་ཆོས་སུམ་ཅུ་རྩ་བདུན་ཡོངས་སུ་གཟུང་དུ་མེད་པ་གང་ཡིན་པ་དེ་ནི། བྱང་ཆུབ་ཀྱི་ཕྱོགས་ཀྱི་ཆོས་རྣམས་མ་ཡིན། སངས་རྒྱས་ཀྱི་ཆོས་མ་འདྲེས་པ་བཅོ་བརྒྱད་ཀྱི་བར་དུ་ཡོངས་སུ་གཟུང་དུ་མེད་པ་གང་ཡིན་པ་དེ་ནི་སངས་རྒྱས་ཀྱི་ཆོས་རྣམས་མ་ཡིན། རྣམ་པ་ཐམས་ཅད་མཁྱེན་པ་ཉིད་ཀྱི་བར་དུ་ཡོངས་སུ་གཟུང་དུ་མེད་པ་གང་ཡིན་པ་དེ་ནི་རྣམ་པ་ཐམས་ཅད་མཁྱེན་པ་ཉིད་མ་ཡིན་ནོ། །བྱང་ཆུབ་སེམས་དཔའི་གནས་འདི་བཤད་པའི་ཚེ། བྱང་ཆུབ་སེམས་དཔའ་ཉིས་སྟོང་གིས་མི་སྐྱེ་བའི་ཆོས་ལ་བཟོད་པ་ཐོབ་པར་གྱུར་ཏོ། །ཤེས་རབ་ཀྱི་ཕ་རོལ་ཏུ་ཕྱིན་པ་སྟོང་ཕྲག་ཉི་ཤུ་ལྔ་པ་ལས། ལེའུ་སུམ་ཅུ་བརྒྱད་པའོ།། །།

དེ་སྐད་ཅེས་བཀའ་སྩལ་པ་དང་། ཚེ་དང་ལྡན་པ་རབ་འབྱོར་གྱིས་བཅོམ་ལྡན་འདས་ལ་འདི་སྐད་ཅེས་གསོལ་ཏོ། །བཅོམ་ལྡན་འདས་ཕྱིར་མི་ལྡོག་པའི་བྱང་ཆུབ་སེམས་དཔའ་སེམས་དཔའ་ཆེན་པོའི་རྣམ་པ་ནི་གང་ལགས་ཚུལ་ནི་གང་ལགས་[༧]ཇི་ལྟར་བདག་ཅག་གིས་བྱང་ཆུབ་སེམས་དཔའ་སེམས་དཔའ་ཆེན་པོ་འདི་ནི་ཕྱིར་མི་ལྡོག་པའོ་ཞེས་བགྱི་བར་འཚལ་བར་བགྱི། དེ་སྐད་ཅེས་གསོལ་པ་དང་། བཅོམ་ལྡན་འདས་ཀྱིས་ཚེ་དང་ལྡན་པ་རབ་འབྱོར་ལ་འདི་སྐད་ཅེས་བཀའ་སྩལ་ཏོ།། རབ་འབྱོར་འདི་ལ་སོ་སོའི་སྐྱེ་བོའི་ས་དང་། ཉན་ཐོས་ཀྱི་ས་དང་། རང་སངས་རྒྱས་ཀྱི་ས་དང་། བྱང་ཆུབ་སེམས་དཔའི་ས་དང་། དེ་བཞིན་གཤེགས་པའི་སར་བཤད་པ་དེ་དག་ཐམས་ཅད་ཀྱང་[༡]། དེ་བཞིན་ཉིད་ལ་འགྱུར་བ་མེད་ཅིང་། རྣམ་པར་རྟོག་པ་མེད་ལ་གཉིས་སུ་མེད་ཅིང་གཉིས་སུ་བྱར་མེད་དོ། །དེ་ནི་དེ་བཞིན་ཉིད་དེ་ཇི་ལྟ་བ་དེ་བཞིན་དུ་འཇུག་སྟེ། དེ་བཞིན་ཉིད་ལ་རྣམ་པར་མི་རྟོག་ཅིང་དེ་ལྟར་རྣམ་པར་མི་རྟོག་པས་འཇུག་སྟེ་དེ་ལྟར་ཞུགས་པ་ནི་དེ་བཞིན་ཉིད་དེ་ཇི་ལྟ་བ་དེ་བཞིན་དུ་ཐོས་ནས། དེ་ལས་འདས་ཏེ་དེ་དག་དེ་བཞིན་ཉིད་ལ་རེ་རེ་དང་། གཉིས་ཀ་དང་། གཉིས་ཀ་མ་ཡིན་པར་ཐེ་ཚོམ་ཟ་བ་གང་ཡང་མེད་དོ། །དེ་ནི་བྱུང་རྒྱལ་དུ་སྨྲ་བ་མ་ཡིན་ཏེ། དོན་དང་ལྡན་པར་སྨྲའི[༡]། དོན་དང་མི་ལྡན་པར་སྨྲ་བ་མ་ཡིན། གཞན་གྱིས་བྱས་པ་དང་མ་བྱས་པ་ལ་མི་ལྟ་ཞིང་། ལེགས་པར་བརྗོད་པ་ཚོལ[༨]བ་ཡིན་ཏེ། རབ་འབྱོར་རྣམ་པ་དེ་དག་དང་། ཚུལ་དེ་དག་དང་མཚན་མ་དེ་དག་དང་ལྡན་པའི་བྱང་ཆུབ་སེམས་དཔའ་སེམས་དཔའ་ཆེན་པོ་ནི་ཕྱིར་མི་ལྡོག་པར་རིག་པར་བྱའོ། །གསོལ་པ་བཅོམ་ལྡན་འདས་རྣམ་པ་གང་དང་ཚུལ་གང་དང་མཚན་མ་གང་དག

དང་ལྡན་པའི་བྱང་ཆུབ་སེམས་དཔའ་སེམས་དཔའ་ཆེན་པོ་ཕྱིར་མི་ལྡོག་པར་རིག་པར་བགྱི། བཅོམ་ལྡན་འདས་ཀྱིས་བཀའ་སྩལ་པ། རབ་འབྱོར་ཆོས་ཐམས་ཅད་ནི་རྣམ་པ་མེད་པ། ཚུལ་མེད་པ། མཚན་མ་མེད་པའོ། །གསོལ་པ། བཅོམ་ལྡན་འདས་གལ་ཏེ་ཆོས་ཐམས་ཅད་རྣམ་པ་མ་མཆིས་པ། ཚུལ་མ་མཆིས་པ། མཚན་མ་མ་མཆིས་པ་ལགས་ན། ཆོས་གང་རྣམས་ལས་སླར་ལྡོག་པའི་སླད་དུ། བྱང་ཆུབ་སེམས་དཔའ་སེམས་དཔའ་ཆེན་པོ་ཕྱིར་མི་ལྡོག་པ་ཞེས་བསྙན་པ་ལགས་སམ། བཅོམ་ལྡན་འདས་ཀྱིས་བཀའ་སྩལ་པ། རབ་འབྱོར་བྱང་ཆུབ་སེམས་དཔའ་སེམས་དཔའ་ཆེན་པོ་གང་གཟུགས་ལས་ཕྱིར་ལོག་[1]པ། ཚོར་བ་དང་འདུ་ཤེས་དང་འདུ་བྱེད་དང་། རྣམ་པར་ཤེས་པ་ལས་ཕྱིར་ལོག་[2]པ། སྐྱེ་མཆེད་དང་ཁམས་དང་རྟེན་ཅིང་འབྲེལ་པར་འབྱུང་བ་ལས་ཕྱིར་ལོག་པ་དེ་ནི། རབ་འབྱོར་བྱང་ཆུབ་སེམས་དཔའ་སེམས་དཔའ་ཆེན་པོ་ཕྱིར་མི་ལྡོག་པར་རིག་པར་བྱའོ། །བྱང་ཆུབ་སེམས་དཔའ་སེམས་དཔའ་ཆེན་པོ་སྦྱིན་པའི་ཕ་རོལ་ཏུ་ཕྱིན་པ་ལས་ཕྱིར་ལོག་པ། ཚུལ་ཁྲིམས་ཀྱི་ཕ་རོལ་ཏུ་ཕྱིན་པ་དང་། བཟོད་པའི་ཕ་རོལ་ཏུ་ཕྱིན་པ་དང་། བརྩོན་འགྲུས་ཀྱི་ཕ་རོལ་ཏུ་ཕྱིན་པ་དང་། བསམ་གཏན་གྱི་ཕ་རོལ་ཏུ་ཕྱིན་པ་དང་། ཤེས་རབ་ཀྱི་ཕ་རོལ་ཏུ་ཕྱིན་པ་ལས་ཕྱིར་ལོག་པ། ནང་སྟོང་པ་ཉིད་ལས་ཕྱིར་ལོག་པ་དངོས་པོ་མེད་པའི་ངོ་བོ་ཉིད་སྟོང་པ་ཉིད་ཀྱི་བར་ལས་ཕྱིར་ལོག་པ། དྲན་པ་ཉེ་བར་གཞག་པ་རྣམས་ལས་ཕྱིར་ལོག་པ། ཡང་དག་པར་སྤོང་བ་དང་། རྫུ་འཕྲུལ་གྱི་རྐང་པ་དང་དབང་པོ་དང་། སྟོབས་དང་བྱང་ཆུབ་ཀྱི་ཡན་ལག་དང་། འཕགས་པའི་ལམ་ཡན་ལག་བརྒྱད་པ་ལས་ཕྱིར་ལོག་པ། འཕགས་པའི་བདེན་པ་དང་། བསམ་[3]གཏན་དང་ཚད་མེད་པ་དང་། གཟུགས་མེད་པའི་སྙོམས་པར་[4]འཇུག་པ་ལས་ཕྱིར་

ཡོག་པ་རྣམ་པར་ཐར་པ་དང་། མཐར་གྱིས་གནས་པའི་སྙོམས་པར་འཇུག་པ་དང་། སྟོང་པ་ཉིད་དང་མཚན་མ་མེད་པ་དང་། སྨོན་པ་མེད་པ་དང་། མངོན་པར་ཤེས་པ་དང་། ཏིང་ངེ་འཛིན་དང་གཟུངས་ཀྱི་སྒོ་ལས་ཕྱིར་ཡོག་པ། དེ་བཞིན་གཤེགས་པའི་སྟོབས་དང་། མི་འཇིགས་པ་དང་། སོ་སོ་ཡང་དག་པར་རིག་པ་དང་། བྱམས་པ་ཆེན་པོ་དང་། སྙིང་རྗེ་ཆེན་པོ་དང་། སངས་རྒྱས་ཀྱི་ཆོས་མ་འདྲེས་པ་བཅོ་བརྒྱད་ལས་ཕྱིར་ཡོག་པ། ཉན་ཐོས་དང་རང་སངས་རྒྱས་ཀྱི་ས་ལས་ཕྱིར་ཡོག་པ། ལམ་གྱི་རྣམ་པ་ཤེས་པ་ཉིད་ལས་ཕྱིར་ཡོག་པ། བླ་ན་མེད་པ་ཡང་དག་པར་རྫོགས་པའི་བྱང་ཆུབ་ལས་ཕྱིར་ཡོག་པ་དེ་ནི། རབ་འབྱོར་བྱང་ཆུབ་སེམས་དཔའ་སེམས་དཔའ་ཆེན་པོ་ཕྱིར་མི་ལྡོག[༧]པར་རིག་པར་བྱའོ། །དེ་ཅིའི་ཕྱིར་ཞེ་ན། རབ་འབྱོར་དེ་ནི་འདི་ལྟར་གང་ལ་བྱང་ཆུབ་སེམས་དཔའ་སེམས་དཔའ་ཆེན་པོ་གནས་པར་འགྱུར་བའི་གཟུགས་ཀྱི་ངོ་བོ་ཉིད་མེད་དོ། །གང་ལ་བྱང་ཆུབ་སེམས་དཔའ་སེམས་དཔའ་ཆེན་པོ་གནས་པར་འགྱུར་བའི་ཚོར་བ་དང་། འདུ་ཤེས་དང་འདུ་བྱེད་དང་། རྣམ་པར་ཤེས་པའི་ངོ་བོ་ཉིད་མེད་དོ། །གང་ལ་བྱང་ཆུབ་སེམས་དཔའ་སེམས་དཔའ་ཆེན་པོ་གནས་པར་འགྱུར་བའི་སྐྱེ་མཆེད་དང་། ཁམས་དང་རྟེན་ཅིང་འབྲེལ་བར་འབྱུང་བའི་ངོ་བོ་ཉིད་མེད་དོ། །གང་ལ་བྱང་ཆུབ་སེམས་དཔའ་སེམས་དཔའ་ཆེན་པོ་གནས་པར་འགྱུར་བའི་ཕ་རོལ་ཏུ་ཕྱིན་པ་ཐམས་ཅད་དང་། སྟོང་པ་ཉིད་ཐམས་ཅད་དང་། བྱང་ཆུབ་ཀྱི་ཕྱོགས་ཀྱི་ཆོས་སུམ་ཅུ་རྩ་བདུན་གྱི་ངོ་བོ་ཉིད་མེད་དོ། །གང་ལ་བྱང་ཆུབ་སེམས་དཔའ་སེམས་དཔའ་ཆེན་པོ་གནས་པར་འགྱུར་བའི་སངས་རྒྱས་ཀྱི་ཆོས་མ་འདྲེས་པ་བཅོ་བརྒྱད་ཀྱི་བར་གྱི་ངོ་བོ་ཉིད་མེད་དོ། །གང་ལ་བྱང་ཆུབ་སེམས་དཔའ་སེམས་དཔའ་ཆེན་པོ་གནས་པར་འགྱུར་བའི་རྣམ་པ་ཐམས་ཅད་

མཁྱེན་པ་ཉིད་ཀྱི་བར་གྱི་ངོ་བོ་ཉིད་མེད་དོ། །རབ་འབྱོར་གཞན་ཡང་བྱང་ཆུབ་སེམས་དཔའ་སེམས་དཔའ་ཆེན་པོ་ནི་དགེ་སློང་དང་བྲམ་ཟེ་འདི་དག་ནི་ཤེས་པར་བྱ་བ་ཤེས་པའོ། །བལྟ་བར་བྱ་བ་མཐོང་བའོ། །ཡང་དག་པར་ལྟ་བའི་གདགས[༧]པ་འདོགས་སོ་ཞེས་འདི་ལས་ཕྱི་རོལ་པའི་དགེ་སློང་དང་བྲམ་ཟེ་གཞན་དག་གི་ངོར་མི་ལྟ་སྟེ། དེ་ནི་གནས་མེད་ཅིང་ཐེ་ཚོམ་མི་ཟའོ། །ཚུལ་ཁྲིམས་དང་བརྟུལ་ཞུགས་མི་སྙེམས་ལྟ་བ་ངན་པར་མི་ལྷུང་། བཀྲ་ཤིས་དང་ལྟས་ཀྱིས་གཙང་བར་མི་འདོགས་ཏེ། ལྷ་གཞན་ལ་ཕྱག་མི་འཚལ་ཞིང་། མེ་ཏོག་གམ་ཕྲེང་བའམ་སྤོས་སམ་ཕྱུག་པའམ[༨]ཕྱེ་མའམ་གོས་སམ། གདུགས་སམ་རྒྱལ་མཚན་ནམ། བ་དན་དག་དེ་ལ་སྦྱིན་ཞིང་བྱ[༩]བར་མི་སེམས་ཏེ། རབ་འབྱོར་རྣམ་པ་དེ་དག་དང་མཚན་མ་དེ་དག་དང་། ཚུལ་དེ་དག་དང་ལྡན་པའི་བྱང་ཆུབ་སེམས་དཔའ་སེམས་དཔའ་ཆེན་པོ་ནི་ཕྱིར་མི་ལྡོག་པར་རིག་པར་བྱའོ། །རབ་འབྱོར་གཞན་ཡང་ཕྱིར་མི་ལྡོག་པའི་བྱང་ཆུབ་སེམས་དཔའ་སེམས་དཔའ་ཆེན་པོ་ནི་སེམས་ཅན་དམྱལ་བར་མི་སྐྱེ། ཡུལ་སོང་གི་སྐྱེ་གནས་སུ་མི་སྐྱེ། གཤིན་རྗེའི་འཇིག་རྟེན་དུ་མི་སྐྱེ། མི་ཁོམ་པ་བརྒྱད་པོའི་བར་གྱི་ནང་དུ་མི་སྐྱེ་ཞིང་། བུད་མེད་དུ་འགྱུར་བ་ཡོངས་སུ་མི་འཛིན་ཏེ། རབ་འབྱོར་རྣམ་པ་དེ་དག་དང་། ཚུལ་དེ་དག་དང་། མཚན་མ་དེ་དག་དང་ལྡན་པའི་བྱང་ཆུབ་སེམས་དཔའ་སེམས་དཔའ་ཆེན་པོ་ནི་ཕྱིར་མི་ལྡོག་པར་རིག་པར་བྱའོ། །རབ་འབྱོར་གཞན་ཡང་ཕྱིར་མི་ལྡོག་པའི་བྱང་ཆུབ་སེམས་དཔའ་སེམས་དཔའ་ཆེན་པོ་ནི་དགེ་བ་བཅུའི་ལས་ཀྱི་ལམ་ཡང་དག་པར་བཟུང་ཞིང་སྤྱོད་དེ། བདག་གིས་ཀྱང་སྲོག་གཅོད་པ་སྤངས་ཤིང་གཞན་ཡང་སྲོག་གཅོད་པ་སྤོང་བ་ལ་ཡང་དག་པར་བསྐུལ་བ་ཡིན། སྲོག་གཅོད་པ་སྤང[༡༠]བའི་ལེགས་པ་བརྗོད་པ་ཡིན། གཞན་གང་གིས་

སྲོག་གཅོད་པ་སྤངས་པ་དེ་དག་གི་ལེགས་པ་བརྗོད་ཅིང་འཐུན་པས་དགའ་བ་ཡིན། བདག་(༧)གིས་ཀྱང་མ་བྱིན་པར་ལེན་པ་དང་། འདོད་པས་ལོག་པར་གཡེམ་པ་དང་། བརྫུན་དུ་སྨྲ་བ་དང་། ཕྲ་མ་དང་ཞེ་གཅོད་པ་དང་། ཚིག་ཀྱལ་པ་དང་། ཆགས་སེམས་དང་། གནོད་སེམས་དང་། ལོག་པར་ལྟ་བ་སྤོངས་(༣)ཤིང་གཞན་ཡང་ལོག་པར་ལྟ་བ་སྤོང་བ་ལ་ཡང་དག་པར་བསྐུལ་བ་ཡིན། ལོག་པར་ལྟ་བ་སྤོང་བའི་ལེགས་པ་བརྗོད་པ་ཡིན། གཞན་གང་གིས་ལོག་པར་ལྟ་བ་སྤངས་པ་དེ་དག་གི་(༣)ལེགས་པ་བརྗོད་ཅིང་འཐུན་པས་དགའ་བ་ཡིན་ཏེ། རབ་འབྱོར་རྣམ་པ་དེ་དག་དང་། ཚུལ་དེ་དག་དང་མཚན་མ་དེ་དག་དང་ལྡན་པའི་བྱང་ཆུབ་སེམས་དཔའ་སེམས་དཔའ་ཆེན་པོ་ནི་ཕྱིར་མི་ལྡོག་པར་རིག་པར་བྱའོ། །རབ་འབྱོར་གཞན་ཡང་ཕྱིར་མི་ལྡོག་པའི་བྱང་ཆུབ་སེམས་དཔའ་སེམས་དཔའ་ཆེན་པོ་ནི་རྨི་ལམ་ན་ཡང་མི་དགེ་བ་བཅུའི་ལས་ཀྱི་ལམ་མི་དམིགས་ན། སད་པ་ན་ལྟ་ཅི་སྨོས་ཏེ། རབ་འབྱོར་རྣམ་པ་དེ་དག་དང་། ཚུལ་དེ་དག་དང་། མཚན་མ་དེ་དག་དང་ལྡན་པའི་བྱང་ཆུབ་སེམས་དཔའ་སེམས་དཔའ་ཆེན་པོ་ནི་ཕྱིར་མི་ལྡོག་པར་རིག་པར་བྱའོ། །རབ་འབྱོར་གཞན་ཡང་ཕྱིར་མི་ལྡོག་པའི་བྱང་ཆུབ་སེམས་དཔའ་སེམས་དཔའ་ཆེན་པོ་ནི་ནམ་སྦྱིན་པའི་ཕ་རོལ་ཏུ་ཕྱིན་པ་ལ་གནས་ཤིང་ཚུལ་ཁྲིམས་ཀྱི་ཕ་རོལ་ཏུ་ཕྱིན་པ་དང་། བཟོད་པའི་ཕ་རོལ་ཏུ་ཕྱིན་པ་དང་། བརྩོན་འགྲུས་ཀྱི་ཕ་རོལ་ཏུ་ཕྱིན་པ་དང་། བསམ་གཏན་གྱི་ཕ་རོལ་ཏུ་ཕྱིན་པ་དང་། ཤེས་རབ་ཀྱི་ཕ་རོལ་ཏུ་ཕྱིན་པ་ལ་གནས་པ་དེའི་ཚེ། སེམས་ཅན་ཐམས་ཅད་ཀྱི་ཕྱིར་སྦྱིན་པ་དེ་ཡོངས་སུ་གཏོང་ངོ་། །ཚུལ་ཁྲིམས་སྲུང་(༦)ངོ་། ། བཟོད་པ་བསྒོམ་མོ། །བརྩོན་འགྲུས་རྩོམ་(༥)མོ། །བསམ་གཏན་ལ་མཉམ་པར་གཞོག་གོ། །ཤེས་རབ་བསྒོམ་མོ་རབ་འབྱོར་རྣམ་པ་དེ་དག་དང་། ཚུལ་དེ་

དག་དང་མཚན་མ་དེ་དག་དང་ལྡན་པའི་བྱང་ཆུབ་སེམས་དཔའ་སེམས་དཔའ་ཆེན་པོ་ནི་ཕྱིར་མི་ལྡོག་པར་རིག[༡]པར་བྱའོ། །རབ་འབྱོར་གཞན་ཡང་ཕྱིར་མི་ལྡོག་པའི་བྱང་ཆུབ་སེམས་དཔའ་སེམས་དཔའ་ཆེན་པོ་ནི་མདོ་དང་། དབྱངས་ཀྱིས་བསྙད་པ་དང་། ལུང་བསྟན་པ་དང་། ཚིགས་སུ་བཅད་པ་དང་། ཆེད་དུ་བརྗོད་པ་དང་། གླེང་གཞི་དང་། འདི་ལྟར་འདས་པ་དང་། སྐྱེས་པའི་རབས་དང་། ཤིན་ཏུ་རྒྱས་པ་དང་། ཆོས་རྨད་དུ་བྱུང་བ་དང་། རྟོགས་པ་བརྗོད་པ་དང་། གཏན་ལ་དབབ[༢]པ་བསྟན་པའི་ཆོས་དེ་དག་ཆོས་ཀྱི་སྦྱིན་པ་བྱ་བའི་དོན་དུ་ཀུན་ཆུབ་པར་བྱས་ནས། དེ་ཆོས་ཀྱི་སྦྱིན་པ་དེ་ཡོངས་སུ་གཏོང་བའི་ཚེ་འདི་སྙམ་དུ་ཆོས་ཀྱི་སྦྱིན་པ་འདིས་སེམས་ཅན་ཐམས་ཅད་ཀྱི་བསམ་པ་ཡོངས་སུ་རྫོགས་པར་གྱུར་ཅིག་ཅེས་བསམ[༣]ནས། དེ་ཆོས་ཀྱི་སྦྱིན་པ་དེ་སེམས་ཅན་ཐམས་ཅད་དང་ཐུན་མོང[༤]དུ་བྱས་ཤིང་། བླ་ན་མེད་པ་ཡང་དག་པར་རྫོགས་པའི་བྱང་ཆུབ་ཏུ་བསྔོ་སྟེ། རབ་འབྱོར་རྣམ་པ་དེ་དག་དང་ཚུལ་དེ་དག་དང་མཚན་མ་དེ་དག་དང་ལྡན་པའི་བྱང་ཆུབ་སེམས་དཔའ་སེམས་དཔའ་ཆེན་པོ་ནི་ཕྱིར་མི་ལྡོག་པར་རིག་པར་བྱའོ། །རབ་འབྱོར་གཞན་ཡང་ཕྱིར་མི་ལྡོག་པའི་བྱང་ཆུབ་སེམས་དཔའ་སེམས་དཔའ་ཆེན་པོ་ནི་ཆོས་ཟབ་མོ་ལ་ནེམ་ནུར་མེད། ཐེ་ཚོམ[༥]མེད། ཡིད་གཉིས་མེད་དོ། །གསོལ་པ་བཅོམ་ལྡན་འདས་ཅིའི་སླད་དུ་ན[༦]ཕྱིར་མི་ལྡོག་པའི་བྱང་ཆུབ་སེམས་དཔའ་སེམས་དཔའ་ཆེན་པོ་ཆོས་ཟབ་མོ་ལ་ནེམ་ནུར་མ་མཆིས། ཐེ་ཚོམ[༧]མ་མཆིས། ཡིད་གཉིས་མ་མཆིས་པ་ལགས། བཅོམ་ལྡན་འདས་ཀྱིས་བཀའ་སྩལ་པ། རབ་འབྱོར་དེ་ནི་འདི་ལྟར་ཕྱིར་མི་ལྡོག་པའི་བྱང་ཆུབ་སེམས་དཔའ་སེམས་དཔའ་ཆེན་པོས། ཆོས་གང་ཡང་ཡང་དག་པར་རྗེས་སུ་མཐོང་བ་མེད་དེ། གང་ལ་ནེམ་ནུར་རམ། ཡིད་གཉིས་སམ། ཐེ་

ཙམ་[1]དུ་འགྱུར་བའི་གཟུགས་སམ། ཚོར་བའམ་འདུ་ཤེས་སམ་འདུ་བྱེད་དམ། རྣམ་པར་ཤེས་པའམ། སྐྱེ་མཆེད་དམ་ཁམས་སམ། རྟེན་ཅིང་འབྲེལ་བར་འབྱུང་བའམ། ཕ་རོལ་དུ་ཕྱིན་པའམ། སྟོང་པ་ཉིད་དམ། བྱང་ཆུབ་ཀྱི་ཕྱོགས་ཀྱི་ཆོས་སམ། འཕགས་པའི་བདེན་པའམ། བསམ་གཏན་ནམ་ཚད་མེད་པའམ། གཟུགས་མེད་པའི་སྙོམས་པར་འཇུག་པའམ། རྣམ་པར་ཐར་པའམ་མཐར་གྱིས་གནས་པའི་སྙོམས་པར་འཇུག་པའམ། སྟོང་པ་ཉིད་དམ། མཚན་མ་མེད་པ་དང་སྨོན་པ་མེད་པ་དང་[2]། མངོན་པར་ཤེས་པའམ་ཏིང་ངེ་འཛིན་ཏམ[3]། གཟུངས་ཀྱི་སྒོའམ། དེ་བཞིན་གཤེགས་པའི་སྟོབས་སམ། མི་འཇིགས་པའམ། སོ་སོ་ཡང་དག་པར་རིག་པའམ། བྱམས་པ་ཆེན་པོའམ་སྙིང་རྗེ་ཆེན་པོའམ། སངས་རྒྱས་ཀྱི་ཆོས་མ་འདྲེས་པའམ། བླ་ན་མེད་པ་ཡང་དག་པར་རྫོགས་པའི་བྱང་ཆུབ་ཀྱི་བར་དུ་ཡང་དག་པར་རྗེས་སུ་མི་མཐོང་ངོ་། །རབ་འབྱོར་རྣམ་པ་དེ་དག་དང་། ཚུལ་དེ་དག་དང་མཚན་མ་དེ་དག་དང་ལྡན་པའི་བྱང་ཆུབ་སེམས་དཔའ་སེམས་དཔའ་ཆེན་པོ་ནི་ཕྱིར་མི་ལྡོག་པར་རིག་པར་བྱའོ། །རབ་འབྱོར་གཞན་ཡང་ཕྱིར་མི་ལྡོག་པའི་བྱང་ཆུབ་སེམས་དཔའ་སེམས་དཔའ་ཆེན་པོ་ནི་ལུས་ཀྱི་ལས་འཇམ་པ་དང་ལྡན་པ་ཡིན། ངག་གི་ལས་འཇམ་པ་དང་ལྡན་པ་ཡིན། ཡིད་ཀྱི་ལས་འཇམ་པ་དང་ལྡན་པ་ཡིན་ཏེ། རབ་འབྱོར་རྣམ་པ་དེ་དག་དང་། ཚུལ་དེ་དག་དང་མཚན་མ་དེ་དག་དང་ལྡན་པའི་བྱང་ཆུབ་སེམས་དཔའ་སེམས་དཔའ་ཆེན་པོ་ནི་ཕྱིར་མི་ལྡོག་པར་རིག་པར་བྱའོ། །རབ་འབྱོར་གཞན་ཡང་ཕྱིར་མི་ལྡོག་པའི་བྱང་ཆུབ་སེམས་དཔའ་སེམས་དཔའ་ཆེན་པོ་ནི་བྱམས་པའི་ལུས་ཀྱི་ལས་དང་། བྱམས་པའི་ངག་གིས་[4]ལས་དང་། བྱམས་པའི་ཡིད་ཀྱི་ལས་དང་ལྡན་པ་ཡིན་ཏེ། རབ་འབྱོར་རྣམ་པ་དེ་དག་དང་ཚུལ་དེ་

དག་དང་མཚན་མ་དེ་དག་དང་ལྡན་པའི་བྱང་ཆུབ་སེམས་དཔའ་སེམས་དཔའ་ཆེན་པོ་ནི་ཕྱིར་མི་ལྡོག་པར་རིག་པར་བྱའོ། །རབ་འབྱོར་གཞན་ཡང་ཕྱིར་མི་ལྡོག་པའི་བྱང་ཆུབ་སེམས་དཔའ་སེམས་དཔའ་ཆེན་པོ་ནི་འདི་ལྟ་སྟེ། འདོད་པ་ལ་མོས་པ་དང་། གནོད་སེམས་དང་རྨུགས་པ་དང་གཉིད་དང་རྒོད་པ་དང་འགྱོད་པ་དང་། ཐེ་ཚོམ་གྱི་སྒྲིབ་པ་ལྔ་པོ་འདི་དག་དང་ལྡན་ཅིག་ཏུ་མི་གནས་ཏེ། རབ་འབྱོར་རྣམ་པ་དེ་དག་དང་ཚུལ་དེ་དག་དང་མཚན་མ་དེ་དག་དང་ལྡན་པའི་བྱང་ཆུབ་སེམས་དཔའ་སེམས་དཔའ་ཆེན་པོ་ནི་ཕྱིར་མི་ལྡོག་པར་རིག་པར་བྱའོ། །རབ་འབྱོར་གཞན་ཡང་ཕྱིར་མི་ལྡོག་པའི་བྱང་ཆུབ་སེམས་དཔའ་སེམས་དཔའ་ཆེན་པོ་ནི་བག་ལ་ཉལ་བ་⑦ཐམས་ཅད་མེད་དེ⑧། རབ་འབྱོར་རྣམ་པ་དེ་དག་དང་ཚུལ་དེ་དག་དང་། མཚན་མ་དེ་དག་དང་ལྡན་པའི་བྱང་ཆུབ་སེམས་དཔའ་སེམས་དཔའ་ཆེན་པོ་ནི་ཕྱིར་མི་ལྡོག་པར་རིག་པར་བྱའོ། །རབ་འབྱོར་གཞན་ཡང་ཕྱིར་མི་ལྡོག་པའི་བྱང་ཆུབ་སེམས་དཔའ་སེམས་དཔའ་ཆེན་པོ་ནི་འགྲོ་ཞིང་འོང་ཡང་། ནོར་བའི་སེམས་ཀྱིས་མི་འགྲོ། ནོར་བའི་སེམས་ཀྱིས་མི་འོང་སྟེ། དེ་ལ་འགྲོ་བའམ་འོང་ན་ཡང་། དྲན་པ་ཉེ་བར་གཞག་ཅིང་འགྲོ། དྲན་པ་ཉེ་བར་གཞག་ཅིང་འོང་སྟེ། དེ་དྲན་བཞིན་དུ་འགྲོ། དྲན་བཞིན་དུ་འོང་། དྲན་བཞིན་དུ་འཆག །དྲན་བཞིན་དུ་སྡོད། དྲན་བཞིན་དུ་འདུག །དྲན་བཞིན་དུ་ཉལ་ཏེ། དེ་འཕྲུལ་ལ་ས་ལས་རྐང་པ་མི་འདེག །འཕྲུལ་⑨ལ་ས་ལ་རྐང་པ་མི་འཛོག་སྟེ། དྲན་བཞིན་དུ་རྐང་པ་འདེག །དྲན་བཞིན་དུ་རྐང་པ་འཛོག་ཅིང་། དེ་སའི་ཕྱོགས་མཐོང་བཞིན་དུ་འགྲོ་སྟེ། རབ་འབྱོར་རྣམ་པ་དེ་དག་དང་། ཚུལ་དེ་དག་དང་མཚན་མ་དེ་དག་དང་ལྡན་པའི་བྱང་ཆུབ་སེམས་དཔའ་སེམས་དཔའ་ཆེན་པོ་ནི་ཕྱིར་མི་ལྡོག་པར་རིག་པར་བྱའོ། །རབ་འབྱོར་གཞན་ཡང་ཕྱིར་མི་ལྡོག་

པའི་བྱང་ཆུབ་སེམས་དཔའ་སེམས་དཔའ་ཆེན་པོ་ནི་གོས་ཀྱི་ཚོགས་ལ་སྨད་དུ་མེད་
པ་ཡིན། རབ་འབྱོར་ཕྱིར་མི་ལྡོག་པའི་བྱང་ཆུབ་སེམས་དཔའ་སེམས་དཔའ་ཆེན་
པོ་ནི་གཙང་སྦྲའི་སྤྱོད་པ་དང་ལྡན་ཏེ། གཙང་ཞིང་དྲི་ང་བ་མེད་ལ་རྟུལ་དང་དྲི་
མ་དང་བྲལ་ཞིང་ནད་ཉུང་བ་ཡིན་ཏེ། རབ་འབྱོར་རྣམ་པ་དེ་དག་དང་ཚུལ་དེ་
དག་དང་། མཚན་མ་དེ་དག་དང་ལྡན་པའི་བྱང་ཆུབ་སེམས་དཔའ་སེམས་
དཔའ་ཆེན་པོ་ནི་ཕྱིར་མི་ལྡོག་པར་རིག་པར་བྱའོ། །རབ་འབྱོར་གཞན་ཡང་མིར་
གྱུར་པ་རྣམས་ཀྱི་ལུས་ལ་སྲིན་བུའི་རིགས་སྟོང་ཕྲག་བརྒྱད་ཅུ་ལུས་དེ་ཉིད་ལ་ཟ་བ་
ཡོད་པ་དེ་དག་ཀྱང་། ཕྱིར་མི་ལྡོག་པའི་བྱང་ཆུབ་སེམས་དཔའ་སེམས་དཔའ་
ཆེན་པོའི་ལུས་ལ་ཐམས་ཅད་དུ་ཐམས་ཅད། རྣམ་པ་ཐམས་ཅད་དུ་ཐམས་ཅད་
མེད་དོ། །དེ་ཅིའི་ཕྱིར་ཞེ་ན། རབ་འབྱོར་དེ་ནི་འདི་ལྟར་བྱང་ཆུབ་སེམས་
དཔའ་སེམས་དཔའ་ཆེན་པོའི་དགེ་བའི་རྩ་བ་དེ་དག་འཇིག་རྟེན་ཐམས་ཅད་ལས་
མངོན་པར་འཕགས་པ། འཇིག་རྟེན་ཐམས་ཅད་ཀྱི་མཆོག་ཏུ་གྱུར་པ་སྟེ།
དེའི་ཕྱིར་བྱང་ཆུབ་སེམས་དཔའ་སེམས་དཔའ་ཆེན་པོ་དེའི་ལུས་ལ་སྲིན་བུའི་
རིགས་སྟོང་ཕྲག་བརྒྱད་ཅུ་པོ་དེ་དག་མེད་དེ། རབ་འབྱོར་ཇི་ལྟ་ཇི་ལྟར་བྱང་ཆུབ་
སེམས་དཔའ་སེམས་དཔའ་ཆེན་པོའི་དགེ་བའི་རྩ་བ་དེ་དག་རྣམ་པར་འཕེལ་བ་དེ་
ལྟ་དེ་ལྟར་བྱང་ཆུབ་སེམས་དཔའ་སེམས་དཔའ་ཆེན་པོ་ལུས་ཡོངས་སུ་དག་པ་
ཡོངས་སུ་འཛིན་ཏོ། །ངག་ཡོངས་སུ་དག་པ་དང་། སེམས་ཡོངས་སུ་དག་པ་
ཡོངས་སུ་འཛིན་ཏོ། །རབ་འབྱོར་རྣམ་པ་དེ་དག་དང་ཚུལ་དེ་དག་དང་།
མཚན་མ་དེ་དག་དང་ལྡན་པའི་བྱང་ཆུབ་སེམས་དཔའ་སེམས་དཔའ་ཆེན་པོ་ནི་
ཕྱིར་མི་ལྡོག་པར་རིག་པར་བྱའོ། །དེ་སྐད་ཅེས་བཀའ་སྩལ་པ་དང་། ཚེ་དང་
ལྡན་པ་རབ་འབྱོར་གྱིས་བཅོམ་ལྡན་འདས་ལ་འདི་སྐད་ཅེས་གསོལ་ཏོ། །བཅོམ་

ལྡན་འདས་ཇི་ལྟར་ན་བྱང་ཆུབ་སེམས་དཔའ་སེམས་དཔའ་ཆེན་པོའི་ལུས་ཡོངས་སུ་དག་པ་ལགས། ངག་ཡོངས་སུ་དག་པ་ལགས། སེམས་ཡོངས་སུ་དག་པ་ལགས། བཅོམ་ལྡན་འདས་ཀྱིས་བཀའ་སྩལ་པ། རབ་འབྱོར་ཇི་ལྟ་ཇི་ལྟར་ན་བྱང་ཆུབ་སེམས་དཔའ་སེམས་དཔའ་ཆེན་པོའི་དགེ་བའི་རྩ་བ་དེ་དག་རྣམ་པར་འཕེལ་བ་དེ་ལྟ་དེ་ལྟར་དགེ་བའི་རྩ་བ་དེ་དག་གིས་ལུས་དང་ངག་དང་སེམས་མི་དྲང་བ་དང་། ལུས་དང་ངག་དང་སེམས་ཀྱི་གྱ་གྱུ་ཡོངས་སུ་བྱང་བར་འགྱུར་ཏེ། དེ་ཡང་དེ་ལྟ་དེ་ལྟར་ལུས་ཀྱིས་ལེགས་པར་སྤྱད་པ་རྣམ་པ་[7]གསུམ་སྤྱོད་དོ། །ངག་གིས་ལེགས་པར་སྤྱད་པ་རྣམ་པ་བཞི་སྤྱོད་དོ། །ཡིད་ཀྱིས་ལེགས་པར་སྤྱད་པ་རྣམ་པ་གསུམ་སྤྱོད་དེ། འདི་ནི་བྱང་ཆུབ་སེམས་དཔའ་སེམས་དཔའ་ཆེན་པོའི་ལུས་དང་ངག་དང་སེམས་ཡོངས་སུ་དག་པའོ། །དེ་ལུས་དང་ངག་དང་སེམས་ཡོངས་སུ་དག་པ་དེས། ཉན་ཐོས་ཀྱི་ས་དང་རང་སངས་རྒྱས་ཀྱི་ས་ལས་འདའ་ཡང་། ཡང་དག་པའི་མཐའ་མངོན་དུ་མི་བྱེད་དེ། རབ་འབྱོར་འདི་ཡང་བྱང་ཆུབ་སེམས་དཔའ་སེམས་དཔའ་ཆེན་པོའི་ལུས་དང་ངག་དང་སེམས་ཡོངས་སུ་དག་པར་རིག་པར་བྱ་སྟེ། རབ་འབྱོར་རྣམ་པ་དེ་དག་དང་ཚུལ་དེ་དག་དང་མཚན་མ་དེ་དག་དང་ལྡན་པའི་བྱང་ཆུབ་སེམས་དཔའ་སེམས་དཔའ་ཆེན་པོ་ནི་ཕྱིར་མི་ལྡོག་པར་རིག་པར་བྱའོ་རབ་འབྱོར་གཞན་ཡང་ཕྱིར་མི་ལྡོག་པའི་བྱང་ཆུབ་སེམས་དཔའ་སེམས་དཔའ་ཆེན་པོ་ནི་ཁེ་དང་བཀུར་[3]སྟི་དང་ཚིགས་སུ་བཅད་པ་ལྷུར་ལེན་པ་མ་ཡིན། བསོད་སྙོམས་ལྷུར་ལེན་པ་མ་ཡིན། ཆོས་གོས་གསུམ་པའི་བར་དུ་ལྷུར་ལེན་པ་མ་ཡིན་ཞིང་དེ་སྦྱངས་པའི་ཡོན་ཏན་བཅུ་གཉིས་ཀྱང་ཡང་དག་པར་བླངས་ཏེ་སྤྱོད་དོ། །རབ་འབྱོར་རྣམ་པ་དེ་དག་དང་ཚུལ་དེ་དག་དང་། མཚན་མ་དེ་དག་དང་ལྡན་པའི་བྱང་ཆུབ་སེམས་དཔའ་སེམས་དཔའ་ཆེན་པོ་ནི་

ཕྱིར་མི་ལྡོག་པར་རིག་པར་བྱའོ། །རབ་འབྱོར་གཞན་ཡང་ཕྱིར་མི་ལྡོག་པའི་བྱང་ཆུབ་སེམས་དཔའ་སེམས་དཔའ་ཆེན་པོ་ལ་སེར་སྣའི་སེམས་སྐྱེ་བ་མེད་དོ། །ཚུལ་ཁྲིམས་ངན་པའི་སེམས་སྐྱེ་བ་མེད་དོ། །འཁྲུགས[༡]པའི་སེམས་སྐྱེ་བ་མེད་དོ། །ལེ་ལོའི་སེམས་སྐྱེ་བ་མེད་དོ། །མཉམ་པར་མ་བཞག་པའི་སེམས་སྐྱེ་བ་མེད་དོ། །ཤེས་རབ་འཆལ་པའི་སེམས་སྐྱེ་བ་མེད་དོ། །ཕྲག་དོག[༢]གི་སེམས་སྐྱེ་བ་མེད་དོ། །རབ་འབྱོར་རྣམ་པ་དེ་དག་དང་། ཚུལ་དེ་དག་དང་མཚན་མ་དེ་དག་དང་ལྡན་པའི་བྱང་ཆུབ་སེམས་དཔའ་སེམས་དཔའ་ཆེན་པོ་ནི་ཕྱིར་མི་ལྡོག་པར་རིག་པར་བྱའོ། །རབ་འབྱོར་གཞན་ཡང་བྱང་ཆུབ་སེམས་དཔའ་སེམས་དཔའ་ཆེན་པོ་ཕྱིར་མི་ལྡོག་པ་ནི་བློ་བརྟན་པ་ཡིན། བློ་ཟབ་པ་ཡིན། གུས་པར་གཞན་ལ་ཆོས་ཉན་པ་ཡིན། གཞན་ལས་ཆོས་གང་ཅི་ཐོས་ཀྱང་། དེ་ཐམས་ཅད་ཤེས་རབ་ཀྱི་ཕ་རོལ་ཏུ་ཕྱིན་པས་ཡང་དག་པར་སྦྱུབ་པ་ཡིན། འཇིག་རྟེན་པའི་བྱ་བ་གང་ཇི་སྙེད་པ་དེ་དག་ཐམས་ཅད་ཀྱང་ཤེས་རབ་ཀྱི་ཕ་རོལ་ཏུ་ཕྱིན་པ་ལ་བརྟེན་ཏེ། ཆོས་ཉིད་ཀྱིས་ཡང་དག་པར་སྦྱུབ་ཅིང་། ཆོས་གང་ཆོས་ཀྱི་དབྱིངས་དང་མི་འབྱོར[༣]པ་དེ་ལྟ་བུ་གང་ཡང་ཡང་དག་པར་རྗེས་སུ་མི་མཐོང་སྟེ། དེ་ཐམས་ཅད་ཀྱང་ཤེས་རབ་ཀྱི་ཕ་རོལ་ཏུ་ཕྱིན་པ་དང༔འབྱོར་བར[༤]ཡང་ཡང་དག་པར་རྗེས་སུ་མཐོང་བ་ཡིན་ཏེ། རབ་འབྱོར་དེ་དག་ནི་ཕྱིར་མི[༥]ལྡོག་པའི་བྱང་ཆུབ་སེམས་དཔའ་སེམས་དཔའ་ཆེན་པོའི་ཕྱིར་མི་ལྡོག་པའི་མཚན་ཉིད་དུ་རིག་པར་བྱའོ། །རབ་འབྱོར་དེ་ལ་གལ་ཏེ་ཕྱིར་མི་ལྡོག་པའི་བྱང་ཆུབ་སེམས་དཔའ་སེམས་དཔའ་ཆེན་པོའི་མདུན་དུ་བདུད་སྡིག་ཏོ་ཅན་གྱིས་སེམས་ཅན་དམྱལ་བ་ཆེན་པོ་བརྒྱད་མངོན་པར་སྤྲུལ་ནས། སེམས་ཅན་དམྱལ་བ་ཆེན་པོ་རེ་རེར་ཡང་། བྱང་ཆུབ་སེམས་དཔའ་བརྒྱ་ཕྲག་མང་པོ། བྱང་ཆུབ་སེམས་དཔའ་སྟོང་ཕྲག་མང་པོ།

བྱང་ཆུབ་སེམས་དཔའ་བརྒྱ་སྟོང་ཕྲག་མང་པོ། བྱང་ཆུབ་སེམས་དཔའ་བྱེ་བ་ཕྲག་མང་པོ། བྱང་ཆུབ་སེམས་དཔའ་བྱེ་བ་བརྒྱ་ཕྲག་མང་པོ། བྱང་ཆུབ་སེམས་དཔའ་བྱེ་བ་བརྒྱ་སྟོང་ཕྲག་མང་པོ། བྱང་ཆུབ་སེམས་དཔའ་བྱེ་བ་ཁྲག་ཁྲིག་ཕྲག་མང་པོ་བསྐྲིག་ཅིང་བཙོ་བ་དང་། མི་བཟད་པར[༧]སྡུག་བསྔལ་བ་དང་། རྒུབ་པ་དང་། ཚ་བའི་ཚོར་བ་མྱོང་བར་མངོན་དུ་སྤྲུལ་ནས་བསྟན[༡]ཏེ། བྱང་ཆུབ་སེམས་དཔའ་དེ་ལ་འདི་སྐད་དུ་བྱང་ཆུབ་སེམས་དཔའ་སེམས་དཔའ་ཆེན་པོ་འདི་དག་ནི་ཕྱིར་མི་ལྡོག་པར་དེ་བཞིན་གཤེགས་པས་ལུང་བསྟན་པ་ཡིན་ཏེ། སེམས་ཅན་དམྱལ་བ་ཆེན་པོ་འདིར་སྐྱེས་སོ། །ཁྱོད་ཀྱང་དེ་བཞིན་གཤེགས་པས་ཕྱིར་མི་ལྡོག་པར་ལུང་བསྟན་པ་ནི། སེམས་ཅན་དམྱལ་བར་ལུང་བསྟན་ཏེ། ༔ད་དུང་[༡]ཡང་ཁྱོད་ཀྱིས་བྱང་ཆུབ་ཀྱི་སེམས་འདི་ཐོང་ཞིག[༢]དང་ཁྱོད་སེམས་ཅན་དམྱལ་བར་སྐྱེ་བར་མི་འགྱུར་ཏེ། དེ་ལྟར་སྦྱོས[༤]དང་ཁྱོད་མཐོ་རིས་སུ་འགྲོ་བར་འགྱུར་རོ་ཞེས་ཟེར་ཡང་། རབ་འབྱོར་གལ་ཏེ་བྱང་ཆུབ་སེམས་དཔའ་སེམས་དཔའ་ཆེན་པོའི་སེམས་མི་འཁྲུག[༦]ཅིང་ནེམ་ནུར་མེད། ཐེ་ཚོམ་མེད་ན། བྱང་ཆུབ་སེམས་དཔའ་སེམས་དཔའ་ཆེན་པོ་དེ་ནི་སྔོན་གྱི་དེ་བཞིན་གཤེགས་པ་དགྲ་བཅོམ་པ་ཡང་དག་པར་རྫོགས་པའི་སངས་རྒྱས་དེ་དག་གིས་ཀྱང་ལུང་བསྟན་པར་རིག་པར་བྱའོ། །བྱང་ཆུབ་སེམས་དཔའ་སེམས་དཔའ་ཆེན་པོ་དེ་ནི་ངེས་པ་ཡིན་ཏེ། ཕྱིར་མི་ལྡོག་པའི་ཁམས་སུ་གནས་པའོ། །རབ་འབྱོར་འདི་ནི་གནས་མ་ཡིན་ཞིང་[༧]སྐབས་མེད་པ་སྟེ། ཕྱིར་མི་ལྡོག་པའི་བྱང་ཆུབ་སེམས་དཔའ་སེམས་དཔའ་ཆེན་པོ་སེམས་ཅན་དམྱལ་བའམ། ཡུལ་སོང་གི་སྐྱེ་གནས་སམ། གཤིན་རྗེའི་འཇིག་རྟེན་དུ་སྐྱེ་བར་འགྱུར་བ་དེ་ནི་གནས་མེད་དོ། །རབ་འབྱོར་རྣམ་པ་དེ་དག་དང་། ཚུལ་དེ་དག་དང་མཚན་མ་དེ་དག་དང་ལྡན་པའི་བྱང་ཆུབ་སེམས་དཔའ་སེམས་

དཔའ་ཆེན་པོ་ནི་ཕྱིར་མི་ལྡོག་པར་རིག་པར་བྱའོ། །རབ་འབྱོར་གཞན་ཡང་གལ་ཏེ་ཕྱིར་མི་ལྡོག་པའི་བྱང་ཆུབ་སེམས་དཔའ་སེམས་དཔའ་ཆེན་པོའི་དྲུང་དུ་བདུད་སྡིག་ཏོ་ཅན་དགེ་སློང་གི་ཆ་བྱད་དུ་འོངས་ཏེ། འདི་སྐད་དུ་གང་ཁྱོད་ཀྱིས་སྔོན་འདི་ལྟར་བདག་གིས་སྦྱིན་པའི་ཕ་རོལ་ཏུ་ཕྱིན་པ་ཡོངས་སུ་སྦྱང་བར་བྱའོ། །འདི་ལྟར་བདག་གིས་ཚུལ་ཁྲིམས་ཀྱི་ཕ་རོལ་ཏུ་ཕྱིན་པ་ཡོངས་སུ་སྦྱང་བར་བྱའོ། །འདི་ལྟར་བདག་གིས་བཟོད་པའི་ཕ་རོལ་ཏུ་ཕྱིན་པ་ཡོངས་སུ་སྦྱང་བར་བྱའོ། །འདི་ལྟར་བདག་གིས་བརྩོན་འགྲུས་ཀྱི་ཕ་རོལ་ཏུ་ཕྱིན་པ་ཡོངས་སུ་སྦྱང་བར་བྱའོ། །འདི་ལྟར་བདག་གིས་བསམ་གཏན་གྱི་ཕ་རོལ་ཏུ་ཕྱིན་པ་ཡོངས་སུ་སྦྱང་བར་བྱའོ། །འདི་ལྟར་བདག་གིས་ཤེས་རབ་ཀྱི་ཕ་རོལ་ཏུ་ཕྱིན་པ་ཡོངས་སུ་སྦྱང་བར་བྱའོ། །འདི་ལྟར་བདག་གིས་ནང་སྟོང་པ་ཉིད་ཡོངས་སུ་སྦྱང་བར་བྱའོ། །འདི་ལྟར་བདག་གིས་དངོས་པོ་མེད་པའི་ངོ་བོ་ཉིད་སྟོང་པ་ཉིད་ཀྱི་བར་དུ་ཡོངས་སུ་སྦྱང་བར་བྱའོ། །འདི་ལྟར་བདག་གིས་དྲན་པ་ཉེ་བར་གཞག་པ་རྣམས་ཡོངས་སུ་སྦྱང་བར་བྱའོ། །འདི་ལྟར་བདག་གིས་ཡང་དག་པར་སྤོང་བ་རྣམས་དང་། རྫུ་འཕྲུལ་གྱི་རྐང་པ་རྣམས་དང་། དབང་པོ་རྣམས་དང་། སྟོབས་རྣམས་དང་། བྱང་ཆུབ་ཀྱི་ཡན་ལག་རྣམས་དང་འཕགས་པའི་ལམ་ཡན་ལག་བརྒྱད་པ་ཡོངས་སུ་སྦྱང་བར་བྱའོ། །འདི་ལྟར་བདག་གིས་སངས་རྒྱས་ཀྱི་ཆོས་མ་འདྲེས་པ་བཅོ་བརྒྱད་ཀྱི་བར་དུ་ཡོངས་སུ་སྦྱང་བར་བྱའོ། །འདི་ལྟར་བདག་གིས་རྣམ་པ་ཐམས་ཅད་མཁྱེན་པ་ཉིད་ཀྱི་བར་དུ་ཡོངས་སུ་སྦྱང་བར་བྱའོ། །འདི་ལྟར་བདག་གིས་བླ་ན་མེད་པ་ཡང་དག་པར་རྫོགས་པའི་བྱང་ཆུབ་ཏུ་མངོན་པར་རྫོགས་པར་འཚང་རྒྱ་བར་བྱའོ་ཞེས་ནས། ཐོས་པར་གྱུར་པ་དེ་དག་ཐོགས་ཤིག །ཐོང་[7]ཤིག་འདས་པ་དང་། མ་བྱོན་པ་དང་ད་ལྟར་བྱུང་བའི་དེ་བཞིན་གཤེགས་པ་དགྲ་བཅོམ་པ་

ཡང་དག་པར་རྫོགས་པའི་སངས་རྒྱས་ཉན་ཐོས་དང་བཅས་པ་རྣམས་ཀྱིས་ཐུགས་
དང་པོ་བསྐྱེད་པ་ནས་ཉེ་བར་བཟུང་སྟེ། དམ་པའི་ཆོས་གནས་པའི་བར་གྱི་དགེ་
བའི་རྩ་བ་གང་ཇི་སྙེད་པ་དེ་དག་ཐམས་ཅད་ལ་རྗེས་སུ་ཡིད་རང་བ་དེ་དག་ཀྱང་སོ་
སོར་ཤོགས་ཤིག །ཐོང་[༧]ཤིག །གང་ཁྱོད་ཀྱིས་ཐོས་པ་དེ་ནི་སངས་རྒྱས་ཀྱི་
བཀའ་མ་ཡིན། ཡང་དག་པར་རྫོགས་པའི་སངས་རྒྱས་ཀྱིས་གསུངས་པ་མ་ཡིན་ཏེ།
དེ་ནི་རང་བཟོར་བྱས་པའོ། །གང་ངས་བཤད་པ་ནི་སངས་རྒྱས་ཀྱི་བཀའ་སྟེ། དེ་
བཞིན་གཤེགས་པས་གསུངས་པའོ་ཞེས་ཟེར་ལ། གལ་ཏེ་བྱང་ཆུབ་སེམས་དཔའ་
སེམས་དཔའ་ཆེན་པོ་འཁྲུག་ཅིང་ནེམ་ནུར་བྱེད་དམ། ཐེ་ཚོམ་ཟ་ན་བྱང་ཆུབ་
སེམས་དཔའ་སེམས་དཔའ་ཆེན་པོ་དེ་ནི་སྔོན་གྱི་དེ་བཞིན་གཤེགས་པ་དགྲ་བཅོམ་
པ་ཡང་དག་པར་རྫོགས་པའི་སངས་རྒྱས་དེ་དག་གིས་ལུང་མ་བསྟན་པར་རིག་པར་
བྱའོ། །བྱང་ཆུབ་སེམས་དཔའ་དེ་ནི་[༨]མ་ངེས་པ་ཡིན་ཏེ། བྱང་ཆུབ་སེམས་
དཔའ་དེ་ནི་ཕྱིར་མི་ལྡོག་པའི་ཁམས་སུ་གནས་པ་མ་ཡིན་ནོ། །གལ་ཏེ་བྱང་ཆུབ་
སེམས་དཔའ་སེམས་དཔའ་ཆེན་པོ་མི་འཁྲུག་ཅིང་ནེམ་ནུར་མི་བྱེད། ཐེ་ཚོམ་མི་
ཟ་ལ་ཆོས་ཉིད་ལ་བརྟེན་[༩]ཅིང་མངོན་པར་འདུ་མ་བྱས་པ་དང་། མ་སྐྱེས་པ་ལ་
བརྟེན་[༡༠]ཏེ། གཞན་ལ་ཡིད་མི་ཆེས་པས་མི་འགྲོ་ཞིང་། སྦྱིན་པའི་ཕ་རོལ་ཏུ་
ཕྱིན་པ་དང་། ཚུལ་ཁྲིམས་ཀྱི་ཕ་རོལ་ཏུ་ཕྱིན་པ་དང་། བཟོད་པའི་ཕ་རོལ་ཏུ་
ཕྱིན་པ་དང་། བརྩོན་འགྲུས་ཀྱི་ཕ་རོལ་ཏུ་ཕྱིན་པ་དང་། བསམ་གཏན་གྱི་ཕ་
རོལ་ཏུ་ཕྱིན་པ་དང་། ཤེས་རབ་ཀྱི་ཕ་རོལ་ཏུ་ཕྱིན་པ་ལ་གཞན་གྱི་དྲིང་མི་འཇོག།
བླ་ན་མེད་པ་ཡང་དག་པར་རྫོགས་པའི་བྱང་ཆུབ་ཀྱི་བར་ལ་གཞན་གྱི་དྲིང་མི་
འཇོག་ཅིང་། འདི་ལྟར་དཔེར་ན་དགྲ་བཅོམ་པ་ཟག་པ་ཟད་པ་གཞན་ལ་ཡིད་
ཆེས་པས་མི་འགྲོ་ཞིང་། ཆོས་ཉིད་མངོན་དུ་གྱུར་པས་བདུད་སྡིག་ཏོ་ཅན་གྱིས་མི་

འཕྲོགས་པ་དེ་བཞིན་དུ་ཕྱིར་མི་ལྡོག་པའི་བྱང་ཆུབ་སེམས་དཔའ་སེམས་དཔའ་ཆེན་པོ་ཉན་ཐོས་ཀྱི་ཐེག་པ་པ་རྣམས་དང་། རང་སངས་རྒྱས་ཀྱི་ཐེག་པ་པ་རྣམས་ཀྱིས་མི་ཐུབ་ཅིང་། བླ་ན་མེད་པ་ཡང་དག་པར་རྫོགས་པའི་བྱང་ཆུབ་ལས་ཕྱིར་མི་ལྡོགས[༡]ན། རབ་འབྱོར་བྱང་ཆུབ་སེམས་དཔའ་སེམས་དཔའ་ཆེན་པོ་དེ་ནི་ངེས་པ་ཡིན་ཏེ། ཕྱིར་མི་ལྡོག་པའི་ཁམས་སུ་གནས་ཤིང་གཞན་གྱི་དྲིང་མི་འཇོག་པ་ཡིན། དེ་ནི་དེ་བཞིན་གཤེགས་པ་དགྲ་བཅོམ་པ་ཡང་དག་པར་རྫོགས་པའི་སངས་རྒྱས་ལ་ཡིད་ཆེས་པས་ཀྱང་མི་འགྲོ་ན། ཉན་ཐོས་ཀྱི་ཐེག་པ་པའམ། རང་སངས་རྒྱས་ཀྱི་ཐེག་པ་པའམ། བདུད་སྡིག་ཏོ་[༢]ཅན་ནམ། མུ་སྟེགས་ཅན་དང་ཀུན་དུ་རྒྱུ་བ་གཞན་དག་ལ་ཡིད་ཆེས་པས་འགྲོ་བར་འགྱུར་བ་ལྟ་ཅི་སྨོས་ཏེ་དེ་ནི་གནས་མེད་དོ། །དེ་ཅིའི་ཕྱིར་ཞེ་ན། འདི་ལྟར་དེས་གང་ལ་ཡིད་ཆེས་པས་འགྲོ་བའི་ཆོས་གང་ཡང་ཡང་དག་པར་རྗེས་སུ་མི་མཐོང་སྟེ། གཟུགས་སམ། ཚོར་བའམ། འདུ་ཤེས་སམ་འདུ་བྱེད་དམ། རྣམ་པར་ཤེས་པའམ། གཟུགས་ཀྱི་དེ་བཞིན་ཉིད་དམ། ཚོར་བ་དང་འདུ་ཤེས་སམ་འདུ་བྱེད་དང་། རྣམ་པར་ཤེས་པའི་དེ་བཞིན་ཉིད་དམ། སྐྱེ་མཆེད་དམ་ཁམས་སམ། [༣]རྟེན་ཅིང་འབྲེལ་བར་འབྱུང་བའི་དེ་བཞིན་ཉིད་ཡང་དག་པར་རྗེས་སུ་མི་མཐོང་ངོ་། །ཕ་རོལ་ཏུ་ཕྱིན་པའམ། སྟོང་པ་ཉིད་དམ། བྱང་ཆུབ་ཀྱི་ཕྱོགས་ཀྱི་ཆོས་སམ། བྱང་ཆུབ་ཀྱི་ཕྱོགས་ཀྱི་ཆོས་ཀྱི་དེ་བཞིན་ཉིད་ཡང་དག་པར་རྗེས་སུ་མི་མཐོང་ངོ་། །འཕགས་པའི་བདེན་པའམ། བསམ་གཏན་ནམ། ཚད་མེད་པའམ། གཟུགས་མེད་པའི་སྙོམས་པར་འཇུག་པའམ། རྣམ་པར་ཐར་པའམ། མཐར་གྱིས་གནས་པའི་སྙོམས་པར་འཇུག་པའམ། སྟོང་པ་ཉིད་དང་མཚན་མ་མེད་པ་དང་། སྨོན་པ་མེད་པ་དང་[༤]། མངོན་པར་ཤེས་པའམ་ཏིང་ངེ་འཛིན་ཏམ[༥]།

གཟུངས་ཀྱི་སྒོའམ། དེ་བཞིན་གཤེགས་པའི་སྟོབས་སམ། མི་འཇིགས་པའམ། སོ་སོ་ཡང་དག་པར་རིག་པའམ། བྱམས་པ་ཆེན་པོའམ། སྙིང་རྗེ་ཆེན་པོའམ། སངས་རྒྱས་ཀྱི་ཆོས་མ་འདྲེས་པ་རྣམས་སམ། སངས་རྒྱས་ཀྱི་ཆོས་མ་འདྲེས་པ་རྣམས་ཀྱི་དེ་བཞིན་ཉིད་ཡང་དག་པར་རྗེས་སུ་མི་མཐོང་ངོ་། །བྱང་ཆུབ་ཀྱི་བར་རམ། བྱང་ཆུབ་ཀྱི་དེ་བཞིན་ཉིད་ཡང་དག་པར་རྗེས་སུ་མི་མཐོང་སྟེ། རབ་འབྱོར་རྣམ་པ་དེ་དག་དང་། ཚུལ་དེ་དག་དང་། མཚན་མ་དེ་དག་དང་ལྡན་པའི་བྱང་ཆུབ་སེམས་དཔའ་སེམས་དཔའ་ཆེན་པོ་ནི་ཕྱིར་མི་ལྡོག་པར་རིག་པར་བྱའོ། ། ||

ཤེས་རབ་ཀྱི་ཕ་རོལ་ཏུ་ཕྱིན་པ་སྟོང་ཕྲག་ཉི་ཤུ་ལྔ་པ། བམ་པོ་ལྔ་བཅུ་གཅིག་པ། རབ་འབྱོར་གཞན་ཡང་བྱང་ཆུབ་སེམས་དཔའ་སེམས་དཔའ་ཆེན་པོའི་དྲུང་དུ་བདུད་སྡིག་ཏོ་ཅན་དགེ་སློང་གི་ཆ་བྱད་དུ་འོངས་ནས། འདི་སྐད་དུ་འདི་ནི་འཁོར་བར་སྤྱོད་པ་ཡིན་ཏེ། བྱང་ཆུབ་སེམས་དཔའི་སྤྱོད་པ་མ་ཡིན་གྱིས་[༡] འདི་ཉིད་དུ་ཁྱོད་ཀྱིས་སྡུག་བསྔལ་གྱི་མཐར་ཕྱིན་པར་གྱིས་ཤིག་ཅེས་ཟེར་ཞིང་བདུད་སྡིག་ཏོ་ཅན་དེ་བྱང་ཆུབ་སེམས་དཔའ་སེམས་དཔའ་ཆེན་པོ་ལ་ལམ་གྱི་གཟུགས་བརྙན་གང་འཁོར་བར་སྤྱོད་པའི་འཇིག་རྟེན་པའི་རྣམ་པས་ལམ་གྱི་གཟུགས་བརྙན་སྟོན་ཏེ། ཡང་ན་རུས་པར་འདུ་ཤེས་པ་སྟོན་ཏོ། །ཡང་ན་བསམ་གཏན་དང་པོ་དང་། འདུ་ཤེས་མེད་འདུ་ཤེས་མེད་མིན་སྐྱེ་མཆེད་ཀྱི་བར་དུ་སྟོན་ཅིང་། ཚེ་དང་ལྡན་པ་ལམ་དང་ནན་ཏན་གང་གིས་རྒྱུན་དུ་ཞུགས་པའི་འབྲས་བུ་འཐོབ་པ་དང་། ལན་ཅིག་ཕྱིར་འོང་བའི་འབྲས་བུ་དང་། ཕྱིར་མི་འོང་བའི་འབྲས་བུ་དང་། དགྲ་བཅོམ་པ་ཉིད་འཐོབ་པར་འགྱུར་བའི་ལམ་དང་ནན་ཏན་ནི་འདི་ཡིན་ནོ། །ཚེ་དང་ལྡན་པ་ལམ་དང་ནན་ཏན་འདིས་འདི་ཉིད་

ཏུ་ཕྱིད་ཀྱིས་སྡུག་བསྔལ་གྱི་མཐར་ཕྱུང་[1]ཤིག་དང་། ཕྱིན་ཅད་[2]འཁོར་བ་ན་སྤྱོད་པའི་སྡུག་བསྔལ་དེ་དག་མྱོང་བར་མི་འགྱུར་རོ། །ཀྱེ་མ་ཕྱིད་ཀྱིས་ལུས་འདི་འདི་ཉིད་ཏུ་མངོན་པར་མ་གྲུབ་ན། ལུས་གཞན་ཡང་ཇི་ལྟར་ཡོངས་སུ་གཟུང་བར་སེམས་ཤེས་ཟེར་ཡང་། རབ་འབྱོར་གལ་ཏེ་བྱང་ཆུབ་སེམས་དཔའ་སེམས་དཔའ་ཆེན་པོའི་མཚན་[3]སེམས་མི་འཁྲུགས་[4]མི་གཡོ་ཞིང་། གོང་དུ་ཡང་འདི་སྙམ་དུ་སེམས་ཏེ། འདི་ལྟར་བདག་ལ་ལམ་གྱི་གཟུགས་བརྙན་སྟོན་པ་ནི། དགེ་སློང་འདི་བདག་ལ་ཕན་འདོགས་པ་སྟེ། ལམ་གྱི་གཟུགས་བརྙན་དེས་ནི་རྒྱུན་དུ་ཞུགས་པའི་འབྲས་བུ་མངོན་དུ་བྱ་བར་ཡང་མི་འགྱུར། ལན་ཅིག་ཕྱིར་འོང་བའི་འབྲས་བུ་དང་། ཕྱིར་མི་འོང་བའི་འབྲས་བུ་དང་། དགྲ་བཅོམ་པ་ཉིད་མངོན་དུ་བྱ་བར་ཡང་མི་འགྱུར། རང་བྱང་ཆུབ་མངོན་དུ་བྱ་བར་ཡང་མི་འགྱུར། བླ་ན་མེད་པ་ཡང་དག་པར་རྫོགས་པའི་བྱང་ཆུབ་མངོན་དུ་བྱ་བར་ཡང་མི་འགྱུར་རོ་སྙམ་སྟེ། དེ་ལས་ཀྱང་གོང་དུ་གང་བདག་ལ་དེ་ལྟར་ཆགས་པས་[5]སྟོན་པའི་དགེ་སློང་འདི་ནི་བདག་ལ་ཕན་འདོགས་པ་ཡིན་གྱིས[6]། བདག་གིས་ཆགས་པ་དེ་དག་ཤེས་པར་བྱ་སྟེ། ཐེག་པ་གསུམ་པོ་ཀུན་ལ་བསླབ་པར་བྱའོ་ཞེས་དགའ་བ་སྐྱེ་ལ། བདུད་སྡིག་ཏོ་ཅན་དེས་ཀྱང་བྱང་ཆུབ་སེམས་དཔའ་སེམས་དཔའ་ཆེན་པོ་དེ་དགའ་བར་གྱུར་པར་ཤེས་ནས། དེ་ལ་འདི་སྐད་དུ་རིགས་ཀྱི་བུ་ཕྱིད་བྱང་ཆུབ་སེམས་དཔའ་སེམས་དཔའ་ཆེན་པོ་མང་པོས། སངས་རྒྱས་བཅོམ་ལྡན་འདས་གང་གཱའི་ཀླུང་གི་བྱེ་མ་སྙེད་ལ་ན་བཟའ་དང་། བསོད་སྙོམས་དང་། གཟིམས་ཆ་དང་། སྨན་གྱི་རྐྱེན་སྨན་དང་། ཡོ་བྱད་ཀྱིས་རིམ་གྲོར་བྱས་པ་དང་། གང་གཱའི་ཀླུང་གི་བྱེ་མ་སྙེད་ཀྱི་དེ་བཞིན་གཤེགས་པ་དགྲ་བཅོམ་པ་ཡང་དག་པར་རྫོགས་པའི་སངས་རྒྱས་རྣམས་ཀྱི་དྲུང་དུ་གང་གིས་སྦྱིན་པའི་ཕ་རོལ་ཏུ་

ཕྱིན་པ་ཡོངས་སུ་རྫོགས་པར་བྱས་པ་དང་། ཚུལ་ཁྲིམས་ཀྱི་ཕ་རོལ་ཏུ་ཕྱིན་པ་དང་། བཟོད་པའི་ཕ་རོལ་ཏུ་ཕྱིན་པ་དང་། བརྩོན་འགྲུས་ཀྱི་ཕ་རོལ་ཏུ་ཕྱིན་པ་དང་། བསམ་གཏན་གྱི་ཕ་རོལ་ཏུ་ཕྱིན་པ་དང་། ཤེས་རབ་ཀྱི་ཕ་རོལ་ཏུ་ཕྱིན་པ་ཡོངས་སུ་རྫོགས་པར་བྱས་པ་དང་། སངས་རྒྱས་བཅོམ་ལྡན་འདས་གང་གཱའི་ཀླུང་གི་བྱེ་མ་སྙེད་ལ་བསྙེན་བཀུར་བྱས་ཏེ། ཇི་ལྟར་བྱང་ཆུབ་སེམས་དཔའ་སེམས་དཔའ་ཆེན་པོས་སྦྱིན་པའི་ཕ་རོལ་ཏུ་ཕྱིན་པ་ལ་སྤྱོད་པ་དང་། ཚུལ་ཁྲིམས་ཀྱི་ཕ་རོལ་ཏུ་ཕྱིན་པ་དང་། བཟོད་པའི་ཕ་རོལ་ཏུ་ཕྱིན་པ་དང་། བརྩོན་འགྲུས་ཀྱི་ཕ་རོལ་ཏུ་ཕྱིན་པ་དང་། བསམ་གཏན་གྱི་ཕ་རོལ་ཏུ་ཕྱིན་པ་དང་། ཤེས་རབ་ཀྱི་ཕ་རོལ་ཏུ་ཕྱིན་པ་ལ་སྤྱོད་པ་དང་། ནང་སྟོང་པ་ཉིད་ལ་སྤྱོད་པ་དང་། དངོས་པོ་མེད་པའི་ངོ་བོ་ཉིད་སྟོང་པ་ཉིད་ཀྱི་བར་ལ་སྤྱོད་པ་དང་། དྲན་པ་ཉེ་བར་གཞག་པ་ལ་སྤྱོད་པ་དང་། ཡང་དག་པར་སྤོང་⑦བ་དང་། རྫུ་འཕྲུལ་གྱི་རྐང་པ་དང་། དབང་པོ་དང་སྟོབས་དང་བྱང་ཆུབ་ཀྱི་ཡན་ལག་དང་། འཕགས་པའི་ལམ་ཡན་ལག་བརྒྱད་པ་ལ་སྤྱོད་པ་དང་། འཕགས་པའི་བདེན་པ་དང་བསམ་གཏན་དང་ཚད་མེད་པ་དང་། གཟུགས་མེད་པའི་སྙོམས་པར་འཇུག་པ་དང་། རྣམ་པར་ཐར་པ་བརྒྱད་དང་། མཐར་གྱིས་གནས་པའི་སྙོམས་པར་འཇུག་པ་དགུ་དང་། སྟོང་པ་ཉིད་དང་། མཚན་མ་མེད་པ་དང་། སྨོན་པ་མེད་པ་དང་མངོན་པར་ཤེས་པ་དང་། ཏིང་ངེ་འཛིན་དང་གཟུངས་ཀྱི་སྒོ་དང་། དེ་བཞིན་གཤེགས་པའི་སྟོབས་བཅུ་དང་། མི་འཇིགས་པ་བཞི་དང་། སོ་སོ་ཡང་དག་པར་རིག་པ་བཞི་དང་། བྱམས་པ་ཆེན་པོ་དང་སྙིང་རྗེ་ཆེན་པོ་དང་། སངས་རྒྱས་ཀྱི་ཆོས་མ་འདྲེས་པ་བཅོ་བརྒྱད་དང་། རྣམ་པ་ཐམས་ཅད་མཁྱེན་པ་ཉིད་ཀྱི་བར་ལ་སྤྱོད་པའི་ཚེ། བྱང་ཆུབ་སེམས་དཔའི་ཐེག་པ་ལ་གནས་པར་བགྱི་

ཞེས། བྱང་ཆུབ་སེམས་དཔའི་ཐེག་པ་འདི་ཉིད་ཀྱི་དོན་དུ་ཀུན་དྲིས་ཤིང་ཡོངས་སུ་ཞུས་པ་རྣམས་ལ་བལྟ་བར་འདོད་དམ། དེ་ལྟར་སངས་རྒྱས་བཅོམ་ལྡན་འདས་དེ་དག་གིས་གང་བཤད་པ་ལ། དེ་བཞིན་དུ་གནས་ཏེ་དེ་བཞིན་དུ་བརྩོན་པར་བྱས་ཀྱང་བྱང་ཆུབ་སེམས་དཔའ་སེམས་དཔའ་ཆེན་པོ་དེ་ལྟ་བུ་དག་གིས། བླ་ན་མེད་པ་ཡང་དག་པར་རྫོགས་པའི་བྱང་ཆུབ་ཏུ་མངོན་པར་རྫོགས་པར་སངས་མ་རྒྱས་ཏེ། དེ་ལྟར་གདམས[1]པ་དང་། དེ་ལྟར་བསྟན་པ་དང་། དེ་ལྟར་གནས་པ་དང་། དེ་ལྟར་སློབ་སློབ་པ་རྣམས་ཀྱིས་ཀྱང་རྣམ་པ་ཐམས་ཅད་མཁྱེན་པ་ཉིད་མ་ཐོབ་ན། ཁྱོད་ཀྱིས་ལྟ་བླ་ན་མེད་པ་ཡང་དག་པར་རྫོགས་པའི་བྱང་ཆུབ་ཐོབ་པར་འགྱུར་རེ[2]སྐན་ཞེས་བརྗོད་དེ[3]། དེ་ལྟར་བྱང་ཆུབ་སེམས་དཔའ་སེམས་དཔའ་ཆེན་པོ་དེ་ལ་སྙིང་བརྟན[4]བཙུག་ཀྱང་དེའི་སེམས་གཞན་དུ་མི་འགྱུར་ལ། མི་འཇིགས་མི་དངང[5]སྐྲག་པར་མི་འགྱུར་ཞིང་། གང[6]དུ་ཡང་དགེ་སློང་འདི་ནི་དེ་ལྟར་བདག་ལ་ཆགས་པ་གང་གིས་རྒྱུན་དུ་ཞུགས་པའི་འབྲས་བུ་ཡང་འཐོབ་པར་མི་འགྱུར། ལན་ཅིག་ཕྱིར་འོང་བའི་འབྲས་བུ་དང་། ཕྱིར་མི་འོང་བའི་འབྲས་བུ་དང་། དགྲ་བཅོམ་པ་ཉིད་དང་། རང་བྱང་ཆུབ་ཀྱང་འཐོབ་པར་མི་འགྱུར། ལམ་གྱི་རྣམ་པ་ཤེས་པ་ཉིད་ཀྱང་ཐོབ་པར་མི་འགྱུར། རྣམ་པ་ཐམས་ཅད་མཁྱེན་པ་ཉིད་ཀྱང་ཐོབ་པར་མི་འགྱུར་བའི་ཆགས་པ་སྟོན་པ་ནི། བདག་ལ་ཕན་འདོགས་པའོ་ཞེས་དགའ་བ་བསྐྱེད[7]པས། བདུད་སྡིག་ཏོ་ཅན་གྱིས་བྱང་ཆུབ་སེམས་དཔའ་སེམས་དཔའ་ཆེན་པོ་དེའི་སེམས་ལ་ཞུམ་པ་མེད་པར་རིག་ནས། སའི་ཕྱོགས་དེ་ཉིད་དུ་དགེ་སློང་མང་པོ་མངོན་པར་སྤྲུལ་ཏེ་དགེ་སློང་འདི་དག་ཀུན་ཀྱང་བླ་ན་མེད་པ་ཡང་དག་པར་རྫོགས་པའི་བྱང་ཆུབ་ཏུ་འཇུག་འཇུག་པ་ཤ་སྟག་སྟེ། དེ་དག་ཀྱང་དགྲ་བཅོམ་པ་ཉིད་ལ་གནས་པར་གྱུར་ན།

ཁྱོད་ལྟས་བླ་ན་མེད་པ་ཡང་དག་པར་རྫོགས་པའི་བྱང་ཆུབ་ཏུ་མངོན་པར་རྫོགས··· པར་འཚང་རྒྱ་བར་འགྱུར་ རེ་སྐན་②ཞེས་ཟེར་ཡང་། གལ་ཏེ་བྱང་ཆུབ་སེམས··· དཔའ་སེམས་དཔའ་ཆེན་པོ་དེ་འདི་སྙམ་སྟེ། འདི་ནི་བདུད་སྡིག་ཏོ་ཅན་ཏེ། ལམ་གྱི་གཟུགས་བརྙན་སྟོན་པའོ་ཞེས་བྱང་ཆུབ་སེམས་དཔའ་སེམས་དཔའ་ཆེན་པོ་ཤེས་རབ་ཀྱི་ཕ་རོལ་ཏུ་ཕྱིན་པ་ལ་སྤྱོད་པའི་ཚེ། བླ་ན་མེད་པ་ཡང་དག་པར་རྫོགས་པའི་བྱང་ཆུབ་ལས་ཕྱིར་མི་ལྡོག་ཅིང་། ཉན་ཐོས་ཀྱི་སའམ། རང་སངས་རྒྱས་ཀྱི་སར་ཡང་མི་ལྟུང་ལ། དེ་ལས་ཀྱང་གོང་དུ་འདི་སྙམ་སྟེ། བྱང་ཆུབ་སེམས་དཔའ་སེམས་དཔའ་ཆེན་པོ་སྦྱིན་པའི་ཕ་རོལ་ཏུ་ཕྱིན་པ་ལ་སྤྱོད་པ་དང་། ཚུལ་ཁྲིམས་ཀྱི་ཕ་རོལ་ཏུ་ཕྱིན་པ་དང་། བཟོད་པའི་ཕ་རོལ་ཏུ་ཕྱིན་པ་དང་། བརྩོན་འགྲུས་ཀྱི་ཕ་རོལ་ཏུ་ཕྱིན་པ་དང་། བསམ་གཏན་གྱི་ཕ་རོལ་ཏུ་ཕྱིན་པ··· དང་། ཤེས་རབ་ཀྱི་ཕ་རོལ་ཏུ་ཕྱིན་པ་ལ་སྤྱོད་པ་དང་། རྣམ་པ་ཐམས་ཅད··· མཁྱེན་པ་ཉིད་ཀྱི་བར་དུ་དེ་ལྟར་སྤྱོད་པ་ནི་བླ་ན་མེད་པ་ཡང་དག་པར་རྫོགས་པའི་བྱང་ཆུབ་ཏུ་མངོན་པར་རྫོགས་པར་འཚང་མི་རྒྱ་བའི་གནས་མེད། སྐབས་མེད་དེ། དེ་ནི་གནས་མ་ཡིན་ནོ་སྙམ་ན། རབ་འབྱོར་རྣམ་པ་དེ་དག་དང་ཚུལ་དེ་དག··· དང་། མཚན་མ་དེ་དག་དང་ལྡན་པའི་བྱང་ཆུབ་སེམས་དཔའ་སེམས་དཔའ་ཆེན་པོ་ནི་ཕྱིར་མི་ལྡོག་པར་རིག་པར་བྱའོ། །རབ་འབྱོར་གཞན་ཡང་ཕྱིར་མི་ལྡོག་པའི་བྱང་ཆུབ་སེམས་དཔའ་སེམས་དཔའ་ཆེན་པོ་ཤེས་རབ་ཀྱི་ཕ་རོལ་ཏུ་ཕྱིན་པ་ལ་སྤྱོད་པའི་ཚེ། འདི་སྙམ་དུ་གལ་ཏེ་དེ་བཞིན་གཤེགས་པས་ཇི་སྐད་དུ་བསྟན་③པ་དེ་ལྟར་བསླབ་④ལ། སྤྱོད་པ་དེ་དང་མ་བྲལ་ཞིང་ཕ་རོལ་ཏུ་ཕྱིན་པ་དང་ལྡན་པའི་ཡིད་ལ་བྱེད་པ་འདི་དག་གིས་སྤྱོད་པ་དེ་ནི། སྦྱིན་པའི་ཕ་རོལ་ཏུ་ཕྱིན་པ··· ལས་ཡོངས་སུ་མི་ཉམ⑤། ཚུལ་ཁྲིམས་ཀྱི་ཕ་རོལ་ཏུ་ཕྱིན་པ་དང་། བཟོད་པའི་

ཕ་རོལ་ཏུ་ཕྱིན་པ་དང་། བརྩོན་འགྲུས་ཀྱི་ཕ་རོལ་ཏུ་ཕྱིན་པ་དང་། བསམ་གཏན་གྱི་ཕ་རོལ་ཏུ་ཕྱིན་པ་དང་། ཤེས་རབ་ཀྱི་ཕ་རོལ་ཏུ་ཕྱིན་པ་ལས་ཡོངས་སུ་མི་ཉམས[༢]། ནང་སྟོང་པ་ཉིད་ལས་ཡོངས་སུ་མི་ཉམས[༣]། དངོས་པོ་མེད་པའི་ངོ་བོ་ཉིད་སྟོང་པ་ཉིད་ཀྱི་བར་ལས་ཡོངས་སུ་མི་ཉམས[༤]། དྲན་པ་ཉེ་བར་གཞག་པ་ལས་ཡོངས་སུ་མི་ཉམས[༥]། ཡང་དག་པར་སྤོང་བ་དང་། རྫུ་འཕྲུལ་གྱི་རྐང་པ་དང་དབང་པོ་དང་སྟོབས་དང་། བྱང་ཆུབ་ཀྱི་ཡན་ལག་དང་། འཕགས་པའི་ལམ་ཡན་ལག་བརྒྱད་པ་ལས་ཡོངས་སུ་མི་ཉམས[༦]། འཕགས་པའི་བདེན་པ་དང་བསམ་གཏན་དང་ཚད་མེད་པ་དང་། གཟུགས་མེད་པའི་སྙོམས་པར་འཇུག་པ་ལས་ཡོངས་སུ་མི་ཉམས[༧]། རྣམ་པར་ཐར་པ་བརྒྱད་དང་། མཐར་གྱིས་གནས་པའི་སྙོམས་པར་འཇུག་པ་དགུ་དང་། སྟོང་པ་ཉིད་དང་མཚན་མ་མེད་པ་དང་། སྨོན་པ་མེད་པ་དང་མངོན་པར་ཤེས་པ་དང་། ཏིང་ངེ་འཛིན་དང་གཟུངས་ཀྱི་སྒོ་དང་། དེ་བཞིན་གཤེགས་པའི་སྟོབས་དང་མི་འཇིགས་པ་དང་། སོ་སོ་ཡང་དག་པར་རིག་པ་དང་བྱམས་པ་ཆེན་པོ་དང་སྙིང་རྗེ་ཆེན་པོ་དང་། སངས་རྒྱས་ཀྱི་ཆོས་མ་འདྲེས་པ་རྣམས་ལས་ཡོངས་སུ་མི་ཉམས[༨]། རྣམ་པ་ཐམས་ཅད་མཁྱེན་པ་ཉིད་ཀྱི་བར་ལས་ཡོངས་སུ་མིཿཉམ་མོ་[༩]སྙམ་ལ། རབ་འབྱོར་གཞན་ཡང་བྱང་ཆུབ་སེམས་དཔའ་སེམས་དཔའ་ཆེན་པོ་འདི་སྙམ་དུ་སུས་བདུད་ཀྱི་ལས་སུ་རིག་པ་དེ་ནི། བླ་ན་མེད་པ་ཡང་དག་པར་རྫོགས་པའི་བྱང་ཆུབ་ལས་ཡོངས་སུ་མིཿཉམ་མོ་[༡༠]སྙམ་ན། རབ་འབྱོར་རྣམ་པ་དེ་དག་དང་ཚུལ་དེ་དག་དང་མཚན་མ་དེ་དག་དང་ལྡན་པའི་བྱང་ཆུབ་སེམས་དཔའ་སེམས་དཔའ་ཆེན་པོ་ནི་ཕྱིར་མི་ལྡོག་པར་རིག་པར་བྱའོ། །དེ་སྐད་ཅེས་བཀའ་སྩལ་པ་དང་། ཚེ་དང་ལྡན་པ་རབ་འབྱོར་གྱིས་བཅོམ་ལྡན་འདས་ལ་འདི་སྐད་ཅེས་གསོལ་ཏོ། །བཅོམ་ལྡན་འདས

ཕྱིར་མི་ལྡོག་པའི་བྱང་ཆུབ་སེམས་དཔའ་སེམས་དཔའ་ཆེན་པོ་ཅི་ལས་སླར་ལྡོག་པའི་སྐད་དུ། ཕྱིར་མི་ལྡོག་པ་ཞེས་བགྱི་བ་ལགས། བཅོམ་ལྡན་འདས་ཀྱིས་བཀའ་སྩལ་པ། རབ་འབྱོར་དེ་ནི་གཟུགས་ཀྱི་འདུ་ཤེས་ལས་ཕྱིར་ལྡོག་གོ། །ཚོར་བ་དང་འདུ་ཤེས་དང་འདུ་བྱེད་དང་། རྣམ་པར་ཤེས་པའི་འདུ་ཤེས་ལས་ཕྱིར་ལྡོག་གོ། །སྐྱེ་མཆེད་ཀྱི་འདུ་ཤེས་དང་། ཁམས་ཀྱི་འདུ་ཤེས་ལས་ཕྱིར་ལྡོག་གོ། །འདོད་ཆགས་ཀྱི་འདུ་ཤེས་དང་། ཞེ་སྡང་གི་①འདུ་ཤེས་དང་། གཏི་མུག་གི་འདུ་ཤེས་དང་། ལྟ་བའི་རྣམ་པའི་②འདུ་ཤེས་ལས་ཕྱིར་ལྡོག་གོ། །ཕ་རོལ་ཏུ་ཕྱིན་པའི་འདུ་ཤེས་དང་། སྟོང་པ་ཉིད་ཀྱི་འདུ་ཤེས་དང་། དྲན་པ་ཉེ་བར་གཞག་པའི་འདུ་ཤེས་དང་། ཡང་དག་པར་སྤོང་བ་དང་རྫུ་འཕྲུལ་གྱི་རྐང་པ་དང་དབང་པོ་དང་སྟོབས་དང་བྱང་ཆུབ་ཀྱི་ཡན་ལག་དང་། འཕགས་པའི་ལམ་ཡན་ལག་བརྒྱད་པའི་འདུ་ཤེས་ལས་ཕྱིར་ལྡོག་གོ། །འཕགས་པའི་བདེན་པ་དང་། བསམ་གཏན་དང་ཚད་མེད་པ་དང་། གཟུགས་མེད་པའི་སྙོམས་པར་འཇུག་པའི་འདུ་ཤེས་ལས་ཕྱིར་ལྡོག་གོ། །རྣམ་པར་ཐར་པ་དང་། མཐར་གྱིས་གནས་པའི་སྙོམས་པར་འཇུག་པ་དང་། སྟོང་པ་ཉིད་དང་མཚན་མ་མེད་པ་དང་། སྨོན་པ་མེད་པའི་འདུ་ཤེས་ལས་ཕྱིར་ལྡོག་གོ། །མངོན་པར་ཤེས་པ་དང་ཏིང་ངེ་འཛིན་དང་གཟུངས་ཀྱི་སྒོ་དང་། དེ་བཞིན་གཤེགས་པའི་སྟོབས་དང་མི་འཇིགས་པ་དང་། སོ་སོ་ཡང་དག་པར་རིག་པ་དང་། བྱམས་པ་ཆེན་པོ་དང་སྙིང་རྗེ་ཆེན་པོ་དང་། སངས་རྒྱས་ཀྱི་ཆོས་མ་འདྲེས་པའི་འདུ་ཤེས་ལས་ཕྱིར་ལྡོག་གོ། །ཡང་དག་པར་རྫོགས་པའི་བྱང་ཆུབ་ཀྱི་བར་གྱི་འདུ་ཤེས་ལས་ཕྱིར་ལྡོག་གོ། །ཉན་ཐོས་དང་རང་སངས་རྒྱས་ཀྱི་འདུ་ཤེས་ལས་ཕྱིར་ལྡོག་གོ། །བྱང་ཆུབ་སེམས་དཔའ་དང་སངས་རྒྱས་ཀྱི་འདུ་ཤེས་ལས་ཕྱིར་ལྡོག་གོ། །དེ་ཅིའི་ཕྱིར་ཞེ་ན།

དེ་ནི་འདི་ལྟར་ཕྱིར་མི་ལྡོག་པའི་བྱང་ཆུབ་སེམས་དཔའ་སེམས་དཔའ་ཆེན་པོ་ནི་ཆོས་ཐམས་ཅད་རང་གི་མཚན་ཉིད་ཀྱིས་སྟོང་པས། བྱང་ཆུབ་སེམས་དཔའི་སྐྱོན་མེད་པར་འཇུག་སྟེ། དེས་ཆོས་རྡུལ་ཙམ་ཡང་དམིགས་པ་མེད་དོ། །དམིགས་པ་མེད་པས་མངོན་པར་འདུ་མི་བྱེད་དོ། །མངོན་པར་འདུ་མི་བྱེད་པས༑ སྐྱེད་པ[༧]མེད་དེ། དེ་ནི་ཕྱིར་མི་ལྡོག་པའི་བྱང་ཆུབ་སེམས་དཔའ་སེམས་དཔའ་ཆེན་པོ་མི་སྐྱེ་བ་ལ་བཟོད་པ་ཞེས་བྱ་སྟེ། རབ་འབྱོར་དེ་ལྟར་ན་རྣམ་པ་དེ་དག་དང་རྟགས་དེ་དག་དང་མཚན་མ་དེ་དག་དང་ལྡན་པའི་བྱང་ཆུབ་སེམས་དཔའ་སེམས་དཔའ་ཆེན་པོ་ནི་ཕྱིར་མི་ལྡོག་པར་རིག་པར་བྱའོ། །ཤེས་རབ་ཀྱི་ཕ་རོལ་ཏུ་ཕྱིན་པ་སྟོང་ཕྲག་ཉི་ཤུ་ལྔ་པ་ལས། ལེའུ་སུམ་ཅུ་དགུ་པའོ།། ||

རབ་འབྱོར་གཞན་ཡང་བྱང་ཆུབ་སེམས་དཔའ་སེམས་དཔའ་ཆེན་པོའི་དྲུང་དུ་བདུད་སྡིག་ཅན་ཉེ་བར་འོངས་ཏེ་སྨྲས་པ་ཀྱེ་ཤིང་། རྣམ་པ་ཐམས་ཅད་མཁྱེན་པ་འདི་ནི་ནམ་མཁའ་དང་མཚུངས་པ། དངོས་པོ་མེད་པའི[༡]ངོ་བོ་ཉིད་རང་གི་མཚན་ཉིད་ཀྱིས་སྟོང་པའོ། །ཆོས་འདི་དག་ཀྱང་ནམ་མཁའ་དང་མཚུངས་པ། དངོས་པོ་མེད་པའི་ངོ་བོ་ཉིད་དེ། རང་གི་མཚན་ཉིད་ཀྱིས་སྟོང་པའོ། །དེ་ལྟར་ཆོས་ཐམས་ཅད་ནམ་མཁའ་དང་མཚུངས་པ་དངོས་པོ་མེད་པའི་ངོ་བོ་ཉིད་དེ། རང་གི་མཚན་ཉིད་ཀྱིས་སྟོང་པ་ལ། གང་མངོན་པར་རྫོགས་པར་འཚང་རྒྱ་བ་དང་གང་གིས་མངོན་པར་རྫོགས་པར་འཚང་རྒྱ་བ་དང་། གང་ལ་མངོན་པར་རྫོགས་པར་འཚང་རྒྱ་བར་བྱ་བའི་ཆོས་དེ་དག་གང་ཡང་མི་དམིགས་ཏེ། ཆོས་འདི་དག་ཐམས་ཅད་ནམ་མཁའ་དང་མཚུངས་པ། དངོས་པོ་མེད་པའི་ངོ་བོ་ཉིད་དེ་རང་གི་མཚན་ཉིད་ཀྱིས་སྟོང་པས་འདི་ལྟ་སྟེ། བླ་ན་མེད་པ

ཡང་དག་པར་རྫོགས་པའི་བྱང་ཆུབ་ཏུ་མངོན་པར་རྫོགས་པར་འཚང་རྒྱ་བར་བྱའོ། །
སྙམ་པ་འདི་ནི་ཁྱོད་ཉོན་མོངས་ལ་དོན་མེད་པར་འགྱུར་བ་སྟེ། འདི་ནི་བདུད་
ཀྱིས་བསྟན་པའོ། །འདི་ནི་ཡང་དག་པར་རྫོགས་པའི་སངས་རྒྱས་ཀྱིས་བཤད་པ་
མ་ཡིན་ནོ། །རིགས་ཀྱི་བུ་ཡིད་ལ་བྱེད་པ་དེ་དག་ཐོང་ལ། ཁྱོད་ཡུན་རིང་པོར་
གནོད་པ་དང་། ཕན་པ་མེད་པར་མ་སྤྱོད་ཅིག །སྡུག་བསྔལ་བ་དང་། ཡོག་
པར་ལྟུང་ངོ་ཞེས་ཟེར་ན། དེ་ལ་རིགས་ཀྱི་བུའམ། རིགས་ཀྱི་བུ་མོ་དེས།
ཚིག་དེ་དག་ཐོས་ནས་འདི་ལྟར་ཡོངས་སུ་བརྟག་པར་བྱ་སྟེ། དེ་ལྟར་བདག་བླ་ན་
མེད་པ་ཡང་དག་པར་རྫོགས་པའི་བྱང་ཆུབ་ལས་ཟློག་པ་དེ་ནི་བདུད་ཀྱི་ལས་ཏེ།
ཆོས་ཐམས་ཅད་ནི་ནམ་མཁའ་དང་མཚུངས་པ། དངོས་པོ་མེད་པའི་ངོ་བོ་ཉིད་
དེ་རང་གི་མཚན་ཉིད་ཀྱིས་སྟོང་མོད་ཀྱི། དེ་དག་སེམས་ཅན་རྣམས་ཀྱིས་མ་ཤེས་
མ་མཐོང་། ཁོང་དུ་མ་ཆུད་ཀྱིས་[7]དེའི་ཕྱིར་བདག་གིས་ནམ་མཁའ་དང་
མཚུངས་པ། དངོས་པོ་མེད་པའི་ངོ་བོ་ཉིད་རང་གི་མཚན་ཉིད་ཀྱིས་སྟོང་པའི་གོ་
ཆ་བགོས་ཏེ། རྣམ་པ་ཐམས་ཅད་མཁྱེན་པ་ཉིད་དུ་མངོན་པར་རྫོགས་པར་
སངས་རྒྱས་པར་བྱས་ལ། སེམས་ཅན་ཐམས་ཅད་ལ་འབྱུང་བའི་ཆོས་བསྟན་ཏོ[3]། །
སེམས་ཅན་རྣམས་རྒྱུན་དུ་ཞུགས་པའི་འབྲས་བུ་ལ་རབ་ཏུ་དགོད་པར་བྱའོ། །
ལན་ཅིག་ཕྱིར་འོང་བའི་འབྲས་བུ་དང་། ཕྱིར་མི་འོང་བའི་འབྲས་བུ་དང་།
དགྲ་བཅོམ་པ་ཉིད་དང་རང་བྱང་ཆུབ་ལ་རབ་ཏུ་དགོད་པར་བྱའོ། །བླ་ན་མེད་
པ་ཡང་དག་པར་རྫོགས་པའི་བྱང་ཆུབ་ལ་རབ་ཏུ་དགོད་པར་བྱའོ། །སྙམ་དུ་
སེམས་བསྐྱེད་ཅིང་། དེ་ལ་བྱང་ཆུབ་སེམས་དཔའ་སེམས་དཔའ་ཆེན་པོས་སེམས་
དང་པོ་བསྐྱེད་པ་ནས་ཉེ་བར་བཟུང་སྟེ། ཆོས་དེ་དག་ཐོས་ནས་སེམས་བརྟན་
པར་བྱའོ། །སེམས་མི་གཡོ་བར་བྱའོ། །སེམས་མི་འཁྲུགས་པར་བྱའོ། །དེ་

སེམས་བརྟན་པ་དང་། སེམས་མི་གཡོ་བ་དང་། སེམས་མི་འཕྲོགས་པ་དང་ལྡན་པས། ཕ་རོལ་དུ་ཕྱིན་པ་དྲུག་ལ་སྤྱོད་ན། བྱང་ཆུབ་སེམས་དཔའི་སྐྱོན་མེད་པར་འཇུག་པར་འགྱུར་རོ། །དེ་ནས་ཚེ་དང་ལྡན་པ་རབ་འབྱོར་གྱིས་བཅོམ་ལྡན་འདས་ལ་འདི་སྐད་ཅེས་གསོལ་ཏོ། །བཅོམ་ལྡན་འདས་སླར་མི་ལྡོག་པའི་བྱང་ཆུབ་སེམས་དཔའ་སེམས་དཔའ་ཆེན་པོ་ལ་ཕྱིར་ལྡོག་པ་ཞེས་བགྱིའམ། འོན་ཏམ་སླར་ལྡོག་[༧]པའི་བྱང་ཆུབ་སེམས་དཔའ་ལ་ཕྱིར་མི་ལྡོག་པ་ཞེས་བགྱི། བཅོམ་ལྡན་འདས་ཀྱིས་བཀའ་སྩལ་པ། རབ་འབྱོར་ཕྱིར་མི་ལྡོག་པའི་བྱང་ཆུབ་སེམས་དཔའ་ནི་ཕྱིར་ལྡོག་པ་ཞེས་བྱའོ། །ཕྱིར་ལྡོག་པའི་བྱང་ཆུབ་སེམས་དཔའ་ནི་ཕྱིར་མི་ལྡོག་པ་ཞེས་བྱའོ། །གསོལ་པ། བཅོམ་ལྡན་འདས་ཅིའི་སླད་དུ་སླར་མི་ལྡོག་པའི་བྱང་ཆུབ་སེམས་དཔའ་ལ་ཕྱིར་ལྡོག་པ་ཞེས་བགྱི། ཅིའི་སླད་དུ་སླར་ལྡོག་པའི་བྱང་ཆུབ་སེམས་དཔའ་ལ་ཕྱིར་མི་ལྡོག་པ་ཞེས་བགྱི། བཅོམ་ལྡན་འདས་ཀྱིས་བཀའ་སྩལ་པ། རབ་འབྱོར་བྱང་ཆུབ་སེམས་དཔའ་གང་ཉན་ཐོས་ཀྱི་སའམ༑ རང་སངས་རྒྱས་ཀྱི་ས་ལས་ཕྱིར་ལྡོག་པ་དེ་ནི། རབ་འབྱོར་ཕྱིར་ལྡོག་པའི་བྱང་ཆུབ་སེམས་དཔའ་ཡིན་ཏེ། ཕྱིར་མི་ལྡོག་པའི་བྱང་ཆུབ་སེམས་དཔའ་ཞེས་བྱའོ། །རབ་འབྱོར་བྱང་ཆུབ་སེམས་དཔའ་གང་ཉན་ཐོས་ཀྱི་སའམ། རང་སངས་རྒྱས་ཀྱི་ས་ལས་ཕྱིར༔མི་ལྡོག་[༡]པ་དེ་ནི། རབ་འབྱོར་ཕྱིར་མི་ལྡོག་པའི་བྱང་ཆུབ་སེམས་དཔའ་ཡིན་ཏེ། དེ་ནི་ཕྱིར་ལྡོག་པ་ཞེས་བྱའོ། །རབ་འབྱོར་རྣམ་པ་དེ་དག་དང་ཚུལ་དེ་དག་དང་། མཚན་མ་དེ་དག་གིས་བྱང་ཆུབ་སེམས་དཔའ་སེམས་དཔའ་ཆེན་པོ་ཕྱིར་མི་ལྡོག་པའི་མཚན་ཉིད་དུ་རིག་པར་བྱ་སྟེ། རྣམ་པ་དེ་དག་དང་ཚུལ་དེ་དག་དང་། མཚན་མ་དེ་དག་དང་ལྡན་པའི་བྱང་ཆུབ་སེམས་དཔའ་སེམས་དཔའ་ཆེན་པོ་ནི་བདུད་སྡིག་ཏོ་ཅན་གྱིས་ཟླ་ན་མེད་པ་

ཡང་དག་པར་རྫོགས་པའི་བྱང་ཆུབ་ལས་བཟློག་པར་མི་ནུས་སོ། །རབ་འབྱོར་གཞན་ཡང་ཕྱིར་མི་ལྡོག་པའི་བྱང་ཆུབ་སེམས་དཔའ་སེམས་དཔའ་ཆེན་པོ་ནི་འདོད་ན། བསམ་གཏན་དང་པོ་ལ་སྙོམས་པར་འཇུག་གོ། །བསམ་གཏན་གཉིས་པ་དང་གསུམ་པ་དང་། བཞི་པ་ལ་སྙོམས་པར་འཇུག་གོ། །འགོག་པའི་བར་ལ་སྙོམས་པར་འཇུག་གོ། །རབ་འབྱོར་གཞན་ཡང་ཕྱིར་མི་ལྡོག་པའི་བྱང་ཆུབ་སེམས་དཔའ་སེམས་དཔའ་ཆེན་པོ་ནི་འདོད་ན། དྲན་པ་ཉེ་བར་གཞག་པ་བཞི་ལ་སྙོམས་པར་འཇུག་གོ། །ཡང་དག་པར་སྤོང་བ་དང་། རྫུ་[7]འཕྲུལ···ཀྱི་རྐང་པ་དང་དབང་པོ་དང་སྟོབས་དང་། བྱང་ཆུབ་ཀྱི་ཡན་ལག་དང་། འཕགས་པའི་ལམ་ཡན་ལག་བརྒྱད་པ་ལ་སྙོམས་པར་འཇུག་གོ། །སྟོང་པ་ཉིད····དང་མཚན་མ་མེད་པ་དང་། སྨོན་པ་མེད་པའི་ཏིང་ངེ་འཛིན་ལ་སྙོམས་པར་འཇུག་གོ་མངོན་པར་ཤེས་པ་ལྔ་མངོན་པར་སྒྲུབ་[3]བོ། །དེ་བསམ་གཏན་བཞི····དང་། ཚད་མེད་པ་བཞི་དང་། གཟུགས་མེད་པའི་སྙོམས་པར་འཇུག་པ་བཞི་པོ་དེ་དག་གིས་འགོག་པའི་སྙོམས་པར་འཇུག་པ་ལ་འདྲིས་པར་བྱེད། དྲན་པ་ཉེ་བར་གཞག་པ་རྣམས་གོམས་པར་བྱེད། ཡང་དག་པར་སྤོང་བ་རྣམས་དང་། རྫུ་འཕྲུལ་གྱི་རྐང་པ་རྣམས་དང་། དབང་པོ་རྣམས་དང་སྟོབས་རྣམས་དང་། བྱང་ཆུབ་ཀྱི་ཡན་ལག་རྣམས་དང་། འཕགས་པའི་ལམ་ཡན་ལག་བརྒྱད་པ་གོམས་པར་བྱེད། སྟོང་པ་ཉིད་དང་མཚན་མ་མེད་པ་དང་སྨོན་པ་མེད་པའི་ཏིང་ངེ་འཛིན་ལ་ཡང་སྙོམས་པར་འཇུག་སྟེ། བསམ་གཏན་གྱི་འབྲས་བུ་ཡོངས་སུ་མི་འཛིན་ཏོ། །ཚད་མེད་པ་དང་གཟུགས་མེད་པའི་སྙོམས་པར་འཇུག་པ་དང་། འགོག་པའི་སྙོམས་པར་འཇུག་པའི་འབྲས་བུ་ཡོངས་སུ་མི་འཛིན་ཏོ། །རྒྱུན་དུ་ཞུགས་པའི་འབྲས་བུ་ཡོངས་སུ་མི་འཛིན་ཏོ། །ལན་གཅིག་ཕྱིར་འོང་བའི་འབྲས་

བུ་དང་། ཕྱིར་མི་འོང་བའི་འབྲས་བུ་དང་། དགྲ་བཅོམ་པ་ཉིད་ཡོངས་སུ་མི་འཛིན་ཏོ། །རང་བྱང་ཆུབ་ཐོབ་པར་མི་བྱེད་དོ། །དེ་འདོད་ན་ཆེད་དུ་བསམས་ཤིང་ཡུལ་ཡོངས་སུ་འཛིན་ཏེ། ཡུལ་གང་གིས་སེམས་ཅན་རྣམས་ཀྱི་དོན་བྱ་བར་འགྱུར་བ། དེ་ལྟ་བུའི་ཡུལ་ཡོངས་སུ་འཛིན་ཏོ། །རབ་འབྱོར་རྣམ་པ་དེ་དག་དང་། ཚུལ་དེ་དག་དང་མཚན་མ་དེ་དག་དང་ལྡན་པའི་བྱང་ཆུབ་སེམས་དཔའ་སེམས་དཔའ་ཆེན་པོ་ནི་ཕྱིར་མི་ལྡོག་པར་རིག་པར་བྱའོ། །རབ་འབྱོར་གཞན་ཡང་ཕྱིར་མི་ལྡོག་པའི་བྱང་ཆུབ་སེམས་དཔའ་སེམས་དཔའ་ཆེན་པོ་ནི་བྱང་ཆུབ་ཡིད་ལ་བྱེད་པ་དང་ལྡན་ཏེ། བྱང་ཆུབ་ཀྱི་སེམས་དང་མི་འབྲལ་ཞིང་གཟུགས་ལྷུར་ལེན་པ་མ་ཡིན། མཚན་མ་ལྷུར་ལེན་པ་མ་ཡིན་ཡུལ་ལྷུར་ལེན་པ་མ་ཡིན། སྦྱིན་པ་ལྷུར་ལེན་པ་མ་ཡིན། ཚུལ་ཁྲིམས་ལྷུར་ལེན་པ་མ་ཡིན། བཟོད་པ་ལྷུར་ལེན་པ་མ་ཡིན། བརྩོན་འགྲུས་ལྷུར་ལེན་པ་མ་ཡིན། བསམ་གཏན་ལྷུར་ལེན་པ་མ་ཡིན། ཤེས་རབ་ལྷུར་ལེན[༧]པ་མ་ཡིན། ནང་སྟོང་པ་ཉིད་ལྷུར་ལེན་པ་མ་ཡིན། དངོས་པོ་མེད་པའི་ངོ་བོ་ཉིད་སྟོང་པ་ཉིད་ཀྱི་བར་དུ་ལྷུར་ལེན་པ་མ་ཡིན། བྱང་ཆུབ་ཀྱི་ཕྱོགས་ཀྱི་ཆོས་རྣམས་ལྷུར་ལེན་པ་མ་ཡིན། འཕགས་པའི་བདེན་པ་དང་། བསམ་གཏན་དང་ཚད་མེད་པ་དང་། གཟུགས་མེད་པའི་སྙོམས་པར་འཇུག་པ་དང་། རྣམ་པར་ཐར་པ་བརྒྱད་དང་མཐར་གྱིས་གནས་པའི་སྙོམས་པར་འཇུག་པ་དགུ་དང་། སྟོང་པ་ཉིད་དང་མཚན་མ་[༩]མེད་པ་དང་སྨོན་པ་མེད་པ་དང་། མངོན་པར་ཤེས་པ་ལྷུར་ལེན་པ་མ་ཡིན། ཏིང་ངེ་འཛིན་དང་གཟུངས་ཀྱི་སྒོ་ལྷུར་ལེན་པ་མ་ཡིན། དེ་བཞིན་གཤེགས་པའི་སྟོབས་བཅུ་ལྷུར་ལེན་པ་མ་ཡིན། མི་འཇིགས་པ་བཞི་དང་སོ་སོ་ཡང་དག་པར་རིག་པ་བཞི་དང་། བྱམས་པ་ཆེན་པོ་དང་སྙིང་རྗེ་ཆེན་པོ་དང་།

སངས་རྒྱས་ཀྱི་ཆོས་མ་འདྲེས་པ་རྣམས་ལྷུར་ལེན་པ་མ་ཡིན། བླ་ན་མེད་པ་ཡང་དག་པར་རྫོགས་པའི་བྱང་ཆུབ་ཀྱི་བར་དུ་ལྷུར་ལེན་པ་མ་ཡིན། སངས་རྒྱས་ཀྱི་ཞིང་ཡོངས་སུ་དག་པར་བྱ་བ་ལྷུར་ལེན་པ་མ་ཡིན། སེམས་ཅན་ཡོངས་སུ་སྨིན་པར་བྱ་བ་ལྷུར་ལེན་པ་མ་ཡིན། སངས་རྒྱས་བལྟ①བ་ལྷུར་ལེན་པ་མ་ཡིན། དགེ་བའི་རྩ་བ་བསྐྱེད་པ་ལྷུར་ལེན་པ་མ་ཡིན་ནོ། །དེ་ཅིའི་ཕྱིར་ཞེ་ན། རབ་འབྱོར་དེ་ནི་འདི་ལྟར་ཆོས་ཐམས་ཅད་རང་གི་མཚན་ཉིད་ཀྱིས་སྟོང་པའི་ཕྱིར། བྱང་ཆུབ་སེམས་དཔའ་སེམས་དཔའ་ཆེན་པོས་གང་ལ་ལྷུར་བླང②བ་བསྐྱེད་པ་དང་། གང་གིས་བསྐྱེད་པ་དང་། གང་ལ་བསྐྱེད་པར་བྱ་བའི་ཆོས་དེ་ལྟ་བུ་གང་③ཡང་ཡང་དག་པར་རྗེས་སུ་མི་མཐོང་ངོ་། །དེ་ཅིའི་ཕྱིར་ཞེ་ན། འདི་ལྟར་ཆོས་ཐམས་ཅད་ནི་ནམ་མཁའ་དང་མཚུངས་པ་དངོས་པོ་མེད་པའི་ངོ་བོ་ཉིད་དེ། རང་གི་མཚན་ཉིད་ཀྱིས་སྟོང་པའོ། །རབ་འབྱོར་ཕྱིར་མི་ལྡོག་པའི་བྱང་ཆུབ་སེམས་དཔའ་སེམས་དཔའ་ཆེན་པོ་དེ་ཡིད་ལ་བྱེད་པ་དེ་དང་ལྡན་པས། སྤྱོད་ལམ་བཞིར་འགྲོའམ། འོང་ན་ཡང་ནོར་པའི་སེམས་ཀྱིས་མི་འགྲོ། ནོར་པའི་སེམས་ཀྱིས་མི་འོང་། ནོར་པའི་སེམས་ཀྱིས་མི་སྡོད། ནོར་པའི་སེམས་ཀྱིས་མི་འཆག །ནོར་པའི་སེམས་ཀྱིས་མི་འདུག །ནོར་པའི་སེམས་ཀྱིས་མི་ཉལ་ཏེ། དེ་དྲན་བཞིན་དུ་འགྲོའོ། །དྲན་བཞིན་དུ་འོང་ངོ་། །དྲན་བཞིན་དུ་འཆག་གོ། །དྲན་བཞིན་དུ་སྡོད་དོ། །དྲན་བཞིན་དུ་འདུག་གོ། །དྲན་བཞིན་དུ་ཉལ་ལོ། །རབ་འབྱོར་རྣམ་པ་དེ་དག་དང་ཚུལ་དེ་དག་དང་། མཚན་མ་དེ་དག་དང་ལྡན་པའི་བྱང་ཆུབ་སེམས་དཔའ་སེམས་དཔའ་ཆེན་པོ་ནི་ཕྱིར་མི་ལྡོག་པ་ཞེས་བྱའོ། །རབ་འབྱོར་གཞན་ཡང་གལ་ཏེ་ཕྱིར་མི་ལྡོག་པའི་བྱང་ཆུབ་སེམས་དཔའ་སེམས་དཔའ་ཆེན་པོ་ནི་ཁྲིམ་ན་གནས་ཀྱང་ཐབས་མཁས་པས་སེམས་ཅན་ཡོངས་སུ་སྨིན་

པར་བྱ་བའི་ཕྱིར་འདོད་པའི་ཡོན་ཏན་ལྔ་ཉེ་བར་ལེན་ཏོ། །དེ་སེམས་ཅན་རྣམས་ལ་སྦྱིན་པ་ཡོངས་སུ་གཏོང་སྟེ། ཟས་འདོད་པ་ལ་ཟས་སྐོམ་འདོད་པ་ལ་སྐོམ། བཞོན་[༡]པ་འདོད་པ་ལ་བཞོན་[༢]པ། གོས་འདོད་པ་ལ་གོས། མལ་ཆ་འདོད་པ་ལ་མལ་ཆ། མེ་ཏོག་འདོད་པ་ལ་མེ་ཏོག །བདུག་པ་འདོད་པ་ལ་བདུག་པ། སྤོས་འདོད་པ་ལ་སྤོས། འཕྲེང་[༣]བ་འདོད་པ་ལ་འཕྲེང་[༤]བ། བྱུག་པ་འདོད་པ་ལ་བྱུག་པ། གནས་འདོད་པ་ལ་གནས། ནོར་དང་འབྲུ་དང་ནོར་བུ་དང་མུ་ཏིག་དང་བཻ་ཌཱུརྻ་[༥]དང་དུང་དང་། མན་ཤེལ་དང་བྱི་རུ་དང་གསེར་དང་། དངུལ་འདོད་པ་ལ་ནོར་དང་འབྲུ་དང་། ནོར་བུ་དང་མུ་ཏིག་དང་བཻ་ཌཱུརྻ་[༦]དང་དུང་དང་མན་ཤེལ་དང་། བྱི་རུ་དང་གསེར་དང་དངུལ་དང་འཚོག་ཆས་དང་། ཡོ་བྱད་གཞན་དང་། གཞན་དག་ཀྱང་དེ་འདོད་པ་རྣམས་ལ་ཡོངས་སུ་གཏོང་སྟེ། དེ་བདག་ཀྱང་སྦྱིན་པའི་ཕ་རོལ་ཏུ་ཕྱིན་པ་ལ་སྤྱོད་ལ། གཞན་ཡང་སྦྱིན་པའི་ཕ་རོལ་ཏུ་ཕྱིན་པ་ལ་ཡང་དག་པར་བསྐུལ་ལོ། །སྦྱིན་པའི་ཕ་རོལ་ཏུ་ཕྱིན་པའི་ལེགས་པ་བརྗོད་དོ། །གཞན་གང་སྦྱིན་པའི་ཕ་རོལ་ཏུ་ཕྱིན་པ་ལ་སྤྱོད་པ་དེ་དག་གི་[༧]ཡང་ལེགས་པ་བརྗོད་ཅིང་འཐུན་པས་དགའ་བར་བྱེད་དོ། །བདག་ཀྱང་ཚུལ་ཁྲིམས་ཀྱི་ཕ་རོལ་ཏུ་ཕྱིན་པ་དང་། བཟོད་པ་དང་བརྩོན་འགྲུས་དང་། བསམ་གཏན་དང་། ཤེས་རབ་ཀྱི་ཕ་[༨]རོལ་ཏུ་ཕྱིན་པ་ལ་སྤྱོད་དེ[༩]། གཞན་ཡང་ཤེས་རབ་ཀྱི་ཕ་རོལ་ཏུ་ཕྱིན་པ་ལ་ཡང་དག་པར་བསྐུལ་[༡༠]ལོ། །ཤེས་རབ་ཀྱི་ཕ་རོལ་ཏུ་ཕྱིན་པའི་ལེགས་པ་བརྗོད་དོ། །གཞན་གང་ཤེས་རབ་ཀྱི་ཕ་རོལ་ཏུ་ཕྱིན་པ་ལ་སྤྱོད་པ་དེ་དག་གི་ཡང་ལེགས་པ་བརྗོད་ཅིང་འཐུན་པས་དགའ་བར་བྱེད་དོ༔ །རབ་འབྱོར་གཞན་ཡང་ཕྱིར་མི་ལྡོག་པའི་བྱང་ཆུབ་སེམས་དཔའ་སེམས་དཔའ་ཆེན་པོ་དེ་ནི་ཁྱིམ་ན་གནས་ན་འཛམ་བུའི་གླིང་རིན་པོ་ཆེ་སྣ་བདུན་གྱིས

བཀག་ཞིང་སྤྱིན་པ་ཡོངས་སུ་གཏོང་། གླིང་བཞི་པའི་འཇིག་རྟེན་གྱི་ཁམས་དང་། སྟོང་གི་འཇིག་རྟེན་གྱི་ཁམས་དང་། སྟོང་གཉིས་ཀྱི་འཇིག་རྟེན་གྱི་ཁམས་དང་། སྟོང་གསུམ་གྱི་སྟོང་ཆེན་པོའི་འཇིག་རྟེན་གྱི་ཁམས་རིན་པོ་ཆེ་སྣ་བདུན་གྱིས་ཡོངས་སུ་བཀག་ཞིང་སྦྱིན་པ་ཡོངས་སུ་གཏོང་ཡང་། དེ་འདོད་པ་ལ་ཡོངས་སུ་མི་སྤྱོད་དེ། རྟག་ཏུ་རྒྱུན་མི་འཆད་①པར་ཚངས་པར་སྤྱོད་པ་ཡིན། གནོད་པ་གང་གིས་གཞན་མི་དགའ་བར་འགྱུར་བའི་གནོད་པ་དེ་ལྟ་བུ་གང་ཡང་མི་སྐྱེད་དེ། རབ་འབྱོར་རྣམ་པ་དེ་དག་དང་། ཚུལ་དེ་དག་དང་མཚན་མ་དེ་དག་དང་ལྡན་པའི་བྱང་ཆུབ་སེམས་དཔའ་སེམས་དཔའ་ཆེན་པོ་ནི་ཕྱིར་མི་ལྡོག་པར་རིག་པར་བྱའོ། །རབ་འབྱོར་གཞན་ཡང་ཕྱིར་མི་ལྡོག་པའི་བྱང་ཆུབ་སེམས་དཔའ་སེམས་དཔའ་ཆེན་པོའི་ཕྱི་བཞིན་དུ་བྱང་ཆུབ་སེམས་དཔའ་སེམས་དཔའ་ཆེན་པོ་འདི་ནི་རིང་པོ་མི་ཐོགས་པར་བླ་ན་མེད་པ་ཡང་དག་པར་②རྫོགས་པའི་བྱང་ཆུབ་ཏུ་མངོན་པར་རྫོགས་པར་འཚང་རྒྱ་སྟེ། འདི་བླ་ན་མེད་པ་ཡང་དག་པར་རྫོགས་པའི་བྱང་ཆུབ་ཏུ་མངོན་པར་རྫོགས་པར་སངས་རྒྱས་ནས་ཀྱང་། བདག་གིས་རྟག་ཏུ་རྒྱུན་མི་འཆད་③པར་རྗེས་སུ་འབྲང་བར་བྱའོ་ཞེས་ཡོངས་སུ་བསྲུང་བའི་ཕྱིར། གནོད་སྦྱིན་ལག་ན་རྡོ་རྗེ་རྟག་ཏུ་རྒྱུན་མི་ཆད་པར་རྗེས་སུ་འབྲང་ངོ་། །ཇི་ཙམ་དུ་ལག་ན་རྡོ་རྗེའི་རིགས་རྣམས་རྟག་ཏུ་རྒྱུན་མི་ཆད་པར་རྗེས་སུ་འབྲང་བ་དེ་ཙམ་དུ་དེ་ལ་མིའམ། མི་མ་ཡིན་པ་དག་གིས་གནོད་པར་མི་ནུས་ཏེ། དེ་ལ་འཇིག་རྟེན་ན་ལྷའམ། བདུད་དམ། ཚངས་པའམ། གང་སུས་ཀྱང་ཆོས་དང་འཐུན་པར་ཐུབ་པ་མེད་དེ། དེའི་སེམས་བྱང་ཆུབ་ཡིད་ལ་བྱེད་པ་ནས། བླ་ན་མེད་པ་ཡང་དག་པར་རྫོགས་པའི་བྱང་ཆུབ་ཏུ་མངོན་པར་སངས་རྒྱས་ཀྱི་བར་དུ་རྣམ་པར་འཁྲུག་པ་མེད་དོ། །བྱང་ཆུབ་སེམས་དཔའ་སེམས་དཔའ་ཆེན་པོ་དེའི་དབང་པོ་

འདི་ལྟ་སྟེ། མིག་གི་དབང་པོ་དང་། རྣ་བའི་དབང་པོ་དང་། སྣའི་དབང་པོ་དང་། ལྕེའི་དབང་པོ་དང་། ལུས་ཀྱི་དབང་པོ་དང་། ཡིད་ཀྱི་དབང་པོ་དང་། དད་པའི་དབང་པོ་དང་། བརྩོན་འགྲུས་ཀྱི་དབང་པོ་དང་། དྲན་པའི་དབང་པོ་དང་། ཏིང་ངེ་འཛིན་གྱི་དབང་པོ་དང་། ཤེས་རབ་ཀྱི་དབང་པོ་དག་མ་ཚང་བར་མི་འགྱུར་རོ། །དེ་ནི་སྐྱེས་བུ་དམ་པར་འགྱུར་ཏེ། སྐྱེས་བུ་དམའ་བ་མ་ཡིན་ནོ། །གསོལ་པ། བཅོམ་ལྡན་འདས་ཇི་ཙམ་གྱིས་ན་བྱང་ཆུབ་སེམས་དཔའ་སེམས་དཔའ་ཆེན་པོ་སྐྱེས་བུ་དམ་པར་འགྱུར་ཞིང་སྐྱེས་བུ་དམའ་བ་མ་ལགས། བཅོམ་ལྡན་འདས་ཀྱིས་བཀའ་སྩལ་པ། རབ་འབྱོར་བྱང་ཆུབ་སེམས་དཔའ་སེམས་དཔའ་ཆེན་པོ་ནམ་བྱང་ཆུབ་ཀྱི་སེམས་མི་འཁྲུག་པ་ན། བྱང་ཆུབ་སེམས་དཔའ་སེམས་དཔའ་ཆེན་པོ་སྐྱེས་བུ་དམ་པར་འགྱུར་ཏེ། སྐྱེས་བུ་དམའ་བ་མ་ཡིན་ནོ། །རབ་འབྱོར་རྣམ་པ་དེ་དག་དང་། ཚུལ་དེ་དག་དང་མཚན་མ་དེ་དག་དང་ལྡན་པའི་བྱང་ཆུབ་སེམས་དཔའ་སེམས་དཔའ་ཆེན་པོ་ནི་ཕྱིར་མི་ལྡོག་པར་རིག་པར་བྱའོ། །རབ་འབྱོར་གཞན་ཡང་ཕྱིར་མི་ལྡོག་པའི་བྱང་ཆུབ་སེམས་དཔའ་སེམས་དཔའ་ཆེན་པོ་དེ་ནི་བྱང་ཆུབ་ཡིད་ལ་བྱ་བ་དང་ལྡན་ཞིང་། བུད་མེད་ཟེ་སློང་བ་དང་། དབང་དུ་འགྱུར་བའི་སྔགས་དང་། ཚིག་གང་ཅི་ཡང་རུང་སྟེ། རྩེ་[7]དེ་དག་ཐམས་ཅད་དུ་ཐམས་ཅད་རྣམ་པ་ཐམས་ཅད་ཀྱི་[8]ཐམས་ཅད་མི་སྦྱོར། སྦྱོར་དུ་མི་འཇུག་སྟེ། ཟེ་སློང་བའི་བག་གཞན་དང་གཞན་དག་ཀྱང་མི་བྱེད་དོ། །བུད་མེད་དམ་སྐྱེས་པ་གང་ཡང་རུང་སྟེ། དེ་དག་ལ་ཡོངས་སུ་བསྟན་པའི་ཚེ་འཕྲུལ་མི་བྱེད་དོ། །བུའམ་བུ་མོ་རིགས་ཀྱི་ལྷ་ལྟ་བུ་ཡོད་པར་འགྱུར་རོ་ཞེའམ། ཚེ་རིང་བར་འགྱུར་རོ་ཞེས་ཡོངས་སུ་སྟོན་པའི་ཚེ་འཕྲུལ་མི་བྱེད་དོ། །དེ་ཅིའི་ཕྱིར་ཞེ་ན། རབ་འབྱོར་དེ་ནི་འདི་ལྟར་བྱང་ཆུབ་

སེམས་དཔའ་སེམས་དཔའ་ཆེན་པོ་རང་གི་མཚན་ཉིད་ཀྱིས་སྟོང་པའི་ཆོས་རྣམས་ལ། མཚན་མ་ཡང་དག་པར་རྗེས་སུ་མི་མཐོང་སྟེ། དེས་མཚན་མ་ཡང་དག་པར་རྗེས་སུ་མི་མཐོང་བས་འཚེ་[༧]བ་ཡོངས་སུ་དག་པ་ཡིན་ཏེ། རབ་འབྱོར་རྣམ་པ་དེ་དག་དང་རྟགས་དེ་དག་དང་མཚན་མ་དེ་དག་དང་ལྡན་པའི་བྱང་ཆུབ་སེམས་དཔའ་སེམས་དཔའ་ཆེན་པོ་ནི་ཕྱིར་མི་ལྡོག་པར་རིག་པར་བྱའོ། །རབ་འབྱོར་གཞན་ཡང་ཕྱིར་མི་ལྡོག་པའི་བྱང་ཆུབ་སེམས་དཔའ་སེམས་དཔའ་ཆེན་པོ་རྣམ་པ་གང་དང་རྟགས་གང་དང་། མཚན་མ་གང་དང་ལྡན་པས་བྱང་ཆུབ་སེམས་དཔའ་སེམས་དཔའ་ཆེན་པོ་ཕྱིར་མི་ལྡོག་པར་རིག་པར་བྱ་བའི་རྣམ་པ་དང་རྟགས་དང་། མཚན་མ་དེ་དག་བསྟན་གྱིས་[༣]ཤིན་ཏུ་ལེགས་པར་ཉོན་ལ་ཡིད་ལ་ཟུང་[༡]ཤིག་དང་བཤད་དོ། །བཅོམ་ལྡན་འདས་དེ་ལྟར་བགྱིའོ་ཞེས་གསོལ་ནས། ཚེ་དང་ལྡན་པ་རབ་འབྱོར་བཅོམ་ལྡན་འདས་ལ་ཕྱིར་ཉན་ཏོ། །བཅོམ་ལྡན་འདས་ཀྱིས་དེ་ལ་འདི་སྐད་ཅེས་བཀའ་སྩལ་ཏོ། །རབ་འབྱོར་འདི་ལ་བྱང་ཆུབ་སེམས་དཔའ་སེམས་དཔའ་ཆེན་པོ་ཤེས་རབ་ཀྱི་ཕ་རོལ་ཏུ་ཕྱིན་པ་ལ་སྤྱོད་པའི་ཚེ། བྱང་ཆུབ་ཡིད་ལ་བྱེད་པ་དང་མི་འབྲལ་བ་ཡིན་ཏེ། ཕུང་པོའི་སྦྱོར་བ་ལ་རྗེས་སུ་བརྟོན་པར་མི་གནས། སྐྱེ་མཆེད་དང་ཁམས་དང་། རྟེན་ཅིང་འབྲེལ་བར་འབྱུང་བའི་སྦྱོར་བ་ལ་རྗེས་སུ་བརྟོན་པར་མི་གནས་སོ། །དེ་ཅིའི་ཕྱིར་ཞེ་ན། དེ་ནི་འདི་ལྟར་བྱང་ཆུབ་སེམས་དཔའ་སེམས་དཔའ་ཆེན་པོ་དེས་ཕུང་པོ་སྟོང་པ་ཉིད་དང་། སྐྱེ་མཆེད་སྟོང་པ་ཉིད་དང་། ཁམས་སྟོང་པ་ཉིད་དང་། རྟེན་ཅིང་འབྲེལ་བར་འབྱུང་བ་སྟོང་པ་ཉིད་ཤིན་ཏུ་ཡིད་ལ་བྱས་པ་ཡིན། དེ་འདུ་འཛིའི་སྦྱོར་བ་ལ་རྗེས་སུ་བརྟོན་པར་མི་གནས་ཏེ། དེ་ཅིའི་ཕྱིར་ཞེ་ན། དེ་ནི་འདི་ལྟར་བྱང་ཆུབ་སེམས་དཔའ་སེམས་དཔའ་ཆེན་པོ་དེས་སེམས་ཅན་སྟོང་པ་ཉིད་

ཤིན་ཏུ་ཡིད་ལ་བྱས་པ་ཡིན། དེ་རྒྱལ་པོའི་གཏམ་གྱི་སྒྲོར་བ་ལ་རྗེས་སུ་བརྗོད་པར་མི་གནས་ཏེ། དེ་ཅིའི་ཕྱིར་ཞེ་ན། དེ་ནི་འདི་ལྟར་དེ་རང་བཞིན་སྟོང་པ་ཉིད་ལ་གནས་པས། ཆོས་གང་ལ་ཡང་བཟང་པོའམ། ངན་པར་ཡང་དག་པར་རྗེས་སུ་མི་མཐོང་ངོ་། །དེ་རྐུན་པོའི་གཏམ་གྱི་སྒྲོར་བ་ལ་རྗེས་སུ་བརྗོད་པར་མི་གནས་ཏེ། དེ་ཅིའི་ཕྱིར་ཞེ་ན། དེ་ནི་འདི་ལྟར་དེ་ཆོས་ཐམས་ཅད་རང་གི་མཚན་ཉིད་ཀྱིས་སྟོང་པས། ཆོས་གང་ལ་ཡང་བླང་བའམ། དབྲོག་པ་ཡང་དག་པར་རྗེས་སུ་མི་མཐོང་ངོ་། །དེ་གཡུལ་གྱི་གཏམ་གྱི་སྒྲོར་བ་ལ་རྗེས་སུ་བརྗོད་པར་མི་གནས་ཏེ། དེ་ཅིའི་ཕྱིར་ཞེ་ན། དེ་ནི་འདི་ལྟར་དེ་རང་བཞིན་སྟོང་པ་ཉིད་ལ་གནས་པས། ཆོས་གང་ཡང་ཉུང་ངུའམ་མང་པོར་ཡང་དག་པར་རྗེས་སུ་མི་མཐོང་ངོ་། །དེ་དམག་གི་གཏམ་གྱི་སྒྲོར་བ་ལ་རྗེས་སུ་བརྗོད་པར་མི་གནས་ཏེ། དེ་ཅིའི་ཕྱིར་ཞེ་ན། དེ་ནི་འདི་ལྟར་དེ་ཆོས་ཐམས་ཅད་ཀྱི་དེ་བཞིན་ཉིད་ལ་གནས་པས། ཆོས་གང་ལ་ཡང་བྱམས་པའམ་ཞེ་སྡང་བ་ཡང་དག་པར་རྗེས་སུ་མི་མཐོང་ངོ་། །དེ་གྲོང་གི་གཏམ་གྱི་སྒྲོར་བ་ལ་རྗེས་སུ་བརྗོད་པར་མི་གནས་ཏེ། དེ་ཅིའི་ཕྱིར་ཞེ་ན། དེ་ནི་འདི་ལྟར་དེ་[༧]ཆོས་ཐམས་ཅད་སྟོང་པ་ཉིད་ལ་གནས་པས། ཆོས་གང་ཡང་ཚོགས་སམ་ཚོགས་མ་ཡིན་པར་ཡང་དག་པར་རྗེས་སུ་མི་མཐོང་ངོ་། །དེ་གྲོང་ཁྱེར་གྱི་གཏམ་གྱི་སྒྲོར་བ་ལ་རྗེས་སུ་བརྗོད་[༨]པར་མི་གནས་ཏེ། དེ་ཅིའི་ཕྱིར་ཞེ་ན། དེ་ནི་འདི་ལྟར་དེ་ནམ་མཁའ་སྟོང་པ་ཉིད་ལ་གནས་པས། ཆོས་གང་ཡང་གཟུང་བའམ། མི་གཟུང་བར་ཡང་དག་པར་རྗེས་སུ་མི་མཐོང་ངོ་། །དེ་གྲོང་རྡལ་གྱི་གཏམ་གྱི་སྒྲོར་བ་ལ་རྗེས་སུ་བརྗོད་པར་མི་གནས་ཏེ། དེ་ཅིའི་ཕྱིར་ཞེ་ན། དེ་ནི་འདི་ལྟར་དེ་ཡང་དག་པའི་མཐའ་ལ་གནས་པས་ཆོས་གང་ཡང་འཕེལ་བའམ། འགྲིབ་བར་ཡང་དག་པར་རྗེས་སུ་མི་མཐོང་ངོ་། །དེ་

བདག༑ གིས་གཏམ་[7]གྱི་སྦྱོར་བ་ལ་རྗེས་སུ་བརྩོན་པར་མི་གནས། སེམས་ཅན་དང་། སྲོག་དང་། འགྲོ་བ་དང་། གསོ་བ་དང་། སྐྱེས་བུ་དང་། གང་ཟག་དང་། ཤེད་ཅན་དང་། ཤེད་བདག་དང་། བྱེད་པ་པོ་དང་། ཚོར་བ་པོ་དང་། ཤེས་པ་པོ་དང་། མཐོང་བ་པོའི་གཏམ་གྱི་སྦྱོར་བ་ལ་རྗེས་སུ་བརྩོན་པར་མི་གནས་ཏེ། གཞན་དུ་ན་ཤེས་རབ་ཀྱི་ཕ་རོལ་དུ་ཕྱིན་པའི་གཏམ་གྱི་སྦྱོར་བ་ལ་རྗེས་སུ་བརྩོན་ཞིང་རྣམ་པ་ཐམས་ཅད་མཁྱེན་པ་ཉིད་དང་ལྡན་པའི་ཡིད་ལ་བྱ་བ་དང་མ་བྲལ་བར་གནས་ཏེ། དེ་སྦྱིན་པའི་ཕ་རོལ་དུ་ཕྱིན་པ་ལ་སྤྱོད་ཅིང་། སེར་སྣའི་སྦྱོར་བ་ལ་རྗེས་སུ་བརྩོན་པར་མི་གནས་སོ། །ཚུལ་ཁྲིམས་ཀྱི་ཕ་རོལ་དུ་ཕྱིན་པ་ལ་སྤྱོད་ཅིང་། ཚུལ་ཁྲིམས་ངན་པའི་སྦྱོར་བ་ལ་རྗེས་སུ་བརྩོན་པར་མི་གནས་སོ། །བཟོད་པའི་ཕ་རོལ་དུ་ཕྱིན་པ་ལ་སྤྱོད་ཅིང་། འཁྲུག་[1]པའི་སྦྱོར་བ་ལ་རྗེས་སུ་བརྩོན་པར་མི་གནས་སོ། །བརྩོན་འགྲུས་ཀྱི་ཕ་རོལ་དུ་ཕྱིན་པ་ལ་སྤྱོད་ཅིང་། ལེ་ལོའི་སྦྱོར་བ་ལ་རྗེས་སུ་བརྩོན་པར་མི་གནས་སོ། །བསམ་གཏན་གྱི་ཕ་རོལ་དུ་ཕྱིན་པ་ལ་སྤྱོད་ཅིང་། གཡེང་བའི་སྦྱོར་བ་ལ་རྗེས་སུ་བརྩོན་པར་མི་གནས་སོ། །ཤེས་རབ་ཀྱི་ཕ་རོལ་དུ་ཕྱིན་པ་ལ་སྤྱོད་ཅིང་། ཤེས་རབ་འཆལ་པའི་སྦྱོར་བ་ལ་རྗེས་སུ་བརྩོན་པར་མི་གནས་སོ། །དེ་ཆོས་ཐམས་ཅད་སྟོང་པ་ཉིད་ལ་སྤྱོད་ཅིང་ཆོས་འདོད་པ་ཡིན་གྱི། ཆོས་མི་འདོད་པ་མ་ཡིན། དེ་ཆོས་ཀྱི་དབྱིངས་ལ་སྤྱོད་ཅིང་། ཆོས་ཐ་དད་པའི་ལེགས་པ་བརྗོད་པ་མ་ཡིན། དེ་སངས་རྒྱས་བཅོམ་ལྡན་འདས་རྣམས་དང་། བྱང་ཆུབ་སེམས་དཔའ་སེམས་དཔའ་ཆེན་པོ་རྣམས་ལ་བཤེས་གཉེན་དུ་སེམས་པ་ཡིན། རིགས་ཀྱི་བུ་དང་རིགས་ཀྱི་བུ་མོ་ཉན་ཐོས་དང་རང་སངས་རྒྱས་ཀྱི་ཐེག་པ་པ་གང་[1]ཇི་སྙེད་པ་དེ་དག་ཀྱང་། བླ་ན་མེད་པ་ཡང་དག་པར་རྫོགས་པའི་བྱང་ཆུབ་ཏུ་ཡང་དག་པར

སྐྱལ་[༧]ཞིང་འགོད་དོ། །འདུལ་ལོ། །རབ་ཏུ་གཞོག་གོ། །དེ་དེ་བཞིན་གཤེགས་པ་དགྲ་བཅོམ་པ་ཡང་དག་པར་རྫོགས་པའི་སངས་རྒྱས་རྣམས་མཉེས་པར་བྱེད་ཅིང་བལྟ་བའི་ཕྱིར། འཇིག་རྟེན་གྱི་ཁམས་གང་ན་བཞུགས་ཤིང་འཚོ་སྐྱོང་བ་དེར་སྐྱེས་ཏེ། དེར་སྐྱེ་བར་འདོད་ཅིང་འདི་ལྟར་སངས་རྒྱས་ཡིད་ལ་བྱ་བས་ཉིན་མཚན་དུ་རྣམ་པར་སྤྱོད་དེ[༣]། དེ་ཅིའི་ཕྱིར་ཞེ་ན། རབ་འབྱོར་དེ་ནི་འདི་ལྟར་ཕྱིར་མི་ལྡོག་པའི་བྱང་ཆུབ་སེམས་དཔའ་སེམས་དཔའ་ཆེན་པོ་དེ་དག་ནི་ཕལ་ཆེར་འདོད་པའི་ཁམས་དང་ལྡན་པའི་ཡིད་ལ་བྱ་བ་བསྐྱེད་ཅིང་དགེ་བ་བཅུའི་ལས་ཀྱི་ལམ་ལ་གནས་པས། སངས་རྒྱས་ཀྱི་ཞིང་དེ་དག་ཏུ་སྐྱེ་བར་འགྱུར་རོ། །བསམ་གཏན་དང་པོ་བསྐྱེད། བསམ་གཏན་གཉིས་པ་དང་། བསམ་གཏན་གསུམ་པ་དང་། བསམ་གཏན་བཞི་པ་བསྐྱེད། འདུ་ཤེས་མེད་འདུ་ཤེས་མེད་མིན་སྐྱེ་མཆེད་ལ་སྙོམས་པར་འཇུག་པའི་བར་དུ་བསྐྱེད་ཅིང་གང་ན་དེ་བཞིན་གཤེགས་པ་དགྲ་བཅོམ་པ་ཡང་དག་པར་རྫོགས་པའི་སངས་རྒྱས་མངོན་དུ་གྱུར་པར་བཞུགས་ཤིང་འཚོ་སྐྱོང་བ་དང་། ཆོས་སྟོན་པ་དེར་སྐྱེ་སྟེ། རབ་འབྱོར་རྣམ་པ་དེ་དག་དང་ཚུལ་དེ་དག་དང་། མཚན་མ་དེ་དག་དང་ལྡན་པའི་བྱང་ཆུབ་སེམས་དཔའ་སེམས་དཔའ་ཆེན་པོ་ནི་ཕྱིར་མི་ལྡོག་པར་རིག་པར་བྱའོ། །རབ་འབྱོར་གཞན་ཡང་ཕྱིར་མི་ལྡོག་པའི་བྱང་ཆུབ་སེམས་དཔའ་སེམས་དཔའ་ཆེན་པོ་ཤེས་རབ་ཀྱི་ཕ་རོལ་ཏུ་ཕྱིན་པ་ལ་སྤྱོད་པ། ནང་སྟོང་པ་ཉིད་ལ་གནས་པ་དང་། དངོས་པོ་མེད་པའི་ངོ་བོ་ཉིད་སྟོང་པ་ཉིད་ཀྱི་བར་ལ་གནས་པ་དང་། དྲན་པ་ཉེ་བར་གཞག་པ་རྣམས་ལ་གནས་པ་དང་། ཡང་དག་པར་སྤོང་བ་དང་། རྫུ་འཕྲུལ་གྱི་རྐང་པ་དང་། དབང་པོ་དང་སྟོབས་དང་། བྱང་ཆུབ་ཀྱི་ཡན་ལག་དང་། འཕགས་པའི་ལམ་ཡན་ལག་བརྒྱད་པ་ལ་གནས་པ་དང་། འཕགས་

པའི་བདེན་པ་དང་བསམ་གཏན་དང་ཚད་མེད་པ་དང་། གཟུགས་མེད་པའི་
སྙོམས་པར་འཇུག་པ་ལ་གནས་པ་དང་། རྣམ་པར་ཐར་པ་བརྒྱད་དང་། མཐར་
གྱིས་གནས་པའི་སྙོམས་པར་འཇུག་པ་དགུ་དང་། སྟོང་པ་ཉིད་དང་མཚན་མ་
མེད་པ་དང་། སྨོན་པ་མེད་པ་དང་མངོན་པར་ཤེས་པ་དང་། ཏིང་ངེ་འཛིན་
དང་གཟུངས་ཀྱི་སྒོ་ལ་གནས་པ་དང་། དེ་བཞིན་གཤེགས་པའི་སྟོབས་བཅུ་དང་
མི་འཇིགས་པ་བཞི་དང་སོ་སོ་ཡང་དག་པར་རིག་པ་བཞི་དང་། བྱམས་པ་ཆེན་
པོ་དང་སྙིང་རྗེ་ཆེན་པོ་དང་། སངས་རྒྱས་ཀྱི་ཆོས་མ་འདྲེས་པ་བཅོ་བརྒྱད་ལ་
གནས་པ་དེ་ནི་འདི་སྙམ་དུ་བདག་ནི་ཕྱིར་ལྡོག་པའམ་ཕྱིར་མི་ལྡོག་པ་མ་ཡིན་ནོ་
སྙམ་ཡང་མི་བྱེད་དེ། ཐེ་ཚོམ་མི་སྐྱེ་ཞིང་རང་གི་ས་ལ་ཡིད་གཉིས་མེད་དོ། །དེ་
ཅིའི་ཕྱིར་ཞེ་ན། དེ་ནི་འདི་ལྟར་དེས་ཕྱིར་ལྡོག་པ་དང་། ཕྱིར་ལྡོག་པ་མ་ཡིན་
པའི་ཆོས་རྟུལ་ཙམ་ཡང་ཡང་དག་པར་རྗེས་སུ་མི་མཐོང་ངོ་། །རབ་འབྱོར་འདི་
ལྟ་སྟེ་དཔེར་ན། རྒྱུན་དུ་ཞུགས་པའི་སྐྱེས་བུ་རྒྱུན་དུ་ཞུགས་པའི་ས་ལ་གནས་པ་ནི།
རང་གི་ས་ལ་ནེམ་ནུར་མེད་ཅིང་ཐེ་ཚོམ་མི་ཟའོ། །ལན་ཅིག་ཕྱིར་འོང་བ་ལན་
ཅིག་ཕྱིར་འོང་བའི་ས་ལ་གནས་པ་དང་། ཕྱིར་མི་འོང་བ་ཕྱིར་མི་འོང་བའི་ས་ལ་
གནས་པ་དང་། དགྲ་བཅོམ་པ་དགྲ་བཅོམ་པའི་ས་ལ་གནས་པ་ནི། རང་གི་
ས་ལ་ནེམ་ནུར་མེད་ཅིང་ཐེ་ཚོམ་མི་ཟའོ། །རང་སངས་རྒྱས་རང་སངས་རྒྱས་ཀྱི་
ས་ལ་གནས་པ་ནི། རང་གི་ས་ལ་ནེམ་ནུར་མེད་ཅིང་ཐེ་ཚོམ་མི་ཟའོ། །བྱང་
ཆུབ་སེམས་དཔའ་བྱང་ཆུབ་སེམས་དཔའི་ས་ལ་གནས་པ་ནི། རང་གི་ས་ལ་
ནེམ་ནུར་མེད་ཅིང་ཐེ་ཚོམ་[7]མི་ཟའོ། །ཡང་དག་པར་རྫོགས་པའི་སངས་རྒྱས།
ཡང་དག་པར་རྫོགས་པའི་སངས་རྒྱས་ཀྱི་ས་ལ་གནས་པ་ནི། རང་གི་ས་ལ་ནེམ་
ནུར་མེད་ཅིང་ཐེ་ཚོམ་མི་ཟའོ། །རབ་འབྱོར་དེ་བཞིན་དུ་བྱང་ཆུབ་སེམས་དཔའ་

སེམས་དཔའ་ཆེན་པོ་རང་གི་ས་ལ་གནས་པ་ཡང་ཉེམ་ཉུར་མེད་ཅིང་ཐེ་ཚོམ་མི་ཟ་ཞིང་། དེ་ཕྱིར་མི་ལྡོག་པའི་ས་དེ་ལ་གནས་ཏེ། སངས་རྒྱས་ཀྱི་ཞིང་ཡང་ཡོངས་སུ་སྦྱོང་ངོ་། །སེམས་ཅན་རྣམས་ཀྱང་ཡོངས་སུ་སྨིན་པར་བྱེད་དོ། །བདུད་ཀྱི་ལས་སྐྱེས་ཤིང༌བྱུང་བ་[༡]དག་ཀྱང་ཤེས་ཏེ། བདུད་ཀྱི་ལས་ཀྱི་དབང་དུ་ཡང་མི་འགྲོ། བདུད་ཀྱི་ལས་དེ་དག་ཐམས་ཅད་ཀྱང་རྣམ་པར༌འཇོམས་ཞིང་[༢]སྲུབ་མོར་བྱེད་དོ། །རབ་འབྱོར་འདི་ལྟ་སྟེ་དཔེར་ན། མཚམས་མེད་པ་བྱེད་བྱེད་པའི་སྐྱེས་བུ་ནི་འཚི་ཀའི་[༣]བར་དུ་ཡང་མཚམས་མེད་པའི་སེམས་དང་མི་འབྲལ་ཞིང་། མཚམས་མེད་པའི་སེམས་དེ་རྗེས་སུ་འབྲང་ངོ་། །མཚམས་མེད་པའི་སེམས་དེ་ཐབས་མཁས་པ་ཐམས་ཅད་ཀྱིས་ཀྱང་རྣམ་པར་གཞིལ་བར་མི་ནུས་ཏེ། ཀུན་ནས་ལྡང་བ་དེ་འཚི་ཀའི་[༤]བར་དུ་ཡང་རྗེས་སུ་འབྲང་ངོ་། །[༥]རབ་འབྱོར་དེ་བཞིན་དུ་ཕྱིར་མི་ལྡོག་པའི་བྱང་ཆུབ་སེམས་དཔའ་སེམས་དཔའ་ཆེན་པོའི་ཕྱིར་མི་ལྡོག་པའི་སེམས་ཀྱང་ཕྱིར་མི་ལྡོག་པའི་ས་ལ་གནས་པ་སྟེ། སེམས་དེ་རྣམ་པར་བརྟག་ཏུ་མེད་ཅིང་མི་སྐྱུལ་བས། དེ་ནི་ལྷ་དང་མི་དང་ལྷ་མ་ཡིན་དུ་བཅས་པའི་འཇིག་རྟེན་གྱིས་ཕྱིར་བཟློག་པར་མི་ནུས་སོ། །དེ་ཅིའི་ཕྱིར་ཞེ་ན། དེ་ནི་འདི་ལྟར་སེམས་དེས་ལྷ་དང་། མི་དང་ལྷ་མ་ཡིན་དུ་བཅས་པའི་འཇིག་རྟེན་ལས་འདས་ཏེ། ཡང་དག་པའི་སྐྱོན་མེད་པར་ཞུགས་པས་དེ་རང་གི་ས་ལ་གནས་ཤིང་། མངོན་པར་ཤེས་པ་རྣམས་ལ་ཕ་རོལ་དུ་ཕྱིན་པའི་མཆོག་ཐོབ་པས། སངས་རྒྱས་ཀྱི་ཞིང་ཡོངས་སུ་དག་པར་བྱེད་དོ། །སེམས་ཅན་རྣམས་ཀྱང་ཡོངས་སུ་སྨིན་པར་བྱེད་དོ། །སངས་རྒྱས་བཅོམ་ལྡན་འདས་རྣམས་བལྟ་བ་དང་། དེ་དག་ལ་ཕྱག་བྱ་བ་དང་། ཚོས་མཉན་པའི་ཕྱིར། སངས་རྒྱས་ཀྱི་ཞིང་ནས་སངས་རྒྱས་ཀྱི་ཞིང་དུ་ཡང་འགྲོའོ། །སངས་རྒྱས་ཀྱི་ཞིང་དེ་དག་གིས་སངས་རྒྱས་

བཅོམ་ལྡན་འདས་རྣམས་ལ་དགེ་བའི་རྩ་བ་མང་པོ་ཡང་བསྐྱེད་ཅིང༌། སངས་རྒྱས་བཅོམ་ལྡན་འདས་དེ་དག་ལ་ཀུན་འདྲི་ཞིང་ཡོངས་སུ་ཞུ་བ་བྱེད། བསྙེན་བཀུར་བྱེད་དོ། །རབ་འབྱོར་བྱང་ཆུབ་སེམས་དཔའ་སེམས་དཔའ་ཆེན་པོ་དེ་དེ་ལྟར་གནས་པས་བདུད་ཀྱི་ལས་སྐྱེས་ཤིང་བྱུང་བ་རྣམས་ཁོང་དུ་ཆུད་དེ། བདུད་ཀྱི་ལས་སྐྱེས་ཤིང་བྱུང་བ་དག་གི་དབང་དུ་འང་མི་འགྲོའོ། །བདུད་ཀྱི་ལས་དེ་དག་ཀྱང་ཐབས་མཁས་པས་ཡང་དག་པའི་མཐའ་ལ་སྦྱོར་བར་བྱེད་ཅིང་དེ་རང་གི་ས་ལ་ཉམ་ཉུར་མེད་ཅིང་ཐེ་ཚོམ་མི་ཟའོ། །དེ་ཅིའི་ཕྱིར་ཞེ་ན། དེ་ནི་འདི་ལྟར་དེ་ཡང་དག་པའི་མཐའ་ལ་ཉམ་ཉུར་མེད་པས། ཡང་དག་པའི་མཐའ་གཅིག་གམ། གཉིས་སུ་ཡང་དག་པར་རྗེས་སུ་མི་མཐོང་སྟེ། དེ་ལྟར་ཤེས་པས་དེ་ཚེ་འཕོས་ནས་ཀྱང༌། ཉན་ཐོས་དང་རང་སངས་རྒྱས་ཀྱི་སར་སེམས་མི་སྐྱེའོ། །དེ་ཅིའི་ཕྱིར་ཞེ་ན། རབ་འབྱོར་དེ་ནི་ⓖའདི་ལྟར་བྱང་ཆུབ་སེམས་དཔའ་སེམས་དཔའ་ཆེན་པོས་ནི་ཆོས་ཐམས་ཅད་རང་གི་མཚན་ཉིད་ཀྱིས་སྟོང་པ་ལ། ཆོས་གང་ཡང་སྐྱེ་བའམ། འགག་པའམ། ཀུན་ནས་ཉོན་མོངས་པའམ། རྣམ་པར་བྱང་བ་ཡང་དག་པར་རྗེས་སུ་མི་མཐོང་ངོ༌། །རབ་འབྱོར་བྱང་ཆུབ་སེམས་དཔའ་སེམས་དཔའ་ཆེན་པོ་དེ་ཚེ་འཕོས་ནས་ཀྱང་འདི་སྙམ་དུ་བདག་ནི་བླ་ན་མེད་པ་ཡང་དག་པར་རྫོགས་པའི་བྱང་ཆུབ་ཏུ་མངོན་པར་རྫོགས་པར་འཚང་རྒྱ་བར་མི་ⓢའགྱུར་རོ་སྙམ་དུ་མི་བྱེད་དེ། གདོན་མི་ཟ་བར་བླ་ན་མེད་པ་ཡང་དག་པར་རྫོགས་པའི་བྱང་ཆུབ་ཏུ་མངོན་པར་རྫོགས་པར་འཚང་རྒྱ་བར་འགྱུར་རོ་སྙམ་སེམས་སོ། །དེ་ཅིའི་ཕྱིར་ཞེ་ན། རབ་འབྱོར་དེ་ནི་འདི་ལྟར་བླ་ན་མེད་པ་ཡང་དག་པར་རྫོགས་པའི་བྱང་ཆུབ་ནི་རང་གི་མཚན་ཉིད་ཀྱིས་སྟོང་ངོ༌། །རབ་འབྱོར་བྱང་ཆུབ་སེམས་དཔའ་སེམས་དཔའ་ཆེན་པོ་རང་གི་ས་ལ་དེ་ལྟར་གནས་པ་ནི་རང་གི་ས་ལ་ཐུབ་པ་

མེད་པ་ཡིན་ཏེ། དེ་ཅིའི་ཕྱིར་ཞེ་ན། རབ་འབྱོར་དེ་ནི་འདི་ལྟར་ཕྱིར་མི་ལྡོག་པའི་བྱང་ཆུབ་སེམས་དཔའ་སེམས་དཔའ་ཆེན་པོ་དེ་ལྟར་གནས་པ་ནི་མི་འཕྲོགས་པའི་ཡེ་ཤེས་དང་ལྡན་པ་ཡིན་ཏེ། རབ་འབྱོར་གལ་ཏེ་ཕྱིར་མི་ལྡོག་པའི་བྱང་ཆུབ་སེམས་དཔའ་སེམས་དཔའ་ཆེན་པོའི་དྲུང་དུ་བདུད་སྡིག་ཏོ་ཅན་སངས་རྒྱས་ཀྱི་ཆ་བྱད་དུ་ཉེ་བར་འོངས་ནས། འདི་སྐད་དུ་ཁྱོད་ཀྱིས་འདི་ཉིད་དུ་དགྲ་བཅོམ་པ་ཐོབ་པར་གྱིས་ཤིག །ཁྱོད་ནི་བླ་ན་མེད་པ་ཡང་དག་པར་རྫོགས་པའི་བྱང་ཆུབ་ཏུ་ལུང་མ་བསྟན་ཏོ། །དེ་བཞིན་གཤེགས་པ་དགྲ་བཅོམ་པ་ཡང་དག་པར་རྫོགས་པའི་སངས་རྒྱས་དེ་དག་གིས་གང་གིས་ཁྱོད་བླ་ན་མེད་པ་ཡང་དག་པར་རྫོགས་པའི་བྱང་ཆུབ་ཏུ་ལུང་བསྟན་པར་འགྱུར་བའི་མི་སྐྱེ་བའི་ཆོས་ལ་བཟོད་པ་ཁྱོད་ཀྱིས་མ་ཐོབ་པོ། །རྣམ་པ་གང་དག་དང་རྟགས་གང་དག་དང་མཚན་མ་གང་དག་དང་ལྡན་པའི་བྱང་ཆུབ་སེམས་དཔའ་སེམས་དཔའ་ཆེན་པོ་བླ་ན་མེད་པ་ཡང་དག་པར་རྫོགས་པའི་བྱང་ཆུབ་ཏུ་ལུང་བསྟན་པའི་རྣམ་པ་དེ་དག་དང༌། རྟགས་དེ་དག་དང་མཚན་མ་དེ་དག་ཀྱང་ཁྱོད་ལ་མེད་དོ་ཞེས་ཟེར་ཡང༌། རབ་འབྱོར་གལ་ཏེ་བྱང་ཆུབ་སེམས་དཔའ་སེམས་དཔའ་ཆེན་པོས་སྒྲ་དེ་ཐོས་ནས་མི་འཛུམ་མི་འགོང་ཞིང༌། དེའི་སེམས་གཞན་དུ་མི་འགྱུར་ལ་ཡིད་སྐྲག་པར་མི་འགྱུར་ན། རབ་འབྱོར་བྱང་ཆུབ་སེམས་དཔའ་སེམས་དཔའ་ཆེན་པོས་བདག་ནི་དེ་བཞིན་གཤེགས་པ་དགྲ་བཅོམ་པ་ཡང་དག་པར་རྫོགས་པའི་སངས་རྒྱས་དེ་དག་གིས་བླ་ན་མེད་པ་ཡང་དག་པར་རྫོགས་པའི་བྱང་ཆུབ་ཏུ་ལུང་བསྟན་ཏོ། །དེ་ཅིའི་ཕྱིར་ཞེ་ན། དེ་ནི་འདི་ལྟར་ཆོས་གང་དང་ལྡན་པས་བྱང་ཆུབ་སེམས་དཔའ་སེམས་དཔའ་ཆེན་པོ་བླ་ན་མེད་པ་ཡང་དག་པར་རྫོགས་པའི་བྱང་ཆུབ་ཏུ་ལུང་བསྟན་པར་འགྱུར་བའི་ཆོས་དེ་དག་བདག་ལ་ཡོད་དོ་ཞེས་བྱ་བར་རིག་པར་བྱའོ། །རབ་འབྱོར་གལ་ཏེ་བདུད་

སྡིག་ཏོ་ཅན་ནམ། བདུད་ཀྱི་བྱིན་གྱིས་བརླབས་པའི་སྐྱེས་བུ་ཞིག་བྱང་ཆུབ་སེམས་དཔའ་སེམས་དཔའ་ཆེན་པོའི་དྲུང་དུ་སངས་རྒྱས་ཀྱི་ཚ་བྱད་དུ་ཉེ་བར་འོངས་ནས། ཉན་ཐོས་ཀྱི་སའམ། རང་སངས་རྒྱས་ཀྱི་སར་ལུང་བསྟན་ཀྱང་གལ་ཏེ་བྱང་ཆུབ་སེམས་དཔའ་སེམས་དཔའ་ཆེན་པོ་འདི་སྙམ་དུ་དེ་བཞིན་གཤེགས་པ་དགྲ་བཅོམ་པ་ཡང་དག་པར་རྫོགས་པའི་སངས་རྒྱས་རྣམས་ནི། བྱང་ཆུབ་སེམས་དཔའ་སེམས་དཔའ་ཆེན་པོ་ཉན་ཐོས་ཀྱི་སའམ། རང་སངས་རྒྱས་ཀྱི་ས་ལ་ཡང་ཡང་དག་པར་བསྐུལ་[7]བ་མི་མཛད་དེ། ཀྱི་མ་འདི་ནི་བདུད་སྡིག་ཏོ་ཅན་ནམ། བདུད་སྡིག་ཏོ་ཅན་གྱིས་བྱིན་གྱིས་བརླབས་པའི་སྐྱེས་བུ་ཞིག །སངས་རྒྱས་ཀྱི་ཆ་བྱད་དུ་ཉེ་བར་འོངས་སོ་སྙམ་སེམས་པ་དང་། གལ་ཏེ་རབ་འབྱོར་བྱང་ཆུབ་སེམས་དཔའ་སེམས་དཔའ་ཆེན་པོ་ཤིན་ཏུ་རྒྱས་པའི་མདོ་སྡེ་ཀློག་པ་དང་ཁ་ཏོན་བྱེད་པ་ལ་བདུད་སྡིག་ཏོ་ཅན་སངས་རྒྱས་ཀྱི་ཆ་བྱད་དུ་ཉེ་བར་འོངས་ནས། དེ་ལ་འདི་སྐད་དུ་གང་ལ་ཁྱོད་སྤྱོད་པའི་མདོ་སྡེ་འདི་དག་ནི་བདུད་ཀྱིས་བཤད་པ་ཡིན་ཏེ། འདི་དག་ནི་སངས་རྒྱས་བཅོམ་ལྡན་འདས་རྣམས་དང་། ཉན་ཐོས་དང་རང་སངས་རྒྱས་རྣམས་ཀྱིས་བཤད་པ་མ་ཡིན་ནོ་ཞེས་ཟེར་ན། རབ་འབྱོར་དེ་ལ་བྱང་ཆུབ་སེམས་དཔའ་སེམས་དཔའ་ཆེན་པོས། ཀྱི་མ་གང་བདག་བླ་ན་མེད་པ་ཡང་དག་པར་རྫོགས་པའི་བྱང་ཆུབ་དང་འབྲལ་བར་བྱེད་པ་འདི་ནི་བདུད་སྡིག་ཏོ་ཅན་ནམ། བདུད་ཀྱི་བྱིན་གྱིས་བརླབས་པའི་སྐྱེས་བུའོ་ཞེས་བྱ་བར་རིག་པར་བྱེད་ན། རབ་འབྱོར་བྱང་ཆུབ་སེམས་དཔའ་སེམས་དཔའ་ཆེན་པོ་དེ་ནི་སྔོན་གྱི་དེ་བཞིན་གཤེགས་པ་དགྲ་བཅོམ་པ་ཡང་དག་པར་རྫོགས་པའི་སངས་རྒྱས་རྣམས་ཀྱིས་བླ་ན་མེད་པ་ཡང་དག་པར་རྫོགས་པའི་བྱང་ཆུབ་ཏུ་ལུང་བསྟན་པ་ཡིན་ཏེ། བྱང་ཆུབ་སེམས་དཔའ་སེམས་དཔའ་ཆེན་པོ་དེ་ནི་ཕྱིར་མི་ལྡོག་པའི་ས་ལ་

གནས་པར་རིག་པར་བྱའོ། །དེ་ཅིའི་ཕྱིར་ཞེ་ན། གང་ཕྱིར་མི་ལྡོག་པའི་བྱང་ཆུབ་སེམས་དཔའ་སེམས་དཔའ་ཆེན་པོ་རྣམས་ཀྱི་རྣམ་པ་དེ་དག་དང་། ཚུལ་དེ་དག་དང་མཚན་མ་དེ་དག་ནི་དེ་ལ་ཡོད་དོ། །རབ་འབྱོར་རྣམ་པ་དེ་དག་དང་ཚུལ་དེ་དག་དང་མཚན་མ་དེ་དག་དང་ལྡན་པའི་བྱང་ཆུབ་སེམས་དཔའ་སེམས་དཔའ་ཆེན་པོ་ནི་ཕྱིར་མི་ལྡོག་པར་རིག་པར་བྱའོ། །རབ་འབྱོར་གཞན་ཡང་ཕྱིར་མི་ལྡོག་པའི་བྱང་ཆུབ་སེམས་དཔའ་སེམས་དཔའ་ཆེན་པོ་ནི་ཤེས་རབ་ཀྱི་ཕ་རོལ་ཏུ་ཕྱིན་པ་ལ་སྤྱོད་པའི་ཚེ། དམ་པའི་ཆོས་ཡོངས་སུ་གཟུང་བའི་ཕྱིར་བདག་ཀྱང་ཡོངས་སུ་གཏོང་ལ། སྲོག་ཡོངས་སུ་ཆད་པར་འགྱུར་ཡང་སྟོང་ཅིང་ཆོས་དེ་ཡོངས་སུ་མི་གཏོང་ངོ་། །རབ་འབྱོར་བྱང་ཆུབ་སེམས་དཔའ་སེམས་དཔའ་ཆེན་པོ་དེ་ནི་དམ་པའི་ཆོས་ཡོངས་སུ་གཟུང་བའི་ཕྱིར་འདི་ལྟར་བསྟན་པར་བྱེད་དེ①། འདས་པ་དང་མ་བྱོན་པ་དང་ད་ལྟར་བྱུང་བའི་སངས་རྒྱས་བཅོམ་ལྡན་འདས་རྣམས་ཀྱི་དམ་པའི་ཆོས་ཡོངས་སུ་གཟུང་ཞིང་། དམ་པའི་ཆོས་ཡོངས་སུ་མི་གཏོང་བ་དེ་ལྟར་བསྟན་པར་བྱེད་དོ། །དེ་ཅིའི་ཕྱིར་ཞེ་ན། འདི་ལྟར་དེ་ནི་འདི་སྙམ་དུ་སེམས་ཏེ། དམ་པའི་ཆོས་ཡོངས་སུ་བཟུང་ན། འདས་པ་དང་མ་བྱོན་པ་དང་། ད་ལྟར་བྱུང་བའི་སངས་རྒྱས་བཅོམ་ལྡན་འདས་རྣམས་ལ་མཆོད་པར་འགྱུར། དེ་དག་གི་དམ་པའི་ཆོས་ཀྱང་ཡོངས་སུ་གཟུང་བར་འགྱུར་རོ་སྙམ་མོ༑ །དེ་ལ་ཆོས་གང་གི་དོན་དུ་བྱང་ཆུབ་སེམས་དཔའ་སེམས་དཔའ་ཆེན་པོ་བདག་ཡོངས་སུ་གཏོང་ཞིང་སྲོག་ཡོངས་སུ་ཆད་པར་འགྱུར་ཡང་སྟོང་②པའི་ཆོས་དེ་གང་ཞེ་ན། རབ་འབྱོར་འདི་ལ་དེ་བཞིན་གཤེགས་པ་དགྲ་བཅོམ་པ་ཡང་དག་པར་རྫོགས་པའི་སངས་རྒྱས་ཆོས་ཐམས་ཅད་སྟོང་ངོ་ཞེས་ཆོས་སྟོན་ཏེ། དེ་ལ་སྐྱེས་བུ་བླུན་པོ་ལ་ལ་འདི་ནི་ཆོས་མ་ཡིན། འདི་ནི་འདུལ་བ་མ་ཡིན་③འདི་ནི་

སྟོན་པས་བསྟན་པ་མ་ཡིན་ནོ་ཞེས་ཕྱིར་རྐྱལ་ཞིང་ངན་དུ་བརྗོད་དེ། རབ་འབྱོར་ཆོས་དེའི་ཕྱིར་བྱང་ཆུབ་སེམས་དཔའ་སེམས་དཔའ་ཆེན་པོ་བདག་ཡོངས་སུ་གཏོང་ཞིང་སྲོག་ཡོངས་སུ་ཆད་པར་འགྱུར་ཡང་མི་གཏོང་ངོ་། །རབ་འབྱོར་དེ་ལྟར་བྱང་ཆུབ་སེམས་དཔའ[༧]ཆེན་པོས་འདི་ལྟར་བསླབ་པར་བྱ་སྟེ། གང་མ་འོངས་པའི་དུས་ན་དེ་བཞིན་གཤེགས་པ་འབྱུང་བར་འགྱུར་བ་དེ་དག་གི་ནང་དུ་བདག་ཀྱང་གྲངས་སུ་གཞུག་གོ། །བདག་ཀྱང་དེར་ལུང་བསྟན་ཏོ། །ཆོས་གང་གི་ཕྱིར་བདག་ཡོངས་སུ་གཏོང་བ་དང་། སྲོག་ཡོངས་སུ་ཆད་པར་འགྱུར་ཡང་མི་གཏོང་བ་དེ་ཡང་བདག་གིས་ཆོས་སོ་ཞེས་བསླབ་པོ། །རབ་འབྱོར་བྱང་ཆུབ་སེམས་དཔའ་སེམས་དཔའ་ཆེན་པོས་དོན་གྱི་དབང་འདི་མཐོང་བས་དམ་པའི་ཆོས་ཡོངས་སུ་གཟུང་བའི་ཕྱིར་བདག་ཀྱང་ཡོངས་སུ་གཏོང་ལ་སྲོག་ཡོངས་སུ་ཆད་པར་འགྱུར་ཡང་སྙོད་པ་ཡིན་ནོ། །རབ་འབྱོར་རྣམ་པ་དེ་དག་དང་ཚུལ་དེ་དག་དང་། མཚན་མ་དེ་དག་དང་ལྡན་པའི་བྱང་ཆུབ་སེམས་དཔའ་སེམས་དཔའ་ཆེན་པོ་ནི་ཕྱིར་མི་ལྡོག་པར་རིག་པར་བྱའོ། །རབ་འབྱོར་གཞན་ཡང་ཕྱིར་མི་ལྡོག་པའི་བྱང་ཆུབ་སེམས་དཔའ་སེམས་དཔའ་ཆེན་པོ་ནི་དེ་བཞིན་གཤེགས་པ་དགྲ་བཅོམ་པ་ཡང་དག་པར་རྫོགས་པའི་སངས་རྒྱས་ཆོས་སྟོན་པ་ལ་ཉེམ་ཉུར་མེད། ཐེ་ཚོམ་མི་ཟ་ཞིང་གང་སངས་རྒྱས་བཅོམ་ལྡན་འདས་དེ་དག༔གསུངས་པ་[༣]དེ་ཐམས་ཅད་ཡོངས་སུ་འཛིན་ཏོ། །དེ་ལྟར་བཟུང་ནས་ཀྱང་ཆུད་ཟ་བར་མི་བྱེད་དོ། །དེ་ཅིའི་ཕྱིར་ཞེ་ན། དེ་ནི་འདི་ལྟར་གཟུངས་རབ་ཏུ་ཐོབ་པའི་ཕྱིར་རོ། །དེ་ནས་ཚེ་དང་ལྡན་པ་རབ་འབྱོར་གྱིས། བཅོམ་ལྡན་འདས་ལ་འདི་སྐད་ཅེས་གསོལ་ཏོ།། བཅོམ་ལྡན་འདས་གཟུངས་གང་ཐོབ་པས། བྱང་ཆུབ་སེམས་དཔའ་སེམས་དཔའ་ཆེན་པོའི་དེ་བཞིན་གཤེགས་པས་གསུངས་པའི་མདོ་རྣམས་ཆབ་མི་འཚལ་བ་

ལགས། བཅོམ་ལྡན་འདས་ཀྱིས་བཀའ་སྩལ་པ། རབ་འབྱོར་མི་ཟད་པའི་ཟ་མ་ཏོག་གི་གཟུངས་རབ་ཏུ་ཐོབ་པས། བྱང་ཆུབ་སེམས་དཔའ་སེམས་དཔའ་ཆེན་པོའི་དེ་བཞིན་གཤེགས་པས་གསུངས་པའི་མདོ་རྣམས་ཆུད་མི་ཟའོ། །དེ་བཞིན་དུ་རྒྱ་མཚོའི་ཕྱག་རྒྱ་དང་། པད་མོ་རྣམ་པར་བཀོད་པ་དང་། ཡོངས་སུ་འཛིན་པའི་གཟུངས་[༡]རབ་ཏུ་ཐོབ་པས། བྱང་ཆུབ་སེམས་དཔའ་སེམས་དཔའ་ཆེན་པོའི་དེ་བཞིན་གཤེགས་པས་གསུངས་པའི་མདོ་རྣམས་ཆུད་མི་ཟའོ། །གསོལ་པ། བཅོམ་ལྡན་འདས་དེ་བཞིན་གཤེགས་པ་དགྲ་བཅོམ་པ་ཡང་དག་པར་རྫོགས་པའི་སངས་རྒྱས་ཀྱིས་གསུངས་པ་འབའ་ཞིག་ཆབ་[༢]མི་འཚལ་དུ་བས་ཀྱི་ཉན་ཐོས་ཀྱིས་བཤད་པ་མ་ལགས་སམ། ལྷས་བཤད་པ་མ་ལགས་སམ། ཀླུས་བཤད་པ་མ་ལགས་སམ། གནོད་སྦྱིན་གྱིས་བཤད་པ་མ་ལགས་སམ། དྲི་ཟས་བཤད་པ་མ་ལགས་སམ། ལྷ་མ་ཡིན་གྱིས་བཤད་པ་མ་ལགས་སམ། ནམ་མཁའ་ལྡིང་གིས་[༣]བཤད་པ་མ་ལགས་སམ། ལྟོ་འཕྱེ་ཆེན་པོས་བཤད་པ་མ་ལགས་སམ། བཅོམ་ལྡན་འདས་ཀྱིས་བཀའ་སྩལ་པ། རབ་འབྱོར་བྱང་ཆུབ་སེམས་དཔའ་སེམས་དཔའ་ཆེན་པོ་ནི་སྐད་དང་། བརྡ་[༤]དང་། སྒྲ་གང་ཡང་རུང་སྟེ། དེ་དག་ཐམས་ཅད་ལ་ནེམ་ནུར་མེད་ཅིང་ཐེ་ཚོམ་མེད་དོ། །དེ་ཅིའི་ཕྱིར་ཞེ་ན། དེ་ལྟར་དེས་གཟུངས་རབ་ཏུ་ཐོབ་པའི་ཕྱིར་རོ། །རབ་འབྱོར་རྣམ་པ་དེ་དག་དང་ཚུལ་དེ་དག་དང་། མཚན་མ་དེ་དག་དང་ལྡན་པའི་བྱང་ཆུབ་སེམས་དཔའ་སེམས་དཔའ་ཆེན་པོ་ནི་ཕྱིར་མི་ལྡོག་པར་རིག་པར་བྱའོ། །ཤེས་རབ་ཀྱི་ཕ་རོལ་ཏུ་ཕྱིན་པ་སྟོང་ཕྲག་ཉི་ཤུ་ལྔ་པ་ལས། ཕྱིར་མི་ལྡོག་པའི་ལེའུ་སྟེ་བཞི་བཅུ་པའོ།། ||

དེ་སྐད་ཅེས་བཀའ་སྩལ་པ་དང་། ཚེ་དང་ལྡན་པ་རབ་འབྱོར་གྱིས།

བཅོམ་ལྡན་འདས་ལ་འདི་སྐད་ཅེས་གསོལ་ཏོ། །བཅོམ་ལྡན་འདས་ཕྱིར་མི་ལྡོག་པའི་བྱང་ཆུབ་སེམས་དཔའ་སེམས་དཔའ་ཆེན་པོ་ནི་ཡོན་ཏན་ཆེན་པོ་དང་ལྡན་པའོ། །བཅོམ་ལྡན་འདས་ཕྱིར་མི་ལྡོག་པའི་བྱང་ཆུབ་སེམས་དཔའ་སེམས་དཔའ་ཆེན་པོ་ནི་ཚད་མ་མཆིས་གྲངས་མ་མཆིས་དཔག་ཏུ་མ་མཆིས་པའི་ཡོན་ཏན་དང་ལྡན་པའོ། །བཅོམ་ལྡན་འདས་ཕྱིར་མི་ལྡོག་པའི་བྱང་ཆུབ་སེམས་དཔའ་སེམས་དཔའ་ཆེན་པོ་ནི་བསྐྱོད་[༢]དུ་མ་མཆིས་པའི་ཡོན་ཏན་དང་ལྡན་པའོ། །བཅོམ་ལྡན་འདས་ཀྱིས་བཀའ་སྩལ་པ། རབ་འབྱོར་དེ་དེ་བཞིན་ནོ། །དེ་དེ་བཞིན་ཏེ། རབ་འབྱོར་ཕྱིར་མི་ལྡོག་པའི་བྱང་ཆུབ་སེམས་དཔའ་སེམས་དཔའ་ཆེན་པོ་ནི་ཡོན་ཏན་ཆེན་པོ་དང་ལྡན་པའོ། །རབ་འབྱོར་ཕྱིར་མི་ལྡོག་པའི་བྱང་ཆུབ་སེམས་དཔའ་སེམས་དཔའ་ཆེན་པོ་ནི་ཚད་མེད་གྲངས་མེད་དཔག་ཏུ་མེད་པའི་ཡོན་ཏན་དང་ལྡན་པའོ། །རབ་འབྱོར་ཕྱིར་མི་ལྡོག་པའི་བྱང་ཆུབ་སེམས་དཔའ་སེམས་དཔའ་ཆེན་པོ་ནི་བསྐྱོད་[༣]དུ་མེད་པའི་ཡོན་ཏན་དང་ལྡན་པའོ། །དེ་ཅིའི་ཕྱིར་ཞེ་ན། དེ་ནི་འདི་ལྟར་དེས་ཉན་ཐོས་དང་། རང་སངས་རྒྱས་ཐམས་ཅད་དང་ཐུན་མོང་[༤]མ་ཡིན་པའི་ཡེ་ཤེས་མཐའ་ཡས་མུ་མེད་པ་རབ་ཏུ་ཐོབ་སྟེ། ཡེ་ཤེས་དེ་ལ་གནས་ཤིང་ཕྱིར་མི་ལྡོག་པའི་བྱང་ཆུབ་སེམས་དཔའ་སེམས་དཔའ་ཆེན་པོ་སོ་སོ་ཡང་དག་པར་རིག་པ་མངོན་པར་བསྒྲུབས་པ། གང་གིས་ལྷ་དང་མི་དང་ལྷ་མ་ཡིན་དུ་བཅས་པའི་འཇིག་རྟེན་གྱིས་དྲིས་ཀྱང་ལན་ཟད་པར་མི་འགྱུར་བའི་སོ་སོ་ཡང་དག་པར་རིག་པ་མངོན་པར་སྒྲུབ་པོ། །རབ་འབྱོར་གྱིས་གསོལ་པ། བཅོམ་ལྡན་འདས་དེ་བཞིན་གཤེགས་པ་དགྲ་བཅོམ་པ་ཡང་དག་པར་རྫོགས་པའི་སངས་རྒྱས་ལ་ནི་གང་གཱའི་ཀླུང་གི་བྱེ་མ་སྙེད་ཀྱི་བསྐལ་པར་ཡང་རྣམ་པ་གང་[༥]དང་། ཚུལ་གང་[༦]དང་། མཚན་མ་གང་གིས་ཕྱིར་མི་ལྡོག་པའི་བྱང་

ཆུབ་སེམས་དཔའ་སེམས་དཔའ་ཆེན་པོར་བརྗོད་པའི་ཕྱིར་མི་ལྡོག་པའི་བྱང་ཆུབ་སེམས་དཔའ་སེམས་དཔའ་ཆེན་པོའི་རྣམ་པ་དང་། ཚུལ་དང་མཚན་མ་རྣམས་སྟོན་པའི་མཐུ་མངའ་ན། བཅོམ་ལྡན་འདས་གང་ལ་གནས་ཤིང་བྱང་ཆུབ་སེམས་དཔའ་སེམས་དཔའ་ཆེན་པོ་ཕ་རོལ་ཏུ་ཕྱིན་པ་དྲུག་ལ་སྤྱོད་པའི་ཚེ། དྲན་པ་ཉེ་བར་གཞག་པ་བཞི་ཡོངས་སུ་རྫོགས་པར་བགྱིད་པ་དང་། ཡང་དག་པར་སྤོང་བ་དང་རྫུ་འཕྲུལ་གྱི་རྐང་པ་དང་། དབང་པོ་དང་སྟོབས་དང་། བྱང་ཆུབ་ཀྱི་ཡན་ལག་དང་། འཕགས་པའི་ལམ་ཡན་ལག་བརྒྱད་པ་ཡོངས་སུ་རྫོགས་པར་བགྱིད་པ་དང་། འཕགས་པའི་བདེན་པ་དང་། བསམ་གཏན་དང་། ཚད་མེད་པ་དང་། གཟུགས་མེད་པའི་སྙོམས་པར་འཇུག་པ་ཡོངས་སུ་རྫོགས་པར་བགྱིད་པ་དང་། རྣམ་པར་ཐར་པ་དང་། མཐར་གྱིས་གནས་པའི་སྙོམས་པར་འཇུག་པ་དང་། སྟོང་པ་ཉིད་དང་། མཚན་མ་མེད་པ་དང་། སྨོན་པ་མེད་པ་ཡོངས་སུ་རྫོགས་པར་བགྱིད་པ་དང་། མངོན་པར་ཤེས་པ་དང་། ཏིང་ངེ་འཛིན་དང་། གཟུངས་ཀྱི་སྒོ་ཡོངས་སུ་རྫོགས་པར་བགྱིད་པ་དང་། དེ་བཞིན་གཤེགས་པའི་སྟོབས་བཅུ་དང་། མི་འཇིགས་པ་བཞི་དང་། སོ་སོ་ཡང་དག་པར་རིག་པ་བཞི་དང་། བྱམས་པ་ཆེན་པོ་དང་། སྙིང་རྗེ་ཆེན་པོ་དང་། སངས་རྒྱས་ཀྱི་ཆོས་མ་འདྲེས་པ་བཅོ་བརྒྱད་ཡོངས་སུ་རྫོགས་པར་བགྱིད་པ་དང་། རྣམ་པ་ཐམས་ཅད་མཁྱེན་པ་ཉིད་ཀྱི་བར་དུ་ཡོངས་སུ་རྫོགས་པར་བགྱིད་པའི་གནས་ཟབ་མོ་ཟབ་མོ་རྣམས་ལེགས་པར་བསྟན་དུ་གསོལ། བཅོམ་ལྡན་འདས་ཀྱིས་བཀའ་སྩལ་པ། རབ་འབྱོར་ལེགས་སོ་ལེགས་སོ། །རབ་འབྱོར་ཁྱོད་[1]དེ་ལྟར་ཁྱོད་[2]ཕྱིར་མི་ལྡོག་པའི་བྱང་ཆུབ་སེམས་དཔའ་སེམས་དཔའ་ཆེན་པོ་རྣམས་ཀྱི་དོན་དུ་དེ་བཞིན་གཤེགས་པ་ལ་གནས་ཟབ་མོ་རྣམས་དྲི་བར་སེམས་པ་ལེགས་སོ། །

རབ་འབྱོར་ཟབ་མོ་ཞེས་བྱ་བ་འདི་ནི་སྟོང་པ་ཉིད་ཀྱི་ཚིག་བླ་དགས་སོ། །འདི་ནི་མཚན་མ་མེད་པ་དང་། སྨོན་པ་མེད་པ་དང་། མངོན་པར་འདུ་བྱ་བ་མེད་པ་དང་། སྐྱེ་བ་མེད་པ་དང་། འདོད་ཆགས་དང་བྲལ་བ་དང་། འགོག་པ་དང་། མྱ་ངན་ལས་འདས་པ་དང་། ཞི་བ་དང་། དེ་བཞིན་ཉིད་དང་། ཡང་དག་པའི་མཐའ་དང་ཆོས་ཀྱི་དབྱིངས་ཀྱི་ཚིག་བླ་དགས་སོ། །རབ་འབྱོར… འདི་ལྟ་སྟེ་གང་མྱ་ངན་ལས་འདས་པའི་ཚིག་བླ་དགས་དེ་དག་ནི་གནས་ཟབ་མོ་ཟབ་མོ་ཞེས་བྱ་བ་དེ་དག་གོ། །གསོལ་པ། དེ་མྱ་ངན་ལས་འདས་པའི་ཚིག་བླ་དགས་སུ་བས་ཀྱི། ཆོས་ཐམས་ཅད་ཀྱི་ཚིག་བླ་དགས་མ་ལགས་སམ། བཅོམ་ལྡན་འདས་ཀྱིས་བཀའ་སྩལ་པ། རབ་འབྱོར་ཟབ་མོ་ཞེས་བྱ་བ་ནི་ཆོས་ཐམས་ཅད་ཀྱི་ཚིག་བླ་དགས་ཀྱང་དེ་ཡིན་ནོ། །དེ་ཅིའི་ཕྱིར་ཞེ་ན། རབ་འབྱོར་གཟུགས་ཟབ་པོ། །ཚོར་བ་དང་འདུ་ཤེས་དང་འདུ་བྱེད་དང་། རྣམ་པར་ཤེས་པ་ཟབ་པོ། །རབ་འབྱོར་མིག་ཟབ་པོ། །རྣ་བ་དང་སྣ་དང་ལྕེ་དང་ལུས་དང… ཡིད་ཟབ་པོ② ། །རབ་འབྱོར་གཟུགས་ཟབ་པོ། །སྒྲ་དང་དྲི་དང་རོ་དང་རེག… དང་ཆོས་ཟབ་པོ། །རབ་འབྱོར་མིག་གི་རྣམ་པར་ཤེས་པ་ཟབ་པོ། །མིག་གི་འདུས་ཏེ་རེག་པ་དང་། མིག་གི་འདུས་ཏེ་རེག་པའི་རྐྱེན་གྱིས་ཚོར་བ་ཟབ་པོ། །རབ་འབྱོར་རྣ་བ་དང་། སྣ་དང་ལྕེ་དང་ལུས་དང་། ཡིད་ཀྱི་རྣམ་པར་ཤེས་པ་ཟབ་པོ། །ཡིད་ཀྱི་འདུས་ཏེ་རེག་པ་དང་། ཡིད་ཀྱི་འདུས་ཏེ་རེག་པའི་རྐྱེན… གྱིས་③ཚོར་བ་ཟབ་པོ། །རབ་འབྱོར་སའི་ཁམས་ཟབ་པོ། །ཆུའི་ཁམས་དང… མེའི་ཁམས་དང་རླུང་གི་ཁམས་དང་ནམ་མཁའི་ཁམས་དང་། རྣམ་པར་ཤེས་པའི་ཁམས་ཟབ་པོ། །རབ་འབྱོར་མ་རིག་པ་ཟབ་པོ། །འདུ་བྱེད་དང་རྣམ་པར་ཤེས་པ་དང་། མིང་དང་གཟུགས་དང་སྐྱེ་མཆེད་དྲུག་དང་། རེག་པ་དང་

ཚོར་བ་དང་སྲེད་པ་དང་ལེན་པ་དང་སྲིད་པ་དང་སྐྱེ་བ་དང་རྒ་ཤི་ཟབ་བོ། །རབ་འབྱོར་ཕ་རོལ་ཏུ་ཕྱིན་པ་ཐམས་ཅད་དང་། ༔སྟོང་པ་ཉིད་ཐམས་ཅད་དང་།[1] བྱང་ཆུབ་ཀྱི་ཕྱོགས་ཀྱི་ཆོས་སུམ་ཅུ་རྩ་བདུན་ཟབ་བོ[2]། །འཕགས་པའི་བདེན་པ་དང་བསམ་གཏན་དང་ཚད་མེད་པ་དང་། གཟུགས་མེད་པའི་སྙོམས་པར་འཇུག་པ་དང་། རྣམ་པར་ཐར་པ་དང་། མཐར་གྱིས་གནས་པའི་སྙོམས་པར་འཇུག་པ་དང་། སྟོང་པ་ཉིད་དང་མཚན་མ་མེད་པ་དང་སྨོན་པ་མེད་པ་དང་མངོན་པར་ཤེས་པ་དང་ཏིང་ངེ་འཛིན་དང་གཟུངས་ཀྱི་སྒོ་ཟབ་བོ། །དེ་བཞིན་གཤེགས་པའི་སྟོབས་བཅུ་དང་མི་འཇིགས་པ་བཞི་དང་། སོ་སོ་ཡང་དག་པར་རིག་པ་བཞི་དང་། བྱམས་པ་ཆེན་པོ་དང་སྙིང་རྗེ་ཆེན་པོ་དང་། སངས་རྒྱས་ཀྱི་ཆོས་མ་འདྲེས་པ་བཅོ་བརྒྱད་ཟབ་བོ། །རབ་འབྱོར་རྣམ་པ་ཐམས་ཅད་མཁྱེན་པ་ཉིད་ཀྱི་བར་དུ་ཟབ་བོ། །བྱང་ཆུབ་ཟབ་པོ་རབ་འབྱོར་ཇི་ལྟར་ན་གཟུགས་ཟབ། ཇི་ལྟར་ན་ཚོར་བ་དང་། འདུ་ཤེས་དང་འདུ་བྱེད་དང་རྣམ་པར་ཤེས་པ་ཟབ། ཇི་ལྟར་ན་སྐྱེ་མཆེད་དང་ཁམས་དང་རྟེན་ཅིང་འབྲེལ་བར་འབྱུང་བ་ཟབ། ཇི་ལྟར་ན་ཕ་རོལ་ཏུ་ཕྱིན་པ་ཐམས་ཅད་དང་། སྟོང་པ་ཉིད་ཐམས་ཅད་དང་བྱང་ཆུབ་ཀྱི་ཕྱོགས་ཀྱི་ཆོས་རྣམས་ཟབ། ཇི་ལྟར་ན་སངས་རྒྱས་ཀྱི་ཆོས་མ་འདྲེས་པ་བཅོ་བརྒྱད་ཀྱི་བར་དུ་ཟབ། ཇི་ལྟར་ན་རྣམ་པ་ཐམས་ཅད་མཁྱེན་པ་ཉིད་ཀྱི་བར་དུ་ཟབ། ཇི་ལྟར་ན་བྱང་ཆུབ་ཟབ་ཅེ་ན། གཟུགས་ཀྱི་དེ་བཞིན་ཉིད་ཇི་ལྟ་བ་དེ་བཞིན་དུ་གཟུགས་ཟབ་བོ། །ཚོར་བ་དང་འདུ་ཤེས་དང་འདུ་བྱེད་དང་། རྣམ་པར་ཤེས་པའི་དེ་བཞིན་ཉིད་ཇི་ལྟ་བ་དེ་བཞིན་དུ་རྣམ་པར་ཤེས་པ་ཟབ་བོ། །སྐྱེ་མཆེད་དང་། ཁམས་དང་རྟེན་ཅིང་འབྲེལ་བར་འབྱུང་བའི་དེ་བཞིན་ཉིད་ཇི་ལྟ་བ་དེ་བཞིན་དུ་རྟེན་ཅིང་འབྲེལ་བར་འབྱུང་བ་ཟབ་བོ། །ཕ་རོལ་ཏུ་ཕྱིན་པ་

ཐམས་ཅད་དང་སྟོང་པ་ཉིད་ཐམས་ཅད་དང་། བྱང་ཆུབ་ཀྱི་ཕྱོགས་ཀྱི་ཆོས་རྣམས་ཀྱི་དེ་བཞིན་ཉིད་ཇི་ལྟ་བ་དེ་བཞིན་དུ་བྱང་ཆུབ་ཀྱི་ཕྱོགས་ཀྱི་ཆོས་རྣམས་ཟབ་བོ། །འཕགས་པའི་བདེན་པ་དང་བསམ་གཏན་དང་ཚད་མེད་པ་དང་། གཟུགས་མེད་པའི་སྙོམས་པར་འཇུག་པ་དང་རྣམ་པར་ཐར་པ་དང་མཐར་གྱིས་གནས་པའི་སྙོམས་པར་འཇུག་པ་དང་། སྟོང་པ་ཉིད་དང་མཚན་མ་མེད་པ་དང་སྨོན་པ་མེད་པ་དང་མངོན་པར་ཤེས་པ་དང་། ཏིང་ངེ་འཛིན་དང་གཟུངས་ཀྱི་སྒོ་རྣམས་ཀྱི་དེ་བཞིན་ཉིད་ཇི་ལྟ་བ་དེ་བཞིན་དུ་གཟུངས་ཀྱི་སྒོ་རྣམས་ཟབ་བོ། །དེ་བཞིན་གཤེགས་པའི་སྟོབས་དང་མི་འཇིགས་པ་དང་སོ་སོ་ཡང་དག་པར་རིག་པ་དང་། བྱམས་པ་ཆེན་པོ་དང་སྙིང་རྗེ་ཆེན་པོ་དང་། སངས་རྒྱས་ཀྱི་ཆོས་མ་འདྲེས་པ་རྣམས་ཀྱི་དེ་བཞིན་ཉིད་ཇི་ལྟ་བ་དེ་བཞིན་དུ་སངས་རྒྱས་ཀྱི་ཆོས་མ་འདྲེས་པ་རྣམས་ཟབ་བོ། །རྣམ་པ་ཐམས་ཅད་མཁྱེན་པ་ཉིད་ཀྱི་བར་གྱི་དེ་བཞིན་ཉིད་ཇི་ལྟ་བ་དེ་བཞིན་དུ་རྣམ་པ་ཐམས་ཅད་མཁྱེན་པ་ཉིད་ཟབ་བོ། །བྱང་ཆུབ་ཀྱི་དེ་བཞིན་ཉིད་ཇི་ལྟ་བ་དེ་བཞིན་དུ་བྱང་ཆུབ་ཟབ་བོ། །གསོལ་པ་བཅོམ་ལྡན་འདས་གཟུགས་ཀྱི་དེ་བཞིན་ཉིད་ནི་ཇི་ལྟ་བུ་ལགས། བཅོམ་ལྡན་འདས་ཚོར་བ་དང་འདུ་ཤེས་དང་འདུ་བྱེད་དང་། རྣམ་པར་ཤེས་པའི་དེ་བཞིན་ཉིད་ནི་ཇི་ལྟ་བུ་ལགས། བཅོམ་ལྡན་འདས་སྐྱེ་མཆེད་དང་ཁམས་དང་། རྟེན་ཅིང་འབྲེལ་བར་འབྱུང་བའི་དེ་བཞིན་ཉིད་ནི་ཇི་ལྟ་བུ་ལགས། བཅོམ་ལྡན་འདས་ཕ་རོལ་ཏུ་ཕྱིན་པ་ཐམས་ཅད་དང་སྟོང་པ་ཉིད་ཐམས་ཅད་དང་བྱང་ཆུབ་ཀྱི་ཕྱོགས་ཀྱི་ཆོས་རྣམས་ཀྱི་དེ་བཞིན་ཉིད་ནི་ཇི་ལྟ་བུ་ལགས། བཅོམ་ལྡན་འདས་སངས་རྒྱས་ཀྱི་ཆོས་མ་འདྲེས་པ་བཅོ་བརྒྱད་ཀྱི་བར་གྱི་དེ་བཞིན་ཉིད་ནི་ཇི་ལྟ་བུ་ལགས། བཅོམ་ལྡན་འདས་རྣམ་པ་ཐམས་ཅད་མཁྱེན་པ་ཉིད་ཀྱི་བར་གྱི་དེ་བཞིན་ཉིད་ནི་ཇི་ལྟ་བུ་

ལགས༏ བྱང་ཆུབ་ཀྱི་དེ་བཞིན་ཉིད་ནི་ཇི་ལྟ་བུ་ལགས། བཅོམ་ལྡན་འདས་ཀྱིས་བཀའ་སྩལ་པ། རབ་འབྱོར་གཟུགས་ཀྱི་དེ་བཞིན་ཉིད་དེ་ལ་གཟུགས་ཀྱང་མེད༏ གཟུགས་ལས་གུད་ན་ཡང་དེ་བཞིན་ཉིད་མེད་དེ། གཟུགས་ཀྱི་དེ་བཞིན་ཉིད་ནི་དེ་ལྟ་བུའོ། །རབ་འབྱོར་ཚོར་བ་དང་འདུ་ཤེས་དང་འདུ་བྱེད་དང་། རྣམ་པར་ཤེས་པའི་དེ་བཞིན་ཉིད་དེ་ལ་རྣམ་པར་ཤེས་པ་ཡང་མེད། རྣམ་པར་ཤེས་པ་ལས་གུད་ན་ཡང་དེ་བཞིན་ཉིད་མེད་དེ། རྣམ་པར་ཤེས་པའི་དེ་བཞིན་ཉིད་ནི་དེ་ལྟ་བུའོ། །རབ་འབྱོར་སྐྱེ་མཆེད་དང་ཁམས་དང་རྟེན་ཅིང་འབྲེལ་བར་འབྱུང་བའི་དེ་བཞིན་ཉིད་དེ་ལ་རྟེན་ཅིང་འབྲེལ་བར་འབྱུང་བ་ཡང་མེད། རྟེན་ཅིང་འབྲེལ་བར་འབྱུང་བ་ལས་གུད་ན་ཡང་དེ་བཞིན་ཉིད་མེད་དེ་རྟེན་ཅིང་འབྲེལ་བར་འབྱུང་བའི་དེ་བཞིན་ཉིད་ནི་དེ་ལྟ་བུའོ། །རབ་འབྱོར་ཕ་རོལ་ཏུ་ཕྱིན་པ་ཐམས་ཅད་དང་སྟོང་པ་ཉིད་ཐམས་ཅད་དང་བྱང་ཆུབ་ཀྱི་ཕྱོགས་ཀྱི་ཆོས་རྣམས་ཀྱི་དེ་བཞིན་ཉིད་དེ་ལ་བྱང་ཆུབ་ཀྱི་ཕྱོགས་ཀྱི་ཆོས་རྣམས་ཀྱང་མེད། བྱང་ཆུབ་ཀྱི་ཕྱོགས་ཀྱི་ཆོས་རྣམས་ལས་གུད་ན་ཡང་དེ་བཞིན་ཉིད་མེད་དེ་བྱང་ཆུབ་ཀྱི་ཕྱོགས་ཀྱི་ཆོས་རྣམས་ཀྱི་དེ་བཞིན་ཉིད་ནི་དེ་ལྟ་བུའོ། །འཕགས་པའི་བདེན་པ་དང་བསམ་གཏན་དང་ཚད་མེད་པ་དང་། གཟུགས་མེད་པའི་སྙོམས་པར་འཇུག་པའི་དེ་བཞིན་ཉིད་དེ་ལ། གཟུགས་མེད་པའི་སྙོམས་པར་འཇུག་པ་ཡང་མེད་གཟུགས་མེད་པའི་སྙོམས་པར་འཇུག་པ་ལས་གུད་ན་ཡང་དེ་བཞིན་ཉིད་མེད་དེ། གཟུགས་མེད་པའི་སྙོམས་པར་འཇུག་པའི་དེ་བཞིན་ཉིད་ནི་དེ་ལྟ་བུའོ། །རྣམ་པར་ཐར་པ་དང་མཐར་གྱིས་གནས་པའི་སྙོམས་པར་འཇུག་པ་དང་། སྟོང་པ་ཉིད་དང་མཚན་མ་མེད་པ་དང་སྨོན་པ་མེད་པའི་དེ་བཞིན་ཉིད་དེ་ལ། སྟོང་པ་ཉིད་དང་མཚན་མ་མེད་པ་དང་སྨོན་པ་མེད་པ་ཡང་མེད། སྟོང་པ་ཉིད་དང་

མཚན་མ་མེད་པ་དང་། སྨོན་པ་མེད་པ་ལས་གུད་ན་ཡང་དེ་བཞིན་ཉིད་མེད་དེ། སྟོང་པ་ཉིད་དང་མཚན་མ་མེད་པ་དང་སྨོན་པ་མེད་པའི་དེ་བཞིན་ཉིད་ནི་དེ་ལྟ་བུའོ། །མངོན་པར་ཤེས་པ་དང་ཏིང་ངེ་འཛིན་དང་གཟུངས་ཀྱི་སྒོ་དང་དེ་བཞིན་གཤེགས་པའི་སྟོབས་དང་མི་འཇིགས་པ་དང་སོ་སོ་ཡང་དག་པར་རིག་པ་དང་། བྱམས་པ་ཆེན་པོ་དང་སྙིང་རྗེ་ཆེན་པོ་དང་། སངས་རྒྱས་ཀྱི་ཆོས་མ་འདྲེས་པའི་དེ་བཞིན་ཉིད་དེ་ལ་སངས་རྒྱས་ཀྱི་ཆོས་མ་འདྲེས་པ་རྣམས་ཀྱང་མེད། སངས་རྒྱས་ཀྱི་ཆོས་མ་འདྲེས་པ་རྣམས་ལས་གུད་ན་ཡང་དེ་བཞིན་ཉིད་མེད་དེ། སངས་རྒྱས་ཀྱི་ཆོས་མ་འདྲེས་པ་རྣམས་ཀྱི་དེ་བཞིན་ཉིད་ནི་དེ་ལྟ་བུའོ། །རབ་འབྱོར་རྣམ་པ་ཐམས་ཅད་མཁྱེན་པ་ཉིད་ཀྱི་བར་གྱི་དེ་བཞིན་ཉིད་དེ་ལ། རྣམ་པ་ཐམས་ཅད་མཁྱེན་པ་ཉིད་ཀྱང་མེད་རྣམ་པ་ཐམས་ཅད་མཁྱེན་པ་ཉིད་ལས་གུད་ན་ཡང་དེ་བཞིན་ཉིད་མེད་དེ། རྣམ་པ་ཐམས་ཅད་མཁྱེན་པ་ཉིད་ཀྱི་དེ་བཞིན་ཉིད་ནི་དེ་ལྟ་བུའོ། །རབ་འབྱོར་བྱང་ཆུབ་ཀྱི་དེ་བཞིན་ཉིད་དེ་ལ་བྱང་ཆུབ་ཀྱང་མེད་བྱང་ཆུབ་ལས་གུད་ན་ཡང་དེ་བཞིན་ཉིད་མེད་དེ་བྱང་ཆུབ་ཀྱི་དེ་བཞིན་ཉིད་ནི་དེ་ལྟ་བུའོ། །གསོལ་པ་བཅོམ་ལྡན་འདས་དེ་ལྟར་ཐབས་ཕྲ་བས་ཕྱིར་མི་ལྡོག་པའི་བྱང་ཆུབ་སེམས་དཔའ་སེམས་དཔའ་ཆེན་པོ་གཟུགས་ལས་ཀྱང་བཟློག །མྱ་ངན་ལས་འདས་པ་ཡང་བསྟན། ཚོར་བ་དང་འདུ་ཤེས་དང་འདུ་བྱེད་དང་རྣམ་པར་ཤེས་པ་ལས་ཀྱང་བཟློག །མྱ་ངན་ལས་འདས་པ་ཡང་བསྟན། སྐྱེ་མཆེད་དང་ཁམས་དང་རྟེན་ཅིང་འབྲེལ་བར་འབྱུང་བ་ལས་ཀྱང་བཟློག་མྱ་ངན་ལས་འདས་པ་ཡང་བསྟན། ཕ་རོལ་ཏུ་ཕྱིན་པ་རྣམས་དང་སྟོང་པ་ཉིད་རྣམས་དང་། བྱང་ཆུབ་ཀྱི་ཕྱོགས་ཀྱི་ཆོས་རྣམས་ལས་ཀྱང་བཟློག །མྱ་ངན་ལས་འདས་པ་ཡང་བསྟན། སངས་རྒྱས་ཀྱི་ཆོས་མ་འདྲེས་པ་རྣམས་ཀྱི་བར་ལས་ཀྱང་བཟློག །མྱ་ངན་ལས་

འདས་པ་ཡང་བསྟན། འཇིག་རྟེན་པ་དང་འཇིག་རྟེན་ལས་འདས་པ་དང་། ཐུན་མོང་དང་ཐུན་མོང་མ་ལགས་པ་དང་། ཟག་པ་དང་བཅས་པ་དང་། ཟག་པ་མ་མཆིས་པའི་འཛིན་པ་ཐམས་ཅད་ལས་ཀྱང་བཟློག །མྱ་ངན་ལས་འདས་པ་ཡང་བསྟན་པ་དེ་ནི་ངོ་མཚར་ཆེའོ། །བཅོམ་ལྡན་འདས་ཀྱིས་བཀའ་སྩལ་པ། རབ་འབྱོར་བྱང་ཆུབ་སེམས་དཔའ་སེམས་དཔའ་ཆེན་པོ་གང་ཤེས་རབ་ཀྱི་ཕ་རོལ་ཏུ་ཕྱིན་པ་ལས་ཇི་སྐད་བསྟན་པ་བཞིན་དུ་བདག་གིས་གནས་པར་བྱའོ། །ཤེས་རབ་ཀྱི་ཕ་རོལ་ཏུ་ཕྱིན་པ་ལས་ཇི་སྐད་བརྗོད་པ་བཞིན་དུ་བདག་གིས་བསླབ་་པར་བྱའོ་ཞེས་ཤེས་རབ་ཀྱི་ཕ་རོལ་ཏུ་ཕྱིན་པ་དང་ལྡན་པའི་གནས་[༡]ཟབ་མོ་[༢]འདི་དག་སེམས་ཤིང་འཇལ་བ་དང་། རྟོག་པ་བྱེད་ན་རབ་འབྱོར་བྱང་ཆུབ་སེམས་་་་་དཔའ་སེམས་དཔའ་ཆེན་པོ་ཤེས་རབ་ཀྱི་ཕ་རོལ་ཏུ་ཕྱིན་པ་ལས་ཇི་སྐད་བཤད་པ་་དེ་བཞིན་དུ་སྐྱབ་[༣]པ་དང་། དེ་བཞིན་དུ་སེམས་པ་དང་། དེ་བཞིན་དུ་ཡོངས་སུ་རྟོག་པ་དང་དེ་བཞིན་དུ་བརྩོན་པར་བྱེད་པ་དང་། དེ་བཞིན་དུ་རྩོལ་བ་དང་ཤེས་རབ་ཀྱི་ཕ་རོལ་ཏུ་ཕྱིན་པ་ལས་ཇི་སྐད་དུ་བསྟན་པ་དེ་བཞིན་དུ་འབད་པ་དེ་ནི། སེམས་བསྐྱེད་པ་གཅིག་གིས་ཀྱང་གྲངས་མེད་ཚད་མེད་དཔག་ཏུ་མེད་པའི་དགེ་བའི་རྩ་བ་ཡོངས་སུ་འཛིན་པར་འགྱུར་ཏེ། དེ་བསྐལ་པ་ཚད་མེད་པར་འཁོར་བ་སྤོང་བར་འགྱུར་ན། ཤེས་རབ་ཀྱི་ཕ་རོལ་ཏུ་ཕྱིན་པ་ལ་མ་འདྲིས་པར་སྤྱོད་ཅིང་། བྱང་ཆུབ་ཡིད་ལ་བྱ་བ་དང་ལྡན་པར་གནས་པ་ལྟ་ཅི་སྨོས། རབ་འབྱོར་འདི་ལྟ་་སྟེ་དཔེར་ན། སྐྱེས་བུ་འདོད་ཆགས་ཀྱི་སྤྱོད་པ་ཅན་རྟོག་པ་དང་ལྡན་པ་ལ་ལ་་་་ཞིག་གིས་བུད་མེད་གཟུགས་བཟང་ཞིང་མཛེས་ཤ་པ་ལྟ་[༤]ན་སྡུག་པ་ཞིག་བཏུས་ལ། བུད་མེད་དེ་གཞན་གྱིས་ཡོངས་སུ་བཟུང་བ་ཞིག་སྟེ། ཁྱིམ་ནས་ཕྱིར་འབྱུང་བར་ཡང་མ་ནུས་ན[༥]། རབ་འབྱོར་དེ་ཇི་སྙམ་དུ་སེམས། སྐྱེས་བུ་དེའི་རྟོག་པ་ཅི་་

དང་ལྡན་པར་འགྱུར་གསོལ་པ། བཅོམ་ལྡན་འདས་སྐྱེས་བུ་དེའི་རྟོག་པ་ནི་བུད་མེད་དང་ལྡན་པར་འགྱུར་ཏེ། བདག་གི་བུད་མེད་ནི་འདི་ལྟ་བུ་ཞིག་གོ། །དེ་འོངས་ནས་དེ་དང་། ལྷན་ཅིག་ཏུ་གནས་པར་བྱའོ། །རྩེ་[༧]བར་བྱའོ་སྙམ་མོ། །བཅོམ་ལྡན་འདས་ཀྱིས་བཀའ་སྩལ་པ། རབ་འབྱོར་དེ་ཇི་སྙམ་དུ་སེམས། ཉིན་མཚན་འདས་པས་སྐྱེས་བུ་དེའི་རྟོག་པ་ཇི་སྙེད་ཅིག་འབྱུང་བར་འགྱུར། གསོལ་པ་བཅོམ་ལྡན་འདས་དེ་ནི་མང་ངོ་། །བདེ་བར་གཤེགས་པ་དེ་ནི་མང་སྟེ། སྐྱེས་བུ་དེའི་རྣམ་པར་རྟོག་པ་དེ་ནི་ཉིན་མཚན་འདས་པས་ཤིན་ཏུ་མང་བར་འབྱུང་ངོ་། །བཅོམ་ལྡན་འདས་ཀྱིས་བཀའ་སྩལ་པ། རབ་འབྱོར་སྐྱེས་བུ་དེའི་རྣམ་པར་རྟོག་པ་ནི་ཉིན་མཚན་འདས་པས་ཇི་སྙེད་ཅིག་འབྱུང་བ་དེ་སྙེད་ཀྱི་བསྐལ་པར་བྱང་ཆུབ་སེམས་དཔའ་སེམས་དཔའ་ཆེན་པོ་འཁོར་བ་སྤོང་ཞིང་རྒྱབ་ཀྱིས་ལྟས་པར་འགྱུར་རོ། །གང་ཤེས་རབ་ཀྱི་ཕ་རོལ་ཏུ་ཕྱིན་པ་ཟབ་མོ་ཇི་སྐད་དུ་བསྟན་པ་འདི་ལ་སློབ་པ་དང་། ཉེ་བར་རྟོག་པ་དང་། སེམས་པ་དང་། ཉེས་པ་གང་གིས་བྱང་ཆུབ་སེམས་དཔའ་སེམས་དཔའ་ཆེན་པོ་བླ་ན་མེད་པ་ཡང་དག་པར་རྫོགས་པའི་བྱང་ཆུབ་ལས་ཕྱིར་ལྡོག་པའི་ཉེས་པ་དེ་དག་ཅི་ནས་ཀྱང༔ སྤྱངས་པར་[༣]འགྱུར་བ་དེ་ལྟར་བསྒོམ་པར་བྱེད་ན། རབ་འབྱོར་དེ་ལྟར་བསྒོམ་པས་རྗེས་སུ་བསྒོམ་པའི་བྱང་ཆུབ་སེམས་དཔའ་སེམས་དཔའ་ཆེན་པོ་ཤེས་རབ་ཀྱི་ཕ་རོལ་ཏུ་ཕྱིན་པ་ལས་ཇི་སྐད་བསྟན་པ་བཞིན་དུ་གནས་པ་དེས་ཉིན་གཅིག་ལ་དགེ་བའི་རྩ་བ་གང་ཡོངས་སུ་བཟུང་བ་དེས། གང་གཱའི་ཀླུང་གི་བྱེ་མ་སྙེད་ཀྱི་འཇིག་རྟེན་གྱི་ཁམས་རྣམས་ཡོངས་སུ་གང་བར་གྱུར་ཀྱང་དེས་ནི་དགེ་བའི་རྩ་བ་དེའི་ལྷག་མ་ལ་བརྒྱའི་ཆར་ཡང་ཉེ་བར་མི་[༣]འགྲོའོ། །སྟོང་གི་ཆ་དང་བརྒྱ་སྟོང་གི་ཆ་དང་། གྲངས་དང་ཆ་དང་བགྲང་བ་དང་། དཔེ་དང་རྒྱུའི་བར་དུ་ཡང་ཉེ་བར་མི་འགྲོའོ། །

རབ་འབྱོར་གཞན་ཡང་བྱང་ཆུབ་སེམས་དཔའ་སེམས་དཔའ་ཆེན་པོ་ཤེས་རབ་ཀྱི་ཕ་རོལ་ཏུ་ཕྱིན་པ་ལ་སྤྱོད་པའི་ཚེ། བསྐལ་པ་གང་གཱའི་ཀླུང་གི་བྱེ་མ་སྙེད་ཀྱི་སངས་རྒྱས་དཀོན་མཆོག་དང་ཆོས་[༧]དཀོན་མཆོག་དང་དགེ་འདུན་དཀོན་མཆོག་དང་། དཀོན་མཆོག་གསུམ་ལ་སྦྱིན་པ་བྱིན་ན། རབ་འབྱོར་དེ་ཇི་སྙམ་དུ་སེམས༑ བྱང་ཆུབ་སེམས་དཔའ་སེམས་དཔའ་ཆེན་པོའི་བསོད་ནམས་དེའི་རྒྱུས་མང་དུ་འཕེལ་លམ། གསོལ་པ་བཅོམ་ལྡན་འདས་མང་ངོ་། །བདེ་བར་གཤེགས་པ་མང་སྟེ། ཚད་མ་མཆིས་གྲངས་མ་མཆིས་དཔག་ཏུ་མ་མཆིས་བསམ་གྱིས་མི་ཁྱབ་མཚུངས་པ་མ་མཆིས་སོ། །བཅོམ་ལྡན་འདས་ཀྱིས་བཀའ་སྩལ་པ། རབ་འབྱོར་དེ་བས་ཀྱང་བྱང་ཆུབ་སེམས་དཔའ་སེམས་དཔའ་ཆེན་པོ་གང་ཤེས་རབ་ཀྱི་ཕ་རོལ་ཏུ་ཕྱིན་པ་ཟབ་མོ་ཇི་སྐད་དུ་བསྟན་པ་འདི་ལ་བརྩོན་པར་བྱེད་ན། དེའི་བསོད་ནམས་ཆེས་མང་དུ་འཕེལ་ལོ། །དེ་ཅིའི་ཕྱིར་ཞེ་ན། ཚུལ་གང་གིས་བླ་ན་མེད་པ་ཡང་དག་པར་རྫོགས་པའི་བྱང་ཆུབ་ཏུ་[༣]མངོན་པར་རྫོགས་པར་འཚང་རྒྱ་བ་དེ་ནི་བྱང་ཆུབ་སེམས་དཔའ་སེམས་དཔའ་ཆེན་པོ་རྣམས་ཀྱི་ཚུལ་ལོ།། ||

ཤེས་རབ་ཀྱི་ཕ་རོལ་ཏུ་ཕྱིན་པ་སྟོང་ཕྲག་ཉི་ཤུ་ལྔ་པ་ལས[༡]། བམ་པོ་ལྔ་བཅུ་གཉིས་པ། རབ་འབྱོར་དེ་ཇི་སྙམ་དུ་སེམས། བྱང་ཆུབ་སེམས་དཔའ་སེམས་དཔའ་ཆེན་པོ་གང་ཤེས་རབ་ཀྱི་ཕ་རོལ་ཏུ་ཕྱིན་པ་དང་བྲལ་བ། གང་གཱའི་ཀླུང་གི་བྱེ་མ་སྙེད་ཀྱི་བསྐལ་པར་འདུག་ཅིང་རྒྱུན་དུ་ཞུགས་པ་ལ་ཡོན་ཕུལ་ལན་ཅིག་ཕྱིར་འོང་བ་དང་། ཕྱིར་མི་འོང་བ་དང་དགྲ་བཅོམ་པ་དང་རང་སངས་རྒྱས་དང༔ བྱང་ཆུབ་སེམས་དཔའ་དང་[༤]། དེ་བཞིན་གཤེགས་པ་དགྲ་བཅོམ་པ་ཡང་དག་པར་རྫོགས་པའི་སངས་རྒྱས་རྣམས་ལ་ཡོན་ཕུལ་ན་རབ་འབྱོར་དེ་ཇི་སྙམ་དུ

སེམས་བྱང་ཆུབ་སེམས་དཔའ་སེམས་དཔའ་ཆེན་པོ་དེའི་བསོད་ནམས་དེའི་རྒྱུས་
མང་དུ་འཕེལ་ལམ། གསོལ་པ་བཅོམ་ལྡན་འདས་མང་ངོ་། །བདེ་བར་
གཤེགས་པ་མང་ངོ་། །བཅོམ་ལྡན་འདས་ཀྱིས་བཀའ་སྩལ་པ། རབ་འབྱོར་དེ་
བས་ཀྱང་རིགས་ཀྱི་བུའམ་རིགས་ཀྱི་བུ་མོ་གང་ཤེས་རབ་ཀྱི་ཕ་རོལ་ཏུ་ཕྱིན་པ་ཟབ་
མོ་ཇི་སྐད་བསྟན་པ་འདི་ལ་བརྩོན་པར་བྱེད་ན། དེའི་བསོད་ནམས་ཆེས་མང་དུ་
འཕེལ་ལོ། །དེ་ཅིའི་ཕྱིར་ཞེ་ན། ཤེས་རབ་ཀྱི་ཕ་རོལ་ཏུ་ཕྱིན་པ་འདི་ལ་སྤྱོད་
པའི་བྱང་ཆུབ་སེམས་དཔའ་སེམས་དཔའ་ཆེན་པོ་ནི་ཉན་ཐོས་དང་རང་སངས་
རྒྱས་ཀྱི་ས་ལས་འདས་ནས། བྱང་ཆུབ་སེམས་དཔའི་[7]སྐྱོན་མེད་པར་འཇུག་ཅིང་།
བླ་ན་མེད་པ་ཡང་དག་པར་རྫོགས་པའི་བྱང་ཆུབ་ཏུ་མངོན་པར་རྫོགས་པར་འཚང་
རྒྱ་བར་འགྱུར་རོ། །རབ་འབྱོར་དེ་ཇི་སྙམ་དུ་སེམས། བྱང་ཆུབ་སེམས་དཔའ་
སེམས་དཔའ་ཆེན་པོ་ཤེས་རབ་ཀྱི་ཕ་རོལ་ཏུ་ཕྱིན་པ་དང་བྲལ་བ་ཞིག་བསྐལ་པ་
གང་གཱའི་ཀླུང་གི་བྱེ་མ་སྙེད་དུ་འདུག་ཅིང་འཚོ་སྟེ། སྦྱིན་པ་བྱིན་ཚུལ་ཁྲིམས་
བསྲུངས་བཟོད་པ་བསྒྲུབས། བརྩོན་འགྲུས་བརྩམས། བསམ་གཏན་ལ་མཉམ་
པར་བཞག །ཤེས་རབ་བསྒོམས་ན་དེའི་བསོད་ནམས་དེའི་རྒྱུས་མང་དུ་འཕེལ་
ལམ། གསོལ་པ། བཅོམ་ལྡན་འདས་མང་ངོ་བདེ་བར་གཤེགས་པ་མང་ངོ་། །
བཅོམ་ལྡན་འདས་ཀྱིས་བཀའ་སྩལ་པ། རབ་འབྱོར་དེ་བས་ཀྱང་རིགས་ཀྱི་བུའམ་
རིགས་ཀྱི་བུ་མོ་གང་གིས་ཤེས་རབ་ཀྱི་ཕ་རོལ་ཏུ་ཕྱིན་པ་འདི་ལ་གནས་ཏེ། ཉི་མ་
འགའ་ཞིག་སྦྱིན་པ་བྱིན་པ་དང་། ཚུལ་ཁྲིམས་བསྲུངས་པ་དང་། བཟོད་པ་
བསྒྲུབས་པ་དང་། བརྩོན་འགྲུས་བརྩམས་པ་དང་། བསམ་གཏན་ལ་མཉམ་
པར་བཞག་པ་དང་། ཤེས་རབ་བསྒོམས་པ་དེའི་བསོད་ནམས་ཆེས་མང་དུ་
འཕེལ་ལོ། །དེ་ཅིའི་ཕྱིར་ཞེ་ན། རབ་འབྱོར་འདི་ལྟ་སྟེ། ཤེས་རབ་ཀྱི་ཕ་

རོལ་ཏུ་ཕྱིན་པ་འདི་ནི་བྱང་ཆུབ་སེམས་དཔའ་སེམས་དཔའ་ཆེན་པོ་རྣམས་ཀྱི་མའོ[༧]།། འདི་ལྟ་སྟེ་ཤེས་རབ་ཀྱི་ཕ་རོལ་ཏུ་ཕྱིན་པ་འདི་ནི་བྱང་ཆུབ་སེམས་དཔའ་སེམས་དཔའ་ཆེན་པོ་རྣམས་[༡]སྐྱེད་པའོ། །ཤེས་རབ་ཀྱི་ཕ་རོལ་ཏུ་ཕྱིན་པ་འདི་ལ་གནས་ནས་བྱང་ཆུབ་སེམས་དཔའ་སེམས་དཔའ་ཆེན་པོ་རྣམས་ཆོས་ཐམས་ཅད་ཡོངས་སུ་རྫོགས་པར་བྱེད་དེ། བླ་ན་མེད་པ་ཡང་དག་པར་རྫོགས་པའི་བྱང་ཆུབ་ཀྱི་བར་དུ་མངོན་པར་རྫོགས་པར་འཚང་རྒྱའོ། །རབ་འབྱོར་དེ་ཇི་སྙམ་དུ་སེམས། བྱང་ཆུབ་སེམས་དཔའ་སེམས་དཔའ་ཆེན་པོ་ཤེས་རབ་ཀྱི་ཕ་རོལ་ཏུ་ཕྱིན་པ་དང་བྲལ་བས་བསྐལ་པ་གང་གཱའི་ཀླུང་གི་བྱེ་མ་སྙེད་དུ་གནས་ཏེ། ཆོས་ཀྱི་སྦྱིན་པ་བྱིན་ན། རིགས་ཀྱི་བུའམ་རིགས་ཀྱི་བུ་མོ་དེའི་བསོད་ནམས་དེའི་རྒྱུས་མང་དུ་འཕེལ་ལམ། གསོལ་པ། བཅོམ་ལྡན་འདས་མང་ངོ་བདེ་བར་གཤེགས་པ་མང་ངོ་། །བཅོམ་ལྡན་འདས་ཀྱིས་བཀའ་སྩལ་པ། རབ་འབྱོར་དེ་བས་ཀྱང་རིགས་ཀྱི་བུའམ་རིགས་ཀྱི་བུ་མོ་གང་གིས་ཤེས་རབ་ཀྱི་ཕ་རོལ་ཏུ་ཕྱིན་པ་འདི་ལས་ཇི་སྐད་བསྟན་པ་བཞིན་དུ་གནས་ཏེ། ཉི་མ་འགའ་ཞིག་ཆོས་ཀྱི་སྦྱིན་པ་བྱིན་ན་དེའི་བསོད་ནམས་དང་[༡]དེའི་རྒྱུས་ཆེས་མང་དུ་འཕེལ་ལོ། །དེ་ཅིའི་ཕྱིར་ཞེ་ན། རབ་འབྱོར་དེ་ནི་འདི་ལྟར་བྱང་ཆུབ་སེམས་དཔའ་སེམས་དཔའ་ཆེན་པོ་གང་ཤེས་རབ་ཀྱི་ཕ་རོལ་ཏུ་ཕྱིན་པ་དང་བྲལ་བ་ནི་རྣམ་པ་ཐམས་ཅད་མཁྱེན་པ་ཉིད་དང་བྲལ་བའོ། །རབ་འབྱོར་བྱང་ཆུབ་སེམས་དཔའ་སེམས་དཔའ་ཆེན་པོ་གང་ཤེས་རབ་ཀྱི་ཕ་རོལ་ཏུ་ཕྱིན་པ་དང་མ་བྲལ་བ་དེ་ནི་རྣམ་པ་ཐམས་ཅད་མཁྱེན་པ་ཉིད་དང་མ་བྲལ་བ་སྟེ། རབ་འབྱོར་དེ་བས་ན་བྱང་ཆུབ་སེམས་དཔའ་སེམས་དཔའ་ཆེན་པོ་བླ་ན་མེད་པ་ཡང་དག་པར་རྫོགས་པའི་བྱང་ཆུབ་ཏུ་མངོན་པར་རྫོགས་པར་འཚང་རྒྱ་བར་འདོད་པས། ཤེས་རབ་ཀྱི་ཕ་རོལ་ཏུ་ཕྱིན་པ་དང་མ་བྲལ་བར་བྱའོ། །རབ་འབྱོར་དེ་ཇི་སྙམ་དུ་

སེམས། ཤེས་རབ་ཀྱི་ཕ་རོལ་ཏུ་ཕྱིན་པ་དང་མ་[༧]བྲལ་བའི་བྱང་ཆུབ་སེམས་དཔའ་སེམས་དཔའ་ཆེན་པོས་བསྐལ་པ་གང་གཱའི་ཀླུང་གི་བྱེ་[༣]མ་སྙེད་དུ་གནས་ཏེ། དྲན་པ་ཉེ་བར་གཞག་པ་བཞི་དང་ཡང་དག་པར་སྤོང་བ་བཞི་དང་རྫུ་འཕྲུལ་གྱི་རྐང་པ་བཞི་དང་དབང་པོ་ལྔ་དང་སྟོབས་ལྔ་དང་། བྱང་ཆུབ་ཀྱི་ཡན་ལག་བདུན་དང་འཕགས་པའི་ལམ་ཡན་ལག་བརྒྱད་པ་དང་། འཕགས་པའི་བདེན་པ་བཞི་དང་བསམ་གཏན་བཞི་དང་ཚད་མེད་པ་བཞི་དང་། གཟུགས་མེད་པའི་སྙོམས་པར་འཇུག་པ་བཞི་དང་རྣམ་པར་ཐར་པ་བརྒྱད་དང་མཐར་གྱིས་གནས་པའི་སྙོམས་པར་འཇུག་པ་དགུ་དང་སྟོང་པ་ཉིད་དང་མཚན་མ་མེད་པ་དང་སྨོན་པ་མེད་པའི་ཏིང་ངེ་འཛིན་ལ་བསྒོམས་པར་བྱས་ན། རབ་འབྱོར་དེ་ཇི་སྙམ་དུ་སེམས། རིགས་ཀྱི་བུའམ་རིགས་ཀྱི་བུ་མོ་དེའི་བསོད་ནམས་དེའི་རྒྱུས་མང་དུ་འཕེལ་ལམ། གསོལ་པ་བཅོམ་ལྡན་འདས་མང་ངོ་བདེ་བར་གཤེགས་པ་མང་ངོ་། །བཅོམ་ལྡན་འདས་ཀྱིས་བཀའ་སྩལ་པ[༣]། རབ་འབྱོར་དེ་བས་ཀྱང་རིགས་ཀྱི་བུའམ་རིགས་ཀྱི་བུ་མོ་གང་གིས་ཤེས་རབ་ཀྱི་ཕ་རོལ་ཏུ་ཕྱིན་པ་ཟབ་མོ་འདི་ལས་ཇི་སྐད་དུ་བསྟན་པ་བཞིན་དུ་གནས་ཏེ། ཉེ་མ་འགའ་ཞིག་དྲན་པ་ཉེ་བར་གཞག་པ་བཞི་དང་། ཡང་དག་པར་སྤོང་བ་བཞི་དང་རྫུ་འཕྲུལ་གྱི་རྐང་པ་བཞི་དང་། དབང་པོ་ལྔ་དང་སྟོབས་ལྔ་དང་། བྱང་ཆུབ་ཀྱི་ཡན་ལག་བདུན་དང་འཕགས་པའི་ལམ་ཡན་ལག་བརྒྱད་པ་དང་། འཕགས་པའི་བདེན་པ་བཞི་དང་བསམ་གཏན་བཞི་དང་ཚད་མེད་པ་བཞི་དང་། གཟུགས་མེད་པའི་སྙོམས་པར་འཇུག་པ་བཞི་དང་། རྣམ་པར་ཐར་པ་བརྒྱད་དང་། མཐར་གྱིས་གནས་པའི་སྙོམས་པར་འཇུག་པ་དགུ་དང་། སྟོང་པ་ཉིད་དང་མཚན་མ་མེད་པ་དང་། སྨོན་པ་མེད་པའི་ཏིང་ངེ་འཛིན་ལ་བསྒོམས་པར་བྱས་ན་དེའི་བསོད་ནམས་ཆེས་མང་དུ་འཕེལ་ལོ། །དེ་

ཅིའི་ཕྱིར་ཞེ་ན། བྱང་ཆུབ་སེམས་དཔའ་སེམས་དཔའ་ཆེན་པོ་ཤེས་རབ་ཀྱི་ཕ་རོལ་ཏུ་ཕྱིན་པ་དང་མ་བྲལ་བ། རྣམ་པ་ཐམས་ཅད་མཁྱེན་པ་ཉིད་ལས་ཕྱིར་ལྡོག་པ་དེ་ནི་གནས་མེད་སྐབས[༡]མེད་དེ་དེ་ནི་གནས་མ་ཡིན་ནོ། །རབ་འབྱོར་འདི་ནི་གནས་ཡིན་ཏེ་བྱང་ཆུབ་སེམས་དཔའ་སེམས་དཔའ་ཆེན་པོས[༢]ཤེས་རབ་ཀྱི་ཕ་རོལ་ཏུ་ཕྱིན་པ་དང་བྲལ་བ་ནི་རྣམ་པ་ཐམས་ཅད་མཁྱེན་པ་ཉིད་ལས་ཕྱིར་ལྡོག་པའི་གནས་ཡོད་དོ། །རབ་འབྱོར་དེ་ལྟ་བས་ན་བྱང་ཆུབ་སེམས་དཔའ་སེམས་དཔའ་ཆེན་པོས[༣]ཤེས་རབ་ཀྱི་ཕ་རོལ་ཏུ་ཕྱིན་པ་དང་མ་བྲལ་བར་བྱའོ། །རབ་འབྱོར་དེ་ཇི་སྙམ་དུ་སེམས། བྱང་ཆུབ་སེམས་དཔའ་སེམས་དཔའ་ཆེན་པོ་ཤེས་རབ་ཀྱི་ཕ་རོལ་ཏུ་ཕྱིན་པ་དང་བྲལ་བས། བསྐལ་པ་གང་གཱའི[༤]ཀླུང་གི་བྱེ་མ་སྙེད་དུ་གནས་ཏེ་ཟང་ཟིང་གི་སྦྱིན་པ་དེ་དང་ཆོས་ཀྱི་སྦྱིན་པ་དེ་དང་། ནང་དུ་ཡང་དག་པར་འཇོག་པ་དང་ལྡན་པའི་ཡིད་ལ་བྱེད་པ་དེ་དག་བླ་ན་མེད་པ་ཡང་དག་པར་རྫོགས་པའི་བྱང་ཆུབ་ཏུ་ཡོངས་སུ་བསྔོས་ན་རིགས་ཀྱི་བུའམ་རིགས་ཀྱི་བུ་མོ་དེ་དེའི་བསོད་ནམས་དེའི་རྒྱུས་མང་དུ་འཕེལ་ལམ་གསོལ་པ། བཅོམ་ལྡན་འདས་མང་ངོ་བདེ་བར་གཤེགས་པ་མང་ངོ་། །བཅོམ་ལྡན་འདས་ཀྱིས་བཀའ་སྩལ་པ། རབ་འབྱོར་དེ་བས་ཀྱང་རིགས་ཀྱི་བུའམ་རིགས་ཀྱི་བུ་མོ་གང་གིས་ཤེས་རབ་ཀྱི་ཕ་རོལ་ཏུ་ཕྱིན་པ་ཟབ་མོ་འདི་ལས་ཇི་སྐད་དུ་བསྟན[༥]པ་བཞིན་དུ་གནས་ཏེ། ཉི་མ་འགའ་ཞིག་ཟང་ཟིང་གི་སྦྱིན་པ་དེ་དང་། ཆོས་ཀྱི་སྦྱིན་པ་དེ་དང་། ནང་དུ་ཡང་དག་པར་འཇོག་པ་དང་ལྡན་པའི་ཡིད་ལ་བྱེད་པ་དེ་དག་བླ་ན་མེད་པ་ཡང་དག་པར་རྫོགས་པའི་བྱང་ཆུབ་ཏུ་ཡོངས་སུ་བསྔོས་ན། རིགས་ཀྱི་བུའམ་རིགས་ཀྱི་བུ་མོ་དེའི་བསོད་ནམས་ཆེས་མང་དུ་འཕེལ་ལོ། །དེ་ཅིའི་ཕྱིར་ཞེ་ན། འདི་ལྟ་སྟེ་ཤེས་རབ་ཀྱི་ཕ་རོལ་ཏུ་ཕྱིན་པའི་ཡོངས་སུ་བསྔོ[༦]བ་འདི་ནི་བསྔོ་བའི་མཆོག་གོ། །

གང་ཤེས་རབ་ཀྱི་ཕ་རོལ་ཏུ་ཕྱིན་པ་དང་བྲལ་བར་ཡོངས་སུ་བསྔོ་[༡]བ་དེ་ནི་ཡོངས་
སུ་བསྔོ་[༢]བ་མ་ཡིན་ནོ། །རབ་འབྱོར་དེ་ལྟ་བས་ན་བྱང་ཆུབ་སེམས་དཔའ་སེམས་
དཔའ་ཆེན་པོ་བླ་ན་མེད་པ་ཡང་དག་པར་རྫོགས་པའི་བྱང་ཆུབ་ཏུ་མངོན་པར་
རྫོགས་པར་འཚང་རྒྱ་བར་འདོད་པས། ཤེས་རབ་ཀྱི་ཕ་རོལ་ཏུ་ཕྱིན་པའི་ཡོངས་
སུ་བསྔོ་བ་ལ་མཁས་པར་བྱའོ། །རབ་འབྱོར་དེ་ཇི་སྙམ་དུ་སེམས། རིགས་ཀྱི་
བུའམ་རིགས་ཀྱི་བུ་མོ་ཤེས་རབ་ཀྱི་ཕ་རོལ་ཏུ་ཕྱིན་པ་དང་བྲལ་བ་གང་ལ་ལས་
བསྐལ་པ་གང་གཱའི་ཀླུང་གི་བྱེ་མ་སྙེད་དུ་གནས་ཏེ། འདས་པ་དང་མ་བྱོན་པ་
དང་ད་ལྟར་བྱུང་བའི་སངས་རྒྱས་བཅོམ་ལྡན་འདས་ཉན་ཐོས་ཀྱི་དགེ་འདུན་དང་
བཅས་པ་རྣམས་ཀྱི་དགེ་བའི་རྩ་བ་གང་ཇི་སྙེད་པ་དེ་ཐམས་ཅད་ལ་རྗེས་སུ་ཡི་རང་[༣]
ནས་བླ་ན་མེད་པ་ཡང་དག་པར་རྫོགས་པའི་བྱང་ཆུབ་ཏུ་ཡོངས་སུ་བསྔོས་ན།
རིགས་ཀྱི་བུའམ་རིགས་ཀྱི་བུ་མོ་དེའི་བསོད་ནམས་དེའི་རྒྱུས་མང་དུ་འཕེལ་ལམ།
གསོལ་པ་བཅོམ་ལྡན་འདས་མང་ངོ་བདེ་བར་གཤེགས་པ་མང་ངོ་། །བཅོམ་ལྡན་
འདས་ཀྱིས་བཀའ་སྩལ་པ། རབ་འབྱོར་དེ་བས་ཀྱང་རིགས་ཀྱི་བུའམ་རིགས་ཀྱི་
བུ་མོ་གང་གིས་ཤེས་རབ་ཀྱི་ཕ་རོལ་ཏུ་ཕྱིན་པ་ཟབ་མོ་ཇི་སྐད་དུ་བསྟན་པ་འདི་ལ་
གནས་ཏེ། ཉི་མ་འགའི་དགེ་བའི་རྩ་བ་བླ་ན་མེད་པ་ཡང་དག་པར་རྫོགས་པའི་
བྱང་ཆུབ་ཏུ་ཡོངས་སུ་བསྔོས་ན། རིགས་ཀྱི་བུའམ་རིགས་ཀྱི་བུ་མོ་དེའི་བསོད་
ནམས་ཆེས་མང་དུ་འཕེལ་ལོ། །དེ་ཅིའི་ཕྱིར་ཞེ་ན། རབ་འབྱོར་བསྔོ་བ་ཐམས་
ཅད་ཀྱི་སྔོན་དུ་འགྲོ་བ་ནི་ཤེས་རབ་ཀྱི་ཕ་རོལ་ཏུ་ཕྱིན་པའོ། །རབ་འབྱོར་དེ་ལྟ་
བས་ན་བྱང་ཆུབ་སེམས་དཔའ་སེམས་དཔའ་ཆེན་པོ་བླ་ན་མེད་པ་ཡང་དག་པར་
རྫོགས་པའི་བྱང་ཆུབ་ཏུ་མངོན་པར་རྫོགས་པར་འཚང་རྒྱ་བར་འདོད་པས། ཤེས་
རབ་ཀྱི་ཕ་རོལ་ཏུ་ཕྱིན་པའི་ཡོངས་སུ་བསྔོ་བ་ལ་མཁས་པར་བྱའོ། །གསོལ་པ།

བཅོམ་ལྡན་འདས་མངོན་པར་འདུ་བགྱི་བ་མ་མཆིས་པ་ནི་ཡོངས་སུ་བརྟགས་པའོ་ཞེས་བཅོམ་ལྡན་འདས་ཀྱིས་བཀའ་སྩལ་ན། དེ་ལ་ཇི་ལྟར་རིགས་ཀྱི་བུའམ་རིགས་ཀྱི་བུ་མོ་དེའི་བསོད་ནམས་ཆེས་མང་དུ་འཕེལ་བར་འགྱུར་བ་ལགས། བཅོམ་ལྡན་འདས་མངོན་པར་འདུ་བགྱི་བ་མ་མཆིས་པས་ནི་ཡང་དག་པར་ལྟ་བ་བསྐྱེད་པའམ། སྐྱོན་མ་མཆིས་པར་ཡང་འཇུག་པར་མི་ནུས་སོ། །རྒྱུན་དུ་ཞུགས་པའི་འབྲས་བུ་འཐོབ་པའམ་ལན་ཅིག་ཕྱིར་འོང་བའི་འབྲས་བུའམ་ཕྱིར་མི་འོང་བའི་འབྲས་བུའམ་དགྲ་བཅོམ་པ་ཉིད་འཐོབ་པའམ། བླ་ན་མེད་པ་ཡང་དག་པར་རྫོགས་པའི་བྱང་ཆུབ་ཏུ་མངོན་པར་རྫོགས་པར་འཚང་རྒྱ་བའི་བར་དུ་ཡང་①མི་ནུས་སོ། །བཅོམ་ལྡན་འདས་ཀྱིས་བཀའ་སྩལ་པ། རབ་འབྱོར་དེ་དེ་བཞིན་ནོ། །དེ་དེ་བཞིན་ཏེ། མངོན་པར་འདུ་བྱ་བ་མེད་པས་ནི་ཡང་དག་པར་ལྟ་བ་བསྐྱེད་པའམ། སྐྱོན་མེད་པར་འཇུག་པའམ། རྒྱུན་དུ་ཞུགས་པའི་འབྲས་བུ་འཐོབ་པའམ། ལན་ཅིག་ཕྱིར་འོང་བའི་འབྲས་བུའམ་ཕྱིར་མི་འོང་བའི་འབྲས་བུའམ་དགྲ་བཅོམ་པ་ཉིད་འཐོབ་པའམ། བླ་ན་མེད་པ་ཡང་དག་པར་རྫོགས་པའི་བྱང་ཆུབ་ཏུ་མངོན་པར་རྫོགས་པར་འཚང་རྒྱ་བར་ཡང་མི་ནུས་ཏེ། རབ་འབྱོར་དེ་ལ་བྱང་ཆུབ་སེམས་དཔའ་སེམས་དཔའ་ཆེན་པོ་ཤེས་རབ་ཀྱི་ཕ་རོལ་ཏུ་ཕྱིན་པ་ལ་སྤྱོད་པའི་སྦྱིན་པ་དེ་ཡང་མངོན་པར་འདུ་བྱ་བ་མེད་པ་སྟེ། སྟོང་པ་ཉིད་དུ་སྣང་ངོ་གསོབ་ཉིད་དུ་སྣང་③ངོ་གསོག་ཉིད་དུ་སྣང་ངོ་། །སྙིང་པོ་མེད་པ་ཉིད་དུ་སྣང་ངོ་། །དེ་ཅིའི་ཕྱིར་ཞེ་ན། རབ་འབྱོར་འདི་ལྟར་བྱང་ཆུབ་སེམས་དཔའ་སེམས་དཔའ་ཆེན་པོ་ནི་ནང་སྟོང་པ་ཉིད་ལ་ཤིན་ཏུ་བསླབས་པའོ། །དངོས་པོ་མེད་པའི་ངོ་བོ་ཉིད་སྟོང་པ་ཉིད་ཀྱི་བར་ལ་ཤིན་ཏུ་བསླབས་པའོ། །རབ་འབྱོར་བྱང་ཆུབ་སེམས་དཔའ་སེམས་དཔའ་ཆེན་པོ་དེ་ནི་སྟོང་པ་ཉིད་དེ་དག་

ལ་གནས་ཤིང་། ཇི་ལྟ་ཇི་ལྟར་མངོན་པར་འདུ་བྱ་བ་མེད་པ་དེ་དག་ལ་རབ་ཏུ་རྟོག་པ། དེ་ལྟ་དེ་ལྟར་བྱང་ཆུབ་སེམས་དཔའ་སེམས་དཔའ་ཆེན་པོ་ཤེས་རབ་ཀྱི་ཕ་རོལ་དུ་ཕྱིན་པ་དང་མ་བྲལ་བར་འགྱུར་ཏེ། ཇི་ལྟ་ཇི་ལྟར་བྱང་ཆུབ་སེམས་དཔའ་སེམས་དཔའ་ཆེན་པོ་ཤེས་རབ་ཀྱི་ཕ་རོལ་དུ་ཕྱིན་པ་དང་མ་བྲལ་བ་དེ་ལྟ་དེ་ལྟར་གྲངས་མེད་དཔག་ཏུ་མེད་ཚད་མེད་པའི་བསོད་ནམས་འཕེལ་བར་འགྱུར་རོ། །གསོལ་པ། བཅོམ་ལྡན་འདས་གྲངས་མ་མཆིས་པ་དང་དཔག་ཏུ་མ་མཆིས་པ་དང་། ཚད་མ་མཆིས་པ་ལ་བྱེ་བྲག་ནི་ཅི་མཆིས་ཁྱད་ནི་ཅི་མཆིས། བཅོམ་ལྡན་འདས་ཀྱིས་བཀའ་སྩལ་པ། རབ་འབྱོར་གྲངས་མེད་པ་ཞེས་བྱ་བ་ནི་གང་འདུས་བྱས་ཀྱི་ཁམས་སམ། འདུས་མ་བྱས་ཀྱི་ཁམས་སུ་བགྲང་བར་ཉེ་བར་མི་འགྲོ་བའོ། །རབ་འབྱོར་དཔག་ཏུ་མེད་པ་ཞེས་བྱ་བ་ནི་འདས་པ་དང་མ་འོངས་པ་དང་། ད་ལྟར་བྱུང་བའི་ཆོས་རྣམས་ལ་ཚད་མི་དམིགས་པའོ། །རབ་འབྱོར་ཚད་མེད་པ་ཞེས་བྱ་བ་ནི་གང་གཞལ་བར་མི་ནུས་པའོ། །གསོལ་པ་བཅོམ་ལྡན་འདས་རྣམ་གྲངས་གང་གིས་གཟུགས་ཀྱང་གྲངས་མ་མཆིས་དཔག་ཏུ་མ་མཆིས་ཚད་མ་མཆིས་པར་འགྱུར་ཞིང་ཚོར་བ་དང་འདུ་[7]ཤེས་དང་འདུ་བྱེད་དང་། རྣམ་པར་ཤེས་པ་ཡང་གྲངས་མ་མཆིས་དཔག་ཏུ་མ་མཆིས་ཚད་མ་མཆིས་པར་འགྱུར་བའི་རྣམ་གྲངས་དེ་ལྟ་བུ་མཆིས་སམ། བཅོམ་ལྡན་འདས་ཀྱིས་བཀའ་སྩལ་པ། རབ་འབྱོར་རྣམ་གྲངས་གང་གིས་གཟུགས་ཀྱང་གྲངས་མེད་དཔག་ཏུ་མེད་ཚད་མེད་པར་འགྱུར་བ་དང་། ཚོར་བ་དང་འདུ་ཤེས་དང་འདུ་བྱེད་དང་། རྣམ་པར་ཤེས་པ་ཡང་གྲངས་མེད་དཔག་ཏུ་མེད་ཚད་མེད་པར་འགྱུར་བའི་རྣམ་གྲངས་དེ་ལྟ་བུ་ཡོད་དོ། །གསོལ་པ། བཅོམ་ལྡན་འདས་རྣམ་གྲངས་གང་གིས་ན་གཟུགས་ཀྱང་གྲངས་མ་མཆིས། དཔག་ཏུ་མ་མཆིས་ཚད་མ་མཆིས་པར་འགྱུར་བ

ལགས། ཚོར་བ་དང་འདུ་ཤེས་དང་འདུ་བྱེད་དང་། རྣམ་པར་ཤེས་པ་ཡང་གྲངས་མ་མཆིས། དཔག་ཏུ་མ་མཆིས་ཚད་མ་མཆིས་པར་འགྱུར་བ་ལགས། བཅོམ་ལྡན་འདས་ཀྱིས་བཀའ་སྩལ་པ། རབ་འབྱོར་གཟུགས་ཀྱང་སྟོང་པ་སྟེ། གྲངས་མེད་དཔག་ཏུ་མེད་[༡]ཚད་མེད་པའོ། །ཚོར་བ་དང་འདུ་ཤེས་དང་འདུ་བྱེད་དང་། རྣམ་པར་ཤེས་པ་ཡང་སྟོང་པ་སྟེ། གྲངས་མེད་དཔག་ཏུ་མེད་ཚད་མེད་པའོ། །གསོལ་པ། བཅོམ་ལྡན་འདས་གཟུགས་འབའ་ཞིག་སྟོང་[༢]ཚོར་བ་དང་། འདུ་ཤེས་དང་། འདུ་བྱེད་དང་། རྣམ་པར་ཤེས་པ་འབའ་ཤིག་[༣]སྟོང་དུ་བས་ཀྱི། ཆོས་ཐམས་ཅད་སྟོང་པ་མ་ལགས་སམ། བཅོམ་ལྡན་འདས་ཀྱིས་བཀའ་སྩལ་པ། རབ་འབྱོར་དེ་ཇི་སྙམ་དུ་སེམས། ངས་ཆོས་ཐམས་ཅད་སྟོང་པའོ་ཞེས་མ་བཤད་དམ། གསོལ་པ། བཅོམ་ལྡན་འདས་དེ་བཞིན་གཤེགས་པས་ཆོས་ཐམས་ཅད་སྟོང་པའོ་ཞེས་གསུངས་ཏེ། སྟོང་པ་ཉིད་གང་ལགས་པ་དེ་ནི་མི་ཟད་པ་སྟེ། གྲངས་མ་མཆིས་པ་ཡང་དེ་ལགས། དཔག་ཏུ་མ་མཆིས་པ་ཡང་དེ་ལགས་ཚད་མ་མཆིས་པ་ཡང་དེ་ལགས་ཏེ། བཅོམ་ལྡན་འདས་སྟོང་པ་ཉིད་ལ་ནི་གྲངས་ཀྱང་མི་དམིགས། དཔག་པ་ཡང་མི་དམིགས། ཚད་ཀྱང་མི་དམིགས་ཏེ། བཅོམ་ལྡན་འདས་དེ་བས་ན་ཆོས་དེ་དག་ལ་དོན་ཏམ་[༤]ཡི་གེས་ཐ་དད་དུ་བགྱི་བ་མི་དམིགས་སོ། །བཅོམ་ལྡན་འདས་ཀྱིས་བཀའ་སྩལ་པ། རབ་འབྱོར་དེ་དེ་བཞིན་ནོ། །དེ་དེ་བཞིན་ཏེ། ཆོས་དེ་དག་ལ་དོན་ཏམ་[༥]ཡི་གེས་ཐ་དད་དུ་བྱ་བ་མི་དམིགས་སོ། །རབ་འབྱོར་མི་ཟད་པ་ཞེས་བྱ་བའམ་ཚད་མེད་པ་ཞེས་བྱ་བའམ་སྟོང་པ་ཞེས་བྱ་བའམ་མཚན་མ་མེད་པ་ཞེས་བྱ་བའམ། སྨོན་པ་མེད་པ་ཞེས་བྱ་བའམ། མངོན་པར་འདུ་བྱ་བ་མེད་པ་ཞེས་བྱ་བའམ། སྐྱེ་བ་མེད་པ་ཞེས་བྱ་བའམ། འདོད་ཆགས་དང་བྲལ་བ་ཞེས་བྱ་བའམ། འགག་པ་མེད་པ་

ཞེས་བྱ་བའམ། སྒྲ་ངན་ལས་འདས་པ་ཞེས་བྱ་བ་འདི་ནི་བརྗོད་དུ་མེད་པ་ལས་དེ་བཞིན་གཤེགས་པས་བརྗོད་དེ། མི་ཟད་པ་ཞེས་བྱ་བའམ། སྒྲ་ངན་ལས་འདས་པ་ཞེས་བྱ་བའི་བར་དེ་ནི་དེ་བཞིན་གཤེགས་པའི་བསྟན་པ་མངོན་པར་བསྒྲུབ་པར་བཤད་པའོ། །གསོལ་པ། བཅོམ་ལྡན་འདས་ཆོས་རྣམས་ཀྱི་ཆོས་ཉིད། དེ་བཞིན་གཤེགས་པས་བསྟན་ལ་ཆོས་ཉིད་དེ་ཡང་བརྗོད་དུ་མ་མཆིས་པ་ནི་ངོ་མཚར་ཆེའོ། །བཅོམ་ལྡན་འདས་ཀྱིས་གསུངས་པའི་དོན་བདག་གིས་འཚལ་བ་ལྟར་ན། བཅོམ་ལྡན་འདས་ཆོས་ཐམས་ཅད་ནི་བརྗོད་དུ་མ་མཆིས་པའོ། །བཅོམ་ལྡན་འདས་ཀྱིས་བཀའ་སྩལ་པ། རབ་འབྱོར་དེ་དེ་བཞིན་ནོ། །དེ་དེ་བཞིན་ཏེ། རབ་འབྱོར་ཆོས་ཐམས་ཅད་ནི་[༧]བརྗོད་དུ་མེད་པའོ། །རབ་འབྱོར་ཆོས་ཐམས་ཅད་ཀྱི་བརྗོད་དུ་མེད་པ་གང་ཡིན་པ་དེ་ནི་སྟོང་པ་ཉིད་དེ། སྟོང་པ་ཉིད་ལ་ནི་བརྗོད་པ་གང་ཡང་མེད་དོ། །སྟོང་པ་ཉིད་ནི་བརྗོད་པར་མི་ནུས་སོ། །གསོལ་པ། བཅོམ་ལྡན་འདས་བརྗོད་དུ་མ་མཆིས་པའི་དོན་ལ་འཕེལ་བ་དང་ཡོངས་སུ་འགྲིབ་པ་[༢]མཆིས་སམ། བཅོམ་ལྡན་འདས་ཀྱིས་བཀའ་སྩལ་པ། རབ་འབྱོར་དེ་ནི་མ་ཡིན་ཏེ། རབ་འབྱོར་བརྗོད་དུ་མེད་པའི་དོན་ལ་ནི་འཕེལ་བའམ་ཡོངས་སུ་འགྲིབ་པ་མེད་དོ། །གསོལ་པ། བཅོམ་ལྡན་འདས་གལ་ཏེ་བརྗོད་དུ་མ་[༣]མཆིས་པའི་དོན་ལ་འཕེལ་བ་དང་། ཡོངས་སུ་འགྲིབ་པ་མ་མཆིས་ན་བཅོམ་ལྡན་འདས་དེས་སྦྱིན་པའི་ཕ་རོལ་ཏུ་ཕྱིན་པ་ཡང་འཕེལ་བ་དང་ཡོངས་སུ་འགྲིབ་པ་མ་མཆིས་པར་འགྱུར་རོ། །ཚུལ་ཁྲིམས་ཀྱི་ཕ་རོལ་ཏུ་ཕྱིན་པ་དང་། བཟོད་པའི་ཕ་རོལ་ཏུ་ཕྱིན་པ་དང་། བརྩོན་འགྲུས་ཀྱི་ཕ་རོལ་ཏུ་ཕྱིན་པ་དང་། བསམ་གཏན་གྱི་ཕ་རོལ་ཏུ་ཕྱིན་པ་དང་། ཤེས་རབ་ཀྱི་ཕ་རོལ་ཏུ་ཕྱིན་པ་ཡང་འཕེལ་བ་དང་ཡོངས་སུ་འགྲིབ་པ་མ་མཆིས་པར་འགྱུར་རོ། །དྲན་པ་ཉེ་བར་

གཞག་པ་བཞི་ཡང་འཕེལ་བ་དང་ཡོངས་སུ་འགྲིབ་པ་མ་མཆིས་པར་འགྱུར་རོ། །
ཡང་དག་པར་སྤོང་བ་དང་། རྫུ་འཕྲུལ་གྱི་རྐང་པ་དང་། དབང་པོ་དང་
སྟོབས་དང་བྱང་ཆུབ་ཀྱི་ཡན་ལག་དང་། འཕགས་པའི་ལམ་ཡན་ལག་བརྒྱད་པ་
ཡང་འཕེལ་བ་དང་ཡོངས་སུ་འགྲིབ་པ་མ་མཆིས་པར་འགྱུར་རོ། །འཕགས་པའི་
བདེན་པ་དང་བསམ་གཏན་དང་ཚད་མེད་པ་དང་། གཟུགས་མེད་པའི་སྙོམས་
པར་འཇུག་པ་དང་། རྣམ་[༧]པར་ཐར་པ་བརྒྱད་དང་། མཐར་གྱིས་གནས་
པའི་སྙོམས་པར་འཇུག་པ་དགུ་དང་། སྟོང་པ་ཉིད་དང་མཚན་མ་མེད་པ་དང་།
སྨོན་པ་མེད་པ་ཡང་འཕེལ་བ་དང་ཡོངས་སུ་འགྲིབ་པ་མ་མཆིས་པར་འགྱུར་རོ། །
མངོན་པར་ཤེས་པ་རྣམས་དང་། ཏིང་ངེ་འཛིན་རྣམས་དང་། གཟུངས་ཀྱི་སྒོ་
རྣམས་ཀྱང་འཕེལ་བ་དང་ཡོངས་སུ་འགྲིབ་པ་མ་མཆིས་པར་འགྱུར་རོ། །དེ་
བཞིན་གཤེགས་པའི་སྟོབས་བཅུ་དང་། མི་འཇིགས་པ་བཞི་དང་། སོ་སོ་ཡང་
དག་པར་རིག་པ་[༣]དང་བྱམས་པ་ཆེན་པོ་དང་སྙིང་རྗེ་ཆེན་པོ་དང་། སངས་རྒྱས་
ཀྱི་ཆོས་མ་འདྲེས་པ་བཅོ་བརྒྱད་ཀྱང་འཕེལ་བ་དང་ཡོངས་སུ་འགྲིབ་པ་མ་མཆིས་
པར་འགྱུར་རོ། །བཅོམ་ལྡན་འདས་དེ་ལྟར་གྱུར་[༣]ན་ཕ་རོལ་དུ་ཕྱིན་པ་དྲུག་མ་
མཆིས་པར་འགྱུར་རོ། །སངས་རྒྱས་ཀྱི་ཆོས་མ་འདྲེས་པ་བཅོ་བརྒྱད་ཀྱི་བར་དུ་མ་
མཆིས་པར་འགྱུར་རོ། །ཆོས་དེ་དག་མ་མཆིས་པས་ན་རྣམ་པ་ཐམས་ཅད་མཁྱེན་
པ་ཉིད་ཀྱང་མ་མཆིས་པར་འགྱུར་རོ། །རྣམ་པ་ཐམས་ཅད་མཁྱེན་པ་ཉིད་མ་
མཆིས་ན། སུ་ཞིག་བླ་ན་མེད་པ་ཡང་དག་པར་རྫོགས་པའི་བྱང་ཆུབ་ཏུ་མངོན་
པར་རྫོགས་པར་འཚང་རྒྱ་བར་འགྱུར། བཅོམ་ལྡན་འདས་ཀྱིས་བཀའ་སྩལ་པ།
རབ་འབྱོར་དེ་དེ་བཞིན་ནོ། །དེ་དེ་བཞིན་ཏེ། བརྗོད་དུ་མེད་པའི་དོན་ལ་ནི་
འཕེལ་བའམ་ཡོངས་སུ་འགྲིབ་པ་མེད་དོ། །རབ་འབྱོར་གལ་ཏེ་ཐབས་མཁས་

པའི་བྱང་ཆུབ་སེམས་དཔའ་སེམས་དཔའ་ཆེན་པོ་ཤེས་རབ་ཀྱི་ཕ་རོལ་ཏུ་ཕྱིན་པ་ལ་སྤྱོད་པ་དང་། ཤེས་རབ་ཀྱི་ཕ་རོལ་ཏུ་ཕྱིན་པ་ལ་སྒོམ་པ་དང་ཤེས་རབ་ཀྱི་ཕ་རོལ་ཏུ་ཕྱིན་པ་ལ་བསྟེན་པར་བྱེད་པའི་ཚེ། འདི་སྙམ་དུ་བདག་ནི་ཤེས་རབ་ཀྱི་ཕ་····རོལ་ཏུ་ཕྱིན་པས་རྣམ་པར་འཕེལ་ལོ། །བདག་ནི་བསམ་གཏན་གྱི་ཕ་རོལ་ཏུ་ཕྱིན་པ་དང་། བརྩོན་འགྲུས་ཀྱི་ཕ་རོལ་ཏུ་ཕྱིན་པ་དང་། བཟོད་པའི་ཕ་རོལ་ཏུ་····ཕྱིན་པ་དང་། ཚུལ་ཁྲིམས་ཀྱི་ཕ་རོལ་ཏུ་ཕྱིན་པ་དང་། སྦྱིན་པའི་ཕ་རོལ་ཏུ་ཕྱིན་པས་རྣམ་པར་འཕེལ་ལོ། །སྙམ་དུ་མི་སེམས་ཤིང་འོན་ཀྱང་དེ་འདི་སྙམ་དུ་འདི་··ལྟ་སྟེ། སྦྱིན་པའི་ཕ་རོལ་ཏུ་ཕྱིན་པ་འདི་ནི་མིང་ཙམ་མོ། །འདི་ལྟ་སྟེ···ཚུལ་ཁྲིམས་ཀྱི་ཕ་རོལ་ཏུ་ཕྱིན་པ་དང་། བཟོད་པའི་ཕ་རོལ་ཏུ་ཕྱིན་པ་དང་། བརྩོན་འགྲུས་ཀྱི་ཕ་རོལ་ཏུ་ཕྱིན་པ་དང་། བསམ་གཏན་གྱི་ཕ་རོལ་ཏུ་ཕྱིན་པ····དང་། ཤེས་རབ་ཀྱི་ཕ་རོལ་ཏུ་ཕྱིན་པ་འདི་ནི་⑦མིང་ཙམ་མོ། །སྙམ་ཞིང་དེ་སྦྱིན་པའི་ཕ་རོལ་ཏུ་ཕྱིན་པ་ལ་སྤྱོད་པའི་ཚེ་ཡིད་ལ་བྱེད་པ་དེ་དག་དང་། སེམས་བསྐྱེད་པ་དེ་དག་དང་། དགེ་བའི་རྩ་བ་དེ་དག་བླ་ན་མེད་པ་ཡང་དག་པར་རྫོགས་པའི་བྱང་ཆུབ་ཏུ་ཡོངས་སུ་བསྔོ་སྟེ། དེ་ཡང་བླ་ན་མེད་པ་ཡང་དག་པར་··རྫོགས་པའི་བྱང་ཆུབ་ཇི་ལྟ་བ་བཞིན་དུ་ཡོངས་སུ་བསྔོའོ། །གསོལ་པ། བཅོམ་ལྡན་འདས་བླ་ན་མེད་པ་ཡང་དག་པར་རྫོགས་པའི་བྱང་ཆུབ་ཇི་ལྟ་བུ་ལགས། བཅོམ་ལྡན་འདས་ཀྱིས་བཀའ་སྩལ་པ། རབ་འབྱོར་ཆོས་ཐམས་ཅད་ཀྱི་དེ···བཞིན་ཉིད་གང་ཡིན་པ་དེ་བླ་ན་མེད་པ་ཡང་དག་པར་རྫོགས་པའི་བྱང་ཆུབ་བོ། །གསོལ་པ། བཅོམ་ལྡན་འདས་ཆོས་ཐམས་ཅད་③ཀྱི་དེ་བཞིན་ཉིད་བླ་ན་མེད་པ་ཡང་དག་པར་རྫོགས་པའི་བྱང་ཆུབ་ལགས། བཅོམ་ལྡན་འདས་ཀྱིས་བཀའ་སྩལ་པ། རབ་འབྱོར་གཟུགས་ཀྱི་དེ་བཞིན་ཉིད་གང་ཡིན་པ་དེ་བླ་ན་མེད་པ་ཡང་····

དག་པར་རྫོགས་པའི་བྱང་ཆུབ་བོ། །ཚོར་བ་དང་འདུ་ཤེས་དང་འདུ་བྱེད་དང་རྣམ་པར་ཤེས་པའི་དེ་བཞིན་ཉིད་གང་ཡིན་པ་དེ། བླ་ན་མེད་པ་ཡང་དག་པར་རྫོགས་པའི་བྱང་ཆུབ་བོ། །སྐྱེ་མཆེད་དང་ཁམས་དང་རྟེན་ཅིང་འབྲེལ་བར་འབྱུང་བའི་དེ་བཞིན་ཉིད་གང་ཡིན་པ་དེ་བླ་ན་མེད་པ་ཡང་དག་པར་རྫོགས་པའི་བྱང་ཆུབ་བོ། །ཕ་རོལ་དུ་ཕྱིན་པ་ཐམས་ཅད་དང་སྟོང་པ་ཉིད་ཐམས་ཅད་དང་བྱང་ཆུབ་ཀྱི་ཕྱོགས་ཀྱི་ཆོས་སུམ་ཅུ་རྩ་བདུན་གྱི་དེ་བཞིན་ཉིད་གང་ཡིན་པ་དེ། བླ་ན་མེད་པ་ཡང་དག་པར་རྫོགས་པའི་བྱང་ཆུབ་བོ། །འཕགས་པའི་བདེན་པ་རྣམས་དང་བསམ་གཏན་རྣམས་དང་ཚད་མེད་པ་རྣམས་དང་། གཟུགས་མེད་པའི་སྙོམས་པར་འཇུག་པ་རྣམས་དང་། རྣམ་པར་ཐར་པ་རྣམས་དང་མཐར་གྱིས་གནས་པའི་སྙོམས་པར་འཇུག་པ་རྣམས་དང་། སྟོང་པ་ཉིད་དང་མཚན་མ་མེད་པ་དང་སྨོན་པ་མེད་པ་དང་མངོན་པར་ཤེས་པ་རྣམས་དང་ཏིང་ངེ་འཛིན་རྣམས་དང་། གཟུངས་ཀྱི་སྒོ་རྣམས་ཀྱི་དེ་བཞིན་ཉིད་གང་ཡིན་པ་དེ་བླ་ན་མེད་པ་ཡང་དག་པར་རྫོགས་པའི་བྱང་ཆུབ་བོ། །དེ་བཞིན་གཤེགས་པའི་སྟོབས་རྣམས་དང་མི་འཇིགས་པ་རྣམས་དང་སོ་སོ་ཡང་དག་པར་རིག་པ་རྣམས་དང་། བྱམས་པ་ཆེན་པོ་དང་སྙིང་རྗེ་ཆེན་པོ་དང་། སངས་རྒྱས་ཀྱི་ཆོས་མ་འདྲེས་པ་རྣམས་ཀྱི་དེ་བཞིན་ཉིད་གང་ཡིན་པ་དེ་བླ་ན་མེད་པ་ཡང་དག་པར་རྫོགས་པའི་བྱང་ཆུབ་བོ། །རྣམ་པ་ཐམས་ཅད་མཁྱེན་པ་ཉིད་ཀྱི་བར་གྱི་དེ་བཞིན་ཉིད་གང་ཡིན་པ་དེ་བླ་ན་མེད་པ་ཡང་དག་པར་རྫོགས་པའི་བྱང་ཆུབ་བོ། །མྱ་ངན་ལས་འདས་པའི་དེ་བཞིན་ཉིད་གང་ཡིན་པ་དེ་བླ་ན་མེད་པ་ཡང་དག་པར་རྫོགས་པའི་བྱང་ཆུབ་སྟེ། དེ་ནི་འཕེལ་བ་ཡང་མེད་དོ། །ཡོངས་སུ་འགྲིབ་པ་ཡང་མེད་དོ། །རབ་འབྱོར་དེ་ལ་ནི་བྱང་ཆུབ་སེམས་དཔའ་སེམས་དཔའ་ཆེན་པོ་ཤེས་རབ་ཀྱི་ཕ

རོལ་ཏུ་ཕྱིན་པ་དང་མ་བྲལ་བ་རྒྱུན་མི་འཆད་པར་རྟག་ཏུ་རྣམ་པར་སྤྱོད་དེ། ཆོས་གང་ལ་ཡང་འཕེལ་བའམ་ཡོངས་སུ་འགྲིབ་པར་ཡང་དག་པར་རྗེས་སུ་མི་མཐོང་ངོ་། །རབ་འབྱོར་དེ་ལྟར་ན་བརྗོད་དུ་མེད་པའི་དོན་ནི་འཕེལ་བ་མེད་ཅིང་ཡོངས་སུ་འགྲིབ་པ་མེད་པ་སྟེ། རབ་འབྱོར་དེ་ལྟར་ན་སྦྱིན་པའི་ཕ་རོལ་ཏུ་ཕྱིན་པ་ལ་འཕེལ་བ་ཡང་མེད་ཡོངས་སུ་འགྲིབ་པ་ཡང་མེད་དོ། །ཚུལ་ཁྲིམས་ཀྱི་ཕ་རོལ་ཏུ་ཕྱིན་པ་དང་། བཟོད་པའི་ཕ་རོལ་ཏུ་ཕྱིན་པ་དང་། བརྩོན་འགྲུས་ཀྱི་ཕ་རོལ་ཏུ་ཕྱིན་པ་དང་། བསམ་གཏན་གྱི་ཕ་རོལ་ཏུ་ཕྱིན་པ་དང་། ཤེས་རབ་ཀྱི་ཕ་རོལ་ཏུ་ཕྱིན་པ་ལ་འཕེལ་བ་ཡང་མེད་ཡོངས་སུ་འགྲིབ་པ་ཡང་མེད་དོ། །ནང་སྟོང་པ་ཉིད་ལ་འཕེལ་བ་ཡང་མེད་ཡོངས་སུ་འགྲིབ་པ་ཡང་མེད་དོ། །དངོས་པོ་མེད་པའི་ངོ་བོ་ཉིད་སྟོང་པ་ཉིད་ཀྱི་བར་ལ་འཕེལ་བ་ཡང་མེད་ཡོངས་སུ་འགྲིབ་པ་ཡང་མེད་དོ། །དྲན་པ་ཉེ་བར་གཞག་པ་རྣམས་ལ་འཕེལ་བ་ཡང་མེད་ཡོངས་སུ་འགྲིབ་པ་ཡང་མེད་དོ། །ཡང་དག་པར་སྤོང་བ་རྣམས་དང་རྫུ་འཕྲུལ་གྱི་རྐང་པ་རྣམས་དང་། དབང་པོ་རྣམས་དང་སྟོབས་རྣམས་དང་བྱང་ཆུབ་ཀྱི་ཡན་ལག་རྣམས་དང་། འཕགས་པའི་ལམ་ཡན་ལག་བརྒྱད་པ་ལ་འཕེལ་བ་ཡང་མེད་ཡོངས་སུ་འགྲིབ་པ་ཡང་མེད་དོ། །འཕགས་པའི་བདེན་པ་དང་བསམ་གཏན་དང་ཚད་མེད་པ་དང་། གཟུགས་མེད་པའི་སྙོམས་པར་འཇུག་པ་དང་རྣམ་པར་ཐར་པ་དང་། མཐར་གྱིས་གནས་པའི་སྙོམས་པར་འཇུག་པ་དང་། སྟོང་པ་ཉིད་དང་། མཚན་མ་མེད་པ་དང་། སྨོན་པ་མེད་པ་དང་། མངོན་པར་ཤེས་པ་དང་། ཏིང་ངེ་འཛིན་དང་། གཟུངས་ཀྱི་སྒོ་[7]ལ་འཕེལ་བ་ཡང་མེད། ཡོངས་སུ་འགྲིབ་པ་ཡང་མེད་དོ། །དེ་བཞིན་གཤེགས་པའི་སྟོབས་དང་མི་འཇིགས་པ་དང་སོ་སོ་ཡང་དག་པར་རིག་པ་དང་། བྱམས་པ་ཆེན་པོ་དང་སྙིང་

 རྗེ་ཆེན་པོ་དང་། སངས་རྒྱས་ཀྱི་ཆོས་མ་འདྲེས་པ་རྣམས་ལ་འཕེལ་བ་ཡང་མེད་ཡོངས་སུ་འགྲིབ་པ་ཡང་མེད་དོ། །རབ་འབྱོར་དེ་ལྟར་ན་བྱང་ཆུབ་སེམས་དཔའ་སེམས་དཔའ་ཆེན་པོས་འཕེལ་བ་མེད་པ་དང་། ཡོངས་སུ་འགྲིབ་པ་མེད་པའི་ཚུལ་གྱིས་ཤེས་རབ་ཀྱི་ཕ་རོལ་ཏུ་ཕྱིན་པ་ལ་སྤྱད་[1]པར་བྱའོ། །གསོལ་པ། བཅོམ་ལྡན་འདས་ཅི་ལགས་སེམས་དང་པོ་བསྐྱེད་[2]པས་བྱང་ཆུབ་སེམས་དཔའ་སེམས་དཔའ་ཆེན་པོ་བླ་ན་མེད་པ་ཡང་དག་པར་རྫོགས་པའི་བྱང་ཆུབ་ཏུ་མངོན་པར་རྫོགས་པར་འཚང་རྒྱའམ། ཻ་འོན་ཏམ་[3]སེམས་སྣད་མ་བསྐྱེད་པས་བྱང་ཆུབ་སེམས་དཔའ་སེམས་དཔའ་ཆེན་པོ་བླ་ན་མེད་པ་ཡང་དག་པར་རྫོགས་པའི་བྱང་ཆུབ་ཏུ་མངོན་པར་རྫོགས་པར་འཚང་རྒྱ། བཅོམ་ལྡན་འདས་གལ་ཏེ་སེམས་དང་པོ་བསྐྱེད་པས་བྱང་ཆུབ་སེམས་དཔའ་སེམས་དཔའ་ཆེན་པོ་བླ་ན་མེད་པ་ཡང་དག་པར་རྫོགས་པའི་བྱང་ཆུབ་ཏུ་མངོན་པར་རྫོགས་པར་འཚང་རྒྱ་ན་ནི། སེམས་དང་པོ་བསྐྱེད་པ་ཡང་སེམས་སྣད་མ་བསྐྱེད་པ་དང་མི་འགྲོགས། སེམས་སྣད་མ་བསྐྱེད་པ་ཡང་སེམས་དང་པོ་བསྐྱེད་པ་དང་མི་འགྲོགས་ཏེ། བཅོམ་ལྡན་འདས་དེ་ལྟར་[4]སེམས་ལས་བྱུང་བའི་ཆོས་རྣམས་མི་འགྲོགས་ན། ཇི་ལྟར་དགེ་བའི་རྩ་བ་རྣམས་ཚོགས་སུ་འགྱུར། དགེ་བའི་རྩ་བ་མ་བསགས་[5]པར་ནི་བླ་ན་མེད་པ་ཡང་དག་པར་རྫོགས་པའི་བྱང་ཆུབ་ཏུ་མངོན་པར་རྫོགས་པར་འཚང་རྒྱ་བར་མི་ནུས་སོ། །བཅོམ་ལྡན་འདས་ཀྱིས་བཀའ་སྩལ་པ། རབ་འབྱོར་ཁྱོད་ཀྱིས་དོན་འདི་ཉིད་ཤེས་པར་བྱ་བའི་ཕྱིར་དཔེ་བསྟན་ཏེ་འདི་ལ་སྐྱེས་བུ་མཁས་པ་ལ་ལ་བཤད་པའི་དོན་དཔེས་ཡོངས་སུ་ཤེས་པར་འགྱུར་རོ། །རབ་འབྱོར་དེ་ཇི་སྙམ་དུ་སེམས། འབྲུ་མར་གྱི་མར་མེ་འབར་བས་སྙིང་པོ་ཚིག་པར་འགྱུར་བ། མེ་ལྕེ་དང་པོ་དང་ཕྲད་པས་སྙིང་པོ་དེ་ཚིག་གམ། དེ་སྟེ་མེ་ལྕེ་ཕྱི་མ་དང་འཕྲད་[6]པས་

སྙིང་པོ་དེ་འཚིག །གསོལ་པ། བཅོམ་ལྡན་འདས་མེ་ལྕེ་དང་པོ་དང་མཇལ་[1]
བས་ཀྱང་སྙིང་པོ་དེ་འཚིག་པ་མ་ལགས་ལ། མེ་ལྕེ་དང་པོ་ལ་མ་བརྟེན་པར་ཡང་
སྙིང་པོ་དེ་འཚིག་པ་མ་ལགས། བཅོམ་ལྡན་འདས་མེ་ལྕེ་སྣད་མ་དང་མཇལ་[2]
བས་ཀྱང་སྙིང་པོ་དེ་འཚིག་པ་མ་ལགས། མེ་ལྕེ་སྣད་མ་ལ་མ་བརྟེན་[3]པར་ཡང་
སྙིང་པོ་དེ་འཚིག་པ་མ་ལགས་སོ། །བཅོམ་ལྡན་འདས་ཀྱིས་བཀའ་སྩལ་པ།
རབ་འབྱོར་དེ་ཇི་སྙམ་དུ་སེམས་འོན་ཀྱང་སྙིང་པོ་དེ་འཚིག་མོད། གསོལ་པ།
བཅོམ་ལྡན་འདས་དེ་ནི་འཚིག་གོ། །བདེ་བར་གཤེགས་པ་དེ་ནི་འཚིག་གོ། །
བཅོམ་ལྡན་འདས་ཀྱིས་བཀའ་སྩལ་པ། རབ་འབྱོར་[4]དེ་དེ་བཞིན་ཏེ། སེམས་
དང་པོ་བསྐྱེད་པས་ཀྱང་བྱང་ཆུབ་སེམས་དཔའ་སེམས་དཔའ་ཆེན་པོ་བླ་ན་མེད་པ་
ཡང་དག་པར་རྫོགས་པའི་བྱང་ཆུབ་ཏུ་མངོན་པར་རྫོགས་པར་འཚང་མི་རྒྱ།
སེམས་དང་པོ་བསྐྱེད་པ་ལ་མ་བརྟེན་པར་ཡང་བྱང་ཆུབ་སེམས་དཔའ་སེམས་
དཔའ་ཆེན་པོ་བླ་ན་མེད་པ་ཡང་དག་པར་རྫོགས་པའི་བྱང་ཆུབ་ཏུ་མངོན་པར་
རྫོགས་པར་འཚང་མི་རྒྱ། སེམས་ཕྱི་མ་བསྐྱེད་པས་ཀྱང་བྱང་ཆུབ་སེམས་དཔའ་
སེམས་དཔའ་ཆེན་པོ་བླ་ན་མེད་པ་ཡང་དག་པར་རྫོགས་པའི་བྱང་ཆུབ་ཏུ་མངོན་
པར་རྫོགས་པར་འཚང་མི་རྒྱ། སེམས་ཕྱི་མ་བསྐྱེད་པ་ལ་མ་བརྟེན་[5]པར་ཡང་
བྱང་ཆུབ་སེམས་དཔའ་སེམས་དཔའ་ཆེན་པོ་བླ་ན་མེད་པ་ཡང་དག་པར་རྫོགས་
པའི་བྱང་ཆུབ་ཏུ་མངོན་པར་རྫོགས་པར་འཚང་མི་རྒྱ་སྟེ། བྱང་ཆུབ་སེམས་
དཔའ་སེམས་དཔའ་ཆེན་པོ་བླ་ན་མེད་པ་ཡང་དག་པར་རྫོགས་པའི་བྱང་ཆུབ་ཏུ་
མངོན་པར་རྫོགས་པར་འཚང་མི་རྒྱ་བ་ཡང་མ་ཡིན་ནོ། །རབ་འབྱོར་འདི་ལ་བྱང་
ཆུབ་སེམས་དཔའ་སེམས་དཔའ་ཆེན་པོ་ཤེས་རབ་ཀྱི་ཕ་རོལ་ཏུ་ཕྱིན་པ་ལ་སྤྱོད་པའི་
ཚེ། སེམས་དང་པོ་བསྐྱེད་པ་ནས་ཉེ་བར་བཟུང་སྟེ། ས་བཅུ་ཡོངས་སུ་

རྫོགས་པར་བྱས་ནས་བླ་ན་མེད་པ་ཡང་དག་པར་རྫོགས་པའི་བྱང་ཆུབ་ཏུ་མངོན་པར་རྫོགས་པར་འཚང་རྒྱའོ། །གསོལ་པ། བཅོམ་ལྡན་འདས་ས་བཅུ་པོ་གང་དང་གང་ཡོངས་སུ་རྫོགས་པར་བགྱིས་ནས། བྱང་ཆུབ་སེམས་དཔའ་སེམས་དཔའ་ཆེན་པོ་བླ་ན་མེད་པ་ཡང་དག་པར་རྫོགས་པའི་བྱང་ཆུབ་ཏུ་མངོན་པར་རྫོགས་པར་འཚང་རྒྱ་བ་ལགས། བཅོམ་ལྡན་འདས་ཀྱིས་བཀའ་སྩལ་པ། རབ་འབྱོར་དཀར་པོ་རྣམ་པར་མཐོང་བའི་ས་ཡོངས་སུ་རྫོགས་པར་བྱས་ནས། བྱང་ཆུབ་སེམས་དཔའ་སེམས་དཔའ་ཆེན་པོ་བླ་ན་མེད་པ་ཡང་དག་པར་རྫོགས་པའི་བྱང་ཆུབ་ཏུ་མངོན་པར་རྫོགས་པར་འཚང་རྒྱའོ། །རིགས་ཀྱི་ས་དང་། བརྒྱད་པའི་ས་དང་། མཐོང་བའི་ས་དང་། སྲབས་པའི་ས་དང་། འདོད་ཆགས་དང་བྲལ་བའི་ས་དང་། བྱས་པ་རྟོགས་པའི་ས་ཡོངས་སུ་རྫོགས་པར་བྱས་ནས། བྱང་ཆུབ་སེམས་དཔའ་སེམས་དཔའ་ཆེན་པོ་བླ་ན་མེད་པ་ཡང་དག་པར་རྫོགས་པའི་བྱང་ཆུབ་ཏུ་མངོན་པར་རྫོགས་པར་འཚང་རྒྱའོ། །རང་སངས་རྒྱས་ཀྱི་ས་ཡོངས་སུ་རྫོགས་པར་བྱས་ནས། བྱང་ཆུབ་སེམས་དཔའ་སེམས་དཔའ་ཆེན་པོ་བླ་ན་མེད་པ་ཡང་དག་པར་རྫོགས་པའི་བྱང་ཆུབ་ཏུ་མངོན་པར་རྫོགས་པར་འཚང་རྒྱའོ༑ །བྱང་ཆུབ་སེམས་དཔའི་ས་ཡོངས་སུ་རྫོགས་པར་བྱས་ནས་བྱང་ཆུབ་སེམས་དཔའ་སེམས་དཔའ་ཆེན་པོ་བླ་ན་མེད་པ་ཡང་དག་པར་རྫོགས་པའི་བྱང་ཆུབ་ཏུ་མངོན་པར་རྫོགས་པར་འཚང་རྒྱའོ། །སངས་རྒྱས་ཀྱི་ས་ཡོངས་སུ་རྫོགས་པར་བྱས་ནས་བྱང་ཆུབ་སེམས་དཔའ་སེམས་དཔའ་ཆེན་པོ་བླ་ན་མེད་པ་ཡང་དག་པར་རྫོགས་པའི་བྱང་ཆུབ་ཏུ་མངོན་པར་རྫོགས་པར་འཚང་རྒྱའོ། །དེ་ལ་བྱང་ཆུབ་སེམས་དཔའ་སེམས་དཔའ་ཆེན་པོ་ས་བཅུ་ལ་སློབ་པ་ནི་སེམས་དང་པོ་བསྐྱེད་པས་ཀྱང་བླ་ན་མེད་པ་ཡང་དག་པར་རྫོགས་པའི་བྱང་ཆུབ་ཏུ་མངོན་པར་རྫོགས་

པར་འཚང་རྒྱ་བ་མ་ཡིན། སེམས་དང་པོ་བསྐྱེད་པ་⑦ལ་མ་བརྟེན་པར་ཡང་བླ་ན་མེད་པ་ཡང་དག་པར་རྫོགས་པའི་བྱང་ཆུབ་ཏུ་མངོན་པར་རྫོགས་པར་འཚང་རྒྱ་བ་མ་ཡིན་སེམས་ཕྱི་མ་བསྐྱེད་པས་ཀྱང་བླ་ན་མེད་པ་ཡང་དག་པར་རྫོགས་པའི་བྱང་ཆུབ་ཏུ་མངོན་པར་རྫོགས་པར་འཚང་རྒྱ་བ་མ་ཡིན། སེམས་ཕྱི་མ་བསྐྱེད་པ་ལ་མ་བརྟེན་པར་ཡང་བླ་ན་མེད་པ་ཡང་དག་པར་རྫོགས་པའི་བྱང་ཆུབ་ཏུ་མངོན་པར་རྫོགས་པར་འཚང་རྒྱ་བ་མ་ཡིན་མོད་ཀྱི། བླ་ན་མེད་པ་ཡང་དག་པར་རྫོགས་པའི་བྱང་ཆུབ་ཏུ་མངོན་པར་རྫོགས་པར་འཚང་ཡང་རྒྱའོ། །གསོལ་པ། བཅོམ་ལྡན་འདས་དེ་ལྟར་སེམས་དང་པོ་བསྐྱེད་པས་ཀྱང་། བྱང་ཆུབ་སེམས་དཔའ་སེམས་དཔའ་ཆེན་པོ་བླ་ན་མེད་པ་ཡང་དག་པར་རྫོགས་པའི་བྱང་ཆུབ་ཏུ་མངོན་པར་རྫོགས་པར་འཚང་རྒྱ་བ་མ་ལགས་ལ། སེམས་དང་པོ་བསྐྱེད་པ་ལ་མ་བརྟེན་པར་ཡང་བྱང་ཆུབ་སེམས་དཔའ་སེམས་དཔའ་ཆེན་པོ་བླ་ན་མེད་པ་ཡང་དག་པར་རྫོགས་པའི་བྱང་ཆུབ་ཏུ་མངོན་པར་རྫོགས་པར་འཚང་རྒྱ་བ་མ་ལགས་པ་དང་། སེམས་སླད་མ་བསྐྱེད་པས་ཀྱང་བྱང་ཆུབ་སེམས་དཔའ་སེམས་དཔའ་ཆེན་པོ་བླ་ན་མེད་པ་ཡང་དག་པར་རྫོགས་པའི་བྱང་ཆུབ་ཏུ་མངོན་པར་རྫོགས་པར་འཚང་རྒྱ་བ་མ་ལགས་ལ། སེམས་སླད་མ་བསྐྱེད་པ་ལ་མ་བརྟེན་③པར་ཡང་བྱང་ཆུབ་སེམས་དཔའ་སེམས་དཔའ་ཆེན་པོ་བླ་ན་མེད་པ་ཡང་དག་པར་རྫོགས་པའི་བྱང་ཆུབ་ཏུ་མངོན་པར་རྫོགས་པར་འཚང་རྒྱ་བ་མ་ལགས་ཤིང་། བཅོམ་ལྡན་འདས་བྱང་ཆུབ་སེམས་དཔའ་སེམས་དཔའ་ཆེན་པོ་བླ་ན་མེད་པ་ཡང་དག་པར་རྫོགས་པའི་བྱང་ཆུབ་ཏུ་མངོན་པར་རྫོགས་པར་འཚང་རྒྱ་བ་དེ་ནི། རྟེན་ཅིང་འབྲེལ་པར་འབྱུང་བ་ཟབ་པོ། །བཅོམ་ལྡན་འདས་ཀྱིས་བཀའ་སྩལ་པ། རབ་འབྱོར་དེ་ཇི་སྙམ་དུ་སེམས། སེམས་གང་འགགས་པ་དེ་ཕྱིར་སྐྱེ་བར་འགྱུར་རམ། གསོལ་པ།

བཅོམ་ལྡན་འདས་དེ་ནི་མ་ལགས་སོ། །བཅོམ་ལྡན་འདས་ཀྱིས་བཀའ་སྩལ་པ། རབ་འབྱོར་དེ་ཇི་སྙམ་དུ་སེམས་སེམས་སྐྱེས་པ་དེ་འགག་པའི་ཆོས་ཅན་ཡིན་ནམ། གསོལ་པ། བཅོམ་ལྡན་འདས་དེ་ནི་འགག་པའི་ཆོས་ཅན་ཡིན་ནོ། །བདེ་བར་གཤེགས་པ་དེ་ནི་འགག་པའི་ཆོས་ཅན་ཡིན་ནོ། །བཅོམ་ལྡན་འདས་ཀྱིས་བཀའ་སྩལ་པ། རབ་འབྱོར་དེ་ཇི་སྙམ་དུ་སེམས། གང་འགག་པའི་ཆོས་ཅན་དེ་འགག་པར་འགྱུར་རམ། གསོལ་པ། བཅོམ་ལྡན་འདས་དེ་ནི་མ་ལགས་སོ། །བཅོམ་ལྡན་འདས་ཀྱིས་བཀའ་སྩལ་པ། དེ་བཞིན་ཉིད་ཇི་ལྟ་བ་དེ་བཞིན་དུ་གནས་པར་འགྱུར་རམ། གསོལ་པ། བཅོམ་ལྡན་འདས་དེ་བཞིན་ཉིད་ཇི་ལྟ་བ་དེ་བཞིན་དུ་གནས་པར་འགྱུར་རོ། །བཅོམ་ལྡན་འདས་ཀྱིས་བཀའ་སྩལ་པ། རབ་འབྱོར་གལ་ཏེ་དེ་བཞིན་ཉིད་ཇི་ལྟ་བ་[1]དེ་བཞིན་དུ་གནས་པར་འགྱུར་ན་རྟག་པར་མི་འགྱུར་རམ་གསོལ་པ། བཅོམ་ལྡན་འདས་དེ་ནི་མ་ལགས་སོ། །བཅོམ་ལྡན་འདས་ཀྱིས་བཀའ་སྩལ་པ། རབ་འབྱོར་དེ་ཇི་སྙམ་དུ་སེམས། དེ་བཞིན་ཉིད་ཟབ་བམ། གསོལ་པ། བཅོམ་ལྡན་འདས་ཟབ་བོ། །བཅོམ་ལྡན་འདས་ཀྱིས་བཀའ་སྩལ་པ། རབ་འབྱོར་དེ་ཇི་སྙམ་དུ་སེམས། སེམས་དེ་ཡང་དེ་བཞིན་ཉིད་དམ། གསོལ་པ། བཅོམ་ལྡན་འདས་དེ་ནི་མ་ལགས་སོ། །བཅོམ་ལྡན་འདས་ཀྱིས་བཀའ་སྩལ་པ། དེ་བཞིན་ཉིད་ལས་སེམས་དེ་གུད་ན་ཡོད་དམ། གསོལ་པ། བཅོམ་ལྡན་འདས་དེ་ནི་མ་ལགས་སོ། །བཅོམ་ལྡན་འདས་ཀྱིས་བཀའ་སྩལ་པ། སེམས་ལ་དེ་བཞིན་ཉིད་ཡོད་དམ། གསོལ་པ། བཅོམ་ལྡན་འདས་དེ་ནི་མ་ལགས་སོ། །བཅོམ་ལྡན་འདས་ཀྱིས་བཀའ་སྩལ་པ། དེ་བཞིན་ཉིད་ལ་སེམས་ཡོད་དམ། གསོལ་པ། བཅོམ་ལྡན་འདས་དེ་ནི་མ་ལགས་སོ། །བཅོམ་ལྡན་འདས་ཀྱིས་བཀའ་སྩལ་པ། དེ་བཞིན་ཉིད་ཀྱིས་དེ་

བཞིན་ཉིད་ཡང་དག་པར་རྗེས་སུ་མཐོང་ངམ⑦། གསོལ་པ། བཅོམ་ལྡན་འདས་དེ་ནི་མ་ལགས་སོ། །བཅོམ་ལྡན་འདས་ཀྱིས་བཀའ་སྩལ་པ། རབ་འབྱོར་དེ་ཇི་སྙམ་དུ་སེམས། གང་དེ་ལྟར་སྤྱོད་པ་དེ་ཤེས་རབ་ཀྱི་ཕ་རོལ་ཏུ་ཕྱིན་པ་ལ་སྤྱོད་པ་ཡིན་ནམ། གསོལ་པ། བཅོམ་ལྡན་འདས་གང་དེ་ལྟར་སྤྱོད་པ་དེ་ནི་ཤེས་རབ་ཀྱི་ཕ་རོལ་ཏུ་ཕྱིན་པ་ལ་སྤྱོད་པའོ། །བཅོམ་ལྡན་འདས་ཀྱིས་བཀའ་སྩལ་པ། རབ་འབྱོར་①ཇི་སྙམ་དུ་སེམས་གང་དེ་ལྟར་སྤྱོད་པ་དེ་གང་ལ་སྤྱོད་པ་ཡིན། གསོལ་པ། བཅོམ་ལྡན་འདས་གང་དེ་ལྟར་སྤྱོད་པ་དེ་ནི་ཅི་ལ་ཡང་མི་སྤྱོད་དོ། །དེ་ཅིའི་སྐད་དུ་ཞེ་ན། བཅོམ་ལྡན་འདས་དེ་ནི་འདི་ལྟར་བྱང་ཆུབ་སེམས་དཔའ་སེམས་དཔའ་ཆེན་པོ་ཤེས་རབ་ཀྱི་ཕ་རོལ་ཏུ་ཕྱིན་པ་ལ་སྤྱོད་ཅིང་དེ་བཞིན་ཉིད་ལ་གནས་པ་ལ་ཡོངས་སུ་རྒྱུ་བ་དེ་དག་མི་འཇུག་མི་འབྱུང་ངོ། །དེ་ཅིའི་སྐད་དུ་ཞེ་ན། བཅོམ་ལྡན་འདས་དེ་བཞིན་ཉིད་ནི་གང་དུ་ཡང་ཡོངས་སུ་རྒྱུ་བ་མ་མཆིས་ཏེ། དེ་ཉིད་ལའང་གང་ཡང་རྒྱུ་བ་མ་མཆིས་སོ། །བཅོམ་ལྡན་འདས་ཀྱིས་བཀའ་སྩལ་པ། རབ་འབྱོར་བྱང་ཆུབ་སེམས་དཔའ་སེམས་དཔའ་ཆེན་པོ་གང་ཤེས་རབ་ཀྱི་ཕ་རོལ་ཏུ་ཕྱིན་པ་ལ་སྤྱོད་པ་དེ་གང་ལ་སྤྱོད་པ་ཡིན། གསོལ་པ། དེ་ནི་གང་ལ་གཉིས་ཀྱི་ཡོངས་སུ་རྒྱུ་བ་མ་མཆིས་པའི་དོན་དམ་པ་ལ་སྤྱོད་དོ། །བཅོམ་ལྡན་འདས་ཀྱིས་བཀའ་སྩལ་པ། རབ་འབྱོར་དེ་ཇི་སྙམ་དུ་སེམས། གང་①དོན་དམ་པ་ལ་སྤྱོད་པ་②དེ་ཡོངས་སུ་རྒྱུ་བ་ལ་སྤྱོད་པའམ། མཚན་མ་ལ་སྤྱོད་པ་ཡིན་ནམ། གསོལ་པ། བཅོམ་ལྡན་འདས་དེ་ནི་མ་ལགས་སོ། །བཅོམ་ལྡན་འདས་ཀྱིས་བཀའ་སྩལ་པ། རབ་འབྱོར་དེ་ཇི་སྙམ་དུ་སེམས། དེས་མཚན་མར་འདུ་ཤེས་པ་རྣམ་པར་བཤིག་པ་ཡིན་ནམ། གསོལ་པ། བཅོམ་ལྡན་འདས་དེ་ནི་མ་ལགས་སོ། །བཅོམ་ལྡན་འདས་ཀྱིས་བཀའ་སྩལ་པ།

དེ་ལྟར་ན་བྱང་ཆུབ་སེམས་དཔའ་སེམས་དཔའ་ཆེན་པོས་མཚན་མའི་འདུ་ཤེས་རྣམ་པར་བཤིག་པ་ཡིན། གསོལ་པ། བཅོམ་ལྡན་འདས་བྱང་ཆུབ་སེམས་དཔའ་སེམས་དཔའ་ཆེན་པོ་ཤེས་རབ་ཀྱི་ཕ་རོལ་ཏུ་ཕྱིན་པ་ལ་སྤྱོད་པ་དེ་ནི། འདི་ལྟར་མཚན་མ་རྣམ་པར་གཞིག་པར་བྱའོ་ཞེའམ། མཚན་མ་མེད་པ་རྣམ་པར་གཞིག་པར་བྱའོ་སྙམ་དུ་མི་སྤྱོར་རོ། །བཅོམ་ལྡན་འདས་བྱང་ཆུབ་སེམས་དཔའ་སེམས་དཔའ་ཆེན་པོ་ཤེས་རབ་ཀྱི་ཕ་རོལ་ཏུ་ཕྱིན་པ་འདི་ལ་སྤྱོད་པ་ནི་དེ་བཞིན་གཤེགས་པའི་སྟོབས་བཅུ་དང་། མི་འཇིགས་པ་བཞི་དང་། སོ་སོ་ཡང་དག་པར་རིག་པ་བཞི་དང་། བྱམས་པ་ཆེན་པོ་དང་། སྙིང་རྗེ་ཆེན་པོ་དང་། སངས་རྒྱས་ཀྱི་ཆོས་མ་འདྲེས་པ་བཅོ་བརྒྱད་ཡོངས་སུ་རྫོགས་པར་མ་བགྱིས་པར་བླ་ན་མེད་པ་ཡང་དག་པར་རྫོགས་པའི་བྱང་ཆུབ་ཏུ་མངོན་པར་རྫོགས་པར་འཚང་མི་རྒྱ་སྟེ། བཅོམ་ལྡན་འདས་འདི་ནི་བྱང་ཆུབ་སེམས་དཔའ་སེམས་དཔའ་ཆེན་པོའི་ཐབས་མཁས་པ་སྟེ། ཐབས་མཁས་པ་དེས་ཆོས་གང་ཡང་དངོས་པོར་ཡང་མི་བགྱིད་དངོས་པོ་མ་མཆིས་པར་ཡང་མི་བགྱིད་དོ། །དེ་ཅིའི་སླད་དུ་ཞེ་ན། བཅོམ་ལྡན་འདས་དེ་ནི་འདི་ལྟར་བྱང་ཆུབ་སེམས་དཔའ་སེམས་དཔའ་ཆེན་པོས་··ཆོས་ཐམས་ཅད་ཀྱི་རང་གི་མཚན་ཉིད་སྟོང་པ་ཉིད་དུ་རིག་པའི་སླད་དུ་སྟེ། རང་གི་མཚན་ཉིད་སྟོང་པ་ཉིད་དེ་ལ་གནས་ནས། སེམས་ཅན་རྣམས་ཀྱི་དོན་དུ་ཏིང་ངེ་འཛིན་གསུམ་ལ་སྙོམས་པར་འཇུག་སྟེ། ཏིང་ངེ་འཛིན་དེ་དག་གིས་སེམས་ཅན་རྣམས་ཡོངས་སུ་སྨིན་པར་བགྱིས་ན། བཅོམ་ལྡན་འདས་ཇི་ལྟར་ན་བྱང་ཆུབ་སེམས་དཔའ་སེམས་དཔའ་ཆེན་པོ་སེམས་ཅན་རྣམས་ཀྱི་དོན་དུ་ཏིང་ངེ་འཛིན་གསུམ་ལ་སྙོམས་པར་འཇུག་ཅིང་། ཏིང་ངེ་འཛིན་དེ་དག་གིས་སེམས་·····ཅན་རྣམས་ཡོངས་སུ་སྨིན་པར་བགྱིད་པ་ལགས། བཅོམ་ལྡན་འདས་ཀྱིས་བཀའ···

སྐུལ་པ། རབ་འབྱོར་འདི་ལ་བྱང་ཆུབ་སེམས་དཔའ་སེམས་དཔའ་ཆེན་པོ་ཏིང་ངེ་འཛིན་གསུམ་ལ་གནས་ཤིང་སེམས་ཅན་གང་རྣམ་པར་རྟོག་པའི་འདུ་ཤེས་ལ་སྤྱོད་པ་དེ་དག་ནི་སྟོང་པ་ཉིད་ལ་རབ་ཏུ་འགོད་དོ། །སེམས་ཅན་གང་[༡]མཚན་མ་ལ་སྤྱོད་པ་དེ་དག་ནི་མཚན་མ་མེད་པ་ལ་རབ་ཏུ་འགོད་དོ། །སེམས་ཅན་གང་སྨོན་པ་ལ་སྤྱོད་པ་དེ་དག་ནི་སྨོན་པ་མེད་པ་ལ་[༢]སྦྱོར་རོ། །རབ་འབྱོར་དེ་ལྟར་བྱང་ཆུབ་སེམས་དཔའ་སེམས་དཔའ་ཆེན་པོ་ཤེས་རབ་ཀྱི་ཕ་རོལ་ཏུ་ཕྱིན་པ་ལ་སྤྱོད་ཅིང་། ཏིང་ངེ་འཛིན་གསུམ་ལ་གནས་ཏེ[༣]། སེམས་ཅན་རྣམས་ཡོངས་སུ་སྨིན་པར་བྱེད་དོ༔ །ཤེས་རབ་ཀྱི་ཕ་རོལ་ཏུ་ཕྱིན་པ་སྟོང་ཕྲག་ཉི་ཤུ་ལྔ་པ་ལས། ལེའུ་བཞི་བཅུ་གཅིག་པའོ།། ||

དེ་ནས་ཡང་ཚེ་དང་ལྡན་པ་ཤ་ར་དྭ་ཏིའི་བུས། ཚེ་དང་ལྡན་པ་རབ་འབྱོར་ལ་འདི་སྐད་ཅེས་སྨྲས་སོ། །ཚེ་དང་ལྡན་པ་རབ་འབྱོར་བྱང་ཆུབ་སེམས་དཔའ་སེམས་དཔའ་ཆེན་པོ་གང་ལ་ལ་རྨི་ལམ་དུ་སྟོང་པ་ཉིད་དང་། མཚན་མ་མེད་པ་དང་། སྨོན་པ་མེད་པའི་ཏིང་ངེ་འཛིན་གསུམ་ལ་སྒོམས་པར་ཞུགས་ན[༤]། ཤེས་རབ་ཀྱི་ཕ་རོལ་ཏུ་ཕྱིན་པས་རྣམ་པར་འཕེལ་ལམ། རབ་འབྱོར་གྱིས་སྨྲས་པ། ཚེ་དང་ལྡན་པ་ཤ་ར་དྭ་ཏིའི་བུ་གལ་ཏེ་ཉིན་པར་བསྒོམས་པས་རྣམ་པར་འཕེལ་ན། རྨི་ལམ་ན་བསྒོམས་པས་ཀྱང་རྣམ་པར་འཕེལ་ལོ། །དེ་ཅིའི་ཕྱིར་ཞེ་ན། ཚེ་དང་ལྡན་པ་ཤ་ར་དྭ་ཏིའི་བུ་རྨི་ལམ་དང་ཉིན་པར་ནི་རྣམ་པར་རྟོག་པ་མེད་དོ། །ཚེ་དང་ལྡན་པ་ཤ་ར་དྭ་ཏིའི་བུ་གལ་ཏེ་བྱང་ཆུབ་སེམས་དཔའ་སེམས་དཔའ་ཆེན་པོ་ཉིན་པར་ཤེས་རབ་ཀྱི་ཕ་རོལ་ཏུ་ཕྱིན་པ་ལ་སྤྱོད་པ་དེའི་ཤེས་རབ་ཀྱི་ཕ་རོལ་ཏུ་ཕྱིན་པ་བསྒོམ་པ་ཡོད་ན་ནི་བྱང་ཆུབ་སེམས་དཔའ་སེམས་དཔའ་ཆེན་པོའི་རྨི་ལམ་

ན་ཤེས་རབ་ཀྱི་ཕ་རོལ་ཏུ་ཕྱིན་པ་བསྒོམ་པ་ཡང་ཡོད་པར་འགྱུར་རོ། །སྨྲས་པ་ཚེ་དང་ལྡན་པ་རབ་འབྱོར་བྱང་ཆུབ་སེམས་དཔའ་སེམས་དཔའ་ཆེན་པོས་རྨི་ལམ་དུ་ལས་ཤིག་བྱས་ན་ལས་དེ་ལ་སོགས་[1]པའམ། འཕྲི་བར་འགྱུར་བ་ཡོད་དམ་གལ་ཏེ་བཅོམ་ལྡན་འདས་ཀྱིས་ཆོས་ཐམས་ཅད་རྨི་ལམ་ལྟ་བུར་གསུངས་ན། དེ་ལ་སོགས་[2]པའམ་འཕྲི་བར་འགྱུར་བ་མེད་དོ། །དེ་ཅིའི་ཕྱིར་ཞེ་ན། རྨི་ལམ་གྱི་ཆོས་གང་ཡང་སོགས་[3]པའམ། འཕྲི་བ་མི་དམིགས་ཏེ། གལ་ཏེ་སད་ནས་རྣམ་པར་རྟོག་ན་ནི། དེ་ལ་སོགས་[4]པའམ་འཕྲི་བར་ཡང་འགྱུར་རོ། །རབ་འབྱོར་གྱིས་སྨྲས་པ། ཉིན་པར་སྤྱོག་བཅད་པ་དང་། རྨི་ལམ་ན་སྤྱོག་བཅད་པ་དེ་ལ་འདི་སྙམ་དུ་དེ་བདག་གིས་བསད་དོ། །དེ་བདག་གིས་བསད་པ་ལེགས་སོ་ཞེས་སད་དེ་རྣམ་པར་རྟོག་ན། ཚེ་དང་ལྡན་པ་ཤ་ར་དྭ་ཏིའི་བུ་ལས་[5]དེ་ལ་ཁྱོད་ཅི་ཟེར། སྨྲས་པ་ཚེ་དང་ལྡན་པ་རབ་འབྱོར་དམིགས་པ་མེད་པར་ལས་མི་སྐྱེའོ། །དམིགས་པ་མེད་པར་སེམས་པ་མི་འབྱུང་ངོ་། །རབ་འབྱོར་གྱིས་སྨྲས་པ། ཚེ་དང་ལྡན་པ་ཤ་ར་དྭ་ཏིའི་བུ་དེ་དེ་བཞིན་ཏེ། དམིགས་པ་མེད་པར་ལས་མི་སྐྱེའོ། །དམིགས་པ་མེད་པར་སེམས་པ་མི་འབྱུང་ངོ་། །དམིགས་པ་དང་བཅས་པར་ལས་སྐྱེ་སྟེ། དམིགས་པ་མེད་པར་མ་ཡིན་ནོ། །དམིགས་པ་དང་བཅས་པར་སེམས་པ་འབྱུང་སྟེ། དམིགས་པ་མེད་པར་མ་ཡིན་ནོ། །མཐོང་བ་དང་ཐོས་པ་དང་། བསམས་པ་དང་། རྣམ་པར་རིག་པའི་ཆོས་རྣམས་ལ་བློ་འཇུག་སྟེ། མ་མཐོང་མ་ཐོས་མ་བསམས་[6]རྣམ་པར་མ་རིག་པའི་ཆོས་ལ་ནི་བློ་མི་[7]འཇུག་གོ། །དེ་ལ་བློ་ལ་ལ་ནི་ཀུན་[8]ནས་ཉོན་མོངས་པ་ཡོངས་སུ་འཛིན་ཏོ། །བློ་ལ་ལ་ནི་རྣམ་པར་བྱང་བ་ཡོངས་སུ་འཛིན་ཏོ། །དེ་བས་ན་ཚེ་དང་ལྡན་པ་ཤ་ར་དྭ་ཏིའི་བུ་དམིགས་པ་དང་བཅས་པར་ལས་སྐྱེ་སྟེ། དམིགས་པ་མེད་པར་མ་ཡིན་ནོ། །དམིགས་པ་

དང་བཅས་པར་སེམས་པ་འབྱུང་སྟེ། དམིགས་པ་མེད་པར་[1]མ་ཡིན་ནོ། ། སྨྲས་པ། ཆེ་དང་ལྡན་པ་རབ་འབྱོར་ལས་ཐམས་ཅད་དང་། སེམས་པ་ཐམས་ཅད་དབེན་པའོ་ཞེས་བཅོམ་ལྡན་འདས་ཀྱིས་གསུངས་ན། དེ་ཇི་ལྟར་དམིགས་པ་དང་བཅས་པར་ལས་སྐྱེ་སྟེ། དམིགས་པ་མེད་པར་མ་ཡིན། དམིགས་པ་དང་བཅས་པར་སེམས་པ་འབྱུང་སྟེ། དམིགས་པ་མེད་པར་མ་ཡིན། རབ་འབྱོར་གྱིས་སྨྲས་པ། ཆེ་དང་ལྡན་པ་ཤཱ་ར་དྭ་ཏིའི་བུ་མཚན་མར་བྱས་ནས་དམིགས་པ་དང་བཅས་པར་ལས་སྐྱེ་སྟེ། དམིགས་པ་མེད་པར་མ་ཡིན་ནོ། །དམིགས་པ་དང་བཅས་པར་སེམས་པ་འབྱུང་སྟེ། དམིགས་པ་མེད་པར་མ་ཡིན་ནོ། །སྨྲས་པ་ཆེ་དང་ལྡན་པ་རབ་འབྱོར་གལ་ཏེ་བྱང་ཆུབ་སེམས་དཔའ་སེམས་དཔའ་ཆེན་[2]པོས་ཐེ་ལམ་དུ་སྦྱིན་པ་བྱིན། ཚུལ་ཁྲིམས་བསྲུངས། བཟོད་པ་[3]བསྒྲུབས། བརྩོན་འགྲུས་བརྩམས། བསམ་གཏན་ལ་མཉམ་པར་བཞག །ཤེས་རབ་བསྒོམས་ཏེ། དགེ་བའི་རྩ་བ་དེ་ཡང་བླ་ན་མེད་པ་ཡང་དག་པར་རྫོགས་པའི་བྱང་ཆུབ་ཏུ་ཡོངས་སུ་བསྔོས་ན། དེས་བླ་ན་མེད་པ་ཡང་དག་པར་རྫོགས་པའི་བྱང་ཆུབ་ཏུ་ཡོངས་སུ་བསྔོས་པར་འགྱུར་རམ། རབ་འབྱོར་གྱིས་སྨྲས་པ། ཆེ་དང་ལྡན་པ་ཤཱ་ར་དྭ་ཏིའི་བུ་བྱང་ཆུབ་སེམས་དཔའ་སེམས་དཔའ་ཆེན་པོ་བྱམས་པ་སྐྱེ་བ་གཅིག་གིས་ཐོགས་པ། བཅོམ་ལྡན་འདས་ཀྱིས་ཕྱིར་མི་ལྡོག་པར་ལུང་བསྟན་པ་འདི་མངོན་དུ་གྱུར་ཅིག། འདི་[4]ལ་དྲིས་[5]ཤིག་དང་འདི་ལན་ལྡོན་པར་འགྱུར་རོ། །དེ་ནས་ཆེ་དང་ལྡན་པ་ཤཱ་ར་དྭ་ཏིའི་བུས། བྱང་ཆུབ་སེམས་དཔའ་སེམས་དཔའ་ཆེན་པོ་བྱམས་པ་ལ་འདི་སྐད་ཅེས་སྨྲས་སོ། །རིགས་ཀྱི་བུ་གནས་བརྟན་རབ་འབྱོར་འདི་ནི་འདི་སྐད་དུ་བྱང་ཆུབ་སེམས་དཔའ་སེམས་དཔའ་ཆེན་པོ་བྱམས་པ་འདི་མངོན་དུ་གྱུར་པ་ནི་སྐྱེ་བ་གཅིག་གིས་ཐོགས་པ་ཕྱིར་མི་ལྡོག་པར་

བཅོམ་ལྡན་འདས་ཀྱིས་ལུང་བསྟན་པ་སྟེ། འདི་ལ་དྲིས་ཤིག་དང་འདི་ལན་ལྡོན་པར་འགྱུར་རོ་ཞེས་ཟེར་རོ། །དེ་སྐད་ཅེས་སྨྲས་པ་དང་། བྱང་ཆུབ་སེམས་དཔའ་སེམས་དཔའ་ཆེན་པོ་བྱམས་པས་ཚེ་དང་ལྡན་པ་ཤ་ར་དྭ་ཏིའི་བུ་ལ་འདི་སྐད་ཅེས་སྨྲས་སོ། །ཅི་བྱང་ཆུབ་སེམས་དཔའ་སེམས་དཔའ་ཆེན་པོ་བྱམས་པ་ཞེས་བྱ་བའི་མིང་འདི་ལན་ལྡོན་ནམ། འོན་ཏེ་གཟུགས་ལན་སློན་ནམ། ཚོར་བ་དང་། འདུ་ཤེས་དང་། འདུ་བྱེད་དང་། རྣམ་པར་ཤེས་པ་ལན་སློན་པར་འགྱུར། འོན་ཏེ་གཟུགས་ཀྱི་སྟོང་པ་ཉིད་གང་ཡིན་པ་དེ་ལན་སློན་པར་འགྱུར་རམ། ཚོར་བ་དང་། འདུ་ཤེས་དང་། འདུ་བྱེད་དང་། རྣམ་པར་ཤེས་པའི་སྟོང་པ་ཉིད་གང་ཡིན་པ་དེ་ལན་སློན་པར་འགྱུར། འོན་ཏེ་གཟུགས་ཀྱི་དེ་བཞིན་ཉིད་གང་ཡིན་པ་དེ་ལན་སློན་པར་འགྱུར་རམ། ཚོར་བ་དང་འདུ་ཤེས་དང་འདུ་བྱེད་དང་། རྣམ་པར་ཤེས་པའི་དེ་བཞིན་ཉིད་གང་ཡིན་པ་དེ་ལན་སློན་པར་འགྱུར། གཟུགས་ཀྱི་སྟོང་པ་ཉིད་གང་ཡིན་པ་དེ་དང་། ཚོར་བ་དང་། འདུ་ཤེས་དང་། འདུ་བྱེད་དང་། རྣམ་པར་ཤེས་པའི་སྟོང་པ་ཉིད་གང་ཡིན་པ་དེ་ལ་ནི་ལན་སློན་པའི་མཐུ་མེད་དོ། །གཟུགས་ཀྱི་དེ་བཞིན་ཉིད་གང་ཡིན་པ་དེ་དང་། ཚོར་བ་དང་། འདུ་ཤེས་དང་། འདུ་བྱེད་དང་། རྣམ་པར་ཤེས་པའི་དེ་བཞིན་ཉིད་གང་ཡིན་པ་དེ་ལ་ནི་ལན་སློན་པའི་མཐུ་མེད་དོ། །བདག་གིས་ནི་གང་ལན་སློན་པ་དང་། གང་གིས་[༧]ལན་སློན་པ་དང་། ༔གང་གིས་ལན་སྨྲན་པ་དང་།[༨] གང་ལ་ལན་སྨྲན་[༨]པའི་ཆོས་དེ་ལྟ་བུ་ཡང་དག་པར་རྗེས་སུ་མ་མཐོང་ངོ་། །གང་[༩]བླ་ན་མེད་པ་ཡང་དག་པར་རྫོགས་པའི་བྱང་ཆུབ་ཏུ་ལུང་བསྟན་པ་དང་། གང་གིས་ལུང་བསྟན་པ་དང་། གང་ལ་ལུང་བསྟན་པའི་ཆོས་དེ་ཡང་བདག་གིས་ཡང་དག་པར་རྗེས་སུ་མ་མཐོང་བ་སྟེ། ཆོས་དེ་དག་

ཐམས་ཅད་ནི་གཉིས་སུ་མེད་ཅིང་གཉིས་སུ་བྱར་མེད་པའོ། །ཤ་ར་དྭ་ཏིའི་བུས་སྨྲས་པ། ཆོས་དེ་དག་[༡]ཇི་སྐད་དུ་བཤད་པ་དེ་བཞིན་དུ་ཆོས་དེ་དག་ཁྱོད་ཀྱིས་མངོན་དུ་བྱས་སམ། བྱམས་པས་སྨྲས་པ། ཆོས་དེ་དག་ཇི་སྐད་བཤད་པ་དེ་ལྟར་ཆོས་དེ་དག་བདག་གིས་མངོན་དུ་བྱས་པ་མེད་དོ། །དེ་ནས་ཚེ་དང་ལྡན་པ་ཤ་ར་དྭ་ཏིའི་བུ་འདི་སྙམ་དུ་གྱུར་ཏེ་བྱང་ཆུབ་སེམས་དཔའ་སེམས་དཔའ་ཆེན་པོ་བྱམས་པ་འདི་ནི་ཤེས་རབ་ཟབ་མོ་དང་ལྡན་པ་སྟེ། འདི་ལྟར་འདི་ཡང་ཡུན་རིང་པོར་སྦྱིན་པའི་ཕ་རོལ་ཏུ་ཕྱིན་པ་ལ་སྤྱད་པ་དང་། ཚུལ་ཁྲིམས་ཀྱི་ཕ་རོལ་ཏུ་ཕྱིན་པ་དང་། བཟོད་པའི་ཕ་རོལ་ཏུ་ཕྱིན་པ་དང་། བརྩོན་འགྲུས་ཀྱི་ཕ་རོལ་ཏུ་ཕྱིན་པ་དང་། བསམ་གཏན་གྱི་ཕ་རོལ་ཏུ་ཕྱིན་པ་དང་། ཤེས་རབ་ཀྱི་ཕ་རོལ་ཏུ་ཕྱིན་པ་ལ་སྤྱད་པས་བསྟན་པ་སྟེ། འདི་ནི་མི་དམིགས་པར་སྤྱོད་པས་བསྟན་པའོ། །དེ་ནས་བཅོམ་ལྡན་འདས་ཀྱིས་ཚེ་དང་ལྡན་པ་ཤ་ར་དྭ་ཏིའི་བུ་ལ་འདི་སྐད་ཅེས་བཀའ་སྩལ་ཏོ། །ཤ་ར་དྭ་ཏིའི་བུ་དེ་ཇི་སྙམ་དུ་སེམས། ཆོས་གང་གིས་ཁྱོད་དགྲ་བཅོམ་པར་བརྗོད་པའི་ཆོས་དེ་ཁྱོད་ཀྱིས་ཡང་དག་པར་རྗེས་སུ་མཐོང་ངམ། གསོལ་པ། བཅོམ་ལྡན་འདས་དེ་ནི་མ་ལགས་སོ། །བཅོམ་ལྡན་འདས་ཀྱིས་བཀའ་སྩལ་པ། ཤ་ར་དྭ་ཏིའི་བུ་དེ་དེ་བཞིན་ཏེ། བྱང་ཆུབ་སེམས་དཔའ་སེམས་དཔའ་ཆེན་པོ་ཤེས་རབ་ཀྱི་ཕ་རོལ་ཏུ་ཕྱིན་པ་ལ་སྤྱོད་པ་ནི་འདི་སྙམ་དུ་ལུང་བསྟན་པའི་ཆོས་དེ་ནི་འདིའོ། །ལུང་བསྟན་པར་འགྱུར་བའི་ཆོས་དེ་ནི་འདིའོ། །ལུང་བསྟན་པར་གྱུར་པའི་ཆོས་དེ་ནི་འདིའོ། །[༢]བླ་ན་མེད་པ་ཡང་དག་པར་རྫོགས་པའི་བྱང་ཆུབ་ཏུ་མངོན་པར་རྫོགས་པར་འཚང་རྒྱ་བའི་ཆོས་དེ་ནི་འདིའོ་ཞེས་བྱ་བར་མི་སེམས་ཏེ། དེ་ལྟར་སྤྱོད་པའི་བྱང་ཆུབ་སེམས་དཔའ་སེམས་དཔའ་ཆེན་པོ་ནི་ཤེས་རབ་ཀྱི་ཕ་རོལ་ཏུ་ཕྱིན་པ་ལ་སྤྱོད་པ་སྟེ།

དེ་ལ་ཐེ་ཙོམ་[༡]སྐྱེ་བ་མེད་ཅིང་བདག་ནི་བླ་ན་མེད་པ་ཡང་དག་པར་རྫོགས་པའི་བྱང་ཆུབ་ཏུ་མངོན་པར་རྫོགས་པར་འཚང་མི་རྒྱ་བ་མ་ཡིན་གྱི། བདག་ནི་གདོན་མི་ཟ་བར་བླ་ན་མེད་པ་ཡང་དག་པར་རྫོགས་པའི་བྱང་ཆུབ་ཏུ་མངོན་པར་རྫོགས་པར་འཚང་རྒྱ་བར་འགྱུར་རོ་སྙམ་སྟེ། ཤཱ་ར་དྭ་ཏིའི་བུ་གང་དེ་ལྟར་སྤྱོད་པ་དེ་ནི་ཤེས་རབ་ཀྱི་ཕ་རོལ་ཏུ་ཕྱིན་པ་ལ་སྤྱོད་པའོ། །ཤཱ་ར་དྭ་ཏིའི་བུ་དེ་ལྟར་སྤྱོད་པའི་བྱང་ཆུབ་སེམས་དཔའ་སེམས་དཔའ་ཆེན་པོ་ནི་མི་འཇིགས་མི་དངང་[༣]སྐྲག་པར་མི་འགྱུར་ཞིང་བདག་ནི་བླ་ན་མེད་པ་ཡང་དག་པར་རྫོགས་པའི་བྱང་ཆུབ་ཏུ་མངོན་པར་རྫོགས་པར་འཚང་མི་རྒྱ་བ་མ་ཡིན་གྱི། བདག་ནི་གདོན་མི་ཟ་བར་བླ་ན་མེད་པ་ཡང་དག་པར་རྫོགས་པའི་བྱང་ཆུབ་ཏུ་མངོན་པར་རྫོགས་པར་འཚང་རྒྱ་བར་འགྱུར་རོ་སྙམ་མོ། །དེ་ནས་ཚེ་དང་ལྡན་པ་རབ་འབྱོར་གྱིས་བཅོམ་ལྡན་འདས་ལ་འདི་སྐད་ཅེས་གསོལ་ཏོ། །བཅོམ་ལྡན་འདས་ཇི་ལྟར་ན་བྱང་ཆུབ་སེམས་དཔའ་སེམས་དཔའ་ཆེན་པོ་ཕ་རོལ་ཏུ་ཕྱིན་པ་དྲུག་ཡོངས་སུ་རྫོགས་པར་བགྱིད་ཅིང་རྣམ་པ་ཐམས་ཅད་མཁྱེན་པ་ཉིད་དང་ཡང་ཉེ་བར་གྱུར་པ་ལགས། དེ་སྐད་ཅེས་གསོལ་པ་དང་། བཅོམ་ལྡན་འདས་ཀྱིས་ཚེ་དང་ལྡན་པ་རབ་འབྱོར་ལ་འདི་སྐད་ཅེས་བཀའ་སྩལ་ཏོ། །རབ་འབྱོར་འདི་ལ་བྱང་ཆུབ་སེམས་དཔའ་སེམས་དཔའ་ཆེན་པོ་སྦྱིན་པའི་ཕ་རོལ་ཏུ་ཕྱིན་པ་ལ་སྤྱོད་པའི་ཚེ། སེམས་ཅན་བཀྲེས་པ་རྣམས་མཐོང་ཞིང་། སེམས་ཅན་སྐོམ་པ་དང་། གོས་ངན་པ་དང་། ཟས་དང་། གོས་དང་། མལ་ཆས་ཕོངས་པ་དག་མཐོང་ན། འདི་ལྟར་ཡོངས་སུ་བརྟག་པར་བྱ་སྟེ། ཅི་ནས་ཀྱང་བདག་བླ་ན་མེད་པ་ཡང་དག་པར་རྫོགས་པའི་བྱང་ཆུབ་ཏུ་མངོན་པར་རྫོགས་པར་སངས་རྒྱས་པའི་སངས་རྒྱས་ཀྱི་ཞིང་དེ་ན་སེམས་ཅན་རྣམས་ཀྱི་ཉེས་པ་འདི་དག་ཐམས་ཅད་དུ་ཐམས་ཅད་མི་

འབྱུང་ཞིང་མི་སྲིད་པ་དང་། རྒྱལ་ཆེན་བཞིའི་རིས་ཀྱི་ལྷ་རྣམས་དང་། སུམ་ཅུ་རྩ་གསུམ་དང་མཚེ་མ་དང་དགའ་ལྡན་དང་འཕྲུལ་དགའ་དང་གཞན་འཕྲུལ་དབང་བྱེད་ཀྱི་ལྷ་རྣམས་ཀྱི་ཡོངས་སྤྱོད་དང་སྤྱིད་པ་ཇི་ལྟ་བ་དེ་བཞིན་དུ་སངས་རྒྱས་ཀྱི་ཞིང་དེའི་ཡོངས་སྤྱོད་དང་། སྤྱིད་པར་འགྱུར་བ་དེ་ལྟ་དེ་ལྟར་སྦྱིན་པའི་ཕ་རོལ་དུ་ཕྱིན་པ་ལ་སྤྱད་པར་བྱའོ་ཞེས་ཡོངས་སུ་བརྟག་པར་བྱ་སྟེ། རབ་འབྱོར་དེ་ལྟར་སྤྱོད་པའི་བྱང་ཆུབ་སེམས་དཔའ་སེམས་དཔའ་ཆེན་པོ་ནི་སྦྱིན་པའི་ཕ་རོལ་དུ་ཕྱིན་པ་ཡང་ཡོངས་སུ་རྫོགས་པར་བྱེད། བླ་ན་མེད་པ་ཡང་དག་པར་རྫོགས་པའི་བྱང་ཆུབ་དང་ཡང་ཉེ་བར་ཞ་གྱུར་པ་[༧]ཡིན་ནོ། །རབ་འབྱོར་གཞན་ཡང་བྱང་ཆུབ་སེམས་དཔའ་[༡]སེམས་དཔའ་ཆེན་པོ་ཚུལ་ཁྲིམས་ཀྱི་ཕ་རོལ་དུ་ཕྱིན་པ་ལ་སྤྱོད་པའི་ཚེ། སེམས་ཅན་སྲོག་གཅོད་པ་དག་མཐོང་ངམ། སེམས་ཅན་མ་བྱིན་པར་ལེན་པ་དང་། འདོད་པས་ལོག་པར་གཡེམ་པ་དང་། རྫུན་[༡]དུ་སྨྲ་བ་དང་། ཕྲ་མ་ཟེར་བ་དང་། ཞེ་གཅོད་པའི་ཚིག་ཅན་དང་ཚིག་ཀྱལ་པ་སྨྲ་བ་དང་། ཆགས་སེམས་ཅན་དང་། གནོད་སེམས་ཅན་དང་། ལོག་པར་ལྟ་བ་ཅན་དག་མཐོང་ངམ། སེམས་ཅན་ཚེ་ཐུང་ངུ་དང་། ནད་མང་བ་དང་། མདོག་ངན་པ་དང་། མཐུ་ཆུང་ངུ་དང་། ཡོངས་སྤྱོད་ཆུང་ངུ་དང་། རིགས་དམའ་བ་དང་། སེམས་ཅན་ཡན་ལག་དང་ཉིང་ལག་མ་ཚང་བ་དག་མཐོང་ན། འདི་ལྟར་ཡོངས་སུ་བརྟག་པར་བྱ་སྟེ། ཅི་ནས་ཀྱང་བདག་བླ་ན་མེད་པ་ཡང་དག་པར་རྫོགས་པའི་བྱང་ཆུབ་ཏུ་མངོན་པར་རྫོགས་པར་སངས་རྒྱས་པའི་སངས་རྒྱས་ཀྱི་ཞིང་དེ་ན། སེམས་ཅན་རྣམས་ཀྱི་ཉེས་པ་འདི་དག་ཐམས་ཅད་དུ་ཐམས་ཅད་མི་འབྱུང་ཞིང་མི་སྲིད་པ་དང་སེམས་ཅན་ཐམས་ཅད་དགེ་བ་བཅུའི་ལས་ཀྱི་ལམ་ལ་རབ་ཏུ་གནས་པར་འགྱུར་བ། དེ་ལྟ་དེ་ལྟར་ཚུལ་ཁྲིམས་ཀྱི་ཕ་རོལ་ཏུ་ཕྱིན་པ་ལ་

སྤྱོད་པར་བྱའོ་ཞེས་ཡོངས་སུ་བརྟག་པར་བྱ་སྟེ། རབ་འབྱོར་དེ་ལྟར་སྤྱོད་པའི་བྱང་ཆུབ་སེམས་དཔའ་སེམས་དཔའ་ཆེན་པོ་ནི་ཚུལ་ཁྲིམས་ཀྱི་ཕ་རོལ་ཏུ་ཕྱིན་པ་ཡང་ཡོངས་སུ་རྫོགས་པར་བྱེད། བླ་ན་མེད་པ་ཡང་དག་པར་རྫོགས་པའི་བྱང་ཆུབ་དང་ཡང་ཉེ་བར་གྱུར་པ་ཡིན་ནོ། །རབ་འབྱོར་གཞན་ཡང་བྱང་ཆུབ་སེམས་དཔའ་སེམས་དཔའ་ཆེན་པོ་བཟོད་པའི་ཕ་རོལ་ཏུ་ཕྱིན་པ་ལ་སྤྱོད་པའི་ཚེ། སེམས་ཅན་ཕན་ཚུན་དུ་གནོད་པར་སེམས་པ་རྡོ་དང་དབྱིག་པ་དང་མཚོན་གྱིས་འདེབས་ཤིང་རྡེག[7]པ་དང་། གསོད་པ་དག་མཐོང་ན་འདི་ལྟར་ཡོངས་སུ་བརྟག་པར་བྱ་སྟེ། ཅི་ནས་ཀྱང་བདག་བླ་ན་མེད་པ་ཡང་དག་པར་རྫོགས་པའི་བྱང་ཆུབ་ཏུ་མངོན་པར་རྫོགས་པར་སངས་རྒྱས་པའི་སངས་རྒྱས་ཀྱི་ཞིང་དེ་ན། སེམས་ཅན་རྣམས་ཀྱི་ཉེས་པ་འདི་དག་ཐམས་ཅད་དུ་ཐམས་ཅད་མི་འབྱུང་ཞིང་། མི་སྲིད་པ་དང་། སེམས་ཅན་ཐམས་ཅད་ཀྱང་སེམས་ཅན་ཐམས་ཅད་ལ་མ་ལྟ་བུའི་སེམས་སུ་འགྱུར་བ་དང་། ཕ་ལྟ་བུའི་སེམས་སུ་འགྱུར་བ་དང་། ཕུ་ནུ་ལྟ་བུའི་སེམས་སུ་འགྱུར་བ་དང་། སྲིང་མོ་ལྟ་བུའི་སེམས་སུ་འགྱུར་བ་དང་། བྱམས་པའི་སེམས་སུ་འགྱུར་བ་དང་། ཕན་པའི་སེམས་སུ་འགྱུར་བ་དེ་ལྟ་དེ་ལྟར་བཟོད་པའི་ཕ་རོལ་ཏུ་ཕྱིན་པ་ལ་སྤྱད[3]པར་བྱའོ། །ཞེས་ཡོངས་སུ་བརྟག་པར་བྱ་སྟེ། རབ་འབྱོར་དེ་ལྟར་སྤྱོད་པའི་བྱང་ཆུབ་སེམས་དཔའ་སེམས་དཔའ་ཆེན་པོ་ནི་བཟོད་པའི་ཕ་རོལ་ཏུ་ཕྱིན་པ་ཡང་ཡོངས་སུ་རྫོགས་པར་བྱེད། བླ་ན་མེད་པ་ཡང་དག་པར་རྫོགས་པའི་བྱང་ཆུབ་དང་ཡང་ཉེ་བར་གྱུར་པ་ཡིན་ནོ། །རབ་འབྱོར་གཞན་ཡང་བྱང་ཆུབ་སེམས་དཔའ་སེམས་དཔའ་ཆེན་པོ་བརྩོན་འགྲུས་ཀྱི་ཕ་རོལ་ཏུ་ཕྱིན་པ་ལ་སྤྱོད་པའི་ཚེ། སེམས་ཅན་བརྩོན་འགྲུས་ཞན་པ་དང་། ལེ་ལོའི་སེམས་དང་ལྡན་པ་དང་། ཐེག་པ་གསུམ་པོ་འདི་ལྟ་སྟེ། ཉན་ཐོས་ཀྱི་

ཐེག་པ་དང་། རང་སངས་རྒྱས་ཀྱི་ཐེག་པ་དང་། སངས་རྒྱས་ཀྱི་ཐེག་པ་ལ་རྒྱབ་ཀྱིས་ཕྱོགས་པ་དག་མཐོང་ན། འདི་ལྟར་ཡོངས་སུ་བརྟག་པར་བྱ་སྟེ། ཅི་ནས་ཀྱང་བདག་བླ་ན་མེད་པ་ཡང་དག་པར་རྫོགས་པའི་བྱང་ཆུབ་ཏུ་མངོན་པར་རྫོགས་པར་སངས་རྒྱས་པའི་སངས་རྒྱས་ཀྱི་ཞིང་དེ་ན། སེམས་ཅན་རྣམས་ཀྱི་ཉེས་པ་འདི་དག་ཐམས་ཅད་དུ་ཐམས་ཅད་མི་འབྱུང་ཞིང་མི་སྲིད་པ་དང་། སེམས་ཅན་ཐམས་ཅད་ཀྱང་བརྩོན་འགྲུས་བརྟན་པ་[༡]བརྩམས་ཤིང་ཐེག་པ་གསུམ་གྱིས་ཡོངས་སུ་མྱ་ངན་ལས་འདའ་བར་འགྱུར་བར་བྱའོ། །ཞེས་ཡོངས་སུ་བརྟག་པར་བྱ་སྟེ། རབ་འབྱོར་དེ་ལྟར་སྤྱོད་པའི་བྱང་ཆུབ་སེམས་དཔའ་སེམས་དཔའ་ཆེན་པོ་ནི་བརྩོན་འགྲུས་ཀྱི་ཕ་རོལ་ཏུ་ཕྱིན་པ་ཡང་ཡོངས་སུ་རྫོགས་པར་བྱེད། བླ་ན་མེད་པ་ཡང་དག་པར་རྫོགས་པའི་བྱང་ཆུབ་དང་ཡང་ཉེ་བར་གྱུར་པ་ཡིན་ནོ། །རབ་འབྱོར་གཞན་ཡང་བྱང་ཆུབ་སེམས་དཔའ་སེམས་དཔའ་ཆེན་པོ་བསམ་གཏན་གྱི་ཕ་རོལ་ཏུ་ཕྱིན་པ་ལ་སྤྱོད་པའི་ཚེ། སེམས་ཅན་འདོད་པའི་སྲིད་པ་དང་། གནོད་སེམས་དང་། རྨུགས་པ་དང་། གཉིད་དང་། རྒོད་[༢]པ་དང་འགྱོད་པ་དང་། ཐེ་ཚོམ་དང་སྒྲིབས་[༣]པ་ལྔས་བསྒྲིབས་པ་མཐོང་ངམ། བསམ་གཏན་དང་པོ་དང་མི་ལྡན་པ་མཐོང་ངམ། བསམ་གཏན་གཉིས་པ་དང་བསམ་གཏན་གསུམ་པ་དང་། བསམ་གཏན་བཞི་པ་དང་མི་ལྡན་པ་མཐོང་ངམ། བྱམས་པ་དང་མི་ལྡན་པ་མཐོང་ངམ། སྙིང་རྗེ་དང་དགའ་བ་དང་བཏང་སྙོམས་དང་མི་ལྡན་པ་མཐོང་ངམ། ནམ་མཁའ་མཐའ་ཡས་སྐྱེ་མཆེད་ཀྱི་སྙོམས་པར་འཇུག་པ་དང་མི་ལྡན་པ་མཐོང་ངམ། རྣམ་ཤེས་མཐའ་ཡས་སྐྱེ་མཆེད་ཀྱི་སྙོམས་པར་འཇུག་པ་དང་། ཅུང་ཟད་མེད་པའི་སྐྱེ་མཆེད་ཀྱི་སྙོམས་པར་འཇུག་པ་དང་། འདུ་ཤེས་མེད་འདུ་ཤེས་མེད་མིན་སྐྱེ་མཆེད་ཀྱི་སྙོམས་པར་འཇུག་པ་དང་མི་ལྡན་པ་

དག་མཐོང་ན། འདི་ལྟར་ཡོངས་སུ་བརྟག་པར་བྱ་སྟེ། ཅི་ནས་ཀྱང་བདག་བླ་ན་མེད་པ་ཡང་དག་པར་རྫོགས་པའི་བྱང་ཆུབ་ཏུ་མངོན་པར་རྫོགས་པར་སངས་རྒྱས་པའི་སངས་རྒྱས་ཀྱི་ཞིང་དེ་ན་སེམས་ཅན་རྣམས་ཀྱི་ཉེས་པ་འདི་དག་ཐམས་ཅད་དུ་ཐམས་ཅད་མི་འབྱུང་ཞིང་མི་སྲིད་པ་དང་སེམས་ཅན་ཐམས་ཅད་བསམ་གཏན་དང་། ཚད་མེད་པ་དང་གཟུགས་མེད་པའི་སྙོམས་པར་འཇུག་པ་ཐོབ་པར་འགྱུར་བ་དེ་ལྟ་དེ་ལྟར་བསམ་གཏན་གྱི་ཕ་རོལ་ཏུ་ཕྱིན་པ་ལ་སྤྱད་པར་བྱའོ། །སངས་རྒྱས་ཀྱི་ཞིང་ཡོངས་སུ་དག་པར་བྱའོ། །སེམས་ཅན་ཡོངས་སུ་སྨིན་པར་བྱའོ་ཞེས་དེ་ལྟར་ཡོངས་སུ་བརྟག་པར་བྱ་སྟེ། རབ་འབྱོར་དེ་ལྟར་སྤྱོད་པའི་བྱང་ཆུབ་སེམས་དཔའ་སེམས་དཔའ་ཆེན་པོ་ནི་བསམ་གཏན་གྱི་ཕ་རོལ་ཏུ་ཕྱིན་པ་ཡང་ཡོངས་སུ་རྫོགས་པར་བྱེད། བླ་ན་མེད་པ་ཡང་དག་པར་རྫོགས་པའི་བྱང་ཆུབ་དང་ཡང་ཉེ་བར་གྱུར་པ་ཡིན་ནོ། །རབ་འབྱོར་གཞན་ཡང་བྱང་ཆུབ་སེམས་དཔའ་སེམས་དཔའ་ཆེན་པོ་ཤེས་རབ་ཀྱི་ཕ་རོལ་ཏུ་ཕྱིན་པ་ལ་སྤྱོད་པའི་ཚེ། ཤེས་རབ་འཆལ་པ་ཅན་གྱི་སེམས་ཅན། འཇིག་རྟེན་པ་དང་། འཇིག་རྟེན་ལས་འདས་པའི་ཡང་དག་པར་ལྟ་བ་དང་བྲལ་བ། བྱ་བ་མ་ཡིན་པར་སྨྲ་བ། མེད་པར་སྨྲ་བ། ཆད་པར་སྨྲ་བ། རྟག་པར་ལྟ་བ། སེམས་ཅན་དུ་སྨྲ་བ་དག་མཐོང་ན། འདི་ལྟར་ཡོངས་སུ་བརྟག་པར་བྱ་སྟེ། ཅི་ནས་ཀྱང་བདག་བླ་ན་མེད་པ་ཡང་དག་པར་རྫོགས་པའི་བྱང་ཆུབ་ཏུ་མངོན་པར་རྫོགས་པར་སངས་རྒྱས་པའི། སངས་རྒྱས་ཀྱི་ཞིང་དེ་ན། སེམས་ཅན་རྣམས་ཀྱི་ཉེས་པ་འདི་དག་ཐམས་ཅད་དུ། ཐམས་ཅད་མི་འབྱུང་ཞིང་། མི་སྲིད་པ་དང་། སེམས་ཅན་ཐམས་ཅད་ལྟ་བའི་རྣམ་པ་ཐམས་ཅད་སྤངས་ཤིང་། ཤེས་རབ་ཀྱི་ཕ་རོལ་ཏུ་ཕྱིན་པ་ལ་གནས་པར་འགྱུར་བ། དེ་ལྟ་དེ་ལྟར་ཤེས་རབ་ཀྱི་ཕ་རོལ་ཏུ་ཕྱིན་པ་ལ་སྤྱད་

པར་བྱའོ། །སངས་རྒྱས་ཀྱི་ཞིང་ཡོངས་སུ་དག་པར་བྱའོ། །སེམས་ཅན་ཡོངས་སུ་སྨིན་པར་བྱའོ། །ཞེས་དེ་ལྟར་ཡོངས་སུ་བརྟག་པར་བྱ་སྟེ། རབ་འབྱོར་དེ་ལྟར་སྤྱོད་པའི་བྱང་ཆུབ་སེམས་དཔའ་སེམས་དཔའ་ཆེན་པོ་ནི། ཤེས་རབ་ཀྱི་ཕ་རོལ་ཏུ་ཕྱིན་པ་ཡང་ཡོངས་སུ་རྫོགས་པར་བྱེད། བླ་ན་མེད་པ་ཡང་དག་པར་རྫོགས་པའི་བྱང་ཆུབ་དང་། ཡང་ཉེ་བར་གྱུར་པ་ཡིན་ནོ། །རབ་འབྱོར་གཞན་ཡང་བྱང་ཆུབ་སེམས་དཔའ་སེམས་དཔའ་ཆེན་པོ། ཕ་རོལ་ཏུ་ཕྱིན་པ་དྲུག་ལ་སྤྱོད་པའི་ཚེ། སེམས་ཅན་ཕུང་པོ་གསུམ་ལ་གནས་པ། ངེས་པ་དང་། མ་ངེས་པ་དང་། ལོག་[༧]པར་ངེས་པ་དག་མཐོང་ན། འདི་ལྟར་ཡོངས་སུ་བརྟག་པར་བྱ་སྟེ། ཅི་ནས་ཀྱང་[༢]བདག་བླ་ན་མེད་པ་ཡང་དག་པར་རྫོགས་པའི་བྱང་ཆུབ་ཏུ་མངོན་པར་རྫོགས་པར་སངས་རྒྱས་པའི། སངས་རྒྱས་ཀྱི་ཞིང་དེ་ན་ཆུང་ངུ་ན། སེམས་ཅན་ལོག་པར་ངེས་པའི་སྒྲ་ཡང་མི་གྲག་ཅིང་། མི་སྲིད་པ་དེ་ལྟ་དེ་ལྟར། ཕ་རོལ་ཏུ་ཕྱིན་པ་དྲུག་ལ་སྤྱད་པར་བྱའོ། །སངས་རྒྱས་ཀྱི་ཞིང་ཡོངས་སུ་དག་པར་བྱའོ། །སེམས་ཅན་ཡོངས་སུ་སྨིན་པར་བྱའོ། །ཞེས་དེ་ལྟར་ཡོངས་སུ་བརྟག་པར་བྱ་སྟེ། རབ་འབྱོར་དེ་ལྟར་སྤྱོད་པའི་བྱང་ཆུབ་སེམས་དཔའ་སེམས་དཔའ་ཆེན་པོ་ནི། ཕ་རོལ་ཏུ་ཕྱིན་པ་དྲུག་ཀྱང་ཡོངས་སུ་རྫོགས་པར་བྱེད། རྣམ་པ་ཐམས་ཅད་མཁྱེན་པ་ཉིད་དང་ཡང་ཉེ་བར་གྱུར་[༡]པ་ཡིན་ནོ། །རབ་འབྱོར་གཞན་ཡང་བྱང་ཆུབ་སེམས་དཔའ་སེམས་དཔའ་ཆེན་པོ་ཕ་རོལ་ཏུ་ཕྱིན་[༦]པ་དྲུག་ལ་སྤྱོད་པའི་ཚེ། སེམས་ཅན་དམྱལ་བའི་[༥]སེམས་ཅན་དག་མཐོང་ངམ། བྱོལ་སོང་གི་སྐྱེ་གནས་པ་དང་། གཤིན་རྗེའི་འཇིག་རྟེན་པའི་སེམས་ཅན་དག་མཐོང་ན། འདི་ལྟར་ཡོངས་སུ་བརྟག་པར་བྱ་སྟེ། ཅི་ནས་ཀྱང་བདག་བླ་ན་མེད་པ་ཡང་དག་པར་རྫོགས་པའི་བྱང་ཆུབ་ཏུ་མངོན་པར་རྫོགས་པར་

སངས་རྒྱས་པའི། སངས་རྒྱས་ཀྱི་ཞིང་དེ་ན། ཆུང་དུ་ན་[༡]ངན་སོང་གསུམ་གྱི་
སྒྲ་ཡང་མི་གྲག་ཅིང་མི་སྲིད་པ། དེ་ལྟ་དེ་ལྟར་ཕ་རོལ་ཏུ་ཕྱིན་པ་དྲུག་ལ་སྤྱད་པར་
བྱའོ། །སངས་རྒྱས་ཀྱི་ཞིང་ཡོངས་སུ་དག་པར་བྱའོ། །སེམས་ཅན་ཡོངས་སུ་
སྨིན་པར་བྱའོ། །ཞེས་དེ་ལྟར་ཡོངས་སུ་བརྟག་པར་བྱ་སྟེ། རབ་འབྱོར་དེ་ལྟར་
སྤྱོད་པའི་བྱང་ཆུབ་སེམས་དཔའ་སེམས་དཔའ་ཆེན་པོ་ནི། ཕ་རོལ་ཏུ་ཕྱིན་པ་[༢]
དྲུག་ཀྱང་ཡོངས་སུ་རྫོགས་པར་བྱེད། རྣམ་པ་ཐམས་ཅད་མཁྱེན་པ་ཉིད་དང་
ཡང་ཉེ་བར་གྱུར་པ་ཡིན་ནོ། །རབ་འབྱོར་གཞན་ཡང་བྱང་ཆུབ་སེམས་དཔའ་····
སེམས་དཔའ་ཆེན་པོ། ཕ་རོལ་ཏུ་ཕྱིན་པ་དྲུག་ལ་སྤྱོད་པའི་ཚེ། ས་ཆེན་པོ་
འདི་ལ་སྡོང་དུམ་དང་། ཚེར་མ་དང་། སབ་སུབ་དང་། གཙོང་རོང་དང་།
གཡང་ས་དང་། ལྡན་ལྡིན་དང་། ལུང་[༣]ཁུང་དག་མཐོང་ན། འདི་ལྟར་
ཡོངས་སུ་བརྟག་པར་བྱ་སྟེ། ཅི་ནས་ཀྱང་བདག་བླ་ན་མེད་པ་ཡང་དག་པར་
རྫོགས་པའི་བྱང་ཆུབ་ཏུ་མངོན་པར་རྫོགས་པར་སངས་རྒྱས་པའི། སངས་རྒྱས་ཀྱི་
ཞིང་དེ་ན་སེམས་ཅན་གྱི་ཉེས་པ་དེ་དག་ཐམས་ཅད་དུ་ཐམས་ཅད་མི་འབྱུང་ཞིང་··
མི་སྲིད་པ་དང་། བདག་གིས་སངས་རྒྱས་ཀྱི་ཞིང་དེ་ལག་མཐིལ་[༤]ལྟར་མཉམ་
པར་འགྱུར་བ། དེ་ལྟ་དེ་ལྟར་ཕ་རོལ་ཏུ་ཕྱིན་པ་དྲུག་ལ་སྤྱད་པར་བྱའོ། །
སངས་རྒྱས་ཀྱི་ཞིང་ཡོངས་སུ་དག་པར་བྱའོ། །སེམས་ཅན་ཡོངས་སུ་སྨིན་པར་
བྱའོ་ཞེས་དེ་ལྟར་ཡོངས་སུ་བརྟག་པར་བྱ་སྟེ། རབ་འབྱོར་དེ་ལྟར་སྤྱོད་པའི་བྱང་
ཆུབ་སེམས་དཔའ་སེམས་དཔའ་ཆེན་པོ་ནི། ཕ་རོལ་ཏུ་ཕྱིན་པ་དྲུག་ཀྱང་ཡོངས་
སུ་རྫོགས་པར་བྱེད། རྣམ་པ་ཐམས་ཅད་མཁྱེན་པ་ཉིད་དང་ཡང་ཉེ་བར༔གྱུར་པ་[༥]
ཡིན་ནོ། །རབ་འབྱོར་གཞན་ཡང་བྱང་ཆུབ་སེམས་དཔའ་སེམས་དཔའ་ཆེན་པོ་··
ཕ་རོལ་ཏུ་ཕྱིན་པ་དྲུག་ལ་སྤྱོད་པའི་ཚེ། ས་ཆེན་པོ་འདི་སའི་རྒྱུ་ལས་གྲུབ་པ་དང་།

གསེར་དངུལ་དང་མི་ལྡན་པར་མཐོང་ན། འདི་ལྟར་ཡོངས་སུ་བརྟག་པར་བྱ་སྟེ། ཅི་ནས་ཀྱང་བདག་བླ་ན་མེད་པ་ཡང་དག་པར་རྫོགས་པའི་བྱང་ཆུབ་ཏུ་མངོན་པར་རྫོགས་པར་སངས་རྒྱས་པའི་སངས་རྒྱས་ཀྱི་ཞིང་དེ་ན། ས་ཆེན་པོ་འདི་གཞི་བེ···ཧྲུ་ཙུ་[༧]སྔོན་པོའི་རྒྱུ་ལས་གྲུབ་པ། གསེར་གྱི་བྱེ་མ་བདལ་བར་འགྱུར་བ། དེ་ལྟ་དེ་ལྟར་ཕ་རོལ་ཏུ་ཕྱིན་པ་དྲུག་ལ་སྤྱད་པར་བྱའོ། །སངས་རྒྱས་ཀྱི་ཞིང་ཡོངས་སུ་དག་པར་བྱའོ། །སེམས་ཅན་ཡོངས་སུ་སྨིན་པར་བྱའོ་ཞེས་དེ་ལྟར་ཡོངས་སུ་བརྟག་པར་བྱ་སྟེ། རབ་འབྱོར་དེ་ལྟར་སྤྱོད་པའི་བྱང་ཆུབ་སེམས་དཔའ་སེམས···དཔའ་ཆེན་པོ་ནི། ཕ་རོལ་ཏུ་ཕྱིན་པ་དྲུག་ཀྱང་ཡོངས་སུ་རྫོགས་པར་བྱེད། རྣམ་པ་ཐམས་ཅད་མཁྱེན་པ་ཉིད་དང་ཡང་ཉེ་བར་གྱུར་པ་ཡིན་ནོ། །རབ་འབྱོར་གཞན་ཡང་བྱང་ཆུབ་སེམས་དཔའ་སེམས་དཔའ་ཆེན་པོ་ཕ་རོལ་ཏུ་ཕྱིན་པ་དྲུག་ལ་སྤྱོད་པའི་ཚེ། སེམས་ཅན་བདག་ཏུ་བྱ་བའི་ཡོངས་སུ་འཛིན་པ་ལ་གནས་པ་དག་མཐོང་ན། འདི་ལྟར་ཡོངས་སུ་བརྟག་པར་བྱ་སྟེ། ཅི་ནས་ཀྱང་བདག་བླ་ན···མེད་པ་ཡང་དག་པར་རྫོགས་པའི་བྱང་ཆུབ་ཏུ་མངོན་པར་རྫོགས་པར་སངས་རྒྱས་པའི་སངས་རྒྱས་ཀྱི་ཞིང་དེ་ན། སེམས་ཅན་རྣམས་བདག་གིར་བྱ་བ་ལ་ཡོངས་སུ་འཛིན་པ་མི་འབྱུང་ཞིང་མི་སྲིད་པ་དང་། སེམས་ཅན་ཐམས་ཅད་བདག་གི་མེད་པ་དང་། ཡོངས་སུ་འཛིན་པར་མི་འགྱུར་བ་དེ་ལྟ་དེ་ལྟར་ཕ་རོལ་ཏུ་ཕྱིན་པ་དྲུག་ལ་སྤྱད་[༣]པར་བྱའོ། །སངས་རྒྱས་ཀྱི་ཞིང་ཡོངས་སུ་དག་པར་བྱའོ། །སེམས····ཅན་རྣམས་ཡོངས་སུ་སྨིན་པར་བྱའོ་ཞེས་དེ་ལྟར་ཡོངས་སུ་བརྟག་པར་བྱ་སྟེ། རབ་འབྱོར་དེ་ལྟར་སྤྱོད་པའི་བྱང་ཆུབ་སེམས་དཔའ་སེམས་དཔའ་ཆེན་པོ་ནི་ཕ་རོལ་ཏུ་ཕྱིན་པ་དྲུག་ཀྱང་ཡོངས་སུ་རྫོགས་པར་བྱེད། རྣམ་པ་ཐམས་ཅད་མཁྱེན་པ་ཉིད་དང་ཡང་ཉེ་བར་གྱུར་པ་ཡིན་ནོ། །རབ་འབྱོར་གཞན་ཡང་བྱང་ཆུབ་

སེམས་དཔའ་སེམས་དཔའ་ཆེན་པོ། ཕ་རོལ་ཏུ་ཕྱིན་པ་དྲུག་ལ་སྤྱོད་པའི་ཚེ། རྒྱལ་རིགས་དང་། བྲམ་ཟེའི་རིགས་དང་། རྗེའུ་རིགས་དང་། དམངས་རིགས་དང་། རིགས་བཞི་པོ་མཐོང་ན། འདི་ལྟར་ཡོངས་སུ་བརྟག་པར་བྱ་སྟེ། ཅི་ནས་ཀྱང་བདག་བླ་ན་མེད་པ་ཡང་དག་པར་རྫོགས་པའི་བྱང་ཆུབ་ཏུ་མངོན་པར་རྫོགས་པར་སངས་རྒྱས་པའི་སངས་རྒྱས་ཀྱི་ཞིང་དེ་ན། ཚུང་ཏུ་ན་[༧]རིགས་བཞིའི་སྒྲ་ཡང་མི་གྲག་ཅིང་མི་སྲིད་པ། དེ་ལྟ་དེ་ལྟར་ཕ་རོལ་ཏུ་ཕྱིན་པ་དྲུག་ལ་སྤྱད་པར་བྱའོ། །སངས་རྒྱས་ཀྱི་ཞིང་ཡོངས་སུ་དག་པར་བྱའོ། །སེམས་ཅན་ཡོངས་སུ་སྨིན་པར་བྱའོ་ཞེས་དེ་ལྟར་ཡོངས་སུ་བརྟག་པར་བྱ་སྟེ། རབ་འབྱོར་དེ་ལྟར་སྤྱོད་པའི་བྱང་ཆུབ་སེམས་དཔའ་སེམས་དཔའ་ཆེན་པོ་ནི། ཕ་རོལ་ཏུ་ཕྱིན་པ་དྲུག་ཀྱང་ཡོངས་སུ་རྫོགས་པར་བྱེད། རྣམ་པ་ཐམས་ཅད་མཁྱེན་པ་ཉིད་དང་ཡང་ཉེ་བར་གྱུར་པ་ཡིན་ནོ། །རབ་འབྱོར་གཞན་ཡང་བྱང་ཆུབ་སེམས་དཔའ་སེམས་དཔའ་ཆེན་པོ་ཕ་རོལ་ཏུ་ཕྱིན་པ་དྲུག་ལ་སྤྱོད་པའི་ཚེ། སེམས་ཅན་རབ་དང་། འབྲིང་དང་། ཐ་མ་མཐོང་བ་དང་། སེམས་ཅན་རིགས་མཐོ་བ་དང་། རིགས་དམའ་བ་མཐོང་ན་འདི་ལྟར་ཡོངས་སུ་བརྟག་པར༔བྱ་སྟེ[༣]། ཅི་ནས་ཀྱང་བདག་བླ་ན་མེད་པ་ཡང་དག་པར་རྫོགས་པའི་བྱང་ཆུབ་ཏུ་མངོན་པར་རྫོགས་པར་སངས་རྒྱས་པའི་སངས་རྒྱས་ཀྱི་ཞིང་དེ་ན། སེམས་ཅན་རྣམས་ཀྱི་ཉེས་པ་འདི་དག་མི་འབྱུང་ཞིང་མི་སྲིད་པ་དེ་ལྟ་དེ་ལྟར་ཕ་རོལ་ཏུ་ཕྱིན་པ་དྲུག་ལ་སྤྱད་པར་བྱའོ། །སངས་རྒྱས་ཀྱི་ཞིང་ཡོངས་སུ་དག་པར་བྱའོ། །སེམས་ཅན་ཡོངས་སུ་སྨིན་པར་བྱའོ་ཞེས་དེ་ལྟར་ཡོངས་སུ་བརྟག་པར་བྱ་སྟེ། རབ་འབྱོར་དེ་ལྟར་སྤྱོད་པའི་བྱང་ཆུབ་སེམས་དཔའ་སེམས་དཔའ་ཆེན་པོ་ནི་[༡]ཕ་རོལ་ཏུ་ཕྱིན་པ་དྲུག་ཀྱང་ཡོངས་སུ་རྫོགས་པར་བྱེད། རྣམ་པ་ཐམས་ཅད་མཁྱེན་པ་ཉིད་དང་ཡང་ཉེ་བར་གྱུར་པ་

ཡིན་ནོ། །རབ་འབྱོར་གཞན་ཡང་བྱང་ཆུབ་སེམས་དཔའ་སེམས་དཔའ་ཆེན་པོ་ཕ་རོལ་ཏུ་ཕྱིན་པ་དྲུག་ལ་སྤྱོད་པའི་ཚེ། སེམས་ཅན་ཁ་དོག་ཐ་དད་པ་དག་མཐོང་ན། འདི་ལྟར་ཡོངས་སུ་བརྟག་པར་བྱ་སྟེ། ཅི་ནས་ཀྱང་བདག་བླ་ན་མེད་པ་ཡང་དག་པར་རྫོགས་པའི་བྱང་ཆུབ་ཏུ་མངོན་པར་རྫོགས་པར་སངས་རྒྱས་པའི་སངས་རྒྱས་ཀྱི་ཞིང་དེ་ན། སེམས་ཅན་རྣམས་ཁ་དོག་ཐ་དད་པ་མི་འབྱུང་ཞིང་མི་སྲིད་པ་དང་གཞན་དུ་ན་སེམས་ཅན་ཐམས་ཅད་གཟུགས་བཟང་ཞིང་མཛེས་ལ། བལྟ་ན་སྡུག་པ་དང་། ཁ་དོག་བཟང་བའི་མཆོག་རྒྱས་པ་དང་ལྡན་པར་འགྱུར་བ་དེ་ལྟ་དེ་ལྟར་ཕ་རོལ་ཏུ་ཕྱིན་པ་དྲུག་ལ་སྤྱད་པར་བྱའོ། །སངས་རྒྱས་ཀྱི་ཞིང་ཡོངས་སུ་དག་པར་བྱའོ། །སེམས་ཅན་ཡོངས་སུ་སྨིན་པར་བྱའོ་ཞེས་དེ་ལྟར་ཡོངས་སུ་བརྟག་པར་བྱ་སྟེ། རབ་འབྱོར་དེ་ལྟར་སྤྱོད་པའི་བྱང་ཆུབ་སེམས་དཔའ་སེམས་དཔའ་ཆེན་པོ་ནི་ཕ་རོལ་ཏུ་ཕྱིན་པ་དྲུག་ཀྱང་ཡོངས་སུ་རྫོགས་པར་བྱེད། རྣམ་པ་ཐམས་ཅད་མཁྱེན་པ་ཉིད་དང་ཡང་ཉེ་བར་གྱུར་པ་ཡིན་ནོ། །རབ་འབྱོར་གཞན་ཡང་བྱང་ཆུབ་སེམས་དཔའ་སེམས་དཔའ་ཆེན་པོ་ཕ་རོལ་ཏུ་ཕྱིན་པ་དྲུག་ལ་སྤྱོད་པའི་ཚེ། སེམས་ཅན་དག་ལ་བདག་པོ་ཡོད་པར་མཐོང་ན། འདི་ལྟར་ཡོངས་སུ་བརྟག་པར་བྱ་སྟེ། ⑦ཅི་ནས་ཀྱང་བདག་བླ་ན་མེད་པ་ཡང་དག་པར་རྫོགས་པའི་བྱང་ཆུབ་ཏུ་མངོན་པར་རྫོགས་པར་སངས་རྒྱས་པའི། སངས་རྒྱས་ཀྱི་ཞིང་དེ་ན། བདག་པོར་གདགས་པ་མི་འབྱུང་ཞིང་མི་སྲིད་པ་དང་། གཞན་དུ་ན་ཆོས་ཀྱི་རྒྱལ་པོ་དེ་བཞིན་གཤེགས་པ་དགྲ་བཅོམ་པ་ཡང་དག་པར་རྫོགས་པའི་སངས་རྒྱས་རྣམས་བཞུགས་པར་འགྱུར་བ་དེ་ལྟ་དེ་ལྟར་ཕ་རོལ་ཏུ་ཕྱིན་པ་དྲུག་ལ་སྤྱད་པར་བྱའོ། །སངས་རྒྱས་ཀྱི་ཞིང་ཡོངས་སུ་དག་པར་བྱའོ། །སེམས་ཅན་ཡོངས་སུ་སྨིན་པར་བྱའོ་ཞེས་དེ་ལྟར་ཡོངས་སུ་བརྟག་པར་བྱ་སྟེ།

རབ་འབྱོར་དེ་ལྟར་སྤྱོད་པའི་བྱང་ཆུབ་སེམས་དཔའ་སེམས་དཔའ་ཆེན་པོ་ནི་ཕ་རོལ་ཏུ་ཕྱིན་པ་དྲུག་ཀྱང་ཡོངས་སུ་རྫོགས་པར་བྱེད། རྣམ་པ་ཐམས་ཅད་མཁྱེན་པ་ཉིད་དང་ཡང་ཉེ་བར་གྱུར་པ་ཡིན་ནོ། །རབ་འབྱོར་གཞན་ཡང་བྱང་ཆུབ་སེམས་དཔའ་སེམས་དཔའ་ཆེན་པོ་ཕ་རོལ་ཏུ་ཕྱིན་པ་དྲུག་ལ་སྤྱོད་པའི་ཚེ། སེམས་ཅན་རྣམས་ཀྱི་ལམ་ཐ་དད་པ་མཐོང་ན། འདི་ལྟར་ཡོངས་སུ་བརྟག་པར་བྱ་སྟེ། ཅི་ནས་ཀྱང་བདག་བླ་ན་མེད་པ་ཡང་དག་པར་རྫོགས་པའི་བྱང་ཆུབ་ཏུ་མངོན་པར་རྫོགས་པར་སངས་རྒྱས་པའི་སངས་རྒྱས་ཀྱི་ཞིང་དེ་ན་སེམས་ཅན་ལྷ་དང་མི་དང་སེམས་ཅན་དམྱལ་བ་དང་། བྱོལ་སོང་གི་སྐྱེ་གནས་དང་། གཤིན་རྗེའི་འཇིག་རྟེན་པའི་ལམ་ཐ་དད་པ་མེད་ཅིང་མི་སྲིད་པ་དང་། གཞན་དུ་ན་སེམས་ཅན་ཐམས་ཅད་ལམ་གཅིག་ཏུ་འགྱུར་ཞིང་། དྲན་པ་ཉེ་བར་གཞག་པ་བཞི་དང་མ་བྲལ་བ་དང་། ཡང་དག་པར་སྤོང་བ་དང་། རྫུ་འཕྲུལ་གྱི་རྐང་པ་དང་། དབང་པོ་དང་། སྟོབས་དང་། བྱང་ཆུབ་ཀྱི་ཡན་ལག་དང་། འཕགས་པའི་ལམ་ཡན་ལག་བརྒྱད་པ་དང་། འཕགས་པའི་བདེན་པ་དང་། བསམ་གཏན་དང་། ཚད་མེད་པ་དང་། གཟུགས་མེད་པའི་སྙོམས་པར་འཇུག་པ་དང་། རྣམ་པར་ཐར་པ་དང་། མཐར་གྱིས་གནས་པའི་སྙོམས་པར་འཇུག་པ་དང་། སྟོང་པ་[7]ཉིད་དང་མཚན་མ་མེད་པ་དང་། སྨོན་པ་མེད་པ་དང་། མངོན་པར་ཤེས་པ་དང་། ཏིང་ངེ་འཛིན་དང་། གཟུངས་ཀྱི་སྒོ་དང་། དེ་བཞིན་གཤེགས་པའི་སྟོབས་བཅུ་དང་། མི་འཇིགས་པ་དང་། སོ་སོ་ཡང་དག་པར་རིག་པ་དང་། བྱམས་པ་ཆེན་པོ་དང་། སྙིང་རྗེ་ཆེན་པོ་དང་། སངས་རྒྱས་ཀྱི་ཆོས་མ་འདྲེས་པ་བཅོ་བརྒྱད་དང་མ་བྲལ་བ་དེ་ལྟ་དེ་ལྟར་ཕ་རོལ་ཏུ་ཕྱིན་པ་དྲུག་ལ་སྤྱད་པར་བྱའོ། །སངས་རྒྱས་ཀྱི་ཞིང་ཡོངས་སུ་དག་པར་བྱའོ། །

སེམས་ཅན་ཡོངས་སུ་སྨིན་པར་བྱའོ་ཞེས་དེ་ལྟར་ཡོངས་སུ་བརྟག་པར་བྱ་སྟེ། རབ་འབྱོར་དེ་ལྟར་སྤྱོད་པའི་བྱང་ཆུབ་སེམས་དཔའ་སེམས་དཔའ་ཆེན་པོ་ནི་ཕ་རོལ་ཏུ་ཕྱིན་པ་དྲུག་ཀྱང་ཡོངས་སུ་རྫོགས་པར་བྱེད། རྣམ་པ་ཐམས་ཅད་མཁྱེན་པ་ཉིད་དང་ཡང་ཉེ་བར་གྱུར་པ་ཡིན་ནོ། །རབ་འབྱོར་གཞན་ཡང་བྱང་ཆུབ་སེམས་དཔའ་སེམས་དཔའ་ཆེན་པོ་ཕ་རོལ་ཏུ་ཕྱིན་པ་དྲུག་ལ་སྤྱོད་པའི་ཚེ། སེམས་ཅན་གནས་བཞིར་སྐྱེས་པ་སྒོ་ང་ལས་སྐྱེས་པ་དང་། མངལ་ནས་སྐྱེས་པ་དང་། དྲོད་གཤེར་ལས་སྐྱེས་པ་དང་། རྫུས་ཏེ་སྐྱེས་པ་རྣམས་མཐོང་ན་འདི་ལྟར་ཡོངས་སུ་བརྟག་པར་བྱ་སྟེ། ཅི་ནས་ཀྱང་བདག་བླ་ན་མེད་པ་ཡང་དག་པར་རྫོགས་པའི་བྱང་ཆུབ་ཏུ་མངོན་པར་རྫོགས་པར་སངས་རྒྱས་པའི་སངས་རྒྱས་ཀྱི་ཞིང་དེ་ན། སྒོ་ངཿལས་སྐྱེས་པ་①དང་། མངལ་ནསཿསྐྱེས་པ་②དང་། དྲོད་གཤེར་ལསཿསྐྱེས་པའི་③གནས་གསུམ་པོ་རྣམས་མི་འབྱུང་ཞིང་མི་སྲིད་པ་དང་། གཞན་དུ་ན་སེམས་ཅན་ཐམས་ཅདཿརྫུབ་པར་④འགྱུར་བ་དེ་ལྟ་དེ་ལྟར་ཕ་རོལ་ཏུ་ཕྱིན་པ་དྲུག་ལ་སྤྱད་པར་བྱའོ། །སངས་རྒྱས་ཀྱི་ཞིང་ཡོངས་སུ་དག་པར་བྱའོ། །སེམས་ཅན་ཡོངས་སུ་སྨིན་པར་བྱའོ་ཞེས་དེ་ལྟར་ཡོངས་སུ་བརྟག་པར་བྱ་སྟེ། རབ་འབྱོར་དེ་ལྟར་སྤྱོད་པའི་བྱང་ཆུབ་སེམས་དཔའ་སེམས་དཔའ་ཆེན་པོ་ནི་⑤ཕ་རོལ་ཏུ་ཕྱིན་པ་དྲུག་ཀྱང་ཡོངས་སུ་རྫོགས་པར་བྱེད། རྣམ་པ་ཐམས་ཅད་མཁྱེན་པ་ཉིད་དང་ཡང་ཉེ་བར་གྱུར་པ་ཡིན་ནོ། །རབ་འབྱོར་གཞན་ཡང་བྱང་ཆུབ་སེམས་དཔའ་སེམས་དཔའ་ཆེན་པོ་ཕ་རོལ་ཏུ་ཕྱིན་པ་དྲུག་ལ་སྤྱོད་པའི་ཚེ། སེམས་ཅན་མངོན་པར་ཤེས་པ་ལྔ་དང་མི་ལྡན་པ་དག་མཐོང་ན། འདི་ལྟར་ཡོངས་སུ་བརྟག་པར་བྱ་སྟེ། ཅི་ནས་ཀྱང་བདག་བླ་ན་མེད་པ་ཡང་དག་པར་རྫོགས་པའི་བྱང་ཆུབ་ཏུ་མངོན་པར་རྫོགས་པར་སངས་རྒྱས་པའི་སངས་རྒྱས་ཀྱི་

ཞིང་དེ་ན། སེམས་ཅན་ཐམས་ཅད་མངོན་པར་ཤེས་པ་ལྔ་དང་ལྡན་པར་འགྱུར་བ་དེ་ལྟ་དེ་ལྟར་ཕ་རོལ་ཏུ་ཕྱིན་པ་དྲུག་ལ་སྤྱོད་པར་བྱའོ། །སངས་རྒྱས་ཀྱི་ཞིང་ཡོངས་སུ་དག་པར་བྱའོ། །སེམས་ཅན་ཡོངས་སུ་སྨིན་པར་བྱའོ། །ཞེས་དེ་ལྟར་ཡོངས་སུ་བརྟག་པར་བྱ་སྟེ། རབ་འབྱོར་དེ་ལྟར་སྤྱོད་པའི་བྱང་ཆུབ་སེམས་དཔའ་སེམས་དཔའ་ཆེན་པོ་ནི་ཕ་རོལ་ཏུ་ཕྱིན་པ་དྲུག་ཀྱང་ཡོངས་སུ་རྫོགས་པར····བྱེད༑ རྣམ་པ་ཐམས་ཅད་མཁྱེན་པ་ཉིད་དང་ཡང་ཉེ་བར་གྱུར་པ་ཡིན་ནོ། །རབ་འབྱོར་གཞན་ཡང་བྱང་ཆུབ་སེམས་དཔའ་སེམས་དཔའ་ཆེན་པོ་ཕ་རོལ་ཏུ་ཕྱིན་པ་དྲུག་ལ་སྤྱོད་པའི་ཚེ། སེམས་ཅན་རྣམས་ཀྱི་གཤང་[༧]གཅི་མཐོང་ན། འདི་ལྟར་ཡོངས་སུ་བརྟག་པར་བྱ་སྟེ། ཅི་ནས་ཀྱང་བདག་བླ་ན་མེད་པ་ཡང་དག་པར་རྫོགས་པའི་བྱང་ཆུབ་ཏུ་མངོན་པར་རྫོགས་པར་སངས་རྒྱས་པའི་སངས་རྒྱས····ཀྱི་ཞིང་དེ་ན། སེམས་ཅན་ཐམས་ཅད་ཆོས་དང་དགའ་བ་དང་བསམ་གཏན་གྱི་ཟས་ཟ་བར་འགྱུར་བ་དེ་ལྟ་དེ་ལྟར་ཕ་རོལ་ཏུ་ཕྱིན་པ་དྲུག་ལ་སྤྱོད་པར་བྱའོ། །སངས་རྒྱས་ཀྱི་ཞིང་ཡོངས་སུ་དག་པར་བྱའོ། །སེམས་ཅན་ཡོངས་སུ་སྨིན་པར་བྱའོ་ཞེས་དེ་ལྟར་ཡོངས་སུ་བརྟག་པར་བྱ་སྟེ། རབ་འབྱོར་དེ་ལྟར་སྤྱོད་པའི་བྱང་ཆུབ་སེམས་དཔའ་སེམས་དཔའ་ཆེན་པོ་ནི་ཕ་རོལ་ཏུ་ཕྱིན་པ་དྲུག་ཀྱང་། ཡོངས་སུ་རྫོགས་པར་བྱེད། རྣམ་པ་ཐམས་ཅད་མཁྱེན་པ་ཉིད་དང་ཡང་ཉེ་བར་གྱུར་པ་ཡིན་ནོ།། ||[༣]

བསྡུར་མཆན།

༣ (༡) མཚན་བྱང་འདི་ཆོས་ཚན་འདིའི་སྟོད་ཀྱི་ཁྲི་ཀ་དུམ་པའི་མཚན་བོད་སྐད་དུ་སྨོས་པ་ལྟར་བཀོད། (༢) «གཡུང་» «ལི་»«པེ་»«སྣར་»«ཅོ་»«ཞོལ་»—དུམ་བུ་གཉིས་པ། (༣) «གཡུང་»«པེ་»ཀ། (༤) «གཡུང་»«པེ་»ཀྱི། «ལི་»«སྣར་»«ཅོ་»«ཞོལ་»ཀྱིས། (༥) «ལི་»«སྣར་»«ཅོ་»ཀྱིས་བརླབས། (༦) «གཡུང་»«པེ་»«ཅོ་»བསྐྱེད། (༧) «གཡུང་»«པེ་»པ། (༨) «གཡུང་»«ལི་»«པེ་»«སྣར་»«ཅོ་»«ཞོལ་»དོ།

༤ (༡) «གཡུང་»«ལི་»«པེ་»«སྣར་»«ཅོ་»ཀྱིས་མཚམས་བཅད། «ཞོལ་»ཀྱི་མཚམས་བཅད། (༢) «སྣར་»«ཞོལ་» ལའང་། (བོད་འདིའི་ནང་དུ་ལ་ཡང་དང་དེ་ཡང་སོགས་ཀྱི་ཡང་ཞེས་པ་རྣམས་«སྣར་»«ཞོལ་»ལ་འང··· དང་«གཡུང་»«ལི་»«པེ་»«ཅོ་»ལ་སྐབས་འགར་འང་ཞེས་འཕྲོད་ཀྱང་གཤམ་དུ་བསྡུར་མཆན་དུ་བཀོད་མེད།) (༣) «གཡུང་»«པེ་»ཀཱི། (བོད་འདིའི་ནང་དུ་ཀཽ་ཤི་ཀ་ཞེས་པ་རྣམས་«གཡུང་»ལ་ཀཱི་ཤི་ཀ་དང་ཀཽ་ཤི་ཀ «པེ་» ལ་ཀཱི་ཤི་ཀ་དང་ཀཱི་ཤི་ཀ་ཀཽ་ཤི་ཀ་སོགས་འཕྲོད་པ་དང་། «ལི་»ལ་སྐབས་འགར་ཀཱི་ཤི་ཀ་ཞེས་འཕྲོད་ཀྱང་གཤམ་དུ་བསྡུར་མཆན་དུ་བཀོད་མེད།) (༤) «ལི་»«ཅོ་»པ།

༥ (༡) «ལི་»སྐྱེད། (༢)(༣) «ལི་»ཀྱི། (༤) «གཡུང་»«པེ་»—དེ། «ལི་»སྐྱེད་པས་དེ། «ཞོལ་»བསྐྱེད་པ་དེ།

༦ (༡) «ཁུ་»མ། (༢) «ལི་»ཀྱི། (༣) «ལི་»«ཅོ་»པར། (༤) «ཞོལ་»བརྟེན།

༧ (༡) «ལི་»སྐྱེད་པ། (༢) «ལི་»འདུ། (༣) «ལི་»སྐྱེད། (༤) «ལི་»ཀྱི། (༥) «ལི་»སྐྱེད་པ། «སྣར་»«ཅོ་»བསྐྱེད་པ།

༨ (༡) «ལི་»སྐྱེད། (༢) «ལི་»སྐྱེད་པ། «ཅོ་»བསྐྱེད་པ། (༣) «ལི་»མིའི།

༩ (༡) «ཞོལ་»+པ། (༢) «ཁུ་»ན།

༡༠ (༡) «གཡུང་»«པེ་»མི། (༢) «སྣར་»«ཞོལ་»བཞག (བོད་འདིའི་ནང་དུ་དྲན་པ་ཉེ་བར་གཞག་ཅེས་པ་རྣམས··· «སྣར་»«ཞོལ་»ལ་དྲན་པ་ཉེ་བར་བཞག་དང་«གཡུང་»«ལི་»«པེ་»«ཅོ་»ལ་སྐབས་འགར་དྲན་པ་ཉེ་བར··· བཞག་ཅེས་འཕྲོད་པ་དང་། ཡང་སྐབས་འགར་དེ་དག་གོ་ལྡོག་སྟེ་«སྡེ་»ལ་དྲན་པ་ཉེ་བར་བཞག་ཅེས་པ་རྣམས··· དཔེ་ཁག་གཞན་ལ་དྲན་པ་ཉེ་བར་གཞག་ཅེས་འཕྲོད་ཀྱང་གཤམ་དུ་བསྡུར་མཆན་དུ་བཀོད་མེད།) (༣) «སྣར་» «ཞོལ་»བསྒོམ། (བོད་འདིའི་ནང་དུ་སྒོམ་མོ་དང་སྒོམ་པ་སོགས་ཀྱི་སྒོམ་ཞེས་པ་རྣམས་«སྣར་»«ཞོལ་»ལ་བསྒོམ··· དང་«གཡུང་»«ལི་»«པེ་»«ཅོ་»ལ་སྐབས་འགར་བསྒོམ་ཞེས་འཕྲོད་པ་དང་། ཡང་སྐབས་འགར་དེ་དག་གོ་ལྡོག··· སྟེ་«སྡེ་»ལ་བསྒོམ་ཞེས་པ་རྣམས་དཔེ་ཁག་གཞན་ལ་སྒོམ་ཞེས་འཕྲོད་ཀྱང་གཤམ་དུ་བསྡུར་མཆན་དུ་བཀོད་མེད།) (༤) «གཡུང་»«ལི་»«པེ་»«ཅོ་»བཅུ། «སྣར་»«ཞོལ་»བཅོ། (བོད་འདིའི་ནང་དུ་བཅོ་བརྒྱད་ཅེས་པ་རྣམས··· «གཡུང་»«ལི་»«པེ་»«ཅོ་»ལ་བཅུ་བརྒྱད་དང་«སྣར་»«ཞོལ་»ལ་བཅོ་བརྒྱད་ཅེས་འཕྲོད་ཀྱང་གཤམ་དུ་བསྡུར་·· མཆན་དུ་བཀོད་མེད།)

༡༡ ①«ཞོལ་»–ནི། ②«གཡུང་»«པེ་»–ན།

༡༢ ①«གཡུང་»«པེ་»པར། ②«སྣར་»«ཅོ་»བསྐྱེད། ③«ལི་»དཔའ། ④«གཡུང་»«པེ་»བརྟན།
⑤«ཅོ་»«ཞོལ་»གཟིངས། ⑥«ལི་»དགྲིས།

༡༣ ①«ཅོ་»གཟིངས་བསྟོད། «ཞོལ་»གཟིངས་བསྟོད། ②«གཡུང་»«པེ་»བརྟན། ③«ཅོ་»«ཞོལ་»གཟིངས།
④«གཡུང་»«པེ་»པར་བཀོད། «ཞོལ་»པ་དང་འགོད། ⑤«ཞོལ་»གཟུང་ཞིག ⑥«ཁྲུ་»དེ།
⑦«གཡུང་»«སྣར་»«ཞོལ་»དེ།

༡༥ ①«ཞོལ་»–བའི།

༡༦ ①«པེ་»«སྣར་»«ཅོ་»«ཁྲུ་»«ཞོལ་»དོ།

༡༧ ①«གཡུང་»«ལི་»«སྣར་»དེ། ②«པེ་»«ཅོ་»«ཁྲུ་»དོ།

༡༨ ①«གཡུང་»«པེ་»–པ། ②«གཡུང་»«སྣར་»«ཞོལ་»དེ།

༡༩ ①«པེ་»«ཅོ་»«ཁྲུ་»དོ། ②«པེ་»«ཅོ་»«ཁྲུ་»དོ། ③«ཞོལ་»གཅིག （པོད་འདིའི་ནང་དུ་ལན་ཅིག……
ཅེས་པ་རྣམས་«ཞོལ་»ལ་ལན་གཅིག་དང་«གཡུང་»«ལི་»«པེ་»«ཅོ་»ལ་སྐབས་འགར་ལན་གཅིག་ཅེས་འཕོད་པ་
དང་། ཡང་སྐབས་འགར་དེ་དག་གོ་ལྡོག་སྟེ་«སྡེ་»ལ་ལན་གཅིག་ཅེས་པ་རྣམས་དཔེ་ཁག་གཞན་ལ་ལན་ཅིག་ཅེས་
འཕོད་ཀྱང་གཞམ་དུ་བསྒྱུར་མཆན་དུ་བཀོད་མེད།)

༢༠ ①«པེ་»བྱོའོ།

༢༡ ①«སྣར་»མཁའ། ②«ཅོ་»པ།

༢༢ ①«སྣར་»«ཞོལ་»ཞེས། （པོད་འདིའི་ནང་དུ་ཚིག་ཕྲད་ཅེས་ཞེས་ཤེས་གསུམ་རྣམས་དཔེ་ཁག་འགའ་རེར་བརྗོད་
གྱི་འགྲོས་དང་མི་མཐུན་པར་གོ་རིམ་ངེས་མེད་དུ་འབྱུང་བ་དང་། ཡང་སྐབས་འགར་«སྡེ་»ལ་གོ་ལྡོག་སྟེ་
གཅིག་གྱུར་མིན་པས་འདིར་གསལ་བཤད་ཀྱིས་འཐུས་པར་བྱས་ཏེ་གཞམ་དུ་བསྒྱུར་མཆན་དུ་བཀོད་མེད།)

༢༣ ①«སྣར་»«ཞོལ་»+རྣམས།

༢༤ ①«ལི་»འབྲེལ།

༢༥ ①«གཡུང་»–བྱ། «པེ་»བྱ་དང་བ།

༢༦ ①«གཡུང་»«པེ་»སྨོ། ②«གཡུང་»«པེ་»–བྱ། ③«ཞོལ་»–བ། ④«ཞོལ་»–མ།

༢༧ ①«ཅོ་»བ། ②«ལི་»–ས། ③«གཡུང་»«ལི་»«པེ་»«སྣར་»«ཅོ་»–བྱ་བར།

༢༨ ①«ལི་»+ཡོངས། ②«གཡུང་»«པེ་»སྟོང་། ③«གཡུང་»«པེ་»«སྣར་»«ཞོལ་»སྐྱིར། （པོད་འདིའི་ནང་
དུ་བཀུར་བསྐྱི་ཞེས་པ་རྣམས་«གཡུང་»«པེ་»«སྣར་»«ཞོལ་»ལ་བཀུར་སྐྱི་དང་«ལི་»«ཅོ་»ལ་སྐབས་འགར……
བཀུར་སྐྱི་ཞེས་འཕོད་ཀྱང་གཞམ་དུ་བསྒྱུར་མཆན་དུ་བཀོད་མེད།) ④«གཡུང་»«ལི་»«པེ་»«ཅོ་»སྐྱི། （པོད……
འདིའི་ནང་དུ་བསྐྱི་སྟང་ཞེས་པ་རྣམས་«གཡུང་»«ལི་»«པེ་»«ཅོ་»ལ་སྐྱི་སྟང་ཞེས་འཕོད་ཀྱང་གཞམ་དུ་བསྒྱུར་
མཆན་དུ་བཀོད་མེད།)

༣༠ ①«ཞོལ་»+པ། ②«སྣར་»བརྩེ། ③«གཡུང་»«ལི་»«པེ་»བཙུ། （པོད་འདིའི་ནང་དུ་སུམ་ཅུ་དང་བཞི་ཅུ་

སོགས་ཀྱི་ཊུ་ཞེས་པ་རྣམས་«གཡུང་»«ལི་»«པེ་»ལ་བཊུ་དང་«སྣར་»«ཅོ་»ལ་སྐབས་འཁར་བཊུ་ཞེས་འབོད་པ···
དང་། ཡང་སྐབས་འགར་དེ་དག་གོ་ཕྱོག་སྡེ་«སྡེ་»ལ་བཊུ་ཞེས་པ་རྣམས་དཔེ་ཁག་གཞན་ལ་ཊུ་ཞེས་འབོད་ཀྱང་
གཤམ་དུ་བསྡུར་མཆན་དུ་བཀོད་མེད།) ④«ཅོ་»བ་པོ། ⑤«པེ་»པོའོ།

༣༡ ①«སྣར་»«ཞོལ་»འདས། ②«སྣར་»«ཞོལ་»འདའོ། ③«ཅོ་»པ་དང་། ④«གཡུང་»«ལི་»«པེ་»
«སྣར་»«ཅོ་»«ཞོལ་»+མཚན།

༣༢ ①«གཡུང་»«པེ་»–བྱང་དང་། ②«གཡུང་»གདོང་པོ། ③«གཡུང་»«ལི་»«པེ་»«ཅོ་»སྐྱིད།
④«གཡུང་»«པེ་»«ཞོལ་»གི།

༣༣ ①«ལི་»རྣམ། ②«གཡུང་»–ཕྱིར།

༣༤ ①«གཡུང་»«ལི་»«པེ་»«སྣར་»«ཅོ་»«ཞོལ་»ཤླ། (པོད་འདིའི་ནང་དུ་ཤ་ར་དྭ་ཏིའི་བུ་ཞེས་པ་རྣམས་
«གཡུང་»«ལི་»«པེ་»«སྣར་»«ཅོ་»«ཞོལ་»ལ་ཤླ་ར་དྭ་ཏིའི་བུ་དང་«ལི་»ལ་སྐབས་འགར་ཤྭ་ར་དྭ་ཏིའི་བུ་ཞེས་
འབོད་ཀྱང་གཤམ་དུ་བསྡུར་མཆན་དུ་བཀོད་མེད།) ②«གཡུང་»«པེ་»«སྣར་»«ཞོལ་»པོས། ③«ལི་»–ཏུ།

༣༥ ①«གཡུང་»–པ། ②«གཡུང་»«པེ་»–སྟོང་པ་ཉིད། ③«སྣར་»«ཞོལ་»+དུས་བུ་གཉིས་པ།

༣༦ ①«གཡུང་»པི། ②«གཡུང་»«པེ་»+ཡིད་ཀྱི་འདུས་ཏེ་རེག་པའི་རྐྱེན་གྱིས་ཚོར་བ་དང་། ③«ལི་»+གནས་ལ།

༣༧ ①«བྱུ་»+ན། ②«ལི་»གཟུག ③«གཡུང་»«པེ་»–རྣམས།

༣༨ ①«སྣར་»«ཞོལ་»ཀྱིས། ②«ཞོལ་»ཀྱི། ③«གཡུང་»«ལི་»«པེ་»«སྣར་»«ཅོ་»«ཞོལ་»དོ།
④«གཡུང་»«པེ་»+ཀྱིས་སངས་རྒྱས། ⑤«སྣར་»«ཞོལ་»ཀྱིས། ⑥«གཡུང་»+མ།

༣༩ ①«གཡུང་»«པེ་»–ཚེ་དང་ལྡན་པ། ②«ཅོ་»དེ། ③«གཡུང་»སྨི། ④«ཅོ་»པ། ⑤«བྱུ་»མཚན།
⑥«ལི་»དག

༤༠ ①«ལི་»དག ②«ལི་»«སྣར་»«ཅོ་»གིས། ③«ལི་»ཀྱི། ④«གཡུང་»«པེ་»+དོ། ⑤«ལི་»«ཅོ་»–དོ།
⑥«གཡུང་»མ།

༤༡ ①«ལི་»«ཅོ་»དེ།

༤༢ ①②«ལི་»«ཅོ་»ཀྱིས། ③«ལི་»བ། ④«གཡུང་»«པེ་»མིན།

༤༣ ①«གཡུང་»–པ་ཉིད། ②«ལི་»སྤྱང་།

༤༤ ①«པེ་»+དག ②«གཡུང་»«པེ་»མཐར།

༤༥ ①«གཡུང་»«པེ་»–བར་གྱི། ②«གཡུང་»དེ།

༤༦ ①«གཡུང་»«པེ་»གཏགས། ②«གཡུང་»«པེ་»«སྣར་»«ཅོ་»«ཞོལ་»བརྟེན། «ལི་»བཏེན།
③«གཡུང་»«པེ་»«སྣར་»«ཅོ་»«ཞོལ་»བརྟེན། ④«གཡུང་»ད།

༤༧ ①«གཡུང་»«པེ་»ཉན། ②«ལི་»རྣམས། ③«གཡུང་»«པེ་»རྒྱུ། ④«གཡུང་»«པེ་»«སྣར་»«ཞོལ་»
+དག ⑤«ཅོ་»«ཞོལ་»གིས། ⑥«པེ་»དང་།

༤༨ ①«ལི་»པ། ②«གཡུང་»«པེ་»–ཀྱང་། ③«གཡུང་»«པེ་»«སྣར་»«ཞོལ་»+དག

༥༠ ①«གཡུང་»མོ་འགལ། «པེ་»«ཅོ་»མོ་འགལ། ②«གཡུང་»«པེ་»ཏྲུའི། ③«གཡུང་»«ལི་»«པེ་»«སྣར་»«ཅོ་»«ཞོལ་»སྲུང་།

༥༡ ①«གཡུང་»«པེ་»སྐྱིད་སྐྱིད། ②«ལི་»«ཅོ་»བརྟགས། ③«ལི་»–རྣམ་པར།

༥༢ ①«གཡུང་»རྟག

༥༣ ①«ལི་»«སྣར་»+ཡིད་འགག་པ་མེད་ཅེས་བྱ་བར་རྣམ་པར་རྟོག་པར་མི་འགྱུར། འགག་པ་མེད་པ་ཡིད་ཅེས་བྱ་བར་རྣམ་པར་རྟོག་པར་མི་འགྱུར་རོ། །མིག་ནི་ཞེས་བྱ་བར་རྣམ་པར་རྟོག་པར་མི་འགྱུར། ཞི་བ་མིག་ཅེས་བྱ་བར་རྣམ་པར་རྟོག་པར་མི་འགྱུར་རོ། །རྣ་བ་དང་། སྣ་དང་ལྕེ་དང་ལུས་དང་། (གོང་གི་དུམ་བུ་འདི་[དེབ་འདིའི་ལྡེབ་༥༣༦༡༡—༥༣༦༡༥]བར་«ལི་»«སྣར་»ལ་བསྐྱར་ཟློས་སུ་འཁོད།) ②«ལི་»རྟོགས།

༥༤ ①«ཞོལ་»+བྱ། ②«ལི་»མ། ③«ལི་»–རོ། ④«ལི་»+རོ།

༥༥ ①«གཡུང་»ལྡེ། ②«གཡུང་»–པ། ③«ལི་»མི། ④«གཡུང་»«པེ་»+རོ།

༥༦ ①«གཡུང་»«པེ་»+རོ། ②«གཡུང་»«པེ་»+པ།

༥༩ ①«གཡུང་»–མ།

༦༡ ①«ལི་»+ལུས་ཏེ།

༦༣ ①«ཞོལ་»–རོ། ②«ལི་»+སའི་ཁམས་དབེན་ཞེས་བྱ་བར་རྣམ་པར་རྟོག་པར་མི་འགྱུར། དབེན་པ་སའི་ཁམས་ཞེས་བྱ་བར་རྣམ་པར་རྟོག་པར་མི་འགྱུར་རོ་ཆུའི་ཁམས་དང་མེའི་ཁམས་དང་རླུང་གི་ཁམས་དང་། ནམ་མཁའི་ཁམས་དང་། ③«ལི་»+རྣམ་པར་ཤེས་པའི་ཁམས་ནི་ཞེས་བྱ་བར་རྣམ་པར་རྟོག་པར་མི་འགྱུར་ཞི་བ་རྣམ་པར་ཤེས་པའི་ཁམས་ཤེས་བྱ་བར་རྣམ་པར་རྟོག་པར་མི་འགྱུར་རོ།།

༦༤ ①«ལི་»«སྣར་»«ཞོལ་»+རོ། ②«ཞོལ་»ཤེས། ③«ལི་»«སྣར་»«ཞོལ་»–རོ། ④«ཁུ་»ནམ།

༦༦ ①«གཡུང་»«པེ་»ཀྱིས།

༦༧ ①«གཡུང་»«པེ་»–སྟོང་པ་ཉིད།

༦༨ ①«ལི་»«ཅོ་»+ཀྱི་བར་འགག་པ་མེད། ②«ལི་»ཡི།

༧༠ ①«གཡུང་»«ལི་»«པེ་»«སྣར་»«ཅོ་»«ཁུ་»«ཞོལ་»མེད། ②«ལི་»ཞིག

༧༡ ①«ལི་»ལམའ།

༧༢ ①«ཅོ་»བམས།

༧༣ ①«ལི་»–བྱ་བར། ②«གཡུང་»ཐ།

༧༤ ①«ཁུ་»རྣམས།

༧༥ ①«ལི་»–མ།

༧༦ ①«སྣར་»«ཞོལ་»པས། ②«ལི་»ཅ།

༧༧ ①«ཞོལ་»གཟུང་། ②«སྣར་»«ཞོལ་»ཉམས།

༧༨ ①«སྣར་»«ཞོལ་»ཚད། ②«སྣར་»«ཞོལ་»རིག ③«ལི་»–པ། ④«གཡུང་»«པེ་»པ། ⑤«ལི་»

«སྣར་»«ཅོ་»ཤེས།

༨༡ ①«ལི་»«སྣར་»«ཅོ་»«ཞོལ་»+བར་གྱི། ②«ལི་»–བོ། ③«ལི་»«སྣར་»«ཅོ་»«ཞོལ་»+བར་གྱི། ④«ཕྱུ་»བཟུང་། ⑤«ལི་»«སྣར་»«ཅོ་»«ཞོལ་»ནི།

༨༢ ①«ལི་»ད། ②«གཡུང་»གཏན། ③«ལི་»–རབ། ④«གཡུང་»«པེ་»བཞི། ⑤«གཡུང་»«པེ་»ཁེམས། «ལི་»དེ་ཁབས། ⑥«ལི་»«ཅོ་»གིས། ⑦«གཡུང་»«པེ་»ཏེ།

༨༣ ①«གཡུང་»«པེ་»མིང་། ②«ཅོ་»+བ།

༨༤ ①«གཡུང་»«པེ་»–ནི།

༨༥ ①«གཡུང་»–བ།

༨༦ ①«གཡུང་»«པེ་»ལོ།

༨༧ ①«གཡུང་»«པེ་»ལོ། ②«གཡུང་»«པེ་»+ལོ། ③«གཡུང་»«པེ་»དོ། ④«གཡུང་»«པེ་»«སྣར་»«ཕྱུ་»«ཞོལ་»བར། ⑤«གཡུང་»«པེ་»«སྣར་»«ཞོལ་»བར། ⑥«གཡུང་»འགམ། ⑦«གཡུང་»«པེ་»«སྣར་»«ཞོལ་»བར།

༨༨ ①«གཡུང་»–པ། ②«ཅོ་»བ།

༨༩ ①«ཅོ་»བ། ②③«ཅོ་»སློབ།

༩༠ ①«གཡུང་»«ལི་»«པེ་»«སྣར་»«ཞོལ་»དེ།

༩༡ ①«སྣར་»མ། ②«ལི་»–པར།

༩༢ ①«གཡུང་»–དེས། ②«ལི་»ཐོང་། ③«པེ་»«ཅོ་»ལ། ④«སྣར་»ད། ⑤«ཅོ་»–དག ⑥«སྣར་»ད།

༩༣ ①«གཡུང་»«པེ་»པར། ②«སྣར་»བརྟེན། «ཅོ་»བཏན། ③«སྣར་»«ཞོལ་»པོ། ④«ལི་»ད།

༩༤ ①«ལི་»–འདུ།

༩༥ ①«གཡུང་»«པེ་»ཀྱི་བར། «སྣར་»«ཕྱུ་»«ཞོལ་»ཀྱི་བར་གྱི།

༩༦ ①«ལི་»པ། ②«གཡུང་»–པ་དེ་ནི། «པེ་»པོ། ③«ལི་»ང་།

༩༧ ①«གཡུང་»«ལི་»«པེ་»«སྣར་»«ཅོ་»«ཞོལ་»ཐམས་ཅད་མཁྱེན། ②«སྣར་»«ཞོལ་»ལམ་གྱི་རྣམ་པ་ཤེས་པ།

༩༨ ①«པེ་»པའི། ②«གཡུང་»«པེ་»–བ། ③«ལི་»ནམས།

༩༩ ①«གཡུང་»«པེ་»བཟུང་། (པོད་འདིའི་ནང་དུ་ཡོངས་སུ་གཟུང་དང་ཉེ་བར་གཟུང་སོགས་ཀྱི་གཟུང་ཞེས་པ་རྣམས་«གཡུང་»«པེ་»ལ་བཟུང་དང་«ལི་»«སྣར་»«ཅོ་»«ཕྱུ་»«ཞོལ་»ལ་སྐབས་འགར་བཟུང་ཞེས་འཁོད་པ་དང་། ཡང་སྐབས་འགར་དེ་དག་གོ་ལྡོག་སྟེ་«སྡེ་»ལ་བཟུང་ཞེས་པ་རྣམས་དཔེ་ཁག་གཞན་ལ་གཟུང་ཞེས་འཁོད་ཀྱང་གཤམ་དུ་བསྡུར་མཆན་དུ་བཀོད་མེད།)

༡༠༡ ①«ལི་»ཕྱི། ②«གཡུང་»«པེ་»+ན། ③«ཕྱུ་»+ལ། ④«གཡུང་»«ལི་»«པེ་»«སྣར་»«ཅོ་»«ཕྱུ་»«ཞོལ་»མེད། ⑤«ཕྱུ་»+ལ།

༡༠༢ ①«སྣར་»«ཞོལ་»–ལ། ②«གཡུང་»སླས། ③«ལི་»«ཅོ་»བསླབ། ④«གཡུང་»«པེ་»བ་མེད་པའི།

⑤《གཡུང་》《པེ་》འཛོང་། ⑥《ཞོལ་》གསོག

༡༠༣ ①《ཞོལ་》གསོག ②《གཡུང་》《ལི་》《པེ་》《སྣར་》《ཅོ་》《ཕུ་》《ཞོལ་》མེད། ③《ཞོལ་》གསོག

༡༠༤ ①《ཞོལ་》གསོག ②《ལི་》བཅིལ། ③《གཡུང་》《པེ་》《སྣར་》《ཞོལ་》གྱི་རླབས། ⑧《ཅོ་》གིས། ⑤《གཡུང་》《པེ་》གྱི་རླབས་པ། 《སྣར་》《ཞོལ་》གྱི་རླབས། ⑥⑦《གཡུང་》《པེ་》《སྣར་》《ཞོལ་》གྱི་རླབས། ④《གཡུང་》《སྣར་》《ཞོལ་》གྱི་རླབས་མེད། 《པེ་》གྱི་རླབས་པ། 《ཅོ་》གྱིས་བརླབས་པ་དེ།

༡༠༥ ①《གཡུང་》《པེ་》གྱིས་རླབས། 《སྣར་》《ཞོལ་》གྱི་རླབས། ②③⑧⑤《གཡུང་》《པེ་》《སྣར་》《ཞོལ་》གྱི་རླབས། ⑥《སྣར་》འཕག

༡༠༧ ①《གཡུང་》《པེ་》《སྣར་》《ཞོལ་》གྱི་རླབས། ②《གཡུང་》《པེ་》གྱིས་རླབས། 《སྣར་》《ཞོལ་》གྱི་རླབས། ③《ཞོལ་》ཡིན།

༡༡༠ ①《གཡུང་》—པ།

༡༡༡ ①《ཞོལ་》+བཙུན་པ་རབ་འབྱོར། བྱང་ཆུབ་སེམས་དཔའ་སེམས་དཔའ་ཆེན་པོ་རྣམས་ཀྱི་ཕ་རོལ་ཏུ་ཕྱིན་པ་འདི་ནི་ཚད་མ་མེད་པ་སྟེ། འདི་ལྟར་ཤེས་རབ་ཀྱི་ཕ་རོལ་ཏུ་ཕྱིན་པའོ།། ②《སྣར་》《ཞོལ་》ཐོབ་པོ། །འཐོབ། ③《སྣར་》《ཞོལ་》ཐོབ་པོ། །འཐོབ།

༡༡༢ ①《ཞོལ་》+བྱང་ཆུབ་སེམས་དཔའ་སེམས་དཔའ་ཆེན་པོ་རྣམས་ཀྱི་ཕ་རོལ་ཏུ་ཕྱིན་པ་འདི་ནི་ཚད་མ་མེད་པ་སྟེ། འདི་ལྟར་ཤེས་རབ་ཀྱི་ཕ་རོལ་ཏུ་ཕྱིན་པའོ།། ②《གཡུང་》《ལི་》《པེ་》《ཅོ་》འཐོབ་པོ། །འཐོབ། 《སྣར་》《ཞོལ་》ཐོབ་པོ། །འཐོབ། ③《གཡུང་》《ལི་》《པེ་》《ཅོ་》འཐོབ་པོ། །འཐོབ། 《སྣར་》《ཞོལ་》ཐོབ་པོ། །འཐོབ། ⑧《གཡུང་》《པེ་》མཐར།

༡༡༣ ①《གཡུང་》《ལི་》《པེ་》《སྣར་》《ཅོ་》《ཞོལ་》—འདི། ②《ལི་》—དུ། ③《ཞོལ་》+ཀྱེ་ཤེ་ཀ །གཟུགས་ཚད་མ་མེད་པའི་ཕྱིར། བྱང་ཆུབ་སེམས་དཔའ་སེམས་དཔའ་ཆེན་པོ་རྣམས་ཀྱི་ཕ་རོལ་ཏུ་ཕྱིན་པ་ཚད་མ་མེད་པ་སྟེ། དེ་ཅིའི་ཕྱིར་ཞེ་ན། ཀྱེ་ཤེ་ཀ །དེ་ནི་འདི་ལྟར་གཟུགས་ཀྱི་ཚད་མ་ནི་དམིགས་སུ་མེད་དོ། །ཀྱེ་ཤེ་ཀ ། འདི་ལྟ་སྟེ། དཔེར་ན། ནམ་མཁའི་ཚད་མ་ནི་དམིགས་སུ་མེད་དོ། །ཀྱེ་ཤེ་ཀ །དེ་བཞིན་དུ་གཟུགས་ཀྱི་ཚད་མ་ཡང་དམིགས་སུ་མེད་དོ། །ནམ་མཁའ་ཚད་མ་མེད་པའི་ཕྱིར་གཟུགས་ཚད་མ་མེད་དོ། །གཟུགས་ཚད་མ་མེད་པའི་ཕྱིར་ཤེས་རབ་ཀྱི་ཕ་རོལ་ཏུ་ཕྱིན་པ་ཚད་མ་མེད་དོ། །ཀྱེ་ཤེ་ཀ ཚོར་བ་ཚད་མ་མེད་པ་དང་། འདུ་ཤེས་ཚད་མ་མེད་པ་དང་། འདུ་བྱེད་ཚད་མ་མེད་པ་དང་། རྣམ་པར་ཤེས་པ་ཚད་མ་མེད་པའི་ཕྱིར། བྱང་ཆུབ་སེམས་དཔའ་སེམས་དཔའ་ཆེན་པོ་རྣམས་ཀྱི་ཤེས་རབ་ཀྱི་ཕ་རོལ་ཏུ་ཕྱིན་པ་ཚད་མ་མེད་པ་སྟེ། དེ་ཅིའི་ཕྱིར་ཞེ་ན། ཀྱེ་ཤེ་ཀ །དེ་ནི་འདི་ལྟར་རྣམ་པར་ཤེས་པའི་ཚད་མ་ནི་དམིགས་སུ་མེད་དོ། །ཀྱེ་ཤེ་ཀ །འདི་ལྟ་སྟེ། དཔེར་ན། ནམ་མཁའི་ཚད་མ་ནི་དམིགས་སུ་མེད་དོ། །ཀྱེ་ཤེ་ཀ །དེ་བཞིན་དུ་རྣམ་པར་ཤེས་པའི་ཚད་མ་ནི་དམིགས་སུ་མེད་དོ། །ནམ་མཁའ་ཚད་མ་མེད་པའི་ཕྱིར་རྣམ་པར་ཤེས་པ་ཚད་མ་མེད་དོ། །རྣམ་པར་ཤེས་པ་ཚད་མ་མེད་པའི་ཕྱིར། ཤེས་རབ་ཀྱི་ཕ་རོལ་ཏུ་ཕྱིན་པ་ཚད་མ་མེད་དོ། །ཀྱེ་ཤེ་ཀ །སྐྱེ་མཆེད་དང་། ཁམས་དང་། རྟེན་ཅིང་འབྲེལ་པར་འབྱུང་བ་དང་། ཕ་རོལ་ཏུ་ཕྱིན་པ་རྣམས་དང་། སྟོང་པ་ཉིད་ཐམས་ཅད་དང་། བྱང་ཆུབ་ཀྱི་

ཕྱོགས་ཀྱི་ཆོས་སུམ་ཅུ་རྩ་བདུན་དང་། འཕགས་པའི་བདེན་པ་དང་། བསམ་གཏན་དང་། ཚད་མེད་པ་དང་། གཟུགས་མེད་པའི་སྙོམས་པར་འཇུག་པ་དང་། རྣམ་པར་ཐར་པ་དང་། མཐར་གྱིས་གནས་པའི་སྙོམས་པར་འཇུག་པ་དང་། སྟོང་པ་ཉིད་དང་། མཚན་མ་མེད་པ་དང་། སྨོན་པ་མེད་པ་དང་། མངོན་པར་ཤེས་པ་དང་། ཏིང་ངེ་འཛིན་དང་། གཟུངས་ཀྱི་སྒོ་དང་། སྟོབས་བཅུ་དང་། མི་འཇིགས་པ་དང་། སོ་སོ་ཡང་དག་པར་རིག་པ་དང་། སངས་རྒྱས་ཀྱི་ཆོས་མ་འདྲེས་པ་རྣམས་དང་། རྣམ་པ་ཐམས་ཅད་མཁྱེན་པ་ཉིད་ཀྱི་བར་དུ་ཚད་མ་མེད་པའི་ཕྱིར། བྱང་ཆུབ་སེམས་དཔའ་སེམས་དཔའ་ཆེན་པོ་རྣམས་ཀྱི་ཕ་རོལ་ཏུ་ཕྱིན་པ་འདི་ཚད་མ་མེད་པ་སྟེ། དེ་ཅིའི་ཕྱིར་ཞེ་ན། ཀཽ་ཤི་ཀ །དེ་ནི་འདི་ལྟར་རྣམ་པ་ཐམས་ཅད་མཁྱེན་པ་ཉིད་ཀྱི་ཚད་མ་ནི་དམིགས་སུ་མེད་དོ། །ཀཽ་ཤི་ཀ །འདི་ལྟ་སྟེ་དཔེར་ན། ནམ་མཁའི་ཚད་མ་ནི་དམིགས་སུ་མེད་དོ། །ཀཽ་ཤི་ཀ །དེ་བཞིན་དུ་རྣམ་པ་ཐམས་ཅད་མཁྱེན་པ་ཉིད་ཀྱི་ཚད་མ་ཡང་དམིགས་སུ་མེད་དོ། །ནམ་མཁའ་ཚད་མ་མེད་པའི་ཕྱིར་རྣམ་པ་ཐམས་ཅད་མཁྱེན་པ་ཉིད་ཚད་མ་མེད་དོ། །རྣམ་པ་ཐམས་ཅད་མཁྱེན་པ་ཉིད་ཚད་མ་མེད་པའི་ཕྱིར་ཤེས་རབ་ཀྱི་ཕ་རོལ་ཏུ་ཕྱིན་པ་ཚད་མ་མེད་དོ། །ཀཽ་ཤི་ཀ །རྣམ་གྲངས་དེས་ན། བྱང་ཆུབ་སེམས་དཔའ་སེམས་དཔའ་ཆེན་པོ་རྣམས་ཀྱི་ཕ་རོལ་ཏུ་ཕྱིན་པ་དེ་ནི་ཚད་མ་མེད་པ་སྟེ། འདི་ལྟར་ཤེས་རབ་ཀྱི་ཕ་རོལ་ཏུ་ཕྱིན་པའོ།།

༡༡༤ ①«གཡུང་»–ནི། ②«སྣར་»དེ། ③«གཡུང་»«པེ་»དེ། ④⑤«གཡུང་»«ལི་»«པེ་»«ཅོ་»–ཚད།

༡༡༥ ①«གཡུང་»«པེ་»མཁའི། ②«པེ་»ན། ③«གཡུང་»«པེ་»«ཁུ་»པའི།

༡༡༦ ①«གཡུང་»«པེ་»«སྣར་»«ཞོལ་»བྱ། ②«ལི་»«ཅོ་»–འདི་ལྟར་...... མཐའ་ཡས་པ་སྟེ། (ཞེས་པའི་གཡུང་དྲུང་རྟགས་བར་གྱི་ཡི་གེ་རྣམས་«ལི་»«ཅོ་»ལ་ཆད།)

༡༡༧ ①«གཡུང་»«པེ་»«སྣར་»«ཞོལ་»–མེད་པས།

༡༡༨ ①«ལི་»«སྣར་»«ཅོ་»«ཞོལ་»གིས། ②«ཞོལ་»དྭགས། (པོད་འདིའི་ནང་དུ་བླ་དགས་དང་རི་དགས་སོགས་ཀྱི་དགས་ཞེས་པ་རྣམས་«ཞོལ་»ལ་དྭགས་དང་«སྣར་»«ཁུ་»ལ་སྐབས་འགར་དྭགས་ཞེས་འཁོད་ཀྱང་གཤམ་དུ···· བསྡུར་མཆན་དུ་བཀོད་མེད།) ③«གཡུང་»«པེ་»«སྣར་»«ཞོལ་»གློ། ④«སྣར་»«ཞོལ་»དམ། ⑤«གཡུང་»གྲིའི། ⑥«ལི་»«སྣར་»«ཅོ་»«ཞོལ་»གྲུར་པ།

༡༡༩ ①«གཡུང་»«པེ་» རླབས། ②«གཡུང་»«ལི་»«པེ་»«སྣར་»«ཅོ་»«ཞོལ་»དེ། ③«ཅོ་»–པ། ④«ཁུ་»+མ། ⑤«གཡུང་»«པེ་»«སྣར་»«ཞོལ་»+ལྷའི་བུ། ⑥«གཡུང་»«པེ་»–དག ⑦«གཡུང་»«པེ་»–དེ། ⑧«གཡུང་»«པེ་»ནོ། ⑨«གཡུང་»«པེ་»དོ། ⑩«གཡུང་»དང་། ⑪«པེ་»དོ།

༡༢༡ ①«གཡུང་»«པེ་»ཞམ་རིང་། ②«ལི་»«ཅོ་»ཚོངས། ③«ཅོ་»–ན།

༡༢༢ ①«པེ་»དེ། ②«སྣར་»«ཞོལ་»+བྲམ་ཟེའི།

༡༢༣ ①«སྣར་»«ཞོལ་»མཐུན། (པོད་འདིའི་ནང་དུ་འཐུན་པར་དང་རྗེས་སུ་འཐུན་པ་སོགས་ཀྱི་འཐུན་ཞེས་པ་རྣམས་«སྣར་»«ཞོལ་»ལ་མཐུན་དང་«གཡུང་»«ལི་»«པེ་»«ཅོ་»ལ་སྐབས་འགར་མཐུན་ཞེས་འཁོད་པ་དང་། ཡང་སྐབས་འགར་དེ་དག་གོ་ལྡོག་སྟེ་«སྡེ་»ལ་མཐུན་ཞེས་པ་རྣམས་དཔེ་ཁག་གཞན་ལ་འཐུན་ཞེས་འཁོད་ཀྱང་

གཤམ་དུ་བསྒྱུར་མཆན་དུ་བཀོད་མེད།)

༡༢༤ ① «གཡུང་»«པེ་»–མ།

༡༢༥ ① «གཡུང་»«པེ་»«སྣར་»«ཞོལ་»གི། ② «ཞོལ་»སྦྱོང་བས། ③ «ཁུ་»ཏོ།

༡༢༦ ① «ཁུ་»གླག «ཞོལ་»བགླག ② «གཡུང་»«པེ་»+ཡང་། ③ «སྣར་»«ཞོལ་»པ། ④ «སྣར་»«ཞོལ་»དངང་། ⑤ «གཡུང་»«ལི་»«ཅོ་»–སྟོང་པ་ཉིད།

༡༢༧ ① «ལི་»«ཅོ་»འཕེལ། ② «ཅོ་»འཛིགས། ③ «ལི་»«ཅོ་»–དང་། «སྣར་»«ཞོལ་»དག

༡༢༨ ① «གཡུང་»«པེ་»–པ།

༡༢༩ ① «གཡུང་»«པེ་»འཛིགས། ② «ཞོལ་»དག ③ «གཡུང་»«ལི་»«པེ་»«སྣར་»«ཅོ་»«ཞོལ་»ངམ།

༡༣༠ ① «ཁུ་»རྫེའི། ② «གཡུང་»+བྱ། ③ «གཡུང་»«པེ་»བསྐོར། ④ «གཡུང་»+དང་།

༡༣༡ ① «གཡུང་»བསྐུར། ② «ལི་»«པེ་»«སྣར་»«ཅོ་»«ཞོལ་»དེ། ③ «གཡུང་»«པེ་»+འདི། ④ «ཁུ་»སློག ⑤ «གཡུང་»བསྐུར།

༡༣༢ ① «ཅོ་»བ། ② «ཁུ་»བྱེད།

༡༣༣ ① «གཡུང་»«ལི་»«པེ་»ཉམ། «ཅོ་»མཉམ། ② «ཞོལ་»དེ་དག ③ «གཡུང་»«ལི་»«པེ་»«སྣར་»«ཅོ་»«ཁུ་»«ཞོལ་»བརྗོད། ④ «སྣར་»«ཁུ་»«ཞོལ་»བརྗོད། (པོད་འདིའི་ནང་དུ་ཡོན་ཏན་རྗོད་པ་དང་ལེགས་པར་རྗོད་པ་སོགས་ཀྱི་རྗོད་ཅེས་པ་རྣམས་«སྣར་»«ཁུ་»«ཞོལ་»ལ་བརྗོད་དང་«གཡུང་»«ལི་»«པེ་»«ཅོ་»ལ་སྐབས་འགར་བརྗོད་ཅེས་འཁོད་པ་དང་། ཡང་སྐབས་འགར་དེ་དག་གོ་ལྡོག་སྟེ་«སྡེ་»ལ་བརྗོད་ཅེས་པ་རྣམས་དཔེ་ཁག་གཞན་ལ་རྗོད་ཅེས་འཁོད་ཀྱང་གཤམ་དུ་བསྒྱུར་མཆན་དུ་བཀོད་མེད།)

༡༣༥ ① «སྣར་»«ཞོལ་»བཅང་བ། ② «སྣར་»གླག «ཅོ་»གླགས། «ཁུ་»སླགས། «ཞོལ་»བགླག ③ «གཡུང་»«པེ་»བྱས། ④ «གཡུང་»«པེ་»+པ། ⑤ «སྣར་»«ཞོལ་»གི།

༡༣༦ ① «ལི་»«ཅོ་»ཀྱི། ② «གཡུང་»«པེ་»«སྣར་»«ཞོལ་»+གང་། ③ «ལི་»«ཅོ་»–བར། ④ «གཡུང་»«པེ་»བསྟོད། ⑤ «ལི་»«སྣར་»«ཅོ་»«ཞོལ་»བརྒྱལ། «པེ་»བགལ། ⑥ «གཡུང་»«པེ་»«སྣར་»«ཞོལ་»–དབྱལ་བར་...... བ་དང་། «ལི་»«ཅོ་»དབྱལ་བར་...... བརྒྱལ་བར་...... རྒོལ་བ་དང་། ⑦ «པེ་»བསྟོད། ⑧ «པེ་»བགལ། «སྣར་»«ཞོལ་»བརྒྱལ། «ཅོ་»རྒྱལ། ⑨ «གཡུང་»«པེ་»«ཅོ་»བསྟོད། ⑩ «པེ་»བགལ། «སྣར་»བརྒྱལ། «ཅོ་»«ཞོལ་»རྒྱལ། ⑪ «གཡུང་»«ལི་»«པེ་»«སྣར་»«ཅོ་»«ཞོལ་»འགྱུར། ⑫ «གཡུང་»«པེ་»བསྟོད། ⑬ «པེ་»བགལ། «སྣར་»«ཞོལ་»བརྒྱལ། «ཅོ་»རྒྱལ། ⑭ «སྣར་»«ཞོལ་»གཞགས། ⑮ «ཅོ་»གྱུར་པའི།

༡༣༧ ① «གཡུང་»«པེ་»བ་ལ།

༡༣༨ ① «གཡུང་»«པེ་»–པ།

༡༣༩ ① «གཡུང་»«པེ་»+ཅན། ② «གཡུང་»«པེ་»«སྣར་»«ཞོལ་»བརྒྱལ། ③ «པེ་»བསྟོད། ④ «ལི་»+རིགས། ⑤ «ཅོ་»རྒྱལ།

༡༤༠ ①《གཡུང་》《པེ་》སྤྱོལ། ②③④⑤⑥⑦《སྣར་》《ཞོལ་》བལྟ།

༡༤༡ ①《གཡུང་》《པེ་》–པ།

༡༤༢ ①《གཡུང་》ད། ②《ལི་》འཛིད། 《པེ་》མཛིད། ③《ལི་》《ཅོ་》སྲུང་། ④《གཡུང་》《པེ་》འདི།

༡༤༣ ①《ལི་》《ཅོ་》ཀྱི། ②《སྣར་》《ཞོལ་》+མི་དམིགས་པའི་ཚུལ་གྱིས། ③《གཡུང་》《པེ་》《སྣར་》《ཞོལ་》བའི། 《ལི་》པོས། ④《གཡུང་》《པེ་》《སྣར་》《ཞོལ་》གྱི། ⑤《གཡུང་》《ལི་》《པེ་》《སྣར་》《ཅོ་》《ཞོལ་》–རོ།

༡༤༤ ①《གཡུང་》《ལི་》《པེ་》《ཅོ་》པར། ②《གཡུང་》《ལི་》《པེ་》《སྣར་》《ཅོ་》《ཞོལ་》–རོ། ③《གཡུང་》《ལི་》《པེ་》《སྣར་》《ཅོ་》ཛུན། ④《ཞོལ་》སྦྱོང་བར། ⑤《གཡུང་》《པེ་》+རོ། ⑥《གཡུང་》《ལི་》《པེ་》《ཅོ་》《ཞོལ་》སྤྲངས། ⑦《ལི་》《ཅོ་》གིས། ⑧《གཡུང་》《ལི་》《པེ་》《སྣར་》《ཅོ་》《ཁུ་》《ཞོལ་》ཛེས། ⑨《གཡུང་》《པེ་》བསྐུལ། ⑩《གཡུང་》《པེ་》པར། ⑪《གཡུང་》–ཡང་། ⑫《ལི་》《ཅོ་》གིས།

༡༤༥ ①《ཅོ་》–རོ། ②《གཡུང་》《པེ་》བསྐུལ། ③《ལི་》པར།

༡༤༦ ①《གཡུང་》《པེ་》《སྣར་》《ཞོལ་》པར། 《ཁུ་》+ལ། ②《གཡུང་》《པེ་》བསྐུལ། ③《སྣར་》《ཞོལ་》+གཞན་ཡང་། ④《ལི་》《ཅོ་》པ། ⑤《སྣར་》《ཞོལ་》ཅུང་།

༡༤༧ ①《གཡུང་》《པེ་》བསྐུལ། ②《ཞོལ་》–པ། ③《སྣར་》སྐྱུལ།

༡༤༨ ①《གཡུང་》《པེ་》+རོ། ②《གཡུང་》《པེ་》བསྐུལ། ③《སྣར་》《ཞོལ་》ཉམས། ④《ཅོ་》པར།

༡༤༩ ①《གཡུང་》《པེ་》《སྣར་》《ཞོལ་》བསྲུང་། ②《ཞོལ་》པར། ③《སྣར་》《ཞོལ་》+ཡང་དག་པར། ④《གཡུང་》《ལི་》《པེ་》སྒོམས། ⑤《གཡུང་》《པེ་》གི།

༡༥༠ ①《གཡུང་》《ལི་》《པེ་》《སྣར་》《ཅོ་》《ཁུ་》《ཞོལ་》མི། ②《གཡུང་》《པེ་》འགྱུར། ③《སྣར་》《ཞོལ་》འདས། ④《གཡུང་》《ལི་》《པེ་》《སྣར་》《ཅོ་》དེ། ⑤《ལི་》《ཅོ་》ཏེ།

༡༥༡ ①《གཡུང་》《པེ་》《སྣར་》《ཞོལ་》བར། ②《ལི་》《ཅོ་》པར། ③《ལི་》ཀྲྀ། ④《གཡུང་》《ལི་》《པེ་》《སྣར་》《ཅོ་》–དེ་ལྟར། ⑤《ལི་》ཀྲྀ།

༡༥༢ ①《གཡུང་》《པེ་》འདྲོན། 《ཞོལ་》མགྲོན།

༡༥༣ ①《ལི་》+སེམས། ②《ལི་》《སྣར་》《ཅོ་》《ཞོལ་》རོ། ③《ཅོ་》–ལ། ④《ལི་》《ཅོ་》སྒོམས།

༡༥༤ ①《གཡུང་》《པེ་》པོས།

༡༥༥ ①《ལི་》དོན། ②《གཡུང་》《པེ་》ཐབ། ③《པེ་》ཆོས། ④《གཡུང་》《པེ་》《སྣར་》《ཞོལ་》དེས། ⑤《གཡུང་》ཏེ། ⑥《ལི་》ད། ⑦《གཡུང་》《ལི་》《པེ་》《ཅོ་》ཐབ། ⑧《གཡུང་》《པེ་》དེར། ⑨《པེ་》དོ། ⑩《ལི་》སྒོམས། ⑪⑫《གཡུང་》《པེ་》གིས།

༡༥༦ ①《གཡུང་》《པེ་》གིས། ②《གཡུང་》མདམ་པོག 《ལི་》མདས་པོག 《པེ་》མདའ་པོག ③《གཡུང་》《ལི་》《པེ་》《སྣར་》《ཅོ་》《ཞོལ་》–རྣམ་པ། ④《གཡུང་》《ལི་》《པེ་》《ཅོ་》རམ། ⑤《གཡུང་》《ལི་》

«པེ་»«ཅོ་»བརྗོད།

༡༥༧ ①«ཁུ་»མ། ②«སྣར་»«ཞོལ་»བར། ③«ཞོལ་»བསླག

༡༥༨ ①«གཡུང་»«པེ་»ཕྲིས་ཤིང་། «སྣར་»«ཞོལ་»ཕྲི་ཞིང་། ②«སྣར་»«ཞོལ་»མམ། ③«པེ་»ཏོ།
④«སྣར་»«ཞོལ་»རམ།

༡༥༩ ①«གཡུང་»མཐོ་བཅམ། «པེ་»«ཞོལ་»མཐོ་འཚམ། ②«ཅོ་»ཞིང་། ③«གཡུང་»«པེ་»«ཞོལ་»འཁོན།
④«གཡུང་»«པེ་»ཏོ། །བགོད། «ཞོལ་»རོ། །བཀོད།

༡༦༠ ①«གཡུང་»«པེ་»པོ། ②«ཞོལ་»གིས། ③«ཞོལ་»དྲིའི།

༡༦༡ ①«པེ་»དེས། ②«སྣར་»«ཞོལ་»པས། ③«གཡུང་»«ལི་»«སྣར་»«ཅོ་»«ཞོལ་»ང་།

༡༦༢ ①«པེ་»དེ། ②«ཅོ་»–པ། ③«ལི་»«སྣར་»«ཅོ་»སློག «ཞོལ་»བསླག ④«གཡུང་»«པེ་»གྱིས།
⑤«གཡུང་»བ། ⑥«སྣར་»+བཙང་བ་དང་། སླག་པ་དང་། «ཞོལ་»+བཙང་བ་དང་། བསླག་པ་དང་།

༡༦༤ ①«གཡུང་»མ།

༡༦༥ ①«ལི་»སྟོན། ②«གཡུང་»«པེ་»སྟོངས།

༡༦༦ ①«གཡུང་»«པེ་»མི། ②«གཡུང་»«པེ་»–པར། ③«ཞོལ་»–དེ། ④«ཅོ་»ཆོས།

༡༦༧ ①«གཡུང་»«པེ་»བཀུར་མ་བྱས་པ། ②«གཡུང་»«ལི་»«པེ་»«ཅོ་»གིས།

༡༦༩ ①«ཅོ་»གཅད་པར། ②«གཡུང་»–རྣམས། ③«ཞོལ་»ཏོ།

༡༧༠ ①«ལི་»«སྣར་»«ཞོལ་»+ལ། ②«སྣར་»«ཞོལ་»གྱིས། ③«གཡུང་»«པེ་»–དུ། ④«གཡུང་»–ཀྱང་།

༡༧༡ ①«ལི་»ཞེན། ②«གཡུང་»«པེ་»«ཞོལ་»+པར། ③«ཅོ་»བསྒྲིབ། ④«ལི་»ཞེན། ⑤«ཞོལ་»
བསླག ⑥«སྣར་»སླག «ཞོལ་»བསླག

༡༧༢ ①②«ཞོལ་»བསླག

༡༧༣ ①«གཡུང་»«པེ་»–སྒོ། ②«ཁུ་»སྨན། ③«སྣར་»པར་མཛད་ཀྱིས། «ཞོལ་»པར་མཛད་ཀྱི།
④«གཡུང་»«པེ་»འམ།

༡༧༤ ①«གཡུང་»«པེ་»བརྟན།

༡༧༥ ①«སྣར་»«ཞོལ་»+ཆོས་གོས་དང་། ②«ཅོ་»ཀྱི།

༡༧༦ ①«པེ་»པ། ②«གཡུང་»རྒྱ། ③«ཞོལ་»–གང་།

༡༧༩ ①«ཁུ་»«ཞོལ་»–དེ། ②«གཡུང་»«པེ་»–ཆེས།

༡༨༡ ①«པེ་»བློགས། «སྣར་»«ཞོལ་»བསླགས། «ཅོ་»སླགས། ②«པེ་»དབྲལ། ③«གཡུང་»«ལི་»«པེ་»
«སྣར་»«ཅོ་»«ཞོལ་»–ཆེས། ④«ལི་»སླའི།

༡༨༢ ①«གཡུང་»–དང་། ②«གཡུང་»«པེ་»«ཁུ་»པར། ③«སྣར་»ད། ④«གཡུང་»བྱུང་བ། «ཅོ་»
བྱུགས་པ།

༡༨༣ ①«ཅོ་»–བ། ②«སྣར་»«ཞོལ་»–བཞི།

༡༨༤ ①«གཡུང་»«པེ་»ཏེ། ②«ཅོ་»བྱུགས།

༡༨༥ ①«ཁུ་»པའོ།

༡༨༦ ①«ཞོལ་»པ་དང་།

༡༨༧ ①«སྣར་»«ཞོལ་»+རྣམས། ②«ཅོ་»རིགས། ③«གཡུང་»«པེ་»བསྒོར།

༡༨༨ ①«པེ་»སྒྲོག «ཞོལ་»བསྒྲག ②«པེ་»«ཅོ་»སྒྲགས། «སྣར་»«ཞོལ་»བསྒྲགས།

༡༨༩ ①«སྣར་»«ཞོལ་»+བྱམས་པ་ཆེན་པོ་དང་། སྙིང་རྗེ་ཆེན་པོ་དང་། ②«ཞོལ་»གཟུང་། ③«ཅོ་»གྱི། ④«སྣར་»«ཞོལ་»འཐབ། ⑤«གཡུང་»«པེ་»ཚམ། «ལི་»«སྣར་»«ཅོ་»མཚམ། ⑥«ཞོལ་»སེམས། ⑦«གཡུང་»«པེ་»—དང་། ⑧«སྣར་»«ཞོལ་»སྣར་ཞི་ཞིང་། «ཅོ་»བཟློག་ཤིང་། ⑨«ཞོལ་»—དང་།

༡༩༠ ①«གཡུང་»«པེ་»དེ། ②«གཡུང་»«པེ་»«སྣར་»«ཞོལ་»+ལ།

༡༩༡ ①«གཡུང་»«པེ་»རིགས། ②«ཞོལ་»—པར།

༡༩༢ ①«སྣར་»«ཞོལ་»+བསམ་གཏན་རྣམས་དང་། ཚད་མེད་པ་རྣམས་དང་། གཟུགས་མེད་པའི་སྙོམས་པར་འཇུག་པ་རྣམས་དང་།

༡༩༣ ①«ལི་»«ཅོ་»ན། ②«སྣར་»«ཞོལ་»+འཇིག་རྟེན་ན། ③«ཅོ་»པར། ④«ཞོལ་»+བཞི། ⑤«སྣར་»«ཞོལ་»+བྱམས་པ་ཆེན་པོ་དང་། སྙིང་རྗེ་ཆེན་པོ་དང་།

༡༩༤ ①«སྣར་»«ཞོལ་»+བྱམས་པ་ཆེན་པོ་དང་། སྙིང་རྗེ་ཆེན་པོ་དང་། ②«གཡུང་»«པེ་»ཡོངས་སུ།

༡༩༥ ①«ལི་»གིཙ། ②«ལི་»+ན། ③«ཅོ་»«ཞོལ་»སྔོན་པོས། ④«གཡུང་»«ལི་»«པེ་»ཐོན།

༡༩༦ ①«ལི་»དགར། ②«ཅོ་»གྱུར། ③«གཡུང་»«པེ་»གཏང་།

༡༩༧ ①«གཡུང་»«པེ་»—དེ། ②«སྣར་»«ཞོལ་»དམི། «ཁུ་»སྨྲི། ③«སྣར་»«ཞོལ་»བདར། ④«གཡུང་»«པེ་»འཆད། ⑤«ཅོ་»+རོ། ⑥«སྣར་»«ཞོལ་»བརྗུས། ⑦«པེ་»སྒྲོག «ཞོལ་»བསྒྲག ⑧«ལི་»མ།

༡༩༨ ①«ཁུ་»རྒྱུན། ②«ཞོལ་»ལྷ། ③«གཡུང་»«པེ་»པ། ④«གཡུང་»«པེ་»«སྣར་»«ཞོལ་»ན། ⑤«ཞོལ་»ཀྱིས། ⑥«ཞོལ་»སོང་། ⑦«གཡུང་»«པེ་»ཞེས།

༡༩༩ ①«གཡུང་»«པེ་»བསམ། ②«ཞོལ་»ལྷ། ③«གཡུང་»«པེ་»ཏུ། ④«ལི་»པ། «ཅོ་»པ་དང་། ⑤«གཡུང་»«པེ་»ནས། ⑥«གཡུང་»བམ། ⑦«ཞོལ་»ལྷ།

༢༠༠ ①«ལི་»—ཟ།

༢༠༡ ①«ཞོལ་»གྱི། ②«ཞོལ་»+བ། ③«གཡུང་»«པེ་»ཏེ། ④«གཡུང་»«ལི་»«པེ་»«སྣར་»«ཅོ་»«ཞོལ་»ས། ⑤«ལི་»ལིང་ཙ་བི། «པེ་»ལི་ཙ་བི། «སྣར་»«ཞོལ་»ལིཙྪ་བི། ⑥«སྣར་»བལྷ། ⑦«སྣར་»«ཞོལ་»འཚོལ། ⑧«ཞོལ་»གྱི། ⑨«གཡུང་»«པེ་»«སྣར་»«ཞོལ་»+ཏོ།

༢༠༢ ①«ལི་»གྱུར་ཅིག «ཅོ་»སྤྱད་ཅིང་། ②«གཡུང་»«པེ་»པའི།

༢༠༣ ①«གཡུང་»«པེ་»པོ། ②«ཅོ་»—པར། ③«གཡུང་»«པེ་»རིས། ④«གཡུང་»«པེ་»སྤྱུང་།

༢༠༤ ①«གཡུང་»«པེ་»བགྱི་བ། ②«གཡུང་»«པེ་»གཤེས།

༢༠༥ ①«གཡུང་»«པེ་»ཀྱི། ②«གཡུང་»«པེ་»པ། «ལི་»པ་མ། «ཅོ་»པ་ན། ③«ཅོ་»པར།

༢༠༦ ①«གཡུང་»–ཡང་།

༢༠༧ ①«གཡུང་»«པེ་»«སྣར་»«ཞོལ་»འགྲོ་བའོ། ②«པེ་»འདྲོན། ③«གཡུང་»«པེ་»–མ། «ལི་»«ཅོ་»
མ་སྦྱོས། ④«ལི་»ད། «སྣར་»«ཅོ་»«ཞོལ་»–ནི།

༢༠༨ ①«གཡུང་»«པེ་»«སྣར་»«ཞོལ་»དང་།

༢༠༩ ①«གཡུང་»–རུ། ②«སྣར་»«ཞོལ་»+བྱམས་པ་ཆེན་པོ་དང་། སྙིང་རྗེ་ཆེན་པོ་དང་། ③«གཡུང་»
«པེ་»–པ། ④⑤«སྣར་»«ཞོལ་»བརྟེན།

༢༡༠ ①«སྣར་»«ཞོལ་»+བྱམས་པ་ཆེན་པོ་དང་། ②«གཡུང་»«པེ་»པར། ③④⑤⑥⑦«སྣར་»«ཞོལ་»བརྟེན།

༢༡༡ ①«སྣར་»«ཞོལ་»+བྱམས་པ་ཆེན་པོ་དང་། ②«སྣར་»«ཞོལ་»བརྟེན། ③«ཅོ་»པོ། ④«སྣར་»
«ཞོལ་»+བྱམས་པ་ཆེན་པོ་དང་། ⑤«གཡུང་»«པེ་»«ཅོ་»པར།

༢༡༢ ①«པེ་»«ཅོ་»སྙགས། «སྣར་»«ཞོལ་»བསྙགས། ②«གཡུང་»«པེ་»བགྱིས། ③«པེ་»«ཅོ་»སྙགས།
«སྣར་»«ཞོལ་»བསྙགས། ④«ཁུ་»སྙམས།

༢༡༣ ①«སྣར་»«ཞོལ་»བསྙགས། «ཅོ་»སྙགས། ②«སྣར་»«ཞོལ་»བསྙགས། «ཅོ་»སྙགས། ③«གཡུང»
«པེ་»«སྣར་»«ཞོལ་»ན། ④«གཡུང་»པ། ⑤«སྣར་»«ཞོལ་»བསྙགས། «ཅོ་»སྙགས།

༢༡༤ ①«སྣར་»«ཞོལ་»བསྙགས། «ཅོ་»སྙགས། ②«ཁུ་»སྙག

༢༡༥ ①«ལི་»བེ་བྱའི། ②«གཡུང་»«པེ་»+ཡང་། ③«ལི་»གཻ།

༢༡༦ ①«གཡུང་»བྱུ་བ། ②«ལི་»ང་། ③«གཡུང་»གི། ④«སྣར་»«ཞོལ་»ཆད། ⑤«གཡུང་»«པེ་»
བསྐྱུངས་པ། ⑥«སྣར་»«ཞོལ་»བར། ⑦«གཡུང་»«པེ་»«སྣར་»«ཞོལ་»+ཉེ་བར། ⑧«གཡུང་»
«ལི་»«པེ་»«སྣར་»«ཅོ་»«ཞོལ་»ཀྱིས།

༢༡༧ ①«ལི་»སྦྲོས། ②«སྣར་»སྙན་ཀ་འཚོལ། «ཞོལ་»སྙན་ཀ་འཚོལ། ③«ལི་»དར། ④«ཅོ་»བར།
⑤«གཡུང་»«པེ་»འདུ། ⑥«གཡུང་»«པེ་»ཆོས་ཀྱི། ⑦«ལི་»ཐད།

༢༡༨ ①«གཡུང་»«པེ་»–ཡང་། ②«གཡུང་»+ང་། «པེ་»+ངོ་། ③«གཡུང་»ང་། «པེ་»–གང་།
④«ཅོ་»+ལ། ⑤«ལི་»གཞུམ། ⑥«སྣར་»«ཞོལ་»དངངས། «ཅོ་»ལྡང་། ⑦«གཡུང་»«ལི་»«པེ་»
«སྣར་»«ཅོ་»«ཞོལ་»–འདི། ⑧«སྣར་»«ཞོལ་»དངངས། «ཅོ་»ལྡང་། ⑨«ཅོ་»པོར།
⑩«གཡུང་»«པེ་»+སྡང་བར་འགྱུར་བའམ། «སྣར་»«ཞོལ་»+དངངས་པར་འགྱུར་བའམ།

༢༡༩ ①«སྣར་»ད། ②«གཡུང་»«པེ་»«ཅོ་»ཀྱི། ③«གཡུང་»«པེ་»«སྣར་»«ཅོ་»«ཞོལ་»–ཅིག «ལི་»
པ༑ ④«ལི་»སྨོང་། ⑤«གཡུང་»«ལི་»«པེ་»«སྣར་»«ཅོ་»«ཞོལ་»–བཅས།

༢༢༠ ①«ཅོ་»–ལག ②«སྣར་»«ཞོལ་»+བྱམས་པ་ཆེན་པོ་དང་། ③«ཅོ་»བར། ④«གཡུང་»«ལི་»«པེ་»
«སྣར་»«ཅོ་»«ཞོལ་»རྐོལ།

༢༢༡ ①«གཡུང་»«ལི་»«པེ་»«ཅོ་»ཀྱི། ②«ལི་»«སྣར་»«ཅོ་»«ཞོལ་»–འདི། ③«གཡུང་»«པེ་»«སྣར་»

«ཞོལ་»དེར། «ལི་»དར། ④«གཡུང་»«པེ་»ལྡན། ⑤«གཡུང་»«པེ་»«སྣར་»«ཁུ་»«ཞོལ་»–བ། ⑥«ཞོལ་»བསྒྲག ⑦«གཡུང་»«པེ་»–བ།

༢༢༢ ①«ཞོལ་»བསྒྲག ②«གཡུང་»–གཟི་བརྗིད་ཆེན་པོ། ③«གཡུང་»–པོ། «པེ་»མེད། ④«ཞོལ་»བསྒྲག

༢༢༣ ①«ཞོལ་»བསྒྲག ②«གཡུང་»«པེ་»«སྣར་»སྒྲག «ཞོལ་»བསྒྲག ③«སྣར་»བཅང་བ། «ཞོལ་»འཆང་བ། ④«གཡུང་»«པེ་»མི་སློད། «ལི་»«སྣར་»«ཞོལ་»མ་སྟེད།

༢༢༤ ①«གཡུང་»«པེ་»– གྱི། ②«ལི་»«ཅོ་»སྒྲགས། «ཞོལ་»བསྒྲག ③«པེ་»བཅད་པ། «ཅོ་»བཅངས་པ། ④«ཅོ་»སྒྲགས། «ཞོལ་»བསྒྲག

༢༢༥ ①«གཡུང་»«ཁུ་»མི། ②«གཡུང་»«པེ་»དེས་འདིར། «ཞོལ་»དས་འདི། ③«ལི་»«ཅོ་»སྒྲགས། «ཞོལ་»བསྒྲག ④«སྣར་»«ཞོལ་»པ་བྱ་བའི། ⑤«ཅོ་»སྒྲགས། «ཞོལ་»བསྒྲག ⑥«གཡུང་»«པེ་»དོང་། ⑦«གཡུང་»–བུ།

༢༢༦ ①«གཡུང་»«པེ་»གདུག ②«ཅོ་»སོ། ③«ལི་»–བཙོ། ④«གཡུང་»«པེ་»«ཅོ་»པ་འདི།

༢༢༧ ①«ཅོ་»ད། ②«གཡུང་»«ལི་»«པེ་»«སྣར་»«ཅོ་»«ཞོལ་»བགྲོ། ③«ལི་»བྱ་ར།

༢༢༨ ①«གཡུང་»«པེ་»བསླབ། «ལི་»«སྣར་»«ཅོ་»བསླན། ②«གཡུང་»«པེ་»བསྒྲུབ།

༢༢༩ ①«གཡུང་»«པེ་»བསྒྲུབ། ②«ཞོལ་»བསྒྲག ③«ཅོ་»གི། ④«སྣར་»«ཞོལ་»བསྒྲགས། «ཅོ་»སྒྲགས། ⑤«ཅོ་»གི། ⑥«གཡུང་»«ལི་»«པེ་»བླག «ཞོལ་»བསྒྲག

༢༣༡ ①«གཡུང་»«པེ་»«ཁུ་»སྙེད། ②«ལི་»«ཅོ་»དེ་ཅིའི། ③«ཅོ་»+ཞེ་ན།

༢༣༢ ①«ཞོལ་»གྲོར། ②«སྣར་»«ཅོ་»བསྒྱུར། ③«གཡུང་»«པེ་»«ཞོལ་»བསྒྲུབ། ④«ཞོལ་»འདོད་པ། ⑤«གཡུང་»«པེ་»«སྣར་»«ཞོལ་»བསྒྲུབ།

༢༣༣ ①②«སྣར་»«ཞོལ་»བསྒྲུབ། ③«སྣར་»«ཞོལ་»ཤེས་རབ་ཀྱི། ④⑤⑥⑦⑧«སྣར་»«ཞོལ་»བསྒྲུབ། ⑨«གཡུང་»«པེ་»–བྱམས་པ་ཆེན་པོ་དང་། ⑩⑪⑫⑬«སྣར་»«ཞོལ་»བསྒྲུབ།

༢༣༤ ①«གཡུང་»«པེ་»བར། ②«གཡུང་»«ལི་»«པེ་»«སྣར་»«ཅོ་»སྣང་། ③«ལི་»ར།

༢༣༥ ①«ཅོ་»གྱི། ②«གཡུང་»«པེ་»+དེ། ③«གཡུང་»«པེ་»བསླབ།

༢༣༦ ①«གཡུང་»«ལི་»«པེ་»«སྣར་»«ཅོ་»«ཞོལ་»–ཅིག ②«ཅོ་»པར། ③«གཡུང་»«ལི་»«པེ་»«སྣར་»«ཅོ་»«ཞོལ་»ཤིང་། ④«སྣར་»«ཞོལ་»བཙལ། ⑤«ཅོ་»དོན། ⑥«ཅོ་»ཅི། ⑦«གཡུང་»«པེ་»བསྒྲུབ།

༢༣༧ ①②«ཅོ་»–མ། ③«གཡུང་»«ལི་»«པེ་»«ཅོ་»–མ།

༢༣༨ ①«གཡུང་»«ཞོལ་»ཏེ། ②«ཅོ་»སྟོན།

༢༣༩ ①«གཡུང་»«པེ་»«ཅོ་»པར། ②«གཡུང་»«པེ་»–ཀྱི། ③«ཞོལ་»གི། ④«པེ་»ལ།

༢༤༠ ①«གཡུང་»«པེ་»–མི། ②«གཡུང་»«པེ་»འདའ་བར། ③«ཅོ་»ཀྱི། ④«གཡུང་»«པེ་»བསྟན་པ། ⑤«གཡུང་»«པེ་»–པ། ⑥«གཡུང་»«པེ་»བསྟན།

༣༤༢ (༡)«གཡུང་»«པེ་»པར། (༢)«གཡུང་»«པེ་»ཕྱིར། (༣)«ཅོ་»–ན། (༤)«ལི་»«ཅོ་»སིལ།

༣༤༣ (༡)«སྣར་»བརྟེན་ན། «ཞོལ་»བརྟན་ནས། (༢)«སྣར་»«ཞོལ་»བརྟེན། (༣)«གཡུང་»«པེ་»རྟེན། (༤)«ཅོ་»བཤད་། (༥)(༦)«གཡུང་»«པེ་»རྟེན། (༧)«གཡུང་»«པེ་»སྐྱབས། (༨)«གཡུང་»«ལི་»«པེ་»«སྣར་»«ཅོ་»«ཞོལ་»–ལྷ། (༩)«ཅོ་»–མཚན།

༣༤༤ (༡)«ཞོལ་»བརྡལ། (༢)«གཡུང་»«པེ་»«སྣར་»«ཞོལ་»+དེ། (༣)«གཡུང་»«ལི་»«པེ་»«སྣར་»«ཅོ་»«ཁུ་»«ཞོལ་»མི།

༣༤༥ (༡)«ལི་»བསྟོན། (༢)«ཅོ་»པོའི། (༣)«གཡུང་»«པེ་»«སྣར་»«ཞོལ་»དེའང་འབྱུང་། «ལི་»དེ་འདི་འགྱུར་། (༤)«ཅོ་»འབྱུང་། (༥)«ཅོ་»བན། (༦)«གཡུང་»«པེ་»«སྣར་»«ཞོལ་»+དེ། (༧)«ཅོ་»དེར། (༨)«གཡུང་»«ལི་»«པེ་»«སྣར་»ཚང་། (༩)«གཡུང་»«ལི་»«པེ་»«སྣར་»ཚང་།

༣༤༦ (༡)«སྣར་»«ཞོལ་»ཅི། (༢)«གཡུང་»«པེ་»«སྣར་»«ཞོལ་»ཏེ། «ལི་»«སྣར་»«ཅོ་»ཏོ། (༣)«གཡུང་»«པེ་»ལེན་རྟན། «ལི་»«སྣར་»«ཅོ་»«ཞོལ་»ལེ་བརྟན། (༤)«གཡུང་»«པེ་»«ཅོ་»ཀྱི། (༥)(༦)«གཡུང་»«པེ་»+མ།

༣༤༧ (༡)(༢)«ཅོ་»བུ། (༣)«གཡུང་»+རིན་པོ། (༤)«པེ་»པོའི། (༥)«ཅོ་»བུ། (༦)«ཅོ་»ཉེར། (༧)«ཅོ་»གིས། (༨)«གཡུང་»«པེ་»«སྣར་»«ཞོལ་»+སྐྱལ། (༩)«སྣར་»«ཞོལ་»བྱུང་། (༡༠)«ཅོ་»བྱུང་། (༡༡)«གཡུང་»«ལི་»«པེ་»«ཅོ་»ཚོགས། (༡༢)«གཡུང་»«པེ་»བགྱིད།

༣༤༨ (༡)«ཅོ་»གྱི། (༢)«གཡུང་»«པེ་»–བྱམས་པ་ཆེན་པོ་དང་། (༣)«གཡུང་»རྒྱུད། (༤)«ཅོ་»གྱི།

༣༤༩ (༡)«སྣར་»«ཞོལ་»ཉམས། «ཅོ་»མཉམ། (༢)«གཡུང་»«པེ་»«སྣར་»«ཞོལ་»ལྔ། (༣)«ཅོ་»པ། (༤)«སྣར་»«ཞོལ་»ཉམས། «ཅོ་»མཉམ། (༥)«སྣར་»«ཞོལ་»ཉམས། (༦)«གཡུང་»«པེ་»+དང་། (༧)«ལི་»«ཅོ་»འབྲི། (༨)«གཡུང་»«པེ་»«སྣར་»«ཞོལ་»དེ། (༩)«གཡུང་»«པེ་»པ། (༡༠)«གཡུང་»«ལི་»«པེ་»«སྣར་»«ཅོ་»«ཞོལ་»བསྒོམས། (༡༡)«གཡུང་»«པེ་»བལྟ། (༡༢)«གཡུང་»«པེ་»«སྣར་»«ཞོལ་»+གི། (༡༣)«གཡུང་»དུར་གཏིམས། «པེ་»བུར་གང་སོས།

༣༥༠ (༡)«གཡུང་»«པེ་»མི་ལེན་ཏེ། (༢)«ལི་»«ཅོ་»ན། (༣)«གཡུང་»འདམ། (༤)«ལི་»ད། «ཅོ་»བ། (༥)«སྣར་»«ཞོལ་»བསྒྲགས།

༣༥༡ (༡)«ལི་»«སྣར་»«ཅོ་»ལས། (༢)«གཡུང་»«ལི་»«པེ་»«ཅོ་»གྱིས། (༣)«ལི་»ཚོངས། (༤)«གཡུང་»«པེ་»–དེ། (༥)«ཅོ་»སྐྱེ། (༦)«གཡུང་»«ལི་»«པེ་»«སྣར་»«ཞོལ་»མ་ཆེས།

༣༥༢ (༡)«གཡུང་»«ལི་»«པེ་»«ཅོ་»བགྱིས། (༢)«ཞོལ་»བསྒྲག (༣)«གཡུང་»«པེ་»«ཞོལ་»བགྱི་སྐྱེ། «ལི་»«སྣར་»«ཅོ་»བགྱིད་སྐྱེ། (༤)«གཡུང་»དང་། (༥)«ཅོ་»བསྒོམས། (༦)«གཡུང་»«པེ་»–གྱི། (༧)«ཅོ་»བ། (༨)«ཞོལ་»བསྒྲག (༩)«གཡུང་»«པེ་»–ཡང། (༡༠)«གཡུང་»«པེ་»+ཡང་།

༣༥༣ (༡)«ཅོ་»གྱི། (༢)«སྣར་»«ཞོལ་»+བྱམས་པ་ཆེན་པོ་དང་།

༣༥༤ (༡)«ཅོ་»–དེ། (༢)«གཡུང་»«པེ་»«སྣར་»«ཞོལ་»བརྟེན། (༣)«སྣར་»«ཞོལ་»བརྟེན། (༤)«གཡུང་»དེ།

(༥)«གཡུང་»«པེ་»བསྟོན། (༦)«ཅོ་»ཅི། (༧)«གཡུང་»«པེ་»རྟེན།

༢༥༥ (༡)«སྣར་»«ཞོལ་»འཐོབ། (༢)«ཅོ་»འཐོབ། (༣)«སྣར་»«ཞོལ་»འཐོབ། (༤)«སྣར་»«ཞོལ་»ཞེན། (༥)«ལི་»«སྣར་»«ཅོ་»«ཞོལ་»+འདི། (༦)«གཡུང་»«ལི་»«པེ་»«སྣར་»«ཞོལ་»+ཐང་མ་ཡིན། «ཅོ་»+བར་མ་ཡིན།

༢༥༦ (༡)(༢)«སྣར་»«ཞོལ་»བསྒྲུབ། (༣)«ཅོ་»+ཏེ། (༤)«ཅོ་»སྒྲི། (༥)«པེ་»–སོ། (༦)«གཡུང་»«པེ་»+སོ། (༧)«ཞོལ་»བ།

༢༥༧ (༡)«གཡུང་»«ལི་»«པེ་»«སྣར་»«ཅོ་»«ཞོལ་»–སོ། (༢)«ཅོ་»གྱི། (༣)«གཡུང་»«པེ་»པའི། (༤)«གཡུང་»–སོ།

༢༥༨ (༡)«ཅོ་»བུ། (༢)«གཡུང་»འགྲུས། (༣)«ཅོ་»པར། (༤)«གཡུང་»མཆོས། (༥)«ཅོ་»པ།

༢༥༩ (༡)«ཅོ་»འབྲུགས། (༢)«གཡུང་»«པེ་»མ་ཡིན། (༣)«པེ་»འཚལ། (༤)«ལི་»«ཅོ་»–མིག་མི་དམིགས་པའི་ཚུལ་དང་།

༢༦༡ (༡)«སྣར་»«ཞོལ་»བསྒྲུབ། (༢)«སྣར་»བསྒོམ། «ཞོལ་»བརྩམ།

༢༦༢ (༡)«ཅོ་»–ཀྱི། (༢)«གཡུང་»«པེ་»–ལ།

༢༦༣ (༡)«ལྷ་»དྲིའི། (༢)«གཡུང་»«པེ་»དཀར། (༣)«གཡུང་»དཀར། «པེ་»དཀར། (༤)«གཡུང་»–དང་། (༥)«ཅོ་»ཀྱི། (༦)«གཡུང་»«པེ་»དཀར། (༧)«གཡུང་»«ལི་»«པེ་»«ཅོ་»–ལ།

༢༦༤ (༡)«གཡུང་»«པེ་»དཀར། (༢)«གཡུང་»«པེ་»–ལ། (༣)«གཡུང་»«པེ་»«ཅོ་»དེའི། (༤)«གཡུང་»«པེ་»+འདི།

༢༦༥ (༡)«གཡུང་»–དེ། (༢)«ཅོ་»ཀྱི། (༣)«སྣར་»«ཞོལ་»འཐོབ། (༤)«སྣར་»«ཞོལ་»འཐོབ།

༢༦༦ (༡)«པེ་»+འདི།

༢༦༧ (༡)«སྣར་»བསེམས། «ཅོ་»བསམ། (༢)«གཡུང་»«པེ་»རྟེན། (༣)«པེ་»དེ།

༢༦༨ (༡)«ཅོ་»–གཤེགས། (༢)«སྣར་»«ཞོལ་»འཐོབ། (༣)«སྣར་»དོ། །འཐོབ། «ཅོ་»«ཞོལ་»པོ། །འཐོབ།

༢༦༩ (༡)«ལི་»«ཅོ་»–བདེ་བར་གཤེགས་པ་མང་ངོ་།། (༢)«ཅོ་»བསྒྲགས། «ཞོལ་»བསྒྲག (༣)«ཅོ་»དོན། (༤)«སྣར་»«ཞོལ་»ཐོབ། (༥)«སྣར་»«ཞོལ་»འཐོབ། (༦)«སྣར་»«ཞོལ་»ཐོབ། (༧)«སྣར་»«ཞོལ་»འཐོབ།

༢༧༠ (༡)«ཅོ་»–ཀྱི། (༢)«ཅོ་»ཆེར། (༣)«ལི་»སྒྱི།

༢༧༡ (༡)«གཡུང་»«པེ་»གླིང་། (༢)«ལི་»ཤིག (༣)«གཡུང་»«པེ་»གླིང་། (༤)«གཡུང་»«པེ་»བགོད། (༥)«ཅོ་»བྱུང་།

༢༧༢ (༡)«སྣར་»«ཞོལ་»+ལ། (༢)«སྣར་»«ཞོལ་»འདྲི། (༣)«ཅོ་»བསྒྲགས། «ཞོལ་»བསྒྲག (༤)«ཅོ་»དོན། (༥)«ཞོལ་»འཐོབ། (༦)«ཅོ་»ཀྱིས། (༧)«ཞོལ་»འཐོབ། (༨)«གཡུང་»«པེ་»–པར།

༢༧༣ (༡)«སྣར་»བསྒྲག «ཞོལ་»བསྒྲག (༢)«གཡུང་»–ལ། (༣)«གཡུང་»«པེ་»དེའི། (༤)«ལི་»ཆར། «སྣར་»«ཅོ་»«ཞོལ་»ཆེར། (༥)«ཞོལ་»ཏོ། (༦)«ལི་»སྒྱིན།

༢༧༤ (༡)«གཡུང་»«པེ་»–པ། (༢)«གཡུང་»–བྱམས་པ་ཆེན་པོ་དང་། (༣)«ཅོ་»བྱ། (༤)«ཅོ་»གོ། (༥)«པེ་»+པ། «ཞོལ་»+རང་བྱང་ཆུབ་ཀྱི་བར་ལ་རབ་ཏུ་བཀོད། (༦)«ཅོ་»འམ། (༧)«ཞོལ་»བསྒྲག (༨)«ཁུ་»དྲི། (༩)«གཡུང་»«ལི་»«པེ་»–ལ།

༢༧༥ (༡)«གཡུང་»«པེ་»+རང་། (༢)«ལི་»ལས། (༣)«པེ་»+པ། (༤)«ཞོལ་»བསྒྲག (༥)«གཡུང་»«པེ་»བྱའི། (༦)«གཡུང་»«ལི་»«པེ་»–ལ། (༧)«གཡུང་»–པ།

༢༧༦ (༡)«གཡུང་»«པེ་»ཀྱི། (༢)«སྣར་»«ཞོལ་»འདྲི། (༣)«ཞོལ་»བསྒྲག (༤)«གཡུང་»«པེ་»–ལ། (༥)«ཅོ་»པའི། (༦)«གཡུང་»–པ། (༧)«གཡུང་»«ལི་»«པེ་»«སྣར་»«ཅོ་»«ཞོལ་»+དུ། (༨)«སྣར་»«ཞོལ་»འདྲི། (༩)«ཞོལ་»བསྒྲག (༡༠)«ཅོ་»–དུ། (༡༡)«གཡུང་»«པེ་»–ལ།

༢༧༧ (༡)«ཅོ་»འམ། (༢)«གཡུང་»–བ། (༣)«གཡུང་»«ཅོ་»སྒྲག «ཞོལ་»བསྒྲག (༤)«གཡུང་»«པེ་»–ལ། (༥)«གཡུང་»«པེ་»+ལ། (༦)«གཡུང་»«པེ་»འགྱུར་ཏོ། «སྣར་»«ཞོལ་»གྱུར་ཏོ། (༧)«སྣར་»ཐོབ་པོ། །འཐོབ། «ཞོལ་»འཐོབ་པོ། །འཐོབ། (༨)«སྣར་»ཏོ། །ཐོབ་པོ། །འཐོབ། «ཅོ་»རོ། །འཐོབ་པོ། །ཐོབ། «ཞོལ་»ཏོ། །འཐོབ་པོ། །འཐོབ། (༩)«ཅོ་»པར། (༡༠)«ཅོ་»མཚང་།

༢༧༨ (༡)«ལི་»«ཅོ་»–འདི། (༢)«ཅོ་»–དུ། (༣)«ཞོལ་»བསྒྲག (༤)«གཡུང་»«པེ་»–ལ། (༥)«ཅོ་»རིགས།

༢༧༩ (༡)«གཡུང་»«པེ་»+རྣམས། (༢)«ཁུ་»མོད། (༣)«ཅོ་»–པ། (༤)«ཞོལ་»བསྒྲག (༥)«སྣར་»«ཞོལ་»འདྲི། (༦)«གཡུང་»«ལི་»«པེ་»–ལ། (༧)«གཡུང་»«པེ་»«སྣར་»«ཞོལ་»+ཡང་། (༨)«གཡུང་»«ལི་»«པེ་»–ལྟ། (༩)(༡༠)«གཡུང་»«ལི་»«པེ་»–ལྟ། (༡༡)«གཡུང་»«པེ་»«སྣར་»«ཞོལ་»+ཀྱི།

༢༨༠ (༡)«ཞོལ་»བསྒྲག (༢)«གཡུང་»«པེ་»–དུ། (༣)«གཡུང་»«ལི་»«པེ་»–ལ། (༤)«སྣར་»ཐོབ་པོ། །འཐོབ། «ཞོལ་»འཐོབ་པོ། །འཐོབ། (༥)«སྣར་»ཐོབ་པོ། །འཐོབ། «ཞོལ་»འཐོབ་པོ། །འཐོབ། (༦)«སྣར་»ཐོབ་པོ། །འཐོབ། «ཞོལ་»འཐོབ་པོ། །འཐོབ།

༢༨༡ (༡)«གཡུང་»«ལི་»«པེ་»«སྣར་»«ཅོ་»«ཞོལ་»ལ། (༢)«ཅོ་»ཀློགས། (༣)«གཡུང་»«པེ་»གྱིས།

༢༨༢ (༡)«གཡུང་»«ལི་»«པེ་»«སྣར་»«ཅོ་»«ཞོལ་»+གང་། (༢)«གཡུང་»«པེ་»བབ་པར། (༣)«སྣར་»«ཞོལ་»པར། (༤)«ཅོ་»བ། (༥)«གཡུང་»«པེ་»མ།

༢༨༣ (༡)«ཅོ་»ལོགས། (༢)«ལི་»སྒྱི། (༣)(༤)«སྣར་»«ཞོལ་»འགྲེ། (༥)«གཡུང་»«པེ་»གང་དེ། (༦)«གཡུང་»«པེ་»གྱིས། (༧)«སྣར་»«ཞོལ་»བསྒྲགས། «ཅོ་»སྒྲག (༨)«ཅོ་»–ཀྱི། (༩)«ཅོ་»སློག (༡༠)«ཅོ་»བསལ།

༢༨༤ (༡)«གཡུང་»«པེ་»+ན། (༢)«གཡུང་»«ལི་»«པེ་»«སྣར་»«ཅོ་»«ཞོལ་»པར།

༢༨༥ (༡)«ཅོ་»བྱས། (༢)«ཅོ་»–ནི། (༣)«ལི་»«ཅོ་»དཔའི། (༤)«པེ་»དེ་དག (༥)(༦)«སྣར་»«ཞོལ་»བསྲུང་། (༧)«གཡུང་»«པེ་»«སྣར་»«ཞོལ་»+ནི། (༨)«ལི་»«ཅོ་»གྱུར། (༩)«སྣར་»བརྩོམ། «ཅོ་»རྩམ། «ཞོལ་»བརྩམ། (༡༠)«གཡུང་»«པེ་»བརྩོམ།

༢༨༦ (༡)«ལི་»བསྒོམ། (༢)«གཡུང་»«པེ་»«སྣར་»«ཞོལ་»སྤྱོད། (༣)«ལི་»«སྣར་»«ཞོལ་»+དེ། (༤)«གཡུང་»«ཅོ་»སྤྱོད། (༥)«ཅོ་»སྤྱོད། (༦)«གཡུང་»«པེ་»བཏང་། (༧)«ལི་»དམིགས། (༨)«སྣར་»«ཞོལ་»བསྲུང་།

⑨«ཅོ་»བ། ⑩«སྣར་»«ཅོ་»བརྫོམ། «ཞོལ་»བརྩམ། ⑪«སྣར་»བརྫོམ། «ཞོལ་»བརྩམ།

༢༨༧ ①«ཞོལ་»དཔའ། ②«ཅོ་»པར།

༢༨༨ ①«གཡུང་»«ལི་»«པེ་»«སྣར་»«ཅོ་»«ཞོལ་»–བཅོམ་ལྡན་འདས། ②«ཅོ་»+འདི། ③«པེ་»ཏོ།
④«གཡུང་»«པེ་»+གི།

༢༨༩ ①«གཡུང་»«པེ་»«སྣར་»«ཅོ་»«ཁུ་»«ཞོལ་»ཞིག ②«གཡུང་»«ལི་»«པེ་»«སྣར་»«ཅོ་»«ཁུ་»
«ཞོལ་»ཞིག ③«གཡུང་»«ལི་»«པེ་»«སྣར་»«ཅོ་»«ཞོལ་»–རྣ་བའི་རྣམ་པར་ཤེས་པ་དང་...... ཞེས་བྱ་
བར་སྦྱོན།

༢༩༠ ①«ཅོ་»+མི་སྡུག་པོ་ཞེས་བྱ་བ་དང་། ②«ཅོ་»ཀྱི། ③«ཞོལ་»བ། ④«ལི་»བར། ⑤«ལི་»–བདག་
མེད་དོ་ཞེས་བྱ་བ་དང་།

༢༩༡ ①«ཅོ་»བྱར། ②«གཡུང་»–ལོ། ③«ཅོ་»+དོ།

༢༩༢ ①«ཅོ་»ཀྱི། ②«ཞོལ་»«སྣར་»བསྒོམ། «ཅོ་»བསྒོམས།

༢༩༣ ①«གཡུང་»«པེ་»ནི། ②«ཅོ་»འཇུགས། ③«གཡུང་»«སྣར་»«ཅོ་»«ཞོལ་»ཏེ།

༢༩༤ ①«ཅོ་»བུའམ། ②«གཡུང་»ལས། ③«གཡུང་»«པེ་»«ཅོ་»བྱ་བའམ། ④«གཡུང་»«པེ་»–དེ།

༢༩༥ ①«པེ་»མ། ②«གཡུང་»ཏེ། ③«ཅོ་»འམ།

༢༩༦ ①«ལི་»«སྣར་»«ཅོ་»«ཞོལ་»+གཞན། ②«གཡུང་»«པེ་»«ཅོ་»–གནས། ③«ཅོ་»དགའ་བར།
④«གཡུང་»«པེ་»སྦྱོན།

༢༩༧ ①«ཅོ་»–དང་། ②«ཞོལ་»གཟུང་། ③«གཡུང་»«ལི་»«པེ་»«སྣར་»«ཅོ་»«ཞོལ་»བུ།

༢༩༨ ①«ལི་»«པེ་»«སྣར་»«ཅོ་»ལོ། ②«ལི་»«ཅོ་»ཏེ། ③«ཅོ་»ཚུལ། ④«ཞོལ་»གཟུང་། ⑤«གཡུང་»
«པེ་»+ན།

༣༠༠ ①«ཅོ་»སྨོ། ②«གཡུང་»«པེ་»«སྣར་»«ཞོལ་»+དེའི། «ཅོ་»ཆོས་དེའི། ③«གཡུང་»ངོ་།
④«གཡུང་»«པེ་»«སྣར་»«ཞོལ་»+ཐམས་ཅད། ⑤«གཡུང་»«པེ་»གའི། ⑥⑦«གཡུང་»«པེ་»–བུ།

༣༠༡ ①«ཞོལ་»གཟུང་། ②«ཅོ་»ཚུལ། ③«ལི་»–རབ་ཀྱི། ④«ཅོ་»བཟུང་། «ཞོལ་»གཟུང་།

༣༠༢ ①«གཡུང་»«པེ་»གིས། ②«ཅོ་»བསྒོམས་པར། ③«ཞོལ་»ཀྱིས། ④«སྣར་»«ཁུ་»«ཞོལ་»ཆོས།

༣༠༣ ①«གཡུང་»«པེ་»–ཀྱི། ②«ཁུ་»ནམ། ③«གཡུང་»«ལི་»«པེ་»བྱ་བ། «ཅོ་»བྱེད་པ། ④«ཅོ་»ཚུལ།
⑤«གཡུང་»«པེ་»–འདི། «ཞོལ་»འདི་གཟུང་། ⑥«གཡུང་»«པེ་»འགྱུར་བ།

༣༠༤ ①«ཞོལ་»གཟུང་། ②«ཅོ་»+ལ།

༣༠༥ ①«ཞོལ་»གཟུང་།

༣༠༦ ①«ཁུ་»མཁྱེན། ②«གཡུང་»«པེ་»+ཀྱི། ③«ཞོལ་»གཟུང་།

༣༠༧ ①«ཞོལ་»གཟུང་།«གཡུང་»«པེ་»–རྫོགས་པར། ②«གཡུང་»«པེ་»+གི། ③«གཡུང་»ཞིག
④«ཞོལ་»གཟུང་།

༣༠༨ ①«གཡུང་»«པེ་»འགྱུར།

༣༠༩ ①«ཁུ་»པའི། ②«ཅོ་»པའི། ③«གཡུང་»«ལི་»«པེ་»«ཅོ་»གང་གཱའི། «སྣར་»«ཁུ་»«ཞོལ་»གངྒའི། ④«ཅོ་»འབམ། ⑤«གཡུང་»གསོལ། ⑥«ཅོ་»འབམ། ⑦«ཅོ་»པ།

༣༡༠ ①«ཅོ་»ཏེ། ②«ཞོལ་»ཏེ། ③«ལི་»ལས། «ཅོ་»+ལས།

༣༡༡ ①«ཅོ་»བྱེད། ②«ཅོ་»དག ③«ལི་»–འདུག་པ། «ཁུ་»འདུག་པ། ④«ལི་»གོ། ⑤«ཁུ་»བསྐྱོད།

༣༡༢ ①«ལི་»«ཅོ་»སྐྱོང་བར། «པེ་»བསྐྱེད་པར། ②«ལི་»སླབ། «སྣར་»«ཞོལ་»བསླབ།

༣༡༣ ①«གཡུང་»«ལི་»«པེ་»«སྣར་»«ཅོ་»«ཞོལ་»ཏེ། ②«ལི་»+པ།

༣༡༤ ①«ལི་»གཟུགས། ②«གཡུང་»«པེ་»–བྱམས་པ་ཆེན་པོ་དང་།

༣༡༥ ①«ཁུ་»དབྱང་།

༣༡༦ ①«སྣར་»«ཞོལ་»འདབ། ②«ཅོ་»–བར། ③«ཅོ་»འདུལ། ④⑤«སྣར་»«ཞོལ་»འདབ། ⑥«གཡུང་»«ལི་»«པེ་»«ཅོ་»–དང་། ⑦«ཅོ་»སོངས།

༣༡༧ ①«སྣར་»«ཞོལ་»དང་། ②«གཡུང་»«པེ་»«སྣར་»«ཞོལ་»+ནུབ།

༣༡༨ ①«ཅོ་»གི ②«ལི་»ཐེ། ③«གཡུང་»«པེ་»+མ། ④«གཡུང་»«པེ་»+ཉིད།

༣༡༩ ①«ཅོ་»གིས། ②«གཡུང་»«པེ་»བསྡུས་པ་སོགས་ཏེ། «ལི་»«སྣར་»«ཅོ་»བསྡུས་གསོགས་ཏེ། «ཞོལ་»བསྡུས་གསོག་སྟེ། ③«ཅོ་»ཅིག ④«གཡུང་»«པེ་»«སྣར་»«ཅོ་»«ཁུ་»«ཞོལ་»ཤིག

༣༢༠ ①«གཡུང་»«པེ་»–པར་འདུག ②«ལི་»གྱུ།

༣༢༡ ①«ལི་»«སྣར་»«ཅོ་»«ཞོལ་»+བྱམས་པ་ཆེན་པོ་དང་། སྙིང་རྗེ་ཆེན་པོ་དང་། ②«སྣར་»«ཞོལ་»ཏེ། ③«ཅོ་»–དེ་ནི། ④«གཡུང་»«པེ་»«སྣར་»«ཞོལ་»གྱུར་པ། ⑤«གཡུང་»«པེ་»«སྣར་»«ཞོལ་»བསླབས། ⑥«གཡུང་»«པེ་»ན། ⑦«ཅོ་»ཀྱི།

༣༢༢ ①«གཡུང་»«སྣར་»«ཞོལ་»+ན། «པེ་»+ནོ།

༣༢༣ ①«ལི་»«སྣར་»«ཅོ་»«ཞོལ་»+བྱམས་པ་ཆེན་པོ་དང་། སྙིང་རྗེ་ཆེན་པོ་དང་། ②③④«སྣར་»«ཞོལ་»མམ།

༣༢༤ ①«ཅོ་»–དུ། ②«ཅོ་»པར། ③«ཅོ་»+ནམས། ④«སྣར་»«ཅོ་»«ཞོལ་»+བྱམས་པ་ཆེན་པོ་དང་། ⑤«ཁུ་»རྗེས། ⑥«གཡུང་»«ལི་»«པེ་»«ཅོ་»གིས། ⑦«གཡུང་»«ལི་»«པེ་»«སྣར་»«ཅོ་»ཀྱི། ⑧«གཡུང་»«པེ་»སྤྲང་སླག་པར་མི། «སྣར་»«ཞོལ་»དངང་སླག་པར་མི། «ཅོ་»དངངས་སླག་པར་མི། «ཁུ་»དང་བ་དག་པར་གྱི།

༣༢༥ ①«ཅོ་»ཀྱི།

༣༢༦ ①«ལི་»«སྣར་»«ཅོ་»«ཞོལ་»+བྱམས་པ་ཆེན་པོ་དང་། ②«གཡུང་»«པེ་»བསྟན། ③«སྣར་»«ཞོལ་»དངང་།

༣༢༧ ①«གཡུང་»ཡོ། ②«གཡུང་»«པེ་»«སྣར་»«ཞོལ་»–མ། ③«ཁུ་»གཞགས། ④«ཁུ་»ཤིགས།

༣༢༨ ①«གཡུང་»«ལི་»«པེ་»«སྣར་»«ཅོ་»«ཞོལ་»+བྱམས་པ་ཆེན་པོ་དང་།

༣༢༩ ①«ལི་»བཞིན། ②«སྣར་»«ཞོལ་»+བྱམས་པ་ཆེན་པོ་དང་། སྙིང་རྗེ་ཆེན་པོ་དང་། ③«གཡུང་»«པེ་»ཡི། ④«ཁུ་»–བར།

༣༣༠ ①«ལི་»«སྣར་»«ཅོ་»«ཞོལ་»+བྱམས་པ་ཆེན་པོ་དང་། ②«གཡུང་»«པེ་»འགྱུར་ཏེ། «སྣར་»«ཞོལ་»གྱུར་ཏོ། ③«ཅོ་»+ལ། ④«པེ་»ཀྱང་ཉུང་། ⑤«གཡུང་»«ལི་»«པེ་»«སྣར་»«ཅོ་»སྐྱིད། ⑥«གཡུང་»«པེ་»«སྣར་»དང་ཡང་། «ཞོལ་»དག་ཀྱང་། ⑦«གཡུང་»«པེ་»+ཏུ། ⑧«གཡུང་»«པེ་»འབྲལ། ⑨«གཡུང་»«པེ་»«སྣར་»«ཞོལ་»པས། ⑩«གཡུང་»«པེ་»ཞུགས།

༣༣༡ ①«གཡུང་»«ལི་»«པེ་»«ཅོ་»གིས། ②«ཁུ་»མཉམས། ③«སྣར་»«ཞོལ་»པར། ④«སྣར་»«ཞོལ་»མམ། ⑤«སྣར་»«ཞོལ་»རམ། «ཁུ་»དམ། ⑥«གཡུང་»«པེ་»«སྣར་»«ཅོ་»«ཁུ་»«ཞོལ་»མིན། ⑦«ཁུ་»མ།

༣༣༢ ①«གཡུང་»«པེ་»སྡོ། ②«སྣར་»«ཞོལ་»པོའི།

༣༣༣ ①«ཁུ་»སྡོ། ②«གཡུང་»«པེ་»དཔའི། ③«ཅོ་»པ། ④«ཁུ་»ད། ⑤«གཡུང་»«པེ་»–ཐ། ⑥«ཅོ་»+དེ།

༣༣༤ ①«ལི་»«ཅོ་»–མཉམ་པ་དང་། ②«ལི་»+བྱང་ཆུབ།

༣༣༥ ①«གཡུང་»«པེ་»«སྣར་»«ཁུ་»«ཞོལ་»+ཀྱིས། ②«གཡུང་»«པེ་»–མ། ③«ལི་»–མེད་པ། ④«ཅོ་»རིགས།

༣༣༧ ①«ཞོལ་»–སྟོང་པ་ཉིད།

༣༣༨ ①«གཡུང་»«པེ་»«སྣར་»«ཞོལ་»ཞེས། ②«ཞོལ་»གྱི།

༣༣༩ ①«གཡུང་»«པེ་»«སྣར་»«ཅོ་»«ཞོལ་»+འདི། ②«གཡུང་»«པེ་»པར། ③«སྣར་»«ཞོལ་»བརྟེན། ④«གཡུང་»«པེ་»ནི། ⑤«གཡུང་»«པེ་»ལས། ⑥«ཞོལ་»འགྱུར། ⑦«ལི་»+དག ⑧«སྣར་»«ཞོལ་»རྟོག་པར་བལྟ། «ཅོ་»རྟོགས་པ་སྟེ།

༣༤༠ ①«གཡུང་»«པེ་»རོས། ②«གཡུང་»«པེ་»–དེས།

༣༤༡ ①«གཡུང་»«པེ་»སྤྱད། ②«ཁུ་»འགྱུར། ③«ལི་»«སྣར་»«ཅོ་»«ཞོལ་»+བྱམས་པ་ཆེན་པོ་དང་། ④«གཡུང་»«པེ་»–པ།

༣༤༢ ①«པེ་»མཉམ། «སྣར་»«ཁུ་»«ཞོལ་»མི་ཉམས། ②③④«གཡུང་»«པེ་»ཡིད། ⑤«ཅོ་»«ཁུ་»«ཞོལ་»འགྱུར་བ། ⑥«ལི་»«ཅོ་»སྤུས། ⑦«གཡུང་»«ལི་»«པེ་»རྟུལ། «ཅོ་»རྟུལ།

༣༤༣ ①«གཡུང་»«པེ་»བསྐུར། ②«སྣར་»སྐྱ། ③«གཡུང་»«པེ་»ཡིད། ④«གཡུང་»«པེ་»–ལས། ⑤«གཡུང་»«པེ་»«སྣར་»«ཞོལ་»སྤྱད། ⑥«ཞོལ་»པས། ⑦«གཡུང་»«པེ་»«སྣར་»«ཞོལ་»སྤྱད། ⑧«ལི་»བསོམས། «ཅོ་»བགོམས།

༣༤༤ ①«གཡུང་»«ལི་»«པེ་»«སྣར་»«ཅོ་»«ཞོལ་»+བྱམས་པ་ཆེན་པོ་དང་། ②«ལི་»«ཅོ་»ཀྱིས། ③«སྣར་»

«ཁུ་»«ཞོལ་»ཉམས།

༣༤༥ ① «ལི་»«སྣར་»སྐྱིད། ② «གཡུང་»«པེ་»བསྐུར། ③ «གཡུང་»«པེ་»ཡིད། ④ «གཡུང་»«པེ་»བསྐུར།

༣༤༦ ① «ཅོ་»–བ། ② «ལི་»«ཅོ་»–གང་། «སྣར་»ང་། ③ «སྣར་»འོངས། ④ «ཁུ་»རྣམས།
⑤⑥ «སྣར་»འོངས། ⑦ «ལི་»–ཕ་རོལ་དུ། ⑧ «སྣར་»འོངས། ⑨ «ཞོལ་»དང་།

༣༤༧ ① «སྣར་»འོངས། ② «ཅོ་»པར། ③ «སྣར་»འོངས། ④ «ཁུ་»འཇུགས། ⑤ «ཁུ་»ནས། ⑥ «ལི་»
«པེ་»«སྣར་»«ཅོ་»«ཞོལ་»+བྱམས་པ་ཆེན་པོ་དང་།

༣༤༨ ① «ཞོལ་»གྱོ། ② «སྣར་»«ཞོལ་»ཉམས། «ཁུ་»མཉམ།

༣༤༩ ① «ལི་»+གང་། ② «ལི་»«ཅོ་»–མ་ཡིན་ཏེ། གང་ཕོངས་སུ་ཆུད་པ། ③ «ཁུ་»གི། ④ «ཅོ་»–ཡང་།
⑤ «ཞོལ་»–པ།

༣༥༠ ① «གཡུང་»«པེ་»–དེ། ② «ལི་»«སྣར་»«ཅོ་»«ཞོལ་»+བྱམས་པ་ཆེན་པོ་དང་། སྙིང་རྗེ་ཆེན་པོ་དང་།
③ «སྣར་»«ཞོལ་»ཉམས། ④ «ཅོ་»ཕོང་།

༣༥༡ ① «གཡུང་»«པེ་»«སྣར་»«ཅོ་»«ཞོལ་»པོའི། «ལི་»པོ་རི། ② «གཡུང་»«པེ་»«སྣར་»«ཞོལ་»མི།

༣༥༢ ① «ལི་»«སྣར་»«ཅོ་»«ཞོལ་»+བྱམས་པ་ཆེན་པོ་དང་། སྙིང་རྗེ་ཆེན་པོ་དང་། ② «ལི་»«སྣར་»«ཅོ་»
«ཞོལ་»+བྱམས་པ་ཆེན་པོ་དང་། སྙིང་རྗེ་ཆེན་པོ་དང་། ③ «ཁུ་»གྱུར། ④ «གཡུང་»«པེ་»མི།

༣༥༣ ① «ལི་»ཕྱིན། ② «གཡུང་»«ལི་»«པེ་»«སྣར་»«ཅོ་»«ཞོལ་»ན། ③ «ཅོ་»པར། ④ «གཡུང་»«པེ་»
«སྣར་»འགག

༣༥༤ ① «གཡུང་»«པེ་»སླུས། ② «ཅོ་»ཆག ③ «གཡུང་»«ལི་»«པེ་»«སྣར་»«ཅོ་»«ཞོལ་»པའི།
④ «གཡུང་»«པེ་»འཁོར།

༣༥༥ ① «གཡུང་»ལ། ② «གཡུང་»«པེ་»འམ། ③ «ལི་»འམ། ④ «གཡུང་»«པེ་»པ། ⑤ «གཡུང་»«པེ་»
–ནི། ⑥ «ལི་»–སུ། ⑦ «གཡུང་»གང་འགའི།

༣༥༦ ① «གཡུང་»གྱི། ② «གཡུང་»«པེ་»–བྱང་།

༣༥༧ ① «ཁུ་»+པ། ② «ལི་»«སྣར་»«ཅོ་»–དང་། ③ «ལི་»བུ།

༣༥༨ ① «ལི་»–གསུམ། ②③ «གཡུང་»ནམ། ④ «གཡུང་»«པེ་»པར།

༣༥༩ ① «གཡུང་»ནམ། ② «སྣར་»«ཞོལ་»བཙལ། ③ «གཡུང་»«པེ་»གི།

༣༦༠ ① «གཡུང་»པའི། ② «སྣར་»«ཞོལ་»བཙལ། ③ «གཡུང་»«པེ་»«སྣར་»«ཞོལ་»+དང་།
④ «གཡུང་»སྲ།

༣༦༡ ① «གཡུང་»«ལི་»«པེ་»«སྣར་»«ཞོལ་»བམ། ② «ཅོ་»པ། ③ «ཅོ་»–པ། ④ «ཅོ་»པའི།

༣༦༢ ① «གཡུང་»«པེ་»གྱི། ② «ཅོ་»–དུ། ③ «སྣར་»«ཞོལ་»ན། ④ «ལི་»–སུ།

༣༦༣ ① «གཡུང་»«ལི་»«པེ་»«སྣར་»«ཅོ་»«ཞོལ་»འགག ② «གཡུང་»«པེ་»+འགྲོ་བ་ཡང་མེད། «སྣར་»
«ཞོལ་»+འགྲོ་བའང་མེད། ③ «གཡུང་»«པེ་»རྣམས། ④ «གཡུང་»«པེ་»+ཡང་། ⑤ «གཡུང་»གྱུར།

⑥«གཡུང་»«པེ་»དོ། ⑦«ལི་»«ཅོ་»–མཉམ་པ་དང་།

༣༦༤ ①«ལི་»–པ། ②«གཡུང་»+པ། ③«སྣར་»བརྟན།

༣༦༥ ①«གཡུང་»«པེ་»–བ། ②«གཡུང་»«པེ་»–རང་།

༣༦༦ ①«གཡུང་»«པེ་»གང་གའི། ②«ཅོ་»གཤེག

༣༦༧ ①«སྣར་»«ཞོལ་»བསྲུང་། ②«ཁུ་»བསྒོམས། ③«སྣར་»«ཞོལ་»བརྩོམ།

༣༦༨ ①«ལི་»–མེད་པ། ②«ལི་»–རབ། ③«གཡུང་»«པེ་»«སྣར་»«ཞོལ་»བསལ། ④«ཅོ་»བགྱི་བའོ།

༣༦༩ ①«གཡུང་»«ལི་»«པེ་»«སྣར་»«ཅོ་»«ཞོལ་»–ཀྱི། ②«ཅོ་»བཟློག ③«སྣར་»«ཞོལ་»བསྐྱེད།
④«གཡུང་»«པེ་»སྐོར། ⑤«ཁུ་»བུ།

༣༧༡ ①«གཡུང་»«པེ་»པར། ②«གཡུང་»«པེ་»«ཅོ་»«སྣར་»«ཞོལ་»ཀྱི། ③«སྣར་»«ཞོལ་»འདིས།
④«གཡུང་»«པེ་»གྱི། ⑤«གཡུང་»«ལི་»«པེ་»«སྣར་»«ཅོ་»«ཞོལ་»པར།

༣༧༢ ①«ལི་»«སྣར་»སུ། ②«སྣར་»«ཞོལ་»བསྐྱེད། ③«གཡུང་»«པེ་»–ན། ④«གཡུང་»གང་།
⑤«པེ་»ནི། ⑥«གཡུང་»«པེ་»–དུ། ⑦«གཡུང་»«པེ་»ཐོབ། ⑧⑨«གཡུང་»«ལི་»«པེ་»«སྣར་»
«ཅོ་»«ཞོལ་»པོ། ⑩«གཡུང་»«པེ་»ལྟར།

༣༧༣ ①«གཡུང་»«པེ་»«ཁུ་»«ཞོལ་»པ།

༣༧༤ ①«ལི་»«སྣར་»«ཅོ་»«ཞོལ་»+བྱམས་པ་ཆེན་པོ་དང་། སྙིང་རྗེ་ཆེན་པོ་དང་། ②«ཁུ་»སྒྲུབ།
③«གཡུང་»«པེ་»པར།

༣༧༥ ①«ཁུ་»འཇིགས། ②«ཅོ་»འགགས། ③«ཁུ་»འཇིགས། ④«གཡུང་»དགྱིད། ⑤«གཡུང་»དེ།

༣༧༦ ①«གཡུང་»+པ། ②«གཡུང་»ཤྲི། ③«ལི་»སྒྲི། ④«གཡུང་»ཤྲི། ⑤«གཡུང་»«པེ་»དོ།

༣༧༧ ①«ལི་»གསལ། ②«གཡུང་»དེ། ③«གཡུང་»«པེ་»+རོལ།

༣༧༨ ①«གཡུང་»«པེ་»པ། ②«གཡུང་»«པེ་»«སྣར་»«ཅོ་»«ཁུ་»«ཞོལ་»མིག

༣༧༩ ①«གཡུང་»«པེ་»«སྣར་»«ཞོལ་»ལ་ཡིད་ཆེས་པར་མི་འགྱུར་རོ། ②«ལི་»«ཅོ་»+སྙིང་རྗེ་ཆེན་པོ་དང་།
«སྣར་»«ཞོལ་»+བྱམས་པ་ཆེན་པོ་དང་། སྙིང་རྗེ་ཆེན་པོ་དང་། ③«ཁུ་»–ལ།

༣༨༡ ①«གཡུང་»ས། ②«གཡུང་»«ལི་»«པེ་»«ཅོ་»–རང་། ③«གཡུང་»«པེ་»པར།

༣༨༢ ①«ལི་»སྒྱི། ②«གཡུང་»«པེ་»«སྣར་»«ཞོལ་»+ཡང་། ③«གཡུང་»«པེ་»རྟེན། ④«གཡུང་»«པེ་»
«སྣར་»«ཞོལ་»–དེ།

༣༨༤ ①②«ཅོ་»ལྟའོ།

༣༨༥ ①«སྣར་»མཆོས། ②«གཡུང་»ར་ན། ③«ཅོ་»གྱི།

༣༨༧ ①«གཡུང་»«པེ་»+རྩ། ②«གཡུང་»«ལི་»«པེ་»«སྣར་»«ཅོ་»«ཞོལ་»སྤྱད།

༣༨༨ ①«པེ་»སྤྱོད། ②«སྣར་»«ཞོལ་»ཆད། ③«གཡུང་»«ལི་»«པེ་»«སྣར་»«ཅོ་»«ཞོལ་»བས།
④«གཡུང་»«པེ་»སྐྱེད། ⑤«གཡུང་»«པེ་»«ཞོལ་»བལྟ།

༣༨༩ (༡)《སྣར་》《ཞོལ་》བལྟ། (༢)《སྣར་》《ཞོལ་》བལྟའོ།

༣༩༠ (༡)《གཡུང་》《པེ་》གྱིས།

༣༩༡ (༡)《ཞོལ་》བསྲུང་བ། (༢)《པེ་》བརྗོམས། (༣)《ལི་》《ཅོ་》བསྒོམ། (༤)《ཅོ་》དོ། (༥)《གཡུང་》《པེ་》《སྣར་》《ཞོལ་》པས།

༣༩༢ (༡)《གཡུང་》《པེ་》《སྣར་》《ཞོལ་》+སྔོན་གྱི་མཐར་ཡང་། (༢)《ཅོ་》–ཡང་། (༣)《ལི་》《ཅོ་》བསྟེན། (༤)《གཡུང་》《པེ་》བསོག《སྣར་》《ཞོལ་》གསོག (༥)《ཅོ་》+ཐམས། (༦)《ཞོལ་》ཕ། (༧)(༨)《གཡུང་》《པེ་》《སྣར་》《ཅོ་》《ཞོལ་》བསགས། (༩)《ལི་》《ཅོ་》བསྒྲིགས། (༡༠)《ལི་》《ཅོ་》འཛིགས། (༡༡)《ལི་》འཛིགས༔ (༡༢)《ལི་》《ཅོ་》གི། (༡༣)(༡༤)《ལི་》འཛིགས། (༡༥)《ལི་》《སྣར་》《ཅོ་》གི།

༣༩༣ (༡)《གཡུང་》《པེ་》《སྣར་》《ཞོལ་》འཕང་། (༢)《སྣར་》《ཞོལ་》+རོ། (༣)《ཅོ་》བསྒྲིགས། (༤)《ལི་》《པེ་》《སྣར་》《ཞོལ་》འཕངས་ཏེ། 《ཅོ་》འཕངས་ཏོ། (༥)《གཡུང་》《ལི་》《པེ་》《སྣར་》《ཅོ་》《ཞོལ་》འཕང་བར། 《ཁུ་》འཕོངས་པར། (༦)《ཅོ་》གི། (༧)《སྣར་》《ཞོལ་》ཀྱང་། (༨)《ཅོ་》གི།

༣༩༤ (༡)《ལི་》《ཅོ་》གི། (༢)《སྣར་》《ཞོལ་》ཀྱང་། (༣)《སྣར་》《ཞོལ་》མིའི། (༤)《སྣར་》《ཞོལ་》སྨིག (༥)《གཡུང་》《པེ་》ཞར་བར། 《ཅོ་》ཞ་བར།

༣༩༥ (༡)《གཡུང་》《པེ་》《སྣར་》《ཅོ་》《ཞོལ་》བསགས། (༢)《ལི་》《པེ་》《སྣར་》《ཞོལ་》《ཁུ་》མི། (༣)《གཡུང་》《པེ་》དེ། (༤)《གཡུང་》–པར། (༥)《གཡུང་》《པེ་》གསོན། (༦)《པེ་》གསོན། (༧)《གཡུང་》《པེ་》《སྣར་》《ཅོ་》《ཞོལ་》བསགས། (༨)《སྣར་》《ཞོལ་》+ཅི།

༣༩༦ (༡)《སྣར་》《ཞོལ་》གླིངས། (༢)《གཡུང་》《ལི་》《པེ་》《ཅོ་》སྐམ་ཞིང་རྙིས། 《སྣར་》《ཞོལ་》སྐམ་ཞིང་རྙིད༔ (༣)《གཡུང་》《པེ་》《སྣར་》《ཞོལ་》བསགས། (༤)《གཡུང་》བསྐབ།

༣༩༧ (༡)《ལི་》དུ། 《ཅོ་》–གི། (༢)《གཡུང་》《པེ་》གྱུར། (༣)《གཡུང་》《པེ་》སྤྲང་། (༤)《གཡུང་》《པེ་》མ། (༥)《ཅོ་》བསྟེན། (༦)《གཡུང་》《པེ་》འཕངས། (༧)《གཡུང་》《པེ་》《སྣར་》《ཅོ་》《ཞོལ་》བསགས། (༨)《གཡུང་》དེ་ས། 《པེ་》པ་དེས།

༣༩༨ (༡)《གཡུང་》《པེ་》སྤྲང་། (༢)《ལི་》《ཅོ་》–བཞི།

༣༩༩ (༡)《ལི་》འཛིག (༢)《གཡུང་》《པེ་》ཡི། (༣)《ལི་》སྐྱོང་།

༤༠༠ (༡)《པེ་》སྐྱོང་པར། (༢)《གཡུང་》《པེ་》ཟབས།

༤༠༡ (༡)《པེ་》–ལ།

༤༠༢ (༡)《ལི་》《ཅོ་》འཛིག (༢)《ལི་》《སྣར་》《ཅོ་》《ཞོལ་》+བྱམས་པ་ཆེན་པོ་དང་། སྙིང་རྗེ་ཆེན་པོ་དང་།

༤༠༣ (༡)《གཡུང་》《པེ་》པར། (༢)《གཡུང་》《པེ་》《སྣར་》《ཞོལ་》+ནི།

༤༠༤ (༡)《གཡུང་》《པེ་》འགྱུར་བ།

༤༠༥ (༡)《ཅོ་》འཛིག (༢)《ལི་》《སྣར་》《ཅོ་》《ཞོལ་》+བྱམས་པ་ཆེན་པོ་དང་། སྙིང་རྗེ་ཆེན་པོ་དང་།

༤༠༦ (༡)《ལི་》–པར་དག

༤༠༧ ①«ཅོ་»—དང་། ②«ལི་»དོང་། ③«གཡུང་»ནི། ④«སྣར་»«པྱི་»«ཞོལ་»—དང་། ⑤«ལི་»«ཅོ་»
+རྣམ་པར་ཤེས་པ་རྣམ་པར་དག་པ་གང་ཡིན་པ་དེ་ནི། ⑥«ལི་»པ།

༤༠༨ ①«ཅོ་»པོས་བར་དུ།

༤༠༩ ①«ལི་»+གཟུགས་རྣམ་པར་དག་པ། ②«ཅོ་»པ། ③«གཡུང་»—ན།

༤༡༠ ①«ལི་»+རྣ། ②«གཡུང་»«ལི་»«པེ་»«སྣར་»«ཅོ་»«པྱི་»«ཞོལ་»མེད།

༤༡༡ ①«ལི་»«སྣར་»+གཉི་སྨུག་ཡོངས་སུ་དག་པས། གཟུགས་ཡོངས་སུ་དག་པ། གཟུགས་ཡོངས་སུ་དག་པས།
གཉི་སྨུག་ཡོངས་སུ་དག་པ་སྟེ། དེ་ལྟར་ན་གཉི་སྨུག་ཡོངས་སུ་དག་པ་དང་། གཟུགས་ཡོངས་སུ་དག་པ་འདི་ལ་
གཉིས་སུ་མེད་དེ་གཉིས་སུ་བྱར་མེད་སོ་སོ་མ་ཡིན་ཐ་མི་དད་དོ། ། (ཀོང་གི་དུམ་བུ་འདི་[དེབ་འདིའི་ལྡེབ……
༡༡༡༨༢—༡༡༡༨༥] བར་«ལི་»«སྣར་»ལ་བསྐྱར་ཟློས་སུ་འཁོད།) ②«ཅོ་»ད། ③«ལི་»པར།

༤༡༢ ①«སྣར་»ད།

༤༡༣ ①②«ལི་»རྣམས།

༤༡༤ ①«པྱི་»—དང་། ②«པྱི་»སློམ། ③«གཡུང་»«ལི་»«པེ་»«སྣར་»«ཅོ་»«ཞོལ་»+དགུ། ④«ལི་»པ།
⑤⑥«ལི་»འཛིག ⑦«པྱི་»པ། «པྱི་»འདྲི། ⑧«གཡུང་»«པེ་»པར།

༤༡༥ ①②«གཡུང་»«པེ་»པར།

༤༡༦ ①«པྱི་»—སྣ་དང་། ②«ལི་»«ཅོ་»པར། ③«ལི་»རྣམས།

༤༡༧ ①«ལི་»—རིག་པའི།

༤༡༨ ①«ལི་»དག ②«ལི་»—ཕྱིན་པ། ③«པྱི་»རྣམས།

༤༢༡ ①«ལི་»+ག

༤༢༢ ①«གཡུང་»«པེ་»ཀྱིས།

༤༢༣ ①«ལི་»པ། ②«ལི་»པས། ③«ལི་»པ། ④«ལི་»མ།

༤༢༤ ①«པྱི་»སློམ། ②«པྱི་»ཏེ།

༤༢༥ ①«གཡུང་»«པེ་»—པ།

༤༢༦ ①«ལི་»—སུ། ②«གཡུང་»«པེ་»པར།

༤༢༩ ①«ལི་»«སྣར་»སྟེ།

༤༣༠ ①«གཡུང་»«ལི་»«པེ་»«སྣར་»«ཅོ་»+ལེའུ། ②«པེ་»པོ། ③«ལི་»དྲུག ④«ལི་»+རྣམ།

༤༣༡ ①«པྱི་»འདུས།

༤༣༢ ①«ཅོ་»གྱིས། ②«པྱི་»སློམ། ③«པྱི་»གཟུགས། ④«ལི་»འཛིག ⑤«སྣར་»«ཞོལ་»+བྱམས་པ་ཆེན་
པོ་དང་། སྙིང་རྗེ་ཆེན་པོ་དང་། ⑥«གཡུང་»«པེ་»«པྱི་»པ།

༤༣༣ ①«པྱི་»གཟུག ②«ལི་»—རྣམ་པར་དག་པའི་ཕྱིར། ③«ལི་»པར། ④«ཅོ་»རིག ⑤«གཡུང་»ལེད།

༤༣༤ ①«གཡུང་»«པེ་»—ལམ། ②«སྣར་»«ཞོལ་»+བྱམས་པ་ཆེན་པ་དང་། སྙིང་རྗེ་ཆེན་པོ་དང་།

③«གཡུང་»ཞེམ།

༤༣༥ ①«ཁྲུ་»–བ། ②«གཡུང་»«པེ་»འདི། ③«གཡུང་»«ལི་»«པེ་»«ཅོ་»གྱི།

༤༣༦ ①«ལི་»+པ།

༤༣༧ ①«གཡུང་»«པེ་»+དྷ། ②«ལི་»–བུ། ③«ཞོལ་»གཟུག

༤༤༠ ①«ཅོ་»སྐྱིད། ②«ཁྲུ་»འབྲིལ། ③«གཡུང་»–དག

༤༤༡ ①«ཞོལ་»སྟེ།

༤༤༣ ①«གཡུང་»«པེ་»«སྣར་»«ཞོལ་»–ནི།

༤༤༤ ①«ཁྲུ་»རྟོག ②«སྣར་»«ཞོལ་»མམ། ③«སྣར་»«ཞོལ་»མམ། ④«པེ་»ནི། ⑤«ཞོལ་»+སེམས་དཔའ། ⑥⑦«སྣར་»«ཞོལ་»མམ། ⑧«གཡུང་»«ལི་»«པེ་»«སྣར་»«ཅོ་»གཉི་གའི།

༤༤༥ ①«ཁྲུ་»དཔའ། ②«ཁྲུ་»ཐྲིན།

༤༤༦ ①«ལི་»–བུ། «ཅོ་»བུས་འདི། «ཁྲུ་»བུའི་དེ། ②«གཡུང་»«པེ་»–པར།

༤༤༧ ①«ལི་»+པ། ②«ཁྲུ་»ཆུགས།

༤༤༨ ①«ལི་»+ལྡན་པ། ②«གཡུང་»«པེ་»«ཁྲུ་»བར། ③«གཡུང་»«པེ་»+སྦྱིན་པ་ཞིག་སྦྱིན་ནོ། ④«གཡུང་»«པེ་»+ནོ།

༤༤༩ ①«ཁྲུ་»མ། ②«ཅོ་»པའོ། ③«གཡུང་»«པེ་»དཔའ། ④«ཁྲུ་»ཏའི།

༤༥༠ ①«གཡུང་»«ལི་»«པེ་»«སྣར་»«ཅོ་»«ཞོལ་»ཀྱི། ②«ཁྲུ་»ཀོ།

༤༥༡ ①«ཅོ་»བཏུལ། ②«གཡུང་»ནོ།

༤༥༢ ①«ལི་»པའ།

༤༥༣ ①«ཅོ་»–དོ། ②«གཡུང་»«པེ་»«སྣར་»«ཞོལ་»–བཞི། ③«ཁྲུ་»+བ། ④«ཁྲུ་»+བ།

༤༥༤ ①«ལི་»«སྣར་»«ཅོ་»«ཁྲུ་»«ཞོལ་»བསྐྱེད། ②«སྣར་»«ཅོ་»མ། ③«སྣར་»སྣང་ས། ④«གཡུང་»«པེ་»དེས། ⑤«ཞོལ་»བྱའི། ⑥«སྣར་»«ཞོལ་»གཟུང་། ⑦«ཁྲུ་»ནོ། ⑧«གཡུང་»«པེ་»+ཀྱིས།

༤༥༥ ①«ཞོལ་»–ལྡན། ②«གཡུང་»«པེ་»+ལ། ③«ཅོ་»–བྱ་བར། ④«སྣར་»«ཞོལ་»འདུ།

༤༥༦ ①«གཡུང་»«ལི་»«པེ་»«ཅོ་»ཀྱིས། ②«ཅོ་»རིགས།

༤༥༧ ①«ལི་»དམིགས། ②«གཡུང་»–པོ།

༤༥༨ ①«གཡུང་»«པེ་»བ་དང་།

༤༦༡ ①«གཡུང་»«པེ་»བ། ②«སྣར་»«ཞོལ་»བར། ③«གཡུང་»«པེ་»བ།

༤༦༢ ①«གཡུང་»«པེ་»«སྣར་»–ལ།

༤༦༣ ①«གཡུང་»གཟུང་། ②«ཁྲུ་»–དང་།

༤༦༤ ①«གཡུང་»«སྣར་»དེ། ②«ལི་»«ཅོ་»རིགས། ③«ཅོ་»དེ།

༤༦༥ ①«གཡུང་»«པེ་»–ཆགས་པར་འགྱུར་བ། «ཅོ་»–འཕེལ་བ། ②«གཡུང་»«པེ་»འཕེལ། ③«ཅོ་»–ལ།

(༤)(༥)«ཅོ་»པར། (༦)(༧)«ཞོལ་»+ལ། (༨)«གཡུང་»«པེ་»པའོ།

༥༦༦ (༡)«ལི་»«སྣར་»པས།

༥༦༧ (༡)«གཡུང་»«པེ་»དབྱིངས། (༢)«ཅོ་»བས། (༣)«སྣར་»«ཞོལ་»འདས། (༤)«གཡུང་»«པེ་»འགང་།

༥༦༨ (༡)«གཡུང་»«པེ་»དབྱིངས། «ལི་»བྱངས། (༢)«ལི་»«ཅོ་»པར། (༣)«སྣར་»«ཞོལ་»འདས། (༤)«གཡུང་»«པེ་»འགང་བའམ་འགྲིབ་པར། «ལི་»«སྣར་»«ཅོ་»«ཞོལ་»གང་བའམ་འགྲིབ་པར། (༥)«ཅོ་»བ།

༥༦༩ (༡)«ཅོ་»ད། (༢)«ཁུ་»ཀོ།

༥༧༠ (༡)«ཅོ་»–མི། (༢)«གཡུང་»«ལི་»«པེ་»«སྣར་»«ཅོ་»ཀྱི། (༣)«གཡུང་»བསྐྱོང་། (༤)«གཡུང་»«ལི་»«པེ་»«སྣར་»«ཅོ་»«ཞོལ་»ཀྱི། (༥)«གཡུང་»«ལི་»«པེ་»སྐྱི། (༦)«གཡུང་»«པེ་»«སྣར་»«ཅོ་»«ཁུ་»«ཞོལ་»མིག (༧)«ཞོལ་»+དྲི་ཟའི་གྲོང་ཁྱེར་དང་།

༥༧༡ (༡)«ཅོ་»ཅི། (༢)«ལི་»སྐྱང་། (༣)«ཞོལ་»+དྲི་ཟའི་གྲོང་ཁྱེར་ལྟ་བུ་དང་། (༤)«པེ་»–རྨི་ལམ་རློམ་སེམས་སུ་མི་བྱེད། (༥)«ཞོལ་»+རྨི་ལམ་བདག་གི་ཞེས་རློམ་སེམས་སུ་མི་བྱེད། (༦)«ཞོལ་»+སྒྱུལ་པ་བདག་གི་ཞེས་རློམ་སེམས་སུ་མི་བྱེད།

༥༧༢ (༡)«ཞོལ་»+གཟུགས་བདག་གི་ཞེས་རློམ་སེམས་སུ་མི་བྱེད། (༢)«ཞོལ་»+རྨི་ལམ་བདག་གི་ཞེས་རློམ་སེམས་སུ་མི་བྱེད། (༣)«ཞོལ་»+སྒྱུལ་པ་བདག་གི་ཞེས་རློམ་སེམས་སུ་མི་བྱེད། (༤)«ཞོལ་»+རྣམ་པར་ཤེས་པ་བདག་གི་ཞེས་རློམ་སེམས་སུ་མི་བྱེད། (༥)«གཡུང་»«པེ་»«སྣར་»«ཞོལ་»ན། (༦)«ལི་»–སུ། (༧)«ལི་»+དེ་རྨི་ལམ་ལ་རློམ་སེམས་སུ་མི་བྱེད། «ཅོ་»+དེ་རྨི་ལམ་རློམ་སེམས་སུ་མི་བྱེད། (༨)«ཞོལ་»+རྨི་ལམ་བདག་གི་ཞེས་རློམ་སེམས་སུ་མི་བྱེད། (༩)«ཞོལ་»+སྒྱུལ་པ་བདག་གི་ཞེས་རློམ་སེམས་སུ་མི་བྱེད། (༡༠)«ཞོལ་»+རྟེན་ཅིང་འབྲེལ་པར་འབྱུང་བ་བདག་གི་ཞེས་རློམ་སེམས་སུ་མི་བྱེད། (༡༡)«ཞོལ་»+རྨི་ལམ་བདག་གི་ཞེས་རློམ་སེམས་སུ་མི་བྱེད། (༡༢)«ཞོལ་»+སྒྱུལ་པ་བདག་གི་ཞེས་རློམ་སེམས་སུ་མི་བྱེད། (༡༣)«ཞོལ་»+བྱང་ཆུབ་ཀྱི་ཕྱོགས་ཀྱི་ཆོས་སུམ་ཅུ་རྩ་བདུན་བདག་གི་ཞེས་རློམ་སེམས་སུ་མི་བྱེད། (༡༤)«ཞོལ་»+རྨི་ལམ་བདག་གི་ཞེས་རློམ་སེམས་སུ་མི་བྱེད།

༥༧༣ (༡)«ཞོལ་»+སྒྱུལ་པ་བདག་གི་ཞེས་རློམ་སེམས་སུ་མི་བྱེད། (༢)«ཞོལ་»+མངོན་པར་ཤེས་པ་རྣམས་བདག་གི་ཞེས་རློམ་སེམས་སུ་མི་བྱེད། (༣)«ཞོལ་»+རྨི་ལམ་བདག་གི་ཞེས་རློམ་སེམས་སུ་མི་བྱེད། (༤)«ཞོལ་»+སྒྱུལ་པ་བདག་གི་ཞེས་རློམ་སེམས་སུ་མི་བྱེད། (༥)«ཞོལ་»+གཟུངས་ཀྱི་སྒོ་རྣམས་བདག་གི་ཞེས་རློམ་སེམས་སུ་མི་བྱེད། (༦)«ཞོལ་»+རྨི་ལམ་བདག་གི་ཞེས་རློམ་སེམས་སུ་མི་བྱེད། (༧)«ཞོལ་»+སྒྱུལ་པ་བདག་གི་ཞེས་རློམ་སེམས་སུ་མི་བྱེད། (༨)«ཞོལ་»+སངས་རྒྱས་ཀྱི་ཆོས་མ་འདྲེས་པ་རྣམས་བདག་གི་ཞེས་རློམ་སེམས་སུ་མི་བྱེད། (༩)«གཡུང་»«ལི་»«པེ་»«ཅོ་»ཀྱིས། (༡༠)«ཞོལ་»+རྨི་ལམ་བདག་གི་ཞེས་རློམ་སེམས་སུ་མི་བྱེད།

༥༧༤ (༡)«ཞོལ་»+སྒྱུལ་པ་བདག་གི་ཞེས་རློམ་སེམས་སུ་མི་བྱེད། (༢)«ཅོ་»རློམས། (༣)«ཞོལ་»+རྣམ་པ་ཐམས་ཅད་མཁྱེན་པ་ཉིད་བདག་གི་ཞེས་རློམ་སེམས་སུ་མི་བྱེད། (༤)«ཁུ་»–ན། (༥)«ཞོལ་»+རྨི་ལམ་བདག་གི་ཞེས་རློམ་སེམས་སུ་མི་བྱེད། (༦)«ཞོལ་»+སྒྱུལ་པ་བདག་གི་ཞེས་རློམ་སེམས་སུ་མི་བྱེད། (༧)«ཅོ་»རིགས། (༨)«སྣར་»

«ཞོལ་»བཙལ། ⑨«ལི་»«སྣར་»«ཅོ་»ཀྱི། ⑩«གཡུང་»«པེ་»ན།

༤༧༥ ①«ལི་»«ཅོ་»རྒྱ། ②«སྣར་»«ཅོ་»«ཞོལ་»ཏེ། «ཁུ་»སོ། ③«གཡུང་»«པེ་»ན། ④«གཡུང་»སོ། ⑤«གཡུང་»«པེ་»–པར་རྫོགས།

༤༧༦ ①«གཡུང་»«པེ་»«སྣར་»«ཞོལ་»–བ། ②«པེ་»རྟོག ③«ཅོ་»མི།

༤༧༨ ①«ལི་»«ཅོ་»བ། ②«སྣར་»«ཁུ་»«ཞོལ་»བར།

༤༧༩ ①«གཡུང་»«ལི་»«པེ་»«སྣར་»«ཁུ་»«ཞོལ་»བྱ་བའམ། ②«གཡུང་»«པེ་»«སྣར་»«ཁུ་»«ཞོལ་»–བ།

༤༨༠ ①«གཡུང་»«པེ་»ནི་ཅི། «སྣར་»«ཞོལ་»ན་ཅི། ②«སྣར་»«ཞོལ་»+གིས། ③«སྣར་»«ཁུ་»«ཞོལ་»
–བྱ་བར།

༤༨༣ ①«ལི་»གཟུགས། ②«སྣར་»«ཞོལ་»+རྣམས།

༤༨༤ ①«ཁུ་»འགྱུར། ②«གཡུང་»«པེ་»«སྣར་»«ཞོལ་»+ན།

༤༨༥ ①«ཅོ་»–ན། ②«གཡུང་»«པེ་»«སྣར་»«ཞོལ་»+ན།

༤༨༦ ①«གཡུང་»«པེ་»–ལུས་ཀྱི་ནད་དང་། ②«གཡུང་»«པེ་»«སྣར་»«ཞོལ་»+མི། ③«ཁུ་»ཚོགས། ④«ཁུ་»དོ། ⑤«ལི་»«ཅོ་»ཀྱི།

༤༨༧ ①«ཞོལ་»+དང་། ②«གཡུང་»«པེ་»རིགས། ③«སྣར་»«ཅོ་»«ཁུ་»«ཞོལ་»མིན། ④«ལི་»རྣམ། ⑤«ལི་»«ཅོ་»ཀྱིས།

༤༨༨ ①«པེ་»+པོ། ②«གཡུང་»«པེ་»«སྣར་»«ཁུ་»«ཞོལ་»–བ། ③«སྣར་»«ཅོ་»«ཁུ་»«ཞོལ་»མིན། ④«སྣར་»«ཞོལ་»ཙུང་། ⑤«ལི་»མིན། ⑥«གཡུང་»«པེ་»–ཀྱི། ⑦«གཡུང་»+ཀྱི། «པེ་»+ཀྱི།

༤༨༩ ①«ཞོལ་»–མི། ②«པེ་»–དེ། ③«ཅོ་»ཆེ་བ། ④«གཡུང་»ཆེན། ⑤«ལི་»«སྣར་»«ཅོ་»«ཞོལ་»
–རྣམས། ⑥«སྣར་»«ཞོལ་»ཙུང་། ⑦«གཡུང་»«པེ་»«སྣར་»«ཅོ་»«ཁུ་»«ཞོལ་»མིན།

༤༩༠ ①«ཅོ་»གཟུངས། ②«གཡུང་»ཆེན། «པེ་»+དེ། ③«པེ་»འགྲོ། ④«པེ་»འགྲོ་བར། «ཅོ་»འགོ་བ། ⑤«གཡུང་»«ལི་»«པེ་»«སྣར་»«ཅོ་»«ཞོལ་»དེ། ⑥«པེ་»འགྲོ། ⑦«ལི་»«ཅོ་»ད། ⑧«གཡུང་»
«པེ་»འགྲོ། «ཅོ་»འགོ།

༤༩༡ ①«ལི་»«ཅོ་»བ། ②«གཡུང་»«པེ་»པའམ། ③«སྣར་»«ཞོལ་»བསྐུབ། ④«ལི་»«སྣར་»«ཅོ་»
«ཞོལ་»བསྐུབ། ⑤⑥⑦«སྣར་»«ཞོལ་»བསྐུབ།

༤༩༢ ①②③④⑤⑥«སྣར་»«ཞོལ་»བསྐུབ། ⑦«སྣར་»«ཞོལ་»བསྐུབ། ⑧«སྣར་»«ཞོལ་»བསྐུབ། ⑨«ཞོལ་»བསྐུབ། ⑩«གཡུང་»«པེ་»+ཡེ་དྷརྨཱ་ཧེ་ཏུ་པྲ་བྷ་བཱ། ཧེ་ཏུནྟེ་ཥཱན་ཏ་ཐཱ་ག་ཏོ་ཧྱ་བ་དཏ། ཧེ་ཥཱཉྩ་ཡོ་ནི་རོ་དྷ་ཨེ་བམྦཱ་དཱི་མ་ཧཱ་ཤྲ་མ་ནཿ། །སརྦ་པཱ་པསྱ་ཀ་ར་ཎཾ། ཀུ་ཤ་ལ་སྱོ་པ་སམྤ་དཱ། སྭ་ཙིཏྟ་པ་རི་ད་མ་ནུ། ཨེ་ཏདྦུདྡྷ་ནུ་ཤཱ་ས་ནཾ། «ལི་»+ཡེ་དྷརྨཱ་ཧེ་ཏུ་པྲ་བྷ་བཱ་ཧེ་ཏུན་ཏེ། ཥ་ན་ཏ་ཐཱ་ག་ཏོ་ཧྱ་བ་དཏ། ཧེ་ཥཱཉྩ་ཡོ་ནི་རོ་དྷ་ཨེ་བཾ་བཱ་དཱི་མ་ཧཱ་ཤྲ་མ་ཎཿ། ཞེས་སོ། །དགེའོ། །བཀྲ་ཤིས་པར་གྱུར་གཅིག «ཅོ་»+ཡེ་དྷརྨཱ་ཧེ་ཏུ་པྲ་བྷ་བཱ་ཧེ་ཏུན་ཏེ། །ཥྩན་ཏ་ཐཱ་ག་ཏོ་ཧྱེ་བ་དཏ། ཧེ་ཥཱཉྩ་ཡོ་ནི་རོ་དྷ། ཨེ་བ་བཱཾ་དཱི་མ་ཧཱ་ཤྲ་མ་ཎཿ། ⑪«གཡུང་»«ལི་»

«པེ་»«ཅོ་»+དུམ་བུ་གསུམ་པ། ⑫«ལི་»«ཅོ་»སྐྱབས། ⑬«གཡུང་»«པེ་»+པ།

༤༩༣ ①«གཡུང་»«པེ་»+ལ། ②«ལི་»«ཅོ་»ཕྱཊ་ཊ། «སྣར་»«ཞོལ་»ཕྱཊྟ། ③④«གཡུང་»«པེ་»མན་དླ། «སྣར་»«ཞོལ་»མཎྜ། ⑤«ཕུ་»རོ།

༤༩༥ ①«གཡུང་»བ། ②«གཡུང་»«པེ་»«ཞོལ་»སྐོར། ③«ཅོ་»གྲོལ།

༤༩༨ ①«ཅོ་»འཛིགས།

༤༩༩ ①«ཅོ་»+དམིགས་སུ།

༥༠༠ ①«པེ་»ཉིས། ②«ཕུ་»ཀྱི།

༥༠༡ ①«ཞོལ་»–རབ། ②«ཅོ་»ལ། ③«གཡུང་»«པེ་»«སྣར་»«ཞོལ་»ཚད།

༥༠༣ ①«སྣར་»«ཞོལ་»འཚོལ། ②«ཞོལ་»འགྲུབ།

༥༠༦ ①«ཞོལ་»–འདས།

༥༠༨ ①«ཞོལ་»+པ།

༥༠༩ ①«ཞོལ་»བསྒྲག ②«ཕུ་»ཀྱིས། ③«སྣར་»«ཞོལ་»དངངས། ④«ཕུ་»གི། ⑤«སྣར་»«ཞོལ་» དངངས། ⑥«སྣར་»«ཞོལ་»དངངས།

༥༡༢ ①«གཡུང་»«ལི་»«པེ་»པར།

༥༡༣ ①«ཅོ་»–ཀྱི། ②«ཕུ་»རྟོན། ③«ཞོལ་»འབྱུང་།

༥༡༤ ①«ཕུ་»སྟོབ། ②«གཡུང་»«པེ་»«སྣར་»«ཞོལ་»ཀྱི་རླབས།

༥༡༥ ①«ཞོལ་»–པའི།

༥༡༦ ①«གཡུང་»–ཉིད།

༥༡༧ ①«ཅོ་»གཟུགས།

༥༡༨ ①«ཞོལ་»ད། ②«ལི་»–གང་། ③«ཞོལ་»–ཐར། «ཕུ་»མཐར།

༥༡༩ ①②«ཕུ་»དོ། ③«པེ་»མོན། ④«ཕུ་»དོ། ⑤«ཕུ་»སྦྱི།

༥༢༠ ①«ཕུ་»དོ། ②«ཕུ་»བྱེད། ③«ཕུ་»མཐེར།

༥༢༡ ①«ཕུ་»པད།

༥༢༤ ①«ཅོ་»+བ། ②«ཅོ་»+མི།

༥༢༥ ①«ཕུ་»འདྲི།

༥༢༦ ①«ཅོ་»རབ། ②«ལི་»བཏིང་།

༥༢༩ ①«ཅོ་»རྟོག་པ། ②«ཅོ་»བཤེད། ③«སྣར་»«ཞོལ་»དངངས། ④«གཡུང་»«ལི་»«པེ་»«སྣར་» «ཅོ་»གྱུར། ⑤«སྣར་»«ཞོལ་»དངངས། ⑥«གཡུང་»«ལི་»«པེ་»«ཅོ་»སྤངས་པར། «སྣར་» «ཞོལ་»དངངས་པར།

༥༣༠ ①«ཕུ་»ཤོ། ②«ཞོལ་»གསོག ③④«སྣར་»«ཞོལ་»དངངས། ⑤«གཡུང་»«ལི་»«པེ་»«ཅོ་»པོ།

⑥ «པེ་»+པ། ⑦ «སྣར་»«ཞོལ་»དངངས།

༥༣༡ ① «སྣར་»བརྩོམ། «ཞོལ་»བརྩམ། ② «གཡུང་»«པེ་»«ཞོལ་»བསྒྲུབ། ③ «ཅོ་»–པའི། ④ «གཡུང་»«པེ་»བསྒྲུབ། ⑤ «ལི་»«སྣར་»«ཅོ་»གཏང་། ⑥ «ཅོ་»–ཉིད།

༥༣༢ ① «གཡུང་»«པེ་»–བ། ② «ལི་»«ཅོ་»མཆོགས།

༥༣༣ ① «གཡུང་»ལས། «པེ་»ལག «ཅོ་»འདུག ② «སྣར་»«ཞོལ་»གཟན། ③ «གཡུང་»«ལི་»«པེ་»«སྣར་»«ཅོ་»«ཞོལ་»པོ། ④ «སྣར་»«ཅོ་»«ཁུ་»«ཞོལ་»དུང་། ⑤ «སྣར་»«ཅོ་»«ཞོལ་»སྒྲིད།

༥༣༤ ① «ཅོ་»«ཞོལ་»+མ། ② «ཅོ་»རི། ③④ «ཁུ་»ལྷམ། ⑤ «གཡུང་»«ལི་»«པེ་»«སྣར་»«ཅོ་»«ཞོལ་»གིས། ⑥ «ཅོ་»+རྫོགས་པར། ⑦ «ཁུ་»འཚན། ⑧ «ཁུ་»ཞེ།

༥༣༥ ① «ལི་»«སྣར་»མཉམ། ② «ཞོལ་»བཀླག ③ «གཡུང་»གླིང་།

༥༣༦ ① «ཞོལ་»ནི། ② «གཡུང་»«ལི་»«པེ་»«སྣར་»«ཅོ་»«ཞོལ་»པོ། ③ «སྣར་»«ཞོལ་»མ། ④ «གཡུང་»སྟེར། «ཅོ་»སྦྱར། ⑤ «གཡུང་»«པེ་»སྒྲུད། ⑥ «གཡུང་»«ལི་»«པེ་»«སྣར་»«ཞོལ་»པོ། «ཅོ་»སོ། ⑦ «གཡུང་»«པེ་»བུ་ཅན། ⑧ «གཡུང་»«པེ་»སྐྱེད།

༥༣༧ ① «གཡུང་»«ལི་»«པེ་»«སྣར་»«ཅོ་»«ཞོལ་»པོ།

༥༣༨ ①②③④⑤⑥⑦⑧ «གཡུང་»«པེ་»སྐྱལ།

༥༣༩ ① «ཅོ་»སྐྱལ། ②③ «གཡུང་»«པེ་»«ཅོ་»སྐྱལ། ④ «ལི་»«སྣར་»«ཞོལ་»བསྐྱེད། ⑤⑥⑦⑧⑨ «གཡུང་»«པེ་»«ཅོ་»སྐྱལ། ⑩ «གཡུང་»«ལི་»«པེ་»«ཅོ་»སྐྱལ།

༥༤༠ ① «གཡུང་»«པེ་»«ཅོ་»སྐྱལ། ② «ལི་»«ཅོ་»གཟུགས། ③④⑤⑥ «གཡུང་»«པེ་»«ཅོ་»སྐྱལ། ⑦ «ལི་»བསྐོར། ⑧ «གཡུང་»«པེ་»«སྣར་»«ཅོ་»«ཞོལ་»སྐོར། ⑨ «གཡུང་»«ལི་»«པེ་»«ཅོ་»སྐྱལ། ⑩ «ལི་»འཚར། ⑪ «ལི་»མཆེར།

༥༤༡ ① «གཡུང་»«པེ་»པོ།

༥༤༢ ① «ཅོ་»བར། ② «སྣར་»སྤྱད།

༥༤༤ ① «ཞོལ་»མ། ② «ཅོ་»+ངོ་། ③ «ཅོ་»+བ། ④ «ཅོ་»པར། ⑤ «ཁུ་»ནོ།

༥༤༥ ① «ཞོལ་»ཏེ།

༥༤༦ ① «གཡུང་»«པེ་»གྱི། ② «གཡུང་»«པེ་»སྨོམ།

༥༥༠ ① «ལི་»གཟུགས། ② «གཡུང་»«པེ་»འདི། ③ «གཡུང་»«པེ་»–ན།

༥༥༡ ① «གཡུང་»«པེ་»«ཞོལ་»སྒྲུབ།

༥༥༢ ① «གཡུང་»«པེ་»«ཅོ་»«ཞོལ་»པའོ། ② «གཡུང་»«པེ་»བསྐོར། ③ «ལི་»–བ།

༥༥༣ ① «གཡུང་»«པེ་»«སྣར་»«ཞོལ་»–རབ་འབྱོར། ② «གཡུང་»«པེ་»གྲི། ③ «ཞོལ་»བཀླག ④ «ཞོལ་»ཀློག ⑤ «སྣར་»«ཞོལ་»གྲི་བར། ⑥ «སྣར་»«ཞོལ་»མམ། ⑦ «སྣར་»«ཞོལ་»བྱ།

༥༥༤ ① «པེ་»བྱི། ② «ཞོལ་»ཀློག ③ «ཁུ་»སྟན། ④ «ཞོལ་»ཀློག ⑤ «ཁུ་»བསྟན། ⑥ «གཡུང་»«པེ་»

«སྣར་»«ཞོལ་»བྲི། (༧)«གཡུང་»«ལི་»«པེ་»«སྣར་»«ཅོ་»ཀླག «ཞོལ་»བཀླག (༨)«ལི་»«ཅོ་»འབྲི། «སྣར་»«ཞོལ་»བྲི།

༥༥༥ (༡)«གཡུང་»«པེ་»«ཅོ་»གིས། (༢)«གཡུང་»«ལི་»«པེ་»«ཅོ་»འབྲི། «སྣར་»«ཞོལ་»བྲི། (༣)«གཡུང་»«ལི་»«པེ་»«ཅོ་»འབྲི། (༤)«ལི་»«ཅོ་»འབྲི། (༥)«ཁུ་»ཀྱིས། (༦)«ལི་»«ཅོ་»འབྲི།

༥༥༦ (༡)«ལི་»«ཅོ་»འབྲི། (༢)«ལི་»«ཅོ་»འབྲི། (༣)«སྣར་»«ཞོལ་»མེད། (༤)«ལི་»«ཅོ་»འབྲི།

༥༥༧ (༡)«སྣར་»«ཞོལ་»+ཏུ། (༢)«ལི་»«ཅོ་»འབྲི། (༣)«ཁུ་»–བཞི། (༤)«གཡུང་»«ལི་»«པེ་»«སྣར་»«ཅོ་»«ཞོལ་»+ཉིད། (༥)«པེ་»མེད་པར།

༥༥༨ (༡)«ཞོལ་»དེ་ན།

༥༥༩ (༡)«ལི་»ན། (༢)«ལི་»«ཅོ་»འབྲི། (༣)«གཡུང་»«པེ་»འཕྲེང་། «ཁུ་»ཕྲིང་། (༤)«གཡུང་»«པེ་»འདས་པར། (༥)«གཡུང་»བར་ཧ་ནི། «ཁུ་»བརྟེན། «ཞོལ་»བར་ཏ་ནི།

༥༦༠ (༡)«ལི་»«ཅོ་»འབྲི། (༢)«གཡུང་»«ལི་»«པེ་»«སྣར་»«ཅོ་»«ཞོལ་»–པོ་དེ་དག «ཁུ་»པ་དེ་དག (༣)«ཁུ་»བརྟེན། «ཞོལ་»བར་ཏ་ནི། (༤)«ལི་»«ཅོ་»འབྲི།

༥༦༡ (༡)«ལི་»«ཅོ་»འགྲོར། (༢)«ཁུ་»དི།

༥༦༢ (༡)«ལི་»«ཅོ་»འབྲི། (༢)«གཡུང་»ཞི།

༥༦༣ (༡)«ལི་»«ཅོ་»འབྲི། (༢)«ལི་»«ཅོ་»འབྲི། (༣)«སྣར་»«ཞོལ་»+ཆེན་པོ།

༥༦༤ (༡)«ལི་»«ཅོ་»འབྲི། (༢)«སྣར་»«ཞོལ་»དངངས། (༣)«གཡུང་»«ལི་»«པེ་»«སྣར་»«ཅོ་»+མི། (༤)«ཅོ་»+ཡ། «ཁུ་»ཡངས། (༥)«ཞོལ་»+བུ།

༥༦༥ (༡)«ཁུ་»ན། (༢)«ཅོ་»–གནས་པའི། (༣)«པེ་»དོ།

༥༦༦ (༡)«གཡུང་»–ནི། (༢)«སྣར་»«ཞོལ་»ལྡོག (༣)«སྣར་»«ཞོལ་»སྦྱོད་པ། (༤)«གཡུང་»«པེ་»«ཅོ་»སྐྱུལ། (༥)«ཞོལ་»གཟིངས།

༥༦༧ (༡)«གཡུང་»སྐྱུལ། (༢)«ཞོལ་»གཟིངས། (༣)«གཡུང་»«ལི་»«པེ་»«སྣར་»«ཅོ་»«ཞོལ་»པ། (༤)«གཡུང་»«པེ་»དགོད། (༥)«སྣར་»«ཞོལ་»བསྐྱུལ། (༦)«ཅོ་»«ཞོལ་»གཟིངས།

༥༦༨ (༡)«གཡུང་»«པེ་»གིས། (༢)«ལི་»ཟམ། (༣)«གཡུང་»«པེ་»རྟེན། (༤)«སྣར་»«ཞོལ་»གིས། (༥)«གཡུང་»«པེ་»དགའ། «ཞོལ་»བསྐྱུལ། (༦)«གཡུང་»གཟིང་སྟོད། «ཞོལ་»གཟིངས་བསྟོད། (༧)«ཞོལ་»པ། (༨)«ཅོ་»–ཀྱིས།

༥༦༩ (༡)«གཡུང་»«པེ་»པའི། (༢)«ཞོལ་»+དཔའ། (༣)(༤)(༥)(༦)«སྣར་»«ཞོལ་»འཚོལ།

༥༧༠ (༡)«ཅོ་»–ཏེ། (༢)«ཞོལ་»བསྐྱུལ། (༣)«གཡུང་»«པེ་»གཟིང་སྟོད། «ལི་»གཟིང་བསྟོད། «ཞོལ་»གཟིངས་བསྟོད།

༥༧༡ (༡)«ཅོ་»གིས།

༥༧༣ (༡)«ལི་»རིགས། (༢)«གཡུང་»«པེ་»–ཅེས།

༥༧༤ ①«གཡུང་»«པེ་»ཀྱིས། ②«གཡུང་»ལས། ③«ཞོལ་»བསྟེན།

༥༧༥ ①«ཁུ་»–ཧི་ལྷ། ②«លི་»«ཅོ་»+སུ། ③«លི་»རྣམས།

༥༧༦ ①«ཞོལ་»–པ། ②«གཡུང་»«លི་»«པེ་»«སྣར་»«ཅོ་»«ཞོལ་»ཧེ།

༥༧༧ ①«སྣར་»«ཞོལ་»མམ།

༥༧༨ ①②«གཡུང་»«ཁུ་»སྲུ། ③④«གཡུང་»སྲུ། ⑤«ཞོལ་»བྱུང་།

༥༧༩ ①②③«གཡུང་»«པེ་»«སྣར་»«ཞོལ་»སྒྱུར། ④«གཡུང་»«པེ་»གཞིས།

༥༨༠ ①«លི་»ཀྱི། ②«གཡུང་»«པེ་»འབྱུང་།

༥༨༡ ①«གཡུང་»«លི་»«པེ་»«སྣར་»«ཅོ་»«ཞོལ་»+བདེ་བར་གཤེགས་པ་དེ་ནི་མ་ལགས་སོ།། ②«ཅོ་»+འདི།
③«སྣར་»«ཞོལ་»སྟེ། ④«གཡུང་»«លི་»«པེ་»«སྣར་»«ཅོ་»«ཞོལ་»+བདེ་བར་གཤེགས་པ་དེ་ནི་མ་
ལགས་སོ།། ⑤«ཁུ་»མཛེད། ⑥«གཡུང་»«པེ་»འདོག ⑦«ཅོ་»–དུ། ⑧«លི་»སྤོངས་པ།

༥༨༢ ①«ཞོལ་»–རབ།

༥༨༣ ①«གཡུང་»«པེ་»གིས།

༥༨༤ ①«លི་»རིག ②«ཁུ་»–པ།

༥༨༥ ①«ཁུ་»ཀྱིས། ②«ཅོ་»+ལུང་འདོག་པ་དང་། ③«སྣར་»–དུ།

༥༨༦ ①«སྣར་»«ཞོལ་»བདར།

༥༨༧ ①②«གཡུང་»«པེ་»+ཟབ་མོ།

༥༨༨ ①«གཡུང་»«លི་»«པེ་»«ཅོ་»བྲི། ②«པེ་»«སྣར་»«ཞོལ་»བསྒོལ། ③«གཡུང་»«លི་»«པེ་»«ཅོ་»བྲི།
④«པེ་»«སྣར་»«ཞོལ་»བསྒོལ། ⑤«གཡུང་»«លི་»«པེ་»«ཅོ་»བྲི། ⑥«ཞོལ་»+སེམས་དཔའ།
⑦«ཁུ་»ཚིག

༥༨༩ ①«སྣར་»«ཞོལ་»བདར། ②«སྣར་»«ཞོལ་»ཙོག ③«སྣར་»«ཞོལ་»+པ། ④«སྣར་»«ཞོལ་»བདར།
⑤«ཞོལ་»ཙོག ⑥«སྣར་»«ཞོལ་»+པ། ⑦«གཡུང་»«པེ་»«ཁུ་»+ན། ⑧«លི་»ཟམ། ⑨«ཅོ་»ན།
⑩«ཁུ་»+ན། ⑪«གཡུང་»«པེ་»+ན།

༥༩༠ ①«གཡུང་»«លི་»«པེ་»«ཅོ་»བྲི། ②«གཡུང་»«លི་»དོན། ③«གཡུང་»«លི་»«པེ་»«ཅོ་»བྲི།
④«གཡུང་»«លི་»«པེ་»«ཅོ་»བྲི། ⑤«ཁུ་»བོག

༥༩༡ ①«གཡུང་»«លི་»«པེ་»«སྣར་»«ཅོ་»དཀྲི། ②«ཁུ་»པོ། ③«གཡུང་»«លི་»«པེ་»«སྣར་»དཀྲི།
④«ཁུ་»པོ།

༥༩༢ ①«ཁུ་»རྟོག ②«སྣར་»དབབ་པ། «ཞོལ་»ཕབ་པར། ③«លི་»གླིང་། «ཁུ་»གླིངས། ④«སྣར་»
«ཞོལ་»དབབ། ⑤⑥«སྣར་»«ཞོལ་»དབབ། ⑦«ཅོ་»ཡུང་།

༥༩༣ ①«གཡུང་»«པེ་»ཧོག

༥༩༤ ①«གཡུང་»«លི་»«པེ་»«ཅོ་»བྲི། ②«ཁུ་»སློག «ཞོལ་»བསླག ③«གཡུང་»«លི་»«པེ་»«སྣར་»

«ཅོ་»«ཞོལ་»བྲི། (༤)«ཁུ་»སློག «ཞོལ་»བསླག (༥)«གཡུང་»«པེ་»དཔོག (༦)«ཅོ་»རེག
(༧)«གཡུང་»«ལི་»«པེ་»«ཅོ་»པ་ནི་བྲི། «ཁུ་»ནི་འདི་འདྲི། (༨)«གཡུང་»«ལི་»«པེ་»«ཅོ་»བྲི།
(༩)«ལི་»སྲིད། (༡༠)«ལི་»«སྣར་»«ཞོལ་»སྒོམས། (༡༡)«ལི་»«སྣར་»«ཅོ་»«ཞོལ་»སྒོམས།

༥༩༦ (༡)«ཁུ་»སྲིད། (༢)«སྣར་»«ཞོལ་»སྒོམས། (༣)«ཁུ་»སྲིད། (༤)«ལི་»«སྣར་»«ཅོ་»«ཞོལ་»སྒོམས།
(༥)«གཡུང་»«ལི་»«པེ་»«ཁུ་»«ཞོལ་»འཆད་པ། (༦)«ཁུ་»+འདྲི། (༧)«ལི་»བྲུ། (༨)«གཡུང་»«པེ་»
ཀྱིས། (༩)«གཡུང་»«པེ་»ཚུ། (༡༠)«གཡུང་»«པེ་»ཕོར།

༥༩༧ (༡)«གཡུང་»«ལི་»«པེ་»«སྣར་»«ཞོལ་»འཆད་པ། (༢)(༣)«ཁུ་»འདུས། (༤)«གཡུང་»«པེ་»«ཅོ་»གྱིས།
ཁྱོད་ཀྱིས། «ཞོལ་»གྱི། ཁྱོད་ཀྱིས། (༥)«ལི་»འོངས་པའི། (༦)«སྣར་»«ཞོལ་»མི། (༧)«ཞོལ་»རྟེན།

༥༩༨ (༡)«ཅོ་»པར།

༥༩༩ (༡)«གཡུང་»«ལི་»«པེ་»«ཅོ་»བྲི། (༢)«གཡུང་»«ལི་»«པེ་»«སྣར་»«ཅོ་»«ཞོལ་»མཉན།

༦༠༠ (༡)«གཡུང་»«པེ་»འགྲོར། (༢)«གཡུང་»རྒྱུན།

༦༠༡ (༡)«པེ་»འབྲིས། (༢)«སྣར་»«ཞོལ་»གཟན་ཁྲོ། «ཁུ་»–ཁྲོ། (༣)«གཡུང་»«པེ་»འཇིག (༤)«སྣར་»
«ཞོལ་»གཟན། (༥)«གཡུང་»«པེ་»གྲིས། «ལི་»བྲིས།

༦༠༢ (༡)«པེ་»བྲིག (༢)«ལི་»བཞུག (༣)«ཁུ་»བསྡུ། (༤)«གཡུང་»«པེ་»ལྟུ། (༥)«ཁུ་»སློག

༦༠༣ (༡)«ཁུ་»ལྡན། (༢)«གཡུང་»«ལི་»«པེ་»«སྣར་»«ཅོ་»«ཞོལ་»ཁྲིད། (༣)«ལི་»ཅོམ་དུ་གྱུར། «ཁུ་»
ཆོམ་དུ་འགྱུར། (༤)«ལི་»བྲིད།

༦༠༤ (༡)«ཁུ་»དང་། (༢)«གཡུང་»«པེ་»གཅིས། (༣)«སྣར་»«ཞོལ་»+བདུད་ཀྱི་ལས་སུ།

༦༠༥ (༡)«སྣར་»«ཞོལ་»བསྟེན།

༦༠༦ (༡)«སྣར་»«ཞོལ་»ཉམས། (༢)«གཡུང་»«པེ་»«སྣར་»«ཅོ་»«ཞོལ་»སོགས། (༣)«གཡུང་»«ལི་»«པེ་»
«ཅོ་»ཏེ། (༤)«སྣར་»«ཅོ་»«ཞོལ་»–དེ། (༥)«སྣར་»«ཞོལ་»ཅིག (༦)«གཡུང་»«ལི་»«པེ་»«སྣར་»
«ཅོ་»«ཞོལ་»འདི། (༧)«གཡུང་»«པེ་»བྱོའོ། «ལི་»གྱིའོ། (༨)«གཡུང་»«ལི་»«པེ་»«སྣར་»«ཅོ་»
སྐྱེད། (༩)«སྣར་»«ཞོལ་»ཉམས།

༦༠༧ (༡)«གཡུང་»«ལི་»«པེ་»«སྣར་»«ཅོ་»«ཞོལ་»སྐྱེད། (༢)«སྣར་»«ཞོལ་»ཉམས།

༦༠༨ (༡)«ཞོལ་»–པ།

༦༠༩ (༡)«གཡུང་»«ལི་»«པེ་»དུཙ། (༢)«གཡུང་»«ལི་»«པེ་»«སྣར་»«ཅོ་»«ཞོལ་»–དེ། (༣)«ཅོ་»ཀླག
(༤)«གཡུང་»«ལི་»«པེ་»དྲུཙ། (༥)«ཅོ་»–བ།

༦༡༠ (༡)«གཡུང་»«ལི་»«པེ་»«སྣར་»«ཅོ་»«ཞོལ་»གི། (༢)«ཁུ་»སྟོང་།

༦༡༡ (༡)«གཡུང་»«པེ་»«ཅོ་»སྐྱེད། (༢)«ལི་»ལྡན།

༦༡༢ (༡)«ལི་»+སུ། (༢)«གཡུང་»«པེ་»པར།

༦༡༣ (༡)«གཡུང་»«ལི་»«པེ་»«ཅོ་»བྲི། (༢)«གཡུང་»ཀླག (༣)«པེ་»+ལ། (༤)«ཅོ་»–དུ། (༥)«ཅོ་»དང་ལྡན།

༤༡༤ ①«སྣར་»«ཞོལ་»+གི། ②«སྣར་»«ཞོལ་»བསྐྱེད། ③«ཅོ་»–ལ། ④«ལི་»«ཅོ་»གྱུར། ⑤«ལི་»
«ཅོ་»ལྡ་བུའི། ⑥«སྣར་»«ཞོལ་»བསྐྱེད། ⑦«གཡུང་»«པེ་»འཆད། ⑧«སྣར་»«ཞོལ་»བསྐྱེད།
⑨«གཡུང་»«ལི་»«པེ་»«ཁུ་»གའི། ⑩«ཅོ་»སྟན།

༤༡༥ ①«སྣར་»«ཞོལ་»བསྐྱེད། ②«གཡུང་»«པེ་»ཏེ། ③«ལི་»གར།

༤༡༦ ①«གཡུང་»«པེ་»རྣམ། ②«སྣར་»«ཅོ་»«ཞོལ་»བརྟེན། ③«གཡུང་»«པེ་»ཉམ། ④«སྣར་»«ཁུ་»
«ཞོལ་»ཆད།

༤༡༧ ①②«གཡུང་»«པེ་»སྐྱེད། ③«ཞོལ་»–དུ། ④«ཅོ་»–པ། «ཁུ་»འདྲི་བ།

༤༡༨ ①«ཁུ་»བྱང་།

༤༡༩ ①«གཡུང་»«པེ་»གྱི།

༤༢༠ ①«གཡུང་»«ལི་»«པེ་»«སྣར་»«ཅོ་»«ཞོལ་»+ཀྱི་བར། ②«གཡུང་»+ཏེ། ③«ཁུ་»འདི།
④«ཞོལ་»ཆེར། ⑤«གཡུང་»«པེ་»«སྣར་»«ཞོལ་»པ་ཛི། «ཅོ་»པར་ཛི། ⑥«ཁུ་»ཅི།

༤༢༡ ①«གཡུང་»«པེ་»«སྣར་»«ཞོལ་»པ། ②«གཡུང་»«ལི་»«པེ་»«སྣར་»«ཅོ་»«ཞོལ་»–པ་ལགས།
③«གཡུང་»«ལི་»«པེ་»«སྣར་»«ཅོ་»«ཞོལ་»ཏེ། ④«གཡུང་»«པེ་»«ཁུ་»ཛི།

༤༢༢ ①«ཞོལ་»–ཏུ། ②«ཞོལ་»–དང་། ③«ལི་»«ཅོ་»པར།

༤༢༣ ①«ཅོ་»–སེམས། ②«སྣར་»«ཞོལ་»དེ། ③«ཅོ་»དོ། ④«ཁུ་»ནི།

༤༢༤ ①«ཁུ་»ཅི།

༤༢༨ ①«ལི་»«ཅོ་»པར། ②«ཁུ་»བསྟར། ③«ལི་»«ཅོ་»པར།

༤༢༩ ①«ཅོ་»འཁྲུག་པ། ②«ཞོལ་»+པ། ③«ཁུ་»འཁྲུག་པ།

༤༣༠ ①«པེ་»བར། ②«སྣར་»«ཞོལ་»དོ།

༤༣༡ ①«ཞོལ་»–བ། ②«ཞོལ་»ནི། ③«ལི་»འཛིགས། ④«ཞོལ་»–བ། ⑤«ཞོལ་»–བ། ⑥«ཁུ་»
བསྒྲངས།

༤༣༢ ①«ཁུ་»ཅི། ②«ཞོལ་»–ཏུ།

༤༣༥ ①«ཁུ་»འབྱུང་། ②«གཡུང་»འོངས། ③«གཡུང་»«པེ་»དེ། ④«ཁུ་»པའི། ⑤«གཡུང་»ལྷར།
«པེ་»ལྷར་བས།

༤༣༦ ①«གཡུང་»«པེ་»སྐྱེད། ②«ཁུ་»ལག ③«གཡུང་»«པེ་»ནི། ④«ཞོལ་»གྱུར། ⑤«སྣར་»«ཞོལ་»
+རྫོགས་པར།

༤༣༧ ①«གཡུང་»གང་ལ། «པེ་»ག་ལ། ②«ཞོལ་»+རབ།

༤༣༨ ①«ལི་»«སྣར་»«ཅོ་»«ཞོལ་»འདུ། ②«གཡུང་»«ལི་»«པེ་»«སྣར་»«ཅོ་»«ཞོལ་»འདུ།

༤༣༩ ①«གཡུང་»«ལི་»«པེ་»«སྣར་»«ཅོ་»«ཞོལ་»འདུ། ②«ཞོལ་»–དུ། ③④⑤⑥⑦«གཡུང་»«ལི་»
«པེ་»«སྣར་»«ཅོ་»«ཞོལ་»འདུ། ⑧«གཡུང་»«པེ་»«སྣར་»«ཞོལ་»འདུ། ⑨«གཡུང་»«ལི་»«པེ་»

«སྣར་»«ཅོ་»«ཞོལ་»འདུ། ⑩⑪«ལི་»«ཅོ་»འདུ། ⑫«གཡུང་»«ལི་»«པེ་»«ཅོ་»ཀྱི།

༦༤༡ ①«གཡུང་»«པེ་»བ།

༦༤༢ ①«སྣར་»«ཞོལ་»–དག

༦༤༣ ①«ཞོལ་»–དེ།

༦༤༤ ①«གཡུང་»«པེ་»པ།

༦༤༥ ①②«གཡུང་»«པེ་»སྐྱིད། ③«ཞོལ་»–པོ།

༦༤༦ ①«གཡུང་»«པེ་»ནང་། ②«ཅོ་»+ནམ།

༦༤༧ ①«ཞོལ་»–ཀྱི།

༦༤༨ ①«གཡུང་»«པེ་»བསྐྱེད། ②«སྣར་»«ཞོལ་»–ན། «ཕུ་»ཏེ། ③«ཞོལ་»བ། ④«གཡུང་»«པེ་»ཏོ།
⑤«ཞོལ་»འབྲལ།

༦༤༩ ①«གཡུང་»«པེ་»ཏོ། ②«སྣར་»ལྡ། ③«གཡུང་»«པེ་»ཏོ།

༦༥༠ ①«གཡུང་»«པེ་»ཏོ། ②«སྣར་»བ། ③«གཡུང་»«པེ་»ཏོ། ④«ཞོལ་»–བར།

༦༥༡ ①«ཞོལ་»བྱུང་། ②«གཡུང་»«པེ་»སྟེ། ③«ལི་»ཞིས། ④«ཕུ་»ཏོ། ⑤«སྣར་»ཏེ།

༦༥༥ ①«གཡུང་»«ལི་»«པེ་»+པ།

༦༥༦ ①«ལི་»མ།

༦༥༧ ①«གཡུང་»–ཚད་མེད། ②«གཡུང་»«པེ་»«སྣར་»«ཅོ་»«ཕུ་»«ཞོལ་»སླམ།

༦༥༨ ①«གཡུང་»«ལི་»«པེ་»«སྣར་»«ཞོལ་»+པ། ②«གཡུང་»«ལི་»«པེ་»«སྣར་»«ཅོ་»«ཞོལ་»+པ།

༦༥༩ ①«ཞོལ་»–མི། ②«གཡུང་»«པེ་»ཤུས། ③«གཡུང་»«ལི་»«པེ་»«སྣར་»«ཅོ་»–པ།

༦༦༠ ①«ཞོལ་»+རོལ།

༦༦༤ ①«གཡུང་»–དང་།

༦༦༥ ①«སྣར་»«ཞོལ་»ལྡ། ②«གཡུང་»«པེ་»བརྟག་པ་བརྟག «ལི་»«སྣར་»«ཅོ་»«ཞོལ་»རྟག་པ་རྟག

༦༦༦ ①«གཡུང་»«པེ་»ན། ②«ཞོལ་»–པ། ③«པེ་»«ཞོལ་»བྱའོ། ④«གཡུང་»«ལི་»«པེ་»«སྣར་»
«ཅོ་»«ཞོལ་»+དེ།

༦༦༧ ①«གཡུང་»«པེ་»པོ། ②③«སྣར་»«ཞོལ་»བྱུང་། ④«ཞོལ་»–བར།

༦༦༨ ①②«སྣར་»«ཞོལ་»བྱུང་། ③«ཅོ་»བ། ④«སྣར་»«ཞོལ་»བཅལ། ⑤«གཡུང་»«ལི་»«པེ་»«སྣར་»
«ཅོ་»«ཞོལ་»–ཟབ་མོ། ⑥«ལི་»«ཅོ་»རྫོང་། ⑦«ཅོ་»ནེར།

༦༦༩ ①«སྣར་»«ཅོ་»«ཞོལ་»ངམ། ②«གཡུང་»«ལི་»«པེ་»«སྣར་»«ཅོ་»བསྒྲུང་བར། «ཞོལ་»སྒྲུང་བར།
③«གཡུང་» བླགས། «པེ་» བླགས། ④«གཡུང་»«པེ་»གྲུར་པར།

༦༧༠ ①«གཡུང་»«པེ་»འབྲི། ②«གཡུང་»«པེ་»འབྲིའོ། ③«གཡུང་»«ལི་»དོན། ④«གཡུང་»བླགས།
«པེ་»བླགས།

༦༧༡ ①«གཡུང་»«ལི་»«པེ་»«སྣར་»«ཅོ་»«ཞོལ་»+རོ།

༦༧༣ ①②«སྣར་»«ཞོལ་»མམ།

༦༧༤ ①«ཅོ་»+མི། ②«ལི་»«པེ་»«ཅོ་»ལས་གསར་དུ། «སྣར་»«ཞོལ་»+གསར་དུ།

༦༧༥ ①«ཅོ་»+སངས། ②«ཞོལ་»བསླག ③«ལི་»དོན། ④«ཞོལ་»–ཀྱི། ⑤«གཡུང་»«པེ་»–ལམ།

༦༧༦ ①«གཡུང་»«ལི་»«པེ་»«སྣར་»«ཅོ་»«ཞོལ་»+དག ②«གཡུང་»«ལི་»«པེ་»«ཅོ་»+ཞིག

༦༧༧ ①«སྣར་»«ཞོལ་»མམ། ②«ཅོ་»+ཞིང་། ③«ཅོ་»མི། ④«སྣར་»«ཞོལ་»མམ། ⑤«སྣར་»«ཞོལ་»
ཉམས། ⑥«ཁྲུ་»སྟོན།

༦༨༠ ①«གཡུང་»«པེ་»«སྣར་»«ཅོ་»«ཞོལ་»སྤོང་བ།

༦༨༡ ①«གཡུང་»འཚོའམ། ②③«གཡུང་»རྒྱ། ④«ཞོལ་»པར།

༦༨༢ ①②«གཡུང་»«པེ་»ལོག ③«སྣར་»«ཞོལ་»འཕང་བར། «ཅོ་»ཕོངས་པར། ④«སྣར་»ཚོས།
⑤«གཡུང་»«པེ་»གཏང་།

༦༨༣ ①«ཅོ་»ཀྱིས། ②«སྣར་»«ཞོལ་»འཕང་བར། «ཅོ་»ཕོངས་པར། ③«གཡུང་»«པེ་»ལྷགས།

༦༨༤ ①«ཞོལ་»དཔོ།

༦༨༥ ①«གཡུང་»«ལི་»«པེ་»«ཅོ་»«ཁྲུ་»«ཞོལ་»ལྟུང་། ②«གཡུང་»«ལི་»«པེ་»«སྣར་»«ཅོ་»«ཞོལ་»
དགོག ③«གཡུང་»«ལི་»«པེ་»«སྣར་»«ཅོ་»«ཞོལ་»ཉམ།

༦༨༦ ①«གཡུང་»«ལི་»«པེ་»«སྣར་»«ཅོ་»«ཞོལ་»དགོག ②«ཅོ་»ལ། ③«གཡུང་»«པེ་»«སྣར་»«ཅོ་»
«ཞོལ་»པར།

༦༨༧ ①«གཡུང་»«ལི་»«པེ་»«སྣར་»«ཅོ་»གིས། ②«ལི་»«སྣར་»«ཅོ་»གྱིས། ③«གཡུང་»དེག
④«ཅོ་»སྒོ། ⑤«ཅོ་»+པར། ⑥«སྣར་»མ།

༦༨༨ ①«ཁྲུ་»–ན། ②«གཡུང་»«པེ་»«སྣར་»«ཅོ་»«ཞོལ་»པར། ③«སྣར་»«ཞོལ་»བསྲུང་། ④«སྣར་»
བརྫོམ། «ཞོལ་»བརྩམ། ⑤«གཡུང་»«ལི་»«པེ་»«སྣར་»«ཅོ་»«ཁྲུ་»«ཞོལ་»ལྷུང་། ⑥«ཅོ་»དེ།

༦༨༩ ①«གཡུང་»«པེ་»བརྫོམ།

༦༩༠ ①«ཅོ་»ལྟར། ②«ལི་»«པེ་»«སྣར་»«ཅོ་»«ཞོལ་»ལྷུང་། ③«གཡུང་»འགྱུར།

༦༩༡ ①«གཡུང་»«པེ་»རློམས། ②«ཅོ་»+ལ།

༦༩༢ ①«ལི་»སོངས། ②«སྣར་»«ཅོ་»«ཁྲུ་»ལྷུང་། ③④⑤⑥«གཡུང་»«ལི་»«པེ་»«སྣར་»«ཅོ་»«ཞོལ་»
ལྷུང་། ⑦«ལི་»གིས། ⑧⑨«གཡུང་»«ལི་»«པེ་»«སྣར་»«ཅོ་»«ཞོལ་»ལྷུང་། ⑩«ཞོལ་»–ང་།

༦༩༣ ①«ལི་»–ཀྱི།

༦༩༤ ①«གཡུང་»ཐེག་པ། «པེ་»ཐེག ②«སྣར་»«ཞོལ་»–དེ།

༦༩༥ ①«གཡུང་»«པེ་»གཏང་། ②«ལི་»སླམས།

༦༩༦ ①«གཡུང་»དང་། ②«ལི་»–ཀྱས།

༦༩༧ ①«ཞོལ་»–དུ། ②«ལི་»+ཚུལ། ③«སྣར་»སྟོས། ④«གཡུང་»«ལི་»«པེ་»«ཅོ་»བསྟོས།

༦༩༨ ①«གཡུང་»དེ་ནི་བ།

༧༠༠ ①«གཡུང་»«པེ་»«སྣར་»«ཅོ་»«ཁུ་»«ཞོལ་»ཤེས། ②«ལི་»རྣམས།

༧༠༡ ①«གཡུང་»«ལི་»«པེ་»«སྣར་»«ཅོ་»+རང་།

༧༠༣ ①«གཡུང་»དོད། ②«ལི་»ཐབ། ③«ཞོལ་»དོ།

༧༠༥ ①«གཡུང་»སྐྱོད། ②«གཡུང་»«ལི་»«པེ་»«སྣར་»«ཅོ་»«ཞོལ་»སྤང་། ③«ཅོ་»ཏོ། ④«གཡུང་»«ལི་»«པེ་»རིམས་ཀྱིས། ⑤«ཅོ་»ཀྱིས། ⑥⑦«གཡུང་»རྒས། ⑧«གཡུང་»«པེ་»འབྲུགས།

༧༠༦ ①«ཅོ་»ཏོ།

༧༠༧ ①«གཡུང་»«པེ་»«སྣར་»«ཅོ་»«ཞོལ་»+ཏུ། ②«ལི་»ཉེན།

༧༠༩ ①«པེ་»«སྣར་»«ཅོ་»«ཞོལ་»ཏེ།

༧༡༠ ①«ཅོ་»+ཕ་རོལ་ན། ②«གཡུང་»འཕྲེལ། ③«ཁུ་»པ།

༧༡༡ ①«ཁུ་»བ། ②«སྣར་»རྟག ③«པེ་»«ཅོ་»དོ། ④«གཡུང་»པོའོ།

༧༡༢ ①«ཁུ་»དོ། ②«གཡུང་»«པེ་»ཉེན།

༧༡༣ ①«སྣར་»ངོ་། ②«གཡུང་»«ལི་»«པེ་»«སྣར་»«ཅོ་»«ཞོལ་»བའི།

༧༡༥ ①«ལི་»«པེ་»«ཅོ་»གྱིས། ②«གཡུང་»«པེ་»«སྣར་»«ཅོ་»«ཞོལ་»ཏེ། ③«ལི་»«སྣར་»«ཅོ་»«ཞོལ་»བསྐུལ། ④«ལི་»«སྣར་»«ཅོ་»ལ་མངོན། ⑤«སྣར་»«ཞོལ་»འདའ། ⑥«གཡུང་»«པེ་»རིགས། ⑦«སྣར་»«ཞོལ་»བརྟེན།

༧༡༦ ①«ཅོ་»ཀྱིས།

༧༡༧ ①«ལི་»+རིང་།

༧༡༨ ①«ཅོ་»ཏོ།

༧༢༠ ①«ཁུ་»ཏོ།

༧༢༡ ①«གཡུང་»«ལི་»«པེ་»«སྣར་»«ཅོ་»«ཞོལ་»འོང་བའམ་འགྲོ།

༧༢༣ ①«སྣར་»«ཞོལ་»+རབ་འབྱོར།

༧༢༥ ①«ལི་»–ལ།

༧༢༦ ①«སྣར་»འདའ། ②«གཡུང་»«ལི་»«པེ་»«ཅོ་»–ཉིད་ཀྱང་ཤིན་ཏུ་མི་དམིགས་ན།

༧༢༧ ①«ཁུ་»ལྟ་ག་ལ་ཡོད།

༧༢༩ ①«སྣར་»«ཞོལ་»འདའ། ②«ཞོལ་»དགའ། ③«ལི་»«ཅོ་»གི། ④«སྣར་»«ཞོལ་»འདའ། ⑤«ལི་»འདྲེལ།

༧༣༢ ①②③«སྣར་»«ཞོལ་»འདའ། ④«གཡུང་»«སྣར་»སྨས། ⑤«སྣར་»«ཞོལ་»ཉུང་། ⑥«གཡུང་»«ལི་»–ཆ། ⑦«སྣར་»«ཞོལ་»འདའ།

༧༣༣ ①«སྣར་»«ཞོལ་»ཞུང་། ②«གཡུང་»«པེ་»བཟླ་བ། «སྣར་»«ཞོལ་»འདའ་བ།

༧༣༨ ①«གཡུང་»«ལི་»«པེ་»«སྣར་»«ཅོ་»«ཞོལ་»—དགུ།

༧༣༩ ①«སྣར་»«ཞོལ་»དངངས།

༧༤༠ ①«ཅོ་»གཟུངས། ②«སྣར་»«ཞོལ་»དངངས། ③«སྣར་»«ཞོལ་»དངངས།

༧༤༡ ①«ཁུ་»འགོག

༧༤༢ ①«ལི་»«ཅོ་»རྟོགས།

༧༤༥ ①«པེ་»བུ་ནད། «སྣར་»«ཞོལ་»བུཏྲ། «ཁུ་»བུན་ད། ②«གཡུང་»ང་དང་། «པེ་»བ་དེར། ③«ཁུ་»—ལྡན། ④«སྣར་»«ཞོལ་»བཙལ།

༧༤༩ ①«གཡུང་»«པེ་»པ། ②«གཡུང་»«པེ་»པའི། «ཁུ་»ཀའི།

༧༥༠ ①«ལི་»འདུག

༧༥༡ ①«ཁུ་»དེ།

༧༥༣ ①«ཞོལ་»འཕྲིན། ②«གཡུང་»«པེ་»སྤན།

༧༥༥ ①«གཡུང་»—མ། ②«ལི་»ཆོས།

༧༥༦ ①«ལི་»«སྣར་»«ཅོ་»གི།

༧༥༨ ①«ལི་»«ཅོ་»+ན། ②«གཡུང་»ཚེད།

༧༦༡ ①«གཡུང་»«པེ་»རྣམ། ②«ལི་»«ཅོ་»ཐོག

༧༦༢ ①«གཡུང་»«ལི་»«པེ་»«སྣར་»«ཅོ་»«ཞོལ་»—གནས་པ། ②«ཁུ་»ནམ། ③«ཁུ་»ནམ། ④«སྣར་»མ།

༧༦༣ ①«ཁུ་»འཛི། ②«ཞོལ་»ཏེ།

༧༦༤ ①«ཁུ་»དེ། ②«ལི་»«ཅོ་»སོངས།

༧༦༥ ①«ཁུ་»དེ། ②«གཡུང་»«པེ་»«ཁུ་»ཀྱི།

༧༦༦ ①«ཅོ་»«ཁུ་»དེ། ②«གཡུང་»«ལི་»«པེ་»«ཅོ་»དེ། ③«ཁུ་»—གཉིས་སུ་མེད་དེ། ④«ཁུ་»+དེ་བཞིན། ⑤«ཞོལ་»དོ། ⑥«གཡུང་»དེ།

༧༦༧ ①«གཡུང་»«པེ་»ཀྱི།

༧༦༨ ①«གཡུང་»«ལི་»«པེ་»«ཅོ་»ཀྱིས། ②«པེ་»ཀྱིས།

༧༦༩ ①«ཅོ་»+དང་། ②«གཡུང་»«ལི་»«པེ་»«སྣར་»«ཅོ་»«ཞོལ་»+རབ་ཏུ། ③«ཁུ་»ལ་དེ།

༧༧༡ ①«ཁུ་»ནམ། ②«ལི་»—ཀྱི།

༧༧༢ ①«སྣར་»«ཞོལ་»དམིགས་པར་ལྟ། ②«གཡུང་»«པེ་»«སྣར་»«ཁུ་»«ཞོལ་»ཏེའི།

༧༧༣ ①«སྣར་»«ཁུ་»«ཞོལ་»ཉམས།

༧༧༤ ①«གཡུང་»«པེ་»ཏེ། «སྣར་»«ཞོལ་»ནོ། ②«ལི་»བསྒོམས། ③«ལི་»བརྩམས། ④«སྣར་»«ཞོལ་»

བསྡུང་། ⑤«སྣར་»«ཞོལ་»བརྩམ། ⑥«ཅོ་»གཞག ⑦«གཡུང་»«པེ་»«སྣར་»«ཅོ་»«ཁུ་»«ཞོལ་»མི།

༧༧༥ ①«ཞོལ་»མངོན། ②«སྣར་»«ཞོལ་»བརྟེན།

༧༦༦ ①«ཁུ་»ཕྱིར། ②«ཞོལ་»སྨྲད། ③«སྣར་»«ཞོལ་»བསྡུང་། ④«སྣར་»«ཞོལ་»བཙོམ།

༧༧༧ ①«གཡུང་»«པེ་»«ཁུ་»བཙོམས། ②«ཁུ་»བས། ③«སྣར་»«ཞོལ་»བསྡུང་། ④«སྣར་»«ཁུ་»«ཞོལ་»བསྒྲུབ།

༧༧༨ ①«སྣར་»«ཞོལ་»བཙོམ། ②«སྣར་»«ཅོ་»«ཞོལ་»པ། ③«གཡུང་»«པེ་»—ན། ④«ཁུ་»ཙོམས།

༧༨༠ ①«གཡུང་»«པེ་»+གང་གིས་མངོན་པར་རྫོགས་པར་འཚང་རྒྱ་བ་དང་། ②«སྣར་»«ཞོལ་»ནམ། ③«གཡུང་»«ལི་»«པེ་»«སྣར་»«ཅོ་»«ཞོལ་»པ། ④«གཡུང་»«པེ་»«ཅོ་»«ཁུ་»—མ། ⑤«གཡུང་»བཏོང་། ⑥«སྣར་»«ཅོ་»«ཁུ་»«ཞོལ་»པ། ⑦«ལི་»«སྣར་»«ཅོ་»བཙོམས། ⑧«གཡུང་»«ལི་»«པེ་»«ཅོ་»སྒོམས།

༧༨༡ ①«གཡུང་»«ལི་»«པེ་»«སྣར་»«ཅོ་»«ཞོལ་»+ལ། ②«གཡུང་»«པེ་»བཙོམ། ③«ལི་»«སྣར་»«ཅོ་»«ཁུ་»སྤྱོད། ④«ཁུ་»བྱོ།

༧༨༢ ①«ཞོལ་»པ། ②«ལི་»«ཅོ་»བགྱིའ།

༧༨༣ ①«གཡུང་»«པེ་»གཏོང་། ②«ཁུ་»བརྩམས།

༧༨༤ ①«གཡུང་»«པེ་»«སྣར་»«ཁུ་»«ཞོལ་»གྱི།

༧༨༦ ①«ཁུ་»+རིག་པར། ②«ཁུ་»—ཅི།

༧༨༧ ①«ཁུ་»གཟུགས།

༧༩༡ ①«ཁུ་»ཕོའི། ②«སྣར་»«ཞོལ་»དངངས།

༧༩༢ ①«ཞོལ་»སེམ།

༧༩༣ ①«པེ་»ཕོ། ②«ལི་»བསྐྱིད། ③«པེ་»བུ་ནུའི། ④«གཡུང་»«པེ་»ཕོ། ⑤«གཡུང་»«པེ་»«ཁུ་»«ཞོལ་»སྤོང་བའི། ⑥«གཡུང་»«ལི་»«པེ་»«སྣར་»«ཅོ་»«ཁུ་»«ཞོལ་»སྤོང་། ⑦«ལི་»«སྣར་»«ཅོ་»གིས། ⑧«གཡུང་»«ལི་»«པེ་»«སྣར་»«ཅོ་»«ཁུ་»«ཞོལ་»སྤོང་། ⑨«གཡུང་»«པེ་»«ཞོལ་»གི། ⑩«སྣར་»རྫུན།

༧༩༤ ①«པེ་»ཡང་།

༧༩༥ ①«གཡུང་»«པེ་»གཏང་།

༧༩༧ ①«ཅོ་»པར།

༧༩༨ ①«གཡུང་»«པེ་»གིས། ②«གཡུང་»«པེ་»སྤང་། ③«གཡུང་»«ལི་»«པེ་»«སྣར་»«ཅོ་»སྤང་།

༧༩༩ ①«གཡུང་»«པེ་»གིས། ②«གཡུང་»—བར།

༨༠༠ ①«གཡུང་»«ལི་»«པེ་»«སྣར་»«ཅོ་»གིས། ②«གཡུང་»+བ། ③«གཡུང་»«ལི་»«པེ་»«སྣར་»«ཅོ་»སྐྱེད།

༨༠༡ ①«གཡུང་»«ལི་»«ཅོ་»པར།

༨༠༤ ①«གཡུང་»«པེ་»«སྣར་»«ཞོལ་»+མཚན་མ་ཉི་གང་ལགས། ②«ཕུ་»དང་། ③«གཡུང་»སྨྲ། ④«སྣར་»«ཞོལ་»འཆོལ།

༨༠༥ ①«གཡུང་»ཕྱོག ②«ཅོ་»ཕྱོག ③«ཅོ་»གསམ། ④«གཡུང་»«པེ་»པའི།

༨༠༦ ①«གཡུང་»ཡོག

༨༠༧ ①«གཡུང་»གང་གིས། ②«ལི་»པའི་མ། ③«སྣར་»བ། ④«གཡུང་»«པེ་»«ཕུ་»«ཞོལ་»སྦྱོང་།

༨༠༨ ①«ཕུ་»དེ་དག ②«གཡུང་»«པེ་»«སྣར་»«ཕུ་»«ཞོལ་»སྤྱངས་། ③«གཡུང་»«ལི་»«པེ་»«ཅོ་»གིས། ④«སྣར་»«ཞོལ་»བསྒྲུང་། ⑤«ཞོལ་»བརྗོམ།

༨༠༩ ①«ཅོ་»རིགས། ②«གཡུང་»«པེ་»བབ། ③«གཡུང་»«ལི་»«པེ་»«སྣར་»«ཅོ་»«ཞོལ་»བསམས། ④«ལི་»«ཅོ་»སོངས། ⑤«གཡུང་»«པེ་»«སྣར་»«ཕུ་»«ཞོལ་»ཚོམ། ⑥«ཅོ་»ནི། ⑦«གཡུང་»«ལི་»«པེ་»«སྣར་»«ཕུ་»«ཞོལ་»ཚོམ།

༨༡༠ ①«གཡུང་»«ལི་»«པེ་»«སྣར་»«ཕུ་»«ཞོལ་»ཚོམ། ②«ཕུ་»པའམ། ③«སྣར་»«ཞོལ་»ནམ། ④«སྣར་»«ཕུ་»«ཞོལ་»གི།

༨༡༡ ①«གཡུང་»«པེ་»+ཐམས་ཅད་ཏུ། ②«ཕུ་»དོ། ③«གཡུང་»འཕྲས།

༨༡༣ ①«ཅོ་»ལ། ②«ཅོ་»བསྐུར།

༨༡༤ ①«གཡུང་»«ལི་»«པེ་»«སྣར་»«ཅོ་»«ཞོལ་»འབྲུག ②«ཅོ་»ཏོག ③«ཅོ་»སྦྱོར། ④«ཅོ་»མ་སྦྱོར་བ། ⑤«ཅོ་»མིག

༨༡༥ ①«ཅོ་»པ། ②«ཅོ་»བསྟོན། ③«གཡུང་»བཏུད། «ཅོ་»དེ་ཏུང་། ④«སྣར་»«ཞོལ་»ཞིག ⑤«གཡུང་»«པེ་»བྱས། ⑥«ཅོ་»འབྲུགས། ⑦«ཅོ་»པའི།

༨༡༦ ①«སྣར་»«ཞོལ་»ཐོངས།

༨༡༧ ①«སྣར་»«ཞོལ་»ཐོངས། ②«སྣར་»ན། ③«གཡུང་»«པེ་»རྟེན། ④«གཡུང་»«པེ་»རྟེན།

༨༡༨ ①«ཞོལ་»ཟློག ②«སྣར་»ཏེ། ③«གཡུང་»«པེ་»«སྣར་»«ཞོལ་»+རྟེན་ཅིང་འབྲེལ་བར་འབྱུང་བའམ། ④«ཞོལ་»པའམ། ⑤«སྣར་»«ཞོལ་»ནམ།

༨༡༩ ①«ཞོལ་»གྱི།

༨༢༠ ①«སྣར་»«ཞོལ་»ཕྱུངས། ②«སྣར་»«ཞོལ་»ཚད། ③«སྣར་»«ཞོལ་»–མཚན། ④«གཡུང་»«པེ་»འབྲུག ⑤«ཅོ་»པ། ⑥«ཞོལ་»གྱི།

༨༢༡ ①«སྣར་»སྤང་།

༨༢༢ ①«གཡུང་»«ལི་»«པེ་»«ཅོ་»བཏམས། ②«པེ་»རོ། ③«གཡུང་»«པེ་»དོ། ④«སྣར་»«ཞོལ་»སླན། ⑤«སྣར་»«ཞོལ་»དངངས། ⑥«གཡུང་»«པེ་»གོང་། ⑦«གཡུང་»«པེ་»«ཞོལ་»–བ། «ལི་»«སྣར་»«ཅོ་»བ་སྐྱིད།

༡༢༣ ①«གཡུང་»རེ་ཀན། «པེ་»རོ་སྐན། ②«ལི་»བསྟེན། ③«གཡུང་»«ལི་»«པེ་»«སྣར་»«ཅོ་»«ཞོལ་»བསླབས། ④«སྣར་»«ཞོལ་»ཉམས།

༡༢༤ ①②③④⑤«སྣར་»«ཞོལ་»ཉམས། ⑥⑦«སྣར་»«ཞོལ་»ཉམས། ⑧⑨«སྣར་»«ཞོལ་»ཉམས་སོ།

༡༢༥ ①«ལི་»གིས། ②«གཡུང་»དེའི།

༡༢༦ ①«སྣར་»«ཅོ་»«ཞོལ་»སྐྱེ་བ། ②«པེ་»པར།

༡༢༧ ①«ཞོལ་»ཀྱི། ②«གཡུང་»«པེ་»ཏེ།

༡༢༨ ①«ཞོལ་»ལོག ②«གཡུང་»«ལི་»«སྣར་»«ཅོ་»«ཞོལ་»མ་ལོག

༡༢༩ ①«ཁུ་»ཛུ། ②«གཡུང་»«པེ་»བསྒྲུབ།

༡༣༠ ①«གཡུང་»—ཡིན། ②«ཞོལ་»+མ།

༡༣༡ ①«སྣར་»«ཞོལ་»ལྟ། ②«ཅོ་»བླིང་། ③«གཡུང་»«ལི་»«པེ་»«ཅོ་»+ལ།

༡༣༢ ①②«གཡུང་»«པེ་»གཞོན། ③④«གཡུང་»«ལི་»«པེ་»«སྣར་»«ཅོ་»«ཞོལ་»ཕྲེང་། ⑤⑥«གཡུང་»«ལི་»«པེ་»«ཅོ་»ནྡྷཱ། ⑦«གཡུང་»«པེ་»གིས། ⑧«ཞོལ་»—ས། ⑨«གཡུང་»«པེ་»དོ། ⑩«གཡུང་»«པེ་»སྐྱལ།

༡༣༣ ①«སྣར་»«ཞོལ་»ཆད། ②«ལི་»—པར། ③«སྣར་»«ཞོལ་»ཆད།

༡༣༤ ①«ཅོ་»ཅི། ②«གཡུང་»«པེ་»དུ།

༡༣༥ ①«གཡུང་»«ལི་»«པེ་»«སྣར་»«ཅོ་»«ཞོལ་»འཚོ། ②«ཞོལ་»གྱི། ③«སྣར་»«ཞོལ་»བྱུངས།

༡༣༦ ①«ཅོ་»—དེ། ②«ལི་»རྟོན།

༡༣༧ ①«གཡུང་»«པེ་»གིས་བཏམ། «ཁུ་»«ཞོལ་»གི་གཏམ། ②«ཅོ་»འབྲུག ③«ཞོལ་»དང་།

༡༣༨ ①«ལི་»«སྣར་»«ཅོ་»«ཞོལ་»བསྐྱལ། ②«ཁུ་»ཅིང་།

༡༣༩ ①«ཅོ་»ཅོམ།

༡༤༠ ①«ཁུ་»བྱུ་དང་། ②«གཡུང་»«ལི་»«པེ་»«ཅོ་»འཛོམ་ཞིང་། «སྣར་»«ཞོལ་»འཛོམས་ཤིང་། ③«ཅོ་»བའི། ④«ཅོ་»གའི། ⑤«སྣར་»+རབ་འབྱོར་དེ་བཞིན་དུ། …… ཀུན་ནས་ལྡང་བ་དེ་འཆི་ཀའི་བར་དུ་ཡང་རྗེས་སུ་འབྲང་ངོ་།། (གོང་གི་དུམ་བུ་འདི་[དེབ་འདིའི་ལྡེབ་༡༣༥ང༩—༡༤༠ང༡༠]བར་«སྣར་»ལ་བསྐྱར་ཟློས་སུ་འཁོད།)

༡༤༡ ①«སྣར་»ན། ②«ཅོ་»—མི།

༡༤༢ ①«གཡུང་»«པེ་»སྐྱལ།

༡༤༤ ①«པེ་»དོ། ②«པེ་»«ཅོ་»སྟོང་། ③«ཅོ་»+ན།

༡༤༥ ①«གཡུང་»«ལི་»«པེ་»«སྣར་»«ཅོ་»«ཞོལ་»+སེམས་དཔའ། ②«གཡུང་»«ལི་»«པེ་»«སྣར་»«ཅོ་»«ཞོལ་»གསུང་བ།

༡༤༦ ①«ཁུ་»གསུངས། ②«ལི་»«པེ་»ཚབ། ③«ཅོ་»གི། ④«གཡུང་»«པེ་»བརྡའ།

༨༤༧ ①«གཡུང་»བསྐྱུད། «ལི་»«པེ་»«སྣར་»«ཅོ་»«ཞོལ་»བསྐྱེད། ②«གཡུང་»བསྐྱུད། «ལི་»«པེ་»«སྣར་»«ཅོ་»«ཞོལ་»བསྐྱེད། ③«ལི་»«ཅོ་»མོངས། ④«གཡུང་»«ལི་»«པེ་»«སྣར་»«ཅོ་»«ཞོལ་»+དག ⑤«གཡུང་»«ལི་»«པེ་»«སྣར་»«ཅོ་»«ཞོལ་»+དག

༨༤༨ ①«སྣར་»ཁྱེད། ②«སྣར་»«ཞོལ་»–ཁྱོད།

༨༤༩ ①«ཅོ་»ངོ་། ②«ལི་»གྲི།

༨༥༠ ①«ལི་»«ཅོ་»–སྟོང་པ་ཉིད་ཐམས་ཅད་དང་། ②«ལི་»«སྣར་»«ཅོ་»«ཞོལ་»པའོ།

༨༥༤ ①«ཅོ་»+ཟབ་མ། ②«གཡུང་»«པེ་»+ཟབ་མོ། ③«སྣར་»«ཞོལ་»བསྒྲུབ། ④«གཡུང་»«ལི་»«པེ་»«སྣར་»«ཅོ་»«ཞོལ་»ལ་བལྟ། ⑤«ཅོ་»ནི།

༨༥༥ ①«གཡུང་»བརྟེ། ②«སྣར་»«ཞོལ་»སྤྱང་བར། ③«པེ་»མ།

༨༥༦ ①«ཅོ་»+ཆོས། ②«ཅོ་»–ཏུ། ③«ཞོལ་»–ལས། ④«གཡུང་»–བྱང་ཆུབ་སེམས་དཔའ་དང་།

༨༥༧ ①«གཡུང་»«པེ་»པའི།

༨༥༨ ①«ཁུ་»པའོ། ②«གཡུང་»+ཀྱི། ③«སྣར་»«ཁུ་»«ཞོལ་»–དང་།

༨༥༩ ①«ཅོ་»–མ། ②«གཡུང་»«པེ་»སྲུང་གི་བྱེད། ③«པེ་»དང་།

༨༦༠ ①«གཡུང་»«པེ་»བསྐབས། ②«ཁུ་»པོར། «སྣར་»«ཞོལ་»པོ། ③«ཅོ་»པོ། ④«གཡུང་»«པེ་»གའི། ⑤«ཁུ་»སྟན། ⑥«གཡུང་»ལྷ་སྟོ།

༨༦༡ ①②«གཡུང་»«ལི་»སྟོ། ③«ཅོ་»རངས།

༨༦༢ ①«གཡུང་»«ལི་»«པེ་»འདི། «ཅོ་»–ཡང་། ②«གཡུང་»ནང་།

༨༦༣ ①«གཡུང་»«པེ་»འདུས།

༨༦༤ ①«གཡུང་»–མེད། ②«སྣར་»«ཞོལ་»+པ་དང་། ③«སྣར་»«ཁུ་»«ཞོལ་»ཞིག ④«པེ་»དམ། «སྣར་»«ཞོལ་»ནམ། ⑤«གཡུང་»«ལི་»«པེ་»«ཅོ་»དམ། «སྣར་»«ཞོལ་»ནམ།

༨༦༥ ①«སྣར་»ན། ②«ཅོ་»+མ། ③«ཅོ་»–མ།

༨༦༦ ①«ཁུ་»ནམ། ②«པེ་»+བཞི། ③«གཡུང་»«པེ་»འགྱུར། «ཅོ་»བྱུར།

༨༦༧ ①«གཡུང་»«པེ་»–ནི། ②«གཡུང་»«པེ་»+པོ་གང་རྣམས།

༨༦༩ ①«ཅོ་»+རྣམས།

༨༧༠ ①«གཡུང་»«པེ་»སྐྱོད། ②«གཡུང་»«ལི་»«པེ་»སྐྱེད། ③«གཡུང་»ཡོན་ཏན། ④«གཡུང་»«པེ་»«སྣར་»«ཅོ་»«ཞོལ་»+སེམས་དང་། ⑤«གཡུང་»«པེ་»བསྔགས། ⑥«ཞོལ་»ཐྲད།

༨༧༡ ①②«གཡུང་»«པེ་»འཇལ། ③«གཡུང་»«པེ་»རྟེན། ④«སྣར་»«ཞོལ་»+དེ་དེ་བཞིན་ནོ། ⑤«གཡུང་»«པེ་»རྟེན།

༨༧༣ ①«གཡུང་»«ལི་»«པེ་»«ཅོ་»–པ། ②«གཡུང་»«པེ་»རྟེན།

༨༧༤ ①«ཅོ་»བྱ།

༨༧༥ ①«ཅོ་»+གསོལ་བ། ②«པེ་»«སྣར་»«ཁྲུ་»+དེ། ③«ཁྲུ་»གོང་། ④«སྣར་»པར།

༨༧༧ ①«ཅོ་»དག ②«གཡུང་»«པེ་»+རབ་ཏུ། ③«ཅོ་»ཤིད། ④«གཡུང་»«པེ་»ནས།

༨༧༨ ①②③④«ཞོལ་»གསོག ⑤«གཡུང་»«པེ་»+དེ་ལས། ⑥«ཅོ་»བསམ། ⑦«གཡུང་»–མི། ⑧«གཡུང་»གཟུ། «པེ་»གཟུ།

༨༧༩ ①«གཡུང་»«པེ་»པ། ②«གཡུང་»ཆེན། ③«གཡུང་»«པེ་»པས། ④«གཡུང་»པ། འདི། «ཁྲུ་» ན། དེ། ⑤«གཡུང་»དྲི་མ།

༨༨༠ ①«ཅོ་»གི། ②«གཡུང་»«ཅོ་»གང་གིས་ལན་སློན་པ་དང་། «པེ་»–གང་གིས་ལན་གླན་པ་དང་། ③«གཡུང་»«པེ་»སློན། ④«ཅོ་»–གང་།

༨༨༡ ①«ཅོ་»ལ། ②«སྣར་»«ཞོལ་»–ལུང་བསྟན་པར་གྱུར་པའི་ཆོས་དེ་ནི་འདི་འོ།།

༨༨༢ ①«གཡུང་»«ལི་»«པེ་»«སྣར་»«ཅོ་»«ཁྲུ་»«ཞོལ་»ཚོམ། ②«སྣར་»«ཞོལ་»དངངས།

༨༨༣ ①«ཞོལ་»བྱུང་བ། ②«ཁྲུ་»དཔའི། ③«ཞོལ་»བརྫུན།

༨༨༤ ①«སྣར་»«ཞོལ་»བརྗེག ②«སྣར་»«ཅོ་»སྦྱོད།

༨༨༥ ①«གཡུང་»«པེ་»པར། ②«ཁྲུ་»གོད། ③«གཡུང་»«པེ་»«སྣར་»«ཅོ་»«ཞོལ་»སྒྲིབ།

༨༨༧ ①«གཡུང་»«པེ་»ཕོག ②«གཡུང་»«ལི་»«པེ་»«སྣར་»«ཅོ་»«ཞོལ་»+གང་། ③«ཁྲུ་»འགྱུར། ④«གཡུང་»+ཕྱིན། ⑤«གཡུང་»«ལི་»«པེ་»«སྣར་»«ཞོལ་»བ་པའི།

༨༨༨ ①«གཡུང་»«ལི་»«པེ་»–ན། ②«གཡུང་»«པེ་»–པ། ③«གཡུང་»ལུས། «ཅོ་»ཁང་། ④«གཡུང་»«ལི་»«པེ་»«ཅོ་»འཁྲིལ། ⑤«ཁྲུ་»འགྱུར་བ། «ཞོལ་»–གྱུར་པ།

༨༨༩ ①«གཡུང་»«པེ་»ཧུཛ། «ལི་»«ཅོ་»དུཛ། ②«གཡུང་»«པེ་»སྦྱོད།

༨༩༠ ①«གཡུང་»«ལི་»«པེ་»–ན། ②«གཡུང་»བྱ་སོ། «པེ་»བྱའོ། ③«ཅོ་»–ནི།

༨༩༡ ①«ཁྲུ་»+ནམ།

༨༩༢ ①«ཅོ་»–པ།

༨༩༣ ①«གཡུང་»«པེ་»«ལི་»«ཅོ་»«ཞོལ་»ལས་སྐྱེ་བ། «སྣར་»ནས་སྐྱེ་བ། ②«གཡུང་»«ལི་»«པེ་»«སྣར་»«ཅོ་»«ཞོལ་»སྐྱེ་བ། ③«གཡུང་»«ལི་»«པེ་»«སྣར་»«ཅོ་»«ཞོལ་»སྐྱེ་བའི། ④«ཅོ་»རྫུ་བར། ⑤«ལི་»«ཅོ་»–ནི།

༨༩༤ ①«སྣར་»«ཞོལ་»བཤད་། ②«སྣར་»+ཞུས་དག

བསྡུར་འབྲས་རེའུ་མིག

ཤེར་ཕྱིན།

དཔེ་གཞི།	སྡེ་ཚན།	པོད་རྟགས།	ཚན་གྲངས།	ལེའུ།	བམ་པོ།	སྐྱེབ།	ཕྲེང་།	ཚིག་ཁྲིམ།
སྡེ་དགེ།	ཞི་ཁྲི།	ཁ	༡	– ༡༨– ༨༡ –	༢༧ – ༥༢	༡ན[༡] – ༣༩༣ན[༦]	༥༨༤༨	༢༤༤༡༩༡
གཡུང་མོ།	ཞི་ཁྲི།	ཁ	༡	– ༡༨– ༢༧ –	༢༤ – ༨༠	༤༩བ[༨] – ༣༡༡ན[༨]	༣༥༨༨	༢༤༠༠༥༡
		ག		– ༢༤ – ༨༡ –	༨༡ – ༥༢	༡ན[༡] – ༡༤༩ན[༨]	༣༠༠༨	༢༤༠༠༥༡
ལི་ཐང་།	ཞི་ཁྲི།	ཁ	༡	– ༡༨– ༢༧ –	༢༧ – ༨༠	༩༡བ[༤] – ༣༡༣ན[༦]	༣༥༣༤	༡༤༨༠༡༡
		ག		– ༢༤ – ༨༡ –	༨༡ – ༥༢	༡ན[༡] – ༡༧༤ན[༧]	༢༤༨༤	༡༠༨༦༨༨
པེ་ཅིན།	ཞི་ཁྲི།	ཏ	༡	– ༡༨– ༢༧ –	༢༧ – ༨༠	༤༩ན[༨] – ༣༡༡ན[༨]	༣༥༨༨	༢༡༨༦༨༣
		ཐ		– ༢༤ – ༨༡ –	༨༡ – ༥༢	༡ན[༡] – ༡༤༩བ[༨]	༣༠༠༨	༧༣༤༨༩
སྣར་ཐང་།	ཞི་ཁྲི།	ཀ	༡	– ༡༨–	༡ – ༢༧	༥༢༥བ[༥] – ༥༨༧ན[༣]	༣༥༦	༡༡༨༦
		ཁ		– ༡༨– ༨༡ –	༢༤ – ༥༢	༡ན[༡] – ༥༨༥ན[༣]	༧༦༢༦	༢༤༧༡༨༦
ཅོ་ནེ།	ཞི་ཁྲི།	ཁ	༡	– ༡༨– ༢༧ –	༢༧ – ༨༠	༡༠༡ན[༡] – ༣༨༧ན[༥]	༣༩༢༨	༡༤༢༤༦༩
		ག		– ༢༤ – ༨༡ –	༨༡ – ༥༢	༡ན[༡] – ༢༠༤ན[༡]	༣༣༠༤	༡༠༥༥༣༢
ཁུ་རེ།	ཞི་ཁྲི།	ཁ	༡	– ༡༨– ༨༡ –	༢༧ – ༥༢	༡ན[༡] – ༣༩༣ན[༦]	༥༨༤༨	༢༤༤༢༣༩
ཞོལ།	ཞི་ཁྲི།	ཀ	༡	– ༡༨–	༡ – ༢༧	༥༣༧བ[༥] – ༥༥༤ན[༦]	༢༤༩	༡༠༦༨༡
		ཁ		– ༡༨– ༨༡ –	༢༤ – ༥༢	༡ན[༡] – ༥༨༤ན[༦]	༧༦༥༠	༢༧༧༢༤༤

༄། །སངས་རྒྱས་ཀུན་གྱི་ཡེ་ཤེས་ཐུགས། །མངོན་མཚན་བྱང་ཆུབ་མཆོད་པའི་རྟེན། །

༄། །བཀའ་འགྱུར་ལས་འབུམ། ཉི་ཁྲི།
བརྒྱད་སྟོང་བཞུགས་སོ། །
ཉི་ཁྲི། ཀ

ཀྲུང་གོའི་བོད་རིག་པ་ཞིབ་འཇུག་ལྟེ་གནས་ཀྱི་བཀའ་བསྟན་
དཔེ་སྒྲུར་ཁང་གིས་དཔེ་སྒྲུར་ཞུས།

*

ཀྲུང་གོའི་བོད་རིག་པ་དཔེ་སྐྲུན་ཁང་གིས་བསྐྲུན་ཏེ་བཀྲམ།
ཀྲུང་གོའི་གློག་བརྙན་དཔེ་སྐྲུན་ཁང་པར་ཁང་གིས་དཔར་བཏབ།
སྤྱི་ལོ་༢༠༡༢ལོའི་ཟླ་༨པར་པར་གཞི་དང་པོ་བསྒྲིགས།
སྤྱི་ལོ་༢༠༡༢ལོའི་ཟླ་༨པར་པར་ཐེངས་དང་པོ་བཏབ།
དེབ་ཚད། ༡༧༨mm × ༡༠༩༢mm ༡/༡༦
དཔར་གྲངས། ༠༠༠༡—༡༠༠༠
ISBN 978 – 7—80253—528 – 2/B・146
རིན་གོང(དེབ་༡–༡༦༥) | ༣༩༠༠.༠༠

图书在版编目(CIP)数据

甘珠尔-般若部:全16册:藏文/
中国藏学研究中心《大藏经》对勘局对勘,

-北京:中国藏学出版社,2012.6
ISBN 978-7-80253-528-2
Ⅰ.①甘… Ⅱ.①中…Ⅲ.①大藏经-藏语 Ⅳ.①B941.

中国版本图书馆CIP数据核字(2012)第127635号

甘珠尔·般若部

第十四卷

中国藏学研究中心《大藏经》对勘局对勘

*

中国藏学出版社出版发行

(北京北四环东路131号)

中国电影出版社印刷厂印刷

*

开本:787mm×1092mm 1/16 总印张:880.25

2012年8月第1版 2012年8月第1次印刷

印数:0001—1000册

ISBN 978-7-80253-528-2/B·146

定价(全套1-16册):3900.00元